BIOCHIMIE ET BIOLOGIE MOLÉCULAIRE

BIOCHIMIE ET BIOLOGIE MOLÉCULAIRE

Cours

Werner Müller-Esterl
Professeur au Centre Hospitalier Universitaire de Francfort

Préface de
Jean-Marie Lehn

Traduit par
Olivier Danot
Chantal Dauphin-Villemant
Detlef Böcking

This is a translation of *Biochemie-Eine Einfürhung für Mediziner und Naturwissenschaftler* by Werner Müller-Esterl (ISBN : 3-8274-0534-3).

L'édition originale de cet ouvrage a été publiée en 2004 en Allemagne par Elsevier sous le titre *Biochemie-Eine Einführung für Mediziner und Naturvissenschaftler* par Werner Müller-Esterl (ISBN : 3-8274-0534-3).

Relecture scientifique de la traduction française

Pierre Le Maréchal

Illustration de couverture

La dynamique des liaisons de facteurs de transcription à l'ADN.
Conception graphique : Ansgar Philippsen, Biocentre, université de Bâle.

ISBN 978-2-10-049747-8

Préface

Ceux qui se consacrent à la recherche dans le domaine de la biologie moderne tout en enseignant cette matière à de jeunes étudiants n'ignorent pas combien il est important de disposer de supports d'enseignement attractifs. Werner-Müller-Esterl, professeur de biochimie au Centre Hospitalier Universitaire de Francfort, nous avait offert avec la première édition allemande de son manuel *Biochimie – Initiation à l'usage des étudiants en médecine et en Sciences de la Vie* un tour d'horizon magistral de la biochimie moderne. Par son contenu intelligemment structuré, enrichi d'illustrations claires et attrayantes, cet ouvrage proposait un voyage passionnant à travers le vaste monde des biomolécules et de leurs interactions dans les cellules et les tissus et permettait au débutant de se familiariser aisément avec les concepts moléculaires fondamentaux.

C'est pourquoi je me réjouis de la parution d'une édition française établie d'après la version révisée et corrigée de l'édition allemande. Il est certain que ce manuel sera aussi très utile aux étudiants français en Médecine et en Sciences de la Vie, et je désire le recommander chaleureusement à tous ceux qui cherchent à s'initier à la biochimie.

Strasbourg, mars 2007 — Jean-Marie Lehn

Avant-propos

Travailler dans le domaine de la biochimie est un plaisir ! En dehors de la biologie moléculaire et de la biochimie, il n'y a probablement aucune autre discipline en sciences qui ait connu une telle explosion de connaissances dans les deux ou trois dernières décennies. Profondément enracinée dans les disciplines apparentées comme la chimie, la biologie (cellulaire), la génétique, la physiologie et la pharmacologie, cette discipline autrefois spécialisée a subit une métamorphose en discipline universelle et il n'existe pratiquement aucune matière expérimentale en sciences de la vie qui *n'*utilise *pas* de méthodes et techniques biochimiques.

Une autre raison pour laquelle il est tellement plaisant de travailler et d'enseigner en biochimie, c'est le large spectre d'excellents livres. Alors pourquoi en écrire encore un ? Dès le début, la philosophie de ce livre *n'*a *pas* été de rivaliser avec les volumineux ouvrages de biochimie d'un millier de pages et plus. Le but était bien plus de « réordonner » les principes et concepts de base de cette discipline en pleine évolution et de les présenter dans un cadre clair et concis. Le présent livre souhaite donc combler une lacune entre les lourdes « bibles » de la biochimie d'un côté et les courts manuels servant à la préparation des examens de l'autre côté.

Cette philosophie a son prix : pour rester le maître face à l'abondance des thèmes à traiter dans un espace limité, des points forts ont été choisis et des thèmes apparemment « accessoires » ont été traités de façon moins détaillée. C'est pourquoi ce livre ne prétend pas être une œuvre (presque) exhaustive ou une encyclopédie. Il souhaite plutôt constituer un guide dans le cosmos fascinant des biomolécules, qui s'arrête seulement aux stations principales – et il y en a bien assez – pour en commenter l'essentiel. L'être humain et avec lui les mammifères ont été placés au centre de nos réflexions, tandis que des êtres vivants non moins importants, comme les plantes, les bactéries et les virus ont été plutôt considérés à titre d'exemples. Si la lecture de cet ouvrage réussit à éveiller un nouvel enthousiasme du lecteur pour la biochimie, alors le but essentiel de ce livre aura été atteint.

À Francfort, juin 2004 Werner Müller-Esterl

Remerciements

Un auteur n'écrit jamais tout seul. Il a au contraire besoin de nombreuses personnes qui l'entourent : des assistants, des conseillers, des personnes pour l'encourager et parfois, quelques-unes pour l'aiguillonner. Ma reconnaissance va tout d'abord à mes collègues Uli Brandt, Oliver Anderka, Stefan Kieß et Katrin Ridinger, ainsi qu'au graphiste Michael Plenikowski car ils ont tous contribué de façon inestimable à la réalisation de cet ouvrage. Merci également à mon collègue de Mayence, Alfred Maelicke, qui a assisté aux prémices de ce livre. Pour leur relecture méticuleuse et leur patience infinie, je remercie Frank Wigger et Bettina Saglio de l'édition Spektrum, ainsi que Karin von der Saal et aussi Michael Weller, qui n'a malheureusement pas pu voir ce livre achevé.

Aucun livre d'enseignement ne réinvente la science - celui-ci aussi se base sur la connaissance, l'intuition et l'art de l'expérimentation de générations de biochimistes, qui ont posé les fondements de la biochimie et de la biologie moléculaire modernes. Mes remerciements vont à mes collègues, qui ont été à mes côtés pour revoir de manière critique les différents chapitres : Sucharit Bhakdi, Université de Mayence (*chap. 33*) ; Manfred Blessing, Université de Leipzig (*chap. 22, 23*); Johannes Buchner, Université technique de Munich (*chap. 4, 5*); Hans-Joachim Galla, Université de Münster (*chap. 26, 27*); Andrej Hasilik, Université de Marburg (*chap. 19*); Ludger Hengst, Max-Planck-Institut pour la Biochimie, Munich (*chap. 32*); Volker Herzog, Université de Bonn (*chap. 31*); Albert Jeltsch, Université internationale de Brème (*chap. 18, 21*); Hartmut Kleinert, Université de Mayence (*chap. 17, 20*); Ulrike Müller, Max-Planck-Institut pour la recherche sur le cerveau, Francfort (*chap. 27*); Mats Paulsson, Université de Cologne (*chap. 8, 9*); Klaus Preissner, Université de Gießen (*chap. 13, 14*); Thomas Renné, Université de Würzburg (*chap. 15*); Stefan Rose-John, Université de Kiel (*chap. 28, 29, 30*); Dietmar Schomburg, Université de Cologne (*chap. 11, 12*); Arne Skerra, Université technique de Munich, (*chap. 10*); Markus Thelen, Istituto di Ricerca in Biomedicina, Bellinzona, Suisse (*chap. 28, 29*), Ritva Tikkanen, Université de Frankfort (*chap. 31*).

Des remerciements particuliers à mes amis et collègues, qui ont relu de façon critique des parties entières du livre : Falk Fahrenholz, Université de Mayence (*chap. 24-33*); Thomas Link, Université de Francfort (*chap. 4-15*); Bernd Ludwig, Université de Francfort (*chap. 16-23*); Hermann Schägger, Université de Frankfort (*chap. 6, 7, 35-46*). Finalement, je remercie les étudiants en médecine, Fredrik Brundin et Nils Opitz, pour la mise en conformité avec le « Gegenstandskatalog » (programme fédéral allemand pour l'enseignement de la médecine) » et à tous mes collaborateurs à l'Institut de biochimie II pour leur enthousiasme, leurs connaissances scientifiques et leur compréhension.

Même si ce livre a été rédigé en langue allemande, sa version originale a été réalisée en grande partie à l'étranger : mes remerciements les plus cordiaux pour leur hospitalité vont à Lou Ferman et Alvin Schmaier, Ann Arbor, MI, USA; Claudio et Misako Sampaio, Camburi et Sao Paulo, Brésil; Lasse Björck, Lund, Suède ainsi qu'à Piero Geppetti, Ferrara, Italie. Quand je pense à cet aspect du travail, j'aimerais le recommencer de nouveau ! Merci enfin, à mon épouse Annie et à nos enfants Roman et Lucie, auxquels je dédie ce livre pour de bonnes raisons.

Conseils d'utilisation

Le livre que vous avez entre les mains – conçu comme une initiation à la biochimie et à la biologie moléculaire – est articulé en cinq grandes parties qui suivent un plan logique. La courte **première partie** offre un aperçu de l'**architecture moléculaire du vivant** : le lecteur y trouvera les connaissances de base de (bio)chimie et de biologie cellulaire nécessaires à la compréhension des quatre grandes parties suivantes. Les biomolécules certainement les plus polyvalentes sont l'objet de la **deuxième partie – structure et fonction des protéines.** Les instructions de montage spécifiques de ces protéines sont elles-mêmes inscrites dans les gènes : la **troisième partie – stockage et transmission de l'information génétique** est consacrée aux molécules porteuses de l'hérédité et présente les mécanismes variés de traitement de l'information génétique. L'échange d'informations moléculaires est un thème central de la biochimie : la **quatrième partie : transduction du signal au niveau des membranes biologiques** éclaire les processus de communication inter et intracellulaires et offre un aperçu sur un domaine de recherche dynamique. Le répertoire quasi inépuisable de réactions métaboliques auquel s'intéresse la **cinquième partie – Transformations énergétiques et biosynthèse** – est traité sous une forme plus « condensée ». Ainsi, le cercle se referme sur la chimie du vivant traitée au début de l'ouvrage.

Le lecteur est aidé par un ensemble d'éléments didactiques à garder une vue d'ensemble et, malgré le nombre des « arbres », à ne pas perdre de vue la « forêt » :

- Les cinq grandes parties sont divisées en **46 chapitres** et **389 sous-chapitres**, dont les titres résument des phénomènes et des connaissances importants sous la forme d'une phrase facile à retenir.
- Les **mots-clés** en caractère gras servent à la structuration des sous-chapitres et permettent de s'orienter et de récapituler rapidement. Les énoncés importants sont signalés par des *italiques.*
- Environ 1 000 **schémas** originaux présentent des sujets souvent difficiles de manière claire et directe (références des figures [RF] dans l'annexe, à partir de la page 629). Des **bulles de texte** attirent l'attention du lecteur sur des points importants.
- Afin que le lecteur puisse s'orienter rapidement, les biomolécules les plus importantes sont présentées par catégories dans 15 tableaux pleine page.
- Tout au long du livre, près de 200 **encarts** approfondissent des thèmes choisis du texte principal et examinent de plus près des phénomènes biochimiques et médicaux intéressants. On trouvera quatre types d'encarts différenciés par leurs icônes :

   Aperçus de structures moléculaires

  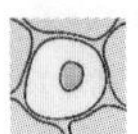 Explication de phénomènes de biologie cellulaire

   Indications sur des processus pathologiques et des aspects médicaux

   Schémas de méthodes expérimentales importantes en biochimie

- Le contenu du **cursus** de médecine est presque entièrement couvert par cet ouvrage. La confluence – soulignée dans le nouveau programme – entre biochimie et biologie moléculaire se retrouve elle aussi dans le livre.

Sommaire

Table des matières

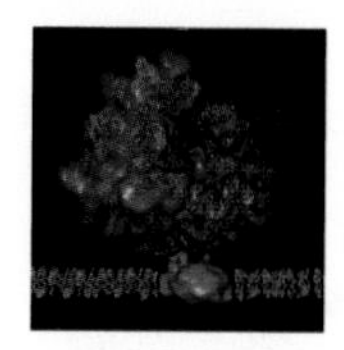

Partie I : Architecture moléculaire du vivant

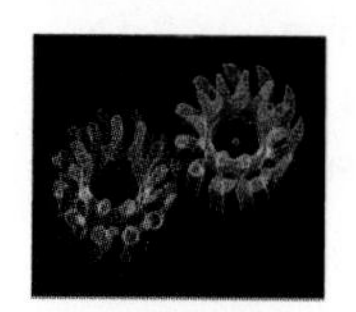

Partie II : Structure et fonction des protéines

19. Maturation post-traductionnelle et triage des protéines *246*

20. Contrôle de l'expression génique *268*

21. La réplication, copie de l'information génétique *281*

22. Technologies de l'ADN recombinant *295*

23. Modification de l'information génétique *313*

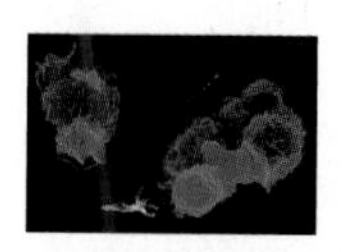

Partie IV : Transduction du signal au niveau des membranes biologiques

Partie I Architecture moléculaire du vivant

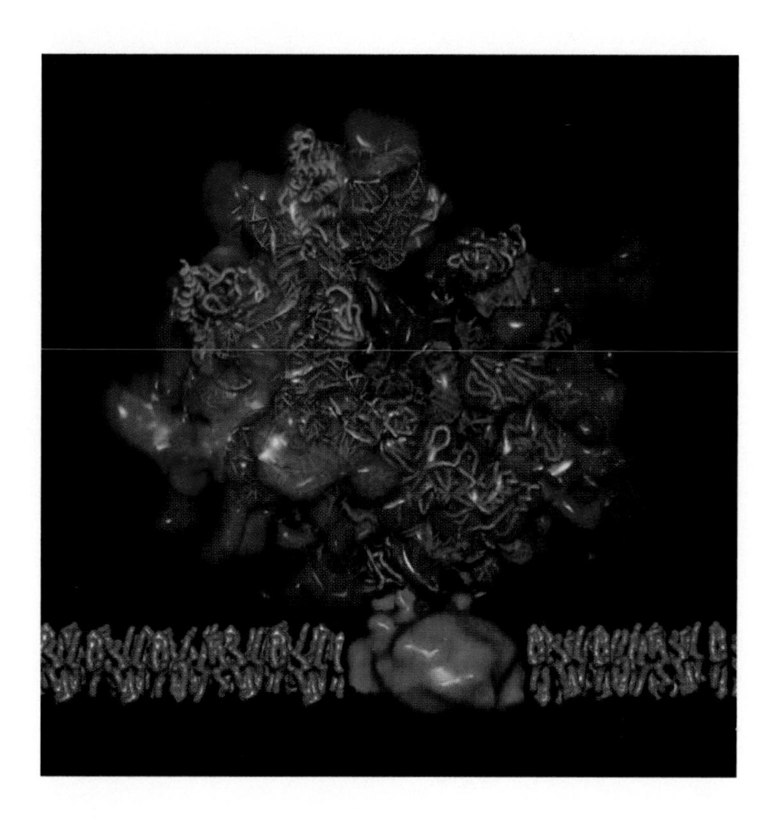

Il existe sur Terre un très grand nombre de formes de vie différentes. Les sciences biologiques s'efforcent d'ordonner cette fascinante multiplicité de la vie : on connaît à ce jour presque deux millions d'espèces, et pourtant il en existe encore beaucoup d'autres. Assurément, toutes ces formes sont vivantes, mais comment définir la vie ? Proposer une définition universelle est difficile, en revanche il est plus facile d'énoncer certains traits importants qui caractérisent les êtres vivants : la capacité de croître et de se développer en suivant les instructions d'un programme génétique, la possibilité de se régénérer et de se reproduire, le mouvement, la séparation avec l'environnement et un haut degré d'organisation interne, la capacité de réagir et de s'adapter aux conditions extérieures, ainsi que, pour les formes très élaborées, la capacité de perception, de mémoire et de conscience.

Les êtres vivants se distinguent donc clairement de matières inorganiques inertes telles que la pierre, l'eau ou l'air. Cependant, la vie est aussi liée en permanence à la matière inanimée : elle est basée sur des associations chimiques simples et des macromolécules biochimiques plus complexes, qui fonctionnent selon les lois de la physique, sans avoir elles-mêmes les attributs du vivant. Ce n'est qu'une fois organisées que ces molécules créent l'unité de base du vivant – la cellule. La biochimie en tant que science évolue dans l'espace qui s'étend entre atomes, molécules, cellules et organismes. Elle explore les processus moléculaires à la base du Vivant et sonde la structure, la fonction et les modes d'action des macromolécules qui permettent l'exécution de ces processus. Dans le chapitre introductif, nous allons nous focaliser sur cette architecture moléculaire.

Modèle d'un ribosome. Ce modèle, obtenu par cryomicroscopie électronique, montre un ribosome de levure dans sa fonction de traduction, en contact avec Sec61 (en rouge), le canal d'exportation des protéines du réticulum endoplasmique (en gris membrane du RE). Avec l'aimable autorisation de Roland Beckman, (Université Humboldt de Berlin), Joachim Frank (Université de l'État de New York, Albany) et Günter Blobel (Université Rockefeller, New York).

La chimie, base de la vie

1

Tous les êtres vivants sont faits de composés que l'on peut décrire par le langage de la chimie. C'est pourquoi nous commençons notre tour d'horizon du domaine de la biochimie par un examen des entités chimiques les plus élémentaires – les atomes et les molécules. Tout comme les macromolécules biologiques plus complexes, les molécules simples dérivent par des réactions variées d'un nombre limité d'éléments chimiques, et elles obéissent aux lois de la physique. Les liaisons chimiques méritent une attention particulière, notamment les interactions non-covalentes entre molécules en solution aqueuse.

1.1 Quatre éléments dominent le monde vivant

Ce qui frappe chez les êtres vivants d'un point de vue chimique, c'est leur complexité : une cellule vivante est constituée de dizaines de milliers de sortes de molécules hautement organisées. La matière inerte est au contraire assez simple et contient peu de constituants. On peut voir dans la formation d'êtres vivants à partir de la manière inerte une organisation hiérarchique progressive : des par-

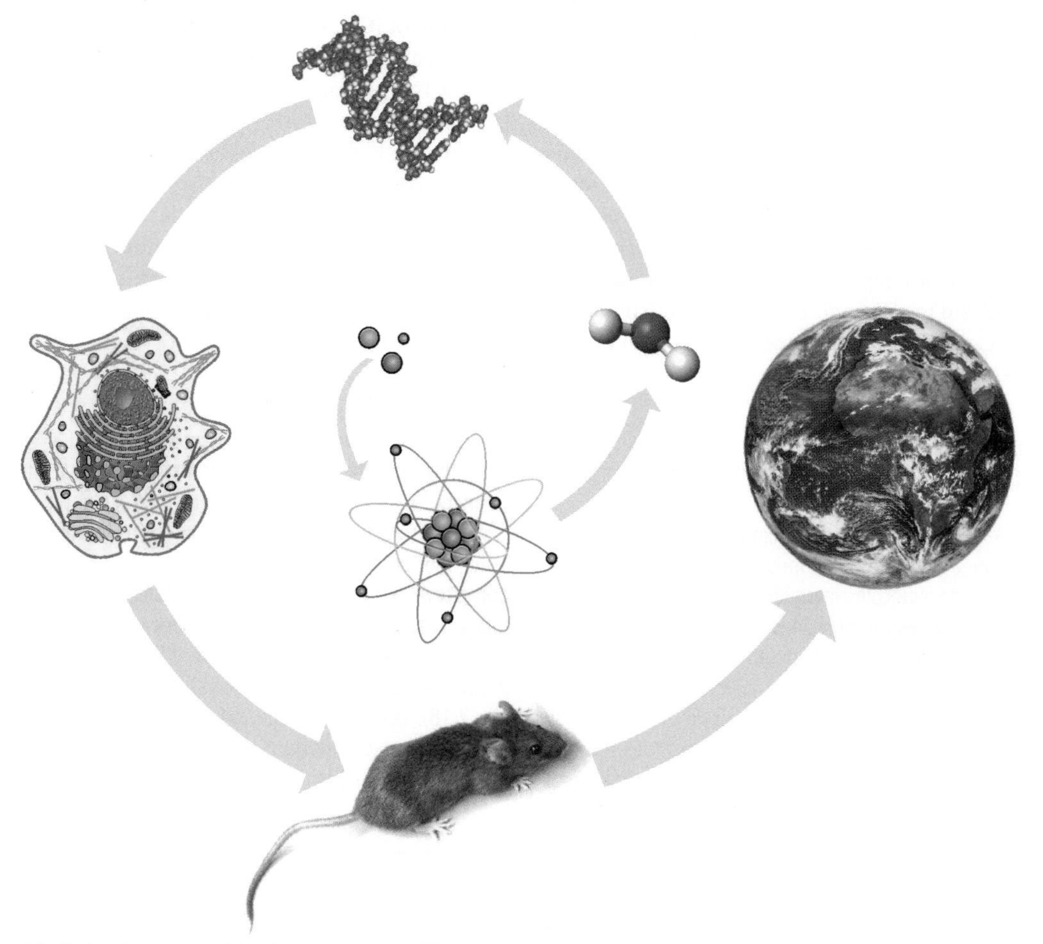

1.1 Hiérarchie de la vie. La complexité augmente régulièrement des particules élémentaires aux atomes, puis aux molécules simples comme H_2O, aux macromolécules comme une double hélice d'ADN, aux cellules individuelles, aux tissus, aux organismes multicellulaires jusqu'à l'écosystème de notre planète. Les cellules sont considérées comme la plus petite entité fonctionnelle du vivant.

ticules élémentaires comme les électrons, les protons et les neutrons constituent des **atomes**, qui s'associent par des réactions chimiques pour donner des **molécules** (*fig.* 1.1). À partir de celles-ci se forment par concaténation des macromolécules, qui elles-mêmes constituent la base des **cellules**, la plus petite entité viable. Les cellules s'ordonnent en tissus et forment des **organismes** multicellulaires comme les plantes ou les animaux, qui en dernier lieu font partie de l'écosystème complexe de notre planète. Nous commencerons au premier niveau de cette hiérarchie.

Les atomes (du grec *atomon*, insécable) ne sont plus considérés, du point de vue de la physique nucléaire, comme les briques élémentaires absolues de la matière : ils ont abandonné ce statut à des particules élémentaires telles que les quarks et les leptons. Cependant, étant donné nos objectifs, il suffit de considérer dans la plupart des cas les protons, les électrons et les neutrons comme les composants élémentaires des atomes, puisque les autres particules ne jouent un rôle direct que dans les réactions nucléaires – et non chimiques. *Le* **numéro atomique** *d'un* **élément chimique**, *égal au nombre de protons de son noyau, est caractéristique de celui-ci.* Le numéro atomique détermine de manière décisive les propriétés chimiques d'un élément. Il existe souvent plusieurs « variantes » d'un même élément : les **isotopes**, qui se distinguent les uns des autres par leur **nombre de masse** – la somme des nombres de protons et de neutrons –, mais *pas* par leurs propriétés chimiques. Pourtant les isotopes sont importants : ils jouent un grand rôle dans le diagnostic médical et le traitement des maladies, mais aussi dans la recherche en biochimie (*encart* 1.1). Certains sont des **radio-isotopes** (isotopes radioactifs), qui se décomposent en émettant des rayonnements. D'autres sont des variantes stables d'un élément. La masse d'un isotope est indiquée en exposant comme dans le carbone 14 : ^{14}C, par exemple.

*Sur les 90 éléments chimiques existant naturellement, quatre se taillent la part du lion dans le monde vivant : l'***hydrogène** (H), *l'***oxygène** (O), *le* **carbone** (C), *et l'***azote** (N) *comptent pour 96 % de la masse corporelle chez l'homme.* Ces quatre éléments sont aussi, avec l'hélium et le néon, les éléments les plus fréquents de l'Univers mais, au contraire de ces gaz rares, ils établissent très « volontiers » des liaisons covalentes (*fig.* 1.2). La proportion importante d'hydrogène et d'oxygène dans la biomasse reflète également l'importance capitale que revêt l'eau (H_2O) pour l'existence de la vie. Les éléments suivants se trouvent en proportions beaucoup plus réduites dans la matière vivante – à peu près 3 % de la masse corporelle chez l'homme : des métaux alcalins et alcalino-terreux comme le **sodium** (Na) le **potassium** (K), le **magnésium** (Mg) et le **calcium** (Ca), un halogène, le **chlore** (Cl), le **soufre** (S), et le **phosphore** (P). Ces derniers forment aussi des liaisons covalentes : le soufre joue un rôle important dans la structure des protéines. Le phosphore est indispensable dans les échanges d'énergie au sein de la cellule (§ 3.10) et dans le contrôle de la signalisation. Le sodium et le potassium sont présents sous la forme de cations monovalents (Na^+, K^+), le magnésium et le calcium, de cations divalents (Mg^{2+}, Ca^{2+}) et le chlore, d'un anion monovalent (Cl^-). Ces ions participent entre autres à l'établissement du potentiel électrique de membrane (§ 27.1) et à la transduction du signal dans les cellules (§ 29.8). La troisième catégorie est composée d'**oligoéléments**, dont aucun n'est en proportion supérieure à 0,01 % dans la biomasse. Les oligoéléments sont pour la plupart des métaux comme le fer (Fe) ou le zinc (Zn) ; quelques-uns, comme l'iode (I) ou le sélénium (Se), ne sont pas des éléments métalliques. L'absence d'un de ces oligoéléments peut se traduire par l'apparition de carences graves (*encart* 1.2).

Encart 1.1 Les isotopes et la biochimie

De nombreuses expériences de biochimie font intervenir des molécules marquées à l'aide d'isotopes (*tab.* 1.1). Le « destin » d'un petit nombre de molécules marquées peut ainsi être suivi au milieu d'un énorme excès de molécules non marquées. Par cette **technique de traçage**, on peut identifier des intermédiaires métaboliques, localiser des biomolécules à l'intérieur des cellules et des tissus et analyser des processus de transport ou des vitesses de réaction. Si l'on nourrit des rats avec de l'acétate marqué au ^{14}C, un isotope du carbone, et qu'on isole ensuite le cholestérol à partir du foie, on y retrouve l'isotope radioactif. C'est ainsi que l'on a pu montrer que tous les atomes de C du cholestérol proviennent d'un intermédiaire métabolique, l'acétyl-CoA (§ 42.1). Les radio-isotopes peuvent être visualisés par **autoradiographie** avec une grande sensibilité, ou bien quantifiés à l'aide d'un **compteur à scintillation**. Les molécules marquées par des isotopes non radioactifs se distinguent des molécules non marquées par leur masse. C'est grâce à cette différence de masse qu'on a prouvé le caractère semi-conservatif de la réplication de l'ADN (*fig.* 2.18). Les isotopes non radioactifs comme ^{13}C et ^{15}N jouent de plus un rôle important dans la spectroscopie de résonance magnétique nucléaire (§ 7.5).

Tableau 1.1 Sélection d'isotopes d'intérêt biochimique.

Isotope	Application courante
^{3}H (tritium)	Marquage de protéines à la leucine-^{3}H
^{35}S (soufre)	Marquage de protéines à la méthionine ou cystéine-^{35}S
^{32}P (phosphore)	Marquage d'acides nucléiques par incorporation de nucléotides
^{13}C, ^{15}N (carbone, azote)	Marquage de protéines pour la résolution de structures par résonance magnétique nucléaire

1 H 1,008																	2 He
3 Li	4 Be											5 B 10,81	6 C 12,01	7 N 14,01	8 O 16,00	9 F 19,00	10 Ne
11 Na 22,99	12 Mg 24,30											13 Al 26,98	14 Si 28,09	15 P 30,97	16 S 32,07	17 Cl 35,45	18 Ar
19 K 39,10	20 Ca 40,08	21 Sc	22 Ti	23 V 50,94	24 Cr 52,00	25 Mn 54,94	26 Fe 55,85	27 Co 58,93	28 Ni 58,69	29 Cu 63,55	30 Zn 65,39	31 Ga 69,72	32 Ge	33 As 74,92	34 Se 78,96	35 Br 79,90	36 Kr
37 Rb	38 Sr	39 Y	40 Zr	41 Nb	42 Mo 95,94	43 Tc	44 Ru	45 Rh	46 Pd	47 Ag	48 Cd	49 In	50 Sn	51 Sb	52 Te	53 I 126,9	54 Xe
55 Cs	56 Ba	La-Lu	72 Hf	73 Ta	74 W 183,8	75 Re	76 Os	77 Ir	78 Pt	79 Au	80 Hg	81 Tl	82 Pb	83 Bi	84 Po	85 At	86 Rn
87 Fr	88 Ra	Ac-Lr	104 Rf	105 Db	106 Sg	107 Bh	108 Hs	109 Mt	110 Ds	111 Uuu	112 Uub						

lanthanide

actinide

1.2 Tableau périodique des éléments. Au-dessus du symbole de l'élément est indiqué le numéro atomique, au-dessous le nombre de masse en Daltons. Les éléments 57-71 (les lanthanides) et 89-103 (les actinides) ne sont pas représentés individuellement. Les quatre éléments H, C, N et O (en rouge), constituent à eux quatre environ 96 % de la masse des cellules vivantes. Sept autres éléments (en rose) en constituent 3 %. Un nombre plus élevé d'éléments – essentiellement des métaux – n'apparaissent que sous forme de traces : leur contribution totale est < 0,1 %. Plus le numéro atomique augmente, moins on trouve d'éléments jouant un rôle biologique.

Encart 1.2 Carences occasionnées par un manque d'oligoéléments

Quatre **cations ferreux** (Fe^{2+}) forment le cœur de l'**hémoglobine**, le transporteur d'oxygène du sang (*fig.* 1.3). Notre corps produit environ 200 milliards de globules rouges par jour, chacun rempli « à ras bord » d'hémoglobine. Pour ce faire, le fer des vieilles cellules est réutilisé ; une petite partie en est néanmoins perdue par l'intestin ou par saignement, et doit être remplacée. Dans les cas de saignements chroniques, de problèmes d'absorption ou d'apport insuffisant en fer dans les aliments, une anémie (« insuffisance du sang ») peut se développer, accompagnée d'une réduction des capacités physiques. Les conséquences d'une carence en iode, composant de deux hormones thyroïdiennes, la triiodothyronine (T_3) et la **thyroxine** (T_4), sont graves. Les adultes développent un goitre qui accumule la totalité du peu d'iode présent. Lorsque les femmes atteintes sont enceintes, on peut avoir chez le fœtus des perturbations du développement physique et mental irréversibles du fait du défaut d'hormones thyroïdiennes. Depuis que l'on applique une prophylaxie basée sur l'utilisation de sel de table iodé dans les régions touchées, ce **crétinisme endémique** n'est quasiment plus observé.

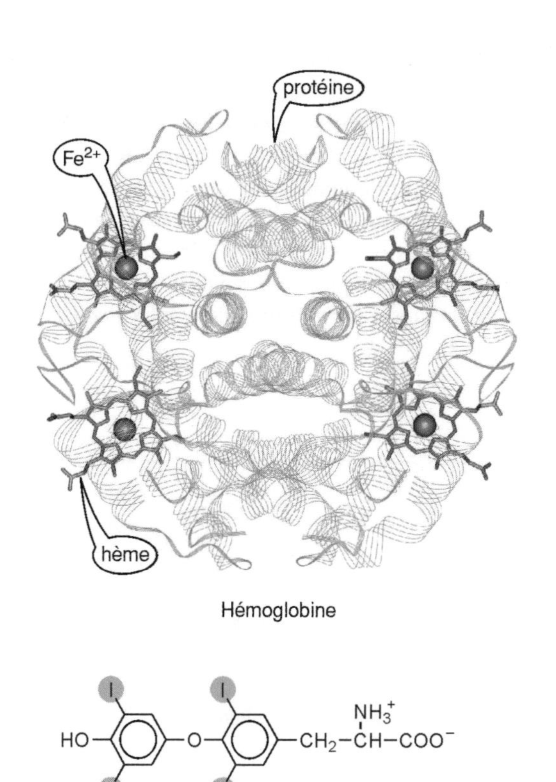

1.3 Hémoglobine et thyroxine. Pour transporter l'oxygène, l'hémoglobine utilise quatre ions Fe^{2+}, qui sont liés à la protéine par un groupement hème. La thyroxine (T_4) est synthétisée dans les cellules folliculaires de la glande thyroïdienne par iodation des résidus tyrosine au sein d'une protéine réserve, la thyroglobuline (§ 44.7).

1.2

Les modèles moléculaires représentent les liaisons et l'arrangement spatial des atomes

Les atomes forment des molécules par **liaison chimique.** Les molécules intéressantes pour la biochimie composent un large spectre, depuis les composés de structure très simple comme H_2O jusqu'aux macromolécules que sont les protéines, en passant par des molécules organiques de taille « moyenne » comme les sucres. Comment peut-on se « faire une idée » de ces molécules ? Les modèles se rapprochant le plus de la réalité sont les **modèles compacts**, qui représentent le volume des atomes et leur arrangement (*fig.* 1.4). Dans le modèle compact, la taille et la forme des atomes sont déterminés par leur valence et leur rayon de Van der Waals. Le **rayon de Van der Waals** marque la « sphère privée » de l'atome c'est-à-dire la distance qui sépare deux atomes non liés se rapprochant, juste avant que les deux nuages électroniques de même signe produisent une forte répulsion. Pas tout à fait aussi réalistes, mais plus clairs, les **modèles éclatés** représentent les atomes par de petites sphères reliées par des bâtonnets. Les valences et les positions relatives des atomes y sont plus faciles à voir pour les molécules complexes. Les **formules développées** constituent une représentation plus « minimaliste » des molécules. Les liaisons y sont simplement signalées par un ou plusieurs traits séparant les symboles des éléments. Dans une représentation extrêmement simplifiée, l'on supprime même parfois le symbole de l'élément dans le cas des composés carbonés. La lettre « R » à la place du symbole d'un élément signifie **radical,** c'est-à-dire une partie de la molécule qui n'est pas représentée explicitement pour des raisons de lisibilité. Dans le cas de macromolécules biologiques comme les protéines, nous verrons encore d'autres types de représentation, qui sont adaptés à ces structures extrêmement complexes.

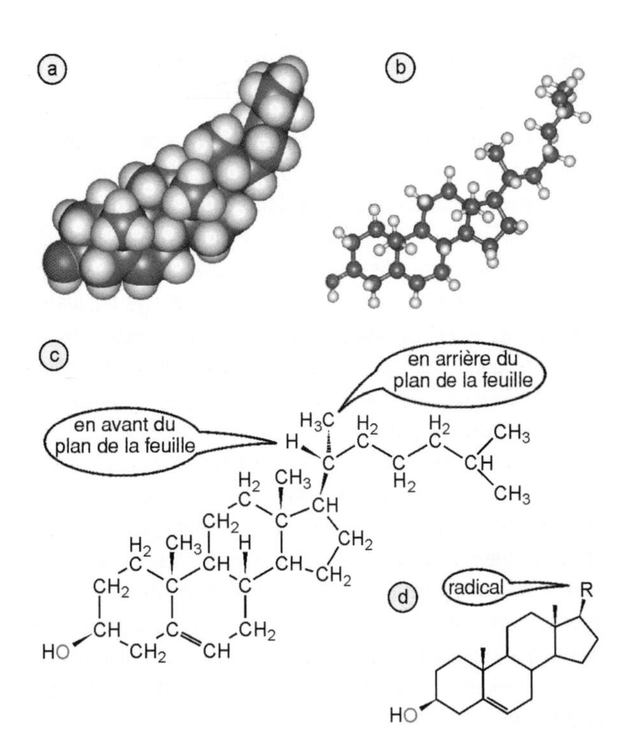

1.4 La molécule de cholestérol. a) Modèle compact de la molécule montrant l'espace occupé par les atomes définis par leurs rayons de Van der Waals. b) Dans le modèle éclaté, on voit mieux les atomes individuels et les liaisons entre eux. c) La formule développée est la plus simple et la plus lisible, mais ne donne pas de représentation spatiale claire de la molécule. d) Dans la formule topologique, seules les liaisons C–C et non les atomes de C et de H, sont montrés. Un trait plus épais indique une liaison en avant du plan du papier, alors que les traits en pointillés pointent « vers l'arrière ».

1.3

Les substituants de l'atome de carbone ont une signification fonctionnelle

Quantitativement, l'hydrogène et l'oxygène sont les éléments dominants du monde vivant. Par exemple, le corps humain se compose en premier lieu d'eau – elle représente environ 70 % de sa masse corporelle. Un autre élément domine le « poids sec » : *les composés chimiques, qui constituent la* **substance organique** *des cellules, contiennent 50 % de carbone.* Ces composés ont reçu le qualificatif d'« organiques » car on a d'abord supposé à tort qu'ils ne pouvaient être synthétisés que par des organismes vivants. *Presque toutes les biomolécules sont des composés organiques : dans l'évolution chimique du vivant, le carbone a été manifestement « l'» élément déter-*

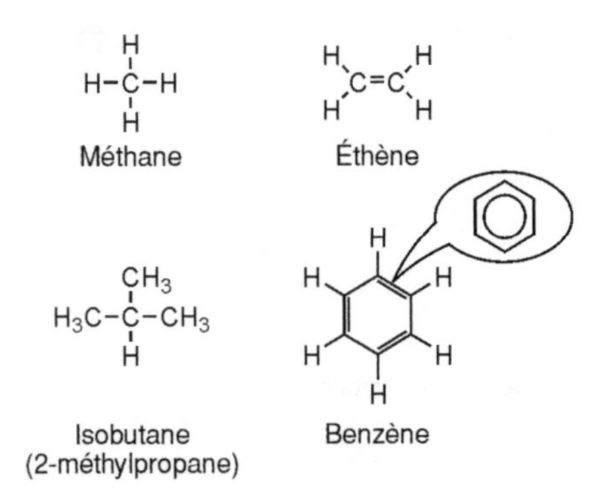

1.5 Hydrocarbures simples. Le méthane est l'hydrocarbure le plus simple. L'éthène possède deux atomes de C reliés par une double liaison ; c'est une matière première utilisée dans la synthèse des plastiques. L'isobutane est l'hydrocarbure ramifié le plus simple et est utilisé comme réfrigérant. Le benzène est un hydrocarbure cyclique dont les électrons des doubles liaisons sont délocalisés sur tout le cycle. C'est pourquoi le benzène est souvent représenté comme un hexagone portant un « anneau d'électrons ».

minant. Parmi les composés carbonés simples, on trouve les **hydrocarbures**, c'est-à-dire les molécules formées de carbone et de son « associé », l'hydrogène. Les hydrocarbures peuvent être des molécules linéaires, dites aliphatiques, ou bien ramifiées, ou encore cycliques ; ils peuvent contenir des liaisons simples, doubles ou triples (*fig.* 1.5). Le carbone permet une combinatoire chimique riche : aucun autre élément ne donne la possibilité de construire des liaisons aussi variées en longueur et en géométrie.

Malgré leur variété, les hydrocarbures purs sont considérés en biochimie comme plutôt « ennuyeux » : le carbone et l'hydrogène se partagent leurs électrons de valence presque « paisiblement », et les molécules obtenues ne montrent pas de propension marquée à participer à de nouvelles réactions chimiques. Ce n'est que lorsque d'autres atomes appelés **substituants** prennent la place de l'hydrogène autour du carbone que des molécules plus réactives apparaissent. Les éléments substituants les plus fréquents sont l'oxygène et l'azote, et plus rarement le soufre. Les **groupes fonctionnels** les plus importants dans les molécules organiques sont les groupements hydroxyle, carbonyle, carboxyle, amine et thiol (*fig.* 1.6).

L'atome d'oxygène « attire » les électrons d'une liaison C–O de son côté : on parle d'une plus grande **électronégativité** de l'oxygène. Le cas limite de cette polarisation est l'**ionisation** des deux atomes, comme cela se produit dans la réaction du sodium avec le gaz chlore qui donne du chlorure de sodium (Na^+Cl^-, le sel de cuisine). Il s'agit dans ce cas d'une **liaison ionique**, la solution la plus radicale pour atteindre l'état de gaz rare : les électrons changent tout simplement de « propriétaire ». L'atome donneur – **le donneur d'électron** – est alors par définition oxydé, l'atome receveur – **l'accepteur d'électron** –

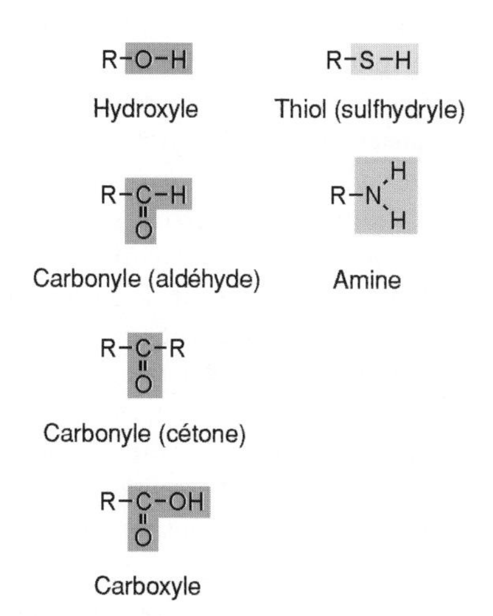

1.6 Groupes fonctionnels simples. Les groupements utiles en biochimie sont les groupements hydroxyles (ou alcools), les groupements carbonyles terminaux ou internes (aldéhydes ou cétones, respectivement), les groupements carboxyliques, amines qui contiennent de l'azote, thiols (ou sulfhydryles) qui contiennent du soufre.

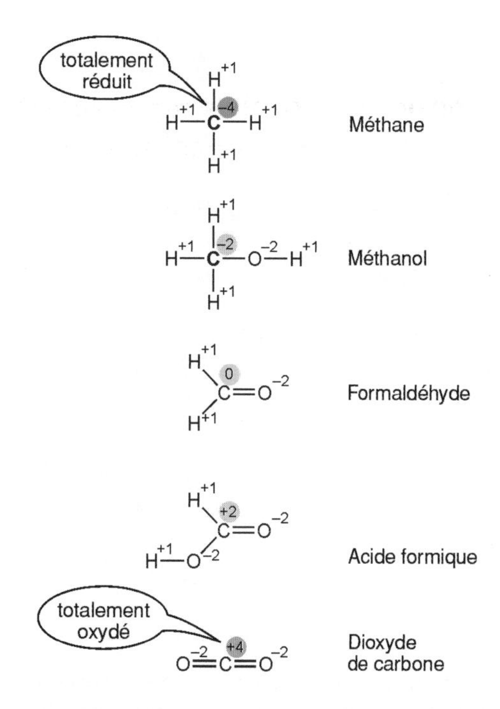

1.7 Degrés d'oxydation du carbone. Le carbone atteint son degré d'oxydation le plus bas, –4, dans les hydrocarbures saturés. Dans les alcools, les amines, et les éthers, il a le degré d'oxydation –2, dans les aldéhydes, les cétones, les acétals et hémiacétals, le degré d'oxydation 0, dans les esters et les anhydrides d'acide carbonique, le degré d'oxydation +2. La forme la plus oxydée, au degré d'oxydation de +4 se trouve dans le CO_2 et l'urée.

est réduit. Même s'il n'y a pas échange complet de charges entre l'oxygène et le carbone, on attribue à ces atomes une charge formelle ou **degré d'oxydation.** La somme des degrés d'oxydation des atomes d'une molécule non chargée est nulle. Le carbone peut prendre cinq degrés d'oxydation différents – une nouvelle facette de sa flexibilité chimique (*fig.* 1.7).

Les groupes fonctionnels ouvrent un nouveau spectre de réactivité chimique (*tab.* Groupes fonctionnels). La plupart du temps, ils réagissent entre eux et forment des groupes fonctionnels complexes (*fig.* 1.8a). Ainsi, les groupements hydroxyle et carbonyle réagissent pour donner un hémiacétal, alors que les groupements hydroxyle et carboxyle donnent un ester. Deux groupements carboxyle donnent un anhydride d'acide, alors qu'un groupement carboxyle et un groupement amine fusionnent pour donner une amide. Le type de réaction le plus fréquent entre tous ces groupements est la **condensation**, c'est-à-dire la formation d'une liaison avec libération d'une molécule d'eau (*fig.* 1.8b). Le processus inverse s'appelle **hydrolyse**. La condensation et l'hydrolyse décrivent seulement la réaction globale ; en général des **mécanismes réactionnels** plus ou moins complexes se cachent derrière ces termes. La plupart des biomolécules possèdent plusieurs groupes fonctionnels et sont donc

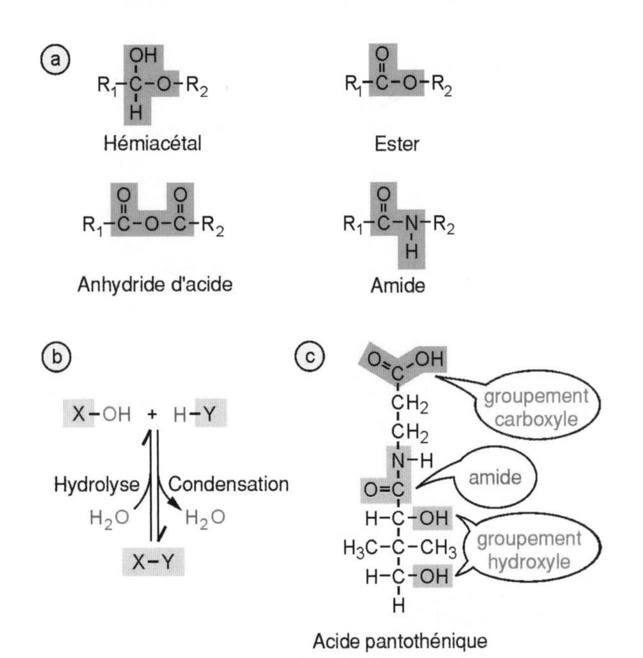

1.8 Groupes fonctionnels complexes. a) Des groupes fonctionnels complexes sont obtenus par réaction entre des substituants simples comme les groupes hydroxyle, carboxylique ou amine. b) Formule générale de la condensation et de l'hydrolyse. c) De nombreuses biomolécules contiennent plusieurs groupes fonctionnels – simples ou complexes. L'acide pantothénique, la vitamine B5, participe à la synthèse d'un neurotransmetteur, l'acétylcholine, et des acides gras (*fig.* 41.17).

« multifonctionnelles » (*fig.* 1.8c). Chaque groupement confère à une molécule des propriétés et des réactivités particulières. *Les groupes fonctionnels donnent aux molécules organiques un « caractère » et les équipent en vue d'activités biochimiques.*

1.4 L'isomérie enrichit la diversité moléculaire

Les propriétés des molécules sont déterminées par la nature des atomes impliqués et leurs arrangements en groupes fonctionnels. *La géométrie des molécules – c'est-à-dire la manière dont les atomes sont reliés entre eux et arrangés spatialement – est importante, elle aussi.* On appelle **isomères** (du grec *iso* : égal, *meros* : partie) des molécules possédant la même formule brute mais des structures spatiales différentes. On peut les séparer en deux catégories de base : les isomères de constitution et les stéréoisomères. Les **isomères de constitution** se distinguent les uns des autres par leur connectivité, c'est-à-dire la succession de leurs liaisons. Les **stéréoisomères** ont la même connectivité, mais l'organisation spatiale de leurs atomes est différente. Lorsque la stéréoisomérie est fixée par la structure de la molécule, on parle d'**isomérie de configuration**. Considérons un composé alcane en C_4

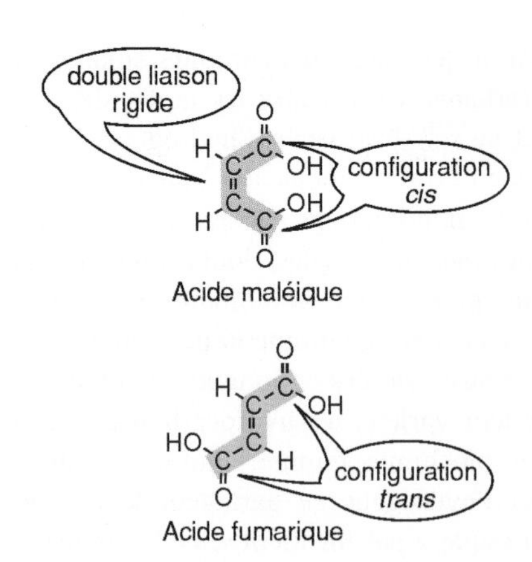

1.9 Isomérie *cis-trans*. La position des deux groupes carboxyliques terminaux est fixée à cause de l'absence de rotation de la double liaison. L'acide fumarique est un intermédiaire du cycle du citrate (*fig.* 36.10).

avec une double liaison centrale, qui, contrairement à une liaison simple, ne peut pas tourner librement sur son axe. Les substituants des atomes voisins de la double liaison se trouvent soit du même côté (*cis*), soit de part et d'autre (*trans*) de la double liaison, comme dans le cas des acides maléique et fumarique (*fig.* 1.9). Ces deux acides dicarboxyliques – de constitutions identiques – se distinguent profondément par leurs propriétés physiques et chimiques. Cette catégorie d'isomérie de configuration est appelée **isomérie *cis-trans***[1]. La nature a utilisé l'isomérie *cis-trans* comme « interrupteur moléculaire » dans le processus de la vision (*fig.* 29.13).

Un autre cas d'isomérie de configuration est observé dans le phénomène de **chiralité**, qui ne signifie rien d'autre que « latéralisation » (au sens de préférence pour la main droite ou gauche). En effet, la main droite et la main gauche sont semblables sans pour autant être identiques – elles se comportent comme un objet et son reflet dans un miroir et ne peuvent pas être amenées par rotation à se superposer. *Dans le cas de la chiralité, il existe ainsi des isomères d'une molécule qui peuvent être transformés l'un en l'autre par symétrie par rapport à un miroir, mais non par rotation.* On parle alors d'**énantiomères.** Le carbone est prédestiné à la chiralité : une molécule organique chirale contient en principe au moins un atome de carbone possédant quatre substituants différents (*fig.* 1.10). On parle alors de **carbone asymétrique** ou de **centre chiral.** *Comme les carbones asymétriques constituent la règle plutôt que l'exception parmi les molécules biologiques, la chiralité joue un rôle extrêmement important en biochimie.*

1. Note de l'éditeur français : la notion de *cis* et *trans* qui caractérise les substituants autour d'une double liaison est encore utilisée en Biologie. Cependant, on trouvera plus couramment dans les ouvrages de Chimie la nomenclature Z (*zusammen*) et E (*entgegen*) qui qualifie les configurations absolues autour d'une double liaison selon les règles séquentielles de Cahn, Ingold et Prelog.

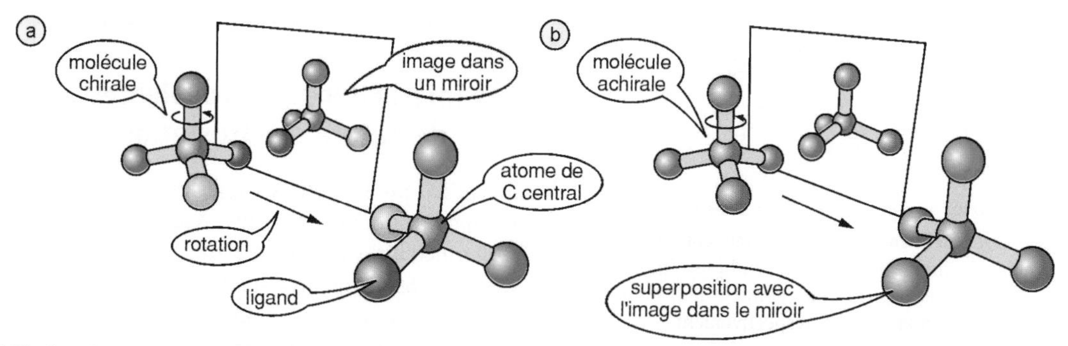

1.10 Molécules chirales et achirales. a) Lorsqu'un atome de C (en gris) porte quatre substituants différents (en couleurs), il ne peut être superposé par rotation à son image dans un miroir : la molécule chirale et son image dans le miroir sont des énantiomères. b) Une molécule achirale possédant deux substituants identiques peut être superposée, après une rotation, à son image dans un miroir. [RF]

La propriété classique qui différencie deux énantiomères est leur capacité à provoquer une rotation du plan de la lumière polarisée dans des sens opposés : ils sont « optiquement actifs ». Lorsqu'une molécule contient plus d'un carbone asymétrique, il existe plusieurs paires d'énantiomères possibles. En outre cela donne alors des stéréo-isomères qui *ne* se comportent *pas* comme un objet et son reflet dans un miroir : on parle alors de **diastéréo-isomères** (*tab.* sucres). Les **épimères**, qui diffèrent par la configuration d'un seul carbone asymétrique, constituent un cas particulier important de ceux-ci. Par exemple, le D-glucose et le D-galactose sont des épimères. *Alors que les épimères se distinguent les uns des autres aussi par leurs propriétés chimiques, cela ne s'applique aux énantiomères que lorsqu'ils interagissent avec d'autres molécules chirales.*

COOH
H_2N–C–H
CH_3

COOH
H_2N–C–H
CH_3

COOH
H–C–NH_2
CH_3

L-alanine D-alanine

H–C=O
HO–C–H
H–C–OH
HO–C–H
HO–C–H
CH_2OH

H–C=O
H–C–OH
HO–C–H
H–C–OH
H–C–OH
CH_2OH

L-glucose D-glucose

1.11 Nomenclature des énantiomères. Dans la projection de Fischer, l'atome de C le plus oxydé (en rouge) se trouve le plus haut possible. Pour les acides aminés (ici l'alanine), c'est le groupement carboxylique, pour les sucres (ici le glucose), le groupement carbonyle. Par convention, le substituant « déterminant » (en bleu) est le groupement OH du carbone asymétrique le plus « au sud » chez les sucres, et le groupement α-amine chez les acides aminés. Dans la nature, on ne trouve presque que des énantiomères L chez les acides aminés, et presque que des énantiomères D chez les sucres.

Afin de nommer sans ambiguïté les molécules renfermant des carbones asymétriques, on réduit celles-ci par la **projection de Fischer** à deux dimensions en suivant les conventions suivantes. La chaîne carbonée la plus longue est placée verticalement, et l'atome de carbone possédant le plus haut degré d'oxydation est positionné dans la partie supérieure. Ensuite, on fait subir une rotation aux liaisons C–C simples de la molécule jusqu'à ce qu'elle forme un arc en avant du plan de la feuille, de telle sorte que tous les substituants, qu'ils soient du côté gauche ou droit, pointent vers l'avant. Lorsqu'un substituant déterminé d'un atome de carbone asymétrique donné (le plus éloigné du carbone 1 dans le cas des sucres, le carbone α dans le cas des acides aminés) se trouve à droite, le composé reçoit le préfixe D (lat. *dexter*, droite) : lorsque le substituant « déterminant » pointe vers la gauche, nous avons affaire au composé L (lat. *laevus*, gauche) (*fig.* 1.11). La **nomenclature** D/L n'est applicable que dans certaines limites, elle a été remplacée en chimie par la nomenclature R/S, universellement utilisable, et dans laquelle la configuration de chaque centre chiral peut être définie de manière univoque. Pourtant, par simplicité, nous utiliserons ici le plus souvent la nomenclature D/L courante en biochimie – par exemple pour la désignation des sucres et des acides aminés.

Beaucoup de biomolécules, par exemple les acides aminés et les sucres, sont chirales. Alors que par synthèse chimique, l'on obtient presque toujours des **racémates**, c'est-à-dire des mélanges d'énantiomères, les synthèses biologiques produisent le plus souvent une seule forme énantiomérique de la molécule, car les enzymes qui interviennent dans la synthèse sont elles aussi des molécules chirales. *La complémentarité structurale est le motif central des interactions entre biomolécules* (§ 4.1). De même que le gant gauche ne va pas à la main droite, il est impossible qu'un énantiomère « incorrect » ait le même partenaire moléculaire que l'énantiomère « convenable ». Cela est illustré par la **carvone**, un composé issu de plantes, qui existe aussi bien sous la forme D que sous la forme L (*fig.* 1.12) : l'énantiomère D a une odeur de cumin, et la forme L, de menthe ; dans cet exemple, les deux énantiomères se fixent à deux récepteurs olfactifs différents.

L-carvone D-carvone

1.12 Enantiomères de la carvone. La carvone, composé végétal, est un exemple de l'importance des biosynthèses énantiospécifiques : la D-carvone et la L-carvone donnent leur goût caractéristique au cumin et à la menthe, respectivement.

Un autre cas d'isomérie est l'**isomérie de conformation.** *Par* **conformation** *l'on entend l'organisation tridimensionnelle des atomes d'une molécule.* Comme les liaisons simples C–C peuvent tourner librement, les substituants d'atomes de carbone voisins peuvent pivoter les uns par rapport aux autres et adopter différents arrangements, comme on peut l'observer sur l'exemple simple des rotamères de l'éthane (*fig.* 1.13). L'on obtient ainsi différents isomères de conformation ou **conformères** d'une molécule (*fig.* 2.5). Au contraire des isomères de *configuration,* les isomères de *conformation* sont facilement convertibles l'un en l'autre sans rupture de liaison covalente, à moins que des substituants « bloquants » n'empêchent la libre rotation. Les macromolécules biologiques comme les protéines ou l'ADN possèdent beaucoup de liaisons dont la rotation est libre, ce qui rend le nombre de conformations envisageables extrêmement élevé. *Les isomères de conformation des protéines ou de l'ADN peuvent adopter des structures complètement différentes : la fonction de ces biomolécules est souvent déterminée par différents états de conformation.*

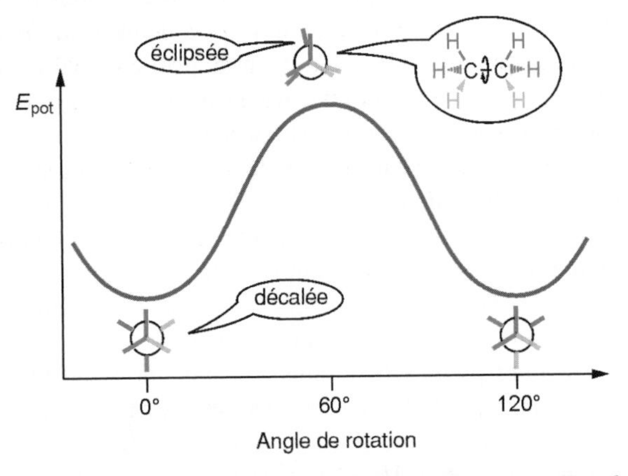

1.13 Rotamères de l'éthane. Les deux groupements CH_3 de l'éthane peuvent tourner autour de la liaison simple qui les sépare (en haut à droite). Dans la projection dite de Newman, on regarde la molécule suivant son axe C-C ; le cercle symbolise un atome de carbone. Le rotamère d'énergie potentielle la plus basse est la conformation « décalée » : les substituants H des deux atomes de C se trouvent le plus éloignés possible les uns des autres. Au contraire, dans la conformation « éclipsée », les substituants sont exactement l'un derrière l'autre (ici, ils sont représentés légèrement décalés). Son énergie potentielle élevée est due à la répulsion des électrons des liaisons C-H.

1.5

Les interactions non-covalentes sont de nature électrostatique

Jusqu'ici, nous avons vu que les biomolécules sont des composés organiques, qui réagissent entre eux par l'intermédiaire de groupes fonctionnels et contiennent des liaisons covalentes stables. Mais ces caractéristiques ne peuvent à elles seules expliquer les structures « artistiques » des protéines, la double hélice enroulée sur elle-même de l'ADN ou les réseaux bidimensionnels des molécules lipidiques. Elles ne peuvent pas expliquer non plus les interactions « fugitives » mais essentielles entre les biomolécules : une enzyme qui transcrit l'information génétique n'établit à aucun moment de liaison covalente avec sa matrice d'ADN. Les **interactions non-covalentes,** c'est-à-dire des forces attractives entre ions ou molécules qui *n*'aboutissent *pas* à une liaison chimique, sont responsables de tous ces phénomènes. *Toutes les interactions non-covalentes sont de nature électrostatique : elles reposent sur la force d'attraction existant entre des charges opposées.* C'est au sein d'une paire ionique telle que Na^+ et Cl^- que cela est le plus évident (*fig.* 1.14). Dans les cristaux de sel de cuisine, cette liaison ionique ou **pont salin** est aussi forte que bien des liaisons covalentes. Dans les systèmes biologiques, ces interactions non covalentes sont le plus souvent beaucoup plus faibles, car l'eau fait écran entre les différentes charges (§ 1.6). Les interactions ioniques ont une portée relativement longue : l'énergie requise pour séparer les partenaires diminue graduellement avec la distance.

Les molécules faites d'atomes d'électronégativités différentes sont polarisées durablement : on parle de **dipôle permanent.** La molécule bipolaire la plus connue est H_2O. Les charges partielles de deux dipôles s'attirent exactement de la même façon que les charges entières des ions ; toutefois leur interaction est loin d'être aussi forte (*fig.* 1.15a). *L'énergie d'interaction entre deux dipôles permanents diminue rapidement avec la distance, d'un facteur $1/r^3$.* Outre les dipôles permanents, il existe également des dipôles induits. Considérons pour cela le cas

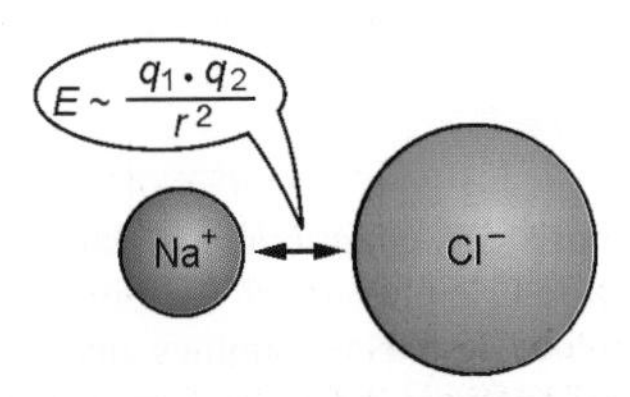

1.14 Interaction électrostatique. D'après la loi de Coulomb, l'énergie potentielle E de l'interaction entre deux ions de charges opposées est proportionnelle au produit de leurs charges *q*. Elle décroît proportionnellement au carré de la distance *r* entre les ions. Les forces d'interaction électrostatiques sont donc à longue portée – par comparaison avec la longueur d'une liaison covalente.

du benzène, qui est intrinsèquement complètement apolaire, mais possède un nuage d'électrons π étendu. La répartition ou **dispersion** de ces électrons n'est pas statique mais fluctuante. Un champ électrique, par exemple produit par un ion voisin, influence la répartition des électrons au sein du cycle du benzène : on parle de **dipôle induit**. Dans un cas extrême, deux molécules initialement apolaires peuvent se polariser réciproquement.

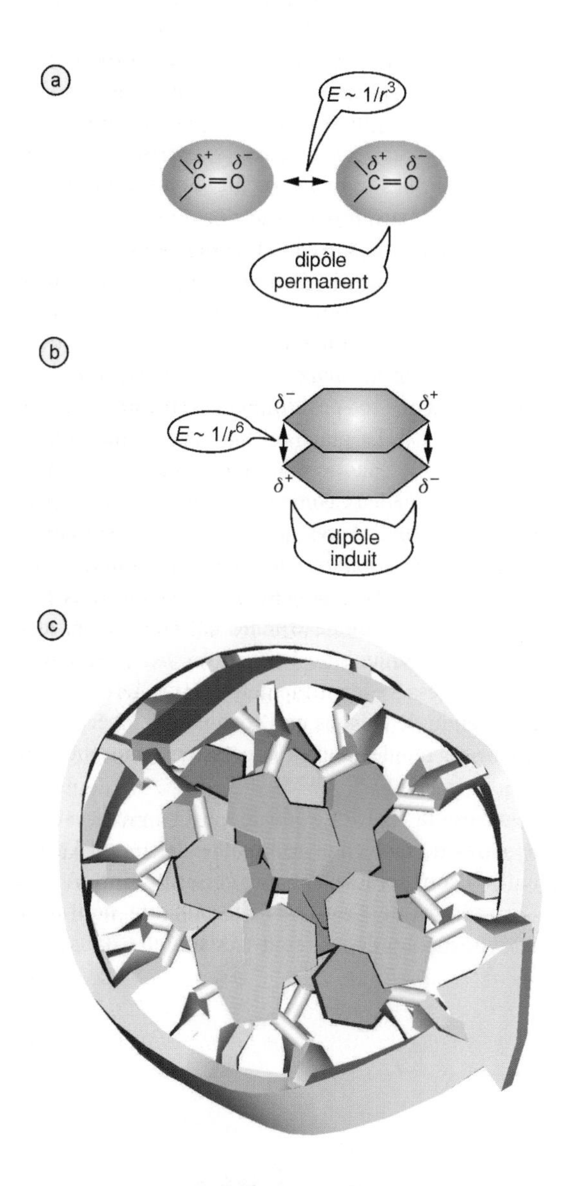

1.15 Interactions dipolaires. a) Les charges opposées de dipôles permanents s'attirent ; dans ce phénomène, l'orientation relative des deux molécules est donc importante. b) Les forces de dispersion apparaissent entre deux molécules qui se polarisent mutuellement, par exemple dans le cas de deux noyaux benzéniques. Les molécules partenaires doivent être très proches l'une de l'autre pour que les forces de dispersions soient significatives. c) La vue de dessus d'une double hélice d'ADN montre que les bases, représentées en couleur, sont étroitement « empilées » les unes sur les autres : les forces de dispersion stabilisent cet empilement.

Elles accordent les fluctuations de leurs électrons entre elles de telle manière qu'une force d'attraction apparaît entre les deux molécules (*fig.* 1.15b). On parle alors de **forces de dispersion** ou **forces de London**. Ce type d'interactions joue un rôle important dans la formation d'une double hélice d'ADN (*fig.* 1.15c). On nomme collectivement les interactions entre dipôles permanents ou induits **forces de Van der Waals**.

Bien sûr, tous les types d'interaction sont « permis » : des dipôles permanents peuvent interagir avec des ions, des ions ou des dipôles permanents peuvent attirer des dipôles induits. Une variation sur ce thème revêt une importance particulière en Biochimie : les **liaisons hydrogènes** (liaisons H) sont responsables des traits caractéristiques des structures protéiques, à savoir les hélices α et les feuillets β (§ 5.5 et 5.6). Pour former une telle liaison il faut d'abord un **donneur de liaison hydrogène A-H** (*fig.* 1.16). A doit être un élément électronégatif comme l'oxygène ou l'azote, pour que l'hydrogène porte une charge partielle. La liaison hydrogène est « jetée » vers l'**accepteur de liaison hydrogène B**, qui possède une paire d'électrons libres *non* engagée dans une liaison covalente. La liaison hydrogène est un hybride entre une liaison covalente et une interaction non covalente : son énergie est le plus souvent supérieure à celle de cette dernière. C'est pourquoi la longueur de la liaison est relativement déterminée et les atomes y sont plus proches qu'il ne « sied » à deux atomes liés de manière non covalente du fait de leurs rayons de Van der Waals.

C'est parce qu'elles sont faibles que les interactions non covalentes sont si importantes dans le monde vivant. L'énergie nécessaire à les abolir n'est que d'un dixième à un centième de celle requise pour des interactions covalentes. Les liaisons non covalentes permettent ainsi un jeu d'échanges dynamiques entre les biomolécules. Finalement, le contenu en énergie d'un grand nombre d'interactions faibles est suffisamment important pour conférer à d'énormes biomolécules une forme durable, qui n'est bien sûr pas fixe et rigide, mais peut réagir de manière flexible et dynamique aux sollicitations extérieures.

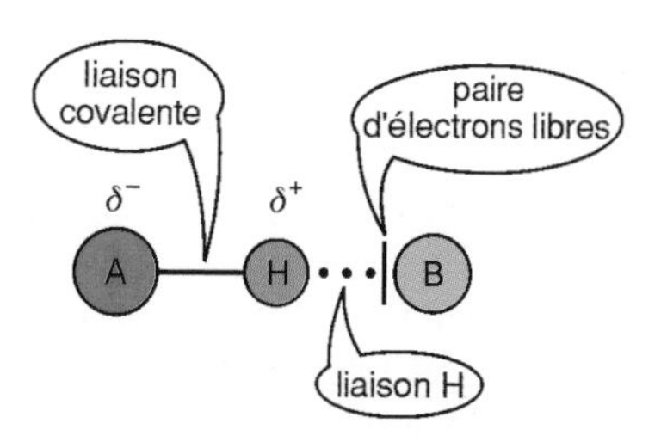

1.16 Les liaisons hydrogènes. Le donneur A est un élément électronégatif qui confère à l'hydrogène une charge partielle. Celui-ci est en interaction avec la paire d'électrons libres de l'accepteur B. Les liaisons hydrogènes seront symbolisées dans la suite par trois points.

1.6

L'eau possède une structure ordonnée

Sans eau, pas de vie ! Chaque cellule a besoin d'une matrice, dans laquelle des dizaines de milliers de biomolécules peuvent se déplacer et se rencontrer dans un espace extrêmement restreint. L'eau est omniprésente dans notre biosphère – c'est probablement la raison pour laquelle on ne remarque pas plus que cela ses propriétés exceptionnelles. En fait, l'eau se distingue profondément d'autres petites molécules construites apparemment de la même façon : le sulfure d'hydrogène (H_2S) bout ainsi à -61 °C et l'ammoniac (NH_3) à -33 °C, alors que l'eau se trouve en majeure partie à l'état liquide sur terre. Pour comprendre cela, il faut observer de plus près la structure moléculaire de H_2O. L'oxygène possède six électrons dans sa couche externe. Quatre d'entre eux forment des paires d'électrons libres, non impliqués dans des liaisons. Les deux autres établissent la liaison avec les hydrogènes. H_2O est une molécule dipolaire : les électrons de l'hydrogène passent une grande partie de leur temps près de l'atome d'oxygène, ce qui lui confère une charge partielle négative.

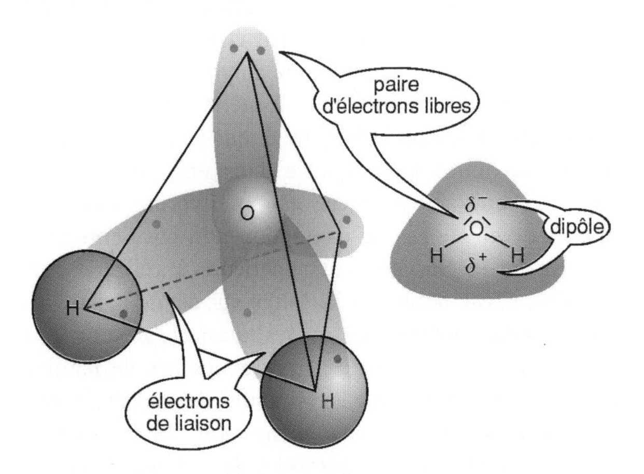

1.17 Structure de la molécule d'eau. La représentation des orbitales montre les deux paires d'électrons libres de l'oxygène. Les deux autres électrons de la couche externe se trouvent chacun dans une orbitale de liaison avec l'hydrogène. La molécule d'eau possède une géométrie tétraédrique : l'atome d'O occupe le centre d'un tétraèdre imaginaire, et les deux atomes d'hydrogène et les deux paires d'électrons libres de l'oxygène en forment les sommets. La formule développée (à droite) montre la dipolarité de la molécule d'eau.

L'eau possède donc deux atomes d'hydrogène qui portent une charge partielle positive et un atome d'oxygène ayant deux paires d'électrons libres. *Ainsi la molécule d'H_2O remplit-elle toutes les conditions pour être un donneur aussi bien qu'un accepteur de liaisons hydrogènes.* Elle les remplit même doublement : une molécule d'eau peut fonctionner comme donneur ou accepteur de deux liaisons hydrogènes. Considérons la géométrie tétraédrique de la molécule d'eau : l'atome d'oxygène occupe le centre d'une pyramide imaginaire, les deux atomes d'hydrogène se trouvent en deux sommets voisins, et les deux paires d'électrons libres de l'atome d'oxygène se positionnent aux deux autres sommets (*fig.* 1.17). La glace présente une symétrie parfaite, dans laquelle chaque molécule d'eau établit quatre liaisons hydrogène, deux comme donneur et deux comme accepteur (*fig.* 1.18a). Après la fusion, il subsiste encore dans l'état liquide – malgré l'agitation thermique – une partie de cette structure hautement organisée. L'on peut se représenter l'eau liquide comme un ensemble d'amas (angl. *cluster*) dynamiques de molécules reliées, se formant et se désagrégeant rapidement (*fig.* 1.18b). Ainsi, ce réseau étendu de liaisons non covalentes empêche l'eau de se vaporiser rapidement : à la pression atmosphérique, elle ne bout qu'à 100 °C.

Si l'eau est la matrice « idéale » de la vie, c'est que tant de sortes de molécules **hydrophiles** (« aimant l'eau ») différentes y sont solubles à haute concentration. À nouveau, la polarité de l'eau est déterminante pour cette propriété. Beaucoup de sels sont très solubles dans l'eau,

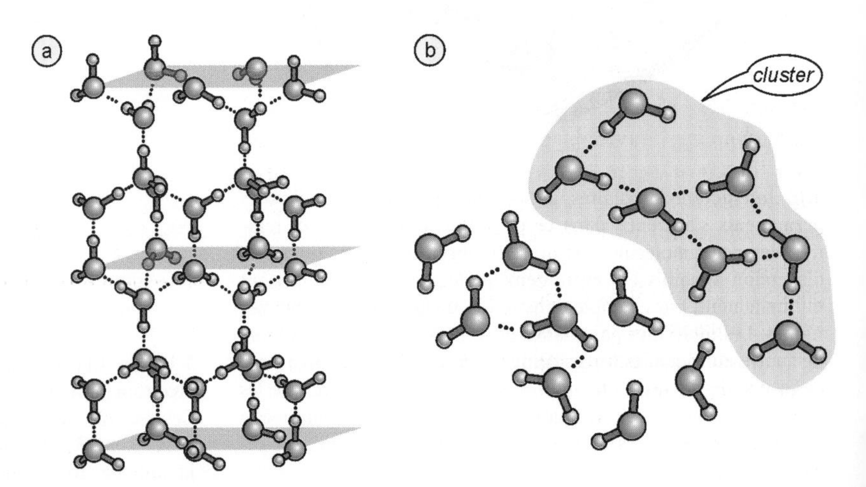

1.18 Structure de l'eau. a) La glace possède un réseau cristallin régulier et hautement ordonné fait de molécules d'eau arrangées en tétraèdres. b) Dans l'eau liquide, une partie des molécules fait partie de structures ordonnées (*cluster*), mais celles-ci sont éphémères.

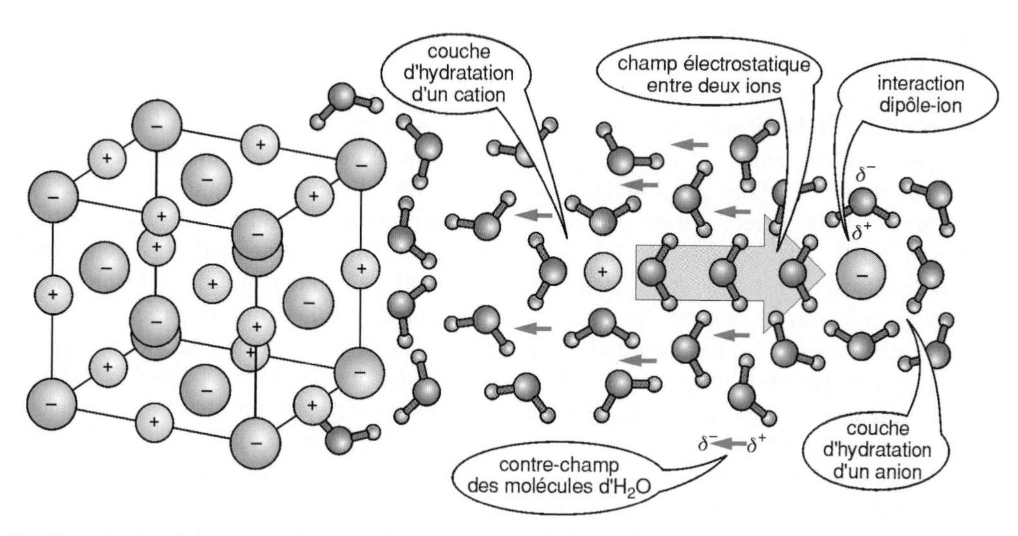

1.19 Solubilité des sels dans l'eau. Les molécules d'H_2O peuvent extraire les ions du réseau cristallin du sel (à gauche), en remplaçant un petit nombre de liaisons ioniques fortes par d'innombrables interactions ion-dipôle plus faibles. Les cations (Na^+) et les anions (Cl^-) sont donc enveloppés par une couche d'hydratation (à droite). De ce fait, les molécules polaires d'H_2O s'orientent et affaiblissent par un contre-champ électrique l'attraction entre les anions et les cations en solution.

où leurs ions s'entourent d'une volumineuse **couche d'hydratation** (*fig.* 1.19). Dans ce processus de solubilisation, de nombreuses interactions faibles ion-dipôle remplacent quelques interactions fortes ion-ion. Les ponts salins ne sont plus aussi forts dans un environnement aqueux, car la couche d'hydratation fait écran entre les charges ioniques. La raison en est la haute **constante diélectrique** de l'eau, qui est une mesure de sa polarité et de sa polarisabilité. Si l'on dissout un sel dans de l'eau, les dipôles des molécules d'eau s'orientent selon le champ électrique des ions avoisinants et deviennent ainsi eux-mêmes polarisés. *De ce fait apparaît un contre-champ, qui affaiblit les interactions électrostatiques entre ions et masque leur charge.* Ainsi les ions peuvent-ils exister à haute concentration en solution aqueuse, sans pour autant établir des liaisons salines.

Les interactions dipôle-dipôle et les liaisons hydrogènes rendent très solubles les molécules organiques comportant des groupes fonctionnels, comme par exemple les sucres, les acides aminés et les nucléotides. À l'opposé, les hydrocarbures purs sont totalement apolaires et de ce fait « n'aiment pas l'eau » : ils sont **hydrophobes**. Ils n'établissent pas du tout d'interactions énergétiquement favorables avec H_2O. Au contraire, l'eau les « force » à se regrouper et construit des « cages » autour des agrégats de molécules hydrophobes – qu'il suffise de penser aux gouttes d'huile dans l'eau. Nous expliquerons encore plus précisément cet **effet hydrophobe** (§ 5.8), car il participe au repliement des protéines. De plus nous verrons avec les lipides de nouvelles classes de substances qui ont un rapport amphiphile, c'est-à-dire « ambivalent » avec l'eau (§ 2.13).

1.7 L'eau est un composé réactif

Nous connaissons l'eau jusqu'à présent comme un composé polaire et non chargé. Mais elle peut aussi s'ioniser : *dans l'eau pure à température ambiante, environ une molécule sur dix millions se* **dissocie** *en un* **proton** *et un* **ion hydroxyle** *:*

$$H_2O \rightleftharpoons H^+ + OH^-$$

Les ions qui en résultent ont une **concentration molaire** d'environ 10^{-7} M (M signifie mole par Litre). En réalité, il n'y a pas d'H^+ libre en solution aqueuse, même si on le

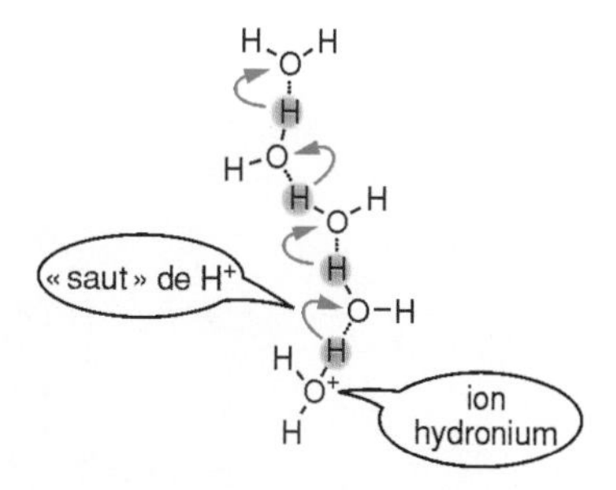

1.20 Les protons « sauteurs ». Un ion hydronium peut transmettre son proton « supplémentaire » à une molécule d'H_2O proche. Pour ce faire, la liaison hydrogène du proton vers la molécule d'H_2O voisine se transforme en liaison covalente, et cette molécule d'H_2O devient ainsi un ion H_3O^+, qui a son tour va pouvoir maintenant transmettre un proton via une liaison hydrogène. Par cet « effet de dominos », les protons se déplacent en apparence beaucoup plus vite que cela ne serait possible par diffusion : chaque H^+ individuel ne parcourt qu'une distance infime et met en route l'H^+ suivant.

considère le plus souvent ainsi par simplicité : en fait, le proton est associé à une molécule de H_2O pour former un **ion hydronium H_3O^+**. En apparence, les protons peuvent se déplacer très rapidement dans l'eau, et les réactions auxquelles ils participent peuvent avoir lieu avec la même rapidité. Mais en réalité, sur de « longues » distances, ce ne sont pas les ions H^+ eux mêmes qui se déplacent matériellement (*fig.* 1.20). Les protons et les ions hydroxyles, parce qu'ils sont réactifs, sont impliqués dans de nombreuses réactions chimiques. Ils peuvent activer des biomolécules, mais à haute concentration ils peuvent détruire : pensons par exemple aux sucs gastriques acides dont le premier rôle est de « dégrader » les protéines présentes dans les aliments.

La dissociation de l'eau est comme toutes les réactions chimiques un **équilibre** entre deux réactions de sens opposés. L'équilibre réactionnel est décrit quantitativement par une constante d'équilibre – qu'on appelle ici **constante de dissociation** –, qui correspond au quotient de la concentration des **produits** (les substances issues de la réaction) par celle des **réactifs** (substances de départ) ; ici les concentrations sont symbolisées par des crochets :

$$K = \frac{[H^+][OH^-]}{[H_2O]} \tag{1.1}$$

Comme la haute concentration de l'eau pure ($[H_2O] = 55{,}5$ M) n'est pratiquement pas modifiée par la dissociation d'une « poignée » de molécules, elle est incluse dans la constante. On obtient ainsi le **produit ionique K_W**, qui est une constante physique de l'eau indépendante de la température.

$$K_W = [H^+][OH^-] = 10^{-14}\ M^2 \tag{1.2}$$

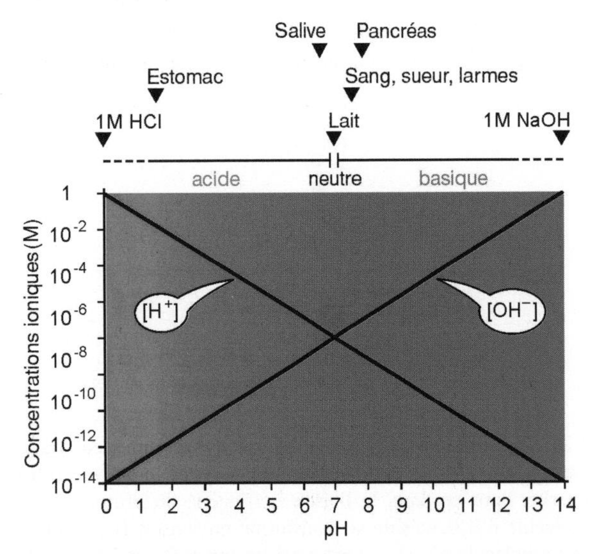

1.21 Le pH. En ordonnée sont portées les concentrations de protons $[H^+]$ et d'ions hydroxyles $[OH^-]$. Le produit de ces concentrations ioniques K_W est une constante : c'est pourquoi $[H^+]$ et $[OH^-]$ varient de manière réciproque. 1M HCl donne un pH de 0 ($[H^+] = 10^0$ M) et 1M NaOH, un pH de 14 ($[H^+] = 10^{-14}$ M). Les pH typiques de quelques fluides (corporels) sont indiqués.

Dans l'eau pure, $[H^+]$ est toujours égal à $[OH^-]$, et vaut 10^{-7} M. Lorsque l'on donne la concentration en H^+, on utilise le plus souvent l'opposé du logarithme décimal. Une concentration en protons de 10^{-7} M correspond d'après cette convention à un **pH** de 7 (lat. *pondus hydrogenii*). Une diminution d'une unité de pH signifie donc une augmentation d'un facteur dix de $[H^+]$. Lorsque des substances qui augmentent $[H^+]$ sont dissoutes dans l'eau, $[OH^-]$ diminue proportionnellement puisque le produit ionique est une constante (*fig.* 1.21). Cela est également vrai dans le cas inverse. Les solutions de pH < 7 sont acides, les solutions basiques ont un pH > 7, et les solutions neutres ont un pH de 7. la plupart des fluides corporels de l'homme ont un pH entre 6,5 et 8,0 – à l'exception des sucs gastriques (pH ≈ 1,5).

Les acides et les bases peuvent modifier les concentrations en H^+ et OH^- d'une solution aqueuse. *Selon la définition de Brønsted, les acides sont des* **donneurs de protons**, *c'est-à-dire des molécules qui se séparent facilement d'un proton et les bases des* **accepteurs de protons**, *donc des molécules qui peuvent recevoir un proton.* Une réaction acide base a donc la forme générale :

$$AH + B \rightleftharpoons A^- + BH^+$$

Un acide AH est converti, par perte d'un proton, en sa **base conjuguée** A^-, tandis qu'une base B donne, par gain d'un proton, l'**acide conjugué** BH^+. Dans le cas des bases fortes comme l'hydroxyde de sodium (NaOH) ou des acides forts comme l'acide chlorhydrique (HCl), l'équilibre est complètement déplacé vers la droite : pratiquement toutes les molécules d'acide chlorhydrique ont abandonné leur proton en solution. Dans le cas des acides et bases faibles au contraire, il existe un « vrai » équilibre entre l'acide et sa base conjuguée ou entre la base et son acide conjugué. *Les groupes fonctionnels des molécules organiques sont souvent des acides ou des bases faibles.* Par exemple, les groupements carboxyliques acides (R-COOH) peuvent perdre un proton et donner le groupement carboxylate conjugué, tandis que les groupements amine basiques ($R\text{-}NH_2$) peuvent être convertis en la forme ammonium ($R\text{-}NH_3^+$). La constante de dissociation des acides en présence de la base H_2O est définie par l'égalité suivante :

$$K = \frac{[H_3O^+][A^-]}{[AH][H_2O]} \tag{1.3}$$

Dans l'écriture K_a, $[H_2O]$, en tant que grandeur quasi invariante, est à nouveau intégrée dans la constante. L'opposé du logarithme décimal de cette constante de dissociation est appelé **pK_a** :

$$pK_a = -\log K_a \tag{1.4}$$

Le pK_a fournit une mesure de la force d'un acide. Plus il est faible, plus l'acide est fort. De plus, à un acide faible correspond une base conjuguée forte et inversement.

1.8

Les fluides biologiques sont tamponnés

Si l'on ajoute à un litre d'eau une goutte d'acide chlorhydrique à la concentration de 1 M, le pH tombe de 7 à 5, ce qui indique que la concentration en protons fait un bond d'un facteur 100. Pour bien des biomolécules ce serait le « saut de la mort » : elles ne tolèrent en général que des fluctuations de pH minimes. C'est pourquoi le pH du cytosol ou du sang est dans une large mesure maintenu constant grâce à des tampons. Pour comprendre comment fonctionne un **tampon**, considérons la **courbe de titration** d'un acide relativement faible, l'**acide acétique**, dont le pK_a est de 4,67. Au début de la titration, la forme acide CH_3COOH prédomine (*fig.* 1.22). Après addition de la base forte NaOH, qui absorbe les protons presque quantitativement, l'acide acétique est progressivement converti en sa base conjuguée, l'**acétate** (CH_3COO^-). Le pH de la solution est mesuré à l'aide d'un **pH-mètre**, qui produit une tension électrique dépendant de la concentration en protons. La courbe de titration présente un point d'inflexion au pH correspondant au pK_a de l'acide acétique. C'est à cet endroit que le pH varie le moins pour une même quantité de NaOH ajoutée. *Lorsque pH = pK_a, l'acide et sa base conjuguée sont présents à la même concentration, l'un et l'autre peuvent piéger les nouveaux ions H^+ et OH^- qui se présentent et ainsi, maintenir le pH constant dans une large mesure.* Le système tampon principal du sang est constitué par la paire acide-base formée par l'acide carbonique et le bicarbonate (*encart* 1.3).

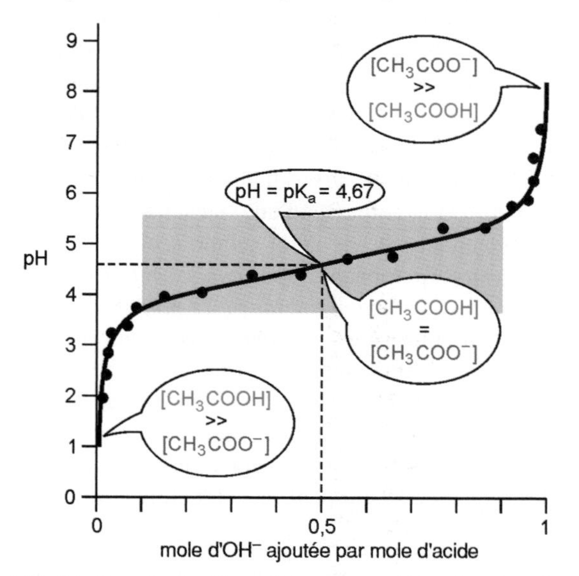

1.22 Titration de l'acide acétique. Pour déterminer le pK_a de l'acide acétique, on ajoute petit à petit la base NaOH et on mesure le pH ; les gros points correspondent chacun à une mesure. Le pKa est égal au pH du point d'inflexion de la courbe de titration. Dans le domaine « vert » – c'est-à-dire entre une unité pH de moins et une de plus que le pK_a –, le pH ne varie que très peu au cours de la titration : c'est dans ce domaine que l'acide acétique est le plus efficace comme tampon.

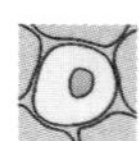

Encart 1.3 Contrôle du pH du sang

Le pH du plasma humain se situe autour de 7,40 ± 0,03 : il ne subit donc que de légères fluctuations. Le système tampon le plus important du sang est constitué par l'équilibre entre l'**acide carbonique** (H_2CO_3) et le bicarbonate (HCO_3^-) (*fig.* 1.23). Il s'agit en fait plutôt de deux équilibres, car l'acide carbonique libre s'échappe de la solution aqueuse par élimination d'une molécule d'eau et formation de **dioxyde de carbone** gazeux (CO_2). Lorsque l'acide lactique formé en masse par le travail musculaire se dissocie et que le pH baisse en conséquence, le HCO_3^- peut absorber les protons ainsi libérés. L'équilibre se déplace de HCO_3^- vers H_2CO_3 qui est instable et donne CO_2, qui est expulsé par les poumons. Si au contraire le pH du sang augmente, il se forme plus de HCO_3^- à partir du H_2CO_3, et le sang peut absorber plus de CO_2. Les perturbations de cet équilibre dues à des maladies des poumons ou des reins, ou encore au diabète sucré, peuvent conduire à une **acidose** (pH < 7.37) ou une **alcalose** (pH > 7.43).

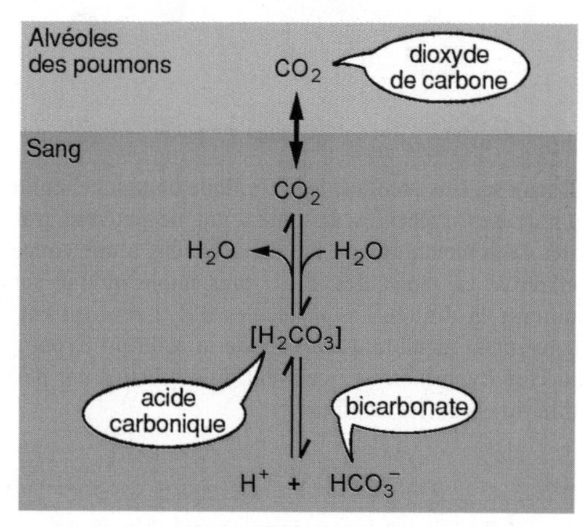

1.23 Tampon acide carbonique/bicarbonate du sang. Cette paire acide/base est particulièrement efficace, car l'air de la respiration est une source quasiment inépuisable pour la formation d'acide carbonique/bicarbonate par absorption ou libération de CO_2.

1.9

Les cellules subissent la pression osmotique

Le liquide contenu dans les cellules – le **cytosol** (§ 3.3) – est une solution aqueuse très concentrée contenant d'innombrables ions organiques, de petites molécules organiques, et des macromolécules de grande taille. La membrane plasmique qui le contient est perméable à l'eau, c'est-à-dire que H_2O peut traverser cette couche de séparation par diffusion directe. De plus, des protéines formant des pores, comme les aquaporines, fonctionnent comme des canaux à eau et accélèrent le « transit » à travers cette membrane. Cependant, la plupart des molécules cytosoliques ne peuvent tout simplement pas franchir cette barrière vers le monde extérieur : c'est pourquoi

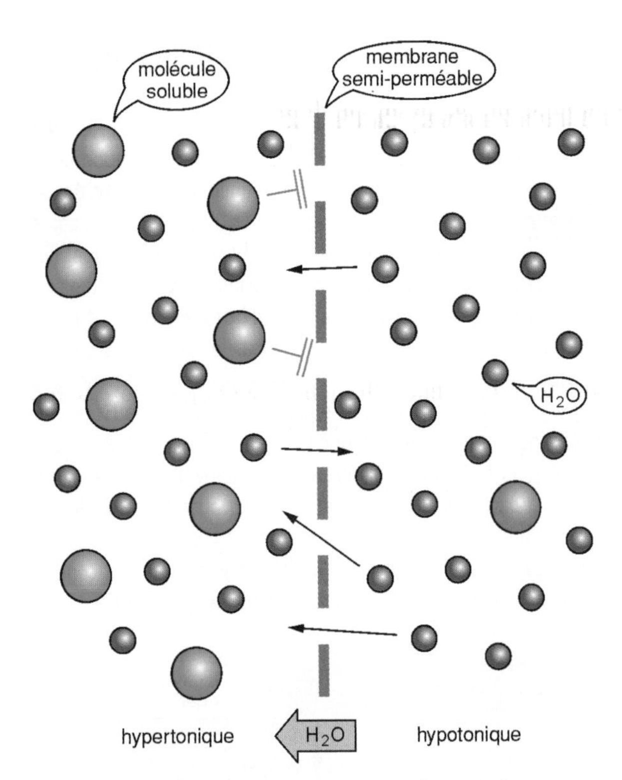

1.24 L'osmose. Une solution hypertonique (à gauche) contenant de nombreuses molécules dissoutes, qui ne peuvent traverser les pores de la membrane du fait de leur taille, a une concentration effective en molécules d'H_2O plus faible qu'une solution hypotonique (à droite). Les molécules d'H_2O rencontrent donc plus souvent la membrane du côté de la solution hypotonique que du côté hypertonique : cela entraîne un flux net d'eau en direction du côté hypertonique.

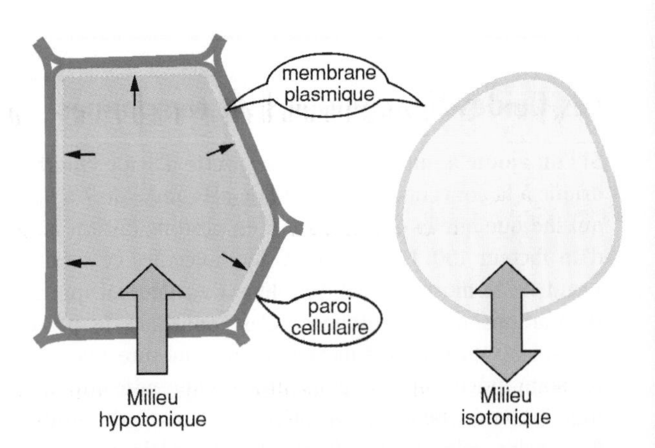

1.25 Pression osmotique. Les végétaux et les cellules bactériennes possèdent une paroi cellulaire robuste. Dans un environnement hypotonique, l'eau reflue à l'intérieur de la cellule jusqu'à ce que la membrane plasmique touche la paroi cellulaire. Ensuite, le flux net vers la cellule s'arrête car la paroi cellulaire résiste à la pression et empêche la cellule de gonfler encore plus. Les cellules animales, qui ont « seulement » une membrane plasmique, éclateraient dans un milieu hypotonique ; elles doivent donc s'entourer d'un milieu isotonique.

l'on parle d'une **membrane semi-perméable** (§ 24.3). Ceci a des conséquences physiques importantes : si la concentration de particules dissoutes est plus grande d'un côté de la membrane plasmique que de l'autre, l'eau va « chercher » à équilibrer les concentrations, et se déplacer vers le côté de la solution concentrée. Ce déplacement d'eau, nommé **osmose**, est un phénomène de nature statistique : en effet, une concentration plus faible de soluté – une **solution hypotonique** – signifie en même temps une concentration plus importante en solvant H_2O. La probabilité que H_2O, plutôt qu'une molécule de soluté, rencontre un pore de la membrane et le traverse, est donc plus élevée du côté de la solution hypotonique que du côté de la **solution hypertonique**, où la concentration en soluté est supérieure (*fig.* 1.24).

Sans contre-mesure, les cellules se trouvant dans un milieu hypotonique gonfleraient et finiraient par éclater. Pour résister à cette **pression osmotique**, les bactéries et les cellules de plantes recouvrent leur membrane plasmique d'une paroi cellulaire résistante (*fig.* 1.25). Au contraire, les cellules animales s'entourent d'une **solution isotonique**, c'est-à-dire que l'activité osmotique des particules dans le liquide extracellulaire correspond globalement à celle du liquide intracellulaire. C'est pourquoi, pour les injections intraveineuses, l'on utilise des solutions isotoniques de chlorure de sodium, dont la concentration en sel est ajustée à celle du plasma sanguin et donc aussi aux cellules sanguines.

Le fait d'être entourée d'une membrane semi-perméable complique la vie de la cellule à bien des titres. *Des systèmes de transport spécialisés sont nécessaires pour faire franchir une membrane à la plupart des substances.* D'un autre côté – comme nous allons encore le voir plus loin –, une membrane semi-perméable rend la vie tout simplement possible. Maintenant que les éléments, les liaisons chimiques, et l'eau, matrice de la vie, nous sont familiers, tournons-nous vers les macromolécules biologiques, qui sont la « signature » du monde vivant.

Les biomolécules, composants élémentaires du vivant

2

La biochimie moderne se focalise sur des structures qui sont à la frontière entre les mondes vivant et inanimé : les macromolécules biologiques telles que les protéines, les lipides, les sucres et les acides nucléiques sont les produits de l'activité biologique aussi bien que les matières premières de processus d'assimilation et de transformation. Toutefois, ces biomolécules sont en elles-mêmes des structures inanimées. C'est pourquoi nous pouvons les décrire comme les « composants élémentaires du vivant » qui rendent possibles les processus complexes de la biochimie des cellules et des organismes. Ainsi qu'un jeu de construction, qui nécessite peu d'éléments différents, mais que l'on peut combiner entre eux à volonté, les biomolécules se distinguent par le principe d'une combinatoire puisant dans un ensemble discret de composants élémentaires.

2.1 Quatre classes de biomolécules dominent la chimie du vivant

La chimie de la vie a lieu dans un milieu aqueux. Il n'est donc pas étonnant qu'environ 70 % du poids d'une cellule vivante soient constitués d'eau (*fig.* 2.1). Parmi les molécules organiques, les protides ou **protéines** se taillent « la part du lion », avec environ 18 % du total : véritables outils de la cellule, elles remplissent de nombreux rôles structuraux et fonctionnels. Le groupe des graisses ou **lipides** constitue à peu près 5 % du poids de la cellule ; ce sont des nutriments importants et ils jouent un rôle

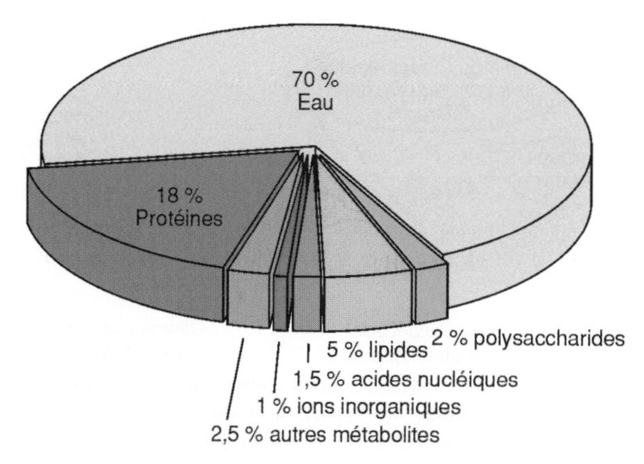

2.1 Composition chimique d'une cellule de mammifère. Les proportions sont en pourcentage du poids total d'une cellule vivante. La composition d'une cellule bactérienne est très proche ; seule la proportion d'acides nucléiques y est plus élevée.

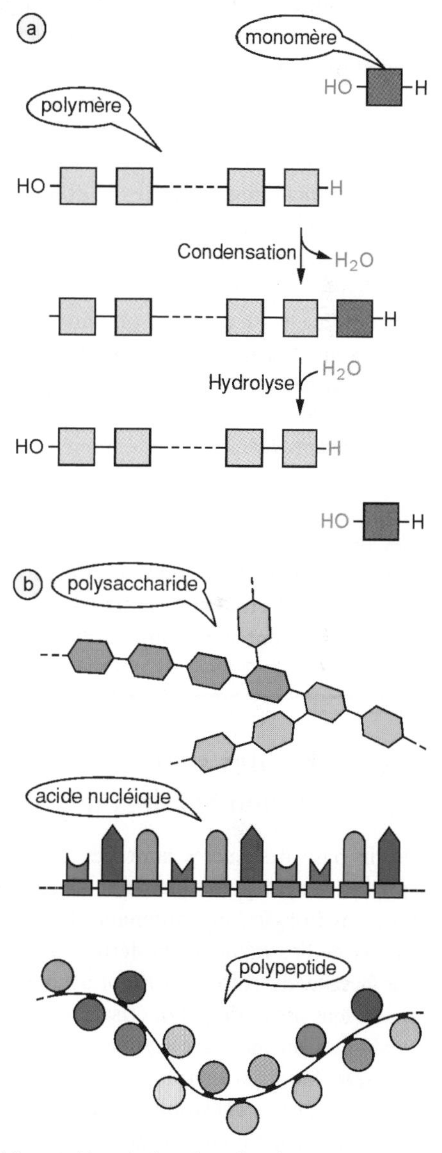

2.2 Synthèse et dégradation de polymères par condensation et hydrolyse. a) Représentation simplifiée. b) Prototypes de biopolymères. La biosynthèse requiert l'« activation » des composants élémentaires, au cours de laquelle la cellule consomme de l'énergie sous forme d'ATP (§ 3.10).

essentiel dans la structure des membranes biologiques. Les **sucres** ou **glucides** ou **composés osidiques** (anciennement appelés hydrates de carbone), sont des sources d'énergie importantes, mais ont aussi des rôles structuraux : ils constituent approximativement 2 % du poids de la cellule. Ensuite viennent les **acides nucléiques**, porteurs d'information de la cellule, avec environ 1,5 %. Enfin, les ions tels que Na^+, K^+, Ca^{2+}, Cl^-, HCO_3^-, et HPO_4^{2-} contribuent ensemble pour 1 % au poids total de la cellule.

Les biomolécules que nous venons d'énumérer appartiennent à des classes de composés complètement différents. À l'exception des lipides, qui même *sans* liaisons covalentes, peuvent former des assemblages assez importants de molécules, les **biopolymères** de grande taille comme les protéines, les sucres ou les acides nucléiques se construisent formellement par **condensation**, c'est-à-dire par libération d'une molécule d'eau, à partir de leurs composants élémentaires monomériques (*fig.* 2.2). La séquence des composants dans les biopolymères ainsi assemblés par liaisons covalentes et la longueur de la chaîne des **macromolécules** obtenues sont extrêmement variables. Au contraire, le nombre de composants élémentaires différents est très limité : ainsi, on ne trouve que cinq nucléotides différents dans les deux types principaux d'acides nucléiques, et les protéines sont issues d'une série de vingt acides aminés standard. Seuls les sucres, avec plus de cent types de monomères, présentent un spectre plus large, mais dans lequel dominent quelques composants élémentaires, comme le glucose, le galactose, le fructose, le ribose et le désoxyribose. *En général, les protéines et les acides nucléiques forment des chaînes linéaires non branchées, alors que les polysaccharides sont souvent ramifiés.* La dégradation par **hydrolyse** est un point commun à toutes les macromolécules, et ramène souvent aux composants élémentaires.

2.2 Les monosaccharides sont les composants élémentaires des sucres

Les unités de base des sucres sont des cétones et des aldéhydes relativement petits possédant au moins deux groupements hydroxyles et contenant du carbone, de l'hydrogène et de l'oxygène, leurs dérivés pouvant aussi contenir de l'azote, du soufre ou du phosphore (*tab.* des sucres). Selon leur degré de polymérisation, on distingue les sucres simples ou monosaccharides des sucres complexes tels que les disaccharides, oligosaccharides ou polysaccharides (grec *sakcharon*, sucre) (le terme de polyosides est également utilisé). *Les sucres sont parmi les plus polyvalents des composants du Vivant : ils servent de transporteurs et de réserves d'énergie, reconnaissent et trient les structures cellulaires et fournissent des structures mécaniques protectrices ou architecturales pour les cellules, les tissus ou tout l'organisme.* À titre d'exemple, le **glucose** (sucre du raisin et du sang) et le **fructose** (sucre des fruits) sont des monosaccharides, le **saccharose** (sucre de canne) et le **lactose** (sucre du lait) sont des disaccharides, et l'**héparine**, un inhibiteur de la coagulation sanguine, est un oligosaccharide. Le **glycogène** et l'**amidon**, deux polysaccharides, fonctionnent comme réserves intermédiaires d'énergie chez les animaux et les plantes. Le polysaccharide **chitine** forme, en collaboration avec le carbonate de calcium, l'exosquelette résistant des arthropodes. La **cellulose**, un polysaccharide géant, fournit la plus importante matière première chez les plantes : avec une production annuelle d'environ 10^{12} tonnes, la cellulose est incontestablement la biomolécule la plus synthétisée sur notre planète.

Les **monosaccharides** ou **oses** sont construits de manière relativement simple : leur formule brute est $C_n(H_2O)_n$ – d'où le terme ancien d'hydrate de carbone –, avec $n \geq 3$. Les monosaccharides à trois atomes de C sont appelés **trioses** ; de même, les tétroses contiennent quatre atomes de C, les pentoses cinq, les hexoses six, les heptoses sept, etc. Les monosaccharides les plus simples sont le glycéraldéhyde et la dihydroxyacétone (*fig.* 2.3). Ces deux **isomères de constitution**, qui dérivent d'un polyol, le glycérol, ont des groupes fonctionnels différents : en tant qu'**aldose**, le glycéraldéhyde présente un groupement aldéhyde alors que le groupement cétone fait de la dihydroxyacétone un **cétose**. La dihydroxyacétone est une molécule symétrique ; au contraire, le glycéraldéhyde possède avec son carbone asymétrique en position C2 un **centre chiral**. En conséquence, la molécule peut exister sous deux formes images l'une de l'autre dans un miroir, les **énantiomères** L et D (§ 1.3). *Dans la nature, les énantiomères D dominent chez les sucres alors que les énantiomères L prévalent chez les acides aminés.*

Les **pentoses** et les **hexoses** dominent parmi les monosaccharides ; les tétroses et les heptoses sont plus rares. *Les pentoses et les hexoses sont préférentiellement à l'état de cycles à cinq ou six atomes, qui se forment à la suite*

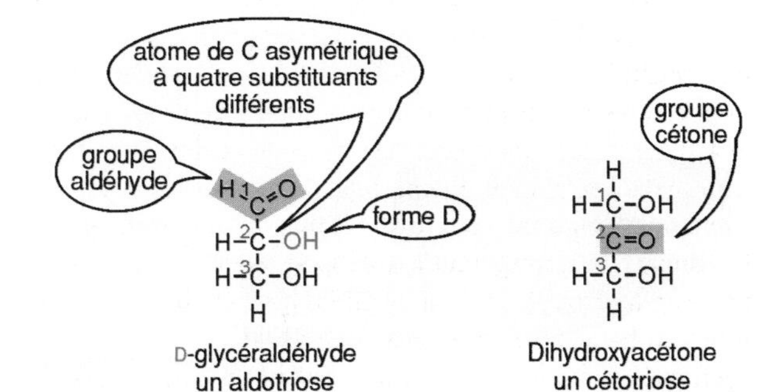

2.3 Structure des trioses. Les deux sucres sont des isomères de constitution. La numérotation de la chaîne du glycéraldéhyde commence par l'extrémité qui porte la fonction aldéhyde. Le carbone asymétrique du glycéraldéhyde est à l'origine de l'existence de deux énantiomères : en plus de la forme D (lat. *dextrum*, droite) montrée ici, il existe une forme L (lat. *laevum*, gauche) plus rare.

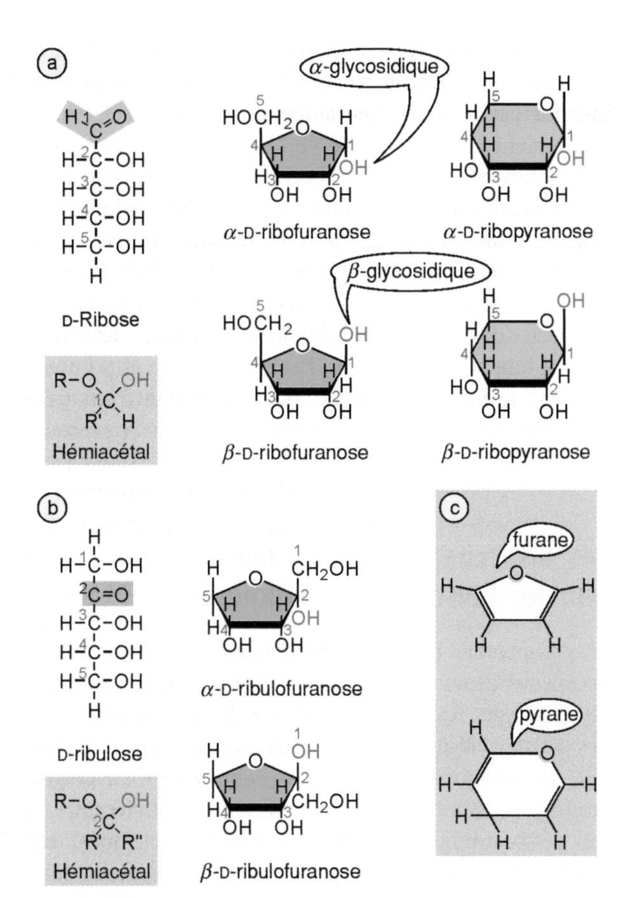

2.4 Structure des pentoses importants. L'aldose D-ribose et le cétose D-ribulose sont représentés sous la forme linéaire (projection de Fischer) et sous la forme cyclique (projection de Haworth) en (a) et (b), respectivement. Deux longueurs de cycle (furanose et pyranose) avec à chaque fois les deux positions possibles du groupement hydroxyle glycosidique (α ou β) du C1 sont représentées. Les cétopentoses n'existent que sous la forme furanose ; ils forment des hémiacétals (R radical hydrocarbure). À titre de comparaison, le furane et le pyrane sont représentés (c).

d'une réaction intramoléculaire et sont en équilibre avec leur forme linéaire (*fig.* 2.4). Les trioses et les tétroses n'existent pratiquement que sous la forme linéaire, car les contraintes sur le dérivé cyclique seraient trop importantes ; d'un autre côté, les hétérocycles potentiels à sept ou huit atomes chez les hexoses ou heptoses sont trop instables, si bien qu'eux aussi préfèrent les systèmes cycliques à cinq ou six atomes. Considérons un pentose, le **ribose** : le groupement aldéhyde en C1 et le groupement hydroxyle en C4 forment par cyclisation une fonction **hémiacétal**, qui ressemble à un composé hétérocyclique aromatique, le furane, d'où son nom de **cycle furanose** (*fig.* 2.4). Ici, il *n*'y a *pas* élimination d'eau ; il apparaît en C1 un carbone asymétrique, dont le groupement hydroxyle peut prendre deux orientations : les positions α ou β. Le **groupement hydroxyle glycosidique** nouvellement créé en C1 – contrairement aux autres hydroxyles de la molécule – est particulièrement réactif.

2.3 Le squelette cyclique des aldohexoses ressemble au noyau pyrane

Le **glucose**, un aldohexose, se cyclise presque exclusivement sous la forme d'un **cycle pyranose**, (*fig.* 2.4). Les biologistes représentent habituellement les monosaccharides cycliques en perspective selon la **projection de Haworth**, dans laquelle les liaisons du cycle qui sont « en avant » sont représentées en gras et celles qui sont « en arrière » en trait fin ; le C1 y est représenté par convention à droite (*fig.* 2.5). Le groupement hydroxyle en C1 peut se trouver en dessous (forme α) ou au-dessus (forme β) du plan du cycle : à propos de ce type particulier d'isomérie de configuration on parle d'**anomérie,** avec le C1 comme **centre anomérique**. En solution, les anomères α et β sont en équilibre par l'intermédiaire de la forme linéaire : l'un peut donc se transformer en l'autre. La cyclisation des aldohexoses *ne* crée *pas* un système cyclique *plan* : les pyranoses adoptent la **conformation chaise** (ou exceptionnellement **bateau**). Dans ces isomères de conformation

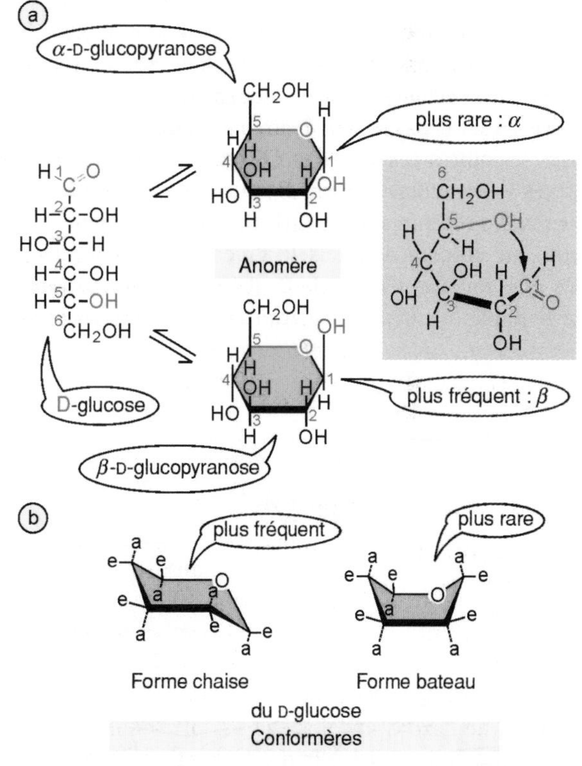

2.5 Le glucose et ses anomères. a) La fermeture du cycle (sur fond gris) produit, à partir des groupements hydroxyle et aldéhyde, un hémiacétal intramoléculaire, dont le carbone asymétrique génère les deux anomères α-D-glucose (36 %) et β-D-glucose (64 %) pour la forme pyranose. b) Le β-D-glucopyranose préfère, quelque soit l'isomère de conformation, la forme chaise, dans laquelle tous les substituants assez gros sont dans le plan équatorial et ne provoquent pas de gêne stérique. a, axial ; e, équatorial.

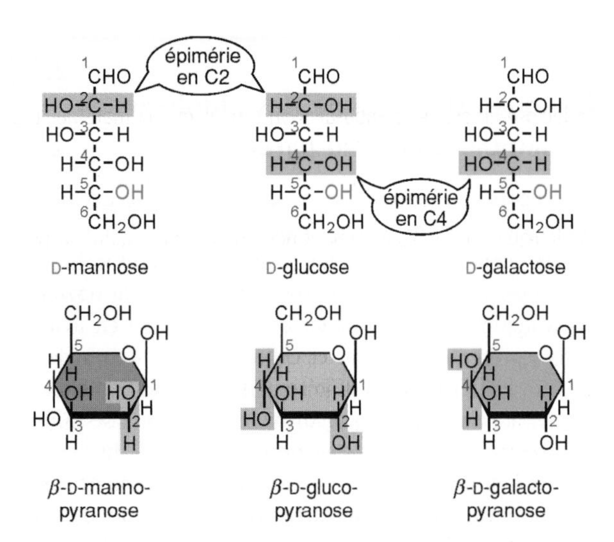

2.6 Le glucose et ses épimères les plus importants.

(conformères), les substituants sont positionnés « axialement » et donc perpendiculaires à l'axe de symétrie, ou bien « équatorialement » c'est-à-dire plus ou moins dans le plan du cycle. *Une substitution du groupe hydroxyle glycosidique « gèle » le D-glucose dans l'une des deux formes anomériques* : ainsi le D-glucose polymérisé en glycogène ou en amidon est-il exclusivement sous la forme α alors que la cellulose utilise uniquement la forme β.

Le C5 n'est pas le seul centre chiral des aldohexoses : tous les autres C sauf C1 et C6 sont eux aussi « stéréogènes ». Par combinaison, il en résulte $2^4 = 16$ aldohexoses de formule brute $C_6H_{12}O_6$, stéréo-isomères entre eux, au nombre desquels le glucose. Les aldohexoses les plus importants sont le D-glucose, le D-mannose et le D-galactose (*fig.* 2.6). Parmi eux, le D-glucose et le D-mannose ne diffèrent que par la configuration du C2 : il s'agit donc d'**épimères** (§ 1.4). Le D-glucose et le D-galactose forment une autre paire d'épimères, qui se distinguent par la position de l'hydroxyle du C4.

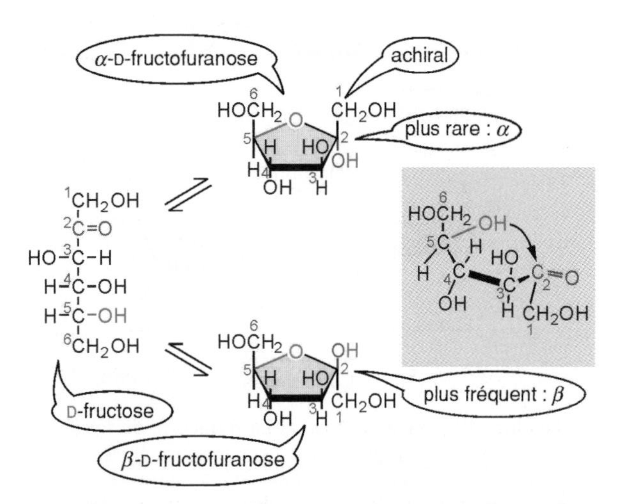

2.7 Le fructose, un cétohexose. La fermeture du cycle (sur fond gris) produit, à partir des groupements hydroxyle et cétone, le pendant de l'hémiacétal des aldoses. Les deux anomères du D-fructofuranose, dont la forme β prédomine nettement, sont repré-sentés. Le C1 porte deux atomes de H et *n'*est donc *pas* chiral.

Les hexoses peuvent exister sous la forme aldéhyde (aldohexoses) aussi bien que sous la forme cétone (cétohexoses). Dans cette dernière, le groupement cétone est le plus souvent positionné en C2, si bien que les cétohexoses ont un centre asymétrique de moins que les aldohexoses de même nombre de carbones, et donc seulement huit stéréo-isomères. Le cétohexose le plus important est le **D-fructose** (*fig.* 2.7). Ce sucre de fruits peut aussi bien donner des formes furanoses que pyranoses.

2.4 Les disaccharides se forment par des liaisons glycosidiques

Le groupement hydroxyle réactif appartenant à l'hémiacétal des furanoses et des pyranoses forme des liaisons glycosidiques : par réaction avec des amines se forment des **liaisons *N*-glycosidiques**, qui sont presque toujours dans la configuration β (*fig.* 2.8). Parmi les dérivés *N*-glycosidiques importants, on trouve les ribonucléotides et les désoxyribonucléotides des acides nucléiques. Les groupements hydroxyles glycosidiques réagissent aussi facilement avec d'autres groupements hydroxyles pour former des **liaisons *O*-glycosidiques** qui peuvent avoir la configuration α ou β ; elles existent surtout chez les polysaccharides.

Des liaisons *O*-glycosidiques entre deux monosaccharides donnent naissance à des **disaccharides** (ou **diosides**) comme le saccharose (sucre de canne ou de la betterave sucrière) le lactose (sucre du lait), et le maltose (sucre du malt), qui contiennent tous un glucopyranose (*fig.* 2.9). Le **saccharose** (angl. *sucrose*), qui est produit à grande échelle à partir du sucre de canne et de betterave, est un

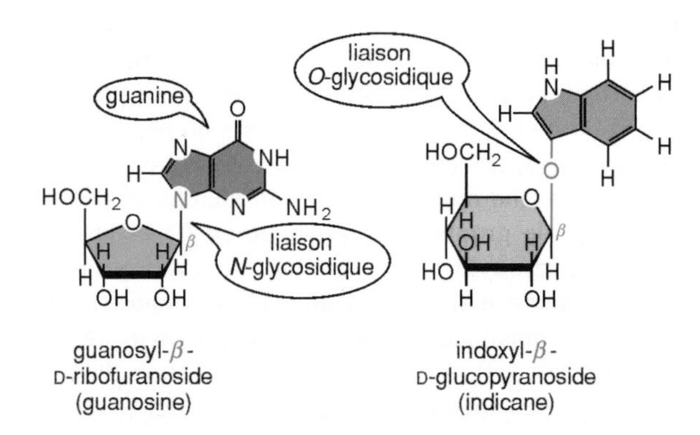

2.8 Liaisons glycosidiques. À titre d'exemple, on a représenté un ribonucléoside, la guanosine, et un gluconucléoside, l'indicane, précurseur d'un colorant bleu, l'indigo (utilisé pour les *blue jeans*).

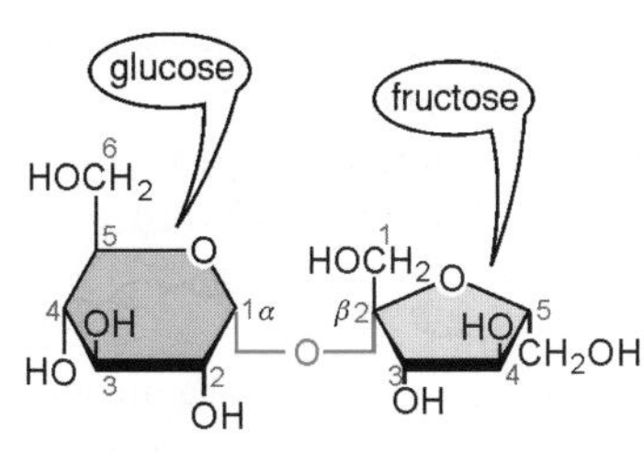

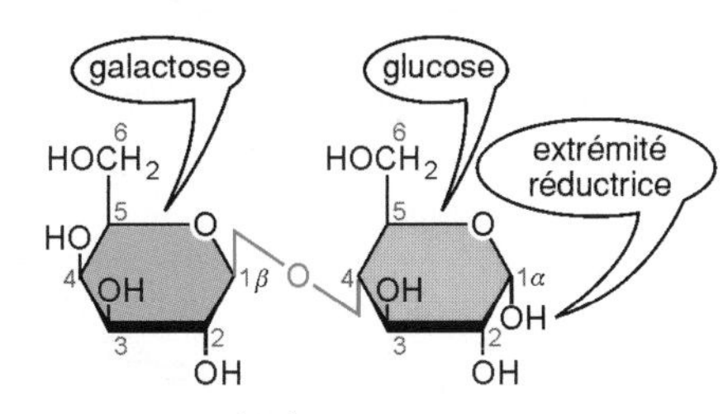

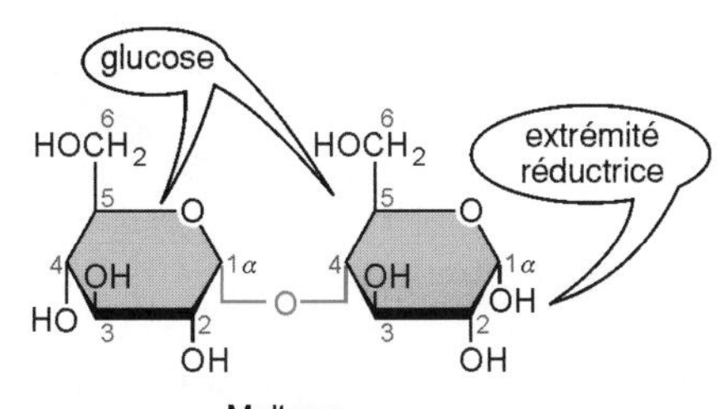

2.9 Les disaccharides importants. L'atome de C anomérique, qui porte un groupe hydroxyle glycosidique libre est appelé « extrémité réductrice », car le groupement carbonyle peut, après ouverture du cycle, être oxydé en carboxyle et donc agir comme réducteur (§ 40.1) Dans le saccharose, les deux groupements glycosidiques sont engagés dans une liaison glycosidique α-1,2 ; il *n*'a donc *pas* d'extrémité réductrice. Pour des raisons de lisibilité, tous les atomes d'H des cycles ont été omis ; cette représentation de Haworth simplifiée est utilisée aussi dans les figures suivantes.

Encart 2.1 : L'intolérance au lactose

Le lactose un est des composants principaux du lait maternel. Les nourrissons et les jeunes enfants peuvent dégrader ce disaccharide à l'aide de l'enzyme **lactase** et importer dans leur sang les monosaccharides obtenus, le glucose et le galactose, à travers l'épithélium de l'intestin grêle. Chez l'organisme adulte, la production de lactase baisse ; chez les Européens du Nord, il reste suffisamment de lactase pour cliver le lactose apporté par la nourriture. Par contre, dans les populations africaines et asiatiques, on a une diminution drastique de l'expression du gène de la lactase, si bien que les adultes ne supportent plus les produits laitiers : la consommation de lait conduit chez eux à une accumulation, dans le gros intestin, de lactose non digéré et impossible à absorber. Les bactéries intestinales convertissent le lactose présent en grandes quantités en produits toxiques, qui provoquent des diarrhées et des coliques. En revanche, un lait préalablement traité à la lactase est toléré sans problème. La tolérance des Européens du Nord semble être une adaptation évolutive relativement récente, qui a pu se révéler positive après l'introduction de l'élevage laitier en Europe.

disaccharide contenant une liaison α-1, β-2 entre le C1-OH d'un α-D-glucose et le C2-OH d'un β-D-fructofuranoside. Le **lactose**, un composé glycosidique β-1,4 de β-D-galactose et α-D-glucose, existe en grande quantité dans le lait (49 g/L dans le lait de vache) ; un défaut de la voie d'assimilation du lactose conduit à l'intolérance au lactose (*encart* 2.1). Le **maltose** est un dimère d'α-1,4-D-glucopyranoside qui est libéré en grande quantité à partir d'amidon lors de la production du malt. Lorsque l'on brasse la bière, l'enzyme maltase de germe d'orge clive le maltose en glucose, qui à son tour est transformé en éthanol par la fermentation alcoolique de levures.

Par condensation de nouveaux monomères, on obtient à partir des disaccharides des entités de plus grande taille, qui sont appelés **oligosaccharides**, puis polysaccharides (**polyosides**) à partir d'un seuil variable. Les **homoglycanes** contiennent seulement des monosaccharides identiques alors que les **hétéroglycanes** en contiennent différents. Oligosaccharides et polysaccharides remplissent des rôles biologiques importants comme composants des glycosaminoglycanes, protéoglycanes, glycoprotéines et glycolipides. Nous y reviendrons plus loin.

2.5 Les polysaccharides sont des matériaux de stockage et de structure importants

Les hydrates de carbone peuvent se condenser en longs **polysaccharides** qui remplissent chez les plantes et les animaux d'importantes fonctions de stockage : l'**amidon** des plantes, part essentielle de notre alimentation, est un mélange de deux polymères de glucose. Il se compose à 20-30 % d'**amylose**, dans laquelle des unités α-D-glucopyranose sont assemblées par des liaisons glycosidiques α-1,4 en polymères linéaires, qui s'enroulent en hélice. L'**amylopectine**, le composant principal de l'amidon (70-80 %), est aussi constitué de glucopyranoses reliés par des liaisons α-1,4, mais se ramifie toutes les 25 unités environ par une liaison α-1,6 (*fig.* 2.10). Chez les animaux, le glucose est stocké sous forme de **glycogène** : là aussi, les monomères sont reliés par des liaisons α-1,4, et les chaînes, ramifiées par des liaisons α-1,6. Toutefois, le glycogène est plus ramifié que l'amylopectine : on trouve en moyenne une liaison α-1,6 toutes les dix unités.

Les polysaccharides sont également à la base de structures protectrices ou architecturales importantes : la **cellulose**, le composant essentiel de la paroi cellulaire chez les plantes, est un polymère linéaire d'unités β-D-glucopyranosides reliées par des liaisons β-1,4.

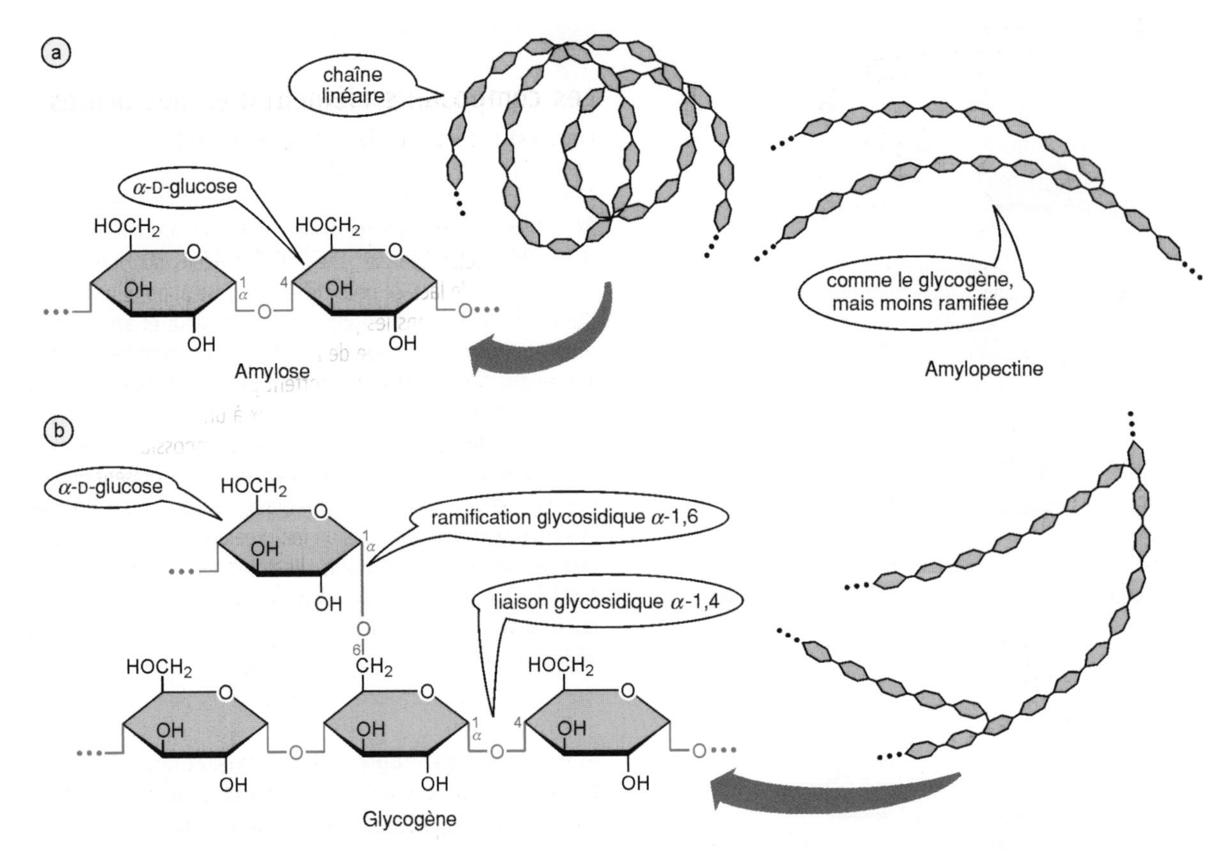

2.10 L'amidon et le glycogène sont des polysaccharides de réserve importants. L'amidon (a) est un mélange d'amylose et d'amylopectine ; il est accumulé sous la forme de granules cytosoliques – les grains d'amidon – dans les cellules végétales. Le glycogène (b) est stocké chez l'homme et les animaux dans des organes comme le foie et le muscle sous la forme de granules de glycogène (*fig.* 40.2).

Environ 150 chaînes polysaccharidiques non ramifiées placées parallèlement forment un faisceau stabilisé par des liaisons hydrogène. 10^3 à 10^4 unités glucose forment ainsi une microfibrille en forme de bâtonnet d'une résistance à l'étirement exceptionnelle (*fig.* 2.11). Dans les parois des cellules de plantes, les microfibrilles de cellulose sont ordonnées parallèlement dans une structure en couches semblable à du contre-plaqué, dont la stabilité est encore considérablement augmentée par l'incorporation de lignine – un autre polymère biologique. La **chitine**, un homoglycane, composant important de l'exosquelette des insectes et des autres arthropodes, est faite d'unités D-glucopyranoses reliées par des liaisons β-1,4, et modifiées en C2 par des groupements *N*-acétylamine.

La diversité structurale des mono- et polysaccharides est encore considérablement augmentée par **modification chimique** (*tab.* sucres). L'estérification par l'acide phosphorique comme dans le mannose-6-phosphate (*fig.* 19.22) ou par l'acide sulfurique comme dans l'héparine (§ 8.6) en sont des exemples. Les **glycosaminoglycanes** sont des chaînes polysaccharidiques extrê-mement longues, dans lesquelles les groupements hydroxyles non glycosidiques sont substitués par des groupements amine (souvent N-acétylés) – par exemple la glucosamine ou la *N*-acétyl-D-glucosamine – ou bien les groupements hydroxyles ou carboxyliques terminaux sont oxydés, comme par exemple dans l'acide glucuronique. Les glycosaminoglycanes tels que l'**acide hyaluronique** forment des substances gélatineuses agissant comme des colles, lubrifiants ou ciments entre les cellules.

Les fondements de la diversité des biopolymères résident donc dans une combinatoire très large, augmentée par des modifications spécifiques, portant sur les éléments d'un répertoire relativement restreint de composants de base. Les processus de synthèse, de transformation et de dégradation, dont l'ensemble constitue le **métabolisme**, garantissent cette diversité moléculaire. Le métabolisme énergétique possède une position centrale au sein du métabolisme général : l'énergie nécessaire aux réactions biochimiques est tirée de l'énergie solaire, transformée en énergie biochimique utilisable. Dans le **cycle biologique du carbone**, un monosaccharide, le glucose, joue un rôle central (*fig.* 2.12). La photosynthèse des plantes, dépendante de l'énergie solaire, produit finalement, à partir de dioxyde de carbone et d'eau, du glucose et de l'oxygène ; ceux-ci fournissent le carburant nécessaire à la respiration des cellules, redonnant par ce processus CO_2 et H_2O.

2.11 La cellulose et la chitine sont des polysaccharides structuraux importants. Le disaccharide obtenu par dégradation de la cellulose (a) s'appelle cellobiose. L'incorporation de carbonate de calcium dans une enveloppe de chitine (b) dont la consistance rappelle le cuir, donne la carapace durcie des crabes.

2.6 Les composants élémentaires des acides nucléiques sont les nucléotides

Les acides nucléiques sont les mémoires contenant l'information de la cellule. Ces longs polymères linéaires sont constitués d'unités nucléotidiques, dont la séquence linéaire contient toute l'information nécessaire à l'élaboration, le développement et la mise en œuvre des fonctions vitales d'un être vivant. Cette information génétique se trouve, chez les organismes pluricellulaires, essentiellement dans le noyau des cellules, d'où l'appellation d'acides *nucléiques* (lat. *nucleus* : noyau). Il existe deux types d'acides nucléiques : les **acides ribonucléiques** ou **ARN**, qui sont construits typiquement à partir de quatre ribonucléotides différents, et les **acides désoxyribonucléiques** ou **ADN** qui sont constitués par quatre désoxyribonucléotides différents (*tab.* nucléotides). Dans la cellule, l'ADN stocke l'information génétique, alors que l'ARN est essentiellement une copie « de travail » de l'ADN ; il représente une transcription de la partie de l'information de l'ADN utile à un instant donné. De leur côté, les **nucléotides** sont constitués de trois composants : un monosaccharide, une base et un résidu phosphate (*fig.* 2.13). La partie saccharidique est toujours un pentose, à savoir un β-D-ribofuranose pour l'ARN ou un β-D-2'-désoxyribofuranose pour l'ADN. Les bases utilisées sont des hétérocycles contenant de l'azote de type pyrimidine ou purine.

Les **purines**, l'adénine (A) et la guanine (G), sont bicycliques et contiennent quatre atomes de N ; de leur côté,

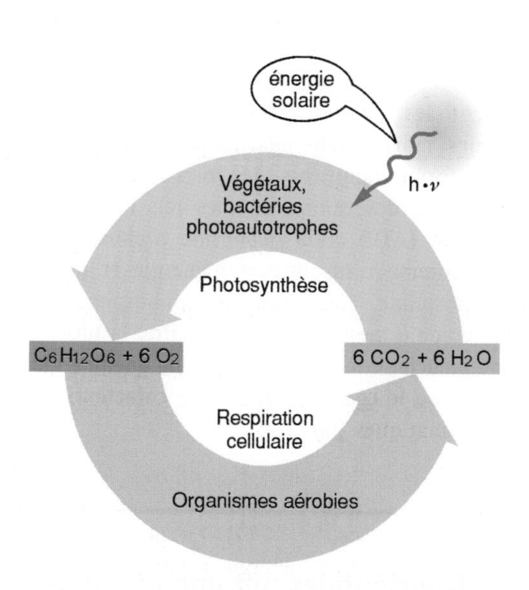

2.12 Le cycle du carbone. Le glucose ($C_6H_{12}O_6$) joue le rôle de vecteur d'énergie : il apparaît par photosynthèse, puis il est consommé dans les processus cellulaires de respiration, dans lesquels il fournit une énergie biochimiquement utilisable.

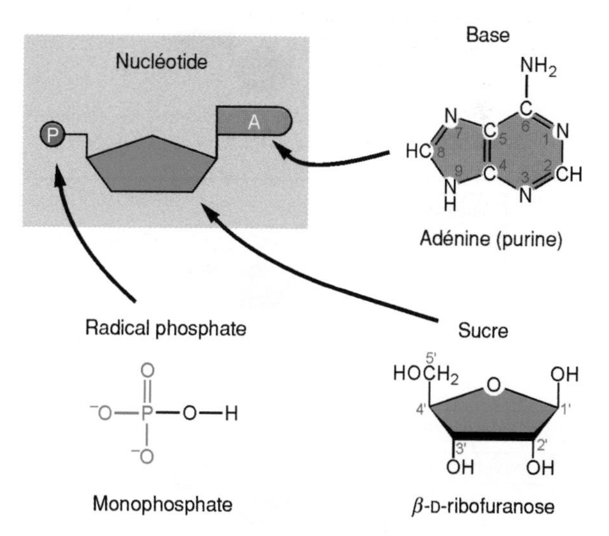

2.13 Les nucléotides sont composés d'une base, d'un sucre et d'un radical phosphate. À titre d'exemple, la base adénine et le sucre β-D-ribose sont représentés ici. Pour distinguer les atomes du cycle de la base de ceux du sucre, les positions du ribose sont signalées par un « prime » (comme dans : trois prime, cinq prime). Le nucléotide complet (sur fond gris) est représenté ici symboliquement.

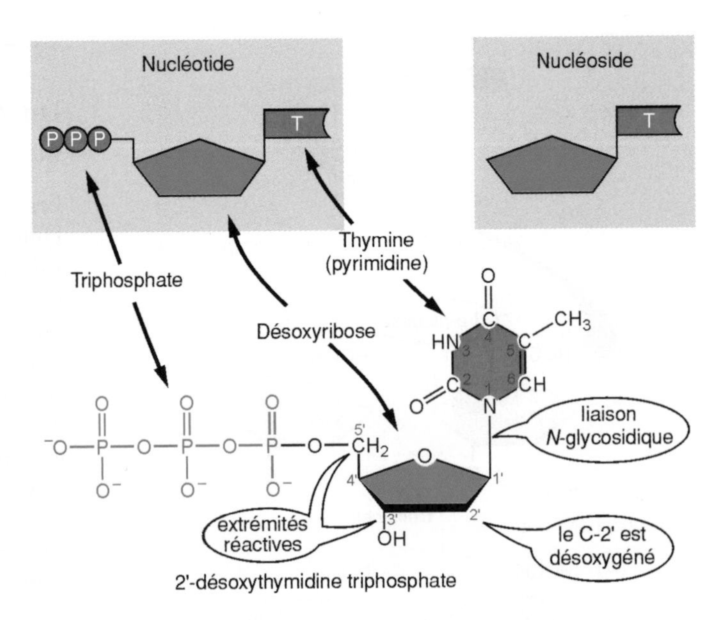

2.14 Structure des nucléosides et des nucléotides. Dans le cas du nucléotide 2'-désoxythymidine triphosphate, la base thymine est reliée par une liaison *N*-glycosidique au monosaccharide β-D-désoxyribofuranose, lui-même estérifié par l'intermédiaire de son groupement hydroxyle 5' par un radical triphosphate. De leur côté, les nucléosides ne contiennent qu'une base et un sucre (sur fond gris : représentations symboliques).

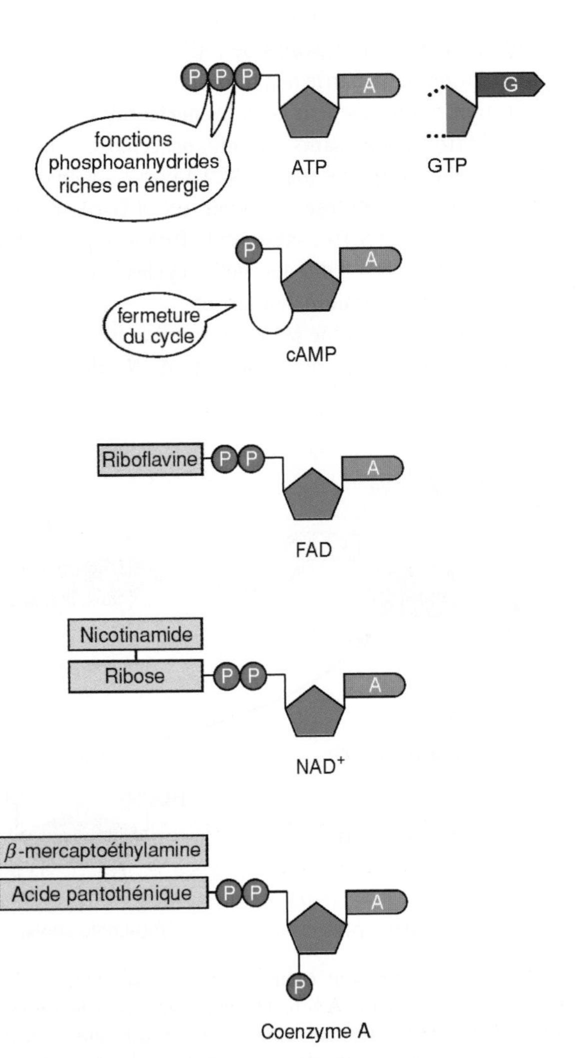

2.15 Quelques nucléotides et leurs dérivés (représentation symbolique). L'ATP est la source d'énergie la plus importante des cellules (§ 3.10).

les **pyrimidines,** la cytosine (C), la thymine (T) et l'uracile (U), se composent d'un hétérocycle à deux atomes de N. L'adénine, la cytosine, et la guanine sont présentes dans les deux types d'acides nucléiques, alors que la thymine (T) existe *seulement* dans l'ADN et l'uracile (U) *seulement* dans l'ARN. Par liaison *N*-glycosidique d'une base avec la position 1' d'un sucre on obtient un **nucléoside** ; l'estérification du groupement hydroxyle terminal de la position 5' du sucre par l'acide phosphorique donne un nucléotide. Selon le nombre de résidus phosphate (au maximum trois), l'on distingue les nucléosides mono, di et triphosphates. La **2'-désoxythymidine triphosphate** (dTTP) est un exemple de nucléotide utilisé pour la synthèse de l'ADN (*fig.* 2.14).

Les nucléotides sont souvent désignés par des abréviations, par exemple dTTP signifie **2'-désoxythymidine triphosphate** et UTP **uridine triphosphate**. Ils sont non seulement les composants élémentaires des acides nucléiques mais jouent également – le plus souvent sous une forme modifiée – des rôles importants dans le métabolisme ; des ribonucléotides tels que l'**adénosine triphosphate** (ATP) et la **guanosine triphosphate** (GTP) agissent comme transporteurs d'énergie et de groupements phosphate, l'adénosine monophosphate cyclique (AMPc) comme messager intracellulaire, la **nicotinamide adénine dinucléotide** (NAD^+), la **flavine adénine dinucléotide** (FAD) ou le **coenzyme A** comme **cofacteurs** de réactions enzymatiques (*fig.* 2.15).

2.7 Les polynucléotides ont une orientation

La synthèse des acides nucléiques consiste à assembler les nucléosides triphosphates (NTP) en polymères linéaires (*fig.* 2.16). De manière générale, les nucléotides ont deux

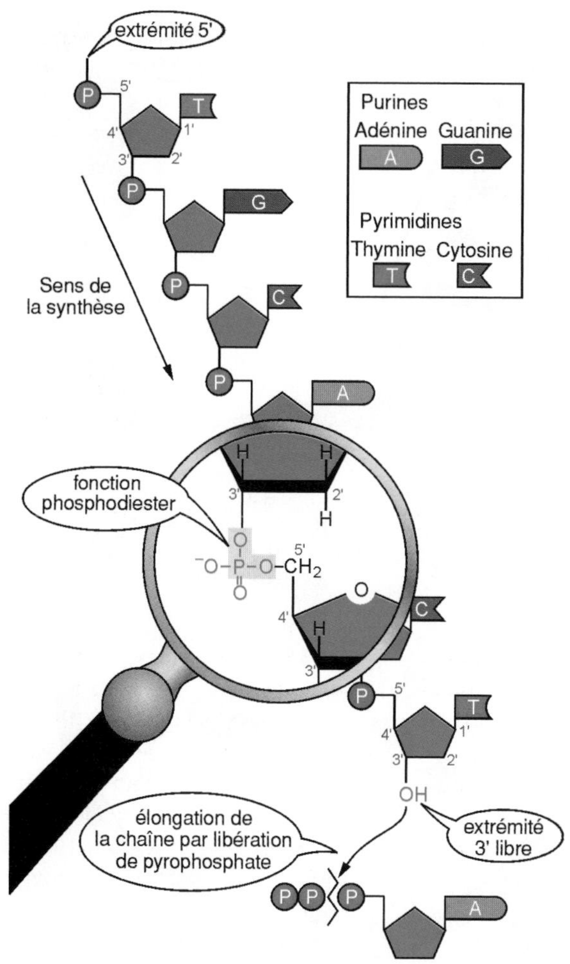

2.16 Polymérisation des nucléotides en la séquence simple brin 5'-TGCACT-3'. Le groupement phosphate central entre deux résidus désoxyribose est engagé dans une liaison phosphodiester.

positions réactives, à savoir l'extrémité 5' phosphorylée et le groupement hydroxyle « libre » en 3' (*fig.* 2.14). D'abord, le groupement 3'-hydroxyle du premier nucléotide forme avec le groupement 5'-α-phosphate – également appelé groupement phosphate interne – d'un deuxième nucléotide une liaison phosphodiester covalente (-P-O-P-) par libération d'un diphosphate (pyrophosphate). Le dinucléotide ainsi formé porte à l'extrémité 5' un groupe phosphate et à l'extrémité 3' un groupement hydroxyle « libre », à partir duquel l'élongation de la chaîne se poursuivra ensuite : *les acides nucléiques croissent dans la* **direction 5'-3'** *et possèdent donc une orientation 5'-3'.* Comme les composants sucre-phosphate des acides nucléiques sont identiques mais les bases différentes, on écrit habituellement la séquence de la chaîne terminée en utilisant le code à une lettre des bases dans l'ordre de 5' vers 3'.

Lorsque quelques nucléotides sont reliés ensemble, on obtient des **oligonucléotides** ; les polymères plus longs, eux, sont appelés **polynucléotides.** Les oligonucléotides, qui sont produits en tube à essais (lat. *in vitro*), jouent un rôle essentiel dans le diagnostic médical et médicolégal (encart 2.2). *Les polynucléotides peuvent être extrêmement longs : une seule molécule d'ADN peut renfermer plus de 100 millions de nucléotides reliés entre eux sans interruption !* Deux brins d'ADN d'orientations contraires peuvent s'apparier par l'intermédiaire de liaisons hydrogène entre leurs bases pour donner un **double brin** (*fig.* 2.17). G s'associe alors spécifiquement avec C, et A avec T : on parle de paires de **bases complémentaires** qui interagissent entre elles.

Avant une division cellulaire, le matériel génétique doit être répliqué, c'est-à-dire recopié à l'identique. La complémentarité entre les deux brins d'ADN permet une **réplication semi-conservative** : par dissociation du double-brin et synthèse nucléotide par nucléotide de brins nouveaux le long des deux « brins matrices » initiaux, on obtient deux molécules d'ADN identiques, qui seront réparties entre les deux cellules filles (*fig.* 2.18).

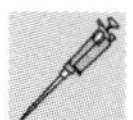

Encart 2.2 : Les oligonucléotides en médecine légale

Le diagnostic criminel (la médecine légale) utilise des méthodes de biologie moléculaire pour élucider les crimes. Des quantités infimes de matériel génétique humain provenant du sang, de cheveux ou de sperme trouvé sur les lieux du crime peuvent en effet être attribuées à un individu. Pour ce faire, on synthétise des séries d'oligonucléotides correspondant à des séquences d'ADN humain formant une « trame » à partir de laquelle l'ADN trouvé peut être analysé (§ 22.6). Dans ce but, on réalise des copies *in vitro* de l'ADN en partant de cette trame, que l'on coupe à l'aide de « ciseaux » moléculaires — des nucléases — et que l'on analyse ensuite par électrophorèse. Le profil caractéristique de fragments d'ADN ainsi obtenu fournit une « empreinte digitale » (angl. *fingerprint*), qui est en pratique différente pour chaque personne, et qui est donc spécifique de chaque individu. La comparaison avec les profils d'ADN obtenus à partir d'échantillons biologiques provenant des suspects permet l'identification du criminel avec une grande probabilité.

2.8 Le flux de l'information génétique va de l'ADN à la protéine en passant par l'ARN

Dans l'« archive » cellulaire de l'ADN sont consignées toutes les instructions de montage des protéines, qui sont les outils d'exécution de la cellule. Une traduction directe de l'ADN vers la protéine n'est toutefois pas possible ; en revanche, c'est ici qu'entrent en action les acides ribonucléiques, sous la forme d'ARN messagers, en abrégé **ARNm.** Ce processus de recodage ou **transcription** convertit fidèlement le code ADN en code ARN, dans lequel

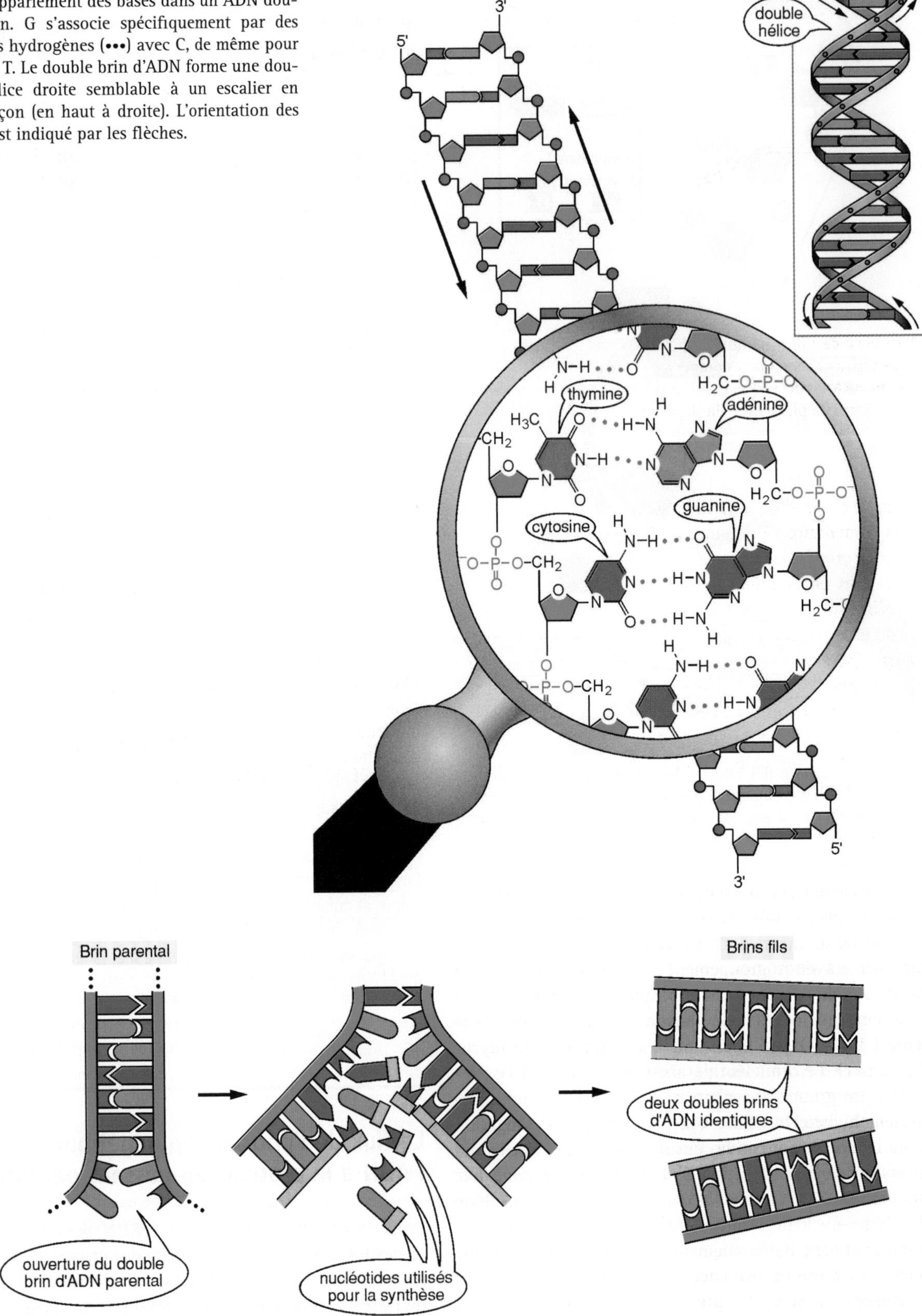

2.17 Appariement des bases dans un ADN double brin. G s'associe spécifiquement par des liaisons hydrogènes (•••) avec C, de même pour A avec T. Le double brin d'ADN forme une double hélice droite semblable à un escalier en colimaçon (en haut à droite). L'orientation des brins est indiqué par les flèches.

2.18 La réplication semi-conservative. Pour des raisons de simplification, seul un court fragment d'ADN de neuf paires de bases est représenté ici. La synthèse le long des « rails » des deux brins d'ADN désappariés conduit à deux doubles brins d'ADN identiques portant chacun un brin parental conservé (en vert) et un brin fils néosynthétisé (en jaune) – d'où le terme de réplication « semi-conservative ».

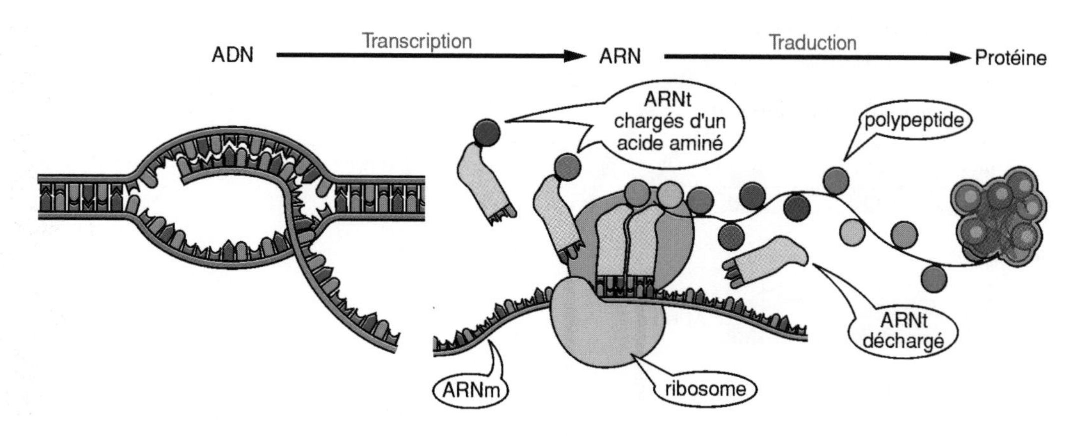

2.19 Flux de l'information génétique. Dans les cellules, le flux d'information va de l'ADN à l'ARN puis aux protéines. Quelques virus utilisent cependant comme porteur de l'hérédité un ARN, qui doit d'abord être transcrit en ADN, avant que la voie « normale » *via* un ARNm soit utilisée (§ 23.9). L'association entre ARNm et ARNt se fait par appariement de A avec U (l'uracile), car l'ARNm emploie U à la place de T (la thymine).

l'uracile est utilisée à la place de la thymine comme base complémentaire de l'adénine. *Les résultats de cette étape de transcription sont les ARNm, de relativement courtes copies des informations effectivement nécessaires qui sont extraites de l'énorme banque de données de l'ADN.* Ensuite, la **traduction** décrypte le code génétique contenu dans la séquence d'ARN en la séquence spécifique d'acides aminés de la protéine requise (*fig.* 2.19). Dans ce code, trois « lettres » consécutives de l'ARNm forment à chaque fois un **triplet de bases** ou **codon** qui spécifie l'un des 20 acides aminés possibles. Deux autres types d'ARN participent en tant qu'« outils » à la **biosynthèse des protéines** : les ARN de transfert ou **ARNt**, fixent chacun un acide aminé, s'associent par leur anticodon fait de trois bases au codon correspondant de l'ARNm et « enchaînent » ainsi les composants élémentaires des protéines en suivant les instructions de l'ARNm. La liaison des acides aminés entre eux et donc l'assemblage des protéines ont lieu sur les ribosomes, dont la structure et la fonction sont assurées par des ARN ribosomaux ou **ARNr**.

Dans les cellules de mammifère, le trajet qui va de l'ADN à la protéine entièrement traduite en passant par le transcrit ARNm passe par différentes étapes (*fig.* 2.20) L'ADN est stocké dans le noyau des cellules sous la forme fortement condensée de **chromosomes** ; c'est ici qu'ont lieu la réplication et la transcription. La transcription produit d'abord une copie complète du gène considéré, qui est appelée **pré-ARNm** – c'est-à-dire précurseur de l'ARNm – et nécessite une « maturation ». Lors de ce dernier processus, des séquences internes appelées **introns** (angl. *interevening sequences*), qui séparent les séquences codantes au sein du pré-ARNm – **exons** *(expressed sequences)* – sont retirées par épissage. De même, les extrémités 5' et 3' sont modifiées, ce qui permet le transport de l'ARNm (§ 17.6). Après l'exportation hors du noyau, l'ARNm « mature » va être maintenant « traduit » dans les ribosomes du cytosol : le polymère d'acides aminés obtenu – la chaîne polypeptidique – se replie, est fréquemment modifié chimiquement, puis la protéine terminée est enfin acheminée vers sa destination, à l'intérieur ou à l'extérieur de la cellule.

2.9 Le kit d'assemblage des protéines comprend 20 acides aminés

Le plan de construction d'un homme est inscrit dans 46 énormes molécules d'ADN, qui atteignent cet objectif avec un mini-alphabet de seulement quatre « lettres ». Le niveau des **protéines** (grec *proteios*, principal), lui, est de structure beaucoup plus complexe : *le* **génome humain** *– c'est-à-dire la totalité de l'information génétique de l'homme – contient près de 30 000 gènes codant des protéines, dont émane un nombre encore beaucoup plus grand de protéines, grâce à diverses « astuces » ; l'ensemble de ces protéines synthétisées s'appelle* **protéome.** Macromolécules polymériques, les protéines sont formées par un enchaînement linéaire de 20 acides aminés différents dans un ordre précis et prédéterminé (*tab.* acides aminés) ; le plus souvent, les chaînes polypeptidiques une fois terminées adoptent une structure spatiale définie. La diversité des protéines est la conséquence d'une combinatoire pratiquement infinie, par laquelle les 20 lettres de l'alphabet des protéines peuvent être assemblées en « mots ». Le trait commun à tous les **acides aminés protéinogènes** est un atome de carbone central (C_α), autour duquel s'articulent quatre substituants : un atome d'H, un groupement amine ($-NH_2$), un groupement carboxylique ($-COOH$), et une chaîne variable, dont la nature caractérise chaque acide aminé (*fig.* 2.21).

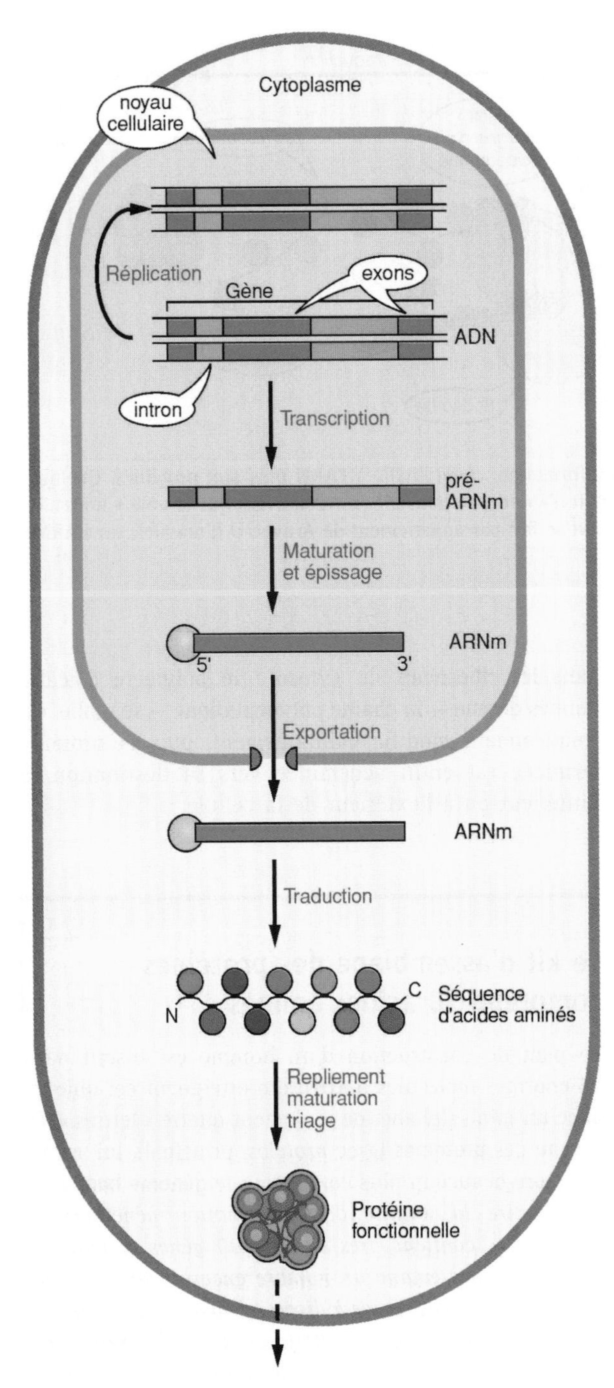

2.20 Trajet de l'ADN vers la protéine dans les cellules nucléées. Dans le noyau, l'ADN est transcrit en pré-ARNm, qui se mature en ARNm. Après exportation dans le cytosol, l'ARNm est traduit dans les ribosomes en la séquence en acides aminés correspondante ; c'est là que les ARNt décodent la séquence d'ARN, c'est-à-dire effectuent réellement la traduction. [RF]

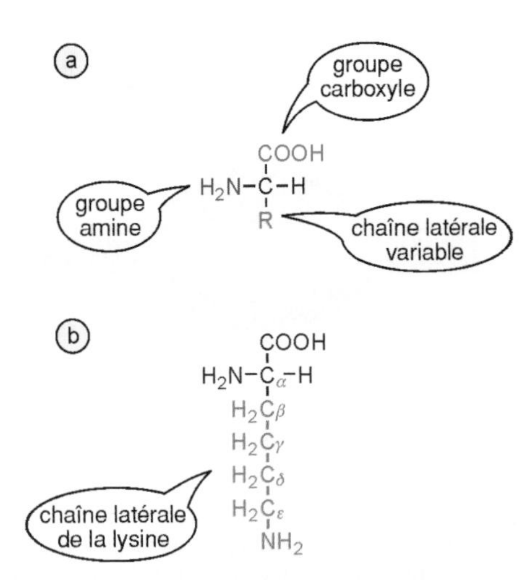

2.21 Structure des acides aminés protéinogènes. Structure générale (a) : l'atome de carbone central est appelé C_α ; R (radical) symbolise une chaîne latérale variable. Par exemple dans l'acide aminé lysine (b), les atomes de C sont appelés C_α, C_β, C_γ, etc.

À l'exception du plus petit acide α-aminé, la glycine (ou glycocolle), qui au lieu d'une chaîne latérale porte un atome d'H, tous les acides aminés protéinogènes possèdent quatre substituants différents sur leur C_α : ils ont donc un centre chiral et existent sous les formes énantiomériques D et L (*fig.* 2.22). Les processus de synthèse biologique sont hautement « énantiosélectifs » et produisent des protéines composées exclusivement de **L-acides α-aminés**. Dans la suite, nous nous intéresserons donc toujours – sauf indication contraire explicite – à la forme L des acides aminés. La raison pour laquelle les acides aminés L ont été préférés à leurs énantiomères D dans l'évolution des protéines n'a pas été déterminée à ce jour.

Dans le milieu presque neutre de la cellule, à pH ≈ 7,4, les groupements carboxyliques et amines des acides aminés sont ionisés : le groupement carboxylique est

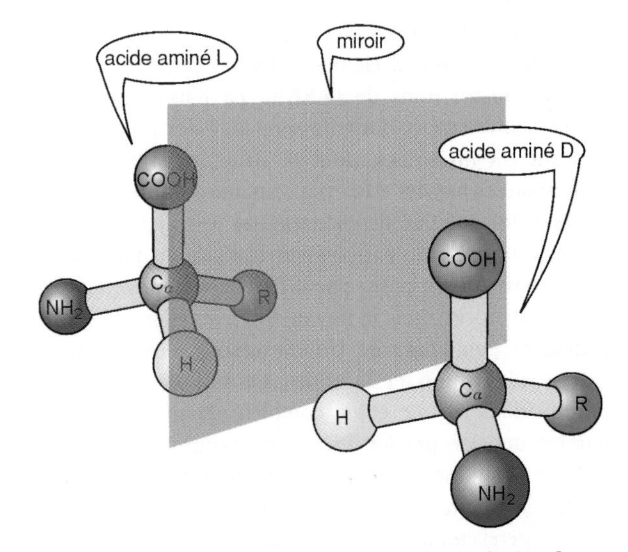

2.22 Formes énantiomériques des acides α-aminés. Les formes L et D ne peuvent pas être superposées après rotation. Le centre chiral est à chaque fois l'atome C_α. Quelques peptides bactériens contiennent aussi des acides aminés D, mais ceux-ci ne sont pas incorporés au cours de la traduction, mais sont obtenus par isomérisation post-traductionnelle.

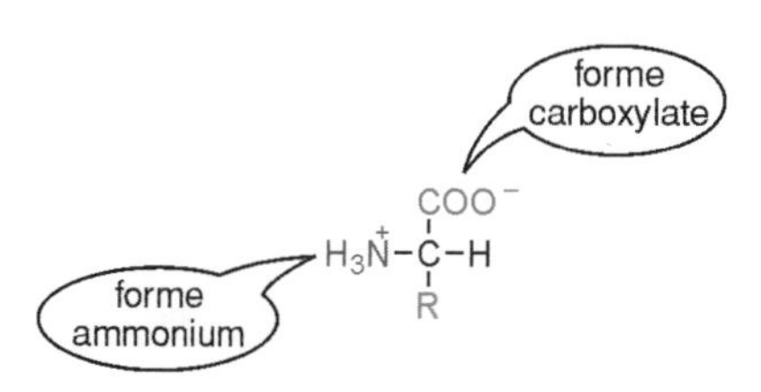

2.23 Les acides aminés sont des zwitterions. À pH physiologique, le groupement amine accepte un proton et adopte la forme ammonium chargée positivement, tandis que le groupement carboxylique est sous la forme carboxylate chargée négativement.

déprotoné et se trouve sous la forme carboxylate (COO^-) tandis que le groupement amine reçoit un proton pour donner la forme ammonium (NH_3^+) (*fig.* 2.23). Les charges de cette **forme zwitterionique** confèrent aux acides aminés en général une bonne solubilité dans l'eau. Dans la polymérisation aboutissant à la protéine, les groupements amines et carboxyliques forment par libération de molécules d'eau des liaisons peptidiques qui ne portent plus de charge (*fig.* 2.30). La partie restante est appelée **résidu d'acide aminé** ou tout simplement « résidu ». *Dans le polymère, ce sont les propriétés des chaînes latérales qui déterminent à elles seules si une protéine est très ou peu soluble dans l'eau.*

2.10 Les acides aminés se distinguent par leurs chaînes latérales

Les acides aminés protéinogènes sont également appelés **acides aminés standard**. Leurs noms triviaux dérivent souvent de la source à partir de laquelle ils ont été isolés pour la première fois, par exemple l'asparagine à partir de l'asperge (*Asparagus officinalis*). Les acides aminés sont fréquemment représentés par des abréviations ; dans le **code** dit **à trois lettres**, on utilise en règle générale les trois premières lettres du nom trivial, par exemple « Gly » pour glycine. Pour de longues séquences en acides aminés, l'on préfère le **code à une lettre**, par exemple « G » pour glycine. *Selon leur chaîne latérale, les acides aminés se distinguent par la taille, la forme, la polarité électrique, la charge et la réactivité chimique ; cette diversité de composants élémentaires contribue de manière décisive à la diversité des protéines.* Les acides aminés sont répartis en trois groupes selon la **polarité de leur chaîne latérale.** La moitié (10) de tous les acides aminés standard porte une chaîne apolaire (*fig.* 2.24). Ces acides aminés apolaires sont très peu solubles et, du fait de l'effet dit hydrophobe, ont une tendance à l'agrégation, ce qui est d'une importance considérable pour le repliement des protéines.

La glycine, le « nain » des acides aminés, occupe une place à part : les « goulots d'étranglement » d'une structure de protéine ne laissent souvent passer que ce résidu, le plus petit possible. L'alanine, la valine, la leucine, l'isoleucine, la méthionine et la proline possèdent des **chaînes latérales apolaires et aliphatiques.** L'alanine, la valine et la leucine se distinguent par le nombre d'atomes de C de leurs chaînes latérales ; par ailleurs la leucine et l'isoleucine sont des isomères de constitution. *Ces tailles de chaînes hydrophobes finement échelonnées permettent un remplissage « sur mesure » de l'espace intérieur des protéines.* La chaîne latérale de la méthionine porte un groupement thioéther ($-S-CH_3$). La proline est le seul acide aminé à posséder un groupement α-amine secondaire (–NH–), par lequel la chaîne latérale se referme en hétérocycle pyrrolidine. Ceci réduit la liberté de conformation de la proline, ce qui a des répercussions sur le repliement des protéines. La phénylalanine, la tyrosine et le tryptophane ont des **chaînes latérales aromatiques**, de grande taille, « encombrantes » ; en raison du groupement hydroxyle, ou de l'atome d'azote, la tyrosine et le tryptophane sont cependant nettement moins hydrophobes que la phénylalanine. *Le système π de ces acides aminés absorbe les rayonnements UV entre 260 et 280 nm, ce qui est utile pour détecter les protéines au cours d'un processus de séparation.*

Le quintette sérine, thréonine, cystéine, asparagine, glutamine, possède des **chaînes latérales hydrophiles**, polaires : leurs groupes fonctionnels forment des liaisons

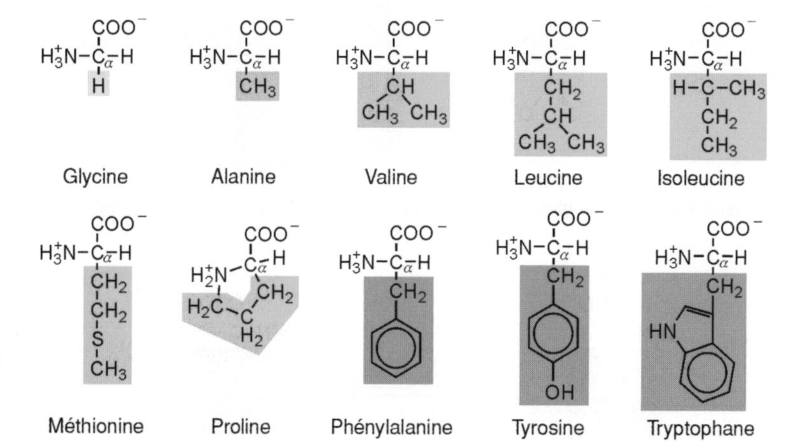

2.24 Les acides aminés à chaîne apolaire. La glycine porte un atome d'hydrogène à la position de la chaîne latérale. Six aminés ont des chaînes latérales aliphatiques de taille et de géométrie différentes ; trois acides aminés ont des chaînes latérales aromatiques.

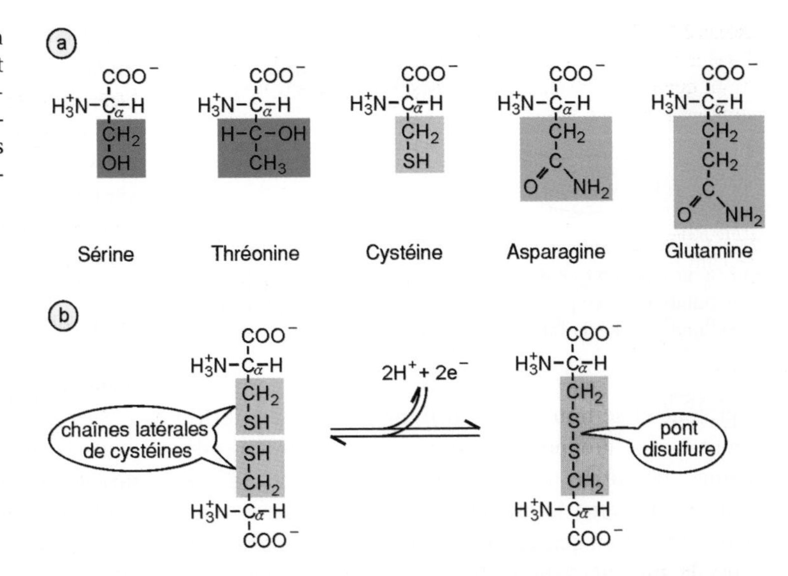

2.25 Les acides aminés à chaîne polaire. a) La sérine et la thréonine portent un groupement alcool, la cystéine un groupement thiol, l'asparagine et la glutamine un groupement carboxamide. b) Les groupements thiols de deux cystéines peuvent être oxydés en ponts disulfures hydrophobes.

hydrogène avec l'eau environnante. La sérine et la thréonine portent un groupement hydroxyle sur des chaînes latérales de tailles différentes (*fig.* 2.25a). Les groupements hydroxyles sont chimiquement réactifs et jouent un rôle important dans la catalyse enzymatique et la régulation. L'asparagine et la glutamine dérivent de l'acide aspartique et de l'acide glutamique, respectivement, et possèdent des chaînes de longueurs différentes avec chacune un groupement carboxamide ($-CONH_2$). Le groupement thiol (-SH) confère à la cystéine une nature polaire. Deux cystéines peuvent former par oxydation de leurs thiols un **pont disulfure** covalent (–C–S–S–C–) (*fig.* 2.25b). *Les ponts disulfures sont importants pour la structure des protéines, car ils permettent des liaisons covalentes supplémentaires au sein d'une protéine, mais aussi entre protéines.*

Les acides aminés les plus hydrophiles sont ceux qui ont des **chaînes latérales chargées** (*fig.* 2.26a). Les groupements carboxyliques des chaînes latérales des **acides aminés acides**, l'acide aspartique et l'acide glutamique, sont déprotonés à pH physiologique et donc chargés négativement. Leurs formes ionisées sont appelées respectivement aspartate et glutamate. Souvent, ces appellations sont utilisées également quel que soit leur état d'ionisation. Les chaînes latérales des **acides aminés basiques** sont généralement chargées positivement à pH physiologique : la chaîne latérale de la lysine porte un groupement amine primaire, l'arginine un groupement guanidine et l'histidine un groupement imidazole. Les groupes fonctionnels de la lysine et de l'arginine sont fortement basiques et donc toujours protonés à pH neutre. L'histidine est le seul acide aminé à avoir une chaîne latérale dont le pK est proche de la neutralité : à pH 6, 50 % des groupements imidazole de l'histidine libre sont chargés positivement (*fig.* 2.26b). *À l'intérieur d'une protéine, le « microenvironnement » peut modifier la valeur effective du pK et rendre le groupement imidazole plus acide ou plus basique ; c'est pourquoi l'histidine agit dans de nombreuses réactions catalytiques comme donneur ou accepteur de protons.*

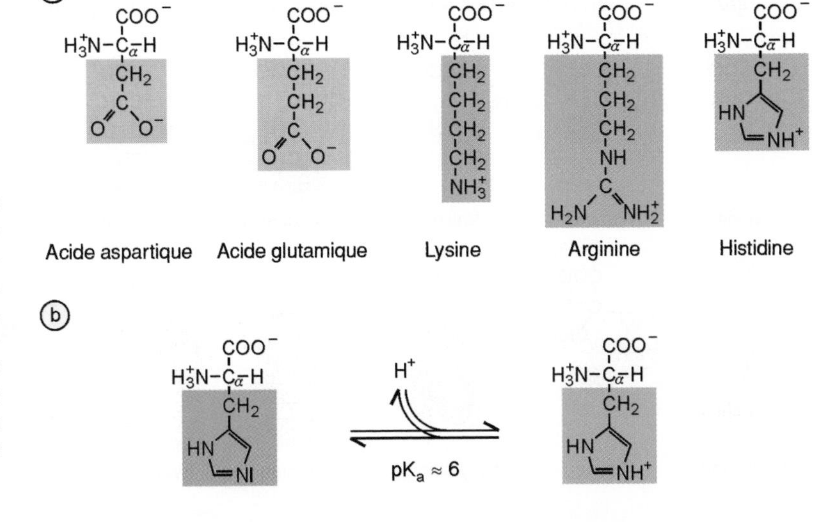

2.26 Les acides aminés à chaîne latérale chargée. a) Les acides aspartique et glutamique diffèrent par un groupement méthylène. La lysine est le seul acide aminé à avoir deux groupements amines primaires, en positions α et ε. Le groupement guanidine protoné de l'arginine est stabilisé par résonance entre la double liaison et la paire d'électrons libres de l'azote du groupement amine. b) Le pK de la chaîne latérale de l'histidine est proche de la neutralité.

Tableau 2.1 Acides aminés essentiels et inessentiels chez l'homme. Même si l'arginine est synthétisée par les mammifères, ce n'est pas en quantité suffisante ; c'est pourquoi on la compte parfois parmi les acides aminés essentiels.

Essentiel	Inessentiel
histidine	alanine
isoleucine	arginine
leucine	asparagine
lysine	acide aspartique
méthionine	cystéine
phénylalanine	glutamine
thréonine	acide glutamique
tryptophane	glycine
valine	proline
	sérine
	tyrosine

Alors que les plantes et les microorganismes sont pour la plupart capables de synthétiser tous les acides aminés, l'homme et les autres mammifères l'ont « désappris » : *onze* **acides aminés inessentiels** *peuvent encore être synthétisés, alors que neuf* **acides aminés essentiels** *doivent être tirés de la nourriture* (*tab.* 2.1). En plus des acides aminés standard, on connaît encore deux autres acides aminés protéinogènes rares : certaines espèces utilisent les acides aminés sélénocystéine ou pyrrolysine pour la synthèse de protéines particulières. Outre ceux-ci, on connaît des centaines d'acides aminés d'origine biologique, qui ne comptent pas parmi les composants protéinogènes (*encart* 2.3).

2.11 Les acides aminés agissent comme des acides et des bases

Les acides aminés peuvent agir simultanément en tant qu'acides et en tant que bases (*fig.* 2.28). Les molécules ayant cette fonction duale sont **amphotères** et sont appelées **ampholytes.** Le groupement amine y agit comme accepteur de proton et le groupement carboxylique comme donneur de proton. Lorsque les deux groupes fonctionnels sont chargés, on parle de **zwitterion.**

Nous allons étudier l'amphotérie plus précisément à l'aide de la **courbe de titration** de la glycine (*fig.* 2.29). Aux basses valeurs de pH, les groupements amines et carboxyles sont complètement protonés : la glycine se trouve sous sa forme cationique ($NH_3^+CH_2COOH$). La titration par une base forte comme l'hydroxyde de sodium (NaOH) produit une courbe à trois points d'inflexion : au point d'inflexion à pH = 2,3, 50 % des molécules sont sous la forme cationique, et les autres 50 % sous la forme zwitterionique ($NH_3^+CH_2COO^-$), dont le groupement carboxylique est déprotoné. Le point d'inflexion à pH = 9,6 marque la déprotonation du groupement amine : la moitié des molécules de glycine est passée de la forme zwitterionique à la forme anionique ($NH_2CH_2COO^-$). Par définition ces deux points correspondent aux **pK** respectifs des groupements carboxyle et amine. Au point d'inflexion central (pH = 6,0), la première déprotonation est quasiment achevée, la deuxième

Encart 2.3 : Les acides aminés non protéinogènes

Les acides aminés non protéinogènes dérivent souvent d'acides aminés standard. Certains sont des précurseurs de synthèse ou des produits de dégradation d'acides aminés protéinogènes ; d'autres ont des fonctions indépendantes. Par élimination du groupement α-carboxyle de l'aspartate, on obtient la β-alanine, un composant du coenzyme A (*fig.* 2.27). Un neurotransmetteur inhibiteur, l'acide γ-aminobutyrique (angl. *γ-aminobutyric acid* : GABA) se forme par décarboxylation du glutamate. Contrairement au cas des acides α-aminés « conventionnels », le groupement amine se trouve sur le C_γ. La thyroxine, une hormone thyroïdienne, dérive de l'acide aminé tyrosine. L'homosérine est un produit intermédiaire de la synthèse de l'arginine, et la citrulline, un intermédiaire du cycle de l'urée, dérive lui aussi de l'arginine. On trouve une grande variété d'acides aminés non protéinogènes chez les végétaux, qui fonctionnent probablement comme défenses ; leurs fonctions précises sont encore souvent peu claires. Quelques acides aminés non protéinogènes ont la configuration D : la D-alanine et le D-glutamate sont par exemple des composants de la paroi cellulaire bactérienne (*encart* 3.1). Ces énantiomères inhabituels « masquent » l'enveloppe bactérienne aux attaques des enzymes de l'hôte, qui sont « dressées » contre les acides aminés L.

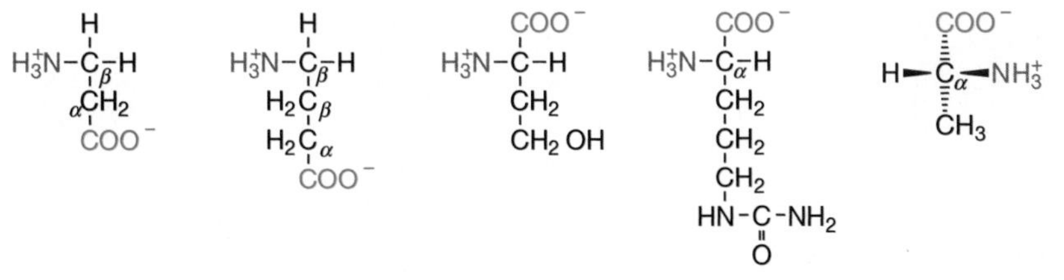

β-alanine — Acide γ-aminobutyrique — L-homosérine — Citrulline — D-alanine

2.27 Structure d'une sélection d'acides aminés non protéinogènes. La sarcosine (*N*-méthylglycine), un intermédiaire de la synthèse des acides aminés, n'est pas représentée.

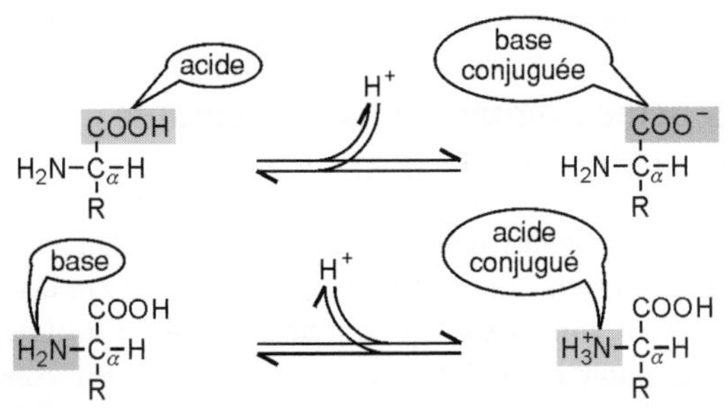

2.28 Les acides aminés sont des ampholytes. L'acide est en équilibre avec sa base conjuguée ($-COO^-$), et la base avec son acide conjugué (NH_3^+).

commence juste : la glycine ne porte aucune charge nette ($NH_3^+CH_2COO^-$) au passage par ce **point isoélectrique (pI)**. *Un acide aminé n'existe donc jamais sous une forme non chargée en solution aqueuse.* Le pI est une grandeur caractéristique des acides aminés ; dans le cas de la glycine, il est égal à la moyenne arithmétique des deux pK, c'est-à-dire vers 6,0.

Lorsque la chaîne latérale d'un acide aminé possède un groupement acide ou basique supplémentaire, la courbe de titration présente un autre point d'inflexion. Dans une protéine, – mis à part les acides aminés terminaux – seuls les groupements chargés des chaînes

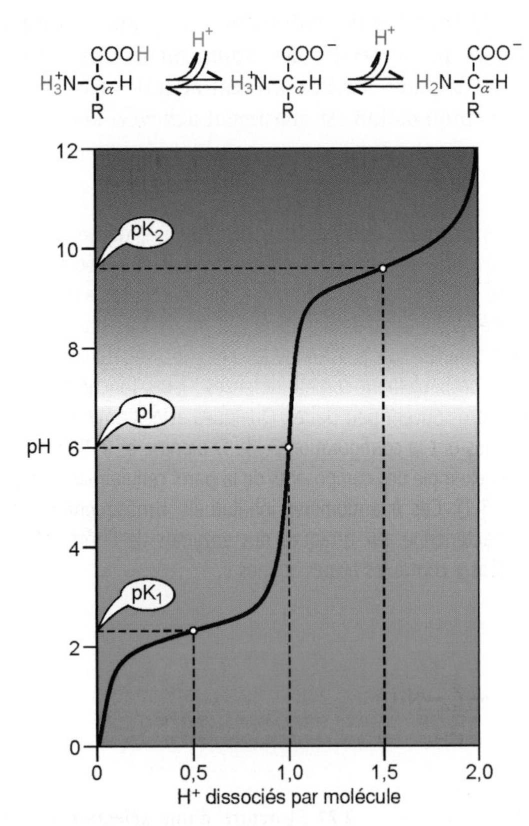

2.29 Courbe de titration de la glycine. En abscisse : nombre de protons par molécule de glycine dissociés par l'addition de NaOH. En ordonnée : pH de la solution acide (en rouge) ou basique (en bleu). En haut : déprotonation progressive de la glycine (de gauche à droite).

latérales sont titrables, puisque les groupements α-amine et α-carboxyle sont engagés dans des liaisons les uns avec les autres (*fig.* 2.30). Toutefois, il n'est guère possible de distinguer dans le cas d'une protéine des points d'inflexion individuels, puisqu'il existe cinq types de chaînes latérales ionisables et deux groupements terminaux amine et carboxyle. En outre, l'environnement protéique peut modifier le pK effectif des chaînes latérales individuelles, par exemple par des interactions électrostatiques ou des liaisons hydrogène. Au contraire, il est en général possible de mesurer le point isoélectrique des protéines, pour lequel les charges opposées de tous les groupements acides et basiques se compensent. *Le* **domaine des pI** *des protéines est étendu : les histones, qui se fixent à l'ADN ont ainsi un pI > 10, alors qu'une enzyme de la digestion, la pepsine, a un pI < 1.* Les différences de valeurs de pI et donc de charge nette constituent la base biochimique de certains procédés de séparation de mélanges de protéines (§ 6.3 et suivants).

2.12 Les acides aminés sont les maillons d'une chaîne polypeptidique

L'enchaînement d'acides aminés en chaînes polymériques suppose l'activation de ces composants élémentaires par consommation d'ATP (§ 18.2). Pour simplifier, nous pouvons décrire la réaction entre deux acides aminés comme une **condensation**, où le groupement α-carboxyle d'un premier acide aminé se lie au groupement α-amine d'un deuxième acide aminé en libérant une molécule d'eau. La liaison covalente –CO–NH– qui en résulte est appelée **liaison peptidique** (*fig.* 2.30), c'est un cas particulier de liaison amide. Le dipeptide obtenu a une extrémité amine et une extrémité carboxyle, à laquelle un troisième acide aminé peut maintenant être ajouté : *la biosynthèse des protéines va toujours de l'extrémité amine vers l'extrémité carboxyle, ce qui donne une orientation au polypeptide obtenu.* Ainsi, les **séquences en acides aminés** sont, elles aussi, toujours énoncées dans cette orientation : H_3N^+–Lys–Val–Asp–Ser–COO^- (KVDS) est dans son écri-

2.30 Assemblage d'acides aminés en un polymère. Les liaisons peptidiques forment la « colonne vertébrale » du polypeptide, d'ou partent les chaînes latérales, comme des « côtes ».

ture comme dans ses propriétés complètement différent de H_3N^+-Ser-Asp-Val-Lys-COO^- (SDVK). La séquence en acides aminés d'une protéine est également appelée **structure primaire**.

Un polymère de quelques acides aminés est appelé **oligopeptide**. La bradykinine, une hormone vasodilatatrice de neuf résidus, ou le glucagon – un antagoniste de l'insuline –, un peu plus long avec 29 résidus, en sont des exemples classiques. À partir de 50 résidus, on parle de **polypeptides** ou de protéines ; toutefois la frontière entre oligopeptides et polypeptides est plutôt mouvante. Les polypeptides sont d'abord de longs « fils », que la cellule enroule en pelote élaborée : en suivant les instructions de leur séquence en acides aminés et avec l'assistance de chaperons – sortes de « gouvernantes » moléculaires – les polypeptides se replient en une structure tridimensionnelle. Les plus courantes sont les **protéines globulaires** en forme de sphère (*fig.* 2.31) La forme sphérique est la conséquence de l'effet hydrophobe : *les chaînes latérales hydrophobes s'isolent à l'intérieur de la protéine de l'environnement aqueux, alors que les chaînes latérales polaires et surtout chargées se trouvent à la surface.* Par ailleurs, les interactions électrostatiques, les liaisons hydrogène et les forces de Van der Waals jouent aussi un rôle dans le **repliement des protéines**. En revanche, des **protéines fibrillaires** comme le collagène, dont les fonctions de maintien et de soutien concernent les cellules et les tissus, possèdent au contraire une structure allongée.

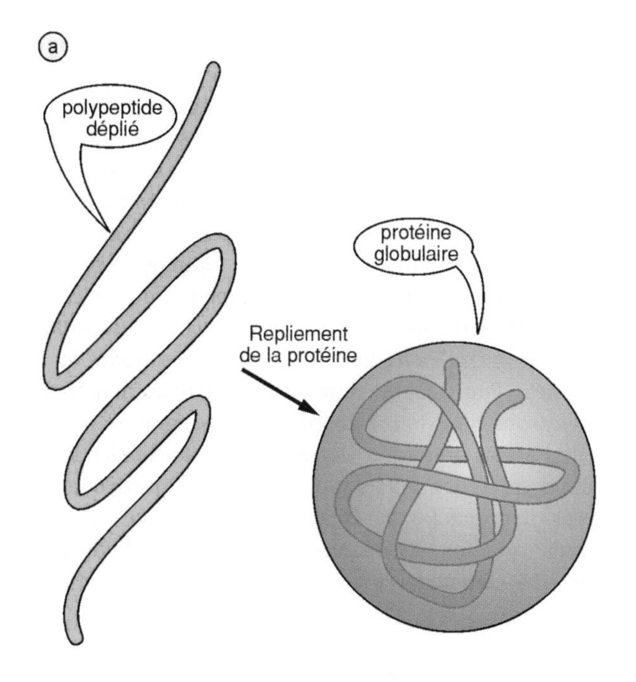

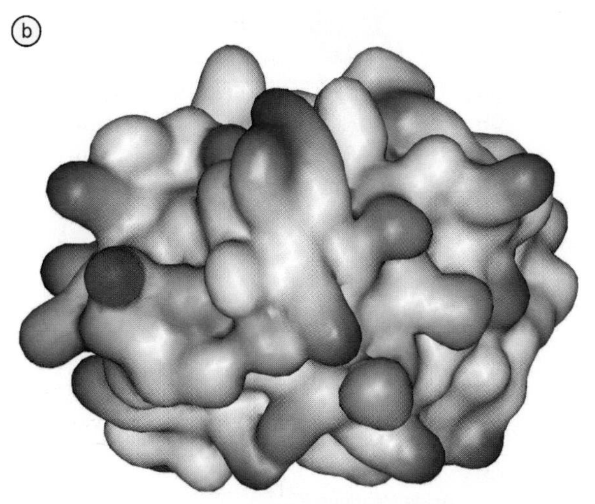

2.31 Structure spatiale d'une protéine. a) Un polypeptide linéaire se replie en une structure de protéine globulaire. b) Surface du cytochrome *c* replié. Les charges négatives (en bleu) et positives (en rouge) sont localisées à la surface de la structure extrêmement compacte, presque sphérique.

La longueur des polypeptides et donc la taille des protéines peut varier considérablement de l'une à l'autre : une petite protéine comme le lysozyme de blanc d'œuf de poule, capable de dégrader la paroi cellulaire des bactéries, se compose de 129 résidus et a une masse moléculaire de 14 000 Daltons (14 kDa) (*fig.* 2.32). À l'opposé, la titine de muscle humain a une taille véritablement « titanesque » d'environ 26 900 acides aminés, avec une masse de 3×10^6 Daltons (3 MDa). Elle se compose d'un seul polypeptide, qui se replie en environ 300 régions ou **domaines**, arrangés comme les perles d'un collier. La **masse moléculaire** d'une protéine peut être estimée en multipliant le nombre de résidus du polypeptide par 110, la masse moyenne d'un résidu d'acide aminé. La plupart des protéines ont une masse moléculaire comprise entre 5 et 250 kDa. *Les protéines se composent souvent d'une seule chaîne polypeptidique ; mais elles peuvent aussi être des* **multimères** *(grec* meros, *partie)de plusieurs polypeptides identiques (homomultimère) ou différents (hétéromultimère).* Par exemple, l'hémoglobine, le transporteur de l'oxygène des globules rouges, est un hétérotétramère, c'est-à-dire une protéine « en quatre parties », faite de deux paires de polypeptides différents (*fig.* 2.32) Les **sous-unités** de l'hémoglobine *ne*

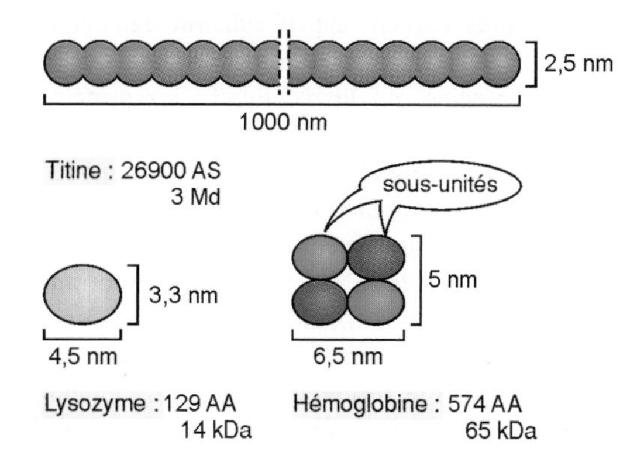

2.32 Taille des protéines. L'hémoglobine comprend deux sous-unités α et deux sous-unités β, contenant au total 574 résidus (65 kDa).

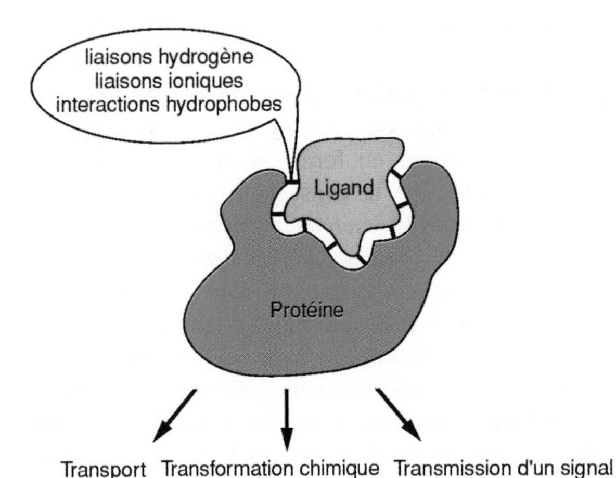

2.33 Reconnaissance moléculaire par les protéines. À leur surface, les protéines offrent au ligand correct un « moule » et le fixent de manière spécifique et réversible. La fixation met aussi en jeu des interactions de Van der Waals.

sont *pas* reliées ensemble par des liaisons peptidiques ou des ponts disulfures, mais essentiellement par des interactions ioniques et des liaisons hydrogène.

À cause de la gigantesque diversité des protéines, il est difficile de trouver des énoncés généralisables concernant leurs fonctions et leurs rôles. *Une des caractéristiques communes à la plupart des protéines est qu'elles sont capables de reconnaître et de se fixer à d'autres molécules* (*fig.* 2.33). Ces **ligands** peuvent être des protéines, de l'ADN, des polysaccharides, de petites molécules organiques, mais aussi des molécules de gaz ou des ions métalliques. La force de l'interaction spécifique entre une protéine et un ligand est appelée **affinité**. La reconnaissance du ligand « correct » repose sur sa complémentarité structurale avec la protéine : il peut – au contraire du ligand « incorrect » – épouser étroitement le site de fixation proposé. Le ligand et la protéine peuvent établir des liaisons réversibles par l'intermédiaire de liaisons hydrogène, de ponts salins, ou d'interactions hydrophobes. De leur côté, les enzymes peuvent transitoirement fixer leur ligand – le plus souvent appelé **substrat** dans ce cas.

Ce qui arrive après la fixation du ligand dépend du type de la protéine qui le reconnaît : les protéines de transport comme l'hémoglobine acheminent leur ligand à une destination éloignée. Des enzymes comme le lysozyme catalysent des réactions chimiques et modifient ainsi le ligand qu'elles fixent. Les protéines réceptrices comme le récepteur de la dopamine, un neurotransmetteur, transmettent après fixation du ligand un « signal » à des protéines cibles intracellulaires. D'autres protéines réceptrices comme le récepteur de la LDL veillent à ce que leur ligand soit transporté dans la cellule ; dans le cas de la LDL (lipoprotéine de faible densité, angl. *low density lipoprotein*), ce sont surtout les lipides qui sont importés dans la cellule.

2.13 Les triacylglycérols sont les prototypes des lipides

La quatrième classe de composants élémentaires biologiques est constituée d'un groupe hétérogène de molécules, les **lipides** (grec *lipos*, graisse). *Les lipides accomplissent des tâches importantes comme composants des membranes biologiques, comme lieu de stockage des réserves d'énergie, et comme messagers de communication cellulaire.* Contrairement aux sucres, aux nucléotides et aux acides aminés, les lipides *ne* forment *pas* de polymères, au sens de macromolécules reliées par des liaisons covalentes. Un autre trait général de cette classe de substances est sa mauvaise solubilité dans l'eau et sa bonne solubilité dans les solvants organiques ; c'est pourquoi des substances aussi différentes que les graisses, les cires, les huiles, les stéroïdes et les isoprénoïdes sont regroupés sous l'appellation de lipides (*tab.* lipides). Les molécules de lipides sont souvent amphiphiles (synonyme : amphipathiques ; grec *amphi*, en deux parties), c'est-à-dire qu'ils sont faits d'une partie polaire hydrophile et d'une partie apolaire hydrophobe. *Cette* **amphiphilie** *permet aux lipides de se regrouper en milieu aqueux en associations de haute masse moléculaire comme les membranes ou les micelles.* Pour comprendre ce phénomène important, intéressons-nous tout d'abord aux acides gras.

Les **acides gras** sont les composants des lipides membranaires et des lipides de stockage. Ils possèdent un corps hydrophobe de type hydrocarbure et une tête formée par un groupement carboxylique hydrophile (*fig.* 2.34). Les acides gras naturels **non ramifiés** ont clas-

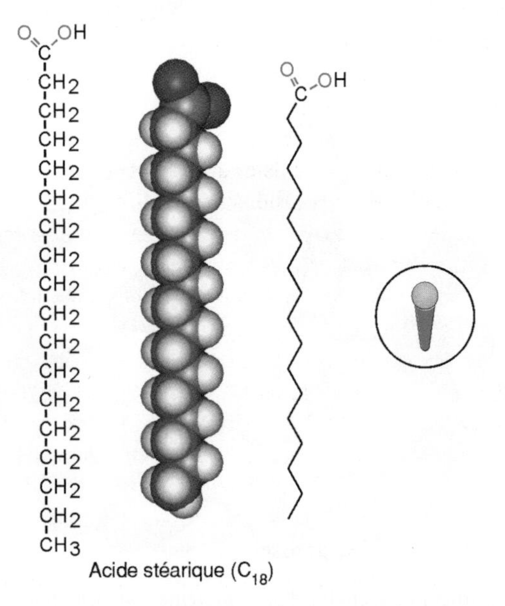

2.34 Structure d'un acide gras. L'acide stéarique possède 18 atomes de C. Formule développée (à droite), modèle compact (au centre) et formule topologique (à droite). Cercle : symbole de l'acide gras.

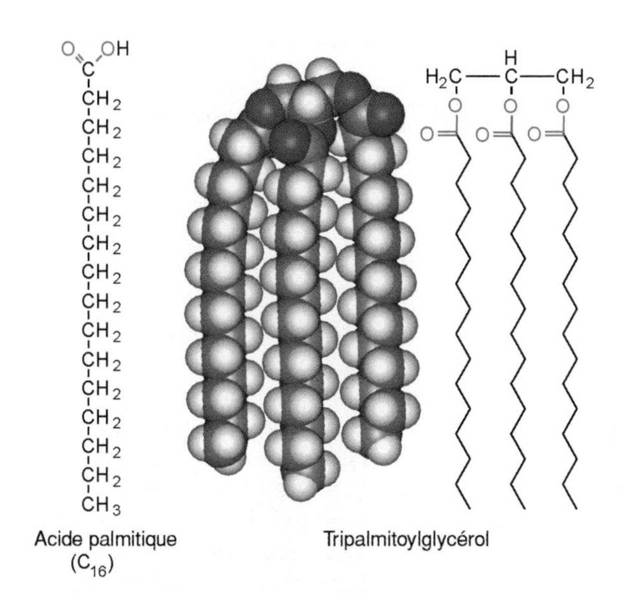

2.35 Structure d'une molécule de lipide. Le tripalmitoylglycérol, modèle compact (au centre) et formule topologique (à droite) ; À titre de comparaison, formule développée de l'acide palmitique « libre » (à gauche).

siquement un nombre pair d'atomes de C (C_{16}, C_{18}, etc.). Ils sont **saturés** : leur chaîne carbonée *ne* contient *pas* de double liaison. Les acides gras **insaturés**, eux, ont une double liaison C=C et peuvent être mono ou polyinsaturés (nomenclature : *encart* 41.1). Les doubles liaisons sont habituellement au moins séparées par un groupement méthylène ($-CH_2-$) et ***ne*** sont donc ***pas*** **conjuguées.** Elles se trouvent en général dans la configuration *cis* (configuration Z) c'est-à-dire que les atomes de C voisins sont orientés de la même façon, ce qui produit un coude dans la chaîne d'hydrocarbure (*fig.* 2.36).

Par estérification par trois molécules d'acides gras (résidus acyles) du glycérol, un trialcool, l'on obtient des **graisses** ou **triacylglycérols** (ou triglycérides) (*fig.* 2.35). Beaucoup de triacylglycérols portent trois résidus acyles identiques ; mais il existe aussi des types « mixtes » portant deux ou trois résidus acyles différents. Les acides organiques des graisses ont des longueurs le plus souvent comprises entre 14 et 24 atomes de C, parmi lesquels C_{16} (acide palmitique) et C_{18} (acide stéarique) dominent chez l'homme. Le degré de saturation et la longueur de la chaîne des résidus acyles déterminent essentiellement les propriétés de la graisse : plus les chaînes des résidus acyles sont courtes et plus ils sont insaturés, plus la graisse est liquide et volatile. Les graisses de plantes sont très insaturées et souvent liquides à température ambiante : elles sont alors appelées **huiles**. Par hydrogénation de leur double liaison, les graisses peuvent être artificiellement « durcies » : le beurre de cacahuète et la margarine sont ainsi tirées d'huiles de plantes. À l'intérieur des cellules adipeuses – les **adipocytes** – les triacylglycérols forment des gouttelettes (angl. *lipid droplets*) qui peuvent atteindre 1 µm de diamètre.

2.14 Les phospholipides et les glycolipides sont les composants des biomembranes

Les membranes biologiques sont faites de molécules amphiphiles, qui peuvent être réparties en trois grandes catégories : les phospholipides, les glycolipides et le cholestérol. Les **phospholipides** eux-mêmes se divisent en deux sous-groupes, les glycérophospholipides et les sphingophospholipides. Les glycérophospholipides, communément appelés **phosphoglycérides**, possèdent comme les triacylglycérols un résidu glycérol. Deux groupements hydroxyles voisins sont estérifiés par des acides gras à longue chaîne, généralement non ramifiés et de 14 à 24 atomes de C. Les résidus acyles peuvent être saturés ou insaturés, avec au maximum six doubles liaisons, qui sont typiquement dans la configuration *cis* (Z). Les résidus acyles les plus fréquents sont à nouveau l'acide palmitique (C_{16}) et l'acide oléique (C_{18}), un acide gras simple insaturé. Le troisième groupement hydroxyle du résidu glycérol est engagé dans une liaison phosphodiester avec un aminoalcool – la choline, la sérine, l'éthanolamine – ou avec un polyalcool comme par exemple l'inositol. *La « tête » phosphate hydrophile et la « queue » acyle hydrophobe font des phospholipides les prototypes des composés amphiphiles.*

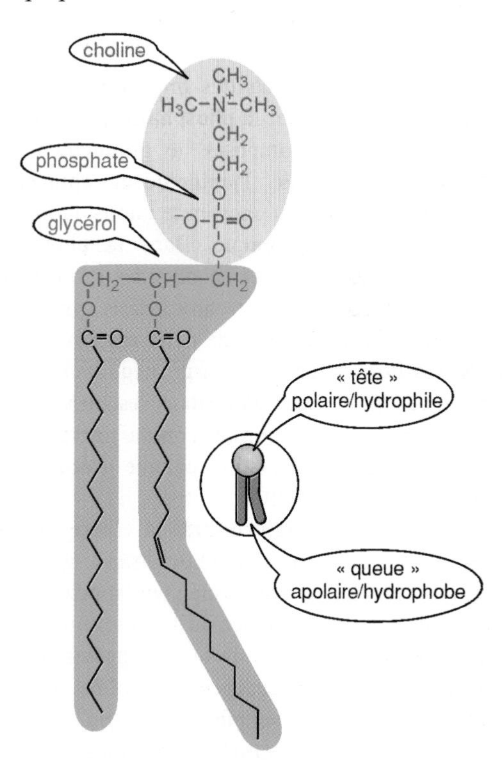

2.36 Structure d'un phosphoglycéride. Les composants structuraux de la phosphatidylcholine sont représentés par des couleurs différentes ; À droite : représentation symbolique. Les résidus acyles sont le palmitate (à gauche) et l'oléate (à droite).

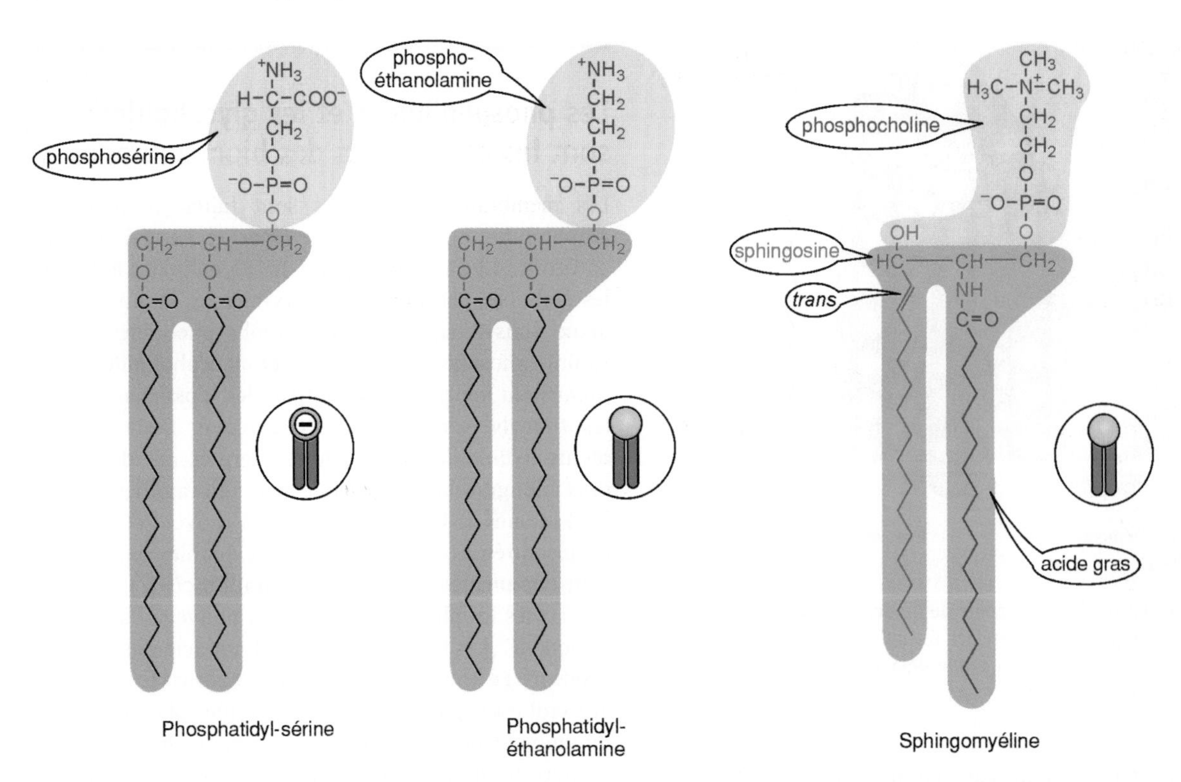

2.37 Phosphatidyl-sérine et phosphatidyl-éthanolamine. Pour simplifier, seuls des résidus acyles saturés de 16 atomes de C (palmitate) ont été représentés ; les symboles correspondants sont encerclés.

2.38 Structure chimique de la sphingomyéline. Un groupement phosphocholine (en vert) et un résidu acide gras (palmitate ; en bleu) sont fixés au squelette sphingosine (en rouge). Dans le cercle : symbole de la sphingomyéline (*tab.* lipides).

Parmi les phosphoglycérides importants, on trouve la **phosphatidyl-choline** et la **phosphatidyl-éthanolamine** (*fig.* 2.37). Dans ces composés, le groupement amine chargé positivement de l'aminoalcool compense la charge négative du résidu phosphate : nous avons affaire à un composé zwitterionique. Dans la **phosphatidyl-sérine**, le résidu sérine porte en plus des groupes amine et hydroxyle un groupement carboxylate, qui confère à ce phosphoglycéride une charge nette négative. Le **phosphatidyl-inositol**, également chargé négativement, n'est présent qu'en petites quantités dans les membranes ; il joue pourtant un rôle important comme ancrage de protéines membranaires (§ 25.2) et comme précurseur d'un messager biologique (§ 29.7).

À côté des phosphoglycérides, la classe des phospholipides englobe un deuxième grand groupe, les sphingophospholipides communément appelés **sphingomyélines.** Ils portent à la place du glycérol une molécule de sphingosine-C_{18}. La tête de la **sphingosine**, qui porte deux hydroxyles et un groupement amine, se poursuit par un long résidu acyle simple insaturé (*fig.* 2.38). Ainsi, la sphingosine ressemble structuralement à un monoacylglycérol avec un résidu acyle insaturé, celui-ci étant toutefois dans la configuration *trans* (E). Par acylation du groupement amine libre et estérification du groupement hydroxyle terminal par la phosphocholine, on obtient la sphingomyéline. *Malgré leurs différences structurales, la sphingomyéline et les phosphoglycérides présentent une ressemblance stupéfiante dans leurs propriétés physico-chimiques.*

Les sphingoglycolipides, appelés simplement **glycolipides**, constituent le troisième composant important des membranes biologiques. L'élément de base est ici la **céramide**, qui a un squelette sphingosine – comme la sphingomyéline –, mais *pas* de groupement phosphocholine. La glycosylation de la céramide produit des glycolipides plus complexes, qui portent des résidus saccharidiques plus ou moins nombreux (*fig.* 2.39). Les dérivés les plus simples en sont les **cérébrosides**, qui n'ont qu'un résidu saccharidique, le plus souvent un glucose ou un galactose. Les cérébrosides qui sont particulièrement fréquents dans les membranes du système nerveux, ne sont pas chargés (neutres), car il leur manque le résidu phosphate de la sphingomyéline. Par addition d'autres résidus saccharidiques parfois modifiés comme la N-acétylgalactosamine (GalNac) et l'**acide sialique** (angl. *N-acetylneuraminic acid* : NANA ou NeuNac), qui porte un groupement carboxylate libre, on obtient le ganglioside complexe G_{M1} (*fig.* 2.39). Les **gangliosides** sont négativement chargés du fait de leur(s) résidu(s) acide(s) sialique(s) ; ils sont fréquents dans les membranes plasmiques des cellules nerveuses du cerveau et sont les précurseurs de molécules importantes dans la signalisation cellulaire.

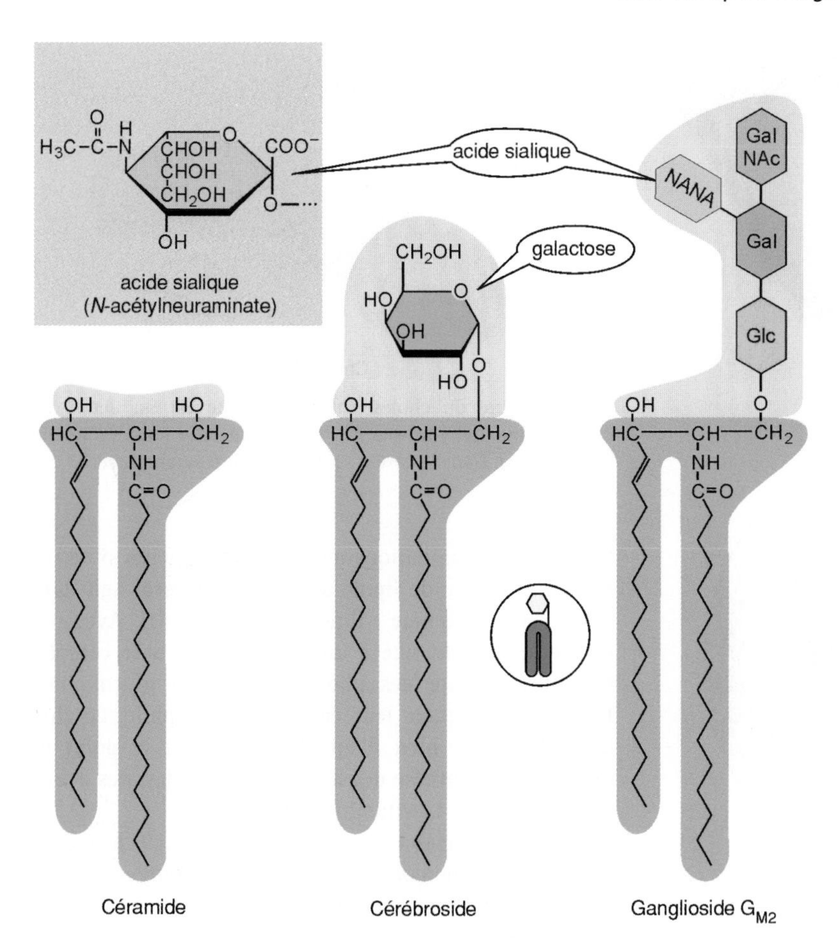

2.39 Structure des glycolipides. Les sphingoglycolipides simplement (cérébrosides, au centre) ou multiplement (gangliosides, à droite) glycosylés dérivent de la céramide (à gauche). Gal, galactose ; GalNac, *N*-acétylgalactosamine ; Glc, glucose ; NANA (NeuNac), acide sialique. Dans le cercle : symbole des sphingoglycolipides.

2.15 Les lipides s'organisent spontanément en membranes

Contrairement aux composants élémentaires précédemment discutés – les nucléotides, les acides aminés et les sucres – les lipides peuvent s'assembler en associations de haut poids moléculaire sans pour cela s'engager dans des liaisons covalentes. À cause de leur structure amphiphile, leurs têtes hydrophiles peuvent être en contact avec des molécules d'eau tandis que leurs queues – du fait de l'effet hydrophobe (§ 1.6) – s'agrègent. Ainsi, les molécules d'acide gras coniques forment des micelles sphériques (*fig.* 24.2), tandis que les phospholipides et glycolipides cylindriques composent des bicouches planes, qui constituent les **biomembranes** (*fig.* 2.40). Les résidus lipophiles interagissent du côté non-aqueux et stabilisent l'association moléculaire principalement par les effets hydrophobes et les forces de Van der Waals. À la surface du feuillet membranaire, les têtes établissent des liaisons hydrogènes et le cas échéant des liaisons ioniques avec le milieu aqueux. Les biomembranes sont la « peau » des cellules ; elles séparent l'intérieur de l'extérieur, le cytosol de l'espace extracellulaire. *Les membranes sont des déterminants importants de la forme de la cellule et offrent une certaine protection contre les conditions extérieures.*

Un trait important des membranes biologiques est l'existence de protéines associées. Ces **protéines membranaires** (*fig.* 2.40) peuvent êtres insérées d'un côté de la membrane où elles sont maintenues par des « ancres » lipidiques, ou bien être des protéines « intégrales » de membrane et traverser complètement la bicouche lipidique. Les biomembranes ne sont pas des édifices figés, mais des systèmes dynamiques et flexibles faits de composants mobiles ; c'est pourquoi ils sont modélisés comme des « **mosaïques fluides** » (angl. *fluid mosaic*) (§ 24.7).

Les **bicouches lipidiques** des membranes biologiques sont semi-perméables et agissent comme barrières contre les molécules polaires et chargées. De cette manière, elles séparent des milieux aqueux dont les concentrations en ions et en molécules sont très différentes. Ceci vaut aussi pour l'intérieur des cellules eucaryotes, où les membranes créent des milieux réactionnels séparés. Les compartiments cellulaires ainsi obtenus permettent une répartition des tâches intracellulaires efficace (§ 3.3). Malgré une haute résistance mécanique, les membranes cellulaires – comparables en cela à un ballon rempli d'eau – ont aussi toutefois la flexibilité nécessaire pour

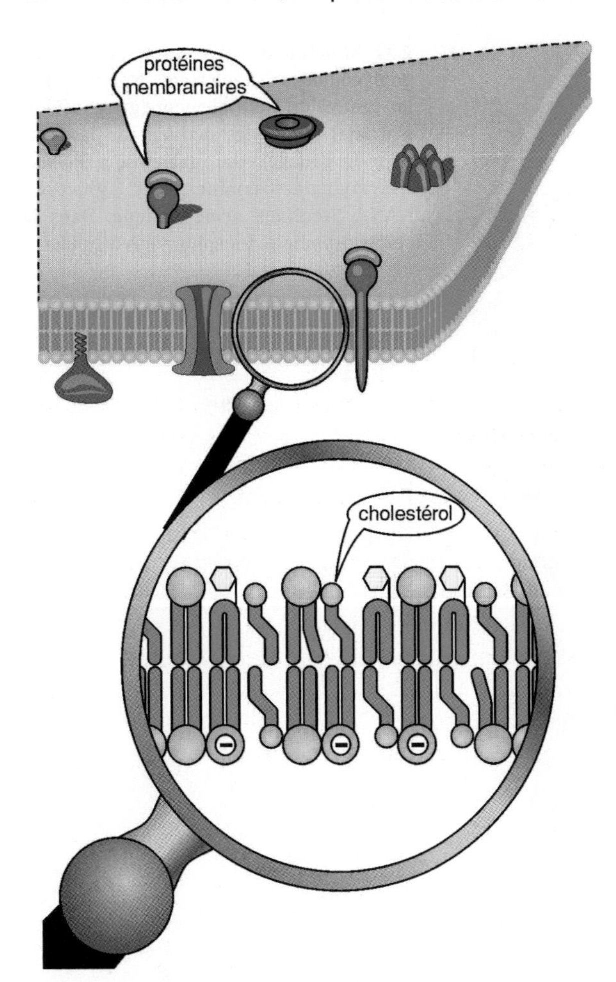

2.40 Structure de la membrane cellulaire. La membrane plasmique se compose d'une bicouche continue de phospholipides d'environ 5-8 nm d'épaisseur, qui contient aussi des glycolipides et du cholestérol. Les protéines de membrane peuvent fonctionner comme enzymes, pompes, canaux, transporteurs ou récepteurs.

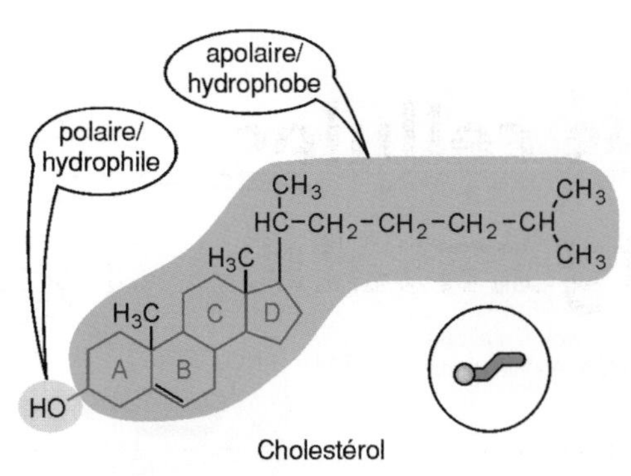

2.41 Structure du cholestérol. Ce stéroïde est un dérivé du cyclopentanoperhydro-phénanthrène (squelette rouges à quatre homocycles). Dans le cercle : représentation symbolique.

former des invaginations ou des étranglements si besoin est. La molécule de lipide appelée **cholestérol** agit dans ces processus comme « fluidifiant » (*fig.* 2.41). Avec son squelette stéroïde, elle a une structure de base complètement différente des phospholipides ou glycolipides, bien qu'elle partage leur caractère amphiphile. Le cholestérol remplit bien d'autres rôles : c'est le point de départ de la synthèse des hormones stéroïdes, des acides tanniques et de la vitamine D (§ 42.7).

Nous avons maintenant un premier aperçu du monde complexe des biomolécules ; dans les chapitres suivants, nous approfondirons ces connaissances. Dans un premier temps nous allons nous intéresser à la question suivante : comment la plus petite entité fonction-nelle vivante, la cellule biologique, peut-elle naître de ces composants élémentaires relativement simples et inertes ? Pour le comprendre, nous ferons un court détour par les étapes précoces de la vie, puis un tour d'horizon de la cellule.

Les cellules, organisation du vivant

3

La diversité presque inimaginable du monde vivant est le résultat d'une longue évolution, qui a laissé des traces dans les génomes et les protéomes des êtres vivants. À l'origine de cette variété se trouve une universalité biochimique – qui n'est pas immédiatement reconnaissable – : tous les organismes sont construits à partir des mêmes composants biochimiques élémentaires et fonctionnent selon les mêmes règles physico-chimiques. Pour vivre, ils utilisent les mêmes principes dans leurs transferts d'énergie et leur métabolisme, et ils sont liés par une genèse commune. Nous allons à présent nous intéresser au niveau cellulaire de l'« architecture du vivant » et ainsi apprendre également les principes thermodynamiques sous-jacents aux cascades de réactions biochimiques des systèmes vivants.

3.1

L'évolution prébiotique a produit les protobiontes

Les plus petits composants élémentaires du vivant ne sont pas nécessairement synthétisés par des organismes vivants. Une expérience classique démontre la **synthèse abiotique** de molécules organiques « simples » : on soumet un mélange gazeux chauffé de vapeur d'eau, méthane, hydrogène, et ammoniac à de fortes décharges électriques (*fig.* 3.1). Dans le condensat obtenu on peut détecter des molécules organiques telles que l'urée, les acides acétique et lactique, mais aussi des porphyrines – précurseurs de l'hème – et des acides aminés tels que la glycine, l'alanine et le glutamate ; dans certaines conditions on obtient aussi des saccharides et des nucléotides. Ces expériences simulent les conditions hostiles existant sur Terre il y a à peu près quatre milliards d'années, alors que la croûte terrestre était refroidie et que les océans étaient en train de se former : Cette **atmosphère originelle** « inhospitalière » et réductrice presque dépourvue d'oxygène, se composait essentiellement de dioxyde de carbone (CO_2) et d'azote (N_2), mais aussi de méthane (CH_4), d'ammoniac (NH_3), de dioxyde de soufre (SO_2), de sulfure d'hydrogène (H_2S), d'acide chlorhydrique (HCl) et d'acide cyanhydrique (CN). Des températures élevées, les rayonnements UV puissants du soleil et les décharges électriques des éclairs apportaient l'énergie nécessaire aux réactions chimiques dans ce **monde prébiotique**.

Avec l'apparition des premières molécules organiques simples au sein de la « **soupe originelle** » des océans, une première étape sur le chemin de la vie était atteinte. On ne sait pas encore comment l'évolution précoce se déroula exactement ; c'est pourquoi la suite présente les hypothèses courantes sur l'apparition de la vie. D'abord, les composants élémentaires « simples » comme les nucléotides et les acides aminés ont dû se condenser en oligomères. Cette **condensation abiotique** a pu être favorisée par des catalyseurs inorganiques et avoir lieu par exemple à la surface d'argiles portées à haute température. Dans ce processus, les candidats idéaux à un mode de réplication ancestral sont probablement de courts

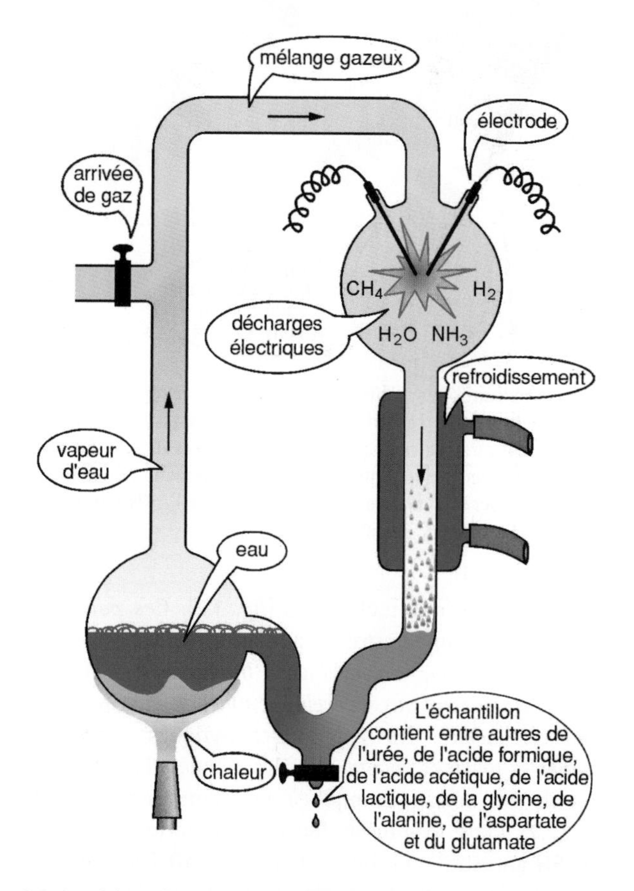

3.1 Synthèse abiotique de molécules organiques . Dans une atmosphère très chaude d'ammoniac (NH_3), de méthane (CH_4), d'hydrogène (H_2), et de vapeur d'eau, des décharges électriques (des « éclairs ») font apparaître des molécules organiques simples comme des acides aminés, des nucléotides et des saccharides.

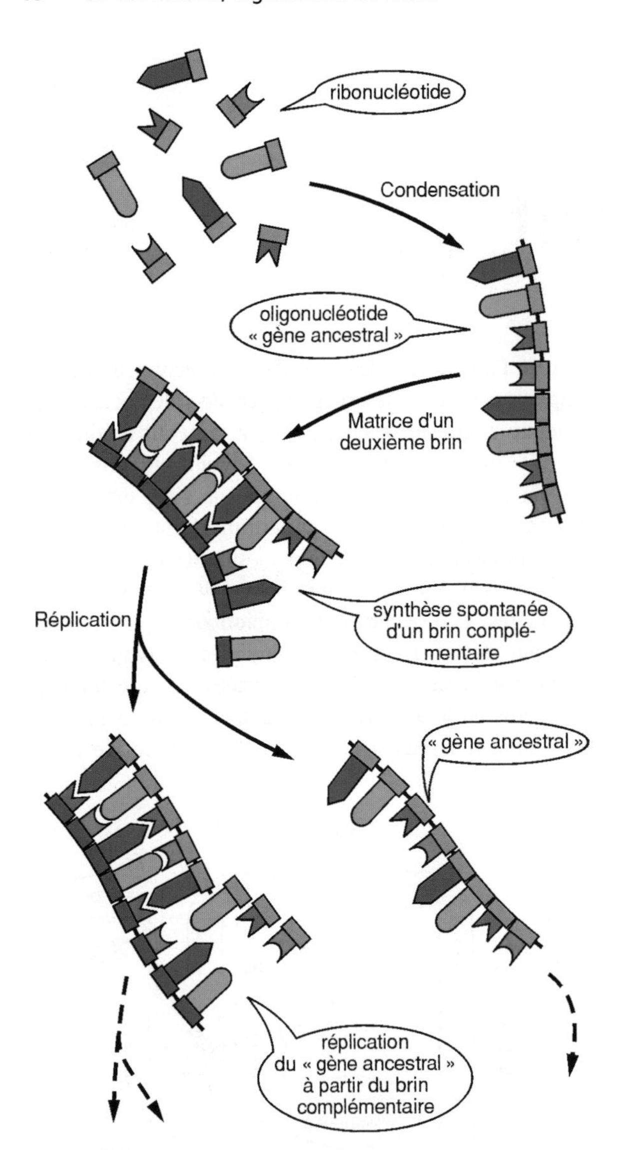

3.2 Condensation, synthèse du brin matrice et réplication dans un monde d'ARN. Le brin complémentaire est synthétisé conformément aux règles d'appariement des bases (§ 2.7). En principe, l'ARN peut se répliquer autocatalytiquement ; de même, il peut catalyser la synthèse des composants de l'ARN comme par exemple l'uridine-5'-phosphate.

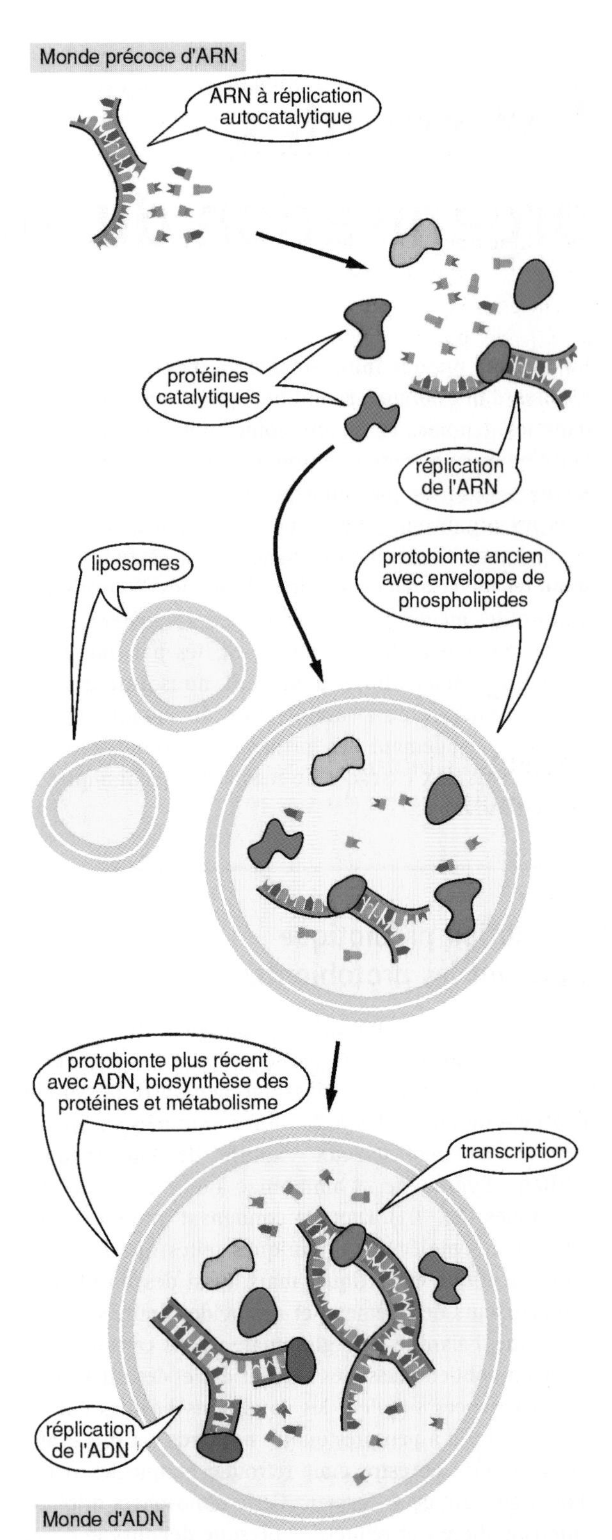

3.3 Modèle de l'apparition de formes d'organisation protobiontes. Une réplication plus efficace de l'ARN par des protoenzymes, une enveloppe liposomique, l'émergence d'un génome d'ADN et le développement de la transcription ont été des étapes importantes dans l'évolution de la cellule ancestrale.

polymères de ribonucléotides (*fig.* 3.2). *Ces polymères d'ARN ont pu apparaître de manière abiotique, constituer une matrice pour la synthèse du brin complémentaire et ont probablement aussi développé une activité catalytique par eux-mêmes.* Ces ARN autocatalytiques – des **ribozymes** – existent encore dans les cellules d'aujourd'hui, où ils aident par exemple à la maturation de l'ARN (§ 12.7). Cette hypothèse illustre le scénario d'un **monde d'ARN** ancestral, qui fonctionnait sans ADN ni protéines.

Les séquences de nucléotides autoréplicatives du monde des ARN (réplicases) pourraient avoir pour la première fois mis en œuvre le principe de l'**hérédité**, et donc être à l'origine d'un des traits principaux de la vie actuelle (§ 3.11) : *l'information génétique contenue dans une séquence d'acide nucléique est transmise par réplication à une nouvelle génération de macromolécules.* Dans les phases suivantes de l'évolution chimico-prébiotique, apparurent probablement les précurseurs des protéines. Ces **protéinoïdes** formaient probablement des complexes avec l'ARN et amélioraient la catalyse lors de la réplication. L'apparition d'un appareil de biosynthèse des protéines rudimentaire permit probablement à ces complexes ribonucléoprotéiques, qui existent encore dans les cellules actuelles, de produire eux-mêmes des protéinoïdes. Enfin, les **molécules de lipides** s'assemblèrent en surfaces membraneuses et enfermèrent les molécules d'ARN, de protéines et de sucres dans des vésicules sphériques : *c'est ainsi que sont nés les* **protobiontes**, *agrégats de macromolécules entourés de membranes* (*fig.* 3.3). Leur **milieu réactionnel séparé** du milieu extérieur fut un préalable essentiel à une utilisation efficace de l'énergie et au développement d'un métabolisme primitif. Ce n'est probablement que lors d'un stade ultérieur de l'évolution que l'ARN abandonna sa fonction de détenteur de l'hérédité à l'**ADN**, plus stable et à la réplication plus précise.

3.2 L'évolution biologique explique l'unité et la multiplicité du vivant

Les formes d'organisation protobiontes à base d'ADN, d'ARN, de protéines et de lipides marquèrent à la fois la fin de l'évolution chimico-prébiotique et la **naissance de la vie cellulaire** (*fig.* 3.4). *Cette évolution fondamentale a commencé il y a environ 3,8 milliards d'années et culmina avec l'apparition hypothétique d'une « cellule originelle »*. En fait, les restes fossilisés les plus anciens de telles cellules originelles remontent à environ 3,5 milliards d'années. De type **procaryote** (grec *pro*, avant ; *karyon*, noyau), ces premiers ancêtres cellulaires effectuaient déjà la biosynthèse des protéines et possédaient une membrane plasmique tout autour de leur contenu cellulaire, mais *n*'avaient *pas* de noyau cellulaire. Le prototype de procaryotes actuels est *E. coli* (encart 3.1).

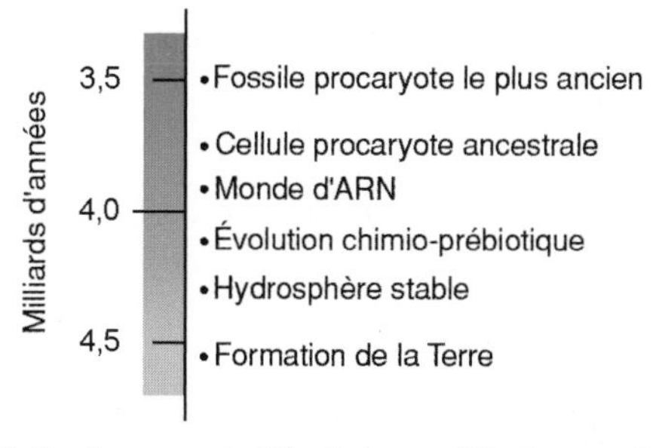

3.4 Échelle de temps de l'évolution prébiotique et de l'apparition de la vie. Après la formation de la terre il y a environ 4,6 milliards d'années, la stabilisation de sa surface et la formation des océans a probablement eu lieu pendant la phase chimico-prébiotique du monde d'ARN. Les premières cellules procaryotes ont pu apparaître vers 3,8 milliards d'années avant notre ère.

Encart 3.1 : *E. coli*, un procaryote typique

Le micro-organisme unicellulaire ***Escherichia coli*** est un habitant le plus souvent inoffensif de l'intestin des mammifères, qui doit à sa forme cylindrique d'appartenir aux **bacilles**. Il atteint une longueur d'environ 2 μm. *E. coli* possède les traits typiques d'un procaryote : toutes les activités intracellulaires ont lieu dans un espace réactionnel délimité par une membrane plasmique. Il n'y a pas de noyau : l'ADN circulaire dépourvu d'histones est sous la forme d'un **nucléoïde** (*fig.* 3.5). Avec son temps de génération court, d'environ 25 min, et ses exigences modestes quant aux conditions de culture, *E. coli*, dont le génome a été complètement séquencé dès 1997 (§ 16.5). est devenu un **organisme modèle de la génétique**. *E. coli* a – comme la plupart des procaryotes – une **paroi cellulaire** protectrice à laquelle elle doit sa forme, faite de couches de polymères de peptidoglycane, et qui se trouve autour de la membrane plasmique. La paroi cellulaire est enveloppée d'une couche lipopolysaccharidique faite de glycolipides. C'est sur cette dernière que repose le principe de la coloration différentielle de Gram : *E. coli*, à cause de sa couche de lipopolysaccharides, *ne* peut *pas* fixer certains colorants, elle est donc à **Gram négatif**, alors que les **bactéries à Gram positif** comme *Staphylococcus* absorbent facilement les colorants par leur couche de peptidoglycane exposée à l'extérieur.

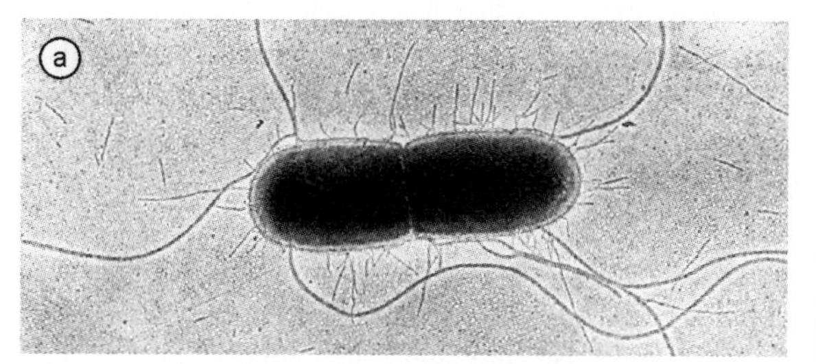

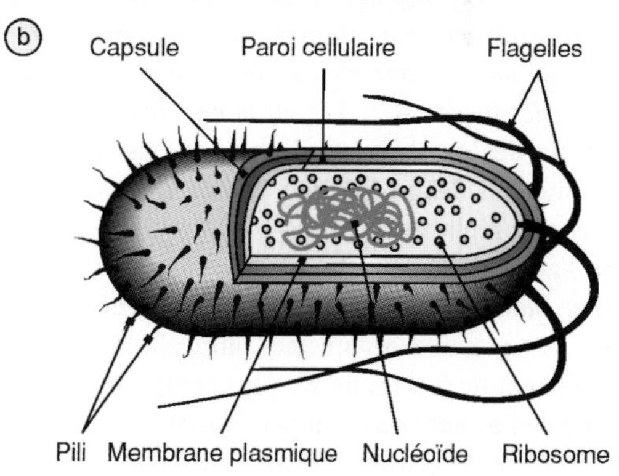

3.5 La cellule procaryote. Cliché de microscopie électronique d'une cellule bactérienne d'*E. coli* peu avant la division (a) et représentation schématique (b) d'un bacille procaryote. Les flagelles servent au mouvement ; les pili sont des structures tubulaires plus courtes, qui servent à l'adhésion cellulaire et à l'échange d'ADN entre cellules. La bactérie peut synthétiser une capsule qui joue le rôle de structure protectrice supplémentaire. [RF]

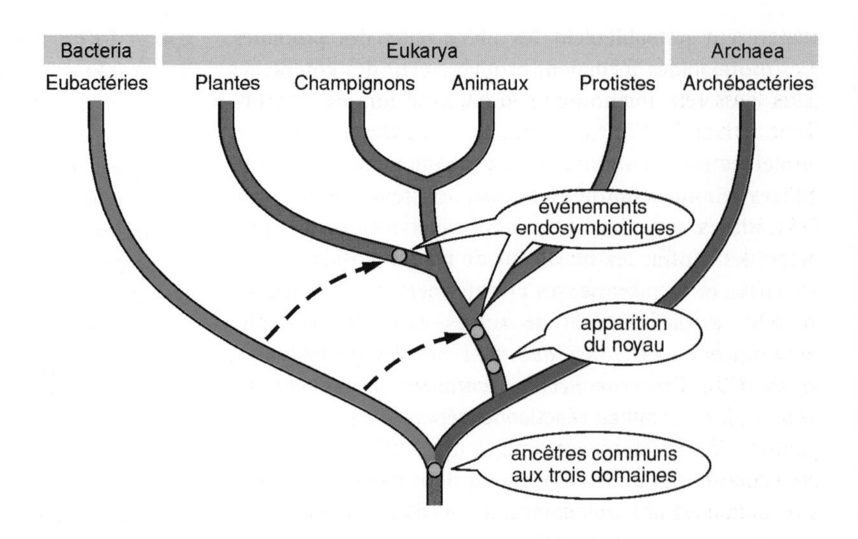

3.6 Systématique de la vie. La multiplicité de la vie sur Terre, qui se compte en millions d'espèces, repose sur une cellule procaryote ancestrale hypothétique : cet ancêtre commun (LUCA) a donné les trois domaines *Bacteria*, *Eucarya* et *Archaea*. Dans le lignage eucaryote, des événements endosymbiotiques, qui ont conduit au développement des mitochondries et des chloroplastes (encart 3.2), ont aussi pu se produire avant l'apparition du noyau. [RF]

Une cellule originelle hypothétique, LUCA (angl. *last universal common ancestor*) se trouve à l'origine de lignages évolutifs divergents, dont sont issus finalement trois grands groupes d'organismes – également appelés domaines – : les *Archaea*, les *Bactéries*, et les *Eukarya* (*fig.* 3.6). D'après cette théorie, la lignée des **eubactéries**, à laquelle outre *E. coli* appartiennent également les flavobactéries et les Borrelia, se serait d'abord séparée des **archébactéries**, parmi lesquelles on compte par exemple les halobactéries. L'on suppose que le lignage des **eucaryotes** – c'est-à-dire « vraies » cellules à noyau (grec *eu*, vrai) – a divergé des *Archaea* il y a plus de 2 milliards d'années : les plus anciens fossiles eucaryotes ont environ 2,1 milliards d'années. Les eucaryotes ancestraux ont évolué en quatre grands règnes d'organismes : les protistes , auxquels appartiennent les amibes, les trypanosomes et les ciliés, ainsi que les plantes, les champignons, et les animaux. Des échanges se sont aussi produits entre ces lignages : *des unicellulaires ancestraux ont probablement absorbé des bactéries aérobies qu'ils ont détournées par endosymbiose pour en faire des mitochondries* (*encart* 3.2). Les virus *ne* rentrent *pas* dans la catégorie des organismes vivants, car ils ne peuvent se multiplier en dehors de leur cellule hôte et ne sont donc pas autoréplicatifs.

Avec l'apparition du premier unicellulaire commença l'**évolution biologique**, qui conduisit au cours des milliards d'années aux premiers organismes pluricellulaires puis au développement de formes de vie plus complexes (*fig.* 3.7). La **théorie de l'évolution** de Charles Darwin fournit l'explication de cette diversification de la vie : *la variété des organismes est due à l'alternance de modifications génétiques aléatoires par* **mutation** *et d'un tri naturel des individus les mieux adaptés par* **sélection.** La **variation** héréditaire des individus et leur degré différent d'adaptation (angl. ***fitness***) – dans le sens de capacité à se reproduire – produit sur le long terme des effets déterminants sur la pérennité de la forme biologique ou **espèce** à laquelle ils appartiennent. Ainsi apparaissent les processus dynamiques de **formation des espèces**, c'est-à-dire, qu'elles se modifient, meurent ou se renouvellent. Dans ces processus, l'évolution globale *n*'est *pas* téléologique, c'est-à-dire qu'elle n'est pas dirigée vers un but : ce n'est que d'un point de vue anthropocentrique qu'a lieu une « évolution supérieure » vers un « sommet de la création ».

Pour survivre, les organismes ont besoin d'un apport constant d'énergie. Les cellules, qui sont des « systèmes ouverts » qui échangent de l'énergie et de la matière avec leur environnement (§ 3.7), ont développé diffé-

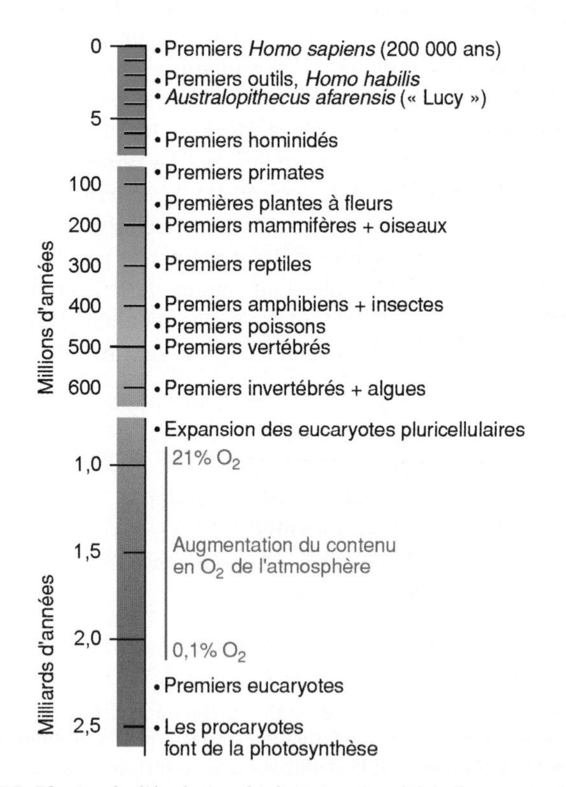

3.7 Phases de l'évolution biologique. Sur l'échelle temporelle ont été portés les « jalons » de l'évolution précoce (en bas), du développement des vertébrés (au milieu) et de l'évolution de l'homme (en haut).

rentes stratégies pour assurer leur approvisionnement en « carburant ». Lorsqu'elles *n'utilisent pas* d'oxygène dans leurs réactions biochimiques, elles ont un **métabolisme anaérobie**. Les premiers procaryotes étaient probablement anaérobies et **hétérotrophes**, c'est-à-dire qu'ils « se nourrissaient » de molécules riches en énergie. Cela leur a tellement réussi qu'on en est rapidement arrivé à une pénurie de nutriments. *Sous cette pression sélective, ils ont développé une nouvelle stratégie métabolique, qui utilisait le soleil comme source d'énergie pour synthétiser des hydrates de carbone à partir de l'eau et du CO_2.* Ces procaryotes (photo)**autotrophes** (grec *autotrophos*, se nourrissant soi-même) couplaient leur photosynthèse à la libération d'eau (*fig.* 3.28) : l'oxygène moléculaire apparut comme un « sous-produit » qui s'accumula dans l'atmosphère au cours de centaines de millions d'années (*fig* 3.7). Il y a environ 2 milliards d'années, certains procaryotes commencèrent à utiliser l'oxygène disponible : ils développèrent un **métabolisme aérobie**, qui apporta, *via* la phosphorylation oxydative (*fig.* 3.31), un rendement beaucoup plus élevé en énergie biochimiquement utilisable sous la forme d'ATP. Selon l'hypothèse courante, les premiers eucaryotes, en absorbant des procaryotes (encart 3.2), combinèrent différentes stratégies métaboliques.

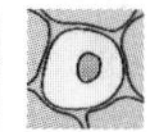

Encart 3.2 : Théorie de l'endosymbionte

Une hypothèse plausible concernant l'apparition des eucaryotes propose qu'un procaryote ancestral au métabolisme anaérobie et hétérotrophe ait « avalé » des procaryotes aérobies. On parle alors d'endocytose (*fig.* 3.8). Les aérobies absorbées auraient pu résister victorieusement à la dégradation intracellulaire : à partir de là, elles auraient continué à vivre en **symbiose** (grec *sym*, avec ; *bios*, la vie) dans le cytoplasme de la cellule hôte, évoluant en **mitochondries** et veillant à ce que le métabolisme de la « communauté » soit aérobie et donc énergétiquement efficace. On suppose que la cellule hôte a produit par invagination de sa membrane plasmique d'autres organelles comme le noyau cellulaire, qui ont finalement fait de ce procaryote aérobie hétérotrophe un **eucaryote unicellulaire**. C'est probablement de la même façon, c'est-à-dire par endocytose de bactéries originelles photosynthétiquement actives, qui ont survécu symbiotiquement à l'intérieur de la cellule comme **chloroplastes** ou plastides, que sont apparus les eucaryotes « verts » autotrophes, comme par exemple les algues.

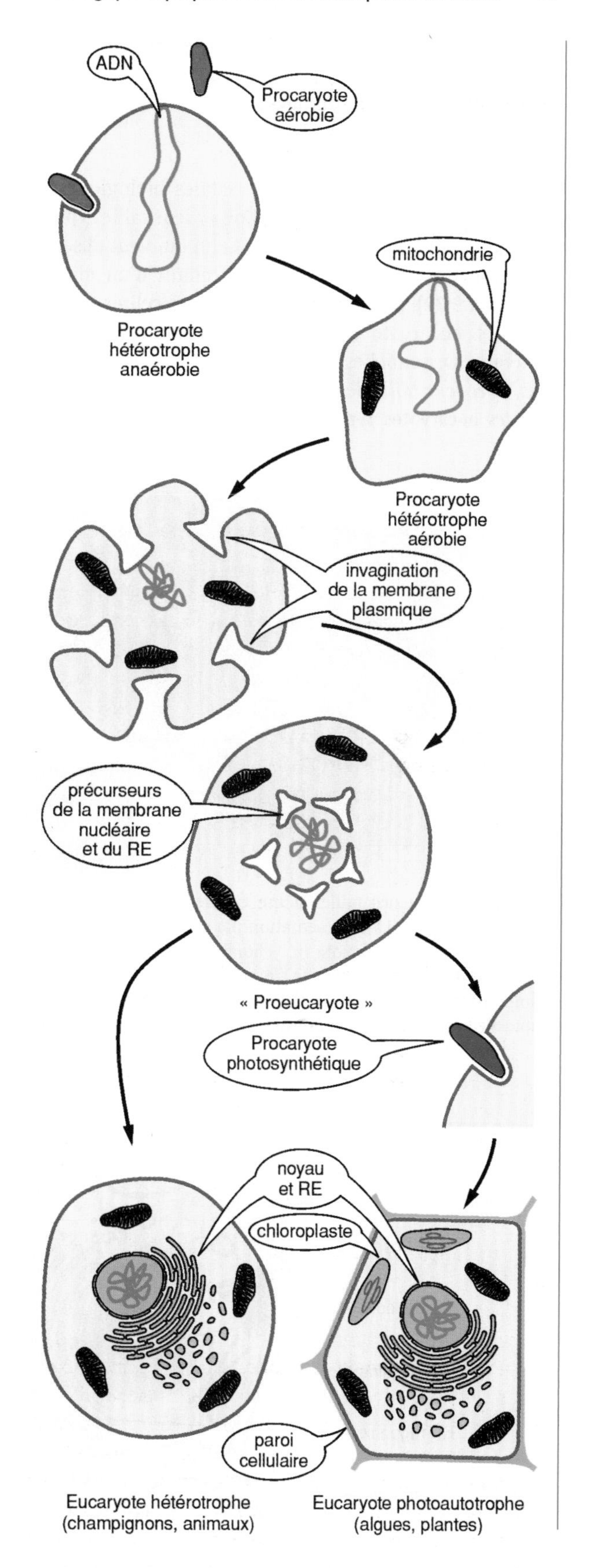

3.8 Modèle d'apparition des cellules eucaryotes. RE, réticulum endoplasmique (§ 3.4). Il est possible que chez certains groupes d'eucaryotes, l'hétérotrophie soit due à la perte des chloroplastes ; le noyau pourrait aussi être apparu avant les événements endosymbiotiques. [RF]

3.3

Les cellules eucaryotes sont compartimentées

A quelques exceptions près, les cellules biologiques ne sont pas visible à l'œil « non équipé » ; leur taille typique est du domaine submillimétrique. Celui qui veut observer la plus petite unité vivante doit se munir d'un microscope (*fig.* 3.32). La comparaison entre des cellules procaryote et eucaryote (*fig.* 3.9) fait apparaître plusieurs différences essentielles : les **procaryotes** *comme les bactéries, avec leur taille de 1-5 µm, sont beaucoup plus petits que les* **eucaryotes** *typiques, d'une taille de 10-100 µm, leur volume est donc approximativement 1000 fois plus petit.* Alors que l'intérieur d'une cellule procaryote paraît relativement peu structuré – il n'y a ici ni noyau cellulaire, ni entités fonctionnelles clairement séparées (*fig.* 3.5) –, la cellule eucaryote montre une nette compartimentation, dominée par son grand **noyau cellulaire**, grossièrement sphérique.

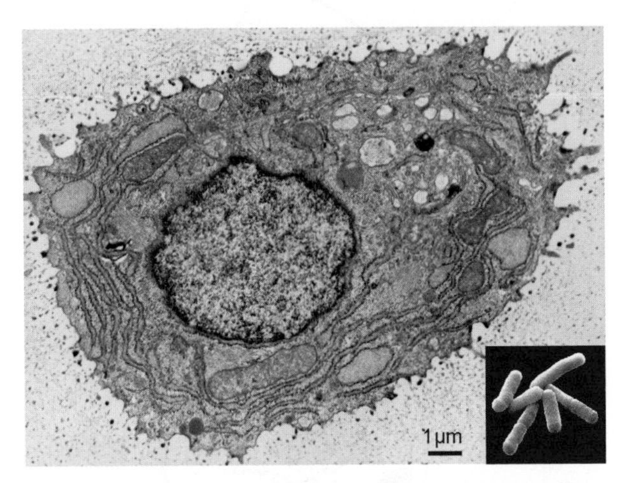

3.9 Comparaison des tailles d'une cellule eucaryote et d'une cellule procaryote. La représentation par microscopie électronique d'une cellule eucaryote (a : chondroblaste, une cellule de cartilage) montre clairement le grand noyau rond et les autres compartiments. b) les cellules d'*E. coli* (en bas à droite : microscopie électronique à balayage) sont beaucoup plus petites. [RF]

Les cellules eucaryotes possèdent, en plus de leur membrane plasmique, un système étendu de **membranes intracellulaires.** Elles séparent à l'intérieur de la cellule des chambres réactionnelles – des compartiments – qui effectuent des tâches spécifiques d'où leur appellation d'**organites cellulaires** (ou organelles cellulaires) (*fig.* 3.10). Le plus gros organite est le noyau cellulaire ; de même que le réticulum endoplasmique (RE) et l'appareil de Golgi, ce **compartiment** est présent en une seule copie par cellule. D'autres organites tels que les mitochondries, les lysosomes, les endosomes et les peroxysomes, sont beaucoup plus petits mais plus nombreux. *La majeure partie de la surface membranaire totale d'un eucaryote typique est constituée par le très étendu RE (50 %) et les mitochondries (20-40 %).* De leur côté, les membranes de l'appareil de Golgi et du noyau, tout comme la membrane plasmique, n'en constituent qu'une modeste partie (1-10 %). Le **cytoplasme** englobe la totalité de l'espace cellulaire délimité par la membrane plasmique, en incluant les organites – *à l'exception* du noyau. Le **cytosol**, lui, est constitué par le milieu cellulaire liquide dans lequel « nagent » les organites (*fig.* 3.10). De même que la cellule elle-même, la plupart des organites sont entourés d'une membrane simple – constituée d'une bicouche lipidique ; seuls le noyau, les mitochondries et les chloroplastes des cellules de plantes ont une **double membrane** – c'est-à-dire deux bicouches lipidiques – (*encart* 3.3).

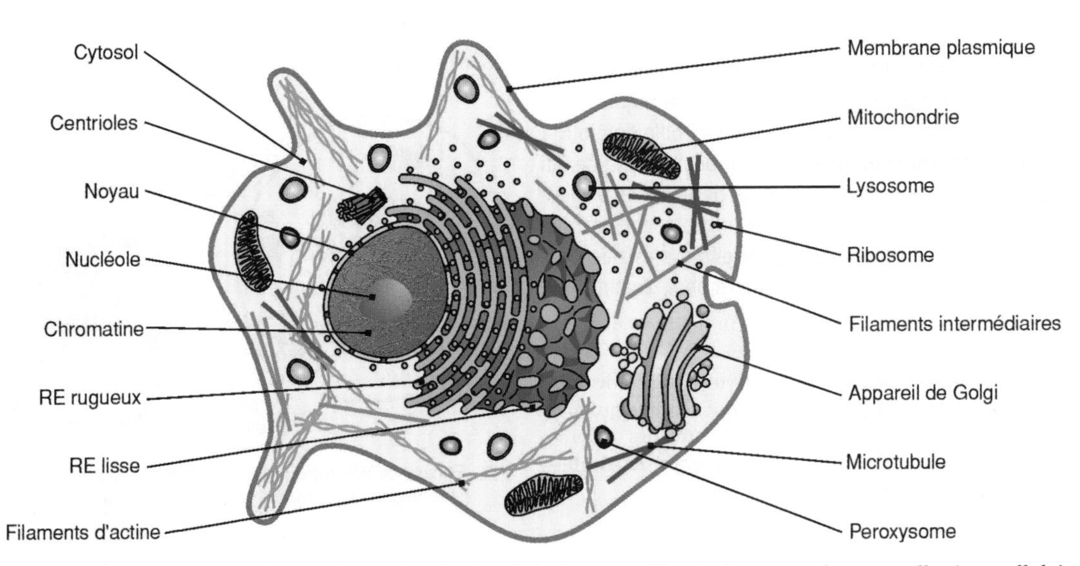

3.10 Structure d'une cellule eucaryote. Représentation d'une cellule de mammifère typique, avec les organelles intracellulaires (pas à l'échelle). RE, réticulum endoplasmique. Le cytosol est représenté en jaune clair.

Encart 3.3 : Particularités de la cellule végétale

Contrairement aux cellules animales, les cellules végétales possèdent une **paroi cellulaire** en plusieurs couches, composée essentiellement de cellulose (*fig.* 3.8, en bas à droite). Cette paroi apporte à la cellule protection et résistance à l'étirement ou à la pression, si bien que les végétaux multicellulaires peuvent exister en l'absence de « squelette » pour les soutenir. La paroi cellulaire donne aux cellules végétales une forme plus « géométrique » que celle des assemblages de cellules animales. Les cellules voisines peuvent communiquer matériellement par des canaux de liaison du type des plasmodesmososmes. Une grande **vacuole de liquide intracellulaire**, qui contrôle la pression intérieure ou de turgescence sert — comme les lysosomes — à stocker et à éliminer les produits du métabolisme ou métabolites. Le trait le plus remarquable des cellules de plantes est constitué par les **chloroplastes** : grâce à un colorant, la **chlorophylle**, ces organelles cellulaires effectuent, dans leur membrane thylacoïde, la transformation photosynthétique de CO_2 et H_2O en glucose et donc en énergie utilisable. Les chloroplastes, comme les autres plastides de végétaux et les mitochondries, ont un génome circulaire. L'autotrophie des végétaux, qui sert de base alimentaire aux animaux hétérotrophes, repose sur la **photosynthèse** (§ 3.2).

Le **noyau** est entouré d'une **enveloppe nucléaire**. Elle se compose de deux membranes, interne et externe, qui délimitent le **lumen** périnucléaire, qui communique avec le RE voisin (*fig.* 3.11). La face interne de l'enveloppe nucléaire est recouverte d'une **lamina**, réseau stabilisé de filaments protéiques – les laminines ; des pores nucléaires permettent les échanges de matière avec le cytoplasme. Dans le noyau cellulaire se trouve l'ADN, le plus souvent sous la forme de longues molécules filiformes faites de **chromatine** « désordonnée » ; la chromatine ne se condense en **chromosomes** qu'avant la division cellulaire, ce qui facilite la répartition égale du matériel génétique préalablement dupliqué entre les deux cellules filles (§ 3.5). Il existe dans le noyau cellulaire, en plus de l'ADN, des molécules d'ARN : ces transcrits sont exportés vers le cytosol par les pores nucléaires. Les gènes nécessaires à la synthèse des ARNr sont transcrits au sein de corpuscules nucléaires ou **nucléoles** (lat. *nucleolus*, petit noyau) visibles en microscopie optique ; après la synthèse des ribosomes et leur exportation vers le cytosol, ils y effectuent la biosynthèse des protéines.

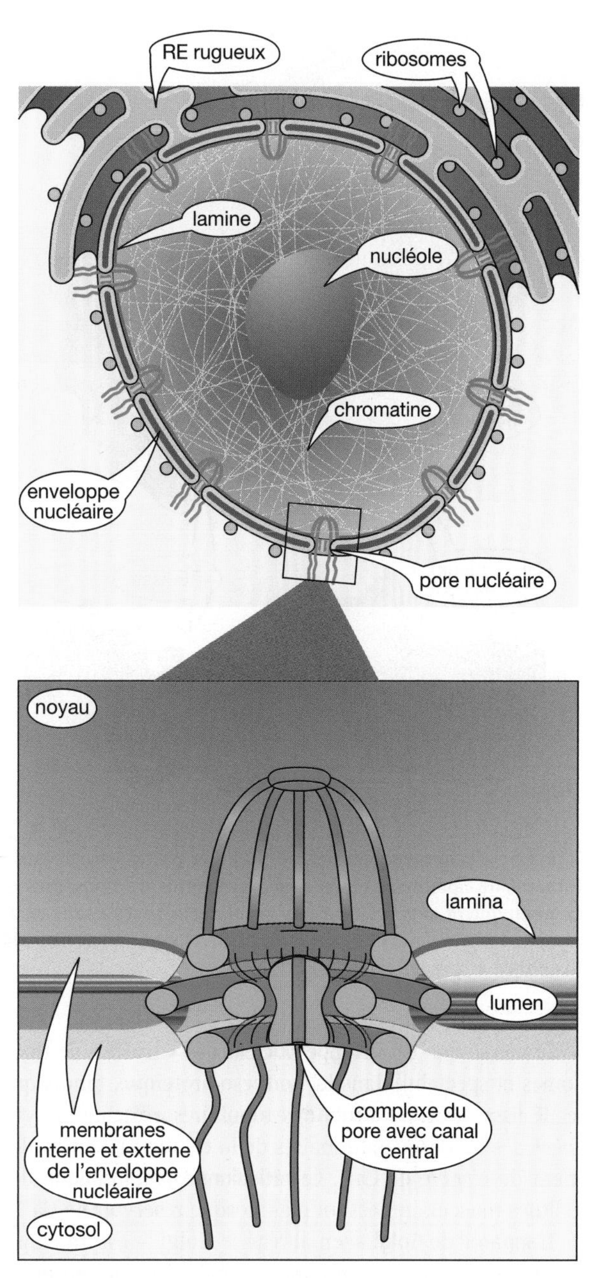

3.11 Le noyau cellulaire, l'enveloppe et les pores. En haut : schéma du noyau et du RE en coupe. L'agrandissement montre l'enveloppe avec le complexe du pore nucléaire.

3.4 Les organites cellulaires structurent le cytoplasme

Le **réticulum endoplasmique** – en abrégé : RE (lat. *reticulum*, petit filet) – est un labyrinthe de membranes comportant des protubérances aplaties en forme de sac et des réseaux tubulaires ; il occupe une grande partie du cytoplasme (*fig.* 3.12). Le RE s'étend continûment jusqu'à la membrane nucléaire, si bien que le lumen du RE et l'espace périnucléaire communiquent. Le **RE rugueux** est

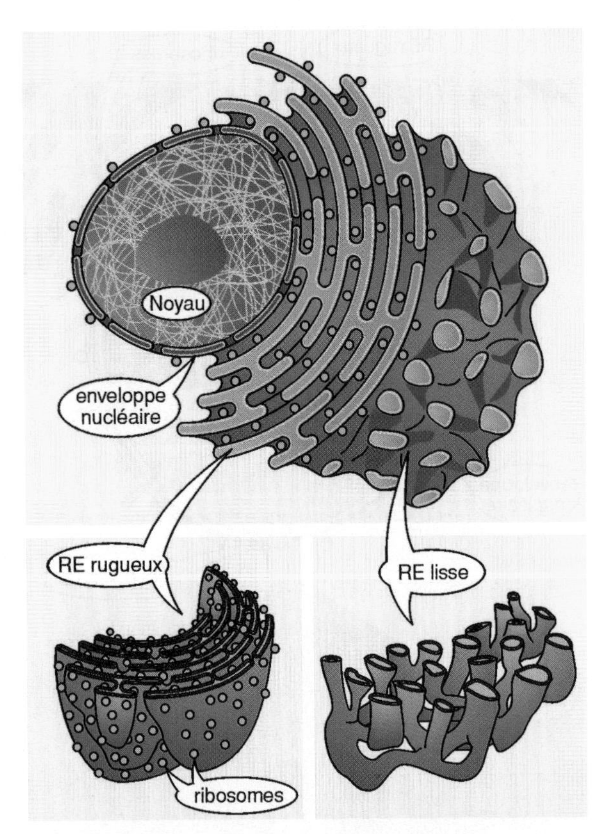

3.12 Le réticulum endoplasmique (RE). Les partie « rugueuses » formant de nombreux replis sont recouvertes de ribosomes et communiquent avec les éléments tubulaires « lisses » sans ribosomes. La membrane externe de l'enveloppe nucléaire est fusionnée à la membrane du RE.

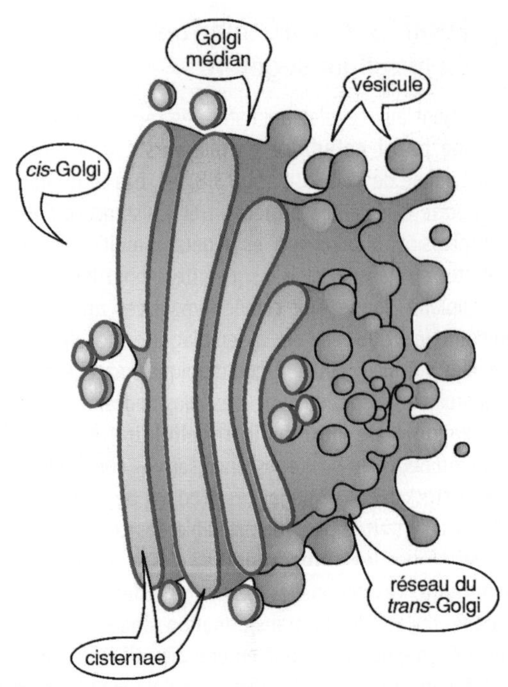

3.13 Topologie de l'appareil de Golgi. Les sacs membranaires empilés sont refermés sur eux-mêmes se terminent par des renflements appelés cisternae. C'est là que se forment d'innombrables vésicules, qui transportent des produits de biosynthèse du côté *cis* vers le côté *trans* ou approvisionnent d'autres compartiments cellulaires.

– de même que l'enveloppe nucléaire – « truffé » de ribosomes et spécialisé dans la synthèse protéique, tandis que le **RE lisse** avec ses structures tubulaires effectue la synthèse des lipides membranaires de la cellule ; il sert également de réserve de Ca^{2+}. Le **réticulum sarcoplasmique** des cellules musculaires est un gigantesque réservoir de Ca^{2+}.

L'**appareil de Golgi** – en abrégé le Golgi – est un empilement de poches membranaires qui séparent hermétiquement l'espace qu'elles contiennent de l'espace périnucléaire et du RE (*fig.* 3.13). Le Golgi est le centre de tri de la cellule, qui reçoit du RE les protéines néosynthétisées, les modifie, les trie et les expédie vers des destinations intra ou extracellulaires. Pour ce faire, cet organite est divisé en ***cis*-Golgi** qui reçoit les protéines, **Golgi médian** qui les modifie, et ***trans*-Golgi** qui les trie et les envoie ; mais cette circulation fonctionne aussi dans l'autre sens. La communication entre le Golgi et les autres compartiments de la cellule se fait par l'intermédiaire de petits transporteurs délimités par une membrane appelés **vésicules**, qui « bullent » en grand nombre autour du Golgi. L'exportation des produit cellulaires passe elle aussi par le transport vésiculaire (*fig.* 3.15).

Alors que le noyau, le Golgi et le RE sont uniques, les **mitochondries** peuvent atteindre 2 000 exemplaires dans la cellule. La morphologie de ces « centrales électriques » de la cellule, qui produisent, à partir de nutriments et d'O_2, en dernier ressort de l'ATP et du CO_2, est sujette à des modifications dynamiques : selon le statut physiologique de la cellule, elles forment soit des entités isolées en forme de haricot, ou bien elles s'associent en un **réseau mitochondrial** qui traverse la cellule entière. La structure des mitochondries, elle, est plutôt uniforme : une membrane double constituée par les membranes mitochondriales interne et externe délimite l'**espace intermembranaire** (*fig.* 3.14). D'innombrables invaginations – les **cristae** – accroissent énormément la surface de la **membrane mitochondriale interne** et maximisent donc sa capacité à synthétiser de l'ATP. Cette membrane délimite l'espace intérieur – la **matrice** mitochondriale – qui fonctionne comme plate-forme de fabrication et d'expédition de composants tels que l'acétyl-CoA. L'échange de matière entre le cytosol et la mitochondrie est donc strictement contrôlé. Les mitochondries possèdent – tout comme les chloroplastes – un **ADN circulaire extranucléaire** localisé dans leur espace matriciel.

On appelle **endocytose** l'incorporation de substances dans une cellule lorsqu'elle produit, par invagination et étranglement de la membrane cellulaire, une bulle de membrane ou **vésicule**, qui peut avoir différentes destinations dans la cellule (*fig.* 3.15). Pour que la vésicule atteigne son but, il est important qu'elle soit recouverte de clathrine et d'autres protéines (§ 19.10). L'incorpo-

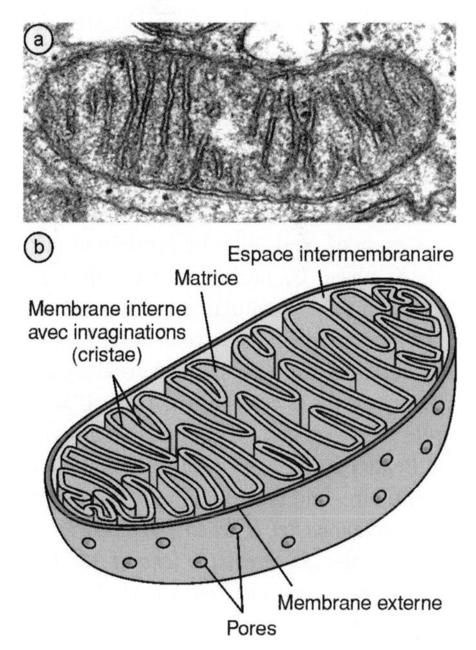

3.14 Structure d'une mitochondrie. Le cliché de microscopie électronique (a) montre les cristae allongés. Sur la représentation schématique, on reconnaît les pores de la membrane externe, qui permettent un transport de matière relativement libre entre l'espace intermembranaire et le cytosol. [RF]

ration endocytosique de liquides ou de substances dissoutes est appelée **pinocytose** (grec *pinein*, boire), alors que l'englobement de substances solides pouvant aller jusqu'à des cellules bactériennes entières se nomme **phagocytose** (grec *phagein*, manger). Les vésicules contenant des substances exogènes – les **phagosomes** – mais aussi du matériel provenant de la cellule elle-même – les **autophagosomes** – fusionnent dans les **endosomes**, qui, comme des « installations de triage des déchets », recyclent leur contenu ou les aiguillent vers la dégradation dans les « déchiqueteuses » cellulaires – les lysosomes et les peroxysomes. Les **lysosomes** sont des vésicules membranaires qui contiennent tout un arsenal d'enzymes hydrolytiques capables de dégrader les déchets cellulaires – protéines, sucres, acides nucléiques, phospholipides. Les **peroxysomes** effectuent également des tâches complémentaires, en produisant de manière contrôlée du peroxyde d'hydrogène (H_2O_2) pour « inactiver » certains produits toxiques (encart 19.2).

Les voies de transport vésiculaire ne vont pas seulement de la matrice extracellulaire vers l'intérieur de la cellule, mais aussi dans l'autre sens, du centre vers la membrane plasmique ou même vers l'extérieur : c'est ainsi que certaines protéines sont empaquetées dans le réticulum endoplasmique par étranglement de la membrane du RE donnant naissance à des vésicules et envoyées en voyage intracellulaire (*fig.* 3.15). Par une alternance de fusions et de bourgeonnements membranaires, elles traversent le Golgi et, devenues des **vésicules de transport**, libèrent leur contenu à la membrane ; des lipides et des protéines néosynthétisés sont ainsi intégrés dans la membrane plasmique. Alternativement, des **vésicules** dites **sécrétrices** libèrent par **exocytose** des substances dans le milieu extracellulaire. Selon le sens de traversée du Golgi, on distingue le transport antérograde et le transport rétrograde.

Les organites et les vésicules ne flottent pas librement à travers la cellule, mais sont intégrés à un « maillage » cytosolique. Trois câbles d'épaisseur différente composent ce **cytosquelette** : les **microtubules**, avec un diamètre de 25 nm environ, les **filaments intermédiaires** de 10 nm à peu près et les **microfilaments** d'environ 7 nm (§ 31.1). À proximité du noyau se trouve le **centrosome**, qui contrôle grâce à ses deux **centrioles** la structure et la dynamique du cytosquelette, et dirige l'organisation du fuseau mitotique (*fig.* 3.17).

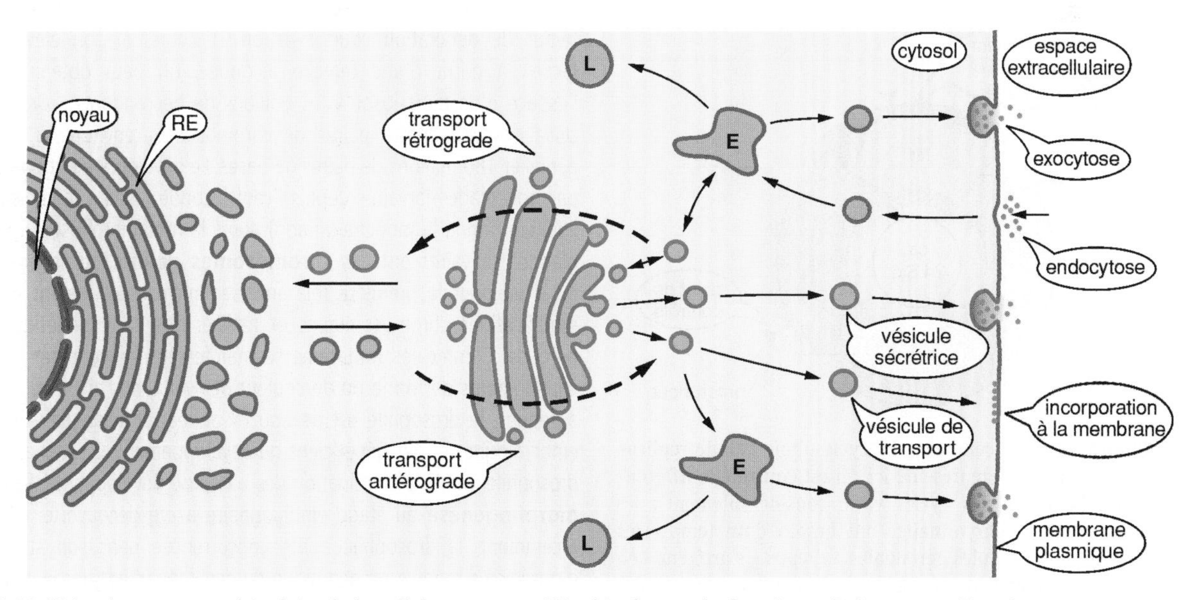

3.15 Voies du transport vésiculaire de la cellule eucaryote. RE, réticulum endoplasmique ; L, lysosome ; E, endosome.

3.5

Le cycle de la division cellulaire passe par quatre phases

Les eucaryotes supérieurs contrôlent la **prolifération**, c'est-à-dire la croissance et la division de leurs cellules, à l'aide de facteurs de croissance, au cours d'un cycle. Formellement, on peut séparer le cycle de division de la plupart des cellules eucaryotes en deux parties, la mitose et l'interphase (*fig.* 3.16). C'est lors de la **mitose** – également appelée **phase M** – que se produisent les modifications les plus visibles, à savoir la division du noyau et de la cellule. Ensuite, l'**interphase** englobe trois stades : dans une première phase intermédiaire dite **phase G_1** (angl. *gap*, espace), la nouvelle cellule croît. La phase de synthèse de l'ADN ou **phase S** représente le temps nécessaire à la duplication des chromosomes ; elle est poursuivie par une deuxième phase de croissance – ou **phase G_2** – dans laquelle la cellule synthétise principalement de nouvelles protéines. Le passage à la mitose suivante termine l'interphase et le **cycle cellulaire** se referme. Les cellules humaines à prolifération rapide ont un cycle d'environ 24 h, dans lequel la phase M est le stade le plus court, la phase G_1 le plus long, les phases S (8 h) et G_2 (4 h) se situant entre les deux.

Les cellules peuvent différer nettement par leur capacité de division. Pour simplifier, on peut distinguer trois catégories : les **cellules en constante prolifération** comme par exemple les cellules souches érythropoïétiques de la moelle osseuse ou les cellules lymphopoïétiques du système immunitaire ; les **cellules qui ne se divisent pas**, comme par exemple la plupart des neurones du système nerveux, les cellules de muscle squelettique ou cardiaque, et les **cellules au repos**, qui ne prolifèrent qu'en cas de besoin, comme par exemple les fibroblastes de la peau ou les hépatocytes du foie. Peu avant la fin de la phase G_1, la cellule fait en effet un « état des lieux » et vérifie que les stimuli adéquats, par exemple des facteurs de croissance, sont présents ; s'ils font défaut, le cycle cellulaire est arrêté, et la cellule entre en phase de repos ou **phase G_0**. Dans cette phase « d'attente », le métabolisme des cellules est actif, mais elles ne prolifèrent pas. Le seuil critique de la phase G_1 tardive, qui décide du maintien ou de la sortie du cycle cellulaire, est appelé **point de restriction.** Les facteurs de croissance délivrent les cellules en G_0 de leur sommeil de « Belles au bois dormant » et les ramènent dans le cycle cellulaire normal. D'autres points de contrôle veillent sur les autres phases du cycle (*fig.* 3.16). Beaucoup de connaissances fondamentales sur le cycle cellulaire ont été obtenues chez la mouche du vinaigre *D. melanogaster* (*encart* 3.4) mais aussi chez la levure de boulanger *S. cerevisiae* (*encart* 32.1) ou encore chez le nématode *C. elegans* (*encart* 32.4).

Lorsque le point de contrôle de la phase G_1 tardive est passé, la cellule poursuit son cycle au moins une fois jusqu'à la phase G_2 qui suit, où elle se divise. La phase critique appelée phase M ou **mitose**, se divise en plusieurs étapes (*fig.* 3.17) : elle commence par la **prophase** dans laquelle les chromosomes se condensent, la membrane nucléaire se désagrège et les **centrosomes** migrent vers les pôles opposés de la cellule. Dans la **métaphase**, les centrosomes organisent un **fuseau mitotique** à partir

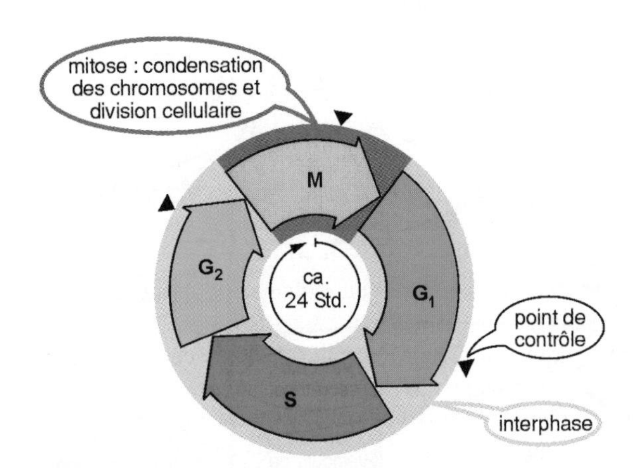

3.16 Phases du cycle cellulaire. Le cycle d'une cellule réplicative de mammifère est représenté ici ; il est contrôlé à différentes étapes. La durée des cycles varie considérablement : les premières cellules embryonnaires ont besoin d'un temps très court, alors que les cellules germinales au repos « s'arrêtent » en phase G_1 et peuvent demeurer à ce stade pendant des années avant de terminer le cycle.

Encart 3.4 : *Drosophila melanogaster*

La mouche drosophile — appelée aussi mouche du vinaigre (angl. *fruit fly*) — se distingue par sa petite taille (environ 2 mm), son taux de reproduction élevé, (environ 400 œufs par ponte), son temps de génération court (environ 10 jours) et son élevage facile : à partir d'une femelle fécondée, on peut obtenir en l'espace d'un mois jusqu'à 16 millions de descendants ! *Drosophila* possède quatre paires de chromosomes, environ 13 000 gènes et 180 millions de paires de bases. Le développement passe par trois stades larvaires depuis l'œuf fécondé jusqu'à la chrysalide, qui donne la mouche (imago) après la métamorphose. Leurs glandes salivaires ont des **chromosomes géants**, sur lesquels on a pu pour la première fois analyser microscopiquement des modifications chromosomiques et réaliser des carte génétiques précises. Comme les mutations se manifestent souvent par des changements de forme ou de couleur des yeux, des ailes, ou des antennes, la drosophile est devenu l'« animal domestique » des embryologues et des généticiens du développement. C'est chez la drosophile que la détermination des bases du développement par **morphogenèse** au stade embryonnaire a été découverte. Plus récemment, la drosophile a été concurrencée dans son statut d'organisme modèle en génétique du développement par le poisson-zèbre transparent *Danio rerio*.

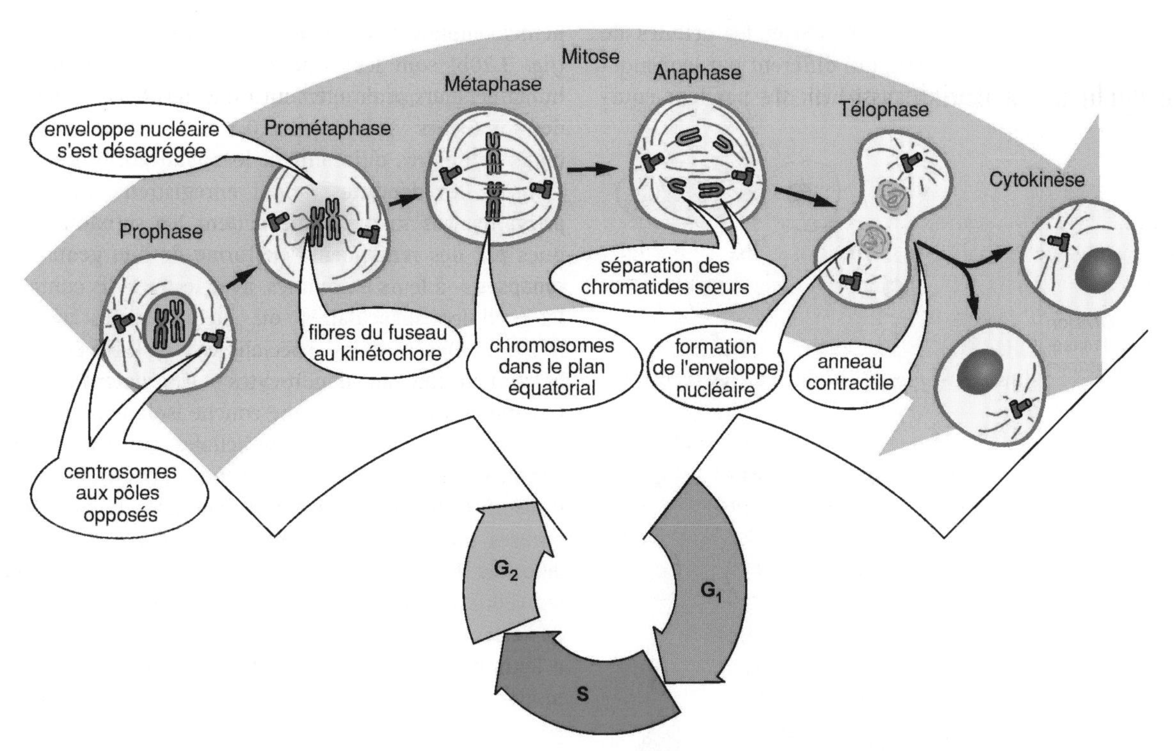

3.17 Phases de la mitose. Pendant la phase S précédente, il y a eu duplication des chromosomes en deux chromatides sœurs ; le centrosome (avec ses deux centrioles) est dupliqué en phase G_2. Les différentes phases de la mitose conduisent après « répartition » des chromatides à la division de la cellule.

de microtubules, qui s'attaquent aux chromatides sœurs qui se sont formées en phase S (*fig.* 3.18) et les « tirent » pendant l'**anaphase** qui suit en direction des deux pôles cellulaires. Dans la **télophase**, deux nouvelles membranes nucléaires se forment autour des deux séries de chromosomes désormais séparées (voir *fig.* p. 205). La division cellulaire ou **cytokinèse** produit deux cellules filles et termine la mitose.

3.18 Cellule de poumon en métaphase. On distingue sur ce cliché de microscopie électronique les chromosomes (en bleu), le fuseau mitotique fait de microtubules (en vert), les centrosomes (en violet) et les filaments intermédiaires (en rouge). [RF]

3.6 Les cellules se différencient et forment des associations

L'évolution des procaryotes jusqu'aux eucaryotes est allée de pair avec le développement de nouvelles capacités : *les cellules eucaryotes peuvent se différencier et s'organiser en grandes assemblées.* Le développement de chaque être humain commence avec une cellule unique – l'œuf fécondé – qui par division produit deux copies identiques (*fig.* 3.19). Si cela continuait ainsi, on obtiendrait un « bête » tas d'environ 40 milliards de **cellules** – le nombre de cellules contenu dans un homme ! En réalité, les cellules se différencient en quatre types principaux : les cellules épithéliales, les cellules conjonctives, les cellules nerveuses et les cellules musculaires. Les cellules différenciées s'ordonnent en **tissus**, qui elles-mêmes s'organisent en **entités fonctionnelles multicellulaires** comme le néphron, par exemple. Un **organe** comme le rein est constitué de différents tissus et entités fonctionnelles. À partir de là se développent des formes d'organisation complexes comme les systèmes urogénital, cardiaque, sanguin, respiratoire ou nerveux, qui agissent de concert dans l'**organisme entier**.

Cette classification des cellules est relativement grossière : il existe en effet trois types de **cellules musculaires**, à savoir les cellules de muscle squelettique (§ 9.1), les cellules musculaires lisses (§ 9.6) et les cellules de muscle cardiaque (*fig.* 3.20a), qui diffèrent par leur morphologie, leur fonction et aussi bien sûr par leur équipement moléculaire. Les **cellules nerveuses** (les neurones) (*fig.* 3.20b) sont les cellules les plus longues du corps humain : leurs prolongements – les **axones** – atteignent des longueurs variant entre 0,1 mm et plus d'1 m. Le corps cellulaires qui contient le noyau porte des extensions – les **dendrites** – qui enregistrent les signaux arrivants. Les axones transmettent les signaux électriques par des renflements en forme de bourgeons – les **synapses** – à leurs extrémités, avec lesquels ils contactent les cellules musculaires ou bien d'autres neurones (§ 27.3). Des cellules spécialisées – les cellules de Schwann et les oligodendrocytes – s'enroulent autour de l'axone en formant ainsi une couche isolante, la gaine de myéline. Parmi les cellules épithéliales, qui recouvrent les surfaces interne et externe du corps, on trouve les cellules « absorbantes », qui maximisent leur surface par de nombreuses protubérances en forme de doigts – les **microvillosités** (§ 31.6). Ce type cellulaire comprend également les cellules sécrétrices, qui produisent un grand nombre de vésicules exportatrices, et les cellules ciliées, qui, grâce à leurs prolongements – les cils – peuvent produire un mouvement de fluide dirigé. Les **cellules épithéliales**

3.19 Niveaux d'organisation cellulaire. Le néphron est la plus petite unité de filtration du rein. [RF]

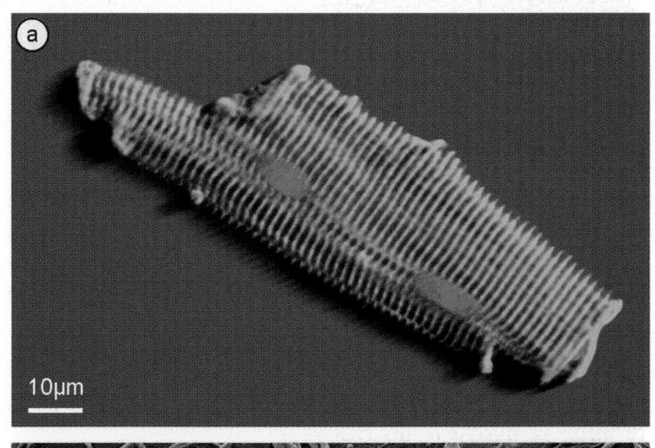

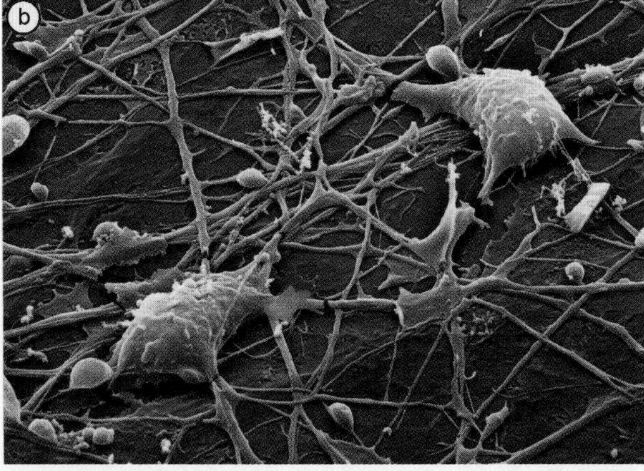

3.20 Cellules musculaires et nerveuses. On reconnaît dans cette cellule de muscle cardiaque (a : reconstruction tridimensionnelle de microscopie confocale au laser) deux noyaux cellulaires (en rouge) et les stries des protéines contractiles (en vert). Les neurones et leur prolongements cellulaires (b : cliché de microscopie électronique à balayage) forment avec les cellules gliales le tissu du système nerveux. [RF]

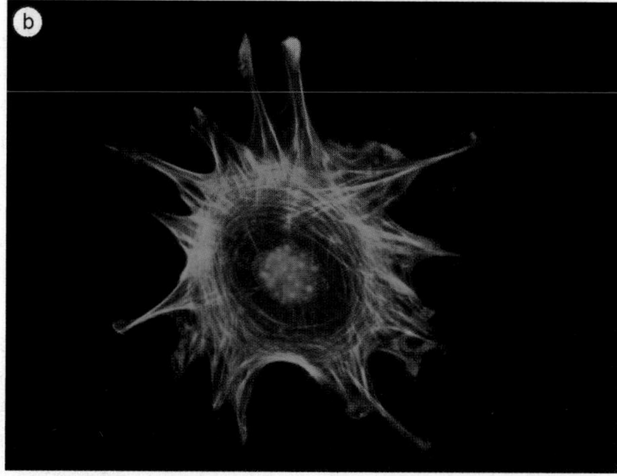

3.21 Cellules épithéliales et conjonctives. Les cellules épithéliales (a : cliché de microscopie optique de cellules de l'intestin grêle) s'associent en couches denses de cellules jointives. Les cellules conjonctives sont extraordinairement différentes en morphologie et en fonction ; au nombre de celles-ci on trouve, à côté de cellules sanguines comme les érythrocytes et les leucocytes, le fibroblaste montré en (b) (cliché de microscopie de fluorescence ; en bleu : noyau, en vert : filaments d'actine, en orange : protéines d'adhésion). [RF]

s'organisent en une couche continue (*fig.* 3.21a), dans laquelle des ***tight junctions*** (angl., jonctions étanches) et des ***gap junctions*** (jonctions ouvertes) relient les cellules adjacentes et ainsi colmatent les espaces intercellulaires. Avec les hémidesmosomes, elles ancrent les cellules épithéliales dans la lamina basale. Parmi les **cellules conjonctives**, on trouve les **fibroblastes** (*fig.* 3.21b), qui produisent les composants protéiques et glycosidiques de la matrice extracellulaire du derme, par exemple. Un autre exemple de cellules conjonctives est constitué par les **ostéoblastes**, qui sont en communication entre eux par de longues extensions du cytoplasme : avec les ostéoclastes et les ostéocytes, elles contrôlent la croissance, le développement et le métabolisme des os. Toujours dans cette classe, on trouve les cellules adipeuses – ou **adipocytes** –, qui stockent le triacylglycérol dans leur cytoplasme sous la forme de gouttelettes caractéristiques.

Nous terminerons ici l'observation de la naissance, l'organisation et la différenciation des cellules, et nous en arrivons à quelques observations fondamentales sur les cellules en tant que systèmes « ouverts », qui sont nécessaires à la compréhension des processus dynamiques dans les cellules et les organismes.

3.7 Les cellules sont des systèmes ouverts qui fonctionnent par transformation d'énergie

Les processus caractéristiques de la vie comme la croissance, la division, ou le mouvement sont clairement liés à une transformation d'énergie. Même à l'état de repos, l'organisme humain fournit une énergie d'environ 100 Watts, qui peut être comparée à celle d'une ampoule électrique. Une description biochimique de la vie est donc inévitablement basée sur la **thermodynamique** – la science des transformations énergétiques. D'un point de vue thermodynamique, l'univers est divisé en un **système** et son **environnement**. Un système est un objet d'étude quelconque, par exemple une cellule vivante, un tube à essais ou encore un moteur. Le système peut être ouvert, fermé, ou isolé. Les systèmes ouverts peuvent échanger avec l'environnement de la matière et de l'énergie, les systèmes fermés, uniquement de l'énergie, et les systèmes isolés ne peuvent donner ou recevoir ni énergie ni matière (*fig.* 3.22). Les cellules et les organismes sont donc, au sens thermodynamique, des **systèmes ouverts**.

On affecte à un système une **énergie interne** U, c'est-à-dire l'énergie susceptible d'être transférée par des processus chimiques ou physiques simples. L'énergie interne d'un système fermé peut changer de deux manières : premièrement, le système peut appliquer un **travail** w à l'environnement, ou *vice versa.* Le travail se manifeste « macroscopiquement », par exemple par la dilatation des poumons contre la pression atmosphérique extérieure ou bien par l'élévation d'un objet contre la force de gravité ; il apparaît « microscopiquement », par exemple par la propagation de l'influx nerveux, le transport de molécules contre un gradient de concentration, ou encore la formation ou le clivage de liaisons chimiques. Deuxièmement, le système peut, en raison de différences de température, échanger de la chaleur avec l'environnement. Par **chaleur** q d'un système, on entend l'énergie cinétique contenue dans le mouvement désordonné de ses molécules.

Le **premier principe** de la thermodynamique est la « règle de base » de la thermodynamique : *l'énergie interne d'un système isolé est constante.* Il est équivalent au principe de conservation de l'énergie, d'après lequel l'énergie ne peut être ni produite ni annihilée. Une preuve de ceci tient dans les efforts déployés en vain

3.22 Systèmes ouverts, fermés et isolés. Un système ouvert peut échanger de l'énergie et de la matière avec l'environnement - le café dans la tasse se refroidit et dégage de la vapeur. Un système fermé peut échanger de l'énergie - dans la cafetière fermée, le café peut toujours refroidir - mais pas de matière. Les systèmes isolés ne peuvent transférer ni leur énergie ni leur matière, comme dans l'exemple d'une bouteille thermos « idéale ».

pour obtenir le *mouvement perpétuel*, c'est-à-dire une machine qui produit du travail sans utiliser de carburant. L'énergie U d'un système fermé ne peut donc changer que lorsqu'il y a échange de travail w ou de chaleur q avec l'environnement. La formulation mathématique du premier principe s'écrit donc :

$$\Delta U = q + w \tag{3.1}$$

Une autre prédiction du premier principe est que la chaleur et les différentes formes de travail sont fondamentalement équivalentes, et sont convertibles les unes en les autres. Comme nous allons le voir, cela ne s'applique que jusqu'à un certain point dans le cas de la transformation de chaleur en travail.

Les processus biologiques, ainsi que la majorité des réactions en tube à essais ont lieu à **pression** (atmosphérique) constante p, mais pas à volume constant. L'énergie interne est donc une grandeur de peu d'intérêt pratique lorsque l'on veut déterminer la chaleur dégagée par une réaction chimique. Si le **volume** V du système augmente pendant la réaction, par exemple par dilatation d'un gaz, une partie de l'énergie est alors « réinvestie » dans l'environnement. En effet, le système se dilate contre la pression atmosphérique qui l'entoure et fournit donc un **travail volumique**. À l'opposé, l'environnement exerce un travail sur le système lorsque le volume diminue au cours de la réaction. Pour cette raison, on a l'habitude en biochimie de mesurer, au lieu de l'énergie interne d'un système, son **enthalpie** H. L'unité d'enthalpie – comme d'énergie interne – est le **joule** (J).

$$H \equiv U + pV \tag{3.2}$$

Le concept d'enthalpie assimile ici le travail volumique au « terme correctif » pV. *La variation d'enthalpie donne la quantité de chaleur maximale (chaleur de réaction) d'une réaction à pression constante.* Les processus au cours desquels un système libère de la chaleur, donc ayant un $\Delta H < 0$, sont **exothermiques** ; ceux pour lesquels au contraire le système absorbe de la chaleur, donc ayant un $\Delta H > 0$, sont **endothermiques.**

3.8

L'augmentation du désordre est un moteur important des réactions chimiques

Le premier principe de la thermodynamique donne les conditions de base des processus chimiques et physiques : le **bilan énergétique** doit être correct ! Mais comment est déterminée la direction dans laquelle un processus a lieu ? Pourquoi l'eau bouillante refroidit-elle pour arriver à température ambiante, ou pourquoi le sel se dissout-il dans l'eau ? Ces processus ont lieu spontanément et ne peuvent bien évidemment pas être inversés simplement. Le **second principe de la thermodynamique** est un énoncé au sujet de la « motivation » de tels processus : *les processus spontanés au sein d'un système isolé s'accompagnent toujours d'une augmentation du « désordre ».* Pour en avoir un exemple simple, prenons un tube en U rempli, d'un côté par une solution de colorant, et de l'autre par de l'eau pure (*fig.* 3.23). À l'ouverture du robinet, les molécules de colorant soumises à l'agitation thermique peuvent diffuser dans l'autre moitié du tube en U : à l'état final, le colorant est réparti uniformément dans le tube en U et la répartition « ordonnée » de l'état initial a disparu.

La « force motrice » poussant à cette équipartition réside dans une tendance à produire le plus grand désordre possible ; plus précisément, on obtient à l'état final la répartition la plus probable des molécules de colorant. Le processus inverse d'une séparation, par laquelle les molécules de colorant, d'abord uniformément réparties, reviendraient toutes dans un mouvement

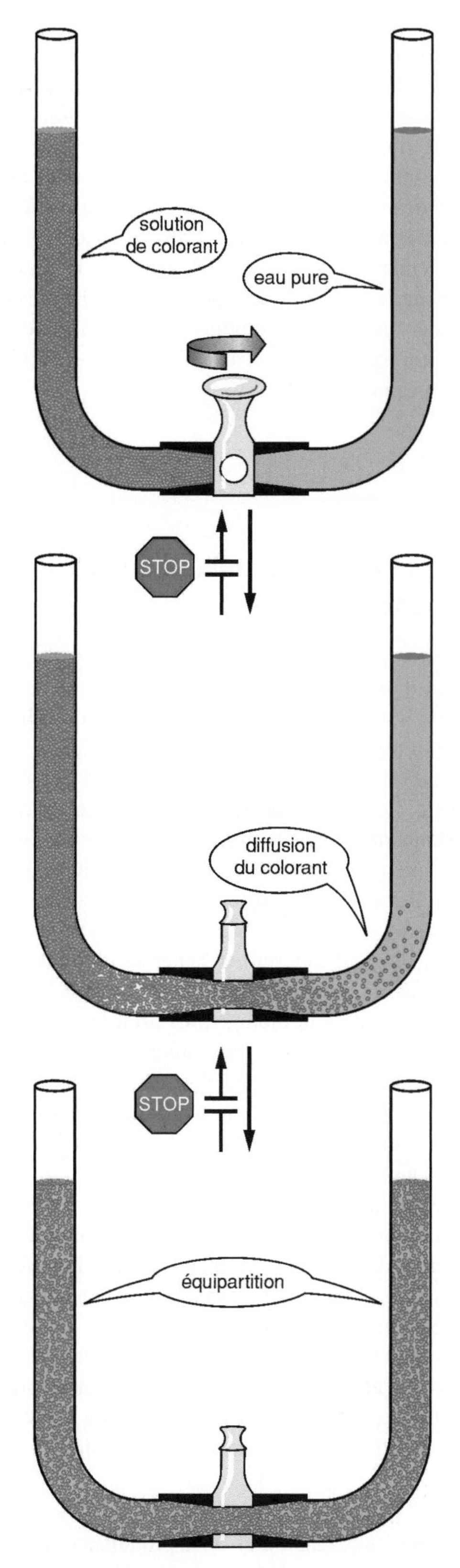

3.23 Répartition aléatoire de molécules de colorant. Après ouverture du robinet, les molécules de colorant qui se trouvaient auparavant dans une branche du tube en U peuvent diffuser librement dans les deux branches, ce qui conduit finalement à une répartition uniforme du colorant.

unidirectionnel vers l'une des deux branches du tube en U, est au contraire hautement improbable, c'est-à-dire impossible en pratique. Finalement, la probabilité est la force motrice des processus spontanés. La thermodynamique formalise ce concept à l'aide de l'**entropie *S***. La définition statistique de l'entropie est :

$$S = k \ln W \quad \text{(k : constante de Boltzmann)} \tag{3.3}$$

Plus grand est le nombre ***W*** d'**états énergétiquement équivalents** qu'un système peut adopter, plus grande est son entropie. Il s'ensuit que toutes les formes d'énergie ne sont pas équivalentes : par exemple lorsqu'une roue de bicyclette qui tourne est freinée par frottement, l'énergie du mouvement « ordonné » de rotation est transformée en énergie cinétique des mouvements « désordonnés » de molécules – c'est-à-dire en chaleur. On parle dans ce cas de **dissipation d'énergie** vers une forme « inférieure », la chaleur, comme on peut l'observer dans la réaction du mélange détonant (*encart* 3.5). Grâce au concept d'entropie, nous pouvons reformuler « plus précisément » le second principe : *au cours d'un processus spontané, l'entropie d'un système isolé augmente.* Le plus grand système isolé imaginable est l'Univers, son entropie doit donc augmenter pour tous les processus spontanés – un énoncé qui a des conséquences importantes, comme nous allons le voir.

Dans la pratique, la mesure des variations d'entropie n'est pas aisée. Pour pouvoir disposer d'un énoncé concernant la « force motrice » d'une réaction, on utilise une grandeur dérivée, qui donne une mesure de la variation d'entropie au moyen de paramètres plus accessibles. Cette grandeur est l'**énergie libre de Gibbs, *G*** :

$$G \equiv H - TS \quad (T\text{ : température en kelvin}) \tag{3.4}$$

Encart 3.5 : La réaction du mélange détonant

Selon l'énoncé du second principe, d'après lequel les réactions spontanées augmentent toujours le désordre dans un système isolé, on peut se demander comment des structures ordonnées peuvent tout simplement se former. Considérons par exemple la réaction fortement exothermique du **mélange détonant**, dans laquelle un mélange air-hydrogène est soumis à une étincelle. Trois molécules de gaz — deux molécules d'hydrogène H_2 et une d'oxygène O_2 — s'associent pour donner deux molécules d'eau H_2O et s'ordonnent sous une forme liquide (*fig.* 3.24). Du point de vue des atomes participant à la réaction, le degré d'ordre augmente sans aucun doute. Mais en même temps, une grande quantité de chaleur est produite et l'énergie cinétique est transférée aux atomes d'azote, eux mêmes étrangers à la réaction. Ainsi, l'entropie totale augmente, si bien que la réaction peut avoir lieu spontanément. Une partie de l'énergie chimique libérée est utilisée pour condenser les molécules de gaz en eau.

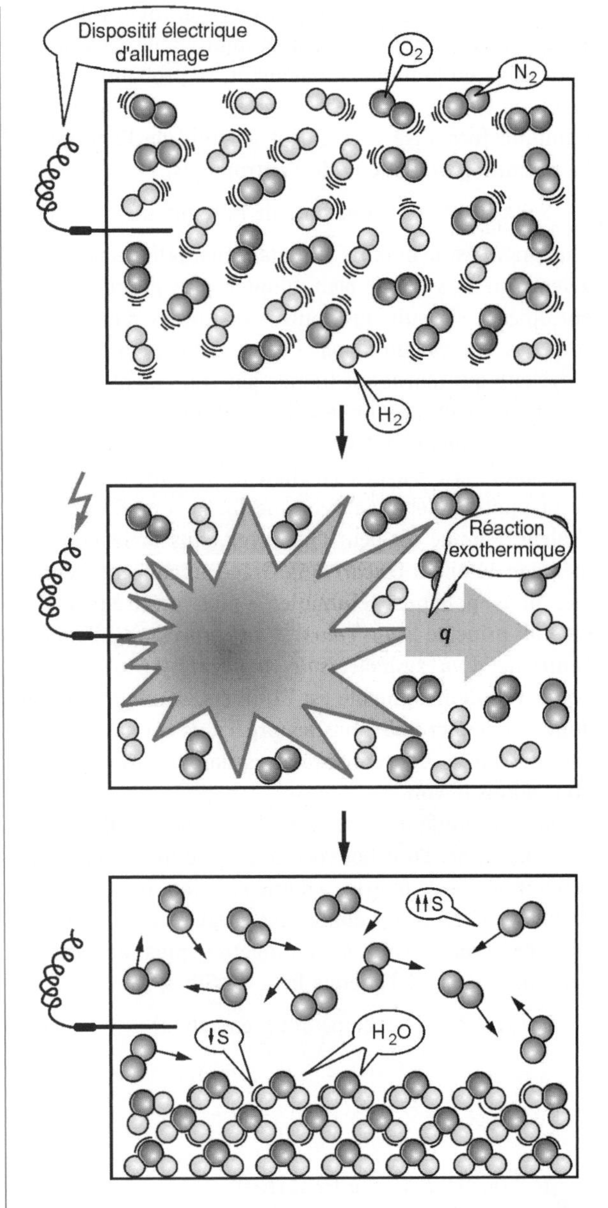

3.24 Réaction du mélange détonant. La formation d'eau à partir de ses composants élémentaires conduit à un état « plus ordonné » d'entropie plus basse, mais la chaleur produite conduit à une augmentation d'entropie.

De cette relation, on tire l'**égalité de Gibbs-Helmholtz** :

$$\Delta G = \Delta H - T\Delta S \tag{3.5}$$

L'unité d'énergie libre G est aussi le joule ; il résulte de cette formule que l'entropie s'exprime en joules par kelvin ($J\,K^{-1}$). *Toutes les réactions au cours desquelles G décroît ($\Delta G < 0$) sont spontanées et dites* **exergoniques**, *tandis que les réactions où $\Delta G > 0$ ne sont pas spontanées et sont* **endergoniques.**

Il est utile et fréquent d'opposer « dialectiquement » les variations d'entropie et d'enthalpie d'une réaction chimique. De cette manière, dans le cas de la réaction du mélange détonant, par exemple, on peut dire que l'entropie des molécules décroît effectivement, mais que la variation d'enthalpie ou « chaleur de réaction » ΔH fait plus que compenser cette diminution, si bien que la réaction est finalement spontanée. On parle alors de **réaction « gouvernée » par l'enthalpie**, alors que d'autres réactions sont **gouvernées par l'entropie**. Dans ce raisonnement, on doit cependant bien garder à l'esprit que la dissipation de chaleur résultant de la variation d'enthalpie aboutit en dernier ressort à une augmentation d'entropie, ce qui rend – en accord avec le second principe – la réaction spontanée possible.

3.9

L'énergie libre détermine l'équilibre de la réaction

Pour pouvoir déterminer les variations d'énergie libre, on a besoin d'un système de référence analogue au niveau de la mer pour les mesures d'altitude. *L'***énergie libre standard de formation ΔG°_f** *d'une espèce est le ΔG la réaction de formation de cette substance à partir de ses éléments simples à l'« état standard ».* Une espèce se trouve dans l'**état standard** lorsqu'elle est à une température de 298 °K (25 °C), une pression de 101,325 kPa (1 atm) et une concentration molaire. En utilisant les valeurs du ΔG°_f des composés de départ – les réactifs – et des produits de la réaction, on peut déterminer l'**énergie libre standard de réaction ΔG°** de n'importe quelle réaction (*tab.* 3.1). Selon les conventions de la biologie, les protons ont une concentration de 10^{-7} M (correspondant à un pH de 7,0) à l'état standard, car la plupart des réactions biochimiques ont lieu à un pH proche de la neutralité et *non* dans une solution molaire de H^+ (pH = 0) ; cette particularité est indiquée par une apostrophe dans **$\Delta G^{\circ\prime}$**.

L'énergie libre de réaction prédit non seulement la direction dans laquelle une réaction va spontanément se dérouler, mais également jusqu'où elle ira. En effet, dans une réaction chimique, les **réactifs** ne sont jamais complètement transformés en **produits**, mais un équilibre finit toujours par s'installer entre ces composants. La position de l'équilibre est une grandeur caractéristique de la réaction et est donnée par la **constante d'équilibre K**. Considérons la forme générale d'une réaction chimique :

$$aA + bB \rightleftharpoons cC + dD \tag{3.6}$$

A et B sont les réactifs, C et D les produits, a, b, c et d les coefficients stœchiométriques respectifs de la réaction. La constante d'équilibre de la réaction est définie comme

$$K = \frac{[C]^c[D]^d}{[A]^a[B]^b} \tag{3.7}$$

Tableau 3.1 Énergie libre standard de réaction $\Delta G°'$ de réactions biochimiques. Ces exemples montrent que les réactions biosynthétiques sont souvent endergoniques, alors que la dégradation de nutriments est fortement exergonique. Notez le « contenu énergétique » nettement plus élevé des acides gras par rapport aux sucres.

Réaction	Contexte biochimique	$\Delta G°'$ (kJ.mol^{-1})
glutamate + NH_4^+ → glutamine + H_2O	biosynthèse des acides aminés	+14,2
ADP + P_i → ATP + H_2O	synthèse de l'ATP	+30,5
glucose + 6 O_2 → 6 CO_2 + 6 H_2O	oxydation du glucose	-2840
acide palmitique + 23 O_2 → 16 CO_2 + 16 H_2O	oxydation des acides gras	-9770

Plus la différence entre les énergies libres des réactifs et des produits est grande, plus l'équilibre est déplacé dans une direction. Il existe une relation directe entre l'énergie libre standard $\Delta G°'$ d'une réaction et la constante d'équilibre K.

$$\Delta G°' = -RT \ln K \text{ ou } K = e^{-\Delta G°'/RT} \quad (3.8)$$

(R : constante des gaz parfaits, 8,3 J mol^{-1}K^{-1})

La relation entre les concentrations des réactants et l'énergie libre implique qu'*une réaction biochimique peut être endergonique dans les conditions standard, et néanmoins avoir lieu spontanément dans des conditions physiologiques parce que les concentrations des réactants s'éloignent fortement du « standard ».* Il est important de souligner que le ΔG d'une réaction ne dit rien sur sa vitesse – « spontané » ne signifie pas obligatoirement « rapide » ! Dans la pratique, en l'absence d'étincelle ou de catalyseur, le mélange détonant de H_2 et O_2 est stable aussi longtemps que l'on veut. La vitesse d'une réaction dépend du « chemin » réactionnel, c'est-à-dire du mécanisme de la réaction. Les **catalyseurs** – dans les systèmes biologiques, les **enzymes** - peuvent « aplanir » ce chemin réactionnel et de ce fait accélérer les réactions. Ils n'ont par contre aucune influence sur le point d'arrivée d'une réaction : seule l'énergie libre détermine ce point.

L'énoncé central du second principe – l'entropie d'un système isolé subissant un processus spontané augmente – ne semble pas, au premier abord, s'appliquer au monde vivant puisque dans la progression de molécules simples comme CO_2 vers des macromolécules biologiques complexes, puis des cellules entières et des tissus, il s'agit bien d'un accroissement de l'ordre et donc de « pertes » drastiques d'entropie. Pour que l'entropie puisse décroître dans les systèmes ouverts, elle doit croître dans un autre endroit de l'univers. *L'ordre biologique n'est thermodynamiquement possible que parce que les cellules augmentent l'entropie de l'environnement pour compenser* (*fig.* 3.25). Les êtres vivants peuvent par exemple créer des « oasis » d'entropie réduite en assimilant des nutriments riches en énergie – ce qu'on appelle en résumé **catabolisme** –, en utilisant une partie de cette énergie sous forme de travail pour la construction et le maintien de structures cellulaires – l'**anabolisme** –, et redonner une autre partie comme « tribut à la thermodynamique » sous forme de chaleur et de produits terminaux de faible masse moléculaire comme CO_2 ou H_2O. Nous payons en quelque sorte notre vie d'un « désordre » croissant de l'Univers.

La biosphère se trouve dans un état d'équilibre, dit **état stationnaire** (angl. *steady state*). *Cet état stationnaire* n'est pas *un équilibre thermodynamique, ce qui pour un organisme signifie la mort.* Au contraire, – les produits d'une réaction sont constamment consommés par d'autres réac-

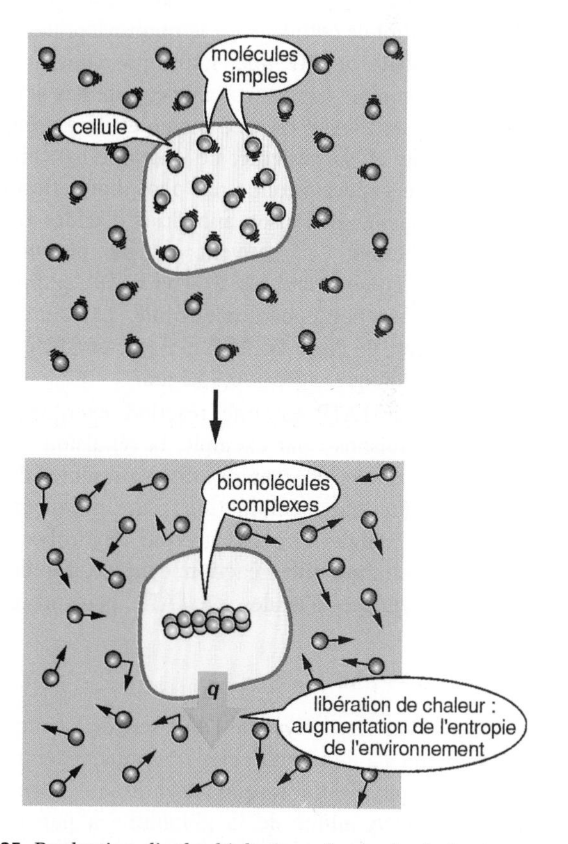

3.25 Production d'ordre biologique. Le dessin du haut montre les unités élémentaires de la biosynthèse comme les nucléotides ou les sucres dans une cellule schématisée. La biosynthèse de macromolécules plus complexes et hautement organisées comme l'ADN ou les polysaccharides peut se produire spontanément par dissipation de chaleur dans l'environnement. [RF]

tions et donc soustraits à l'équilibre. Même si le système subit à un moment des flux de matière et d'énergie, les concentrations de substances et la répartition de l'énergie ne varient qu'à l'intérieur de limites étroites. En témoigne le fait que notre masse corporelle, au cours d'une vie d'adulte, ne change que très peu – en comparaison avec les tonnes de nourriture que nous ingérons et « traitons ».

3.10 Les réactions biochimiques sont couplées

La totalité des processus cataboliques et anaboliques est appelée **métabolisme**. Le « diktat » de la thermodynamique impose que le métabolisme dans son ensemble soit exergonique. Il est évident cependant qu'un grand nombre de réactions biochimiques, comme par exemple le travail musculaire ou la synthèse de macromolécules, sont endergoniques. *L'artifice de la nature vivante consiste dans le* **couplage** *de ces réactions à des processus exergoniques comme par exemple l'oxydation du glucose.* Un élément central de couplage est le ribonucléotide **adénosine triphosphate** ou **ATP** (*fig.* 3.26), que nous avons déjà rencontré comme composant élémentaire des acides nucléiques (§ 2.6) : l'ATP est une biomolécule extrêmement importante et polyvalente. Ce « compte bancaire » en énergie libre s'approvisionne par phosphorylation de l'ADP, dans laquelle une liaison anhydride d'acides entre l'acide phosphorique – souvent appelé **phosphate « inorganique »** et symbolisé par P_i – et l'ADP, se forme au cours d'une réaction endergonique (*tab.* 3.1). Au contraire, l'hydrolyse de l'ATP en ADP et P_i est une réaction fortement exergonique, avec -30,5 kJ mol^{-1}.

L'hydrolyse de l'ATP est une réaction exergonique pour plusieurs raisons : par exemple, la répulsion électrostatique des quatre charges négatives présentes dans l'ATP est réduite par l'élimination d'un groupement phosphate. Si l'énergie libre dégagée par l'hydrolyse ne suffit pas à entraîner une réaction couplée, les deux fonctions anhydrides d'acides de l'ATP peuvent être clivées :

$$ATP + H_2O \rightarrow AMP + 2P_i \quad (3.9)$$

Le couplage avec l'hydrolyse de l'ATP sert de « courroie de transmission » à d'innombrables réactions endergoniques. Par exemple, c'est ainsi que la synthèse – intrinsèquement – endergonique de la glutamine à partir du glutamate est « forcée » (*tab.* 3.1). Dans ce cas, le mécanisme de couplage est en deux étapes, dans la mesure où le groupement phosphate est d'abord transféré au glutamate, produisant ainsi un **intermédiaire réactif**, qui réagit ensuite spontanément pour donner la glutamine (*fig.* 3.27). Le résultat net est que l'ATP est hydrolysé en

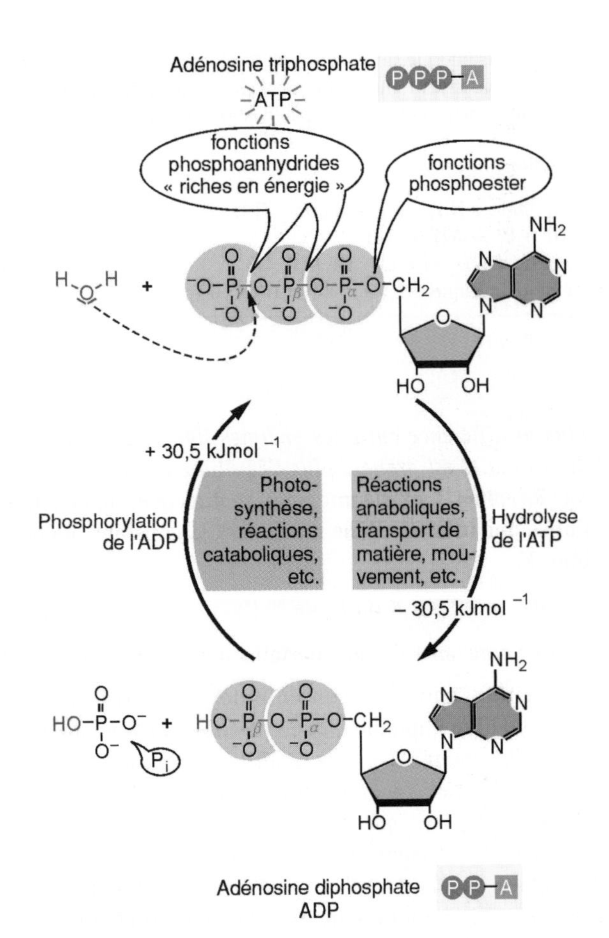

3.26 L'adénosine triphosphate (ATP). L'hydrolyse d'une fonction phosphoanhydride de l'ATP fournit de l'énergie libre aux réactions biosynthétiques, aux mouvements ou au transport de matière (à droite). L'ATP est régénéré par dégradation exergonique de nutriments ou par la photosynthèse (à gauche). Au contraire de l'ADP « pauvre en énergie », l'ATP est ici et dans la suite caractérisé par une couronne de rayons rouges.

consommant de l'eau, et que le glutamate est amidé en consommant de l'ammoniac. La nature vivante est inventive, elle a développé encore d'innombrables manières de coupler les réactions endergoniques et exergoniques.

Comment s'écoule le flux d'énergie dans la biosphère, et de quelle manière l'énergie libre est elle conduite jusqu'à sa principale réserve, l'ATP ? *La source d'énergie primaire de la vie sur terre réside dans les fusions thermonucléaires d'un soleil distant de 150 millions de kilomètres, qui arrivent sur terre sous la forme de lumière.* Les plantes et les cyanobactéries utilisent cette énergie solaire pour leur photosynthèse, en partie directement pour synthétiser de l'ATP, mais surtout pour la **synthèse de glucose** à partir de dioxyde de carbone et d'eau (*fig.* 3.28). Une partie de cette énergie est ainsi stockée dans les liaisons du glucose ; une autre partie est perdue sous forme de chaleur. Les cellules de plantes

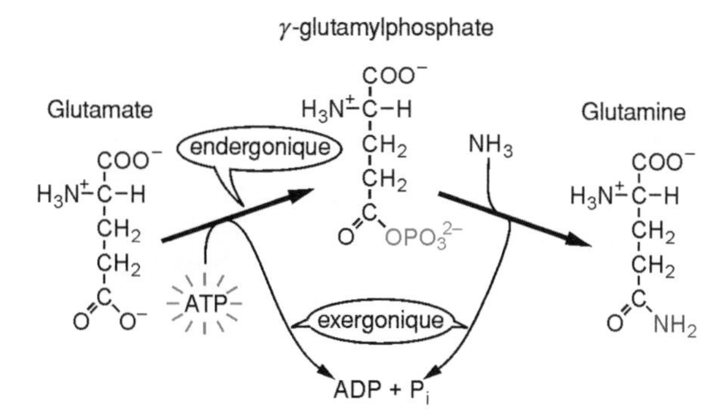

3.27 Biosynthèse de la glutamine à partir du glutamate. La réaction passe par un intermédiaire activé, le γ-glutamylphosphate, qui réagit spontanément avec l'ammoniac pour donner la glutamine. Les deux réactions partielles sont catalysées par l'enzyme glutamate-synthase.

utilisent les molécules de sucre comme source d'énergie libre pour la synthèse – indirecte – de nouvelles molécules d'ATP, mais aussi comme composants élémentaires pour la synthèse d'autres biomolécules.

D'un point de vue énergétique, les **animaux hétérotrophes** ont une vie de deuxième ou de troisième main, puisqu'ils se nourrissent de plantes ou d'autres êtres vivants, et donc bénéficient pour leur énergie libre des produits de la photosynthèse ou d'autres biosynthèses.

Cela n'a pas lieu en une seule et simple étape de combustion, sinon toute l'énergie serait perdue sous forme de chaleur. Au contraire, la réaction se déroule en plusieurs petites étapes, couplées directement ou indirectement à la synthèse de l'ATP. Les **plantes autotrophes** utilisent dans le principe les mêmes réactions comme source d'énergie libre ; contrairement aux animaux, elles recourent pour cela uniquement à des substances qu'elles ont elles-mêmes synthétisées. Dans un premier temps, les macromolécules – polysaccharides, lipides, protéines – sont dégradées en leurs composants élémentaires – sucres, acides aminés, acides gras (*fig.* 3.29), qui sont ensuite eux-mêmes dégradés dans des cascades de réactions comme par exemple la **glycolyse** (grec *glykos*, sucré ; *lysis*, décomposition) (§ 35.1) ; ainsi se forme une petite quantité d'ATP. Les divers processus de dégradation convergent vers une molécule, l'**acétyl-coenzyme A** (acétyl-CoA, « acide acétique activé ») : à ce stade, il ne reste plus des longues molécules organiques qu'un fragment en C_2.

L'acétyl-CoA débouche dans le **cycle de Krebs**, un cycle de distribution des réactions cataboliques et anaboliques (§ 36.2). Au cours du cycle de Krebs, l'acétyl-CoA est complètement oxydée en CO_2, avec production d'autres nucléosides triphosphates (du GTP). La plus grande partie de l'énergie libre est d'abord stockée sous forme de **nico-**

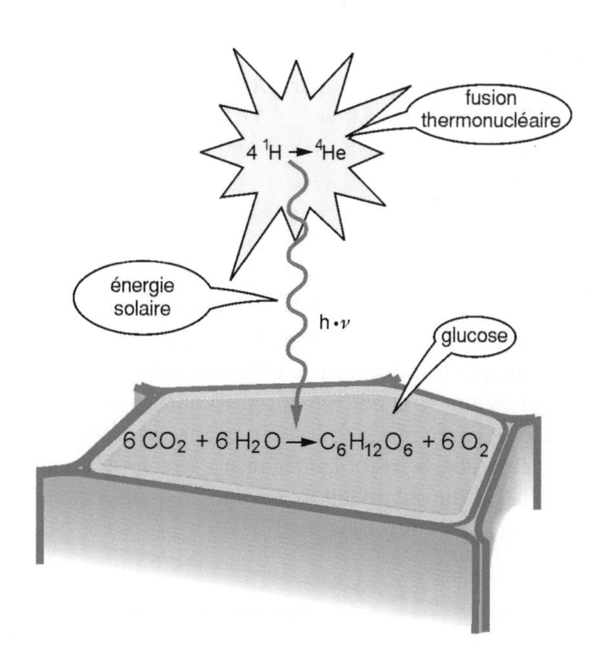

3.28 Photosynthèse. L'absorption du rayonnement solaire apporte l'énergie nécessaire à la synthèse végétale de glucose à partir de CO_2 et H_2O ; celle-ci produit aussi de l'O_2. L'équation nette, dans sa simplicité, est trompeuse – dans les faits, la photosynthèse est une cascade de réactions extrêmement complexe ! L'énergie du rayonnement solaire vaut $h\nu$ (h, constante de Planck ; ν, fréquence du rayonnement).

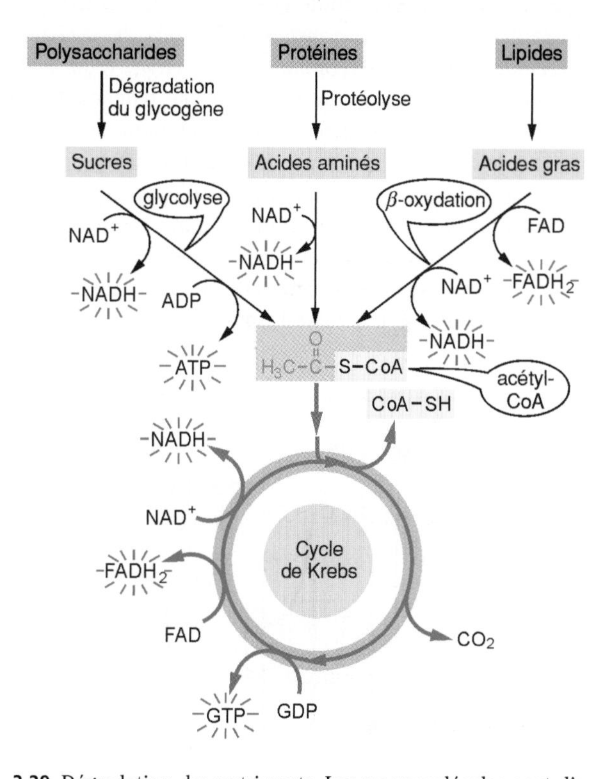

3.29 Dégradation des nutriments. Les macromolécules sont dissociées en unités élémentaires. Différentes voies métaboliques débouchent sur une réserve d'acétyl-CoA (sur fond gris). Le radical acétate est à son tour dégradé par le cycle du citrate en CO_2, ce qui libère la CoA. L'énergie libre du processus de dégradation est stockée sous forme d'ATP, de GTP, de NADH, de $FADH_2$, et d'autres liaisons énergétiques du même type (*fig.* 2.15).

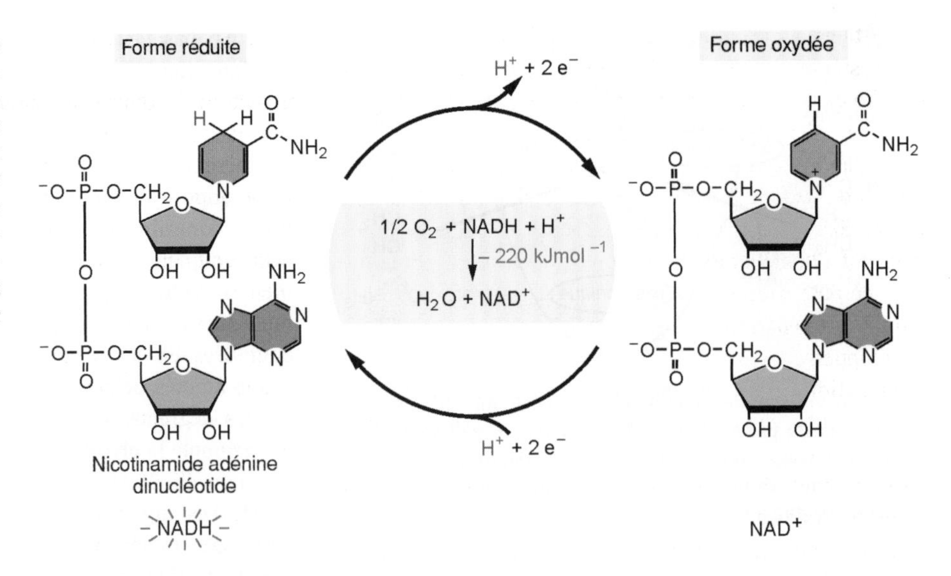

3.30 Le nicotinamide adénine dinucléotide réduit (NADH). La partie réactive de ce ribonucléotide complexe est le cycle nicotinamide (en rose), dont l'état oxydé est stabilisé par résonance. Le NADH donne donc ses électrons « volontiers » à la plupart des partenaires rédox (rayons rouges) ; la réaction avec O_2 est donc fortement exergonique.

tinamide adénine dinucléotide – un autre ribonucléotide d'une extrême importance bioénergétique – (*fig.* 3.30). Lors de son oxydation, le NAD^+ accepte deux électrons et un proton, ce qui correspond formellement à un ion hydrure H^-. Le NADH formé ainsi a un **potentiel oxydo-réducteur** négatif : son « besoin » prononcé d'abandonner ses électrons à des oxydants comme l'oxygène, ayant un potentiel d'oxydo-réduction positif, fait du NADH un puissant réducteur. *Le transfert d'électrons du NADH à l'accepteur d'électrons terminal O_2, qui réagit alors avec des protons pour donner de l'eau, est une réaction fortement exergonique.* La même chose vaut pour le $FADH_2$ produit de la même façon par le cycle du citrate.

Le transfert d'électrons du NADH à l'oxygène n'a pas lieu lui non plus d'un seul « coup », ce qui serait en pratique équivalent à la réaction du mélange détonant, mais il passe par une série de protéines de la membrane interne des mitochondries, la **chaîne respiratoire** (*fig.* 3.31). Ces

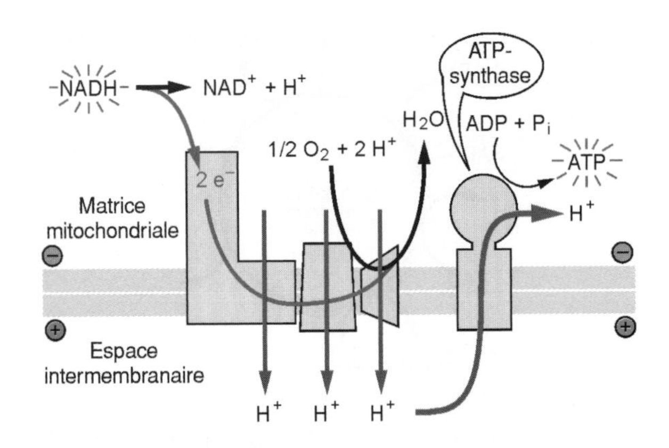

3.31 Phosphorylation oxydative. Au sein de la chaîne respiratoire de la membrane interne des mitochondries, les électrons du NADH sont transférés à O_2 par formation d'eau. L'énergie libre de la réaction est utilisée pour établir un gradient de protons générateur de potentiel électrochimique, qui lui-même entraîne la synthèse de l'ATP.

protéines conservent l'énergie libre de formation de l'eau en expulsant des protons de la matrice mitochondriale vers l'espace intermembranaire. Ainsi se crée un **potentiel électrochimique**, c'est-à-dire une combinaison de tension *électrique* et de gradient de concentration *chimique*, qui cherche à revenir à l'équilibre. Le reflux spontané de protons à travers la membrane isolante électriquement et imperméable ne peut passer que par le « trou » de l'**ATP-synthase** : le flux de protons entraîne ce moteur moléculaire qui va produire de l'ATP en masse. La vitesse de synthèse est tellement élevée que, même au repos, l'organisme humain produit bel et bien 10^{21} molécules d'ATP par seconde ! L'ensemble formé par la chaîne respiratoire et le processus catalysé par l'ATP-synthase est appelé **phosphorylation oxydative** (§ 37.1) : *l'oxydation des nutriments absorbés est utilisée en dernier ressort pour phosphoryler l'ADP en ATP.*

Les êtres vivants peuvent aussi « extraire » une grande partie de l'énergie libre des nutriments par oxydation grâce à l'oxygène de la respiration. Dans ce cas, l'évolution a fait de nécessité vertu, car l'oxygène est fondamentalement une molécule toxique (encart 37.4). Une fois que les procaryotes originels ont eu développé la photosynthèse et ont produit une atmosphère terrestre riche en oxygène (§ 3.2), les autres êtres vivants ont dû se « débrouiller » avec. La réponse a été le développement de la phosphorylation oxydative – un « coup de génie » de la nature.

3.11 La vie est caractérisée par des propriétés de système spécifiques

Résumons nos observations jusqu'ici : *la vie peut être comprise comme une forme d'existence complexe de la matière terrestre, qui est caractérisée par des* **propriétés**

de système spécifiques – absentes du monde abiotique. Les systèmes vivants se distinguent ainsi par un degré d'**ordre** exceptionnel, c'est-à-dire qu'ils sont très éloignés de l'état d'équilibre thermodynamique. Cet ordre *n*'est cependant *pas* statique, mais maintenu par un état stationnaire. Les transformations de matière et d'énergie constantes – dont l'ensemble est appelé métabolisme – assurent l'**homéostase** (grec *homoi*, constant). Un autre trait caractéristique du vivant est l'**individualité** au sens d'unité, de séparation avec l'extérieur et d'originalité. Le développement sous forme de croissance, division et différenciation – en bref l'**ontogenèse** – est une marque du vivant, tout comme la **reproduction**. Le **mouvement**, c'est-à-dire la capacité de changer de lieu ou de forme, est lui aussi un trait obligatoire des systèmes vivants. Le **traitement de l'information** est nécessaire à la réceptivité ou aux capacités de réaction et donc à la communication entre les êtres vivants. Enfin, il faut signaler le développement des espèces – la **phylogenèse** – et l'**adaptation évolutive** : ils décrivent les changements se produisant chez les individus vivants sur de longues durées par le biais de l'alternance entre mutation et sélection.

La vie est organisée hiérarchiquement, depuis l'unité de base de la vie – la cellule – jusqu'aux écosystèmes en passant par les tissus, les organes, les organismes et les sociétés. Si l'on veut tourner son regard vers le niveau le plus bas, le pouvoir optique de résolution de l'œil, environ 0,2 mm, n'est plus suffisant. Le **microscope optique** élargit ce domaine jusqu'à environ 0,2 µm, et enfin, le **microscope électronique** rend visibles des structures dans le domaine du nanomètre (*fig.* 3.32).

La science qui examine le phénomène de la vie d'abord au niveau des biomolécules est la **biochimie**. Elle tire son origine de la **chimie organique** du début du 19ème siècle, lorsque pour la première fois on réussit à synthétiser l'urée *in vitro*. Elle est aussi profondément enracinée dans la **biologie cellulaire**, qui avait commencé dès le 17ème siècle – avec la découverte des cellules de plantes –, et avait reçu une impulsion déterminante avec le développement de la microscopie. Enfin, la biochimie a été influencée de manière importante par la **génétique**, dont les débuts remontent au milieu du 19ème siècle. La biochimie moderne s'entend donc au sens large comme une **biologie moléculaire**, et s'abreuve, dans ses thèmes et dans ses méthodes, à des sources diverses (*fig.* 3.33).

Ainsi se termine notre tour d'horizon de l'architecture moléculaire de la vie. Dans les parties suivantes, nous allons nous tourner vers les grands thèmes de la biochimie : la reconnaissance des molécules et la catalyse, le stockage et la transmission de l'information génétique, la communication moléculaire et cellulaire, le métabolisme et la production d'énergie. Nous commencerons par l'étude des outils les plus importants de la cellule, les protéines.

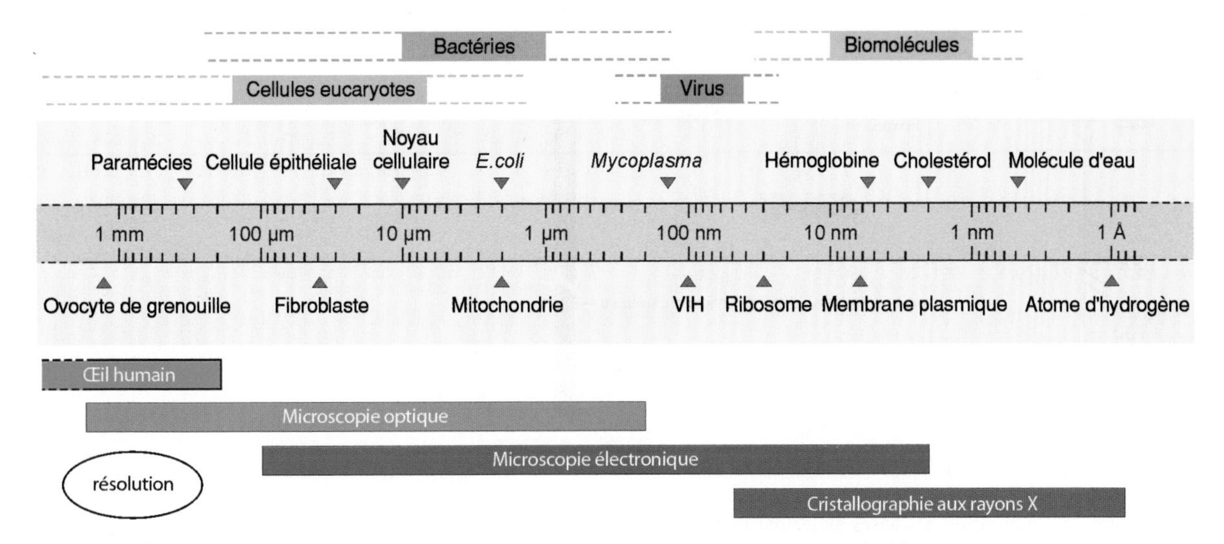

3.32 Échelle de taille de structures importantes du point de vue biochimique et biologique. Les structures appartenant à un domaine qui va du millimètre (10^{-3} m) à l'Ångström (10^{-10} m) sont ordonnées le long d'une échelle logarithmique. Les paramécies, avec une longueur de plus de 300 µm, font partie des organismes unicellulaires les plus grands, alors que les mycoplasmes (150 nm) se trouvent à l'autre extrémité de l'échelle des cellules. La cristallographie aux rayons X (§ 7.4) explore la structure des biomolécules. Les frontières de chaque technique sont fluctuantes.

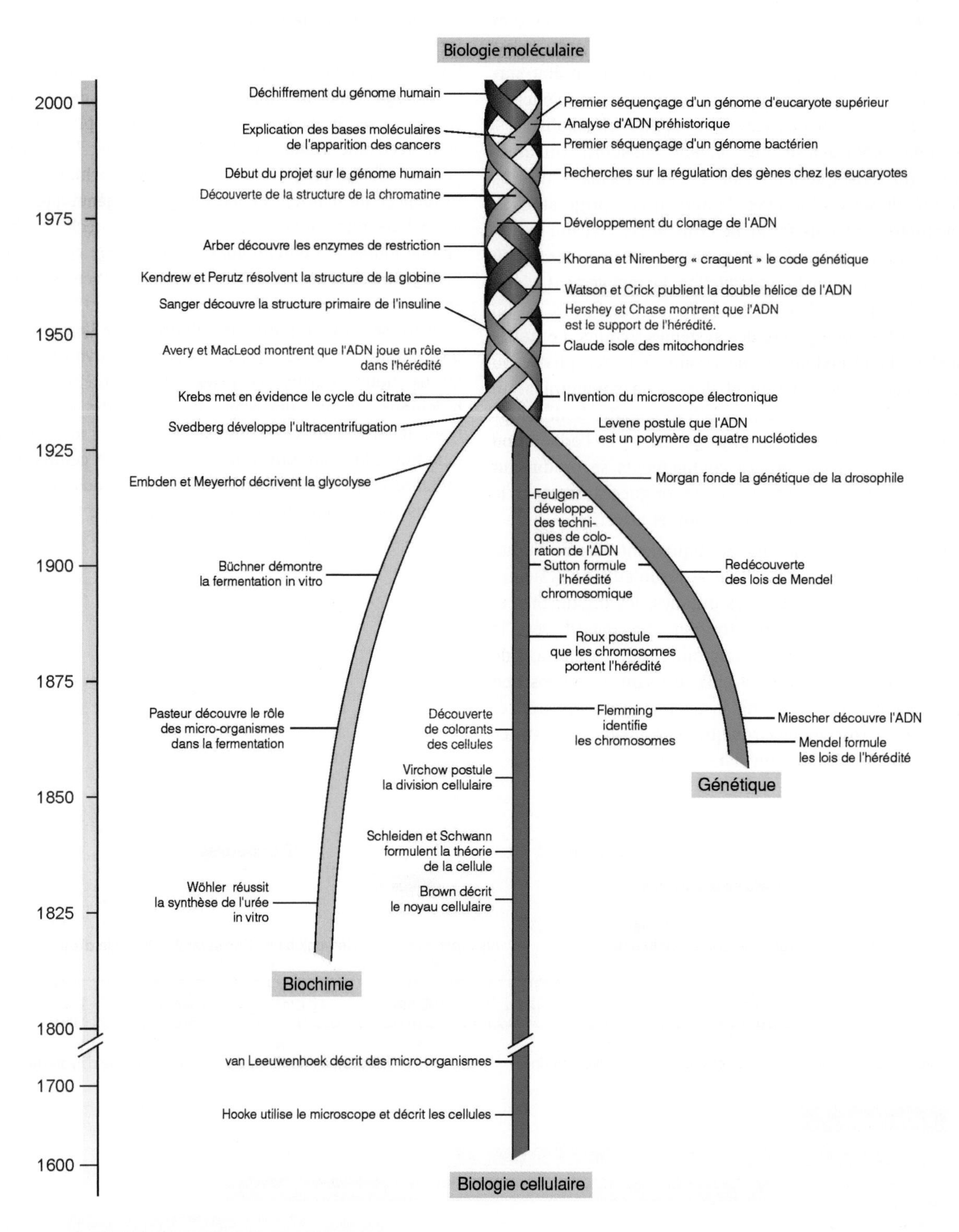

3.33 Histoire de l'exploration des bases moléculaires de la vie. La biochimie classique, la biologie cellulaire et la génétique s'entrelacent pour former la biologie moléculaire moderne. [RF]

Tableaux

Tableau des groupes fonctionnels

Hydroxyle

R–OH

Carbonyle
Aldéhyde

R–CHO (R–C(=O)–H)

Carbonyle
Cétone

R_1–C(=O)–R_2

Carboxyle

R–C(=O)–OH

Éther

R_1–O–R_2

(hydroxyle)

Hémiacétal

R_1–CH(OH)–O–R_2

(hydroxyle) (carbonyle)

Ester

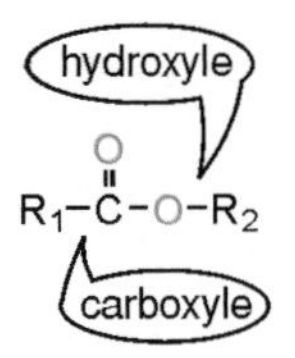

Anhydride

R_1–C(=O)–O–C(=O)–R_2

(carboxyle)

Amine
primaire

R–N(H)–H

Amine
secondaire

R_1–N(H)–R_2

Amine
tertiaire

R_1–N(R_2)–R_3

Amide

R_1–C(=O)–N(H)–R_2

(amide) (carboxyle)

Imidazole

R–C=C–H / H–N–C(H)=N

Guanidine

R–N(H)–C(=N–H)–N(H)–H

Phosphoryle

R_1–O–P(=O)(OH)–OH

Anhydride mixte

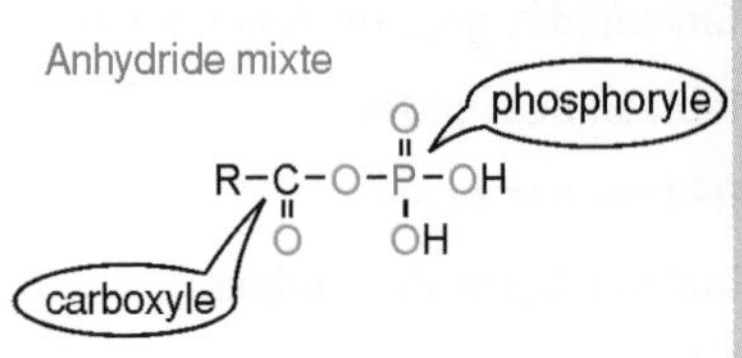

Phosphoanhydride

R_1–O–P(=O)(OH)–O–P(=O)(OH)–O–R_2

(phosphoryle)

Thiol (Sulfhydryle)

R–SH

Disulfure

R_1–S–S–R_2

(thiol)

Thioester

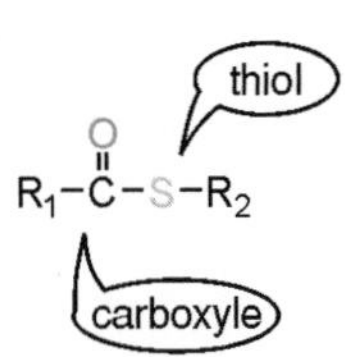

Les groupements fonctionnels importants des biomolécules sont représentés. Les éléments chimiques caractéristiques sont représentés en couleur. Dans les groupes fonctionnels composés, des bulles indiquent le nom de groupes simples dont ils sont issus par condensation.

Tableau des lipides

Les **lipides** (les graisses) forment un groupe hétérogène de molécules peu solubles dans l'eau mais très solubles dans les solvants organiques. L'aperçu ci-dessous représente *une* des systématiques des lipides ; les descriptions globales courantes de différents groupes de lipides sont également données.

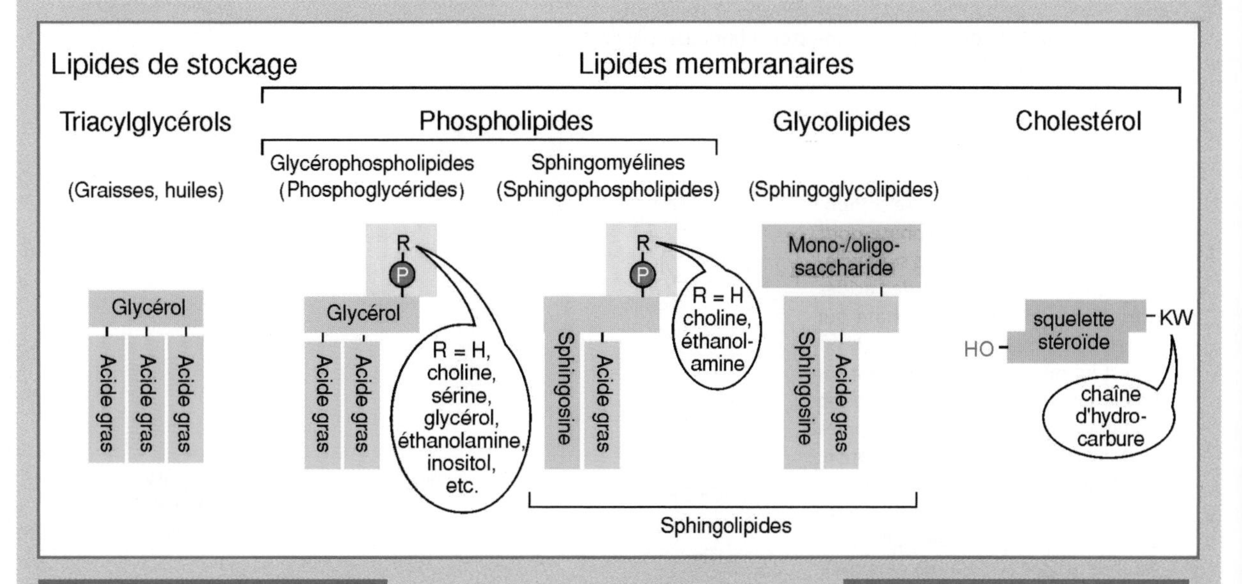

Acides gras

Les **acides gras**, avec leurs longues chaînes d'hydrocarbures (le plus souvent de C_{16} à C_{20}) sont des composants des lipides membranaires et de stockage. Ils peuvent être *saturés*, *mono-insaturés* ou *poly-insaturés*. Lorsque plusieurs doubles liaisons sont présentes, en général elles *ne* sont *pas conjuguées*. Ces doubles liaisons se trouvent typiquement dans la configuration *cis-* (pour une nomenclature des acides gras, voir l'encart 41.1). Les « coudes » de 30° de la chaîne alkyle produits par les doubles liaisons *cis ne* sont *pas* représentés ici.

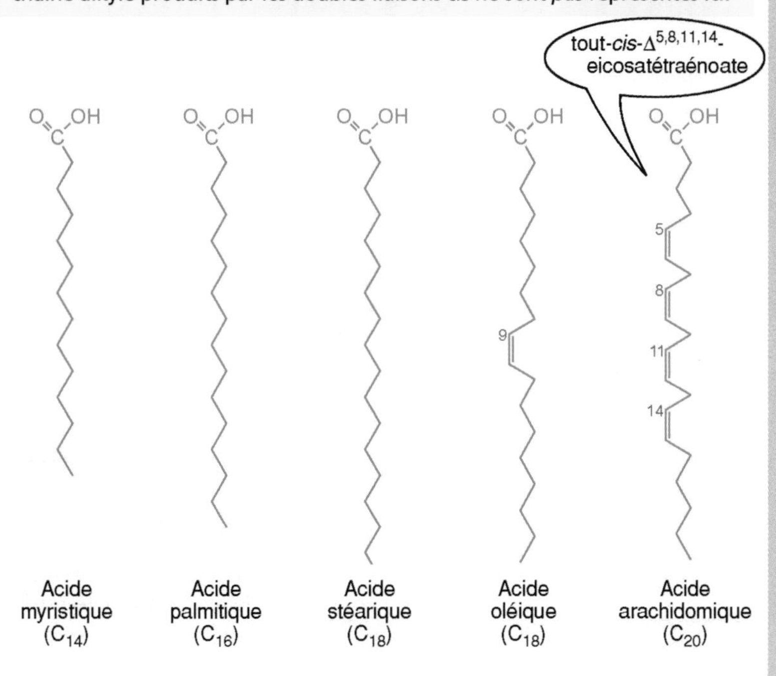

Lipides de réserve

Les graisses et les huiles sont des mélanges de triacylglycérols. Les lipides de réserve apolaires sont produits par estérification de trois extrémités d'acides gras (résidus acyle) par un trialcool, le glycérol.

H_2C — C(H) — CH_2

glycérol

H–C–OH / H–C–OH / H–C–OH

résidu acide palmitoléique

résidu acide stéarique

résidu acide linoléique

Lipides membranaires

En plus des phospholipides et des glycolipides, le cholestérol est un autre composant lipidique des membranes biologiques. Avec son squelette polycyclique stérane et ses groupements hydroxyle hydrophiles, le cholestérol fait aussi partie des molécules amphiphiles.

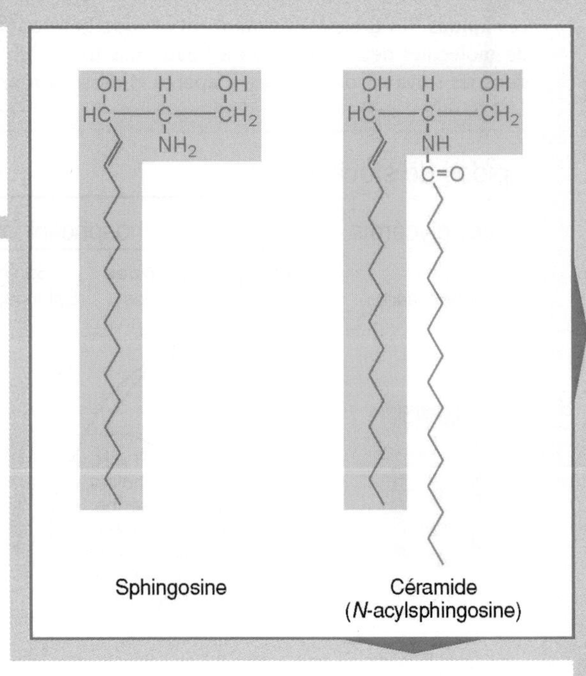

Phospholipides

Les **glycérophospholipides** se composent d'un glycérol-3-phosphate dont les groupements hydroxyle sont estérifiés en C1 et en C2 par des acides gras. Le groupement phosphate qui estérifie le groupement hydroxyle en C3 est lui-même typiquement estérifié par un aminoalcool ou un groupe osidique. Quelques phospholipides portent une charge nette négative. Les **sphingomyélines** se composent d'une molécule de sphingosine comportant une longue chaîne alkyle insaturée, acylée sur son groupement amine en C2 et liée par l'intermédiaire de son hydroxyle en C1 à une éthanolamine ou une choline par une fonction phosphodiester. Dans les deux cas, on a des molécules amphiphiles comportant une chaîne alkyle apolaire et un groupement phosphodiester polaire.

Phosphatidylinositol

Phosphatidylglycérol

Phosphatidylsérine

Phosphatidyléthanolamine

Glycérophospholipide

Phosphatidate (Acide phosphatidique)

Phosphatidylcholine (Lécithine)

groupement hydroxyle libre du C-2

Lysophosphatidylcholine (Lysolécithine)

Sphingomyeline

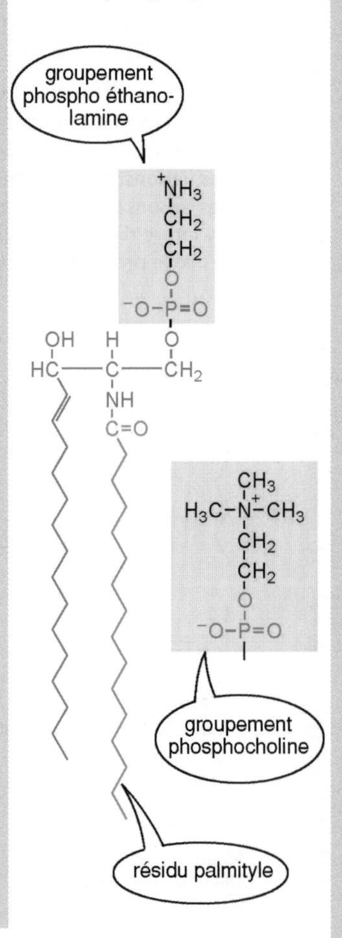

Lipides membranaires

Glycolipides

La **céramide**, molécule de sphingosine *N*-acylée, est le composant de base des glycolipides. Les **cérébrosides** portent en C1 un monosaccharide alors que les gangliosides portent une chaîne oligosaccharidique d'au moins deux résidus saccharidiques.

Cérébroside

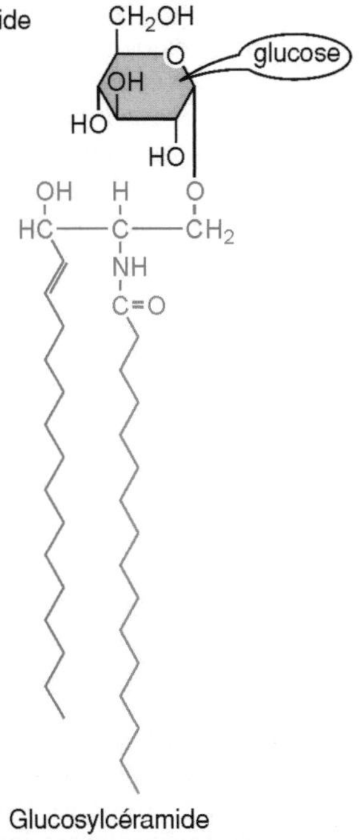

glucose

Glucosylcéramide

Ganglioside

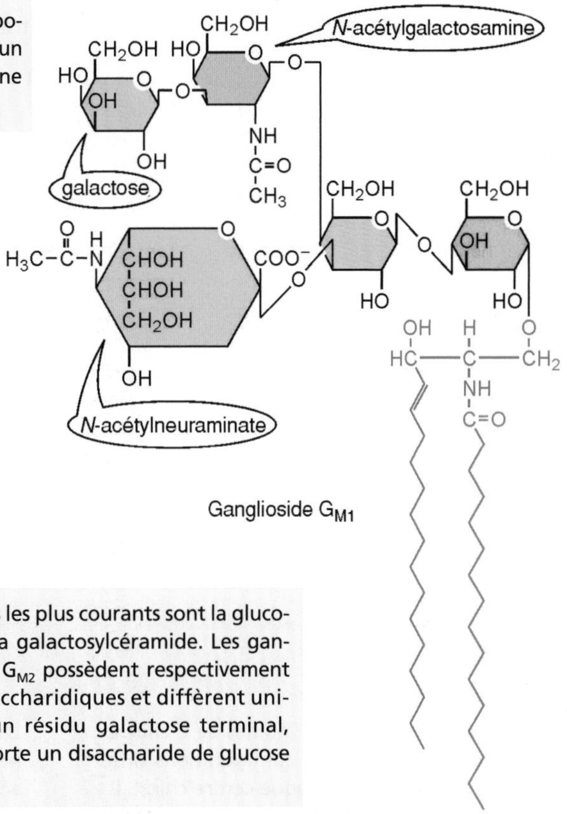

N-acétylgalactosamine

galactose

N-acétylneuraminate

Ganglioside G_{M1}

Les **cérébrosides** les plus courants sont la glucosylcéramide et la galactosylcéramide. Les gangliosides G_{M1} et G_{M2} possèdent respectivement 5 et 4 résidus saccharidiques et diffèrent uniquement par un résidu galactose terminal, alors que G_{M3} porte un disaccharide de glucose et de galactose.

Autres lipides

Au nombre des groupes de lipides qui ne sont ni des lipides de membrane, ni des lipides de stockage, on trouve les **cires**, qui sont des esters d'acides gras et de monoalcools, ou les **isoprénoïdes**, qui sont des dérivés de l'isoprène, un hydrocarbure en C_5. Les **stéroïdes** forment un groupe de lipides important, parmi lesquels on trouve les esters de cholestérol, amis aussi des hormones et des vitamines.

Isoprénoïdes

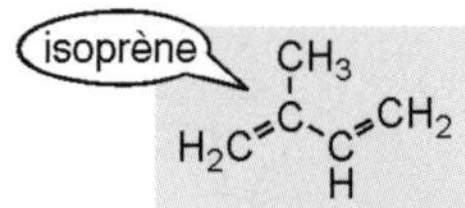

isoprène

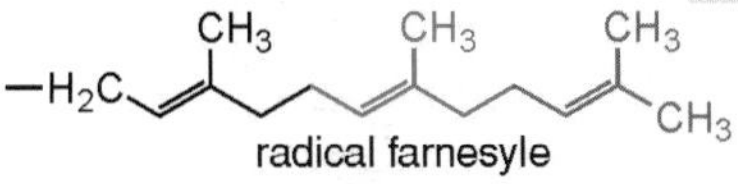

radical farnesyle

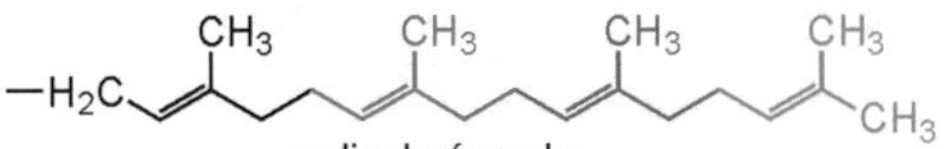

radical géranyle

Stéroïdes

squelette stérane

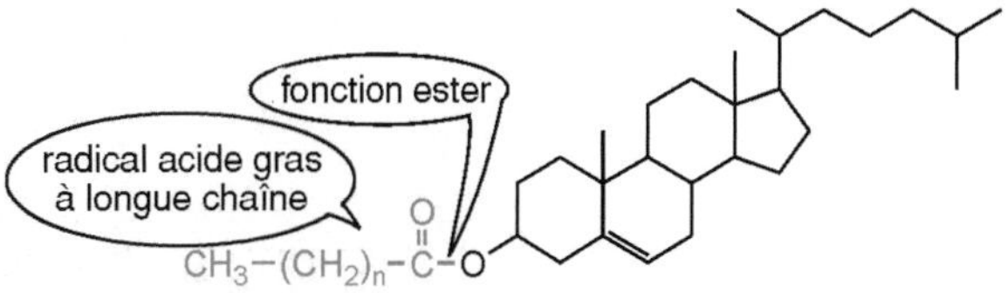

fonction ester

radical acide gras à longue chaîne

Ester de cholestérol (stéarate de cholestérol : n=16)

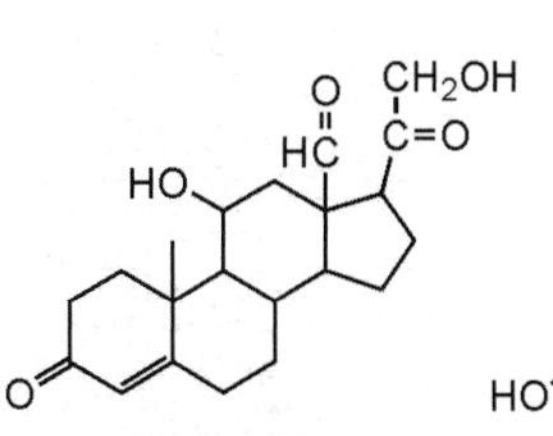

Aldostérone

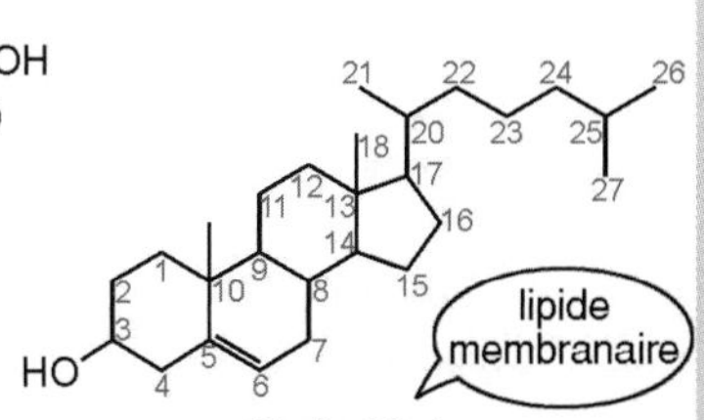

Cholestérol

lipide membranaire

Tableau des sucres

Monosaccharides courants

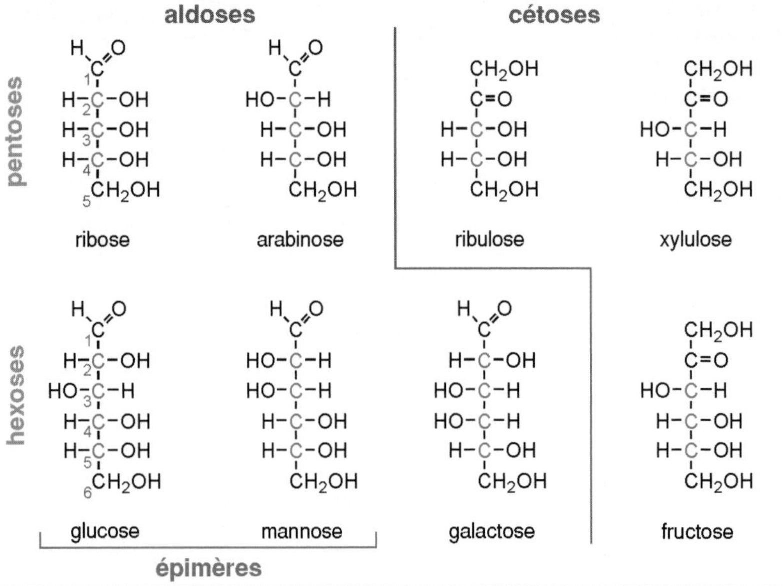

aldoses | **cétoses**

pentoses: ribose, arabinose, ribulose, xylulose

hexoses: glucose, mannose, galactose, fructose

glucose et mannose : **épimères**

Les carbones rouges sont des centres chiraux. Seuls les isomères D, qui ont un rôle biologique, sont représentés ; pour simplifier, la configuration n'est pas indiquée dans le nom du sucre. Des épimères sont des paires de monosaccharides qui ne diffèrent que par la configuration d'un seul atome de C, comme par exemple le glucose et le mannose, en C2.

Stéréo-isomérie des sucres

Les aldotétroses ont deux atomes de C chiraux. (en rouge) ; comme deux configurations différentes sont possibles à chaque centre chiral, il y a quatre sortes d'aldotétroses. Les D et L-thréoses sont des énantiomères, c'est-à-dire des molécules images l'une de l'autre dans un miroir, de même pour les D et L-érythroses. Le thréose et l'érythrose sont des diastéréo-isomères, c'est-à-dire des stéréo-isomères qui ne se comportent pas comme des images dans un miroir.

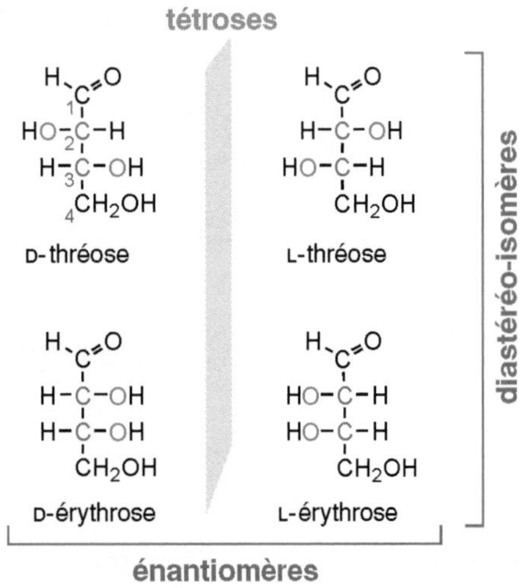

tétroses

D-thréose, L-thréose, D-érythrose, L-érythrose

diastéréo-isomères

énantiomères

Cyclisation

La réaction entre le groupement hydroxyle en C-5 et le groupement aldéhyde en C1 conduit à une liaison de type hémiacétal et à la fermeture du cycle du sucre, ici dans le cas du glucose. On obtient ainsi deux stéréoisomères, les anomères α et β. La conversion d'un anomère en l'autre est appelée mutarotation. Les atomes de carbone d'un anomère sont numérotés en commençant par l'extrémité la plus proche du groupement aldéhyde ou cétone.

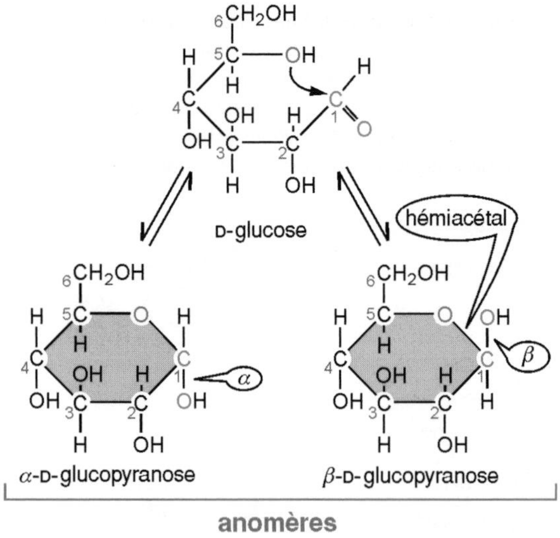

D-glucose

hémiacétal

α-D-glucopyranose, β-D-glucopyranose

anomères

Polymérisation

Deux monosaccharides peuvent réagir entre eux et former une liaison glycosidique (fonction acétal). Le glucose et le fructose réagissent comme indiqué ici pour former du saccharose (sucre de canne). Le lactose (sucre du lait) et le maltose (sucre du malt) sont deux autres disaccharides importants.

α-D-glucose + β-D-fructose

hydrolyse H_2O ⇌ H_2O condensation

liaison glycosidique

saccharose
α-D-glucopyranosyl-(1→ 2)-β-D-fructofuranose

lactose
β-D-galactopyranosyl-(1→ 4)-β-D-glucopyranose

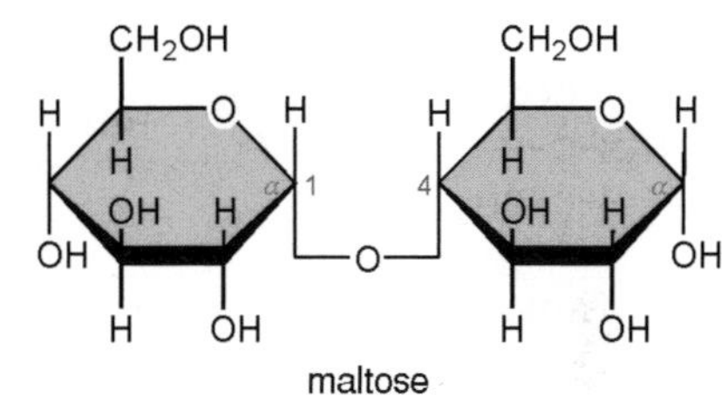

maltose
α-D-glucopyranosyl-(1→ 4)-α-D-glucopyranose

Monosaccharides modifiés

Les groupements hydroxyle d'un sucre simple peuvent être remplacés par d'autres groupes fonctionnels. La β-D-glucosamine et la *N*-acétyl-β-D-glucosamine sont des composants importants de nombreux polysaccharides comme la chitine ou l'héparine, par exemple. L'acide sialique est un composant des gangliosides, glycolipides complexes de la membrane des cellules nerveuses. Les hormones stéroïdes, mais aussi de nombreux médicaments peuvent être éliminés dans les urines, après couplage chimique à l'acide glucuronique. L'inositol n'est pas un sucre, mais un polyalcool (polyol) cyclique, ce que l'on reconnaît à l'absence d'une fonction hémiacétal. C'est un composant important des lipides membranaires, et, sous sa forme phosphorylée, un messager intracellulaire central.

acide β-D-glucuronique

β-D-glucosamine

acide *N*-acétylneuraminique (acide sialique)

N-acétyl-β-D-glucosamine

pas un sucre

inositol

Tableau des acides aminés

Les 20 acides aminés protéinogènes

Les chaînes latérales des acides aminés se détachent sur un fond coloré. Les acides aminés sont représentés dans l'état d'ionisation qui domine à pH neutre, sauf dans le cas de l'histidine, dont la chaîne latérale imidazole est montrée sous sa forme protonée positivement chargée, qui est en équilibre avec la forme non chargée déprotonée dans des conditions légèrement acides. Sous le nom de l'acide aminé, les abréviations à trois lettres et à une lettre sont indiquées.

Chaînes latérales apolaires aliphatiques

Glycine
Gly
G

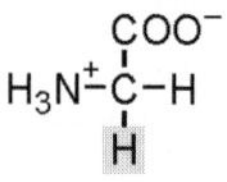

COO^-
H_3N^+-C-H
H

Alanine
Ala
A

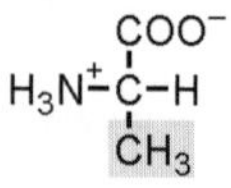

COO^-
H_3N^+-C-H
CH_3

Valine
Val
V

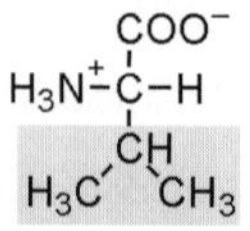

COO^-
H_3N^+-C-H
CH
$H_3C \quad CH_3$

Leucine
Leu
L

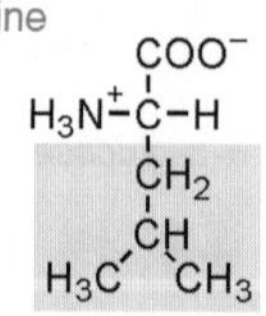

COO^-
H_3N^+-C-H
CH_2
CH
$H_3C \quad CH_3$

Isoleucine
Ile
I

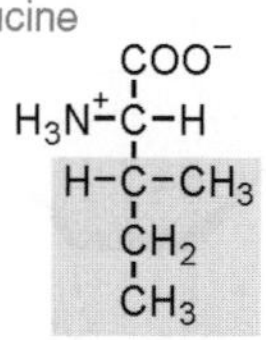

COO^-
H_3N^+-C-H
$H-C-CH_3$
CH_2
CH_3

Méthionine
Met
M

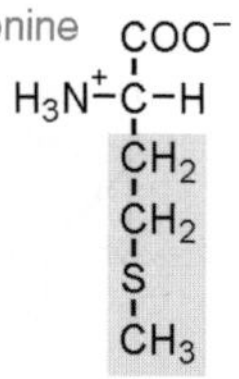

COO^-
H_3N^+-C-H
CH_2
CH_2
S
CH_3

Proline
Pro
P

COO^-
$H_2^+N-C_\alpha-H$
$H_2C \quad CH_2$
C
H_2

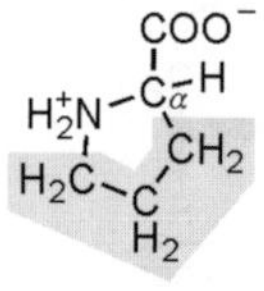

Chaînes latérales aromatiques

Phénylalanine
Phe
F

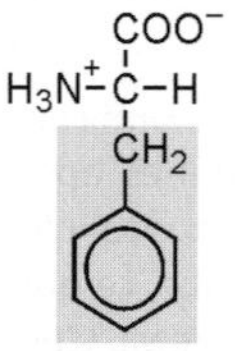

COO^-
H_3N^+-C-H
CH_2

Tyrosine
Tyr
Y

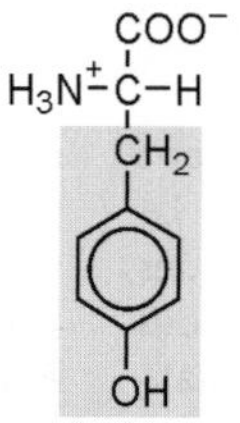

COO^-
H_3N^+-C-H
CH_2
OH

Tryptophane
Trp
W

COO^-
H_3N^+-C-H
CH_2
HN

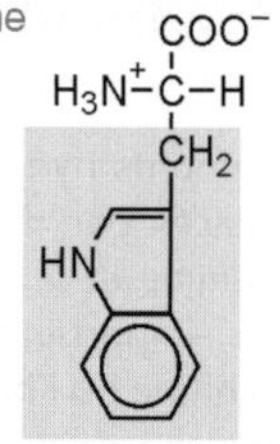

Chaînes latérales polaires non chargées

Sérine
Ser
S

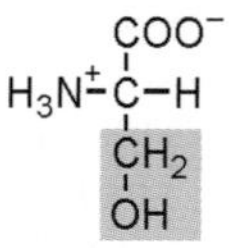

COO^-
H_3N^+-C-H
CH_2
OH

Thréonine
Thr
T

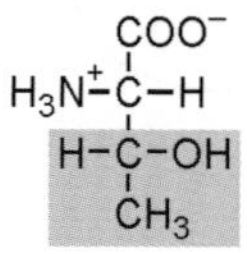

COO^-
H_3N^+-C-H
$H-C-OH$
CH_3

Cystéine
Cys
C

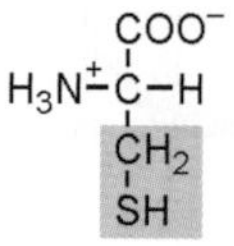

COO^-
H_3N^+-C-H
CH_2
SH

Asparagine
Asn
N

COO^-
H_3N^+-C-H
CH_2
C
$O \quad NH_2$

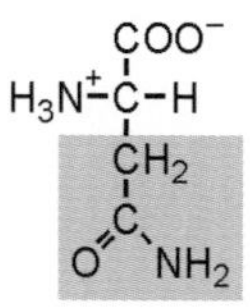

Glutamine
Gln
Q

COO^-
H_3N^+-C-H
CH_2
CH_2
C
$O \quad NH_2$

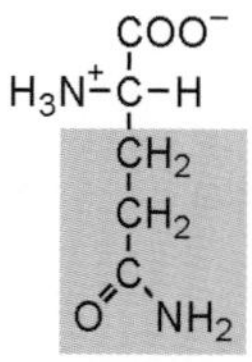

Chaînes latérales chargées positivement

Lysine
Lys
K

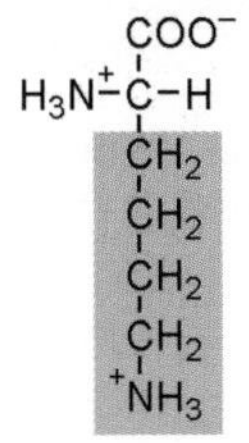

Arginine
Arg
R

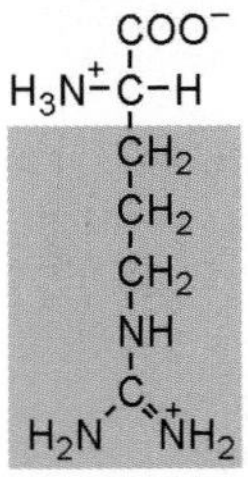

Histidine
His
H

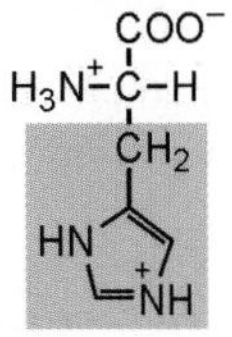

Chaînes latérales chargées négativement

Acide aspartique
Asp
D

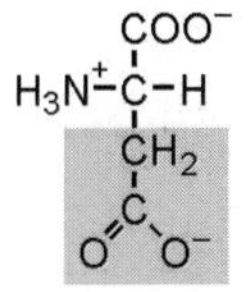

Acide glutamique
Glu
E

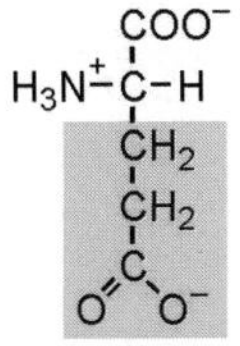

Liaison peptidique

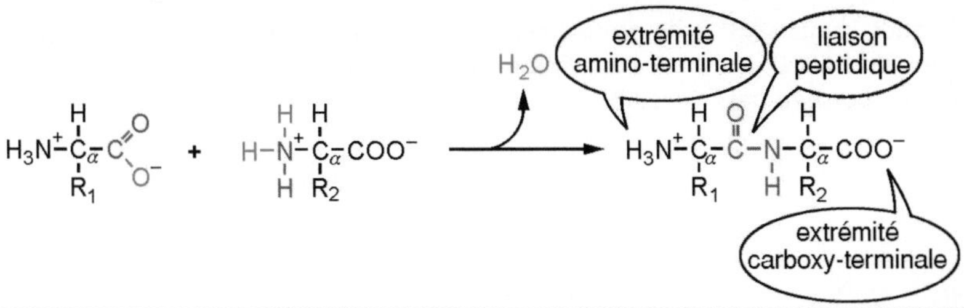

extrémité amino-terminale

liaison peptidique

extrémité carboxy-terminale

Une liaison peptidique (fonction amide) se forme par condensation. Le résidu qui garde un groupement amine libre est appelé extrémité amino-terminale du peptide, celui avec le groupement carboxyle libre, extrémité carboxy-terminale.

Acides aminés modifiés

Les acides aminés représentés sont produits par modification co-traductionnelle ou post-traductionnelle de résidus standard. L'hydroxylysine et l'hydroxyproline sont typiques du collagène, protéine des tissus conjonctifs ; le γ-carboxyglutamate est d'une importance critique dans les facteurs de coagulation. La phosphorylation de résidus sérine, thréonine, ou tyrosine joue un grand rôle dans la signalisation cellulaire. Le pontage de deux cystéines en un résidu cystine sert dans de nombreuses protéines à stabiliser par une liaison covalente la structure tertiaire.

5-hydroxylysine

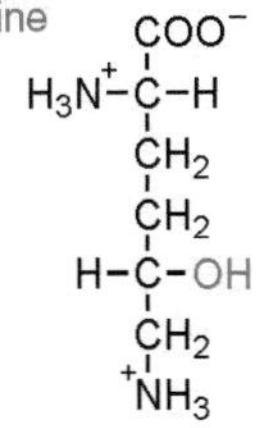

4-hydroxyproline

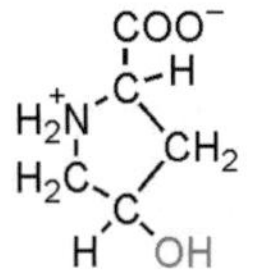

γ-carboxyglutamate

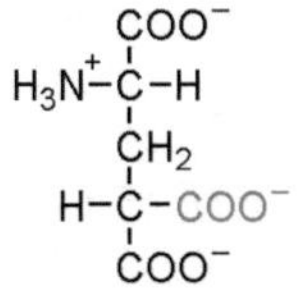

cystine

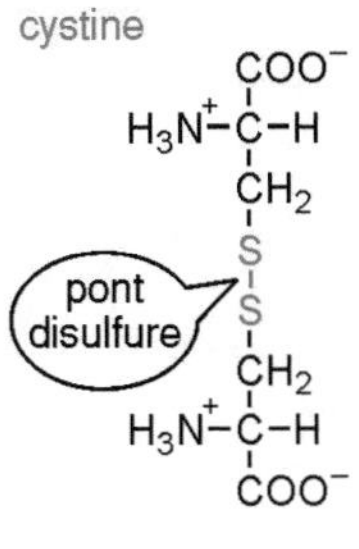

pont disulfure

phosphosérine

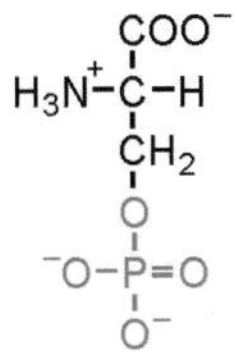

phosphothréonine

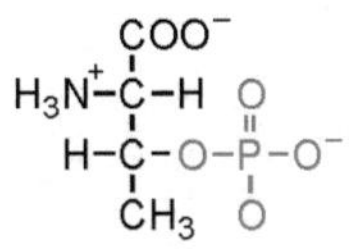

phosphotyrosine

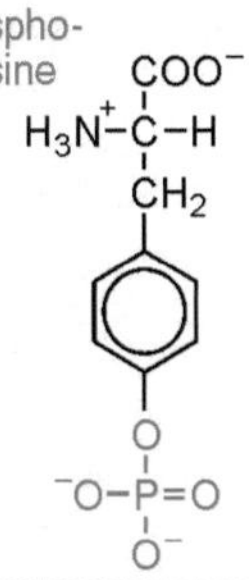

Tableau des nucléotides

Structure générale des nucléotides et des bases

Une base purique ou pyrimidique est liée à un ribose dans le cas de l'ARN, à un désoxyribose dans le cas de l'ADN, pour former un *nucléoside*. Un nucléoside estérifié par l'acide phosphorique donne un *nucléotide*.

Bases des acides nucléiques

Deux bases puriques et trois pyrimidiques composent l'ADN et l'ARN. La thymine, composant de l'ADN, est remplacée par l'uracile dans l'ARN, qui ne possède pas de groupement méthyle en C5 (en vert). On trouve encore de nombreuses bases modifiées, en particulier dans les ARN de transfert (ARNt).

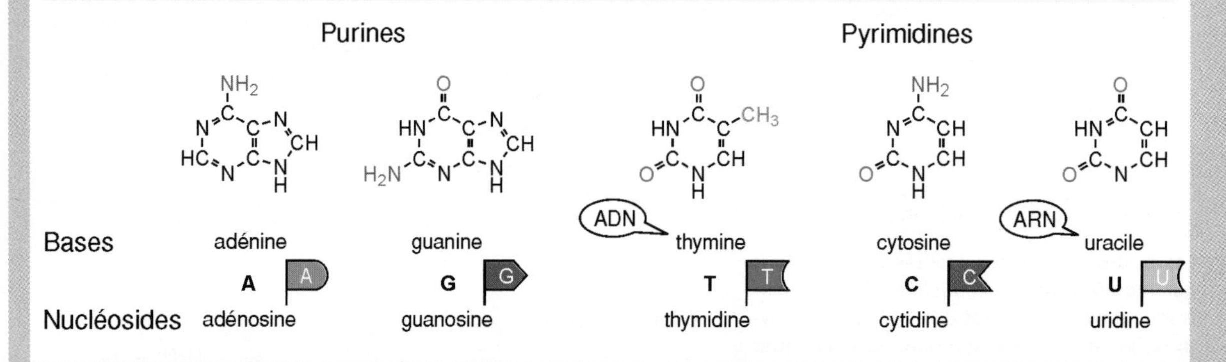

Paires de bases de type Watson-Crick

La complémentarité des bases permet l'association de simples brins d'ADN en une double hélice. L'appariement guanine-cytosine, avec ses trois liaisons hydrogène, est plus stable que l'appariement adénine-thymine ; les donneurs de liaison H sont en bleu, les accepteurs en rouge.

Polymérisation des nucléotides

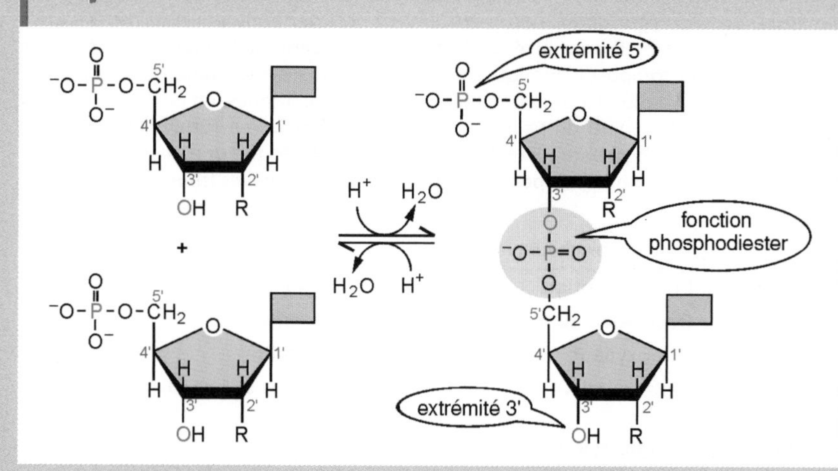

Les nucléotides sont assemblés en un acide nucléique par une fonction phosphodiester entre le groupement 3'-hydroxyle et le groupement 5'-phosphate. Leur poly-mérisation enzymatique requiert des nucléosides triphosphates. L'hydrolyse de la fonction phosphoanhydride fournit l'énergie de la réaction.

Dérivés des nucléotides

nicotinamide adénine dinucléotide (NAD^+)

coenzyme A (CoA)

guanosine monophosphate cyclique (GMPc)

Les composés dérivés des nucléotides ont des rôles multiples. Le FAD et le NAD^+ sont des transporteurs, d'électrons et d'ions hydrures, respectivement. Le coenzyme A transfère des groupements acyle dans de nombreuses réactions du métabolisme. Le GMPc est un messager intracellulaire.

flavine adénine dinucléotide (FAD)

Le code génétique

Pos. 1 5'	Position 2 U	C	A	G	Pos. 3 3'
U	Phe	Ser	Tyr	Cys	U
	Phe	Ser	Tyr	Cys	C
	Leu	Ser	Stop	Stop	A
	Leu	Ser	Stop	Trp	G
C	Leu	Pro	His	Arg	U
	Leu	Pro	His	Arg	C
	Leu	Pro	Gln	Arg	A
	Leu	Pro	Gln	Arg	G
A	Ile	Thr	Asn	Ser	U
	Ile	Thr	Asn	Ser	C
	Ile	Thr	Lys	Arg	A
	Met	Thr	Lys	Arg	G
G	Val	Ala	Asp	Gly	U
	Val	Ala	Asp	Gly	C
	Val	Ala	Glu	Gly	A
	Val	Ala	Glu	Gly	G

Le codon AUG des ARNm spécifie aussi bien la méthionine initiatrice que les méthionines internes lors de la biosynthèse des protéines.

Tableau des vitamines

Les vitamines sont des molécules organiques, que les organismes supérieurs doivent prélever dans leur nourriture, car ils ont perdu la capacité de les synthétiser. Seule la Vitamine D peut être synthétisée par l'organisme humain dans certaines limites. Les vitamines appartiennent à des classes de composés chimiques très diverses ; seules les vitamines liposolubles (A, D, E, K) sont toutes des dérivés des isoprénoïdes. La plupart des vitamines servent de coenzymes, en particulier toutes les vitamines hydrosolubles (B, C, H). Les vitamines provenant de l'alimentation sont converties en forme active par des modifications chimiques, à l'exception des vitamines C (ascorbate), E (α-tocophérol) et K (phylloquinone). Les tableaux cliniques induits par différentes carences en vitamines (avitaminoses) peuvent être extrêmement graves (seuls les symptômes principaux sont présentés ci-dessous).

Vitamine	Forme active	Fonction biochimique	Symptômes majeurs d'avitaminose
A	11-*cis*-Rétinal	Photoréception	Héméralopie
D_3	Calcitriol	Régulation du métabolisme du Ca^{2+}	Rachitisme
E	α-Tocophérol	Antioxydant	Infertilité
K_1	Phylloquinone/Epoxyde de phylloquinone	Carboxylation	Défauts de coagulation
B_1	Pyrophosphate de thiamine	Décarboxylation	Béribéri
B_2	FMN/FAD	Transfert de H^+	Dermatite, rhagades
Complexe B_2	$NAD^+/NADP^+$	Transfert de H^+	Pellagre
	Tétrahydrofolate	Transfert de C_1	Anémie mégaloblastique
	Coenzyme A	Transfert d'acyle	Hypertonie
B_6	Phosphate de pyridoxal	Transamination	Défauts de pigmentation
B_{12}	5'-Désoxyadénosylcobalamine	Transfert de C_1	Anémie pernicieuse
C	Ascorbate/déhydroascorbate	Hydroxylation	Scorbut
H	Biocytine (ε-*N*-Biotinyl-L-lysine)	Carboxylation	Dermatite

Vitamines liposolubles

A

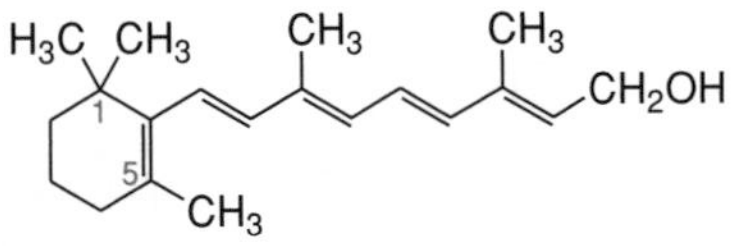

Rétinol

D_3

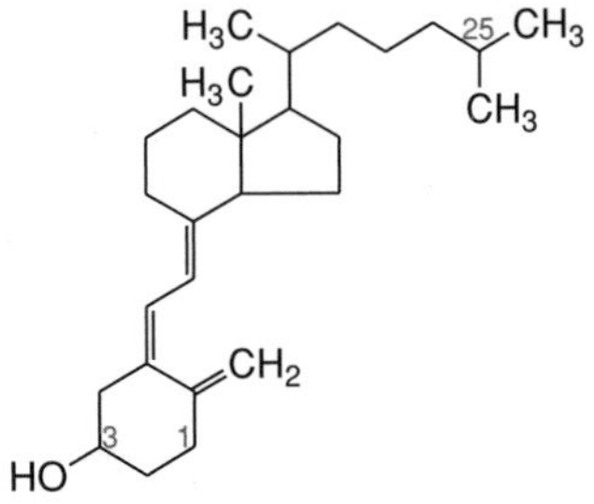

Cholécalciférol

E

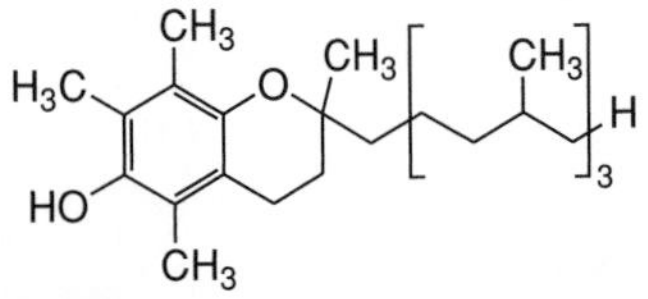

α-Tocophérol

K_1

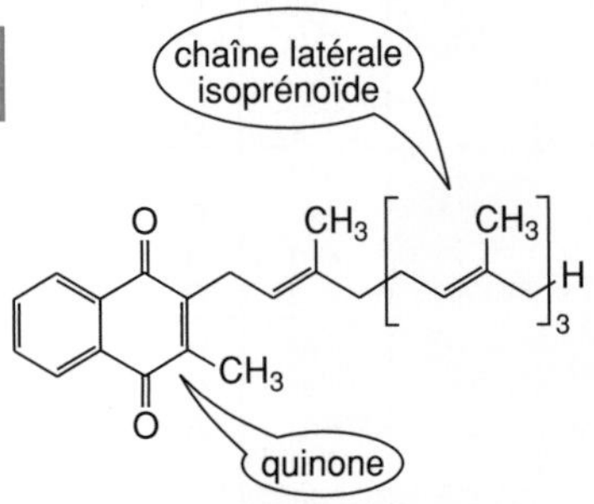

Phyllochinone

Vitamines hydrosolubles

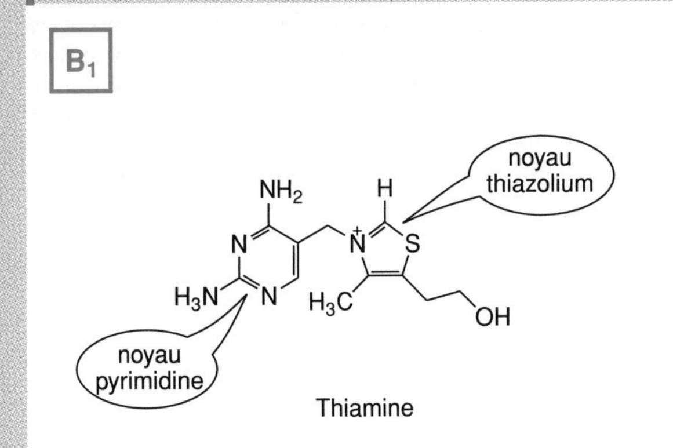

Thiamine

B2

Riboflavine

Compexe B2

acide 4-amino-benzoïque

glutamate

acide pantoïque

β-alanine

résidu de ptéridine

Acide nicotinique (niacine)

Acide folique

Acide pantothénique

B6

Pyridoxine

B12

ion cobalt central

Hydroxycobalamine

C

Acide ascorbique

H

Biotine

Composés de signalisation

Les composés de signalisation biologiques représentent un groupe extrêmement hétérogène d'ions et de différentes molécules, qui jouent un rôle important dans la communication intercellulaire et dans les mécanismes de transduction intracellulaire. Ils sont regroupés ici par grandes classes de composés et vont du NO, avec une masse moléculaire de 30 Daltons, jusqu'à l'hormone lutéinisante, avec une masse moléculaire d'environ 22 000 Daltons. Toutes ces molécules, parmi lesquelles on compte entre autres des hormones, des neurotransmetteurs et des messagers secondaires, peuvent se lier à des molécules cibles, comme des récepteurs, des canaux ioniques, des enzymes, des facteurs de transcription ou des protéines adaptatrices. Elles induisent ensuite un changement conformationnel allostérique et déclenchent ainsi un signal. Les limites entre hormones peptidiques et protéiques sont assez floues.

Ions

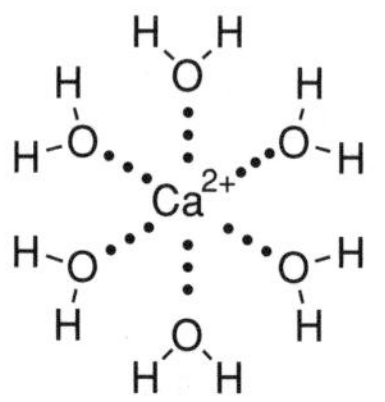

Ca^{2+} (entouré de six molécules H_2O)

Dérivés de nucléotides

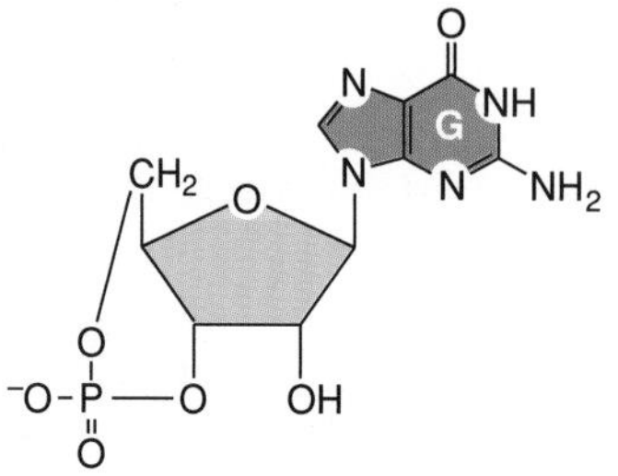

GMPc

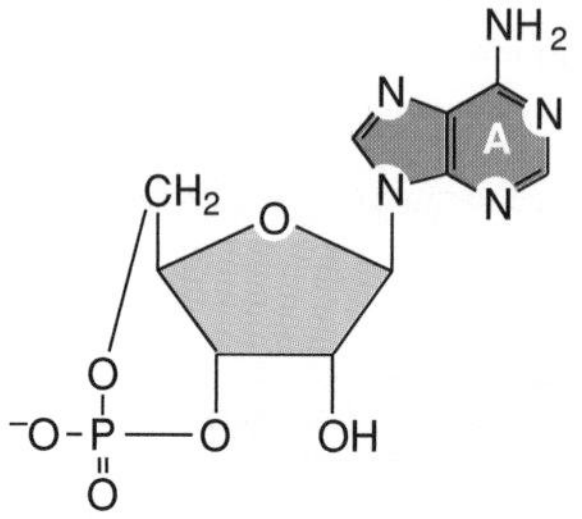

AMPc

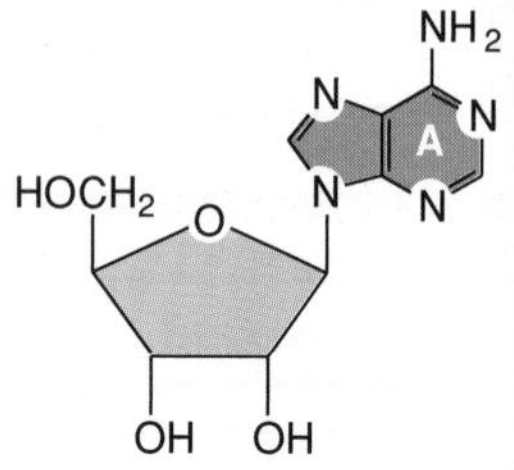

Adénosine

Hormones peptidiques

Monoxyde d'azote

(Arg)

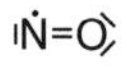

$\dot{N}=O$

Acétylcholine

(Ser)

$H_3C-CO-O-CH_2-CH_2-N^+(CH_3)_3$

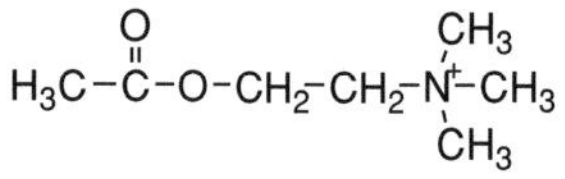

Thyronine

acide aminé donneur

(Tyr)

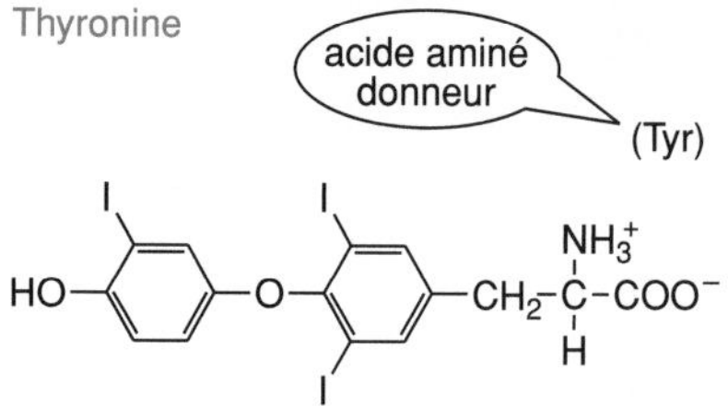

Triiodothyronine (T_3)

Catécholamines

(Phe/Tyr)

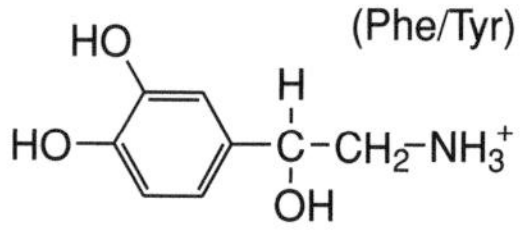

Noradrénaline

Adrénaline

Dopamine

Acides aminés

(Gly)

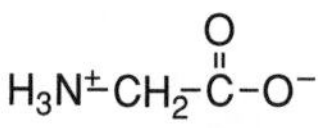

$H_3N^+-CH_2-COO^-$

Glycine

(Glu)

$H_3N^+-CH(COO^-)-CH_2-CH_2-COO^-$

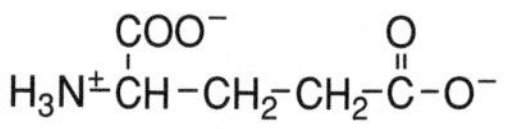

Glutamate

inchangé

(Glu)

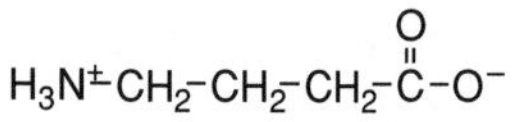

$H_3N^+-CH_2-CH_2-CH_2-COO^-$

Acide γ-aminobutyrique

Amines biogènes

(Trp)

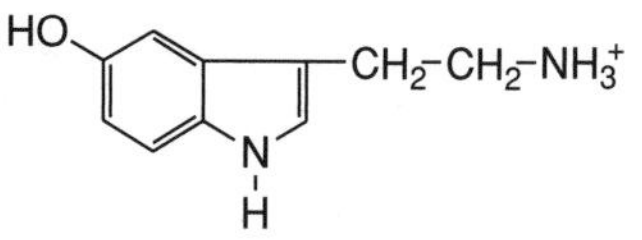

$-CH_2-CH_2-NH_3^+$

Sérotonine (5-Hydroxytryptamine)

(His)

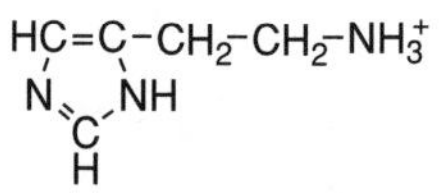

$HC=C-CH_2-CH_2-NH_3^+$

Histamine

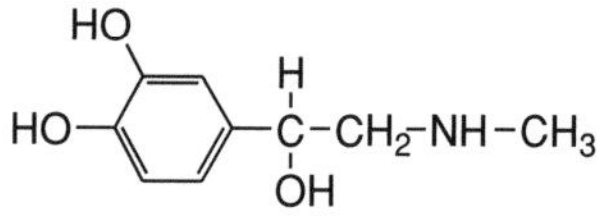

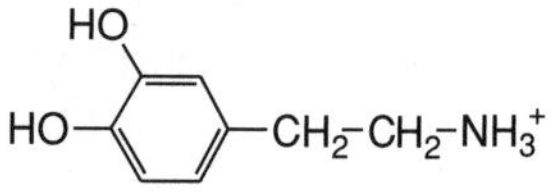

Hormones peptidiques

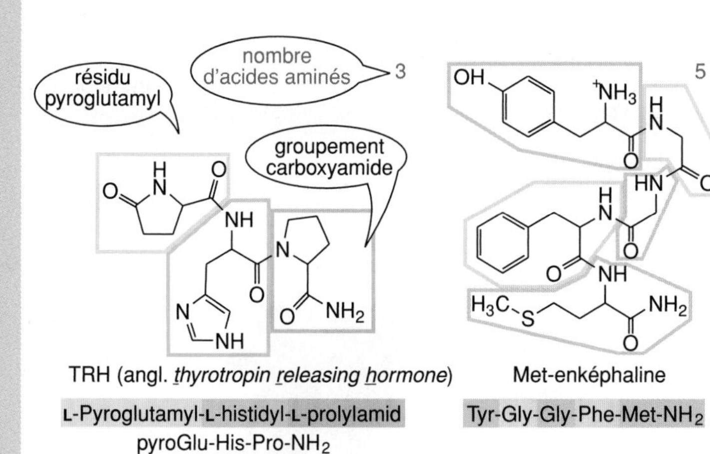

TRH (angl. *thyrotropin releasing hormone*)

L-Pyroglutamyl-L-histidyl-L-prolylamid

pyroGlu-His-Pro-NH_2

Met-enképhaline

Tyr-Gly-Gly-Phe-Met-NH_2

Cys-Thy-Phe-Gln-Asn-Cys-Pro-Arg-Gly 9

Arg [8]-vasopressine
(ADH, hormone antidiurétique)

site de clivage par l'enzyme de conversion de l'angiotensine

Angiotensine I

Asp-Arg-Val-Tyr-Ile-His-Pro-Phe-His-Leu 10

Asp-Arg-Val-Tyr-Ile-His-Pro-Phe 8

Angiotensine II

Glu-His-Trp-Ser-Tyr-Gly-Leu-Arg-Pro-Gly 9

GnRH (angl. *gonadotropin releasing hormone*)

Dérivés de phospholipides

Diacylglycérol (DAG)

Inositol-1,4,5-*tris*phosphate (IP_3)

Dérivés de lipides

Stéroïdes

Cortisone

Testostérone

Œstradiol

Rétinoïdes

Acide rétinoïque

Prostaglandines

Prostaglandine F_{2a}

Leukotriène B_4

Prostacycline I_2

Thromboxane A_2 (TXA_2)

Cytokines et hormones protéiques

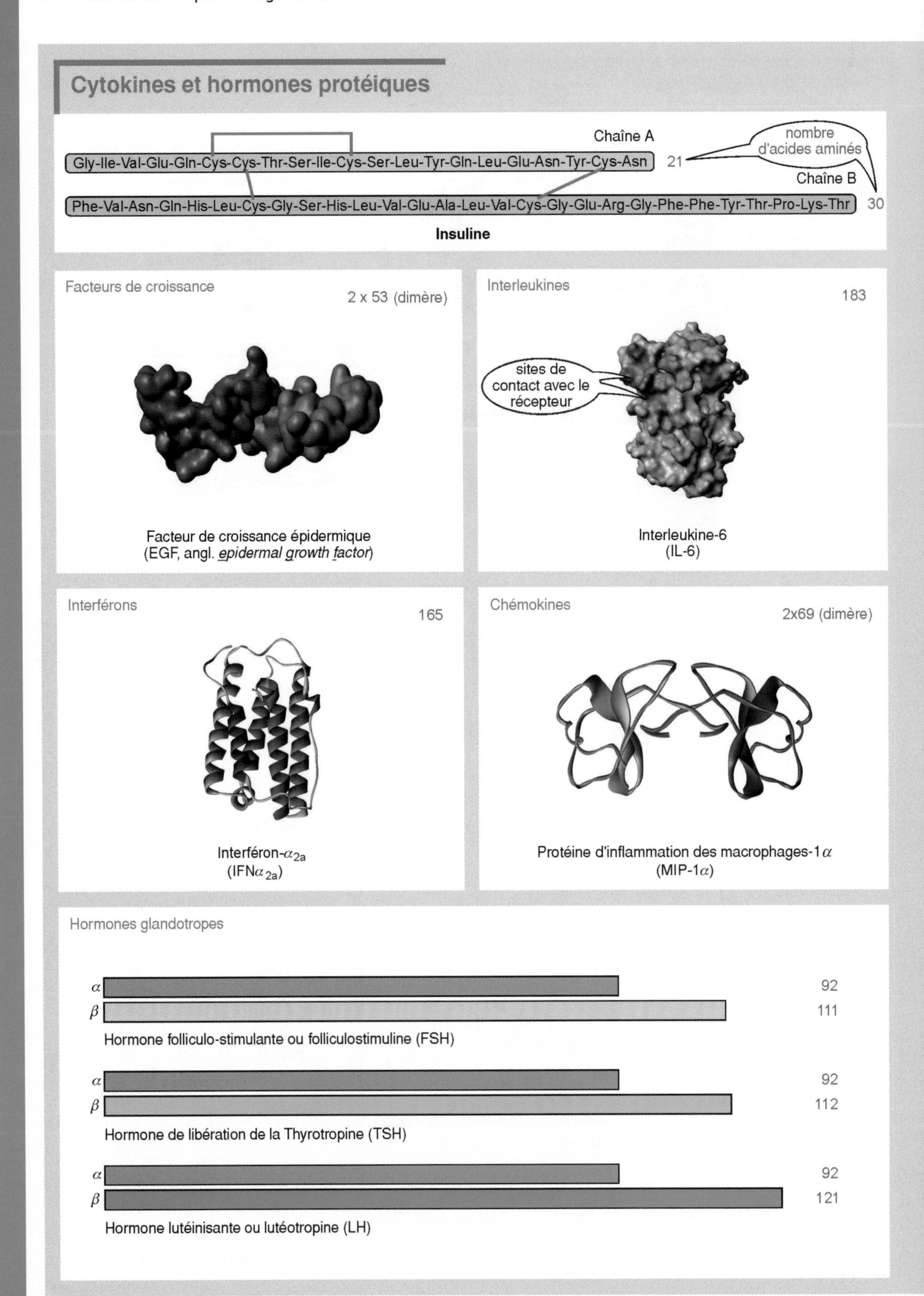
Chaîne A
Gly-Ile-Val-Glu-Gln-Cys-Cys-Thr-Ser-Ile-Cys-Ser-Leu-Tyr-Gln-Leu-Glu-Asn-Tyr-Cys-Asn
21
nombre d'acides aminés
Chaîne B
Phe-Val-Asn-Gln-His-Leu-Cys-Gly-Ser-His-Leu-Val-Glu-Ala-Leu-Val-Cys-Gly-Glu-Arg-Gly-Phe-Phe-Tyr-Thr-Pro-Lys-Thr
30
Insuline
Facteurs de croissance
2 x 53 (dimère)
Facteur de croissance épidermique
(EGF, angl. epidermal growth factor)
Interleukines
183
sites de contact avec le récepteur
Interleukine-6
(IL-6)
Interférons
165
Interféron-α2a
(IFNα2a)
Chémokines
2x69 (dimère)
Protéine d'inflammation des macrophages-1α
(MIP-1α)
Hormones glandotropes
α 92
β 111
Hormone folliculo-stimulante ou folliculostimuline (FSH)
α 92
β 112
Hormone de libération de la Thyrotropine (TSH)
α 92
β 121
Hormone lutéinisante ou lutéotropine (LH)

Partie II Structure et fonction des protéines

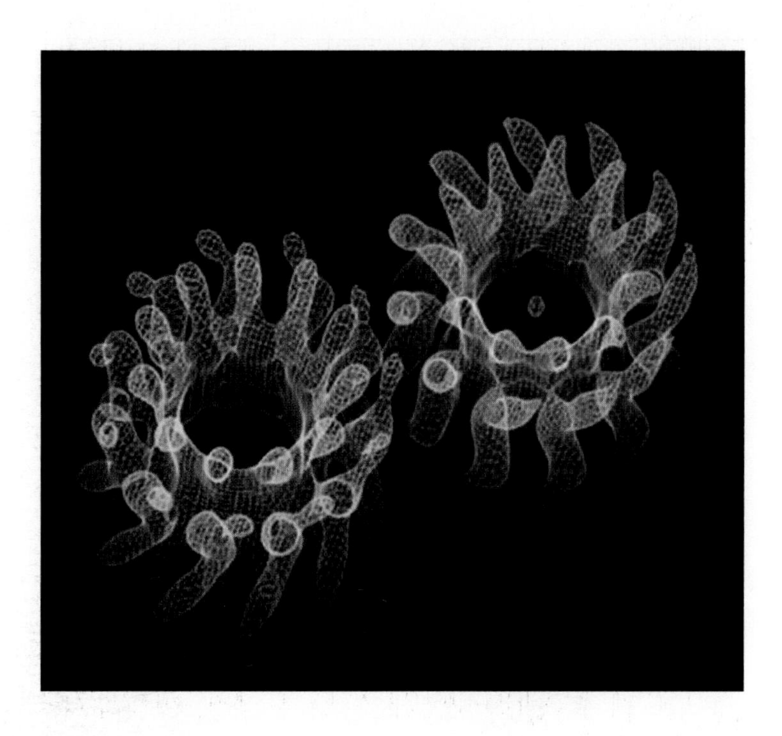

Modèle structural d'un rotor biologique. La protéine se trouve dans la membrane plasmique de la bactérie *Ilyobacter tartaricus*, et produit par sa rotation l'énergie nécessaire à la synthèse de l'ATP. Le rotor a un diamètre de 5 nm environ et est composé de onze sous-unités identiques, qui possèdent des domaines cytosolique (rouge) et périplasmique (vert). Avec l'aimable autorisation de Janet Vonck, Werner Kühlbrandt (Max-Planck-Institut für Biophysik, Frankfurt a. M.) et Peter Dimroth (ETH Zürich)

Une cellule synthétise à un moment donné de sa vie environ 10 000 protéines différentes, et le nombre de copies de chacune de ces protéines varie de quelques unes à plusieurs millions d'exemplaires. Une cellule eucaryote « adulte » renferme ainsi un total de plusieurs milliards de protéines, ce qui nous amène à environ 10^{22} pour le corps humain ! L'ensemble des protéines d'une cellule à un instant donné est nommée le protéome. L'éventail des tâches effectuées par les protéines est à la mesure de cette large fourchette quantitative : comme nous allons le voir, les protéines sont des machines moléculaires construites avec exactitude, qui peuvent reconnaître, fixer, transporter et modifier d'autres molécules. Elles ont la capacité d'enregistrer les signaux les plus différents, de les traiter et de les transmettre. Certaines protéines sont capables de transformer l'énergie de la lumière solaire en formes d'énergie utilisables par l'organisme et qui permettent ensuite à d'autres protéines de fournir un travail chimique ou mécanique. Malgré la versatilité fonctionnelle de ces biomolécules, chaque protéine remplit individuellement son rôle spécifique avec une grande précision. *La fonction d'une protéine est principalement déterminée par sa structure dans l'espace.* C'est pourquoi cette partie – après un aperçu introductif du monde des protéines – commence par un examen détaillé de l'« architecture des protéines » et des méthodes expérimentales utilisées dans l'étude des protéines. Ensuite, nous nous familiariserons avec les protéines dans leurs différents champs d'activité : partant de simples « protéines de charpente », nous irons jusqu'aux enzymes, véritables outils de la cellule, en passant par les protéines moteurs et les protéines de transport. Enfin, nous verrons comment on cherche à ordonner la déconcertante variété des protéines par la mise en évidence de leurs liens évolutifs.

Les protéines, outils de la cellule

4

Avant de nous consacrer en détail à leur structure et à leur fonction, nous allons donner dans ce chapitre un premier aperçu du monde des protéines. Naturellement, ce premier examen du « parc des machines » moléculaires ne peut être que ponctuel et en aucune façon exhaustif. Pourtant le choix des exemples n'est pas arbitraire, mais vise à souligner l'importance de la structure et de la dynamique des protéines dans leur fonction.

4.1 Des ligands se fixent aux protéines et changent leur conformation

Les protéines sont les biomolécules les plus « communicatives » : un de leurs rôles consiste à reconnaître d'autres molécules et à s'y fixer. Souvent, elles réagissent à cet événement de fixation en modifiant la molécule fixée, ou bien en déclenchant une réaction secondaire par contact avec une troisième molécule. Les protéines ne « choisissent » pas leur partenaire au hasard, mais avec la plus grande sélectivité. À cet effet, chaque protéine a un profil de surface distinct, modelé par les chaînes latérales de ses résidus. *Grâce à l'énorme multiplicité des combinaisons de résidus de la séquence protéique, cette surface peut prendre dans la pratique toute forme imaginable adaptée à la reconnaissance et à la fixation de substances.* On appelle en général **ligands** (lat. *ligare*, lier) les partenaires qui se fixent aux protéines. Les ligands peuvent être des sucres, des nucléotides, des lipides ou des acides nucléiques, mais aussi d'autres protéines ou des xénobiotiques – c'est-à-dire des substances

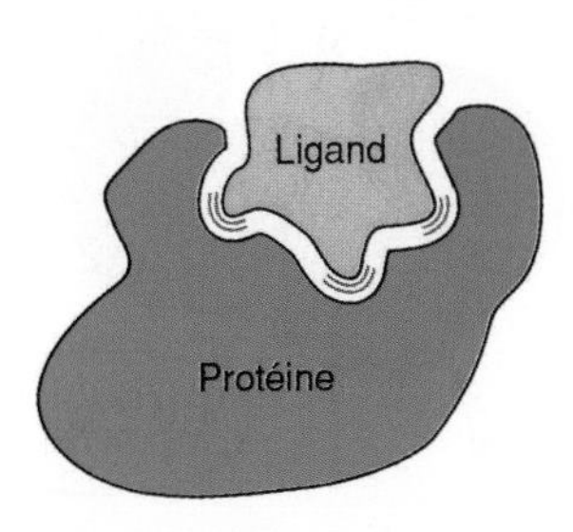

4.1 Sites de fixation d'une protéine. La formation de surfaces complémentaires permet aux protéines de reconnaître et de fixer spécifiquement les ligands.

étrangères à l'organisme comme par exemple des médicaments. Les ligands se fixent souvent dans des cavités de la surface des protéines: souvent ce sont structures en boucle qui enserrent le ligand comme des « doigts ». (*fig.* 4.1). Les anticorps du système immunitaire humain en sont un bon exemple ; leurs formes sont si variables qu'ils peuvent se fixer pratiquement à toute molécule du monde animé ou inanimé.

Les forces qui interviennent dans la fixation des ligands sont le plus souvent relativement faibles : les protéines ne doivent fixer les ligands que transitoirement et doivent pouvoir les « libérer ». La fixation des ligands est donc dominée par des forces telles que les interactions ioniques, les liaisons hydrogène et les forces de Van der Waals (*fig.* 4.2). Pourtant, dans le cas du ligand correct ou « compétent », la faible quantité d'énergie de chaque interaction individuelle est compensée par le grand nombre de ces interactions non covalentes. *On appelle* **affinité** *la force de l'interaction entre une protéine et son ligand.*

Que peuvent bien faire les protéines de leurs ligands ? Aux **protéines de transport** revient la tâche simple de prendre en charge leur cargaison à un endroit de l'organisme ou de la cellule pour la libérer à un autre endroit. Leurs ligands peuvent être des sucres, des graisses ou des sels minéraux, ils peuvent être aussi volumineux qu'une autre protéine ou aussi petits qu'un unique électron. La prise en charge et le largage ciblés de ligands ne sont pas des problèmes triviaux comme en témoignent les nombreuses générations de chercheurs qui se sont intéressés à un transporteur de l'oxygène, l'hémoglobine. Nous étudierons plus loin ce classique de la biochimie au niveau moléculaire (*chap.* 10).

Comment les protéines deviennent-elles donc des machines moléculaires ? *Un « réflexe » fréquent des protéines à la fixation d'un ligand est le changement de conformation.* Ce changement de la forme de la protéine conduit souvent ensuite à une fonction différente. Un excellent exemple de cette plasticité structurale est fourni par le changement de conformation, induit par un ligand, d'une protéine impliquée dans la signalisation cellulaire, la **calmoduline**. La calmoduline possède quatre sites de fixation du Ca^{2+} (*fig.* 4.3). La concentration de Ca^{2+} dans le cytoplasme est normalement faible, $< 10^{-7}$ M, mais elle

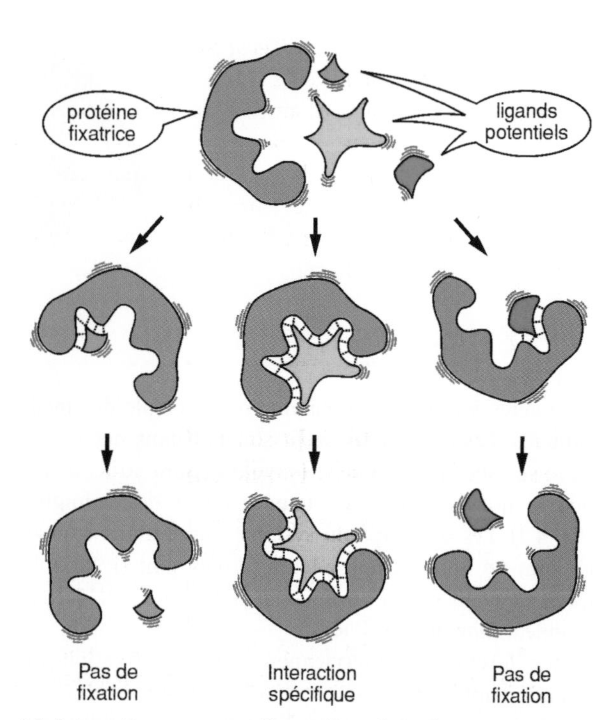

4.2 Interaction entre protéine et ligand. La fixation du ligand sur la protéine est due à l'addition des interactions faibles qui s'oppose aux mouvements thermiques que ces molécules auraient séparément : le ligand correct (en jaune) reste un certain temps « collé » à la protéine. Les ligands « incorrects » (en rouge et orange) n'établissent au contraire que des contacts éphémères : il n'en résulte pas d'interaction productive.

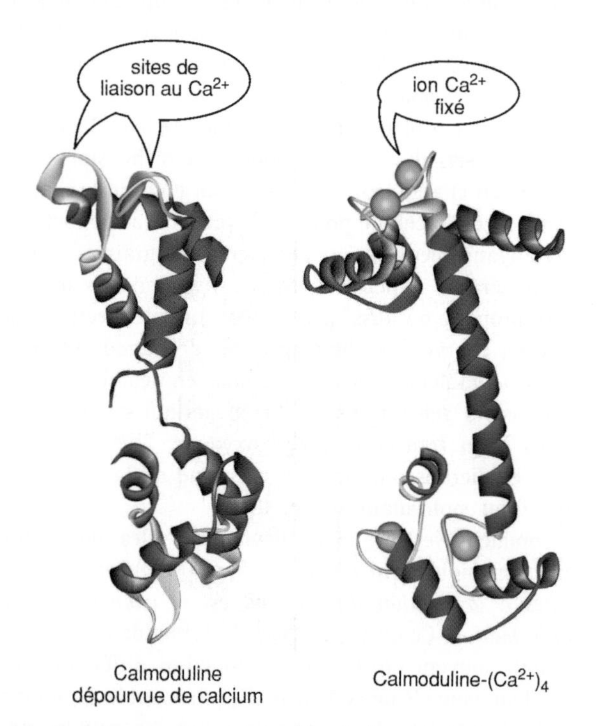

4.3 Changements de conformation de la calmoduline. La protéine possède deux sites de fixation du Ca^{2+} (en gris) dans sa partie amino-terminale et deux autres dans sa partie carboxy-terminale. Lorsque ces sites sont occupés, la calmoduline subit un changement de conformation qui lui permet de se fixer à des protéines cibles et de les activer.

augmente rapidement après stimulation jusqu'à des valeurs > 10^{-6} M (§ 29.7). Dans cette situation, la calmoduline fixe quatre ions Ca^{2+} au maximum et subit un changement de conformation prononcé qui rappelle l'ouverture d'un parapluie. De cette manière, de nouveaux sites d'interaction sont exposés : la calmoduline-Ca^{2+} peut maintenant fixer et activer d'autres protéines de signalisation cellulaire telles qu'une enzyme, la protéine-kinase dépendant de la calmoduline-Ca^{2+} (CaM-kinase) (§ 29.8). La calmoduline est donc un biodétecteur, qui répond à une augmentation de la concentration intracellulaire en Ca^{2+} par l'activation de protéines cibles.

4.2

Les enzymes fixent des substrats et les transforment en produits

Les membres de cette grande famille de protéines agissent comme des catalyseurs moléculaires, qui non seulement fixent des ligands, mais également les modifient : *elles accélèrent des réactions chimiques dont elles ressortent elles-mêmes inchangées.* Quelles caractéristiques font d'une protéine une **enzyme** ? Les enzymes possèdent un **centre actif**, qui se trouve le plus souvent dans une cavité de la surface en forme de poche ou de fente. Considérons le cas d'une enzyme qui « se saisit » de deux ligands – appelés **substrats** dans le cas des enzymes – susceptibles d'établir une liaison chimique (*fig.* 4.4). L'adsorption des deux substrats à des sites spécifiques du centre actif les positionne de manière optimale l'un vis-à-vis de l'autre, si bien que leur rencontre conduit presque toujours à la réaction et donc à la formation du produit – ce qui n'est pas le cas lors d'une collision aléatoire des substrats. Les groupements chimiques du centre actif favorisent ce processus en stabilisant les produits intermédiaires et en engageant des liaisons transitoires avec les substrats. Structure spatiale et réactivité chimique sont deux aspects des protéines qui travaillent de concert à la catalyse.

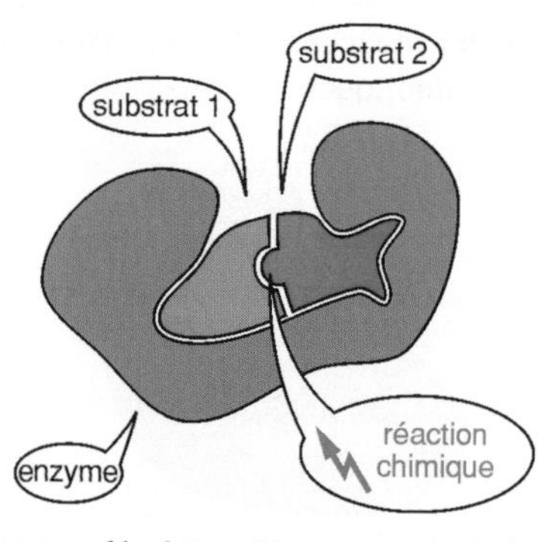

4.4 Catalyseurs moléculaires. L'enzyme oriente les deux substrats de manière optimale l'un vis-à-vis de l'autre. Ceci est une représentation très schématique d'une enzyme. Nous discuterons le mécanisme catalytique plus en détail au chapitre 11.

La fixation du substrat peut aussi s'accompagner d'un changement de conformation de l'enzyme. De « grands » mouvements de l'enzyme – de l'ordre du nanomètre – peuvent expulser l'eau du centre actif, soit afin que celle-ci ne se transforme pas en partenaire de réaction indésirable, soit pour créer un environnement qui rende la réaction tout simplement possible. La ***Taq*-ADN-polymérase** est un bon exemple de cette dynamique enzymatique. Son rôle est d'ajouter, en suivant les « instructions » d'un brin d'ADN matrice, des nucléotides à l'extrémité 3'-hydroxyle d'un nouveau brin d'ADN. L'enzyme rappelle vaguement par sa forme une main droite avec des doigts, un pouce et une paume. Les molécules d'ADN ancienne et nouvellement synthétisée viennent reposer dans la paume (*fig.* 4.5). L'enzyme complexée au substrat ADN seul est dans sa conformation ouverte. Dès qu'un nucléotide arrive pour être adjoint au brin d'ADN en cours de synthèse, des changements de conformation importants se produisent dans les « doigts » : la « main » se referme autour des deux substrats (nucléotide et brin d'ADN). Ce n'est que dans cette conformation fermée que la nouvelle liaison peut se former, ce qui garantit que seul un nucléotide complémentaire au brin matrice peut réagir. Un nucléotide non complémentaire ne s'adapte pas dans le centre actif de la conformation fermée et ne sera donc pas ajouté au brin en cours d'élongation. *Les ADN-polymérases jouent un rôle extrêmement important en biotechnologie.* (§ 22.6)

Les protéines connaissent aussi fréquemment de petits mouvements qui peuvent ne concerner que des fractions de la longueur de leur site de fixation intramoléculaire : l'enzyme peut ainsi déformer son substrat comme sur une « table d'étirement », de telle manière que la transformation en produit soit plus probable (*chap.* 12).

4.3 Les ligands communiquent par l'intermédiaire d'effets allostériques

Jusqu'à présent, nous n'avons considéré l'effet de la fixation des ligands qu'en un seul endroit de la protéine. De nouvelles possibilités sont ouvertes lorsque les protéines possèdent *plusieurs* sites de fixation séparés dans l'espace, et que ces sites de fixation peuvent communiquer entre eux, phénomène dénommé **effet allostérique** (du grec *allos*, autre; *stereos*, étendu dans l'espace). Deux cas peuvent être envisagés : si la fixation d'un ligand facilite la fixation de l'autre, on parle d'allostérie positive ou d'effet allostérique positif; si elle la défavorise, il s'agit d'un effet allostérique négatif. Une explication de

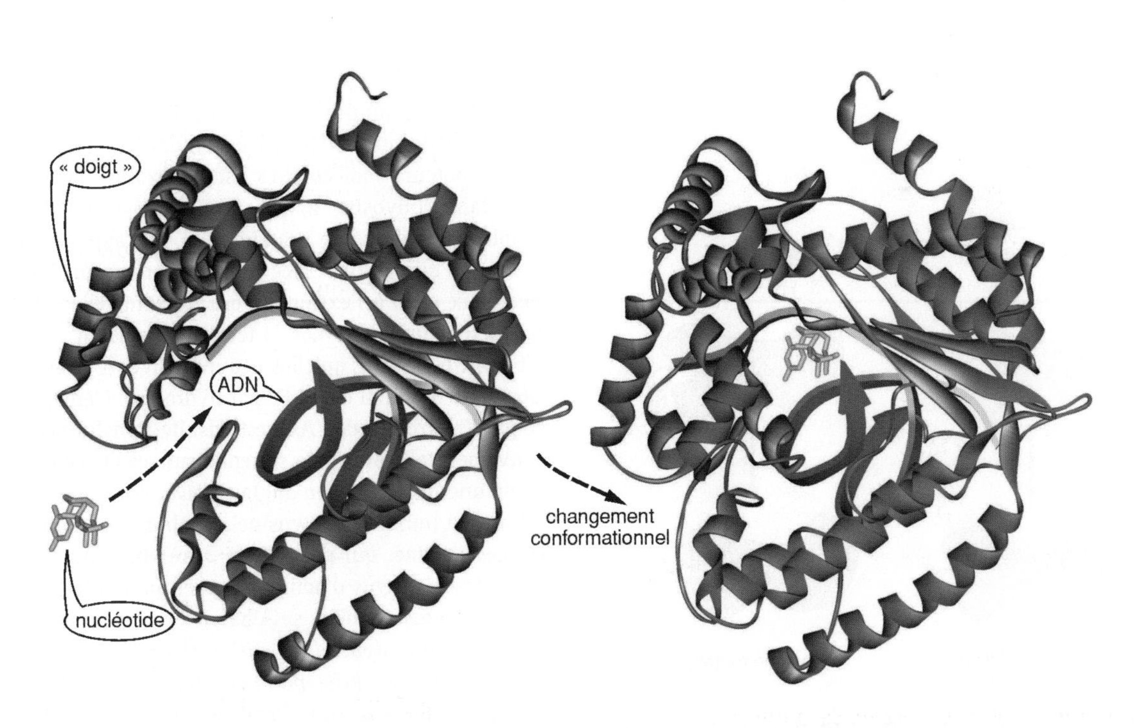

4.5 Formes ouverte et fermée de la *Taq*-ADN-polymérase. Pour des raisons de lisibilité, certaines parties de la protéine ne sont pas représentées. Le « doigt » est représenté en rouge. À gauche : complexe ouvert ADN-enzyme; à droite : complexe fermé de la protéine avec l'ADN et le nucléotide.

ce phénomène est que la fixation du premier ligand affecte la structure spatiale de la protéine, et donc celle du deuxième site de fixation, de telle sorte que l'affinité pour le deuxième ligand se trouve modifiée (*fig.* 4.6). L'effet allostérique est d'une extrême importance dans la régulation de l'activité des protéines. L'exemple canonique en est l'hémoglobine : c'est grâce à des effecteurs allostériques tels que le 2,3-bisphosphoglycérate, que la fixation et la libération d'oxygène sont adaptées précisément aux besoins de l'organisme. L'effet allostérique est également bien étudié chez l'aspartate-transcarbamoylase (ATCase), une enzyme clé de la biosynthèse des composants élémentaires de l'ADN. *Dans ce cas, l'activité est entre autres réprimée de manière allostérique par un produit final de cette voie métabolique : ce principe de régulation se nomme* **rétro-inhibition.**

Certains **récepteurs** membranaires illustrent bien eux aussi le principe de l'effet allostérique. Ils transfèrent des signaux de l'espace extracellulaire vers l'intérieur de la cellule. Classiquement, ils portent du côté extracellulaire un site spécifique de fixation d'un ligand. Lorsque celui-ci est occupé, la protéine réceptrice change de conformation non seulement à l'extérieur, du côté du ligand, mais surtout dans sa partie intracellulaire. Dans le cas des protéines dites récepteurs couplés aux protéines G (*chap.* 29) – comme par exemple les récepteurs de l'adrénaline ou des opioïdes – ceci provoque l'activation de protéines de signalisation qui sont libérées de l'« étreinte » du récepteur, si bien que le signal peut alors être transmis aux systèmes effecteurs de l'intérieur de la cellule (*fig.* 4.7).

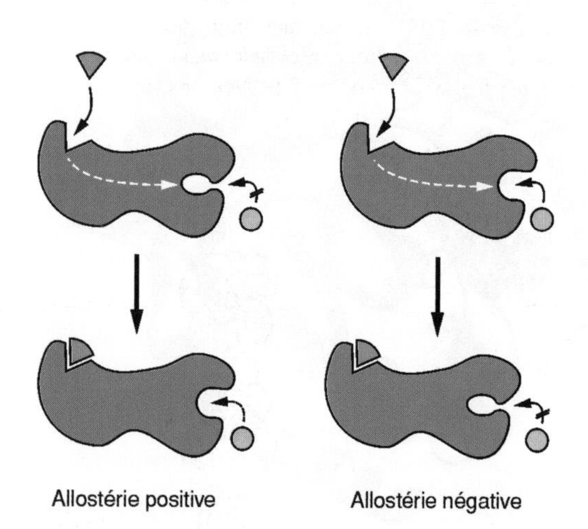

4.6 Protéine régulée de manière allostérique. La fixation d'un ligand au site allostérique provoque un changement de conformation de la protéine, qui favorise (à gauche) ou défavorise (à droite) la fixation d'un autre ligand à un deuxième site allostérique.

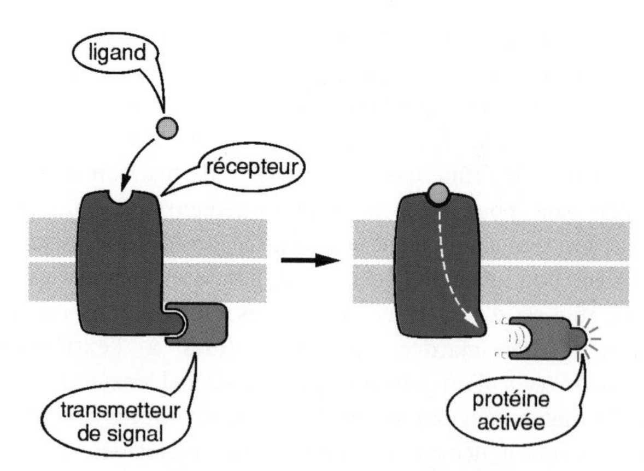

4.7 Changements de conformation induits par des ligands. Cette représentation très simplifiée illustre l'effet de la fixation d'un ligand : la protéine réceptrice subit un changement de conformation et libère un transmetteur de signal intracellulaire activé. Le disque rouge et les rayons symbolisent l'état activé de la molécule.

4.4

La fixation et l'hydrolyse de nucléotides contrôle les protéines moteurs

Les changements de conformation des protéines ne se restreignent pas à des « réflexes » consécutifs à la fixation d'un ligand : *les protéines peuvent aussi effectuer des mouvements dirigés et donc fournir du travail mécanique.* Pour que de tels **« moteurs protéiques »** n'effectuent pas seulement des mouvements thermiques aléatoires, il faut entraîner tout un cycle de changements de conformation dans une direction donnée. En général, cela est obtenu par l'hydrolyse de nucléotides riches en énergie. Le prototype de ces moteurs moléculaires est la **myosine** des cellules musculaires (myosine II) (*fig.* 4.8). La myosine II est un complexe protéique de grande taille, qui apparaît sur les clichés de microscopie électronique comme un bâtonnet avec deux têtes à l'extrémité, qui lui sont reliées par des charnières mobiles. Les « têtes » possèdent l'activité ATPase, c'est-à-dire qu'elles peuvent cliver le groupement phosphate terminal de l'ATP par hydrolyse. L'énergie libérée par l'hydrolyse de l'ATP est ensuite transformée en un mouvement : la molécule se replie sur ses charnières puis donne une impulsion (en anglais *power stroke*) (§ 9.3).

Dans le muscle, la myosine collabore avec une autre ATPase, l'**actine**, qui polymérise après fixation d'ATP et forme des filaments d'actine longs et minces le long desquels la myosine peut se « balancer ». *Nous avons ici affaire au prototype d'un rail moléculaire pour lequel l'énergie libre produite par hydrolyse de l'ATP entraîne l'extension du « réseau ferroviaire »* (*fig.* 4.9). L'actine existe dans toutes les cellules eucaryotes dont elle représente jusqu'à 20% de la masse. Nous reviendrons plus loin sur son importance dans les muscles et le cytosquelette (§ 31.4).

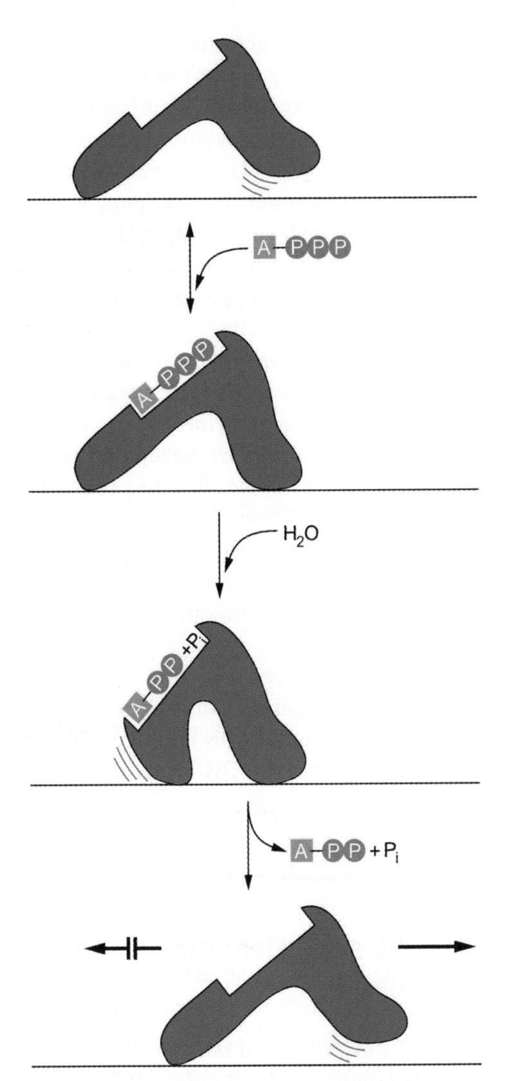

4.8 Dynamique des protéines moteurs. La protéine moteur avance grâce à une suite de changements de conformation. Dans ce mouvement, son activité ATPase rend chaque « pas » irréversible et donne une direction au mouvement : ainsi la protéine n'oscille pas d'avant en arrière. [RF]

Encart 4.1 : Les protéines G sont des horloges

Les protéines G monomériques sont des métronomes moléculaires. Lorsqu'elles sont activées, elles échangent le GDP qu'elles ont fixé contre du GTP. Ceci ouvre une fenêtre temporelle à l'intérieur de laquelle les protéines G peuvent moduler d'autres protéines. Lorsqu'une protéine G hydrolyse après un certain temps son nucléotide, elle retourne à son « état dormant » (*fig.* 4.10). Au nombre des « petites » protéines G monomériques on compte la protéine régulatrice Ras, un point de contrôle important de la transduction du signal intracellulaire (§ 30.3). Des mutations dans la protéine Ras qui conduisent à une activité constitutive (constante) jouent un rôle important dans la genèse des tumeurs. Les protéines G trimériques, de plus grande taille, transmettent des signaux depuis les récepteurs couplés aux protéines G jusqu'à l'intérieur de la cellule.

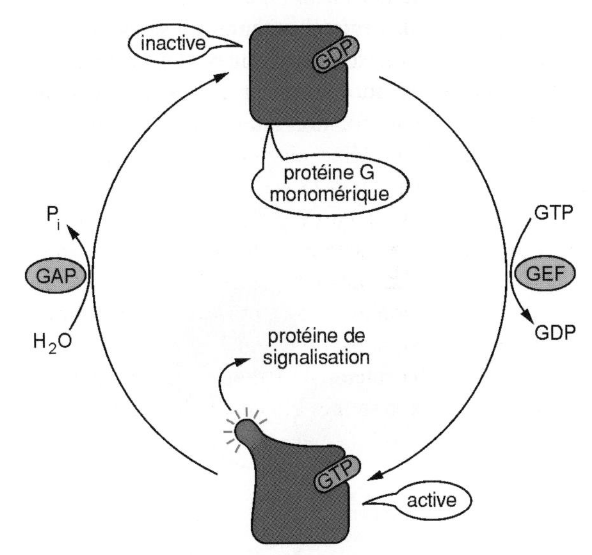

4.10 Cycle des protéines G monomériques. Des protéines telles que le facteur d'échange de nucléotide guanine ou GEF (en anglais *guanine nucleotide exchange factor*) et les protéines activatrices des GTPases ou GAP peuvent accélérer ce cycle.

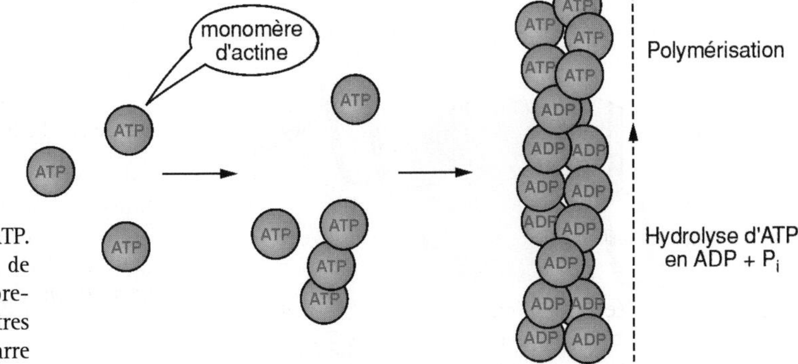

4.9 Polymérisation de l'actine induite par l'ATP. La fixation d'ATP entraîne un changement de conformation de l'actine qui permet dans un premier temps son association avec deux autres molécules d'actine. À partir de ce germe démarre l'expansion qui conduit à de longs filaments. Dès que l'actine est ancrée au faisceau, elle hydrolyse l'ATP en ADP et P_i.

L'hydrolyse des nucléotides est un motif récurrent en biochimie. Cette réaction ne sert pas seulement de source d'énergie pour le travail mécanique. Le « travail chimique » – c'est-à-dire les réactions endergoniques – est le plus souvent produit par hydrolyse de l'adénosine triphosphate (ATP). L'hydrolyse de nucléotides trouve une autre application chez les **protéines G**. Celles-ci passent par des cycles ordonnés de fixation et hydrolyse du GTP et fonctionnent ainsi comme horloges de processus moléculaires (*encart* 4.1).

4.5 Les protéines régulatrices sont souvent contrôlées par phosphorylation

Le rôle des groupements phosphates ne se cantonne pas à leur action au sein des nucléotides : les protéines elles aussi peuvent être phosphorylées. Jusqu'à présent, nous n'avions considéré que des machines protéiques qui fixent leur ligand par des liaisons non covalentes, nous avons ici un premier exemple de modification covalente d'une protéine. La phosphorylation des protéines est catalysée par des **kinases.** Le donneur de groupement phosphate est le plus souvent l'ATP, dont le phosphate terminal est transféré classiquement à la chaîne latérale d'une sérine, d'une thréonine ou d'une tyrosine (estérification). Les **phosphatases** s'opposent à l'action des kinases en catalysant l'hydrolyse du phosphoester. *La phosphorylation des protéines revêt une importance capitale dans la régulation cellulaire : beaucoup de protéines régulatrices et de protéines de transduction du signal changent de propriétés en fonction de leur degré de phosphorylation.* Par exemple, la phosphorylation peut provoquer des transitions allostériques. Cependant, l'introduction de la charge négative du phosphate modifie également la surface de la protéine et crée donc localement de nouveaux sites de fixation. La régulation par phosphorylation joue ainsi un rôle important chez les facteurs de transcription (§ 30.6). Suite à cette modification, ils peuvent se dimériser puis entrer dans le noyau cellulaire où ils se fixent à l'ADN et dirigent la transcription de leur cible (*fig.* 4.11).

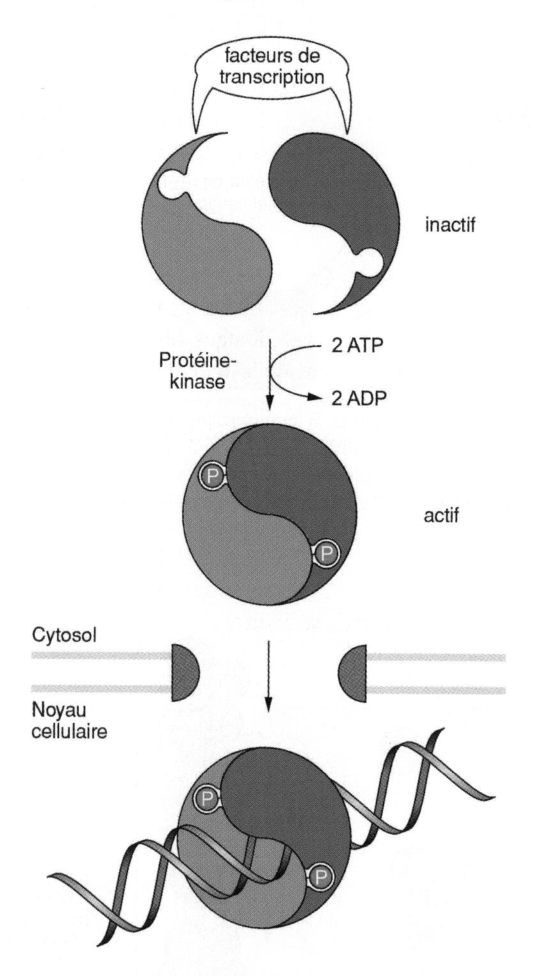

4.11 Phosphorylation des facteurs de transcription. La phosphorylation permet une dimérisation des facteurs de transcription et leur translocation dans le noyau cellulaire, où ils modifient l'expression de leurs gènes cibles.

4.6 Les enzymes s'adaptent aux besoins métaboliques

Les protéines sont capables d'intégrer différents signaux comme des microprocesseurs d'ordinateur, ce qui permet une adaptation différentielle aux besoins physiologiques. La complexité et l'adaptabilité étonnantes de ces « puces » moléculaires est bien illustrée par l'exemple de la **glycogène phosphorylase**. En cas de besoin, cette enzyme transforme le glycogène, forme de réserve des glucides, en glucose libre. L'organisme humain stocke le glycogène essentiellement dans les muscles et le foie. Ces deux organes disposent de différentes formes de glycogène phosphorylase, régulées différemment ; nous ne considérerons ici que la situation du muscle. Dans le muscle au repos, les besoins en ATP, qui fournit l'énergie nécessaire à la contraction musculaire, n'augmentent pas, pas plus que ceux en glucose-6-phosphate, qui est nécessaire à la régénération de l'ATP. Lorsque le muscle travaille, la concentration en AMP croît rapidement du fait de l'hydrolyse de l'ATP. Ces produits du métabolisme, ou métabolites, sont donc des indicateurs qui reflètent les besoins de la cellule musculaire. Ce sont des effecteurs allostériques importants dans l'adaptation aux paramètres physiologiques : l'ATP et le glucose 6-phosphate inactivent la glycogène phosphorylase par un effet allostérique négatif affectant le centre actif,

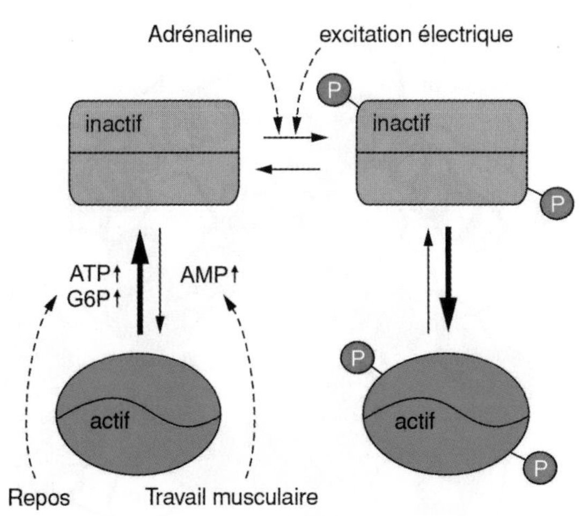

4.12 Principe de la régulation de la glycogène phosphorylase. L'enzyme est un dimère de deux sous-unités identiques : les changements de conformation s'effectuent de manière symétrique. Les effecteurs allostériques, l'ATP et le glucose-6-phosphate (G6P) favorisent la forme inactive, l'AMP favorise la forme catalytiquement active. La protéine phosphorylée adopte préférentiellement la conformation active. La situation des équilibres est indiquée par l'épaisseur des flèches.

alors que l'AMP agit positivement (*fig.* 4.12). La conformation active de la phosphorylase peut également être favorisée par des modifications covalentes : un taux d'adrénaline élevé ou une excitation électrique, qui déclenche la contraction musculaire, provoquent, par des cascades de signalisation différentes, la phosphorylation de la chaîne latérale d'une sérine, ce qui active l'enzyme. La glycogène phosphorylase peut donc recevoir différents signaux, les traiter et les convertir en une nouvelle fonction (§ 40.6).

4.7 Les protéines peuvent réagir à une force mécanique

Les protéines ne participent pas seulement à des interactions subtiles : l'élastine, protéine des tissus conjonctifs, résiste à des stress mécaniques importants (§ 8.5). Comme un ressort moléculaire, elle absorbe les forces de tension par sa flexibilité et donne de l'élasticité aux tissus (*fig.* 4.13). L'élastine possède une structure qui peut se replier ou se déplier réversiblement et se comporte donc comme un extenseur qui s'étire sous la traction puis se rétracte.

Même le stress mécanique peut provoquer des réponses élaborées chez les protéines : l'exemple type de la protéine mécanosensible est le **canal ionique MscL** de *Mycobacterium tuberculosis*, l'agent de la tuberculose (*encart* 4.2).

C'est sur cet exemple que nous terminerons ce premier examen de l'instrumentarium biochimique, dans lequel des protéines sophistiquées maîtrisent en virtuoses un gigantesque répertoire, jouant ainsi ensemble comme les pupitres bien accordés d'un orchestre. Nous en avons conçu une idée de la variété des protéines ; pour donner corps à cette représentation, nous allons maintenant nous intéresser à leur structure.

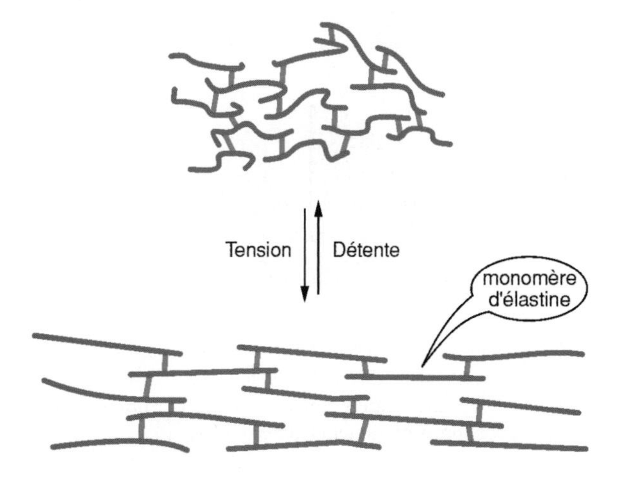

4.13 Ressorts moléculaires. Les molécules d'élastine sont incluses dans un réseau d'interactions covalentes. La capacité des structures d'élastine à se comprimer et à se détendre réversiblement rend le réseau élastique comme du caoutchouc. [RF]

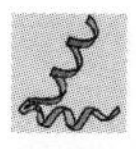

Encart 4.2 : Structure du canal mécanosensible MscL

Ce n'est qu'à présent qu'on commence à connaître la structure de quelques protéines membranaires. MscL de *Mycobacterium tuberculosis* est un premier exemple de **canal ionique** ayant pu être caractérisé presque jusqu'au niveau atomique par analyse de sa structure aux rayons X. Le canal se compose de 5 sous-unités, qui possèdent chacune deux hélices transmembranaires; une hélice de chaque sous-unité contribue à la paroi interne du pore, tandis que l'autre compose la surface externe et contacte les lipides de la membrane (*fig.* 4.14). MscL se trouve dans la membrane plasmique bactérienne et réagit à une force mécanique exercée latéralement — dans le plan de la membrane — en générant une haute conductivité ionique non spécifique. Il est possible que le canal s'ouvre comme un diaphragme d'appareil photographique. Biologiquement, MscL joue probablement le rôle de soupape de sûreté : lors d'un stress osmotique, la cellule gonfle; du fait de la tension accrue de la membrane, les canaux MscL ouvrent leurs pores et permettent ainsi un rééquilibrage entre le cytosol et le milieu extérieur.

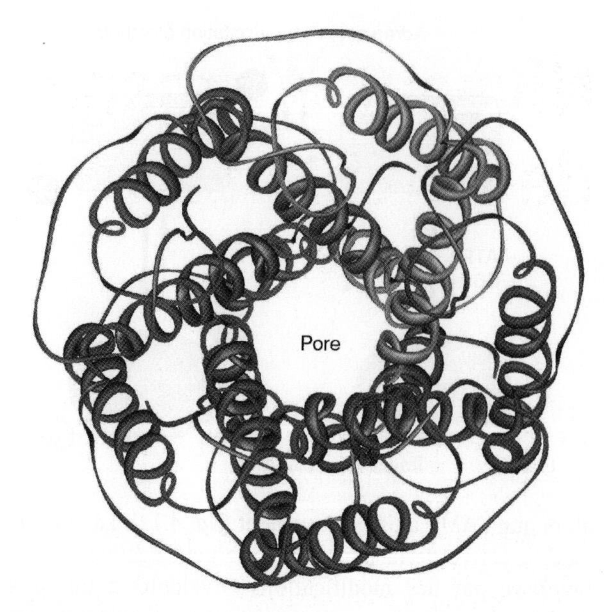

4.14 Structure du canal ionique MscL. La protéine est représentée comme dans une vue de dessus de la membrane. Les 5 sous-unités ordonnées autour du pore sont représentées selon les couleurs du spectre. Chaque sous-unité du pentamère possède deux hélices transmembranaires dont l'une contribue à former le revêtement intérieur du pore.

Niveaux d'organisation de l'architecture des protéines

5

La diversité combinatoire apportée par 20 acides aminés aux chaînes latérales différentes est à la base de la remarquable diversité des protéines, que nous avons déjà eue sous les yeux lors de notre promenade dans le « parc des machines » moléculaires. L'ensemble des acides aminés protéinogènes est universel : la bactérie *Escherichia coli* utilise pour la biosynthèse de ses protéines le même répertoire d'acides aminés standard que l'homme. On estime que l'alphabet fondamental des protéines est vieux de presque quatre milliards d'années. La concaténation d'acides aminés en chaîne polypeptidique n'est pourtant qu'une étape dans la biogenèse des protéines. *Seul le* **repliement** *de la chaîne en cours de synthèse aboutissant à une structure spatiale précise confère sa fonctionnalité à la protéine* – en plus d'une esthétique fascinante. Inversement, la perte de la structure ordonnée conduit généralement à la perte de la fonction de la protéine.

5.1 La structure des protéines est organisée hiérarchiquement

La **conformation** d'une protéine – l'arrangement de ses atomes dans l'espace – peut être décrite comme une architecture hiérarchisée (*fig.* 5.1). On appelle **structure primaire** la séquence linéaire, et donc l'enchaînement, de nature covalente, des acides aminés dans la chaîne polypeptidique. Cette séquence est déterminée au niveau des acides nucléiques par le gène correspondant. Le niveau suivant, la **structure secondaire**, définit l'organisation spatiale des acides aminés voisins dans la séquence linéaire sans tenir compte de la conformation des chaînes latérales. Les types fondamentaux revenant fréquemment sont appelés **éléments de structure secondaire**. La structure tridimensionnelle de la protéine entière est appelée **structure tertiaire**. Les interactions entre acides aminés éloignés les uns des autres dans la structure primaire jouent elles aussi un rôle dans cette structure. Souvent, des parties d'une protéine se replient en unités de structure tertiaire « autonomes », qui sont alors appelés **domaines**. Une fois repliée, la chaîne polypeptidique peut s'associer avec d'autres polypeptides pour former une **structure quaternaire**. Les polypeptides en faisant partie sont appelés **sous-unités**.

5.2 Les acides aminés sont assemblés en chaînes polypeptidiques

Comment se forme une protéine à partir de ses composants élémentaires ? Dans la nature vivante, le processus de **biosynthèse des protéines** a toujours lieu au sein de la cellule. Dans ce phénomène complexe, que nous verrons plus loin en détail (*chap.* 18), les acides aminés successifs sont reliés les uns aux autres. *Seuls les* **acides aminés L** *sont utilisés pour ce processus* (§ 2.9). Dans la suite, on s'est donc abstenu d'indiquer explicitement la configuration des acides aminés. La biosynthèse d'une protéine commence toujours par le même acide aminé, la **méthionine**. Son groupement carboxylique réagit avec le groupement α-amine d'un deuxième acide aminé, par exemple la glycine, pour former une **liaison peptidique** (-CO-NH-) et le dipeptide méthionylglycine (*fig.* 5.2). Cette réaction est une **condensation**, car dans ce processus une molécule d'eau a été formellement éliminée. *En réalité, le mécanisme de réaction est beaucoup plus compliqué et requiert l'activation préalable des acides aminés* (§ 18.2).

Le groupement carboxylique libre du dipeptide peut ensuite former une nouvelle liaison peptidique avec le groupement amine d'un troisième acide aminé, par exemple la sérine, pour donner le tripeptide méthionylglycylsérine. Ce processus de condensation se répète des centaines, voire des milliers de fois lors de la synthèse de protéines de plus grande taille, en produisant de longues chaînes linéaires d'acides aminés (*fig.* 5.3). *De cette manière, un nouvel acide aminé est toujours adjoint au groupement carboxylique de la chaîne peptidique en cours de synthèse : le polypeptide croît donc depuis le premier groupement α-amine – le groupement* **amino-terminal** *– jusqu'au dernier groupement carboxylique, le groupement* **carboxy-terminal**. Une unité acide aminé isolée d'une telle chaîne (-NH-C_αHR-CO-) est aussi appelée **résidu**. Par convention, on appelle les peptides courts d'au plus

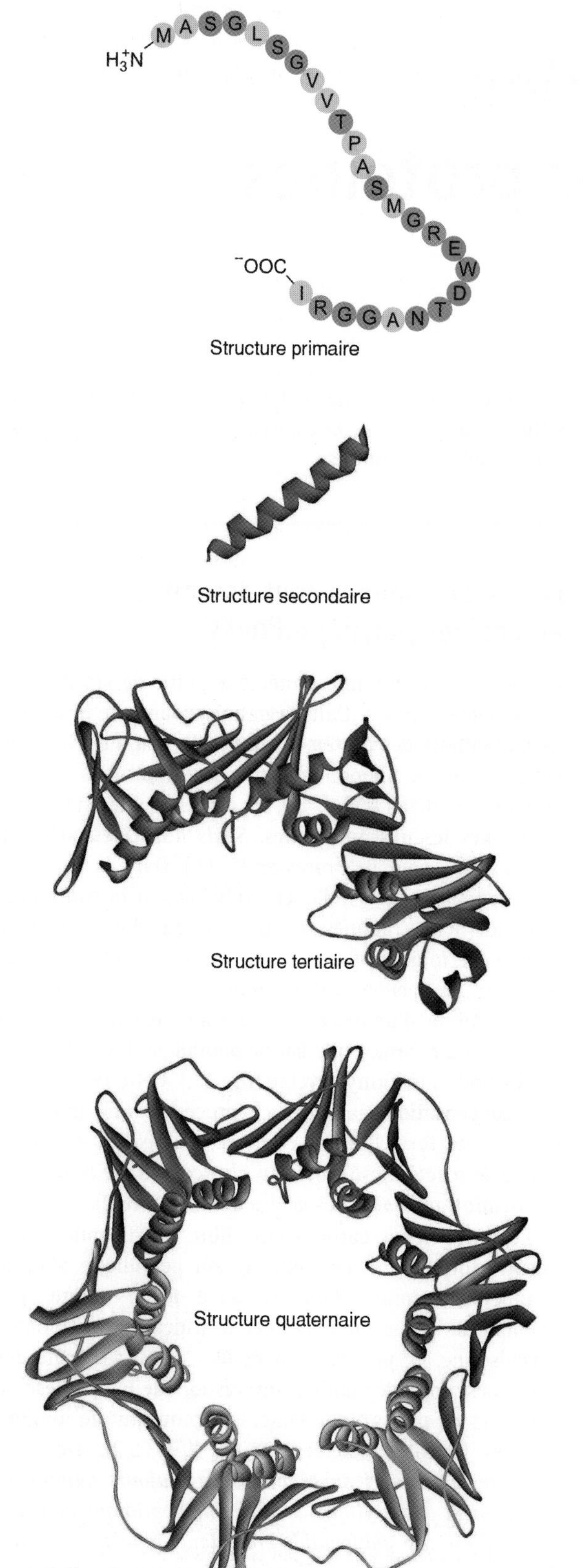

5.1 Niveaux de structure des protéines. La structure quaternaire représentée ici (en bas) est constituée de deux sous-unités identiques : il s'agit d'un homodimère.

groupe amine

groupe carboxyle

H_2O

$R_1 = -(CH_2)_2-S-CH_3$

$R_2 = -H$

liaison peptidique

5.2 Structure de la liaison peptidique. La condensation du groupement carboxyle de la méthionine et du groupement amine de la glycine donne par élimination d'eau une liaison peptidique (-CO-NH-), et le dipeptide Met-Gly.

dix résidus **oligopeptides** et ceux qui sont plus longs, **polypeptides.** Les polypeptides de plus de 50 résidus sont des **protéines.** La frontière entre ces définitions est fluctuante ; cependant le concept de *protéine* – contrairement à *polypeptide* – implique l'idée d'une structure spatiale définie. La masse moyenne d'un résidu (acide aminé après soustraction formelle d'une molécule d'H_2O) s'élève à 110 Daltons. Ainsi, l'albumine, la protéine majeure du plasma humain, a, avec 585 résidus, une masse moléculaire effective de 66 472 Daltons (66,5 kDa). En multipliant le nombre de résidus par 110, on peut donc vraiment bien estimer la masse moléculaire de la protéine.

5.3 Structure générale d'un polypeptide. La chaîne dite principale, constituée de liaisons peptidiques (-CO-NH-) répétées reliant les atomes C_α, constitue le squelette du polypeptide ; la diversité des protéines repose sur les différentes séquences de chaînes latérales R_n.

5.3

Les polypeptides peuvent être modifiés après leur synthèse

Une fois la biosynthèse terminée, la chaîne polypeptidique possède en général un groupement libre α-NH_2 sur le premier acide aminé (amino-terminal) et un groupement carboxylique libre sur le dernier (carboxy-terminal). Par convention, on écrit et on lit la séquence primaire d'une protéine de l'acide aminé amino-terminal (à gauche) vers l'acide aminé carboxy-terminal (à droite). Dans le cas du tripeptide « synthétisé » ci-dessus, il s'agit donc de la méthionylglycylsérine, dans le code à trois lettres Met-Gly-Ser ou dans celui à une lettre, MGS. L'**orientation** d'un peptide est donc une simple convention. Un exemple pour éclaircir ce point : dans de nombreuses protéines, qui contribuent à l'attachement (adhésion) des cellules par l'intermédiaire de récepteurs des intégrines, on trouve le court motif de séquence RGD, dont l'importance dans l'adhésion est capitale. Un tripeptide synthétique RGD (l'acide arginylglycylaspartique, Arg-Gly-Asp) « libre » se fixe lui aussi aux intégrines. Le tripeptide « inversé » DGR, lui, n'a aucune affinité pour ces récepteurs : NH_2-Arg-Gly-Asp-COOH (RGD) et NH_2-Asp-Gly-Arg-COOH (DGR) sont deux tripeptides complètement différents ayant des propriétés physiques, chimiques, mais aussi biologiques distinctes.

Parfois, les extrémités libres des polypeptides sont modifiées après la biosynthèse (*fig.* 5.4). *Des* **modifications post-traductionnelles** *servent souvent à protéger les peptides ou les protéines d'une dégradation biologique rapide.* Un exemple marquant du principe de « protection par modification » est fourni par l'hormone **thyrolibérine (TRH**, angl. *thyrotropin releasing hormone*) (*encart* 5.1). Comme nous le verrons plus loin, d'autres modifications post-traductionnelles changent les propriétés fonctionnelles des protéines.

Les polypeptides linéaires peuvent, pendant ou après la biosynthèse, établir des liaisons de différentes manières, au sein d'une même chaîne ou entre des chaînes distinctes. La plupart des liaisons de ce type font intervenir des **ponts disulfures** comme dans le cas de l'insuline (*fig.* 5.5). Parfois, les chaînes latérales des lysines ou des histidines sont également impliqués dans des liaisons entre chaînes polypeptidiques (§ 8.3). La formation de ponts disulfures requiert un milieu oxydant, qui n'existe que dans des compartiments cellulaires bien précis comme le réticulum endoplasmique ou l'espace extracellulaire, mais pas dans le cytosol. C'est pourquoi les protéines cytoplasmiques comme l'hémoglobine n'ont généralement pas de ponts disulfures, alors que les protéines sécrétées comme l'**insuline**, qui passent par le réticulum endoplasmique, portent souvent de telles « agrafes » chimiques. *Les ponts disulfures jouent un rôle important : ils peuvent d'une part stabiliser la structure spatiale de polypeptides isolés, et d'autre part assembler de manière covalente deux ou plusieurs polypeptides.*

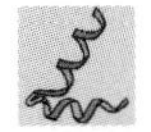

Encart 5.1 : Modifications post traductionnelles de la TRH

La biosynthèse de l'hormone thyroïdienne **thyroxine** (T_4) est étroitement contrôlée. Une région spécifique du cerveau, l'hypothalamus, peut « détecter » un défaut de thyroxine et, en réponse, libérer l'hormone TRH. TRH est un tripeptide qui devrait normalement être dégradé rapidement par des enzymes spécifiques (les peptidases). Des groupements chimiques protecteurs, un **résidu pyroglutamate** — le groupement α-amine forme un cycle avec le groupement γ-carboxyle de la chaîne latérale — et un **résidu proline amidé** à l'extrémité carboxyle préservent la TRH d'une dégradation rapide (*fig.* 5.4). Sa **demi-vie biologique** (c'est-à-dire le temps au bout du quel 50% du peptide présent au départ dans le corps est dégradé) en est considérablement augmentée. Grâce à ces « protections latérales », la TRH atteint par la circulation sanguine l'(adéno)hypophyse, et déclenche la libération par celle-ci de la protéohormone TSH (angl. *thyroid stimulating hormone*, thyrotropine), qui, elle, déclenche la libération de l'hormone thyroïdienne par les cellules folliculaires de la thyroïde.

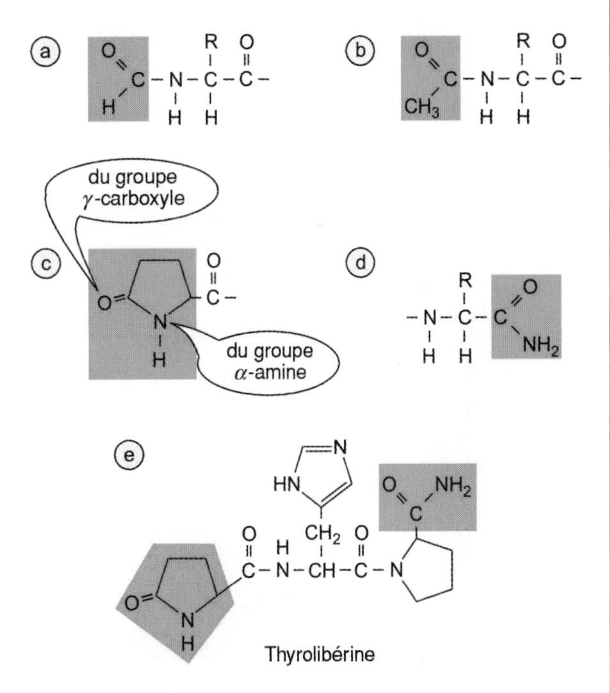

5.4 Modifications post-traductionnelles des extrémités. Les groupements terminaux des polypeptides sont modifiés par formylation (a) ou acétylation (b) du groupement amine, cyclisation d'un résidu glutamate à l'extrémité amine (c) ou amidation du groupement carboxyterminal (d). La thyrolibérine (*thyrotropin releasing hormone*, pyroglutamyl-histidinyl-prolylamide) est un exemple de peptide (doublement) modifié (e).

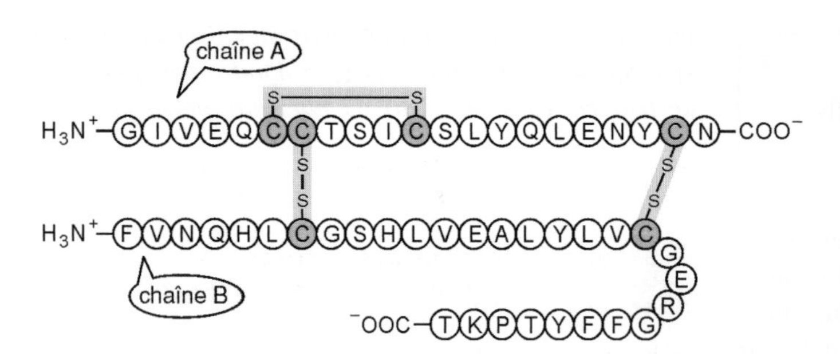

5.5 Les ponts disulfures de l'insuline. Chaque paire de cystéines est associée par oxydation en un pont disulfure. L'insuline possède deux ponts disulfures entre les chaînes A et B et un au sein de la chaîne A. Au cours de sa biosynthèse dans le pancréas, l'insuline est d'abord produite comme une seule chaîne polypeptidique : son peptide signal N-terminal est d'abord clivé, les ponts disulfures se forment, et un peptide C interne – situé entre les chaînes A et B – est lui aussi excisé.

Encart 5.2 : Modification des chaînes latérales d'acides aminés

Les variantes des chaînes latérales standard sont la **4-hydroxyproline** — par exemple dans le collagène, une protéine de structure — ou l'acide γ-carboxyglutamique, par exemple dans la thrombine, protéine de la coagulation ; la **phosphosérine** et la **phosphothréonine** comme chez la phosphorylase du glycogène ; la **cystéine farnesylée** chez la protéine transductrice du signal Ras ; ou l'**asparagine glycosylée** chez la glycophorine, protéine membranaire des érythrocytes (*fig.* 5.6). Ces modifications sont effectuées sur la chaîne polypeptidique naissante ou sur la protéine complètement synthétisée et repliée. Souvent, ils servent à l'activation des protéines. Par exemple la γ-carboxylation permet à des facteurs sanguins spécifiques de se fixer, via des ions Ca^{2+}, à la membrane phospholipidique des plaquettes, où ils démarrent la cascade de la coagulation, tandis que les facteurs non carboxylés ne sont pas fonctionnels (§ 14.4).

4-hydroxyproline

γ-carboxyglutamate

Phosphosérine

Résidu cystéine farnesylé

N-acétylglucosaminoasparagine

5.6 Modification des chaînes latérales. Les substituants ajoutés par modification chimique aux chaînes latérales standard sont soulignés par un fond rose. Dans le cas de l'asparagine glycosylée, seul le premier sucre qui lui est associé (la *N*-acétylglucosamine) est représenté ; en réalité, il s'agit d'un oligosaccharide de plus grande taille.

Ce principe est spécifiquement utilisé dans la thérapeutique de la thrombophilie (tendance exagérée à la coagulation). D'autres protéines acquièrent par glycosylation une signature chimique spécifique, qui est à l'origine de la subtile différenciation entre les antigènes définissant les groupes sanguins.

Dans le cas général, la panoplie complète des acides aminés est utilisée pour la construction d'une seule protéine : par exemple, dans le cytochrome *c* qui possède 104 résidus, les 20 types sont représentés. Si la distribution était statistique, on s'attendrait à ce que la représentation de chaque acide aminé soit en moyenne de 5 % dans la totalité des protéines. En fait, la fréquence moyenne varie de 1,2 % pour l'acide aminé le plus rare, le tryptophane, jusqu'à 9,6 % pour le résidu le plus fréquent, la leucine. Lorsque le répertoire standard des acides aminés ne suffit pas à remplir une fonction, la cellule peut à nouveau procéder à des modifications post-traductionnelles des chaînes latérales des acides aminés (encart 5.2). *D'où la devise : une modification structurale pour une modulation fonctionnelle* (*tab.* acides aminés).

5.4 La colonne vertébrale des protéines est formé de liaisons peptidiques planes

Les protéines sont faites d'unités de base répétées avec à chaque fois une liaison peptidique reliant les atomes C_α. Ensemble, elles constituent la **colonne vertébrale** (la chaîne principale) d'une protéine, de laquelle à chaque C_α, partent les chaînes latérales, comme des côtes (*fig.* 5.7). Chaque atome C_α est donc flanqué de deux unités peptidiques, à la seule exception des deux extrémités.

Comme la double liaison du groupement carbonyle est voisine de la paire électronique libre de l'azote (fonction amide), il y a délocalisation des électrons le long de la liaison peptidique : la liaison CO–NH est une **double liaison partielle** (*fig.* 5.8). *Ce caractère de double liaison conduit à l'abolition de la libre rotation autour de la liaison CO–NH. C'est pourquoi la liaison peptidique est plane et rigide.*

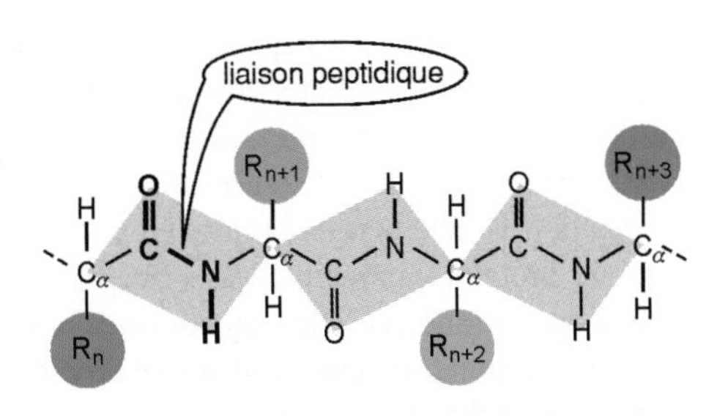

5.7 Représentation schématique d'une chaîne polypeptidique. Le groupement carboxyle de l'acide aminé n forme avec le groupement amine de l'acide aminé n+1 une liaison peptidique. Les chaînes latérales sont représentées par des sphères.

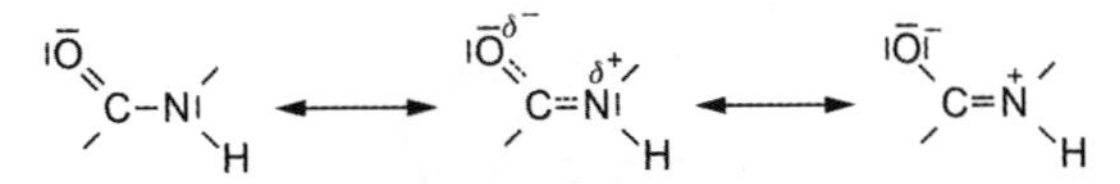

5.8 Formes résonantes de la liaison peptidique. La délocalisation locale des électrons sur les orbitales π des liaisons O-C-N leur donne un caractère de doubles liaisons partielles, qui conduit à une géométrie plane. La longueur de la liaison peptidique est de 1,32 Å, elle se situe donc entre une liaison simple C-N (1,49 Å) et une double liaison C=N (1,27 Å).

Les angles entre les atomes qui participent à la liaison peptidique sont presque invariants et largement indépendants de la nature du résidu concerné (*fig.* 5.9). En principe, les liaisons peptidiques peuvent exister sous la conformation *cis* ou *trans*, mais la **forme *trans***, dans laquelle les substituants H et O se trouvent de part et d'autre de la liaison peptidique est la conformation favorisée énergétiquement, et donc celle de presque toutes les liaisons peptidiques. Au contraire, dans la forme *cis*, les chaînes latérales R volumineuses d'atomes C_α voisins entrent en collision. Dans les liaisons Xaa-Pro (Xaa = n'importe quel acide aminé), du fait du comportement stérique particulier du cycle proline, les formes *cis* et *trans* sont comparables du point de vue énergétique, ce qui a son importance dans le repliement des protéines (§ 5.11).

Les liaisons N-C_α et C_α-CO, qui lient entre elles les unités peptidiques rigides, sont des liaisons simples à la rotation très libre. Les angles de rotation ou de torsion correspondants sont appelés ϕ (« phi » : N-C_α) et ψ (« psi » : C_α-CO) (*fig.* 5.10). Chaque liaison peptidique donnée de la chaîne d'un polypeptide adopte une combinaison bien définie d'angles ϕ et ψ. Dans leur ensemble, ces combinaisons d'angles définissent la conformation de la colonne vertébrale d'une protéine. Cependant, les angles de torsion ϕ et ψ ne définissent pas l'orientation des chaînes latérales : celles-ci sont branchées par la liaison C_α-C_β à la chaîne principale.

Les combinaisons possibles de ϕ et ψ ne sont pas quelconques, car un grand nombre de paires d'angles conduisent à une collision entre chaînes principale et

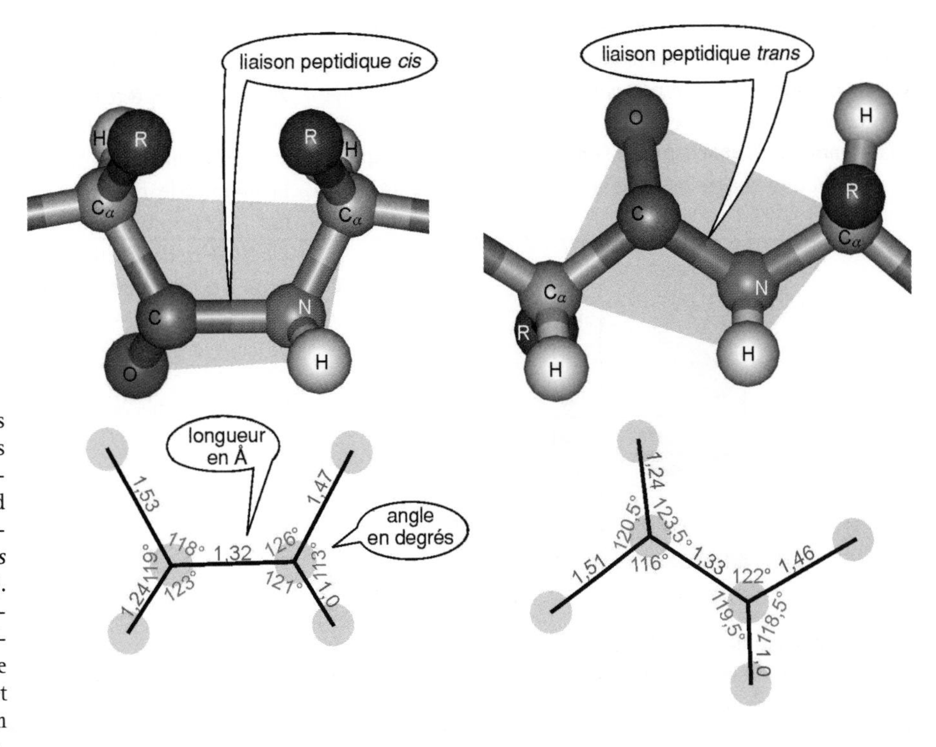

5.9 Grandeurs caractéristiques d'une liaison peptidique. Les longueurs standard (en Ångströms) et les angles standard (en degrés) d'une liaison peptidique dans la conformation *cis* (à gauche) ou *trans* (à droite). Des enzyme du type des isomérases *cis*/*trans* de peptidyl-prolyles catalysent l'échange entre la forme *cis* et la forme *trans* (et inversement) et jouent ainsi un rôle important dans le repliement des protéines.

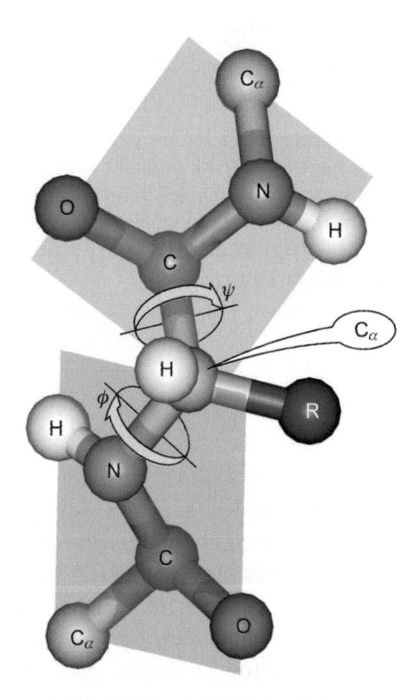

5.10 Rotation des liaisons peptidiques. Chaque unité a deux degrés de liberté de rotation, ϕ autour de la liaison simple N-C_α, et ψ autour de la liaison simple C_α-CO. Par convention, on donne aux deux angles la valeur de 180° dans la forme linéaire complètement étendue du polypeptide ; les angles augmentent dans le sens des aiguilles d'une montre lorsque l'on regarde depuis le C_α dans la direction de la liaison considérée. [RF]

latérale. Seules certaines combinaisons d'angles ϕ et ψ bien déterminées sont « permises » pour les acides aminés naturels, ce qui restreint considérablement l'espace des conformations de protéines possibles. Cet espace de conformations possibles peut être visualisé sous la forme du **diagramme de Ramachandran** (*fig.* 5.11). La glycine, qui à la place d'une chaîne latérale volumineuse n'a qu'un petit

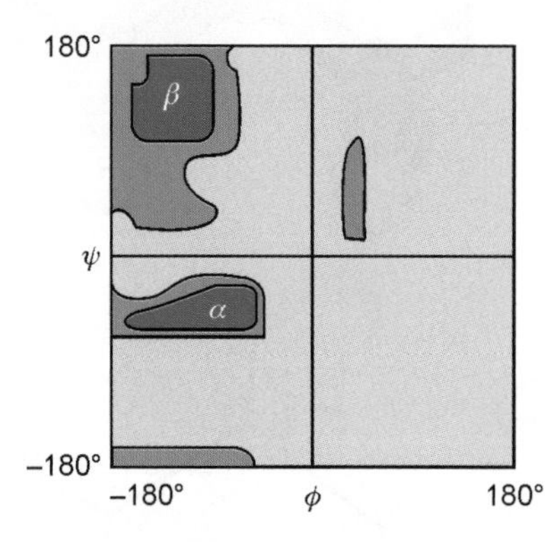

5.11 Diagramme de Ramachandran. Combinaisons de ϕ et ψ autorisées pour un peptide modèle, la polyalanine. Les hélices α et les feuillets β, éléments fréquents de structure secondaire (§ 5.5), se trouvent dans le domaine des combinaisons d'angles favorables (en bleu foncé). Ces diagrammes ont été nommés ainsi d'après leur inventeur, G. N. Ramachandran.

atome d'H fait exception, et accepte ainsi des combinaisons de ϕ et ψ « interdites » aux autres acides aminés. *C'est pourquoi la glycine occupe souvent des positions stratégiques importantes et conservées dans la structure des protéines* (§ 8.1). Elle permet la mise en place de conformations de protéines inhabituelles, « interdites » pour tout autre acide aminé, et elle est souvent, avec son encombrement minimal, le seul acide aminé possible dans un « goulot d'étranglement » structural.

5.5 L'hélice α est un élément de structure secondaire important

Pendant la synthèse des protéines, dans la cellule, il y a spontanément « prise de contact » entre les résidus d'acides aminés voisins dans l'espace parce que proches dans la structure primaire. Considérons d'abord les interactions entre les liaisons peptidiques de la chaîne principale : des **liaisons hydrogènes** *relient les groupements CO et NH de différentes liaisons peptidiques* (*fig.* 5.12). Ainsi se forment les trois éléments de structure secondaire primordiaux des protéines, l'hélice α, le feuillet β et le coude β.

L'**hélice α** est une structure en forme d'hélice obtenue par une torsion régulière de la chaîne polypeptidique. C'est une hélice droite : elle monte dans le sens des aiguilles d'une montre lorsque l'on regarde le long de l'axe de l'hélice. Des liaisons hydrogènes entre des paires de liaisons peptidiques séparées par trois résidus, par exemple entre la deuxième et la sixième liaison peptidique, stabilisent cette structure (*fig.* 5.13). Ces interactions se répètent périodiquement et impliquent toutes les liaisons peptidiques de l'hélice : non seulement la structure en hélice satisfait aux exigences au niveau de la géométrie des angles (§ 5.4), mais elle est stabilisée par un nombre maximal de liaisons non covalentes. *L'hélice α droite des protéines est caractérisée par une série de paramètres – pas, angle de rotation et translation par résidu –* (*tab.* 5.1) *qui sont clairement différents de ceux d'une hélice d'ADN* (*chap.* 16).

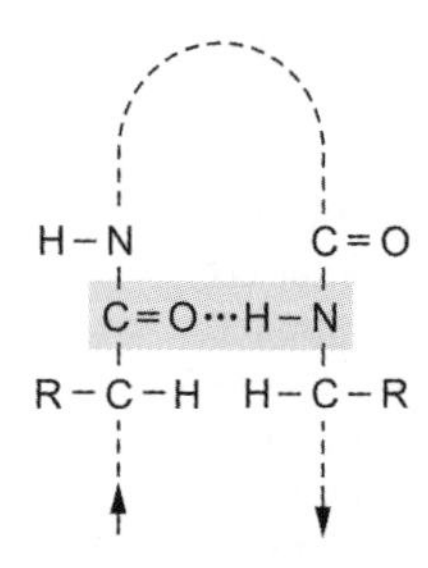

5.12 Liaisons hydrogènes entre des liaisons peptidiques. La formation de nombreuses liaisons H est caractéristique des hélices α et des feuillets β, éléments importants de structure secondaire.

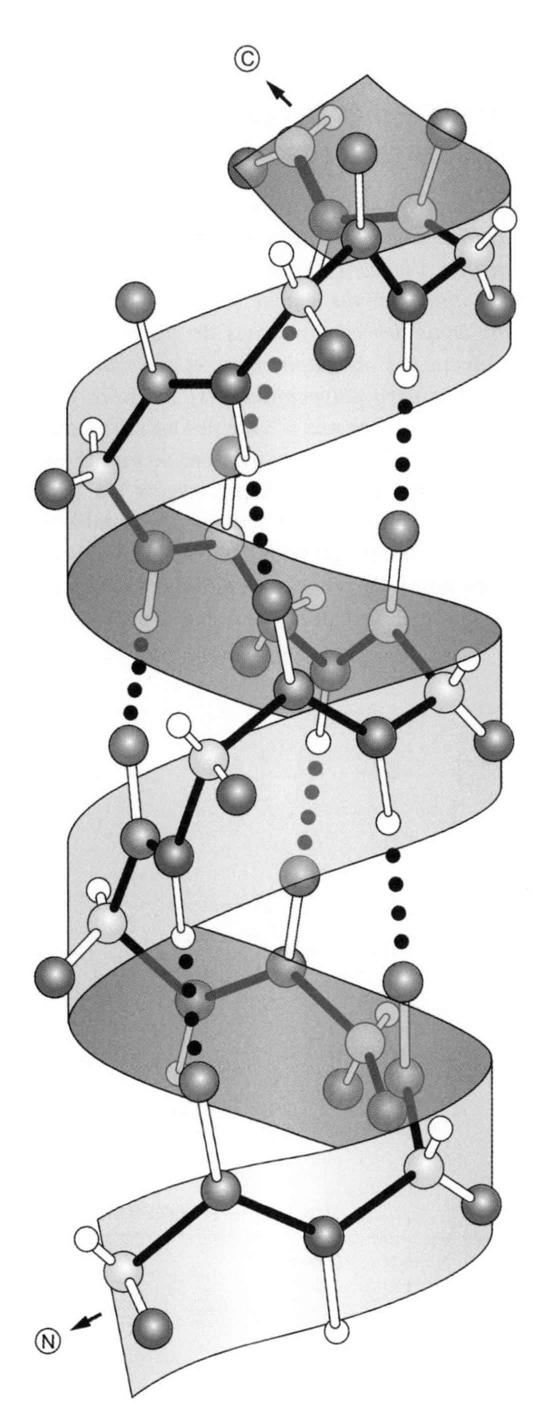

5.13 Structure d'une hélice α droite. Tous les atomes de la chaîne principale sont représentés ; les chaînes latérales sont indiquées schématiquement par des sphères. Les liaisons hydrogènes sont matérialisées par des pointillés ; code couleur comme pour la *fig.* 5.10. [RF]

La structure en hélice favorise la formation de liaisons hydrogènes « optimales », qui sont dans une large mesure parallèles à l'axe de l'hélice : le donneur et l'accepteur de liaison hydrogène pointent directement l'un vers l'autre. Une telle liaison ferme une boucle contenant au total 13 atomes de la chaîne principale. *L'intérieur d'une hélice α est toujours occupé par la chaîne principale, tandis que les chaînes latérales volumineuses pointent vers l'extérieur, comme des épines* (*fig.* 5.14). La longueur des hélices α dans les protéines varie beaucoup : en moyenne elle est d'environ dix résidus, ce qui fait une longueur de 1,5 nm. On trouve des hélices extrêmement longues, formant parfois des faisceaux, entre autres chez les protéines musculaires que sont la myosine et la tropomyosine (§ 9.2 et 9.5) : par exemple le faisceau d'hélices de la myosine a une longueur de 160 nm !

Tableau 5.1 Grandeurs caractéristiques d'une hélice α droite. Chaque résidu subit une rotation de 100° par rapport à son prédécesseur ; il faut donc 3,6 résidus pour faire un tour complet d'hélice. Le pas (distance parcourue le long de l'axe par tour d'hélice) s'obtient comme le produit de la translation par résidu et du nombre de résidus par tour.

Grandeur caractéristique	Valeur
liaison hydrogène	$(N\text{-}H)_n \ldots (C{=}O)_{n+4}$
translation par résidu	1,5 Å
rotation autour de l'axe	100° par résidu
résidus par tour	3,6
pas	5,4 Å

La plupart des acides aminés accommodent sans problèmes leur chaîne latérale au sein d'une structure en hélice α. La proline, dont le groupement amine est intégré à un cycle à cinq atomes, constitue une exception importante à cette règle. Lorsqu'un résidu proline est ajouté à une chaîne polypeptidique, il apparaît un groupement amine tertiaire, qui n'a plus d'hydrogène et ne peut donc pas non plus former de liaison hydrogène avec

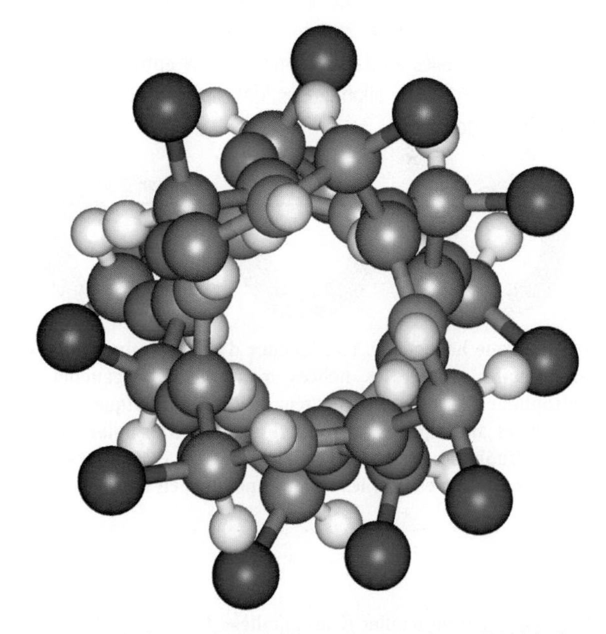

5.14 Vue de dessus d'une hélice α. Le regard est dirigé le long de l'axe longitudinal ; les chaînes latérales (en violet) pointent vers l'extérieur. Les atomes de la chaîne principale sont en réalité plus volumineux et remplissent totalement l'espace intérieur de l'hélice.

un groupement CO. De plus, l'espace permis pour ϕ et ψ, réduit par la fermeture du cycle, empêche la formation d'une structure en hélice α idéale. Pour cette raison, la proline agit souvent en **briseur d'hélice**. Une répartition irrégulière de différents types de chaînes latérales à la surface peut donner une polarité à une hélice α.

Bien que l'hélice α *gauche* soit « permise » du point de vue des angles de torsion ϕ et ψ, les chaînes principale et latérales y sont trop proches pour que cet élément de structure secondaire ait été réalisé dans la nature. *On trouve des hélices gauches dans le* **collagène**. *Toutefois, il s'agit là d'une hélice dont les paramètres sont très différents de ceux de l'hélice* α. Le collagène est en effet composé essentiellement des acides aminés glycine et proline, qui – ainsi qu'on l'a dit – permettent des conformations inhabituelles (§ 8.1).

Encart 5.3 : La polarité des hélices α

Au vu des natures différentes des chaînes latérales des acides aminés, les « surfaces » des hélices α peuvent être hydrophiles, hydrophobes ou encore amphiphiles. La **roue hélicoïdale** visualise ces relations en donnant la séquence en acides aminés sous la forme d'une projection bidimensionnelle. Les chaînes latérales, qui pointent vers l'extérieur du corps de l'hélice comme des épines, y sont projetées dans un plan perpendiculaire à l'axe de l'hélice. On passe d'un résidu au suivant par une rotation de 100° (*fig.* 5.15). Les hélices hydrophiles se trouvent classiquement à la surface des protéines cytoplasmiques comme la myoglobine. Les hélices hydrophobes sont souvent utilisées comme segments transmembranaires de protéines comme la glycophorine. Les hélices amphiphiles sont par exemple caractéristiques des apolipoprotéines dans lesquelles elles agissent comme « liant » entre composants hydrophobes (chaînes aliphatiques des lipides) et hydrophiles (têtes des lipides, eau).

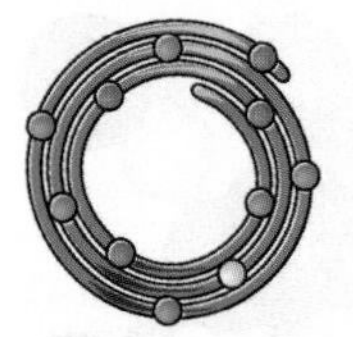
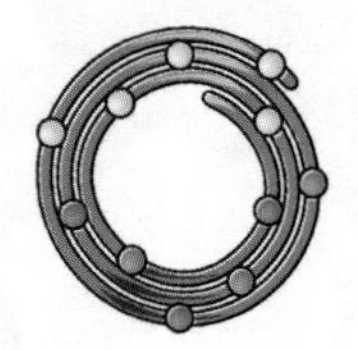
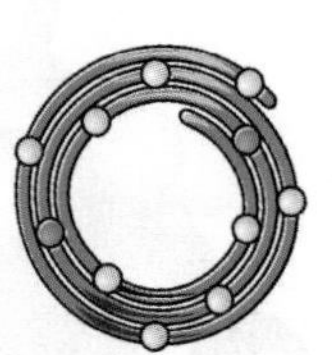

5.15 La roue hélicoïdale. La séquence d'acides aminés polaires ou apolaires définit les hélices hydrophiles (à gauche) ou hydrophobes (à droite) ; une répartition asymétrique produit des hélices amphiphiles (au centre) avec un côté polaire et un côté hydrophobe. Les résidus polaires et chargés sont respectivement en rouge et vert, les résidus apolaires en blanc.

5.16 Modèle d'un feuillet β antiparallèle. Les liaisons hydrogènes entre les liaisons peptidiques des chaînes principales stabilisent la structure. La distance axiale entre deux acides aminés voisins est de 3,5 Å dans un brin β ; dans une hélice α, elle n'est que de 1,5 Å : le feuillet β a donc une structure beaucoup plus « étirée ».

5.6 Les feuillets β et les coudes β forment des structures secondaires étendues

Un deuxième élément de structure secondaire important est le **feuillet β**, qui est composé de plusieurs **brins β**. *Contrairement à l'hélice α, ce ne sont pas ici des segments continus d'une unique chaîne polypeptidique qui interagissent, mais des combinaisons de segments différents, ne se suivant pas obligatoirement, et provenant d'une ou plusieurs chaîne(s) polypeptidique(s).* Les brins β concernés sont arrangés les uns à côté des autres de telle sorte que des liaisons hydrogènes puissent se former entre les groupements CO et NH de brins voisins (*fig.* 5.16). Les deux brins qui interagissent peuvent être **parallèles** (dans la même orientation) ou **antiparallèles** (dans des orientations contraires). On observe empiriquement que l'isoleucine, la valine, la thréonine ainsi que la phénylalanine et la tyrosine favorisent la formation de structures en feuillets β ; les résidus proline sont par contre peu fréquents dans ces feuillets.

Les brins du feuillet ont une structure en accordéon dans laquelle les chaînes latérales viennent se placer alternativement au dessus et au dessous du plan du feuillet (*fig.* 5.17). Il peut se former parfois des **feuillets β mixtes**, ayant un arrangement parallèle d'un côté du brin et antiparallèle de l'autre côté. Les feuillets β comprennent en moyenne six brins, ont une largeur de 2,5 nm et forment souvent le « cœur » d'une protéine globulaire, autour duquel s'assemblent des hélices et d'autres éléments de structure secondaire. La préalbumine du plasma humain est un exemple de protéine particulièrement riche en feuillets β. Les porines bactériennes forment dans la membrane des structures en feuillets β en forme de tonneau, qui jouent le rôle de pores (*fig.* 25.4). Par ailleurs, l'un des domaines protéiques les plus fréquents du protéome humain, le **domaine immunoglobuline**, est fait de feuillets β (*fig.* 33.10).

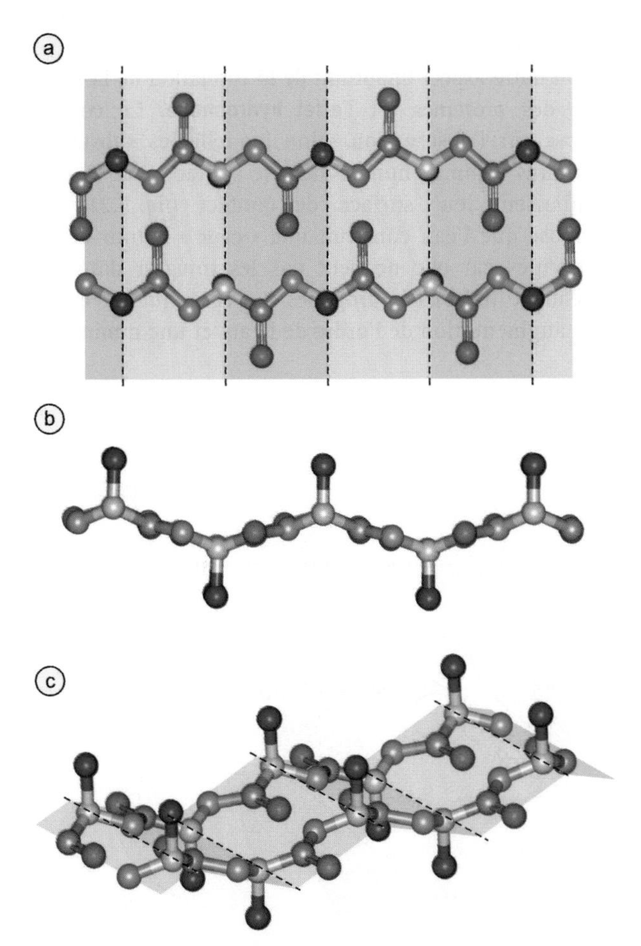

5.17 Feuillet β antiparallèle à deux brins. a) La vue de dessus montre comment les groupements carbonyles et NH pointent les uns vers les autres et peuvent donc former des liaisons hydrogènes ; b) dans la vue de côté, on observe que les chaînes latérales sont dirigées alternativement vers le dessus et le dessous du feuillet ; c) le feuillet a une géométrie en accordéon, ce qui se voit bien sur cette vue de trois quarts.

Comme les interactions sont possibles des deux côtés des liaisons peptidiques *trans*, il se forme fréquemment des structures en feuillets β étendues. Par exemple la **fibroïne de soie** – la principale protéine de la soie – se compose de nombreuses couches de feuillets β. Les chaînes polypeptidiques – et donc les interactions covalentes – courent parallèlement aux fibres et rendent la soie résistante au déchirement, bien qu'assez peu élastique, car le feuillet β est une structure déjà assez étirée, qui ne peut pas être étendue beaucoup plus. Entre les feuillets individuels, on a des interactions qui, elles, sont faibles et non covalentes, ce qui donne à la soie sa souplesse caractéristique.

Lorsqu'une chaîne polypeptidique continue forme un feuillet β antiparallèle, elle doit subir de brusques changements de direction. *Le troisième élément de structure secondaire « classique » –le* **coude β** *– relie typiquement deux segments de brin β par une courbe en épingle à cheveux* (*fig.* 5.18). Les deux variantes les plus courantes de coude β, dites de **type I** et **II**, contiennent chacune quatre résidus. Les deux types de coudes sont stabilisés par une liaison hydrogène entre deux résidus proches voisins (n et n+3) ; entre ceux-ci, on trouve deux résidus, dont les liaisons peptidiques adoptent des angles de torsion différents pour donner les deux types de coude. Le plus souvent, les coudes β sont présents à la surface des protéines, où ils permettent un changement de direction brusque. Il n'est donc pas étonnant que la proline et la glycine soient les deux acides aminés que l'on trouve le plus fréquemment dans cet élément de structure secondaire. À cause de leur position exposée, les coudes sont souvent la cible de modifications covalentes comme la phosphorylation ou la glycosylation. *Les coudes sont souvent impliqués dans la fixation de ligands par des récepteurs ou dans la reconnaissance d'antigènes par les anticorps.*

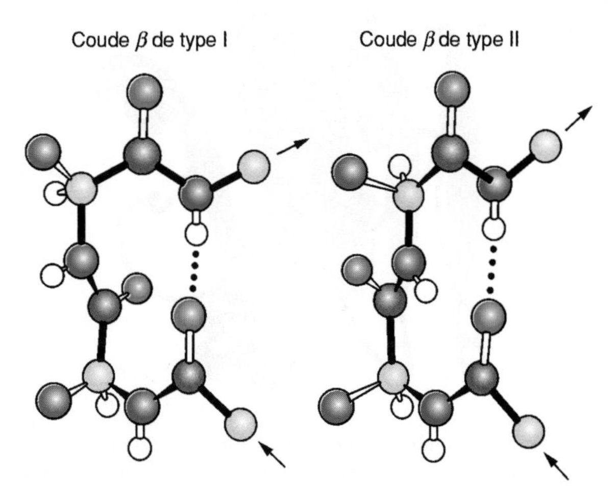

5.18 Types de coudes β les plus fréquents. Une liaison hydrogène referme la liaison peptidique n sur la liaison peptidique n+3. Les coudes β des protéines montrent des divergences plus ou moins prononcées par rapport à ces structures idéales. [RF]

5.7

Les éléments de structure secondaire forment des motifs récurrents

En dehors des éléments « réguliers », un polypeptide peut aussi adopter des structures secondaires plus complexes qui sont globalement appelés **pelotes** (angl. *coil*) ou **boucles** (angl. *loop*). L'appellation de « pelote » est un peu trompeuse et ne doit pas être confondue avec la **pelote statistique** (*random coil*), qui est la conformation aléatoire d'une protéine dépliée, sur laquelle nous reviendrons. *En fait, les segments en pelote et les boucles d'une protéine ne sont pas moins organisés qu'une hélice α ou qu'un feuillet β : ils sont simplement plus difficiles à décrire du fait de l'absence de structures répétitives.*

Du fait du grand nombre d'éléments de structure secondaire d'une protéine, dont l'ordonnancement est complexe et la représentation à résolution atomique peu lisible, on a développé des représentations simplifiées des conformations de protéines, que nous avons déjà rencontrées et qui sont appelés **modèles en rubans**. Dans ce modèle, les chaînes latérales sont omises, et seul le trajet de la chaîne principale est représenté sous la forme d'une bande continue comportant des symboles clairs, rubans hélicoïdaux pour les hélices α et flèches pour les brins β. Le reste de la chaîne polypeptidique est représenté sous la forme d'un « câble » (*fig.* 5.19). De cette manière, on obtient une image d'ensemble facilement mémorisable, même si elle est forcément réductrice.

Le peu d'éléments de structure secondaire définis est souvent réuni pour former des combinaisons classiques – appelées **superstructures secondaires** ou **motifs** – comme par exemple deux brins β séparés par une hélice α (βαβ), ou encore le motif hélice-boucle-hélice caractéristique des protéines fixant le Ca^{2+} comme la calmoduline (*fig.* 4.3).

5.8

La structure tertiaire est stabilisée par des interactions non covalentes

Quelles forces assemblent donc les éléments de structure secondaire en une structure tertiaire ? Ce sont surtout des interactions non covalentes : des liaisons ioniques (ponts salins), des forces de Van der Waals (forces dipolaires attractives entre atomes non chargés) et des liaisons hydrogènes. Chaque liaison ne fournit individuellement qu'une contribution minime, car elle est plus faible d'au moins un ordre de grandeur qu'une interaction covalente, dont l'énergie s'élève à 200-500 kJ/mol environ. Seule la coopération d'un grand nombre de contacts non covalents permet le maintien de la structure protéique (*fig.* 5.20).

Un autre aspect important de la formation de la structure des protéines est l'**effet hydrophobe**. Ce concept repose sur l'observation selon laquelle les substances apolaires comme l'huile évitent le contact avec l'eau et minimisent leur surface de contact (*fig.* 5.21). On suppose que l'eau construit une « cage » autour de ces molécules car elle ne peut pas les intégrer dans son réseau de liaisons hydrogènes. La conséquence en est une augmentation de l'ordre de l'eau, et une diminution

5.19 Modèle en rubans d'un domaine d'une enzyme, l'alcool-déshydrogénase. La symbolique des éléments de structure secondaire importants est illustrée par cet exemple. Les hélices sont représentées par des rubans spiralés et les brins β comme de larges flèches. Le reste de la chaîne polypeptidique est représenté comme un « câble ».

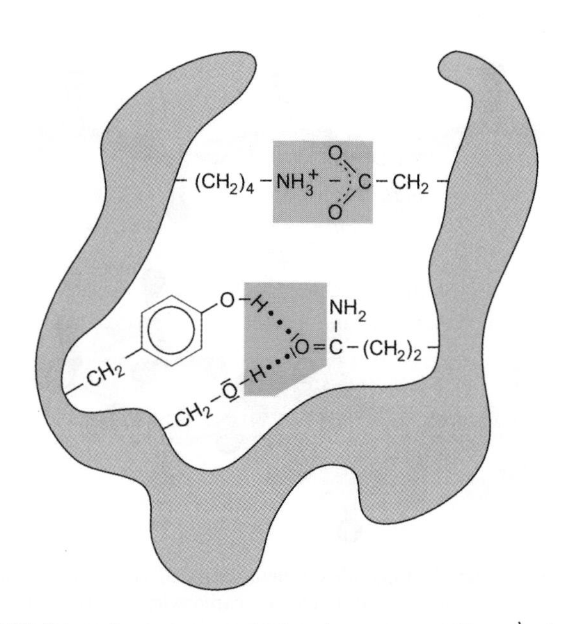

5.20 Interactions non-covalentes dans une protéine. À titre d'exemple, on a représenté un pont salin entre les chaînes latérales d'une lysine et d'un aspartate et des liaisons hydrogènes entre une sérine ou une tyrosine et une glutamine.

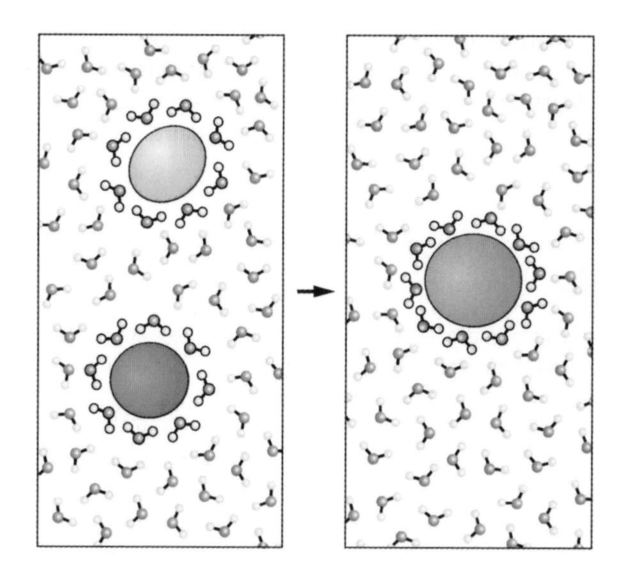

5.21 L'effet hydrophobe. Les substances insolubles dans l'eau – symbolisées par les gouttes d'huile rouge et jaune – obligent celle-ci à adopter un degré d'ordre plus élevé, car les possibilités géométriques d'établir des liaisons hydrogènes sont plus restreintes aux interfaces que dans l'eau « libre ». L'agrégation des substances hydrophobes – symbolisée par la goutte orange de l'illustration de droite – minimise la surface de la goutte. Ainsi, un plus petit nombre de molécules d'eau est forcé à s'ordonner ; la perte d'entropie de l'eau est donc plus petite que du côté gauche.

d'entropie. L'agrégation de groupements apolaires et donc hydrophobes minimise cette perte d'entropie de l'eau (§ 3.8). Ceci explique que l'espace interne des protéines, au sein duquel les chaînes latérales hydrophobes sont densément arrangées, est pratiquement dépourvu d'eau, et qu'au contraire les chaînes latérales polaires et chargées se trouvent essentiellement à la surface. *Le principe de l'effet hydrophobe réside donc dans la minimisation de la perte d'entropie de l'eau environnante par une agrégation maximale des groupements hydrophobes de la protéine.* L'effet hydrophobe contribue souvent plus à la stabilité d'une structure protéique que la somme des autres interactions non covalentes. Parfois on parle d'« interaction hydrophobe », ce qui est impropre : la nature de l'effet hydrophobe diffère profondément d'une liaison spécifique ou interaction entre deux atomes.

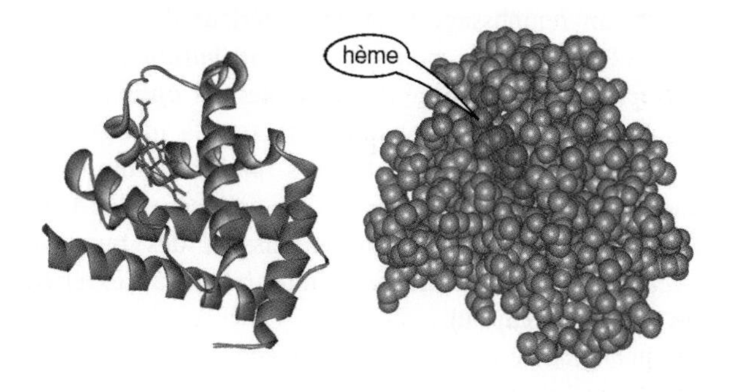

5.22 Structure spatiale de la myoglobine. Le modèle en rubans (à gauche) fait face au modèle compact, qui donne une bonne évaluation du volume des atomes. Les dimensions de la molécule de myoglobine sont d'environ 2,5 × 3,5 × 4,5 nm. Le groupement prosthétique est représenté en rouge : l'hème, qui est enchâssé dans une poche hydrophobe de la structure de la myoglobine, est essentiel à la fixation de l'O_2.

5.9 Les protéines globulaires se replient en structures compactes

Les protéines possèdent en générale une seule conformation compacte, qui leur confère leur fonction. Il faut se représenter qu'une protéine de 150 résidus est longue de plus de 50 nm sous sa forme étirée. Après le repliement, elle a souvent au contraire une forme **globulaire** (sphérique), dont le diamètre n'est que de 4 nm. Comment les polypeptides rentrent-ils dans ce « corset » ? Considérons l'exemple de la **myoglobine**, une protéine de stockage de l'oxygène dans les cellules musculaires. La myoglobine, première protéine globulaire dont la structure spatiale ait été déterminée, est une molécule au repliement extrêmement compact (*fig* . 5.22).

L'élément dominant de la structure secondaire de la myoglobine est l'hélice α : au total huit hélices sont reliées entre elles par des coudes, qui contiennent souvent des prolines. L'intérieur de cette protéine est presque exclusivement constitué de résidus à chaîne latérale hydrophobe, alors que la surface est riche en acides aminés polaires et chargés. L'ensemble des tailles finement échelonnées des chaînes latérales hydrophobes

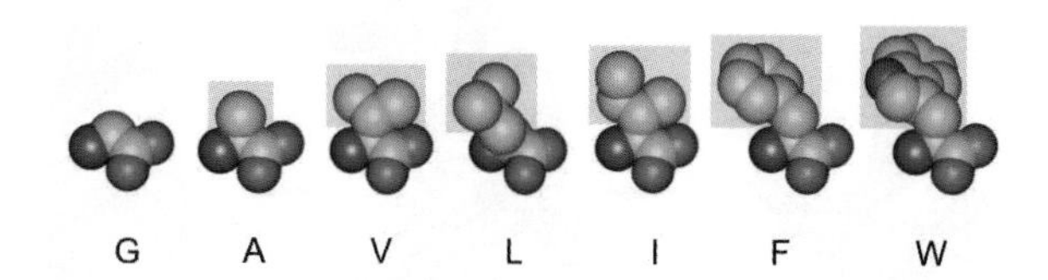

5.23 Les chaînes latérales hydrophobes à l'intérieur d'une protéine. L'échelonnement des tailles (en « tuyaux d'orgue ») permet un empilement compact au cœur des protéines.

permet un remplissage total de l'intérieur des protéines (*fig.* 5.23). *De cette manière, la contribution de l'effet hydrophobe à la stabilité des protéines est optimisée.* En dehors des protéines globulaires comme la myoglobine, il existe encore de nombreuses **protéines fibrillaires** (« allongées ») comme l'élastine, le collagène, l'α-kératine et la cytokératine, qui remplissent des fonctions mécaniques ou structurales à l'intérieur et à l'extérieur des cellules (*chap.* 8).

5.10

La structure quaternaire d'une protéine peut être constituée de plusieurs sous-unités

La mise en œuvre de fonctions complexes exige souvent plus d'une protéine que ce qui peut être réalisé par une unique chaîne polypeptidique. Un bon exemple en est le transport et le stockage d'oxygène, dont sont responsables l'hémoglobine et la myoglobine respectivement. Alors que le stockage réversible de l'O_2 peut être réalisé par une unité protéique unique, la myoglobine monomérique (grec *meros*, partie), ce sont quatre sous-unités de l'hémoglobine tétramérique qui doivent coopérer pour satisfaire aux exigences subtiles du transport d'O_2 (*fig.* 5.24). L'assemblage d'un complexe de chaînes polypeptidiques se fait typiquement à partir des **protomères** (sous-unités) déjà repliés et constitue le niveau d'organisation des protéines le plus élevé, la **structure quaternaire.** Il met en jeu les mêmes interactions non covalentes que pour la structure tertiaire. En outre, des ponts disulfures entre les sous-unités peuvent assurer de manière covalente la structure quaternaire.

L'hémoglobine représente l'exemple classique d'un complexe **hétéromérique** qui se compose d'au moins deux types de protomères. Il existe aussi des complexes **homomériques** ne comprenant qu'un type de sous-unité, comme par exemple les facteurs de transcription : la dimérisation sert ici de régulateur de l'activité fonctionnelle (§ 20.4–20.6). Les protéines peuvent aussi former des complexes de taille extrême. Par exemple la partie protéique du ribosome humain se compose d'environ 80 polypeptides différents (§18.3). Des sous-unités identiques peuvent s'associer en longs **filaments** (fibres) ou **tubules.** Les capsides de nombreux virus sont un exemple impressionnant de structures quaternaires hautement symétriques (*encart* 5.4).

Encart 5.4 : Les protéines d'enveloppe de virus

Le patrimoine génétique des virus est enfermé dans une enveloppe protectrice faite de protéines. Comme les virus ont un génome de très petite taille, il doivent utiliser pour leur empaquetage un nombre aussi petit que possible de types de protéines qui doivent être arrangées de manière symétrique. Une possibilité consiste à associer les sous-unités de protéine en un tuyau hélicoïdal — comme par exemple dans le virus de la mosaïque du tabac. Les enveloppes de virus sphériques, elles, ont une symétrie icosaédrique : on voit ici à titre d'exemple un **rhinovirus,** l'agent du rhume (*fig.* 5.25). Au total, 60 hétérotrimères des protéines d'enveloppe VP1, VP2 et VP3 constituent l'enveloppe symétrique du virus.

5.25 Enveloppe protéique du rhinovirus 14. La structure de ce complexe protéique a été résolue par analyse structurale aux rayons X de cristaux de la particule virale. Les protéines d'enveloppe VP1, VP2 et VP3 sont représentées par différentes couleurs. [RF]

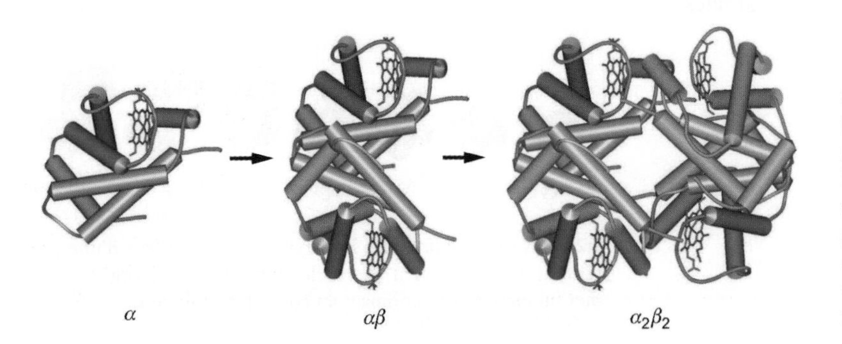

5.24 Structure quaternaire de l'hémoglobine. Une chaîne α et une chaîne β s'associent pour former un dimère $\alpha\beta$; l'association de deux dimères aboutit à la structure quaternaire native de l'hémoglobine, le tétramère $\alpha_2\beta_2$. Ce n'est que sous cette forme que l'hémoglobine est un transporteur d'oxygène complètement fonctionnel.

5.11

Les protéines se replient par étapes jusqu'à leur conformation native

Nous connaissons maintenant les forces qui maintiennent les structures protéiques. Mais comment se déroule le processus de repliement, le chemin qui va de la protéine « fraîchement » synthétisée à la protéine structurée en trois dimensions ? Les protéines ont besoin pour se replier de moins d'une seconde en général. L'exemple numérique simple d'un polypeptide de 100 acides aminés montre que cette vitesse n'est rien moins qu'évidente : même si les angles de torsion ϕ et ψ le long de la colonne vertébrale de la protéine étaient restreints à deux combinaisons énergétiquement favorables – deux points dans l'espace des conformations du diagramme de Ramachandran –, il existerait encore 2^{100}, soit environ 10^{30} conformations possibles de la chaîne principale. La rotation d'un angle à un autre ne prend certes qu'un temps très court, de l'ordre de 10^{-11} secondes. Néanmoins, essayer toutes les 10^{30} combinaisons prendrait encore dans cette hypothèse 100 milliards d'années ! *Le repliement des protéines à partir du polypeptide néosynthétisé ne peut donc pas être un processus qui fonctionne par essai et erreur.* Mais il semble par ailleurs qu'il n'existe pas de chemin unique prédéterminé de repliement, comme cela a été souvent supposé dans le passé, pour résoudre ce **paradoxe**, dit **de Levinthal**, du repliement rapide des protéines. En fait, les polypeptides non repliés se meuvent dans un **entonnoir énergétique** vers la structure de la protéine native (*fig.* 5.26). Dans cet entonnoir, le nombre de conformations énergétiquement possibles est rapidement limité et plusieurs chemins peuvent conduire au but. Ces chemins passent aussi souvent par des intermédiaires métastables, c'est à dire des « dépressions » locales de l'entonnoir. Parfois, ces dépressions peuvent constituer des pièges, où la protéine reste emprisonnée dans un état incorrectement replié. *La force motrice du repliement est comme dans tout processus naturel la diminution d'énergie libre* (*encart* 5.5).

Différents modèles décrivent les processus moléculaires intervenant dans le repliement (*fig.* 5.28). Le **repliement hiérarchique** commencerait avec la formation locale spontanée de structures secondaires. Si celles-ci sont stables, c'est-à-dire énergétiquement plus favorables que le polypeptide déplié, elles « survivent » et peuvent s'associer en superstructures secondaires plus étendues, comme par exemple les motifs $\beta\alpha\beta$. Les structures locales servent en quelque sorte de germes de

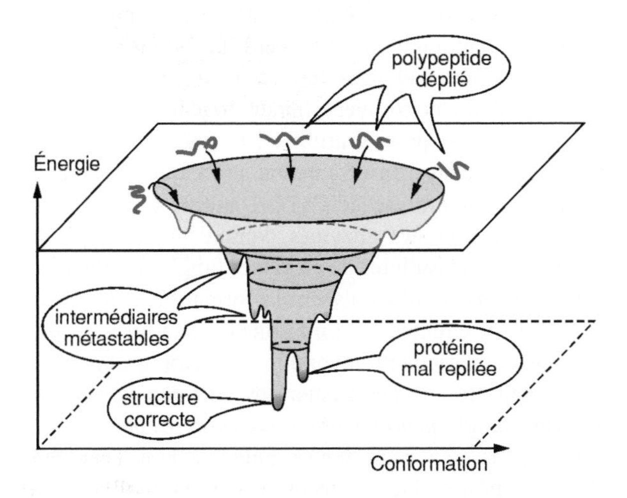

5.26 Représentation schématique d'un « entonnoir de repliement ». Les polypeptides dépliés peuvent se mouvoir par une quantité innombrable de chemins vers la structure tertiaire correcte. Sur ces chemins se trouvent souvent des intermédiaires stables de repliement (des minima locaux d'énergie), mais aussi parfois des « pièges » dans laquelle la protéine reste dans un état incorrectement replié. [RF]

Encart 5.5 : Énergie libre de repliement

Pourquoi les protéines se replient-elles spontanément ? La force motrice du processus de repliement est la **diminution d'énergie libre** du système : $\Delta G = \Delta H - T\Delta S$ doit prendre une valeur négative (§ 3.8). Cette situation est le résultat de l'action de facteurs opposés : d'un côté un état enthalpiquement favorisé ($\Delta H < 0$) est atteint grâce à la formation de nouvelles interactions non covalentes, liaisons ioniques, liaisons hydrogènes et interactions de Van der Waals. D'un autre côté, la limitation à une conformation ordonnée fait baisser l'entropie de la chaîne polypeptidique ($\Delta S < 0$) (*fig.* 5.27). Cependant, l'eau environnante gagne en entropie lorsque les chaînes latérales hydrophobes sont enfouies dans la protéine repliée (§ 5.8). Le premier et le dernier facteur précités favorisent donc le repliement, alors que la perte d'entropie du polypeptide agit dans l'autre sens.

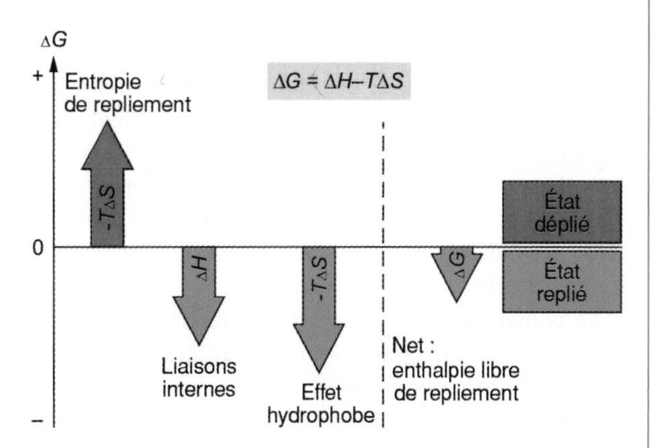

5.27 Énergie libre de repliement des protéines. La limitation de la liberté de conformation de la chaîne polypeptidique travaille contre le repliement, les liaisons non covalentes et l'effet hydrophobe le favorisent au contraire. En dernier ressort, la variation d'énergie libre ΔG (§ 3.9) doit être négative pour que le repliement soit spontané.

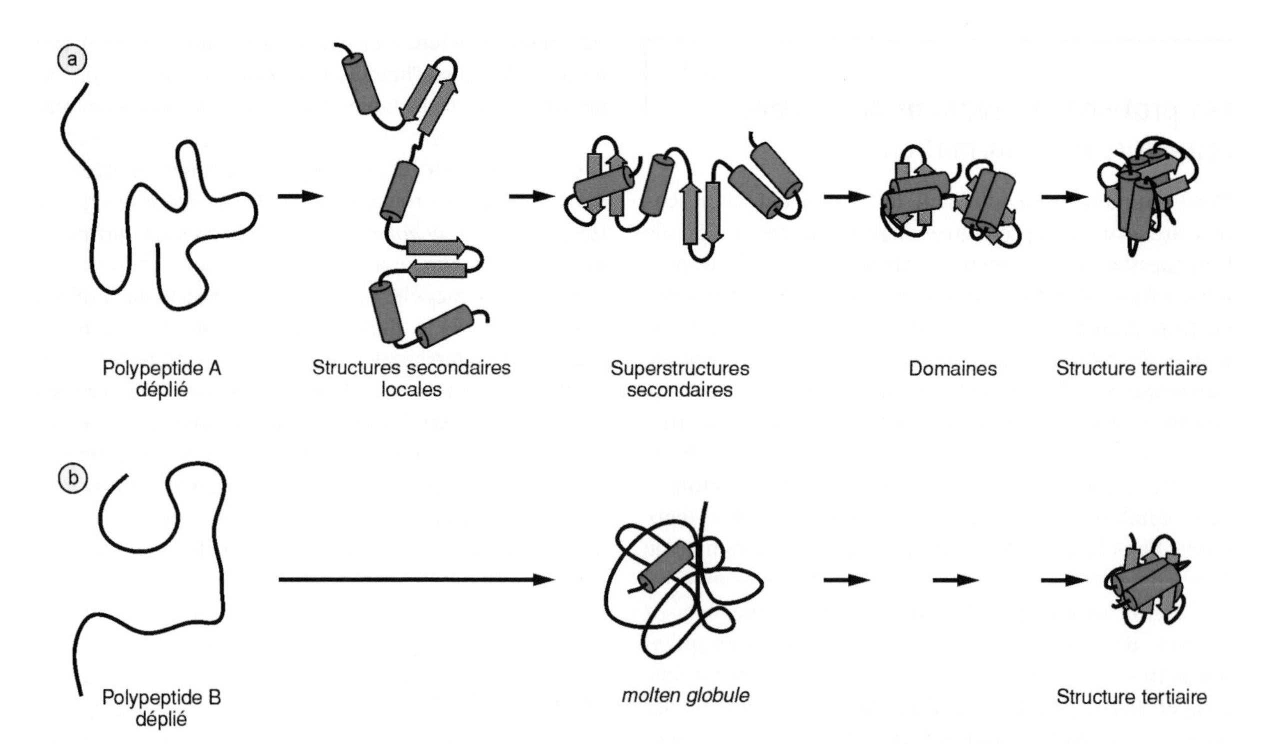

5.28 Modèle mécanique du repliement des protéines : a) dans un modèle hiérarchique, les structures secondaires locales forment les « zones de nucléation » d'un repliement ultérieur en superstructures secondaires et en domaines, puis en structure tertiaire complète ; b) dans le modèle de l'effondrement hydrophobe, il se forme d'abord une structure compacte en raison de l'effet hydrophobe. C'est à partir de cet ensemble de conformations déjà fortement contraint que la protéine « recherche » sa structure correcte.

cristallisation, appelés **sites de nucléation du repliement,** autour desquels le reste de la protéine se structure. Le processus progresse de la manière suivante : il va de la formation de domaines isolés jusqu'au polypeptide complètement replié. Une autre hypothèse est celle de l'**effondrement hydrophobe** : au début du processus de repliement, on a la formation d'une structure compacte, dans laquelle les chaînes latérales hydrophobes sont protégées du milieu aqueux. On parle d'un ***molten globule***, que l'on pourrait traduire librement par « protéine fondue ». La protéine « recherche » ensuite sa structure définitive en partant de cet état déjà très restreint dans ses possibilités de conformation. Le repliement de la majorité des protéines réunit probablement des aspects des deux modèles ; les intermédiaires métastables (*fig.* 5.26) peuvent être vus aussi bien comme des structures secondaires formées localement que comme un *molten globule.*

La plupart des expériences sur le repliement des protéines ont été effectuées *in vitro* sur des polypeptides « finis » et isolés. On y détruit spécifiquement la structure tertiaire (§ 5.12) pour pouvoir ensuite observer le retour à l'état natif. Le repliement des protéines *in vivo* est encore plus complexe : les parties déjà formées d'un polypeptide en cours de synthèse commencent à se replier longtemps avant que la synthèse de la chaîne polypeptidique, lente en comparaison (4-20 acides aminés par seconde), soit terminée. De plus, il règne dans la cellule une concentration très élevée de protéines (≈ 300 g/L) et par conséquent une forte concentration d'intermédiaires de repliement de protéines néosynthétisées. Cette situation présente le danger d'une formation d'agrégats protéiques insolubles. La cellule possède donc des « auxiliaires de repliement » appelés **protéines chaperons.** Elles fixent réversiblement les surfaces hydrophobes de la chaîne peptidique, pour prévenir la formation d'agrégats indésirables et pour donner le temps à la chaîne polypeptidique de trouver le mode de repliement correct. Cette aide n'est pas « gratuite » : la libération du complexe entre chaperon et substrat protéique est souvent couplée à l'hydrolyse de l'ATP. D'autres auxiliaires de repliement sont des enzymes comme par exemple les **isomérases de disulfures de protéines** (angl. *protein disulfide isomerase*), qui catalysent la formation et le clivage rapide de différentes combinaisons de disulfures, jusqu'à ce que l'appariement favorable de deux groupements thiols soit trouvé. Les **isomérases *cis/trans* de peptidyl-prolyles** (angl. *peptidyl-prolyl-cis/trans-isomerase*) que nous avons déjà mentionnées aident à la « recherche » de la conformation correcte. Après la synthèse, les liaisons peptidiques se trouvent toujours dans la conformation *trans* ; pourtant, dans les structures de protéines repliées, on trouve souvent des *cis*-prolines. L'isomérisation nécessaire de la conformation *trans* vers la conformation *cis* prendrait trop de temps sans catalyse enzymatique.

5.12

Les protéines peuvent être dénaturées réversiblement

Chaque protéine possède une structure spatiale unique et spécifique. Le facteur déterminant est la séquence ou structure primaire de la protéine, telle qu'elle est définie par le patrimoine héréditaire. Le repliement en structure tridimensionnelle, lui, suit – tout simplement – spontanément les lois de la thermodynamique. Une démonstration impressionnante en est donnée par une expérience classique utilisant la ribonucléase A (RNase A), une enzyme de structure globulaire clivant les acides ribonucléiques. En la chauffant à 100 °C ou en lui ajoutant de l'urée, on peut abolir la structure spatiale ordonnée de la protéine native. La chaîne polypeptidique est alors sous la forme d'une pelote statistique (*random coil*) parfaitement désordonnée : on parle de **dénaturation** (*fig.* 5.29). L'urée est un **chaotrope** courant : elle augment la solubilité des groupes hydrophobes dans l'eau et favorise le dépliement des protéines globulaires. Seuls les ponts disulfures marquent encore les points de contact des segments polypeptidiques de la structure ordonnée ; on peut les détruire en ajoutant un réducteur comme par exemple le mercaptoéthanol. Après dénaturation, la RNase perd toute activité enzymatique.

Si l'on élimine l'urée et le mercaptoéthanol par dialyse, il y a repliement spontané vers la conformation native : l'activité enzymatique est alors régénérée. *Une protéine « connaît » donc sa conformation authentique ; cette information doit être contenue dans la structure primaire.* En fait, la dénaturation réversible ne fonctionne pas, et

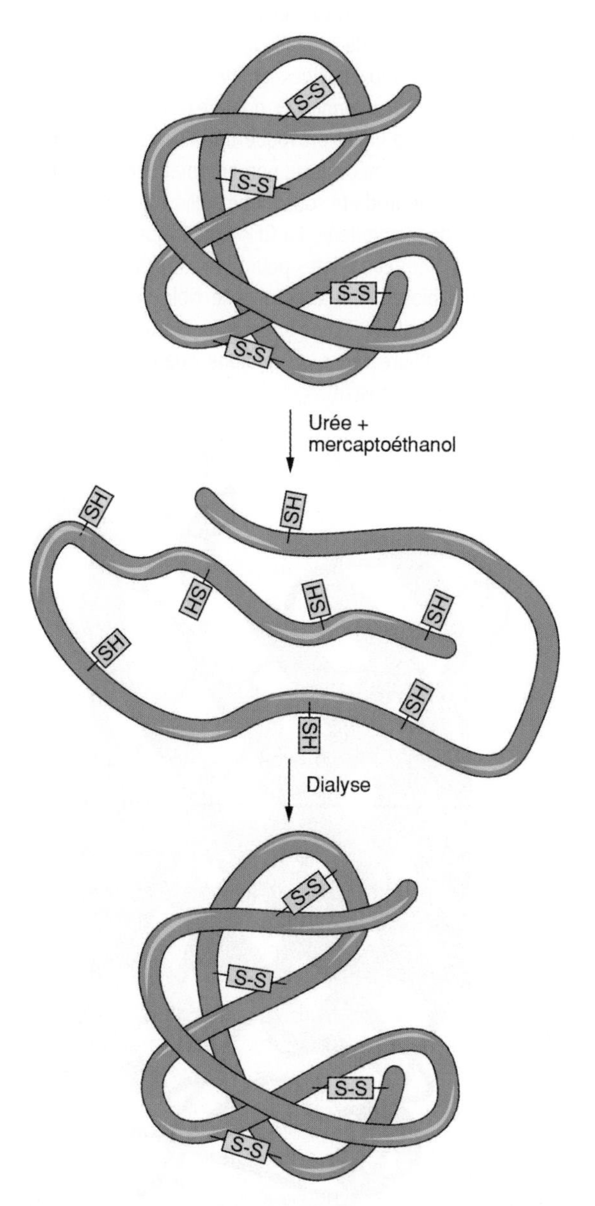

5.29 Dénaturation de la ribonucléase A. La structure globulaire ordonnée (en haut) est convertie par addition d'urée et de mercaptoéthanol en pelote statistique (au milieu). Si l'on retire les réactifs par dialyse, le processus est réversible : la chaîne en pelote aléatoire peut se replier spontanément en sa structure globulaire compacte (en bas).

Encart 5.6 : Repliement incorrect des protéines

Le mauvais repliement des protéines a une importance pathologique fondamentale dans de nombreuses maladies. Dans la **maladie d'Alzheimer**, on trouve des agrégats de protéine insolubles dans le cerveau des patients. À cause de leur ressemblance avec l'amidon (amylose), on les appelle « amyloïdes ». L'agrégation d'un **peptide β-amyloïde** en polymères insolubles riches en feuillets β aboutit à la formation de **plaques amyloïdes**. Les conditions dans lesquelles le peptide β-amyloïde s'agrège sont encore peu claires. Des mutations du gène correspondant peuvent accélérer ce processus et conduisent à la déclaration de la maladie. Certaines maladies neurodégénératives comme la maladie de Creutzfeld-Jacob, la tremblante du mouton et l'**encéphalopathie spongiforme bovine (ESB)** ont un rapport étroit avec le repliement incorrect et l'agrégation des protéines. La **protéine prion PrP** impliquée dans ces maladies comporte 219 acides aminés. Elle porte de nombreuses modifications, parmi lesquelles une ancre de glycophosphatidylinositol, qui maintient la protéine dans le feuillet extérieur de la membrane cellulaire. Le monomère « normal » du prion PrP^c est essentiellement formé d'hélices α ; une partie importante de sa forme « pathologique » PrP^{sc} est faite de feuillets β et forme des multimères insolubles, qui ont des effets toxiques. Au cours de ce processus, PrP^{sc} mal repliée peut, ce qui est très surprenant, pousser la PrP^c « normale » à adopter la forme pathologique PrP^{sc} : nous avons ici affaire à un effet de dominos. *Selon cette* **hypothèse des prions**, *le caractère infectieux ne serait plus l'apanage des bactéries, des parasites et des virus, mais pourrait aussi appartenir à des protéines isolées.*

de loin, pour toutes les protéines comme pour la ribonucléase A. Dans le cas de nombreuses protéines, la dénaturation est *dans la pratique* irréversible : pensez par exemple à un (blanc d')œuf dur ! Le rôle déterministe de la structure primaire explique aussi pourquoi des changements en une position de la chaîne polypeptidique peuvent gêner le processus de repliement si durablement. Les protéines mal repliées fonctionnent presque toujours incorrectement et peuvent conduire à des maladies graves (*encart* 31.2). *Il n'y a souvent qu'une frontière ténue entre une conformation correcte et un mauvais repliement d'une protéine* (*encart* 5.6).

5.13 Les protéines peuvent êtres conçues sur mesure

Le développement des technologies recombinantes de l'ADN (*chap.* 22) et de la synthèse chimique de peptides ou de petites protéines (§ 7.2) permet de modifier spécifiquement les protéines, ou de les concevoir complètement *de novo* – on parle d'**ingénierie des protéines** (angl. *protein engineering*). Nous avons ainsi une possibilité expérimentale de tester notre compréhension du repliement des protéines. Ainsi, on a pu synthétiser *de novo* des structures simples comme par exemple un faisceau de quatre hélices α en respectant les règles observées chez les protéines naturelles. De nombreuses protéines sont des catalyseurs parfaits, que l'on aimerait utiliser dans des procédés industriels. La plupart ont été adaptées par l'évolution à des conditions « douces », qui sont absentes des procédés technologiques. Par exemple, une protéase, la **subtilisine**, dégrade efficacement les protéines qui salissent nos vêtements et est donc ajoutée aux lessives. Cependant, ces lessives ne peuvent pas contenir d'eau de Javel, qui inactiverait totalement l'enzyme par oxydation d'une méthionine critique à la position 222. Si maintenant l'on remplace ce résidu par mutagenèse dirigée (§ 22.10) par un résidu alanine non réactif, l'enzyme « survit » aussi en présence d'eau de Javel. On s'intéresse aussi beaucoup aux enzymes thermostables, qui sont fréquemment extraites de bactéries thermophiles : dans les sources volcaniques, les organismes vivants sont soumis à des températures de 100 °C et plus. Leurs protéines thermostables, comme par exemple l'ADN polymérase *Taq* de *Thermus aquaticus* (§ 4.5) sont d'une valeur biotechnologique inestimable. L'imitation de ces enzymes naturelles a conduit à des variants plus thermostables de la subtilisine.

On peut aussi obtenir des protéines ayant de nouvelles propriétés par **fusion** au niveau des gènes de protéines connues. Ces **protéines chimériques** (grec *chimera*, monstre mythologique à tête de lion, torse de chèvre et queue de serpent) peuvent réunir les propriétés indépendantes de deux protéines ou plus au sein d'un même polypeptide. Ces protéines fusions servent aussi souvent en recherche de **rapporteurs**, c'est-à-dire que l'on

Encart 5.7 : La protéine verte fluorescente (GFP)

La GFP (angl. *green fluorescent protein*), décrite dès 1962, est devenue la « favorite » des biochimistes. Cette protéine, d'une masse de 30 kDa environ, est à l'origine de la bioluminescence d'une méduse de l'Océan Pacifique, *Aequorea victoria*. Elle a une structure caractéristique en tonneau (*fig.* 5.30). Le chromophore – la partie responsable de la couleur – est un système cyclique formé à partir du trio d'acides aminés Ser-Tyr-Gly (positions 65-67) à l'intérieur du « tonneau » dont l'excitation par le rayonnement bleu ou ultra-violet provoque une fluorescence verte. Le cycle se forme par un mécanisme non-enzymatique. De ce fait, la GFP peut aussi être produite sous forme active dans des bactéries ou des cellules de mammifères. La GFP a été fusionnée génétiquement à des protéines candidates pour pouvoir en suivre le devenir cellulaire, de la biosynthèse à l'organelle cible (§ 22.9). La GFP peut aussi être utilisée comme gène rapporteur : c'est alors l'intensité de la fluorescence qui indique quand et dans quelle mesure un gène est transcrit.

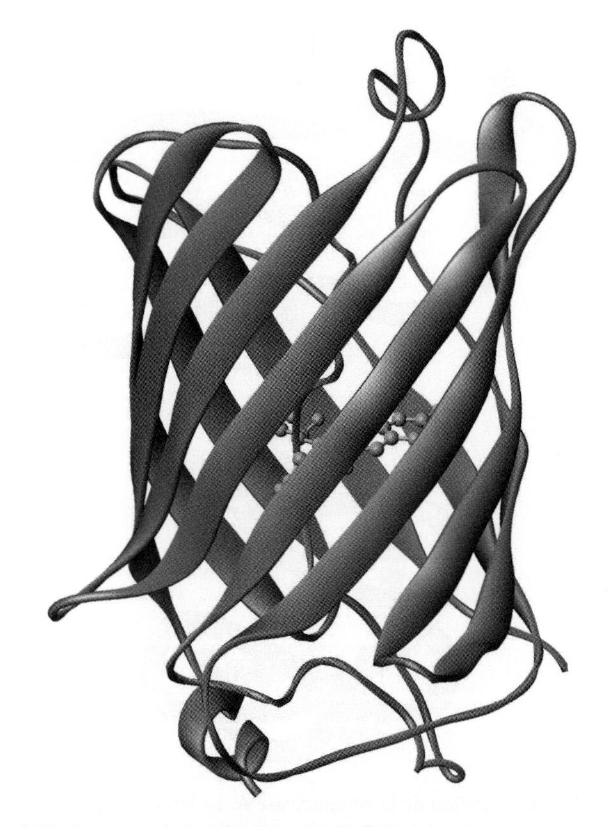

5.30 Structure de la GFP. Onze brins β forment une structure en tonneau (tonneau β). Une hélice α, qui porte le chromophore traverse le tonneau : les résidus essentiels du trio sont représentés en jaune. Le tonneau protège le chromophore d'une extinction (angl. *quenching*) de la fluorescence par l'eau environnante. [RF]

fusionne une protéine dont on veut suivre le devenir à une protéine facilement détectable comme par exemple la **protéine verte fluorescente** (**GFP,** angl. *green fluorescent protein*) (*encart* 5.7).

Nous terminons ici l'examen des différents niveaux de l'architecture des protéines. Mentionnons que de nombreux aspects du repliement et surtout du repliement incorrect restent incompris. *Le « code du repliement » est l'une des grandes questions non résolues de la biochimie moderne.* Non seulement la recherche de la solution à cette question a un attrait intellectuel énorme, mais l'intérêt pratique que l'on pourrait tirer de la prédiction du repliement des protéines, par exemple en relation avec la conception de nouvelles protéines ou l'analyse des données de séquençage d'ADN génomique, aurait un impact exceptionnel.

Les protéines au banc d'essai

6

Presque tous les processus biologiques mentionnés dans cet ouvrage reposent sur l'action spécifique de protéines. Comme nous l'avons vu au chapitre précédent, la diversité des fonctions des protéines est la conséquence d'une diversité structurale. *Si l'on veut comprendre au niveau moléculaire les phénomènes biologiques – ce qui est le but central de la biochimie –, il est nécessaire d'identifier et d'isoler les protéines concernées, puis d'analyser leur(s) fonction(s), leur séquence en acides aminés et leur structure spatiale.* Pour caractériser une protéine particulière, il faut d'abord la séparer d'une multitude d'autres protéines. Cela n'est possible en principe que parce que les protéines sont uniques. Cependant, cette individualité implique que l'on se trouve pour chaque protéine devant une tâche plus ou moins nouvelle. L'expérimentateur éclairé doit combiner et adapter habilement les méthodes décrites dans ce chapitre pour enfin purifier et caractériser « sa » protéine.

6.1 Pour être purifiées, les protéines doivent être en solution aqueuse

Dans la première étape de purification, la protéine d'intérêt doit être solubilisée, et tout le matériel insoluble ainsi que les particules de grande taille doivent être éliminés. Cela est facile dans le cas des **protéines extracellulaires** – comme l'albumine du sérum, qui est en solution dans le plasma sanguin : les composants cellulaires du sang sont éliminés par **centrifugation**, et les protéines (non membranaires) se trouvent dans le surnageant (ici le plasma) (*fig.* 6.1). Les **protéines cytoplasmiques**, elles, doivent d'abord être « extraites » de la cellule : pour cela, il faut utiliser une méthode d'ouverture des cellules qui laisse la protéine aussi intacte que possible. Un procédé consiste à agiter violemment les cellules mélangées à de petites billes de verre dans un broyeur de cellules. Les cellules peuvent aussi être cassées efficacement par « choc » osmotique en utilisant une solution hypotonique ou par de brutales variations de pression provoquées par des ultrasons. Lorsque le cytoplasme, et donc la protéine d'intérêt, sont libérés, les débris cellulaires peuvent être

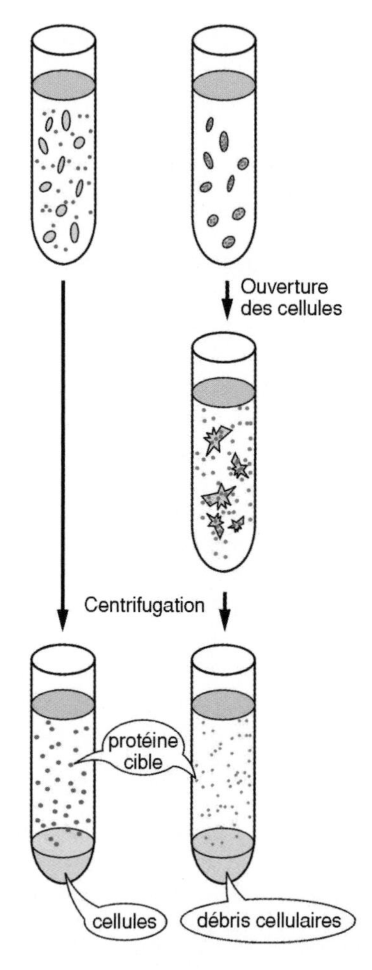

6.1 Premières étapes de la purification des protéines. Selon la localisation et la solubilité de la protéine d'intérêt, différentes techniques sont utilisées pour l'ouverture des cellules et la préparation de l'extrait. Dans le cas de protéines extracellulaires, la première étape consiste simplement à éliminer la suspension cellulaire par centrifugation (à gauche) ; pour obtenir des protéines cytoplasmiques, les cellules doivent d'abord être cassées (à droite).

éliminés par centrifugation. Les **protéines intégrales de membrane** (§ 24.7) comme la rhodopsine, un photorécepteur, sont les plus difficiles à manipuler à cette étape. On ne peut les solubiliser qu'en présence de **détergents** (« savons »). Il faut trouver un équilibre : d'un côté le détergent doit être suffisamment agressif pour extraire la protéine de la bicouche lipidique, de l'autre il doit maintenir la protéine, hors de son environnement naturel, sous une forme intacte non dénaturée.

Il est utile d'essayer d'enrichir l'échantillon en protéine d'intérêt dès cette étape. Par différents types de centrifugation, on peut non seulement éliminer le matériel indésirable, mais aussi séparer, grossièrement mais spécifiquement, différentes fractions (noyau, mitochondries, réticulum endoplasmique, membrane plasmique) : si l'on sait dans quel compartiment se trouve la protéine concernée, on peut ainsi réduire énormément le nombre de protéines à séparer.

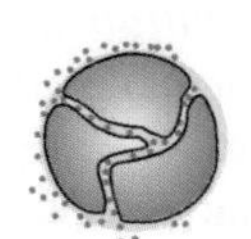
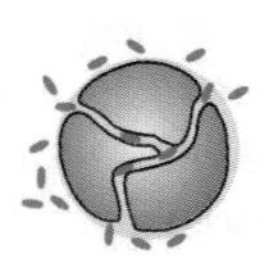

6.2 Principe de la séparation par filtration sur gel. Des billes de gel poreuses permettent aux petites protéines de pénétrer à l'intérieur, alors que les grosses sont exclues. Les grosses protéines migrent donc plus vite que les petites le long de la colonne.

6.2 La chromatographie par filtration sur gel sépare les protéines selon leur taille

Les **techniques de chromatographie** sont des procédés employés pour séparer les mélanges de protéines – et d'autres classes de substances. Le terme chromatographie (grec *chroma*, couleur ; *graphein*, écrire) désigne collectivement différentes méthodes physico-chimiques de séparation. Ce nom provient d'une de ses premières applications, consistant à séparer les pigments végétaux jaunes et verts. Ces méthodes chromatographiques ont en commun la séparation entre deux **phases** d'un mélange de molécules selon leurs propriétés distinctives comme la solubilité, la taille, la charge ou la fonction. Une des phases est **stationnaire** – par exemple du papier ou un gel – et l'autre **mobile** – un liquide ou un gaz. Nous allons expliquer ce principe sur l'exemple de la **chromatographie par filtration sur gel**, également appelée **chromatographie d'exclusion**. La phase immobile est constituée de polymères biologiques ou synthétiques comme l'agarose, le dextran, la polyacrylamide, qui contiennent de petites cavités microscopiques. Les polymères sont sous la forme de petites billes d'un diamètre de 10-250 µm. Celles-ci sont imbibées d'une solution aqueuse tamponnée et coulées dans une **colonne** – un tube de verre. Lorsque l'on dépose l'échantillon – le mélange de protéines – au sommet de la colonne et que l'on élue avec la solution tamponnée « pure », les protéines se déplacent avec le liquide à travers le gel. Les petites protéines entrent dans les pores du polymère, alors que les protéines volumineuses en sont exclues et restent dans l'espace interstitiel entre les billes (*fig.* 6.2). *Les petites protéines subissent une rétention (un retard) : elles passent un certain temps dans les pores, alors que les grandes protéines les « ignorent ».* Le temps caractéristique entre le dépôt et la sortie de la colonne (l'élution) est appelé **temps de rétention**.

Les protéines de taille moyenne peuvent aussi pénétrer dans les pores, mais cet événement est moins probable. On peut imaginer qu'elles ne passent par l'ouverture des pores que dans une certaine orientation. Les grandes protéines atteignent donc le bas de la colonne en premier, suivies des protéines de taille moyenne puis des petites protéines, qui sont éluées en dernier (*fig.* 6.3). Afin de ne pas mélanger les protéines séparées, des fractions sont collectées à la sortie de la colonne. On obtient ainsi un fractionnement des protéines déposées en fonction de leur taille. La rétention subie par les protéines est inversement proportionnelle à leur taille. *Comme celle-ci est*

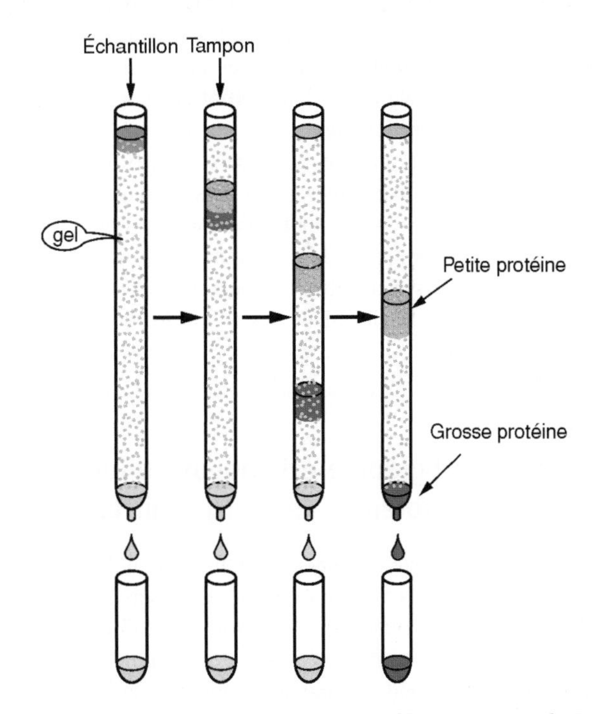

6.3 Fractionnement des protéines par filtration sur gel. Le mélange protéique est déposé à l'extrémité supérieure d'une colonne emplie d'un gel (phase stationnaire) et d'un tampon (phase mobile). On ajoute ensuite du tampon par le haut de la colonne. Les composants protéiques sont collectés en fractions à l'extrémité inférieure de la colonne, où les grosses protéines éluent les premières. Les zones dans lesquelles migrent les protéines s'élargissent par diffusion au cours de la chromatographie.

elle-même corrélée à leur masse, la filtration sur gel permet aussi une estimation de la masse moléculaire. Les tailles de pores disponibles autorisent une séparation effective de masses moléculaires variant de 500 Daltons (0,5 kDa) à 5 000 000 Daltons (5 000 kDa).

L'application principale de la filtration sur gel est le tri des protéines selon leur taille, que ce soit au sein d'un mélange complexe ou comme dernière étape d'une purification, par exemple pour séparer les monomères et les dimères de la protéine d'intérêt. La filtration sur gel sert aussi souvent à éliminer les composants de faible masse moléculaire d'un tampon (dessalage) ou à changer de tampon : les composants du tampon sont beaucoup plus petits que toutes les protéines et éluent donc en tout dernier. Le **dessalage** ou le **changement de tampon** peut être nécessaire à la stabilité de la protéine, à la réalisation d'étapes chromatographiques ultérieures, ou à une analyse chimique poussée.

À quoi voit-on que des protéines ou bien seulement des sels ou du tampon éluent de la colonne ? Les protéines sont pour la plupart incolores, mais les acides aminés aromatiques comme la phénylalanine, la tyrosine et le tryptophane, absorbent le rayonnement ultraviolet. *On peut ainsi détecter les protéines comportant des résidus tryptophane ou tyrosine par spectrophotométrie à une longueur d'onde de 280 nm.* Les protéines colorées comme l'hémoglobine ou le cytochrome c peuvent être suivies sélectivement à « leur » longueur d'onde d'absorption – et même, pour des quantités plus importantes, à l'œil nu. La **dialyse** et l'**ultrafiltration** sont d'autres méthodes de sélection des protéines d'après leur taille. Elles emploient des membranes poreuses ou filtres, qui ne laissent passer les molécules qu'au dessous d'une certaine masse moléculaire – la **limite d'exclusion**. Cette limite d'exclusion varie selon la grosseur des pores de 3 à 100 kDa. La dialyse et l'ultrafiltration servent surtout à la concentration et au dessalage des solutions de protéines.

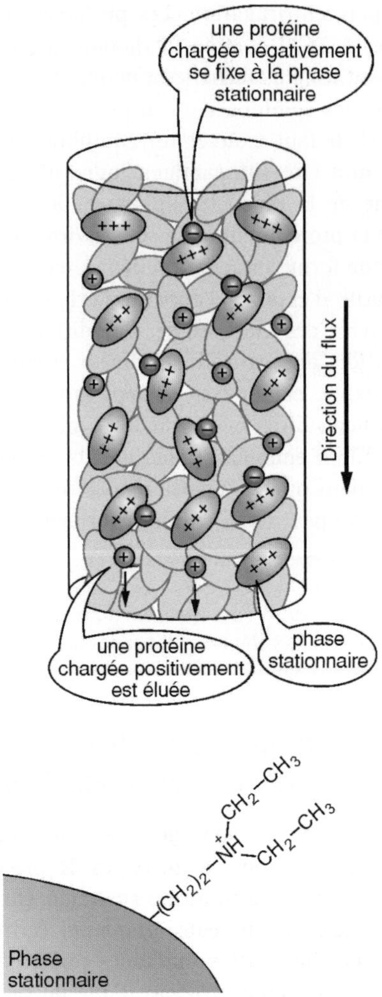

6.4 Principe de la chromatographie échangeuse d'ions. La phase stationnaire porte dans cet exemple des groupements diéthylaminoéthyle (en bas). Les particules de gel de la phase stationnaire ont une maille si serrée que pratiquement aucune protéine ne peut y pénétrer : il *n*'y a *pas* de séparation selon la masse.

6.3 La chromatographie échangeuse d'ions sépare les protéines de charges différentes

La **chromatographie échangeuse d'ions** ressemble dans sa mise en œuvre à la filtration sur gel, mais sépare les protéines selon leur charge et non selon leur taille. Pour ce faire, les supports polymériques constituant la phase immobile sont modifiés par des substituants ionisables comme les groupements diéthylaminoéthyle (DEAE) ou carboxyméthyle (CM). Les groupements de DEAE positifs d'une résine **échangeuse d'anions** peuvent retenir les protéines anioniques (chargées négativement) du mélange qui la traverse (*fig.* 6.4). Les protéines neutres et cationiques traversent au contraire le support et sont éluées sans être retardées.

Comment peut-on libérer les protéines anioniques fixées à la colonne ? Il suffit de la laver avec un tampon d'élution qui contient une concentration croissante de sel, par exemple du chlorure de sodium. Les anions chlorure entrent en compétition avec les charges négatives de la protéine pour la fixation aux sites ioniques de la phase immobile. À une concentration d'ions chlorures caractéristique, une protéine ayant une charge donnée est libérée et éluée de la colonne. Les résines **échangeuses de cations** portent des groupements carboxyméthyle qui sont chargés négativement à pH neutre et fixent donc les protéines chargées positivement, alors que les protéines neutres et négatives « traversent ». Dans ce cas, ce sont les ions sodium chargés positivement qui entrent en compétition avec les protéines pour la fixation à la colonne. Le profil d'élution d'une étape de chromatographie s'appelle **chromatogramme** (*fig.* 6.5). Alors que

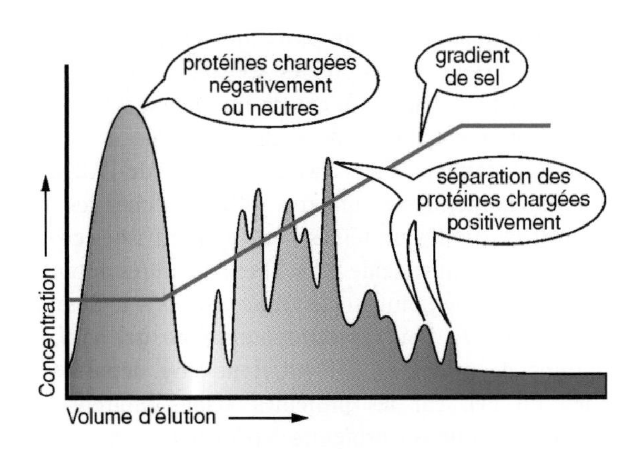

6.5 Chromatogramme d'une colonne échangeuse d'ions. Un mélange protéique est déposé sur une colonne et éluée avec du tampon. Les protéines chargées négativement et neutres (en rouge) passent au travers de la colonne ; les protéines positives (en bleu) sont retenues par les groupements CM. Des concentrations croissantes de chlorure de sodium dans le tampon d'élution (« gradient de sel ») éluent tout d'abord les protéines faiblement fixées puis celles qui sont fortement retenues. Les protéines éluées de la colonne sont suivies par spectrophotométrie, grâce à leur absorption à une longueur d'onde de 280 nm.

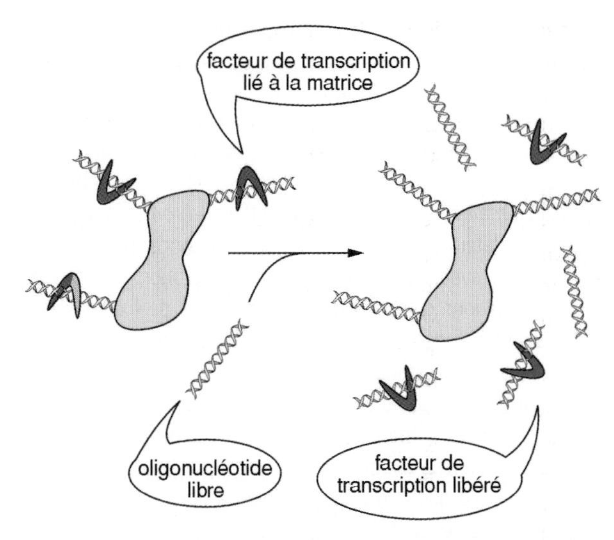

6.6 Principe de la chromatographie d'affinité. Une molécule d'ADN est couplée par des liaisons covalentes à la matrice et proposée comme « appât » à un facteur de transcription, qui le reconnaît et s'y fixe (à gauche). D'autres protéines passent à travers la colonne sans être freinées et sont éliminées. L'addition d'un excès d'oligonucléotide libre décroche le facteur de transcription de la matrice et l'élue sous une forme fortement enrichie.

l'expérimentateur a peu de prise sur le comportement des espèces lors d'une filtration sur gel, les paramètres d'une chromatographie échangeuse d'ions jouent un grand rôle. La charge d'une protéine dépend du pH ; en faisant varier la force ionique et le pH, on peut obtenir des séparations très différentes. *La chromatographie échangeuse d'ions est donc une méthode de séparation très puissante et constitue fréquemment la première étape d'un protocole de purification complexe.*

6.4 La chromatographie d'affinité utilise les propriétés spécifiques de fixation des protéines

La **chromatographie d'affinité** est une autre méthode efficace de séparation des protéines, qui tire parti de la capacité qu'ont les protéines de se fixer à certaines molécules. Considérons le cas d'un facteur de transcription (§ 20.3), qui se fixe à une séquence d'ADN déterminée. Si l'on synthétise une molécule d'ADN ayant cette séquence (*encart* 22.1) et qu'on la fixe par liaison covalente au support de la phase immobile, les molécules du facteur de transcription considéré se lieront sélectivement à cette matrice d'affinité, alors que le reste des protéines traversera la matrice avec le tampon (*fig.* 6.6). Si l'on ajoute la molécule d'ADN « libre » à haute concentration au tampon d'élution, les protéines seront libérées de leur fixation réversible à la matrice et éluées en complexe avec « leur » ADN.

Parmi les autres paires interagissant, on trouve les couples anticorps-antigène, glycoprotéine-lectine, ou enzyme-(co)substrat. Par exemple, l'enzyme **glutathion-S-transférase (GST)** peut se fixer à son substrat, le glutathion, même lorsqu'il est lié à l'agarose, et peut être éluée de la colonne par addition de glutathion « libre ». On peut ainsi purifier spécifiquement la GST. Ce procédé est d'une grande importance dans la pratique actuelle des laboratoires, même si on s'y intéresse modérément à l'isolement de la GST. En effet, on peut fusionner, par les technologies de l'ADN recombinant (§ 22.9), la GST à la protéine que l'on veut réellement purifier. On utilise aussi ces dernières technologies pour conférer aux protéines des propriétés de fixation spécifiques utilisées pour la **chromatographie d'affinité sur chélate de métal** (*encart* 6.1).

Encart 6.1 : La chromatographie d'affinité sur chélate de métal

Les complexes de métal chélaté se composent d'un ion métallique central auquel se fixent certains ligands comme l'acide aminé histidine, par des liaisons non-covalentes. Dans la **technique d'IMAC** (*immobilized metal chelate affinity chromatography*) les ligands chélateurs sont immobilisés sur la matrice de la colonne puis chargés avec des ions de métaux de transition comme Cu^{2+} ou Ni^{2+}. Ces ions gardent cependant des sites de fixation libres qui peuvent être occupés par d'autres ligands comme les résidus histidines d'un polypeptide (*fig.* 6.7). Le complexe formé est relativement instable lorsqu'un seul ou seulement un petit nombre de résidus histidines « éparpillés » dans une chaîne polypeptidique se fixent. Toutefois, lorsqu'une protéine porte plusieurs résidus histidyles — ce que l'on appelle étiquette polyhistidine ou ***His-tag*** (angl. *tag*, étiquette) — en son extrémité N-terminale ou C-terminale, la fixation du métal devient plus forte de plusieurs ordres de grandeur. La protéine fixée peut être éluée de la colonne par addition d'imidazole — un composé qui correspond au groupement fonctionnel de l'histidine. L'imidazole entre en compétition avec la protéine pour la fixation aux sites de l'ion métallique, ce qui libère la protéine. Les étiquettes polyhistidine, qui peuvent être « fusionnées » aux protéines d'intérêt par des techniques de biologie moléculaire au niveau de l'ADN (*fig.* 22.24), permettent de purifier les protéines en une seule étape.

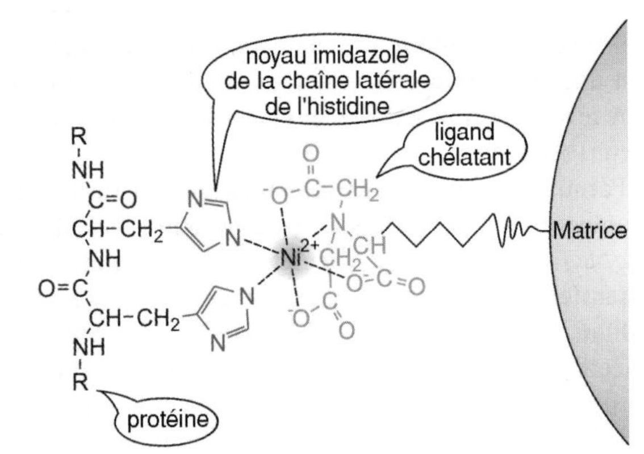

6.7 Fixation de chaînes latérales d'histidines à des ions de métaux de transition.

6.5 L'électrophorèse permet d'analyser qualitativement les mélanges de protéines

À un stade donné de l'isolement d'une protéine, il faut se poser les questions : les étapes précédentes ont-elles apporté quelque chose ? Combien de protéines différentes y a-t-il encore dans mon échantillon ? On a donc besoin de méthodes analytiques pour suivre les progrès de la purification. Parmi les méthodes d'analyse des protéines les plus simples et les plus efficaces, on trouve les différentes techniques d'électrophorèse. *Par* **électrophorèse,** *on entend la migration de particules chargées dans un champ électrique.* Les protéines sont accélérées proportionnellement à leur quotient charge/masse et freinées par le frottement, qui dépend de leur taille et de leur forme. Contrairement aux cas de l'ARN et de l'ADN, les rapports charge/masse sont très différents chez les protéines. Il existe des protéines dont le point isoélectrique est dans le domaine acide (pI < 7) et à peu près autant de protéines dont le point isoélectrique est dans le domaine basique (pI > 7). Pour l'**électrophorèse sur gel natif,** les solutions de protéines doivent donc être déposées au milieu du gel, car les protéines acides migrent vers l'anode alors que les protéines basiques migrent vers la cathode. Le pouvoir de séparation de l'électrophorèse sur gel natif n'est pas très élevé, et elle ne peut être appliquée qu'aux protéines solubles dans l'eau. On obtient une séparation nettement meilleure en utilisant le **dodécylsulfate de sodium,** ou **SDS** (angl. *sodium dodecylsulfate*) dans une **SDS-PAGE dénaturante** (angl. *polyacrylamide gel electrophoresis*). Le dodécylsulfate de sodium est

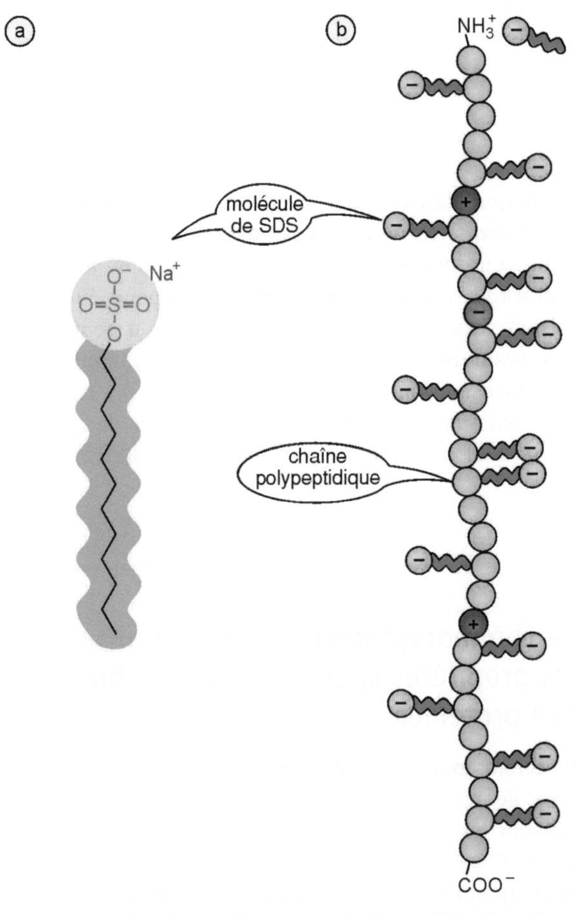

6.8 Dénaturation de protéines par le dodécylsulfate de sodium. a) Le SDS est un détergent anionique dont la tête est un groupement sulfate et la queue une chaîne hydrophobe aliphatique. b) Le SDS déplie la chaîne polypeptidique. La charge protéique endogène est « surcompensée » par les molécules de SDS disposées le long de la chaîne polypeptidique, pour former un complexe protéine-SDS chargé négativement.

un détergent anionique (*fig.* 6.8a). Il se lie aux protéines avec une grande affinité et une stœchiométrie d'environ une molécule de SDS pour deux résidus, en détruisant le repliement physiologique de la protéine : celle-ci est **dénaturée** (*fig.* 6.8b).

Les nombreuses charges négatives qui sont apportées par la fixation d'une multitude de molécules de SDS submergent la charge intrinsèque relativement faible de la protéine – et le rapport charge/masse de toutes les protéines devient presque constant. En conséquence, les protéines de petite taille comme celles de grande taille sont accélérées avec la même force en direction de l'anode. C'est donc la matrice du gel qui freine les grosses protéines plus que les petites et permet la séparation des protéines selon leur masse apparente. On parle d'**effet de tamis moléculaire** du gel. On utilise couramment les gels de polyacrylamide : on coule un mélange liquide de monomères d'acrylamide et d'un agent pontant (le bisacrylamide) entre deux plaques de verre et on laisse ce mélange polymériser en réseau dense de polyacrylamide sous la forme d'une feuille de gel. Contrairement à la filtration sur gel, il n'y a pas ici de billes poreuses mais un maillage constant tout le long du gel. *Dans une SDS-PAGE, les petites protéines se déplacent plus vite à travers le maillage étroit, alors que les plus grosses sont arrêtées et doivent faire des « détours » jusqu'à ce qu'elles rencontrent une maille assez large* (*fig.* 6.9).

On peut très facilement estimer la masse des protéines grâce à la SDS-PAGE : il suffit de faire migrer en parallèle des protéines de référence (des marqueurs) dont on connaît la masse. On n'obtiendra pas les protéines sous leur structure quaternaire : le SDS dissocie les protéines multimériques en leurs sous-unités individuelles, et les ponts disulfures restants peuvent être clivés par un réducteur comme le β-mercaptoéthanol (2-thioéthanol). Au départ, on ne voit pas les bandes de protéines sur le gel. Pour les détecter, il existe différents procédés (*encart* 6.2). Une mise en œuvre rapide, une résolution élevée et une grande sensibilité font de la SDS-PAGE la méthode de choix pour l'analyse de mélanges complexes de protéines et l'estimation de la masse moléculaire de protéines inconnues.

6.6 L'isoélectrofocalisation sépare les protéines selon leurs points de neutralité

La charge nette des protéines dépend du pH. *Au point de neutralité* (**point isoélectrique**, pI), *les charges des acides aminés acides et basiques se compensent : la protéine ne migre plus dans un champ électrique.* L'**isoélectrofocalisation** tire parti de cet effet en séparant les protéines selon leur point isoélectrique. Pour ce faire, un gradient de pH stable doit être créé. On utilise pour cela des polyélectrolytes (des ampholytes) synthétiques, qui portent un grand nombre de substituants chargés négativement ou positivement et ayant des valeurs de pK différentes. Les ampholytes sont incorporés de deux manières différentes : classiquement, on répartit uniformément un mélange d'**ampholytes mobiles** dans le gel. Le gradient de pH se forme seulement après application d'un courant électrique, par migration des ampholytes. Dans la « technique des immobilines » au contraire, on couple d'abord chimiquement chaque ampholyte à l'acrylamide de manière à

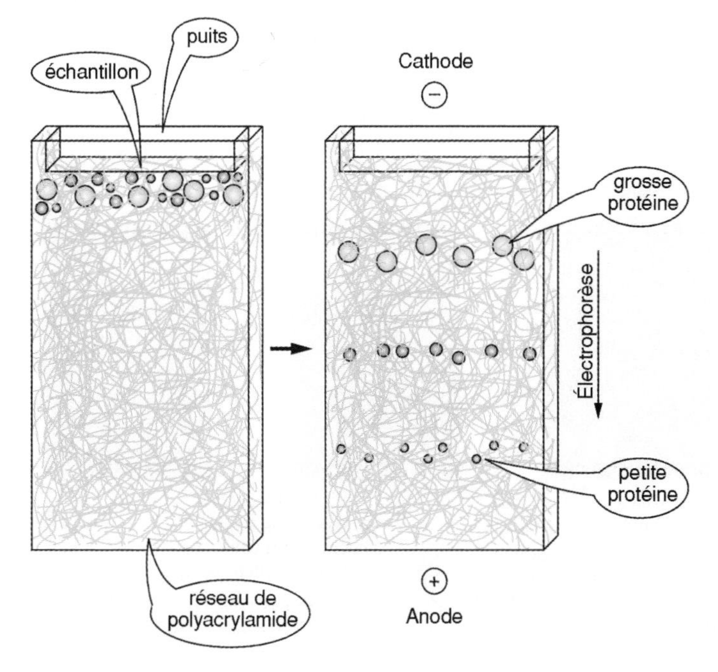

6.9 Effet de tamis moléculaire dans un gel de polyacrylamide au cours d'une SDS-PAGE. Les protéines chargées négativement migrent à travers un réseau serré de polymères, dont la largeur de maille peut être pratiquement modulée à volonté par le rapport de l'acrylamide avec l'agent pontant, le bisacrylamide. La vitesse de migration des protéines décroît lorsque la masse moléculaire augmente.

Encart 6.2 : Mise en évidence de protéines sur gel

Le **bleu de Coomassie brillant** est le colorant le plus courant qui permet de rendre visibles des bandes de protéines sur un gel. Ce pigment, initialement employé dans la coloration de la soie et de la laine, fait apparaître les zones de protéines séparées par électrophorèse sur gel comme des bandes bleues (*fig.* 6.10). Le bleu de Coomassie est aussi à la base d'un procédé courant de détermination de la concentration en protéines, le **dosage de Bradford**. Une technique de visualisation particulièrement sensible est la **coloration à l'argent**. Dans cette méthode, les ions argent sont adsorbés sur les protéines et sont réduits par les chaînes latérales et les liaisons peptidiques en argent métallique. Après addition d'un réducteur fort, ces dépôts servent de « germes de cristallisation » pour de plus gros agrégats d'argent, si bien que les protéines finissent par apparaître comme des bandes brun foncé ou jaunes. Par cette technique, 100 pg d'une protéine peuvent suffire à produire une bande visible. Des protéines marquées radioactivement parce qu'elles ont incorporé dans leurs résidus les isotopes ^{3}H, ^{14}C, ^{32}P, ou ^{125}I peuvent être détectées par le noircissement d'un film exposé contre le gel après séchage de celui-ci : ce procédé est appelé **autoradiographie**.

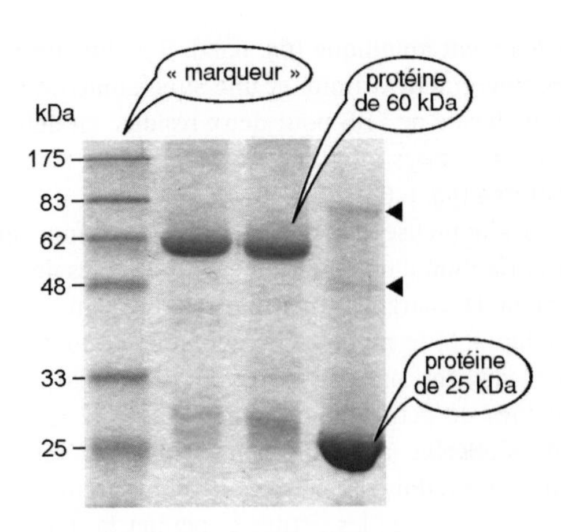

6.10 Coloration d'un gel au SDS par le bleu de Coomassie. Dans la piste de gauche, un mélange de protéines marqueurs de masse connue (en kDa) a été déposé. Les deux pistes du milieu montrent une protéine « de taille moyenne » d'environ 60 kDa ; dans la piste de droite on a déposé une « petite » protéine (25 kDa). Les bandes plus faibles dans les trois pistes de droite sont des impuretés, des produits de dégradation ou des agrégats des protéines purifiées. Les deux bandes supplémentaires de la piste de droite pourraient être, d'après leur masse, des traces de dimère et de trimère de la protéine de 25 kDa (flèches). [RF]

produire un assortiment d'**immobilines** (ampholytes immobilisés) qui diffèrent par leurs substituants acides et basiques. Lorsque l'on coule le gel, on fait varier continûment le rapport entre immobilines acides et basiques au sein du mélange de manière à créer un gradient de pH tout au long du gel, qui est fixé par la polymérisation et ne peut plus se déplacer sous l'effet du champ électrique. Lorsque l'on dépose un mélange de protéines sur le gel, chaque protéine se déplace le long du gradient de pH jusqu'à son point isoélectrique (pH = pI) (*fig.* 6.11).

À cet endroit, la migration de la protéine s'arrête car sa charge nette est nulle. Si la protéine diffuse vers la cathode, elle se trouve dans un environnement plus basique, se charge négativement et, devenue un anion, repart dans la direction opposée jusqu'à arriver au point de neutralité ; un phénomène équivalent se produit pour une diffusion vers l'anode. Cette « focalisation » est responsable de la précision de la séparation et fait que cette méthode est idéalement adaptée à l'analyse de mélanges complexes de protéines et la détermination de points

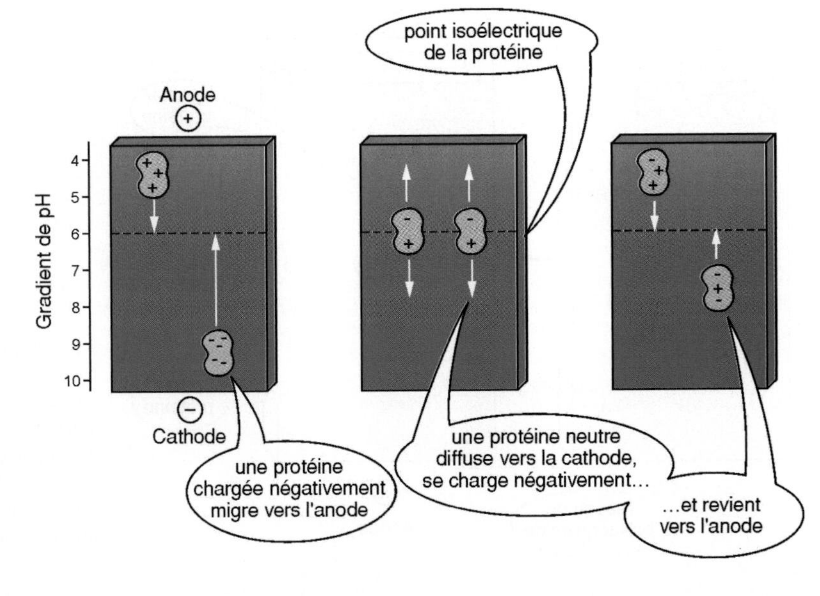

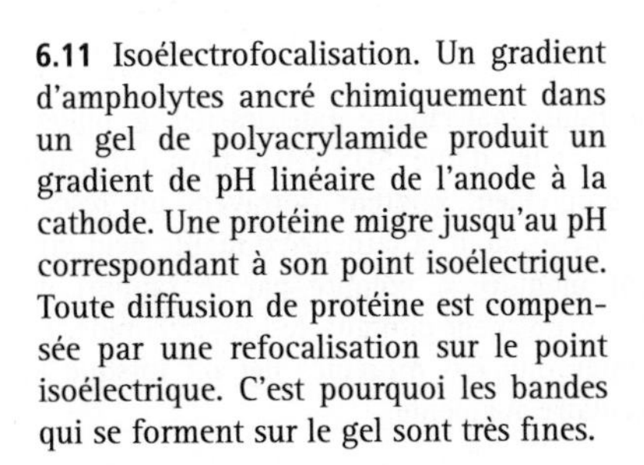

6.11 Isoélectrofocalisation. Un gradient d'ampholytes ancré chimiquement dans un gel de polyacrylamide produit un gradient de pH linéaire de l'anode à la cathode. Une protéine migre jusqu'au pH correspondant à son point isoélectrique. Toute diffusion de protéine est compensée par une refocalisation sur le point isoélectrique. C'est pourquoi les bandes qui se forment sur le gel sont très fines.

isoélectriques de protéines purifiées. *L'***électrophorèse bidimensionnelle** *réunit les critères de séparation différents de l'isoélectrofocalisation et de la SDS-PAGE pour obtenir la plus haute résolution* (*encart* 6.3).

Encart 6.3 : Électrophorèse bidimensionnelle

Un procédé de séparation particulièrement efficace est l'électrophorèse bidimensionnelle (2D), une combinaison d'isoélectrofocalisation et d'électrophorèse en présence de SDS. Dans la première dimension, un mélange de protéines est séparé par isoélectrofocalisation le long d'une mince bande de gel. Cette bande est ensuite imbibée d'une solution de SDS et apposée le long d'un gel au SDS pour effectuer la seconde dimension, de telle manière que le champ électrique fasse migrer les protéines dans le second gel. De cette façon, les protéines sont triées d'abord selon leur point de neutralité (première dimension) puis celles qui ont des points de neutralité semblables sont séparées selon leur masse moléculaire (deuxième dimension). Après coloration, les protéines apparaissent comme des taches ponctuelles ou en forme de gouttes (*fig.* 6.12). L'électrophorèse 2D couplée à la spectrométrie de masse constitue l'équipement nécessaire à l'analyse méthodique des protéomes (*encart* 7.1).

6.7 L'électrophorèse capillaire combine haute résolution et temps de séparation court

Les gels d'électrophorèse doivent être coulés, une séparation peut prendre parfois des heures, puis il faut encore colorer les gels. L'électrophorèse sur gel conventionnelle est donc consommatrice de temps et de travail. L'**électrophorèse capillaire** s'affranchit du coulage du gel, la séparation du mélange de protéines ne prend que quelques minutes, et l'analyse et la quantification sont immédiates par mesure de l'absorption des UV (*fig.* 6.13). En général, la chaleur produite par la résistance électrique est néfaste à la résolution des techniques d'électrophorèse. En utilisant des capillaires dont la lumière est très petite – typiquement 50 µm de diamètre interne – la dissipation de la chaleur est optimisée en raison de la surface importante. Cela permet d'appliquer des courants beaucoup plus importants et d'obtenir une meilleure résolution due à des temps de séparation courts. Les capillaires sont remplis de milieux liquides, de gels de polyacrylamide ou de gels d'immobilines. Un autre avantage de l'électrophorèse capillaire est la quantité très faible d'échantillon requise. Cette méthode reste cependant analytique.

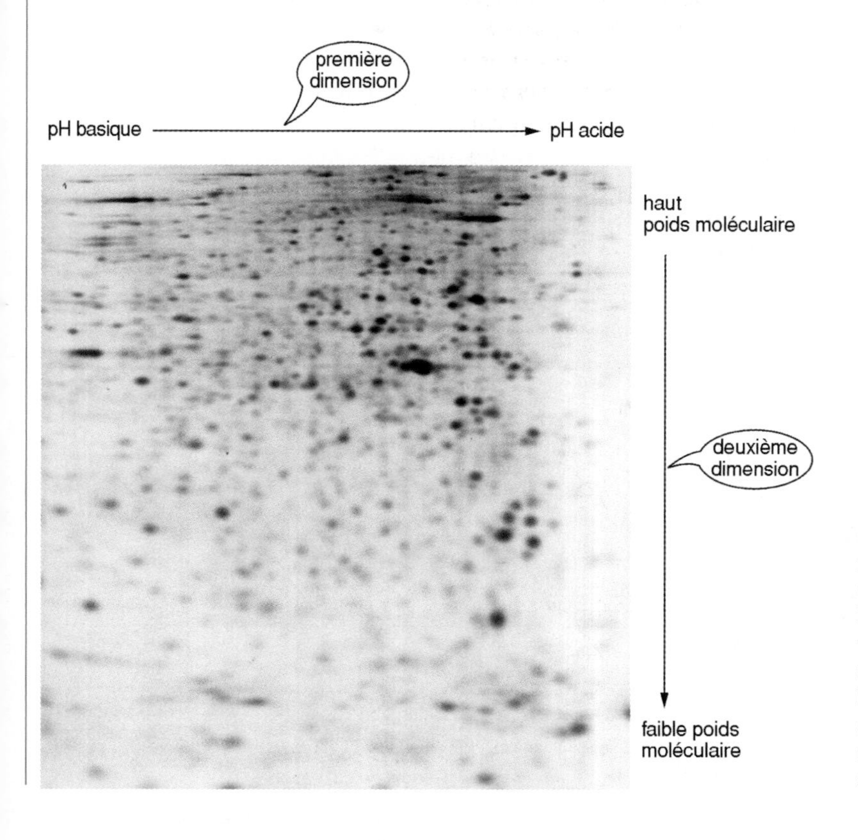

6.12 Électrophorégramme 2D à haute résolution. Sur ce gel a été déposé un extrait protéique de carcinome humain. Les protéines ont été marquées radioactivement à la méthionine ^{35}S et ont pu être ainsi visualisées par autoradiographie. L'isoélectrofocalisation a lieu selon l'horizontale, la séparation selon la masse moléculaire par électrophorèse au SDS selon la verticale. [RF]

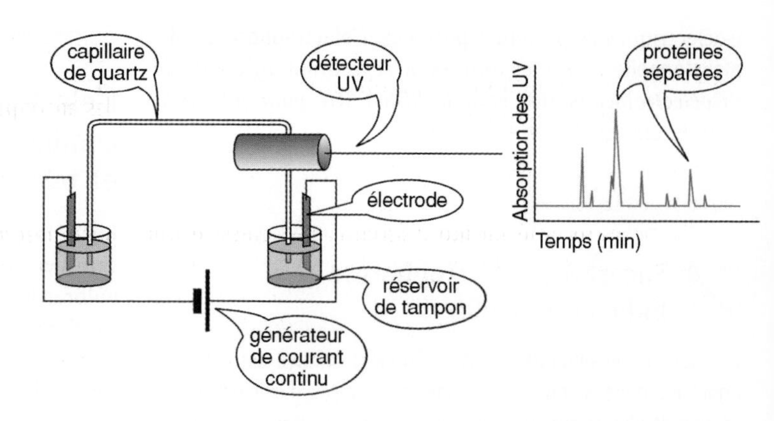

6.13 Montage pour électrophorèse capillaire. Le profil de séparation est suivi en ligne sur un écran ou une imprimante. [RF]

6.8

Les anticorps permettent d'identifier les protéines

Nous allons maintenant nous tourner vers la « troisième dimension » de l'analyse des protéines, ce que l'on appelle l'**immuno-empreinte** (angl. ***western blot***). Les composants d'un mélange protéique complexe peuvent être détectés avec une grande spécificité et une grande sensibilité par des anticorps (§ 33.9). Pour cela, on sépare les protéines par SDS-PAGE. Tant que les protéines sont à l'intérieur de la matrice du gel, elles sont inaccessibles aux grosses molécules d'anticorps. C'est pourquoi il faut transférer les protéines du gel vers une **membrane** de nitrocellulose ou de difluorure de polyvinylidène (angl. *polyvinylidene difluoride*, PVDF) (*fig.* 6.14). Pour ce faire, le gel en SDS est plaqué sur la membrane, et l'on applique un courant perpendiculaire au plan du gel. Les micelles de protéine-SDS sont transférées vers l'anode et passent du gel à la membrane : on obtient une empreinte (angl. *blot*, tache) du profil de protéines sur la membrane. Celle-ci fixe, fortement mais sans spécificité, les protéines transférées. On sature les sites de fixation restants de la membrane avec des protéines – par exemple du lait en poudre – avant d'ajouter l'**anticorps primaire** : comme celui-ci est lui-même une protéine, on doit empêcher sa fixation non-spécifique à la membrane. La fixation de l'anticorps est tout d'abord un événement invisible. Ce n'est qu'en ajoutant un **anticorps secondaire** dirigé contre le premier que l'on voit apparaître les bandes de protéine : une enzyme qui catalyse une réaction colorée est couplée à l'anticorps secondaire. *Comme une molécule d'enzyme génère une nouvelle molécule colorée à chaque cycle de catalyse, on obtient un signal amplifié* (*encart* 6.4).

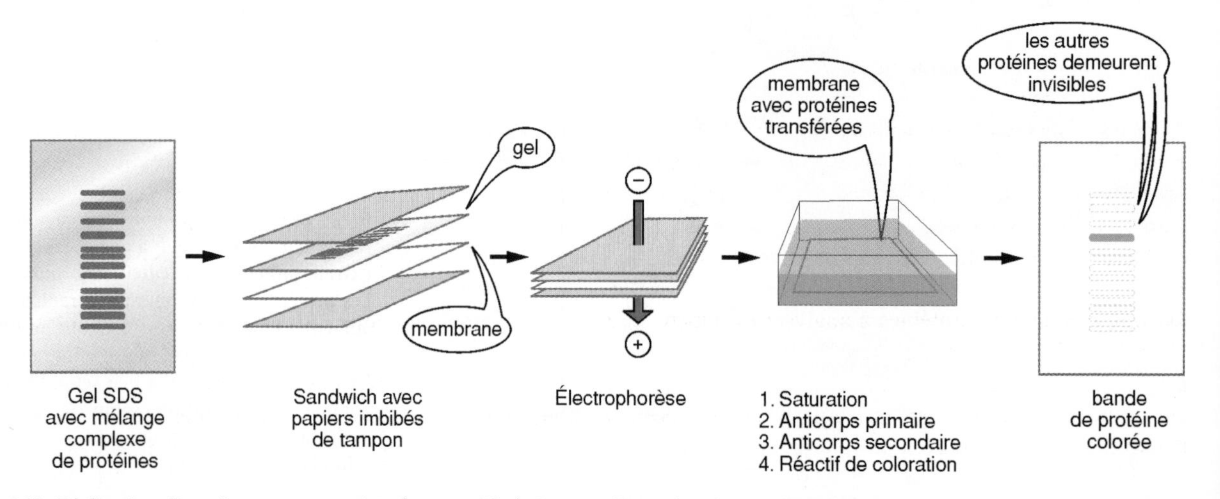

6.14 Réalisation d'une immuno-empreinte (western blot). Les protéines séparées par SDS-PAGE sont transférées sur une membrane pour donner une « impression » fidèle du gel. Après saturation des sites de fixation libres et incubation en présence d'anticorps, la protéine recherchée est révélée au moyen d'une réaction colorée catalysée enzymatiquement. L'appellation « western blot » est un détournement humoristique du nom Southern blot, donné aux blots d'ADN d'après leur inventeur Edwin Southern.

Encart 6.4 : Mise en évidence de protéines par des sondes immunologiques

L'immunodétection requiert l'utilisation d'un premier anticorps — le plus souvent de lapin ou de souris —, qui réagit spécifiquement avec l'antigène souhaité. L'anticorps secondaire — classiquement de chèvre ou d'âne — est dirigé contre les immunoglobulines et donc l'anticorps primaire. On utilise des anticorps secondaires couplés chimiquement à des enzymes comme la **peroxydase** (POD) ou la **phosphatase alcaline** (PA) (*fig.* 6.15). En raison de sa spécificité, *un seul* anticorps secondaire peut être utilisé pour *tous* les anticorps primaires de lapin, ou bien de souris. La POD ou la PA catalysent des réactions colorées et produisent donc des bandes colorées sur la membrane. Alternativement, la POD peut oxyder un substrat, le luminol, en présence de peroxyde d'hydrogène. Cette réaction luminescente amplifiée (***e**nhanced **c**hemi**l**uminescence detection*, **ECL**) est extraordinairement sensible et peut détecter des quantités de protéine extrêmement faibles (1-50 pg) sur une membrane.

6.15 Réaction colorée permettant la révélation de la fixation d'anticorps. L'anticorps secondaire est couplé à la PA. La PA déphosphoryle le substrat incolore 5-bromo-4-chloro-3-indolylphosphate (BCIP). Il y a ensuite réaction d'oxydoréduction couplée avec le nitrobleu de tétrazolium (NBT). Les produits de la réaction sont des substances insolubles bleu-violet qui en précipitant sur la membrane produisent une bande colorée.

6.9 Les tests immuno-enzymatiques quantifient les protéines au sein de mélanges complexes

L'électrophorèse et les immuno-empreintes fournissent des résultats qualitatifs ou au mieux semi-quantitatifs. Avec les **tests immuno-enzymatiques**, nous disposons de méthodes rapides et automatisables pour détecter et quantifier même les plus faibles concentrations des protéines d'un mélange complexe. La variante la plus courante en est l'**ELISA** (*enzyme-linked-immunosorbent assay*), qui lui-même existe sous différentes formes. Dans l'ELISA-*sandwich*, le mélange de protéines à analyser est pipeté dans les cupules d'une plaque de microtitration, où l'anticorps primaire dirigé contre la protéine d'intérêt (l'**analyte**) a été adsorbé (*fig.* 6.16). Cet anticorps primaire « pêche » l'analyte dans le mélange. Après un lavage des protéines non fixées, on utilise pour la révélation à nouveau un anticorps secondaire couplé à une enzyme, mais qui, cette fois, doit être lui aussi spécifique de la protéine cible – et non de l'anticorps primaire comme dans l'immuno-empreinte. Le développement de la couleur ou de la luminescence peut être mesuré à travers la plaque de plastique transparent par un spectrophotomètre.

La concentration inconnue d'une protéine dans un échantillon peut être obtenue au moyen d'une courbe-étalon, que l'on réalise à partir de concentrations connues de l'analyte purifié (« standard ») (*fig.* 6.17). L'ELISA détrône de plus en plus le **dosage radio-immunologique** (angl. *radioimmunoassay, RIA*), qui est basé sur un test de compétition avec des protéines radio-marquées. *En raison de leurs possibilités d'automatisation et de leur grande capacité de traitement, les tests immuno-enzymatiques sont très répandus dans l'industrie pharmaceutique et les laboratoires d'analyse médicale.* Une application courante dans la sphère privée en est le test de grossesse, dans lequel la détection dans les urines d'une protéohormone du placenta, la gonadotropine, indique une grossesse.

Nous connaissons maintenant quelques méthodes de base pour isoler des protéines, les identifier et les quantifier. Ces techniques sont incontournables lorsque l'on veut approfondir la structure et la fonction de protéines. Ces méthodes de chimie des protéines doivent être complétées par des techniques de biologie moléculaire qui facilitent la purification de protéines connues ou accélèrent l'identification de nouvelles protéines.

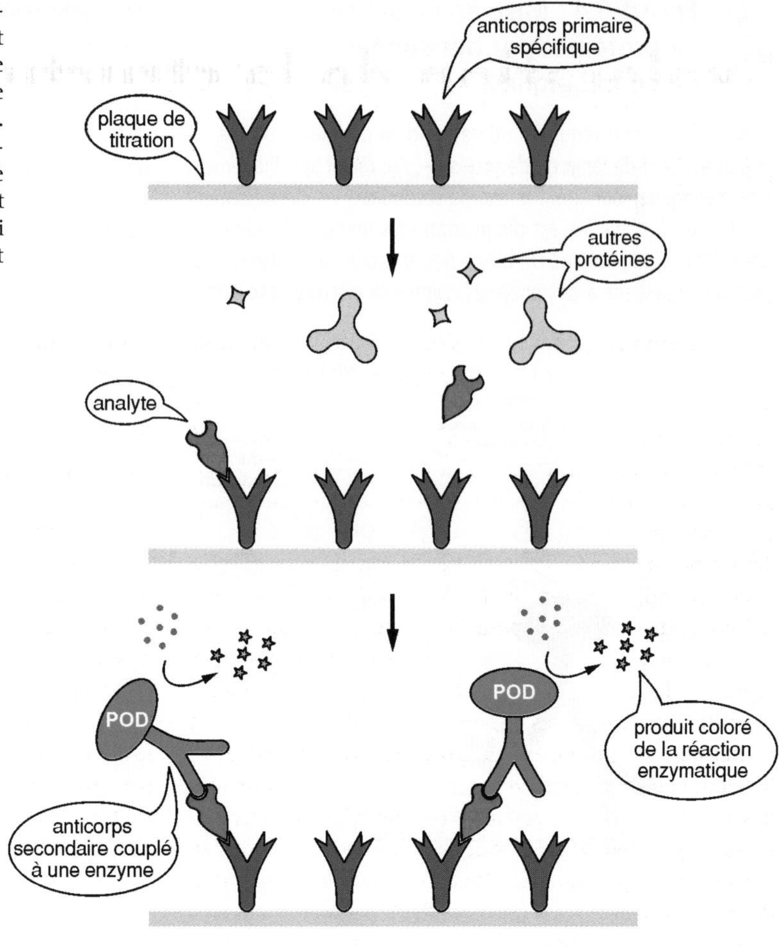

6.16 ELISA sandwich. Un mélange de protéines, par exemple un échantillon de plasma, est déposé sur une plaque de titration recouverte d'anticorps (en haut). L'anticorps primaire reconnaît et fixe son antigène (au centre). Après le lavage, on ajoute un deuxième anticorps, reconnaissant à la surface de la protéine d'autres sites de fixation que le premier, et couplé à une enzyme. Le « sandwich » ainsi généré est révélé par réaction avec le substrat de l'enzyme (en bas).

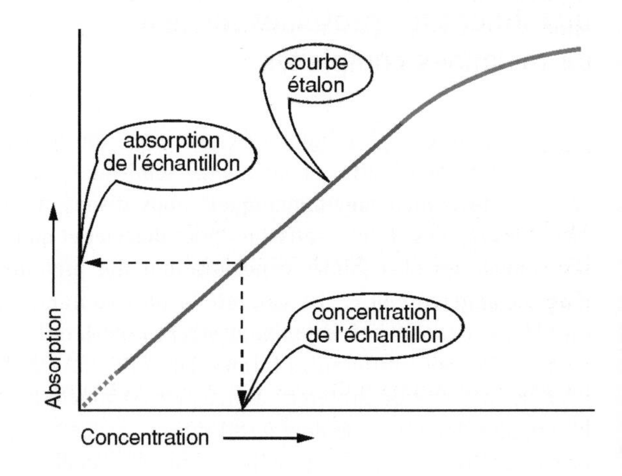

6.17 Courbe d'étalonnage d'un test immuno-enzymatique. L'absorption du colorant à une longueur d'onde donnée est portée en ordonnée ; l'abscisse indique la concentration de protéine dans la solution étalon ou dans l'échantillon. De l'absorption d'un échantillon, on peut déduire la concentration de la protéine d'intérêt. À concentrations trop faibles, le signal est couvert par le « bruit », à concentration trop élevée, la courbe s'aplatit, entre autres à cause de la saturation des sites de fixation.

Exploration de la structure des protéines

7

Dans les années quarante du siècle dernier, on ignorait encore si les protéines possédaient une séquence en acides aminés définie, et donc une séquence primaire. La réponse définitive à cette question fondamentale a été apportée par Frederick Sanger et collaborateurs en 1953, avec le décodage de la séquence de l'insuline humaine. Ces travaux ouvraient la voie à la résolution d'un deuxième problème fondamental : à quoi ressemble la structure tridimensionnelle des protéines ? John Kendrew et Max Perutz ont réussi pour la première fois à la fin des années cinquante, avec l'analyse de la structure aux rayons X de la myoglobine et de l'hémoglobine, à obtenir des informations sur les structures secondaire, tertiaire et quaternaire de protéines. La structure primaire est doublement la clé du monde des structures tridimensionnelles des protéines. Premièrement, elle détermine la structure spatiale que la protéine va adopter après repliement de sa chaîne polypeptidique, et donc finalement sa fonction. Pourtant, les principes qui président au repliement des protéines ne sont pas suffisamment bien connus pour permettre une réelle prédiction de structure spatiale sur la base de la seule structure primaire. Deuxièmement, les méthodes expérimentales d'analyse de structures spatiales reposent sur la connaissance de la séquence de la protéine. C'est pourquoi nous nous intéresserons en premier lieu à l'élucidation de la structure primaire.

7.1 Le séquençage d'Edman permet de déchiffrer la structure primaire des protéines

La détermination de la séquence de l'insuline (*tab.* hormones) a constitué un difficile rébus dont la résolution a pris dix ans et consommé presque 100 g d'insuline pure. Aujourd'hui, le séquençage des protéines est un processus automatisable qui ne requiert que quelques picomoles (< 100 ng) pour fournir une séquence de 20-40 acides aminés. Le fondement en est une série de réactions cycliques développée par Pehr Edman, appelée la **dégradation d'Edman**, dans laquelle les acides aminés sont clivés l'un après l'autre à partir de l'extrémité N-terminale d'un polypeptide, puis identifiés par chromatographie liquide. Pour ce faire, la protéine purifiée à séquencer est d'abord montée sur un verre fritté. Alternativement, la protéine cible peut être séparée d'autres protéines par électrophorèse et transférée sur une membrane de difluorure de polyvinylidène (PVDF) (*fig.* 6.14), que l'on place dans la chambre réactionnelle. L'acide catalytique utilisé pendant la série de réactions et la base sous forme gazeuse sont apportés par un courant inerte d'argon ou d'azote jusqu'à la protéine. L'acide initialement liquide passe lui aussi en phase gazeuse dans la chambre d'échantillon, en raison de la température élevée : on parle donc de « séquenceur en phase gazeuse » (*fig.* 7.1). On évite ainsi que la protéine, qui est très soluble dans l'acide, soit lavée du verre fritté. À l'opposé, les solvants organiques peuvent être ajoutés directement sur l'échantillon, car la protéine n'est pas soluble dedans.

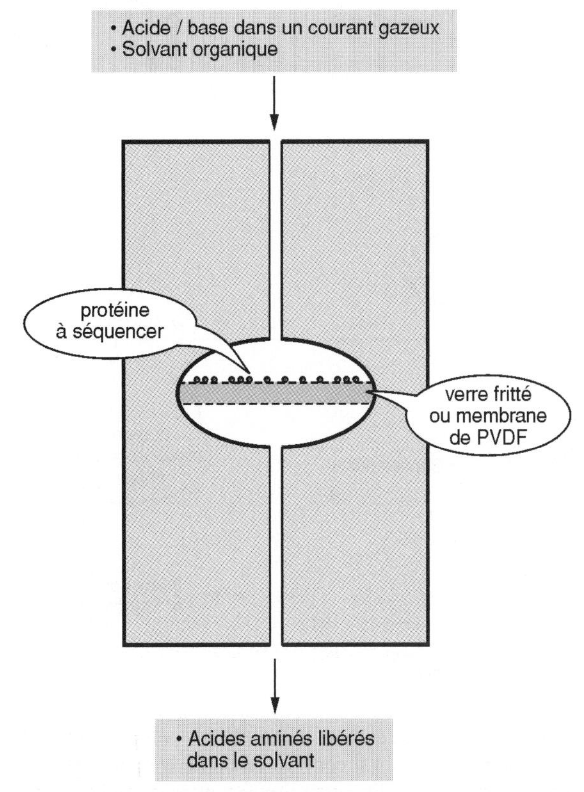

7.1 Chambre réactionnelle d'un séquenceur en phase gazeuse. L'acide et la base catalytiques sont conduits vers l'échantillon par un courant de gaz inerte. Les acides aminés libérés sont ensuite extraits par un solvant organique.

Les trois étapes réactionnelles de la dégradation d'Edman d'un polypeptide sont le **couplage**, le **clivage**, et la **conversion**. Dans la réaction de couplage, le composé réactif utilisé est le **phénylisothiocyanate**, qui réagit dans des conditions alcalines avec le groupement α-amine du résidu amino-terminal (*fig.* 7.2). Dans le tampon acide de la réaction de clivage, l'atome de soufre du phénylisothiocyanate réagit avec le groupement carbonyle de la première liaison peptidique pour donner un **dérivé ATZ** (anilinothiazolinone) cyclique de l'acide aminé amino-terminal qui est clivé sélectivement ; reste le polypeptide raccourci d'un résidu. Le composé ATZ hydrophobe ne peut être extrait que par un solvant organique. Comme l'acide aminé-ATZ se dégrade facilement, il faut le transformer par une réaction de conversion en un **acide aminé-PTH** (phénylthiohydantoïne). L'acide aminé-PTH stable ainsi obtenu est ensuite identifié par chromatographie en comparant son temps de rétention spécifique avec celui de l'ensemble des acides aminés-PTH de référence. La détection peut être spectrophotométrique car les acides aminés-PTH ont un spectre d'absorption des UV caractéristique. *Le premier cycle de la dégradation d'Edman identifie donc le résidu amino-terminal d'un polypeptide.*

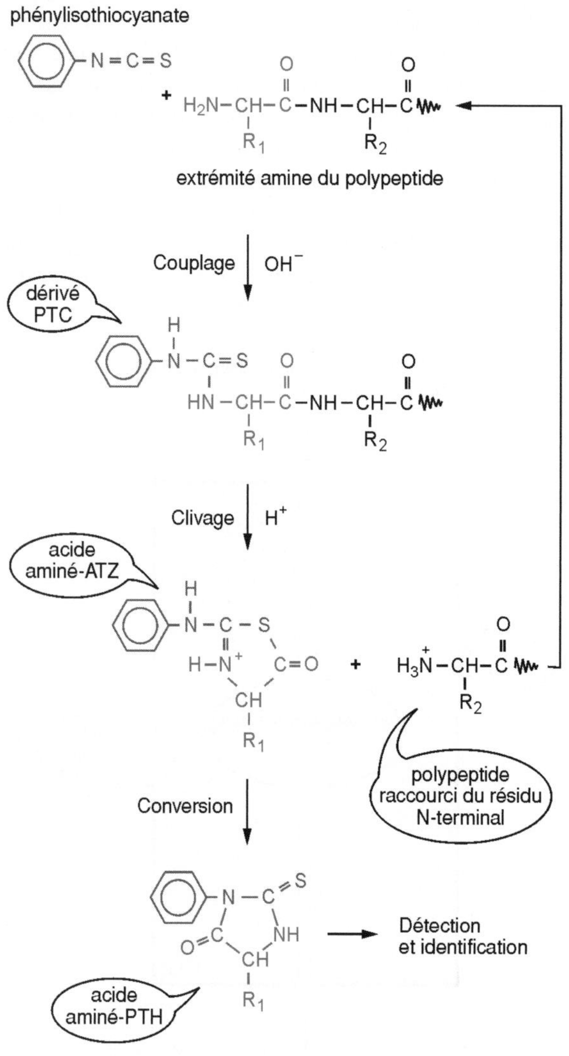

7.2 Dégradation séquentielle d'une chaîne polypeptidique. Le résidu amino-terminal est converti en un dérivé phénylthiocarbamoyl (PTC) labile, clivé pour donner un acide aminé ATZ et enfin converti en un dérivé phénylthiohydantoïne (PTH) stable ; c'est sous cette forme que l'acide aminé libéré est ensuite identifié. L'extrémité amine nouvellement formée peut alors être soumise au cycle suivant.

Au cours d'un deuxième cycle, la chaîne polypeptidique raccourcie d'un acide aminé, avec sa nouvelle extrémité amine, est à nouveau attaquée par le phénylisothiocyanate et clivée ; le dérivé de l'acide aminé terminal est converti, identifié, et ainsi de suite. Il y a une limite supérieure pratique à cette dégradation répétitive. La raison en est le rendement imparfait de la réaction individuelle (95-98 %) : un rendement de 98 % aboutit à une proportion de séquences exactes et complètes de 67 % après 20 cycles, mais seulement de 30 % après 60 cycles. Après un grand nombre de cycles, il n'est plus possible d'identifier sans ambiguïté la séquence correcte. Dans la pratique de laboratoire, on effectue au plus 20-40 cycles pour un polypeptide. Toutefois, il n'est souvent pas nécessaire de séquencer complètement la protéine. En général, on réalise une courte séquence partielle, dont la connaissance permet de « pêcher » le gène correspondant à l'aide de sondes oligonucléotidiques, puis de déterminer indirectement la séquence complète de la protéine (§ 22.4). Ce procédé courant a cependant un grave inconvénient : les modifications post-traductionnelles – par exemple une glycosylation ou une phosphorylation – ne sont pas détectées par cette démarche. Dans ce cas, la dégradation d'Edman et la spectrométrie de masse (§ 7.3) sont incontournables.

7.2 La technique de Merrifield permet la synthèse de peptides

Un peu comme on les séquence par dégradations successives, on peut synthétiser des peptides au laboratoire en incorporant à chaque étape de la synthèse l'acide aminé suivant à la chaîne peptidique en cours d'extension. Le procédé le plus répandu est la **synthèse en phase solide** de Robert Bruce Merrifield. On y fixe le polypeptide en cours de synthèse à des billes de résine de polystyrène. Ainsi, les solutions réactives et de lavage peuvent être confortablement ajoutées et éliminées, sans pour autant perdre le produit de synthèse dans la solution. À la fin, le peptide terminé est libéré par une réaction de clivage spécifique. La synthèse va de l'extrémité C-terminale à l'extrémité N-terminale, c'est-à-dire à l'opposé du sens de la biosynthèse. D'abord, le groupement carboxyle du premier acide aminé est fixé à la matrice par une liaison covalente – en général une fonction ester. L'équilibre thermodynamique relatif à la formation d'une liaison peptidique est complètement déplacé du côté des acides aminés libres. Il faut donc une étape d'activation pour construire un (poly)peptide – *in vitro* comme *in vivo* (§18.2). L'activation *chimique* du groupement carboxyle des acides aminés peut par exemple être effectuée en utilisant le **dicyclohexylcarbodiimide**. L'intermédiaire obtenu forme ensuite une liaison peptidique par une réaction exergonique avec le groupement NH_2 libre de l'acide aminé fixé à la matrice (*fig.* 7.3).

Pour empêcher la réaction parasite de l'acide aminé activé avec le groupement NH_2 d'une deuxième molécule d'acide aminé libre – dans notre exemple la phénylalanine –, le groupement α-amine doit être transitoirement protégé (*fig.* 7.4). De même, les chaînes latérales réactives doivent être « masquées » par des **groupements de protection**. Le clivage de chaque groupement de protection doit se produire dans des conditions différentes. Ainsi, par exemple, la protection du groupement α-amine peut être éliminée par catalyse basique, alors que la libération du peptide terminé à la fin de la synthèse et l'élimination des groupements de protection des chaînes latérales peuvent être obtenues par catalyse acide. L'élimination du groupement de protection terminal et la formation de la liaison peptidique qui s'ensuit constituent un processus cyclique qui se répète constamment au cours de la synthèse. La technique est aujourd'hui largement automatisée – un grand nombre de peptides différents peuvent être synthétisés simultanément au cours d'une **synthèse combinatoire de peptides** à l'aide de robots de pipetage. Les peptides terminés sont purifiés par chromatographie.

La synthèse de Merrifield est d'une grande importance pratique pour la production de peptides biologiquement actifs. Par exemple, l'oxytocine (ou ocytocine) synthétique, une hormone peptidique, est utilisée dans le traitement de la douleur, et le tripeptide thyrolibérine,

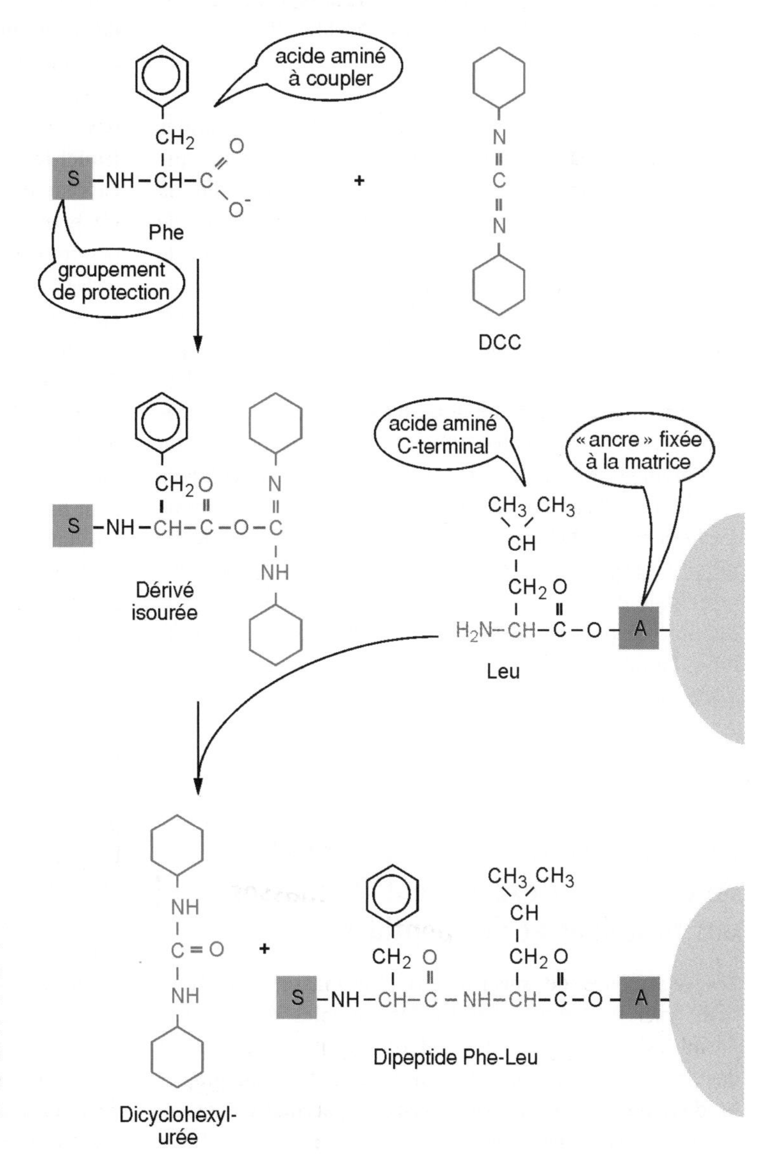

7.3 Synthèse du dipeptide Phe-Leu. Le groupement carboxyle de l'acide aminé phénylalanine est activé par réaction avec le dicyclohexylcarbodiimide (DCC) et formation du dérivé isourée. Cet intermédiaire réactif forme spontanément une liaison peptidique avec le groupement α-amine d'une leucine fixée sur la matrice avec libération d'une molécule de dicyclohexylurée.

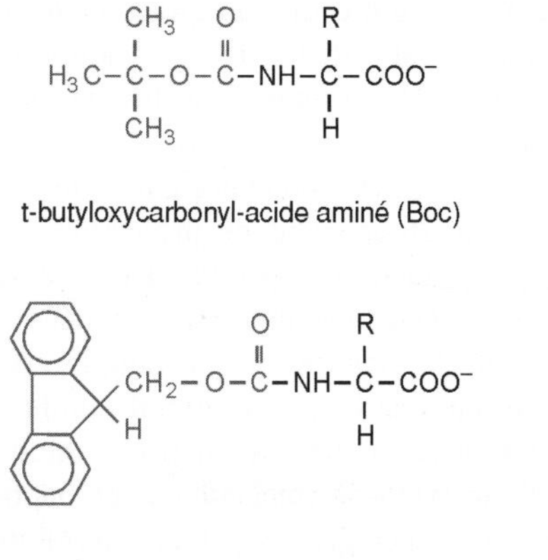

t-butyloxycarbonyl-acide aminé (Boc)

9-fluorénylméthoxycarbonyl-acide aminé (Fmoc)

7.4 Blocage chimique des groupements α-amine. Les radicaux *t*-butyloxycarbonyle (Boc) ou fluorénylméthoxycarbonyle (Fmoc) sont des groupements de protection des α-amines. Boc peut aussi être utilisé comme groupement de protection des groupements amines des chaînes latérales (lysines). Ces groupements peuvent être éliminés par traitement soit à l'acide trifluoroacétique (Boc), soit à la pipéridine, une base organique (Fmoc).

dans le diagnostic thyroïdien (*encart* 5.1). Les peptides synthétiques sont également importants en tant que vaccins ; en recherche expérimentale, ils permettent la **cartographie des épitopes** – la localisation des sites de fixation des anticorps (§ 33.9). Un problème constant de la synthèse chimique – comme dans le séquençage d'Edman – est la détérioration du rendement avec l'augmentation du nombre de cycles. Il est vrai qu'on a pu, au prix de travaux héroïques, faire la synthèse complète d'enzymes actives comme la protéase du VIH – une protéine virale de 99 acides aminés –, mais la production de polypeptides d'assez grande taille est nettement plus simple et efficace à partir d'organismes hôtes comme *Escherichia coli*. Nous reviendrons plus loin sur ces techniques d'**expression recombinante** (§ 22.9). L'application principale de la synthèse de Merrifield est donc la production de polypeptides d'environ 30 acides aminés de long. La qualité des peptides synthétiques peut être analysée par spectrométrie de masse.

7.3 La spectrométrie de masse permet de déterminer exactement les masses des protéines et des peptides

Les techniques de spectrométrie de masse permettent d'analyser la masse de molécules capables de s'ioniser. Parmi les méthodes « douces » d'ionisation des peptides et des protéines, on dispose de la technique d'**electrospray** et la **désorption/ionisation laser assistée par matrice** (angl. *matrix-assisted laser desorption ionisation*, MALDI). Dans la **MALDI**, à laquelle nous allons nous limiter, les macromolécules biologiques sont incorporées à une matrice cristalline de molécules organiques telles que l'acide dihydroxybenzoïque. L'échantillon est ensuite irradié par une courte impulsion laser, dont l'énergie est en grande partie absorbée par la matrice cristalline, ce qui protège la protéine d'une destruction immédiate. L'excitation laser provoque une forte perturbation et une dilatation du réseau cristallin de la matrice, ce qui expulse des molécules de la matrice et de la protéine qui y était incorporée sous forme gazeuse ionisée : on parle de « source d'ions » (*fig.* 7.5). En face du porte-échantillon se trouve une électrode qui accélère les ions libérés – en choisissant la polarité, on peut accélérer sélectivement les anions ou les cations. Sur le court trajet jusqu'à l'électrode, les ions sont accélérés jusqu'à des vitesses différentes dépendant de leur rapport masse/charge. Après cette phase d'accélération, les ions traversent une zone dépourvue de champ (tube de vol sous vide), où ils sont séparés du fait de leurs vitesses initiales différentes. À la sortie de cet **analyseur de temps de vol** (angl. *time of flight*, TOF), le temps de parcours des molécules depuis la source d'ions jusqu'au détecteur est mesuré électroniquement. Celui-ci se compose d'un multiplicateur d'électrons secondaires dans lequel les particules chargées incidentes déclenchent une cascade d'électrons. En comparant avec des molécules de référence de masse connue, le temps de vol permet de déterminer très précisément la masse d'une particule.

De cette manière, la masse réelle d'une protéine entière comme l'**érythropoïétine** – ou EPO – ou de ses fragments peptidiques peut être comparée à la masse théorique calculée à partir de la séquence en acides aminés. On peut ainsi déterminer si elle contient des modifications post-traductionnelles, par exemple des glycosylations, et où elles se trouvent. En principe, on peut distinguer de cette manière, par leurs profils de glycosylation différents, l'érythropoïétine recombinante utilisée à des fins thérapeutiques ou de dopage de celle produite par l'organisme, et ce malgré des structures primaires identiques. *Une autre application importante de la spectrométrie de masse est l'identification de protéines et de peptides inconnus.* Un préalable à cette identification est la connaissance des séquences d'ADN spécifiant les séquences de protéines, comme dans le cas du projet sur le génome humain. La protéine à identifier est tout d'abord fragmentée (« digérée ») par des protéases (des enzymes clivant les protéines) comme la trypsine par exemple. Cette protéase ne reconnaît et ne clive la protéine qu'au niveau des acides aminés basiques (elle coupe les liaisons Arg-Xaa, Lys-Xaa, où Xaa désigne n'importe quel acide aminé), il en résulte un profil unique et reproductible, que l'on peut prédire à partir de la séquence. En comparant le profil réel des fragments protéolytiques – que l'on appelle l'empreinte digitale de spectrométrie de masse (angl. ***mass fingerprint***) – avec les profils de fragments théoriques obtenus *in silico* à partir

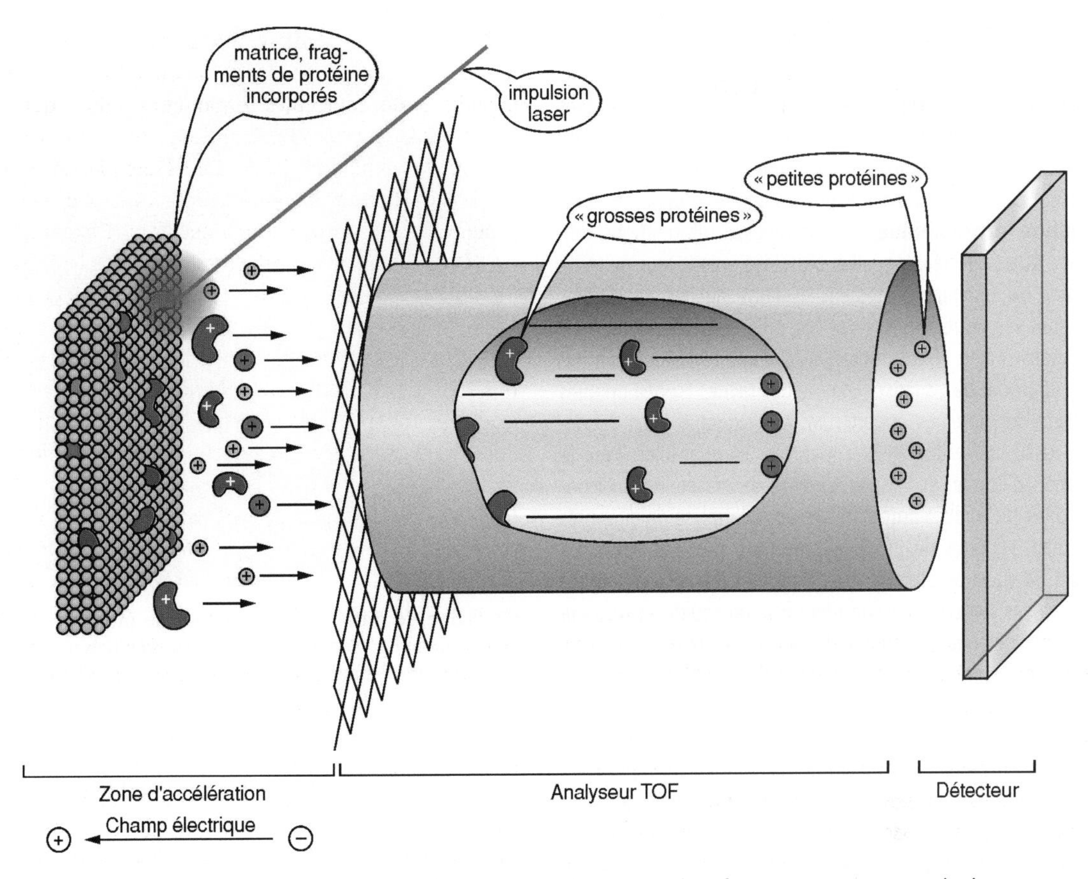

7.5 Principe de la spectrométrie de masse MALDI-TOF. La structure du spectromètre de masse avec sa source ionique, son accélérateur, son analyseur TOF et son détecteur est représentée schématiquement.

des séquences d'ADN codantes de génomes séquencés et annotés, on peut en général rapidement identifier la protéine (*fig.* 7.6). *L'utilisation conjointe de l'électrophorèse bidimensionnelle et de la spectrométrie de masse est une des méthodes essentielles de la* **protéomique** *– l'analyse des protéomes* (*encart* 7.1).

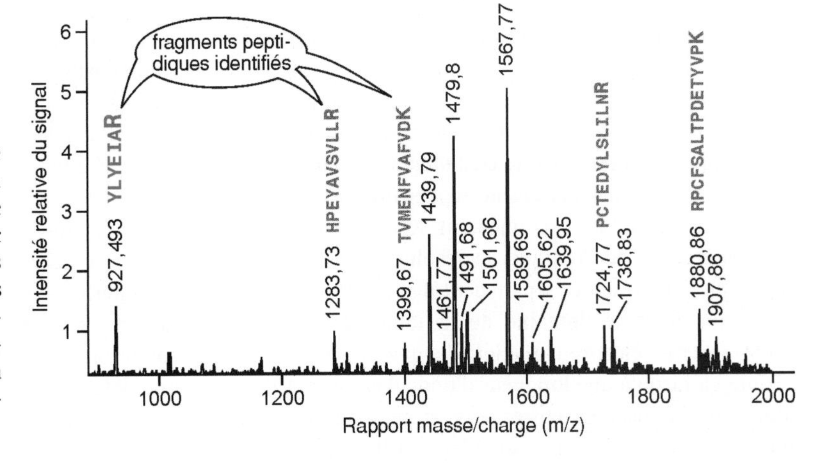

7.6 Spectre MALDI-TOF de l'albumine de sérum de bœuf clivée par la trypsine. La protéine est identifiée par comparaison de l'*empreinte digitale de masse* observée avec le profil de fragment théorique déduit des données de séquence. À titre d'exemple, les séquences des fragments peptidiques correspondant aux pics de masse sont indiquées dans le code à une lettre. On notera l'arginine ou la lysine C-terminale caractéristique d'une coupure par la trypsine. [RF]

Encart 7.1 : Analyse protéomique

Par **protéome**, on entend l'ensemble des protéines synthétisées par une cellule, un organe ou un organisme entier à un moment donné et dans des conditions physiologiques déterminées. Le protéome n'est pas une entité « statique » comme le génome. Dans une **analyse protéomique**, de nombreuses informations doivent donc être collectées : quelles protéines voient leur quantité augmenter ou diminuer fortement et dans quelles conditions, quelles sont les corrélations entre les différents changements ? Nous disposons avec l'électrophorèse 2D d'une technique permettant de séparer et de visualiser comme des taches (*spots*) uniques des milliers de protéines appartenant par exemple à un échantillon de tissu, qu'il faut ensuite identifier et quantifier. Avec la dégradation d'Edman et la spectrométrie de masse, nous disposons de deux techniques automatisées pour l'analyse de quantités extrêmement réduites de protéine présentes dans ces *spots*. En particulier, la spectrométrie de masse permet par les empreintes digitales (*mass fingerprints*) une identification rapide et massive des protéines dès que l'on connaît les séquences concernées. Une application de l'analyse protéomique consiste à étudier les différences entre deux états physio(patho)logiques aussi exactement définis que possible : par exemple, comment le profil protéique d'une cellule se modifie-t-il qualitativement et quantitativement lorsqu'elle passe de l'état sain à l'état infecté ou de dégénérescence maligne ? La masse de données produites par les expériences d'analyse protéomique peut être saisie, traitée et interprétée par la bioinformatique.

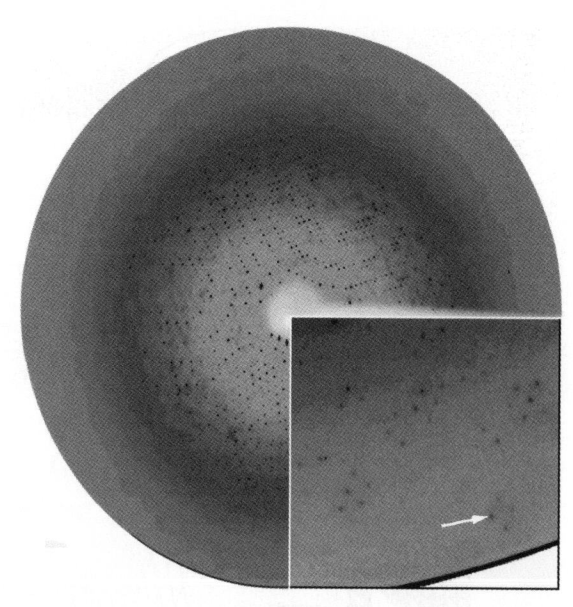

7.7 Figure de diffraction d'un cristal de protéine. Une image réelle peut en être déduite par une transformation mathématique. La flèche sur l'agrandissement indique une des réflexions.[RF]

7.4 L'analyse des structures aux rayons X décrypte les conformations des protéines

Bien que le but déclaré de la biochimie soit de décrire les processus de la vie à l'échelle moléculaire, l'expérimentateur n'a que très rarement l'objet de ses recherches directement sous les yeux. Les protéines ne « se montrent » la plupart du temps qu'en très grand nombre et indirectement, sous la forme d'une bande sur gel, d'un pic sur un chromatogramme ou encore par leur réaction catalytique. Pourtant, on dispose avec la **cristallographie aux rayons X** d'une technique qui permet de représenter les molécules dans leur réalité. Le rayonnement X est nécessaire car d'après les lois de l'optique, la résolution – la capacité théorique à représenter séparément deux points voisins – se trouve dans le domaine de la longueur d'onde du rayonnement électromagnétique employé. La lumière visible va jusqu'à une longueur d'onde d'environ 400 nm, alors que la distance entre deux atomes au sein d'une liaison covalente est juste supérieure à 0,1 nm. Malheureusement, il n'existe pas de lentilles pour le rayonnement X. *On n'obtient donc pas une image « réelle », mais seulement une* **figure de diffraction**, *qui correspond à l'image virtuelle de la microscopie optique* (*fig.* 7.7). Cette figure doit être « traduite » par un procédé mathématique en une image réelle.

Pour faire de la cristallographie aux rayons X, il faut cristalliser la protéine concernée – une entreprise difficile qui requiert une grande pureté de la protéine, beaucoup de patience et quelques talents d'expérimentateur. Des cristaux de protéines (*fig.* 7.8a) peuvent se former lorsqu'une protéine est forcée à passer de la solution aqueuse à la phase solide par addition d'un agent précipitant (par exemple le sulfate d'ammonium). La concentration de l'agent précipitant est élevée progressivement, par exemple par diffusion de vapeur entre une goutte de protéine (*hanging drop*) et une solution concentrée de sulfate d'ammonium. Le **cristal** contient un arrangement symétrique et répété des molécules de protéine. On peut se le représenter comme une grille tridimensionnelle dont les cellules se reproduisent à l'identique dans tout le cristal : la cellule reproduite est appelée **maille élémentaire du cristal** (*fig.* 7.8b). Lorsqu'un rayon X rencontre un atome donné de la maille, il fait vibrer les électrons de l'atome ; l'énergie de ces oscillateurs est restituée sous forme de rayonnements dans différentes directions, ce qui conduit presque toujours, par des interférences dites négatives, à l'extinction du rayonnement. Le rayonnement ne se renforce que dans des conditions géométriques bien définies, en s'ajoutant dans une **interférence constructive** à ceux renvoyés par les atomes correspondants des autres mailles élémentaires. En irradiant un cristal selon des angles d'incidence différents, on obtient l'information de diffraction complète. La figure de diffraction est enregistrée par un détecteur de surface ou plus simplement sur un film radiographique.

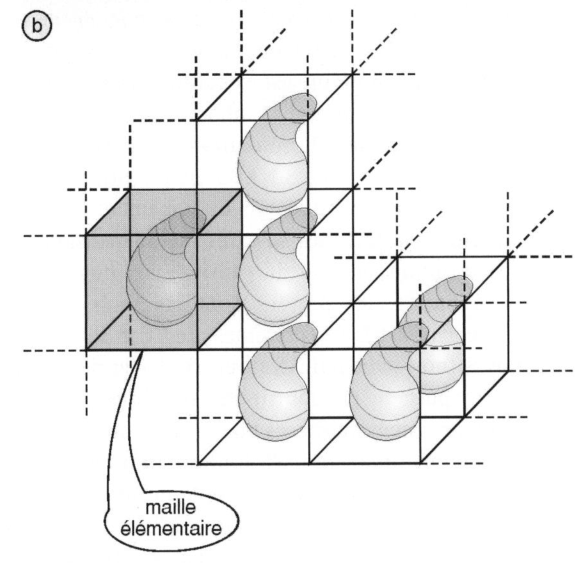

7.8 Cristaux de protéine : a) le complexe du cytochrome bc_1 de la levure *Saccharomyces cerevisiae* a été cristallisé en présence d'un fragment d'anticorps. La taille des arêtes du cristal est d'environ 0,6 mm. La coloration brun-rougeâtre est produite par les groupements hème prosthétiques du complexe protéique. b) Un cristal peut être considéré comme une grille tridimensionnelle dont l'unité de base répétée tout au long du cristal est appelée maille élémentaire. [RF]

Comme la diffraction se produit dans la couche électronique, la figure de diffraction ne contient pas d'information sur les coordonnées exactes des atomes, mais reflète une **densité électronique**. Pour simplifier, l'information sur la densité électronique est contenue dans les intensités différentes des réflexions de la figure de diffraction, qui apparaissent comme des points plus ou moins sombres sur le film radiographique (*fig.* 7.7), et qui peuvent être converties par une transformation mathématique en densités électroniques. À la fin, on obtient une carte tridimensionnelle de la densité électronique de la protéine (*fig.* 7.9). Le travail du cristallographe consiste alors à modéliser la chaîne polypeptidique à l'intérieur de cette carte. On peut suivre le trajet de la chaîne principale à partir d'une résolution d'environ 3 Å, mais ce n'est qu'au-dessous de 1 Å de résolution que les atomes apparaissent réellement comme

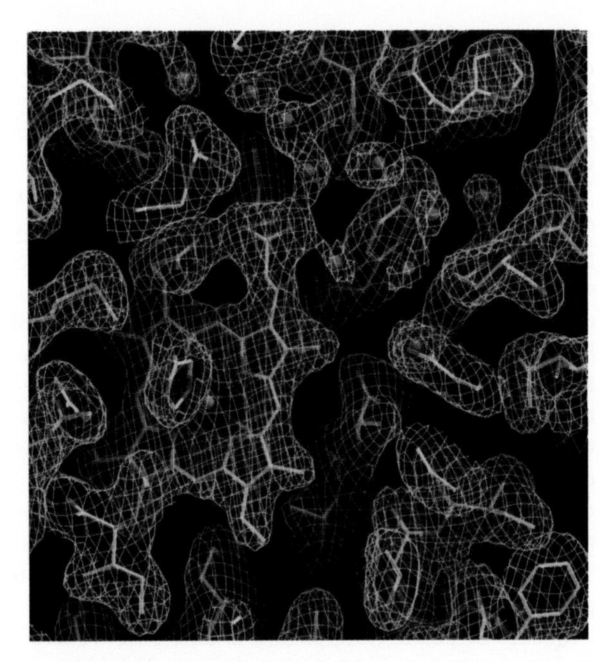

7.9 Détail d'une carte de densité électronique du complexe du cytochrome bc_1 (§ 37.5) de la levure de boulanger. La chaîne polypeptidique et un groupement hème prosthétique sont modélisés à l'intérieur de l'enveloppe de densité électronique colorée en bleu. Dans cette structure à haute résolution, on peut même voir des molécules d'eau, représentées par des sphères rouges. [RF]

des sphères entourées d'électrons – une résolution qui n'est atteinte que rarement avec des protéines. *La connaissance de la séquence protéique est donc presque toujours indispensable à l'interprétation de la carte de densité électronique.*

En général, on peut partir du principe que la structure de la protéine au sein du cristal reflète la forme que la protéine prend dans son environnement naturel – c'est-à-dire aqueux. Toutefois, la cristallographie aux rayons X ne donne que des « instantanés ». Il serait pourtant important de pouvoir « voir » une protéine directement en solution, par exemple pour étudier la dynamique et la flexibilité de sa structure, qui peuvent être d'une grande importance pour son mécanisme d'action. Pour ce type de problèmes, on dispose avec la spectroscopie de résonance magnétique nucléaire d'une autre technique de détermination de structures de protéines.

7.5 La spectroscopie de résonance magnétique nucléaire étudie les protéines en solution

La **spectroscopie de résonance magnétique nucléaire** ou **spectroscopie de RMN** est une autre technique de détermination de la structure spatiale des protéines au niveau atomique. *Sa force réside dans sa capacité à examiner des* *phénomènes dépendant du temps comme l'« accostage » d'un ligand à une protéine, les changements de conformation induits par allostérie ou le repliement d'une chaîne polypeptidique.* Le fondement physique de cette technique est l'existence chez certains noyaux atomiques (^{1}H, ^{13}C, ^{15}N entre autres) d'un **spin**. Dans une représentation d'électromécanique classique parlante – à défaut d'être parfaitement exacte – ces noyaux sont des particules chargées en rotation autour de leur propre axe et qui donc peuvent être assimilés à de minuscules aimants. Si l'on applique un champ magnétique extérieur, l'orientation des « pôles » « nord » et « sud » de ces aimants miniatures n'est plus indifférente énergétiquement. L'orientation des aimants individuels selon le champ magnétique extérieur – telle que le pôle sud pointe vers le pôle nord du champ extérieur – est d'énergie inférieure à l'orientation inverse (pôle nord contre pôle nord) (*fig.* 7.10). Par irradiation avec des ondes radio de basse fréquence, on peut induire des transitions entre ces deux états lorsque la fréquence de l'onde correspond à la différence d'énergie entre ces états. Ce phénomène est appelé **résonance.** L'échantillon utilise l'énergie exacte nécessaire à la transition, ce qui se traduit par une absorption d'énergie à une fréquence donnée. Lorsque l'on porte l'absorption en fonction de la fréquence des ondes radio incidentes, on obtient un **spectre RMN.** Des atomes identiques peuvent être distingués par des différences subtiles de leur environnement électronique. Cet environnement électronique est influencé par certains groupements chimiques (par exemple les groupements OH) : on parle alors de **déplacement chimique.** Ces différences caractéristiques de résonance permettent ainsi d'attribuer les signaux à des positions déterminées au sein de la molécule.

En plus de l'environnement électronique du noyau, son environnement magnétique joue également un grand rôle en spectroscopie de RMN. Les noyaux produisent eux-mêmes un champ magnétique local et influencent donc l'orientation des noyaux avoisinants dans le champ magnétique externe, et donc le signal de résonance : on parle de **couplage spin-spin.** *Dans le principe, cette interaction contient également l'information sur les distances entre les noyaux de la molécule, et donc finalement sur sa structure spatiale.* Le contenu en information du spectre RMN d'une protéine est extraordinairement complexe (*fig.* 7.11). On ne peut obtenir les résolutions spectrales qui permettent la résolution de la structure de protéines jusqu'à environ 30 kDa qu'en utilisant des électro-aimants supraconducteurs extrêmement forts. On enregistre alors surtout des **spectres multidimensionnels,** dont la description sortirait du cadre de cet ouvrage.

Dans la nature, les protons sont les seuls noyaux magnétiquement actifs des protéines : le ^{13}C et le ^{15}N sont des isotopes (non radioactifs !) rares. On les enrichit artificiellement, puis on en nourrit des bactéries pour que leurs protéines soient marquées au ^{13}C et/ou au ^{15}N. Seule une protéine marquée fournit l'information maximale sur sa structure spatiale en spectroscopie de résonance magnétique nucléaire : les seuls signaux des protons ne suffisent pas à l'analyse de protéines d'assez grande taille.

7.10 Orientation de dipôles magnétiques. En l'absence de champ magnétique extérieur, l'orientation des aimants miniatures induits par le spin de noyau est aléatoire (à gauche). Un champ magnétique extérieur puissant oriente les dipôles magnétiques, l'orientation « bleue » – pôle sud des micro-aimants vers le pôle nord de l'aimant extérieur – correspondant à un état de plus faible énergie que l'orientation à l'envers du champ (en rouge). Contrairement aux « aimants atomiques », des barreaux aimantés ne prendraient jamais l'orientation « rouge ». Les spins de noyau sont des états moléculaires quantiques, si bien que l'analogie avec les aimants « macroscopiques » n'est que partiellement pertinente.

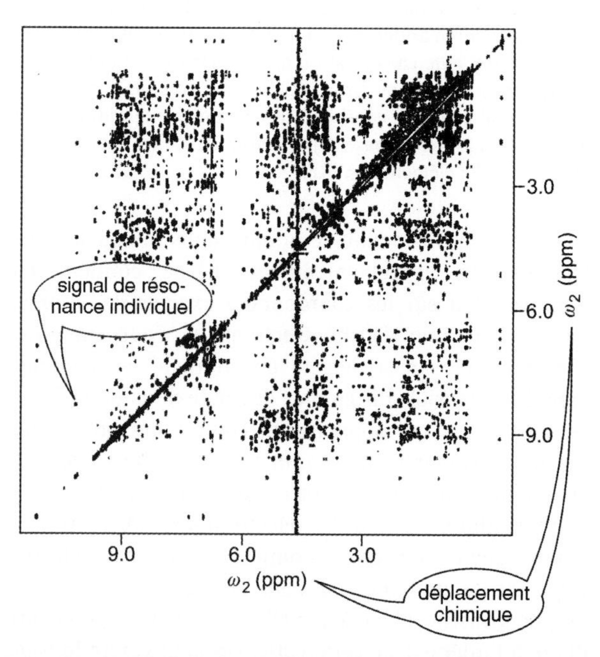

7.11 Spectre de RMN d'une protéine liant les acides gras, ILBP. Les déplacements chimiques ω_1 et ω_2 sont indiquées en ppm (parties pour million) d'un signal de référence ; il s'agit ici d'un spectre « bidimensionnel ». [RF]

La structure des protéines est ensuite obtenue à l'aide d'un ordinateur. Un logiciel produit un modèle de structure compatible avec les informations sur les distances et les angles dérivés des spectres RMN. Le programme propose en général plusieurs solutions et les plus plausibles sont sélectionnées (*fig.* 7.12). De grandes différences entre les modèles individuels sur une partie de la protéine sont l'indice d'une possible flexibilité de cette région : la structure RMN n'est pas statique, mais dynamique. *La cristallographie aux rayons X et la résonance magnétique nucléaire ont permis de résoudre la structure spatiale de milliers de protéines à l'échelle atomique, ce qui a bouleversé notre représentation de la conformation et de la dynamique des machines moléculaires.*

Nous connaissons maintenant les caractéristiques de base des protéines : nous avons étudié leurs composants, leur architecture, nous avons eu un premier aperçu de leurs techniques d'analyse et un avant-goût de leur diversité. Dans les chapitres suivants, nous en arrivons à la question importante des propriétés qui font de ces protéines véritablement des machines moléculaires à tout faire. Enzymes, elles fournissent énergie et matière aux cellules, protéines de structure, elles forment des tissus qui absorbent les tensions, protéines moteurs, elles effectuent un travail mécanique ; enfin, protéines de transport, elles apportent les métabolites indispensables comme l'oxygène dans les derniers recoins de l'organisme.

7.12 Cinq modèles de structure par RMN de la protéine de fixation des acides gras ILBP. Seul le trajet de la chaîne principale de la protéine est représenté. Les différences importantes de la partie supérieure suggèrent une flexibilité de cette région. [RF]

Protéines de structure

8

Les muscles squelettiques sont rattachés aux os par des tendons, et les articulations sont maintenues par des ligaments. Cet appareil de maintien et de soutien – os, cartilages, tendons, ligaments mais aussi le derme, l'hypoderme, et les capsules de certains organes – est nommé globalement **tissu conjonctif.** Il est caractérisé par une **matrice extracellulaire** (MEC) étendue, qui englobe des cellules conjonctives – souvent clairsemées. Cette matrice de tissu conjonctif se compose pour l'essentiel de protéines, de polysaccharides et d'eau. La structure d'un tissu conjonctif est fortement dépendante des contraintes fonctionnelles. Ainsi, la MEC des tendons contient majoritairement des fibres protéiques résistantes à la traction, alors que les cartilages sont principalement composés de polysaccharides formant un gel aqueux qui résiste à de fortes pressions. En dehors de cette fonction de soutien, le tissu conjonctif remplit également des rôles importants dans la prolifération, la différenciation, le transport de cellules et le contrôle des interactions entre cellules. Dans ce chapitre, nous allons nous concentrer sur les protéines de la matrice extracellulaire et examiner leurs traits structuraux caractéristiques et leurs contraintes fonctionnelles au moyen d'exemples choisis.

8.1 La matrice du tissu conjonctif est constituée de protéines de structure

Les macromolécules essentielles de la matrice extracellulaire se divisent en trois catégories : 1) les **protéines fibreuses** ; 2) les **polysaccharides**, qui sont souvent liés à des protéines et dans ce cas appelés **protéoglycanes**, et 3) les **protéines d'adhésion**. Nous commencerons par la protéine de structure fibreuse principale des vertébrés, le **collagène**. Avec plus de 25 % de la quantité totale de protéine, c'est la protéine majoritaire de l'organisme humain, il est surtout présent dans la peau, les os, les cartilages, les tendons, les ligaments, les fasciae ainsi que dans la cornée et la dentine. La diversité structurale du collagène est grande : on en trouve au moins 27 types (les collagènes I à XXVII) chez les mammifères. Fonctionnellement, on en distingue trois grandes classes : les collagènes formant des fibrilles, les collagènes associés aux fibrilles, et les collagènes formant des réseaux (*tab.* 8.1).

Les collagènes sont des molécules homotrimériques ou hétérotrimériques faites de trois chaînes polypeptidiques appelées chaînes α ; on distingue au moins 36 chaînes α différentes. Le collagène de type I qui domine quantitativement est un hétérotrimère de deux chaînes $\alpha1$(I) et une chaîne $\alpha2$(I). Les trois chaînes α forment chacune une hélice gauche ; trois hélices de ce type s'enroulent pour former une **triple hélice** droite (*fig.* 8.1). L'hélice gauche des protomères est très semblable par sa confor-

Tableau 8.1 Trois classes fonctionnelles de collagène avec exemples choisis. Les types I, II, et III représentent environ 90 % du collagène du corps. Des mutations dans les gènes des collagènes peuvent conduire à des maladies.

Fonction	Type	Tissu	Maladie provoquée par des mutations
collagène formant des fibrilles	I	pratiquement tous tissus conjonctifs sauf cartilage	ostéogenèse imparfaite syndrome d'Ehler-Danlos de type VII (*encart* 8.2)
	II	cartilage, corps vitreux (œil)	chondrodysplasies
	III	tissus conjonctifs extensibles (peau, muscle), organes creux (vaisseaux, poumons)	syndrome d'Ehler-Danlos de type IV
collagène associé aux fibrilles	IX	voir type II	dysplasie épiphysaire multiple
collagène formant des réseaux	IV	lamina basale	syndrome d'Alport

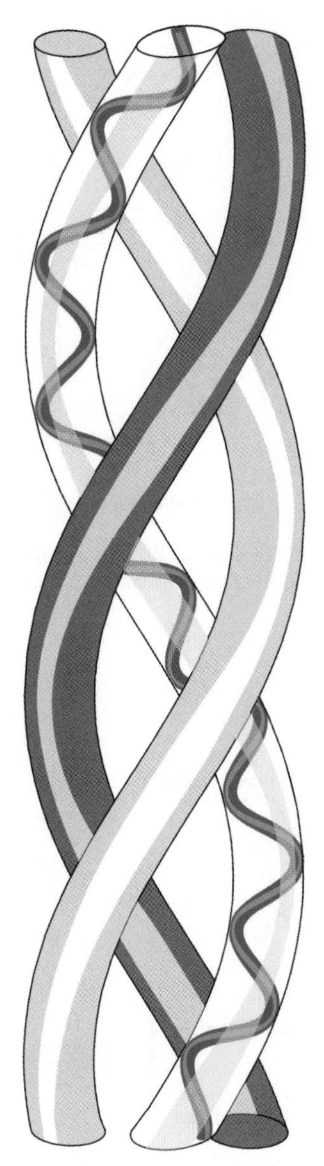

8.1 Triple hélice du collagène. Chaque chaîne α forme une hélice gauche. Les trois chaînes α s'enroulent les unes autour des autres pour construire une triple hélice droite. [RF]

mation aux hélices formées par des polyprolines ou polyglycines synthétiques. *Il ne faut pas la confondre avec l'hélice α, l'élément essentiel de structure secondaire de nombreuses protéines globulaires, qui est une hélice droite.*

Pour permettre cet arrangement inusité en triple hélice, les protomères de collagène ont une structure primaire spéciale. On remarque que la séquence Gly-Xaa-Yaa, où Xaa désigne souvent une proline et Yaa une hydroxyproline (*fig.* 8.2), y revient souvent. L'hydroxyproline provient de la proline par une hydroxylation post-traductionnelle (*encart* 8.1). En accord avec cette observation, les proportions de glycines et de prolines / hydroxyprolines dans la composition en acides aminés du collagène sont d'environ 30 % et 22 %, respectivement. Le fait que presque une position sur trois soit occupée par une

H_2N····Gly-Pro-Arg-Gly-Pro-Hyp-Gly-Ser-Ala····COOH
H_2N····Gly-Leu-Hyp-Gly-Lys-Asp-Gly-Ala-Hyp····COOH
H_2N····Gly-Pro-Hyp-Gly-Pro-Ile-Gly-Pro-Asp····COOH

8.2 Motif de séquence Gly-Xaa-Yaa. Ce motif se répète une centaine de fois dans les trois chaînes α du collagène. Xaa est fréquemment une proline (Pro), Yaa souvent une hydroxyproline (Hyp).

glycine, le plus petit acide aminé avec son atome d'hydrogène à la place de la chaîne latérale, permet un enroulement serré des brins α dans la triple hélice. De nombreuses mutations conduisant à des défauts du collagène affectent justement ces positions. Les hydroxyprolines, assez nombreuses, stabilisent la triple hélice par des liaisons hydrogènes entre les brins. La conformation encombrante et rigide de la proline ou de l'hydroxyproline donne à la structure la rigidité souhaitée. *L'enroulement en tresse des brins y contribue également : comme dans les cordes ou les câbles, les torsades en sens contraire (droite et gauche) empêchent qu'un brin ne se désolidarise de l'ensemble.* Bien au contraire, les fibres individuelles se resserrent encore sous l'effet d'une traction.

8.2 La triple hélice est stabilisée par des modifications post-traductionnelles

Nous allons maintenant nous intéresser à la biosynthèse complexe du collagène, qui comprend toute une série de maturations intra et extracellulaires depuis l'ARNm jusqu'aux fibres de collagène matures (*fig.* 8.3). La traduction de l'ARNm de la chaîne α produit d'abord un **préprocollagène.** Celui-ci possède un **peptide signal** qui guide la machinerie de synthèse de protéines du ribosome vers la membrane du réticulum endoplasmique (RE) et dirige la chaîne polypeptidique naissante vers l'espace interne du RE (§ 19.4). À cette étape, une protéase élimine le peptide signal, transformant le préprocollagène en **procollagène.** Celui-ci demeure plus long que la chaîne mature : des **propeptides,** qui ne seront clivés que plus tard, sont encore présents aux extrémités C-terminale et N-terminale. Une autre enzyme, la prolyl-hydroxylase, ajoute un groupement hydroxyle à une partie des résidus prolines de la chaîne polypeptidique nouvellement synthétisée. Le cosubstrat de cette réaction d'hydroxylation est la **vitamine C** (l'acide ascorbique). Lors d'une carence en vitamine C, les chaînes α ne peuvent plus s'associer en triple hélice stable et sont retenues dans le RE. La conséquence en est une déficience en collagène qui provoque les symptômes du **scorbut** (*encart* 8.1). En dehors des prolines, les résidus lysines du collagène sont aussi hydroxylés en Cδ de leur chaîne latérale.

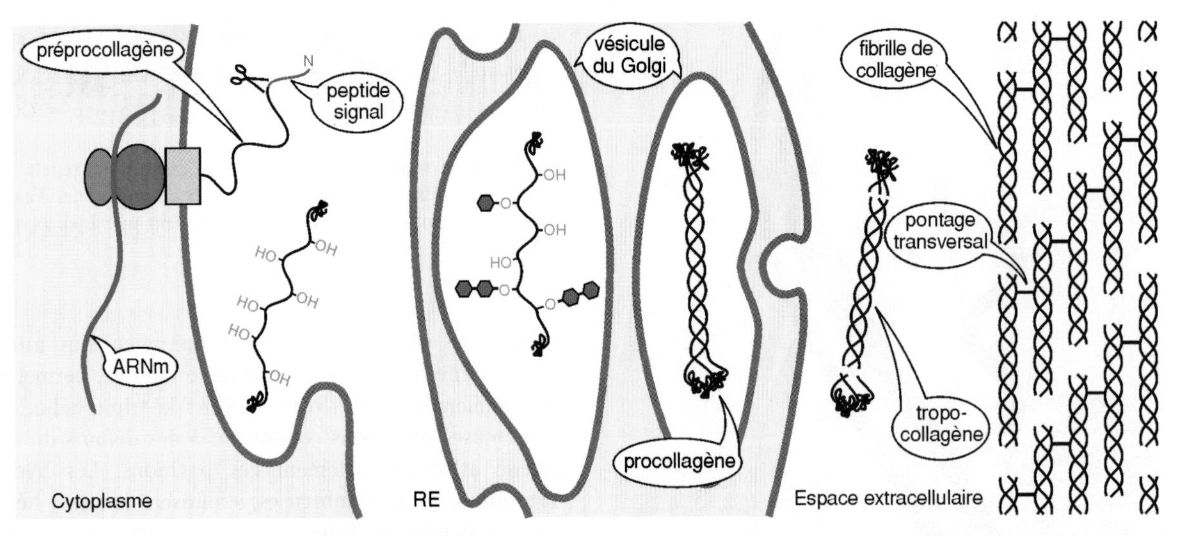

8.3 Étapes de la synthèse du collagène. Intracellulaire : injection cotraductionnelle dans le RE, clivage du peptide signal, hydroxylation ; glycosylation ; assemblage et sécrétion de la triple hélice de procollagène. Extracellulaire : clivage des propeptides, polymérisation et pontage du tropocollagène en fibrilles matures.

Encart 8.1 : Le scorbut (avitaminose C)

L'hydroxylation post-traductionnelle des résidus prolines en 4-hydroxyprolines (plus rarement en 3-hydroxyprolines) contribue grandement à l'assemblage et à la stabilisation de la triple hélice. L'enzyme qui en est responsable, la prolyl-hydroxylase, reconnaît les prolines de la séquence –Pro–Gly–, qui se trouve à la jonction de deux unités répétées (Gly–Xaa–Pro–Gly–Xaa–Yaa) et hydroxyle le noyau proline (*fig.* 8.4). L'atome d'oxygène du groupement hydroxyle vient de l'oxygène moléculaire ; le deuxième atome d'oxygène de la molécule d'O_2 oxyde l'α-cétoglutarate en succinate. La prolyl-hydroxylase renferme dans son centre actif un ion Fe^{2+}, qui est oxydé au cours de la réaction en Fe^{3+}. L'acide ascorbique (vitamine C) qui joue le rôle de cosubstrat réduit le Fe^{3+} en Fe^{2+} en formant de l'acide déshydroascorbique. En cas de déficit en vitamine C, il y a arrêt de la réaction d'hydroxylation et carence en collagène, ce qui conduit à une fragilité des vaisseaux sanguins : les symptômes principaux du scorbut sont une inflammation des gencives et la chute des dents, une tendance accrue aux saignements, et des perturbations de la cicatrisation. De nos jours, on n'observe plus que rarement le tableau clinique complet du scorbut.

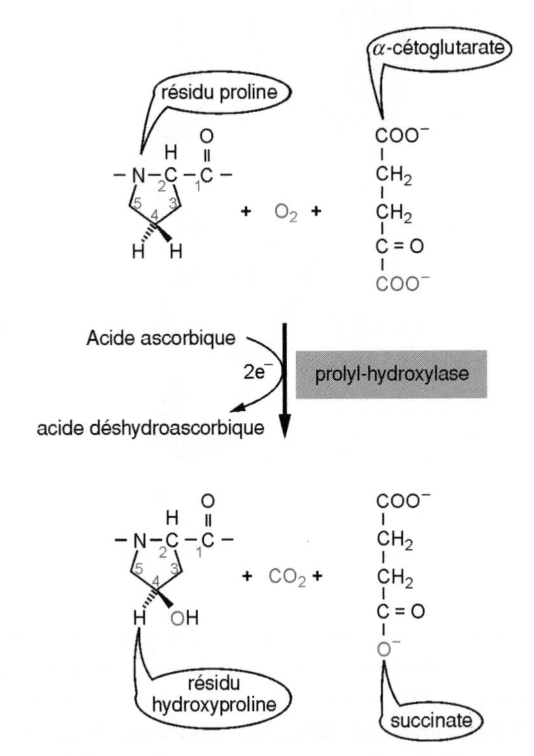

8.4 Hydroxylation de la proline. Le co-substrat de cette réaction est l'α-cétoglutarate, qui est converti par décarboxylation oxydative en succinate.

Dans le RE et l'appareil de Golgi, des radicaux glucoses et galactoses sont ajoutés au groupement δ-hydroxyle des lysines modifiées. Des ponts disulfures se forment entre les propeptides C-terminaux des trois chaînes : à partir de là, la triple hélice commence à se former en direction de l'extrémité N-terminale. Il est possible que les différentes chaînes α se « reconnaissent » à leurs peptides C-terminaux. La molécule en triple hélice extrêmement allongée de 300 nm de long pour 1,5 nm de diamètre est ensuite empaquetée dans les ferries (les vésicules du Golgi) de la cellule et sécrétées. Des protéases spécifiques (les peptidases à procollagène) éliminent les propeptides

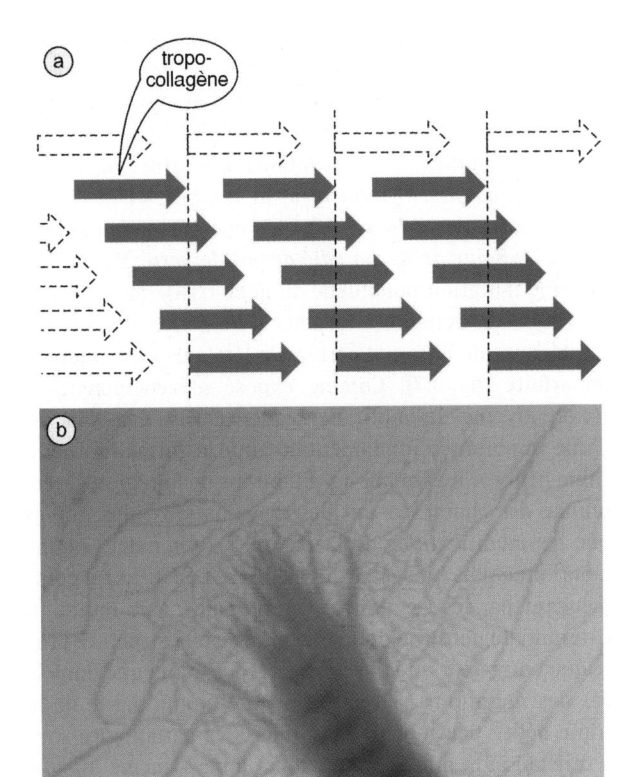

8.5 Fibrilles de collagène. L'arrangement décalé des monomères crée (a) des « trous » qui apparaissent en microscopie électronique (b) comme des bandes. Dans la technique de microscopie à force atomique utilisée ici, une sonde microscopique effleure la surface des objets. Le trait blanc est un étalon d'1 µm de long. L'échelle de couleurs indique les « différences d'altitude » au sein de l'échantillon : il y a 300 nm entre le jaune et le bleu. [RF]

globulaires pour donner le **tropocollagène** (*fig.* 8.3). Le tropocollagène s'associe alors en **fibrilles** allongées – une fonction possible des propeptides serait d'empêcher la formation trop précoce des fibrilles, qui aurait des conséquences catastrophiques pour la cellule qui les synthétiserait ! Dans les fibrilles, les molécules de tropocollagène sont disposées selon un arrangement parallèle où deux molécules consécutives sont décalées d'exactement un quart de leur longueur, qui est à l'origine des stries caractéristiques des fibrilles sur les clichés de microscopie (*fig.* 8.5).

8.3 Les fibrilles de collagène sont stabilisées par pontage chimique transversal

Après leur agrégation, les fibrilles de collagènes sont encore labiles. Elles n'acquièrent leur stabilité chimique caractéristique qu'après un **pontage chimique transversal** (*fig.* 8.3). L'enzyme **lysyl-oxydase** désamine les chaînes latérales des lysines pour donner l'**allysine** qui porte un groupement aldéhyde en Cε. Ensuite, jusqu'à quatre résidus de chaînes α différentes peuvent réagir ensemble. Deux résidus allysine, un résidu hydroxylysine et un résidu histidine peuvent ainsi être connectés (*fig.* 8.6). Ce « nœud » chimique s'établit préférentiellement entre les régions terminales de deux molécules de tropocollagène et augmente énormément la stabilité mécanique de la fibrille. Une fibrille de collagène, longue de plusieurs micromètres, a un diamètre de 10-300 nm. Ces fibrilles sont ensuite organisées en **fibres de collagène**, qui sont plus résistantes que l'acier !

Contrairement à beaucoup d'autres protéines, qui changent de localisation en quelques minutes, heures ou jours, une seule et même molécule de collagène reste souvent des années à sa place. Les enzymes spécifiques de la dégradation du collagène – les **collagénases** – sont des protéases qui sont synthétisées en plus grand nombre et activées lors de la cicatrisation ou des fractures osseuses. Elles détaillent les fibrilles de collagène en fragments « maniables » qui sont absorbés par les macrophages dans lesquels ils sont complètement dégradés. Le pontage transversal du collagène augmente avec l'âge. Les fibrilles deviennent alors plus cassantes et moins élastiques. Des os plus fragiles, des ligaments moins extensibles, des articulations et des vaisseaux plus rigides avec l'âge en sont la conséquence directe. L'augmentation du pontage transversal ne repose pourtant pas seulement sur le mécanisme enzymatique décrit précédemment. Un pontage non-enzymatique du collagène par des molécules de glucose semble aussi contribuer au vieillissement des fibrilles.

8.4 Des perturbations de la formation du collagène sont à l'origine de maladies graves

En accord avec l'omniprésence du collagène et son importance fonctionnelle dans l'appareil de soutien et de maintien, les défauts de synthèse du collagène ont un impact considérable. Avec le scorbut, nous connaissons déjà une déficience acquise du collagène (*encart* 8.1). Dans le cas de l'**ostéogenèse imparfaite**, la maladie des os de verre, il s'agit en revanche d'un défaut inné de la bio-

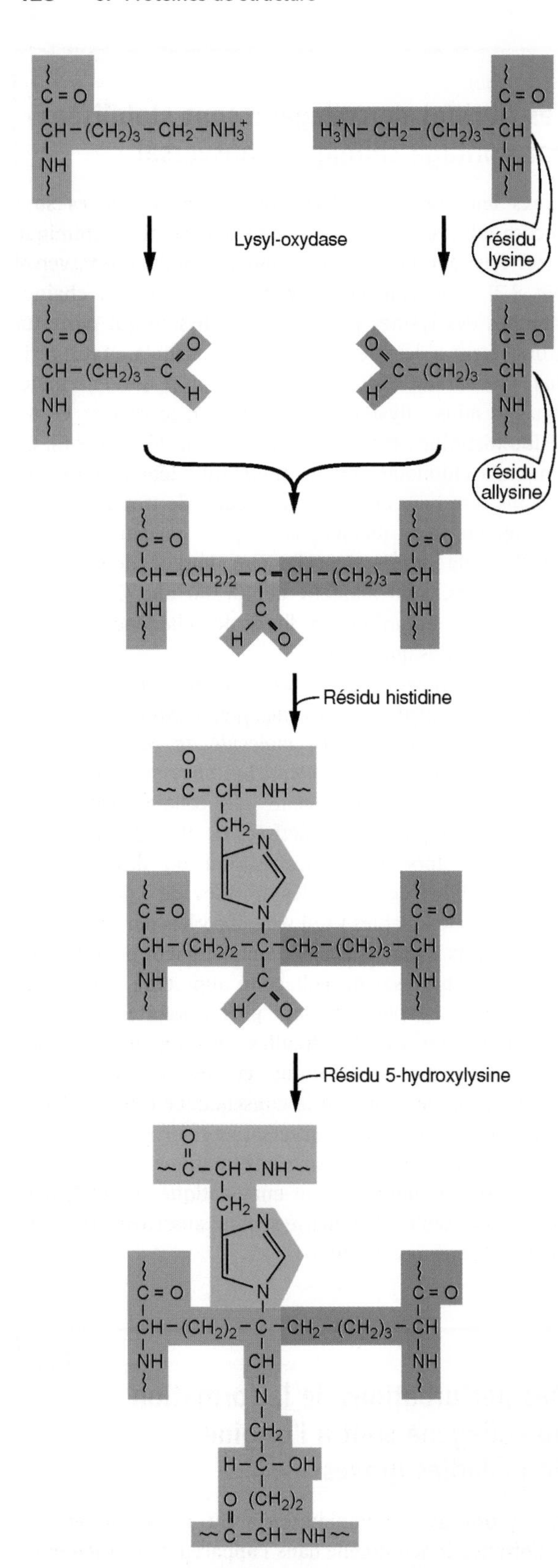

8.6 Pontage transversal du collagène. Le résultat du pontage entre deux résidus allysines, une hydroxylysine et un résidu histidine, est représenté. Le pontage des fibrilles de collagène est irréversible et contribue significativement à la stabilisation des fibres.

synthèse du collagène. Cette maladie est caractérisée par une fragilité accrue des os qui provoque des fractures à la suite de traumatismes bénins, ainsi qu'une coloration bleue de la sclérotique (l'enveloppe du globe oculaire) et un déficit auditif. *Des mutations des gènes $\alpha 1(I)$ ou $\alpha 2(I)$, qui abolissent totalement la synthèse de la chaîne α ou conduisent à la synthèse de chaînes α anormales, sont à l'origine de la maladie des os de verre.* Par exemple, une mutation ponctuelle du gène $\alpha 1$(I), qui introduit un codon de cystéine à la place d'un codon de glycine, est la cause de la forme périnatale létale de l'ostéogenèse imparfaite (*fig.* 8.7). Comme exposé précédemment, le résidu glycine du motif de séquence Gly-Xaa-Xaa est d'une importance fondamentale pour la formation de la triple hélice. En général, les mutations de la région C-terminale des chaînes α ont des répercussions plus graves que les modifications de la région N-terminale. Comme mentionné plus haut, la triple hélice se constitue en commençant par les extrémités C-terminales. Une mutation C-terminale perturbe donc l'adoption de la structure protéique correcte à un stade plus précoce, alors que dans le cas des mutations N-terminales, une bonne partie de la triple hélice peut encore se former. Ces pathologies sont à transmission autosomique dominante – même lorsque deux chaînes α « correctes » sont générées par l'allèle « sain », elles ne peuvent pas former de triple hélice correcte avec une chaîne α provenant du locus génétique muté : on parle d'un **effet dominant négatif**. La thérapie causale de l'ostéogenèse imparfaite est donc impossible à l'heure actuelle.

Alors que dans le cas de l'ostéogenèse imparfaite, la synthèse du collagène est touchée directement, certaines formes isolées du **syndrome d'Ehler-Danlos** sont dues à une maturation post-traductionnelle aberrante d'un collagène par ailleurs intact (*encart* 8.2).

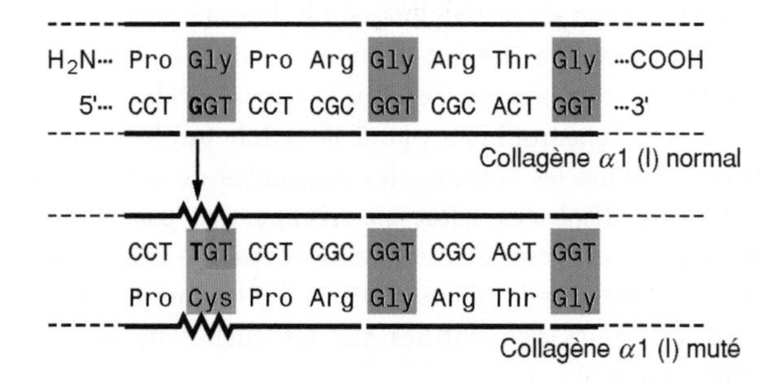

8.7 Mutation ponctuelle du gène $\alpha 1$(I) impliquée dans l'ostéogenèse imparfaite. La substitution d'acides aminés à la position 988 de la chaîne $\alpha 1$(I) résultant de cette mutation provoque une forme périnatale létale de l'ostéogenèse imparfaite.

Encart 8.2 : Le syndrome d'Ehler-Danlos (SED)

Les SED regroupent plusieurs maladies héréditaires actuellement divisées en six types. Les symptômes classiques sont une hyperélasticité de la peau, une capacité d'hyperextension des articulations et en général une vulnérabilité accrue des tissus. Le SED de type VI est provoqué par une carence en lysine-hydroxylase. C'est l'hydroxylation des résidus lysines qui est d'abord touchée, puis la glycosylation et le pontage transversal du collagène auquel l'hydroxylysine participe. Dans le type de SED appelé **dermatosparaxis**, on a un défaut de la **peptidase du procollagène** qui dans des conditions physiologiques normales élimine le propeptide amino-terminal de la chaîne de procollagène. Cela entraîne une altération de la morphologie des fibrilles et une moins bonne résistance à la traction (*fig.* 8.8).

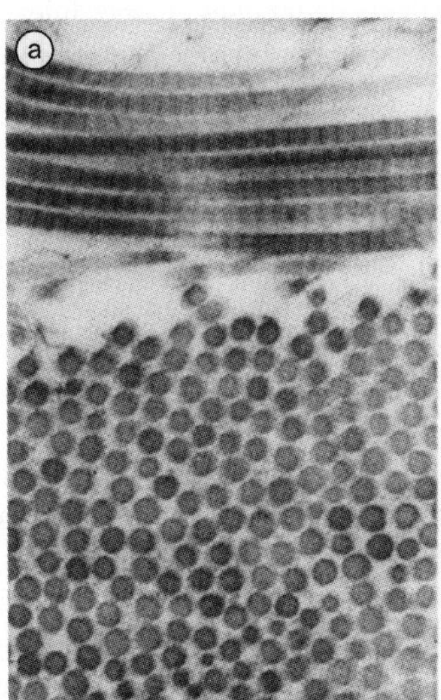

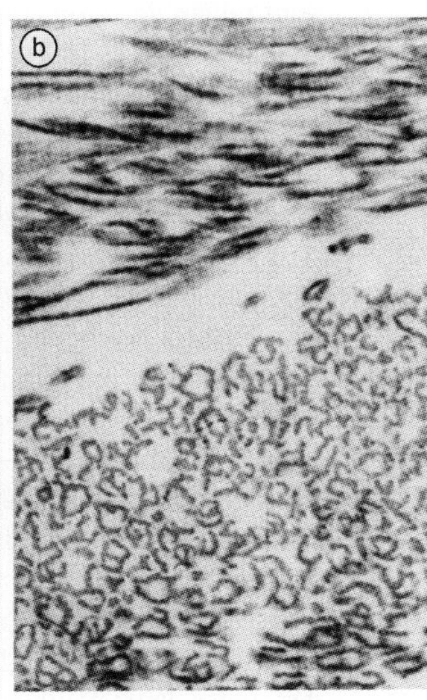

8.8 Perturbation de la morphologie des filaments dans le dermatosparaxis. (a) montre la forme normale et (b) la forme pathologique des fibrilles. Dans la moitié supérieure des clichés, les fibres sont en vue latérale, dans la moitié inférieure en vue frontale. [RF]

8.5 Le tissu conjonctif doit sa flexibilité à l'élastine

Le collagène est avant tout responsable de la résistance mécanique du tissu conjonctif, mais d'où vient l'élasticité typique de nombreux tissus ? L'« extenseur » moléculaire le plus important est l'**élastine.** *Cette protéine de structure peut être allongée de plusieurs fois sa longueur normale pour retrouver finalement – comme un élastique – sa conformation initiale.* Cette propriété en fait une protéine caractéristique de la MEC de la peau, du tissu pulmonaire et des vaisseaux sanguins. L'élastine est biosynthétisée sous la forme d'une protéine monomérique d'une masse approximative de 70 kDa. Comme la plupart des protéines fibreuses, elle a une nette « préférence » pour certains acides aminés : en un jeu de construction modulaire, des régions hydrophobes riches en glycines, valines et prolines alternent avec des domaines hydrophiles en hélice α caractérisés par la présence d'alanines et de lysines. Les régions hydrophobes sont responsables de l'élasticité : leur structure spatiale est si flexible que l'on peut étirer complètement la chaîne polypeptidique sans lui appliquer une force particulièrement élevée.

Le trajet de l'élastine va, comme dans le cas du collagène, du réticulum endoplasmique à l'appareil de Golgi, pour arriver par les vésicules sécrétrices jusqu'à l'espace extracellulaire. Contrairement au collagène, l'élastine n'est que peu modifiée au cours du voyage. Par contre, elle subit une modification essentielle à sa destination finale : l'élastine est « accueillie » dans la matrice de **microfibrilles** à laquelle l'enzyme lysyl-oxydase est associée. Celle-ci remplit la même fonction que pour le pontage transversal du collagène par les chaînes latérales d'allysines ; dans l'élastine, les points de fixation sont les domaines en hélice α (*fig.* 8.9). Le réseau d'élastine ainsi créé peut absorber des forces de traction dans n'importe quelle direction à la manière d'une pelote d'élastique. L'énergie investie dans ce processus est probablement stockée par un mécanisme « entropique ». Sous la traction, l'élastine passe de l'état de réseau chaotique de fibres à un arrangement ordonné. La tendance à maximiser l'entropie (§ 3.8) fournit la force de réaction lorsque la traction s'arrête : les molécules d'élastine reforment une pelote.

L'accumulation des monomères d'élastine et l'arrangement du réseau sont manifestement contrôlés par les microfibrilles associées, dont les composants principaux sont des glycoprotéines, les **fibrillines** 1 et 2. Des mutations dans le gène de la fibrilline 1 se manifestent par le **syndrome de Marfan** (*encart* 8.3).

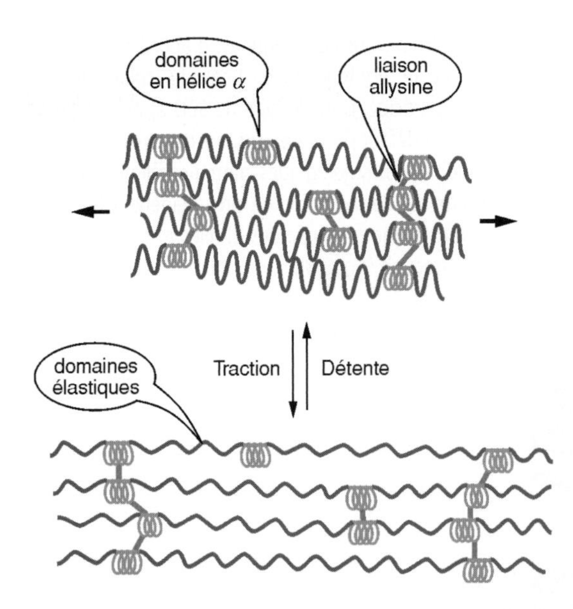

8.9 Réseau de fibres d'élastine. L'étirement réversible d'une fibre élastique de molécules d'élastine pontées transversalement est ici représenté schématiquement. Les molécules d'élastine individuelles sont composées de deux modules différents. Les domaines hydrophobes flexibles (en bleu) alternent de manière irrégulière avec des domaines en hélice α plus courts (en orange). Les pontages entre monomères d'élastine formés par les chaînes latérales des allysines présentes dans les domaines en hélice sont représentés en rouge.

Encart 8.3 : Le syndrome de Marfan

La fibrilline 1 est une glycoprotéine de grande taille et d'une masse de 350 kDa. Avec la fibrilline 2, elles sont les composants principaux des microfibrilles qui entourent les fibres d'élastine et probablement contrôlent leur accumulation et leur orientation. Différentes mutations du gène de la fibrilline 1 peuvent conduire à des déficiences correspondant au syndrome dit de Marfan. Leurs symptômes caractéristiques sont des anomalies oculaires (myopie, dislocation du cristallin) ainsi que des altérations cardiovasculaires. Les vaisseaux élastiques comme l'aorte, dont les parois contiennent une grande quantité de fibres élastiques, sont les plus touchés. Il peut y avoir formation de dilatations potentiellement mortelles et ruptures spontanées de vaisseaux (ruptures de l'aorte). Le symptôme le plus apparent du syndrome de Marfan est la morphologie générale du patient : ossature fine, grande taille, crâne allongé, arachnodactylie (« doigts d'araignée ») et déformations de la cage thoracique. L'on suppose qu'entre autres, Niccolo Paganini et Abraham Lincoln étaient atteints de cette maladie.

8.6

Les protéoglycanes et glycosaminoglycanes apportent une résistance aux forces de compression

Mis à part les protéines fibreuses, les **protéoglycanes** sont les deuxièmes composants essentiels de la matrice extracellulaire. Ils sont composés d'un noyau protéique auquel sont reliées de façon covalente de longues chaînes linéaires de polysaccharides. Les composants élémentaires de ces parties osidiques, appelés **glycosaminoglycanes (GAG)** ou mucopolysaccharides, sont des unités répétées de disaccharides composés d'un sucre aminé (la *N*-acétylglucosamine ou la *N*-acétylgalactosamine) et classiquement d'un acide uronique (*fig.* 8.10a). La substitution du radical osidique par des groupements carboxyles ou sulfates – ces derniers introduits après polymérisation – confère aux GAG une importante densité de charges négatives. Les quatre types principaux de GAG sont l'**acide hyaluronique**, les **chondroïtine-sulfate** et **dermatane-sulfate**, le **kératane-sulfate** et l'**héparane-sulfate**. Contrairement à l'héparane-sulfate qui lui est apparenté chimiquement, l'héparine *n*'est *pas* un composant du tissu conjonctif ; elle se trouve dans les granula intracellulaires des mastocytes. Les glycosaminoglycanes se distinguent par le type des sucres, leurs configurations, leurs liaisons, et les positions des substituants sulfatés. La connexion des glycosaminoglycanes avec le noyau protéique a lieu dans l'appareil de Golgi. Tout d'abord, un **trisaccharide de liaison** particulier réagit avec des chaînes latérales de sérines, pour servir ensuite de « germe » à la polymérisation enzymatique des GAG. *La partie osidique des protéoglycanes est synthétisée de la protéine vers la périphérie* (*fig.* 8.10b). L'acide hyaluronique fait exception à la règle, puisqu'il existe à l'état de polysaccharide libre non lié à une protéine.

Les glycosaminoglycanes et protéoglycanes forment des structures assez rigides de conformation « encombrante ». Même lorsque leur proportion dans la matrice n'est pas élevée, ils prennent une place énorme. Ils sont nettement hydrophiles et ont une haute densité en charges négatives en raison de leurs groupements acides ionisés à pH physiologique, ce qui fait qu'ils se lient à une grande quantité de cations avec leur couche d'hydratation volumineuse (*fig.* 8.11). De cette manière, ils constituent la substance de base gélatineuse de la MEC dans laquelle les protéines fibreuses sont incorporées. *Sous l'effet d'une pression, l'eau ne peut être expulsée de ce gel que jusqu'à ce que la densité de charges du polymère soit si élevée que des forces de répulsion électrostatique empêchent toute compression supplémentaire.* Ainsi, les protéoglycanes confèrent par exemple aux cartilages des articulations des genoux une remarquable résistance aux forces de compression.

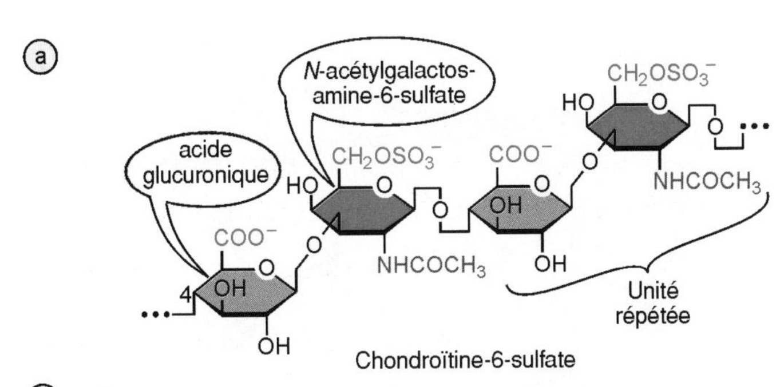

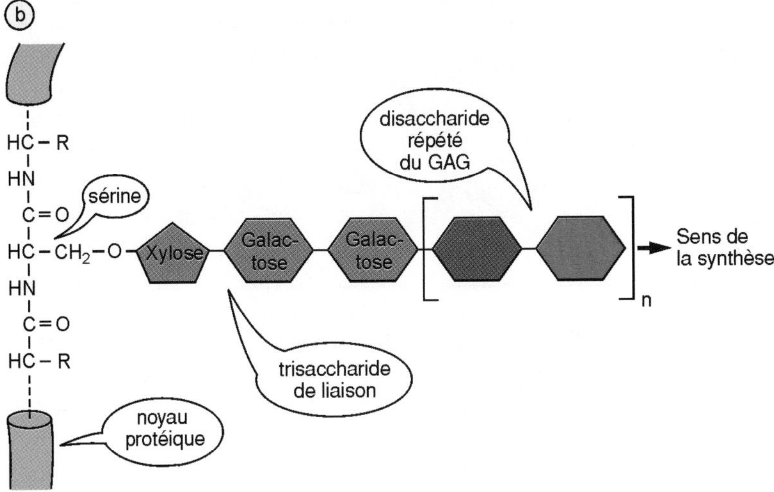

8.10 Glycosaminoglycanes : a) structure générale des glycosaminoglycanes. Le chondroïtine sulfate est représenté ici à titre d'exemple. b) synthèse des GAG à partir du noyau protéique. L'unité trisaccharidique faite de xylose et de galactose est indiquée. [RF]

En dehors de ce rôle purement mécanique, les protéoglycanes remplissent également des fonctions beaucoup plus subtiles. Ils peuvent par exemple influer sur le transport de cellules et de métabolites ; ils agissent comme corécepteurs de nombreux facteurs de croissance et d'autres hormones. L'exploration de leur rôle dans les processus de morphogenèse et de régulation de la croissance en est encore à ses débuts. Le mutant *dally* (angl. *division abnormally delayed*) de la mouche du vinaigre *Drosophila melanogaster* porte un défaut du gène d'un protéoglycane lié à l'héparane-sulfate ancré à la surface cellulaire. Cette mutation affecte la morphogenèse du cerveau, des ailes, des organes génitaux, des yeux et des antennes.

8.11 Gels de glycosaminoglycanes. À partir d'une certaine quantité de liquide expulsé les forces de répulsion électrostatique empêchent toute compression supplémentaire.

8.7 Les protéines d'adhésion sont des éléments importants de la matrice extracellulaire

Les protéines fibreuses et les protéoglycanes sont déterminants pour les propriétés physiques de la matrice extracellulaire. Toutefois, un aspect important non encore abordé est la liaison entre la matrice et les cellules (§ 30.7). Les **protéines d'adhésion** y jouent un rôle important comme vecteurs de l'adhésion cellulaire. Nous prendrons ici comme exemple deux représentants importants – la laminine et la fibronectine – pour les discuter. La **laminine** est un des composants principaux de la **membrane basale** (lamina basale), une fine couche de matrice extracellulaire (60-100 nm) sur laquelle reposent l'épithélium et l'endothélium (*fig.* 8.12).

La laminine est constituée de trois chaînes polypeptidiques différentes α, β, et γ. Des combinaisons des différentes variantes α, β, et γ donnent un grand nombre de laminines (peut-être plus de 50). Leur point commun à toutes est l'entrelacement des parties carboxy-terminales en hélice α de leurs trois chaînes. Il s'agit donc – comme dans le collagène – d'une hélice formée de

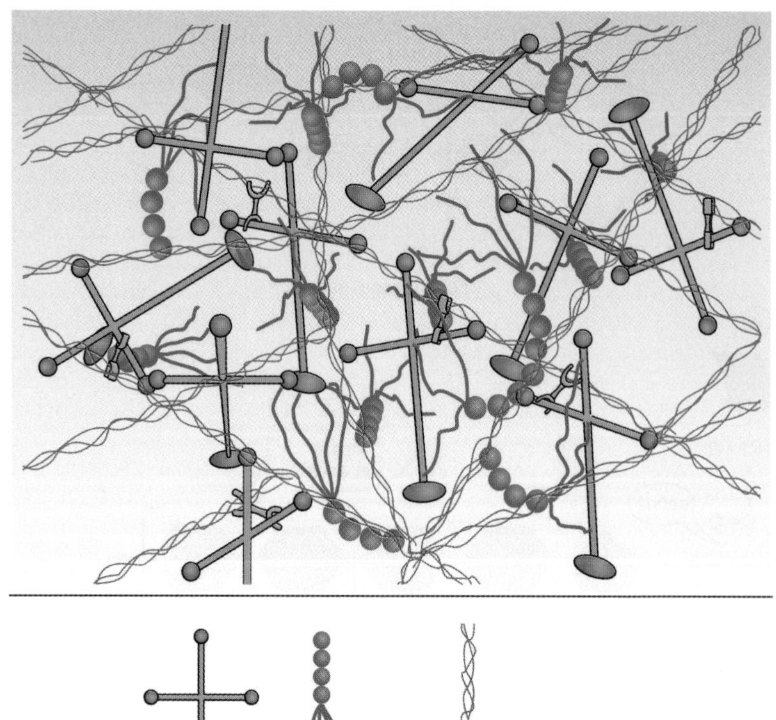

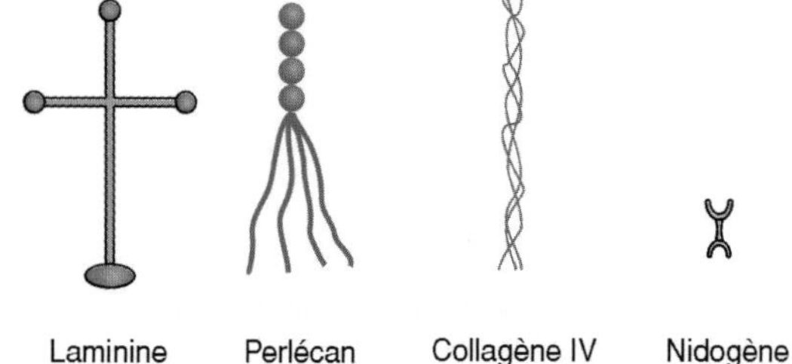

8.12 Structure moléculaire des membranes basales. Le collagène IV et la laminine forment un réseau connecté par du nidogène et « rempli » par du perlécan. Ce dernier établit des contacts spécifiques avec les trois autres composants aussi bien par sa partie protéique que par sa partie saccharidique. [RF]

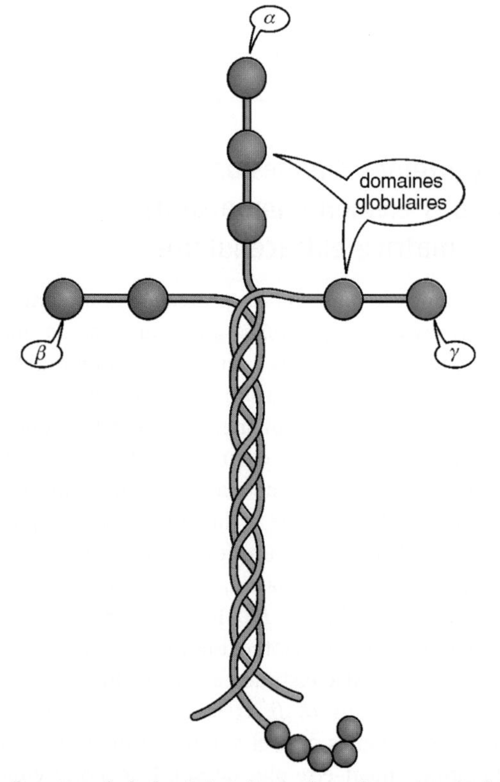

8.13 Structure de la laminine. La partie carboxy-terminale des trois chaînes est enroulée en triple hélice. Les régions amino-terminales forment des « bras » par lesquels les molécules de laminine entrent en contact les unes avec les autres. [RF]

plusieurs hélices (angl. *coiled coil*). Celles-ci sont reliées entre elles par des ponts disulfures. Les régions amino-terminales partent comme des « bras » du « tronc » en triple hélice : selon le type de laminine, il en résulte soit un arrangement cruciforme à trois bras (*fig.* 8.13), soit une figure en T à deux bras. Les molécules de laminine se contactent par les extrémités de leurs bras pour former un réseau étendu de laminine.

Les laminines ont à leur surface de nombreux sites de spécificités différentes et se comportent donc comme des « agrafes » moléculaires, qui assemblent des composants cellulaires et extracellulaires. Elles fixent – directement ou indirectement – les collagènes et les protéoglycanes ainsi que les autres protéines d'adhésion de la MEC. Elles contactent les surfaces des cellules *via* les **intégrines**, des protéines qui sont intégrées à la membrane plasmique et qui sont elles-mêmes en contact étroit avec des composants du cytosquelette à l'intérieur de la cellule (§ 30.7). Ceci crée un contact mécanique entre l'intérieur et l'extérieur de la cellule (*fig.* 8.14). La lamina basale subépithéliale qui sépare le derme de l'épiderme remplit surtout une fonction de soutien et de maintien, alors que la membrane basale des glomérules rénaux, des parois des vaisseaux sanguins, du tractus gastro-intestinal et des alvéoles des poumons sert aussi de « filtre » pour les échanges de matière. Cependant, la liaison entre les cellules et la MEC a aussi un rôle dans l'échange bidi-

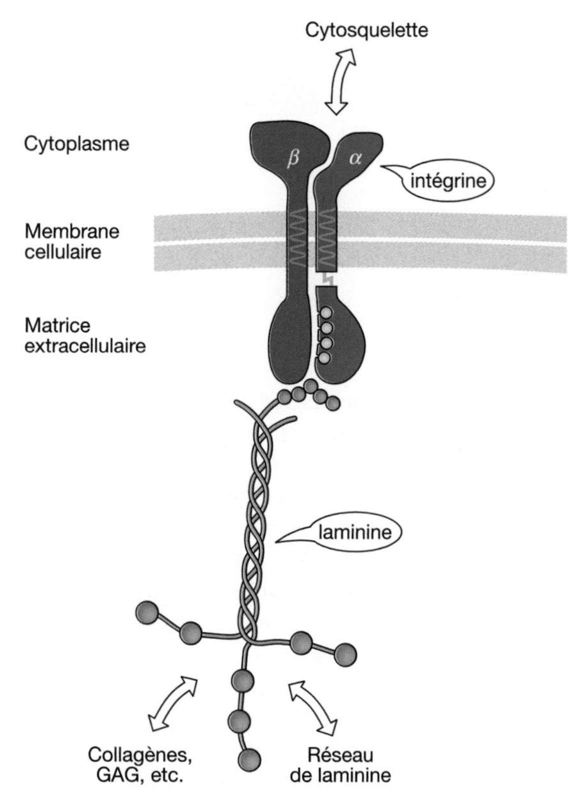

8.14 Liaison des laminines à l'intégrine. Les intégrines sont des protéines transmembranaires hétérodimériques. Leur domaine cytoplasmique interagit avec des composants du cytosquelette, leur partie extracellulaire avec la moitié carboxy-terminale des laminines. Celles-ci forment un réseau entre elles aussi bien qu'avec d'autres composants de la MEC. L'interaction intégrine-laminine établit donc un contact mécanique entre l'intérieur de la cellule et la matrice extracellulaire.

rectionnel d'informations. Par exemple, c'est par l'intermédiaire du contact laminine-intégrine que de nombreuses cascades intracellulaires de transduction du signal sont activées (§ 30.7). Les laminines sont indispensables aux processus d'embryogenèse et de morphogenèse, qui sont orchestrées par des interactions moléculaires hautement spécifiques, ce qui explique pourquoi il existe autant d'isoformes de laminine. Les laminines semblent aussi avoir une importance en pathogenèse : *Mycobacterium leprae*, l'agent de la lèpre, reconnaît les molécules de laminine 2 à la surface des cellules de Schwann du système nerveux périphérique et déclenche de cette manière l'invasion des cellules nerveuses.

Alors que la laminine contacte le collagène formant des réseaux, le rôle de la **fibronectine** consiste à faire adhérer les cellules aux collagènes formant des fibres (*fig.* 8.15). Sa présence dans les cultures de cellules natives et son absence à la surface des cellules malignes transformées a mis en évidence son importance comme protéine d'adhésion. La fibronectine favorise l'adhésion à la MEC et influence ainsi la morphologie, la différenciation, la dissémination et la migration des cellules. Comme les laminines, les fibronectines forment par auto-association des réseaux étendus. De la même façon, la fibronectine adhère par des domaines spécifiques aux récepteurs des intégrines de la membrane cellulaire (§ 30.7), qu'elle relie à d'autres composants extracellulaires comme le collagène ou l'héparane-sulfate. La fibronectine tire son appellation de son affinité spécifique pour la **fibrine**, la protéine de structure de la coagulation sanguine. La fibronectine circulant dans le sang a pour rôle de fixer les plaquettes par leurs récepteurs d'intégrines à un caillot de fibrine. La fibronectine est une protéine composée de plusieurs domaines, eux aussi basés sur un nombre limité d'éléments de séquence répétés. *Dans leur processus de « construction », les cellules peuvent combiner différents modules de fibronectine et ainsi produire une palette de variantes qui se distinguent subtilement par leur fonctionnement.*

Dans ce chapitre, nous avons vu les protéines essentiellement comme des pièces mécaniques de l'organisme, mais aussi, en filigrane, comme des agents capables de remplir des fonctions plus subtiles. Avant de discuter en détail ces dernières, nous allons d'abord étudier une autre des fonctions « robustes » des protéines, le transport et le mouvement.

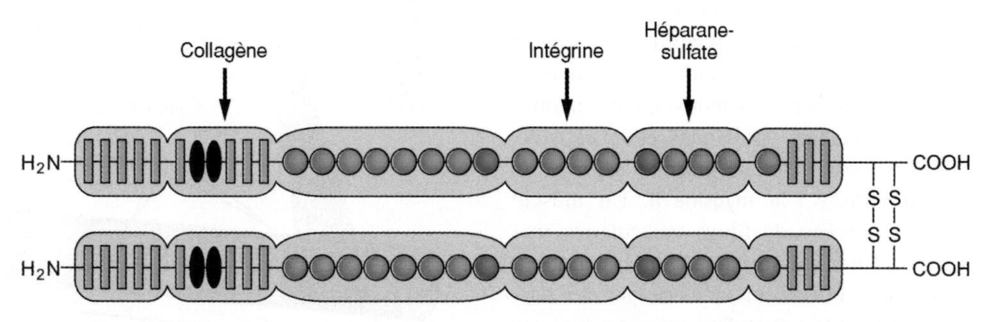

8.15 Structure schématique de la fibronectine. Un monomère comprend six domaines ; ceux-ci possèdent différentes spécificités de fixation pour le collagène, les intégrines et d'autres protéines de la MEC. Trois éléments de séquence répétés forment l'ossature des domaines. Ces éléments sont assemblés au niveau de l'ARNm pour donner différentes variantes de fibronectine. La fibronectine forme des dimères, qui sont ensuite interconnectés en polymères.

Les protéines, moteurs moléculaires

9

Une caractéristique essentielle du monde vivant est la capacité de se mouvoir activement dans une direction déterminée, même si le mouvement n'est pas toujours aussi évident que dans une contraction musculaire. Ainsi, des processus fondamentaux comme la contraction cellulaire, le transport des vésicules à travers la cellule ou la séparation des chromosomes au moment de la division sont des mouvements dirigés. Les moteurs moléculaires de tous ces processus sont des protéines capables de produire un travail mécanique et un mouvement le long de « rails » intracellulaires. Toutes les protéines moteurs dont nous allons parler dans la suite utilisent l'ATP comme « carburant ». Son hydrolyse fournit l'énergie nécessaire à leur fonctionnement. Trois types principaux de protéines moteurs propulsées à l'ATP sont responsables du mouvement des formes de vie eucaryote : la myosine, la kinésine et la dynéine. Nous allons étudier ces machines à partir de leur représentant le mieux compris, la myosine. Dans ce but, nous considérerons d'abord son champ d'action le mieux connu, la musculature.

9.1 Les fibres des muscles squelettiques contiennent des faisceaux ordonnés de filaments de protéines

L'homme dispose de plus de 600 muscles squelettiques, qui constituent 40-50 % de sa masse corporelle. Ils constituent la **musculature striée**, qui est typiquement responsable des mouvements conscients. Au contraire, les deux autres types de muscles – la musculature cardiaque et la musculature lisse – effectuent des mouvements inconscients comme les battements cardiaques et le péristaltisme intestinal. *Les trois types de muscles utilisent le même moteur moléculaire : la* **myosine II**. Un muscle squelettique est un faisceau de fibres musculaires traversé par des nerfs et des vaisseaux sanguins, maintenu par du tissu conjonctif, et fixé au squelette par des tendons riches en collagène (*fig.* 9.1). Son unité motrice est constituée d'un motoneurone et d'une fibre musculaire qui sont en contact au niveau de la zone appelée plaque motrice (*fig.* 27.6).

Une fibre musculaire est le résultat de la fusion de nombreuses cellules musculaires indifférenciées en une cellule géante polynucléée, entourée d'une membrane cytoplasmique stimulable électriquement, le **sarcolemme**. Le cytoplasme des fibres musculaires est rempli de **myofibrilles** cylindriques arrangées parallèlement. Les fibrilles se composent de segments répétés qui ont une longueur de 2,5-3 µm dans le muscle au repos ; ces **sarcomères** confèrent à la fibre musculaire ses stries transversales caractéristiques. La zone frontalière entre deux unités sarcomériques, qui apparaît plus sombre en microscopie électronique est appelée la **strie Z.** Deux types de filaments protéiques sont les principaux responsables du développement de la force au niveau moléculaire. Les **fila-**

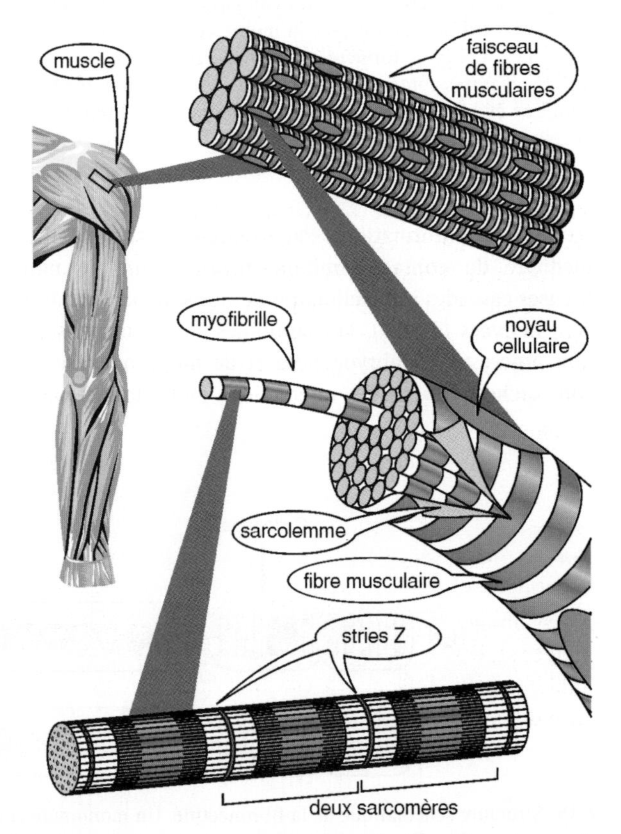

9.1 Organisation de la musculature striée. Une fibre de muscle squelettique a un diamètre d'environ 50 µm et peut atteindre 20 cm de long.

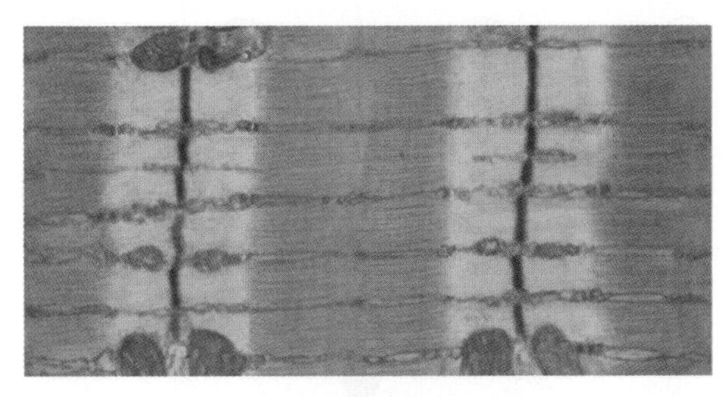

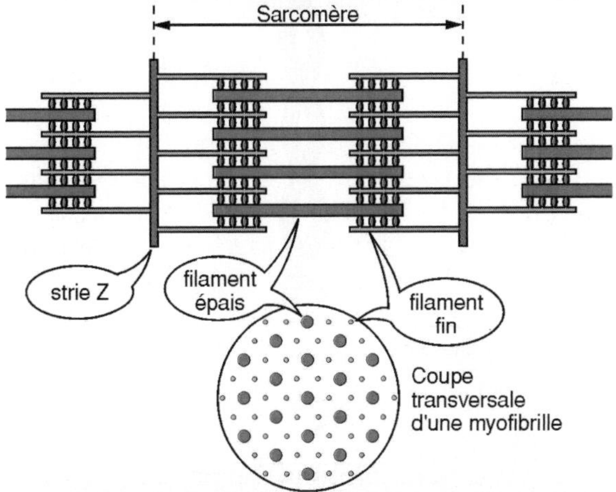

9.2 Structure d'un sarcomère en microscopie électronique et en vue schématique. Un élément de muscle se compose de filaments fins (diamètre 6 nm) et de filaments épais (10-20 nm). La coupe en montre l'ordonnancement précis, quasi cristallin : chaque filament fin est entouré de trois filaments épais, chaque filament épais de six fins. [RF]

ments fins (diamètre d'environ 6 nm) sont constitués d'actine (§ 4.4) et de deux protéines, la tropomyosine et la troponine (§ 9.5). Les **filaments épais** sont faits de myosine. Chaque sarcomère contient un faisceau de filaments fins et épais intercalés arrangés avec précision. *La région de chevauchement est à stricte symétrie hexagonale : chaque filament fin est entouré de trois filaments épais et chaque filament épais, de six fins* (*fig.* 9.2).

Comment l'organisme peut-il construire et stabiliser une structure aussi complexe ? Le processus du développement des microfibrilles est encore largement incompris. On en connaît cependant un élément clé : une protéine, la **titine** semble servir de « canevas » moléculaire à l'assemblage des sarcomères. À la mesure de ce rôle exigeant, il s'agit d'une molécule extraordinaire et véritablement titanesque : c'est indiscutablement la plus grande protéine connue (*encart* 9.1).

Encart 9.1 : La titine et les protéines accessoires du sarcomère

La titine comprend environ 27 000 acides aminés organisés en environ 300 domaines. Les domaines de type fibronectine ou immunoglobuline y sont arrangés comme les perles d'un collier, qui irait de la strie Z jusqu'au milieu du sarcomère (*fig.* 9.3). Sur toute sa longueur, la titine est en contact avec les autres composants principaux du sarcomère et les « dirige » probablement vers leurs places attitrées. La titine est d'un côté profondément ancrée dans la strie Z et de l'autre associée aux filaments épais : grâce à ses modules élastiques, elle peut agir comme un ressort moléculaire qui maintient les filaments épais au milieu du sarcomère et les fait revenir rapidement à leur position correcte après élongation. Une protéine allongée et filamenteuse, la nébuline, apparaît aussi sous diverses formes dans les différents types de musculature striée. Sa longueur variable est corrélée à celle des filaments fins d'actine. On considère que c'est une « règle graduée » moléculaire qui détermine jusqu'à quelle longueur les monomères d'actine doivent polymériser. Un composant important de la strie Z est l'α-actinine, une protéine qui fixe l'actine : elle crée des ponts entre deux filaments d'actine de sarcomères voisins et est donc (partiellement) responsable du maintien et de l'organisation des myofibrilles.

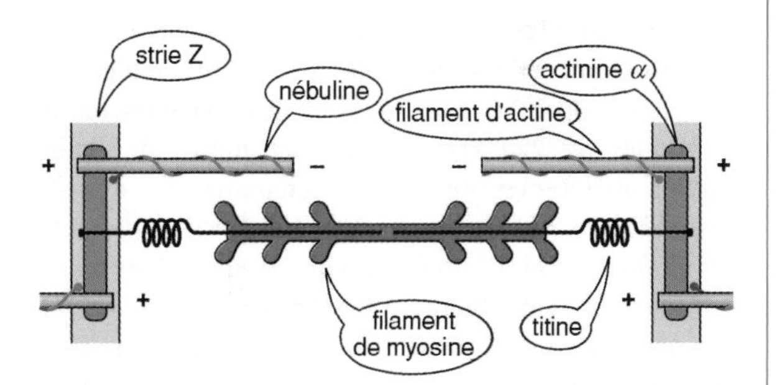

9.3 Structure moléculaire d'un sarcomère. La titine sert d'organiseur moléculaire du sarcomère et de ressort pour les filaments épais, la nébuline détermine la longueur des filaments fins et l'actinine α relie les filaments fins de sarcomères voisins. L'orientation des filaments est indiquée par + (strie Z) et – (strie M). Le milieu du filament épais, constituant la strie M, est indiqué (*fig.* 9.5).

9.2

Les filaments fins et épais glissent les uns sur les autres lors de la contraction

Comment une chaîne de sarcomères peut-elle contracter une fibre musculaire ? Des clichés de microscopie électronique suggèrent que les longueurs des deux systèmes de filaments ne changent pas pendant la contraction d'un sarcomère, mais que les filaments glissent les uns contre les autres de manière à se chevaucher de plus en plus au fur et à mesure de la contraction, ce qui raccourcit le sarcomère. Cette hypothèse est appelée **théorie des**

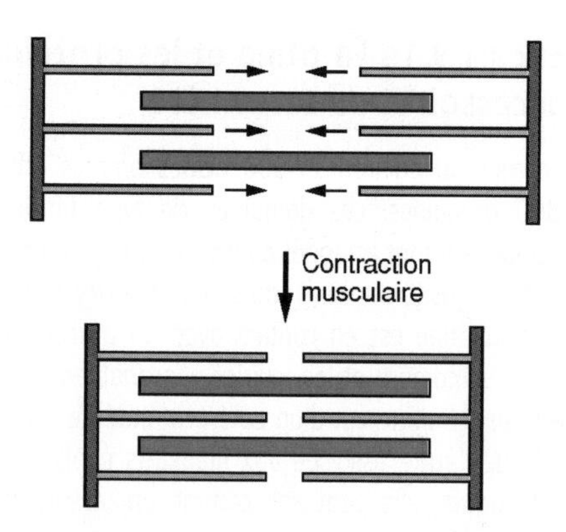

9.4 Modèle des filaments glissants. La contraction est obtenue par déplacement relatif des filaments épais et fins les uns vers les autres : les filaments fins d'actine se rapprochent les uns des autres et glissent le long des filaments épais de myosine. Ainsi, la distance entre deux stries Z voisines diminue : le sarcomère raccourcit.

filaments glissants (angl. *sliding filaments model*) (*fig.* 9.4). Pour comprendre les événements moléculaires sous-jacents, il faut d'abord s'intéresser de plus près aux filaments épais.

La myosine II, l'unité de base des filaments épais, est une protéine de grande taille d'un poids moléculaire d'environ 500 kDa constituée de deux **chaînes lourdes** identiques de 220 kDa et de deux paires de **chaînes légères** différentes de 20 kDa chacune. La myosine possède une structure asymétrique inhabituelle (*fig.* 9.5a). Les chaînes lourdes forment à leur extrémité N-terminale une tête globulaire, tandis que leurs régions C-terminales s'associent en une « queue » allongée. Cette queue forme une superhélice gauche faite de deux hélices α enroulées l'une autour de l'autre (*coiled-coil*). Chaque tête de myosine fixe une chaîne légère régulatrice et une chaîne légère essentielle. La myosine polymérise par sa queue en filaments épais où les têtes font saillie (*fig.* 9.5b). Celles-ci peuvent entrer en contact avec les filaments d'actine voisins en formant des « ponts transversaux » caractéristiques.

Les molécules de myosine ont toujours la tête orientée vers la strie Z, l'extrémité plus, alors que la queue est dirigée vers l'extrémité moins. L'orientation des filaments épais s'inverse exactement au milieu, c'est-à-dire sur la strie M. Les filaments d'actine des deux moitiés du sarcomère ont eux aussi des orientations opposées (antiparallèles) qui s'inversent sur la strie M (*fig.* 9.3).

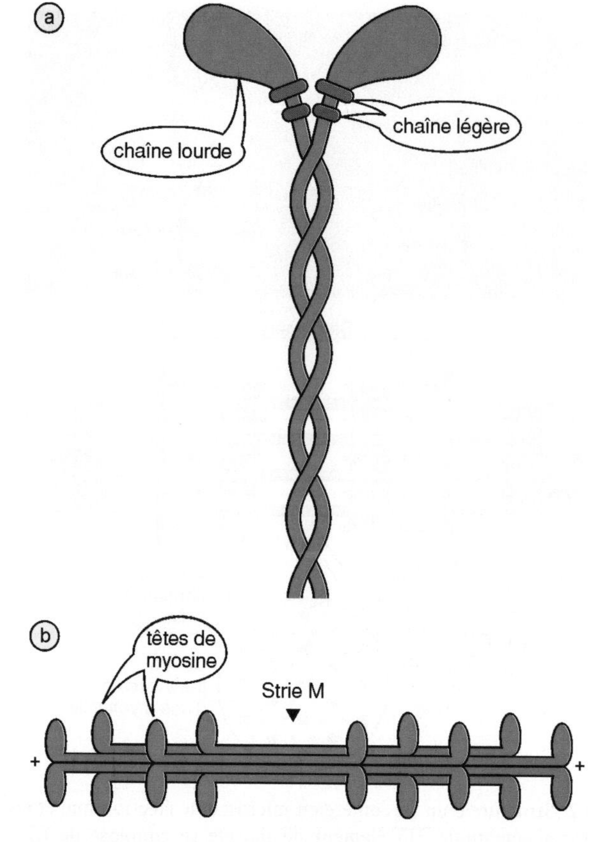

9.5 Structure moléculaire des filaments épais : a) La structure d'une molécule isolée de myosine II est représentée sur ce schéma ; b) quelque 300 molécules de myosine polymérisent en un filament épais.

9.3 Les têtes de myosine fixent et hydrolysent l'ATP

L'actine n'est pas la seule molécule que fixe la myosine : la fixation et la transformation de l'ATP sont également extrêmement importantes. Ce sont les têtes de la myosine qui sont responsables de cette activité enzymatique. Elles peuvent hydrolyser l'ATP en ADP et en phosphate inorganique (P_i) – on parle d'**activité ATPasique.** Lors de la contraction des sarcomères, il se produit un processus cyclique d'association et dissociation entre l'actine et la myosine qui va de pair avec la fixation de l'ATP et son hydrolyse. Sous l'effet de l'hydrolyse de l'ATP, les têtes de myosine se meuvent le long des filaments d'actine et provoquent ainsi le déplacement d'un filament par rapport à l'autre. L'hydrolyse de l'ATP permet à la myosine de fixer l'actine : seules les têtes de myosine chargées en ADP ou « vides » lient l'actine, mais pas celles chargées en ATP. La rigidité cadavérique (lat. *rigor mortis*) témoigne clairement de la forte association actine-myosine lorsque les réserves en ATP baissent. *La myosine est donc*

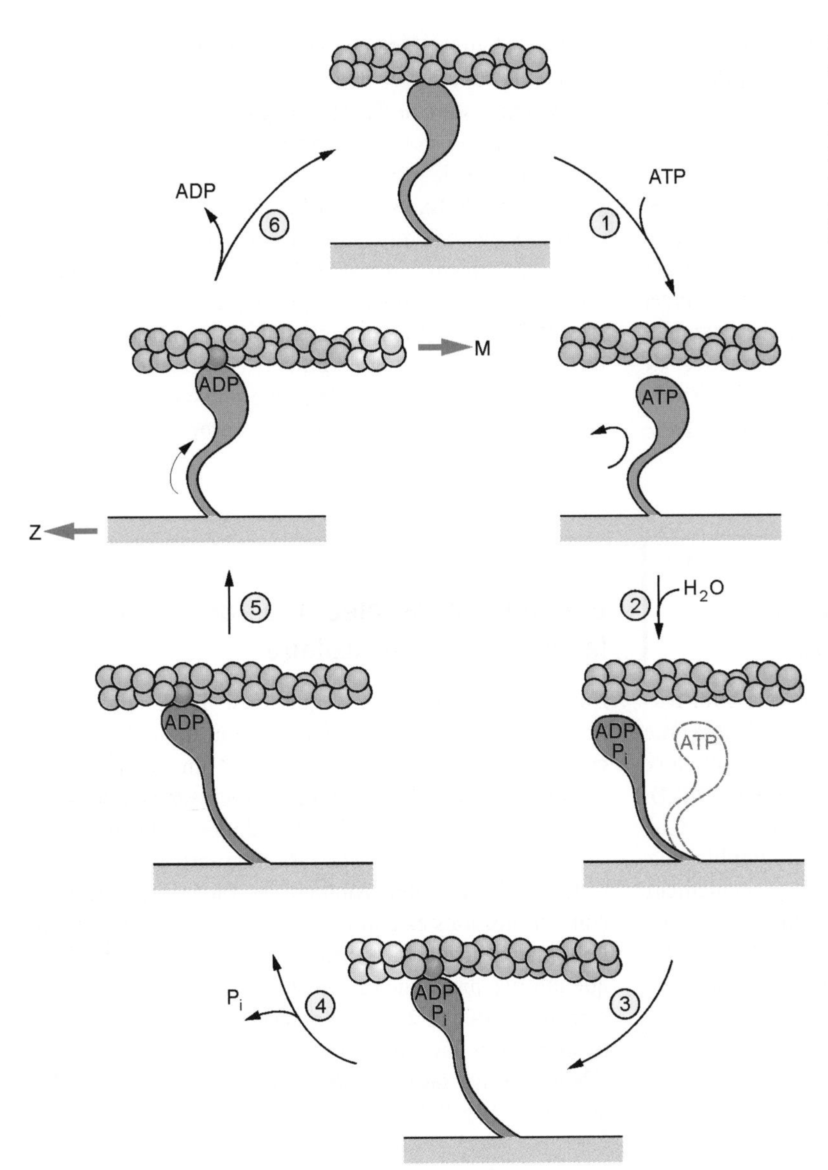

9.6 Étapes de la génération de force par le moteur de la myosine. Les détails de chaque stade sont explicités dans le texte. Le résultat net est un déplacement des filaments d'actine et de myosine l'un par rapport à l'autre : le sarcomère est raccourci par hydrolyse d'une fonction phosphoanhydride riche en énergie. [RF]

une « mécanoenzyme » qui transforme l 'énergie chimique libérée par l'hydrolyse de l'ATP en l'énergie mécanique de la contraction. Nous verrons plus loin d'autres mécanoenzymes ayant le même « carburant » mais une fonction et une structure complètement différentes (§ 21.2).

Si l'on considère les détails moléculaires de la production de la force, on peut distinguer six étapes dans le **cycle** dit **des ponts transversaux** (*fig.* 9.6). Commençons par l'état non chargé, dans lequel la myosine est fortement associée à l'actine. La fixation d'ATP libère la tête de la myosine de l'actine (1). L'ATP est hydrolysé en ADP et P_i ; l'énergie libérée est mise en réserve dans la tête de la myosine. On peut se représenter ce processus comme l'armement du chien d'un revolver : la protéine adopte une conformation « contrainte » dont l'énergie est nettement au-dessus de l'état fondamental (2). L'ADP et le P_i restent tout d'abord dans le centre actif de l'ATPase. La tête de la myosine entre alors en contact avec son site de fixation sur la molécule d'actine (3). La liaison de l'actine à la myosine est faible, mais conduit à la libération du P_i, ce qui renforce la fixation de la myosine à l'actine (4). La myosine revient alors brutalement à sa conformation « détendue », ce qui génère une « impulsion » (angl. *power stroke*) qui pousse le filament d'actine fixé dans la direction de la strie M et le filament de myosine vers la strie Z (5). Avec le départ de l'ADP du centre actif de l'ATPase, on revient à l'état fondamental avec un sarcomère raccourci (6). La durée d'un cycle est d'environ 50 ms. Le cycle suivant est initié par la fixation de l'ATP.

Au total, lors du cycle que nous venons de décrire, le filament de myosine ne se déplacerait que de quelques nanomètres dans la direction de la strie Z, ce qui correspondrait à une vitesse de 100-300 nm/s. En fait, le filament épais du muscle squelettique peut pourtant se mouvoir à 8 000 nm/s ! La raison en est que la tête de myosine n'est en contact direct avec l'actine que pendant une partie du cycle. *Pendant le reste du temps, des douzaines d'autres têtes de myosine, dont les activations sont asynchrones, peuvent pousser les deux filaments l'un vers l'autre.* Ces mouvements des cellules musculaires déclenchés par l'ATP peuvent être reproduits *in vitro* : si l'on adsorbe des molécules de myosine sur des plaques de verre, l'on peut voir au microscope des filaments d'actine marqués par un composé fluorescent se déplacer sur la plaque dès que l'on ajoute de l'ATP. Le caractère directionnel du mouvement est une conséquence de l'hydrolyse de l'ATP, qui rend les étapes individuelles du cycle pratiquement irréversibles et entraîne donc le mouvement dans une seule direction.

9.4

La structure de la tête de myosine est connue à l'échelle atomique

Pourquoi la myosine peut-elle se déplacer, et à quoi ressemble exactement ce mouvement ? La tête de la myosine peut être séparée de sa queue par traitement aux protéases ; une tête isolée est appelée **sous-fragment 1 (S1)**. Ces dernières années, la structure atomique d'une tête de myosine S1 a pu être résolue par cristallographie aux rayons X (*fig.* 9.7). Le domaine globulaire – également appelé **domaine moteur** – fixe l'ATP par une poche profonde. L'actine se fixe sur la face opposée. La tête S1 repose sur un cou formé par une longue hélice stabilisée par les chaînes légères adjacentes. Dans la myosine intacte, la superhélice de la queue viendrait se connecter à l'extrémité du cou. Entre la tête et le cou se trouve une région appelée domaine **convertisseur** (angl. *converter*) qui « traduit » de minimes changements de conformation de la poche de fixation de l'ATP en une rotation du cou. *La région du cou agit comme un bras de levier et amplifie des changements d'orientation réduits du domaine moteur en une « impulsion » portant à plusieurs nanomètres.* Différentes structures cristallines montrent la région du cou dans des orientations clairement distinctes. Comme il ne s'agit cependant que d'instantanés, comme dans un folioscope, les détails de ce processus de mouvement continu restent spéculatifs.

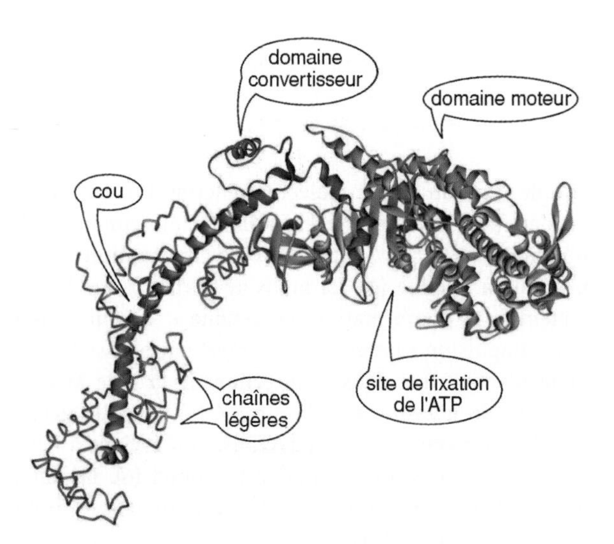

9.7 Structure tridimensionnelle du sous-fragment 1 de la myosine de poulet. Le domaine moteur qui contient les sites de fixation de l'ATP et de l'actine, est représenté en vert. Le domaine convertisseur est en rouge, et la région cou en bleu. Les chaînes légères sont indiquées par de fins tubes gris. Dans la structure cristalline, un ion sulfate (en jaune et rouge) remplace le résidu P_i dans la poche enzymatique.

9.5

Une stimulation électrique déclenche la contraction musculaire

Nous savons maintenant que c'est l'ATP qui fournit l'énergie nécessaire à la contraction musculaire, mais comment déclencher spécifiquement une contraction ? Comme dans beaucoup d'autres processus cellulaires, le signal déterminant est une augmentation de la concentration cytosolique en Ca^{2+}. Le **réticulum sarcoplasmique (RS)** – le réticulum endoplasmique des fibres musculaires – contient des ions calcium à haute concentration (10^{-3} M). Le signal électrique de l'influx nerveux qui atteint la plaque motrice provoque une libération de la réserve de Ca^{2+} sarcoplasmique (§ 27.5). Ce processus est accéléré par des invaginations bien définies du sarcolemme formant des **tubules transversaux (tubules T)**, qui sont en contact étroit avec le RS (*fig.* 9.8). Par ce biais, la concentration en Ca^{2+}

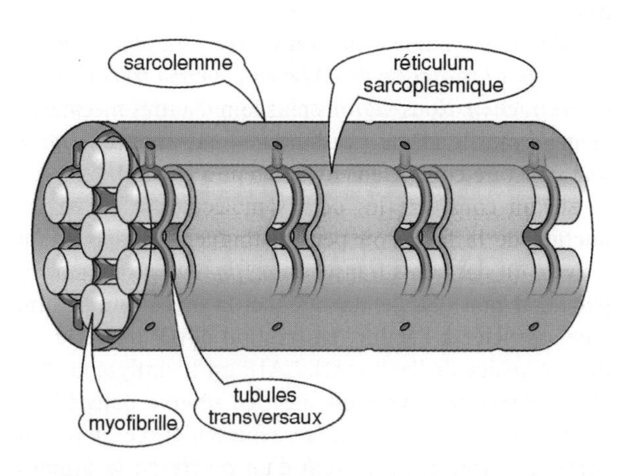

9.8 Représentation schématique d'une fibre musculaire avec le réticulum sarcoplasmique et les tubules transversaux. Un influx nerveux produit une dépolarisation de la membrane plasmique ; ce signal électrique provoque la libération du stock de Ca^{2+} du RS dans le cytosol (*fig.* 27.14).

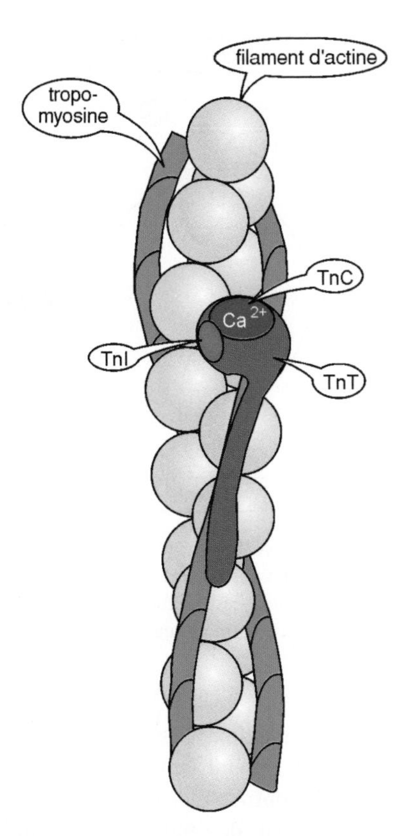

9.9 Filament d'actine avec tropomyosine et troponine. La sous-unité troponine C (TnC) possède quatre sites de fixation du Ca^{2+} et sa structure moléculaire ressemble à celle de la calmoduline, la protéine de fixation du Ca^{2+} importante dans le cytoplasme.

du cytosol passe très rapidement de < 10^{-7} M dans le muscle au repos à environ 10^{-5} à l'état excité.

Quel est l'effecteur du signal Ca^{2+} ? Comme indiqué précédemment, les filaments d'actine ont deux autres composants, la troponine et la tropomyosine (*fig.* 9.9). La **tropomyosine** est une protéine dimérique très allongée qui s'enroule comme un fil autour du filament d'actine en recouvrant les sites de fixation de la myosine, ce qui empêche l'actine et la myosine d'interagir productivement. Chaque unité tropomyosine est associée à la **troponine (Tn)**, un complexe protéique en forme de club de golf composé de trois sous-unités TnI, TnT, et TnC et qui agit comme un interrupteur moléculaire.

Le détecteur de calcium est la sous-unité TnC ; sa structure ressemble beaucoup à celle de la calmoduline, que nous avons déjà rencontrée (§ 4.1). *Le signal du calcium place l'interrupteur dans sa position active : les changements de conformation provoqués par TnC ont pour effet de pousser la tropomyosine « de côté » et de libérer les sites de fixation de la myosine sur le filament d'actine.* La tête de myosine chargée en ADP/P_i peut alors interagir productivement avec l'actine (étape 3, *fig.* 9.6). Le lien fonctionnel entre l'influx nerveux et la contraction musculaire est appelé **couplage électromécanique**. Dès qu'il n'arrive plus d'influx nerveux, des pompes dépendant de l'ATP font refluer les ions Ca^{2+} dans le réticulum sarcoplasmique, ce qui ramène rapidement la concentration cytosolique en Ca^{2+} au niveau de base. Les ions Ca^{2+} se dissocient alors de la troponine C, et les changements de conformation ont donc lieu dans l'autre sens : la tropomyosine recouvre à nouveau les sites de fixation de l'actine, empêchant ainsi l'interaction entre l'actine et la myosine. Les têtes de myosine hydrolysent encore une fois l'ATP fixé en ADP et P_i, mais en l'absence de contact

Encart 9.2 : Apport d'énergie dans le muscle au travail

Pendant l'activité musculaire, l'ATP doit constamment être régénéré, ce qui se fait de trois façons (*fig.* 9.10). Dans la **musculature squelettique « rouge »**, qui doit sa couleur à une haute concentration en hémoprotéines de la chaîne respiratoire mitochondriale, l'ATP est produit principalement par la dégradation aérobie d'acides gras par phosphorylation oxydative (§ 41.4). Ce sont les plus grosses réserves d'ATP, mais ce processus de régénération est assez lent. Cette musculature est donc adaptée à des efforts continus comme la course de fond. La **musculature squelettique « blanche »**, qui effectue les mouvements rapides, produit l'ATP surtout par glycolyse anaérobie, en puisant dans les réserves de glycogène endogène des myocytes. Cette voie métabolique est plus rapide et indépendante de l'O_2, mais les réserves en glycogène sont limitées. Pendant quelques secondes, le muscle peut encore puiser à une troisième source, jusqu'à ce que les deux autres « se mettent en marche ». La **créatine-phosphate** et la créatine sont en équilibre avec l'ATP et l'ADP. Lorsque la concentration en ADP augmente, le groupement phosphate de la créatine-phosphate est enzymatiquement transféré à l'ADP, et l'ATP est ainsi régénéré. Cette source d'ATP sert de « tampon » et est importante pour les efforts courts comme le sprint.

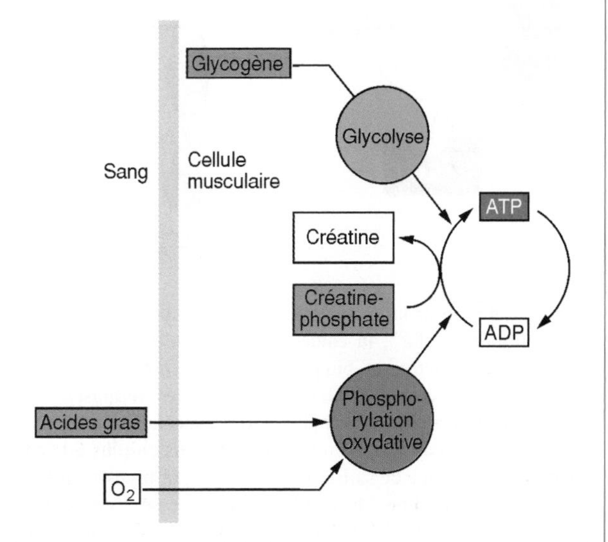

9.10 Trois voies de régénération de l'ATP pendant l'activité musculaire.

avec l'actine, ne libèrent plus les produits de la réaction (arrêt après l'étape 3, *fig.* 9.6). De cette manière, on évite élégamment une nouvelle hydrolyse de l'ATP qui serait un gaspillage d'énergie en l'absence de contraction musculaire. Les réserves nécessaires en nucléotides riches en énergie que le muscle consomme en grandes quantités sont alimentées par plusieurs sources (*encart* 9.2).

9.6 La musculature lisse se contracte après phosphorylation réversible de la myosine

Contrairement à la musculature striée, la **musculature lisse** n'organise pas le tandem actine-myosine en faisceaux de fibrilles, mais les filaments contractiles sont tendus sans ordonnancement particulier à travers la cellule. Cette musculature apparaît « lisse » au microscope : elle n'a pas le profil caractéristique en stries des sarcomères. La musculature lisse de l'intestin ou des vaisseaux sanguins possède une innervation autonome. Elle n'est donc pas contrôlée volontairement. L'activité des cellules musculaires lisses est fortement influencée par des facteurs hormonaux comme l'adrénaline ; elles effectuent des contractions régulières, en général lentes. Conformément à ces caractéristiques, le contrôle moléculaire des muscles lisses est conçu différemment de celui de la musculature squelettique striée. Le RS n'y est que peu développé, les Ca^{2+} de la stimulation proviennent essentiellement de l'espace extracellulaire, le flux et l'efflux des ions sont ici beaucoup plus lents que dans le muscle squelettique. Il manque aussi au muscle lisse l'« interrupteur » troponine ; son rôle est tenu par la **caldesmone**, qui se fixe à la tropomyosine pour inhiber l'interaction productive actine-myosine. Cette action inhibitrice peut être levée allostériquement par fixation de calmoduline-Ca^{2+} à la caldesmone ou par modification covalente *via* la phosphorylation de la caldesmone (*fig.* 9.11).

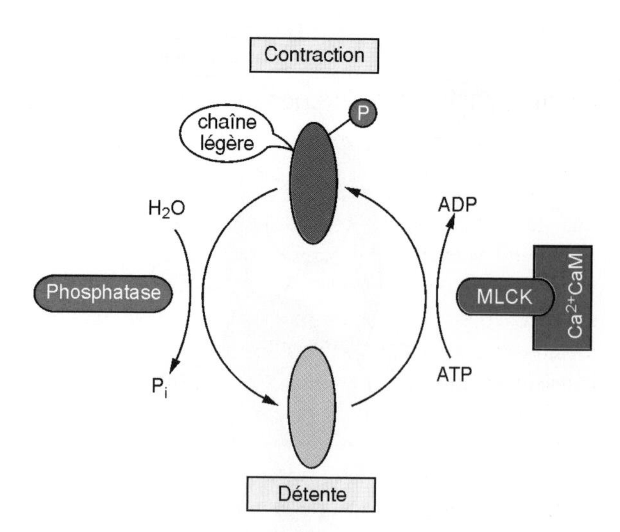

9.12 Activation de la myosine par phosphorylation de la chaîne légère. La kinase des chaînes légères de la myosine MLCK (angl. *myosin light chain kinase*) est activée de manière allostérique par fixation réversible de calmoduline-Ca^{2+}.

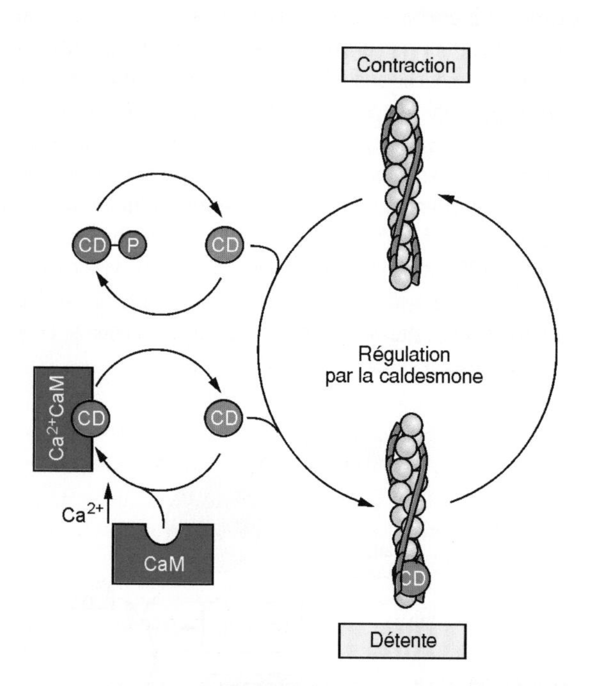

9.11 Régulation de la musculature lisse. À faible concentration intracellulaire de Ca^{2+}, la caldesmone (CD) se fixe à la tropomyosine et à l'actine et bloque de cette manière les sites de fixation de la myosine, si bien que les cellules de muscle lisse restent dans l'état relâché. À plus haute concentration en Ca^{2+}, la calmoduline-Ca^{2+} (CaM-Ca^{2+}) se fixe de plus en plus à la caldesmone et la libère de sa liaison à l'actine ; la myosine interagit alors avec l'actine : la cellule musculaire se contracte. La phosphorylation de la caldesmone bloque, elle aussi, son influence inhibitrice sur le système actine-myosine.

La phosphorylation régulatrice (§ 4.5) agit encore à d'autres endroits dans le muscle lisse, y compris sur le moteur lui-même. La chaîne légère régulatrice du « cou » de la myosine est phosphorylée par une enzyme, la **kinase des chaînes légères de la myosine**, ce qui pousse la molécule de myosine vers une conformation active. Ce processus est initié par une activation de la kinase des chaînes légères dépendant de la calmoduline-Ca^{2+} (*fig.* 9.12). *Le processus global de contraction est donc soumis à une régulation complexe, où des kinases produisent des effets activateurs ou inhibiteurs par phosphorylation de protéines.* L'activation ou la répression par des kinases y est aussi contrebalancée par l'action de **phosphatases** spécifiques.

9.7

La myopathie de Duchenne est provoquée par un défaut du gène de la dystrophine

Une des maladies héréditaires les plus fréquentes sous nos latitudes est la **myopathie de Duchenne** (angl. *Duchenne muscular dystrophy, DMD*). Elle est due à un défaut monogénique du chromosome X et touche donc essentiellement la population masculine : en moyenne, un nouveau-né sur 3 500 souffre de cette affection. Elle consiste en une dégénérescence musculaire progressive due à une perturbation de la liaison entre cellules musculaires et matrice extracellulaire. Le patient est souvent condamné au fauteuil roulant dès dix ans et meurt souvent avant d'atteindre 30 ans d'une défaillance des muscles cardiaques et pulmonaires. La mutation affecte la protéine **dystrophine** qui, dans la DMD, n'est pas synthétisée, ou alors sous une forme non fonctionnelle. La dystrophine est une protéine cytosolique qui, comme l'actinine α, fait partie de la famille des protéines semblables à la spectrine (§ 31.5) ; c'est un composant essentiel du **complexe de la dystrophine** des cellules musculaires, qui englobe également des protéines intégrales du sarcolemme comme le dystroglycane. Ce complexe protéique établit une liaison structurale entre les filaments d'actine

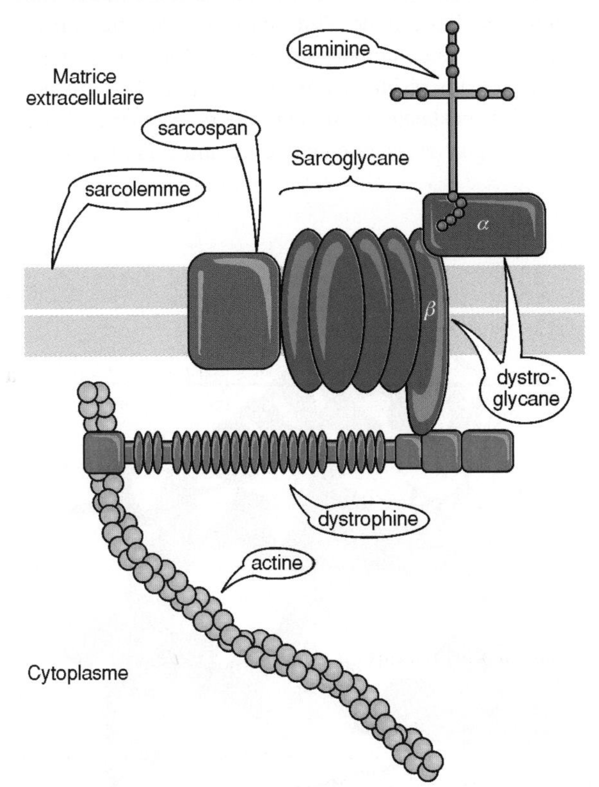

9.13 Le complexe protéique de la dystrophine, connexion entre cytosquelette et matrice extracellulaire. La dystrophine de forme allongée met en relation les filaments d'actine de la face interne du sarcolemme avec la laminine de la face externe. L'α-dystroglycane, le β-dystroglycane et le sarcoglycane sont des acteurs importants de cette interaction. [RF]

du cytosquelette (à ne pas confondre avec l'actine des fibrilles contractiles !) et la laminine de la matrice extracellulaire (*fig.* 9.13). Cette liaison sert probablement à la stabilisation mécanique du sarcolemme ainsi qu'à la transmission des forces. Dans la DMD, les contractions musculaires peuvent endommager le sarcolemme et donc conduire progressivement à la mort de la cellule musculaire. Une thérapie génique somatique, dans laquelle des « transporteurs » viraux introduisent le gène de la dystrophine intacte dans les cellules musculaires atteintes, est actuellement à l'étude (§ 23.11).

La myosine et l'actine existent non seulement dans les cellules musculaires, mais aussi dans pratiquement tous les autres types cellulaires du corps humain. Elles permettent la migration des macrophages jusqu'au lieu de l'inflammation ou la rétraction des plaquettes lors de la cicatrisation ; elles transportent les vésicules et participent à la division cellulaire. En particulier, l'actine est, avec 10-20 % de la totalité des protéines, un des composants principaux des cellules eucaryotes. Outre la myosine II « conventionnelle », il existe aussi de nombreuses **myosines « non-conventionnelles »** (*encart* 9.3).

Alors que la myosine est un moteur moléculaire sophistiqué capable aussi de remplir des fonctions de transport dans la cellule, le rôle de l'hémoglobine, la protéine transporteuse d'oxygène, semble vraiment bien simple. Au premier abord, il semble s'agir simplement d'un transporteur passif qui suit le flux sanguin en transportant de l'O_2. Pourtant, comme nous allons le voir au chapitre suivant, l'hémoglobine est loin d'être une protéine triviale.

Encart 9.3 : Myosines non conventionnelles

Ces dernières années, la **famille des myosines** s'est rapidement agrandie, jusqu'à comprendre au moins 18 classes. L'on peut grossièrement assigner deux rôles aux myosines non conventionnelles : d'une part elles sont responsables du transport des vésicules membranaires le long des rails intracellulaires d'actine, d'autre part elles régulent le développement, la conservation et la dynamique d'extensions cellulaires comme les stéréocils, ou d'invaginations comme lors de la division cellulaire. Alors que les domaines moteurs sont bien conservés chez les différents types de myosine, ceux-ci se différencient nettement par leurs régions C-terminales. Quelques myosines se dimérisent en formant des tresses d'hélices (*coiled coils*), d'autres sont des monomères. La région de la queue détermine aussi le « chargement » : elle contacte la vésicule membranaire ou l'organelle qu'une myosine doit « porter ». Les myosines non conventionnelles sont impliquées dans un grand nombre de processus physio(patho)logiques que l'on n'aurait pas associés à cette famille de protéines encore très récemment. Par exemple, le **syndrome de Usher**, une maladie héréditaire autosomique récessive qui associe cécité et surdité, est dû à un défaut du gène de la myosine VIIa. C'est le transport vésiculaire des cellules sensorielles dépendant de la myosine qui semble être touché ici.

Dynamique des protéines fixatrices d'oxygène

10

L'évolution des organismes multicellulaires à **métabolisme aérobie**, c'est-à-dire dépendant de l'oxygène, a rendu nécessaire le développement de systèmes de transport efficaces fournissant de l'oxygène (O_2). Les insectes possèdent des trachées, un réseau très ramifié de canaux remplis d'air qui conduit directement l'O_2 aux tissus métaboliquement actifs, dans lesquels celui-ci diffuse ensuite passivement. Les organismes de plus grande taille possèdent un système circulatoire empli de liquide qui convoie l'O_2 depuis les poumons ou les branchies jusqu'à sa destination. La **diffusion passive** est un processus dont la vitesse diminue fortement sur de longues distances et qui n'est donc pas adapté à l'approvisionnement de tissus d'une épaisseur > 1 mm. De plus, l'oxygène est peu soluble dans l'eau. C'est grâce à des protéines fixatrices d'O_2 efficaces que ces problèmes peuvent être surmontés : l'hémoglobine des globules rouges (érythrocytes) accroît la solubilité de l'oxygène de presque deux ordres de grandeur et transporte O_2 depuis le poumon jusqu'à la périphérie pour l'y libérer. Dans les tissus musculaires, la myoglobine prend en charge l'oxygène de l'hémoglobine et le met en réserve sur place ou le tient prêt pour le métabolisme aérobie. Nous allons observer ces « cargos » moléculaires dans leur travail, et nous commencerons par le plus simple, la myoglobine, pour nous intéresser ensuite à l'hémoglobine, très probablement la protéine la plus étudiée jusqu'à nos jours.

10.1 La myoglobine fixe l'oxygène par son groupe prosthétique

La **myoglobine** de cachalot est la première protéine dont la structure à l'échelle atomique ait été déterminée par analyse aux rayons X. La raison principale en est probablement que cette protéine est présente en quantités « industrielles » chez le cachalot : elle sert à ce mammifère de réserve d'oxygène lors de ses longues plongées. La myoglobine est constituée d'une partie protéique, la globine, et d'un groupe prosthétique, l'**hème**. Lorsqu'une protéine fixe un composant de bas poids moléculaire, qui peut être un ion métallique ou comme ici une molécule organique, on parle en général de **cofacteur** ; dans le cas des enzymes on utilise le plus souvent le terme de **coenzyme** (§ 11.2). Lorsque ce cofacteur reste associé durablement à la protéine – souvent par des liaisons covalentes –, on l'appelle **groupe prosthétique**. Une protéine avec son groupe prosthétique est en général appelée **holoprotéine**, et **apoprotéine** lorsqu'elle en est dépourvue. Dans le cas de la myoglobine, l'apoprotéine se compose d'une seule chaîne polypeptidique de 153 acides aminés qui se replie en une structure globulaire faite de huit hélices α (les hélices A à H) (*fig.* 10.1). L'hème est enfoui dans une poche hydrophobe où il est fixé par des liaisons non covalentes (*encart* 10.1). Il est composé d'un système aromatique cyclique comprenant un **ion fer** (Fe^{2+}) central : c'est là que se fixe l'oxygène.

Dans l'hème, quatre des six **sites de coordination** (possibilités de liaison) de l'ion fer sont saturés. Dans la myoglobine, le cinquième site de coordination du fer est occupé par un résidu histidyle de l'hélice F – on parle d'**histidine proximale**. Le sixième site de coordination peut alors accepter réversiblement O_2 comme ligand supplé-

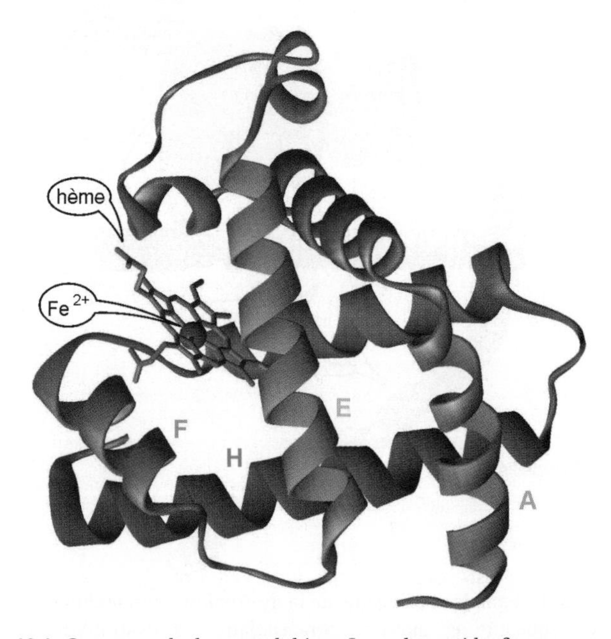

10.1 Structure de la myoglobine. Le polypeptide forme une structure globulaire contenant huit hélices α (A-H). Le groupement hème prosthétique, qui fixe l'oxygène, est représenté en rouge.

Encart 10.1 : Structure de l'hème

Le noyau de l'hème est constitué par une molécule organique, la **protoporphyrine IX** (§ 44.8). Dans la protoporphyrine IX, quatre cycles pyrroles sont reliés par des ponts méthylène (–CH=). Le système tétrapyrrole porte comme substituants quatre méthyles, deux vinyles et deux acides propioniques (*fig.* 10.2) . Le système étendu de doubles liaisons conjuguées est responsable de la coloration intense des hémoprotéines et donc du sang. Un ion fer, « composant inorganique » est complexé au centre du système cyclique par les quatre atomes d'azote des noyaux pyrroles. Dans la myoglobine et l'hémoglobine, il s'agit d'un ion divalent. Dans d'autres protéines, cela peut être Fe^{3+}, voire transitoirement Fe^{4+}. En tant que coenzyme, l'hème est très polyvalent et joue dans d'autres protéines le rôle de transmetteur d'électrons, de groupement catalytique ou de détecteur des composés diatomiques NO, CO et O_2.

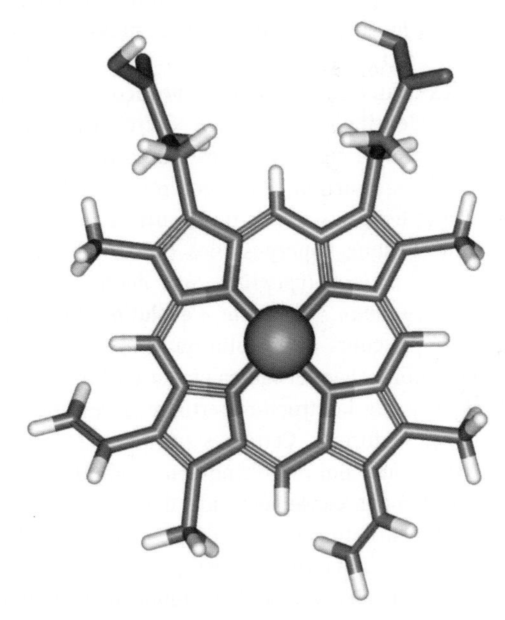

10.2 Structure de l'hème. Une unité protoporphyrine IX fixe un ion Fe^{2+} en son centre, occupant ainsi quatre des six sites de coordination de l'ion fer divalent.

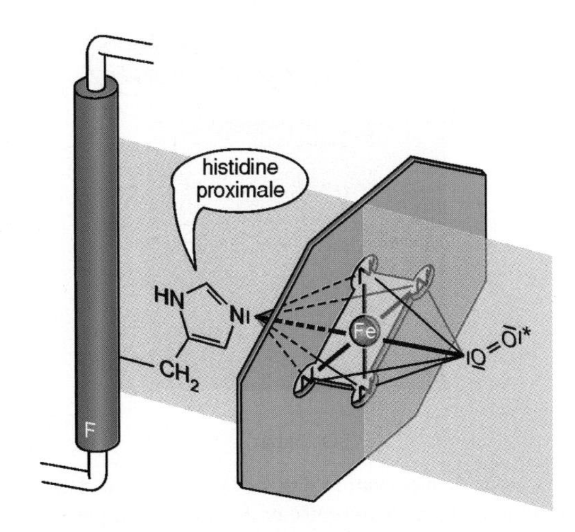

10.3 Fixation d'O_2 par la myoglobine. Un fragment de la molécule de myoglobine comprenant l'hélice F (en bleu) et le résidu histidyle proximal (à gauche) est représenté. D'un point de vue géométrique, O_2 occupe le sommet d'une double pyramide, l'histidine proximale occupant l'autre sommet. La position de l'histidine distale (hélice E) est marquée par une étoile.

mentaire (*fig.* 10.3). Un autre résidu histidyle, l'« histidine distale » de l'hélice E, stabilise le complexe *via* une liaison hydrogène avec l'oxygène. Seule la myoglobine-Fe^{2+}, (la ferromyoglobine) est capable de fixer O_2. Lorsque le fer se trouve sous une forme plus oxydée (Fe^{3+}), le sixième site de coordination fixe fortement une molécule d'eau. Un des rôles de l'enveloppe protéique est de protéger l'hème de l'oxydation. En effet, l'hème « libre » fixe O_2 lui aussi, mais irréversiblement : un intermédiaire formé par un « sandwich », fait de deux groupements hème entre lesquels se trouve fixé l'oxygène, donne Fe^{3+} par une réaction d'oxydoréduction avec O_2. C'est exactement ce que la volumineuse enveloppe protéique permet d'éviter.

Une raison supplémentaire d'entourer l'hème d'une enveloppe de protéine est la spécificité de substrat. Le monoxyde de carbone (CO) a une affinité pour l'hème 25 000 fois supérieure à celle de l'oxygène, et s'y fixe donc quasi irréversiblement. *Avec l'hème libre comme seul transporteur d'oxygène, nous serions rapidement empoisonnés au CO.* L'environnement protéique de l'hème diminue son affinité pour le CO d'un facteur 100. L'histidine distale oblige par son encombrement stérique à une conformation « en biais » du ligand, qu'O_2 adopte naturellement alors que le CO préfèrerait se fixer parfaitement perpendiculaire au plan de l'hème. Le facteur 250 restant entre les affinités est compensé par le grand excès molaire d'O_2 par rapport à CO. L'organisme humain ne produit de monoxyde de carbone qu'en très petites quantités – par une ironie de la nature, à l'occasion de la synthèse des molécules de porphyrine. Par ailleurs, le monoxyde de carbone pourrait jouer un rôle physiologique comme neurotransmetteur.

10.2 La courbe de dissociation entre l'oxygène et la myoglobine est hyperbolique

La fixation de l'O_2 à la myoglobine est habituellement représentée sous la forme d'une **courbe de dissociation**, où le **degré de saturation Y_s** (sans dimension) est porté en ordonnée et la **pression partielle en O_2 pO_2** (en mbar) est portée en abscisse (*fig.* 10.4). $Y_s = 0$ signifie qu'aucun oxygène n'est fixé, tandis que $Y_s = 1$ indique une saturation complète. La pression en O_2 à demi-saturation

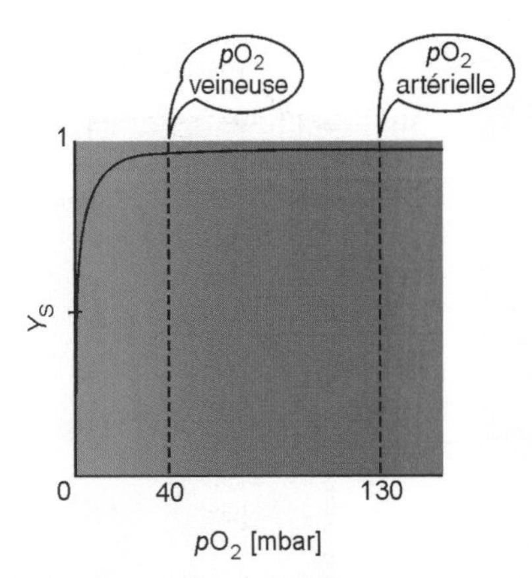

10.4 Courbe de dissociation d'O_2 de la myoglobine. La fraction de saturation Y_S est représentée en fonction de la pression partielle en O_2. Cette relation peut être décrite mathématiquement par l'équation $Y_S = pO_2/(pO_2+p_{50})$. Les valeurs normales de pO_2 sont de 40 mbar dans la circulation veineuse et 130 mbar dans la circulation artérielle.

maximale (Y_s = 0,5) est appelée $\mathbf{p_{50}}$. Lorsqu'on étudie expérimentalement la fixation de l'oxygène à la myoglobine et que l'on porte le degré de saturation en fonction de la pression partielle en oxygène, on obtient une **courbe hyperbolique**. Celle-ci peut être interprétée de la manière suivante : à basse pO_2, l'oxygène est fixé presque proportionnellement par la myoglobine. Cette phase correspond à la partie quasiment linéaire de la courbe. À pO_2 plus haute, il est de plus en plus difficile aux molécules d'oxygène de trouver un partenaire d'interaction qui soit libre : la fixation s'approche de l'état de **saturation** totale – ce qui est représenté par la partie asymptotique de la courbe. *Ce mode de fixation est un modèle pour de nombreuses autres protéines monomériques fixant des ligands de bas poids moléculaire, par exemple pour les récepteurs d'hormones.*

Nous pouvons déduire de la courbe de dissociation que la myoglobine est presque complètement saturée à la pO_2 typique des capillaires, qui est d'environ 40 mbar. La myoglobine, présente en grandes quantités dans le cytoplasme des myocytes (les cellules musculaires), remplit donc la fonction importante consistant à extraire efficacement l'oxygène qui afflue avec le sang et à le mettre en réserve à proximité de son lieu de consommation, les mitochondries des cellules musculaires (*chap.* 37). Au cours d'un travail musculaire consommateur d'O_2, la pression partielle en oxygène dans les myocytes tombe bien au-dessous de 40 mbar, si bien que la myoglobine libère l'O_2 associé en vue de son utilisation. Chez le cachalot mentionné plus haut, la myoglobine joue un rôle particulier de réservoir d'oxygène pendant les longues plongées. Chez cet animal, la myoglobine est présente à dix fois la concentration existant dans le muscle des mammifères terrestres. *La myoglobine sert donc au stockage et à la répartition de l'oxygène en fonction des besoins.*

10.3 L'hémoglobine est une protéine tétramérique

Avec la myoglobine, nous avons étudié une protéine monomérique possédant un site unique spécifique et de haute affinité pour le ligand O_2. La fixation et la libération d'O_2 sont presque exclusivement contrôlées par la pression partielle pO_2 du milieu environnant. *Au contraire, l'***hémoglobine** (Hb) *est le prototype de la molécule multimérique possédant plusieurs sites de fixation de ligands dont les propriétés de fixation sont en grande partie* **contrôlées de manière allostérique** (§ 4.3). L'hémoglobine (Hb) est un hétérotétramère constitué de deux paires de chaînes polypeptidiques différentes, α et β : la molécule est symbolisée par $\alpha_2\beta_2$. Chaque chaîne porte, à l'instar de la myoglobine, un hème comme groupement prosthétique. Une Hb peut donc fixer au maximum quatre molécules d'O_2. La comparaison entre les structures primaires des chaînes α et β montre beaucoup de points communs. L'identité de séquence entre les chaînes d'hémoglobine et la myoglobine est au contraire nettement plus faible. Pourtant, les structures spatiales de la myoglobine et des sous-unités de Hb prises individuellement sont presque superposables (*fig.* 10.5) ! *Manifestement, ces trois polypeptides ont évolué à partir d'un ancêtre commun : on parle d'***évolution divergente** (*encart* 15.1). Au cours de l'évolution, une séquence de protéine peut donc changer radicalement en fonction des conditions tant que la structure tertiaire nécessaire à la fonction peut se former. Certaines positions – comme l'histidine proximale qui est le cinquième ligand du fer – sont plus fortement **conservées** que d'autres positions, pour lesquelles la nature dispose de plus de « latitude ». La conformation caractéristique des protéines fixatrices d'oxygène est appelée ***globin fold*** **(repliement globine)**. Nous rencontrerons également des modèles de repliement caractéristiques comme celui-ci chez d'autres familles de protéines, par exemple chez les immunoglobulines (§ 15.5 et 33.10).

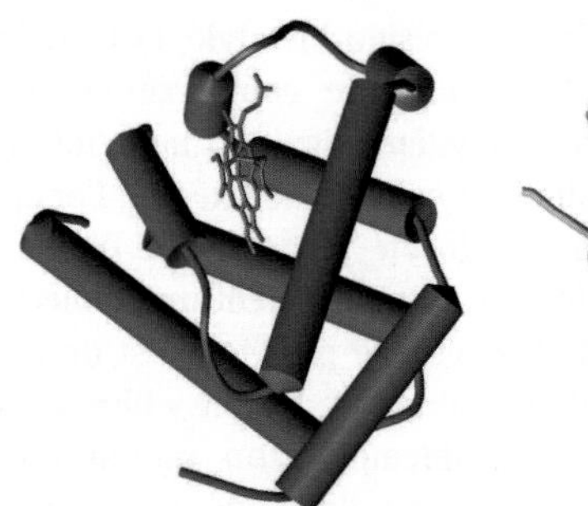

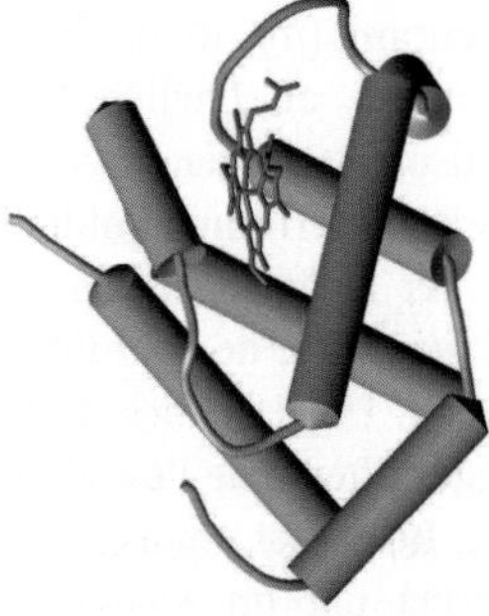

10.5 Conformation des globines. La myoglobine (à gauche) et la chaîne β de l'hémoglobine (à droite) sont représentées ; les groupements hèmes sont colorés en rouge.

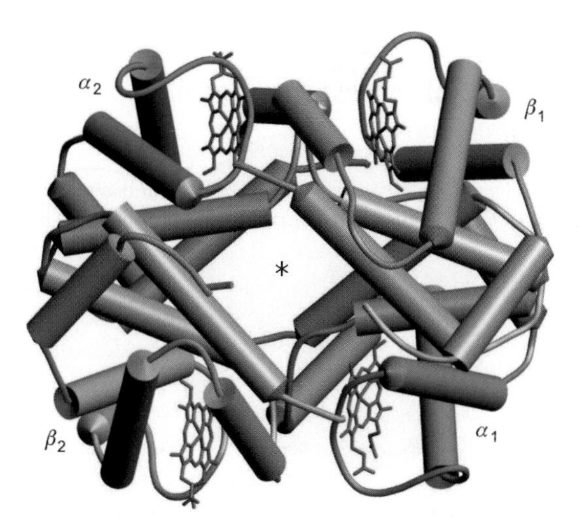

10.6 Structure spatiale de l'hémoglobine. Chaque sous-unité renferme un groupement hème portant un Fe^{2+}. La cavité centrale de l'hémoglobine (∗) s'étend le long de l'axe de symétrie d'ordre quatre de la molécule quasi-tétraédrique.

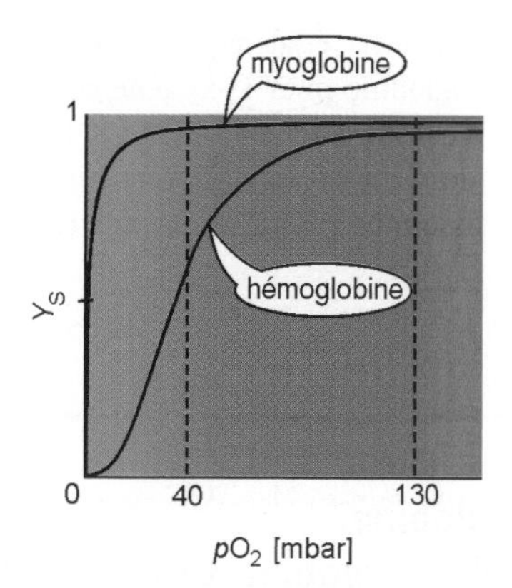

10.7 Comparaison de la courbe sigmoïdale de dissociation d'O_2 de l'hémoglobine avec celle, hyperbolique, de la myoglobine. La courbe représentée est observée en présence de l'effecteur physiologique 2,3-bisphosphoglycérate (§ 10.7).

Comment les chaînes α et β sont-elles arrangées dans une molécule d'Hb ? La représentation schématique de la structure spatiale met en évidence le fait que les quatre chaînes sont arrangées symétriquement : deux dimères $\alpha\beta$ forment un tétramère (*fig.* 10.6). La symétrie est presque parfaite – chaque sous-unité occupe le sommet d'un tétraèdre virtuel. Pour que chaque sous-unité soit définie sans ambiguïté, appelons-les α_1, α_2, β_1 et β_2. Les contacts les plus étroits ont lieu entre α_1/β_1 d'une part et α_2/β_2 d'autre part. À cela viennent s'ajouter de nombreuses liaisons non covalentes entre les **paires hétéromères** α_1/β_2 et α_2/β_1 : comme nous le verrons, ces contacts jouent un rôle décisif dans la régulation allostérique de l'hémoglobine (§ 10.5). Les **paires homomères** α_1/α_2 et β_1/β_2 ne sont pas empilées aussi étroitement : un canal rempli d'eau court entre elles le long de l'axe de symétrie qui traverse la molécule Hb. Nous reviendrons plus loin sur ce canal (§ 10.7).

10.4

La fixation de l'oxygène à l'hémoglobine est coopérative

Les courbes de dissociation de l'O_2 et de la myoglobine ou de l'hémoglobine (fig. 10.7) diffèrent par plusieurs aspects : (1) l'affinité de la myoglobine pour l'oxygène est plus haute que celle de Hb quelle que soit la pO_2 ; (2) la myoglobine donne une courbe hyperbolique alors que l'hémoglobine a une **courbe de titration sigmoïdale** (en forme de S) ; (3) à une pO_2 de 40 mbar typique des capillaires, seulement 55 % des molécules d'Hb sont chargées en O_2 alors que la myoglobine est pratiquement saturée en oxygène (> 98 %). Ces résultats reflètent les différences fondamentales entre la structure, la fonction et les modes d'action des deux globines fixatrices d'oxygène de l'organisme humain.

Comment interpréter la courbe de titration de l'hémoglobine par l'oxygène et quelles sont les conséquences de ce mode de fixation ? *Une courbe de titration sigmoïdale est caractéristique d'une* **interaction allostérique** *entre les différents sites de fixation : les sites de fixation « savent » si les autres sites sont occupés par un ligand.* La pente initiale de la courbe est faible car l'affinité pour l'oxygène est basse. L'augmentation de la pente indique que la fixation d'une première molécule d'O_2 facilite la fixation d'un deuxième O_2 à une deuxième sous-unité, que cette deuxième molécule facilite la fixation d'O_2 à la troisième sous-unité, et ainsi de suite. La fixation d'O_2 augmente donc l'affinité d'Hb pour la suivante. On parle aussi de **coopérativité** de fixation. Par ce biais, Hb fixe la quatrième molécule d'O_2 avec une affinité environ 100 fois supérieure à celle de la première. Cela n'est pas immédiatement visible sur la moitié droite de la courbe de titration : l'augmentation de la saturation des sites de fixation potentiels « masque » l'augmentation constante de l'affinité. La signification physiologique de ce phénomène apparaît lorsque l'on compare la saturation de la myoglobine et de l'hémoglobine à différentes pressions d'oxygène (*fig.* 10.7). Les deux globines sont presque complètement saturées à la pression en oxygène régnant dans les artères ($pO_2 \approx 130$ mbar). À la pression d'oxygène existant dans les veines ($pO_2 \approx 40$ mbar), la myoglobine est toujours complètement chargée, alors que normalement, l'hémoglobine y libère déjà la moitié de son oxygène ! Grâce à sa coopérativité de fixation, l'hémoglobine ressemble donc à un interrupteur qui peut basculer facilement d'une haute à une faible affinité pour l'oxygène. Il est également significatif que l'affinité de la myoglobine pour l'oxygène soit constamment supérieure à celle de l'hémoglobine : à la périphérie, la myoglobine doit transférer efficacement l'oxygène du sang vers le tissu musculaire, consommateur principal de l'oxygène.

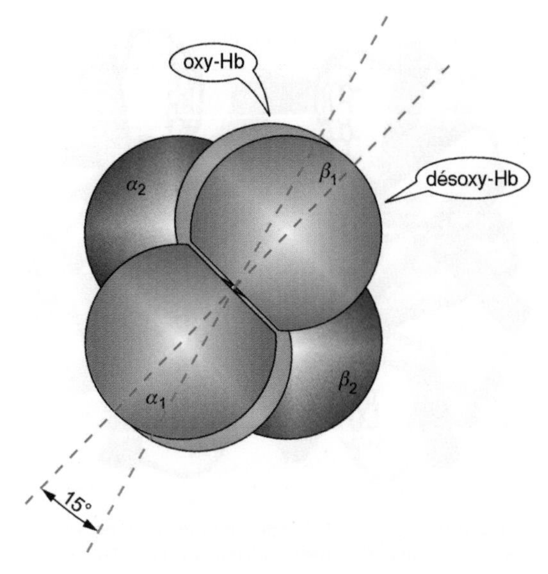

10.8 Changement de conformation de Hb induit par O_2. Un couple $\alpha\beta$ opère une rotation de 15° par rapport à l'autre. Les formes désoxy (en bleu) et oxy (en rouge) de Hb sont projetées l'une sur l'autre de manière à superposer les deux sous-unités α_2 et les deux sous-unités β_2.

10.5

Oxyhémoglobine et désoxyhémoglobine se distinguent par leur structure spatiale

Comment obtient-on un effet allostérique et une coopérativité de fixation au niveau moléculaire ? La clé de cette question classique de la biochimie a été donnée par la comparaison entre les structures moléculaires des formes oxy et désoxy de l'hémoglobine. Le changement le plus apparent concerne la structure quaternaire (§ 5.10) : la fixation d'O_2 provoque une rotation d'environ 15° du dimère $\alpha_1\beta_1$ par rapport au dimère $\alpha_2\beta_2$ (*fig.* 10.8).

Les deux états sont déterminés par les surfaces de contact entre les paires hétéromères ($\alpha_1\beta_2$ et $\alpha_2\beta_1$) : dans la forme désoxy une histidine pointant à l'extérieur de la chaîne β vient s'insérer dans un sillon de la sous-unité α qui lui fait face. Dans l'état oxy, l'histidine « glisse » dans le sillon suivant de l'hélice. *L'encombrement stérique exclut tout état intermédiaire* (*fig.* 10.9).

Dans la désoxyHb, les résidus C-terminaux de toutes les sous-unités sont engagés dans un réseau rigide de liaisons ioniques (ponts salins), ce qui explique qu'on appelle cette conformation l'**état T** (angl. *tense*, tendu). Ce réseau stabilise l'état T en l'absence d'oxygène (*fig.* 10.10). Pendant la rotation qui marque le passage à l'état oxy, ces liaisons sont « cisaillées » : cet état est appelé l'**état R** (angl. *relaxed*, relâché).

Comment se produisent donc ces changements de conformation assez importants à l'interface entre les sous-unités ? Le point de départ en est la poche de fixation de l'O_2, qui en est pourtant éloignée à l'échelle d'une protéine (*fig.* 10.11). Souvenons-nous du cinquième ligand du Fe^{2+}, l'histidine proximale de l'hélice F (*fig.* 10.3). Dans la désoxyHb, le Fe^{2+} ne se trouve pas exactement dans

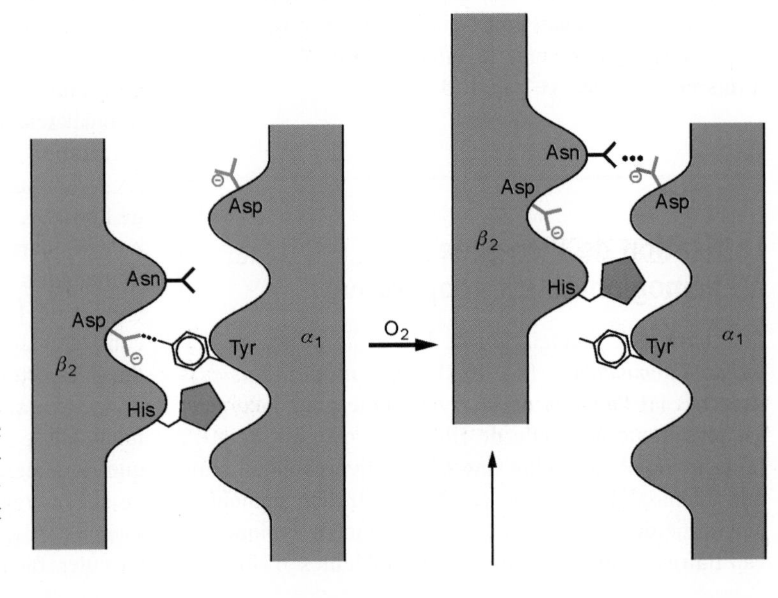

10.9 Déplacement des surfaces de contact entre paires hétéromères. Deux conformations définies sont prédéterminées par la complémentarité des surfaces, les états intermédiaires sont interdits par l'encombrement stérique. [RF]

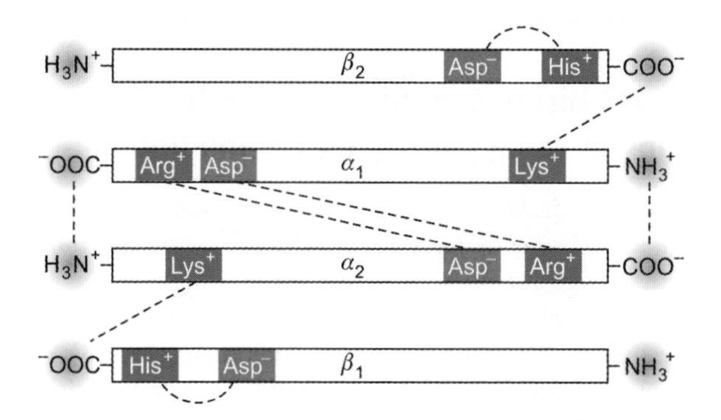

10.10 Ponts salins entre les différentes sous-unités de la désoxyhémoglobine. Le schéma représente les sous-unités comme des polypeptides linéaires – dans la réalité tridimensionnelle, les extrémités et les chaînes latérales interagissant sont très proches dans l'espace. L'oxygénation abolit indirectement ces interactions non-covalentes.

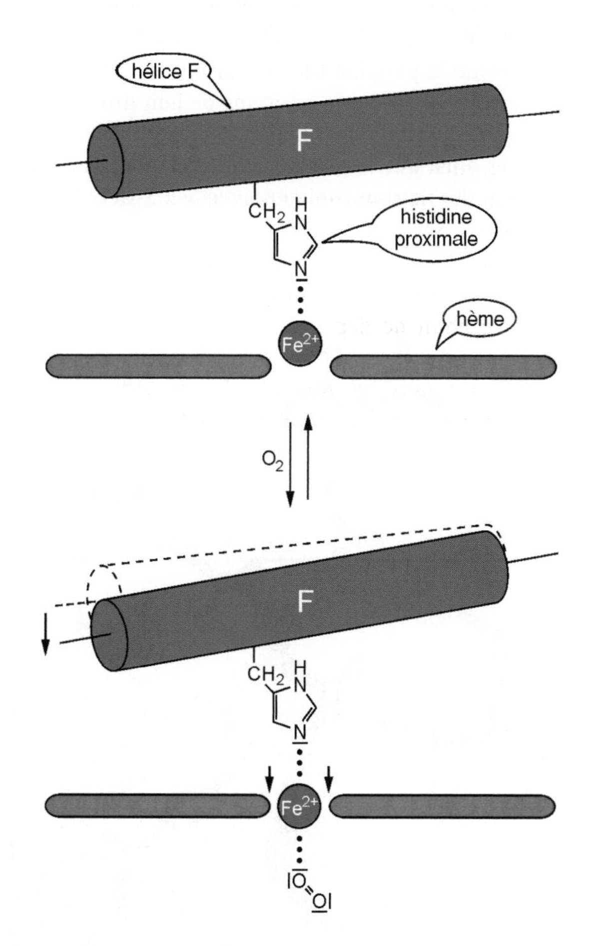

10.11 Mécanisme du changement de conformation induit par O_2. La fixation d'O_2 au site de coordination libre de l'atome de Fe^{2+} tire celui-ci vers le plan du noyau hème. Le résidu histidine proximal est tiré à sa suite, et le changement de conformation observé (*fig.* 10.8) est mis en branle par l'intermédiaire du levier de l'hélice F.

le plan de l'hème, mais décalé vers l'histidine proximale. La fixation du sixième ligand constitué par l'O_2 « tire » l'ion Fe^{2+} exactement jusqu'au plan du cycle, ce qui « entraîne » le résidu histidine et avec lui l'hélice F. Le déplacement minime de l'ion Fe^{2+} est amplifié par le bras de levier de l'hélice F, ce qui aboutit en dernier ressort à la rotation au sein du tétramère, l'abolition des ponts salins et la transition de l'état T à l'état R. Nous avons ici affaire à un **changement de conformation induit par un ligand.**

10.6 Deux modèles différents décrivent le comportement coopératif

La fixation de l'oxygène à l'hémoglobine est le paradigme du comportement coopératif chez les protéines. *À partir de l'abondance de données expérimentales disponibles, on a cherché à formuler un modèle général de la coopérativité.* Les deux modèles les plus populaires sont les suivants. Le **modèle symétrique** – également nommé **modèle MWC** d'après Jacques Monod, Jeffries Wyman et Jean-Pierre Changeux – postule qu'Hb ne peut exister que sous deux conformations possibles. *La transition entre ces états ne peut se produire que de manière concertée dans les quatre sous-unités à la fois : la symétrie de l'hémoglobine est conservée à tout instant.* Ces deux conformations correspondraient aux états T et R observés expérimentalement. Selon cette hypothèse, l'état T a une faible affinité pour O_2, et l'état R une haute affinité, et les deux états sont en équilibre. Lorsque le nombre de ligands O_2 augmente, l'état R devient de plus en plus probable : l'équilibre est déplacé (*fig.* 10.12).

Le **modèle séquentiel** du principe de coopérativité de Daniel Koshland considère que la fixation d'un ligand à une sous-unité ne modifie tout d'abord que la conformation de cette sous-unité. *Cette modification locale influence l'affinité des sous-unités voisines pour leur ligand.* La symétrie du complexe protéique n'est pas conservée à tout instant dans le modèle séquentiel : il y a – au moins – cinq états différents qui diffèrent par leurs affinités pour O_2 (*fig.* 10.13). Au contraire, dans le modèle MWC, un site de fixation ne « voit » pas les autres, on n'aboutit alors qu'à un équilibre entre deux formes extrêmes.

Intuitivement, au vu des états R et T bien définis des structures cristallines de l'oxyHb et de la désoxyHb, on aurait tendance à privilégier le modèle MWC. En fait, les deux modèles, avec leur formulation mathématique, ont leur pertinence. Le caractère « instantané » des structures considérées, qui ne reflète pas la dynamique du processus d'une manière adéquate, empêche de se déterminer clai-

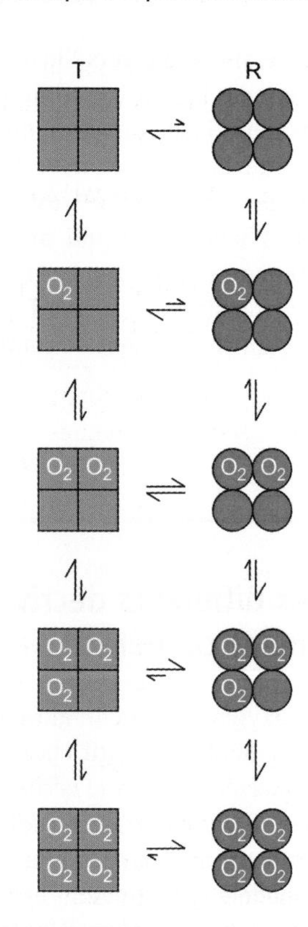

10.12 Modèle symétrique de la coopérativité. Les états T et R de l'hémoglobine sont en équilibre. En l'absence de ligand, l'état T, de faible affinité, prédomine, et sa conversion spontanée en l'état R de haute affinité n'est que rarement possible. La fixation d'un ligand à une sous-unité rend plus probable la transition allostérique du tétramère entier vers l'état R, et ainsi de suite. [RF]

rement en faveur de l'un ou l'autre modèle. Dans le modèle séquentiel aussi, les états intermédiaires postulés n'existeraient qu'en proportions minimes, difficiles à observer expérimentalement, au sein de la population totale des molécules d'Hb : dès qu'une molécule d'oxygène est fixée, le remplissage des sites de fixation qui restent s'effectue très rapidement.

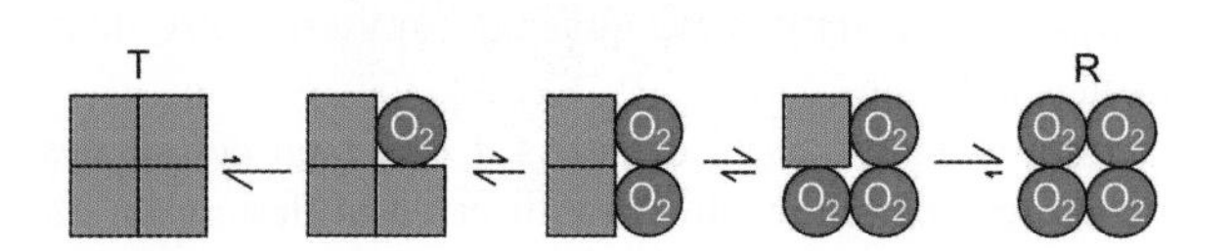

10.13 Modèle séquentiel de la coopérativité. La fixation de ligands conduit à des changements de conformation locaux de plus en plus nombreux, qui modifient l'affinité pour le ligand des sous-unités voisines encore inoccupées [RF]

10.7

Le 2,3-bisphosphoglycérate se fixe dans le canal central de l'hémoglobine

En dehors de la coopérativité de sa fixation à O_2, Hb est soumise à une régulation allostérique supplémentaire, dont le rôle est de réduire son affinité pour O_2. Ce but peut d'abord sembler paradoxal. En fait, il s'agit d'un mécanisme essentiel qui donne au transporteur d'oxygène sa pleine capacité fonctionnelle. L'effet allostérique, par lequel le « vrai » ligand (O_2) agit sur sa propre affinité est appelé **effet homotrope**. La modulation de l'affinité pour O_2 par d'autres ligands – les **effecteurs** – que nous discutons dans la suite se nomme **effet hétérotrope**. Un des effecteurs importants de l'hémoglobine est le **2,3-*bis*-phosphoglycérate** (2,3-BPG), produit dérivé du catabolisme du glucose (*encart* 35.1). Le 2,3-BPG possède trois fonctions acides et porte au maximum cinq charges négatives (à pH physiologique environ quatre). Cette molécule fortement chargée négativement se fixe dans le **canal central** rempli d'eau de l'hémoglobine, mais seulement lorsque la protéine est sous la forme T (*fig.* 10.14). Cette cavité renferme une couronne de huit groupements chargés positivement (des chaînes latérales d'histidines et de lysines ainsi que le groupement amine terminal), qui établissent des liaisons ioniques avec le 2,3-BPG.

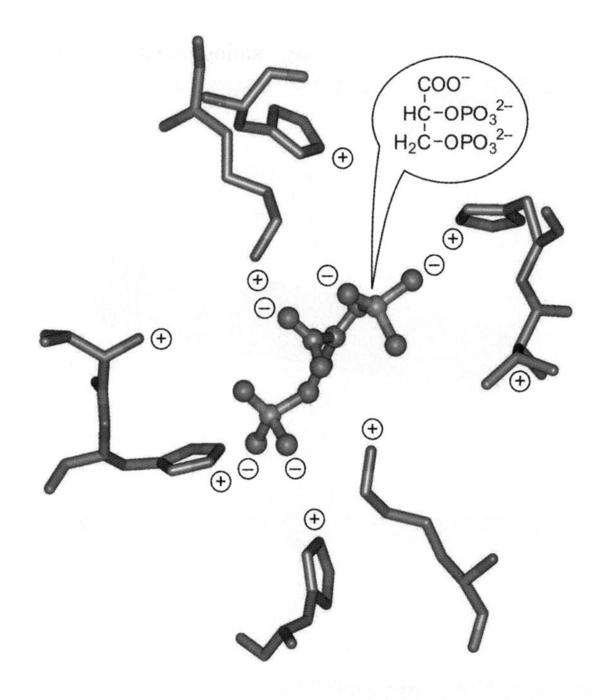

10.14 Fixation du 2,3-BPG à la désoxyhémoglobine. Une couronne de charges positives fixe la molécule de 2,3-BPG, chargée négativement, dans la cavité centrale. La somme des liaisons individuelles conduit à un ancrage stable du 2,3-BPG à Hb.

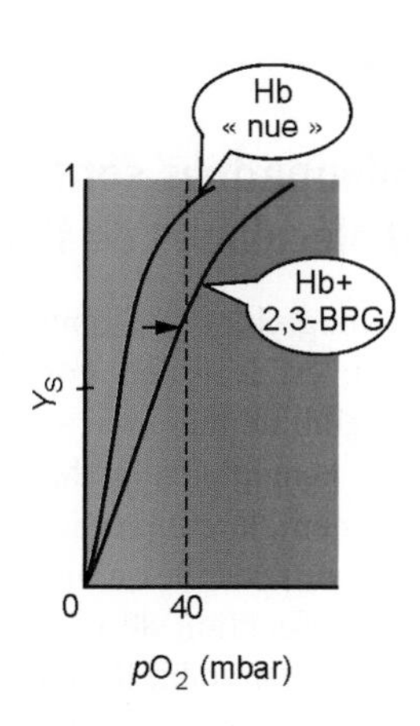

10.15 Courbe de fixation de l'oxygène de l'hémoglobine en présence de 2,3-BPG. Pour comparaison, la courbe de fixation d'O_2 de l'hémoglobine pure est représentée.

Dans la forme R, le canal se rétrécit par rapprochement des sous-unités *β* : le 2,3-BPG n'a plus la place de se fixer. Par sa fixation préférentielle à la forme T, le 2,3-BPG défavorise de fait la transition vers la forme R à haute affinité pour l'oxygène. *L'effecteur stabilise donc la forme de faible affinité pour O_2 !* Dans les mesures de fixation d'oxygène (*fig.* 10.15), on observe donc un déplacement vers la droite de la courbe de dissociation en présence de 2,3-BPG. La valeur de p_{50} passe de 16 mbar pour Hb « nue » à 29 mbar en présence de 4,7 mM 2,3-BPG, la concentration physiologique dans les érythrocytes. L'hémoglobine serait donc un transporteur d'oxygène inadapté physiologiquement sans le 2,3-BPG, car elle ne libérerait presque pas d'oxygène à la périphérie ! En revanche, la charge en O_2 dans les poumons n'est pas compromise par la réduction d'affinité. Là, à une pression artérielle pO_2 de 130 mbar, la saturation est atteinte même en présence de l'effecteur allostérique. Lors d'un séjour en altitude, la concentration en 2,3-BPG dans les érythrocytes augmente encore. La charge en O_2 en est alors un peu affectée, mais est compensée par une libération plus efficace à la périphérie. *Le 2,3-BPG optimise donc la protéine de transport qu'est l'hémoglobine en favorisant un « débarquement » efficace du chargement d'oxygène adapté aux conditions de pression de l'air.*

10.8

La protonation de l'hémoglobine facilite la libération de l'oxygène dans les capillaires

En dehors du 2,3-BPG, deux autres effecteurs de faible poids moléculaire régulent la fixation et la libération d'O_2 : les **protons** (H^+) et le **dioxyde de carbone** (CO_2). Ces deux substances s'accumulent en cas de métabolisme aérobie. Elles sont en équilibre par la réaction (10.1). À haute concentration en CO_2, la concentration en H^+ augmente et le pH baisse (équation 10.1) :

$$CO_2 + H_2O \rightleftharpoons (H_2CO_3 : \textit{acide carbonique}) \rightleftharpoons HCO_3^- + H^+ \qquad (10.1)$$

Dans le métabolisme anaérobie dû à une carence en O_2, par exemple dans le muscle fortement sollicité, de l'acide lactique se forme, ce qui libère aussi des protons. Les protons se fixent sur les groupements amines libres des sous-unités de Hb comme les chaînes latérales des histidines carboxy-terminales des sous-unités *β* ou les extrémités amines des sous-unités *α*, qui ne sont engagées dans des liaisons ioniques que dans la conformation T de Hb. À l'opposé, ces liaisons n'existent pas dans la forme R en raison de leurs dispositions spatiales différentes. *De même que le 2,3-BPG, les protons stabilisent donc aussi l'état T.* Une faible valeur de pH déplace donc l'équilibre (équation 10.2) dans la direction de la libération d'O_2.

$$Hb \cdot 4\,O_2 + n\,H^+ \rightleftharpoons Hb \cdot n\,H^+ + 4\,O_2\ (n \approx 2) \qquad (10.2)$$

Nous sommes ici en présence d'un deuxième rôle important de l'hémoglobine : elle participe de manière importante à **tamponner** le pH du sang en entrant pour environ un quart dans la capacité tampon totale du sang. Le reste repose presque entièrement sur l'équilibre représenté par l'équation 10.1, ou **tampon acide carbonique/bicarbonate** (§ 1.8). Dans la courbe de dissociation d'O_2, la protonation de Hb se traduit à nouveau par un déplacement vers la droite. Les protons produits par la respiration cellulaire favorisent donc activement la libération d'O_2 dans les capillaires de la périphérie (*fig.* 10.16). Dans les capillaires des alvéoles des poumons, cet effet s'inverse : l'expulsion du CO_2 fait baisser la concentration en H^+ en raison de la loi d'action de masse (équation 10.1), et l'hémoglobine se déprotone. L'équilibre se déplace alors de la forme T vers la forme R, ce qui favo-

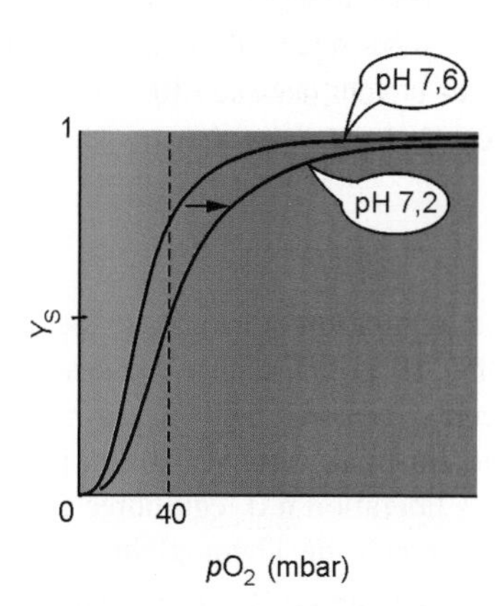

10.16 Influence de H^+ sur la fixation de l'oxygène à l'hémoglobine. La protonation augmente la libération d'O_2 à la périphérie et se traduit par un décalage vers la droite de la courbe de fixation d'O_2.

rise la fixation d'O_2. L'influence du pH sur la fixation d'oxygène et *vice-versa* est appelé **effet de Bohr** d'après son découvreur Christian Bohr.

Les équations 10.1 et 10.2 impliquent un troisième rôle important de l'hémoglobine : non seulement elle apporte l'oxygène vital aux tissus, mais elle évacue aussi le déchet **CO_2** des tissus sous forme d'**anions bicarbonates** ! Par fixation de protons à Hb, l'équilibre donné par l'équation 10.1 est en effet déplacé du CO_2 gazeux et peu soluble vers le sel soluble de l'acide carbonique : l'ion bicarbonate HCO_3^-. L'hémoglobine a donc une relation indirecte (effet tampon) et une relation directe (évacuation sous forme d'ion bicarbonate) avec le dioxyde de carbone (*encart* 10.2). *L'hémoglobine ressemble par la multiplicité de ses activités à un couteau suisse : elle apporte l'oxygène vital depuis les poumons jusqu'à la périphérie, évacue le déchet que constitue le CO_2 et « au passage » aide à tamponner le pH du sang.* Enfin se multiplient les indications selon lesquelles Hb servirait aussi de transporteur d'une substance biologiquement active, le monoxyde d'azote (§ 28.4).

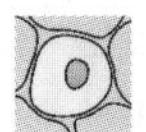

Encart 10.2 : Transport du CO_2 par l'hémoglobine

Le dioxyde de carbone peut se fixer réversiblement de manière covalente aux groupements α-amines des chaînes de globines sous forme de carbamate ($-NH-COO^-$) (équation 10.3)

$$RNH_2 + CO_2 \rightleftharpoons RNHCOO^- + H^+ \qquad (10.3)$$

On peut tirer immédiatement deux conséquences de cette réaction chimique : le proton libéré contribue à l'effet de Bohr. De hautes concentrations en CO_2 à la périphérie favorisent la libération d'O_2 également de cette manière. Par ailleurs, les charges négatives ainsi introduites favorisent le pontage entre les sous-unités α et β par des ponts salins qui sont caractéristiques de l'état T. L'inversion de ce processus a lieu dans les poumons, ou le CO_2 est expulsé, ce qui déplace l'équilibre vers le CO_2 libre avec consommation de protons (équation 10.3). L'état R et le chargement en oxygène sont alors favorisés.

Comme la régulation allostérique de l'hémoglobine par le 2,3-BPG, H^+ et CO_2 repose sur des mécanismes en partie différents, ceux-ci peuvent agir séparément ou additivement. Au final, cette régulation permet un chargement et une libération d'O_2 équilibrée selon les besoins des tissus. L'exemple de l'hémoglobine met en lumière un « trait caractéristique » important des protéines : tous leurs éléments de structure doivent s'emboîter comme une mécanique de précision. Il n'est donc pas étonnant que les changements structuraux les plus minimes puissent détraquer cette horlogerie moléculaire.

10.9

Les hémoglobinopathies sont dues à des défauts moléculaires de l'hémoglobine

L'évolution de l'hémoglobine n'a jamais cessé. L'exemple le plus frappant en est le grand nombre de variations connues de l'hémoglobine humaine – environ un millier de mutations, dites **hémoglobinopathies**, ont été décrites à ce jour. Heureusement, la plupart de ces mutations sont « silencieuses » ou neutres : elles n'ont pas d'effet néfaste sur la structure et la fonction de la protéine correspondante (§ 15.1). Comme attendu, les plus gros effets concernent des changements au niveau des « points chauds » fonctionnels, par exemple à la surface de contact entre les paires hétéromères $\alpha\beta$ (altération des capacités de régulation allostérique) ou à proximité de l'hème (défaut de fixation de l'hème). Dans ce dernier cas, l'ion fer essentiel à la fonction ne peut souvent pas être stabilisé sous sa forme réduite : il y a oxydation en Fe^{3+} (*fig.* 10.17). Hb-Fe^{3+} est également appelée **méthémoglobine.** Le sang du porteur de ce type de mutation est – en raison de la modification de l'absorption de la lumière par le noyau hème – brun chocolat, sa peau et ses muqueuses sont légèrement violacés (cyanose). On ne trouve ce défaut d'Hb qu'à l'état hétérozygote, où il va de pair avec **anémie** et **cyanose.** Comme la forme homozygote n'a pas encore été observée, on peut en déduire qu'elle n'est pas compatible avec la vie.

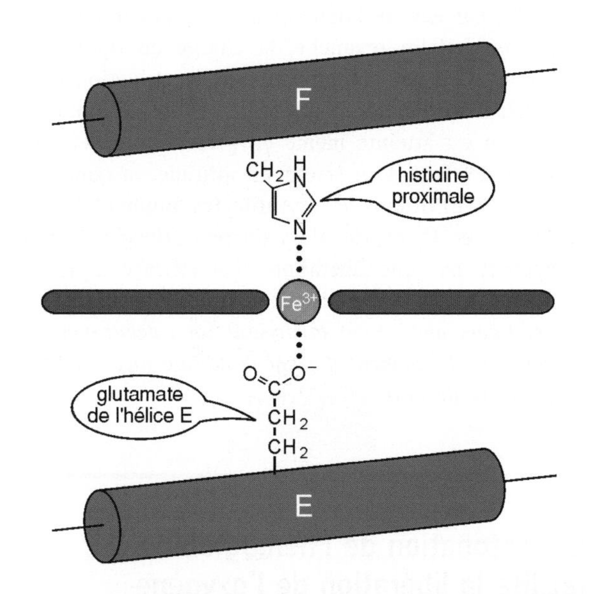

10.17 Hb « Milwaukee ». Dans le cas d'une mutation caractérisée pour la première fois chez un patient de Milwaukee, la valine de la position 67 de l'hélice E de la sous-unité β est remplacée par un glutamate (Val67 $\rightarrow$ Glu). Cette mutation conduit au phénotype de la méthémoglobine : la charge négative du glutamate stabilise le centre de l'hème dans le degré d'oxydation Fe^{3+}, qui ne peut pas fixer d'O_2.

Les changements concernant les acides aminés de surface sont souvent sans conséquence dans le cas de Hb – à l'exception grave de l'**anémie falciforme.** *L'anémie falciforme a été la première « maladie moléculaire », c'est-à-dire le premier cas pour lequel le défaut du gène sous-jacent a pu être mis en évidence* (§ 22.8). Les porteurs homozygotes développent une anémie hémolytique, de douloureux troubles de la circulation, et une tendance à l'infarctus. L'âge adulte n'est atteint que sous thérapie intensive. La cause immédiate des symptômes est l'apparition massive d'érythrocytes rigides en forme de faux qui restent piégés dans les capillaires et bloquent le flux sanguin. De plus, ces cellules sont instables et éclatent facilement sous l'effet de la pression, d'où l'anémie hémolytique. La molécule d'hémoglobine mutée (**HbS**) des cellules falciformes porte une substitution à la position 6 de la chaîne β : un résidu glutamate hydrophile à la surface est changé en résidu valine hydrophobe (Glu6 $\rightarrow$ Val). Ceci crée une « bosse » hydrophobe qui s'emboîte dans un « creux » hydrophobe de la chaîne β d'un deuxième tétramère d'hémoglobine (*fig.* 10.18). Au début, deux molécules HbS s'associent par ce « bouton pression ». Comme chaque HbS concernée possède une deuxième sous-unité β, d'autres molécules HbS viennent s'empiler des deux côtés. Il y a **polymérisation** et formation d'une longue « chaîne » d'Hb. Un total de 14 chaînes comme celle-ci peuvent s'enrouler les unes autour des autres d'une manière bien définie, formant ainsi d'épais et rigides faisceaux de filaments, qui donnent à la cellule la forme d'une faux.

Détail remarquable : seule la forme désoxy de l'hémoglobine possède ce creux hydrophobe, et non la forme oxy. Les fibres de HbS se forment donc surtout lorsque Hb est déchargée : dans les capillaires les plus fins de la périphérie, c'est-à-dire à l'endroit où les cellules falciformes se déplacent le plus difficilement. Dans certaines régions d'Afrique centrale, jusqu'à 40 % de la population est porteuse du gène de l'anémie falciforme. Cette prévalence extrême est due à un avantage au premier abord surprenant des porteurs hétérozygotes : HbS offre une protection importante contre la **malaria** endémique dans ces régions, qui est avec la tuberculose et le SIDA l'une des maladies infectieuses ayant le plus haut taux de mortalité dans le monde (*encart* 10.3).

10.18 Anémie falciforme : agrégation de molécules d'HbS. La substitution Glu6 $\rightarrow$ Val forme une « bosse » hydrophobe qui s'adapte à un creux hydrophobe de l'autre sous-unité β. Cette cavité est aussi présente dans toute chaîne β « normale », mais le résidu glutamate hydrophile ne peut s'y adapter.

Encart 10.3 : HbS et la malaria

La malaria est endémique dans les pays tropicaux et subtropicaux. Tous les ans, 1 à 1,5 million de personnes, essentiellement des enfants, en sont victimes. L'agent de la maladie est un protozoaire du genre ***Plasmodium*** qui au cours d'un cycle de vie parasitaire extrêmement spécialisé utilise l'homme comme hôte et l'anophèle, un moustique suceur de sang, comme vecteur. Après un séjour initial dans le foie, *Plasmodium* colonise les globules rouges. Après des cycles de multiplication et de maturation, ils passent dans le plasma par rupture des érythrocytes, ce qui entraîne un accès de fièvre. Les facteurs pathogénétiques sont une anémie hémolytique, une hypoxie et une hémostase capillaire due à l'encombrement par les érythrocytes infectés. Pourquoi HbS protège-t-elle contre la malaria ? *Plasmodium* acidifie le cytoplasme érythrocytaire, ce qui par l'effet de Bohr conduit à la libération d'O_2 et à la polymérisation de HbS. Les érythrocytes falciformes sont éliminés par la rate, et les cellules infectées par *Plasmodium* sont donc préférentiellement détruites. Ce qui est un avantage relatif chez les porteurs de HbS hétérozygotes se retourne contre les homozygotes : ils souffrent d'une grave anémie falciforme, qui entraîne une lourde mortalité dès le plus jeune âge.

10.10

Le fer est absorbé, transporté et stocké par des protéines spécialisées

Nous venons de voir avec l'hémoglobine une protéine de transport de l'organisme importante et assez bien comprise, à partir de laquelle nombre de principes de la biochimie ont été obtenus. Cependant, ce système de transport n'est que la partie émergée de l'iceberg. *Presque chaque substance de l'organisme est prise en charge, transportée puis libérée.* Un exemple en est le **fer**, qui en dehors de son rôle dans le transport de l'oxygène participe à un grand nombre de processus vitaux, par exemple le transport des électrons dans la respiration mitochondriale. Le contenu total en fer chez l'adulte se monte à 3,5-5 g, dont 65-70 % se trouve dans l'hémoglobine et 4 % dans la myoglobine, tandis qu'environ un quart est contenu dans le foie, la rate et la moelle osseuse. 1-2 mg, sous forme ferreuse (Fe^{2+}) sont absorbés par les cellules mucosales de l'épithélium du duodénum grâce à un système de transport, et arrivent par la face basolatérale dans le plasma sanguin. Après oxydation en Fe^{3+}, le fer est pris en charge par la **protéine de transport transferrine.** Une molécule de transferrine possède deux poches de fixation de Fe^{3+}, dont les « parois » sont formées par deux domaines (*fig.* 10.19). Deux résidus tyrosines, un résidu histidine, un aspartate et un anion carbonate complexent l'ion métallique.

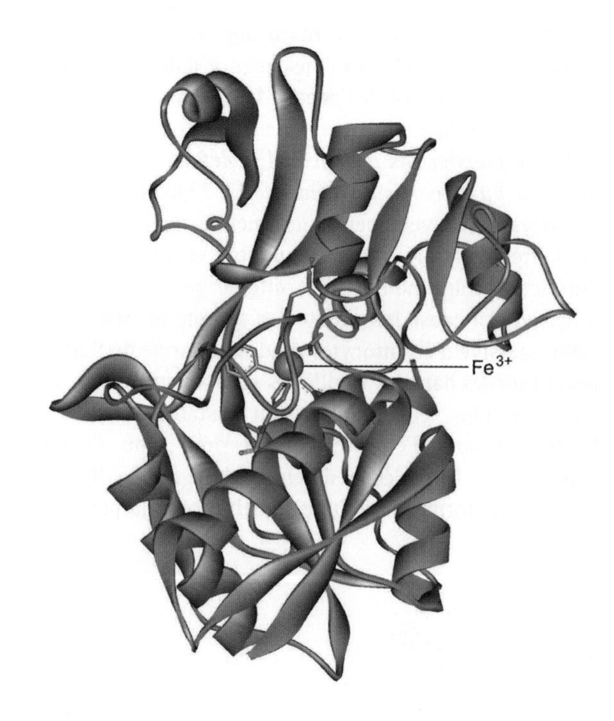

10.19 La transferrine, protéine de transport du fer. La moitié N-terminale de la protéine, qui contient un site de fixation, est représentée. Le fer (en orange) est fixé, par plusieurs résidus d'acides aminés et un ion carbonate (CO_3^{2-}), dans une poche formée entre les deux domaines de la protéine. La moitié C-terminale porte un autre site de fixation de Fe^{3+}.

Pour apporter le fer fixé à la transferrine depuis le plasma sanguin jusqu'aux cellules cibles, par exemple aux précurseurs des érythrocytes qui sont les principaux producteurs d'hème, il faut un **récepteur de la transferrine** spécifique, qui est une protéine dimérique ancrée dans la membrane cellulaire. Après fixation de la transferrine chargée en Fe^{3+} à son récepteur, il se produit un processus étonnant appelé **endocytose dépendant d'un récepteur**, que nous verrons plus en détail dans d'autres cas (§ 29.4) : une partie de la membrane cellulaire s'invagine en formant un étranglement et transporte le fer inclus dans son complexe protéique à l'intérieur de la cellule (*fig.* 10.20). La topologie implique que la transferrine se trouve à la face interne de la vésicule (endosome). Dans la cellule, le pH de l'endosome est abaissé, ce qui libère le Fe^{3+} des « serres » de la transferrine. On sait que le fer doit être à nouveau réduit en Fe^{2+} pour quitter l'endosome et se retrouver dans le cytoplasme, mais on ignore comment se font cette réduction et ce transport. Le fer est mis en réserve dans la **ferritine**, à laquelle 24 sous-unités identiques donnent la forme d'une sphère creuse poreuse, dans laquelle jusqu'à 4 000 ions fer peuvent prendre place, sous la forme de ferrihydrites (FeOOH). Sous cette forme minérale, le fer est d'ailleurs à nouveau sous la forme Fe^{3+}.

Même si les voies de transport du fer dans l'organisme sont de mieux en mieux connues, le mécanisme moléculaire de l'**homéostase du fer** demeure largement ignoré. Comment les systèmes de transport esquissés plus haut sont-ils régulés pour que le fer soit absorbé dans l'intestin en quantité suffisante pour empêcher une **anémie**, mais pas plus que nécessaire ? Un dixième seulement du fer présent dans les aliments est normalement absorbé. Un excès de fer constant se manifeste par une **hémochromatose**, une maladie dans laquelle l'accumulation de fer conduit à la cirrhose du foie et du pancréas.

Dans les chapitres précédents, nous avons décrit en détail les systèmes de transport et de stockage de l'oxygène pour finalement faire l'esquisse, sur l'exemple du fer, d'un des nombreux autres systèmes de transport. C'est à juste titre que l'hémoglobine s'est trouvée au centre de la discussion – le titre d'« enzyme *honoris causa* » lui a parfois été donné par considération pour son mécanisme élaboré. Nous allons maintenant nous intéresser aux « vraies » enzymes, qui sont les catalyseurs du vivant.

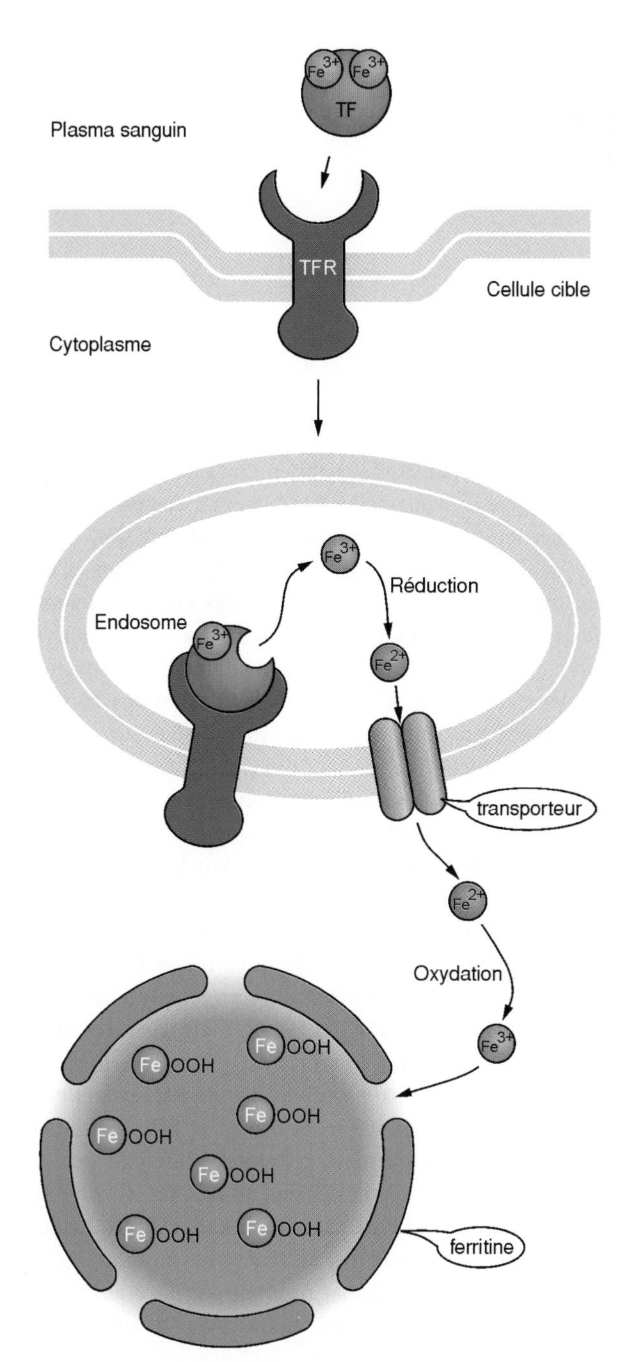

10.20 Absorption, transport et mise en réserve du fer. Après l'assimilation par les cellules de la muqueuse de l'intestin grêle, la transferrine (TF) transporte le fer dans le sang. Par endocytose dépendant du récepteur de la transferrine (TFR), il arrive dans les endosomes, où il est libéré, puis transporté par des vésicules membranaires dans le cytosol. Le transporteur responsable de ce processus n'est pas encore connu en détail. La forme de stockage minérale, la ferrihydrite, est entreposée à l'intérieur du complexe protéique sphérique de la ferritine.

Les protéines, catalyseurs moléculaires

11

Jusqu'ici, nous avons examiné les capacités des protéines à fixer des ligands spécifiquement, puis à les libérer intacts. Nous allons maintenant nous attaquer à une extension importante de ce répertoire fonctionnel, celle qui concerne la transformation du ligand fixé. Les protéines qui forment des liaisons ou les cassent agissent comme des **catalyseurs** moléculaires. Elles accélèrent de plusieurs ordres de grandeur l'établissement de l'équilibre d'une réaction chimique, et permettent à des processus qui prendraient une éternité de se dérouler en un clin d'œil. *De nombreuses protéines – et, comme nous le verrons plus loin, quelques acides nucléiques également – ont développé la capacité, fondamentale pour la vie, d'accélérer les réactions chimiques et d'en ressortir elles-mêmes inchangées – ce qui est la définition classique du catalyseur.* Les **enzymes** dirigent les transformations chimiques au sein de la cellule, dans les organes et dans l'organisme tout entier, tâche dans laquelle elles manifestent quelques propriétés remarquables qui les distinguent des catalyseurs « habituels ». Elles sont extraordinairement spécifiques, extrêmement efficaces malgré leurs conditions réactionnelles forcément « douces », c'est-à-dire physiologiques, et peuvent de plus être régulées de multiples façons. Une grande partie des réactions qu'elles catalysent – par exemple la traduction de l'information génétique lors de la biosynthèse des protéines – sont si « créatives » que la définition classique du catalyseur semble trop étroite pour elles : on peut difficilement imaginer comment ces réactions pourraient avoir lieu « spontanément », c'est-à-dire sans l'aide d'enzymes. Nous commencerons par explorer les caractéristiques fondamentales des enzymes.

11.1 Les enzymes ont des spécificités de réaction et de substrat élevées

La capacité d'une protéine à interagir spécifiquement et réversiblement avec un ligand est largement déterminée par la structure spatiale du site de fixation. Lorsqu'une enzyme doit modifier chimiquement un ligand – on parle dans ce cas de **substrat** –, celui-ci doit « s'adapter » au site de fixation de l'enzyme : il existe une **complémentarité** géométrique entre l'enzyme et son substrat (*fig.* 11.1a). En général, les sites de fixation des substrats d'une enzyme sont disposés dans des « poches » ou des « fentes » de la surface protéique : d'une part, les outils catalytiques de l'enzyme peuvent ainsi atteindre les substrats facilement (§ 11.3), d'autre part, les possibilités de fixation **spécifique** sont naturellement plus élevées en trois (cas d'une poche) qu'en deux dimensions (surface plane). Les résidus d'acides aminés concernés ne sont pas nécessairement voisins sur la séquence : il s'agit fréquemment de résidus très éloignés sur la structure primaire de la protéine, qui sont rapprochés dans l'espace par le repliement de celle-ci. Le maintien du substrat dans la poche est assuré par de nombreuses liaisons non covalentes, comme des liaisons hydrogènes ou des ponts salins, des forces de Van der Waals, mais aussi des interactions hydrophobes, comme c'est généralement le cas dans les interactions protéine-ligand. Par exemple, le **cytochrome *c***, une protéine de transport des électrons et substrat de la **cytochrome *c* oxydase**, interagit par un « hémisphère » chargé positivement avec un site de fixation de l'enzyme tapissé de nombreuses charges négatives (*fig.* 11.1b). Outre les interactions protéine-ligand « habituelles », les enzymes peuvent parfois établir transitoirement une liaison covalente avec le substrat au cours de la catalyse (§ 12.1).

En raison du caractère tridimensionnel de la fixation, et comme les enzymes elles-mêmes sont des molécules asymétriques, elles peuvent faire la différence entre des stéréoisomères : les enzymes sont **stéréospécifiques** (*fig.* 11.2). Par exemple, l'enzyme pancréatique **trypsine** digérera rapidement une protéine de nutriment composée d'acides aminés L, sans toucher à des protéines synthétiques faites d'acides aminés D. Il en va de même pour les sucres : les enzymes de la voie de dégradation du glucose n'acceptent que le D-glucose mais jamais le L-glucose. La stéréospécificité des enzymes aide parfois à séparer des réactions anaboliques et cataboliques, qui ont lieu ensemble dans la cellule (§ 39.4).

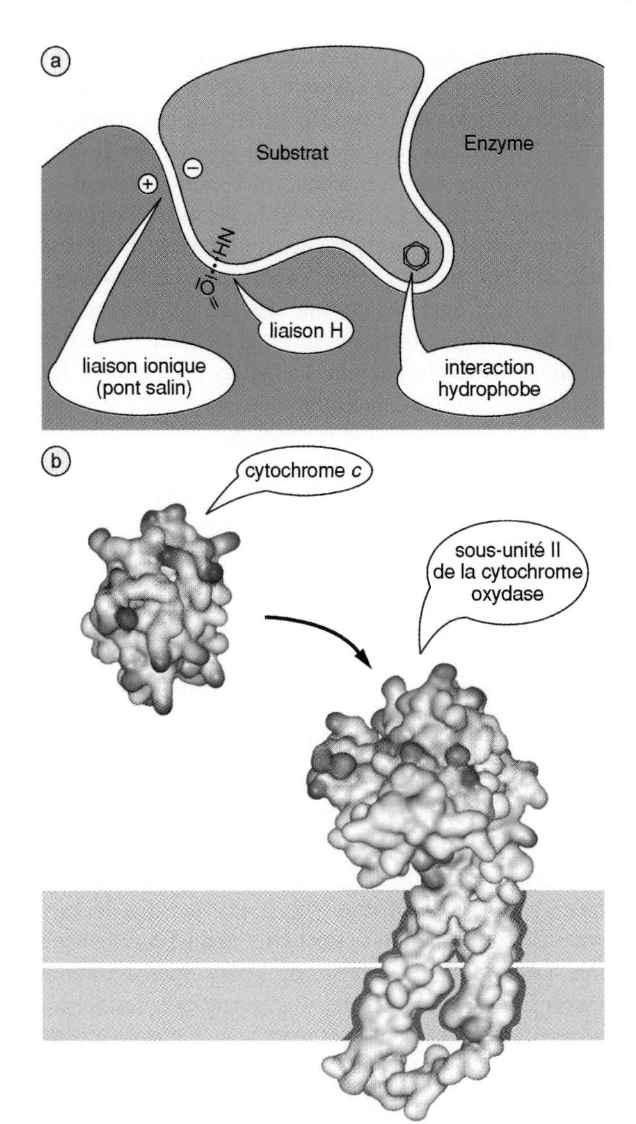

11.1 Fixation du substrat. a) site de fixation du substrat d'une enzyme représenté schématiquement. La complémentarité géométrique et les interactions non covalentes spécifiques déterminent la fixation. b) Le cytochrome *c* (en bleu : charges positives) se lie à son site de fixation sur une sous-unité de la cytochrome *c* oxydase (en rouge : charges négatives) par des interactions électrostatiques. Pour des raisons de lisibilité, les autres sous-unités de l'enzyme ne sont pas représentées. [RF]

Non seulement les enzymes sont très sélectives dans le choix de leur partenaire, mais la transformation chimique qui suit est elle aussi exécutée avec un soin particulier : on parle de **spécificité réactionnelle.** Les catalyseurs chimiques normaux tels que ceux utilisés dans les procédés de l'industrie chimique ont le défaut de catalyser parfois dans des proportions importantes des réactions parasites. La catalyse enzymatique, au contraire, conduit souvent au produit « souhaité » à presque 100 % ! *C'est ainsi que la cellule peut synthétiser des protéines de mille acides aminés ou plus sans erreur,*

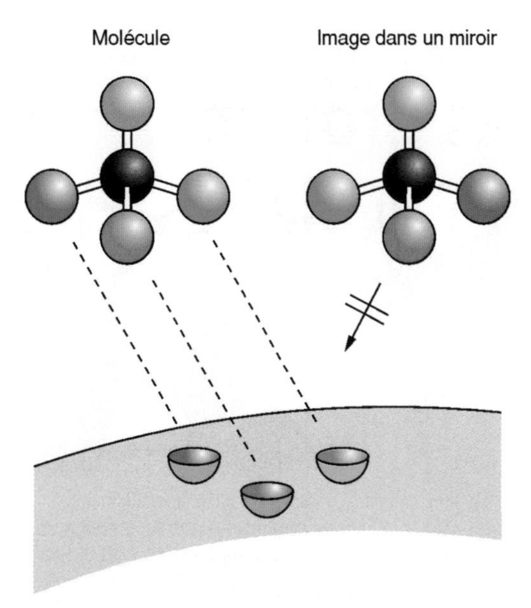

11.2 Stéréospécificité des enzymes. Le centre actif fait la distinction entre une molécule chirale et son image dans un miroir (puisque la molécule est chirale, elles ne sont pas superposables).

alors que la synthèse chimique des peptides donne majoritairement des produits erronés après quelques dizaines de cycles (§ 7.2). Une autre caractéristique marquante des enzymes qui les distingue des catalyseurs chimiques est la **possibilité de réguler** finement leur activité. Cet aspect sera abondamment traité dans la suite (*chap.* 13).

11.2 Le centre actif est composé d'acides aminés réactifs

Le site de fixation du substrat d'une enzyme est appelé **centre actif.** Il renferme en général des acides aminés possédant des substituants qui jouent un rôle dans la catalyse. Par exemple, le groupement hydroxyle de la sérine ou le groupement carboxylique de l'aspartate sont des groupements réactifs adaptés aux réactions chimiques. Par contre, les chaînes latérales aliphatiques, comme celles de la valine ou de l'isoleucine, sont relativement inertes. En coopération avec les chaînes latérales voisines, les résidus du centre actif acquièrent souvent des propriétés particulières. Par exemple, le centre actif de certaines protéases comme la trypsine est composé de chaînes latérales d'acides aminés tels que l'aspartate, l'histidine et la sérine, d'où leur nom de protéases à sérine (*fig.* 11.3). Cet arrangement – aussi appelé **triade catalytique** – « affûte » les capacités catalytiques du résidu sérine. Parmi les nombreux résidus sérines d'une protéase, un seul est particulièrement réactif : il établit une interaction électronique particulière avec l'histidine

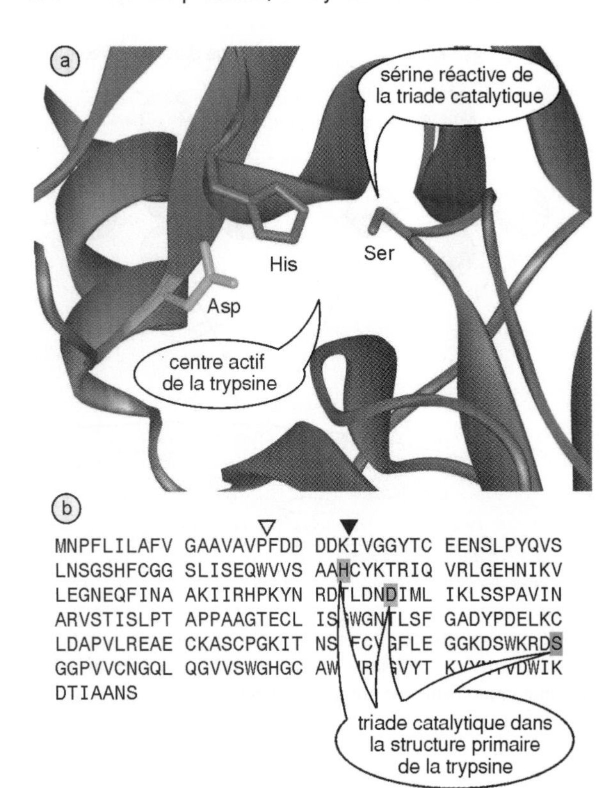

11.3 La triade catalytique du centre actif des protéases à sérine : a) l'arrangement spatial des chaînes latérales confère au résidu sérine une réactivité particulière ; b) les positions des résidus catalytiques dans la séquence du pré-trypsinogène humain. Comme le montre cet exemple, les acides aminés concernés peuvent être éloignés sur la séquence primaire. Les pointes de flèches marquent le site de clivage de la signal peptidase (▽) et de l'entérokinase (▼) – voir *fig.* 13.21.

et l'aspartate voisins (§ 12.4). *En dehors de ces résidus, on trouve dans les centres actifs des enzymes encore d'autres acides aminés à chaîne polaire et/ou ionisable, comme la tyrosine, la cystéine, le glutamate ou la lysine.*

Étant donné la grande diversité des réactions catalysées, il n'est pas étonnant que le répertoire des chaînes latérales ne soit pas toujours suffisant pour équiper un centre actif de manière optimale. Dans ce cas, les enzymes ont besoin de l'aide de **coenzymes.** Ainsi, la catalase, qui dégrade le peroxyde d'hydrogène en eau et en oxygène, utilise l'hème, que nous avons déjà vu chez les globines, comme coenzyme. Les coenzymes sont souvent des molécules organiques complexes. Lorsque l'organisme humain ou animal ne peut les synthétiser, il doit assimiler des précurseurs de ces coenzymes, les **vitamines,** à partir de nutriments d'origine végétale ou des microorganismes symbiotiques de l'intestin. Dans ce dernier cas, il s'agit surtout de vitamines solubles du **groupe B** (*tab.* vitamines). L'origine évolutive des coenzymes n'est pas claire. Ils pourraient s'être développés en coopération avec les ribozymes (§ 12.7), puis n'avoir été utilisés par les protéines que dans un deuxième temps. Les coenzymes sont le plus souvent transformés chimiquement au cours de la réaction. Ils peuvent agir comme donneurs ou accepteurs d'ions hydrures (H^-) ou d'électrons, mais aussi céder un groupe fonctionnel comme dans le cas des kinases : un groupement phosphate du coenzyme ATP est transféré au substrat. Quelques coenzymes importants sont énumérés à titre d'exemple (*tab.* 11.1).

Après une réaction enzymatique, il est nécessaire que le coenzyme, lui aussi, revienne à son état d'origine. Un grand nombre de coenzymes (comme l'ATP pour les kinases) ne sont fixés que transitoirement par leur enzyme, et sont régénérés à un autre endroit. On parle dans ce cas de **cosubstrat** (*fig.* 11.4a). Lorsque le coenzyme traverse la catalyse sans être modifié ou bien subit une série cyclique de réactions, il peut rester en permanence fixé à son enzyme – souvent par des liaisons covalentes. Le coenzyme est alors appelé **groupe prosthétique** (*fig.* 11.4b). Considérons la réaction de la **catalase** mentionnée précédemment : elle catalyse la dismutation de deux molécules de peroxyde d'hydrogène (l'eau oxygénée), qui d'une part sont réduites en H_2O et d'autre part oxydées en O_2. Le Fe^{3+} du groupement hème prosthétique fournit d'abord un électron pour la réduction en donnant Fe^{4+}. Lors de l'oxydation, il récupère un électron, il est donc immédiatement disponible en tant que Fe^{3+} pour un nouveau cycle réactionnel.

Tableau 11.1 Quelques coenzymes. Sont indiqués : l'abréviation courante, la vitamine précurseur (lorsqu'elle est connue) ainsi que le rôle typique de chaque coenzyme dans la catalyse enzymatique.

Coenzyme	Abréviation	Vitamine précurseur	Transfert de ...
hème			électrons
nicotinamide adénine dinucléotide (phosphate)	$NAD(P)^+$	acide nicotinique (niacinamide, vit. B3 ou PP)	ions hydrures
adénosine triphosphate	ATP		radical phosphate ; AMP
coenzyme A	CoA-SH	acide panthoténique (vit. B5)	groupes acyles
pyridoxal-phosphate	PLP	pyridoxine (vit. B6)	groupes amines (entre autres)
biocytine (ε-*N*-biotinyl-L-lysine)		biotine (vit. H ou B8)	groupes carboxyles

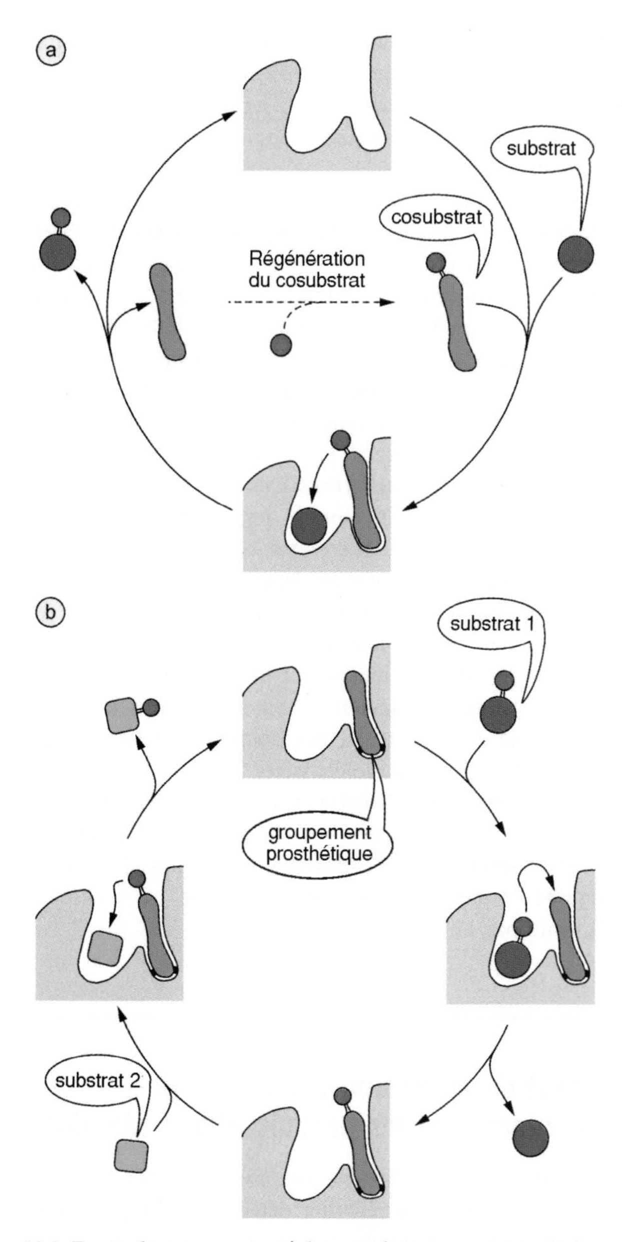

11.4 Types de coenzymes. a) les cosubstrats sont transitoirement associés à l'enzyme ; b) les groupes prosthétiques restent durablement fixés à l'enzyme.

Dans le cas de la catalase, un ion fer est incorporé au squelette du groupement hème prosthétique. Chez de nombreuses **métalloenzymes**, un ion métallique est directement complexé par les chaînes latérales de la protéine (*encart* 11.1). Les ions métalliques sont des **cofacteurs** importants, et le besoin en la plupart des **oligoéléments** s'explique par ce rôle.

11.3 Les enzymes sont classées selon le type de la réaction catalysée

L'arsenal enzymatique d'une cellule est considérable. D'après les données de séquence sur le génome humain, plus de 5 000 enzymes peuvent être prédites – et ce chiffre pourrait être révisé à la hausse. Dans les années « fondatrices » de la biochimie, la dénomination des enzymes était laissée aux bons soins de leur découvreur.

Encart 11.1 : Les métalloenzymes

Le besoin de nombreux oligo-éléments s'explique par leur rôle dans la catalyse enzymatique. Ils sont fixés, soit sous la forme d'un groupe prosthétique, conjointement avec un support organique, comme dans le cas de l'hème (Fe) ou de la chlorophylle (Mg), soit directement sur le squelette protéique, complexés par des chaînes latérales (par exemple de cystéine ou d'histidine). Ils servent à orienter correctement le substrat, ou à masquer ou stabiliser des charges présentes transitoirement. Ils peuvent agir comme des catalyseurs acide-base généraux et par exemple activer une molécule d'eau. Enfin, les ions métalliques sont aussi particulièrement adaptés à la catalyse de réactions d'oxydoréduction, dans lesquelles ils peuvent accepter, transférer, ou donner des électrons. La cytochrome *c* oxydase, qui réduit l'oxygène en eau à la fin de la chaîne respiratoire, en est un bon exemple. Deux centres hèmes et un centre cuivre sont partie intégrante de cette enzyme (§ 37.6). La diversité des métalloenzymes est impressionnante (*tab.* 11.2).

Tableau 11.2 Les ions métalliques, cofacteurs d'enzymes. Exemples d'enzymes et fonctions des ions métalliques dans la catalyse. Pour simplifier, seul le degré d'oxydation de l'ion métallique « au repos » est indiqué. Ce degré change pendant la catalyse dans le cas des réactions d'oxydoréduction.

Métal	Exemple d'enzyme	Rôle de l'ion métallique
fer (Fe^{2+}/Fe^{3+})	NADH déshydrogénase (complexe I)	réaction d'oxydoréduction
cuivre (Cu^{2+})	cytochrome c oxydase (complexe IV)	réaction d'oxydoréduction
zinc (Zn^{2+})	carboxypeptidase A	compensation de charges
magnésium (Mg^{2+})	ARN polymérase	fixation du substrat
magnésium (Mg^{2+})	kinases	fixation du substrat
molybdène (Mo^{6+})	nitrogénases (bactéries)	réaction d'oxydoréduction

Tableau 11.3 Groupes principaux d'enzymes, d'après l'*Enzyme commission of the International Union of Biochemistry and Molecular Biology* (IUBMB). Les enzymes sont classées en fonction du type de réaction catalysée. Les ligases sont parfois aussi appelées « synthétases » (Les « synthétases » sont des enzymes qui forment des liaisons entre deux composants *sans* intervention de l'ATP).

Groupe principal	Type de la réaction catalysée
1. oxydoréductases	réductions/oxydations
2. transférases	transferts de groupes fonctionnels
3. hydrolases	clivages hydrolytiques de liaisons
4. lyases	réactions d'élimination non hydrolytiques
5. isomérases	isomérisations
6. ligases	formation de liaisons par hydrolyse d'ATP

Quelques noms comme « ARN polymérase » s'expliquent assez bien d'eux-mêmes, car la fonction y est clairement décrite. D'autres noms comme « catalase » ou « trypsine » ne sont pas aussi immédiatement compréhensibles. Il y avait là largement matière à confusion ou à double dénomination, et ce, bien avant l'ère de la croissance exponentielle des banques de données génomiques.

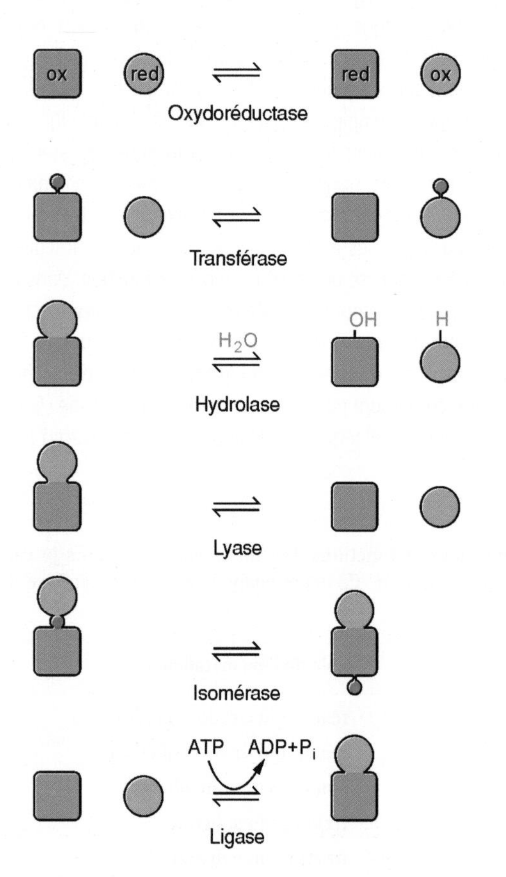

11.5 Modèles de réaction des enzymes. Un exemple schématique est donné pour chaque classe d'enzyme.

Depuis les années 60, une commission internationale veille sur un système rationnel de dénomination et de numérotation des enzymes. Les enzymes sont divisées en six **groupes principaux** selon le type de la réaction catalysée (*tab.* 11.3).

Cette classification donne un bon aperçu du spectre des réactions catalysées. Les **oxydoréductases** catalysent des réactions d'oxydoréduction, au cours desquelles le degré d'oxydation des substrats est modifié (*fig.* 11.5). La catalase citée plus haut porte par exemple le numéro EC (commission des enzymes, angl. *enzyme commission*) 1.11.1.6 : le premier chiffre donne le groupe enzymatique principal (oxydoréductases), tandis que les sous-groupes se distinguent par des détails chimiques et structuraux. Les **transférases** catalysent le transfert de groupes fonctionnels comme les groupes phosphates chez les kinases. Les **hydrolases** accélèrent des clivages hydrolytiques alors que les **lyases** catalysent des réactions d'élimination dans lesquelles une liaison est rompue de manière non hydrolytique et déplacée pour former une double liaison ou un système aromatique. Les électrons initialement « contenus » dans la liaison sont donc « réarrangés ». Les **isomérases** catalysent des réarrangements intramoléculaires. Nous avons rencontré deux représentants de cette classe dans le repliement des protéines, les isomérases *cis-trans* de peptidyl-prolyles et les isomérases de disulfures de protéines (§ 5.11). Les **ligases** forment des liaisons ; l'énergie nécessaire est fournie par l'hydrolyse de l'ATP.

11.4 L'état de transition est situé entre les réactifs et les produits d'une réaction

La différence entre les énergies libres ΔG du réactif A et du produit B d'une réaction détermine le rapport dans lequel A et B se trouveront à la fin (§ 3.9). *Cependant, le ΔG d'une réaction ne dit rien de la vitesse avec laquelle cet équilibre va être atteint.* Qu'est-ce qui détermine donc la vitesse d'une réaction ? C'est cette question qui ouvre la **théorie de l'état de transition.** La connaissance des principes fondamentaux de cette théorie est indispensable à la compréhension des enzymes. Le point de départ de l'observation est à nouveau la réaction simple de transformation de A en B. Suivons l'énergie libre du système le long d'une coordonnée réactionnelle servant de mesure de l'avance de la réaction de A vers B. Dans notre exemple, l'énergie libre ne peut pas suivre un chemin constamment « en descente » : A doit d'abord franchir un maximum d'énergie libre pour être converti en la molécule B (*fig.* 11.6). Ce « sommet » est appelé **état de transition** ou **état activé.**

Concrètement, cela signifie qu'une molécule passant de A à B doit souvent adopter une géométrie « contrainte »,

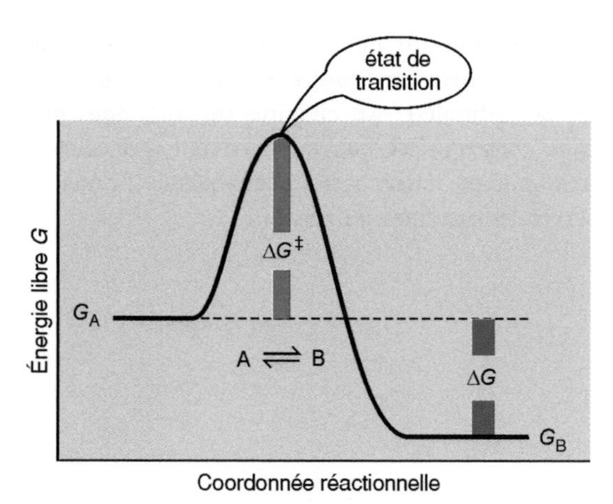

11.6 Diagramme du déroulement d'une réaction au cours de laquelle le réactif A est transformé en produit B. Au cours de la réaction, la molécule doit franchir un maximum local d'énergie libre.

dans laquelle soit les atomes sont trop proches, soit se forme une structure électronique défavorable impliquant des répulsions électrostatiques. Dans le cas de réactions bimoléculaires (les réactifs A et B donnent le produit C), ce « sommet » peut provenir du fait que A et B ne peuvent être convertis en C que lorsqu'ils entrent en collision avec une vitesse suffisante dans la bonne orientation. *La barrière énergétique qui doit être franchie – la différence entre les énergies libres des réactifs et celle de l'*état de transition – est appelée **énergie libre d'activation $\Delta G^{\ddagger}$**. Il existe une relation exponentielle entre vitesse de réaction et énergie libre d'activation. La vitesse de réaction diminue exponentiellement lorsque la barrière énergétique augmente (*encart* 11.2).

Encart 11.2 : Loi d'Arrhénius

Il existe une relation exponentielle entre vitesse de réaction, énergie libre d'activation et température. Cette relation a d'abord été découverte empiriquement, mais peut aussi être déduite de la thermodynamique statistique. Cette loi est exprimée sous la forme suivante connue sous le nom de **loi d'Arrhénius** (équation 11.1) :

$$k = e^{-\Delta G^{\ddagger}/RT} \qquad (11.1)$$

(k = constante de vitesse de la réaction ; R = constante des gaz parfaits ; T = température).

Les conséquences évidentes de la loi d'Arrhénius sont que la vitesse de réaction diminue exponentiellement quand l'énergie d'activation augmente ou quand la température diminue. Par ailleurs, du fait de la relation exponentielle, une modification minime de $\Delta G^{\ddagger}$ peut significativement accélérer la réaction, ce qui est d'une importance fondamentale pour les enzymes. Cette équation donne également une indication de la manière dont on détermine expérimentalement $\Delta G^{\ddagger}$: en mesurant la vitesse de réaction en fonction de la température.

11.5 Les enzymes réduisent l'énergie libre d'activation des réactions chimiques

Comment les catalyseurs en général et les enzymes en particulier accélèrent-ils une réaction ? La différence entre l'énergie libre du produit B et du réactif A est fixée, puisque G_B et G_A sont des caractéristiques de ces molécules. Les réactions catalysées par des enzymes ne peuvent elles non plus échapper à ce diktat de la thermodynamique. Une enzyme peut par contre « aplanir le chemin » qui mène du réactif A au produit B : *elle diminue l'énergie libre d'activation $\Delta G^{\ddagger}$, et donc le seuil énergétique à franchir au cours de la réaction* ! Cela est visible sur le diagramme du déroulement de la réaction (*fig.* 11.7) : la conversion s'effectue plus rapidement lorsque l'énergie libre du substrat *ne* doit *pas* emprunter le chemin moins « confortable » (énergétiquement plus défavorable) et/ou moins probable (entropiquement défavorable) passant par l'état de transition de la réaction non catalysée. Il ne reste « plus » qu'à expliquer comment l'enzyme réalise pratiquement cet objectif. Le chapitre suivant répond en détail à cette question (§ 12.1 et suivants).

La relation exponentielle entre vitesse de réaction et énergie libre d'activation permet à certaines enzymes d'atteindre des facteurs d'accélération fabuleux. Il suffit ainsi de diminuer $\Delta G^{\ddagger}$ d'environ 34 kJ/mol pour accélérer une réaction un million de fois, or 34 kJ/mol ne représentent qu'une fraction de l'énergie libre renfermée dans une liaison covalente. *Quelques enzymes, comme la catalase, sont presque parfaites. Elles atteignent la limite supérieure théorique d'accélération, qui est déterminée par la fréquence de rencontre entre l'enzyme et le subs-*

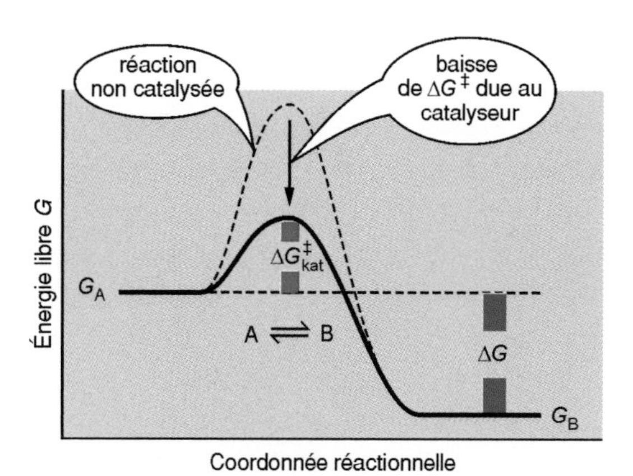

11.7 Comparaison entre les diagrammes de déroulement des réactions catalysée et non catalysée. L'abaissement de la barrière d'activation permet à l'enzyme de transformer rapidement le substrat.

trat en solution : la réaction catalysée est **contrôlée par la diffusion.** La catalase convertit presque chaque molécule de peroxyde d'hydrogène qu'elle fixe en eau et en oxygène. Une seule molécule de catalase peut ainsi traiter plus de dix millions de molécules d'H_2O_2 par seconde. La réaction spontanée non catalysée est par contre un milliard de fois plus lente : le peroxyde d'hydrogène peut être conservé longtemps au frais et à l'abri de la lumière. Au chapitre suivant, nous examinerons comment les enzymes arrivent à accélérer des réactions d'une façon aussi phénoménale : nous allons observer les enzymes au travail.

Mécanismes de la catalyse

12

La capacité des enzymes à accélérer fortement l'établissement d'équilibres chimiques amène à la question du **mécanisme** concret de ce phénomène : pourquoi et comment ces machines moléculaires peuvent-elles travailler aussi efficacement et spécifiquement ? Depuis quelque temps, la structure du site actif de nombreuses enzymes a été déterminée à l'échelle atomique. En revanche, on en sait beaucoup moins sur le déroulement moléculaire de la catalyse : les « secrets » des enzymes ne sont pas faciles à percer. Au moyen d'exemples tirés de cas particuliers, nous analyserons la manière dont les enzymes stabilisent l'état de transition, abaissent ainsi fortement l'énergie libre d'activation et accélèrent l'établissement de l'équilibre réactionnel d'un facteur 10^{17} dans les cas extrêmes. Tout d'abord, nous présenterons sous une forme générale les stratégies de catalyse mises en œuvre par les enzymes.

12.1 Les enzymes emploient différentes stratégies de catalyse

À bien des égards, les enzymes ne travaillent pas différemment d'un catalyseur inorganique ajouté par un chimiste à son mélange réactionnel. Considérons par exemple l'**hydrolyse** d'une liaison peptidique : une molécule d'eau effectue une attaque nucléophile sur l'atome de carbone de la fonction amide. Dans l'état de transition de cette réaction, apparaît une charge additionnelle positive « défavorable », autrement dit un déficit d'électrons sur l'atome d'oxygène de l'eau. L'oxygène est « contraint » de partager une paire d'électrons libres lorsqu'il forme une liaison avec le carbone (*fig.* 12.1). C'est précisément pour cela que la réaction d'hydrolyse non catalysée est un événement improbable : les peptides et les protéines peuvent être stables sur de longues périodes.

Si on ajoute au mélange réactionnel une **base**, donc un accepteur de proton, la situation est différente. La base peut extraire un proton de l'eau, et donc une charge positive, ce qui la transforme en un nucléophile puissant, OH^-, qui va maintenant attaquer très efficacement la fonction carbonyle (*fig.* 12.2a). Une autre stratégie consiste à utiliser un **acide**, c'est-à-dire un donneur de protons. Celui-ci peut protoner l'oxygène du carbonyle de la liaison peptidique dans l'état de transition et ainsi augmenter le caractère électrophile de l'atome de carbone voisin, ce qui favorise là aussi l'attaque de la molécule d'eau (*fig.* 12.2b). Les deux stratégies sont combinées dans la **catalyse acido-basique** concertée (*fig.* 12.2c). *C'est exactement ce principe qui est mis en œuvre par les* **enzymes protéolytiques** (§ 12.4).

Dans l'état de transition d'une réaction, les charges « défavorables » qui apparaissent peuvent aussi être compensées par des charges voisines de signe opposé (*fig.* 12.3a). Sur cette figure, deux charges négatives au voisinage immédiat l'une de l'autre sont représentées. Sans la charge positive de l'ion métallique, cet état serait improbable en raison de la répulsion entre charges de même signe. Pour réaliser cette **catalyse électrostatique**, les enzymes disposent des chaînes latérales chargées de certains acides aminés ou d'ions métalliques fixés comme cofacteurs. *La* **catalyse par ions métalliques** *trouve des applications extraordinairement variées chez les enzymes* (*tab.* 11.2). Une autre utilisation des ions métalliques repose sur le fait que les molécules d'eau présentes dans leur couche d'hydratation sont beaucoup plus acides que

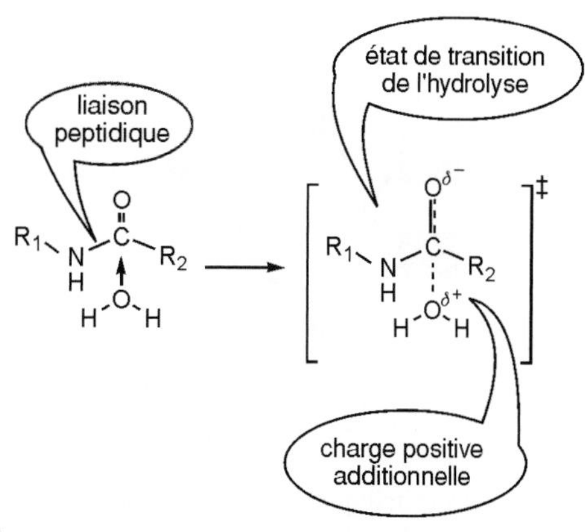

12.1 État de transition de l'hydrolyse d'un peptide. Pendant la formation d'une liaison avec l'atome de carbone du carbonyle, une charge positive additionnelle apparaît sur l'oxygène de la molécule d'eau qui effectue l'attaque nucléophile, ce qui est peu probable en l'absence de catalyseur. La réaction non catalysée se produit donc très rarement. ‡ désigne l'état de transition (*fig.* 11.6).

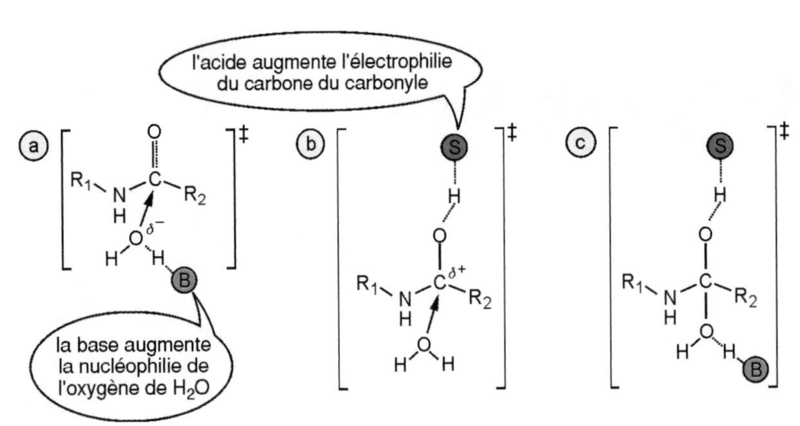

12.2 Catalyse acido-basique. a) Par « soustraction » d'un proton de l'eau, un catalyseur basique renforce le caractère nucléophile de l'oxygène ; b) la protonation de l'oxygène du carbonyle par un acide enlève des électrons de liaison au carbone du carbonyle, ce qui en fait un électrophile plus puissant ; c) la catalyse acido-basique concertée associe les mécanismes catalytiques a) et b).

l'eau libre : la charge positive de l'ion fixe les **ions hydroxyle OH⁻** résultant de la dissociation de l'eau et les stabilise efficacement. Ces ions OH^- fixés au métal sont des partenaires de réaction fortement nucléophiles (*fig.* 12.3b). Les ions métalliques sont aussi d'excellents **transporteurs d'électrons**, et sont donc prédestinés à jouer un rôle dans les nombreux processus biologiques impliquant des réactions d'oxydoréduction (*fig.* 12.3c).

Un autre principe de catalyse « classique » est la **catalyse covalente** : *au lieu de rendre un partenaire réactionnel plus nucléophile ou électrophile, comme dans la catalyse acide-base, l'enzyme peut* elle-même *jouer transitoirement le rôle de partenaire de réaction.* Cela se produit par exemple dans le cas déjà mentionné du groupement séryle du centre actif des protéases à sérine. Au lieu de réaliser directement l'hydrolyse, la sérine réagit d'abord avec la liaison peptidique, pour donner un intermédiaire réactif contenant une liaison covalente entre l'enzyme et le substrat. Ensuite seulement, cet intermédiaire est clivé par l'eau. L'hydrolyse a donc lieu en deux étapes. On prendra garde au fait que cet intermédiaire covalent enzyme substrat *n*'est *pas* un état de transition ! La réaction globale est en fait « coupée » en deux réactions partielles au cours desquelles le franchissement de deux états de transition (un par réaction) doit être catalysé. Nous étudierons plus loin le mécanisme de catalyse covalente des protéases à sérine plus en détail (§ 12.4).

12.3 Rôle des ions métalliques dans la catalyse enzymatique. a) un cation multivalent (n^+) compense deux charges négatives partielles dans l'état de transition ; b) des cations métalliques stabilisent des ions hydroxyle qui agissent comme partenaires de réaction puissamment nucléophiles ; c) des cations métalliques peuvent transitoirement accepter ou donner des électrons au cours d'une réaction d'oxydoréduction. La molécule A du schéma s'oxyde en donnant un électron ; le centre métallique fixé à l'enzyme transfère l'électron à la molécule B.

12.2 Les enzymes fixent préférentiellement l'état de transition

Les mécanismes « chimiques » de catalyse présentés jusqu'ici sont importants, mais ne peuvent expliquer à eux seuls l'accélération fulgurante des réactions par les enzymes. Généralement, les réactifs comme le catalyseur sont libres dans la solution. Les réactions n'ont lieu que lorsque les molécules se rencontrent, et même alors, chaque collision n'aboutit pas nécessairement à une réaction. Le plus souvent, les partenaires réactionnels doivent se rencontrer dans une certaine orientation pour réagir ensemble. *Les enzymes rendent les réactions plus*

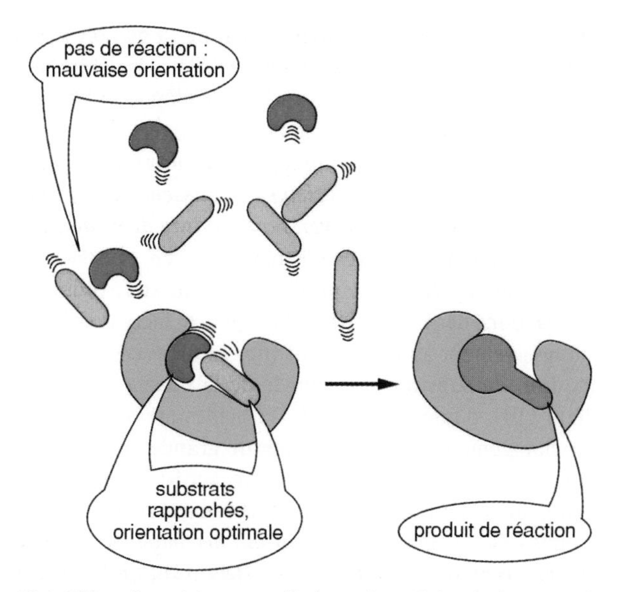

12.4 Effets de voisinage et d'orientation. Grâce à des sites de fixation voisins, les enzymes positionnent les partenaires de réaction, dont la rencontre serait en leur absence dépendante de collisions aléatoires, à proximité immédiate l'un de l'autre. L'enzyme garantit ainsi une orientation relative précise des réactifs, ce qui favorise la réaction.

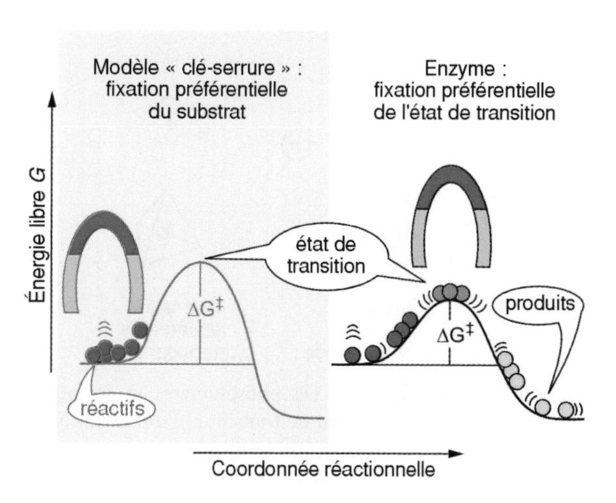

12.5 Fixation préférentielle de l'état de transition. L'enzyme est symbolisée par un aimant. La représentation classique « clé-serrure » de l'enzyme et du substrat (à gauche) masque le problème suivant : une telle fixation ajustée stabiliserait l'état de substrat, ce qui ne correspond pas à l'objectif des enzymes. À droite : au contraire, une fixation de l'état de transition plus stable que celle de l'état fondamental déplace l'équilibre du substrat fixé à l'enzyme dans la direction de l'état de transition. $\Delta G^{\ddagger}$ est l'énergie libre d'activation de la réaction (§ 11.4). [RF]

probables en offrant des sites de fixation aux partenaires réactionnels dans lesquels ceux-ci se rencontrent dans une orientation déterminée. Cet aspect de la catalyse enzymatique est appelé **effet de voisinage** ou **d'orientation** (*fig.* 12.4).

Est-ce là tout ce qui caractérise les enzymes ? Il reste encore un facteur qui contribue parfois plus à la catalyse que tous les éléments nommés précédemment : *les enzymes fixent l'état de transition d'une réaction avec une plus grande affinité que le substrat ou le produit.* Les enzymes ne sont pas vraiment complémentaires du substrat, comme le modèle classique « clé-serrure » le suggère, mais plutôt complémentaires de l'état de transition entre substrat et produit ! Que signifie cette **fixation préférentielle de l'état de transition** pour la catalyse ? L'hypothèse de base est que le substrat (l'état fondamental) et l'état de transition sont en équilibre, de même que le réactif et le produit. Si l'enzyme peut alors former quelques liaisons énergétiquement favorables – par exemple des liaisons hydrogènes – de plus avec l'état de transition qu'avec l'état fondamental, cela implique un déplacement de l'équilibre vers l'état de transition (*fig.* 12.5). La conversion en produit, et donc la vitesse de réaction, augmentent proportionnellement à la concentration de molécules dans l'état de transition. *Même si ce principe semble abstrait au premier abord, sa portée pratique est attestée par la possibilité de produire des* **anticorps catalytiques** (*encart* 12.1).

Encart 12.1 : Les anticorps catalytiques

Les anticorps sont des protéines produites par le système immunitaire qui peuvent reconnaître spécifiquement presque n'importe quelle substance (antigène) et s'y fixer (§ 33.9). Si le concept de fixation préférentielle à l'état de transition est exact, des anticorps qui se fixent préférentiellement à l'état de transition d'une réaction chimique doivent avoir une activité enzymatique. Les états de transition sont par définition trop instables pour être eux-mêmes utilisés pour une immunisation. On synthétise donc des **analogues d'états de transition** : des composés qui ressemblent par leur géométrie à l'état de transition. Jusqu'à présent, la plupart des efforts se sont dirigés vers des anticorps catalytiques de réactions d'hydrolyse comme le clivage de liaisons amides. Dans les états de transition de ces réactions, les substituants de l'atome de carbone adoptent une géométrie tétraédrique, alors que le réactif et les produits sont des molécules planes. Les **phosphonates** imitent cette géométrie tétraédrique, mais ne sont pas hydrolysés (*fig.* 12.6). Dans la pratique, on peut produire des anticorps à l'activité amidolytique par immunisation contre ces phosphonates. L'accélération par rapport à la réaction non catalysée est jusqu'à présent plutôt modeste comparée à celle des « vraies » enzymes, même si l'on peut parfois atteindre un facteur 10^7. Les anticorps catalytiques ont un grand potentiel d'application en synthèse organique : la stéréospécificité souvent obligatoire dans ces réactions n'est obtenue qu'avec difficulté en l'absence de catalyseur protéique.

État de transition tétraédrique de l'hydrolyse d'une amide

Géométrie tétraédrique d'un phosphonate

12.6 Anticorps catalytiques. Les phosphonates (à droite) sont des analogues stables de l'état de transition d'une hydrolyse de la fonction amide (à gauche). Des anticorps ayant une activité amidolytique peuvent être obtenus en effectuant une immunisation contre ces composés.

12.3

La lactate déshydrogénase transfère des ions hydrure stéréo-spécifiquement

Comme premier exemple d'enzyme, nous nous intéresserons à la **lactate déshydrogénase (LDH)**, une oxydoréductase qui oxyde le lactate en pyruvate. Au cours de la réaction, deux électrons sont transférés au cosubstrat, le **nicotinamide adénine dinucléotide** (NAD^+) qui est réduit en **NADH + H^+** (*fig.* 12.7). Physiologiquement, la réaction se déroule tout d'abord en sens inverse : dans des conditions anaérobies, le **pyruvate**, produit final de la glycolyse, est réduit en lactate, pour régénérer le NAD^+ nécessaire à la dégradation du glucose (§ 35.1). Les étapes présentées dans la suite peuvent aussi se lire « à l'envers ». *L'enzyme catalyse les réactions aller et retour dans une même mesure : elle ne fait qu'accélérer l'établissement de l'équilibre réactionnel, sans influer sur la nature de celui-ci.*

Le lactate ne se fixe à l'enzyme qu'en présence du cosubstrat, le NAD^+. Il se produit donc une suite ordonnée de réactions de fixation : le NAD^+, puis le lactate se fixent successivement au centre actif (*fig.* 12.8). À la suite de la fixation du substrat, une boucle de la chaîne peptidique de la LDH, d'une longueur de 13 acides aminés, effectue un changement de conformation de grande amplitude ce qui a pour effet d'isoler le centre actif : on trouve ce genre de « trappe » chez un grand nombre d'enzymes. *L'exclusion des molécules d'eau qui accompagne ce mouvement renforce les interactions électrostatiques au sein du centre actif et tient à distance les molécules d'eau, partenaires de réaction indésirables.* Enfin, la fermeture du centre actif permet à l'enzyme d'« englober » complètement l'état de transition de la réaction catalysée.

Le centre actif fixe le lactate par l'intermédiaire d'un pont salin entre la chaîne latérale de l'arginine 171 (enzyme) et le groupement carboxyle (substrat) ainsi qu'une liaison hydrogène entre l'histidine 195 et le groupement hydroxyle du lactate. Le substrat est ainsi en position optimale vis-à-vis du cosubstrat NAD^+. L'histidine 195 fonctionne alors comme catalyseur basique : dans l'état de transition, elle attire le groupe-

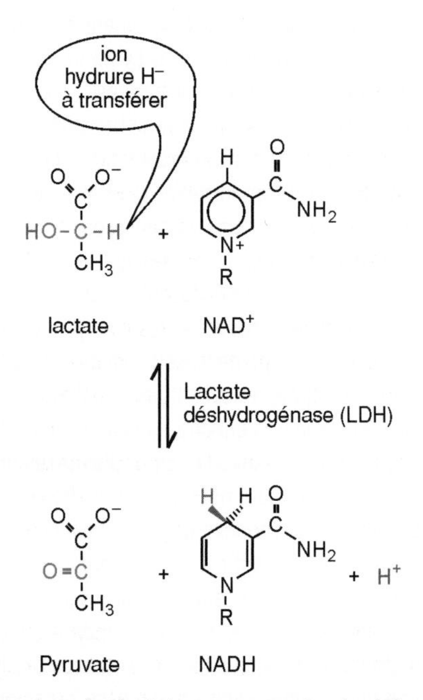

12.7 Conversion du lactate en pyruvate et réciproquement. Dans des conditions anaérobies, la lactate déshydrogénase transforme d'abord le pyruvate en lactate. Lorsque le manque d'oxygène est résorbé, la réaction se déroule du lactate vers le pyruvate, composant clé du métabolisme des cellules.

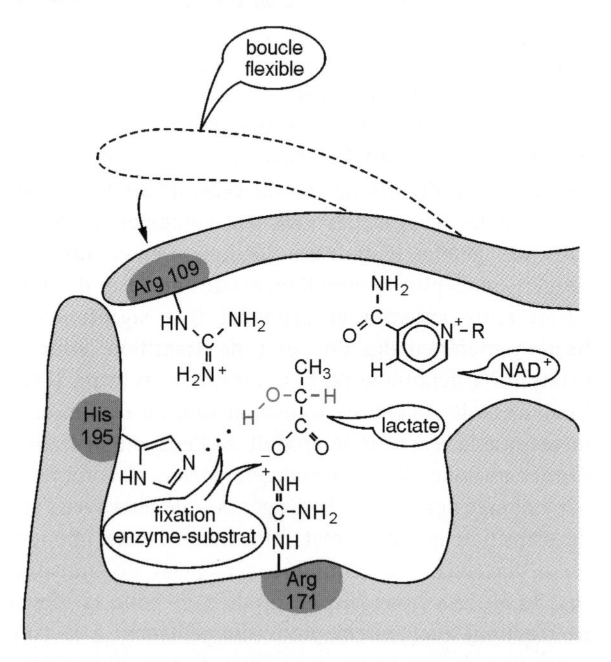

12.8 État fondamental avant réaction. L'enzyme fixe d'abord le cosubstrat NAD^+, puis le substrat lactate. Une boucle flexible vient recouvrir le centre actif, et l'isole hermétiquement de l'environnement aqueux : les partenaires de réactions sont maintenant « entre eux ».

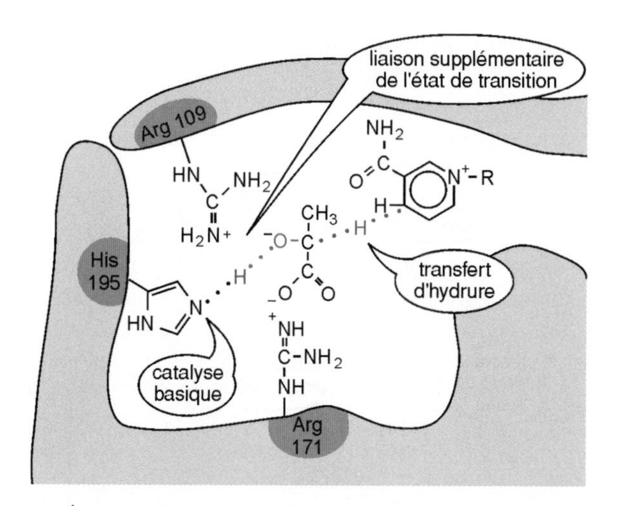

12.9 État de transition de la réaction de la LDH. L'His-95 déprotone le groupement hydroxyle du lactate et facilite ainsi son oxydation en groupement cétone. L'oxyanion qui en résulte forme un pont salin additionnel entre l'enzyme et l'état des transition, qui *n'*existe *pas* dans l'état fondamental.

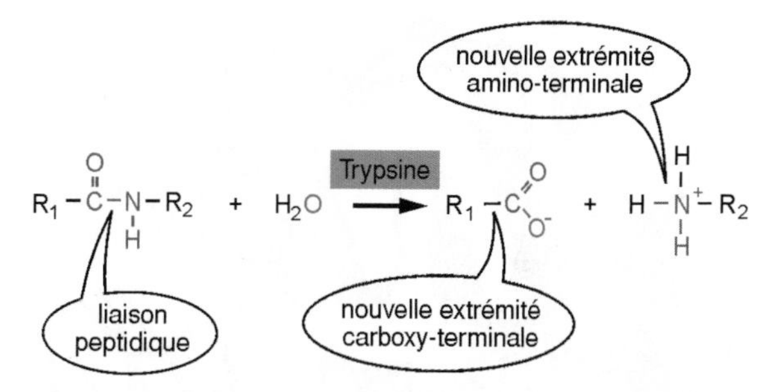

12.10 Activité protéolytique de la trypsine. Cette enzyme catalyse l'hydrolyse de liaisons peptidiques à l'intérieur d'un polypeptide au niveau des lysines et arginines, pour donner des oligopeptides de différentes longueurs.

ment hydroxyle du lactate, ce qui en facilite l'oxydation en groupement cétone. La charge négative résultant de la déprotonation de l'oxygène permet la formation d'un pont salin additionnel avec un autre résidu arginyle (Arg 109). *Nous observons ici la réalisation concrète du principe selon lequel l'état de transition est fixé avec une meilleure affinité (3 liaisons) que l'état fondamental (2 liaisons)* (*fig.* 12.9).

La conversion en pyruvate s'achève par le transfert de proton vers l'His-195 et le transfert d'hydrure (H^-) vers le NAD^+. Après ouverture du centre actif et libération du pyruvate et du NADH, l'enzyme est revenue à l'« état initial », prête pour un nouveau cycle de catalyse. Le proton qui apparaît dans l'équilibre réactionnel est encore fixé à l'His-195 et ne se dissocie qu'à la fixation de la molécule de lactate suivante. L'exemple de la lactate déshydrogénase illustre, dans le cas d'une réaction relativement simple, quelques-uns des principes énoncés précédemment comme la catalyse électrostatique « générale », la catalyse acido-basique, ainsi que des « spécialités » des enzymes comme l'exclusion des molécules d'eau, l'orientation des substrats et la fixation préférentielle de l'état de transition.

12.4 La triade catalytique est le cœur du centre actif de la trypsine

La **trypsine** est une protéase synthétisée sous la forme d'un précurseur (le trypsinogène) dans la partie exocrine du pancréas, sécrétée dans l'intestin grêle où elle est activée pour ensuite débiter les protéines des aliments en fragments assimilables. La trypsine appartient – comme deux autres enzymes pancréatiques apparentées, la **chymotrypsine** et l'**élastase** – à la classe des **protéases à sérine**, dont le nom provient de la présence d'une sérine exceptionnellement réactive dans le centre actif. En tant qu'**endopeptidase**, la trypsine catalyse l'hydrolyse de liaisons peptidiques *à l'intérieur* des protéines, les divisant en oligopeptides plus courts, qui peuvent ensuite être absorbés facilement par la muqueuse de l'intestin (*fig.* 12.10).

La trypsine active se compose d'une chaîne polypeptidique longue de 224 acides aminés, qui se replie en une molécule globulaire formée de deux domaines riches en feuillets β (*fig.* 12.11a). À la jonction entre les deux domaines, la surface de la trypsine présente une « fente » qui renferme le site de fixation du substrat (*fig.* 12.11b). Au fond de celle-ci, l'histidine 57, l'aspartate 102 et la sérine 195 forment la **triade catalytique** du centre actif (*fig.* 11.3). *Le centre actif a deux fonctions : la fixation du substrat et la catalyse du clivage.* Comme on le voit sur le modèle en rubans, les deux domaines de la trypsine contribuent à la triade catalytique. En conséquence, la trypsine est très sensible à une élévation de la température au-dessus de 37 °C. L'effondrement de la structure tertiaire (dénaturation) à la suite d'une élévation de température s'accompagne presque toujours de la perte de la conformation du centre actif, et donc de l'activité enzymatique. Cela est valable pour la plupart des enzymes.

La trypsine est une protéase à spécificité de séquence : elle clive préférentiellement les liaisons peptidiques précédées par les acides aminés basiques lysine ou arginine. Le groupement carbonyle de la liaison peptidique à cliver provient donc de l'acide aminé basique. Par contre, l'acide aminé qui donne son groupement amine à cette liaison peptidique n'est pas spécifié. La spécificité de substrat de la trypsine, c'est-à-dire sa préférence pour les résidus lysyles et arginyles, s'explique par des particularités structurales de sa poche de fixation. Un aspartate chargé négativement au fond de la **poche de spécificité**, qui peut former un pont salin avec les chaînes latérales

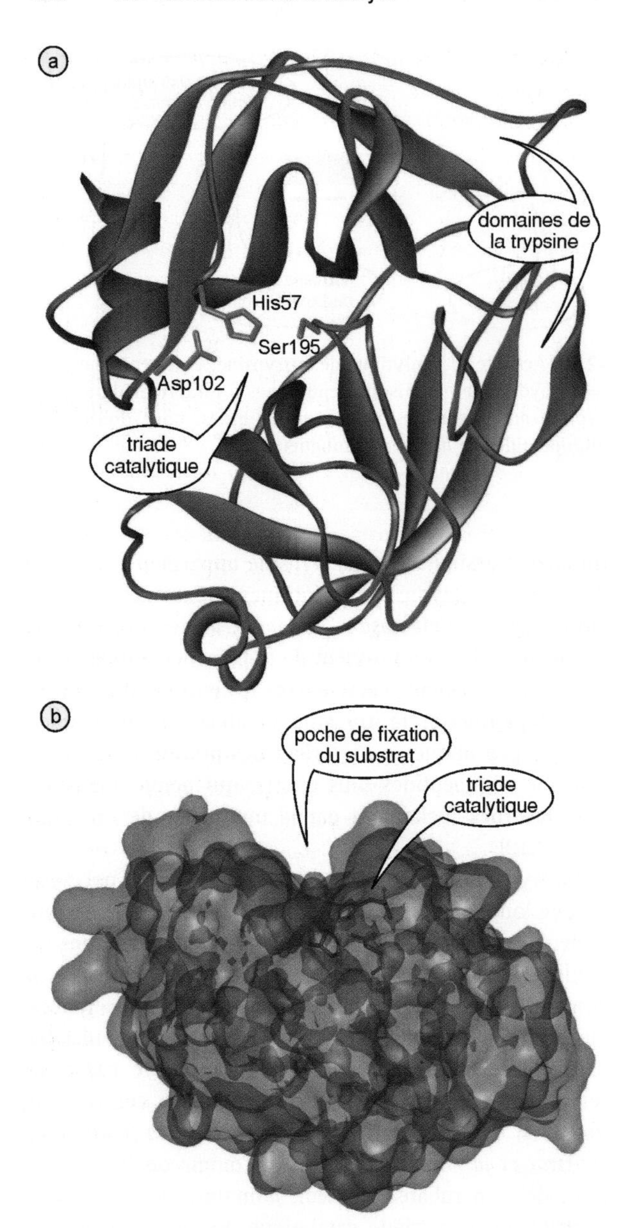

12.11 Structure de la trypsine : a) modèle en rubans de sa structure spatiale. Les résidus de la triade catalytique (His 57, Asp 102, Ser 195) sont représentés en rouge dans un modèle en bâtonnets. Conformément aux conventions, cette numérotation des résidus est celle de la séquence de la chymotrypsine. b) Représentation de la surface extérieure avec la fente du site de fixation du substrat, au fond de laquelle est positionnée la triade catalytique.

basiques du substrat, est un déterminant important de la spécificité de substrat (*fig.* 12.12). Les parois et le diamètre interne de la poche de spécificité, mais aussi d'autres parties du site de fixation du substrat, déterminent les différences de spécificité entre des protéases à sérine comme la trypsine, la chymotrypsine, l'élastase ou encore la thrombine (§ 14.2). *Au contraire, l'architecture de la triade catalytique chez les différentes protéases à sérine ne varie tout au plus que par des*

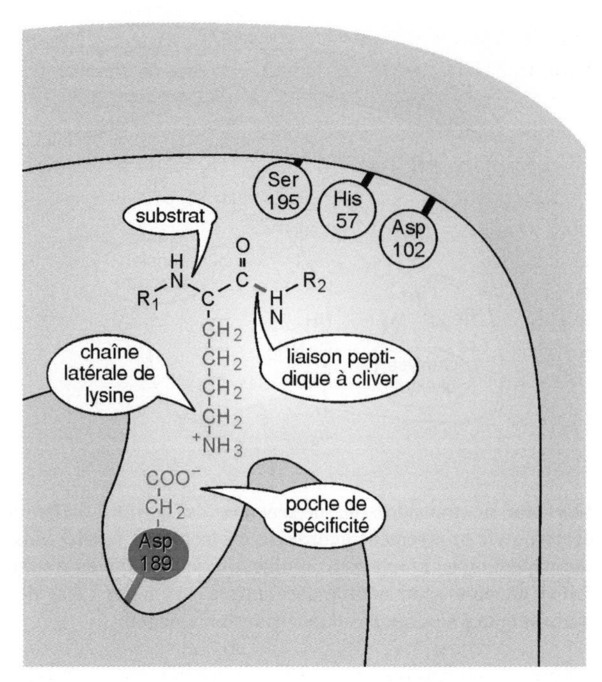

12.12 Préférence de la trypsine pour son substrat. La chaîne latérale chargée positivement du substrat peut former un pont salin avec l'aspartate du fond de la poche de spécificité. Les chaînes latérales négatives sont repoussées, les chaînes non chargées ou polaires ne peuvent pas se fixer fortement.

nuances, c'est-à-dire par l'exact arrangement de leurs outils catalytiques, qui clivent en fait un seul type de liaison, la liaison peptidique.

Comment la triade catalytique peut-elle « couper » une liaison peptidique ? Comme on l'a dit précédemment, la liaison peptidique est hydrolysée par un « chemin détourné ». Au lieu d'une attaque nucléophile directe de l'eau sur l'atome de carbone du carbonyle de la liaison peptidique, le groupement hydroxyle de la sérine 195

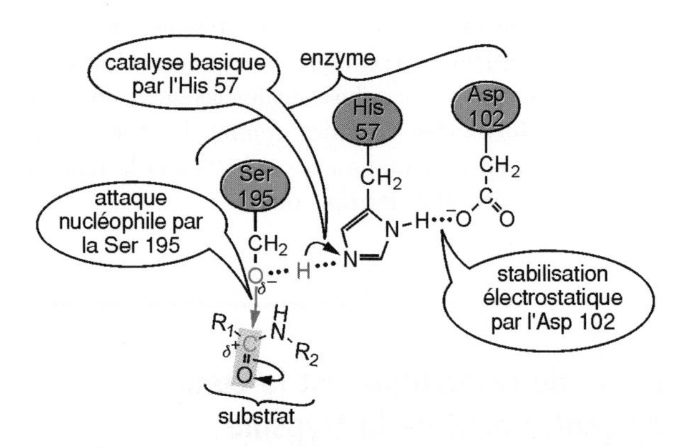

12.13 État de transition tétraédrique. L'atome de carbone de la liaison peptidique adopte une géométrie tétraédrique. Dans l'état de transition tétraédrique, l'oxygène du carbonyle occupe le trou de l'oxyanion, depuis lequel il forme deux liaisons hydrogènes avec la chaîne principale de l'enzyme.

joue le rôle du nucléophile et forme une liaison covalente transitoire entre l'enzyme et le substrat (*fig.* 12.13). Ceci facilite l'attaque nucléophile, car le proton du groupement hydroxyle de la sérine 195 est transféré à la chaîne latérale de l'histidine 57 immédiatement voisine : c'est une catalyse basique. Le noyau imidazole de l'histidine 57, chargé positivement à la suite de sa protonation, est efficacement stabilisé par l'aspartate 102 : c'est une catalyse électrostatique. Ce mécanisme d'attaque agit à chaque fois qu'un substrat, avec sa chaîne latérale basique, « s'immerge » dans la poche de fixation, en positionnant la liaison peptidique immédiatement carboxy-terminale à portée de la triade catalytique.

12.5 La trypsine forme un intermédiaire acyle covalent

L'attaque nucléophile de l'atome de carbone du carbonyle de la liaison peptidique par le groupement hydroxyle de la sérine donne le signal d'un nouveau cycle de catalyse (*fig.* 12.14). Une liaison simple C–O se forme entre l'enzyme et le substrat. Simultanément, la double liaison du carbonyle est convertie en une liaison simple ce qui provoque l'apparition d'une charge négative sur l'oxygène, c'est-à-dire d'un **oxyanion.** La liaison simple est plus longue que la double liaison et a une orientation différente : alors que la liaison peptidique est plane, l'état de transition, avec ses quatre liaisons simples sur le carbone, possède une géométrie tétraédrique (*encart* 12.1). L'oxyanion de l'état de transition peut donc former deux liaisons hydrogènes avec les groupements NH de la chaîne principale de la trypsine. Cette structure caractéristique des protéases du type de la trypsine est aussi appelée **trou de l'oxyanion.** *À nouveau, nous voyons à l'œuvre le principe typique de la catalyse enzymatique : l'enzyme fixe l'état de transition plus fortement que le substrat.*

Lorsque la réaction franchit l'état de transition, elle scinde la liaison peptidique et libère le fragment carboxy-terminal du substrat avec son nouveau groupement amine libre : d'où le nom de **composant amine** donné au produit de clivage apparaissant le premier (*fig.* 12.15). L'histidine 57 favorise la libération du composant amine en transférant le proton qu'elle avait accepté sur le groupement NH de la liaison peptidique, qui devient un groupement amine libre NH_2 (catalyse acide). *L'histidine peut donc agir comme catalyseur acide ou basique « selon les circonstances » ce qui en fait un outil polyvalent en catalyse.* La partie amino-terminale du substrat reste sur l'enzyme sous la forme d'un intermédiaire covalent (**intermédiaire acyl-enzyme**). C'est pourquoi cette première phase de catalyse est également appelée **acylation.**

La deuxième phase de la catalyse est presque une inversion de la première – en changeant toutefois les rôles (*fig.* 12.16). Une molécule d'eau y reprend le rôle de Ser 195 comme nucléophile. À nouveau, His 57 favorise l'attaque nucléophile en acceptant cette fois un proton de l'eau. L'attaque du carbonyle du radical acyle par l'oxygène de l'eau produit à nouveau un état de transition tétraédrique, qui forme une nouvelle fois des liaisons supplémentaires avec le trou de l'oxyanion. His 57 transmet alors son proton à l'atome d'oxygène de Ser 19, favorisant ainsi la reconstitution du groupement hydroxyle. Le deuxième fragment du substrat se retrouve alors avec une extrémité carboxyle libre sous la forme d'un **composant acyle.** C'est pourquoi on appelle aussi cette phase **désacylation.** Le composant acyle libre s'échappe alors par diffusion. La triade catalytique se retrouve dans son état initial et l'enzyme est « remise en condition » pour un nouveau cycle catalytique.

12.14 État de transition tétraédrique. L'atome de C de la liaison peptidique adopte une géométrie tétraédrique. Dans l'état de transition, l'oxygène du carbonyle est chargé négativement et occupe le trou de l'oxyanion, depuis lequel il forme deux liaisons hydrogènes avec la chaîne polypeptidique principale de l'enzyme.

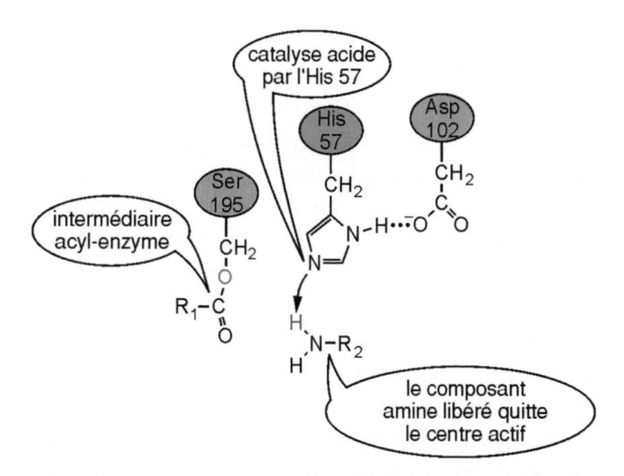

12.15 Phase d'acylation de la protéolyse. Le fragment amino-terminal reste fixé à l'enzyme sous forme d'un ester. Le fragment libéré correspond à la partie carboxy-terminale du substrat, qui possède une nouvelle extrémité amine libre, d'où son nom de composant amine.

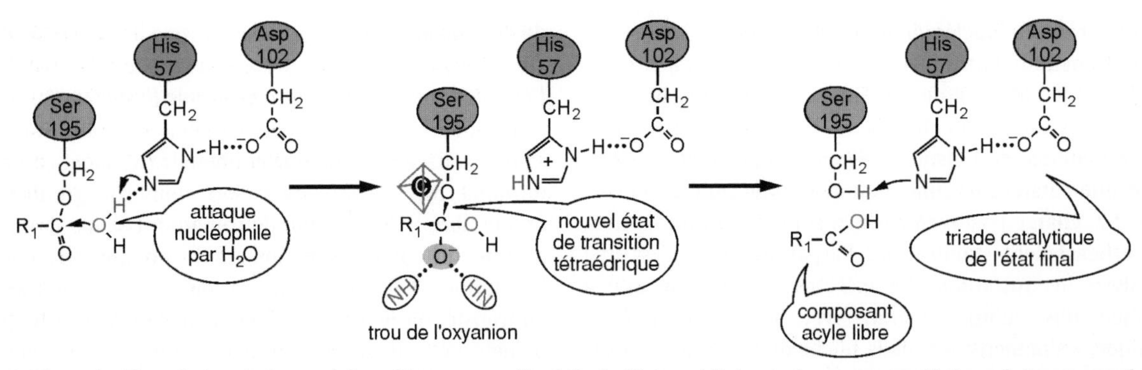

12.16 Phase de désacylation de la protéolyse. L'attaque nucléophile de l'intermédiaire acyl-enzyme par H_2O produit un nouvel état de transition tétraédrique. L'His 57 favorise cette attaque par catalyse basique, puis la libération du composant acyle par catalyse acide. Le fragment libéré correspond à la partie amino-terminale du substrat, avec sa nouvelle extrémité carboxyle, d'où son nom de composant acyle. Lors d'une catalyse par la trypsine, l'acide aminé terminal est typiquement un résidu lysyle ou arginyle.

La stabilisation par l'enzyme de l'état de transition tétraédrique dans les deux phases de la réaction est essentielle au clivage catalytique de la liaison peptidique. Cela a été prouvé par une démonstration impressionnante, en remplaçant par mutagenèse dirigée (échange au niveau génétique, § 22.10) le trio catalytique de la sérine, de l'histidine et de l'aspartate, par des alanines « neutres », c'est-à-dire des résidus à chaînes latérales non réactives : alors que l'enzyme « sauvage » accélère l'hydrolyse des peptides d'un facteur 10^{10}, le triple mutant atteint un facteur d'environ 10^4. Cette valeur encore considérable est à porter au seul compte de la fixation préférentielle de l'état de transition.

12.6 Les protéases remplissent des tâches biologiques variées

Les protéases – également appelées peptidases ou protéinases – sont des enzymes extraordinairement importantes en biologie. L'analyse du génome humain suggère que plus de 20 % des enzymes possèdent une activité hydrolytique ; une grande partie de celles-ci serait constituée par des protéases. On distingue les **endopeptidases**, qui attaquent les chaînes polypeptidiques par l'intérieur, et les **exopeptidases**, qui enlèvent à une extrémité de la chaîne un acide aminé, un dipeptide, un tripeptide ou plus rarement un tétrapeptide. Les **aminopeptidases** et les **carboxypeptidases** ont des spécificités différentes, les unes pour l'extrémité amino-terminale, les autres pour l'extrémité carboxy-terminale de la chaîne polypeptidique. Endopeptidases et exopeptidases travaillent de concert à la digestion des protéines des aliments : dans l'intestin grêle, des endopeptidases pancréatiques comme la trypsine, la chymotrypsine ou l'élastase, clivent les protéines en peptides « maniables » aux extrémités desquels des exopeptidases comme la carboxypeptidase A continuent le travail. On obtient en fin de compte des acides aminés libres.

Les fonctions des protéases ne sont pas limitées à la digestion des aliments, mais concernent d'innombrables processus biologiques. Ainsi, la coagulation sanguine (§ 14.1), des éléments du système immunitaire (§ 38.1) et la mort programmée des cellules (apoptose), ou encore la réplication des virus, dépendent de protéases spécifiques. Toutes les protéases n'agissent pas selon le modèle moléculaire des protéases à sérine. Il existe encore essentiellement trois autres types de protéases qui ont survécu à l'évolution (*tab.* 12.1). Le nombre des mécanismes protéolytiques est donc assez restreint !

Tableau 12.1 Familles principales de protéases. Les résidus essentiels du centre catalytique et des représentants importants de chaque famille sont indiqués.

Classe d'enzymes	Résidus catalytiques	Représentants typiques
Protéases à sérine	Ser, His, Asp	Digestion : trypsine, chymotrypsine, élastase Coagulation : thrombine, plasmine, activateur du plasminogène tissulaire, facteur VII Facteurs du complément : C1r, C1s, C2b, Bb, D
Protéases à aspartate	Asp (2x)	Pression artérielle, contenu en sodium : rénine Digestion : pepsine Enzyme virale : protéase du VIH
Protéases à cystéine	Cys, His	Mort cellulaire programmée : caspases Dégradation des protéines dans le lysosome : cathepsines B, H, L
Métallo-protéases	Zn^{2+} coordonné par deux His, Glu	Pression artérielle, contenu en sodium : enzyme de conversion de l'angiotensine (ECA) Digestion : carboxypeptidases A, B Réorganisation du tissu conjonctif : métallo-protéases de la matrice (MPM).

La **carboxypeptidase A** mentionnée précédemment est une **métallo-protéase**, dont le centre actif contient un ion zinc (Zn^{2+}) qui joue le rôle de cofacteur dans l'hydrolyse des peptides. Une autre protéase à zinc, l'**enzyme de conversion de l'angiotensine** (ECA, angl. **angiotensin converting enzyme**, ACE) transforme par clivage du dipeptide C-terminal l'angiotensine I, décapeptide inactif, en angiotensine II, la forme active impliquée dans la régulation de la pression artérielle et du contenu en sodium (*tab.* hormones). Chez les **protéases à cystéine**, c'est le groupement thiol (–SH) de la cystéine qui joue le rôle de nucléophile, comme le groupement hydroxyle de la sérine chez les protéases à sérine. Dans cette classe, les **caspases**, actrices de la mort cellulaire programmée, sont particulièrement sous les feux de la rampe (§ 32.5). Les **protéases à aspartate**, avec leur « porte-drapeau », la **pepsine** – qui fut tout simplement la première enzyme à recevoir un nom, en 1825 –, forment une quatrième classe. Il s'agit là d'une enzyme de la digestion, qui – contrairement aux autres protéases de la digestion précitées – agit dans le milieu extrêmement acide de l'estomac. Les rétrovirus, eux aussi, portent au sein de leur « modeste » génome les plans d'une protéase à aspartate (*encart* 12.2).

Encart 12.2 : La protéase du VIH

L'agent du syndrome d'immunodéficience acquise (SIDA) est le virus de l'immunodéficience humaine (VIH) (*encart* 33.4). Son génome est minimal et spécifie quelques protéines de structure et trois enzymes. La cellule hôte synthétise la plupart de ces protéines d'abord sous la forme d'une **polyprotéine** unique. La **protéase du VIH**, qui fait elle-même partie de la polyprotéine, clive celle-ci en protéines individuelles fonctionnelles en commençant par elle-même : par autoprotéolyse, elle s'excise du précurseur, acquérant ainsi sa pleine activité. Cette enzyme est une protéase à aspartate qui porte dans son centre catalytique deux résidus aspartyles. Là encore, le VIH fait valoir le principe d'économie maximale : alors que les protéases à aspartate eucaryotes font environ 35 kDa, le génome du VIH code une protéine de seulement 11 kDa. Les eucaryotes produisent une seule chaîne polypeptidique comportant deux domaines semblables, qui apportent chacun un aspartate au centre catalytique. Le virus, lui, produit un seul domaine, qui s'associe en un homodimère actif (*fig.* 12.17). Le développement d'**inhibiteurs** sélectifs **de la protéase du VIH** permet, en collaboration avec d'autres inhibiteurs, une répression efficace de la réplication virale chez l'homme. Les taux de mutation élevés du génome viral peuvent cependant rapidement conduire à une inefficacité des inhibiteurs.

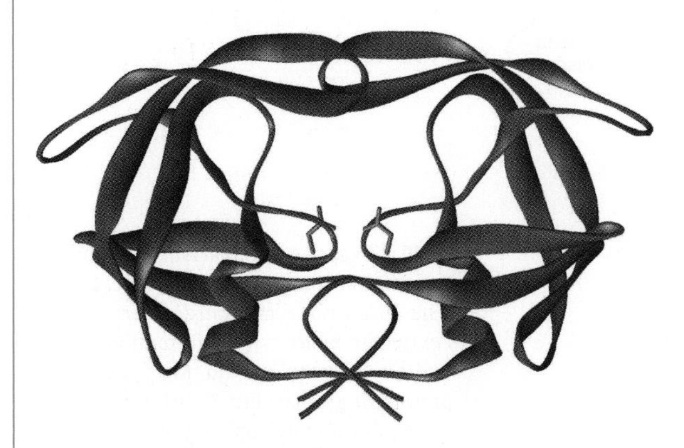

12.17 Structure de la protéase du VIH. Chacune des deux sous-unités identiques du dimère donne un résidu aspartyle (en rouge) au centre catalytique. [RF]

12.7 Les ribozymes sont des acides nucléiques catalytiquement actifs

Pendant plusieurs décennies, le dogme selon lequel seules les protéines étaient capables d'une activité enzymatique a prévalu. La découverte des **ribozymes** – molécules d'acide ribonucléique catalytiquement actives – fit sensation dans le monde scientifique. Ainsi, chez l'unicellulaire *Tetrahymena thermophila*, la forme précurseur d'un ARN ribosomique (pré-ARNr) peut se transformer par autocatalyse en la forme active. Cette forme précurseur excise un segment de son ARN et fusionne les deux extrémités flanquantes (*fig.* 12.18).

Les ribozymes des virus satellites, qui dépendent de « vrais » virus pour leur multiplication, sont particulièrement bien étudiés. Ils possèdent un génome d'ARN primitif et l'activité ribozymatique est nécessaire à leur réplication : la cellule hôte produit d'abord un long multimère répétitif de l'ARN génomique du virus. Des fragments déterminés de cet ARN possèdent l'activité ribozymatique qui découpe le multimère de génome en copies matures de celui-ci. Le plus souvent, les satellites sont des virus de plantes. Le seul exemple connu dans le monde animal est le **virus de l'hépatite delta (VHD)**, un pathogène humain, qui en coopération avec le virus de

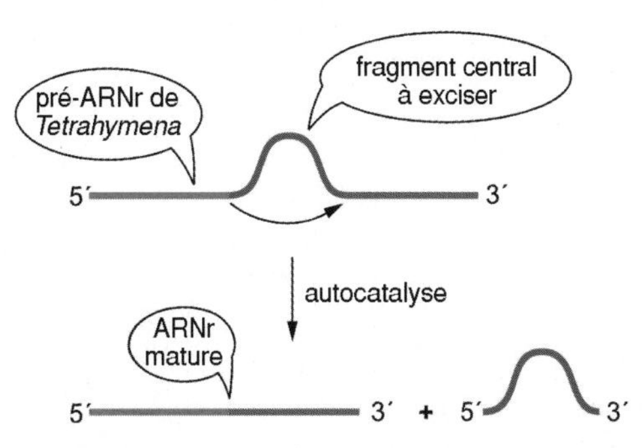

12.18 Pré-ARN à maturation autocatalytique de *Tetrahymena*. La forme « immature » de l'ARN ribosomique peut se convertir en forme « mature » en excisant un fragment interne et en fusionnant les extrémités flanquantes.

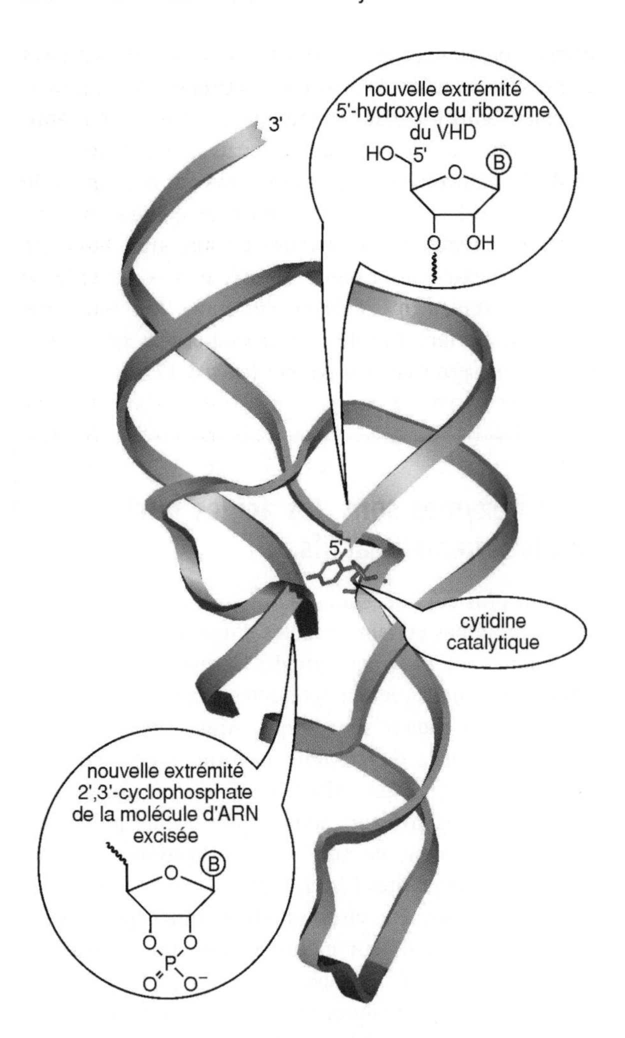

12.19 Structure du ribozyme du VHD. Une partie de l'ARN forme des segments en hélice qui s'entrelacent en une structure tridimensionnelle stable. Lors de l'autocatalyse, la partie située du côté de l'extrémité 5' du ribozyme est éliminée. Le ribozyme raccourci porte un groupement 5'-OH libre et le fragment éliminé un 2',3'-cyclophosphate à son extrémité 3' (en gris).

l'hépatite B peut déclencher une hépatite grave. Le ribozyme de l'ARN génomique du VHD remplit aussi bien qu'une protéine les conditions fondamentales requises pour l'appellation de biocatalyseur. Il constitue une structure spatiale stable (*fig.* 12.19), et les fragments de ribozyme se replient en une structure compacte faite de segments en hélice entrelacés. Le ribozyme du VHD coupe une fonction ester et partage ainsi le polymère d'ARN en deux. Le ribozyme possède alors une nouvelle extrémité 5'-hydroxyle, tandis que la molécule d'ARN excisée porte un radical 2',3'-phosphate cyclique à son extrémité 3'.

Le mécanisme catalytique du ribozyme du VHD suit les mêmes principes que la catalyse des protéines. Le groupement NH d'une cytidine (C-75) agit comme catalyseur acide et protone l'oxygène 5' qui quitte alors la fonction ester sous forme d'un groupement hydroxyle (*fig.* 12.20). Un ion Mg^{2+} du centre actif du ribozyme a la charge de stabiliser les ions hydroxyle qui agissent en catalyseurs basiques. Un ion hydroxyle déprotone le groupement 2'-OH, ce qui en fait un nucléophile puissant, qui attaque et clive la fonction phosphoester. *En général, les ribozymes sont dépendants de la présence d'ions métalliques ; ils peuvent – comme on l'a vu pour le ribozyme du VHD – intervenir directement dans la catalyse, ou seulement stabiliser la structure de l'ARN polyanionique par leur charge positive.*

Si l'on *n'*a *pas* dans les exemples précédents de catalyse au sens strict, puisque les molécules d'ARN se transforment elles-mêmes et donc ne ressortent pas inchangées de la réaction, la **RNase P**, quant à elle, satisfait bien à la définition la plus étroite de la catalyse. La RNase P a la tâche de maturer les ARNt (§ 17.10). Le ribozyme *n'*est donc *pas* son propre substrat, et il est disponible pour de nombreux cycles de catalyse. L'ARN des **ribosomes**, lui aussi, possède des propriétés enzymatiques : dans ces gigantesques complexes ribonucléopro-

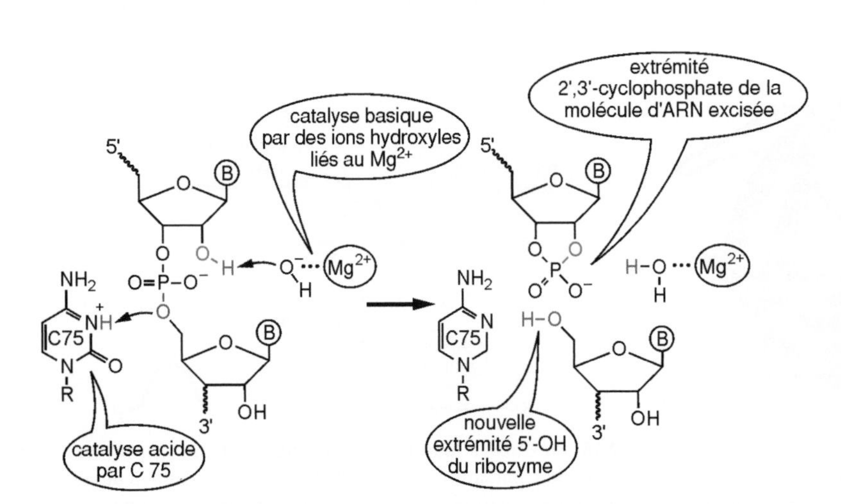

12.20 Clivage d'une liaison phosphoester du VHD par catalyse acido-basique. La cytidine 75 du ribozyme transfère un proton à l'extrémité hydroxyle en formation. Un ion hydroxyle associé à un Mg^{2+} extrait un proton du groupement 2'-OH attaquant, ce qui en fait un nucléophile puissant capable d'attaquer la fonction phosphoester.

téiques où se déroule la synthèse des protéines, l'ARN semble être le principal responsable de la catalyse, alors que les composants protéiques *ne* possèdent *que* des fonctions de maintien et de stabilisation de la structure ribosomique (§ 18.4). La même chose est probablement vraie des **épissosomes** (angl. ***spliceosomes***), qui maturent des précurseurs d'ARN messagers, catalysant ainsi une étape essentielle *précédant* la synthèse ribosomique des protéines (§ 17.6). La capacité des acides ribonucléiques à agir aussi bien comme vecteurs de l'information génétique que comme catalyseurs est également l'argument principal allégué en faveur d'un **monde des ARN** présent au commencement de la vie, il y a au moins 3,5 milliards d'années (§ 3.1). *Dans l'hypothèse du monde des ARN, l'acide ribonucléique doit avoir commencé à un moment donné à synthétiser des protéines ou des peptides : dans ce rôle-clé, jamais l'ARN n'a pu être détrôné.* L'on peut également concevoir les nombreux coenzymes qui sont des dérivés de composants de l'ARN, comme le FAD, le NAD^+ ou le coenzyme A, comme des réminiscences de ce monde des ARN. Ensuite, les protéines ont fini par s'imposer comme biocatalyseurs devant les ribozymes par leur plus grande polyvalence et leur meilleure efficacité : les enzymes d'une cellule eucaryote sont dans leur immense majorité des protéines ! À elle seule, leur efficacité catalytique fait des enzymes des biomolécules extrêmement remarquables. Non moins fascinantes sont les possibilités de réguler finement leurs activités *in vivo*. Le chapitre suivant s'intéresse à cette nouvelle facette des enzymes.

Régulation de l'activité enzymatique

13

Les enzymes sont des machines moléculaires extrêmement performantes. Leur énorme potentiel catalytique demande un contrôle efficace, d'un côté suffisamment strict pour empêcher toute activité superflue, de l'autre suffisamment flexible pour permettre l'adaptation à des situations métaboliques évoluant rapidement. La nature a développé un système de contrôle astucieux capable de réguler et de coordonner les activités des enzymes à de nombreux niveaux. Les mécanismes les plus connus agissent directement sur la protéine : le point de contrôle est typiquement l'**activité enzymatique**. Dans les premières sections, nous discuterons donc de la caractérisation et de la quantification de l'activité enzymatique. Nous étudierons ensuite sur des exemples physiologiques et pharmacologiques les mécanismes moléculaires par lesquels des enzymes peuvent être complètement « paralysées », puis nous en arriverons enfin à des formes plus « subtiles » de régulation. Le contrôle de la synthèse des enzymes au niveau de la transcription et de la traduction fera l'objet de chapitres ultérieurs (*chap.* 20).

13.1 Les réactions chimiques sont caractérisées par des constantes de vitesse

Comme mentionné précédemment à propos de la théorie de l'état de transition, la thermodynamique prédit la *direction* dans laquelle se déroulent les réactions, mais pas leur *vitesse*. C'est la **cinétique réactionnelle** qui s'intéresse à cet aspect. Avant de nous pencher sur la **cinétique enzymatique**, nous devons présenter quelques concepts élémentaires. Considérons la réaction simple dans laquelle un **substrat S** est converti en un **produit P** (équation 13.1) :

$$S \rightarrow P \qquad (13.1)$$

On utilise comme mesure de la **vitesse de réaction *V*** la consommation de substrat par unité de temps ou la formation de produit par unité de temps (équation 13.2). Dans cette équation, **d[S]** désigne la variation de la concentration de substrat, **d[P]** la variation de concentration du produit, et **d*t*** l'unité de temps.

$$V = \frac{-d[S]}{dt} = \frac{d[P]}{dt} \qquad (13.2)$$

Il est clair que la vitesse d'une réaction dépend de la concentration de la substance de départ. Si l'on fait varier la concentration [S] de substrat dans l'expérience, on observe pour des réactions de ce type (équation 13.1) un comportement typique décrit par l'**équation de vitesse** suivante :

$$V = k\,[S] \qquad (13.3)$$

La vitesse de réaction augmente donc proportionnellement à la concentration du substrat. La constante de proportionnalité k est appelée **constante de vitesse** ; dans le cas présent, elle s'exprime en s^{-1}. *Une constante de vitesse $k = 0{,}4\ s^{-1}$ signifie donc que la conversion d'une molécule de substrat prend en moyenne 2,5 s.*

Considérons maintenant une réaction un peu plus complexe, par exemple l'association de deux substrats S_1 et S_2 pour donner le produit P (équation 13.4) :

$$S_1 + S_2 \rightarrow P \qquad (13.4)$$

Si la vitesse de réaction dépend des concentrations des deux substrats dans la même mesure, les données expérimentales donnent le type suivant d'équation de vitesse (équation 13.5) :

$$V = k\,[S_1][S_2] \qquad (13.5)$$

La constante de vitesse de réaction s'exprime alors dans une autre unité ($M^{-1}.s^{-1}$) et n'a pas de signification aussi transparente que dans le premier exemple (équation 13.1). *Le mieux est de la considérer comme une simple constante de proportionnalité qui fournit une mesure clairement définie, indépendante des conditions de l'expérience, c'est-à-dire des concentrations de substrat, de la vitesse à laquelle une réaction peut se produire.*

13.2

L'équation de Michaelis-Menten décrit une cinétique enzymatique simple

Comment caractériser cinétiquement une enzyme ? La stratégie expérimentale consiste à faire varier la concentration de substrat au cours de différentes expériences en mesurant à chaque fois la vitesse de réaction – c'est-à-dire la consommation du substrat ou l'accroissement de la quantité de produit par unité de temps. Il y a ici un problème de principe : comment déterminer la dépendance de la vitesse par rapport à la concentration de substrat si cette dernière change pendant la réaction ? L'« astuce » qui permet de résoudre le problème consiste à ne déterminer que la **vitesse initiale V_0**. Pour cela, on mesure la vitesse de réaction au début d'une réaction enzymatique. On fait de plus l'hypothèse simplificatrice, et pertinente si l'on choisit correctement les conditions expérimentales, que la concentration de substrat varie faiblement durant ce court intervalle, et reste donc approximativement constante. Si l'on porte sur un graphique les valeurs des vitesses initiales mesurées aux différentes concentrations de substrat, on obtient une **courbe de saturation** typique (*fig.* 13.1).

On obtient une **forme de courbe hyperbolique**, comme nous l'avons vu pour la courbe de fixation de l'oxygène par la myoglobine. *Cette analogie n'est pas le fait du hasard, car le comportement d'une enzyme peut être interprété de manière très semblable.* À faible concentration de substrat il se trouve presque toujours une enzyme sous forme « libre » pour convertir presque chaque molécule de substrat arrivant au centre actif : au début, la vitesse de réaction augmente linéairement avec la concentration de substrat (*fig.* 13.2). Bientôt, il y a saturation de substrat : les molécules de substrat ren-

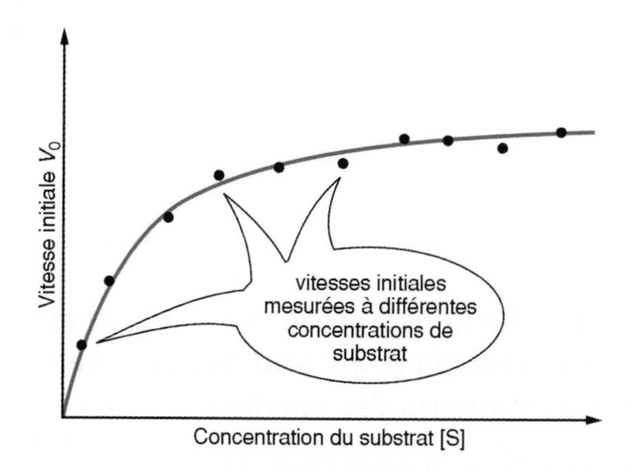

13.1 Courbe de saturation de cinétique enzymatique. On fait varier la concentration de substrat dans des expériences séparées et on détermine les vitesses initiales de réaction qui en résultent. Si l'on porte les points expérimentaux sur un graphique, on obtient typiquement une courbe de type hyperbolique.

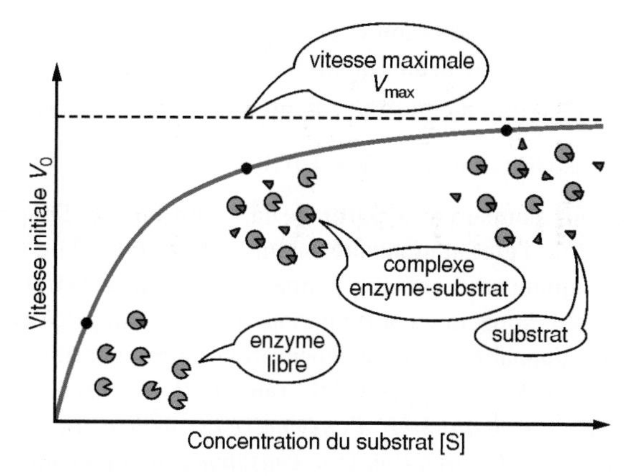

13.2 Saturation de l'enzyme et vitesse maximale. Après une augmentation quasi linéaire de la vitesse initiale de réaction en fonction de la concentration de substrat, la courbe s'aplatit en raison de la saturation croissante du centre actif. La vitesse maximale V_{max} n'est jamais atteinte dans la pratique, et ne peut être obtenue que par extrapolation du diagramme.

contrent de plus en plus souvent des molécules d'enzymes déjà « occupées ». La vitesse de réaction s'approche d'une **vitesse maximale V_{max}** caractéristique de l'enzyme.

Comment ce comportement peut-il être décrit mathématiquement ? L'hypothèse de départ est que le substrat forme en général avec l'enzyme un complexe réversible, le **complexe enzyme-substrat (ES)** ou **complexe de Michaelis**. C'est à partir de ce complexe que se forme le produit. Chaque étape de la réaction est caractérisée par une constante de vitesse (équation 13.6) ; dans cette équation, k_1 et k_{-1} désignent les constantes d'association et de dissociation, respectivement, de ES, et k_2 celle de formation du produit P et de l'enzyme libre E.

$$E + S \underset{k_{-1}}{\overset{k_1}{\rightleftharpoons}} [ES] \overset{k_2}{\rightarrow} E + P \qquad (13.6)$$

La réaction retour de E + P vers ES, de constante de vitesse k_{-2}, est considérée comme négligeable : on mesure des vitesses initiales, il n'y a donc pas assez de produit formé pour que celui-ci puisse réagir quantitativement en sens inverse. Comme la vitesse de formation du produit dépend de la concentration du complexe enzyme-substrat, nous aboutissons, par analogie avec l'équation 13.3, à la formule suivante (équation 13.7) :

$$V_0 = k_2\,[ES] \qquad (13.7)$$

La concentration [ES] n'est toutefois pas une grandeur accessible expérimentalement. Il vaut mieux se ramener aux grandeurs mesurables que sont les concentrations d'enzyme et de substrat. Pour cela, on fait le raisonnement suivant : le complexe de Michaelis ES se forme par association de l'enzyme libre et du substrat. Il est consommé soit par formation du produit, qui se dissocie de l'enzyme, soit par dissociation du substrat de l'enzyme.

La vitesse de formation et de disparition de ES peut donc être décrite par deux équations (équations 13.8, 13.9) :

$$\text{Formation de ES : } V = k_1[E][S] \tag{13.8}$$

$$\text{Disparition de ES : } V = k_2[ES] + k_{-1}[ES] \tag{13.9}$$

Pour poursuivre à partir de là, nous faisons l'hypothèse de l'**état stationnaire** (angl. *steady state*). Lorsque l'on ajoute une enzyme à une solution de substrat, il s'établit, après une courte période initiale – appelée **état préstationnaire** –, une compensation entre apparition et disparition du complexe ES. *Tant qu'il reste beaucoup plus de substrat que d'enzyme, c'est-à-dire tant que [S] >> [E], la formation et la consommation du complexe de Michaelis s'équilibrent* (*fig.* 13.3). Ce n'est que lorsqu'une proportion significative du substrat a été consommée que la concentration de l'intermédiaire ES commence à baisser. Comme la durée de l'état préstationnaire, qui est de quelques millisecondes, n'est pas accessible par les méthodes traditionnelles, lorsque l'on mesure une « vitesse initiale », la réaction est déjà à l'état stationnaire : on parle de **cinétique de l'état stationnaire**.

L'équilibre entre formation et consommation du complexe de Michaelis signifie mathématiquement que les deux vitesses des équations 13.8 et 13.9 sont égales (équation 13.10) :

$$k_1[E][S] = k_2[ES] + k_{-1}[ES] \tag{13.10}$$

La concentration en enzyme libre [E] n'est pas elle non plus une grandeur accessible expérimentalement : quand on ne sait pas exactement combien d'enzyme est présente sous forme de complexe ES, on ne connaît pas non plus la quantité d'enzyme restée libre. Par contre, on connaît la quantité d'enzyme ajoutée au départ, et donc

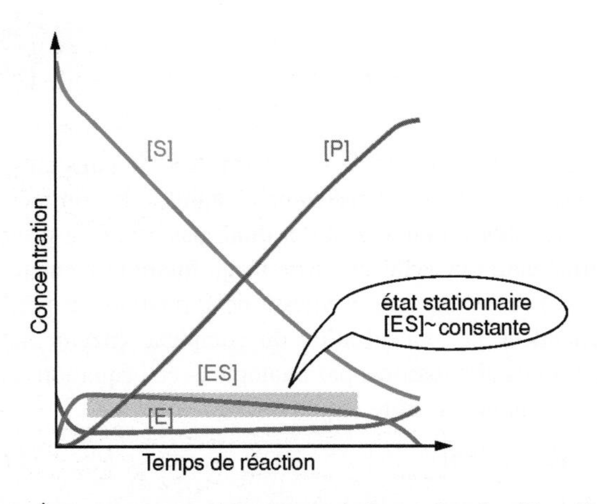

13.3 État stationnaire (*steady state*). Pour résoudre l'équation des vitesses, on fait l'hypothèse simplificatrice suivante : après un court « temps d'échauffement », la formation et la consommation du complexe de Michaelis s'équilibrent. La concentration du complexe enzyme-substrat ne commence à décroître visiblement qu'une fois que celle du substrat est nettement réduite. Notez que [S] et [P] sont supérieurs de plusieurs ordres de grandeur à [E] et [ES] (représentés de manière simplifiée sur le schéma). [RF]

la **concentration d'enzyme totale [E$_t$]**, et une astuce mathématique suffit donc à se débarrasser de la variable [E] (équation 13.11).

$$[E_t] = [E] + [ES] \Leftrightarrow [E] = [E_t] - [ES] \tag{13.11}$$

Après remplacement de [E] dans l'équation 13.10, une réorganisation donne l'expression suivante de [ES] (équation 13.12) :

$$[ES] = \frac{[E_t][S]}{[S] + \dfrac{k_2 + k_{-1}}{k_1}} \quad \text{ou} \quad [ES] = \frac{[E_t][S]}{[S] + K_M} \tag{13.12}$$

Dans cette dernière équation, la **constante de Michaelis K_M** est définie à partir des trois constantes de vitesse (équation 13.13)

$$K_M = \frac{k_2 + k_{-1}}{k_1} \tag{13.13}$$

En introduisant l'équation 13.12 dans l'équation 7, on obtient une équation de la vitesse ne mettant en jeu que des grandeurs mesurables (équation 13.14).

$$V_0 = \frac{k_2[E_t][S]}{K_M + [S]} \tag{13.14}$$

Or, une réaction enzymatique atteint sa vitesse maximale V_{max} lorsque toute l'enzyme est saturée de substrat, ce qui aboutit à une dernière simplification. Dans ce cas, la concentration [ES] du complexe de Michaelis atteint son maximum, qui correspond à la concentration totale d'enzyme (équation 13.15) :

$$V_{max} = k_2\,[ES]_{max} = k_2\,[E_t] \tag{13.15}$$

Par substitution dans l'équation 13.14, nous obtenons l'**équation de Michaelis-Menten** (équation 13.16) :

$$V_0 = \frac{V_{max}[S]}{(K_M + [S])} \tag{13.16}$$

Cette formule qui doit son nom à Leonor Michaelis et Maud Menten est l'équation de base de la cinétique enzymatique. Elle fournit une expression algébrique qui permet l'analyse de cinétiques enzymatiques typiques (*fig.* 13.1).

13.3

La constante de Michaelis K_M et la constante catalytique k_{cat} sont des paramètres caractéristiques des enzymes *in vitro*

La constante de Michaelis définie à l'équation 13.13 possède aussi une signification évidente. Considérons d'abord le cas $[S] = K_M$, où la concentration de substrat prend la même valeur que la constante de Michaelis : le quotient $[S]/([S] + K_M)$ vaut alors 1/2. La vitesse initiale V_0 vaut

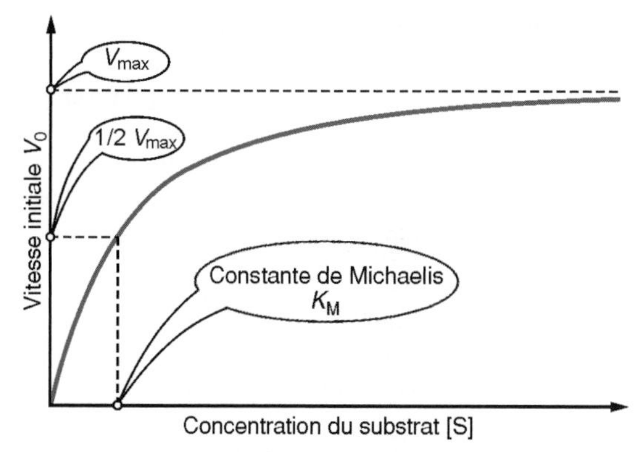

13.4 Constante de Michaelis et demi-vitesse maximale. Lorsque la concentration en substrat vaut exactement K_M, la réaction a lieu à la moitié de la vitesse maximale.

donc $V_{max}/2$: *la constante de Michaelis correspond à la concentration de substrat pour laquelle l'enzyme travaille à la moitié de sa vitesse maximale* (*fig.* 13.4).

La définition pratique de K_M comme la concentration de substrat à $V_{max}/2$ est valable dans tous les cas. Dans le cas où k_2 est très inférieure à k_{-1}, c'est-à-dire où la formation de produit à partir de ES est beaucoup plus lente que la dissociation du complexe de Michaelis en enzyme libre et substrat, on obtient une autre interprétation évidente. Dans ces conditions, k_2 peut être négligée au numérateur de l'équation 13.13, et l'expression se simplifie en (équation 13.17) :

$$K_M \approx \frac{k_{-1}}{k_1} = K_D \qquad (13.17)$$

La constante de Michaelis est approximativement égale – dans le cas où $k_2 << k_{-1}$ – à la **constante de dissociation K_D** (§ 1.7) du complexe de Michaelis et représente donc une mesure de l'affinité de l'enzyme pour son substrat : plus la constante de dissociation est faible, plus haute est l'affinité de l'enzyme pour le substrat, et réciproquement. Pour déterminer expérimentalement le K_M et le V_{max} d'une enzyme dans la pratique, on réorganise l'équation de Michaelis-Menten de manière à obtenir une représentation graphique linéaire à la place d'une hyperbole (encart 13.1).

En dehors de la constante de Michaelis, la constante de vitesse k_2 (équation 13.5) est bien adaptée à la caractérisation d'une réaction enzymatique. Dans la pratique, on rencontre souvent la **constante catalytique k_{cat}**, car dans le cas de mécanismes de réaction compliqués, d'autres constantes de vitesse peuvent entrer en ligne de compte et être incluses dans le k_{cat}. C'est seulement dans un modèle idéal, comme celui que nous avons utilisé pour notre démonstration de l'équation de Michaelis-Menten, que k_2 est identique à k_{cat}. La constante catalytique est également appelée **fréquence de rotation** ou **activité moléculaire** (angl. *turnover number*). Elle donne le nombre maximum de molécules de substrat qui peuvent être transformées par unité de temps par une seule molécule d'enzyme. La catalase a une fréquence de rotation de $4 \cdot 10^7$ s^{-1}. Un seul centre actif peut donc faire réagir en une seconde le nombre impressionnant de 40 millions de molécules d'H_2O_2 pour donner de l'eau et de l'oxygène moléculaire (§11.2 ; *encart* 37.4) ! Les paramètres cinétiques k_{cat} et K_M de quelques enzymes sont répertoriés dans le tableau 13.1.

Encart 13.1 : Le diagramme de Lineweaver-Burk

Lorsque l'on porte directement sur un graphique les vitesses initiales déterminées expérimentalement en fonction de la concentration de substrat (*fig.* 13.1), un problème se pose : la vitesse ne fait qu'approcher asymptotiquement son maximum et la valeur maximale n'est jamais atteinte dans la pratique, même pour un grand excès de substrat. On ne peut donc déterminer K_M et V_{max} qu'approximativement. Inversons maintenant l'équation de Michaelis-Menten (équation 13.18) :

$$\frac{1}{V_0} = \frac{K_M}{V_{max}} \cdot \frac{1}{[S]} + \frac{1}{V_{max}} \qquad (13.18)$$

on obtient donc une fonction linéaire à condition de porter l'inverse de la vitesse initiale ($1/V_0$, en ordonnée) en fonction de l'inverse de la concentration de substrat (1/[S], en abscisse) (*fig.* 13.5). Les paramètres cinétiques K_M et V_{max} s'obtiennent facilement à partir de la pente de ce **diagramme de Lineweaver-Burk** et de son intersection avec l'axe des abscisses.

NdT : si la méthode de Lineweaver est la plus ancienne, elle donne plus de poids aux points expérimentaux les plus sujets à erreur ; on préfère donc utiliser de nos jours les méthodes d'Eadie-Hofstee, où l'on porte V_0 en fonction de V_0/[S] ($V_0 = -K_M \times V_0/[S] + V_{max}$) ou de Hanes-Woolf ([S]/V_0 en fonction de [S], $[S]/V_0 = 1/V_{max} \times [S] + K_M/V_{max}$), ou bien tout simplement des programmes permettant de rechercher directement les valeurs de K_M et V_{max} donnant le diagramme de Michaelis-Menten qui approche le mieux les points expérimentaux.

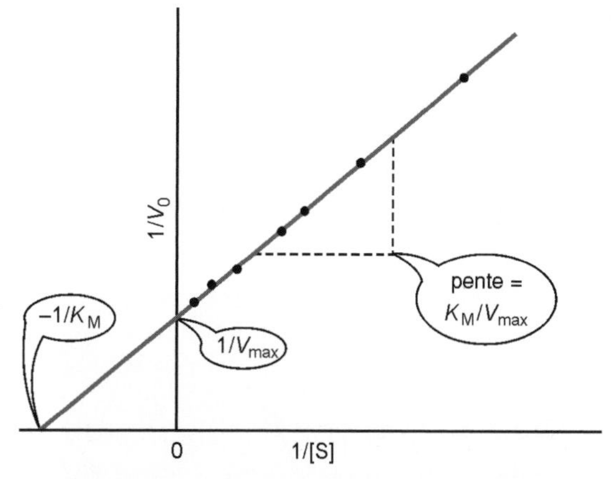

13.5 Représentation graphique de la cinétique enzymatique. Elle doit son nom à Hans Lineweaver et Dean Burk.

Tableau 13.1 Constantes cinétiques de quelques enzymes. K_M, constante de Michaelis, k_{cat}, fréquence de rotation.

Enzyme (rôle biologique)	Substrat	K_M [mol/L]	k_{cat} [s^{-1}]	k_{cat}/K_M [$s^{-1}.L.mol^{-1}$]
Catalase (détoxification)	H_2O_2	1,1	$4{,}0.10^7$	$4{,}0.10^7$
Anhydrase carbonique (métabolisme du CO_2)	CO_2	$1{,}2.10^{-2}$	$1{,}0.10^6$	$8{,}3.10^7$
	$HCO_3^- + H^+$	$2{,}6.10^{-2}$	$4{,}0.10^5$	$1{,}5.10^7$
Pepsine (digestion)	Protéine (Phe-Gly) + H_2O	$3{,}0.10^{-4}$	0,5	$1{,}7.10^3$
Pénicillinase, β-lactamase (résistance bactérienne aux antibiotiques)	Benzylpénicilline + H_2O	$2{,}0.10^{-5}$	$2{,}0.10^3$	$1{,}0.10^8$
Acétylcholinestérase (dégradation d'un neurotransmetteur)	Acétylcholine + H_2O	$9{,}0.10^{-5}$	$1{,}4.10^4$	$1{,}6.10^8$

Pour juger de l'efficacité d'une enzyme, k_{cat} et K_M ne peuvent être considérés séparément : une fréquence de rotation énorme ne sert à quelque chose que si l'on pourvoit à l'« approvisionnement » en substrat, c'est-à-dire si l'enzyme possède une affinité suffisante pour le substrat. C'est pourquoi l'on utilise généralement le quotient k_{cat}/K_M comme mesure de l'**efficacité catalytique**. Selon ce critère, l'enzyme acétylcholinestérase, malgré une fréquence de rotation plus de 1 000 fois inférieure, travaille plus efficacement que la catalase (*tab.* 13.1).

13.4 La cinétique enzymatique aide à la compréhension des mécanismes enzymatiques

La mesure d'activités enzymatiques fait partie du diagnostic clinique de routine. Par exemple, la mesure de l'**activité de la lactate déshydrogénase** est un test courant des échantillons de sérum : dans un grand nombre de pathologies impliquant le muscle, cette enzyme se retrouve dans la circulation sanguine. Dans ce cas, la détermination de l'activité enzymatique est un procédé de diagnostic simple et rapide. *Dans la recherche fondamentale en biochimie, la cinétique enzymatique est un outil classique pour l'étude des mécanismes enzymatiques.* En dehors des paramètres cinétiques K_M et k_{cat} la dépendance de l'activité enzymatique envers les paramètres expérimentaux comme le pH ou la température donne des indices importants sur la façon dont une enzyme travaille. Dans le cas de la trypsine, protéase à sérine, une chaîne latérale d'histidine joue successivement le rôle de catalyseur basique puis acide (§ 12.4). Ceci ne peut fonctionner que si le pH de la solution se trouve au voisinage du p*K* de l'histidine. De fait, la courbe en cloche de l'activité de la trypsine en fonction du pH, avec son maximum dans la région de la neutralité suggère déjà que l'histidine pourrait être un résidu important pour la catalyse. L'optimum de pH de la pepsine, qui est acide, reflète au contraire la contribution de l'acide aminé aspartate à la catalyse (*fig.* 13.6).

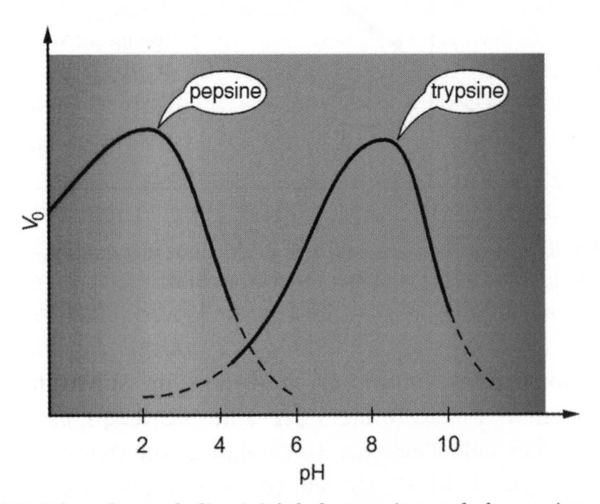

13.6 Dépendance de l'activité de la trypsine et de la pepsine en fonction du pH. Les optima de pH reflètent la titration, c'est-à-dire la protonation et la déprotonation des résidus d'acides aminés importants pour la catalyse. Le fait que l'activité tombe brutalement aux extrêmes de pH est aussi dû à la dénaturation de l'enzyme.

Lorsque la structure d'une enzyme a été déterminée par analyse aux rayons X (§ 7.4) ou en spectroscopie RMN (§ 7.5), le centre actif peut être inspecté en détail. Les résidus d'acides aminés supposés importants pour la catalyse peuvent alors être remplacés par d'autres acides aminés par des procédés de génétique moléculaire comme la mutagenèse dirigée (§ 22.10). La cinétique enzymatique fournit l'outil par lequel l'effet d'un échange ciblé peut être examiné.

Souvent, une cinétique de Michaelis-Menten apparemment simple cache un mécanisme de réaction compliqué en plusieurs étapes – pensez par exemple à la réaction complexe des protéases à sérine. Pour comprendre ces réactions, les premières millisecondes de la réaction enzymatique peuvent renfermer des informations utiles. Pendant ce court intervalle, l'état stationnaire ne s'est pas encore installé, et le diagramme de vitesse donne encore des informations sur des « étapes individuelles » du mécanisme réactionnel. Cette **cinétique rapide à l'état préstationnaire** nécessite cependant des techniques expérimentales spécifiques comme les techniques ultra-rapides de mélange et de détection.

13.5

Les inhibiteurs compétitifs se fixent au centre actif et empêchent l'entrée du substrat

L'activité enzymatique n'est pas pertinente à tout moment et en tout lieu. Une activité incontrôlée des protéases de la coagulation aurait des conséquences fatales. Pour cette raison, la Nature a développé un grand nombre d'**inhibiteurs d'enzymes.** Ils répriment l'activité enzymatique ou l'abolissent complètement. Nous mesurerons leur importance capitale pour l'organisme à la lumière d'exemples d'inhibiteurs absents ou défectueux. *Le fait que les enzymes catalysent presque toutes les réactions biologiquement pertinentes confère aux inhibiteurs naturels ou synthétiques une importance exceptionnelle.* L'acide acétylsalicylique aux propriétés analgésiques, l'antidépresseur moclobémide, ou la lovastatine qui diminue le taux de cholestérol, sont des prototypes de ces inhibiteurs enzymatiques (*tab.* 13.2). De plus, les inhibiteurs sont des outils précieux pour l'étude des mécanismes enzymatiques, qu'ils peuvent inhiber réversiblement ou irréversiblement.

Les **inhibiteurs réversibles** n'établissent pas de liaison covalente avec l'enzyme, mais la laissent en principe « intacte » et en « état de marche ». Selon leur mécanisme d'action, on distingue les inhibiteurs compétitifs, non compétitifs et incompétitifs. Les **inhibiteurs compétitifs** imitent la structure des molécules du substrat naturel : ce sont des « pseudo-substrats » que le centre actif de l'enzyme reconnaît et fixe, mais ne peut transformer chimiquement, contrairement au « vrai » substrat. Le substrat et l'inhibiteur compétitif sont en concurrence pour le même site de fixation du centre actif et ne peuvent donc se fixer simultanément à l'enzyme (*fig.* 13.7a). Le médicament **lovastatine** est le prototype d'un inhibiteur analogue du substrat. Il s'agit d'un inhibiteur de la HMG-coenzyme A réductase, enzyme clé de la biosynthèse du cholestérol (§ 42.3). La ressemblance locale entre la lovastatine et le substrat naturel, le **3-hydroxy-3-méthyl-glutaryl-coenzyme A (HMG-CoA)** est évidente (*fig.* 13.7b).

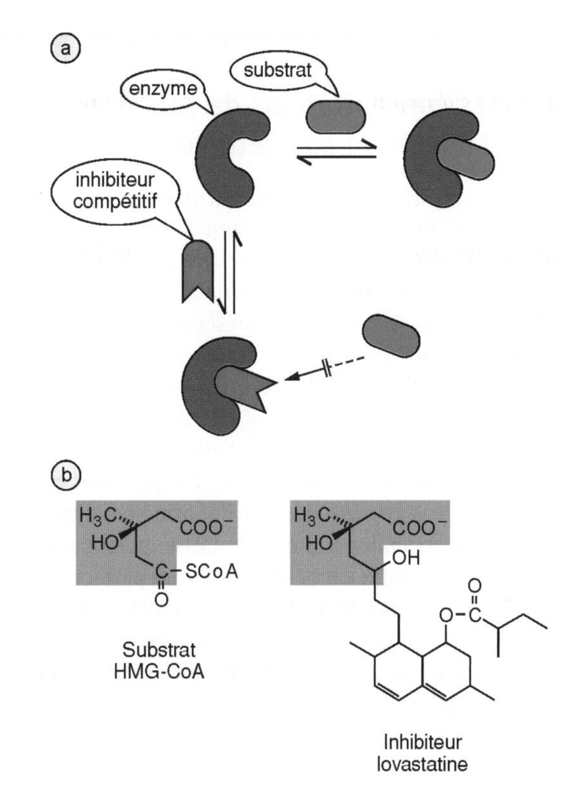

13.7 Inhibition compétitive. a) le substrat et l'inhibiteur sont en compétition pour un même site de fixation dans le centre actif ; b) Ressemblance structurale entre l'inhibiteur (la lovastatine) et le substrat (l'HMG-CoA). Par esprit de simplification, la structure de la CoA a été omise. L'inhibiteur se fixe au centre actif mais ne réagit pas, et empêche ainsi l'entrée du substrat.

L'**inhibition par le produit** est une forme particulière de l'inhibition compétitive. D'une part, l'accumulation du produit favorise la réaction retour vers le complexe enzyme-substrat. D'autre part, le produit peut aussi agir comme inhibiteur compétitif du substrat. L'**hexokinase**, une enzyme-clé du métabolisme du glucose (§ 35.2), fixe dans son centre actif aussi bien le produit, le glucose-6-phosphate, que le substrat, le glucose, faisant ainsi du produit un inhibiteur compétitif du substrat. Dans ce cas, il ne s'agit pas d'un effet secondaire parasite qui repose sur une « erreur de construction » de l'enzyme. *La Nature a au contraire mis au point un mécanisme très simple de rétroinhibition, qui s'oppose à l'accumulation du glucose-6-phosphate produit par le métabolisme.*

Tableau 13.2 Quelques inhibiteurs d'intérêt pharmaceutique.

Médicament	Enzyme inhibée	Utilisé comme
Acide acétylsalicylique Paracétamol, Ibuprofène	Cyclo-oxygénase (COX)	Analgésique
Lovastatine	HMG-coenzyme A réductase	Hypocholestérolémiant
Captopril	Enzyme de conversion de l'angiotensine (ECA)	Antihypertenseur
Moclobémide	Monoaminoxydase (MAO)	Antidépresseur

13.6

De fortes concentrations de substrat lèvent l'inhibition compétitive

Comment reconnaît-on un inhibiteur compétitif dans la cinétique de Michaelis-Menten ? *La concurrence entre inhibiteur et substrat pour les sites de fixation libres provoque une (apparente) diminution de l'affinité de l'enzyme pour le substrat.* En présence d'inhibiteur, des concentrations de substrat plus élevées sont requises pour atteindre la moitié de la vitesse maximale $V_{max}/2$, ce qui élève la **valeur apparente du K_M, K_M^{app}**. Dans le diagramme des vitesses, l'inhibiteur compétitif provoque un aplatissement de la courbe de réaction : K_M est repoussé vers la droite jusqu'à K_M^{app} (*fig.* 13.8a). En principe, l'enzyme peut toujours travailler à la même vitesse qu'en l'absence d'inhibiteur. Un grand excès de substrat lui permet encore d'atteindre V_{max}. Dans le diagramme de Lineweaver-Burk, l'inhibiteur compétitif modifie la pente de la droite qui devient égale à $-1/K_M^{app}$, tandis que l'ordonnée à l'origine reste inchangée à $1/V_{max}$ (*fig.* 13.8b).

À l'opposé, les **inhibiteurs non compétitifs** *diminuent surtout la vitesse maximale de réaction V_{max}* (*fig.* 13.9a). En général, les inhibiteurs non compétitifs diminuent aussi l'affinité pour le substrat et augmentent donc le K_M. Rares sont les cas où seul V_{max} est modifié alors que K_M n'est pas affecté : ce sont là les cas « classiques » d'inhibition non compétitive. L'inhibition non compétitive concerne essentiellement des enzymes ayant plusieurs substrats, chez lesquelles l'inhibiteur non compétitif I se fixe au centre actif tout en laissant libre le site de fixation du substrat A. La réaction est pourtant inhibée et le V_{max} diminué car le deuxième substrat B n'a plus accès au centre actif (*fig.* 13.9b). I est donc un inhibiteur non compétitif par rapport au substrat A, mais il est compétitif par rapport au substrat B

Les **inhibiteurs incompétitifs** existent – comme les inhibiteurs non compétitifs – chez les enzymes à substrats multiples. La différence principale est que l'inhibiteur incompétitif se fixe préférentiellement au complexe enzyme-(premier) substrat, mais pas à l'enzyme libre.

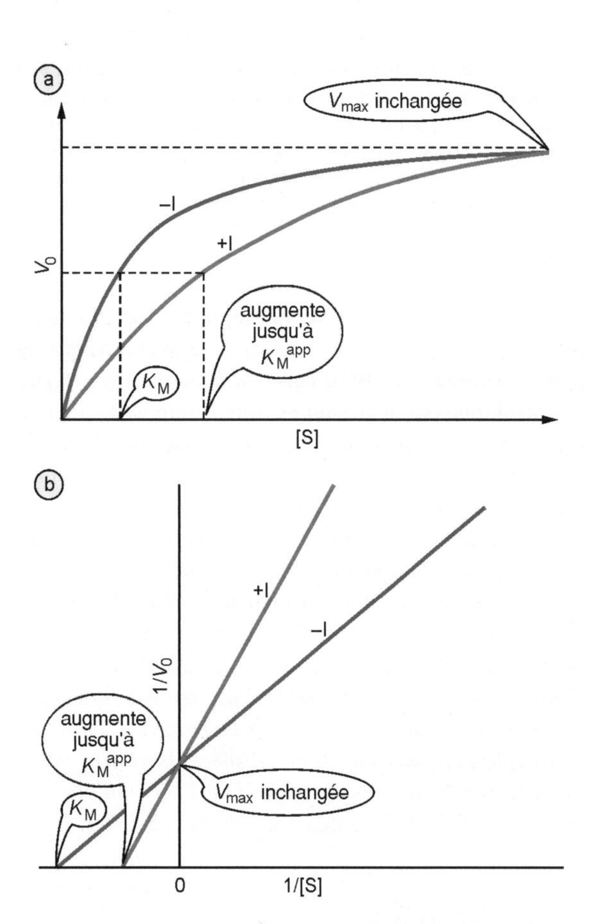

13.8 Cinétique de réaction dans un cas d'inhibition compétitive. Le K_M de la réaction non inhibée (–I) augmente jusqu'à K_M^{app} en présence d'inhibiteur (+I) ; V_{max} reste inchangée : a) représentation de Michaelis-Menten ; b) représentation de Lineweaver-Burk.

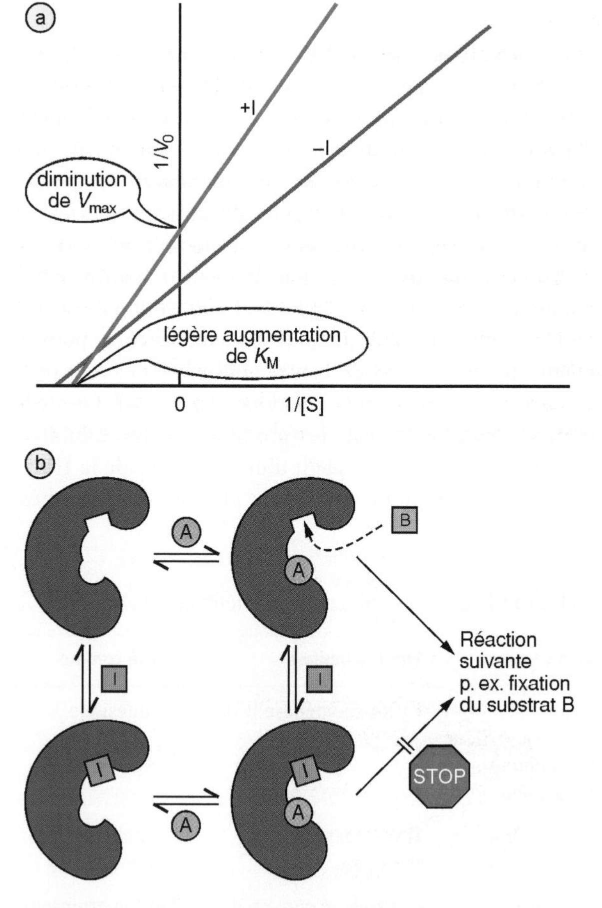

13.9 Principe de l'inhibition non compétitive : a) représentation de Lineweaver-Burk d'une inhibition non compétitive ; mécanisme plausible d'une inhibition non compétitive. L'inhibiteur I a peu ou pas d'influence sur la fixation du substrat A, mais bloque des réactions postérieures.

Nous avons déjà étudié une telle succession précise d'événements de fixation, dans le cas de la lactate déshydrogénase (§ 12.3). Comme l'inhibiteur n'agit qu'après le premier substrat, il ne peut diminuer son affinité pour l'enzyme. Au contraire – la valeur apparente du K_M est même diminuée, et l'affinité pour le substrat semble augmenter. En effet, l'inhibiteur diminue à la fois le V_{max} et la concentration de substrat requise pour atteindre la moitié de la vitesse maximale !

13.7 Les inhibiteurs covalents inhibent irréversiblement

Jusqu'ici, nous avons étudié des inhibiteurs qui s'associent à l'enzyme par des liaisons non covalentes, et peuvent se dissocier à nouveau ; mais il existe aussi des inhibiteurs qui se fixent par des liaisons covalentes au centre actif des enzymes, les paralysant ainsi durablement. Un grand nombre de ces **inhibiteurs irréversibles** est présent dans le plasma humain : presque 10 % des protéines du plasma entrent dans cette catégorie, comme l'anti-thrombine III et l'inhibiteur de protéase α_1. Ce dernier est l'antagoniste physiologique de l'**élastase leucocytaire**, un homologue de l'élastase pancréatique. L'élastase leucocytaire possède une large spécificité de substrat et ne se restreint pas à la dégradation de l'élastine. Lorsque les leucocytes absorbent des intrus bactériens par phagocytose, l'élastase contenue dans les phagolysosomes tue l'organisme pathogène en en détruisant les protéines membranaires. Dans les processus d'inflammation, les neutrophiles sécrètent de grandes quantités d'élastase leucocytaire qui, sous sa forme non inhibée, protéolyse en masse les protéines extracellulaires, ce qui s'appelle jouer avec le feu ! C'est là qu'intervient l'inhibiteur de protéase α_1. Il se présente tout d'abord comme un substrat normal de l'élastase et se fixe au centre actif. L'enzyme clive ensuite une liaison peptidique de l'inhibiteur en un « point de rupture » (*fig.* 13.10), produisant l'intermédiaire acyle bien connu, dans lequel le substrat est fixé à l'enzyme par une liaison covalente (§ 12.5).

À la suite de cette coupure, le composant acyle subit un changement de conformation qui perturbe massivement la suite de la catalyse. La protéase ne peut terminer sa tâche, l'étape d'hydrolyse n'a pas lieu, et l'enzyme reste au stade d'intermédiaire acyl-enzyme. C'est donc un **mécanisme d'inhibition suicide** qui inactive l'enzyme. *L'importance vitale de tels inhibiteurs est attestée par l'effet de la déficience héréditaire en inhibiteur de protéase α_1, qui conduit à l'emphysème pulmonaire* (*encart* 13.2).

Il existe aussi des inhibiteurs suicides synthétiques. Le **diisopropylfluorophosphate (DFP)** en est un bon exemple. L'enzyme la plus importante de l'organisme ciblée par le DFP est l'**acétylcholinestérase**. Le rôle biologique de l'acétylcholinestérase consiste à hydrolyser rapidement, et donc à inactiver, le neurotransmetteur acétylcholine à la suite de sa libération. Cette enzyme estérolytique possède un mécanisme réactionnel très proche de celui des protéases à sérine amidolytiques. La sérine réactive forme avec le DFP un phosphoester covalent par élimination de fluorure d'hydrogène, que l'enzyme est *incapable* d'hydrolyser – contrairement à l'ester carboxylique formé par réaction avec l'acétylcholine. L'acétylcholinestérase en est durablement inactivée - ce qui a des conséquences fatales (*fig.* 13.12). L'accumulation d'acétylcholine aboutit à un blocage de l'influx nerveux dans le système cholinergique, qui peut conduire à la mort par asphyxie. Des composés voisins du DFP sont utilisés comme insecticides, par exemple sous le nom de Parathion, ou comme gaz de combat sous les noms tristement célèbres de **sarin** et tabun.

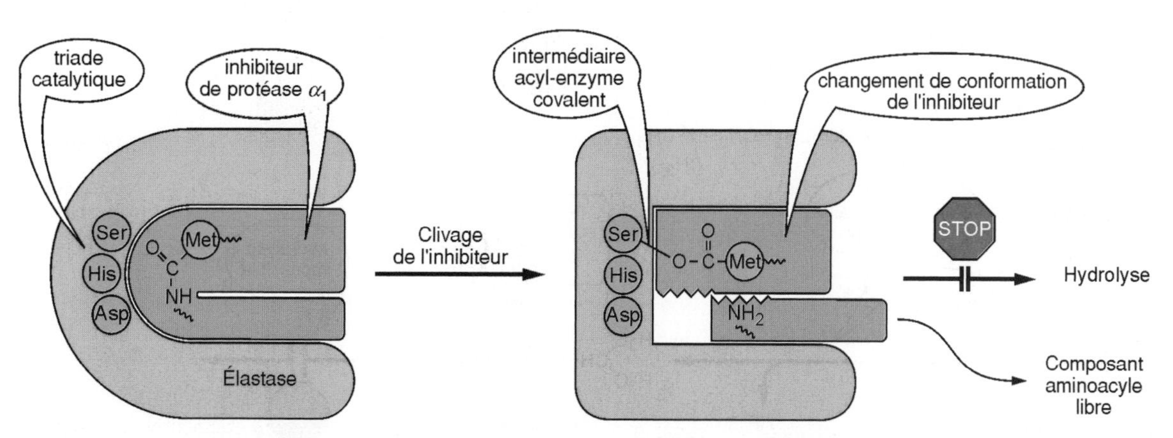

13.10 Mécanisme de l'inhibition par l'inhibiteur de protéase α_1. Le clivage d'une liaison peptidique conduit à un changement de conformation massif de l'inhibiteur, qui empêche la poursuite de la catalyse. La réaction reste bloquée à l'étape de l'intermédiaire acyl-enzyme. Cette inhibition ne peut être abolie, même par des concentrations très importantes de substrat : on parle alors d'inhibition irréversible.

Encart 13.2 : Déficience en inhibiteur de protéase α_1

Un défaut héréditaire du gène de l'inhibiteur de protéase α_1 provoque une perturbation évolutive des tissus, essentiellement dans le foie et les poumons, en raison d'une activité excessive de l'élastase. Le développement d'un emphysème pulmonaire, dans lequel les alvéoles sont détruites, peut être particulièrement critique — et souvent fatal. En dehors de cette forme héréditaire, il existe aussi une forme acquise de l'emphysème pulmonaire, dont les symptômes sont particulièrement amplifiés chez les fumeurs. Les composants oxydants contenus en grande quantité dans la fumée de cigarette modifient un résidu méthionine critique du centre réactif de l'inhibiteur, normalement attaqué par l'élastase, en **méthionine sulfoxyde** (*fig.* 13.11). La fonction de cette forme oxydée de l'inhibiteur de protéase α_1 est défectueuse, elle ne peut plus inhiber l'élastase : l'introduction d'un seul atome d'oxygène fait de cet inhibiteur une arme « émoussée ».

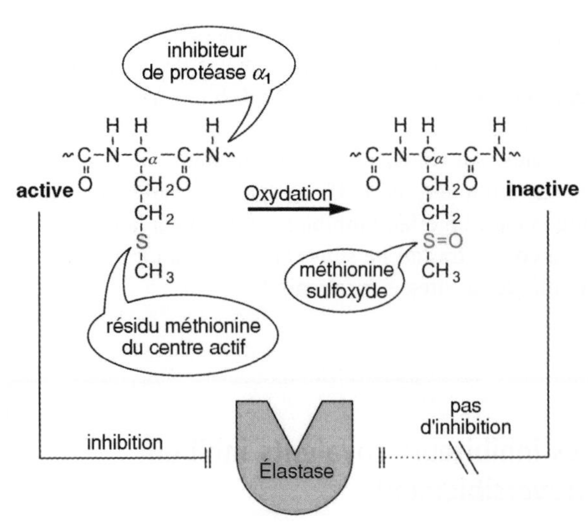

13.11 Oxydation de l'inhibiteur de protéase α_1. Le résidu méthionine critique fait partie du centre actif de l'inhibiteur et il est nécessaire à la fixation de l'élastase, qui clive la liaison peptidique C-terminale de la méthionine dans une étape de catalyse suicide. La méthionine sulfoxyde n'est pas reconnue par l'élastase : l'enzyme ne peut plus être inhibée.

13.8 Les régulateurs allostériques modulent l'activité enzymatique

Les enzymes ne travaillent pas en général « pour elles » mais font partie d'associations complexes de nombreux composants enzymatiques et non enzymatiques. Ceci requiert un ajustement délicat des activités enzymatiques et non une simple inhibition d'enzymes isolées. Souvent, la régulation se fait au niveau de la quantité d'enzyme, c'est-à-dire par le contrôle de la vitesse de synthèse ou de dégradation. Cette régulation vise des effets à moyen ou long terme, de l'ordre de quelques minutes ou quel-

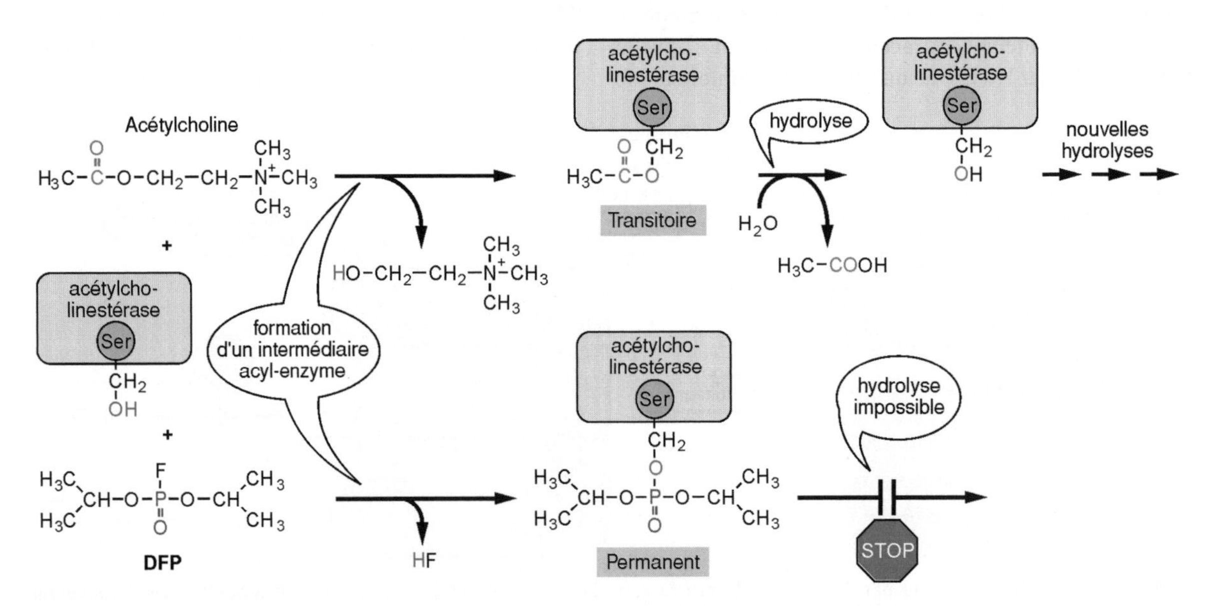

13.12 Mécanisme réactionnel d'un inhibiteur covalent. La sérine du centre actif de l'estérase réagit initialement avec le DFP comme avec le substrat, l'acétylcholine. Dans le cas du DFP, le phosphoester formé ne peut plus être clivé : l'enzyme est inactivée durablement.

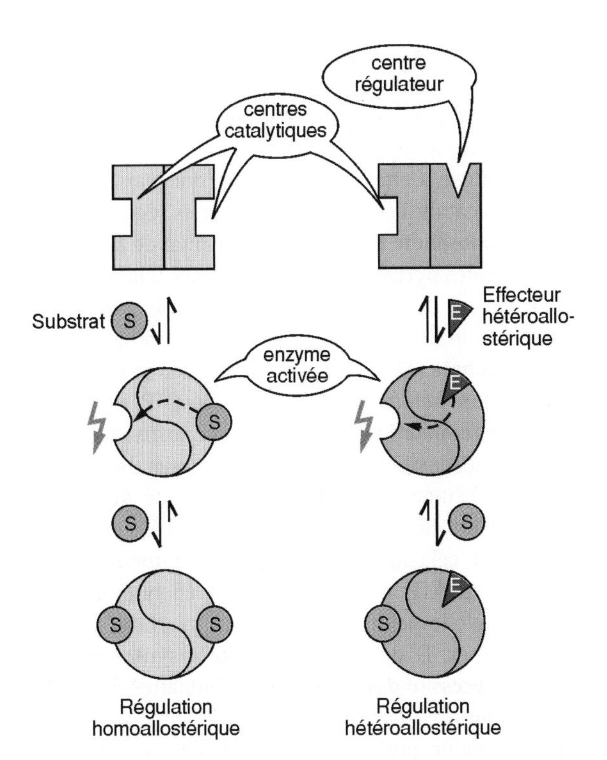

13.13 Régulation allostérique des enzymes. À gauche : la régulation homoallostérique est causée par la fixation du substrat au centre catalytique ; elle est restreinte aux enzymes multimériques (ici, un dimère). La régulation hétéroallostérique a lieu lorsqu'un effecteur se fixe à un centre régulateur éloigné du centre catalytique (à droite). Il peut s'agir d'une enzyme monomérique ou multimérique.

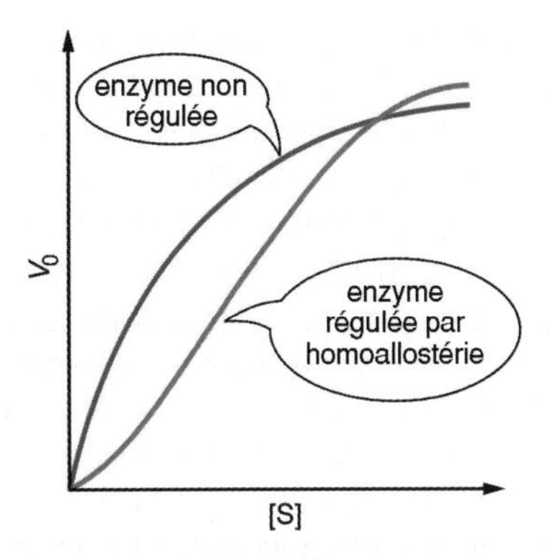

13.14 Cinétique d'une enzyme régulée par homoallostérie (en rouge). À titre de comparaison, la cinétique de Michaelis-Menten d'une enzyme non régulée est représentée (en bleu).

ques heures. Pour une modulation rapide de l'activité, il faut agir sur l'enzyme elle-même. Nous avons déjà rencontré des **modulateurs allostériques** dans le cas de l'hémoglobine, où ils régulent l'affinité de la protéine de transport pour son « chargement » d'oxygène (§10.7). Ils peuvent aussi moduler par des **effets homoallostériques** ou **hétéroallostériques** l'activité des enzymes. La fixation du substrat au centre actif peut par exemple exercer un effet homoallostérique sur d'autres centres actifs appartenant au même multimère d'enzyme (*fig.* 13.13). De même des effecteurs allostériques qui se fixent à des **centres régulateurs** éloignés du centre actif peuvent augmenter ou diminuer l'activité enzymatique. Les centres régulateurs appartiennent parfois à la même chaîne polypeptidique que le centre actif, mais ils se trouvent le plus souvent sur des sous-unités régulatrices séparées.

Nous avons déjà souligné l'analogie entre le diagramme de vitesse d'une cinétique enzymatique simple et la courbe de fixation de l'oxygène à la myoglobine. On retrouve la même analogie entre l'hémoglobine et une enzyme régulée par homoallostérie : *la transition coopérative de plusieurs centres actifs entre des états de faible et haute activité s'exprime par une* **cinétique de réaction sigmoïdale** (*fig.* 13.14). Les enzymes régulées par homoallostérie ou coopérativité ont donc un comportement qui s'écarte de la « simple » cinétique de Michaelis-Menten.

Que signifie pour la cellule une régulation homoallostérique ? Considérons le cas d'une enzyme à régulation coopérative, qui reçoit son substrat d'une voie métabolique indépendante (*fig.* 13.15). Tant que le substrat est au-dessous d'une concentration seuil $[S]_S$, l'enzyme a une activité réduite. Le substrat peut donc s'accumuler jusqu'à cette concentration seuil. Si sa concentration dépasse légèrement $[S]_S$, on a une augmentation explosive de l'activité enzymatique et donc une transformation rapide du substrat, jusqu'à ce que sa concentration redescende au-dessous de $[S]_S$. L'enzyme retourne alors à l'état inactif. Ce mécanisme maintient la concentration de S dans la cellule à un niveau constant $[S]_S$. *Les enzymes*

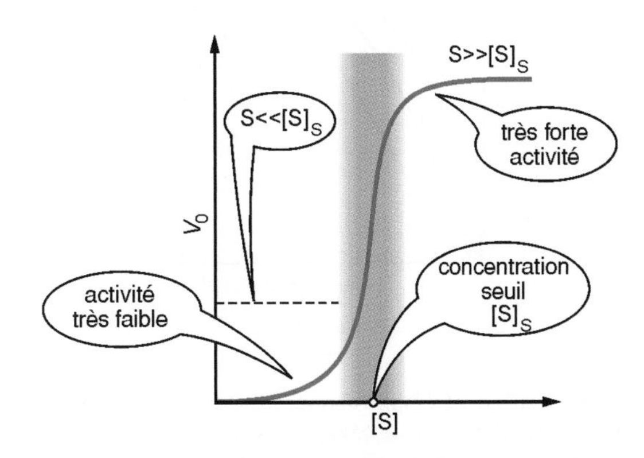

13.15 Effet de la régulation coopérative des enzymes. Pour des raisons de clarté, on a représenté ici une courbe sigmoïdale abrupte, qui correspond à une forte coopérativité allostérique des centres actifs. *In vivo*, il est rare de rencontrer une coopérativité aussi marquée.

*régulées coopérativement contribuent ainsi à l'***homéostasie** *d'un système dynamique de voies métaboliques en équilibrant la concentration des métabolites importants.*

L'enzyme régulée par allostérie la mieux étudiée est l'**aspartate transcarbamoylase bactérienne (ATCase)**, une enzyme clé de la synthèse des composants des acides nucléiques du type des nucléotides pyrimidiques. L'ATCase synthétise le *N*-carbamoyl-aspartate, précurseur des pyrimidines, à partir de deux substrats, l'aspartate et le carbamoyl-phosphate (§ 45.4). Les deux substrats ont un effet homoallostérique positif : de petites variations de la concentration des substrats ont un gros effet sur l'activité de l'ATCase. Au-delà de la concentration seuil, l'activité augmente rapidement, ouvrant les « vannes » de la synthèse des pyrimidines, qui se ferment tout aussi vite dès que la concentration de l'un des deux substrats redescend au-dessous de la valeur seuil : nouvel exemple de l'économie et de l'**homéostasie** d'une cellule, qui garantit l'invariance de son milieu.

13.9 Les effecteurs hétéroallostériques se fixent à des sous-unités régulatrices

Les enzymes ne réagissent pas seulement à la fixation de leur substrat : la régulation hétéroallostérique repose sur la fixation d'**effecteurs** à distance du centre actif. Sur un plan non enzymatique, on peut encore faire appel à l'exemple de l'hémoglobine. La baisse d'affinité occasionnée par l'effecteur 2,3-bisphosphoglycérate est l'exemple type de la régulation hétéroallostérique (§ 10.7). Les enzymes sont souvent l'objet d'une double régulation, homoallostérique et hétéroallostérique, comme dans le cas de l'ATCase. Cette enzyme est un dodécamère de six sous-unités catalytiques et six sous-unités régulatrices. La **cytidine triphosphate (CTP)**, un produit final de la synthèse des nucléotides pyrimidiques, peut se fixer à la sous-unité régulatrice et inhiber l'ATCase de façon allostérique (*fig.* 13.16). Un deuxième régulateur allostérique, l'**adénosine triphosphate (ATP)**, active au contraire l'enzyme.

L'inhibition hétéroallostérique par le CTP est appelée **effet de rétroinhibition** : lorsqu'il y a suffisamment de produit à disposition, toute la voie métabolique est réprimée à l'étape de l'ATCase, enzyme clé du système (§ 45.4). Si au contraire l'activation par l'ATP est l'effet prédominant, cela signifie deux choses : d'une part l'offre importante en ATP, molécule de haute énergie, montre à la cellule qu'elle peut se permettre la synthèse coûteuse de pyrimidines. D'autre part, comme la synthèse d'ADN ou d'ARN nécessite des quantités équimolaires de nucléotides puriques et pyrimidiques, l'effet prédominant de l'ATP, nucléotide purique, signale un besoin en nucléotides pyrimidiques, nucléotides dont la synthèse est initiée par l'ATCase. *L'enzyme rassemble donc des informations sur la concentration de métabolites issus de différentes voies métaboliques ainsi que sur le statut énergétique de la cellule, les intègre et transmet sa réponse à l'extérieur : l'ATCase se comporte comme un « microprocesseur » moléculaire.* La structure cristalline aux rayons X de l'ATCase permet de comprendre les détails moléculaires de la régulation allostérique (*encart* 13.3).

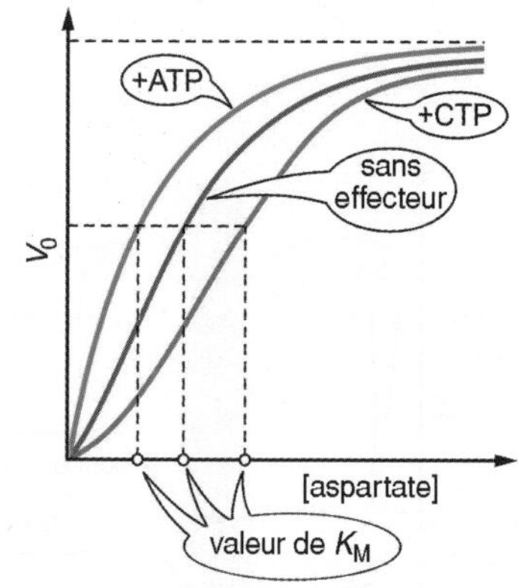

13.16 Régulation hétéroallostérique de l'aspartate transcarbamoylase. Les effets de deux régulateurs sur la cinétique de réaction enzymatique sont indiqués. Le CTP est un inhibiteur allostérique, qui élève la concentration de substrat nécessaire à atteindre $V_{max}/2$, c'est-à-dire le K_M. L'ATP est au contraire un activateur allostérique qui diminue la valeur du K_M.pour le substrat aspartate.

13.10 L'activité enzymatique peut être contrôlée par phosphorylation réversible

En dehors de la fixation transitoire d'effecteurs allostériques, les **modifications covalentes réversibles** des enzymes constituent un mécanisme de régulation important. Parmi les nombreuses modifications possibles, la **phosphorylation réversible** de groupements hydroxyles de chaînes latérales de sérines, thréonines ou tyrosines est particulièrement importante. Les **protéines kinases** catalysent cette réaction de phosphorylation. Les **protéines phosphatases** hydrolysent la fonction phosphoester, ce qui supprime le radical phosphoryle (*fig.* 13.18). Pour ce faire, les kinases reconnaissent aussi bien le résidu à phosphoryler que les acides aminés à proximité immédiate de celui-ci sur la séquence primaire et sa situation au sein de la structure tertiaire environnante. Les kinases sont donc très « exigeantes » quant au choix de leur enzyme cible, alors que les phosphatases ne semblent pas

Encart 13.3 : L'aspartate transcarbamoylase (ATCase)

Cette enzyme se compose de six sous-unités (SU) catalytiques formant deux trimères. Entre ces deux « couches » catalytiques, six SU régulatrices sont arrangées en trois dimères (*fig.* 13.17). Chaque SU catalytique possède deux domaines différents sur lesquels se fixent l'aspartate et le carbamoyl-phosphate, respectivement. Après la fixation des substrats, les deux domaines se rapprochent, ce qui a pour effet d'abolir des liaisons hydrogènes formées avec la sous-unité catalytique voisine. L'ATCase dans son ensemble subit un changement de conformation et passe de l'état T inactif à l'état R actif. Les SU régulatrices sont affectées par le changement de conformation : le CTP se fixe mieux à la forme T, et déplace donc l'équilibre vers la forme inactive. L'ATP, au contraire, se fixe mieux à l'état R et favorise la forme active. De plus, les deux nucléotides sont en concurrence pour la fixation à des sites chevauchants sur les SU régulatrices.

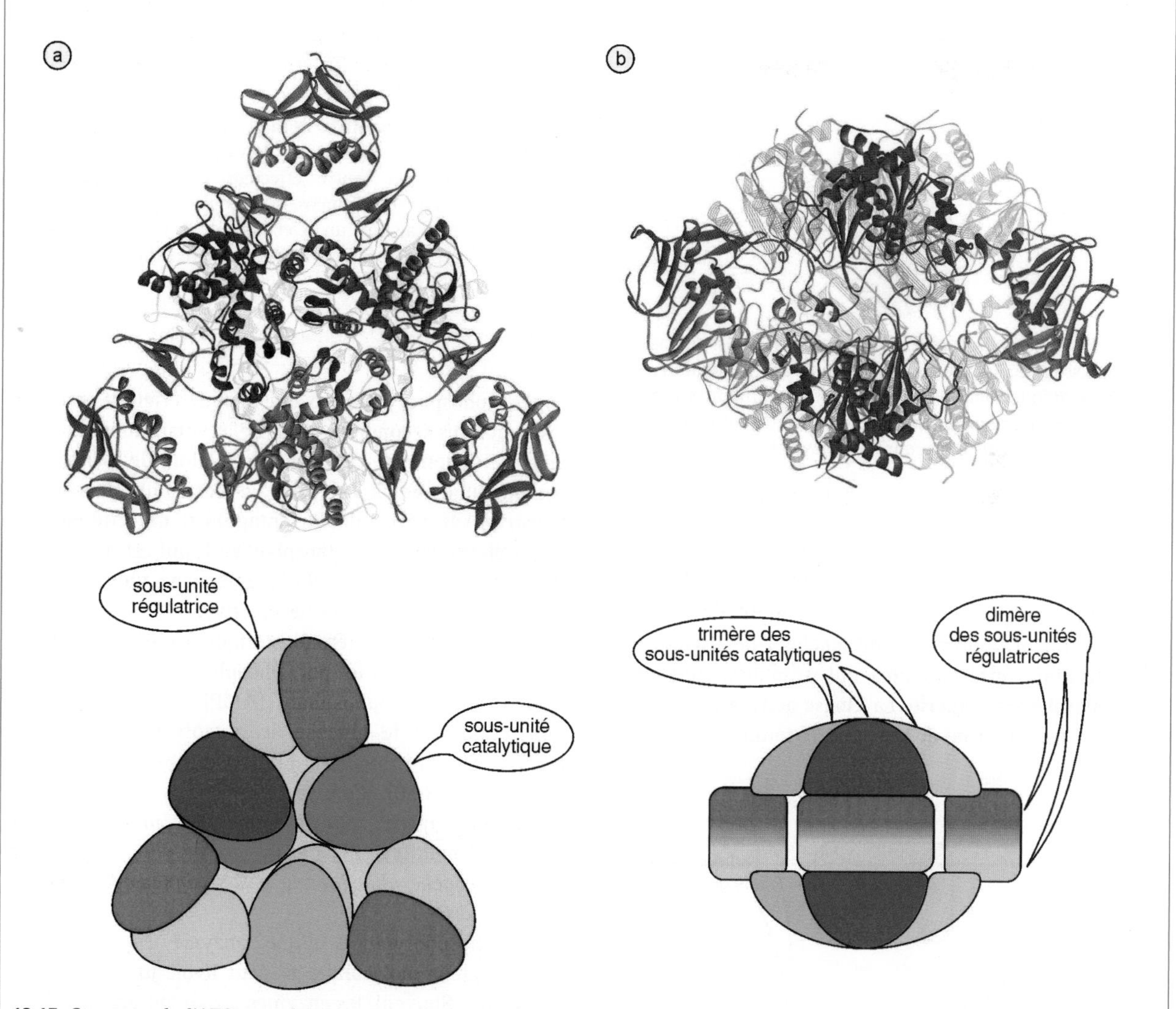

13.17 Structure de l'ATCase, schématique et en modèle en rubans. a) La vue de dessus montre la symétrie trigonale parfaite de l'enzyme avec les sous-unités catalytiques (en vert) et régulatrices (en rouge) ; b) sur la vue latérale, on reconnaît le « sandwich » fait de deux trimères catalytiques entre lesquels se trouvent trois dimères de sous-unités régulatrices. [RF]

agir aussi spécifiquement. La phosphorylation fait d'un groupement hydroxyle polaire une chaîne latérale portant deux charges négatives formelles. *Il apparaît une forte densité de charges négatives n'existant pas chez les résidus d'acides aminés non modifiés.*

La phosphorylation d'une chaîne latérale du centre actif peut modifier l'affinité pour le substrat : l'attraction ou la répulsion électrostatique due à la phosphorylation peut faciliter ou inhiber la fixation de celui-ci. Le groupement phosphate introduit peut aussi conduire à un changement global de la conformation de la protéine, et donc agir de manière quasi allostérique et influer « de loin » sur le centre actif comme dans le cas de la **glycogène phosphorylase** (*fig.* 13.19). En cas de besoin, cette enzyme libère du glucose-1-phosphate à partir de sa forme de stockage, le glycogène, dans le foie et dans le

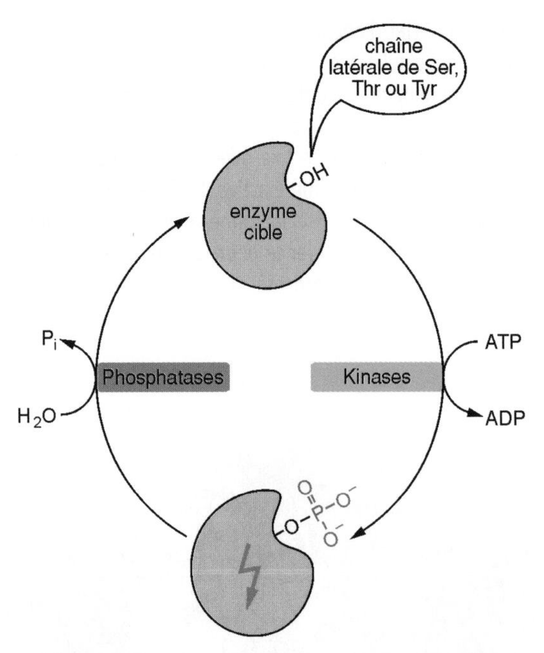

13.18 Phosphorylation réversible des enzymes. Les kinases ne reconnaissent et ne phosphorylent dans une protéine que des positions définies par des séquences et des structures tertiaires particulières. La phosphorylation peut être à l'origine de profondes modifications des propriétés enzymatiques.

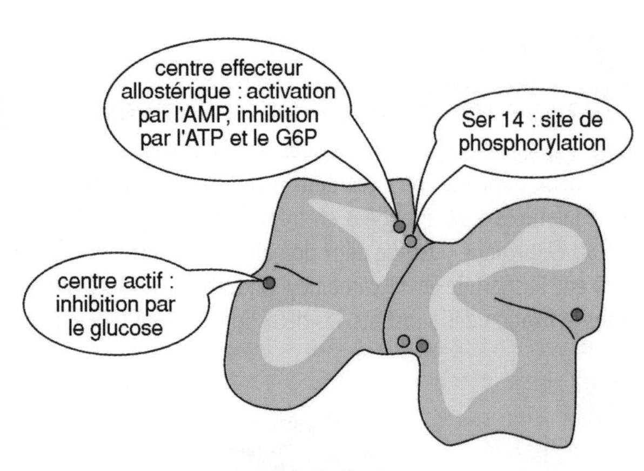

13.20 Fonctions intégratives de la glycogène phosphorylase. La phosphorylation de la sérine 14 active l'enzyme dimérique. La fixation d'AMP au centre effecteur provoque l'activation allostérique ; l'ATP et le glucose-6-phosphate (G6P) agissent au même endroit, mais ont un effet inhibiteur. Le glucose inhibe l'enzyme par fixation directe au centre actif. [RF]

muscle (§ 40.6). Pour ce faire, l'activité de la phosphorylase est gouvernée par des stimuli hormonaux : l'adrénaline et le glucagon déclenchent des cascades de signalisation intracellulaire, qui stimulent finalement une **phosphorylase kinase.** La kinase activée phosphoryle alors un résidu sérine de la région N-terminale de la glycogène phosphorylase, ce qui a pour effet de modifier les structures secondaire, tertiaire, et quaternaire de cette enzyme dimérique. L'enzyme passe alors de la forme b, presque inactive, à la forme a, beaucoup plus active (*encart* 40.4). Le régulateur antagoniste de cette enzyme est la **phosphoprotéine phosphatase-1**, qui est activée par l'insuline et déphosphoryle la glycogène phosphorylase pour la ramener à sa forme inactive.

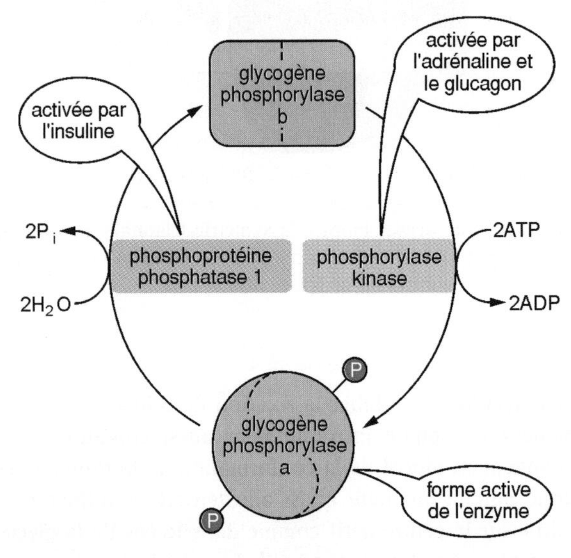

13.19 Régulation de l'activité enzymatique par phosphorylation réversible : exemple de la glycogène phosphorylase. Les kinases impliquées utilisent l'ATP comme cosubstrat.

Une régulation hétéroallostérique vient compléter le contrôle de l'activité par phosphorylation réversible. L'adénosine monophosphate (AMP) est un activateur allostérique, et le glucose, le glucose-6-phosphate et l'ATP sont des inhibiteurs allostériques de la phosphorylase (*fig.* 13.20). *Comme dans le cas de l'aspartate transcarbamoylase, nous sommes en présence d'une* **régulation multilatérale,** *qui intègre de plus, dans le cas de la glycogène phosphorylase, des signaux hormonaux systémiques.*

La phosphorylation d'une enzyme est une sorte d'interrupteur moléculaire et peut avoir un effet positif ou négatif. Souvent, les enzymes possèdent plusieurs sites de phosphorylation qui sont utilisés selon une certaine hiérarchie : une position ne peut être phosphorylée que lorsqu'une autre l'est déjà. Les réactions de phosphorylation sont fréquemment organisées en cascades (§ 30.4). L'activité des kinases et des phosphatases est alors elle aussi régulée par phosphorylation réversible – comme dans le cas de la phosphorylase kinase (*encart* 40.4). *Ainsi se forment des hiérarchies complexes d'activations et d'inactivations, qui peuvent conduire à une énorme amplification du signal* : une kinase activée par phosphorylation peut activer de nombreuses kinases, qui à leur tour desservent un troisième niveau de kinases, et ainsi de suite, créant un effet de boule de neige moléculaire.

13.11

Les zymogènes peuvent être activés par clivage protéolytique ciblé

Le système le plus important d'enzymes digestives de l'intestin grêle se forme dans le pancréas. Le contrôle de leur activité sur leur lieu d'activité ne demande pas de régulation particulièrement subtile, mais une libération prématurée de leur potentiel enzymatique sur leur lieu de synthèse est fatale : une pancréatite s'accompagne souvent d'une autolyse (autodigestion) mortelle de cet organe par les enzymes ! Pour prévenir une telle autoagression, les enzymes protéolytiques des cellules acinaires du pancréas sont d'abord synthétisées sous forme de **zymogènes** ou **proenzymes**. Ces précurseurs possèdent une chaîne polypeptidique un peu plus longue que l'enzyme « terminée ». Le **trypsinogène** diffère de la trypsine active par un hexapeptide *N*-terminal qui le maintient dans un premier temps inactif (*fig.* 11.3). Lorsque le trypsinogène arrive par le canal pancréatique dans l'intestin grêle, l'hexapeptide est clivé par une **entéropeptidase** sécrétée par la muqueuse de l'intestin (*fig.* 13.21). La comparaison entre les structures spatiales du trypsinogène et de la trypsine ne montre que des différences minimes, mais à un endroit décisif : *de subtiles modifications de la poche de spécificité et du trou de l'oxyanion ont un effet déterminant sur l'activité.* Le mécanisme d'activation par clivage d'une ou plusieurs liaisons peptidiques est également appelé **protéolyse limitée** – par opposition à la protéolyse poussée des protéines des aliments, qui produit de très nombreux fragments.

L'entéropeptidase active le trypsinogène par une coupure unique entre un résidu lysine et un résidu isoleucine. Or, une lysine placée en *N*-terminal par rapport au site de coupure correspond aussi à la spécificité de substrat de la trypsine. *L'entéropeptidase n'a donc besoin d'activer qu'une petite quantité de trypsinogène, et la trypsine produite peut ensuite elle-même convertir la plupart du trypsinogène* (*fig.* 13.22) ! La trypsine active donc son propre zymogène par un **rétrocontrôle positif** : on parle d'**auto-activation**. Ensuite, la trypsine active les zymogènes d'autres protéases duodénales comme la chymotrypsine, l'élastase, la carboxypeptidase A, mais aussi la lipase pancréatique A_2, qui dégrade les graisses. Ainsi, l'activation du trypsinogène par l'entéropeptidase joue le rôle d'un commutateur central, qui lance un grand nombre de processus enzymatiques subalternes. Il faut donc en toutes circonstances empêcher l'activation prématurée de la moindre quantité de trypsinogène dans le pancréas. L'**inhibiteur pancréatique de la trypsine**, une protéine inhibitrice se fixant presque irréversiblement, assure que toute molécule de trypsine apparaissant prématurément dans le pancréas sera inactivée durablement. Les cellules acinaires du pancréas contribuent

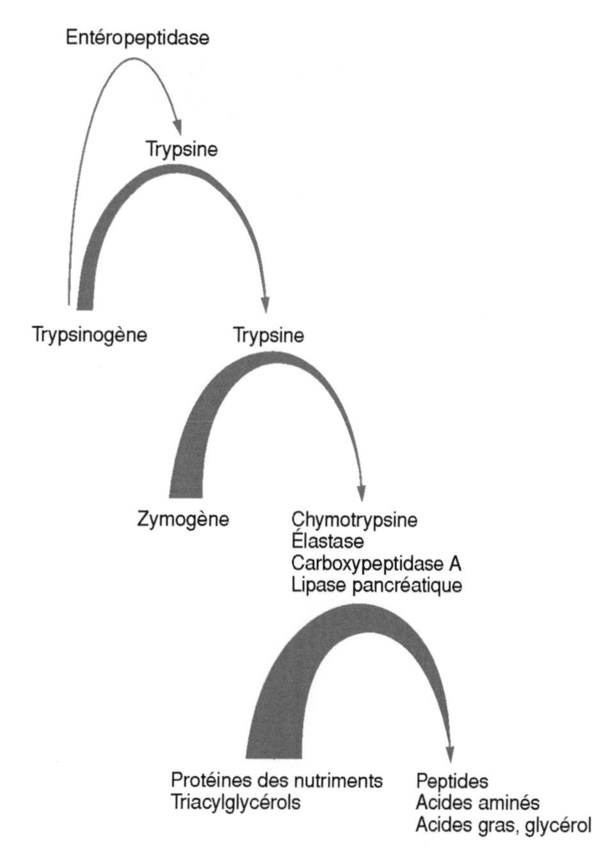

13.22 Cascade activatrice des enzymes digestives. Après l'« amorçage » initial par l'entéropeptidase, le trypsinogène est entièrement converti en trypsine par auto-activation. La trypsine active ensuite les précurseurs des autres enzymes digestives, qui sont alors prêtes à hydrolyser efficacement et rapidement les protéines des aliments.

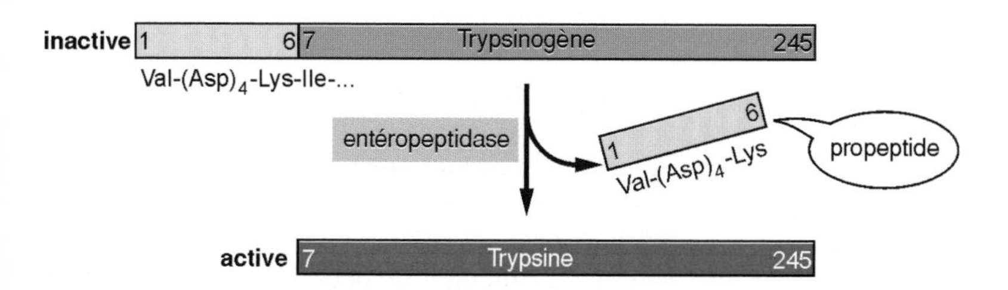

13.21 Activation du trypsinogène. Le clivage d'un hexapeptide *N*-terminal VDDDDK par l'endopeptidase produit la trypsine enzymatiquement active (voir *fig.* 11.3)

aussi à ce dispositif de sécurité en stockant leur chargement « explosif » dans des **granules de zymogène**. Ces vésicules membranaires empêchent les protéases activées d'entrer ou de sortir.

L'organisme utilise la protéolyse limitée également dans d'autres cas, par exemple dans le complément, qui contribue aux défenses « non spécifiques » contre les agents bactériens par une cascade d'activation protéolytique (§ 33.1). La protéolyse ciblée conduit aussi à l'inactivation de ce système. Des cascades complexes de protéases activatrices et inactivatrices initient et arrêtent la coagulation. Elles sont l'objet du chapitre suivant.

Cascades enzymatiques de la coagulation sanguine

14

Les chapitres précédents concernaient les propriétés fondamentales de protéines isolées, telles que la structure, la fonction et le mécanisme. Dans le cas du transport de l'oxygène ou de la contraction musculaire, nous avions déjà pris un peu de recul, et observé les molécules au travail. Le présent chapitre est consacré à un système physiologique de protection : l'**hémostase.** Le système hémostatique du corps humain a deux rôles apparemment antinomiques. D'une part, il doit en cas de lésion former rapidement un **thrombus** (caillot), avant que la quantité de sang perdue soit trop importante. D'autre part, il doit aussi rapidement redissoudre les caillots par le processus de fibrinolyse, car un seul thrombus au mauvais endroit peut avoir des conséquences fatales : les pathologies thromboemboliques comptent parmi les plus fréquentes causes de décès dans les pays occidentaux industrialisés. La **thrombogenèse** et la **fibrinolyse** sont provoquées par des cascades d'enzymes protéolytiques, principe que nous avons déjà étudié chez les enzymes pancréatiques. *Les cascades enzymatiques ont la capacité de déclencher des réactions en avalanche dans une direction donnée.* Contrairement au cas des protéases digestives, il est ici essentiel que le potentiel protéolytique soit finement contrôlé et localisé.

14.1 La formation et la dissolution des caillots sont contrôlées par des cascades protéolytiques

Deux processus imbriqués sont à l'origine de l'**hémostase**. Immédiatement après une lésion, les **thrombocytes** – aussi appelés plaquettes – adhèrent spécifiquement à la partie lésée du vaisseau et s'y agrègent en un **clou plaquettaire**. Les thrombocytes sécrètent des substances vasoconstrictrices comme la sérotonine et le thromboxane A_2, qui contractent le vaisseau à l'endroit de la blessure, réduisant ainsi localement le flux sanguin. Cette **hémostase primaire** ne suffit pas à refermer durablement la blessure. Dans l'**hémostase secondaire** – la **coagulation** proprement dite –, la **fibrine**, protéine fibreuse, forme un réseau insoluble, le thrombus, qui obstrue la blessure jusqu'à ce que le tissu du vaisseau soit cicatrisé (*fig.* 14.1).

Le **système de la coagulation** regroupe un ensemble de facteurs enzymatiques et non enzymatiques. Ils sont désignés par des chiffres romains qui reflètent l'histoire de leur découverte, mais pas forcément la hiérarchie de la cascade (*tab.* 14.1). Six des **facteurs de la coagulation** sont des protéases (FII, VII, IX, X, XI, XII), un de ces facteurs est une transpeptidase (FXIII). Ils sont tout d'abord synthétisés comme des proenzymes inactives, puis convertis par protéolyse limitée en leur forme active, que l'on distingue par le suffixe « a ». Trois facteurs sont des protéines accessoires non enzymatiques ou **accélérateurs** (FIII, V, VIII), qui accélèrent la cascade de facteurs énormes en positionnant correctement les enzymes et les substrats. Les facteurs accessoires FV et FVIII n'acquièrent leur pleine efficacité qu'après une protéolyse limitée.

On distingue classiquement deux « branches » de la cascade, la **voie intrinsèque** et la **voie extrinsèque**, qui débouchent sur un « tronc commun final ». En fait, ces deux branches sont étroitement entrelacées (*fig.* 14.2).

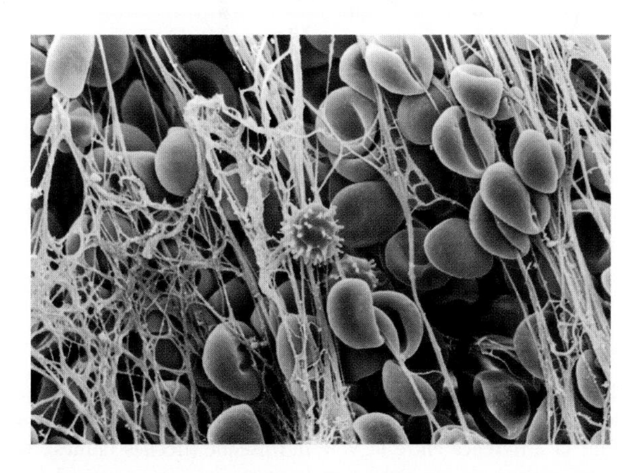

14.1 Structure microscopique d'un thrombus. Ce cliché de microscopie électronique à balayage montre un réseau dense de fibres de fibrine au sein duquel de nombreuses cellules sanguines ont été piégées. Au centre, on peut voir un leucocyte. [RF]

Tableau 14.1 Facteurs humains de la coagulation. Seuls les facteurs protéiques sont indiqués. On utilise parfois l'appellation de « facteur IV » pour les ions Ca^{2+} essentiels au processus de coagulation. Le facteur VI correspond au facteur activé Va, et n'est donc pas mentionné séparément. Parmi les composants mentionnés, le facteur III est la seule protéine extravasculaire.

Facteur	Nom	Classe/Fonction
I	Fibrinogène	Substrat de protéolyse ; polymérisation au thrombus
II	Prothrombine	Protéase ; clivage du fibrinogène
III	Facteur tissulaire (FT, thromboplastine)	Protéine membranaire ; facteur accessoire ; liaison à FVII
V	Proaccélérine	Facteur accessoire du complexe de la prothrombinase
VII	Proconvertine	Protéase ; activation de FIX
VIII	Facteur antihémophile A	Facteur accessoire du complexe de la tenase
IX	Facteur antihémophile B (facteur de Christmas)	Protéase ; activation de FX
X	Facteur de Stuart	Protéase ; activation de FII
XI	Antécédent de la thromboplastine plasmatique	Protéase ; activation de FIX
XII	Facteur d'Hageman	Protéase ; activation de FXI
XIII	Facteur de stabilisation de la fibrine	Transpeptidase ; pontage de la fibrine

Une particularité de la cascade enzymatique de la coagulation est que la plupart des réactions n'ont pas lieu en solution dans le plasma sanguin, mais sur des **complexes protéiques** situés à la surface du clou plaquettaire ou de cellules activées, comme les cellules subendothéliales (complexe fait de FT, FVII, FIX) après desquamation de l'endothélium, ou bien la membrane plasmique des thrombocytes agrégés (FVIII, FIX, FX, ou FII, FV, FX).

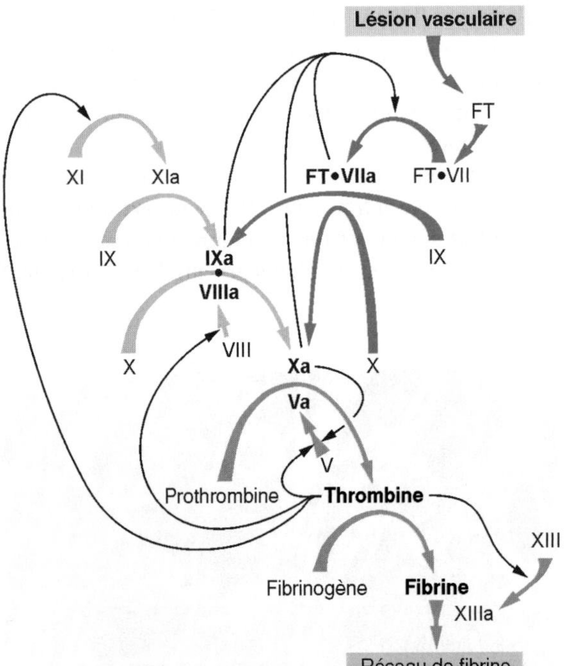

14.2 Cascade de la coagulation. La cascade est initiée par une lésion vasculaire (en haut à droite). Les schémas « classiques » font la différence entre la voie intrinsèque (flèches jaunes), la voie extrinsèque (en rouge), et le tronc commun terminal (en orange), qui sont en fait interconnectés par des rétro-couplages (en noir). En plus des protéines représentées (a : forme activée), le Ca^{2+} et les phospholipides sont des facteurs essentiels à la thrombogenèse. [RF]

Des phospholipides ayant une charge surnuméraire à leur tête polaire (§ 24.1) jouent un rôle déterminant dans l'assemblage des complexes multienzymatiques à la surface des cellules.

Les enzymes de la coagulation jusqu'à FXIII appartiennent à la classe des protéases à sérine, mais – contrairement aux protéases digestives, par exemple – elles ont une beaucoup plus grande spécificité de substrat. *Leur rôle consiste essentiellement à activer à chaque fois le niveau suivant de la cascade en clivant un zymogène bien défini.* De plus, elles agissent également sur des niveaux supérieurs de la hiérarchie de la cascade, dans un processus de rétro-couplage positif. Ainsi, la thrombine n'active pas seulement la fibrine, mais également les facteurs V, VIII et XI, ce qui accélère « en retour » la cascade. *Le substrat cible de la cascade est la glycoprotéine* **fibrinogène**, *qui est convertie en fibrine « active », c'est-à-dire capable de polymériser, par une protéolyse limitée effectuée par la thrombine.*

14.2 La cascade de la coagulation est initiée par le facteur tissulaire

Lorsque la paroi d'un vaisseau, y compris la couche de cellules endothéliales qui en recouvre l'intérieur, est endommagée, le sang fuit à l'extérieur et rencontre des cellules périvasculaires qui ne sont normalement jamais en contact avec le plasma. Ces cellules portent à leur surface une protéine intégrale de membrane appelée **facteur tissulaire** (FT). Lors de l'exposition au plasma consécutive à la brèche du vaisseau, le **facteur VIIa**, qui y circule à très faible concentration, arrive aux cellules du tissu et se fixe sur le FT avec une forte affinité. FVIIa fixé au FT peut alors rapidement convertir, par protéolyse limitée, les zymogènes que sont les **facteurs IX** et **X** en FIXa et FXa.

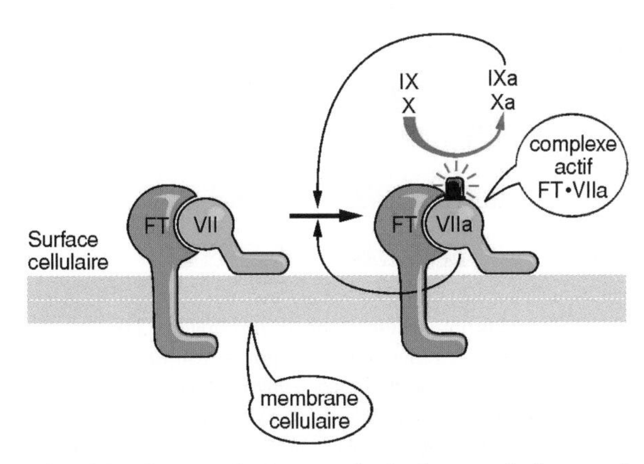

14.3 Déclenchement de la cascade de la coagulation par le complexe formé par FT et le facteur VIIa. Le rétro-couplage positif par les produits de l'activation amplifie énormément ce processus. Les cellules des adventices des vaisseaux portent à leur surface de nombreuses molécules de FT.

Le FT libre non fixé au FVIIa est dépourvu de cette activité enzymatique ! Le FVII inactif peut lui aussi se fixer au FT ; ce **complexe FT-VII** cellulaire est ensuite transformé en sa forme active FT-FVIIa par les facteurs FIXa et FXa, mais aussi par FVIIa lui-même. Ce rétro-couplage positif permet une amplification phénoménale du signal d'entrée (*fig.* 14.3). *L'assemblage localisé des facteurs de la coagulation à la surface des cellules qui exhibent le FT conduit ainsi à une activation ciblée, limitée au lieu de la lésion.*

Une partie des molécules de FIXa et Xa reste sur les cellules porteuses de FT. Une autre partie diffuse et se fixe spécifiquement aux phospholipides chargés négativement

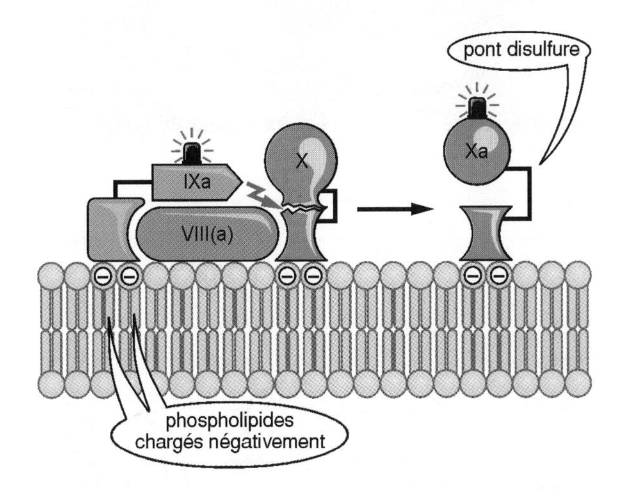

14.4 Complexe de la tenase. Le complexe du facteur VIII(a) avec la protéase IXa fixe et positionne son substrat, le facteur X, de telle façon que la transition vers FXa soit possible. Le complexe VIII-IXa travaille d'abord relativement lentement, puis beaucoup plus efficacement après l'activation de VIII en VIIIa. La protéolyse ciblée de FX a lieu entre le domaine catalytique et le domaine membranaire. Les deux domaines restent associés de façon covalente par un pont disulfure après le clivage. Le nom « complexe de la tenase » provient de sa fonction : le clivage du facteur X (angl. *ten*).

de la membrane des thrombocytes environnant la lésion et élargit ainsi la « zone d'activité ». Les **phospholipides** chargés négativement comme la phosphatidylsérine ou le phosphatidylinositol se trouvent normalement dans le feuillet intérieur de la bicouche lipidique (§ 24.4), mais au cours de l'agrégation, les plaquettes perdent leur intégrité, si bien que les phospholipides « internes » deviennent eux aussi accessibles. Suivons tout d'abord le devenir du facteur IXa. À la surface des thrombocytes agrégés, il peut former avec le cofacteur VIII le **complexe de la tenase** VIII-IXa, qui convertit les autres molécules de FX – d'abord lentement – en FXa (*fig.* 14.4).

De son côté, le FXa convertit une petite quantité de **facteur V** en FVa et forme avec celui-ci le complexe **prothrombinase** Va-Xa associé à la membrane (*fig.* 14.5). Sous cette forme, FXa convertit les premières molécules de prothrombine (FII), en **thrombine** (FIIa), d'abord en petites quantités. Le pied de la cascade est alors atteint, et la formation de fibrine peut en principe commencer. *Cependant, il y a d'abord une forte amplification de la cascade, car la thrombine gouverne elle-même son activation, et met en branle une série de boucles de rétroaction* (*fig.* 14.2). D'une part, la thrombine active le **facteur VIII** en FVIIIa, produisant ainsi un complexe de la tenase pleinement actif, qui active le FX beaucoup plus longtemps que le complexe initial FVIII-FIXa. De même, la thrombine convertit le FV inactif en FVa et augmente ainsi la concentration locale en complexe prothrombinase. Enfin, la thrombine fait un long « détour » pour aller activer le facteur XI au sommet de la cascade en FXIa, ce qui accélère encore la formation du complexe de la tenase.

L'action concertée des facteurs de la coagulation par rétro-couplage positif permet donc une activation fulgurante du système de la coagulation à l'endroit de la lésion vasculaire. L'activation par la voie extrinsèque,

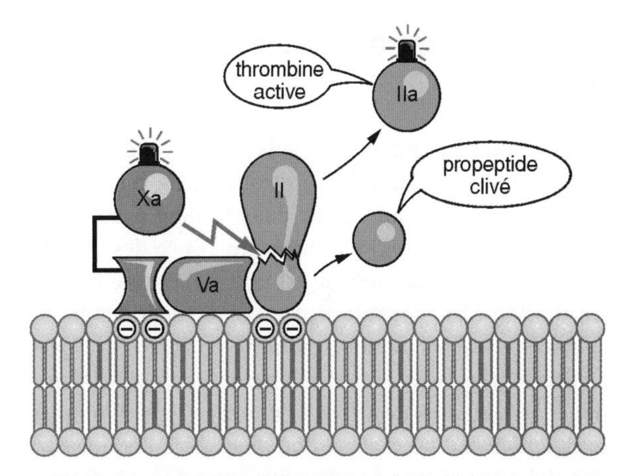

14.5 Complexe de la prothrombinase. Le complexe entre le cofacteur Va et la protéase FXa positionne son substrat, la prothrombine (FII), de manière optimale et produit la thrombine active (FIIa) par un clivage ciblé. FIIa n'a plus d'affinité pour les phospholipides membranaires.

c'est-à-dire par le contact de FVIIa avec le facteur tissulaire FT, est *le* stimulus physiologique de la coagulation consécutive à un traumatisme. Mais la voie intrinsèque du système de la coagulation, elle aussi, peut être activée par contact avec des surfaces chargées négativement comme les membranes de dialyse. La signification physiologique de ce **système de contact** demeure incomprise (*encart* 14.1).

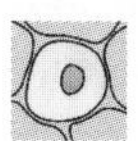

Encart 14.1 : Système de contact

Le sang coagule tout seul dès qu'il contacte une surface chargée négativement comme le verre ou le kaolin. Les composants de ce « système de contact » sont deux enzymes, le **facteur XII** et la **prokallikréine** (PK), ainsi qu'un facteur accessoire se fixant aux surfaces chargées négativement, le **kininogène H** (**KH**). Il est possible que FXII soit (partiellement) auto-activé par fixation à la surface. Une petite quantité de facteur XIIa convertit PK, qui est adsorbée à la surface par l'intermédiaire de KH, en kallikréine (PKa), pour activer en retour massivement FXII en FXIIa. FXIIa active ensuite le facteur XI et lance ainsi sélectivement la voie intrinsèque de la coagulation (*fig.* 14.2). L'activation du système de contact induite par le kaolin fonctionne très bien *in vitro*, et c'est la base d'un test de coagulation important, appelé *activated partial thromboplastin time* (**APTT**). Il est vrai que l'importance physiologique de ce système dans la coagulation est incertaine : des défauts innés des gènes de FXII, PK ou HK ne conduisent pas à des tendances hémorragiques. Il est possible que le système de contact serve à des processus « collatéraux ». Par exemple, PKa excise de HK une hormone peptidique, la **bradykinine**, qui est un médiateur important de la réponse inflammatoire. Ce processus a une importance pathologique, par exemple dans l'angio-œdème héréditaire (*encart* 33.1).

14.3 Les monomères de fibrine s'associent en réseau

Jusqu'à présent, nous avons suivi la cascade jusqu'à la thrombine active (FIIa). Le substrat du FIIa est le **fibrinogène** (le facteur I), qui circule dans le sang à haute concentration (1,5-4,5 g/L) et représente 2-3 % des protéines plasmatiques. Le fibrinogène est une glycoprotéine allongée de 340 kDa, constituée de six polypeptides ($\alpha_2\beta_2\gamma_2$) arrangés symétriquement et maintenus par 17 ponts disulfures (*fig.* 14.6). Les clichés de microscopie électronique et les analyses de diffraction aux rayons X montrent un domaine central et deux domaines périphériques, tous globulaires, reliés par des structures en hélices légèrement arquées (*fig.* 14.7a).

La thrombine clive un court **fibrinopeptide** *N*-terminal des deux chaînes α et des deux chaînes β, ce qui convertit le fibrinogène en **fibrine**. L'ablation du fibrinopeptide portant de nombreuses charges négatives libère les sites d'interaction du domaine central de la molécule, qui peuvent alors entrer en contact avec les sites de fixation complémentaires des domaines périphériques d'autres monomères de fibrine. Il y a polymérisation et construction de fibres de fibrine jusqu'à formation d'un réseau tridimensionnel.

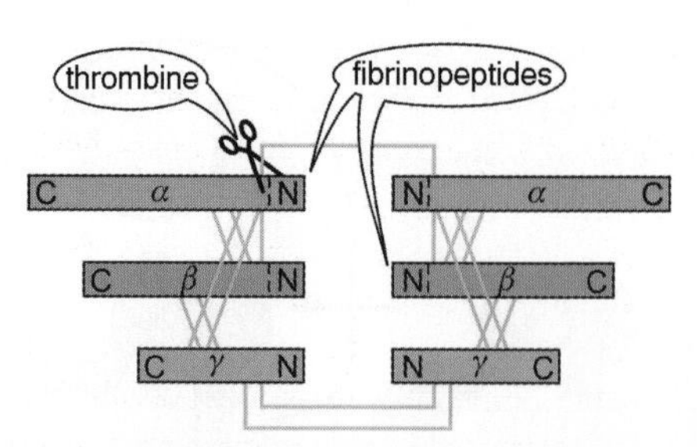

14.6 Représentation schématique du fibrinogène. Les sous-unités α, β, et γ sont reliées par sept ponts disulfures (en jaune) pour former un trimère. Deux trimères s'associent par trois ponts disulfures en un hexamère symétrique. La thrombine clive les fibrinopeptides A des extrémités N des deux chaînes α et les fibrinopeptides B des extrémités N des deux chaînes β.

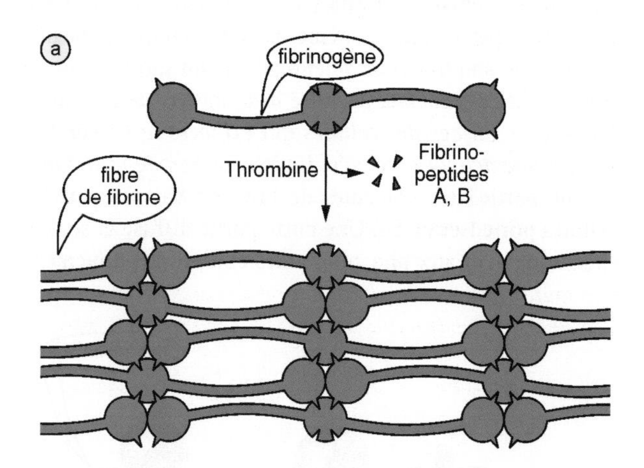

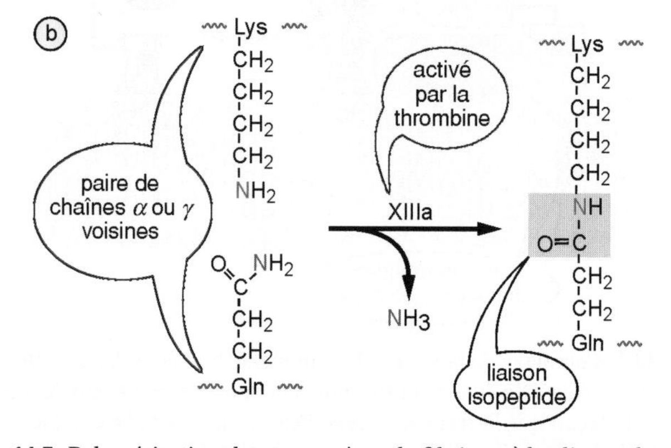

14.7 Polymérisation des monomères de fibrine. a) le clivage des fibrinopeptides démasque des sites de liaison qui s'associent à d'autres monomères de fibrine ; b) le facteur XIIIa connecte une chaîne latérale glutaminyle et une chaîne latérale lysyle de monomères de fibrine voisins par une réaction de transamidation, formant ainsi une liaison isopeptide qui contribue à la stabilisation du réseau de fibrine. [RF]

Ce thrombus primaire est encore labile. Sa stabilisation implique à nouveau l'action de la thrombine : *elle active le* **facteur XIII**, *la seule enzyme de la cascade de la coagulation qui forme des liaisons au lieu de les cliver.* FXIIIa connecte des paires de sous-unités γ ou α des fibres de fibrine par des **liaisons isopeptides** entre des résidus glutaminyles et lysyles, ce qui stabilise la structure de fibrine initiale, qui était labile : elle devient insoluble (*fig.* 14.7b). C'est la dernière des nombreuses étapes du processus de coagulation. En raison des nombreux clivages protéolytiques et des modifications chimiques, la réaction retour de ce processus est impossible ; d'autres mécanismes doivent donc intervenir (§ 14.6). La spécificité des facteurs impliqués, l'amplification extrême due au rétrocouplage positif, la cascade irréversible ainsi que les réactions locales restreintes aux cellules porteuses de FT et aux agrégats de plaquettes sont donc responsables du ciblage de l'occlusion au site de la lésion.

14.4 Les facteurs de coagulation ont une structure modulaire

Les facteurs de la coagulation et de la fibrinolyse, sauf quelques exceptions comme le facteur tissulaire, sont des glycoprotéines solubles, synthétisés dans le foie par les hépatocytes et sécrétées dans le plasma. Ce sont en majorité des enzymes protéolytiques. *L'analyse de la structure de leurs gènes et de leurs polypeptides montre que toutes ces protéases sont assemblées sur le principe d'un jeu de construction, à partir d'un nombre restreint de domaines différents* (*fig.* 14.8). Le système complexe des facteurs de la coagulation s'est donc probablement constitué par une série de duplications et de recombinaisons à partir d'un petit nombre de motifs « éprouvés ». De cette façon, il n'y a pas eu besoin de développer une nouvelle enzyme pour chaque étape de la cascade. Lorsque des domaines stables et fonctionnels apparaissent, les gènes (ou fragments de gènes) correspondants peuvent être assemblés comme les pièces d'un jeu de construction par un processus appelé **brassage des exons** (angl. *exon shuffling*) ou **brassage des domaines** (angl. *domain shuffling*), générant ainsi des fonctions semblables ou complètement différentes (§15.2). *La devise de la Nature est : plutôt une nouvelle combinaison qu'une nouvelle évolution.*

Les domaines catalytiques de toutes ces protéases de la coagulation ont donc une ressemblance structurale entre eux, mais aussi avec les protéases pancréatiques – plus anciennes dans l'évolution – que sont la trypsine, la chymotrypsine et l'élastase. D'autres motifs sont récurrents, comme les **domaines EGF**, qui doivent leur nom au facteur de croissance épidermique (§ 30.1), une protéine possédant un tout autre « domaine d'activité », et les **domaines kringle**, qui doivent leur nom à l'agencement de leurs ponts disulfures, en forme de kringel (pâtisserie allemande). Le **domaine Gla** est responsable de la fixation des facteurs de coagulation à la surface des membranes. Dans ce domaine, les résidus glutamates sont très fréquents, et ils sont carboxylés en **γ-carboxyglutamates** (Gla) par une réaction qui dépend de la vitamine K (*fig.* 14.9). Les deux groupements carboxyles du Cγ de Gla peuvent coordonner un ion Ca^{2+}, qui, de son côté, interagit par ses sites de coordination restés

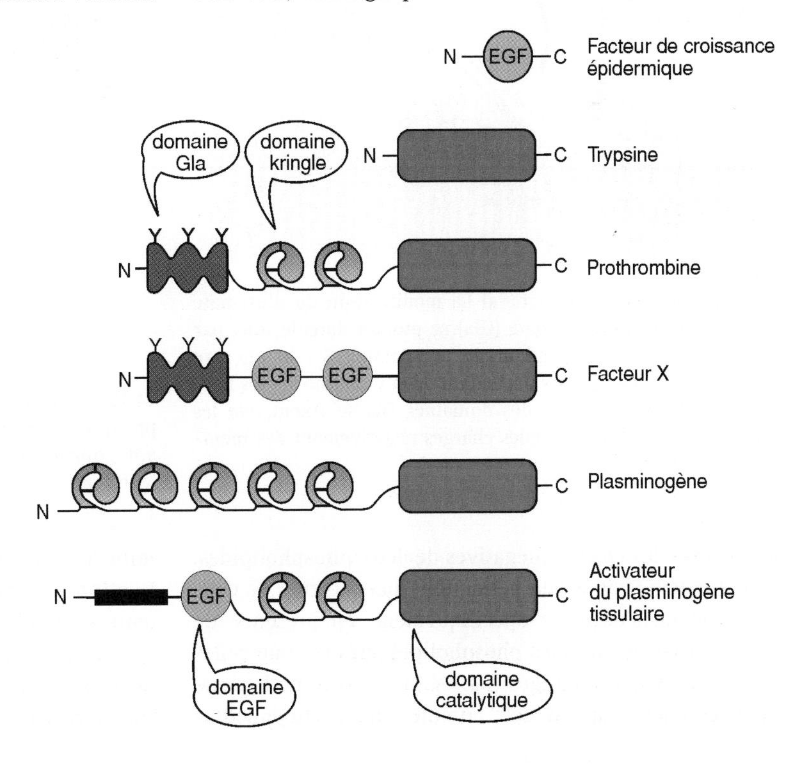

14.8 Structure modulaire des enzymes. Les enzymes de la coagulation et de la fibrinolyse utilisent des composants semblables ou homologues. Ces composants se retrouvent dans d'autres protéines comme la trypsine, protéase pancréatique, ou le facteur de croissance épidermique (EGF).

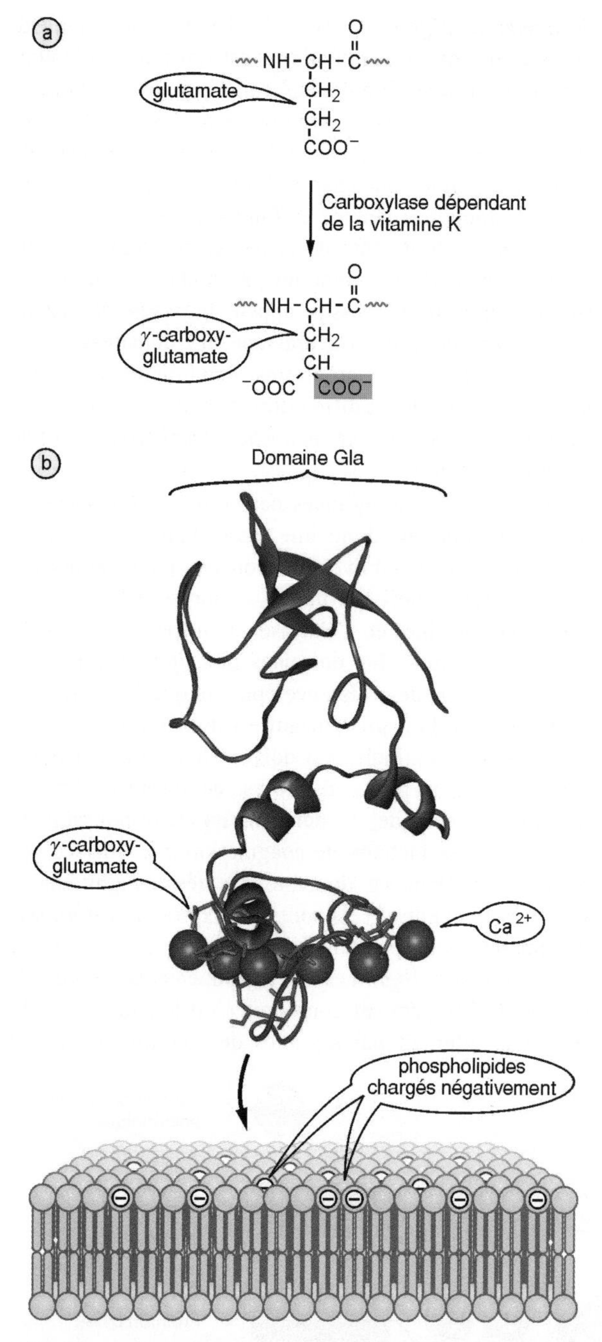

14.9 Le γ-carboxyglutamate. a) La modification du glutamate (Glu) en γ-carboxyglutamate (Gla) se produit dans le foie, par une carboxylation dépendant de la vitamine K ; b) ancrage membranaire des facteurs dépendant de la vitamine K : les résidus γ-carboxyglutamates des domaines Gla se fixent, *via* les ions Ca^{2+}, aux phospholipides chargés négativement des membranes cellulaires.

Encart 14.2 : Antagonistes de la vitamine K

La **carboxylase dépendant de la vitamine K** est une enzyme de la membrane du réticulum endoplasmique. Elle reconnaît les protéines contenant des domaines Gla « immatures » par une séquence spécifique, ajoute un groupement carboxylate au Cγ de la chaîne latérale de chacun des nombreux résidus glutamyles, ce qui en fait de puissants chélateurs du Ca^{2+}. La vitamine K, le coenzyme, est oxydée en époxyde au cours de la réaction. Pour pouvoir servir au prochain cycle catalytique, la vitamine K doit être régénérée par la vitamine K-2,3-époxyde réductase, un complexe enzymatique membranaire. Les antagonistes de la vitamine K comme la **phenprocoumone** (Marcoumar) ou la **warfarine** (Coumadine) sont des pseudo-substrats qui inhibent la réductase et empêchent donc la régénération de ce coenzyme essentiel. Ils bloquent donc indirectement la γ-carboxylase (*fig.* 14.10). Les facteurs de la coagulation formés sont alors non fonctionnels, et *incapables* de se fixer aux membranes phospholipidiques. Les antagonistes de la vitamine K ne commencent à agir que lorsqu'une grande partie de la réserve de facteurs intacts a été dégradée (1-3 jours). Les antagonistes de la vitamine K sont indiqués pour la thérapie ou la prophylaxie des thromboembolies. La thérapie individuelle est ajustée par une surveillance impliquant des tests de coagulation réguliers (temps de Quick).

Phenprocoumone $R = -CH_2-CH_3$

Warfarine $R = -CH_2-C(=O)-CH_3$

Vitamine K

K_1 $R = -CH_2-CH=C(CH_3)-CH_2-(CH_2-CH_2-CH(CH_3)-CH_2)_3-H$

K_2 $R = -(CH_2-CH=C(CH_3)-CH_2)_8-H$

K_3 $R = -H$

14.10 Comparaison entre la vitamine K (forme oxydée) et la phenprocoumone. Les sous-types K_1, K_2, et K_3, ainsi que les antagonistes de la vitamine K représentés, se distinguent par leur chaîne latérale R.

libres avec les charges négatives de deux phospholipides. Dix à douze résidus Gla permettent aux facteurs de coagulation de s'adsorber spécifiquement, en présence de Ca^{2+}, sur les membranes phospholipidiques comme celles des thrombocytes agrégés (*fig.* 14.9). Il est donc logique que les chélateurs du Ca^{2+} comme l'acide éthylènediamine tétraacétique (EDTA) ou le citrate bloquent cette fixation aux surfaces et donc la coagulation. Ces chélateurs sont *in vitro* de puissants **anticoagulants.**

Les facteurs de coagulation γ-carboxylés, parmi lesquels on compte les facteurs II, VII, IX, et X se déplacent sur leurs « pieds » Gla dans une région « bidimensionnelle » des membranes cellulaires, dans laquelle, sortant du plasma, ils sont concentrés et se rencontrent plus facilement que dans l'espace tridimensionnel du sang : cette « adhérence » accélère la cascade de réactions et la maintient en même temps dans un espace localisé. Du fait de l'importance critique de la γ-carboxylation, les **antagonistes de la vitamine K** sont de puissants anticoagulants à usage oral, largement employés dans la prophylaxie de la thrombose (*encart* 14.2).

14.5 La coagulation est contrôlée par l'inhibition et la protéolyse

Un caillot présent au mauvais endroit au mauvais moment peut avoir des conséquences fatales : une telle **thrombophilie** – coagulation excessive – peut provoquer une attaque d'apoplexie, un infarctus du myocarde ou une embolie pulmonaire. D'un autre côté, une activité coagulatrice insuffisante peut entraîner des complications hématologiques ; les défauts héréditaires de FVIII et FIX conduisent à l'**hémophilie.** Des facteurs importants contrôlent l'évolution de la coagulation sur cette « corde raide » : ce sont les inhibiteurs de protéases qui circulent dans le plasma. Par exemple, l'**inhibiteur de la voie du facteur tissulaire** (angl. ***tissue factor pathway inhibitor***, TFPI) inhibe le complexe VIIa-FT, ce qui arrête le déclencheur du début de la cascade (*fig.* 14.11a). Vivre sans TFPI n'est probablement pas possible : l'inactivation ciblée du gène du TFPI chez la souris conduit à un phénotype létal. Le prototype de l'inhibiteur de la coagulation est l'**antithrombine-III (AT-III)**, qui inhibe en plus de la thrombine presque toutes les autres protéases de la coagulation (*fig.* 14.11b). L'AT-III inhibe de préférence les enzymes « libres » ; les protéases faisant partie des complexes tenase ou prothrombinase sont largement protégées de son attaque. De cette manière, l'AT empêche efficacement toute propagation (dissémination) de la coagulation hors du site de la lésion. L'**héparine**, un glycosaminoglycane, est un activateur allostérique de l'AT, et augmente encore considérablement son affinité pour la thrombine et FXa. *Comparée aux antagonistes de la vitamine K, l'héparine agit beaucoup plus rapidement.* Elle est donc utilisée pour la prophylaxie des thromboses pré- et post-opératoires, ainsi que dans les cas d'infarctus aigu du myocarde. Son antidote est la **protamine**, une protéine polycationique qui inactive l'héparine en formant un sel avec ce polyanion.

En plus des enzymes, les facteurs accessoires constituent un autre point sensible qui permet de contrecarrer la coagulation. Deux autres facteurs dépendant de la vitamine K, la protéine C et la protéine S, jouent un rôle clé dans l'**anticoagulation**, de même que la thrombine elle-même, et son récepteur transmembranaire, la thrombomoduline. La thrombine se fixe d'abord à la **thrombomoduline** de la membrane plasmique des cellules endothéliales au voisinage de la lésion (*fig.* 14.12). Au sein de ce complexe, la thrombine perd ses propriétés coagulantes, mais peut activer la **protéine C** (PC), une protéase à sérine. PCa s'associe avec le facteur accessoire **protéine S** (PS) et peut ensuite cliver et inactiver spécifiquement FVa et FVIIIa – composants essentiels du complexe prothrombinase – et le complexe de la

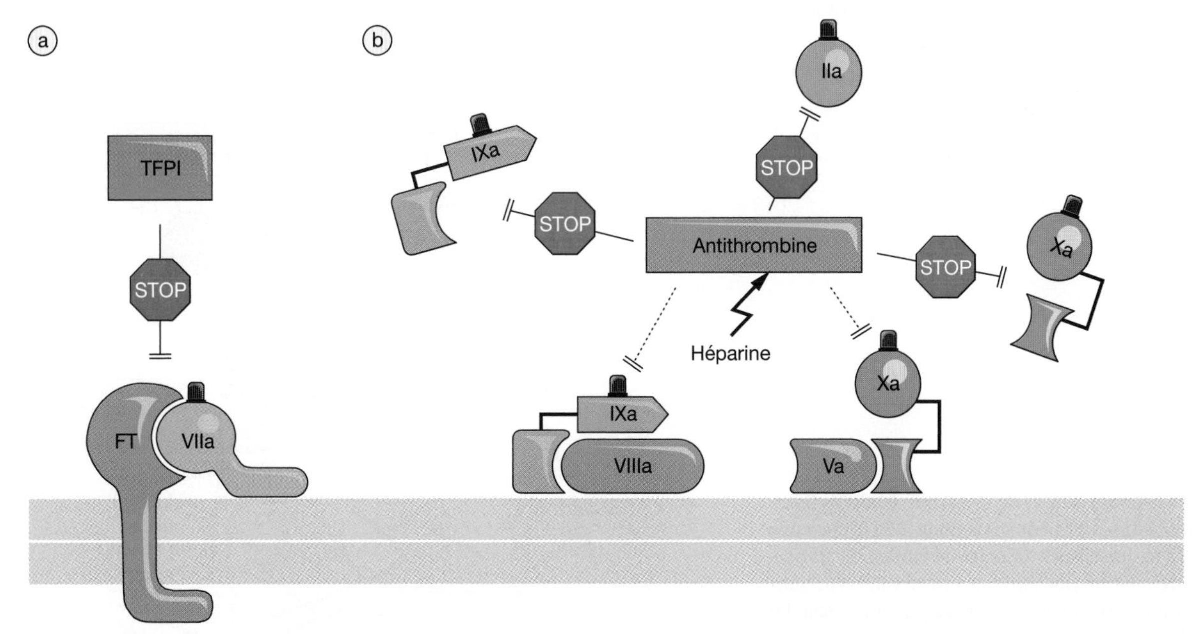

14.11 Inhibiteurs de la coagulation. Les enzymes cibles du TFPI et de l'antithrombine sont représentées. Le TFPI est un inhibiteur « ambivalent », qui se fixe et inactive non seulement FVIIa mais aussi FXa (non montré). L'héparine se fixe par ses charges négatives à des résidus arginyles ou lysyles chargés positivement du centre allostérique de l'AT.

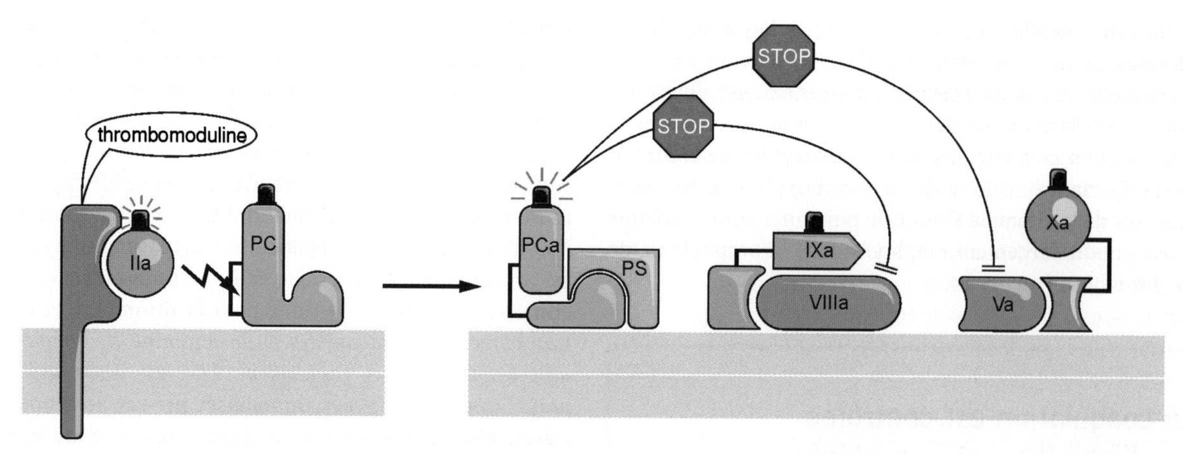

14.12 Rétro-couplage négatif de la thrombine (FIIa) *via* la protéine C. La thrombine, en complexe à la surface des cellules endothéliales avec la thrombomoduline, active la protéine C (à gauche). PCa s'associe avec la protéine S dans les membranes des plaquettes et inactive par protéolyse limitée les facteurs accessoires Va et VIIIa du complexe de la tenase ou de la prothrombinase, respectivement (à droite).

tenase. Une contre-régulation est donc prévue sur le site même de la coagulation. *Le produit final de la cascade de la coagulation, la thrombine, réprime sa propre activation par contact avec l'endothélium : c'est un cas classique de rétro-couplage négatif dû à une inhibition par le produit.* La thrombine, l'enzyme clé de la coagulation, a donc deux faces comme le dieu Janus : par rétro-couplage positif, elle est *pro*thrombogène ; en complexe avec la thrombomoduline, elle est au contraire *anti*thrombogène. Dans un tissu intact, c'est l'activité inhibitrice de la coagulation qui prédomine. L'importance du système de contrôle anticoagulant est illustrée par les déficiences génétiques en protéine C, qui s'accompagnent de pathologies thromboemboliques graves. Une absence complète de protéine C conduit à une létalité périnatale.

14.6 Le système fibrinolytique dissout les thrombus

Les thrombus n'ont qu'une utilité passagère : lorsque la cicatrisation progresse, le caillot est redissous pour ne pas gêner le flux sanguin. Les thrombus peuvent aussi être particulièrement dangereux lorsqu'ils se désagrègent, sont entraînés dans la circulation et provoquent de redoutables embolies. La **fibrinolyse** est un processus dirigé par des enzymes, qui repose sur des principes analogues à ceux de la coagulation. De même que dans la coagulation sanguine, le thrombus plaquettaire provisoire, avec son excès de charges négatives, sert de

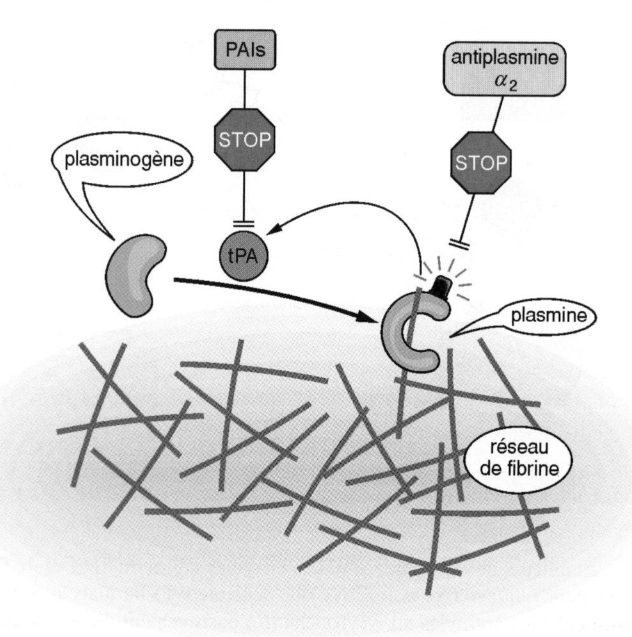

14.13 Composants du système fibrinolytique. Le tPA transforme le plasminogène en plasmine active, qui ensuite dégrade le réseau de fibrine. La régulation opposée fait intervenir, soit l'antiplasmine α_2 au niveau de la plasmine, soit les inhibiteurs de l'activateur du plasminogène (PAI), au niveau de l'activateur du plasminogène tissulaire.

« terrain d'atterrissage » aux facteurs de coagulation dépendant de la vitamine K, de même les composants nécessaires à la cascade fibrinolytique s'assemblent sur la fibrine (*fig.* 14.13). On a à nouveau une protéase à sérine au départ de la cascade : l'**activateur du plasminogène tissulaire** (angl. *tissue plasminogen activator*, tPA), qui est sécrété par les cellules endothéliales. Contrairement aux autres protéases à sérine, le tPA possède une petite activité dès le stade de proenzyme, et peut lentement convertir le **plasminogène** en **plasmine** active à la surface de la fibrine. *De son côté, la plasmine active le zymogène du tPA par protéolyse limitée, ce qui crée un rétro-couplage positif : cela aboutit à une activation explosive du plasminogène.* La plasmine peut alors rapidement dégrader la structure de la fibrine par protéolyse intensive, ce qui dissout le caillot. Le processus de fibrinolyse est contrôlé par l'antiplasmine α_2, une protéine inhibitrice, et par les inhibiteurs de l'activateur du plasminogène tissulaire (PAI, angl. *plasminogen activator inhibitor*).

Le réseau de fibrine incorpore dès sa formation des molécules de plasminogène, qui seront ensuite activées par le tPA. Alors que le tPA est adapté à la fibrinolyse intravasculaire, on trouve, surtout dans les tissus extravasculaires, un autre activateur du plasminogène. Dans ces tissus, c'est la **pro-urokinase** (**uPA** ; angl. *urokinase-type plasminogen activator*) qui se fixe à un **récepteur de l'uPA** (uPAR) à la surface des cellules conjonctives. Cette activation du plasminogène associée aux cellules provoque d'autres protéolyses péricellulaires : la plasmine peut dégrader des composants de la matrice extracellulaire, soit directement, soit indirectement – en activant des protéases subalternes. Cette activité de la plasmine est extrêmement importante pour la formation ou la transformation des tissus, ou le développement des vaisseaux (angiogenèse), mais aussi dans des processus pathologiques comme l'invasion d'organismes pathogènes ou la formation de tumeurs et de métastases.

14.7

L'hémophilie est due à des défauts des facteurs de la coagulation

Un grand nombre de maladies, héréditaires ou non, s'accompagnent d'altérations de la coagulation. Parmi les affections héréditaires les plus connues, on trouve l'**hémophilie A** et l'**hémophilie B**, qui sont dues à un défaut moléculaire des composants du complexe de la tenase, FVIII et FIX, respectivement. Les deux gènes sont localisés sur le chromosome X, si bien que les femmes, tout en transmettant héréditairement la maladie, en sont rarement atteintes puisqu'elles possèdent presque toujours une copie intacte du même gène sur leur deuxième chromosome X : on parle alors de **conductrices**. Les hémophiles ont une forte hétérogénéité génétique : des centaines de mutations de la séquence d'ADN des gènes du FVIII et du FIX ont été décrites. Ces mutations peuvent diminuer ou abolir complètement la biosynthèse de ces facteurs de coagulation, mais aussi conduire à la formation de variants affectés dans leur fonction ou instables. Par exemple, une mutation ponctuelle, en remplaçant une arginine par une histidine, élimine un site de clivage de la thrombine dans FVIII (position 372) : FIIa ne peut plus activer FVIII (*fig.* 14.14). Le remplacement d'une tyrosine par une phénylalanine à la position 1 680 empêche au contraire la fixation du facteur VIII à sa protéine de transport plasmatique, le **facteur Von Willebrandt.** Le facteur VIII, « libre », est ainsi plus exposé à la protéolyse. Dans les deux cas, on a un déficit de facteur FVIIIa fonctionnel, une capacité de coagulation réduite et une tendance hémorragique accrue.

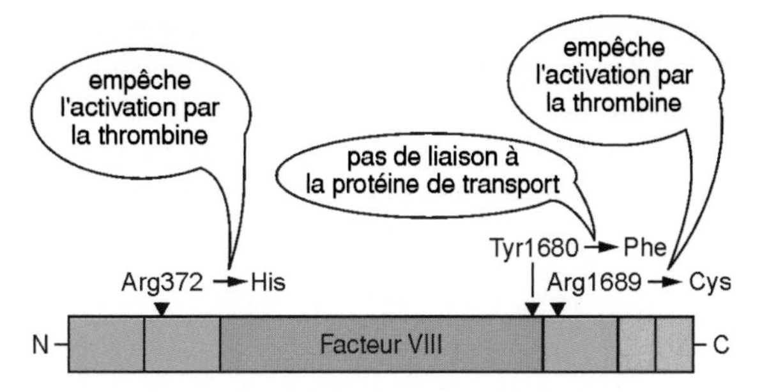

14.14 Origines moléculaires de l'hémophilie A. Les mutations Arg372 → His ou Arg1689 → Cys dans le gène du facteur VIII éliminent deux sites de clivage essentiels de la thrombine. La mutation Tyr1680 → Phe, elle, détruit le site de fixation du facteur Von Willebrandt à FVIII. En dehors de ces changements « minimes », on peut aussi trouver des mutations plus étendues, comme des délétions ou insertions dans le gène FVIII, le cas extrême étant l'absence totale du gène.

L'hémostase primaire, c'est-à-dire l'agrégation des plaquettes, n'est pas affectée par l'hémophilie. De petites lésions cutanées ne saignent donc pas plus longtemps que chez un sujet non hémophile. Par contre, les traumatismes même les plus insignifiants peuvent aboutir à des hémorragies graves des articulations, des muscles ou des organes internes, en raison de l'altération de l'hémostase secondaire. Dans les thérapies de substitution, on utilise de nos jours presque exclusivement des **facteurs de coagulation recombinants** qui – contrairement aux produits extraits du plasma utilisés antérieurement – sont dépourvus de contaminations virales. Comme les thérapies de substitution à vie sont extrêmement coûteuses, les hémophiles ont été très sollicités pour des essais de thérapie génique – dont le résultat demeure à ce jour incertain (§ 23.11).

Nous avons jusqu'ici étudié en détail un grand nombre des objets « classiques » de la recherche en biochimie, comme l'hémoglobine, la myosine, la trypsine, ou les facteurs de la coagulation. Ils constituent une base solide pour comprendre la structure, la fonction et la dynamique des protéines. Mais une cellule dispose de milliers, et même de dizaines de milliers de protéines dans le cas d'organismes plus complexes, et qui de plus existent souvent sous des formes différentes. Comme la botanique, la biochimie a besoin d'une sorte de systématique, afin de maîtriser cette vertigineuse multiplicité. C'est pourquoi l'observation comparée des protéines fait l'objet du dernier chapitre de cette partie.

Systématique des protéines 15

Ces dernières années ont généré un flot de nouvelles données biochimiques. Des projets de recherche internationaux ont permis le séquençage complet d'organismes modèles importants, tels que la bactérie *Escherichia coli*, la levure de boulanger *Saccharomyces cerevisiae*, la mouche du vinaigre *Drosophila melanogaster*, le nématode *Caenorhabditis elegans*, l'arabette *Arabidopsis thaliana*, ou la souris *Mus musculus*. C'est de loin le déchiffrage du génome humain qui a le plus attiré l'attention du public. À partir des données de séquence, on peut estimer le nombre de gènes spécifiant des protéines : *E. coli* en possède un peu plus de 4 000, la levure de boulanger un peu plus de 6 000, et l'arabette juste 26 000. Le génome humain renferme environ 30 000 gènes. Le nombre des protéines est donc énorme, alors que l'intervalle de temps durant lequel la vie est apparue, de quelques milliards d'années, est court en comparaison (§ 3.2). Un calcul simple montre que les différentes protéines n'ont pas pu évoluer indépendamment les unes des autres. Pour produire une protéine unique de taille moyenne, comme la trypsine, d'environ 250 acides aminés, par combinaison aléatoire des 20 acides aminés protéinogènes, il faut « jouer » jusqu'à 20^{250} fois. Pour réaliser une telle évolution combinatoire du « cosmos des protéines », il faudrait une éternité ! Manifestement, il existe des parentés entre les protéines, et leur diversité repose pour une bonne part sur des variations de motifs peu nombreux, qui ont été « éprouvés » dans les premiers temps de l'évolution. Dans ce chapitre, nous étudierons les mécanismes plausibles de l'évolution des protéines et les essais de systématisation de leur vertigineuse multiplicité. Nous touchons là à un champ d'investigation central de la **bioinformatique**.

15.1 Les protéines évoluent par duplications et mutations

Comment les protéines ont-elles pu évoluer en si grand nombre pendant la période relativement courte qui a vu le développement de la vie ? Considérons une « protéine ancestrale », et le « gène ancestral » correspondant. La réplication de matériel génétique d'un organisme, et donc du « gène ancestral », n'est pas toujours exempte d'erreurs. Plus ou moins par hasard, des erreurs apparaissent dans les copies de la séquence originelle (*chap.* 23). Ces **mutations** peuvent modifier la structure primaire de la protéine (*fig.* 15.1). Si la mutation affecte la fonction de la protéine et représente un désavantage pour l'organisme qui en est porteur, elle ne sera pas propagée durablement et disparaîtra vite du paysage. *Une mutation ne persistera durablement qu'à condition qu'elle augmente, ou au moins ne diminue pas, la probabilité que l'organisme porteur survive et se reproduise.* Ceci est le corollaire moléculaire de la **théorie darwinienne de l'évolution**.

Les mutations qui améliorent la fonction d'une protéine et donc la **compétitivité évolutive** de leur porteur sont des événements relativement rares. Il est plus fréquent qu'une protéine « tolère » une mutation et que sa fonction n'en soit pas affectée. Même des modifications importantes de la structure primaire peuvent laisser la structure tertiaire – la forme tridimensionnelle qui détermine la fonction d'une protéine – largement inchangée. Une séquence de protéine peut donc parfois s'éloigner beaucoup de la « séquence originelle », tout en conservant sa structure spatiale. On appelle ce processus **dérive neutre** (*fig.* 15.2).

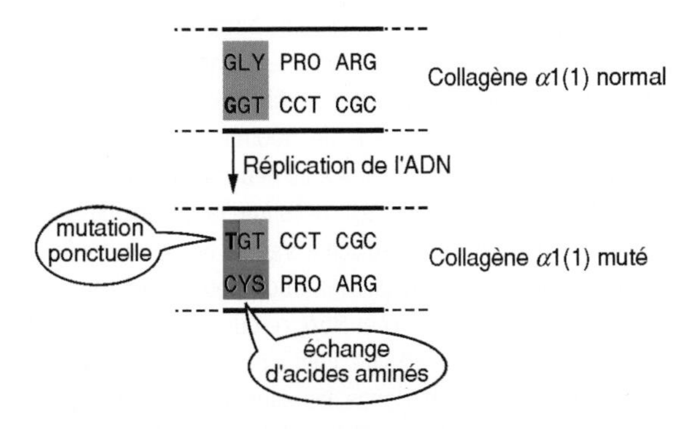

15.1 Une réplication erronée peut conduire à des mutations du patrimoine héréditaire. Il s'ensuit parfois une modification de la séquence protéique. La modification de la séquence du collagène $\alpha 1$(I) présentée ici donne la maladie des os de verre.

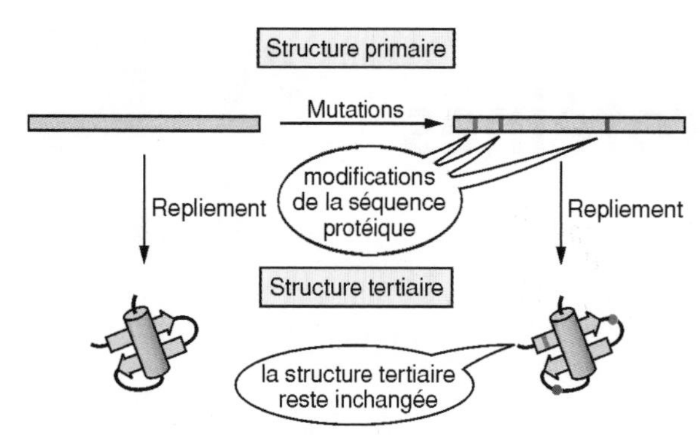

15.2 Dérive neutre. La séquence d'une protéine peut souvent être mutée en de nombreuses positions sans que sa structure tertiaire en soit modifiée notablement.

Mais l'évolution causée par les mutations ne peut à elle seule expliquer le développement d'un grand nombre de protéines de fonctions différentes. En raison de la **pression de sélection**, une protéine est « obligée » de remplir sa fonction. Elle ne peut pas changer de fonction arbitrairement, sinon son rôle initial ne serait plus rempli. C'est pourquoi la **duplication** joue un grand rôle dans la naissance de la diversité fonctionnelle : un gène peut être mis en réserve sous forme d'une ou plusieurs copies supplémentaires dans le génome. *Une copie effectue alors la tâche traditionnelle, tandis que l'autre a la « liberté du fou », peut se modifier structuralement à la suite de mutations de grande envergure et développer de nouvelles fonctions.* La famille des globines en est un bon exemple (*encart* 15.1).

Encart 15.1 : Évolution de la famille des globines

L'hémoglobine actuelle — *le* transporteur d'oxygène du sang des vertébrés — est le membre le plus éminent d'une famille de protéines très ancienne et très ramifiée. Les bactéries, les plantes et les animaux ont des **globines**. Malgré des divergences de séquence, par exemple entre une globine bactérienne et une autre de mammifère, elles ont en commun une même structure spatiale. L'hypothétique globine ancestrale aurait environ deux milliards d'années (*fig.* 15.3). Il y a plus de 500 millions d'années, une duplication du gène de la globine a eu lieu chez les premiers vertébrés. Une copie du gène est devenue la myoglobine (Mb) actuelle. « Peu après », la deuxième s'est à nouveau dupliquée. Ces duplications ont évolué par mutation pour devenir les sous-unités de l'hémoglobine, Hbα et Hbβ, ce qui a permis la constitution d'un tétramère à l'activité finement contrôlable (§ 10.3). D'autres duplications ont donné les sous-unités d'hémoglobine spécialisées comme l'Hbγ de l'hémoglobine fœtale ($\alpha_2\gamma_2$), dont l'apparition coïncide avec celle des mammifères placentaires. La nécessité d'un transfert d'oxygène de la mère au fœtus explique l'existence de cette hémoglobine de haute affinité.

15.2 Les domaines sont les pièces du puzzle de l'évolution

La plupart des protéines de taille respectable sont constituées de **domaines** (§ 5.1). On peut considérer les domaines comme des entités indépendantes, qui maintiennent leur structure tertiaire de manière « autonome », même lorsqu'ils sont isolés du reste de la protéine, par exemple par protéolyse. Un domaine typique comprend 100-200 acides aminés et se compose au moins de deux couches d'éléments de structure secondaire : ces deux couches servent à former le cœur hydrophobe de la protéine. *Les domaines ont souvent des fonctions distinctes au sein d'une protéine entière.* Par exemple, un domaine catalyse une réaction chimique pendant que l'autre permet la fixation de ligands de faible masse moléculaire ou d'autres protéines. Les déshydrogénases dépendant du NAD^+, comme la lactate déshydrogénase ou la **glycéraldéhyde-3-phosphate déshydrogénase** (GAP-DH), chacune formée de deux domaines, en sont des exemples (*fig.* 15.4). L'un des domaines est commun à toutes ces enzymes et sert à la fixation du NAD^+. L'autre permet la fixation de substrats spécifiques et varie d'une enzyme à l'autre.

La structure autonome des domaines suggère l'existence d'un simple et élégant mécanisme de production de diversité protéique au cours de l'évolution. *Les domaines peuvent être combinés entre eux comme des modules indépendants.* Ce processus de **brassage des domaines** ou **des exons** (§ 14.4) permet une évolution de nouvelles fonctions incomparablement plus rapide que la duplication

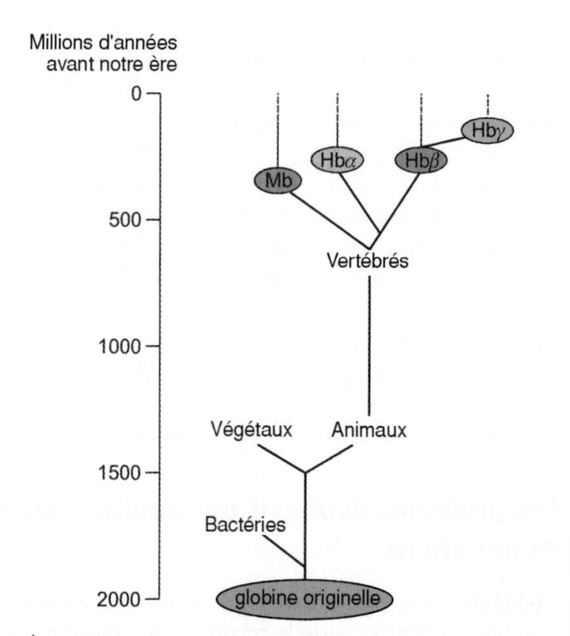

15.3 Évolution d'une hypothétique globine ancestrale jusqu'à la myoglobine et aux sous-unités de l'hémoglobine. L'évolution des globines de plantes et de bactéries a été omise. [RF]

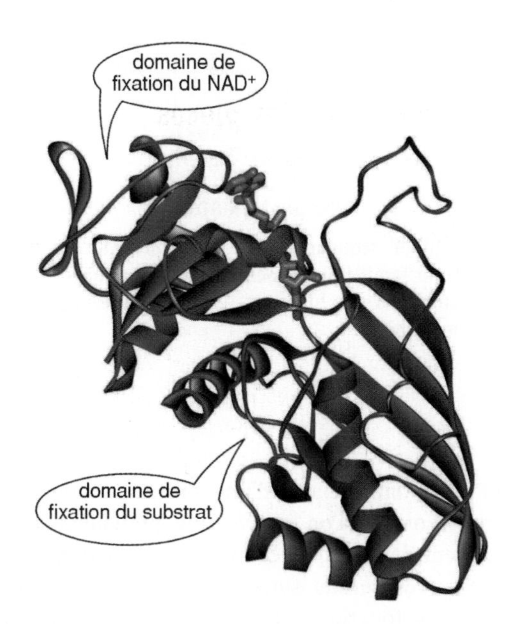

15.4 Structure modulaire de la GAP-DH. La protéine possède deux domaines, dont l'un permet la fixation du coenzyme NAD^+, et l'autre, la fixation du substrat, le glycéraldéhyde-phosphate. Le domaine de fixation du NAD^+ est retrouvé comme composant de nombreuses autres déshydrogénases.

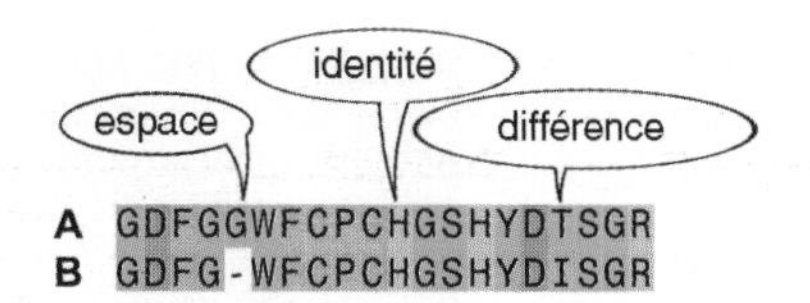

15.5 Alignement de séquences de protéines. Les trois états possibles sont : identité, différence ou espace. L'identité entre les séquences A et B s'élève à 90 % – 18 positions sur 20 coïncident. On peut effectuer des alignements du même type avec les séquences d'ADN et d'ARN.

complète d'un gène suivie d'une modification « subtile » par mutation. Nous avons déjà rencontré un exemple frappant de structure modulaire au chapitre précédent : les nombreuses protéines impliquées dans l'hémostase sont issues d'un nombre limité de domaines, qui sont combinés en nombre variable et dans des ordres différents.

15.3 Les comparaisons de séquence détectent les positions clés de protéines apparentées

Les protéines issues d'un même gène originel sont appelées **protéines homologues**. Chez les protéines étroitement apparentées, l'homologie est facile à voir en raison de l'identité des séquences. Pour comparer des séquences, on effectue un **alignement** dans lequel les séquences en acides aminés de deux ou plusieurs protéines sont écrites les unes sous les autres dans le code à une lettre. Lorsqu'un acide aminé apparaît à la même position dans les séquences des deux protéines, on parle d'**identité** (angl. ***match***), si ce sont des acides aminés différents de **différence** (angl. ***mismatch***). On trouve parfois aussi des **espaces** (angl. ***gaps***), c'est-à-dire des positions d'une séquence qui n'ont pas de correspondance dans l'autre (*fig.* 15.5). Les espaces apparaissent lorsque des acides aminés ont été introduits ou éliminés. On peut interpréter l'alignement comme une reconstruction des modifications – mutations, insertions, délétions –, qui ont eu lieu au cours de l'évolution des protéines. Le quotient du nombre d'identités sur le nombre total d'acides aminés est une mesure quantitative de l'**identité de séquence**.

On peut évaluer non seulement l'identité, mais également la **similitude** de positions correspondantes. Par exemple, on s'attend à des effets moins dramatiques si l'on remplace un acide aspartique (D) par un acide glutamique (E) que si l'on remplace un acide aspartique par une arginine (R), de charge opposée et de nettement plus grande taille. Dans les alignements de séquences, on utilise un algorithme qui décale les séquences les unes par rapport aux autres et évalue les identités ou similitudes qui en résultent par un système de points. Dans ce système, les différences et les espaces sont « pénalisés ». On fait glisser les séquences les unes par rapport aux autres jusqu'à trouver l'arrangement qui donne le score maximal. À titre d'exemple, un alignement des **molécules de cytochrome *c*** de différentes espèces est représenté ici (*fig.* 15.6). Cette protéine fixatrice d'hème fait partie de la chaîne respiratoire mitochondriale et bactérienne (*encart* 37.3).

L'alignement des séquences des cytochromes *c* fournit une abondance d'informations importantes. Le code couleur, qui distingue les acides aminés acides, basiques, polaires et apolaires, permet immédiatement d'apprécier la grande similitude de ces protéines chez toutes les espèces : *le cytochrome c est une protéine très conservée dans l'évolution.* Par exemple, ses séquences chez l'homme et le chimpanzé sont absolument identiques. Si l'on considère les différentes positions isolément, on peut parfois déduire du degré de conservation si le résidu considéré est essentiel, important pour la fonction de la protéine, ou au contraire sans effet sur celle-ci. Ainsi trouve-t-on la séquence d'acides aminés CXXCH –où X désigne un acide aminé variable – chez tous les cytochromes c (*fig.* 15.7). Cette **signature** caractéristique est un motif de reconnaissance de ce groupe de protéines. Des données expérimentales attestent de leur importance : les deux résidus cystéines forment des liaisons covalentes (fonction thioether) entre l'hème et la protéine, et l'histidine est l'un des ligands de l'atome de fer central. Ces

```
                     *    *   *   * **** * *  *
     Homme  --------GDVEKGKKIFIMKCSQCHTVEKGGKH
 Chimpanzé  --------GDVEKGKKIFIMKCSQCHTVEKGGKH
   Chameau  --------GDVEKGKKIFVQKCAQCHTVEKGGKH
     Lapin  --------GDVEKGKKIFVQKCAQCHTVEKGGKH
    Pigeon  --------GDIEKGKKIFVQKCSQCHTVEKGGKH
      Thon  --------GDVAKGKKTFVQKCAQCHTVENGGKH
   Abeille  ----GIPAGDPEKGKKIFVQKCAQCHTIESGGKH
Drosophile  ------GSGDAENGKKIFVQKCAQCHTYEVGGKH
   Lombric  ---GGIPAGDVEKGKTIFKQRCAQCHTVDKGGPH
Chou-fleur  ASFDEAPPGNSKAGEKIFKTKCAQCHTVDKGAGH
    Tomate  ASFNEAPPGNPKAGEKIFKTKCAQCHTVEKGAGH
 Levure de  ---TEFKAGSAKKGATLFKTRCLQCHTVEKGGPH
 boulanger

* **** *  **  *   *  *  **      *       **  ***
KTGPNLHGLFGRKTGQAPGYSYTAANKNKGIIWGEDTLMEYLENPKK
KTGPNLHGLFGRKTGQAPGYSYTAANKNKGIIWGEDTLMEYLENPKK
KTGPNLHGLFGRKTGQAVGFSYTDANKNKGITWGEETLMEYLENPKK
KTGPNLHGLFGRKTGQAVGFSYTDANKNKGITWGEDTLMEYLENPKK
KTGPNLHGLFGRKTGQAEGFSYTDANKNKGITWGEDTLMEYLENPKK
KVGPNLWGLFGRKTGQAEGYSYTDANKSKGIVWNENTLMEYLENPKK
KVGPNLYGVYGRKTGQAPGYSYTDANKGKGITWNKETLFEYLENPKK
KVGPNLGGVVGRKCGTAAGYKYTDANIKKGVTWTEGNLDEYLKDPKK
KTGPNLHGIFGRATGQAAGFAYTDANKSKGITWTKDTLYEYLENPKK
KQGPNLNGLFGRQSGTTAGYSYSAANKNKAVEWEEKTLYDYLLNPKK
KEGPNLNGLFGRQSGTTAGYSYSAANKNMAVNWGENTLYDYLLNPKK
KVGPNLHGIFGRHSGQAEGYSYTDANIKKNVLWDENNMSEYLTNPKK

******* * * *    *  **
YIPGTKMIFVGIKKKEERADLIAYLKKATNE
YIPGTKMIFVGIKKKEERADLIAYLKKATNE
YIPGTKMIFAGIKKKGERADLIAYLKKATNE
YIPGTKMIFAGIKKKDERADLIAYLKKATNE
YIPGTKMIFAGIKKKAERADLIAYLKQATAK
YIPGTKMIFAGIKKKGERQDLVAYLKSATS-
YIPGTKMVFAGLKKPQERADLIAYIEQASK-
YIPGTKMVFAGLKKAEERADLIAFLKSNK--
YIPGTKMVFAGLKNEKQRANLIAYLEQETK-
YIPGTKMVFPGLKKPQDRADLIAYLKEATA-
YIPGTKMVFPGLKKPQERADLIAYLKEATA-
YIPGTKMAFGGLKKEKDRNDLITYLKKACE-
```

15.6 Alignement des cytochromes *c* de douze espèces différentes. Les résidus acides sont représentés en rouge, les basiques en bleu, les polaires en vert et les apolaires en jaune. Les séquences sont tirées de la base de données de protéines SWISS-PROT, l'alignement a été produit par le programme ClustalW. Les résidus invariants présents dans tous les cytochromes de cet alignement sont marqués par une étoile (38 % de toutes les positions).

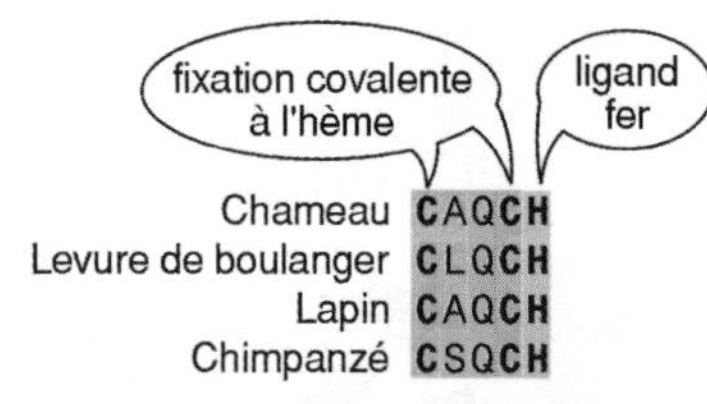

15.7 Le motif de séquence CXXCH est présent chez tous les membres de la famille du cytochrome *c*. Les résidus invariants – deux cystéines et une histidine – sont essentiels à la fixation du groupement hème.

trois **positions invariantes** sont essentielles. Dans beaucoup d'autres positions, un acide aminé ne peut être échangé que contre un résidu aux propriétés physicochimiques très voisines, comme acide aspartique (D) contre acide glutamique (E), ou sérine (S) contre thréonine (T). Ces **résidus conservés** semblent eux aussi être importants. Les **positions variables**, elles, tolèrent des changements radicaux. Elles sont manifestement de peu d'importance pour l'intégrité fonctionnelle et structurale de la protéine.

L'alignement de plusieurs séquences permet donc d'identifier des positions potentiellement importantes qui peuvent être le site de fixation d'un cofacteur ou un résidu catalytique du centre actif. Un alignement est particulièrement utile dans le cas d'une protéine nouvellement identifiée. Lorsque l'on trouve une protéine inconnue, l'alignement de sa séquence avec des séquences de protéines connues permet souvent de prédire sa structure et même ses fonctions potentielles. Des fragments de séquence caractéristiques servent de signaux pour le transport des protéines vers différents compartiments d'une cellule (§ 19.1). L'identification d'une telle séquence signal permet dans le meilleur des cas de prédire la localisation cellulaire d'une protéine. La **phylogénie** moléculaire emploie les alignements pour générer des arbres généalogiques des organismes en utilisant des quantifications des divergences des acides aminés au sein d'une famille de protéines homologues (*encart* 15.2).

Encart 15.2 : Horloges moléculaires

L'hypothèse de départ de la phylogénie moléculaire est que les mutations d'un gène donné spécifiant une protéine, considérées sur de longues périodes géologiques, s'accumulent à vitesse constante. L'accumulation des mutations serait donc un processus stochastique (aléatoire), comparable à la désintégration radioactive. Si l'on compte les différences d'acides aminés entre les séquences de protéines homologues, on obtient d'après cette théorie une **horloge moléculaire**. On a ainsi pu, par exemple à l'aide des alignements des cytochromes *c*, construire un arbre généalogique des organismes avec des embranchements datables, qui montrait une correspondance satisfaisante avec les arbres généalogiques taxonomiques classiques. La fiabilité de l'horloge moléculaire n'est pas toujours garantie : la vitesse d'accumulation des mutations ne semble pas du tout être constante, mais pourrait dépendre de modifications morphologiques ou de changements dans la pression de sélection. Un autre problème de cette méthode est que les horloges de protéines différentes ne tournent pas à la même vitesse.

15.4

La comparaison des structures tertiaires décèle des parentés éloignées entre les protéines

Une forte identité de séquence entre deux protéines suffit à attester de leur homologie, et donc de leur parenté. C'est pourquoi l'on utilise souvent le terme d'« homologie de séquence », en mélangeant un peu incorrectement les concepts. Par exemple, les protéases à sérine pancréatiques que sont la trypsine, la chymotrypsine et l'élastase ont des séquences identiques à 40 % environ, et leur origine commune ne fait aucun doute (§ 12.4). Que faire pourtant, lorsque le temps a effacé les traces de l'identité de séquence initiale ? La valeur seuil habituelle à partir de laquelle on considère l'homologie comme assez certaine est de 25 % d'identité. Cependant, en examinant les ressemblances structurales des protéines, on peut aussi en déduire des parentés plus éloignées. Par exemple, la protéine d'enveloppe du **virus de la forêt de Semliki**, un pathogène humain, possède un domaine dont une comparaison directe montre la bonne correspondance avec un **domaine trypsine**, et ce malgré une identité de séquence très réduite (*fig.* 15.8). *Comme c'est surtout la structure tertiaire des protéines qui subit les contraintes de l'évolution, elle est mieux conservée que leur séquence.*

Les protéines homologues ont progressé par **évolution divergente** à partir d'un gène originel. *Des structures similaires de protéines peuvent aussi avoir évolué indépendamment, par exemple lorsqu'elles correspondent à un arrangement particulièrement stable, que l'évolution a inventé plusieurs fois.* Dans ce cas, on parle d'**évolution convergente**, conduisant à des **protéines analogues.** La structure caractéristique qui a d'abord été trouvée chez les trioses-phosphates isomérases (TIM) en est un exemple (§ 35.2). De par sa forme, elle a été appelée **tonneau TIM** (*fig.* 15.9). Ce tonneau est assez largement répandu. À peu près 10 % de toutes les enzymes possèdent un tonneau TIM ; rien que sur les dix enzymes glycolytiques, quatre appartiennent à ce groupe (*chap.* 35). De nombreuses enzymes à tonneau TIM n'ont pratiquement

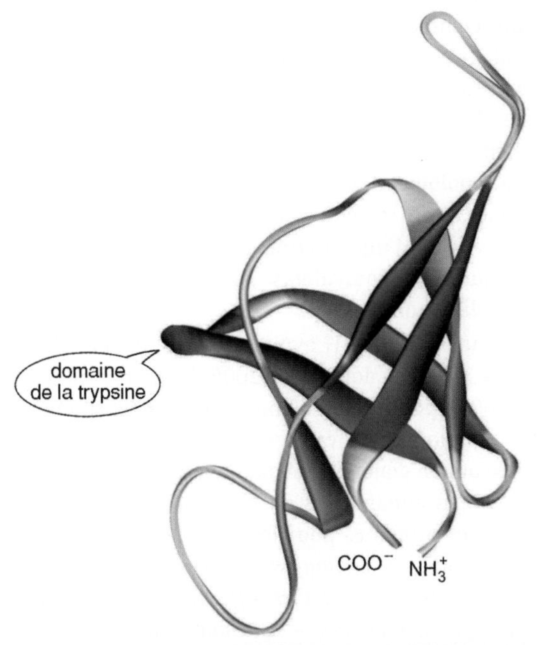


```
Trypsine NTVPYQVSLNSGYHFCGGSLINSQWVVSAAHCYKSGIQV
VFS      PEGHYNWHHG-AVQYSGG-----RFTIPTG----AG---

RLGEDNINVVEGNEQFISASKSIVHPSYNSNTLNNDIMLIKLKSAA
KPGDSGRPIFDNKGRVV----AIVLGGANEGS-RTALSVVTWNK--
```

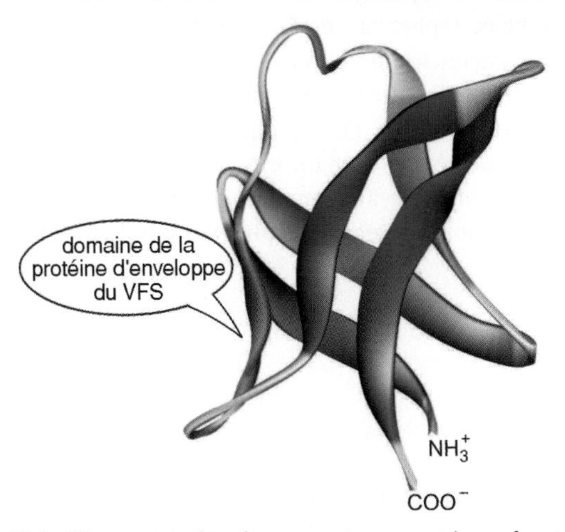

15.8 Alignement de séquence et comparaison de structures entre un domaine de la trypsine et la protéine d'enveloppe du virus de la forêt de Semliki (VFS). Alors que les séquences en acides aminés ne présentent que de rares similitudes, il est clair que les structures des deux protéines sont semblables. Au cœur de la protéine, la conservation est particulièrement marquée alors que les boucles périphériques ont changé au cours de l'évolution. [RF]

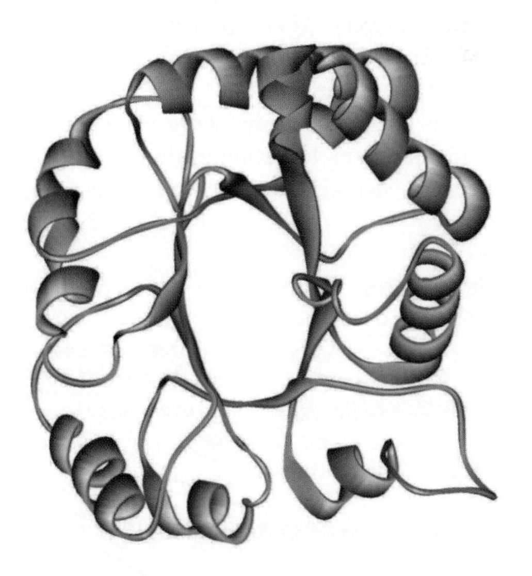

15.9 Structure des trioses-phosphates isomérases de la levure de boulanger. C'est l'une des structures le plus souvent observées chez les protéines, et peut-être tout simplement la structure la plus fréquente chez les enzymes. [RF]

aucune similitude de séquence, et les centres catalytiques sont souvent dans des régions complètement différentes. On pense donc avoir découvert là le prototype d'une évolution convergente.

15.5 Les protéines sont recensées dans des bases de données

Le séquençage de génomes entiers accumule actuellement les données de structure et de séquence de protéines à une vitesse étourdissante, avec des taux de croissance exponentiels. Pour appréhender ce flux d'informations, il existe des banques de données, qui collectent, archivent et ordonnent les informations structurales et fonctionnelles pour les rendre accessibles aux chercheurs sous une forme conviviale et claire. Trois banques de données principales sont consacrées aux séquences d'ADN, d'ARN et de protéines : **Genbank** (USA), **EMBL** (Laboratoire Européen de Biologie Moléculaire, European Molecular Biology Laboratory) et **DDBJ** (Banque de données d'ADN du Japon, DNA Databank of Japan). Les scientifiques du monde entier déposent leurs nouvelles données de séquence dans une de ces trois banques, qui partagent quotidiennement leurs données entre elles, si bien qu'il s'agit en fait d'une seule grande banque de données comprenant actuellement plus de 32 millions d'entrées. Des banques de données gérées manuellement comme **SWISS-PROT** contrôlent et filtrent les données, pour éviter les erreurs, contradictions et autres redondances qui peuvent par exemple apparaître à l'occasion d'entrées multiples (*fig.* 15.10).

La **Protein Data Bank** (Banque de Données de Protéines) de Rutgers (USA) collecte les **structures de protéines.** Au début 2004, 26 000 structures de protéines y étaient rassemblées, en 2006, elles sont 40 000. Le volume de données par fichier y est beaucoup plus important que dans les banques de séquences, car les coordonnées spatiales de l'ensemble des atomes de chaque protéine y sont répertoriées. La banque de données **CATH** de Londres offre une sorte d'« annuaire » des structures de protéines. Elle fournit une classification hiérarchique des domaines utilisant aussi bien des critères de parenté évolutive que de similitude structurale pure. Le niveau supérieur différencie les domaines selon leur contenu en structures secondaires, et les répartit en trois **classes** : tout en hélices α, tout en feuillets β, ou composition mixte (*fig.* 15.11). Les protéines d'une classe sont ensuite triées selon leur **architecture**, qu'il faut entendre comme l'arrangement grossier des hélices α et des feuillets β. Les architectures sont souvent des formes reconnaissables intuitivement, comme un tonneau fait de feuillets β, ou un sandwich où un feuillet β est pris entre deux hélices α. Le niveau suivant de la hiérarchie concerne la **topologie**, c'est-à-dire la direction et la séquence des éléments de structure secondaire. Lorsque existent des indications d'une origine commune, les domaines topologiquement équivalents sont regroupés en une **superfamille** d'homologie.

Au début 2004, CATH avait enregistré plus de 47 000 domaines (près du double en 2006 !) répartis en à peu près 1 400 superfamilles d'homologie représentant plus de 700 topologies différentes. Les protéines de même topologie ont en général le même « plan de construction », qu'elles soient apparentées ou non. On ne découvre que rarement des protéines pour lesquelles ce plan est complètement nouveau. *Le nombre de structures de protéines caractéristiques – c'est-à-dire différant entre elles autrement que par des détails – est donc relativement petit, probablement inférieur à mille.* Vient s'ajouter à cette observation le fait qu'une grande partie des protéines connues est construite en suivant un petit nombre de plans. Ainsi, la topologie du domaine de fixation du NAD^+, appelée **repliement de Rossmann** (angl. ***Rossmann fold***), est caractéristique de plus de 120 superfamilles. Il est probable qu'elle ait été « retrouvée » à chaque fois par la Nature au cours de l'évolution. Le domaine le plus répandu du protéome humain est vraisemblablement le **domaine Ig** semblable aux immunoglobulines (§ 33.23), qui est sans doute présent dans plus d'un millier de pro-

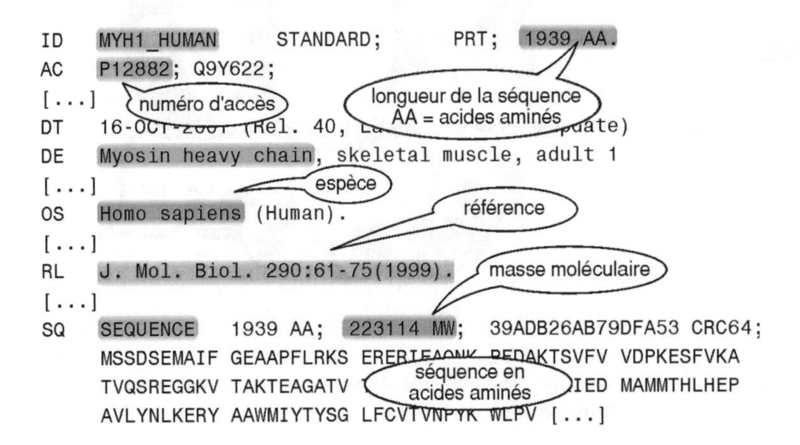

15.10 Entrée concernant la chaîne lourde de la myosine, protéine musculaire humaine, dans la banque de donnée SWISS-PROT (extrait). Tout en haut se trouve l'abréviation unique MYH1-HUMAN et le numéro d'accès P12882. Suivent des indications sur la protéine et l'organisme dont elle provient, ainsi que des renvois à la littérature. À la fin, la séquence de la protéine est donnée.

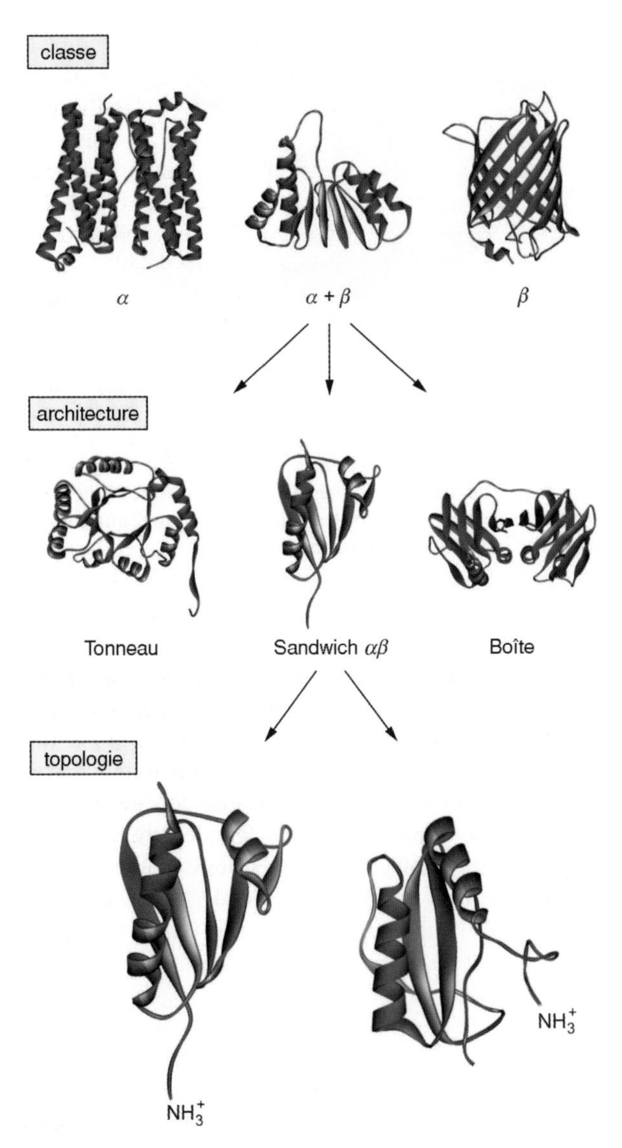

15.11 Représentation schématique des trois niveaux structuraux de CATH. En haut sont représentés des exemples des trois classes, au centre des exemples d'architecture $\alpha\beta$, et en bas, deux représentants de topologie différente de l'architecture en sandwich $\alpha\beta$. La succession des éléments de structure secondaire est explicitée par leur coloration, qui suit celles du spectre de la lumière (extrémité N en rouge). [RF]

téines différentes. Avec son architecture en tonneau extrêmement stable, il joue le rôle d'une « plate-forme » à la périphérie de laquelle les différentes fonctions peuvent être remplies. Au total, le monde des structures protéiques surprend par sa pauvreté – surtout en regard de la complexité et de la diversité des activités biologiques. Du point de vue de la topologie, de nombreuses protéines ne se distinguent que par des nuances. Ces « subtilités » – par exemple l'exacte nature des acides aminés des boucles périphériques d'un domaine Ig – sont pourtant souvent d'une importance majeure pour la fonction de la protéine.

15.6 Le nombre des protéines est supérieur à celui des gènes

Comme mentionné initialement, le génome humain possède environ 30 000 gènes. Au vu des estimations antérieures à la connaissance de la séquence du génome humain, qui se montaient à beaucoup plus que 100 000 gènes spécifiant des protéines, on est surpris – ou dégrisé – de la modestie de ce nombre. *Pourtant, le nombre de protéines dans le corps humain est bien plus grand.* Même s'il n'existe pas encore à l'heure actuelle de données fiables sur la taille du protéome humain, les estimations les plus prudentes prédisent plus de 120 000 protéines différentes ! D'où vient cette différence ? Cette diversité est due aux **modifications post-transcriptionnelles et post-traductionnelles.** La modification des transcrits primaires par **épissage alternatif**, qui concerne environ 75 % des gènes humains, et l'édition des ARN accroissent le nombre de plans de construction, c'est-à-dire le nombre d'ARNm différents. Enfin, à partir d'un type de produit primaire de traduction, un grand nombre de protéines différentes peuvent être produites (*fig.* 15.12), par **modification chimique** ou **protéolyse limitée** (§ 5.3 et 28.5). De plus, des protéines à plusieurs sous-unités peuvent être assemblées en de multiples combinaisons en partant de différentes chaînes polypeptidiques.

Dans le principe, la connaissance des génomes complets de l'homme, du rat et de la souris nous permet pour la première fois d'accéder à une vision globale des protéomes correspondants. Dans la pratique, nous sommes encore loin d'avoir cette vue d'ensemble ; le protéome est en grande partie *terra incognita.* Une bonne partie des protéines spécifiées n'a encore jamais été étudiée expérimentalement. Leur existence est seulement prédite par l'analyse de la séquence du génome. Dans de nombreux cas, on peut pourtant suggérer des structures et des fonctions possibles grâce aux homologies avec des protéines déjà connues, mais même en comptant ces « prédictions par homologie », on ne peut actuellement réaliser de prédictions de fonction que pour un maximum de 60 % des protéines spécifiées. Néanmoins, nous pouvons pour la première fois séparer un grand nombre de protéines selon des critères fonctionnels (*fig.* 15.13). Les protéines de **transduction du signal** et de **transport** représentent la part la plus importante (17 %) du protéome connu : elles font fonctionner la « communication » et la « logistique » intra et intercellulaire. Les **protéines se fixant à l'ADN** suivent avec 14 % : elles synthétisent, dégradent, réparent, lisent et reconnaissent la molécule porteuse de l'hérédité. Le troisième grand groupe est formé par les **enzymes**, qui catalysent la « véritable » chimie de la vie, c'est-à-dire les processus métaboliques, la dégradation des nutriments et la synthèse de nouvelles biomolécules.

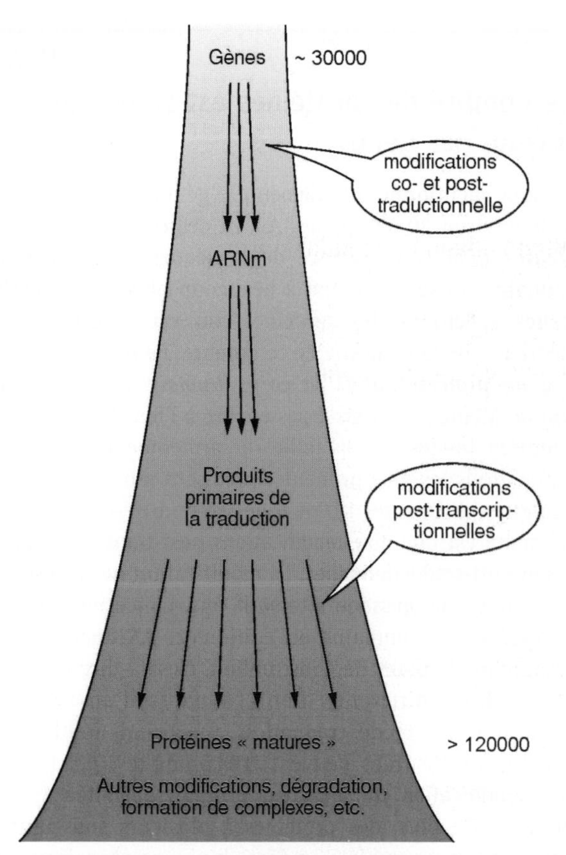

15.12 Mécanismes d'accroissement de la diversité des protéines. À partir du nombre relativement faible de 30 000 gènes spécifiant des protéines dans le génome humain, un nombre beaucoup plus important d'ARNm est produit par épissage et par édition co- ou post-transcriptionnels. Des modifications co- ou post-traductionnelles, plus la combinatoire apportée par la structure quaternaire, produisent une nouvelle diversification des formes finales des protéines. Les mêmes mécanismes amplifient le protéome de la souris, qui compte également à peu près 30 000 gènes spécifiant des protéines.

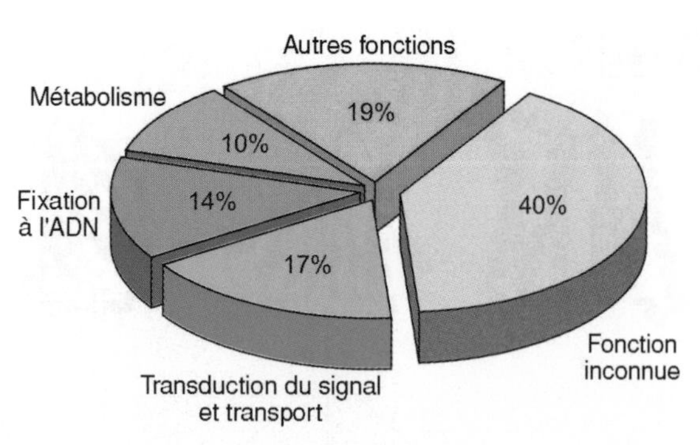

15.13 Estimation de la fréquence des classes fonctionnelles dans le protéome humain. Seuls les produits des 30 000 transcrits primaires sont considérés. Les variantes produites par les processus post-transcriptionnels et post-traductionnels sont pour la plupart inconnues. Dans la rubrique « autres fonctions » sont par exemple rangées les protéines du cytosquelette, les protéines moteurs et les immunoglobulines.

Ici se termine notre excursion à travers le monde des protéines. Non moins fascinante que l'étude des protéines, outils biochimiques de toutes les cellules et tous les organismes, est la question de la pérennité à travers les générations des plans de construction de ce « parc de machines » moléculaires, de leur lecture et de leur interprétation. Nous en arrivons donc à une nouvelle grande classe de molécules du monde vivant, les acides nucléiques.

Partie III Conservation et expression de l'information génétique

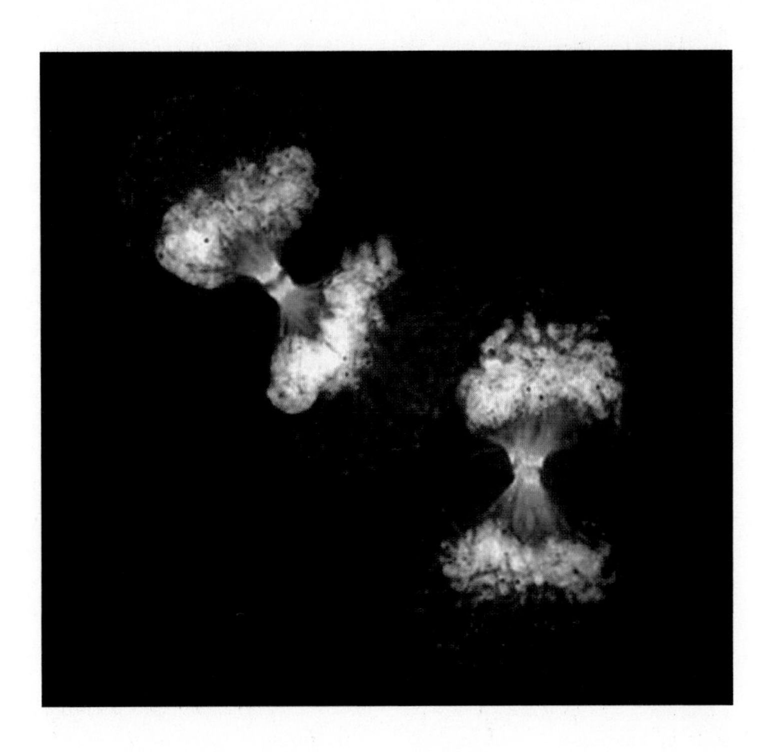

Le manuel de construction du Vivant est conservé sous forme codée dans les acides nucléiques. C'est lui qui contient le plan du développement d'un organisme, et c'est aussi lui qui renferme les instructions concernant les activités de chaque cellule. On appelle génome la totalité de l'information génétique d'un organisme. La « gestion » de cette archive de l'hérédité est parfaitement organisée. En cas de besoin, la cellule convoque une partie de cette information, elle lit l'unité fonctionnelle de l'ADN – le gène considéré –, produit une copie sous forme d'ARN et traduit enfin les informations en une séquence de protéine. L'accès à l'archive de l'ADN est strictement contrôlé, car les propriétés qui font l'individualité d'une cellule émanent précisément de l'expression de ses gènes. Chaque cellule contient en principe l'information héréditaire de tout l'organisme, et cette archive doit donc être recopiée dans son ensemble avant la division cellulaire – processus étroitement contrôlé de façon à éviter les erreurs de transmission. Répliquer l'ADN est une tâche d'envergure, simplement du fait de la taille du génome, qui va de 4,7 millions de paires de nucléotides chez E. *coli* ou 3,2 milliards chez l'homme jusqu'à 100 milliards de paires de nucléotides chez la salamandre. Par ailleurs, la cellule protège soigneusement son archive d'ADN contre les erreurs : des cohortes entières d'enzymes cellulaires sont vouées à la réparation de l'ADN lorsqu'il est endommagé. Cependant, même les meilleurs systèmes de contrôle laissent échapper ça et là des erreurs, qui aboutissent à une modification de l'information héréditaire. Ces mutations peuvent être néfastes à la cellule ou à tout l'organisme ; d'un autre côté, le peu d'erreurs advenues lors de la copie de l'information génétique fournit le « matériel » nécessaire à l'évolution des espèces. Dans la suite, nous nous intéresserons aux processus fondamentaux de la conservation, de l'expression et de la réplication de l'information génétique. Pour cela, nous nous tournerons d'abord vers les acides nucléiques, structures porteuses de l'information génétique.

Représentation microscopique de deux cellules HeLa peu de temps avant leur division (télophase). Les composants cellulaires comme l'ADN (en blanc), les microtubules (en rouge) et le centromère (en bleu) sont clairement reconnaissables. Avec l'aimable autorisation de Paul D. Andrews, Ph. D (Université de Dundee).

Les acides nucléiques : structure et organisation

16

Depuis les procaryotes simples jusqu'à l'homme, en passant par les organismes pluricellulaires comme les animaux et les plantes, l'**acide désoxyribonucléique** ou **ADN** est universellement employé comme porteur de l'information génétique. Lors de la division cellulaire, l'ADN est entièrement dupliqué et les deux copies identiques sont réparties équitablement entre les cellules filles : on parle de **réplication**. Les cellules nouvellement formées sont programmées pour activer des segments d'ADN définis, dont elles réécrivent l'information sous forme d'**acide ribonucléique** ou **ARN** : on appelle ce processus **transcription** (*fig.* 16.1). Les segments d'ADN qui contiennent l'information nécessaire à la production d'un transcrit d'ARN sont appelés **gènes** ; la majorité des gènes spécifie des protéines. Ce processus implique que la cellule convertisse l'information enregistrée dans l'ARN en une protéine : cette conversion s'appelle **traduction**. Avant d'étudier la machinerie cellulaire qui dirige avec virtuosité ces processus fondamentaux de la vie – réplication, transcription, traduction –, nous allons d'abord nous intéresser à la structure des acides nucléiques.

La structure d'une molécule d'ADN est très simple : elle se compose d'une longue chaîne linéaire de **désoxyribonucléotides** ; plusieurs centaines de millions de ces éléments peuvent être enchaînés les uns aux autres au sein d'un seul polynucléotide, qui est ensuite compacté pour en faire un chromosome (§ 16.4). Les nucléotides sont faits de trois éléments : la **base**, le **désoxyribose**, et le **résidu phosphate** (§ 2.6). Les bases puriques comme l'adénine et la guanine ou les bases pyrimidiques comme la thymine et la cytosine y sont reliées par une liaison *N*-glycosidique à l'atome C1' d'un 2'-désoxyribose (*fig.* 16.2). L'élément formé d'une base et d'un 2'-désoxyribose est appelé **nucléoside**. Lorsqu'un radical phosphate estérifie le groupement hydroxyle du C5' du sucre, on parle de **nucléotide** (*tab.* nucléotides).

Un polynucléotide se forme à partir de **fonctions phosphodiesters** reliant le groupement hydroxyle de l'atome C3' d'un premier nucléotide à l'atome C5' d'un deuxième nucléotide (*fig.* 16.3). L'**orientation** de la chaîne est par définition toujours donnée du 5' (à gauche) vers le 3' (à droite). L'extrémité 5' et l'extrémité 3' correspondent aux deux nucléotides terminaux dont le C5' et le C3', respectivement, *ne* sont *pas* reliés à des fonctions phosphodiesters. Par ailleurs, la synthèse de l'ADN a lieu dans la cellule dans le **sens 5'-3'**, car les nucléotides sont ajoutés typiquement à l'extrémité 3' « libre » d'un brin d'acide nucléique préexistant.

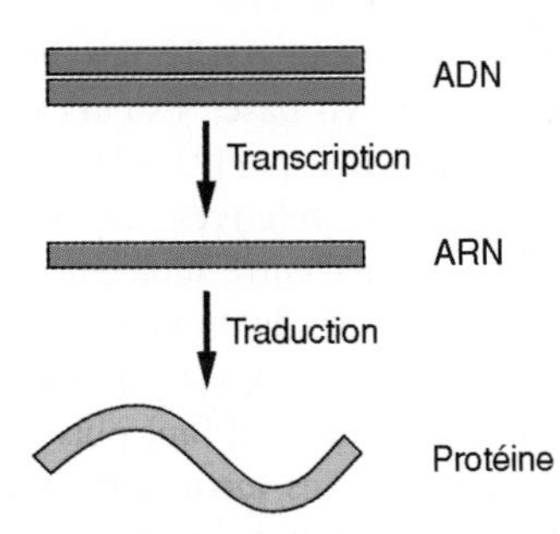

16.1 Processus génétiques fondamentaux. Le flux d'information génétique va en général de l'ADN à l'ARN puis à la protéine. Les rétrovirus fournissent un exemple d'exception à cette règle, car leur information génétique est inscrite dans un ARN et doit d'abord être réécrite sous la forme d'un ADN – d'où le préfixe rétro – pour spécifier les protéines du virus.

16.1 Des brins d'ADN antiparallèles forment une double hélice

Comment une molécule aussi « simple » peut-elle contenir les instructions nécessaires à la construction d'organismes aussi différents que les mousses, les marmottes ou l'homme ? La réponse se trouve dans la séquence de l'ADN : la diversité combinatoire basée sur quatre nucléotides différents permet à un ADN de n résidus d'adopter 4^n séquences différentes, ce qui suffit à spécifier, même en limitant la longueur du brin, un grand nombre de produits différents. Nous étudierons plus précisément comment fonctionne ce code dans le détail (§ 18.1). Nous allons d'abord nous demander comment l'information ainsi conservée peut se transmettre sans altérations importantes. Pour cela, il nous faut examiner la structure de l'ADN de plus près. Elle est constituée par deux brins nucléotidiques arrangés en sens inverse – c'est-à-dire **antiparallèles** – et qui s'enroulent en hélice autour d'un axe commun : on parle de **double hélice**. Les bases

16.2 Composants de l'ADN. L'ADN utilise deux nucléotides puriques contenant les bases adénine ou guanine et deux nucléotides pyrimidiques contenant les bases cytosine ou thymine. Les symboles sont les mêmes que pour la *fig.* 2.13.

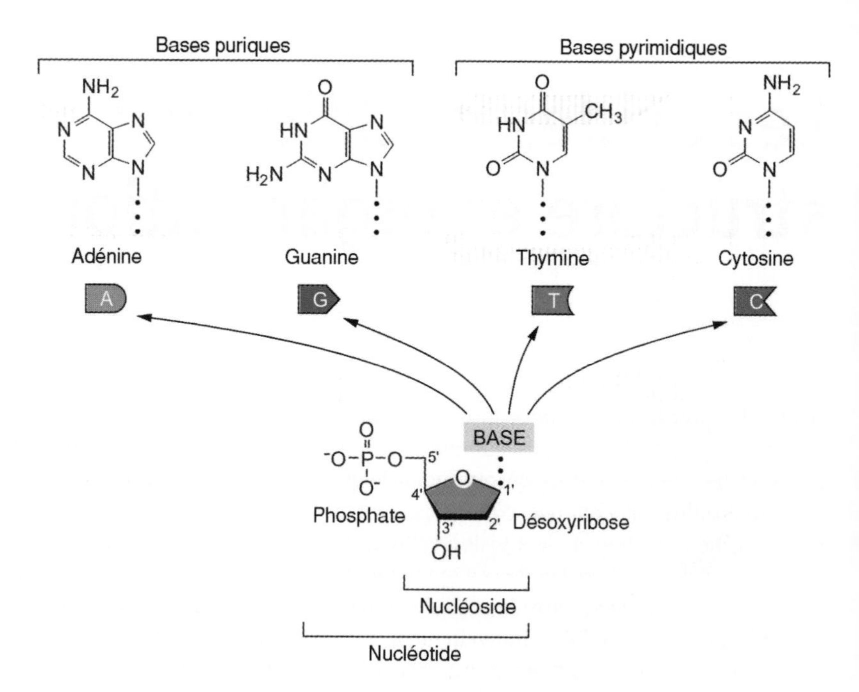

nucléotidiques, l'adénine (A), la cytosine (C), la guanine (G) et la thymine (T) sont situées à l'intérieur de la double hélice, tandis que les résidus désoxyriboses phosphates forment la couche externe (*fig.* 16.4). L'interaction entre les grandes bases puriques (A et G) et les petites bases pyrimidiques (C et T) assurent la « liaison » intérieure entre les deux brins de la double hélice : on parle d'**appariement des bases** entre un brin et le brin opposé.

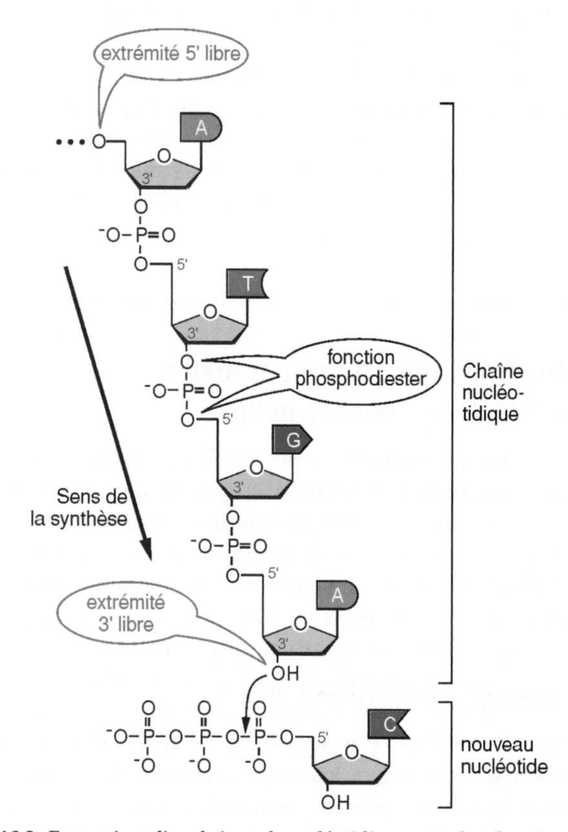

16.3 Formation d'un brin polynucléotidique par des fonctions phosphodiesters. Au cours de la polymérisation, des nucléotides triphosphates sont consommés et, par élimination d'un pyrophosphate, sont incorporés en tant que monophosphates dans la chaîne en cours d'extension (A : adénine, C : cytosine, G : guanine, T : thymine).

Les bases A et T d'une part, G et C d'autre part, forment ainsi des **paires de bases complémentaires** – également appelées **paires de bases Watson-Crick**, –, qui s'adaptent l'une à l'autre comme dans un assemblage en tenon et mortaise par le jeu des liaisons hydrogènes (*fig.* 16.5). Ces paires de bases reliées par des liaisons hydrogènes sont désignées schématiquement par A·T et G·C. D'autres paires de bases envisageables, comme A·G ou C·T, sont exclues car elles sont soit trop larges (A·G), soit trop étroites (C·T) pour remplir l'espace interne de la double hélice de manière optimale. Dans l'ADN, nous n'avons donc affaire qu'à quatre nucléotides différents et deux types de paires de bases.

Du fait de la complémentarité des bases entre les deux brins, le contenu en bases « sœurs » doit toujours être identique, c'est-à-dire que [A] = [T] et [G] = [C]. Par contre, les proportions relatives de A/T et de G/C peuvent fortement varier entre molécules d'ADN. Dans le cas de A·T, deux liaisons hydrogènes assurent l'appariement, alors que la paire G·C est stabilisée par trois de ces liaisons (*fig.* 16.5) ; ainsi, il faut plus d'énergie pour dissocier une paire G·C. Les **forces différentes des appariements de bases** ont des conséquences immédiates sur la stabilité de la double hélice d'ADN. Dans les deux types de paires de bases, le plan des cycles des bases fait un angle d'environ 90° avec l'axe de l'hélice, tandis que les cycles des désoxyriboses font un angle droit avec les hétérocycles des bases (*fig.* 16.6).

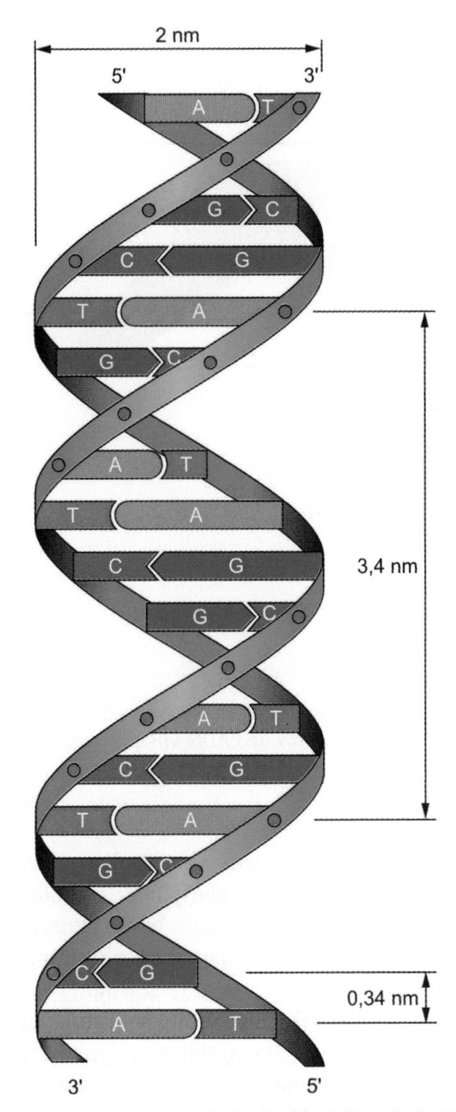

16.4 Structure schématique de la double hélice de l'ADN. Deux brins complémentaires d'orientations antiparallèles s'enroulent l'un autour de l'autre. Les groupements sucres-phosphates, symbolisés ici par des rubans verts (sucres) et des points rouges (phosphates) constituent le « squelette » de l'hélice. L'appariement des bases maintient les deux brins associés par l'intérieur. La structure de l'ADN est encore stabilisée par des interactions hydrophobes entre paires de bases successives.

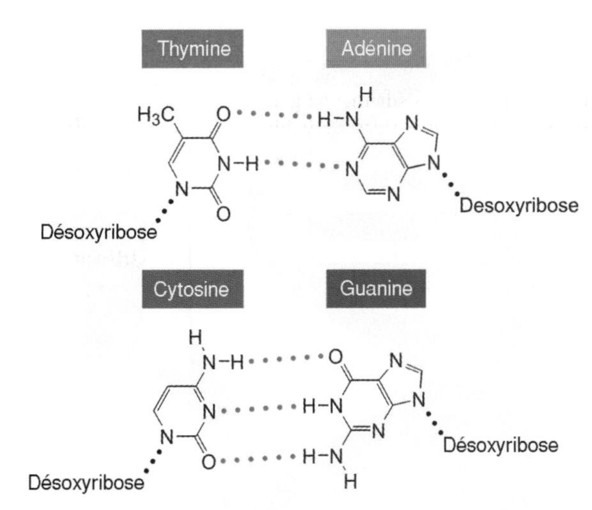

16.5 Complémentarité des paires de bases dans l'ADN double brin. Les liaisons hydrogènes entre adénine et thymine (en haut) ou guanine et cytosine (en bas) forment des paires de bases Watson-Crick (d'après James D. Watson et Francis Crick, les premiers à décrire la structure en double hélice de l'ADN, en 1953).

L'arrangement parallèle des paires de bases successives favorise les interactions hydrophobes entre celles-ci ; cela n'est possible que grâce à la flexibilité des liaisons chimiques des désoxyriboses et des groupements phosphodiesters. Dans l'idéal, les bases appariées sont dans un même plan, c'est-à-dire coplanaires : on parle de l'**empilement des bases.** Dans l'ADN natif, on observe souvent une légère rotation de ces plans l'un par rapport à l'autre comme les pales opposées d'une hélice, ce qui optimise leur arrangement en strates. De même que les hélices de protéines, les hélices d'ADN peuvent aussi adopter différentes conformations et deux sens de rotation. La forme prédominante dans la nature est l'**hélice B**, qui est une **hélice droite** ; ses paramètres caractéristiques sont donnés par le tableau 16.1.

Tableau 16.1 Paramètres de la double hélice droite de l'ADN de type B. pb : paire de bases ; kpb : kilopaire de bases (10^3 pb).

paramètre	valeur
pas de l'hélice	3,4 nm (34 Å)
paires de bases par tour	environ 10
distance le long de l'axe entre bases voisines	0,34 nm (3,4 Å)
angle de rotation	35,9° par pb
diamètre moyen de l'hélice	2 nm (20 Å)
profondeur du petit sillon	0,75 nm (7,5 Å)
profondeur du grand sillon	0,85 nm (8,5 Å)
conformation du désoxyribose	C2'-endo (§ 16.2)

16.2 L'asymétrie des paires de bases génère un petit et un grand sillon

L'espace interne de l'**ADN B** est rempli par des strates de bases empilées, et les liaisons glycosidiques d'une paire de bases ne sont pas exactement diamétralement opposées ; cette asymétrie produit deux types de rainure, un **« grand » sillon** d'environ 0,85 nm de profondeur et un **« petit » sillon** d'environ 0,75 nm de profondeur (*fig.* 16.7). Si l'on parcourt la surface de l'hélice dans la direction de son axe, on traverse à chaque tour d'hélice deux

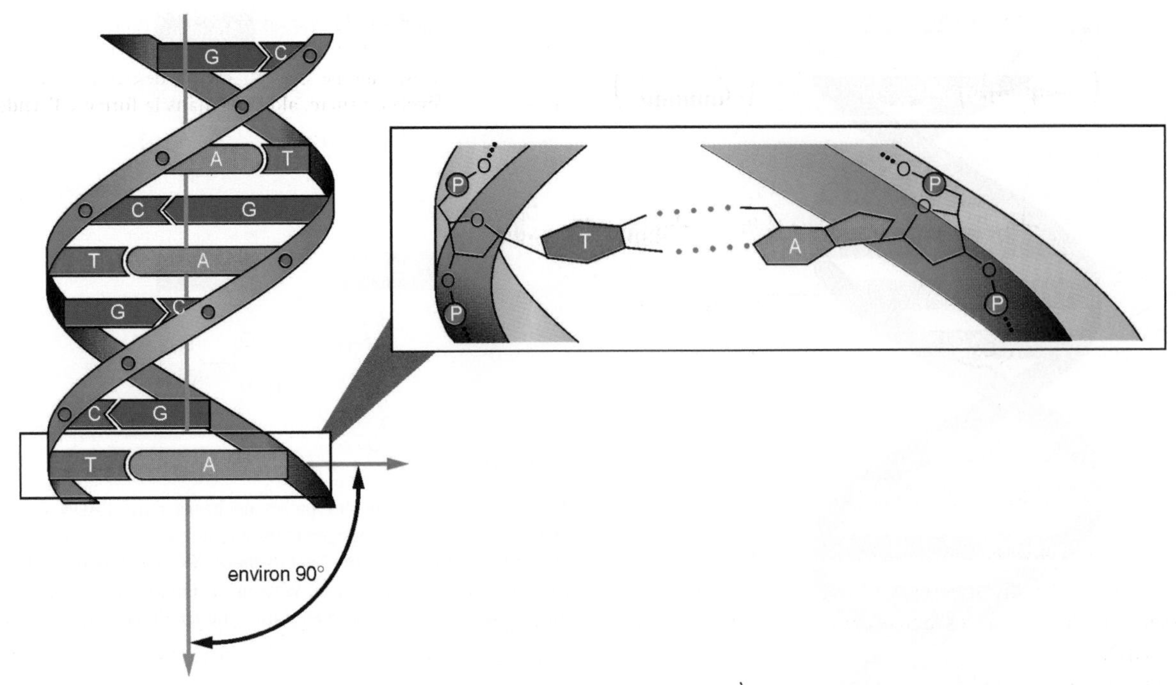

16.6 Arrangement spatial des paires de nucléotides dans la double hélice d'ADN. À gauche : les plans des cycles des bases sont perpendiculaires à l'axe de l'hélice et au squelette sucre-phosphate. La séparation des deux brins de l'ADN obtenue par chauffage est appelée « dénaturation » ou « fusion ».

« vallées » formées par le petit et le grand sillon. Ce profil de surface de l'ADN a une importance fonctionnelle : au fond de ces sillons se trouvent de nombreux groupements accepteurs et donneurs de liaisons hydrogènes grâce auxquels les protéines régulatrices peuvent se fixer spécifiquement à l'ADN. En particulier, le grand sillon offre des surfaces de fixation spécifiques pour l'interaction avec les protéines fixatrices d'ADN ; nous y reviendrons plus loin (§ 20.3). En l'absence d'eau, l'ADN peut aussi adopter la **forme A** en hélice droite, qui est plus « ventrue » que l'ADN B. La **forme Z** de l'ADN est une hélice gauche : elle tire son nom de l'arrangement en zigzag de la chaîne sucre-phosphate. On obtient une hélice Z lorsqu'on a une série de bases pyrimidiques et puriques alternées ; son importance physiologique est toutefois controversée.

Les deux formes en hélice droite se distinguent par la conformation de leurs désoxyriboses : dans la **forme C2' endo** de l'ADN B, l'atome C2' se trouve au-dessus du plan du reste du cycle du désoxyribose, alors que c'est l'atome C3' qui se trouve au-dessus du plan du cycle dans la **forme C3' endo** de l'ADN A (*fig.* 16.8). Cette différence

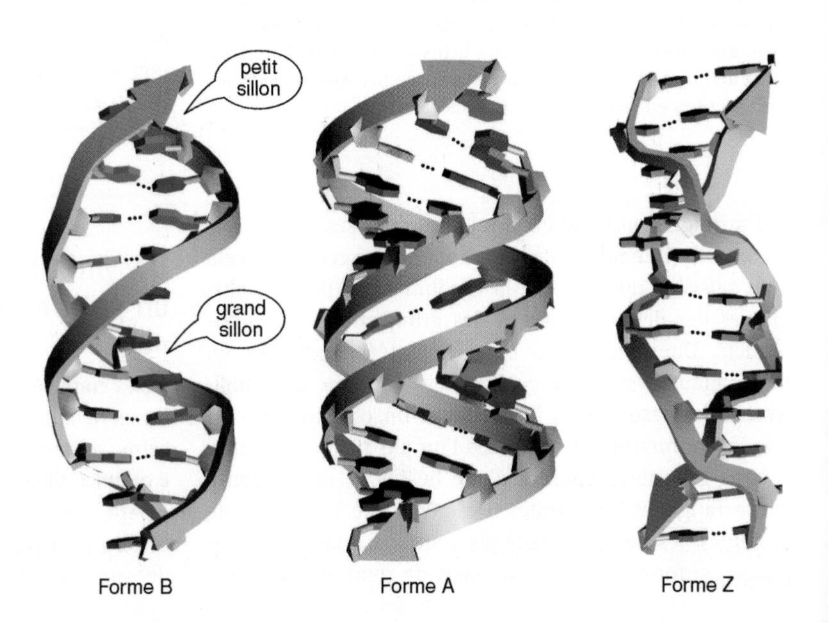

16.7 Comparaison entre les différentes formes d'ADN. Les deux sillons profonds de l'ADN B en hélice droite se distinguent facilement l'un de l'autre. À titre de comparaison, on a représenté une hélice gauche d'ADN A, qui est plus écrasée et a donc un diamètre plus important que l'ADN B, alors que l'ADN Z est plus étiré et plus étroit.

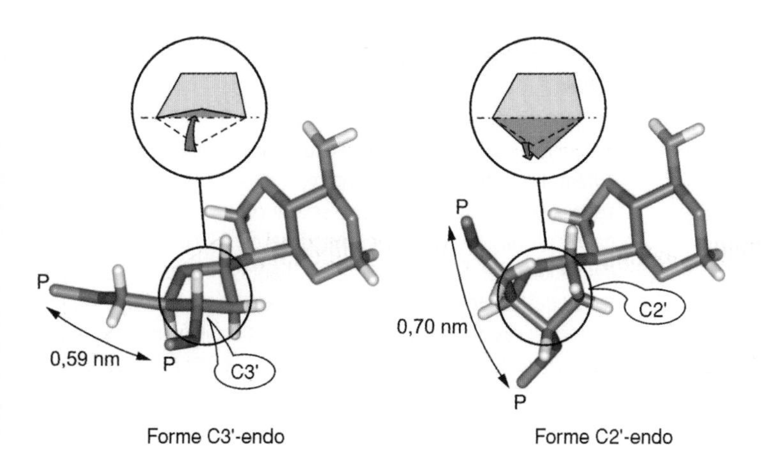

16.8 Conformation du sucre dans les formes C2'-endo et C3'-endo. Dans la forme C2'-endo, c'est l'atome C2' qui est au-dessus du plan du cycle du sucre, alors que dans la forme C3'-endo, c'est l'atome C3'.

de position a des répercussions sur l'arrangement spatial des bases et des groupements phosphodiesters qui aboutissent finalement à ces deux conformations différentes de l'ADN.

Avant chaque division, une cellule doit réaliser une copie exacte de son génome afin de transmettre intégralement son information génétique à la génération suivante. Comment cette archive d'ADN peut-elle être copiée en un temps très court avec la plus grande précision ? La structure en double brin de l'ADN fournit une réponse intuitive à cette question : comme la séquence nucléotidique d'un brin est le « reflet » exact de la séquence complémentaire du brin opposé, les deux molécules portent en fait la même information génétique. Si l'on sépare les deux brins de la double hélice, chaque brin peut servir de modèle ou de **matrice** pour la synthèse d'un brin complémentaire (*fig.* 16.9). Ce processus de copie crée deux répliques identiques dont chacune possède un brin parental et un brin fils : on parle de **réplication semi-conservative.** Nous étudierons plus loin les détails moléculaires de la duplication de l'ADN (*chap.* 21).

L'ARN se distingue de l'ADN par trois aspects structuraux importants : les composants de l'ARN sont des **ribonucléotides**, qui contrairement aux désoxyribonucléotides portent un groupement hydroxyle en position C2' du cycle ribose ; dans l'ARN, l'**uracile** remplace la base thymine ; l'ARN possède ainsi un appariement A·U à deux liaisons hydrogènes au lieu de A·T. Les ARN sont en général sous forme simple brin ; pourtant, l'ARN peut former des structures particulières par appariement de bases intramoléculaire, lorsque deux régions complémentaires s'associent (*fig.* 16.10). Dans certaines circonstances, les ARN peuvent aussi former un double brin mixte avec une molécule d'ADN, appelé **hétéroduplex** (§ 17.3). Les différences fondamentales de fonction entre ARN et ADN sont l'objet du chapitre suivant.

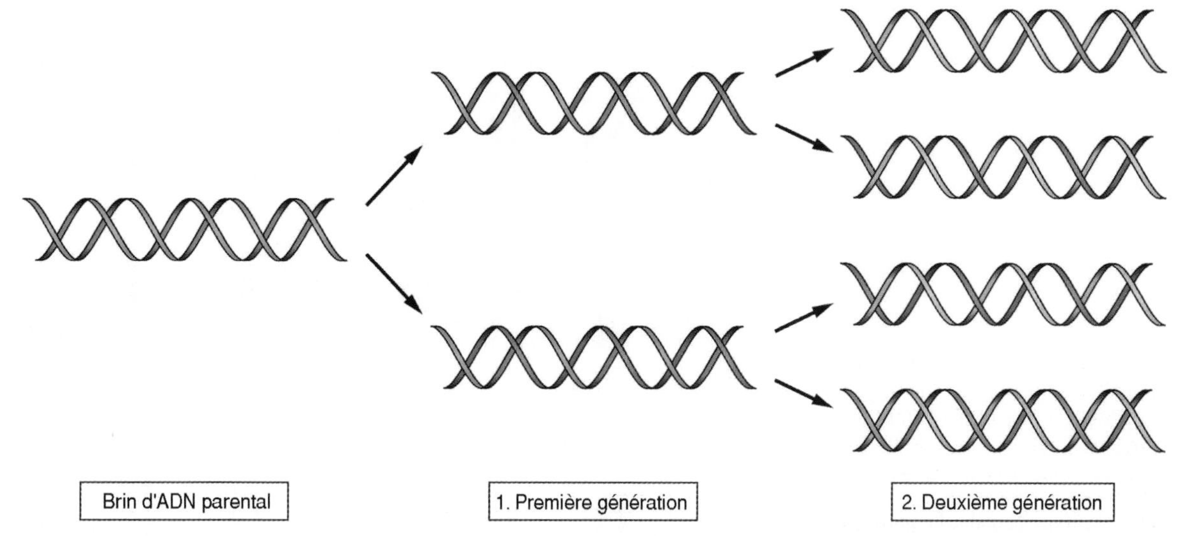

16.9 Réplication semi-conservative de l'ADN. Les deux brins d'ADN parentaux servent de matrice à la synthèse des brins fils complémentaires.

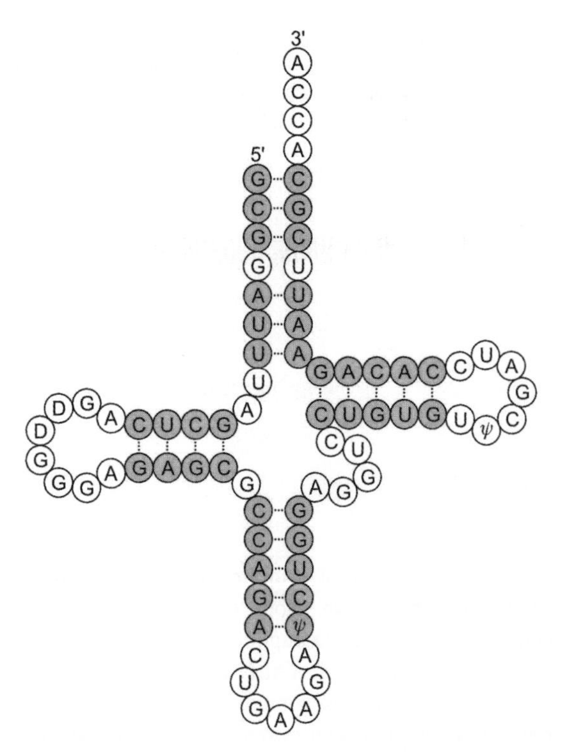

16.10 Complémentarité de l'ARN avec lui-même. Ici, l'exemple d'un ARN de transfert (ARNt) de levure est représenté. De courts segments de la molécule simple brin forment des paires de bases internes G·C ou A·U (en jaune, avec un trait en pointillé), ce qui donne à l'ARNt une structure secondaire unique. ψ, pseudo-uridine (§ 17.10). [RF]

Encart 16.1 : Le caryotype humain

Le génome humain est organisé en deux fois 23 chromosomes (caryotype diploïde) : 22 **autosomes** d'origine paternelle et autant d'origine maternelle (chromosomes 1-22) et deux **hétérosomes** (x, y) qui déterminent le sexe. Il contient environ 3,2 x 10^9 paires de bases (pb) par jeu haploïde de 23 chromosomes. Les deux molécules d'ADN d'une paire d'autosomes sont des variantes ou des **allèles** d'un seul et même acide nucléique ; par contre, les séquences des deux hétérosomes sont complètement différentes. Le génome humain compte donc au plus 24 (22+2) molécules d'ADN différentes. Dans la phase de synthèse de l'ADN, dite phase S, la cellule duplique l'ensemble de ses chromosomes ; les **chromatides filles** qui en résultent sont bien visibles en microscopie optique pendant une phase de la mitose, la métaphase (*fig.* 16.11). La colchicine, un alcaloïde, est un auxiliaire très utilisé pour l'étude des chromosomes en métaphase car elle « gèle » la division cellulaire à l'étape de la métaphase (*encart* 31.1). Les deux chromatides filles sont encore en contact par la **région centromérique** (*encart* 16.2). Dans la phase terminale de la mitose, l'anaphase, la paire de chromatides se dissocie et se répartit dans les deux cellules filles.

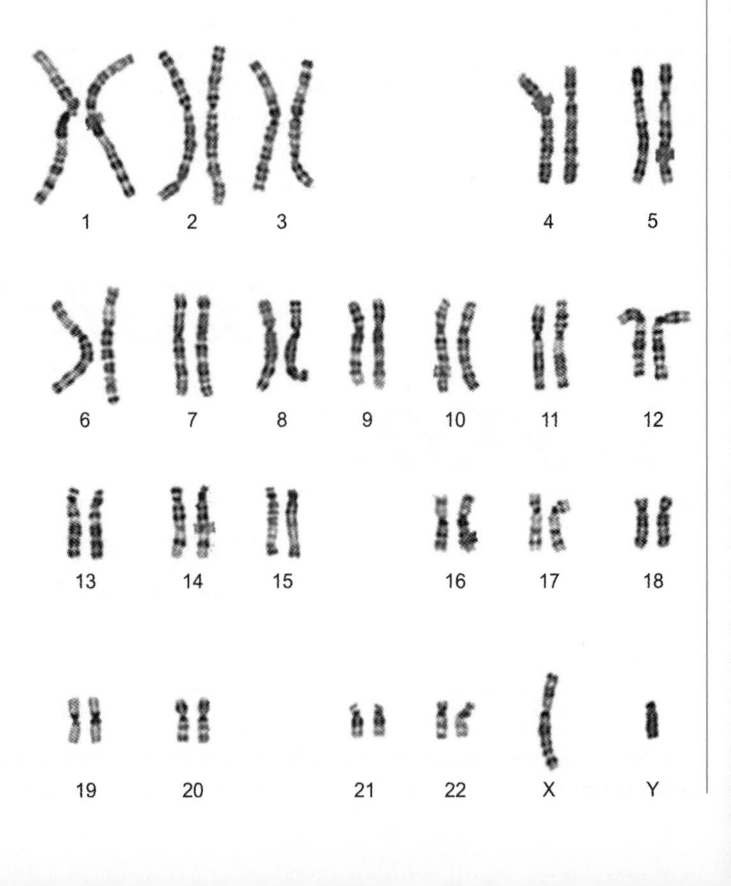

16.11 Caryotype humain. Le profil caractéristique en bandes est obtenu par une coloration cytogénétique, il est spécifique de chaque type de chromosome. [RF]

16.3

Les chromosomes sont des complexes formés d'ADN et d'histones

Comment les cellules accomplissent-elles le tour de force consistant à empaqueter des milliards de nucléotides dans un espace extrêmement exigu, tout en étant capables en permanence de puiser rapidement dans cette réserve d'information ? La majorité de l'ADN eucaryote est conservée dans le noyau. De plus, il faut avoir à l'esprit que le génome d'une cellule humaine est conservé au sein de 46 gigantesques molécules d'ADN : si on les étirait et qu'on les plaçait les unes derrières les autres, l'ensemble ferait environ deux mètres de long ! En revanche, un noyau normal de cellule a un diamètre souvent inférieur à dix µm (soit 10^{-5} m). L'ADN doit donc être extrêmement condensé pour prendre place dans le noyau. Les porteurs de l'ADN nucléaire sont les **chromosomes**, dont chacun est fait d'une seule molécule d'ADN « recouverte » de protéines d'empaquetage, les histones (*encart* 16.1).

Dans le noyau cellulaire, l'ADN forme un complexe avec des protéines : on parle de **chromatine**. Chaque chromosome est constitué d'une seule molécule d'ADN et renferme deux types de protéines : les **histones**, et les autres. Les histones sont certainement parmi les protéines cellulaires les plus nombreuses : chaque cellule eucaryote possède plusieurs centaines de millions de molécules d'histones alors que le nombre de copies par cellule de la plupart des autres types de protéines ne dépasse pas quelques centaines, ou quelques milliers dans le meilleur des cas. Les histones ont une masse moléculaire d'environ 11-22 kDa et contiennent une proportion élevée (environ 20 %) des deux acides aminés basiques, l'arginine et la lysine. Les histones, très basiques, se fixent grâce aux charges positives des chaînes latérales de ces résidus aux groupements phosphates, chargés négativement, de l'ADN ; la séquence des bases de l'ADN ne joue aucun rôle dans cette fixation. Les histones sont souvent modifiées par méthylation, acétylation, phosphorylation ou ADP-ribosylation (§ 5.3).

Chez l'homme, il en existe cinq types principaux : l'histone **H1**, et les histones **H2A**, **H2B**, **H3** et **H4** qui sont également appelées histones nucléosomiques. Elles forment un octamère contenant deux molécules de chacune des quatre histones H2A, H2B, H3 et H4 ; autour de ce noyau, une molécule d'ADN fait deux tours (*fig.* 16.12). Chaque complexe ADN-octamère d'histones est appelé **nucléosome** : c'est le composant élémentaire du chromosome. Nous avons ici pour la première fois affaire à une **interaction ADN-protéine** – un thème sujet à d'inépuisables variations. Nous analyserons plus loin le détail moléculaire de l'interaction entre ces deux acteurs de premier plan du destin cellulaire.

La séquence des histones est l'une des mieux conservées au cours de l'évolution : l'histone H4 des mammi-

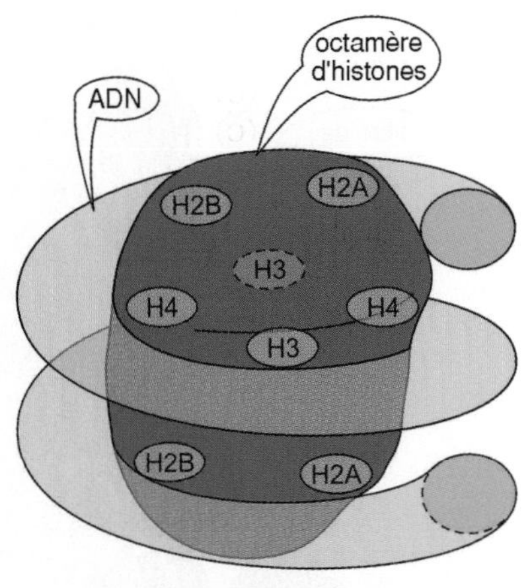

16.12 Structure d'un nucléosome. Le cœur du nucléosome est formé d'un octamère de deux paires de molécules H2A/H2B (extérieur) et de deux paires H3/H4 (intérieur). L'ADN s'enroule deux fois autour du noyau, formant ainsi un nucléosome d'environ 11 nm de diamètre. Un segment d'ADN « nu » fait la liaison avec le nucléosome suivant. H1 forme la boucle de cette ceinture d'ADN (§ 16.4).

fères et celle des plantes diffèrent par seulement deux acides aminés sur 102 ! Presque tous les résidus doivent donc être fonctionnellement importants, sinon ils ne seraient pas aussi bien conservés. Les histones sont présentes dans presque toutes les cellules eucaryotes ; seuls les spermatozoïdes utilisent à la place les **protamines**, protéines basiques semblables aux histones qui leur permettent d'obtenir un empaquetage extrêmement dense de leurs chromosomes.

16.4

Les nucléosomes sont les segments de la chaîne chromatinienne

L'ADN s'enroule sur une longueur d'environ 147 paires de bases (pb) autour du noyau d'histones puis continue par un tour à gauche sur 20-70 pb jusqu'au nucléosome suivant. Ce segment intermédiaire, également appelé **ADN de liaison** (angl. *linker DNA*), est « nu », c'est-à-dire qu'il n'est pas chargé d'histones. L'histone H1 joue le rôle de clé de voûte de chaque nucléosome et contacte en même temps les bobines voisines (*fig.* 16.13). De cette manière, les protéines H1 assemblent les nucléosomes en une fibre dense : la **fibre chromatinienne**. En principe, toutes les régions de l'ADN peuvent fixer des histones, mais des segments sont exclus de l'enroulement autour des histones lorsque s'y fixent des protéines non-histones (*chap.* 20).

De leur côté, les fibres de chromatine sont arrangées en boucles, ce qui génère une nouvelle condensation de l'ADN : le niveau structural suivant est celui des **boucles de chromatine** organisées en hélices qui constituent finalement la structure de base du chromosome (*fig.* 16.14).

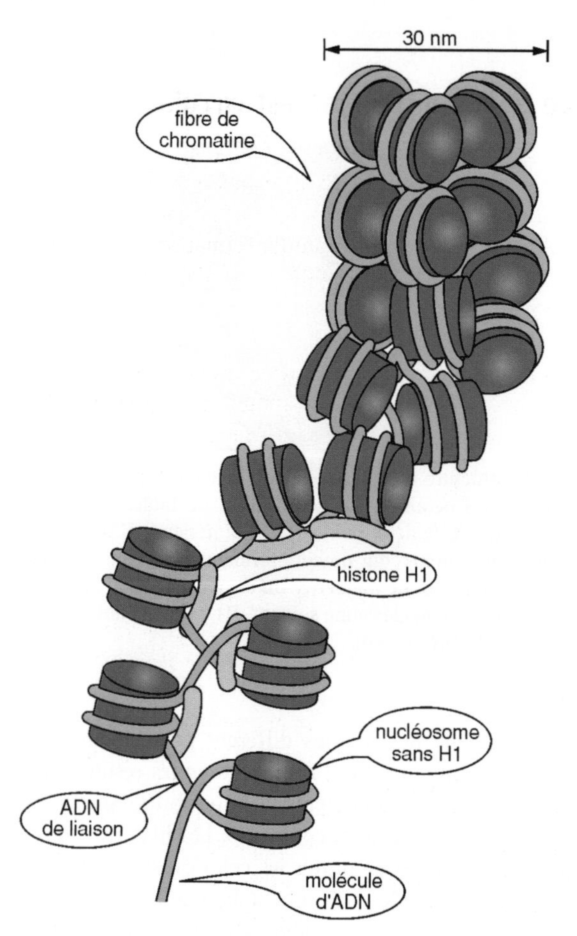

16.13 Structure d'une fibre chromatinienne de 30 nm. Les nucléosomes s'organisent en une hélice gauche comprenant six nucléosomes par tour, formant ainsi une fibre compacte de 30 nm environ de diamètre. Au sein de cet empilement compact, H1 associe les nucléosomes voisins et participe donc à la formation de structures chromatiniennes hyper-ordonnées.

Dans la métaphase de la mitose, les chromosomes sont dans leur état le plus compact, ce qui facilite leur répartition entre les deux cellules filles. L'arrangement dense de l'ADN dans les **chromosomes métaphasiques** génère un facteur de compaction ou de condensation de 10 000 qui suffit à ranger des mètres d'ADN dans le noyau d'une cellule.

L'empaquetage « artistique » de l'ADN en une archive dense en information offre sans aucun doute des avantages logistiques. Pourtant, comment la réplication et la transcription pourraient-elles se dérouler au sein d'un empilement de fibres aussi compact ? Pour ce faire, les gènes doivent en être dégagés, c'est-à-dire que la chromatine doit se **décondenser** en vue de la transcription. Se forment alors des boucles d'ADN d'environ 100 000 paires de bases, qui représentent souvent un gène ou un groupe entier de gènes : elles sont appelées **chromatine active**. Lors de la décondensation, les histones perdent par acétylation de leurs résidus lysines ou phosphorylation de leurs résidus sérines une partie de leur charge nette négative si bien qu'elles quittent les nucléosomes, ce qui relâche l'arrangement compact de l'ADN. La réversibilité de ce processus est assurée par des désacétylases et des phosphatases. La réplication, elle aussi, exige une « dynamique » des chromosomes : il existe spécialement pour cela des structures auxiliaires du chromosome qui garantissent l'efficacité et l'intégrité de la réplication (*encart* 16.2).

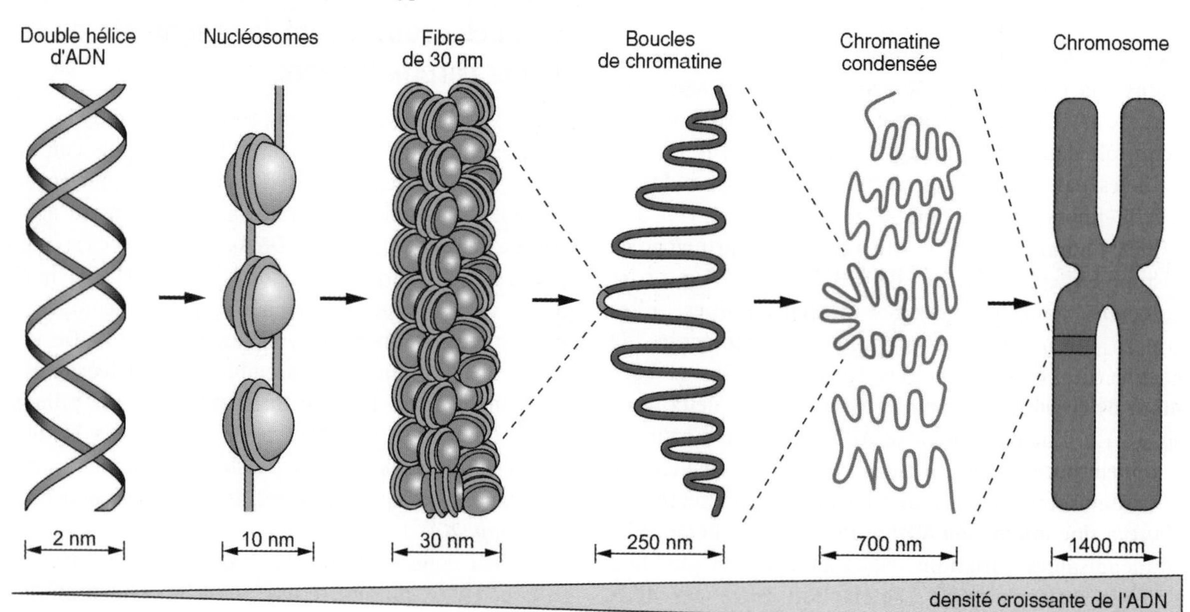

16.14 Arrangement de l'ADN dans les chromosomes. Les différents niveaux d'organisation de l'ADN, depuis le simple brin jusqu'au chromosome, sont représentés. Une boucle de chromatine s'étend sur environ 10^5 pb ; une molécule d'ADN chromosomique peut à elle seule compter plus de 10^8 pb !

Encart 16.2 : Structure d'un chromosome en métaphase

Les chromosomes possèdent des régions spécialisées comme le **centromère** (au centre), les **télomères** (les extrémités) et les **origines de réplication** (distribuées sur toute leur longueur) qui sont garantes de la réplication (*fig.* 16.15). Les éléments de séquence correspondants sont des régions de l'ADN de moins de 1 000 pb. Une origine de réplication — appelée **ori** en abrégé — détermine le point de départ de la réplication. La multiplicité des origines de réplication assure la réplication complète de l'ADN durant l'étroite fenêtre temporelle de la phase S. Les télomères garantissent la réplication complète des deux brins de l'ADN sur toute leur longueur (§ 21.4). En coopération avec un complexe protéique, la région centromérique forme le **kinétochore**, point de départ du fuseau mitotique responsable de la répartition des chromosomes dans les cellules filles (§ 3.5). Les chromosomes humains ont des tailles très différentes : avec ses 3×10^8 (300 millions de) pb, le chromosome 1 est le plus grand, alors que le plus petit est le chromosome 21 avec $3{,}3 \times 10^7$ pb.

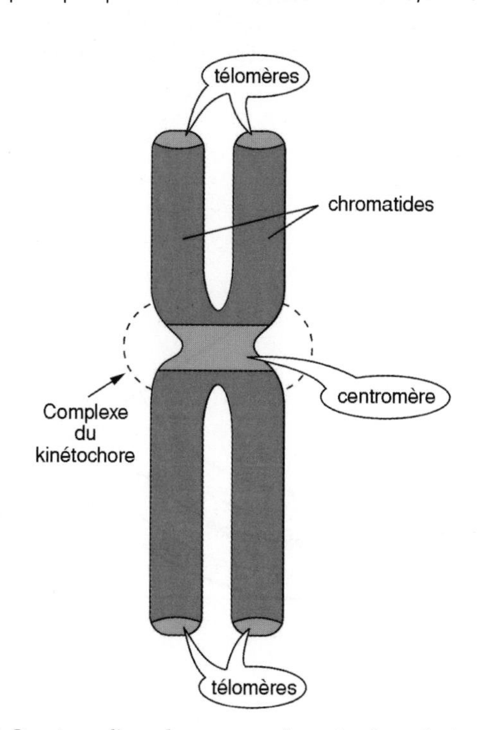

16.15 Structure d'un chromosome humain. Lors de la métaphase, on peut observer une paire de chromatides filles constituées de deux molécules d'ADN double brin identiques, associées par leurs centromères et entourées du complexe du kinétochore. Les télomères forment les extrémités des chromosomes fonctionnels.

16.5 Le génome d'*E. coli* est circulaire

Le génome nucléaire de l'homme est composé de 46 molécules linéaires d'ADN. En revanche, chez les organismes « moins élaborés », une seule molécule circulaire d'ADN porte souvent toute l'information héréditaire. Les **molécules circulaires d'ADN** sont caractéristiques d'un grand nombre de bactéries et de virus. De même, les mitochondries et les chloroplastes – chez les eucaryotes, les seuls organites cellulaires porteurs d'ADN en dehors du noyau – ont conservé l'organisation circulaire de leur ADN apparue précocement au cours de l'évolution (*encart* 21.4). En 1997, la séquence nucléotidique complète de l'ADN circulaire de la souche K12 d'*E. coli* a été l'une des premières à être élucidée. La connaissance de la succession exacte des nucléotides permet de déterminer précisément l'emplacement des gènes, des démarrages de transcription, des régions régulatrices et des séquences répétées, et de les porter sur des **cartes génétiques** exactes (*fig.* 16.16)

La structure de l'ADN des procaryotes est *soit* circulaire, *soit* linéaire. Les bactériophages (virus bactériens) comme le **phage lambda**, sont au contraire « hybrides », puisqu'ils peuvent organiser leur génome sous forme linéaire ou circulaire selon l'étape de leur développement : dans la particule phagique infectieuse, l'ADN est linéaire ; après infection de la bactérie hôte, les extrémités cohésives (« collantes », petites régions simples brins complémentaires entre elles) de la molécule d'ADN sont ligaturées pour former un cercle.

Nous avons donc acquis les connaissances de base sur la structure et le stockage des acides nucléiques ; nous allons maintenant nous tourner vers les processus génétiques fondamentaux. Environ deux tiers du génome humain sont constitués de séquences intergéniques, c'est-à-dire pour l'essentiel de séquences répétées « monotones », dont la fonction et l'origine demeurent inconnues. Seul un tiers du génome porte des gènes, c'est-à-dire des segments d'ADN qui peuvent être réécrits sous forme d'ARN ou de protéines, et une petite partie seulement de ces segments d'ADN porte des séquences réellement codantes. La première étape sur la voie qui va du gène à la protéine est la transcription, que nous allons maintenant examiner en détail.

16.16 Structure du génome d'*E. coli*. Sur le cercle extérieur sont portés l'origine (ori) et le site de terminaison (ter) de la réplication ; le sens de la flèche indique la direction de la réplication. Le cercle suivant donne l'échelle en paires de bases, de 1 à 4 639 221. La majeure partie du génome (87,8 %) spécifie 4 300 protéines (anneau orange et beige). Les flèches vertes et rouges représentent les gènes des ARNt et des ARNr, qui ensemble ne constituent que 0,7 % du génome d'*E. coli*. Le cercle central donne la position des séquences répétées. [RF]

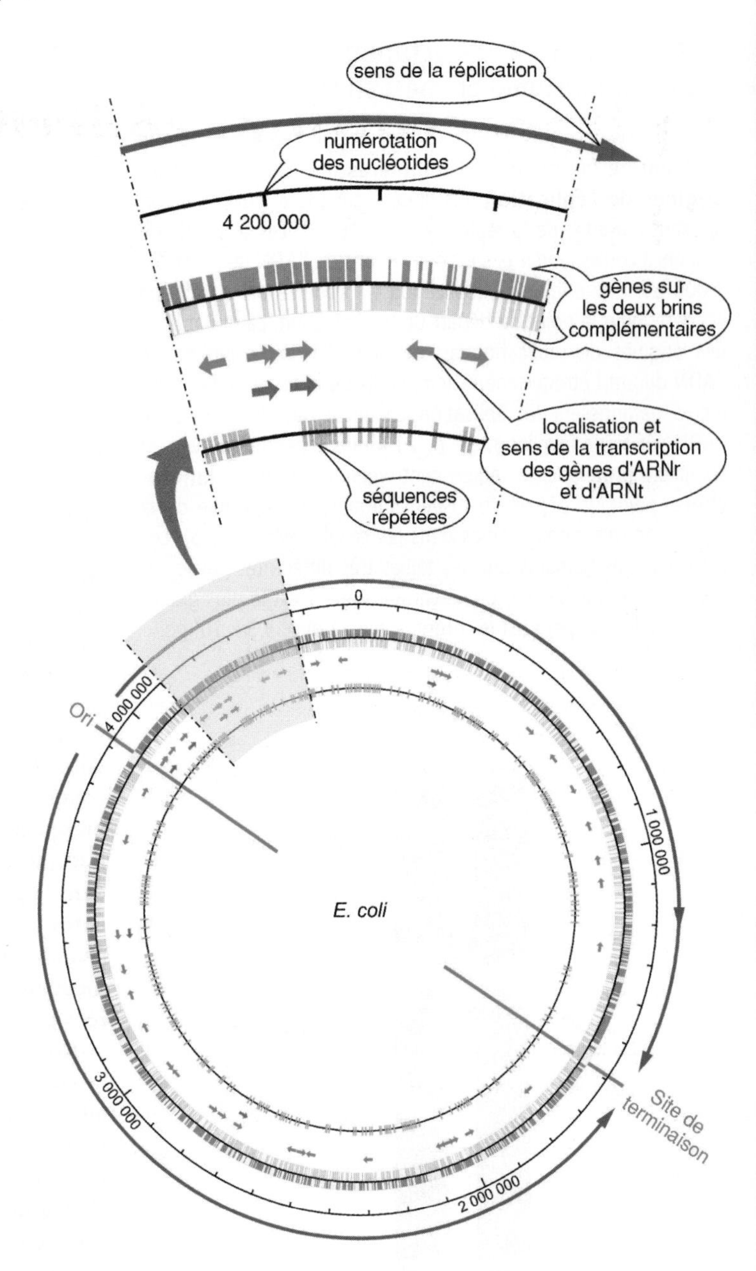

La transcription, réécriture de l'information génétique

17

En principe, toutes les cellules nucléées de l'organisme humain portent une seule et même information génétique dans leur archive d'ADN. Pourtant, pour prendre un exemple précis, les disparités entre une cellule de foie et une cellule nerveuse pourraient difficilement être plus importantes. Les propriétés individuelles de cellules aussi dissemblables sont dues aux différences d'expression de gènes et de groupes de gènes qui gouvernent la différenciation et les activités fonctionnelles des cellules. L'exécution de ce programme génétique, l'**expression génique**, commence par la réécriture de l'ADN d'un gène en ARN. Cette opération de **transcription** est une activité particulièrement intensive des cellules : par exemple, à l'interphase du cycle cellulaire (§ 32.1), elles consomment beaucoup plus de nucléotides pour la synthèse des ARN que pour celle de l'ADN. D'un point de vue mécanistique, la transcription ressemble par beaucoup d'aspects à la réplication, c'est-à-dire la duplication de l'ADN, que nous étudierons plus loin (*chap.* 21) : des **polymérases** ajoutent un par un des nucléotides à de longs polynucléotides en suivant les instructions d'une matrice d'ADN. Dans la transcription, *seul un* des deux brins d'ADN chromosomique est lu, en général.

17.1 Les acides ribonucléiques sont les produits de la transcription

Chez les procaryotes (sans noyau), la transcription a lieu dans le cytoplasme, chez les eucaryotes, elle se déroule dans le noyau. On distingue trois phases : **démarrage**, **élongation**, **terminaison**. Le démarrage de la transcription est l'étape décisive de la réécriture de l'ADN, et elle est l'objet d'un contrôle étroit. Comme la régulation de l'expression génique est d'une importance fondamentale pour la croissance, le développement et la différenciation des cellules eucaryotes, nous traiterons cet aspect dans le détail (*chap.* 20). La transcription et la maturation consécutive de ses produits primaires sont assurées par trois types principaux d'acides ribonucléiques : l'**ARN messager** – ou **ARNm** – qui porte les instructions nécessaires à la biosynthèse des protéines, l'**ARN ribosomique** ou **ARNr**, qui participe en tant que composant du ribosome à la synthèse des protéines, et l'**ARN de transfert** ou **ARNt**, qui « active » les acides aminés pour la synthèse des protéines (*fig.* 17.1). Dans le noyau sont également synthétisés de petits ARN riches en uridine, les **snRNA** (angl. *small nuclear RNA*), qui participent au processus d'épissage (§ 17.6). La transcription fournit également des ARN catalytiques comme le composant ARN de la RNase P (*tab.* 17.1).

Les enzymes qui exécutent la transcription sont les **ARN polymérases dépendant de l'ADN**, qui catalysent la polymérisation à partir des quatre composants ribonucléotidiques, l'adénosine triphosphate (ATP), la guanosine triphosphate (GTP), la cytidine triphosphate (CTP), et l'uridine triphosphate (UTP). Les ARN polymérases possèdent une propriété que nous n'avons encore jamais rencontrée chez une enzyme : elles ont besoin pour leur travail de synthèse d'un « modèle » ou **matrice**. Il s'agit d'un brin d'ADN qui, à chaque cycle, permet de sélec-

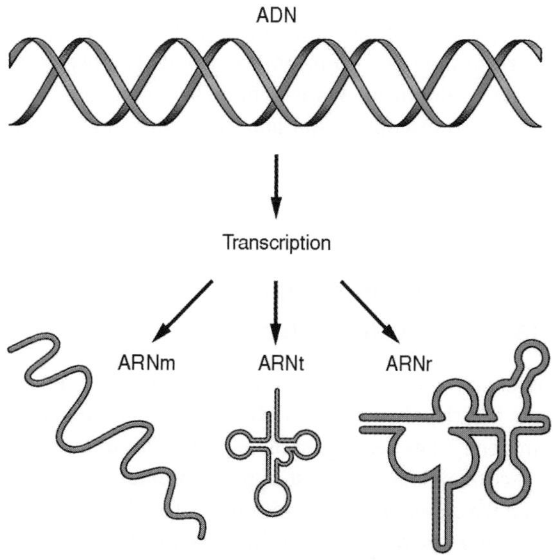

17.1 Types d'acides ribonucléiques. La transcription produit trois grands types d'ARN : l'ARNr, l'ARNm et l'ARNt. D'autres ARN sont présentés dans le tableau 17.1.

Tableau 17.1 Origine et fonction des acides ribonucléiques eucaryotes. Les ARNm, avec leur demi-vie ($t_{1/2}$) de 0,5-20 h, sont beaucoup moins stables que les ARNt et les ARNr, qui ont un $t_{1/2}$ supérieur à un jour.

ARN	ARN polymérase	Fonction
gènes nucléaires		
ARNm	II	codage des protéines
ARNt	III	adaptateur dans la biosynthèse des protéines
ARNr		
5,8S, 18S, 28S	I	composants du ribosome, liaison de l'ARNm, activité peptidyltransférase
5S	III	
snRNA	II/III	composant de l'épissosome
sous-unité de la RNase P	III	maturation des ARNt
gènes mitochondriaux		
ARNm, ARNt, ARNr	ARN polymérase mitochondriale	expression des 39 gènes mitochondriaux, dont 13 spécifiant des protéines

Tableau 17.2 Comparaison des ARN polymérases procaryote et eucaryotes. snRNA : *small nuclear* RNA ; snoRNA : *small nucleolar* RNA (§ 17.9).

Enzyme	Produit	Sous-unités
E. coli (procaryote)		
ARN polymérase	ARNm, ARNt, ARNr	5 $\alpha_2\beta\beta'\sigma$
eucaryotes		
ARN polymérase I	grands ARNr (5,8S, 18S, 28S)	2 grandes sous-unités et environ 10 petites (vrai pour les trois polymérases)
ARN polymérase II	ARNm, snoRNA	
ARN polymérase III	ARNt, petit ARNr (5S), snRNA, ARN de la RNase P	

tionner, par appariement de bases, le nucléotide correct à ajouter à la chaîne polynucléotidique en cours de synthèse. Les bactéries possèdent une seule ARN polymérase qui produit les trois types principaux d'ARN. Les cellules eucaryotes, elles, possèdent trois types d'ARN polymérases ayant des tâches différentes (*tab.* 17.2). Le nombre impressionnant de sous-unités des ARN polymérases eucaryotes donne un avant-goût de la complexité du processus de transcription qui aboutit finalement à l'ARN.

17.2 La transcription démarre à la région promotrice

Comment la transcription est-elle déclenchée, et comment l'ARN polymérase est-elle dirigée vers le « début » d'un gène ? Les gènes possèdent à cet effet une séquence de reconnaissance, qui est appelée **promoteur** dans son ensemble : c'est à cet endroit que se fixe l'ARN polymérase. Chez les bactéries, les signaux de démarrage sont souvent des hexanucléotides comme TATAAT – la **boîte TATA** – et TTGACA, qui se trouvent respectivement à environ 10 et 35 nucléotides en amont du site de démarrage de la transcription (*fig.* 17.2). Ces séquences archétypiques, que l'on retrouve dans de nombreux gènes, sont appelées **séquences consensus**. Des séquences riches en AT plus en amont peuvent encore augmenter l'affinité de l'ARN polymérase pour le promoteur. L'équipement d'un promoteur en signaux de fixation et de démarrage

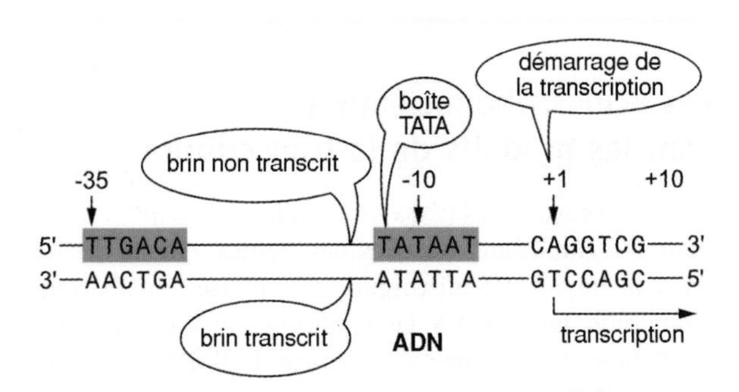

17.2 Signal de départ de la transcription procaryote. Le brin d'ADN à transcrire sert de matrice à l'ARN. La séquence du brin non transcrit correspond à celle de l'ARN synthétisé, ce brin est donc appelé brin codant. La position +1 marque le site de démarrage de la transcription sur le brin codant. Les séquences en amont du site de démarrage de la transcription sont numérotées négativement. Les positions -40 à +20 forment la plateforme à partir de laquelle l'ARN polymérase démarre la transcription. Les signaux de démarrage sont indiqués en couleur.

de ce type détermine son interaction avec l'ARN polymérase : il existe ainsi des promoteurs « forts » et « faibles ». Dans la **phase de démarrage** de la transcription, l'ARN polymérase procaryote « sonde » la séquence promotrice à l'aide de sa **sous-unité** σ, s'y fixe et occupe un segment d'environ 60 nucléotides. Chez les gènes eucaryotes, des protéines de fixation spécifiques reconnaissent les séquences consensus de la région promotrice et forment une plate-forme pour y fixer l'ARN polymérase (§ 20.3).

Les ARN polymérases travaillent en principe toujours sur un seul brin. Comment savent-elles lequel des deux brins de la double hélice utiliser ? C'est là encore le promoteur qui résout le problème : sa position stratégique dans le gène indique à l'ARN polymérase la direction « correcte » de la lecture (*fig.* 17.3). En partant du promoteur, l'ARN polymérase suit le brin matrice dans le sens 3'→5' et synthétise donc le transcrit toujours dans le **sens 5'→3'**. La séquence de l'autre brin de l'ADN correspond – à condition de changer chaque T en U – à celle de l'ARN naissant, on l'appelle donc **brin codant**. Les séquences consensus des promoteurs mentionnées précédemment sont par convention indiquées sur le brin codant (*fig.* 17.2). Les procaryotes et les virus, qui doivent stocker leur patrimoine héréditaire dans un espace exigu, utilisent parfois des segments chevauchants sur les deux brins comme matrices pour la synthèse d'ARN.

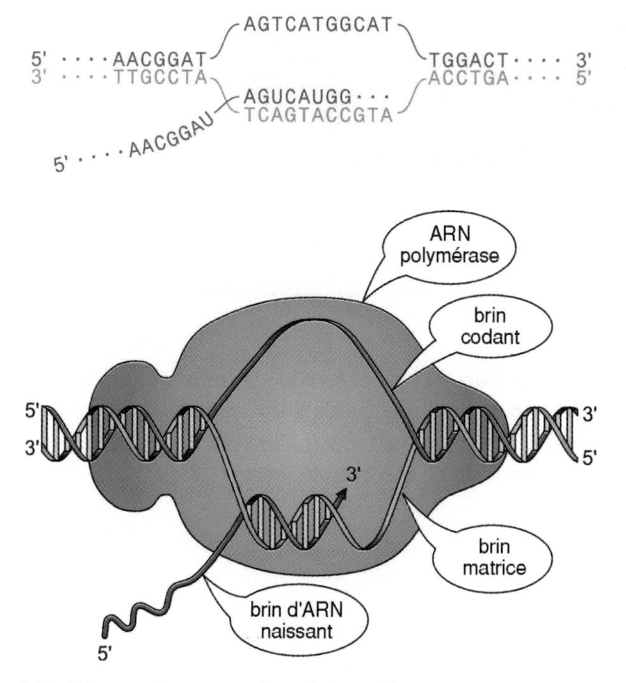

17.3 Brin matrice transcrit et brin codant non transcrit. Les orientations relatives des brins d'ADN et du transcrit d'ARN sont indiquées (en haut). La séquence de l'ARN synthétisé correspond à celle du brin codant en tenant compte de l'utilisation d'uraciles dans l'ARN à la place des thymines dans l'ADN. L'ouverture de la double hélice d'ADN aboutit à la formation d'une bulle de transcription (en bas).

17.3 L'ARN polymérase déroule le double brin

Lorsque l'ARN polymérase procaryote, avec ses cinq sous-unités $\alpha_2\beta\beta'\sigma$, s'est fixée au promoteur, ce complexe de démarrage dissocie un court segment du double brin d'environ 15 nucléotides : on obtient alors un **complexe « ouvert »**, qui s'étend sur environ 80 pb au total et contient une courte région d'ADN simple brin (*fig.* 17.4). C'est à partir de ce complexe que l'ARN polymérase commence la synthèse du brin d'ARN en assemblant des ribonucléotides libres tout en suivant les instructions du brin matrice. Dès que l'ARN naissant dépasse une longueur d'une douzaine de nucléotides, la sous-unité σ quitte le complexe de démarrage, laissant derrière elle l'enzyme « cœur » de composition $\alpha_2\beta\beta'$. Ces sous-unités remplissent des tâches différentes lors de la synthèse de l'ARN : β' assure l'interaction avec l'ADN, β relie entre eux les nucléotides, et les sous-unités α se fixent aux protéines régulatrices ou à l'ADN. L'ARN nouvellement synthétisé ne forme un **hétéroduplex**, c'est-à-dire un double brin « mixte » avec l'ADN matrice, que sur une courte distance. À l'arrière de l'enzyme, le brin codant déplace l'ARN naissant du brin matrice, le double brin d'ADN se réassocie, et l'ARN sort du complexe sous forme de simple brin.

Souvent se produisent des « faux-départs » de la polymérase, qui s'arrête après quelques nucléotides (entre deux et neuf) : on parle alors d'**initiation abortive**. Lorsque la longueur critique de douze nucléotides environ est dépassée, le facteur σ se dissocie et commence la **phase d'élongation**. L'ARN polymérase se déplace toujours dans le sens 3'→5' le long de l'ADN et pousse devant elle un complexe ouvert d'ADN déroulé et d'ARN naissant, en répétant toujours le même processus : l'atome d'oxygène du C3' d'un premier nucléotide est assemblé avec le groupement phosphate α du C5' d'un deuxième nucléotide lié à la matrice par appariement de bases (*fig.* 17.5). Cette réaction produit du pyrophosphate, qui est hydrolysé en deux P_i : deux liaisons énergétiques sont clivées par nucléotide incorporé. Pour transcrire, l'ARN polymérase *n'a pas* besoin d'un oligonucléotide préexistant comme amorce (angl. *primer*), mais elle peut au contraire directement assembler deux nucléotides isolés. Ce point important la distingue des ADN polymérases, dont l'activité – comme nous le verrons plus loin – requiert une amorce (§ 21.1).

L'ARN polymérase se déplace le long de la matrice jusqu'à ce qu'elle rencontre un signal d'arrêt, qui est bien défini chez les procaryotes (*fig.* 17.6). En effet, lorsque l'ARN polymérase synthétise un court segment comprenant quelques résidus uridyles (poly-U) précédés d'une structure riche en G-C, c'est le « bouquet final » : une structure en épingle à cheveux se forme par auto-association du **segment d'ARN riche en G-C**, ce qui « catapulte »

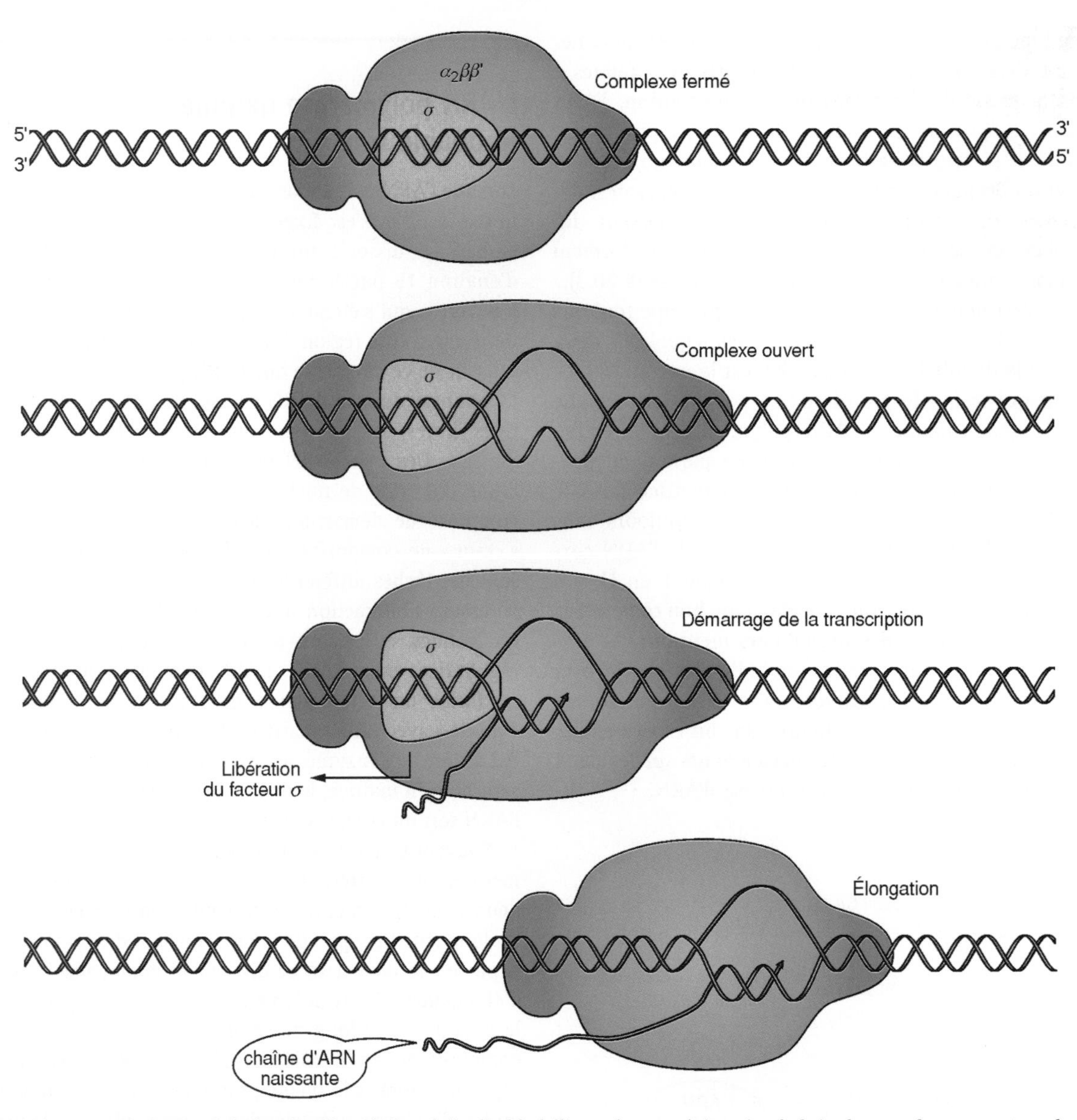

17.4 Démarrage de la transcription. La dissociation de la double hélice crée une région simple brin du complexe ouvert sur le promoteur, d'où l'ARN polymérase démarre la transcription. Après le démarrage, la sous-unité σ quitte le complexe.

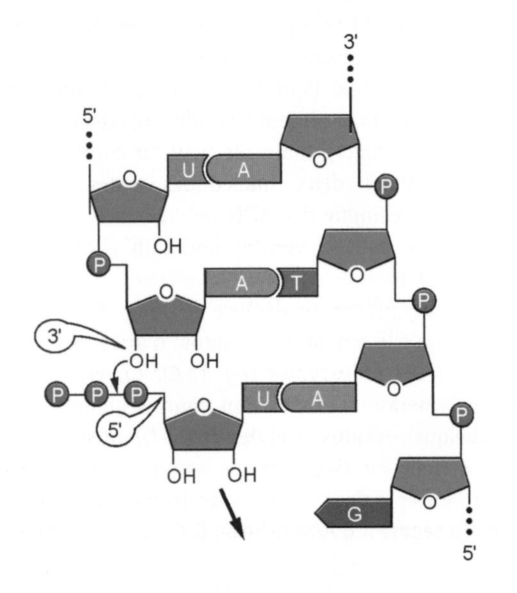

l'enzyme hors du brin et termine la transcription. Une **terminaison** prématurée produit un transcrit trop court et donc défectueux ; certains inhibiteurs de la transcription tirent parti de ce mécanisme (*encart* 17.1).

17.5 Élongation de la transcription. Le brin matrice (à droite) « fixe » les nucléotides libres par des liaisons hydrogènes créant un appariement de bases (en bas à gauche). L'ARN polymérase enchaîne par des fonctions phosphoester les nucléotides successivement positionnés de cette manière au polynucléotide en cours d'élongation, dans la direction 5'-3' (flèche).

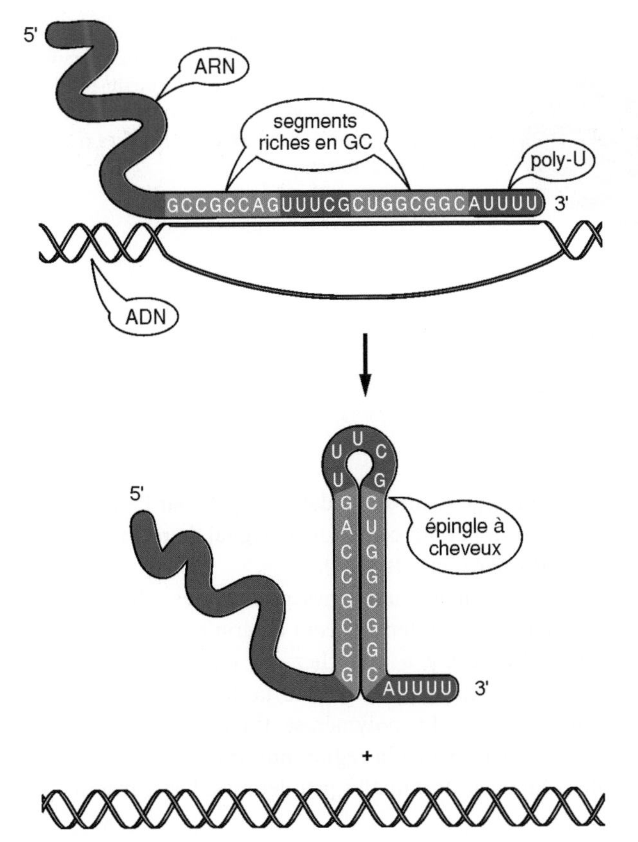

17.6 Terminaison de la transcription chez les procaryotes. Une région contenant deux segments complémentaires de l'ADN qui provoque la formation d'une boucle en épingle à cheveux dans l'ARN naissant, et un court segment de poly(A) sur l'ADN matrice transcrit en poly(U), terminent la transcription.

Encart 17.1 : Inhibiteurs de la transcription

La **3'-désoxyadénosine triphosphate** est un analogue nucléotidique qui induit un arrêt de transcription prématuré, car son incorporation dans l'ARN naissant ne permet plus d'élongation en 3' à cause du groupement 3'-hydroxyle manquant sur le cycle du ribose (*fig.* 17.7). L'**actinomycine D** inhibe l'ARN polymérase en s'insérant entre des paires G-C successives de l'ADN : on parle d'**intercalation**. Les peptides cycliques de l'actinomycine D recouvrent alors le petit sillon et arrêtent l'ARN polymérase qui glisse le long du brin d'ADN, et « bute » alors sur l'inhibiteur. La **rifampicine**, un antibiotique, agit directement sur l'ARN polymérase bactérienne, inhibant ainsi la biosynthèse des trois types d'ARN. L'**α-amanitine**, la puissante toxine des amanites, inhibe l'ARN polymérase II eucaryote à des concentrations aussi basses que quelques nanomolaires (10^{-9} M) et paralyse la synthèse d'ARNm.

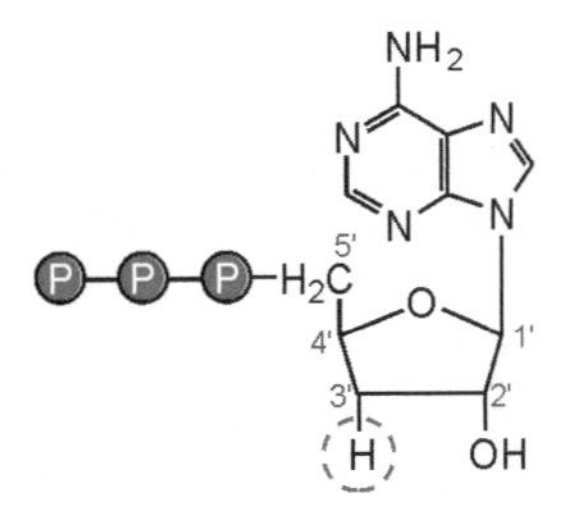

17.7 La 3'-désoxyadénosine, analogue de nucléotide. L'absence d'une fonction hydroxyle critique (cercle en pointillé) sur le cycle ribose induit une terminaison prématurée de la chaîne (cf. *fig.* 22.7).

17.4

Les cellules eucaryotes possèdent trois ARN polymérases

La machinerie de transcription eucaryote est beaucoup plus complexe que son pendant procaryote : dans ce cas, trois polymérases sont responsables de la synthèse des ARN. Quantitativement, ce sont les transcrits des ARN polymérases I et III qui dominent, c'est-à-dire les ARNr et les ARNt, alors que les ARNm de la polymérase II ne constituent qu'une petite partie de l'ARN total d'une cellule. Comme les ARNm sont les plus variés – il y a environ 20 fois plus de gènes spécifiant des protéines que de gènes spécifiant des ARN – et comme ils définissent le profil unique des protéines de chaque cellule, nous allons les examiner plus en détail. L'**ARN polymérase II** effectue la synthèse de l'ARN à une vitesse d'environ 20 nucléotides par seconde. Pour augmenter l'efficacité de la transcription, en particulier dans le cas de protéines abondantes comme les histones, les globines ou l'actine, il peut y avoir des **démarrages multiples**. Tandis qu'une ARN polymérase est encore en train de synthétiser un ARN, une autre ARN polymérase se fixe au promoteur libéré et démarre un nouveau cycle de transcription (*fig.* 17.8). La fréquence de démarrage des promoteurs eucaryotes peut varier considérablement : les gènes les plus actifs donnent plus de 10 000 copies d'ARNm par cellule, alors que la moyenne doit se contenter d'environ 15 copies par cellule.

L'ARN polymérase II est constituée de deux grosses sous-unités et de plusieurs petites (*tab.* 17.2). Le domaine carboxy-terminal (CTD) de la plus grosse sous-unité joue un rôle important dans la régulation du démarrage de la transcription : ce segment est fait de répétitions de la séquence heptapeptidique Tyr-Ser-Pro-Thr-Ser-Pro-Ser et contient de nombreux sites de phosphorylation. Comme nous le verrons plus loin, la forme non phosphorylée de l'ARN polymérase II se fixe dans la région promotrice sur une plate-forme faite de protéines de fixation qui phosphorylent ensuite le CTD, ce qui « libère » l'enzyme pour la transcription (§ 20.3). L'ARN polymérase II – comme les autres ARN polymérases – *ne* possède *pas* de possibilité de correction en cas d'incorporation d'un nucléotide incorrect. La précision de l'appariement des bases entre

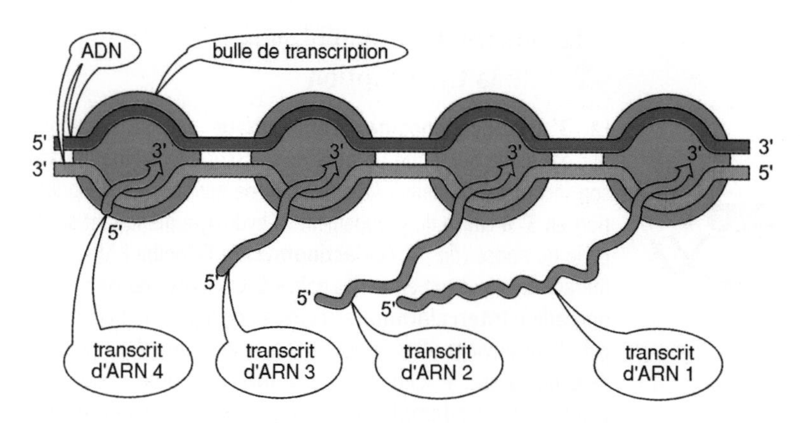

17.8 Démarrages multiples de la transcription. Un gène unique peut grâce à son promoteur « mettre en route » successivement plusieurs ARN polymérases, qui transcrivent simultanément le gène – mais décalées les unes par rapport aux autres.

le nucléotide libre et le brin matrice détermine donc pour l'essentiel le **taux d'erreur** de la synthèse d'ARN qui est de l'ordre de 10^{-5}, c'est-à-dire qu'en moyenne une erreur se produit tous les 100 000 nucléotides. Ce taux est nettement supérieur à celui de la réplication de l'ADN qui est d'environ 10^{-10}, mais les contraintes pesant sur la fidélité de la transcription sont clairement inférieures à celles qui concernent la réplication de l'ADN. Comme les transcrits d'ARN ne transmettent pas l'information génétique aux cellules filles, une erreur d'incorporation dans quelques copies de l'ARN peut être tolérée sans problème, alors qu'une telle erreur dans la réplication de l'ADN pourrait avoir des conséquences fatales. *La machinerie de synthèse moléculaire adapte donc son niveau de fidélité aux contraintes fonctionnelles* – un principe d'économie de la nature que nous rencontrerons encore souvent.

17.5

L'ARN eucaryote subit une maturation

L'ARN polymérase procaryote fournit des molécules d'ARNm qui sont directement prêtes à l'emploi pour la traduction. En fait, chez les bactéries – comme nous le verrons plus loin –, la transcription et la traduction sont couplées : tandis que la machinerie de transcription travaille encore à la fin de l'ARN, l'appareil de traduction est déjà en action à l'autre extrémité. Les eucaryotes, au contraire, séparent ces deux processus dans l'espace et dans le temps : il y a tout d'abord **maturation de l'ARNm eucaryote**, et ce en plusieurs étapes. Alors que l'ARN polymérase est encore en train de transcrire, l'extrémité 5' de l'ARN naissant est « scellée » par une **liaison 5'-5' triphosphate** inhabituelle avec un GTP, ce qui libère du pyrophosphate et du P_i (*fig.* 17.9). Pour ce faire, une enzyme, la guanylate transférase, se fixe à la région CTD de la polymérase II. La **méthylation** de la guanine terminale ainsi que des deux résidus riboses voisins à partir de la S-adénosyl méthionine termine cette **coiffe 5'** de l'ARN, qui le protège d'une dégradation rapide par l'extrémité 5' (*encart* 17.7) et qui constitue un signal de reconnaissance pour les ribosomes (§ 18.4).

Contrairement aux gènes procaryotes, chez lesquels des séquences de terminaison déterminent l'extrémité 3' de l'ARN, il n'y a pas chez les eucaryotes de signal d'arrêt « simple » qui indique la fin du transcrit à la polymérase II. La polymérase traverse la fin du gène fonctionnel jusqu'à la région non traduite et s'arrête sur des séquences terminales peu définies. Les transcrits pri-

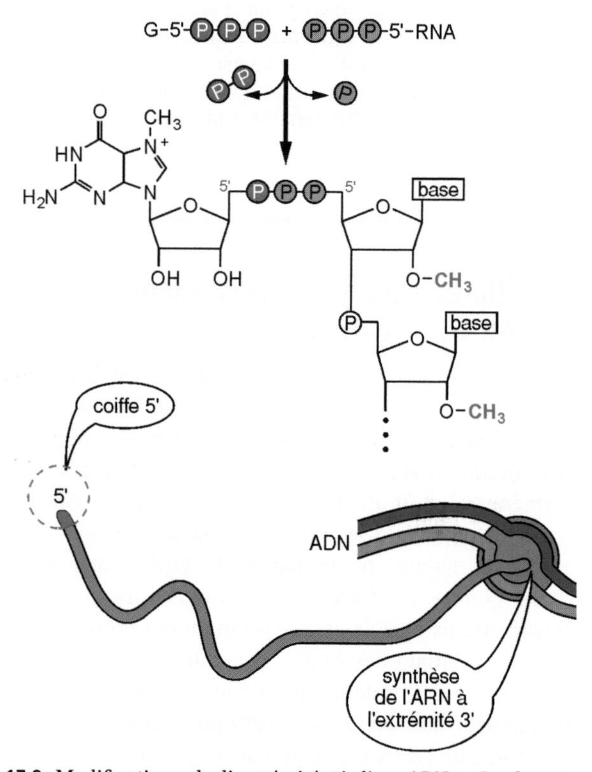

17.9 Modifications de l'extrémité 5' d'un ARNm. La fonction 5'-OH du 7-méthylguanylate est liée par un pont triphosphate au groupement 5'-OH du nucléotide terminal de l'ARN. L'adjonction de la coiffe à l'ARN a lieu dès que l'extrémité 5' quitte la bulle de transcription. La méthylation des deux résidus riboses voisins (en rouge) est facultative.

maires d'un gène unique ont donc des extrémités 5' identiques mais des extrémités 3' de longueurs différentes : ces « franges » qui dépassent sont coupées pendant la transcription. Le signal de ce clivage est le **signal de polyadénylation** 5'-AAUAAA-3' dans la région 3' du transcrit primaire, qui donne à une enzyme, l'**endonucléase CPSF** (angl. *cleavage and polyadenylation specificity factor*) l'ordre de couper 1 à 3 nucléotides plus en aval (*encart* 17.7). Ensuite, la **poly(A) polymérase** ajoute un **segment de poly(A)** d'environ 100-200 résidus (*fig.* 17.10). De cette manière, les différents transcrits primaires sont raccourcis à la même longueur du côté 3' et pourvus d'une queue de poly(A).

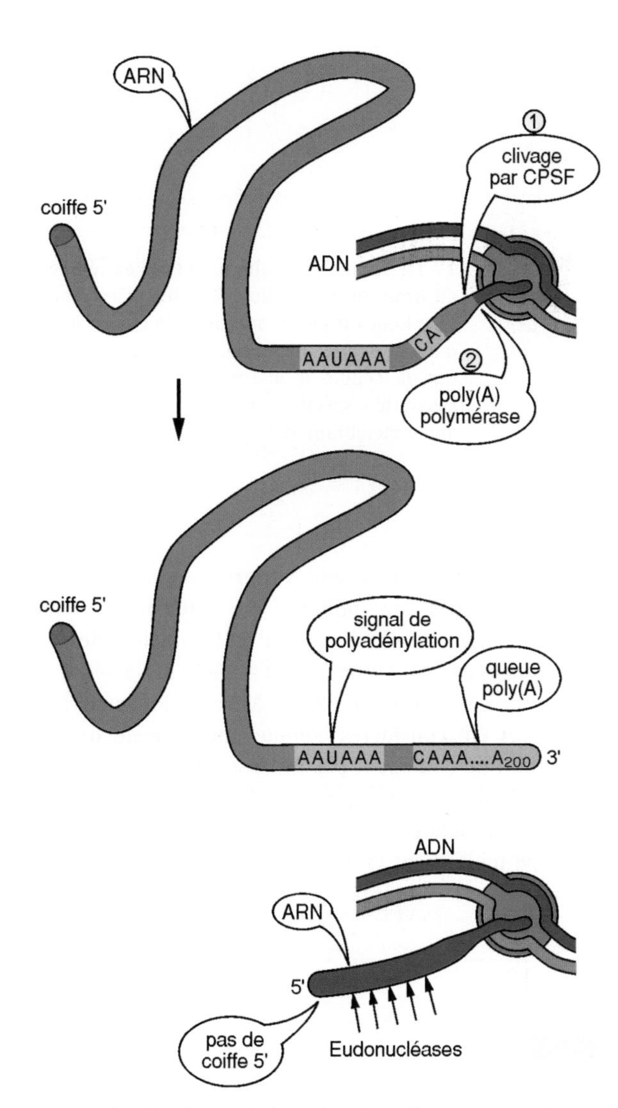

17.10 Polyadénylation à l'extrémité 3' du transcrit primaire. Un signal de polyadénylation marque l'extrémité 3'. CPSF reconnaît la séquence consensus, en coopération avec le CTD, et, avec l'aide de protéines accessoires, clive l'ARN. La poly(A) polymérase ajoute alors une queue poly(A). Chez les eucaryotes, l'ARN polymérase II a depuis longtemps dépassé la séquence de polyadénylation lorsque CPSF coupe, mais la molécule d'ARN transcrite en 3' ne reçoit pas de coiffe 5', elle est donc rapidement dégradée par des endonucléases (*encart* 17.7).

Les deux modifications – coiffe 5' et queue 3' de poly(A) – sont les signes caractéristiques des ARNm eucaryotes et revêtent une grande importance pour la **stabilité** et la **traduction efficace** de l'ARN sur le ribosome (§ 18.4). Les **ARNm d'histones** font exception à la règle, car ils possèdent à la place de la séquence poly(A) une courte boucle en 3' : il existe donc un procédé de synthèse « rapide » pour le type de protéine le plus abondant de la cellule eucaryote. De plus, cette courte boucle en 3' des ARNm d'histones régule aussi leur durée de vie : lorsque se fixent à ces structures des histones surnuméraires, le processus nucléolytique de dégradation de l'ARNm des histones est accéléré, et leur **demi-vie biologique** s'en trouve écourtée. Des cellules particulières utilisent l'élimination nucléolytique de l'extrémité 3' pour produire plusieurs transcrits primaires à partir d'un même gène (*encart* 17.2).

17.6 Le processus d'épissage excise les introns de l'ARN précurseur

Le **transcrit primaire** du gène de l'ovalbumine s'étend sur environ 7 700 nucléotides ; cependant, l'ARNm qui sera traduit ultérieurement n'est long que de 1900 nucléotides environ. En général, les transcrits primaires sont quatre à six fois plus longs que l'ARN traduit. Les transcrits primaires – également appelés collectivement ARN hétérogènes nucléaires ou **hnRNA** – comportent souvent des séquences qui sont perdues au cours de la maturation de l'ARN. On appelle **introns** ces segments éliminés du **pré-ARNm**. Les séquences qui restent dans l'ARNm mature sont appelées **exons** (*fig.* 17.12). La structuration des gènes en une alternance d'exons et d'introns est une caractéristique des eucaryotes. Les procaryotes ne possèdent que rarement des introns : seul un petit nombre de gènes d'archébactéries possède des régions introniques. L'**épissage** excise les introns des régions « internes » du transcrit primaire et rétablit la jonction entre les deux exons flanquants. Cette modification a elle aussi lieu dans le noyau ; ce n'est que lorsque l'épissage est terminé que les ARNm, désormais « matures » – c'est-à-dire porteurs d'une coiffe, polyadénylés et épissés –, sont acheminés dans le cytoplasme, où ils sont ensuite traduits en protéines.

Comment les introns sont-ils reconnus et éliminés ? L'ARN eucaryote est « préparé » pendant la transcription sur des complexes protéiques, qui sont appelés collectivement particules ribonucléoprotéiques hétérogènes nucléaires ou **hnRNP**. Plusieurs familles de protéines composent ces particules, qui se fixent sélectivement sur des séquences de reconnaissance conservées à la frontière entre exon et intron. Le pré-ARNm s'enroule autour de ces particules hnRNP en vue de l'élimination de l'intron. L'épissage à proprement parler a lieu

Encart 17.2 : Clivage endonucléolytique alternatif de l'ARN

Lors de la maturation des lymphocytes B, les cellules du système immunitaire produisant les anticorps, il y a « commutation » de la production d'une forme membranaire d'un anticorps à celle d'une variante libre et soluble (§ 33.11). Les cellules B non stimulées produisent un « long » transcrit primaire pour la chaîne lourde de l'anticorps, qui porte dans sa région 3' les instructions nécessaires à un ancrage membranaire (*fig.* 17.11). Les cellules B matures produisent une endonucléase qui coupe en amont de cette région et produit donc un **transcrit alternatif** auquel il ne manque que l'information requise pour la formation de cette ancre : l'anticorps résultant *n'*est donc *pas* membranaire mais soluble, et peut être sécrété par les cellules B. *La terminaison alternative de la transcription peut conférer ou enlever des fonctions bien définies aux protéines.* Les processus sous-jacents à cette commutation ne sont pas encore compris en détail.

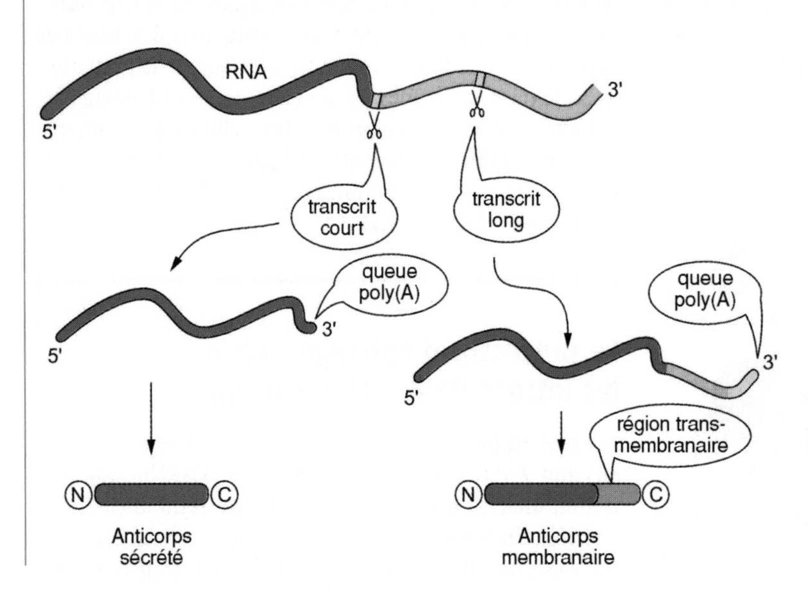

17.11 Terminaison alternative à l'extrémité 3' du transcrit. Une cellule B différenciée produit un « long » transcrit spécifiant la chaîne lourde d'un anticorps membranaire (à droite), alors que la cellule B mature génère un transcrit « écourté » spécifiant un anticorps sécrété sans ancre membranaire (à gauche).

sur de petites ribonucléoprotéines, les **snRNPs** (angl. *small nuclear ribonucleoproteins*), qui sont composées chacune d'une molécule d'ARN riche en U d'environ 100-200 nucléotides (U1, U2, U4, U5, ou U6) et de plus de huit protéines. Ces snRNPs forment l'**épissosome** qui élimine les introns du pré-ARNm (*fig.* 17.13). L'importance fondamentale des snRNPs se manifeste par le fait que des auto-anticorps contre ces complexes peuvent provoquer de graves pathologies comme le lupus érythémateux (*encart* 17.3).

La taille des introns peut varier de quelques à plusieurs centaines de milliers de nucléotides ; leur longueur moyenne est d'environ 5 500 nucléotides. Les introns peuvent constituer jusqu'à 95 % de la séquence du transcrit primaire (*fig.* 23.32). Même si les introns ont longtemps été considérés comme une toile de fond de l'évolution ne contenant pas intrinsèquement d'information, les indications suggérant qu'ils pourraient très bien remplir des tâches régulatrices et fonctionnelles importantes se multiplient (§ 17.7). Les séquences des introns

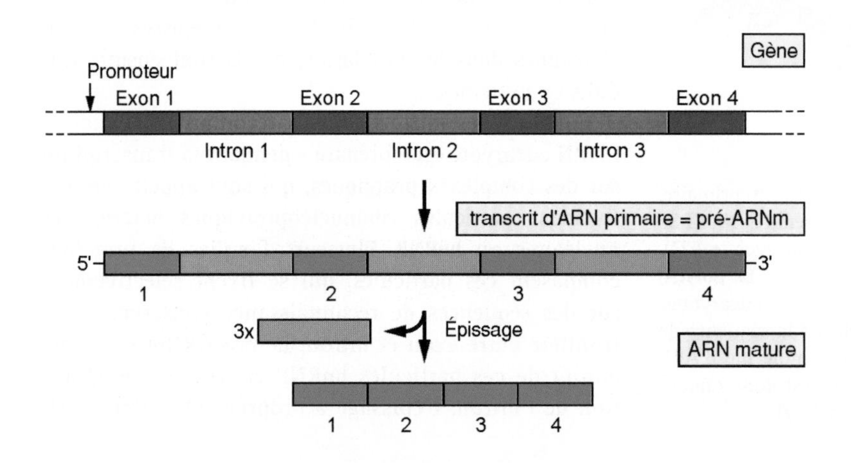

17.12 Structure en introns et exons d'un gène eucaryote. Le transcrit primaire représenté contient quatre (n) exons et trois (n–1) introns. Il est à noter que les exons flanquants – ici les exons 1 et 4 – contiennent en plus des régions codantes des domaines non traduits situés en amont du codon de démarrage ou en aval du codon stop (*fig.* 23.33).

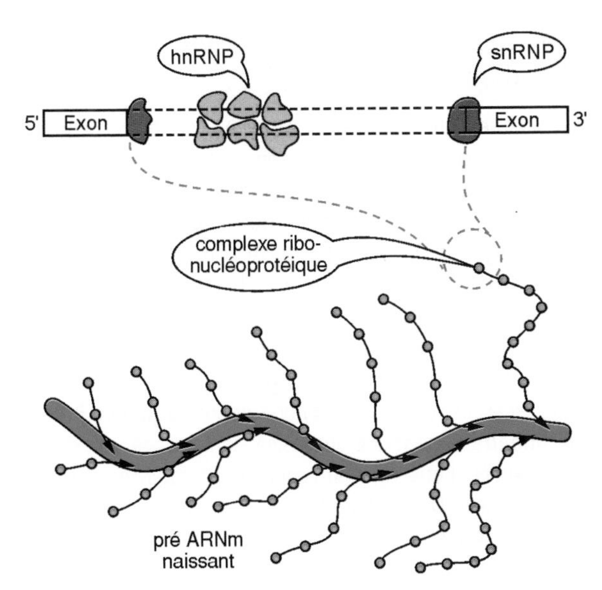

17.13 Épissosomes sur un pré-ARNm naissant. Plusieurs snRNP, qui se fixent à la frontière exon-intron du pré-ARNm, s'assemblent en un épissosome de haute masse moléculaire.

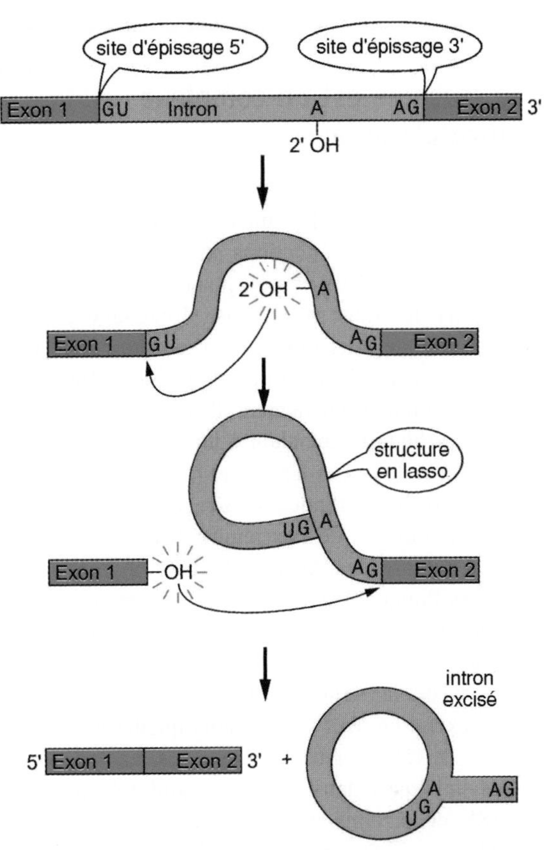

17.15 Épissage d'un hnRNA. L'épissage est un processus en deux étapes : d'abord, le site d'épissage en 5' est clivé, et l'extrémité 5' de l'intron forme avec le point de branchement un intermédiaire cyclique (« lasso »). Ensuite, l'extrémité 3' de l'intron est clivée et les deux exons sont joints.

Encart 17.3 : Le lupus érythémateux

Les patients atteints de lupus érythémateux systémique fabriquent des anticorps contre leurs propres snRNP : on parle de **maladie auto-immune**. Les **auto-anticorps** forment des complexes de haute masse moléculaire avec les snRNP, qui se déposent ensuite dans les vaisseaux sanguins et les tissus, principalement dans les reins. Les organes répondent par une inflammation qui conduit d'abord à un dépôt anormal de tissu conjonctif, une sclérotisation et finalement une perte de fonction. Ce sont surtout les cellules transcriptionnellement actives qui sont endommagées, c'est-à-dire celles qui ont une grande quantité de snRNP. Il n'existe pas de thérapie causale ; la cause de la mort est souvent une insuffisance rénale. Les femmes sont dix fois plus atteintes que les hommes ; la fréquence relative s'élève à environ 1 : 7 000. De nombreux patients atteints de lupus ont aussi des auto-anticorps contre d'autres **antigènes nucléaires**, comme l'ADN, les histones ou les autres protéines des chromosomes. Dès qu'une cellule lyse, ces auto-anticorps reconnaissent les antigènes nucléaires libérés et déclenchent des réactions inflammatoires.

varient beaucoup entre les gènes homologues d'espèces différentes, et parfois même à l'intérieur d'une espèce. Ce n'est que dans les régions flanquantes en 5' et en 3' que l'on trouve des **séquences consensus.** Chez les eucaryotes, on trouve à l'extrémité 5' de l'intron le dinucléotide GU, également appelé **site donneur d'épissage**, tandis qu'à l'extrémité 3' se trouve le **site accepteur d'épissage**, le dinucléotide AG (*fig.* 17.14). Un résidu adénine qui sert de point de branchement en amont du site d'épissage en 3' et une succession de nucléotides pyrimidiques juste en amont de ce site sont aussi très conservés.

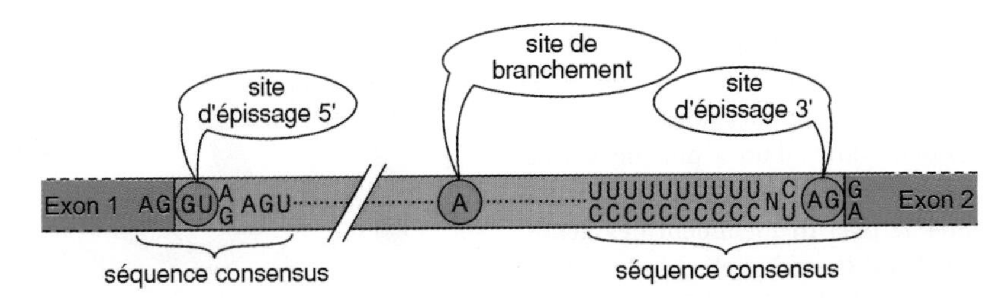

17.14 Séquences consensus d'épissage d'un pré-ARNm. Sur cet exemple de séquence d'ARNm, les deux dinucléotides GU et AG sont mis en relief par un fond de couleur. Les nucléotides voisins des exons flanquants (AG ou G/A) sont modérément conservés. Un résidu adénosine du centre de l'intron (point de branchement) joue un rôle important dans le processus d'épissage (§ 17.7). N, nucléotide quelconque.

17.7

L'épissosome est un complexe multicatalytique

L'**épissosome** est – comme le ribosome, dont nous parlerons plus loin (§ 18.3) – un complexe de haute masse moléculaire dont les fonctions sont multiples. Au cours d'un processus à deux étapes, plusieurs snRNPs excisent les introns du transcrit primaire. L'épissage commence par une attaque nucléophile du site donneur d'épissage de l'extrémité 5' de l'intron par le résidu adénosyle conservé du point de branchement. Il se forme alors un **intermédiaire cyclique ressemblant à un lasso** (angl. *lariat*) et l'extrémité 3' de l'exon 1 est libre (*fig.* 17.15). Ce groupement 3'-OH libre attaque le site accepteur d'épissage (G le plus souvent) de l'extrémité 3' de l'intron, ce qui libère la totalité de l'ARN de l'intron et joint les deux séquences flanquantes des exons 1 et 2 en une molécule continue. L'intron libéré est rapidement dégradé par des nucléases.

Au vu de la structure inhabituelle « en lasso » de l'intron excisé on peut se demander quelles enzymes sont capables de catalyser un tel processus. En fait, les catalyseurs impliqués dans l'épissage sont très particuliers. Les ARN de certains introns peuvent en effet s'exciser eux-mêmes – c'est-à-dire en l'absence de protéines (*encart* 17.4) : on parle alors d'**auto-épissage** et l'on appelle également les acides ribonucléiques qui possèdent cette activité des **ribozymes** (§ 12.7). La découverte d'une activité catalytique chez les ARN a provoqué une révision générale des idées sur l'évolution de la vie (§ 3.1).

Les introns doivent être excisés par l'épissosome avec spécificité et fiabilité : des jonctions décalées d'un seul nucléotide changent l'information de l'ARNm obtenu par décalage du cadre de lecture (*fig.* 23.4) et donnent presque toujours un produit dont la fonction est altérée. Des modifications de l'ADN matrice qui éliminent les sites d'épissage existants ou créent de nouveaux sites d'épissage sont les causes moléculaires de maladies comme la **thalassémie** (*encart* 17.5). En de rares cas, l'ADN lui aussi peut être épissé ; la cellule eucaryote laisse alors un peu de « flou » dans la localisation des sites d'épissage, afin d'obtenir un large spectre de transcrits, et donc de protéines à partir d'un nombre limité de gènes. Nous en étudierons un exemple dans le cas de la production des anticorps (§ 23.6).

La plupart des pré-ARNm contiennent des introns, et le nombre de ceux-ci peut varier d'un à plus de 50. Le nombre moyen d'introns est de 7 par gène (ce qui fait 8 exons) ; on rencontre le plus fréquemment des gènes de 5 introns et 6 exons (c'est la médiane), et la longueur moyenne d'une protéine est de 400 résidus d'acides aminés. Les **ARN d'histones** font à nouveau exception : ils sont dépourvus d'introns et – comme nous l'avons vu – ne possèdent pas de queue poly(A) (*fig.* 17.5).

Encart 17.4 : Auto-épissage d'ARN d'introns

L'excision des introns par **autocatalyse** a été observée pour la première fois chez le cilié *Tetrahymena* ; elle a depuis été mise en évidence chez d'autres eucaryotes. On distingue deux mécanismes d'épissage : une classe d'introns utilise le « **mécanisme du lasso** » (*fig.* 17.15). Une autre classe d'introns qui s'auto-excisent fixe une molécule de guanosine libre, qui effectue une attaque nucléophile du site donneur d'épissage, ce qui libère l'exon du côté 5' et joint le résidu guanosyle au site donneur d'épissage par une fonction phosphoester (*fig.* 17.16). Dans une seconde étape, les exons voisins sont ligaturés et une **séquence intronique linéaire** portant une guanosine surnuméraire à l'extrémité 5' est excisée. Cette réaction complexe est catalysée par l'ARN intronique seul. Des protéines accessoires l'assistent dans cette tâche sans avoir elles-mêmes d'activité enzymatique.

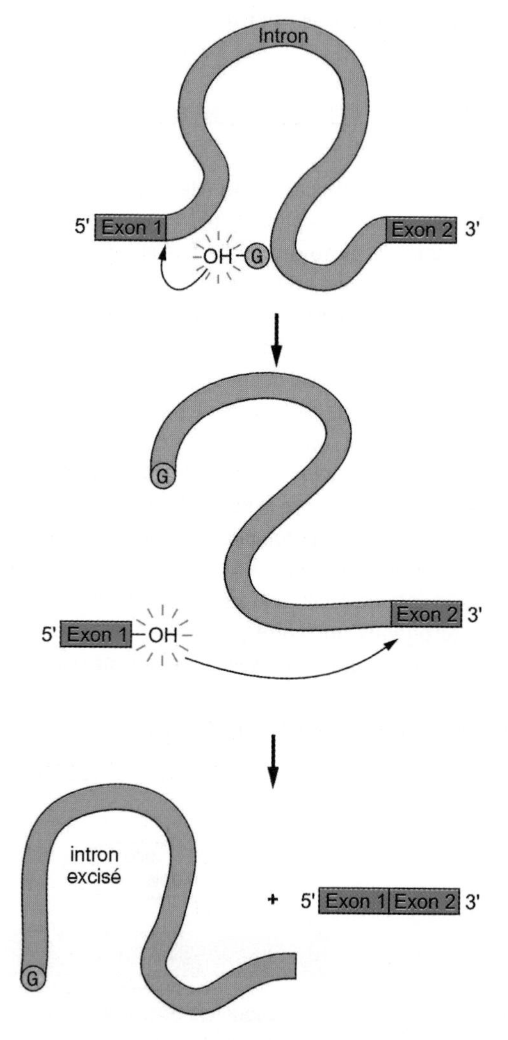

17.16 Auto-épissage d'un intron. Après une attaque nucléophile du site d'épissage 5' par une guanosine libre, l'intron est excisé en deux étapes sous forme d'un ADN linéaire portant un G additionnel en position 5', et les deux exons sont joints.

Encart 17.6 : Édition de l'ARNm de l'apolipoprotéine B

L'apolipoprotéine B (Apo B) joue un rôle prédominant dans **l'assimilation et le transport des lipides** dans l'organisme humain (§ 42.4). La transcription du gène de l'Apo B génère un pré-ARNm qui porte à une position critique un résidu cytosine ; l'édition élimine le groupement amine de la cytosine, ce qui la convertit en uracile (§ 23.1). La cytosine fait partie d'un codon de l'acide aminé glutamine (CAA), qui se trouve transformé, dans l'ARN édité, en un codon stop (UAA) (*fig.* 17.19). La version non éditée de l'ARNm de l'Apo B donne, dans les cellules du foie, la protéine **Apo-B100** de 4 536 acides aminés qui participe au transport du cholestérol et de ses esters *via* la particule LDL. Grâce à l'introduction du codon stop prématuré dans la version éditée de l'ARNm de l'Apo B, les entérocytes de l'intestin produisent une variante plus courte de la protéine, **Apo-B48**, de 2 152 acides aminés, qui joue un rôle critique dans le transport par les chylomicrons des triacylglycérols absorbés. L'édition de l'ARN confère donc une spécificité tissulaire à la synthèse de produits d'un seul et même gène différant par leur structure et leur fonction.

Le plus petit des ARN ribosomiques, l'**ARN 5S** d'environ 120 nucléotides, est produit par l'**ARN polymérase III** ; cette polymérase transcrit aussi les gènes des ARNt (*tab.* 17.2). Le génome humain contient environ 200-300 copies de gènes d'ARNr 5S arrangées en tandem. Les différents ARNr sont incorporés dans le ribosome et ont des fonctions importantes dans la traduction ; nous y reviendrons plus loin (§ 18.3).

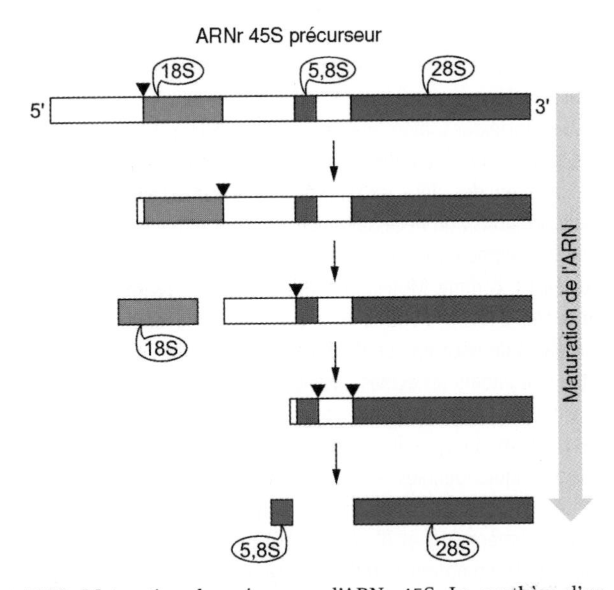

17.20 Maturation du précurseur, l'ARNr 45S. La synthèse d'un long précurseur assure que les trois ARNr sont produits en quantités équimolaires. « S » représente l'unité Svedberg et donne le coefficient de sédimentation de la molécule ($1S = 10^{-13}$ s), qui dépend de sa masse. Pour des molécules qui ne sont pas trop asymétriques, S augmente avec la masse. L'échelle de Svedberg n'est pas linéaire : la somme des valeurs de S des ARNr produits est supérieure à celle du précurseur.

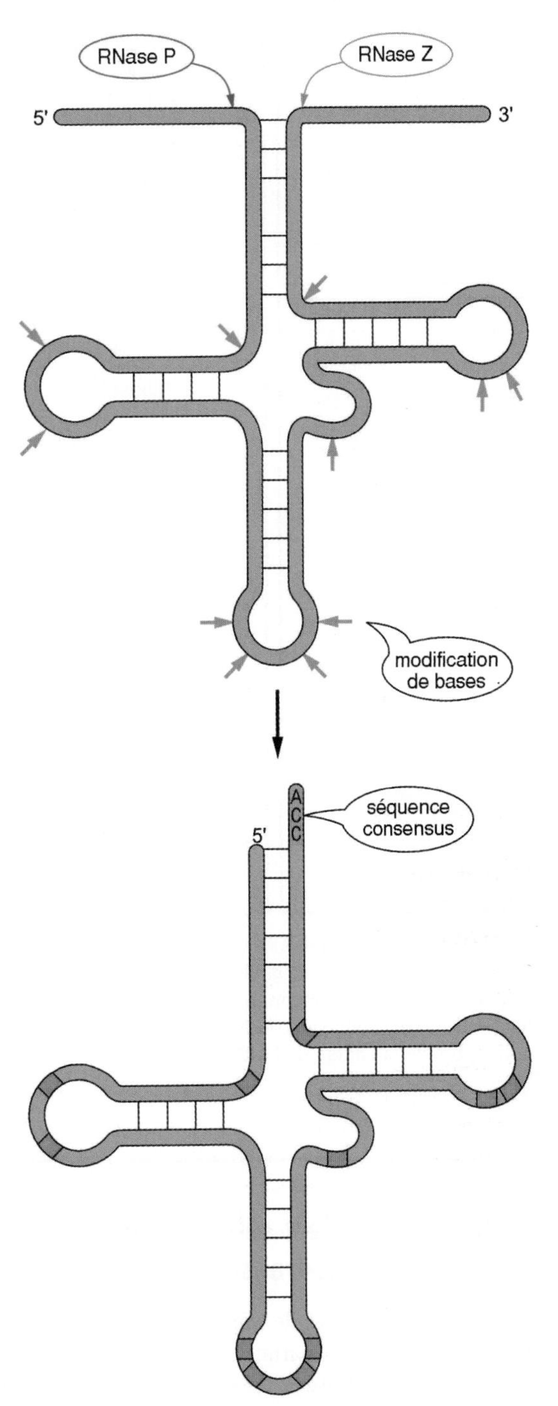

17.21 Maturation d'un pré-ARNt. La RNase P clive l'extrémité 5' du pré-ARNt, et la RNase Z son extrémité 3'. Quelques ARNt ont déjà le trinucléotide CCA typique à leur extrémité 3' ; chez tous les autres, l'extrémité CCA est ajoutée par une enzyme. Certaines positions caractéristiques de l'ARNt peuvent être modifiées chimiquement (en rouge).

17.22 Nucléosides rares des ARNt. Dans la plupart des ARNt, 10-20 % des nucléotides sont modifiés post-transcriptionnellement. Les bases rares sont importantes pour l'interaction spécifique de l'ARNt avec l'aminoacyl-ARNt synthétase correspondante qui a lieu lors de la charge de l'ARNt – et pour la structure de l'ARNt.

17.10

Les ARN de transfert subissent des modifications post-transcriptionnelles

Les acides ribonucléiques de transfert (ARNt), avec leurs 70-90 nucléotides, sont parmi les plus petits ARN de la cellule. L'**ARN polymérase III** les synthétise sous la forme de précurseurs plus longs, les pré-ARNt, qui contiennent une ou plusieurs copies de molécules d'ARNt. Deux nucléases participent à la maturation de ces précurseurs (*encart* 17.7) : un ribozyme, la **RNase P**, qui raccourcit l'ARNt à son extrémité 5' à la longueur « correcte » (*fig.* 17.21) et la **RNase Z** qui coupe le pré-ARNt à son extrémité 3'. La suite de la biosynthèse de l'ARNt diffère des autres synthèses d'ARN en deux points importants : de nombreux ARNt subissent une **élongation post-transcriptionnelle**, et un grand nombre de bases de l'ARNt sont soumises à des modifications chimiques, qui en font des **bases rares**.

Par exemple, on trouve dans l'ARNt un nucléoside inhabituel, absent des autres ARN, l'**inosine** (I), qui est produit par désamination de l'adénosine. La **pseudo-uridine** (ψ), la **dihydro-uridine** (D), la **4-thio-uridine** (S^4U) et la **ribothymidine** (T) dérivent toutes de l'uridine. La **N^2-méthylguanosine** (m^2G) et la **N^2,N^2-diméthylguanosine** ($m_2{}^2G$) sont produites par méthylations successives de la guanosine (*fig.* 17.22). Ces résidus modifiés permettent à l'ARNt de former des liaisons hydrogènes « inhabituelles » avec d'autres bases, qui confèrent à l'ARNt une conformation caractéristique. De plus, ils permettent un « flou » dans l'appariement de l'ARNm et de l'ARNt qui est d'une importance fondamentale pour la traduction (§ 18.5).

Les ARNt fonctionnent comme des **adaptateurs** pendant la traduction en faisant la liaison entre le polynucléotide (l'ARNm) d'une part, et le polypeptide (la protéine) d'autre part. Leur structure particulière les prédestine à jouer ce rôle sophistiqué dans la biosynthèse des protéines. Avec eux, nous en arrivons au deuxième type de réaction dirigée par une matrice, la traduction d'un ARNm en protéine.

Encart 17.7 : Les enzymes de clivage des acides nucléiques

Les nucléases sont des enzymes qui catalysent l'hydrolyse de fonctions phosphoesters dans les acides nucléiques. Le génome humain spécifie au moins 24 nucléases différentes. Selon leur spécificité, on distingue les **ribonucléases** ou **RNases**, et les **désoxyribonucléases** ou **DNases**. Les nucléases sont pour la plupart des protéines comme la RNase A (*fig.* 5.29), mais la RNase P, quant à elle, est un ribozyme typique (§ 12.7). Les **endonucléases** génèrent des coupures de brin à l'intérieur des acides nucléiques, alors que les **exonucléases 5'** ou **3'** clivent des résidus nucléotidiques à partir de l'extrémité correspondante — ou bien des deux extrémités. Les **excinucléases** clivent à deux positions non nécessairement voisines et peuvent donc exciser des segments entiers d'acide nucléique (§ 23.3). Quelques nucléases, comme MutH, sont des enzymes **clivant le simple brin** (*fig.* 21.17), d'autres sont spécifiques du double brin. Les nucléases du lysosome ou du pancréas clivent sans grande spécificité et dégradent les acides nucléiques jusqu'au niveau du nucléotide ou de l'oligonucléotide, alors que les **endonucléases de restriction** de type II reconnaissent et clivent des séquences nucléotidiques définies — le plus souvent palindromiques — et produisent donc des fragments de plus grande taille (§ 22.1). Les ADN polymérases I et III (*fig.* 21.16) et la transcriptase inverse (*fig.* 22.20) comptent parmi les enzymes multifonctionnelles qui possèdent une activité exonucléolytique. *Les nucléases sont souvent utilisées dans les techniques de biologie moléculaire, comme la DNase I dans les expériences d'empreintes sur ADN (encart 20.1) et la translation de coupure simple brin (angl. nick-translation) (encart 21.1) ou les enzymes de restriction dans la cartographie de l'ADN (fig. 22.3).*

La traduction, décodage de l'information génétique

18

La variété des cellules d'un organisme est en grande partie l'expression des profils de protéines différents qui équipent les cellules. Certaines protéines ne sont produites qu'à des stades particuliers de la différenciation, d'autres vont et viennent avec le cycle cellulaire, d'autres encore sont présentes tout au long de la vie de la cellule. Une partie des protéines que synthétise une cellule est utilisée pour ses « propres » besoins ; une autre partie quitte la cellule et façonne son environnement, ou bien est transportée en un lieu éloigné de l'organisme. La variété protéique requise pour ces différents usages apparaît à l'étape finale de l'expression des gènes, la **biosynthèse des protéines**. C'est à cette étape que les informations de l'ADN recopiées dans les acides ribonucléiques sont interprétées dans l'alphabet des protéines : d'où le terme de **traduction**. La biosynthèse des protéines se déroule dans le cytoplasme de la cellule, c'est un processus compliqué qui met en jeu plus de 100 composants – acides nucléiques, enzymes, activateurs et régulateurs. Cette complexité reflète probablement une partie de l'histoire de l'évolution : dans les cellules ancestrales primitives, c'étaient probablement les molécules d'ARN qui servaient de matrices et de transporteurs d'acides aminés, mais elles agissaient aussi comme catalyseurs de la formation de liaisons peptidiques (§ 3.1). Ce n'est que plus tard que des protéines ont été ajoutées à cette « machinerie originelle » pour rendre le processus catalytique plus efficace et précis. Mais le rôle des ARN dans ce processus ne s'est pas perdu, si bien que les stratégies moléculaires à la base de la traduction ont été conservées.

18.1 L'unité d'information génétique est le triplet de bases

Comment l'information transférée de l'ADN à l'ARN peut-elle être traduite en une succession d'acides aminés – une chaîne polypeptidique ? Les instructions sont inscrites dans la suite des bases de l'ADN : chaque **triplet de nucléotides** définit un acide aminé unique. Cette correspondance est appelée **code génétique**, et le triplet de nucléotides est appelé **codon** (*fig.* 18.1). Comme quatre bases différentes peuvent être combinées ensemble, il y a $4^3 = 64$ combinaisons différentes, dont 61 codent un acide aminé et 3 un signal d'arrêt (codon stop), en face duquel aucun acide aminé n'est incorporé : la traduction se termine sur ce codon. Comme il n'existe dans la plupart des espèces que 20 acides aminés protéinogènes, mais que le code génétique comprend 61 codons différents d'acides aminés, jusqu'à six triplets peuvent coder un seul acide aminé : on les appelle **codons synonymes** (§ 18.5). On parle à ce sujet de **dégénérescence** du code génétique. La fréquence d'un codon n'est pas nécessairement corrélée à

Position 1	Position 2								Position 3
5'	U		C		A		G		3'
U	UUU	Phe	UCU	Ser	UAU	Tyr	UGU	Cys	U
	UUC		UCC		UAC		UGC		C
	UUA	Leu	UCA		UAA	Stop	UGA	Stop	A
	UUG		UCG		UAG		UGG	Trp	G
C	CUU	Leu	CCU	Pro	CAU	His	CGU	Arg	U
	CUC		CCC		CAC		CGC		C
	CUA		CCA		CAA	Gln	CGA		A
	CUG		CCG		CAG		CGG		G
A	AUU	Ile	ACU	Thr	AAU	Asn	AGU	Ser	U
	AUC		ACC		AAC		AGC		C
	AUA		ACA		AAA	Lys	AGA	Arg	A
	AUG	Met	ACG		AAG		AGG		G
G	GUU	Val	GCU	Ala	GAU	Asp	GGU	Gly	U
	GUC		GCC		GAC		GGC		C
	GUA		GCA		GAA	Glu	GGA		A
	GUG		GCG		GAG		GGG		G

18.1 Le code génétique. Un triplet de nucléotides définit un acide aminé. Par exemple, AUG code une méthionine et UGG un tryptophane. Ce sont les deux seuls acides aminés pour lesquels il n'existe qu'un codon. Tous les autres ont deux (Asn, Asp, Cys, Gln, Glu, His, Lys, Phe, Tyr), trois (Ile), quatre (Ala, Gly, Pro, Thr, Val) ou six (Arg, Leu, Ser) codons différents. Les triplets UAA, UGA et UAG signalent l'arrêt de la traduction.

la fréquence de l'acide aminé dans les protéines : par exemple, il n'y a que quatre codons pour l'alanine, le plus répandu de tous les acides aminés, et la lysine, au cinquième rang pour l'abondance, n'en possède même que deux.

Les codons synonymes ont le plus souvent leurs deux premières bases identiques. Ainsi, les quatre triplets qui codent l'alanine commencent par GC. Les triplets qui ne diffèrent à la troisième position que par le type de base purique (A ou G) ou pyrimidique (C ou U) codent la plupart du temps le même acide aminé. Par exemple les triplets UUU et UUC spécifient la phénylalanine, UUA et UUG la leucine. La troisième position du codon porte à l'évidence une information moins précise que les deux premières positions. Les ARNt ont en conséquence développé une stratégie moléculaire pour pouvoir s'apparier avec des bases différentes à la troisième position (§ 18.5). Le **code génétique** est presque **universel** : il est utilisé chez les procaryotes, les archébactéries et les eucaryotes. Parmi les rares divergences par rapport au code universel, on compte certains triplets du code mitochondrial chez les vertébrés, la drosophile, la levure et les végétaux (*tab.* 18.1).

En principe, chaque ARNm peut être traduit – selon le point de départ – dans les trois **cadres de lecture** (*fig.* 18.2), mais en général, un ARNm ne code une protéine entière que dans l'un des cadres de lecture. Les deux autres cadres sont rapidement interrompus par des codons stop, qui représentent statistiquement un triplet tous les 21 (64 : 3). En général, la traduction commence sur un **codon AUG**, qui spécifie l'acide aminé **méthionine** ; le cadre de lecture correspondant est suivi et conservé dans la direction 5'-3' jusqu'au premier codon stop.

Tableau 18.1 Différences entre les codes universel et mitochondrial chez l'homme.

Codon	Code universel	Code mitochondrial
UGA	stop	Trp
AGA	Arg	stop
AGG	Arg	stop
AUA	Ile	Met

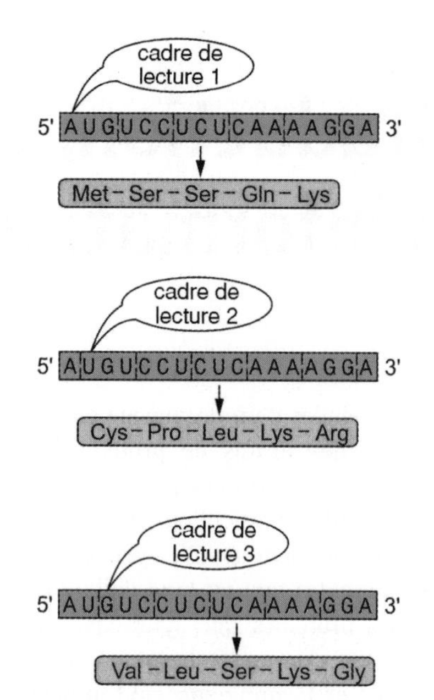

18.2 Cadre de lecture d'un ARNm. La traduction a lieu dans le sens 5' → 3'. La lecture peut en principe commencer par n'importe quel nucléotide, et les trois cadres de lecture sont donc possibles. En général, seul l'un de ces trois cadres génère une protéine fonctionnelle, et il commence par AUG.

Au cours de l'évolution, le processus fondamental que constitue la traduction a été conservé des procaryotes jusqu'aux eucaryotes. Pourtant, il existe d'importantes différences entre les deux règnes : les cellules eucaryotes effectuent dans des espaces séparés la synthèse d'ARNm (dans le noyau) et la biosynthèse des protéines (dans le cytoplasme). Les procaryotes n'ont pas de noyau et couplent la transcription et la traduction dans leur cytoplasme : les ribosomes s'associent à l'ARN naissant et travaillent à la suite de l'ARN polymérase. Dans la suite, nous allons étudier la traduction eucaryote et en cas de besoin, nous donnerons des indications sur les particularités et les variations propres à la traduction procaryote, comme la structure et l'organisation de l'ARNm (§ 17.5). Chez les eucaryotes, un ARNm ne code en principe qu'une protéine : on parle d'**ARNm monocis-**

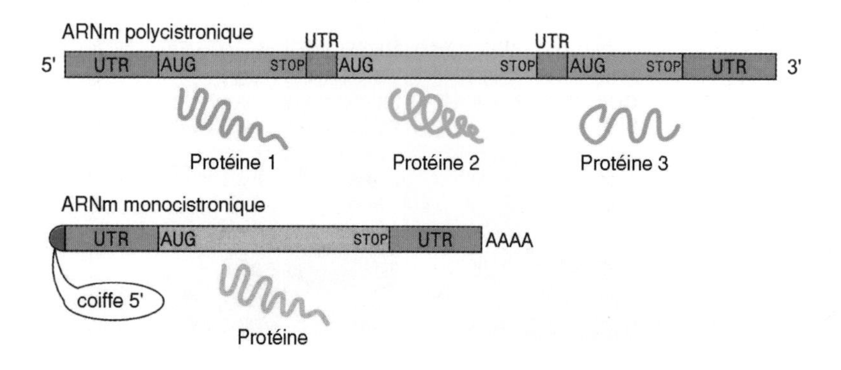

18.3 Structures des ARNm procaryote et eucaryote. L'ARNm procaryote (en haut) spécifie souvent plusieurs protéines, qui sont lues à partir de plusieurs codons de démarrage AUG indépendants. Les eucaryotes ont en général des ARNm monocistroniques (en bas).

tronique (*fig.* 18.3). La séquence codante commence avec le codon de démarrage, se termine avec un codon stop, elle est flanquée de **régions non traduites** (angl. *untranslated regions,* **UTR**) qui portent une coiffe pour l'UTR 5' et une queue poly(A) pour l'UTR 3'. Chaque région codante d'un ARNm polycistronique est définie par un codon de démarrage et un codon stop ; entre les segments codants, on trouve de courtes régions non traduites. Les ARNm bactériens *n'*ont – à de rares exceptions près – *pas* d'introns et leurs extrémités *ne* sont *pas* modifiées. Plus important, ils codent souvent plusieurs protéines : on parle alors d'**ARNm polycistronique**.

18.2 Les acides ribonucléiques de transfert ont une structure bipolaire

Les codons d'un ARNm ne reconnaissent pas directement les acides aminés : ils ont besoin d'un adaptateur moléculaire, qui d'un côté comprend la langue des acides nucléiques, et de l'autre maîtrise l'alphabet des acides aminés. Cette fonction d'adaptateur est assurée par les **acides ribonucléiques de transfert (ARNt)**. Ils se distinguent des autres types d'ARN par de nombreux aspects : par exemple, les bases de nombreux nucléotides des ARNt sont modifiées chimiquement (*fig.* 17.21). Quatre segments doubles brins donnent à l'ARNt une **architecture en forme de feuille de trèfle** (*fig.* 18.4). La représentation topologique montre quatre boucles formées par des bases non appariées (à partir de la droite, dans le sens des aiguilles d'une montre) : la **boucle TψC** avec sa pseudo-uridine (ψ), une **boucle variable**, la **boucle de l'anticodon**, et la **boucle D**, qui contient des dihydro-uridines (D). La boucle de l'anticodon contient un triplet de nucléotides complémentaire du codon de l'ARNm, d'où le terme d'**anticodon**. Les ARNt possèdent une autre région non appariée à l'extrémité 3', commune à tous les ARNt, et qui porte la séquence invariante **5'-CCA-3'** ; c'est le point d'attachement des acides aminés. D'autres liaisons hydrogènes entre bases non complémentaires replient l'ARNt en une **structure** compacte **en forme de L** (*fig.* 18.4, en bas), dans laquelle deux doubles hélices forment les deux branches du « L ». Cette organisation tridimensionnelle donne deux pôles à la molécule d'ARNt, distants d'environ 8 nm et qui jouent un rôle essentiel dans la biosynthèse des protéines : un des pôles « palpe » le codon de l'ARNm à l'aide de son anticodon ; le deuxième pôle porte l'acide aminé « adapté ».

Comment cette liaison inhabituelle entre l'ARNt et l'acide aminé se forme-t-elle ? Les **aminoacyl-ARNt synthétases**, au prix de l'hydrolyse d'ATP, chargent les différents ARNt, chacun d'entre eux étant prédestiné par sa structure et sa séquence à porter un seul type d'acide aminé. Il existe pour chaque acide aminé au moins une

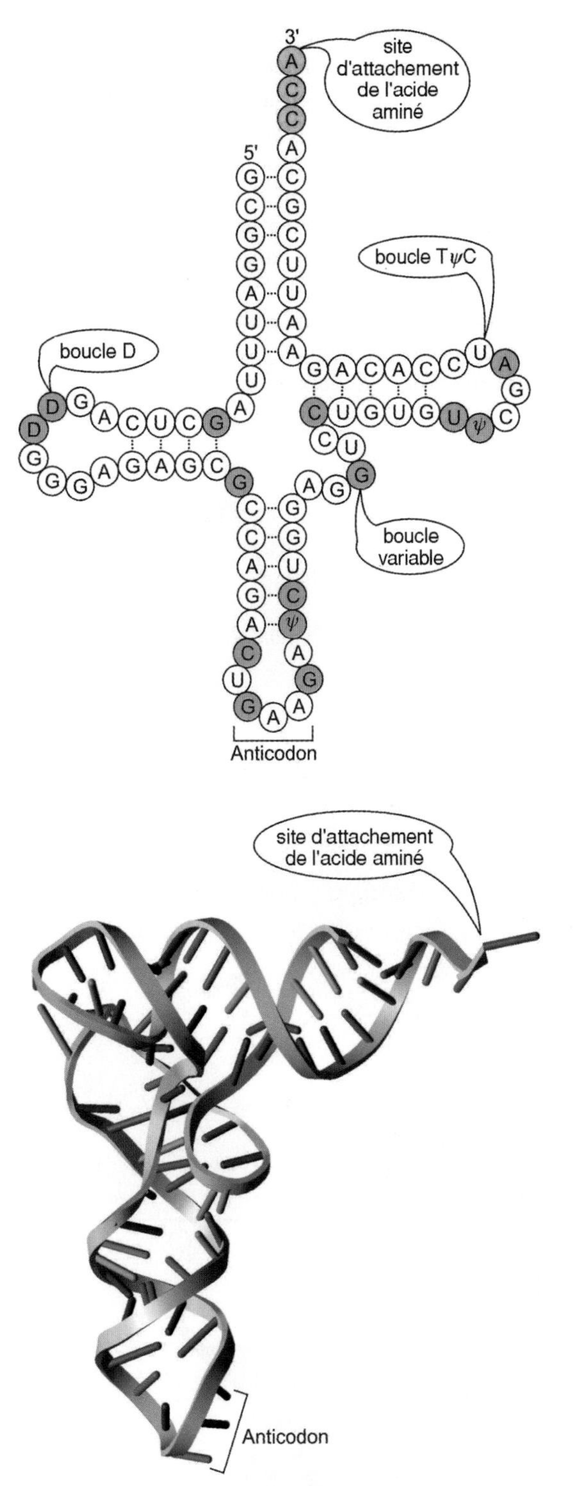

18.4 Structure d'un ARN de transfert. Environ la moitié des nucléotides d'un ARNt sont appariés pour former une structure en forme de feuille de trèfle (en haut). Les bases modifiées sont indiquées en rouge. D'autres liaisons hydrogènes aboutissent à la structure en forme de crochet de l'ARNt (en bas). La séquence consensus 3'-terminale CCA porte l'acide aminé activé sous la forme d'un ester d'aminoacyle. L'exemple présenté est celui de l'ARNt de la phénylalanine ($ARNt^{Phe}$) de la levure de boulanger. [RF]

synthétase spécifique, qui, dans un premier temps, active l'acide aminé en un **acyladénylate**. Cette réaction libère du pyrophosphate qui est ensuite hydrolysé par une pyrophosphatase en deux P_i (*fig.* 18.5). Le résidu acyle est ensuite transféré sur le ribose du résidu adénosine terminal de l'ARNt. On obtient ainsi de l'AMP et un **ester d'acide aminé activé**, qui renferme suffisamment d'énergie pour la formation d'une liaison peptidique. Les aminoacyl-ARNt synthétases de type I transfèrent le résidu acyle sur le 2'-hydroxyle du ribose de l'extrémité CCA de l'ARNt, alors que les aminoacyl-ARNt synthétases de type II l'attachent au 3'-hydroxyle du même ribose.

Les synthétases reconnaissent deux segments de l'ARNt avec une grande spécificité : l'anticodon et ses structures flanquantes, ainsi que l'**extrémité 3' receveuse.** Ainsi, l'aminoacyl-ARNt^{Phe} synthétase ne transfère l'acide aminé phénylalanine à l'extrémité 3' de ARNt^{Phe} qu'après avoir reconnu les traits caractéristiques de la boucle de l'anticodon et de l'extrémité CCA de cet ARNt (*fig.* 18.6). Une **fonction de relecture** incorporée assure dans une

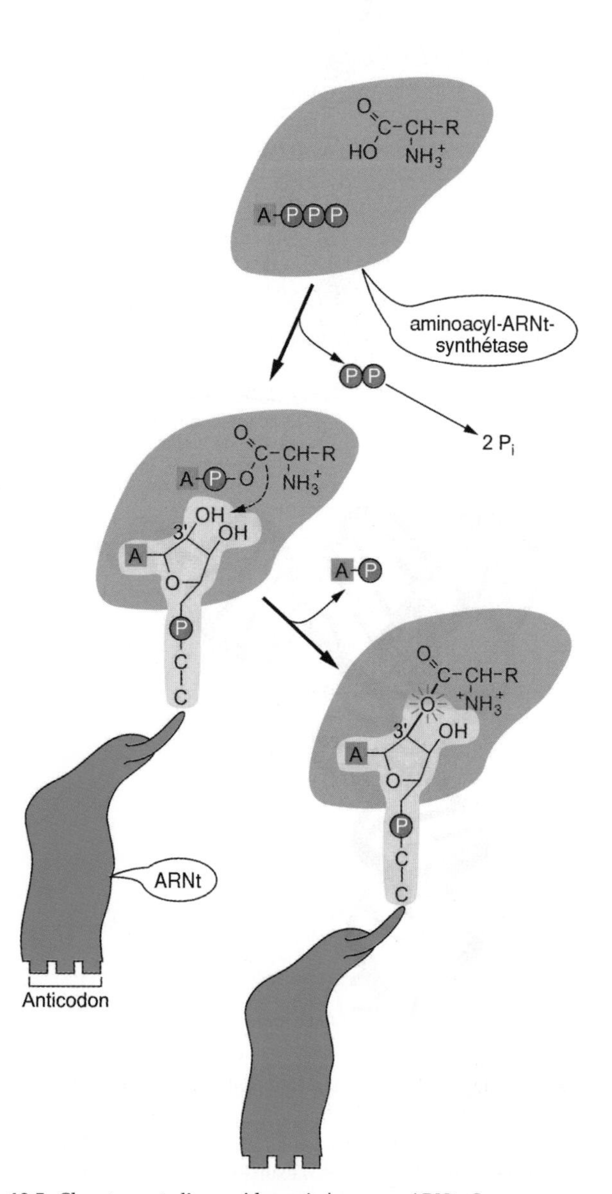

18.5 Chargement d'un acide aminé sur un ARNt. Ce processus en deux étapes produit d'abord un intermédiaire ester d'aminoacyle, qui est ensuite converti en un ester entre le groupement 2'-hydroxyle du résidu adénosine terminal de l'ARNt et le groupement carboxyle de l'acide aminé. C'est ici une aminoacyl-ARNt synthétase de type I qui est représentée en action. Au cours de l'étape de chargement, un ATP est clivé en AMP + $2P_i$.

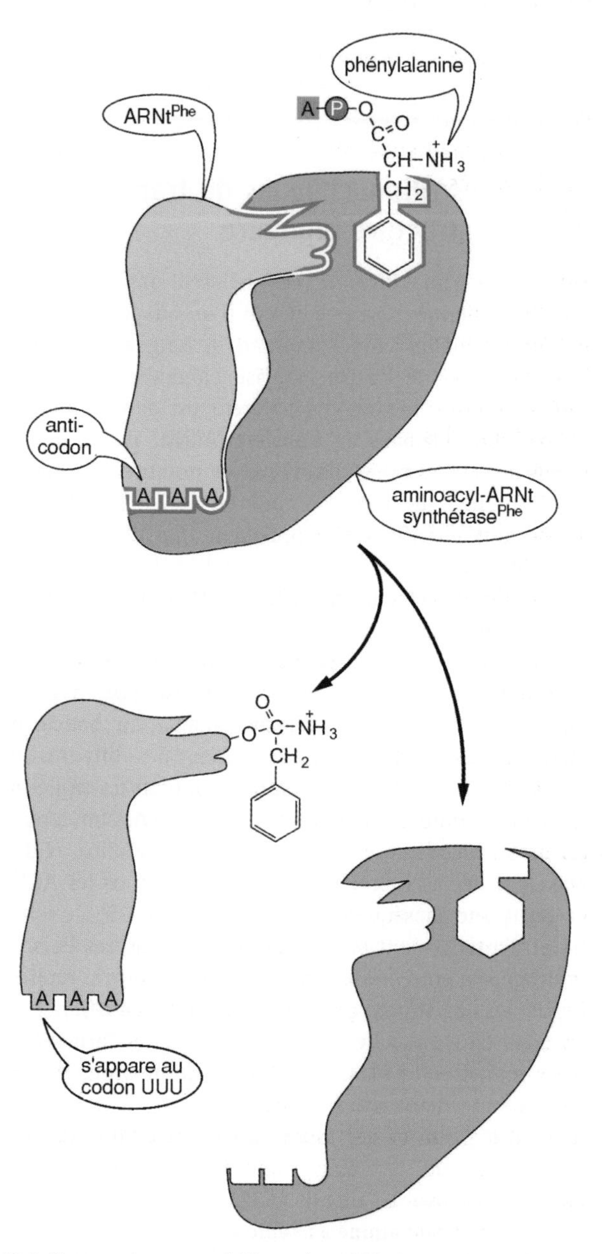

18.6 Reconnaissance spécifique des ARNt. Les aminoacyl-ARNt synthétases assemblent des acides aminés activés avec l'ARNt « correct ». Pour cela, l'enzyme reconnaît l'ARNt convenable surtout par des interactions avec son bras accepteur, la boucle de l'anticodon et d'autres régions en hélice. L'enzyme doit aussi avoir un site de fixation spécifique de « son » acide aminé. L'assemblage n'a lieu qu'en présence de toutes les « signatures ».

deuxième étape que c'est l'acide aminé correct qui a été transféré (§ 18.6). La haute précision des synthétases assure un transfert correct de l'information génétique : chaque erreur au niveau de l'ARNt se traduit immanquablement par une erreur dans la biosynthèse des protéines.

18.3

Les ribosomes sont les chaînes de montage de la traduction

Nous connaissons à présent tous les composants importants de la traduction : les ARNm, les ARNt chargés par des acides aminés, et les ARNr, qui forment les ribosomes en collaboration avec les protéines ribosomiques. La **biosynthèse des protéines** est menée à bien dans le cytoplasme, par une astucieuse machine à synthétiser qui construit le polypeptide élément par élément, en suivant les instructions de la matrice d'ARN (*fig.* 18.7). Le travail de décodage est assuré par les ARNt, qui se fixent par appariement de bases complémentaires au codon de l'ARNm et ordonnent les acides aminés en une succession déterminée par les instructions de la matrice. La biosynthèse des protéines va toujours de **l'extrémité N-terminale vers l'extrémité C-terminale** du polypeptide naissant, et l'ARNm est lu dans le sens 5'→ 3' : on parle de **colinéarité** entre les séquences de l'ARNm et de la protéine.

Les **ribosomes** sont les « chaînes de montage » moléculaires sur lesquelles s'opère la traduction. Ce sont des complexes de haute masse moléculaire faits de protéines et d'ARNr organisés en une petite et une grande sous-unité ribosomique. L'assemblage de ce complexe commence dans le **nucléole** des eucaryotes, où les ARNr 5,8S, 18S et 28S sont produits à partir d'un même précurseur (§ 17.9). Viennent s'y ajouter l'ARNr 5S du nucléole et les protéines ribosomiques qui sont importées du cytoplasme vers le nucléole. L'ARNr 18S est le squelette de la **petite sous-unité 40S** ; les trois autres ARNr forment la structure de base de la **grande sous-unité 60S** (*fig.* 18.8). Après leur assemblage, les sous-unités sont exportées vers le cytoplasme, où elles sont « maturées » en unités ribosomiques fonctionnelles. Le nom de ribosome est bien choisi, car les acides ribonucléiques constituent en général plus de la moitié de leur masse (*tab.* 18.2). Le ribosome assemblé dans le cytoplasme des procaryotes est lui aussi composé de deux sous-unités, mais il n'est fait que de trois types d'ARNr et compte moins de protéines que son pendant eucaryote (*fig.* 18.9).

Les deux sous-unités ribosomiques de structure asymétrique s'associent pour former la particule ribosomique complète (*fig.* 18.10). Un canal horizontal traverse la particule : c'est par celui-ci que se glisse l'ARNm tandis que le polypeptide en cours de synthèse sort par un canal latéral du « ventre » du ribosome.

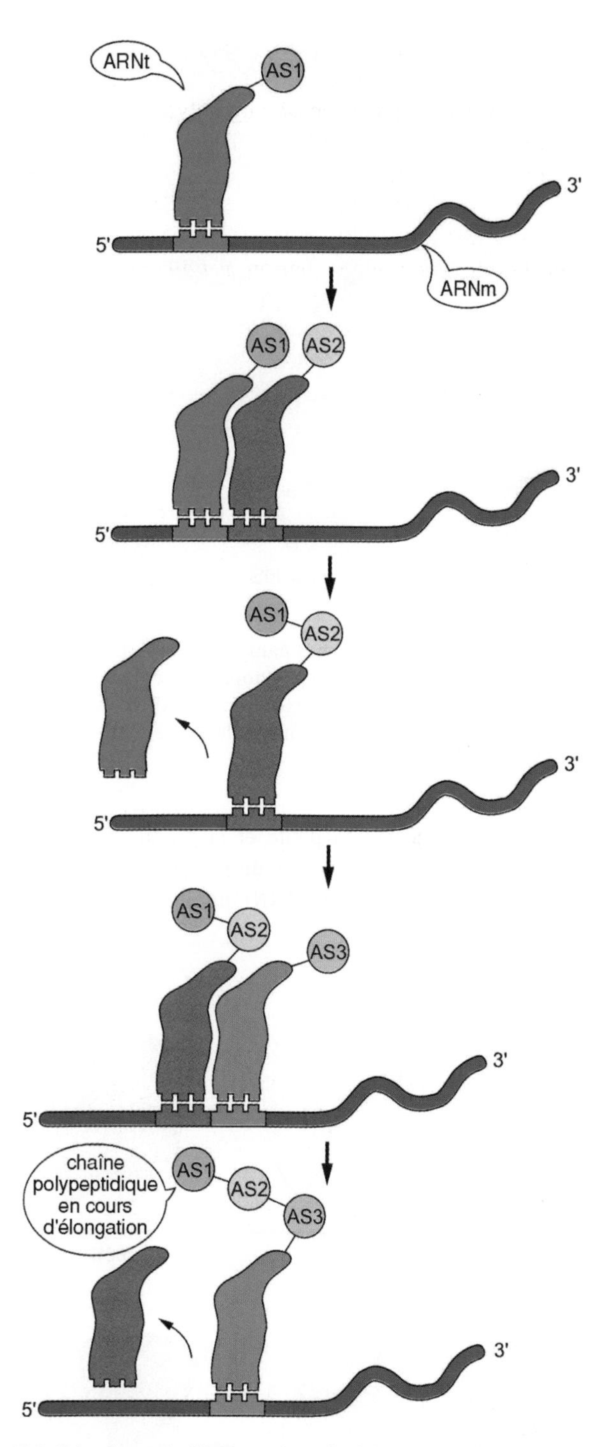

18.7 Décodage de l'information de l'ARNm. Les aminoacyl-ARNt reconnaissent et fixent par l'anticodon le codon complémentaire de l'ARNm. La formation d'une liaison peptidique entre acides aminés voisins libère un ARNt non chargé, tandis que le deuxième ARNt porte la chaîne polypeptidique allongée. Dans l'étape suivante, cet ARN transmet la chaîne polypeptidique à un troisième ARNt, et ainsi de suite.

La petite sous-unité du ribosome constitue la « plateforme » sur laquelle s'adsorbe l'ARN. L'ARNm peut alors, par des interactions codon-anticodon, se lier aux ARNt

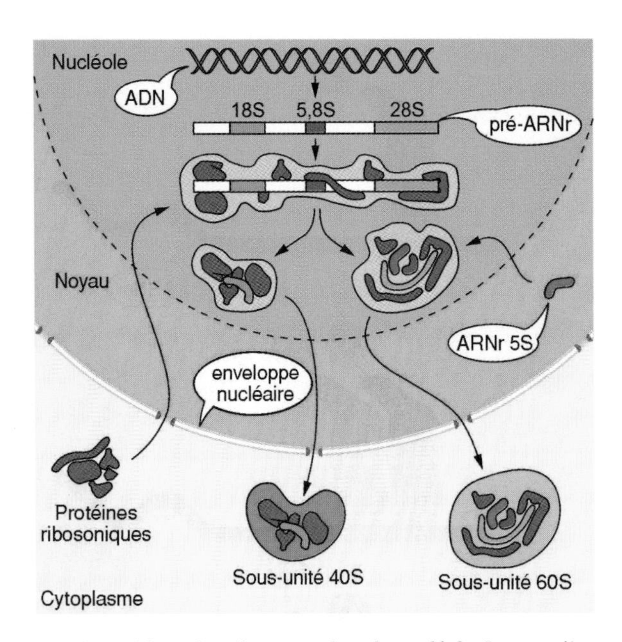

18.8 Assemblage des ribosomes dans le nucléole. Les protéines ribosomiques importées depuis le cytoplasme se fixent déjà aux pré-ARNr avant qu'ils soient morcelés en ARNr individuels. L'ARNr 5S est importé depuis le noyau (à droite). [RF]

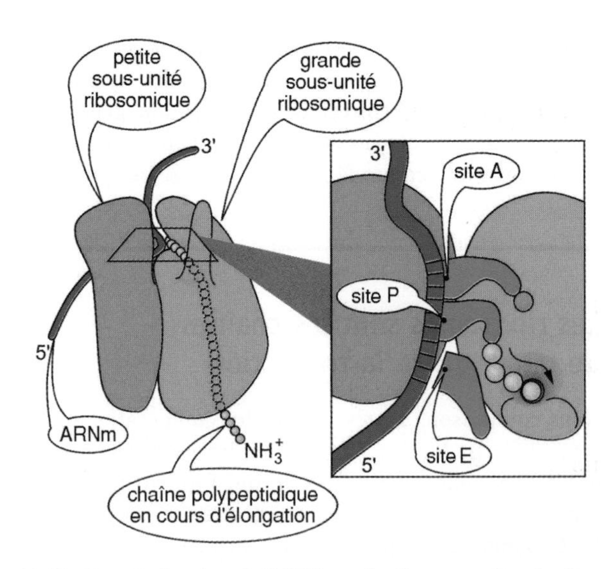

18.10 Sites de fixation de l'ARNt sur le ribosome. C'est le ribosome procaryote qui sert ici de base à cette explication : à gauche est représenté le ribosome complet, à droite la plateforme centrale sur laquelle les sites E, P et A sont immédiatement voisins.

qui sont à cheval sur la petite et la grande sous-unité. On distingue trois sites voisins de fixation des ARNt ; le **site P** ou peptidyle contient l'ARNt qui porte l'acide aminé

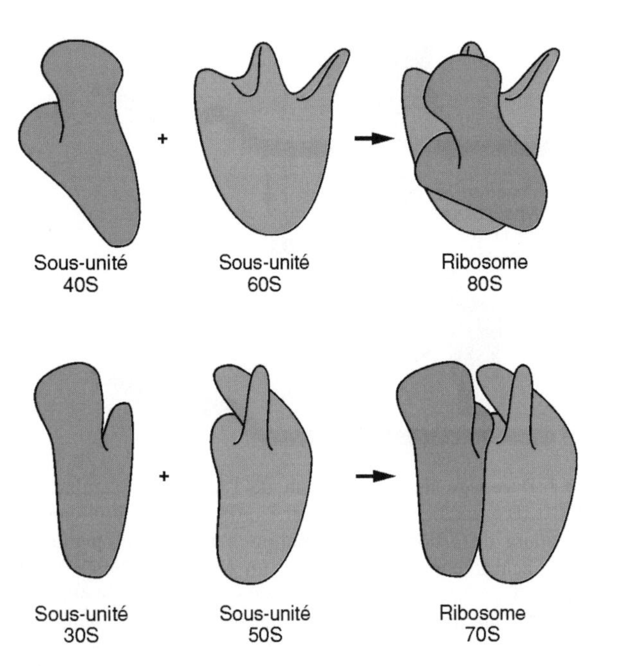

18.9 Structure d'un ribosome eucaryote. Une petite sous-unité (40S) formant une poche et une grande sous-unité en forme de main (60S) s'associent en un ribosome 80S. Le ribosome bactérien (70S), avec ses sous-unités 50S et 30S, est nettement plus petit ; sa structure tridimensionnelle a récemment été élucidée dans le détail.

Tableau 18.2 Composition des ribosomes eucaryote et procaryote.

Sous-unités	Composants	Fonction
ribosome eucaryote (80S)		
petite sous-unité 40S	ARNr 18S, environ 33 protéines	liaison à l'ARNm, positionnement de l'ARNt
grande sous-unité 60S	ARNr 5S, 5,8S, 18S, 28S, environ 49 protéines	peptidyl-transférase
ribosome procaryote (70S)		
petite sous-unité 30S	ARNr 16S, 21 protéines	liaison à l'ARNm, positionnement de l'ARNt
grande sous-unité 50S	ARNr 5S, 23S, 34 protéines	peptidyl-transférase

initial – puis plus tard la chaîne polypeptidique croissante ; le **site A** contient l'ARNt qui apporte l'acide aminé suivant dans le ribosome. Ces deux ARNt s'hybrident avec des triplets immédiatement voisins sur l'ARNm ; les acides aminés attachés à leur bras accepteur sont positionnés si près l'un de l'autre qu'ils peuvent former une liaison peptidique. Enfin, en 5' du site P se trouve un troisième ARNt déchargé, dans le **site E** (angl. *exit*, sortie) à partir duquel il quitte le ribosome.

18.4 Les facteurs de démarrage contrôlent le déclenchement de la traduction

Comment la machinerie de synthèse des protéines est-elle mise en marche ? Au cours du **démarrage de la traduction**, un mécanisme élaboré assure l'association de l'ARNm à la petite sous-unité et le positionnement du premier codon AUG du cadre de lecture, appelé **codon de démarrage**, au site P. La grande sous-unité complète alors le complexe et met en mouvement la machinerie de synthèse. Chez les eucaryotes, les petites sous-unités ribosomiques fixent les ARNm à l'aide de protéines qui reconnaissent la coiffe de l'extrémité 5' ; ensuite, le ribosome balaie le brin d'ARN à la recherche du codon de démarrage (5'-AUG-3') (*fig.* 18.11). Nous allons examiner de plus près ce processus.

Avant le début de la synthèse, la petite sous-unité ribosomique est chargée avec les **facteurs de démarrage eIF-1** et **eIF-3** (angl. *eukaryotic initiation factor*) (*fig.* 18.12). Les autres composants de l'appareil de traduction, eux aussi, sont conduits au ribosome par des facteurs de démarrage

18.11 Signaux de démarrage de la traduction. Les ARNm eucaryotes se fixent par leur coiffe 7-méthylguanosine à la petite sous-unité, qui sonde ensuite l'ARN à la recherche du codon de démarrage. Les ARNm procaryotes portent une séquence consensus – appelée **séquence de Shine-Dalgarno** en hommage à ses découvreurs – qui se lie à une séquence complémentaire proche de l'extrémité 3' de l'ARNr 16S de la petite sous-unité et positionne le codon de démarrage au site P.

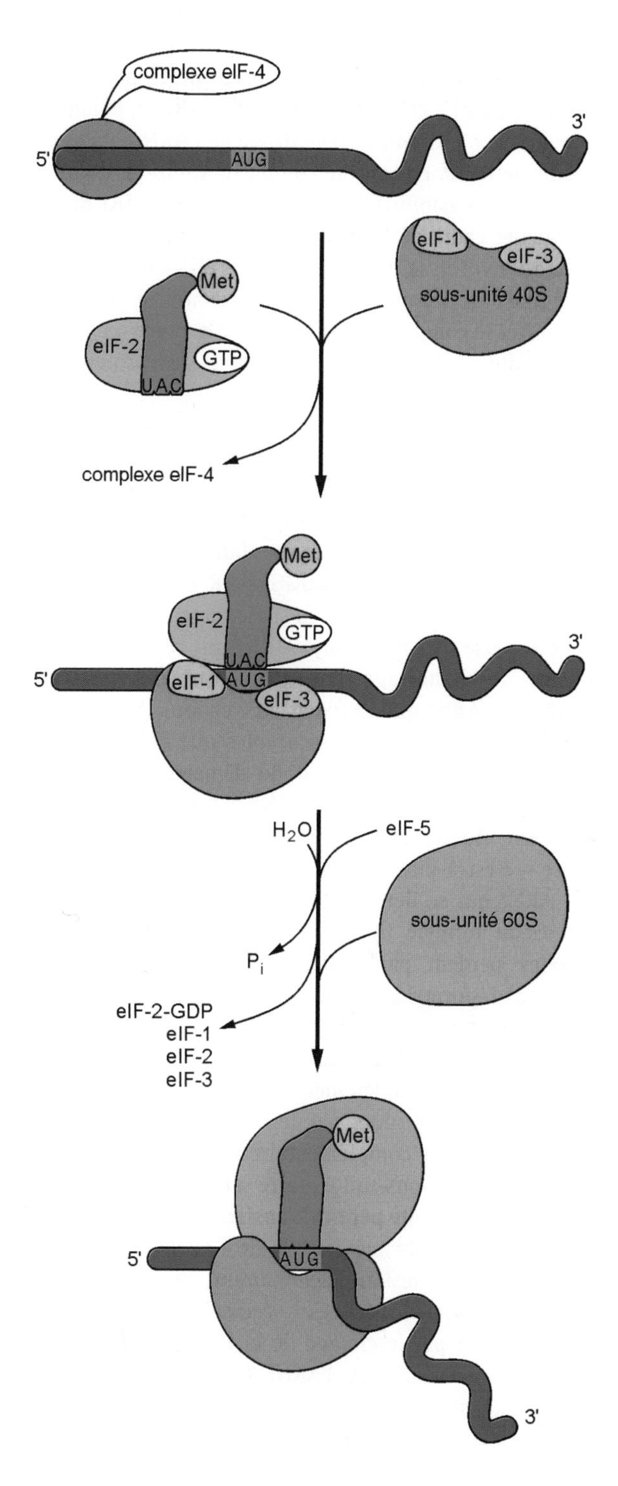

18.12 Formation du complexe de démarrage de la traduction eucaryote. La sous-unité 40S fixe eIF-1 et eIF-3, et l'ARNt$^{Met}_{i}$ est accompagné par eIF-2 chargé en GTP. Après que le complexe a trouvé le codon de démarrage AUG, eIF-2, avec l'aide du facteur eIF-5, clive le GTP en GDP + P_i, préparant ainsi le recrutement de la sous-unité 60S.

de la traduction. La coiffe 5' de l'ARNm est chargée en complexe avec **eIF-4F**. L'ARNt du codon de démarrage (angl. *initiator codon*) AUG – l'**ARNt**$^{Met}_{i}$ – recrute, après chargement d'une méthionine, le facteur de démarrage **eIF-2** ; ce facteur est chargé de GTP et activé par celui-ci (*encart* 4.1). Après fixation à la petite sous-unité, eIF-4F se dissocie, et le complexe formé de la petite sous-unité, l'ARNt$^{Met}_{i}$, et des facteurs de démarrage, commence à rechercher le codon de démarrage de l'ARNm en hydrolysant de l'ATP. Lorsque le complexe atteint le codon de démarrage – habituellement le « premier » AUG du côté 5' dans le cadre de lecture – un nouveau facteur, **eIF-5**, permet l'hydrolyse du GTP associé à eIF-2 en GDP. C'est le signal qui ordonne à tous les facteurs de démarrage de quitter le complexe, afin de laisser la place à la grande sous-unité : la machine à synthétiser les protéines est alors « prête à l'emploi ».

Chez les eucaryotes, le ribosome ne choisit habituellement que cet unique site de démarrage, et n'utilise aucun des codons AUG « internes » localisés du côté 3' comme sites de démarrage de la biosynthèse des protéines. Le codon de démarrage eucaryote fait en général partie d'une séquence 5'-CCRCC**AUG**G-3' (R = purine), appelée aussi **séquence de Kozak** en hommage à sa première découvreuse. Les méthionyl-ARNt qui reconnaissent le codon de démarrage (ARNt$^{Met}_{i}$) sont différents des méthionyl-ARNt qui se fixent aux codons AUG internes (ARNt^{Met}). C'est chez les procaryotes que cette différence est la plus évidente : l'ARNt de démarrage y porte un **résidu *N*-formyl-méthionine** (ARNt$^{f\text{-}Met}$). Le résidu formyle peut être éliminé par une déformylase en cours de synthèse – c'est-à-dire co-traductionnellement. Au contraire, les ARNt qui se lient aux AUG internes ne portent pas de résidu formyle (ARNt^{Met}). Quelques protéines bactériennes perdent par protéolyse un tripeptide aminoterminal *N*-formylé, qui peut servir aux macrophages et aux granulocytes de « marqueur » dans la détection de cellules infectées (§ 33.1).

Le ribosome complètement assemblé avec son ARNt$^{Met}_{i}$ au site P recrute alors par le deuxième codon de son ARNm un ARNt complémentaire qui va remplir le site A. La grande sous-unité entre alors en action : elle possède une **activité peptidyltransférase** qui lui permet de transférer le résidu méthionyle de l'ARNt de démarrage sur le deuxième résidu d'acide aminé, formant ainsi une **liaison peptidique**, l'énergie nécessaire à cette liaison étant fournie par le clivage de la liaison entre le groupement aminoacyle et l'ARNt (*fig.* 18.13). L'ARNt de démarrage libéré quitte le site P et occupe transitoirement le site E, le **dipeptidyl-ARNt** avance en même temps que l'ARNm du site A au site P devenu vacant, ce qui libère le site A pour le cycle suivant : cette étape termine la phase de démarrage de la traduction.

Dans le cas de la peptidyltransférase procaryote, nous avons affaire à un **ribozyme** classique : l'**ARNr 23S** de la grande sous-unité ribosomique 50S possède l'activité

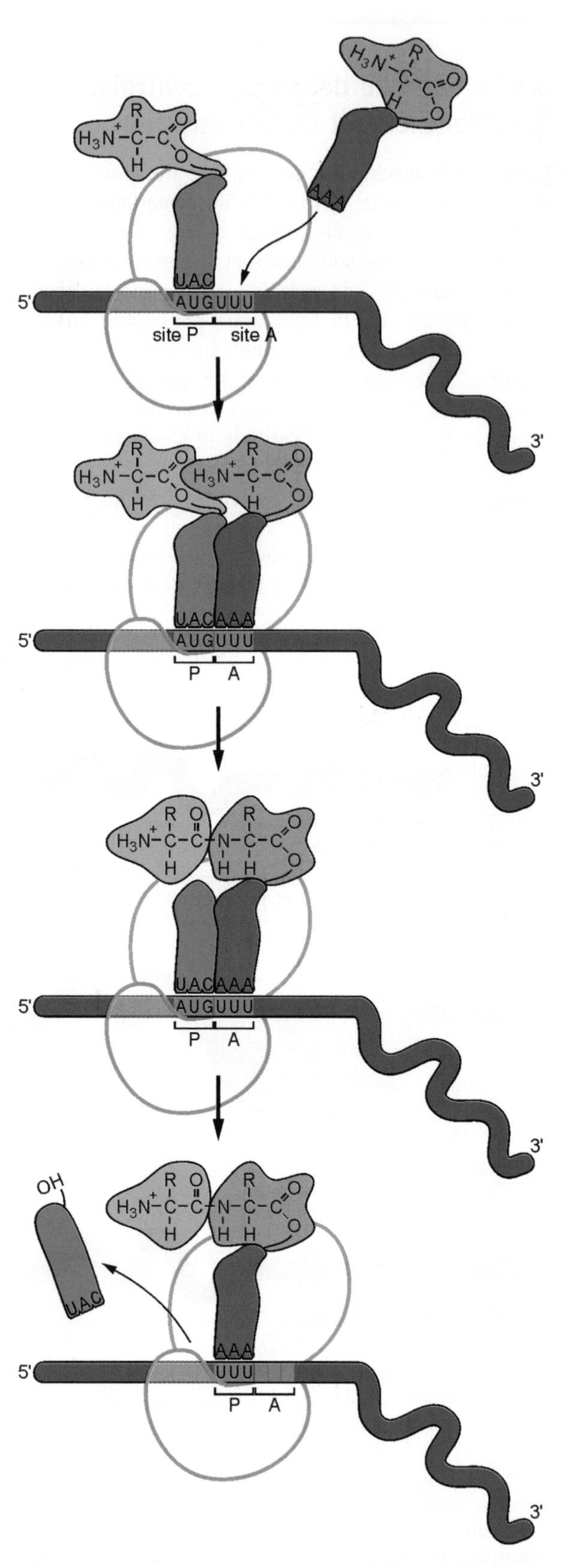

18.13 Démarrage de la traduction. La peptidyltransférase forme une liaison entre la méthionine et un deuxième acide aminé (ici la phénylalanine). La fixation au site E de l'ARNT$^{Met}_{i}$ déchargé n'est pas représentée.

transférase requise, tandis que les protéines associées à l'ARNr l'assistent sans agir elles-mêmes dans la catalyse. Le rôle de son pendant eucaryote, l'ARNr 28S, dans le transfert de peptidyle n'est pas encore parfaitement clair. D'autres particularités du démarrage de la traduction chez les procaryotes sont résumées dans l'encart 18.1.

Encart 18.1 : Démarrage de la traduction chez les procaryotes

Les **facteurs de démarrage IF-1** et **IF-3** se fixent à la petite sous-unité, empêchant ainsi une fixation prématurée et « improductive » de la grande sous-unité en l'absence d'ARNm. La petite sous-unité reconnaît par son ARNr 16S la séquence de Shine-Dalgarno (*fig.* 18.11) d'un ARNm, s'y fixe par appariement de bases complémentaires, ce qui permet à celui-ci de « présenter » son codon AUG (*fig.* 18.14). En même temps, l'ARNt de démarrage portant une *N*-formyl-méthionine entre dans le complexe accompagné du **facteur de démarrage IF-2**. La fixation de l'$ARNt^{f\text{-}Met}$ au codon de démarrage libère IF-3. Ensuite, la grande sous-unité peut s'associer au complexe, le GTP est hydrolysé en GDP et P_i, ce qui déclenche la dissociation d'IF-2-GDP et d'IF-1. Le ribosome est alors formé : l'occupation du site A et la formation d'une première liaison peptidique terminent la phase du démarrage de la traduction procaryote.

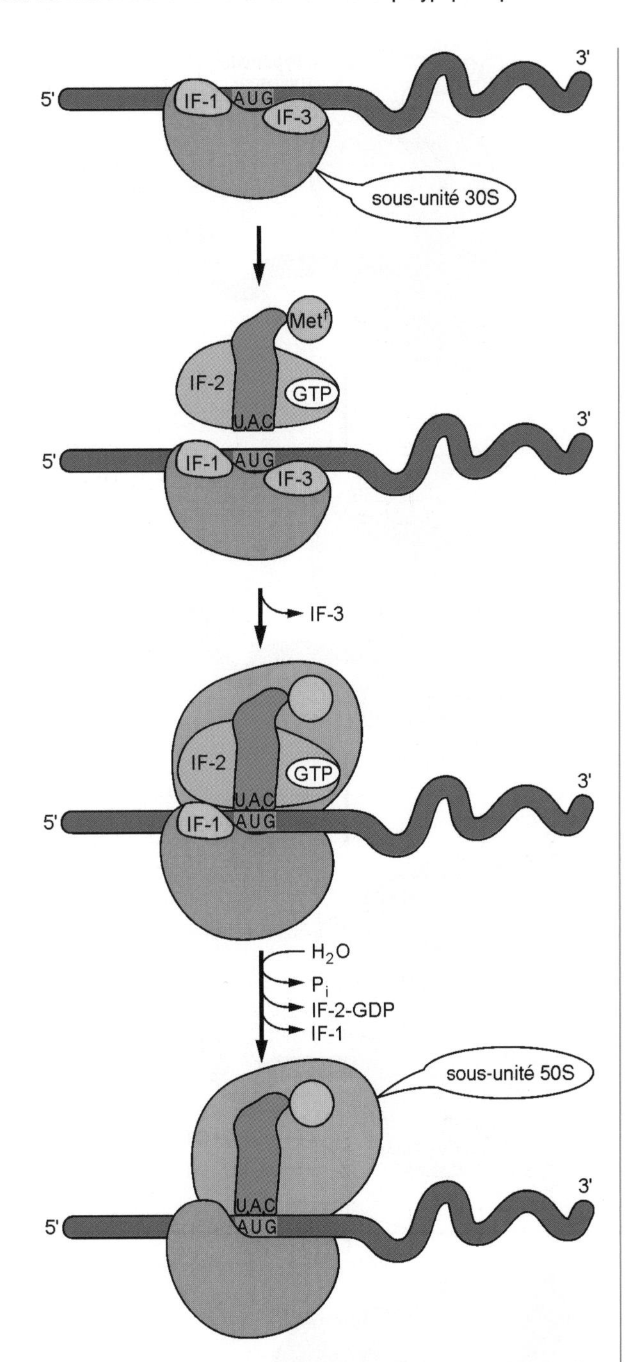

18.14 Démarrage de la traduction chez les procaryotes. Le facteur de démarrage IF-1 régule l'activité d'IF-2, qui se fixe à l'$ARNt^{f\text{-}Met}$, ainsi que celle de IF-3, qui empêche l'association de la petite et de la grande sous-unité.

18.5

Des robots moléculaires assemblent la chaîne polypeptidique

La **phase d'élongation** qui s'ensuit, et qui prend le plus de temps dans la biosynthèse des protéines, se déroule en trois temps : d'abord, la position A vide est occupée par un aminoacyl-ARNt complémentaire. Chaque nouvel ARNt entrant est escorté par le **facteur d'élongation eEF-1**α, qui assure son positionnement correct dans le site A. Ensuite, l'activité peptidyltransférase transfère la chaîne peptidique naissante sur le nouvel acide aminé en formant une liaison peptidique ; enfin, l'ARNt libre quitte la position P en direction du site E, l'ARNm avec le peptidyl-ARNt « glisse » jusqu'à la position P libre et libère la position A (*fig.* 18.15). Cette **translocation** consomme de l'énergie, qui provient de l'hydrolyse de GTP en GDP. L'effecteur de cette étape de la réaction est le **facteur d'élongation eEF-2**, qui est la cible de toxines bactériennes (*encart* 18.2). La machinerie de synthèse des protéines est ainsi revenue à son point de départ : le résultat est un allongement d'un maillon de la chaîne peptidique et une avance d'un codon de l'ARNm. Un nouveau cycle d'élongation peut commencer. Chez les procaryotes, le déroulement de l'élongation est similaire dans le principe ; les facteurs d'élongation procaryotes correspondants s'appellent **EF-Tu** et **EF-G** ; ils sont homologues à eEF1 et eEF2, respectivement.

Lorsqu'au cours de l'élongation le ribosome rencontre l'un des trois codons stop (UAA, UAG ou UGA), la synthèse s'arrête : il y a **terminaison** de la traduction. Les codons stop *n*'ont *pas* d'ARNt complémentaire ; c'est le

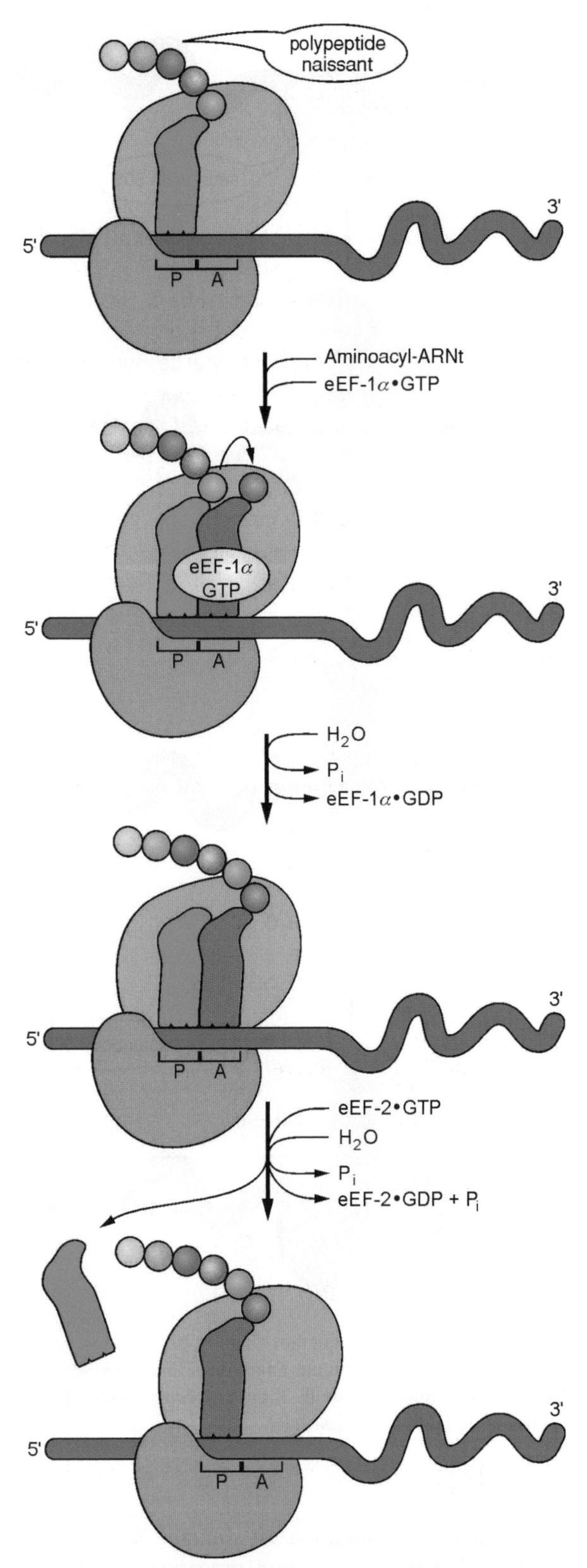

18.15 Phase d'élongation de la synthèse des protéines. Il y a d'abord occupation de la position A par un ARNt chargé, ensuite formation d'une nouvelle liaison peptidique, puis translocation de l'ARNm. La conséquence en est que le peptidyl-ARNt repousse l'ARNt jusqu'à la position E, et libère lui-même la position A. Le facteur eEF-1$\beta\gamma$ (non représenté) régénère eEF-1α en échangeant le GDP contre du GTP ; le facteur procaryote correspondant s'appelle EF-Ts.

Encart 18.2 : La toxine diphtérique

Jusqu'à la première moitié du XXe siècle, la **diphtérie** était une des causes principales de mortalité infantile. Son agent, *Corynebacterium diphteriae*, produit une toxine de 64 kDa, qui est internalisée par endocytose dépendant d'un récepteur (§ 29.4), telle un « passager clandestin », dans les cellules eucaryotes où elle est clivée en deux fragments de 21 kDa (fragment A) et 40 kDa (fragment B) (*fig.* 18.16). Le petit fragment A, qui est enzymatiquement actif, accède au cytoplasme et transfère un résidu ADP-ribosyle du NAD^+ à la **diphthamide**, une histidine modifiée du facteur d'élongation eEF-2. Cette ADP-ribosylation bloque l'activité translocase d'eEF-2 : la biosynthèse des protéines s'arrête brusquement. La virulence exceptionnelle de *C. diphteriae* vient du fait qu'une seule molécule de toxine diphtérique peut complètement abolir la biosynthèse des protéines d'une cellule grâce à son activité **ADP ribosylase**. La vaccination permet de produire des anticorps « neutralisants » contre cette bactérie redoutable.

NAD^+ + Diphthamide —(Fragment A)→ Diphthamide ADP-ribosylée + Nicotinamide + H^+

Diphthamide **Diphthamide ADP-ribosylée**

18.16 Action de la toxine diphtérique. Le fragment A de la toxine diphtérique catalyse l'ADP-ribosylation d'un résidu histidine modifié du facteur d'élongation eEF-2. L'arrêt brutal de la biosynthèse des protéines tue rapidement la cellule.

facteur de terminaison eRF (angl. *eukaryotic release factor*), une autre protéine fixatrice de GTP, qui se lie directement au codon stop lorsque celui-ci apparaît dans le site A (*fig.* 18.17). Dans ces conditions, la peptidyltransférase a une activité hydrolytique : au lieu de transférer la chaîne polypeptidique sur le groupement amine d'un acide aminé, elle la transfère sur une molécule d'eau et libère ainsi la protéine nouvellement synthétisée de sa liaison à l'ARNt. L'ARNt libre quitte le complexe, et eRF se dissocie lui aussi après hydrolyse de GTP. Ensuite, le ribosome relâche l'ARNm et se dissocie en ses sous-unités, qui sont alors prêtes pour un nouveau cycle de traduction. La machinerie de synthèse de la cellule vivante ne s'arrête jamais, elle est donc particulièrement sensible aux toxines (*encart* 18.2). Même hors du cadre de la cellule, le système de traduction fonctionne encore très bien (*encart* 18.3).

Du fait de la dégénérescence du code génétique, la plupart des acides aminés disposent de plusieurs ARNt

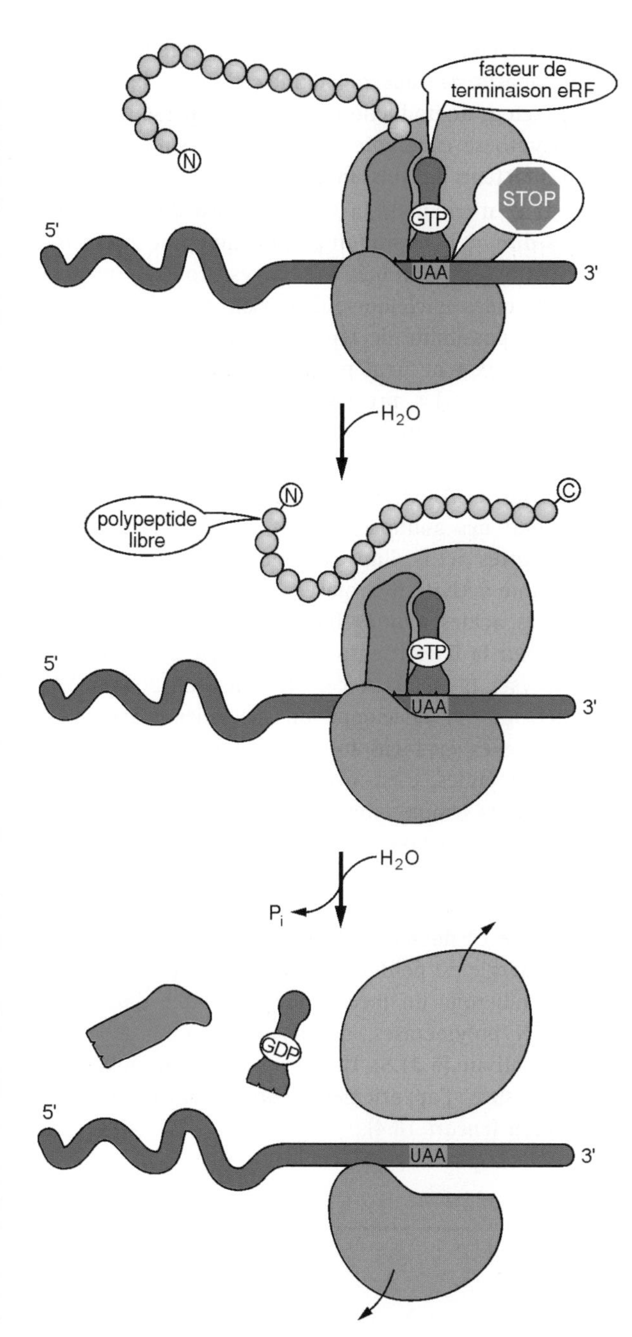

18.17 Terminaison de la traduction. Le facteur de terminaison eRF reconnaît le premier codon stop apparaissant dans le site A. Le polypeptide est ensuite libéré de sa liaison à l'ARNt de la position P par hydrolyse. Les facteurs de terminaison ressemblent par leur forme et la répartition de leurs charges surfaciques à un ARNt : on parle d'imitation moléculaire (angl. *molecular mimicry*). Les procaryotes utilisent deux facteurs de terminaison différents pour UAA ou UAG (RF-1) d'une part, et UAA ou UGA (RF-2) d'autre part.

adaptateurs ayant des anticodons différents. En fait, les cellules eucaryotes peuvent avoir jusqu'à 49 ARNt différents. Par ailleurs, certains ARNt peuvent se lier à différents codons, puisque la base à l'extrémité 5'

Encart 18.3 : La traduction *in vitro*

Les réticulocytes, précurseurs immédiats des érythrocytes, sont extraordinairement actifs sur le plan de la traduction et produisent de grandes quantités de globine. Ils peuvent être enrichis à partir du sang de lapins dont l'hématopoïèse a été spécifiquement stimulée. Par ouverture (lyse) douce des cellules, on obtient un **lysat de réticulocytes**, qui contient les composants essentiels du système de traduction. À l'aide de nucléases, on détruit spécifiquement les ARNm endogènes. Si l'on ajoute des cofacteurs essentiels comme les ARNt et le GTP, le lysat de réticulocytes peut synthétiser *in vitro* une protéine choisie en suivant les instructions d'un **ARNm exogène**. En utilisant des acides aminés marqués radioactivement comme la méthionine ^{35}S ou la leucine ^{3}H, on peut détecter la protéine par autoradiographie après une électrophorèse en présence de SDS. La traduction *in vitro* a eu un rôle clé dans l'élucidation du code génétique ; aujourd'hui, elle est surtout utilisée pour l'étude du transport intracellulaire et de la maturation des protéines.

de l'anticodon autorise des « changements d'alliance » (*fig.* 18.18). En effet, on trouve souvent à cette position de l'anticodon l'**inosine** (I), un nucléotide rare, qui peut

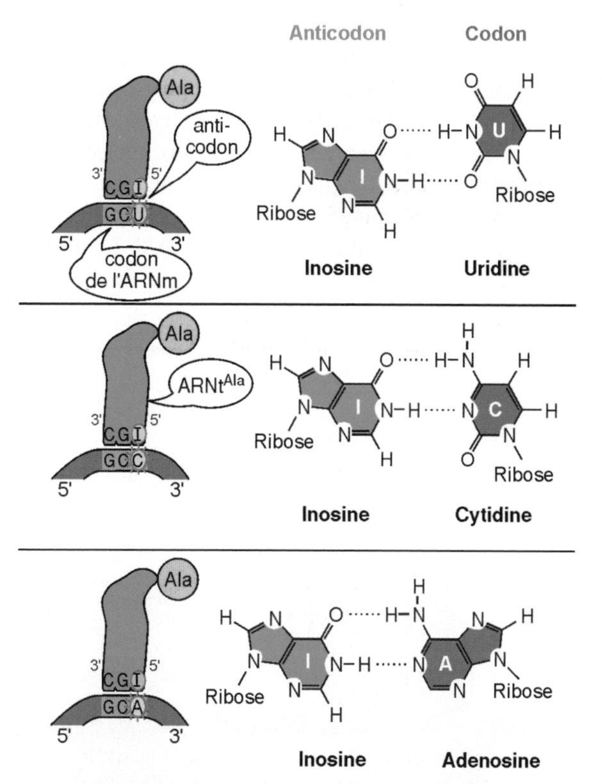

18.18 Appariement de bases imprécis. Les brins codon et anticodon sont antiparallèles. L'inosine à la position 5' de l'anticodon permet l'interaction avec trois nucléosides différents – l'uridine, la cytidine et l'adénosine – à la position complémentaire 3' de l'anticodon.

s'apparier avec U, C ou A. L'« imprécision » de l'appariement des bases – le ***wobble*** (angl. *to wobble*, vaciller) – explique pourquoi trois des codons de l'alanine (GCU, GCC, GCA) sont reconnus par un seul $ARNt^{Ala}$, qui porte une inosine à la position 5' de son anticodon. Les nucléotides U ou G eux aussi, placés à la position 5' de l'anticodon, permettent un appariement alternatif avec A/G ou U/C, respectivement, sur le codon. Seuls A et C à la position 5' de l'anticodon ne peuvent former qu'un appariement, avec U ou G respectivement, sur le codon. Au contraire, les bases des deux positions du côté 3' participent à des paires de bases Watson-Crick classiques, qui n'admettent pas de « vacillement ».

18.6

La biosynthèse des protéines est un processus économique

La biosynthèse des protéines progresse à une **vitesse d'incorporation** de 10-20 acides aminés par seconde. La machinerie de traduction met donc moins d'une minute à synthétiser un polypeptide de taille moyenne d'environ 400 acides aminés. L'**efficacité de traduction** est encore augmentée par des démarrages multiples – comme pour la transcription : à peine un ribosome a-t-il quitté le codon de démarrage qu'un deuxième ribosome s'y fixe et commence lui aussi à traduire (*fig.* 18.19). On obtient de cette manière un polyribosome – ou **polysome** – comportant de nombreux ribosomes, arrangés comme les perles d'un collier séparées d'environ 80 nucléotides, et qui travaillent simultanément mais indépendamment. La traduction est – comme la transcription – régulée essentiellement au niveau du démarrage (§ 20.3). La disponibilité en facteurs tels que eIF-2 a une grande influence sur la **capacité de traduction** d'une cellule ; la biosynthèse de ce facteur de traduction, et donc la vitesse globale de la biosynthèse eucaryote des protéines, sont contrôlées par des **facteurs de croissance**.

Le taux d'erreur de la traduction est d'environ 10^{-4}, c'est-à-dire qu'il se produit en moyenne une erreur tous les 10 000 acides aminés incorporés. Contrairement au cas des acides nucléiques, il n'existe pas chez les protéines de possibilité de réparation ultérieure. Un acide aminé « faux » ne peut pas être échangé post-traductionnellement. La précision de la biosynthèse des protéines est essentiellement déterminée par deux processus de reconnaissance, le chargement des acides aminés sur les ARNt, et l'appariement codon-anticodon. La plupart des aminoacyl-ARNt synthétases possèdent deux centres actifs, l'un ayant une activité synthétase, l'autre une activité hydrolase ; elles peuvent ainsi contrôler les acides aminés incorporés et en cas d'erreur revenir sur la liaison entre l'aminoacyle et l'ARNt pour l'hydrolyser (§ 18.2). À cet effet, les aminoacyl-ARNt synthétases ont développé un mécanisme astucieux : d'abord, elles excluent lors de l'acylation les grandes chaînes latérales, c'est-à-dire que tout ce qui est plus grand que la chaîne latérale de « leur » acide aminé est rejeté. Par l'hydrolyse, elles excluent au contraire les chaînes latérales trop petites, c'est-à-dire que tout ce qui est en dessous de la norme est hydrolysé et donc rejeté. Le prix de ce **double contrôle** est l'hydrolyse de l'ATP, dont l'énergie est perdue en cas d'incorporation erronée. Nous étudierons un mécanisme semblable dans le cas des ADN polymérases, qui possèdent elles aussi une double activité (§ 21.5). Un mécanisme non moins astucieux assure l'appariement correct entre codon et anticodon (*encart* 18.4).

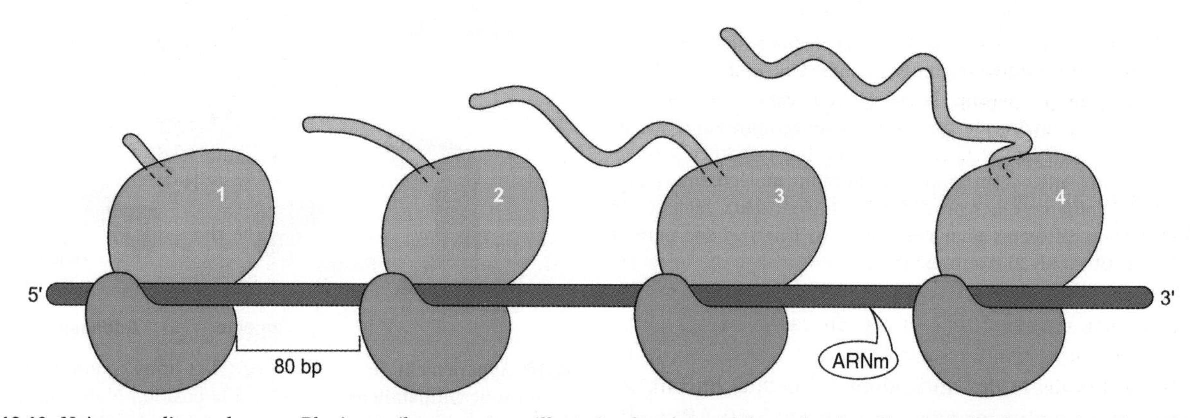

18.19 Naissance d'un polysome. Plusieurs ribosomes travaillent simultanément à la traduction d'un seul ARNm. Il existe des polysomes dans les cellules procaryotes et eucaryotes. Par exemple, jusqu'à cinq ribosomes peuvent travailler simultanément sur les ARNm relativement courts des deux chaînes de globine.

Encart 18.4 : Contrôle cinétique de la traduction

Immédiatement après leur chargement, les ARNt (sauf l'ARNt$^{Met}{}_i$), munis de leur extrémité aminoacylée, vont se fixer au **facteur d'élongation eEF-1α**, qui porte une molécule de GTP et escorte l'ARNt jusqu'au ribosome. Après fixation au site A, eEF-1α empêche tout d'abord la formation immédiate d'une liaison peptidique par blocage du résidu aminoacyle (*fig.* 18.20). Seul l'appariement « correct » de bases entre codon et anticodon provoque l'hydrolyse du GTP par eEF-1α en GDP + P_i et le départ d'eEF-1α du complexe. C'est le signal qui indique à la peptidyltransférase de transférer le polypeptide naissant sur le résidu aminoacyle libéré. Ce retard entre appariement de bases et élongation de la chaîne ouvre une fenêtre temporelle au cours de laquelle un ARNt incorrect, qui ne se fixe que faiblement à l'anticodon, peut se dissocier du site A à temps, avant d'être incorporé. On parle de **contrôle cinétique** de la traduction. Nous rencontrerons dans la transduction du signal d'autres « horloges » moléculaires analogues à eEF-1α : les petites protéines G (§ 30.3).

18.7

Le contrôle de la traduction a un coût énergétique

La biosynthèse des protéines compte parmi les processus cellulaires les plus dispendieux en énergie. Au moins quatre fonctions phosphoanhydrides énergétiques sont consommées par liaison peptidique formée : deux pour le chargement de l'ARNt par l'acide aminé, une pour l'élongation, et une pour la translocation. Plus précisément, **deux molécules d'ATP** et **deux molécules de GTP** sont converties en ADP et GDP, respectivement. La biosynthèse des protéines doit donc être strictement contrôlée, comme le montrent les exemples suivants.

Dans les réticulocytes, la **synthèse de l'hémoglobine** est essentiellement contrôlée au niveau du démarrage de la traduction de l'ARNm de la globine. En cas de carence en hème, une **kinase régulée par la disponibilité en hème** phosphoryle le **facteur de démarrage eIF-2**, qui accompagne normalement l'ARNt$^{Met}{}_i$ de démarrage dans le site P du ribosome (*fig.* 18.12). eIF-2 phosphorylé fixe avec une haute affinité un **facteur d'échange de guanyl-nucléotide GEF** (angl. *guanyl nucleotide exchange factor*). eIF-2 complexé au GEF est inactif et le processus de traduction est aboli : la synthèse des globines s'arrête donc en cas de carence en hème (*fig.* 18.21). En cas d'excès d'hème, c'est au contraire une **phosphatase** qui est activée et qui déphosphoryle eIF-2, le libérant ainsi de sa relation « intime » avec le GEF. Dès que le GEF est libre, il remplit sa fonction proprement dite, échange son GDP contre du GTP et « affûte » ainsi eIF-2 déphosphorylé en vue de son

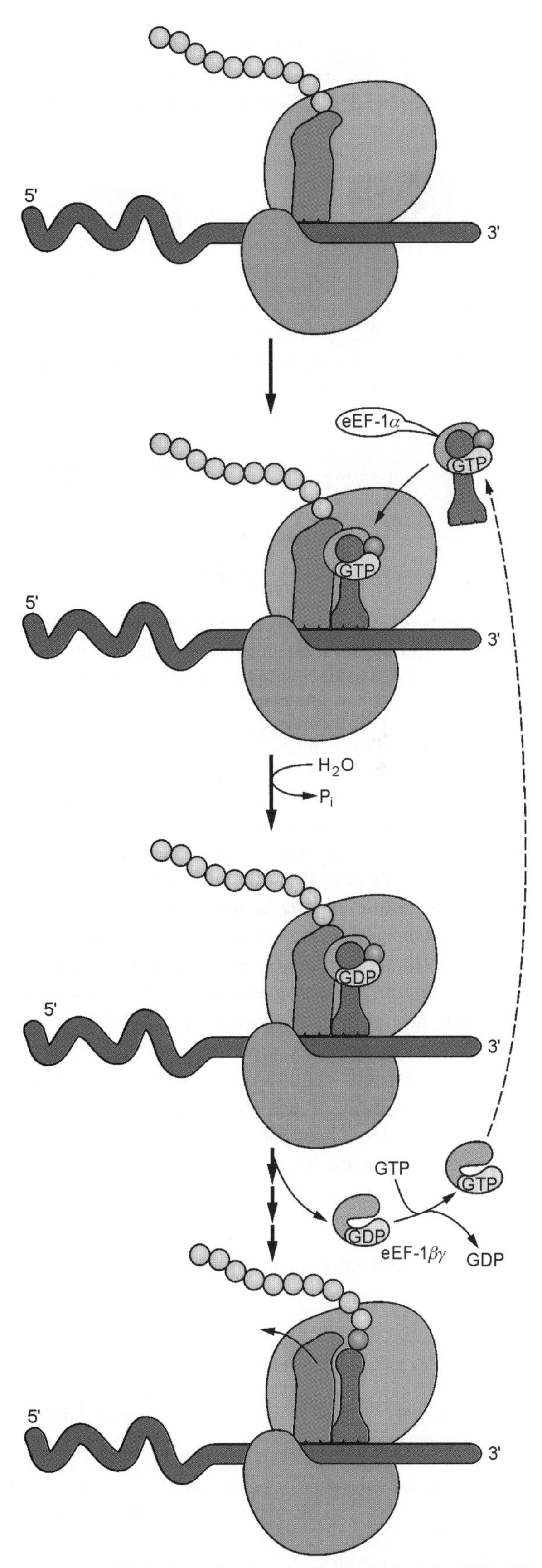

18.20 Contrôle de la traduction. Après l'hydrolyse du GTP, eEF-1α subit un cycle de régénération impliquant le facteur d'échange de guanyl-nucléotide eEF-1$\beta\gamma$ (non représenté).

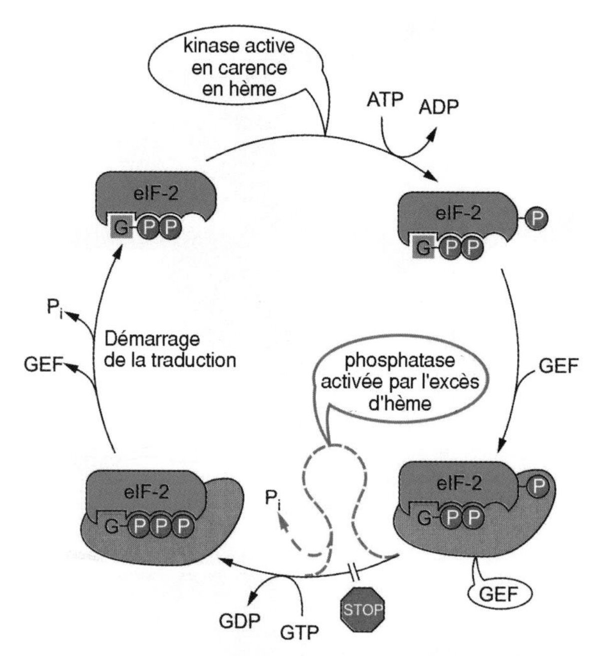

18.21 Régulation de la traduction. En cas de carence en hème, une kinase régulée par la disponibilité en hème phosphoryle le facteur eIF-2, qui fixe alors fortement le GEF, ce qui l'inactive. En cas d'excès en hème, une phosphatase déphosphoryle eIF-2, le GEF échange le GDP contre du GTP, ce qui régénère eIF-2, qui remet en marche la synthèse des globines.

rôle dans le démarrage de la traduction : la synthèse des globines est remise en marche. *Le cycle de phosphorylation/déphosphorylation et d'échange GDP/GTP assure donc la synthèse coordonnée de la protéine (la globine) et de son groupe prosthétique (l'hème).*

D'autres mécanismes de contrôle de la traduction agissent sur la synthèse des protéines qui gouvernent le contenu en fer des cellules. Fe^{2+} est un oligoélément important nécessaire à des protéines de transport de l'oxygène comme l'hémoglobine, ou à des enzymes comme l'aconitase ou les cytochromes. En cas de déficience en fer, le « détecteur » de fer qu'est l'**aconitase** se fixe à l'extrémité 5' de l'ARNm de la **ferritine** et réprime la biosynthèse de cette protéine de stockage du Fe^{2+}. À la suite de l'élévation de la concentration intracellulaire en Fe^{2+} qui en découle, l'aconitase forme un complexe avec Fe^{2+}, subit un changement de conformation important, libère l'ARNm de la ferritine, ce qui le rend disponible pour la traduction. En même temps, l'aconitase agit sur l'ARNm d'un **récepteur de la transferrine**, qui importe la **transferrine** chargée en Fe^{2+} à l'intérieur de la cellule. En cas de carence en fer, l'aconitase stabilise cet ARNm du récepteur par sa fixation à la région 3' non traduite, si bien que la dégradation de l'ARNm est empêchée sans que la traduction en soit affectée. Lorsque la cellule a importé suffisamment de Fe^{2+}, l'aconitase reforme son complexe avec Fe^{2+} et libère l'ARNm du récepteur qui est alors rapidement dégradé. *L'aconitase est une protéine polyvalente : elle joue le rôle de détecteur de Fe^{2+}, de répresseur du démarrage de la traduction, de stabilisateur d'ARNm et même – comme nous le verrons plus loin – d'enzyme du cycle du citrate* (*fig.* 36.6).

18.8 De nombreux antibiotiques sont des inhibiteurs de la traduction

Les antibiotiques utilisent les subtiles différences structurales et fonctionnelles entre les biosynthèses des protéines procaryote et eucaryote pour tuer sélectivement les agents bactériens sans être trop toxiques pour les cellules hôtes. Pour atteindre cet objectif, de nombreux antibiotiques agissent comme **inhibiteurs de la traduction** (*tab.* 18.3). La **puromycine**, un analogue structural d'aminoacyl-ARNt, en est un exemple particulièrement intéressant (*fig.* 18.22). Les ribosomes reconnaissent la puromycine comme un aminoacyl-ARNt et l'attachent par une liaison covalente à l'extrémité d'un polypeptide naissant. Comme la puromycine possède à la position importante une liaison carboxamide à la place de la liaison ester, elle ne

Tableau 18.3 Inhibiteurs de la biosynthèse des protéines.

Inhibiteur	**Mode d'action moléculaire**
spécifiques des procaryotes (antibiotiques)	
tétracycline	inhibe la fixation de l'aminoacyl-ARNt au site A *via* la sous-unité 30S
chloramphénicol	inhibe l'activité peptidyltransférase de la sous-unité 50S
érythromycine	bloque la translocation *via* la sous-unité 50S
action sur les procaryotes et les eucaryotes	
puromycine	produit un arrêt de l'élongation par imitation moléculaire
spécifiques des eucaryotes	
cycloheximide	inhibe l'activité peptidyltransférase *via* la sous-unité 60S
anisomycine	agit sur la sous-unité 60S et inhibe le transfert de peptidyle

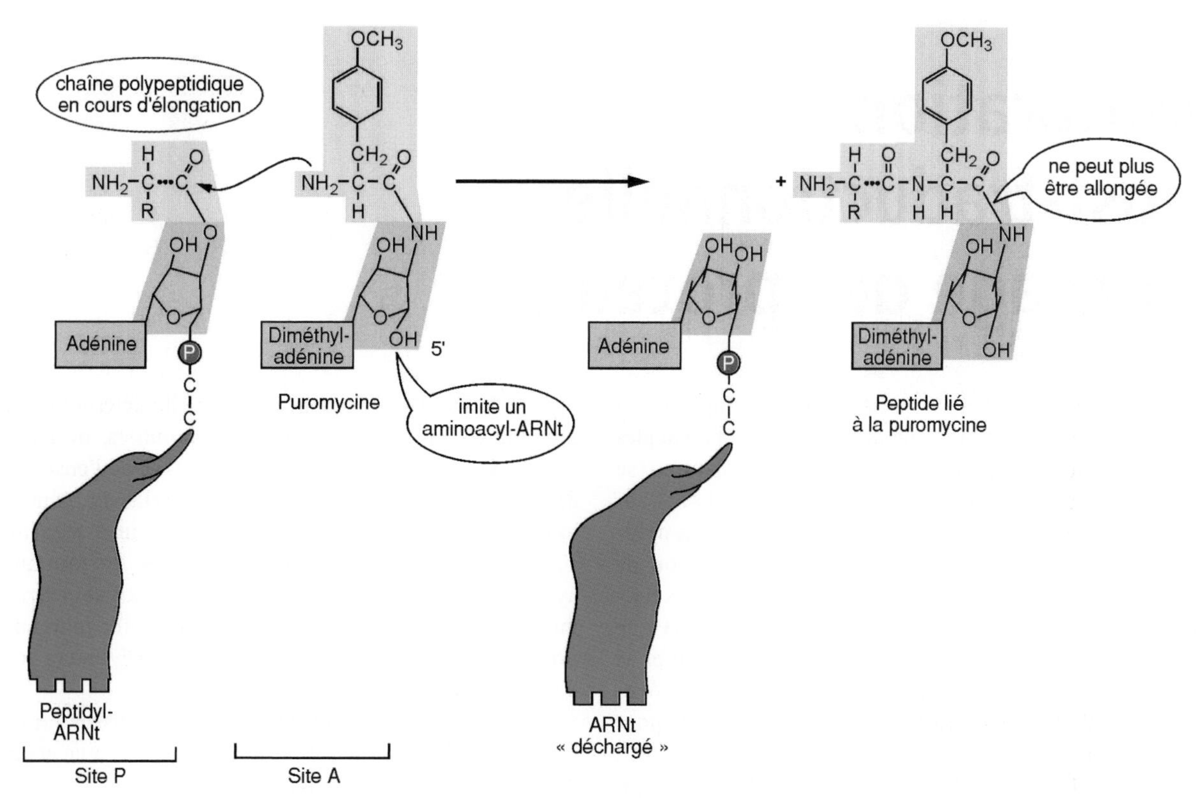

18.22 Imitation moléculaire et puromycine. Cet antibiotique imite l'ARNt^{Tyr} et se fixe au site A. Le transfert du radical peptidyle sur la puromycine forme un peptide qui ne peut plus être allongé et qui est alors libéré : il y a arrêt de la traduction. La fonction amide (-CO–NH–) critique est indiquée.

permet pas l'élongation de la chaîne. Après l'incorporation de la puromycine, il y a donc **terminaison prématurée de la traduction**, et libération d'un fragment polypeptidique presque toujours inactif. D'autres types d'antibiotiques comme la pénicilline *n'*agissent *pas* au niveau de la traduction, mais bloquent la synthèse de la paroi bactérienne et inhibent ainsi la croissance des bactéries.

Nous avons donc suivi le flux de l'information génétique de l'ADN vers le polypeptide *via* l'ARN. Le résultat de ce flux n'est pourtant rien de plus qu'une chaîne protéique. Pour faire de ce polypeptide un outil fonctionnel de la cellule, il faut le replier en une conformation active, au besoin l'« affûter » par des modifications chimiques, et ensuite l'expédier à sa destination à l'intérieur ou à l'extérieur de la cellule. Dans les chapitres suivants, nous allons donc discuter des processus post-traductionnels importants – le **repliement**, la **maturation**, et le **triage** des protéines –, puis revenir aux gènes pour étudier le rôle des facteurs de transcription et des modulateurs dans le contrôle de l'expression génique.

Maturation post-traductionnelle et triage des protéines

19

Les protéines exécutent le programme génétique de la cellule. Ce sont donc plus que des conglomérats d'acides aminés : elles se replient en d'artistiques structures, se meuvent avec une dynamique étonnante et agissent sur d'autres molécules avec une grande précision. Les polypeptides qui sortent de la machinerie de traduction ne sont pas encore armés pour ces tâches élaborées : ils doivent d'abord être mis « en condition ». C'est à cela que servent le **repliement** en une conformation active et le « modelage » de la surface protéique par des modifications chimiques. Beaucoup de protéines effectuent pour cela un voyage à travers les compartiments cellulaires ; une partie d'entre elles est préparée pour l'expédition et envoyée à sa destination définitive à l'intérieur ou à l'extérieur de la cellule. Nous allons considérer la voie qui va du repliement et du modelage jusqu'au **triage** des protéines, pour ensuite traiter du rôle des protéines dans l'expression génique.

19.1 Les cellules trient les protéines après leur traduction

La traduction des ARNm nucléaires commence toujours sur les **ribosomes libres** du cytoplasme. Une partie de ces ribosomes adhère peu de temps après l'initiation de la traduction au **réticulum endoplasmique** (RE) et « décharge » la protéine nouvellement synthétisée dans cet organite. C'est pourquoi nous distinguons deux voies principales de transport des protéines, qui partent soit du cytoplasme, soit du RE, et aboutissent à différents emplacements d'une cellule (*fig.* 19.1). Les protéines synthétisées dans le cytoplasme y restent ou bien sont importées dans le noyau, les mitochondries ou les peroxysomes. Les protéines synthétisées à la surface du RE y sont conservées ou sont envoyées vers l'appareil de Golgi, d'où elles sont distribuées dans des vésicules pour arriver finalement dans les lysosomes, dans la membrane plasmique ou à l'extérieur de la cellule.

Comment une cellule peut-elle envoyer des protéines vers différentes destinations avec spécificité ? Les cellules eucaryotes possèdent pour cela un système astucieux de distribution, dans lequel l'« adresse » est codée sous la forme d'une **séquence signal** ; elle détermine si la protéine est envoyée dans les mitochondries, le noyau, les peroxysomes ou le RE. Au moins 20 % de l'ensemble des gènes codant des protéines au sein du génome humain portent l'information spécifiant une séquence signal. Le premier tri est simple : toutes les protéines ayant une séquence signal spécifique du RE sont acheminées vers le RE *via* un récepteur (§ 19.4) ; toutes les protéines qui *n'*ont *pas* de signal pour le RE restent tout d'abord dans le cytoplasme.

Les protéines cytoplasmiques sont synthétisées sur des ribosomes libres, c'est-à-dire non associés à une mem-

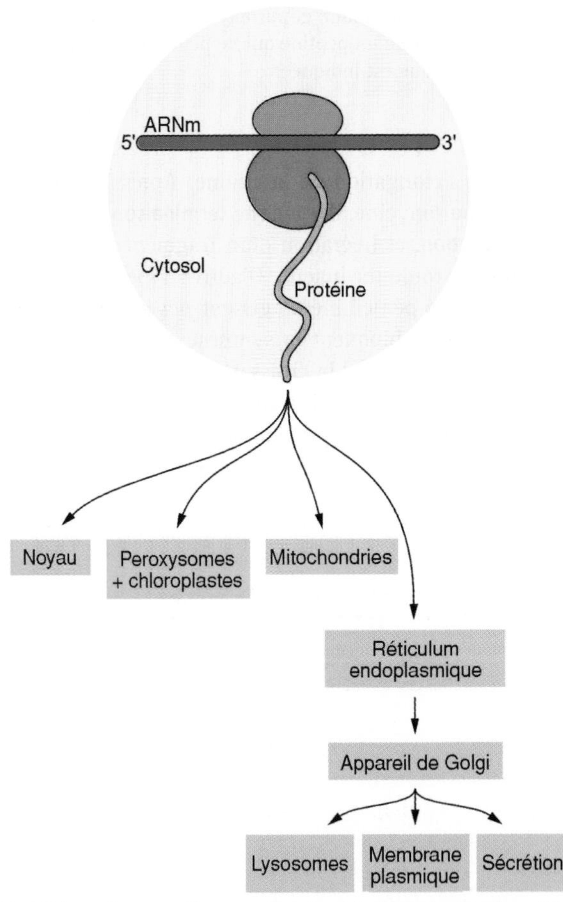

19.1 Triage des protéines en fonction de leur destination. Chez les végétaux, il faut encore ajouter les chloroplastes aux organelles cibles.

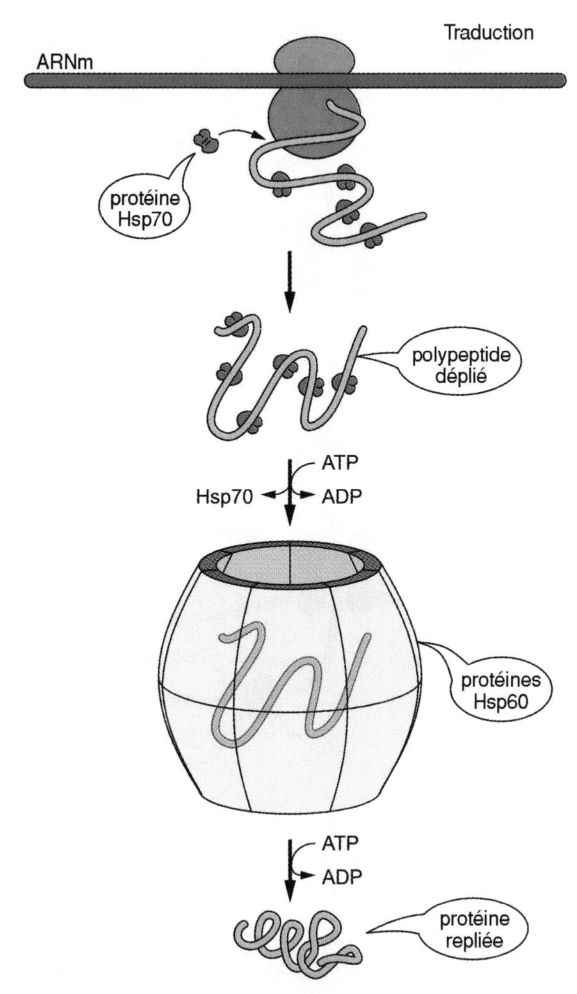

19.2 Auxiliaires de repliement dans le cytoplasme. Les chaperons Hsp70 (protéines de 70 kDa) se fixent à des segments hydrophobes d'environ 7 résidus et empêchent un repliement non spécifique. Les chaperons de type Hsp60 – également appelés chaperonines –, avec leur complexe en forme de tonneau, protègent la protéine en cours de repliement de contacts indésirables avec d'autres protéines, ce qui facilite la transition vers la conformation correcte. Dans ces protéines, 14 sous-unités Hsp60 identiques s'ordonnent en deux anneaux de sept sous-unités chacun (la figure n'est pas à l'échelle).

brane. Pendant la traduction, des protéines s'associent au polypeptide naissant et agissent comme des « accoucheurs » (*fig.* 19.2). Beaucoup de ces **chaperons** cytoplasmiques appartiennent à la classe des **protéines de choc thermique** (angl. *heat-shock proteins*, Hsp), que les cellules synthétisent en grandes quantités lors d'un stress thermique. Les chaperons de **type Hsp70** se fixent aux segments hydrophobes de la protéine nouvellement synthétisée et la protègent ainsi contre une agrégation non spécifique. Les chaperons Hsp70 transfèrent la protéine une fois sa traduction terminée à des chaperons de **type Hsp60** en forme de tonneau, qui « massent » la protéine jusqu'à ce qu'elle ait adopté sa conformation propre. Le prix énergétique de cette assistance moléculaire se paie en ATP hydrolysé.

cis *trans*

19.3 Catalyse par la peptidyl-prolyle isomérase. L'enzyme catalyse l'isomérisation *cis*/*trans* de liaisons peptidiques impliquant une proline. Les séquences avoisinantes influent sur le rapport entre les deux isomères. Presque toutes les autres liaisons peptidiques *n'*impliquant *pas* de prolines adoptent la configuration *trans*.

Dans ce processus, les chaperons *ne* peuvent *pas* forcer la protéine à adopter la conformation fonctionnellement active : l'information nécessaire est seulement et entièrement contenue dans la structure primaire de la protéine (§ 5.11). En fait, les chaperons fixent et stabilisent les protéines dépliées ou partiellement repliées, leur accordant ainsi du temps pour « se découvrir elles-mêmes », c'est-à-dire pour se replier dans la conformation correcte. Les chaperons jouent un rôle important dans l'assemblage de complexes macromoléculaires comme l'enroulement de l'ADN autour des histones pour former les nucléosomes (§ 16.3). Les **peptidyl-prolyle isomérases** (PPI ou PPIases) jouent un rôle important de chaperon dans le repliement des protéines : elles font passer la liaison peptidique d'un résidu prolyle (Xaa-Pro) de la forme *trans* à la forme plus rare *cis* (*fig.* 19.3). Ce processus réversible permet aux protéines de se « contorsionner », ce qui facilite leur repliement dans la conformation fonctionnelle.

19.2 Des séquences signal dirigent les protéines vers les mitochondries

Une partie des protéines synthétisées dans le cytoplasme est destinée aux mitochondries. Les mitochondries des cellules de mammifères, qui ressemblent par différents aspects aux chloroplastes des cellules végétales, ont à bien des égards une position exceptionnelle parmi les organelles cellulaires : elles sont entourées d'une **double membrane** (*fig.* 3.14). Les membranes mitochondriales intérieure et extérieure délimitent un **espace intermembranaire** ; les deux membranes se rapprochent en des points de contact. Les mitochondries possèdent leur propre système génétique ; l'ADN mitochondrial humain spécifie ainsi 13 protéines qui sont des sous-unités du grand complexe de la membrane mitochondriale interne. La majorité des protéines mitochondriales est toutefois spécifiée par l'ADN nucléaire, synthétisée dans le cytoplasme, puis importée dans la mitochondrie, processus dans lequel les obstacles des membranes doivent être franchis par **translocation**, c'est-à-dire passage d'un compartiment à un

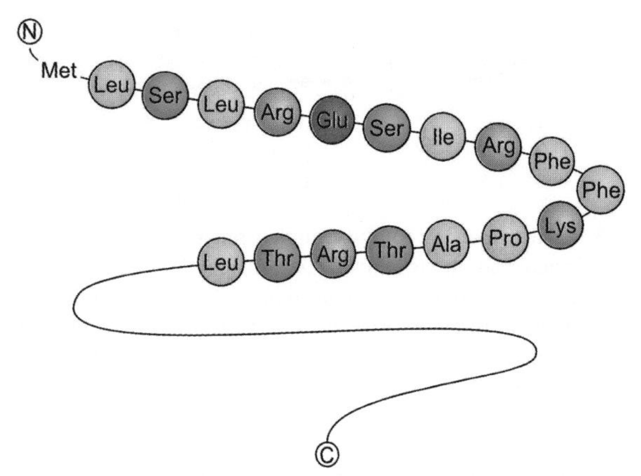

19.4 Structure du peptide signal mitochondrial. La séquence des peptides signaux mitochondriaux est assez variable ; elle est en général constituée de 15-35 acides aminés de l'extrémité amino-terminale, comprenant de nombreux résidus chargés positivement (en bleu) ou hydrophobes (en jaune) et beaucoup de résidus sérines ou thréonines (en vert). Cette séquence se replie en une hélice amphiphile qui porte les résidus basiques et polaires sur un côté et les résidus hydrophobes sur l'autre (*fig.* 5.15).

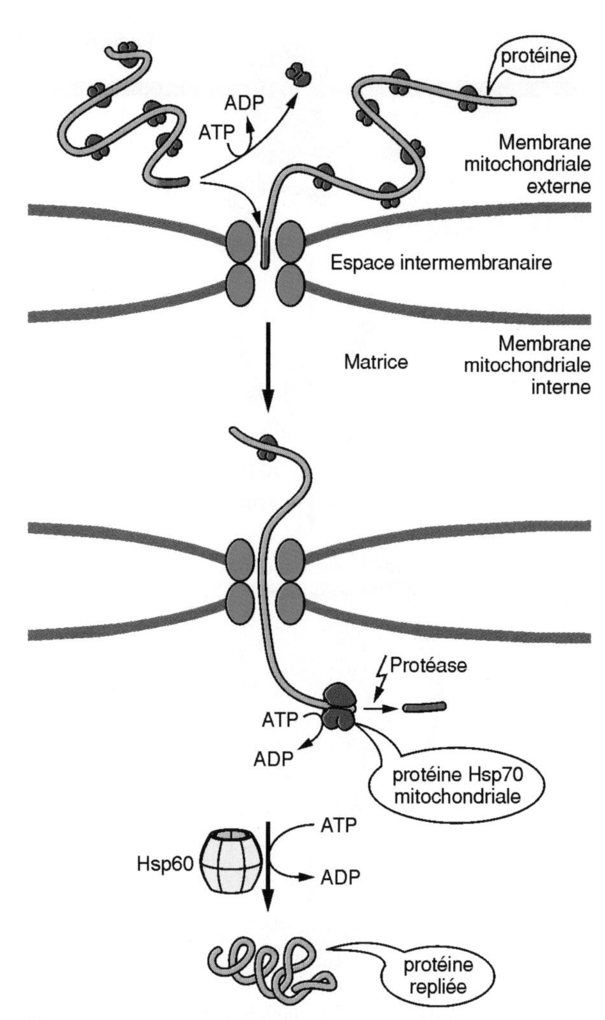

19.5 Importation des protéines dans la matrice mitochondriale. La machinerie de translocation (en vert) avec son récepteur et son canal est présente en plusieurs exemplaires aux points de contact entre les membranes interne et externe. Le peptide signal (en rouge) est clivé dans la matrice. Voir texte pour plus de détails.

autre. Des chaperons escortent les protéines synthétisées dans le cytoplasme jusqu'aux mitochondries afin qu'elles restent aptes à la translocation : en effet, dans l'état complètement replié, les protéines *ne* peuvent *plus* traverser les membranes. La clé de l'entrée dans les mitochondries se trouve dans une séquence amino-terminale des protéines mitochondriales (*fig.* 19.4) : des résidus hydrophobes et basiques constituent une séquence signal qui se structure en hélice amphiphile (*encart* 5.3).

Cette **préséquence** ou séquence d'importation introduit la protéine mitochondriale, après sa reconnaissance, dans un canal qui traverse l'espace intermembranaire et conduit directement la protéine dans la matrice (*fig.* 19.5). Les chaperons cytoplasmiques se dissocient en consommant de l'ATP. L'énergie nécessaire à la translocation provient d'un **gradient électrochimique** existant à travers la membrane mitochondriale interne, et de l'hydrolyse d'ATP par le **chaperon Hsp70 mitochondrial**, qui tire la protéine du côté de la matrice. Avant la fin de la translocation, une protéase clive le peptide signal, ce qui rend le processus irréversible. Le transfert au **chaperon Hsp60 mitochondrial** assure que la protéine est correctement repliée sur place.

Les protéines à destination de l'espace intermembranaire doivent encore franchir un deuxième obstacle. Elles possèdent pour cela un peptide signal hydrophobe en carboxy-terminal du premier, qui se trouve « exposé » après clivage de la séquence d'importation mitochondriale (*fig.* 19.6). Ce signal les ramène de la matrice à la membrane interne, qu'elles traversent, toujours dépliées. Pendant que la séquence hydrophobe reste ancrée à la membrane, le reste de la chaîne polypeptidique passe dans l'espace intermembranaire. Une **signal peptidase** peut alors cliver cette extrémité hydrophobe et libérer la protéine soluble dans l'espace intermembranaire. Cette translocation est irréversible : la protéine hydrophile *ne* peut normalement *plus* traverser la membrane d'une mitochondrie intacte. En dehors de cette voie, les protéines peuvent également emprunter d'autres routes pour accéder à l'espace intermembranaire.

Une autre adresse importante dans la cellule est celle de la **membrane plasmique** : de nombreuses enzymes et protéines de transduction du signal travaillent sur sa face cytoplasmique. Dans ce but, les protéines cytoplasmiques solubles sont équipées d'une **ancre lipidique** hydrophobe grâce à laquelle elles s'amarrent à la membrane (*encart* 19.1). Une variante spéciale de ces molécules à ancre lipidique est la « petite » **protéine G monomérique Arf**, qui

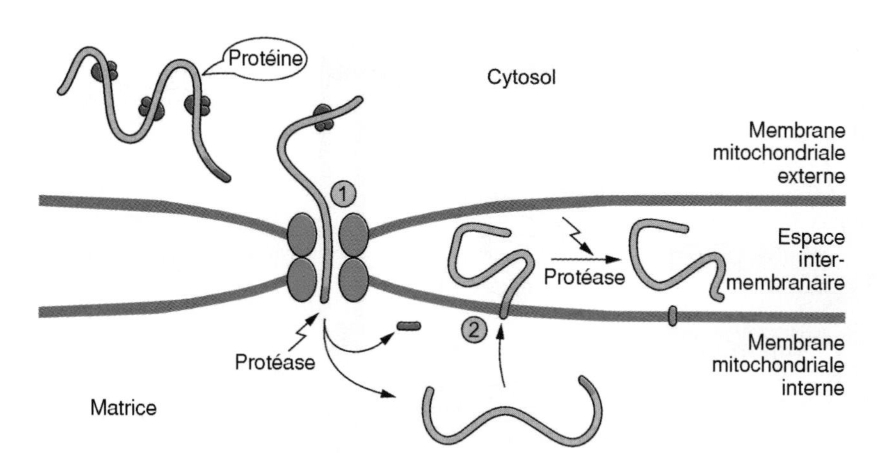

19.6 Transport de protéines dans l'espace intermembranaire. La voie représentée ici requiert deux étapes de translocation pour transporter une protéine depuis le cytoplasme (1) jusque dans l'espace intermembranaire *via* la matrice (2).

Encart 19.1 : Ancres lipidiques des protéines

La **miristoylation** associe un résidu acyle (C14) à l'extrémité amino-terminale des protéines qui portent la séquence amino-terminale Met–Gly–Xaa–Xaa–Xaa–Ser/Thr–Lys–Lys (Xaa : acide aminé quelconque) ; le résidu méthionine amino-terminal est clivé (*fig.* 19.7). La **prénylation** est une modification par des dérivés de l'isoprène (§ 42.1) : des résidus farnesyles (C_{15}) ou géranyles (C_{20}) sont fixés aux protéines qui se terminent par le tétrapeptide Cys–Aaa–Aaa–Xaa (Aaa acide aminé à chaîne aliphatique) ; le résidu prényle est transféré sur la fonction thiol de Cys et le tripeptide terminal est clivé. La **palmitoylation** (C_{16}) est elle aussi une acylation dans laquelle un ou plusieurs thioesters sont formés sur des résidus cystéines internes. On ne connaît pas encore le signal de palmitoylation. Il est possible qu'il s'agisse *non* d'une séquence linéaire, mais d'un épitope discontinu (cf. *fig.* 33.18).

peut, ou bien enfouir son ancre lipidique (= protéine soluble), ou la déployer (= protéine membranaire). Cette protéine peut ainsi faire la navette entre le cytosol et la membrane en modifiant son activité (*fig.* 19.28).

19.3 Les protéines nucléaires portent des séquences de localisation nucléaire

Le passage de molécules du cytoplasme vers le noyau est strictement contrôlé. Seules de petites molécules apolaires peuvent diffuser directement à travers la membrane. Toutes les autres substances – métabolites, facteurs de transcription, enzymes, ARN, composants des ribosomes –, doivent passer par le goulot d'étranglement du **pore nucléaire** : on parle de **transport sélectif** (*fig.* 19.8). Les

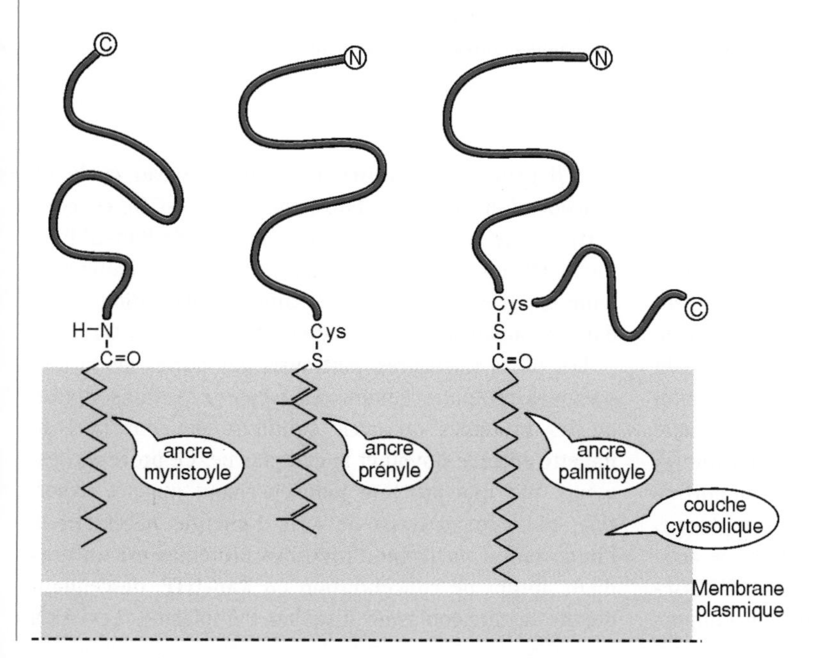

19.7 Ancre lipidique des protéines cytoplasmiques. Les protéines peuvent être ancrées par association covalente avec un groupement acyle (à gauche et à droite) ou prényle (au centre) dans la couche de la membrane plasmique du côté cytosolique. La couche du côté extracytoplasmique est seulement esquissée (en bas).

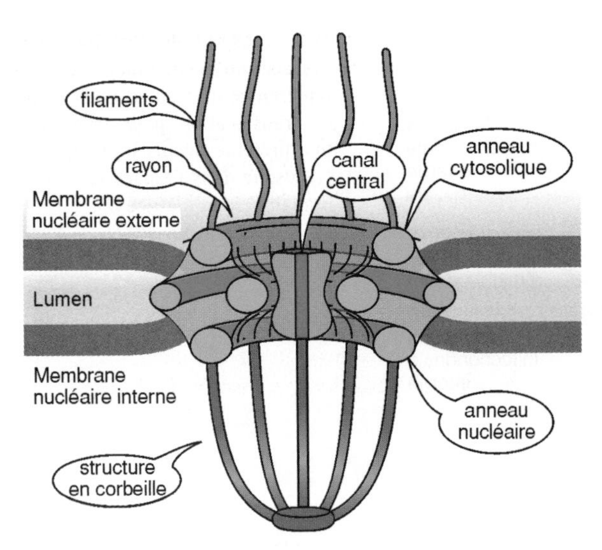

19.8 Structure d'un pore nucléaire. Le CPN est un complexe macromoléculaire de 50-100 protéines (nucléoporines) d'une masse totale de $1{,}25 \times 10^6$ Dalton. Les anneaux cytosoliques fixent le CPN qui possède une symétrie de rotation aux « points de jonction » des membranes nucléaires interne et externe. Des complexes protéiques en forme de rayons forment comme une « suspension » de l'anneau central dont le canal porte un transporteur. Le diamètre extérieur du pore nucléaire est d'environ 145 nm ; le canal interne peut se dilater au passage d'une protéine jusqu'à 25 nm au maximum. [RF]

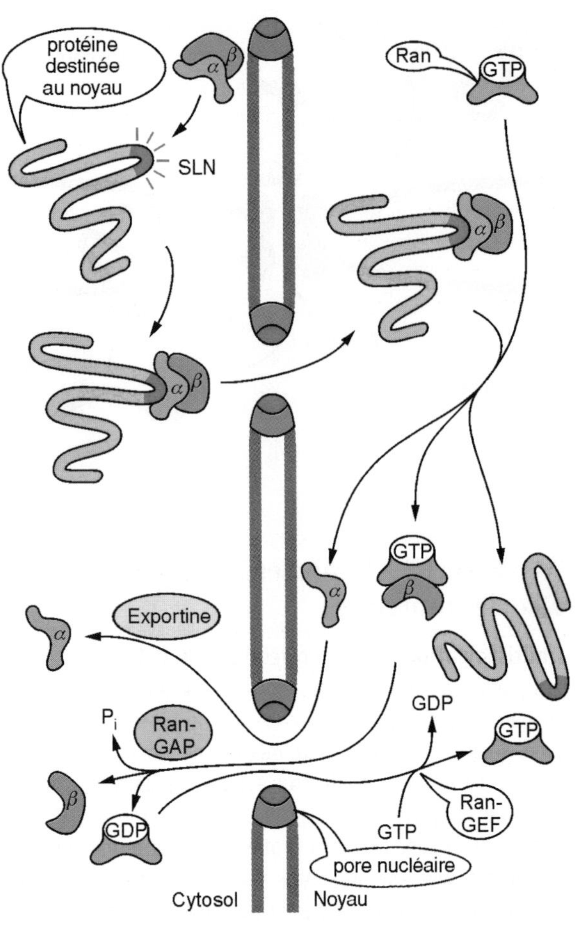

19.9 Mécanismes moléculaires du transport nucléaire. Dans le cytoplasme, les importines α et β (en bleu et en violet) se fixent aux protéines destinées au noyau et assurent leur translocation. La Ran-GTP nucléaire fixe l'importine β, libère le chargement et l'importine α et retransporte l'importine β dans le cytoplasme. Après hydrolyse du GTP par Ran-GAP, l'importine β est libérée en vue du prochain cycle de transport dirigé, Ran-GDP retourne dans le noyau où elle est réactivée en Ran-GTP par le facteur d échange Ran-GEF. L'importine α est reconduite dans le cytosol depuis le noyau par l'exportine.

portes de la membrane nucléaire sont de gigantesques macromolécules faites de deux anneaux de protéines insérés dans les membranes interne et externe et renforcées par des « rayons ». Ce **complexe du pore nucléaire** ou **CPN** (angl. *nuclear pore complex*, NPC) possède un canal central « bouché » par un transporteur. Du côté du noyau, le CPN est protégé par une structure en corbeille, alors que des **filaments** bordent le côté cytoplasmique. De petites protéines d'au plus 60 kDa peuvent se glisser passivement à travers le complexe du pore nucléaire, mais les protéines ou complexes ribonucléoprotéiques de grande taille doivent être transportés activement à travers le canal central.

Les signaux responsables de la translocation des protéines vers le noyau sont les **séquences de localisation nucléaire** ou **SLN** (angl. *nuclear localisation sequence*, NLS). L'**importine**, le récepteur hétérodimérique formé de sous-unités α et β, reconnaît les protéines destinées au noyau (*fig.* 19.9). Sa sous-unité α reconnaît et fixe le motif SLN de la protéine nucléaire ; la sous-unité β la guide jusqu'au pore nucléaire et effectue la translocation dans le noyau. À ce stade, la protéine G monomérique **Ran** se fixe sous sa forme liée au GTP à l'importine β, libérant ainsi la protéine nucléaire ainsi que l'importine α, tout en reconduisant l'importine β dans le cytoplasme. Après hydrolyse du GTP provoquée par la protéine activatrice de l'activité GTPasique de Ran (angl. *Ran GTPase-activating protein*, Ran-GAP), Ran se dissocie et l'importine β peut être réutilisée pour un nouveau cycle de translocation. De retour dans le noyau, Ran-GDP est convertie par le facteur d'échange de nucléotide Ran-GEF en Ran-GTP, qui est disponible pour libérer la prochaine protéine importée. L'énergie nécessaire à l'importation active dans le noyau provient donc de l'hydrolyse du GTP.

Les pores nucléaires sont aussi des portes de sortie : quelques protéines comme les facteurs de transcription ou les protéines du cycle cellulaire peuvent faire la navette entre le noyau et le cytoplasme. Ce processus est assuré par une protéine judicieusement appelée **exportine**, qui dépend aussi de Ran. L'énergie nécessaire à l'importation ou l'exportation des protéines est un gradient abrupt de concentration en Ran-GTP, descendant depuis le nucléoplasme jusqu'au cytoplasme. Les ARN qui sont synthétisés dans le noyau et les sous-unités ribosomiques qui sont assemblées dans le nucléole quittent aussi le noyau par une exportation active à travers les pores (*fig.* 18.8). Les snRNA eux aussi subissent une translocation du noyau vers le cytoplasme, où ils sont chargés en protéines et retournent au noyau une fois devenus snRNP fonctionnelles. À l'instar des séquences de localisation nucléaire, il existe des séquences signal qui permettent l'importation des protéines dans le peroxysome (*encart* 19.2).

Encart 19.2 : Peroxysomes et syndrome de Zellweger

Les peroxysomes sont de petits organites entourés d'une membrane et spécialisés dans les réactions impliquant l'oxygène moléculaire. Le métabolisme de l'urée, des lipides et des acides aminés produit du **peroxyde d'hydrogène** (**H_2O_2**) que la **catalase** du peroxysome utilise pour détoxifier des substances comme l'éthanol (*encart* 46.2). Une autre fonction des peroxysomes, également assurée par les mitochondries, est la β-oxydation des acides gras. L'acétyl-CoA produite est utilisée pour la biosynthèse du cholestérol, des acides biliaires, du dolichol (foie) ou du plasmalogène (cerveau) (*fig.* 42.34). Les peroxysomes sont, comme les mitochondries, des organites auto-réplicatifs. Comme ils n'ont pas de génome, toutes les protéines doivent être importées du plasma. Des récepteurs reconnaissent la séquence signal **Ser–Lys–Leu** (PTS1 ; angl. *peroxysome targeting signal-1*) de l'extrémité carboxy-terminale de la plupart des protéines peroxysomiques et les transfèrent à l'appareil de translocation. Un petit nombre de protéines utilise des peptides N-terminaux ou internes (PTS2) pour l'importation. Des mutations dans les gènes des **récepteurs de PTS** se manifestent par le **syndrome de Zellweger**, dans lequel de graves déficiences du foie, des reins et du cerveau conduisent à la mort dès les premiers jours qui suivent la naissance.

19.4 Les séquences signal pilotent les ribosomes jusqu'au réticulum endoplasmique

Un important nœud de communication du triage intracellulaire des protéines se situe dans le **réticulum endoplasmique.** Toutes les protéines destinées aux besoins propres du RE ou au Golgi, aux lysosomes, à la membrane plasmique externe et aux vésicules sécrétrices traversent cet organite. Le RE est la plus grande et la plus polyvalente des fabriques de protéines de la cellule. À l'intérieur, la concentration en protéine s'élève à environ 200 g/L ! Ses nombreux replis sont semés de ribosomes si bien que sa surface semble rugueuse en microscopie électronique, d'où le nom de **RE rugueux** (*fig.* 3.15). C'est sur ces ribosomes que sont synthétisées les protéines qui sont transférées cotraductionnellement – c'est-à-dire pendant leur biosynthèse – dans le RE. Considérons d'abord le cas d'une protéine sécrétée comme l'**albumine**, dont l'ARNm est produit en grandes quantités par les hépatocytes.

La traduction de l'ARNm de l'albumine commence sur un ribosome libre dans le cytoplasme. La chaîne polypeptidique naissante de la pré-albumine, qui sort du « tunnel » du ribosome (*fig.* 18.10), porte dans sa partie amino-terminale une séquence qui la destine à la sécrétion. Le complexe ribonucléoprotéique **SRP** (angl. *signal recognition particle*) se fixe à la séquence signal émergeant du ribosome et aussi à ce dernier. Il se produit alors un **arrêt de traduction** provisoire. Le SRP pilote la

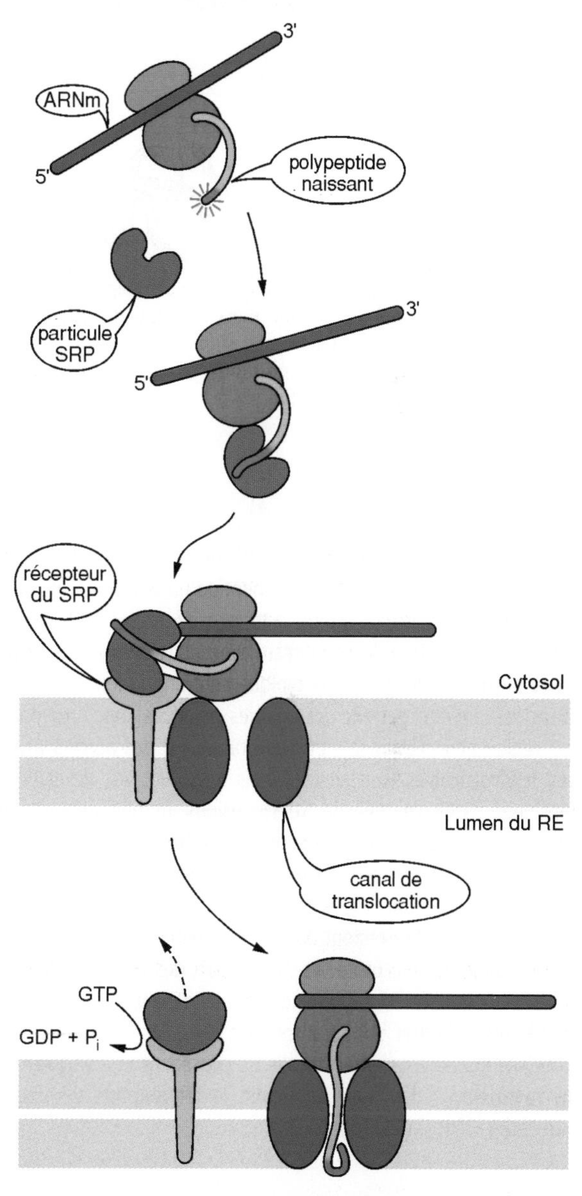

19.10 Rôle de la ribonucléoprotéine SRP. Dès que la séquence signal apparaît par l'« ouverture » du ribosome, le SRP s'y fixe, arrête la traduction et guide le complexe dans son ensemble jusqu'au récepteur du SRP de la membrane du RE. Ce récepteur se compose de sous-unités α et β (non montrées) ; α possède une activité GTPasique et hydrolyse le GTP en GDP. Le translocateur est un canal qui traverse la membrane (*fig.* page 1).

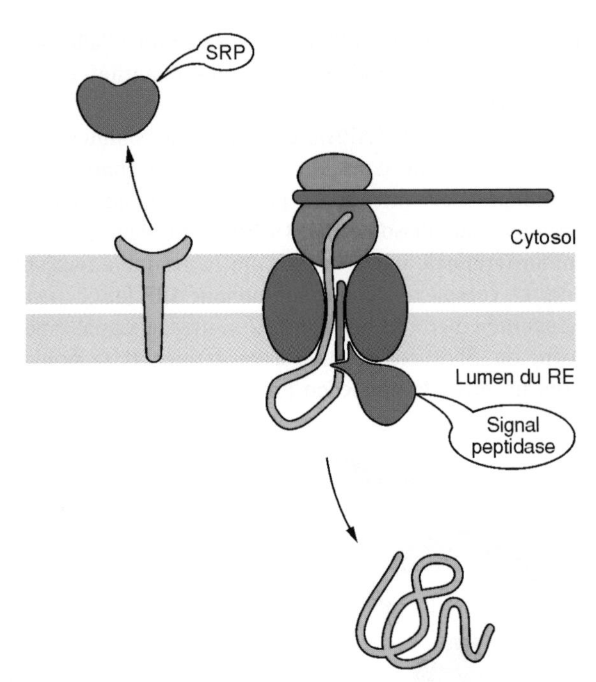

19.11 Séquence signal et translocation. Le peptide signal entraîne la chaîne polypeptidique dans le canal de translocation. Une peptidase clive la séquence signal pendant la traduction ; la chaîne polypeptidique en mouvement est entièrement transportée dans le lumen du RE.

Encart 19.3 : Structure des séquences signal

Les séquences signal spécifiques du RE se trouvent en général à l'extrémité amino-terminale du polypeptide naissant, ou ont plus rarement une localisation interne. Elles possèdent des traits caractéristiques évidents en liaison directe avec leur fonction. Les **peptides signaux** eucaryotes ont typiquement une longueur de 20-25 acides aminés, portent des charges positives (Lys, Arg) dans leur région amino-terminale et majoritairement des **acides aminés hydrophobes** (surtout Leu, mais aussi Ala, Val, Ile et Phe) dans leur partie centrale de 10-15 résidus. Immédiatement en amont du site de clivage de la peptidase se trouve un résidu avec une petite (Ala) ou sans (Gly) chaîne latérale. La plupart des séquences signal sont clivées pendant la traduction ; les peptides signaux hydrophobes restent dans la membrane, où ils sont rapidement dégradés par protéolyse. La plupart des protéines possédant des séquences signal amino-terminales sont destinées à la **sécrétion** ; d'autres sont transportées dans les lysosomes. Les protéines qui doivent rester dans le RE possèdent une **séquence de rétention** C-terminale contenant le tétrapeptide Lys–Asp–Glu–Leu–COOH (KDEL) (*fig.* 19.20).

séquence signal et le ribosome jusqu'à son **récepteur du SRP** présent du côté cytoplasmique du RE. Dès que le complexe a accosté, le SRP agit comme un **facteur d'échange de guanyl-nucléotide**, qui provoque l'échange du GDP fixé au récepteur contre du GTP. Dans l'état chargé en GTP, le récepteur « presse » le SRP, ce qui libère le peptide signal, qui s'insère dans le canal d'un **translocateur** situé à proximité (*fig.* 19.10). L'hydrolyse lente du GTP fait revenir le récepteur à son état fixé au GDP, de faible affinité. Le SRP se dissocie alors du récepteur, il est disponible pour une nouvelle livraison du ribosome au RE.

Lorsque le SRP libère le peptide signal, l'arrêt de la traduction est levé. La traduction par le ribosome reprend son cours et le ribosome « vissé » au RE introduit la chaîne polypeptidique dans le pore hydrophile du canal de translocation (*fig.* 19.11). Une **signal peptidase** excise le peptide signal de l'extrémité amino-terminale alors que la traduction n'est pas encore terminée (*encart* 19.3), et relâche un polypeptide raccourci dans le lumen du RE. Ceci rend le processus de translocation **irréversible.** Des « moteurs » comme l'ATPase BiP (angl. *binding protein*) (§ 19.6) du côté du lumen aident à la translocation de la protéine en « tirant » la chaîne polypeptidique en cours d'élongation à travers le canal membranaire. Enfin, le récepteur du SRP peut aussi hydrolyser le GTP et fournir ainsi de l'énergie nécessaire à la translocation.

19.5 Les séquences d'arrêt de transfert contrôlent l'insertion des protéines dans les membranes

Les protéines solubles destinées au lumen du RE, à l'appareil de Golgi, aux lysosomes, ou bien encore à la sécrétion, sont transportées dans leur intégralité dans le lumen du RE. Au contraire, les **protéines membranaires** qui sont destinées aux organelles cellulaires ou à la membrane plasmique traversent au moins en partie la membrane du réticulum endoplasmique mais ne sont pas libérées dans le lumen. Ces protéines possèdent des **segments hydrophobes** de 20-30 acides aminés le plus souvent arrangés en hélices α. Comment ces segments hydrophobes peuvent-ils provoquer l'intégration dans la membrane ? Considérons le cas d'un polypeptide possédant un peptide signal amino-terminal qui dirige la chaîne naissante vers le canal de translocation (*fig.* 19.12). Lorsque dans la suite de la séquence du polypeptide apparaît un segment hydrophobe, celui-ci provoque l'obturation du canal et donc l'arrêt du transfert : on parle de **séquence d'arrêt de transfert** ou de **stop de transfert.** L'obturation du canal s'accompagne d'un déplacement latéral du stop de transfert depuis le canal vers la membrane. Pendant que le transfert est arrêté, la traduction continue jusqu'à atteindre le codon stop. La partie du polypeptide synthétisée en dernier, en carboxy-terminal de la séquence d'arrêt de transfert, ne peut plus être engagée dans le RE, mais reste dans le cytoplasme. Le polypeptide formé contient ainsi trois

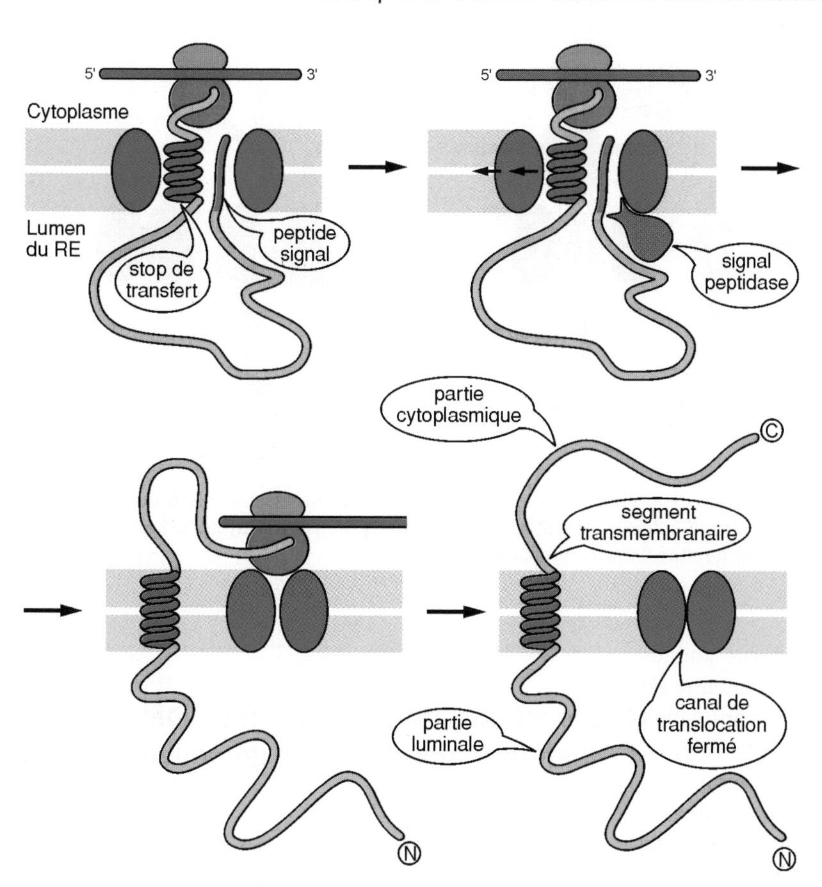

19.12 Insertion de protéines membranaires par séquences stop de transfert. Le stop de transfert arrête la translocation, obture le canal de translocation puis est intégré dans la membrane. La partie carboxy-terminale de la protéine reste dans le cytoplasme tandis que la partie amino-terminale dépasse dans le lumen du RE après clivage du peptide signal.

segments, l'un cytoplasmique, le deuxième membranaire et le dernier luminal.

Quelques protéines ont un stop de transfert, mais *pas* de séquence signal amino-terminale : dans ce cas, le polypeptide est synthétisé jusqu'à ce que le stop de transfert émerge de la sortie du ribosome (*fig.* 19.13). Après l'accostage au translocateur, il y a deux possibilités : dans un cas, l'extrémité amino-terminale (N) reste dans le cytoplasme, le stop de transfert arrive dans le translocateur et permet à l'extrémité carboxy-terminale (C) qui le suit de traverser le canal jusqu'au lumen du RE. L'**orientation** de la protéine membranaire obtenue est alors **C → N** (du lumen du RE vers le cytoplasme). Alternativement, l'extrémité N-terminale peut être introduite dans le lumen, et la partie en carboxy-terminal du stop de transfert rester dans le cytoplasme : l'orientation de la protéine membranaire est alors **N → C**. *Les séquences de transfert ont donc une polarité, qui permet une incorporation orientée (vectorielle) des protéines dans les membranes.*

Les protéines qui s'insèrent au moyen de **segments transmembranaires multiples** dans la membrane peuvent aussi posséder plusieurs séquences d'arrêt de transfert. Par exemple, un stop de transfert, en raison de sa polarité, laisse la partie amino-terminale du polypeptide dans le cytoplasme et introduit la partie carboxy-terminale dans le lumen du RE, jusqu'à ce qu'un stop de transfert de polarité opposée apparaisse et arrête la translocation (*fig.* 19.14). Le segment carboxy-terminal

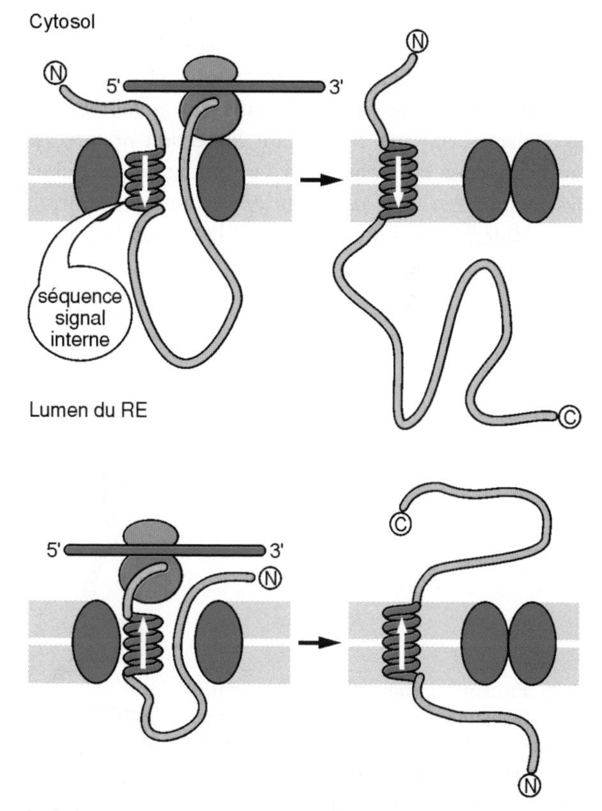

19.13 Incorporation vectorielle des protéines membranaires. Différentes polarités du stop de transfert (indiquées par des flèches) conduisent à des orientations opposées des protéines dans la membrane.

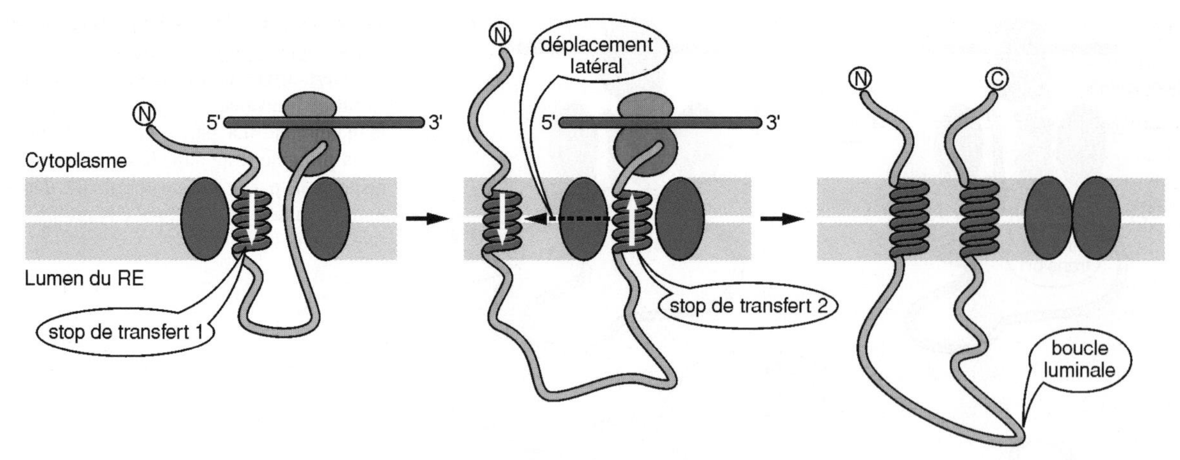

19.14 Insertions membranaires multiples des protéines. Une première séquence donne le signal nécessaire à la translocation des segments suivants. Lorsqu'un stop de transfert de polarité opposée atteint le translocateur, le transfert s'arrête, le segment hydrophobe est intégré à la membrane et le polypeptide est terminé dans le cytoplasme.

suivant reste alors lui aussi – comme la partie amino-terminale – dans le cytoplasme. La protéine obtenue est ancrée à la membrane par deux segments hydrophobes et possède une boucle luminale et deux extrémités cytoplasmiques. En inversant les polarités, on aurait une boucle cytoplasmique et des extrémités luminales. Lorsque plusieurs stops de transfert sont arrangés de manière à alterner les polarités, la protéine est littéralement « cousue » à la membrane : chaque boucle sépare une paire de stops de transfert de polarités opposées. La polarité des séquences de transfert détermine donc l'orientation du polypeptide dans la membrane. Les mécanismes élaborés permettant l'**insertion** orientée **des protéines dans les membranes** contribuent à la polarité des membranes, une propriété éminemment importante pour l'intégrité et les fonctions de la cellule (§ 24.5).

19.6

Les modifications post-traductionnelles confèrent aux protéines de nouvelles fonctions

Nous avons déjà étudié l'association de protéines à la membrane par des ancres lipophiles (*encart* 19.1). Quelques protéines transmembranaires utilisent la **palmitoylation** de cystéines présentes du côté cytoplasmique pour équiper leurs domaines d'ancres membranaires supplémentaires (*fig.* 29.1). Une autre variation consiste à fixer les protéines par des **ancres glycolipidiques** à la membrane plasmique (*fig.* 19.15). Pour ce faire, les protéines doivent être engagées dans le RE ; un stop de transfert près de leur extrémité carboxy-terminale fixe « provisoirement »

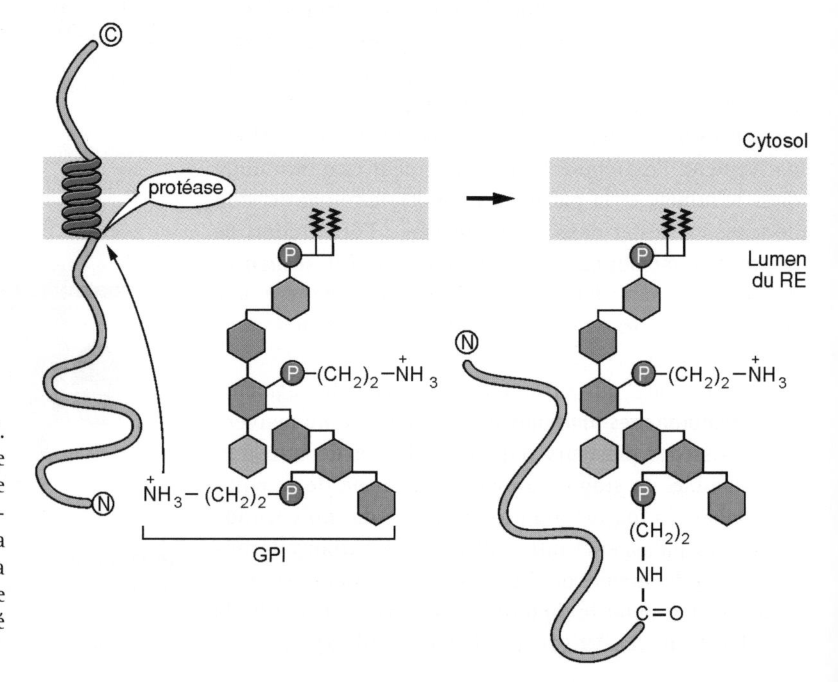

19.15 Protéines membranaires à ancre GPI. Un polypeptide est intégré à la membrane par un stop de transfert. Une endoprotéase (non représentée) clive la chaîne polypeptidique du côté luminal à proximité de la séquence d'arrêt de transfert et transfère la nouvelle extrémité carboxy-terminale libre sur le groupement amine réactif d'une unité GPI en attente dans la membrane du RE.

la protéine à la membrane. Une enzyme catalyse alors la formation d'une liaison covalente entre la protéine et la fonction éthanolamine d'un glycolipide, le **glycosylphosphatidylinositol** (GPI). Le stop de transfert est alors clivé et rapidement dégradé dans la membrane. Le résultat est une fixation membranaire d'une protéine hydrophile par une **ancre GPI**. Le RE guide en général les protéines à ancre GPI vers la membrane plasmique, si bien qu'elles se retrouvent exposées à la surface cellulaire.

Comment les protéines transférées dans le lumen du RE peuvent-elles se replier en une structure compacte ? Il existe dans le RE un **chaperon** (§ 19.1), la protéine **BiP** (angl. **binding protein**, protéine de liaison), membre de la famille Hsp70, qui se fixe aux protéines « livrées » dans le RE (*fig.* 19.16). BiP est – comme d'autres chaperons – une ATPase « lente ». Les chaînes polypeptidiques dépliées se fixent sur BiP-ADP et provoquent ainsi l'échange de l'ADP contre de l'ATP. BiP-ATP libère alors le polypeptide, ce qui permet son repliement. Son activité ATPase endogène ramène BiP à l'état initial BiP-ADP, qui va maintenant se fixer uniquement aux régions dépliées sans toucher aux régions nouvellement repliées. À mesure que le repliement de la protéine progresse, de moins en moins de segments se fixent sur BiP-ADP : le chaperon ouvre à chaque fois une « fenêtre temporelle » permettant d'atteindre le repliement correct. BiP reconnaît aussi les **protéines incorrectement repliées**, inhibe leur sortie du RE et les conduit à la dégradation cellulaire. Il existe encore d'autres facteurs assistant le repliement, comme les **peptidyl-prolyle isomérases** (§ 19.1) et l'**isomérase de disulfures de protéines** (angl. *protein-disulfide-isomerase*). Contrairement à la situation du cytoplasme, le milieu du lumen du RE est oxydant, ce qui favorise la formation de ponts disulfures par les fonctions thiols des résidus cystéines : les résidus cystéines rapprochés « par erreur » sont figés par l'oxydation dans cette position incorrecte. L'isomérase de disulfures de protéines aide les protéines à sortir de cette impasse en catalysant la résolution puis la reformation des ponts disulfures.

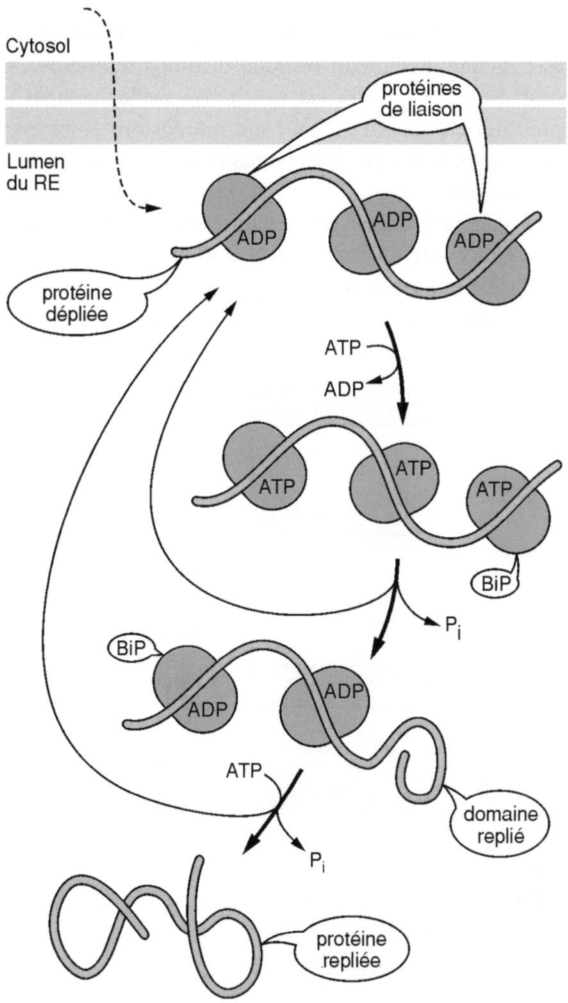

19.16 Cycle de BiP. Plusieurs molécules de BiP se fixent au polypeptide naissant pendant la traduction. Plusieurs cycles de fixation et d'hydrolyse d'ATP permettent le repliement séquentiel du polypeptide jusqu'à sa conformation fonctionnelle.

19.7 Le dolichol phosphate transfère des chaînes oligosaccharidiques aux protéines

C'est dans le RE qu'ont lieu les autres modifications co- et post-traductionnelles comme la **glycosylation** des protéines. On trouve souvent des structures oligosaccharidiques à la surface des protéines membranaires ou sécrétées. Elles sont essentielles aux processus de reconnaissance et de triage (§ 31.9). On distingue deux types fondamentaux de sites de fixation des chaînes oligosaccharidiques sur les protéines (*fig.* 19.17). Une liaison covalente entre un oligosaccharide et le groupement carboxamide ($-CO-NH_2$) de la chaîne latérale d'une asparagine est appelée **liaison *N*-glycosidique**, et la liaison avec le groupement hydroxyle d'une sérine ou d'une thréonine, une **liaison *O*-glycosidique**.

Dans le RE, une « première version » de la chaîne latérale *N*-glycosidique est réalisée, puis elle est retravaillée dans l'appareil de Golgi. Pour cela, une chaîne latérale oligosaccharidique faite de trois composants élémentaires – le **mannose**, le **glucose** et la ***N*-acétyl-glucosamine** – est construite sur un support lipophile, puis transférée à la chaîne polypeptidique. L'ancre hydrophobe du glycolipide en cours de synthèse est le **dolichol phosphate**, un lipide extrêmement long d'environ 20 unités isoprènes (C_{100}), qui traverse plusieurs fois la membrane (*encart* 42.1). Les donneurs de cet enchaînement complexe de réactions sont des **sucres activés par l'UDP et le GDP**, et des intermédiaires comme le dolichol phosphate glucose ou mannose (*fig.* 19.18). Le chargement du dolichol commence à la face cytoplasmique de la membrane du RE

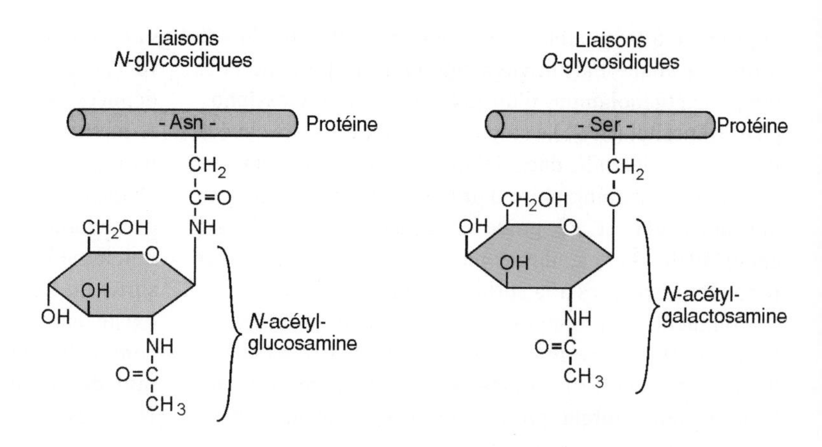

19.17 Chaînes oligosaccharidiques des protéines. La *N*-acétylglucosamine est fixée par des liaisons *N*-glycosidiques au groupement γ-amide de l'asparagine et par des liaisons *O*-glycosidiques au groupement hydroxyle de la chaîne latérale d'une sérine ou d'une thréonine.

par la phosphorylation du dolichol et le transfert de 7 unités saccharidiques. Des enzymes du type des **flippases** (§ 24.5) permettent un « changement de côté » si bien que la synthèse peut se poursuivre du côté luminal de la membrane du RE. Par additions successives, une structure ramifiée de 14 résidus osidiques se construit, composée de deux résidus *N*-acétyl-glucosamine, neuf mannoses et trois glucoses.

Une **oligosaccharide transférase** transfère ensuite la structure oligosaccharidique en bloc depuis le dolichol phosphate jusqu'au résidu asparagine d'une chaîne polypeptidique naissante. Cet accepteur fait partie de la séquence consensus Asn–Xaa–Ser/Thr (Xaa : n'importe quel résidu sauf Pro) (*fig.* 19.19). Le dolichol phosphate est hydrolysé en dolichol et phosphate et entre dans un nouveau cycle de synthèse. Certains antibiotiques interrompent ce processus : la **bacitracine**, un inhibiteur de la **dolichol pyrophosphate phosphatase**, bloque la régénération du dolichol phosphate. La **tunicamycine** est un analogue synthétique de l'UDP-*N*-acétyl-glucosamine et bloque la première étape de la biosynthèse du dolichol oligosaccharide (*fig.* 19.18). Les cinq résidus (deux *N*-acétyl-glucosamine, trois mannose) qui sont immédiatement fixés à la chaîne polypeptidique représentent le cœur (angl. *core*) de la chaîne oligosaccharidique, qui reste inchangé pendant les modifications ultérieures. Ce cœur de glycosylation est synthétisé exclusivement du côté intérieur du RE ; il s'en suit que les protéines cytoplasmiques *n'ont pas* de résidus osidiques fixés à leurs résidus Asn.

La structure oligosaccharidique fixée à la protéine est alors « raccourcie » : trois résidus glucoses terminaux et un résidu mannose sont éliminés alors que la protéine est encore dans le RE. La (glyco)protéine repliée et

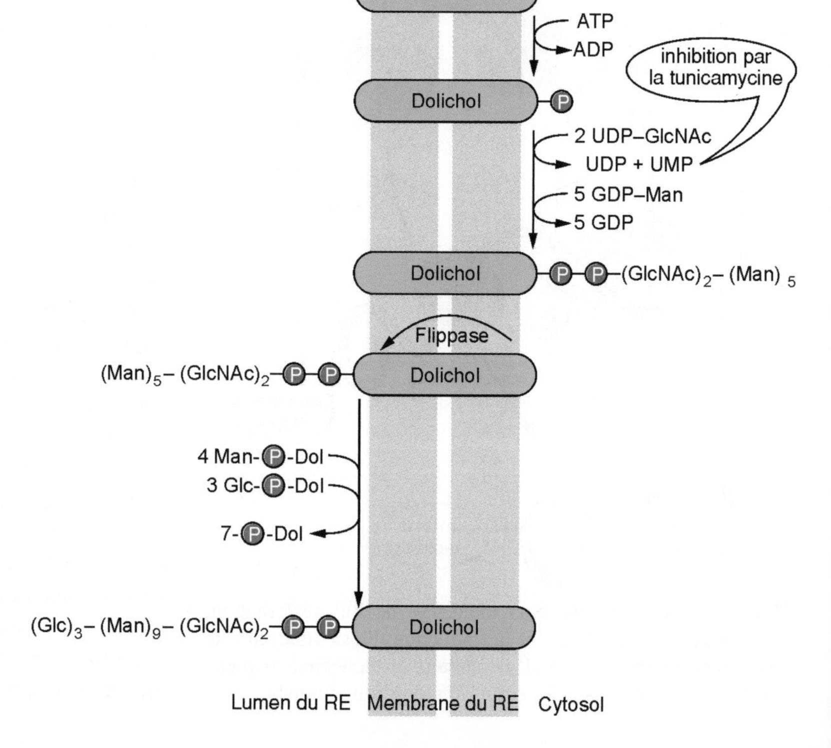

19.18 Synthèse des chaînes oligosaccharidiques des glycoprotéines. Le dolichol est phosphorylé à la face cytosolique du RE par l'ATP et reçoit successivement sept résidus osidiques de précurseurs activés par des nucléotides. Après changement de côté dans la membrane, il accepte encore sept autres résidus de donneurs dolichol phosphate portant du mannose ou du glucose (GlcNac : *N*-acétylglucosamine). [RF]

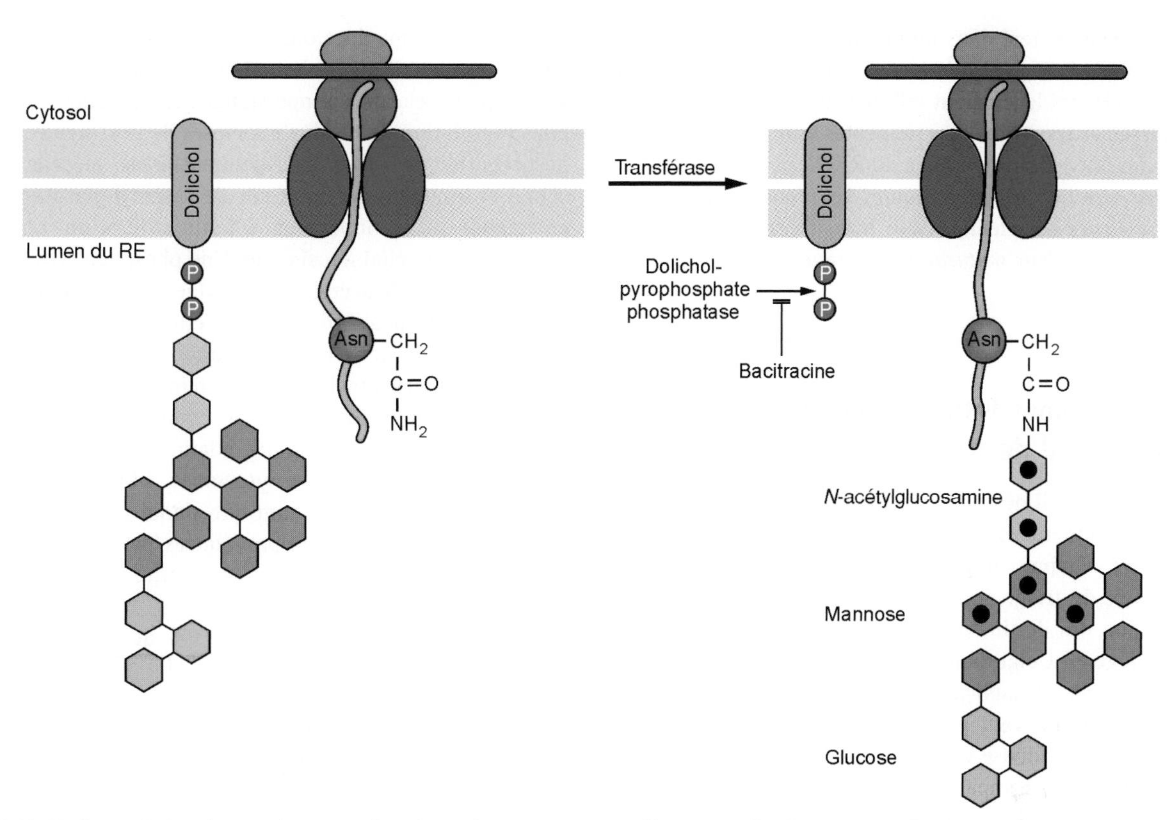

19.19 *N*-glycosylation des protéines. Pendant la traduction, une transférase transfère la structure oligosaccharidique complète du dolichol-phosphate à la chaîne latérale d'un résidu arginine d'une chaîne polypeptidique. Seules les protéines qui ont traversé le RE portent la « signature » de ce cœur glycosylé (marqué par des points au centre des hexagones).

« écourtée », ainsi que des protéines spécifiques du RE comme BiP ou l'isomérase de disulfures de protéines, sont alors empaquetées dans des **vésicules** (§ 19.10) et envoyées à la station de montage cellulaire – l'appareil de Golgi (*fig.* 3.13). Dans un premier temps, toutes les protéines passent du lumen du RE au lumen de l'appareil de Golgi *cis*, mais une partie des protéines est renvoyée dans le RE : les protéines essentielles du RE comme BiP se lient par la **séquence de rétention KDEL** de leur extrémité carboxy-terminale aux **récepteurs KDEL** (*encart* 19.3). La navette vésiculaire suivante les ramène dans le RE ; quant aux protéines sans signal

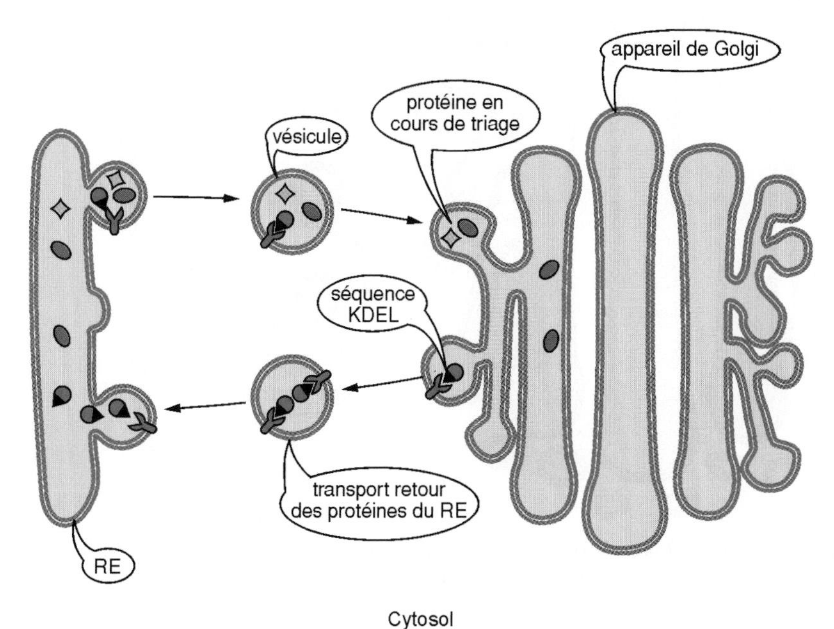

19.20 Transport de masse vers le Golgi *cis* et récupération des protéines du RE depuis l'appareil de Golgi *cis*. Des protéines comme les chaperons ou les enzymes qui doivent travailler dans le RE sont elles aussi acheminées par le transport de masse jusqu'au Golgi *cis*, mais elles y sont reconnues par leur signal KDEL, fixées à des récepteurs spécifiques, et reconduites dans le RE par le transport vésiculaire. [RF]

KDEL, elles restent dans un premier temps dans l'appareil de Golgi *cis* (*fig.* 19.20). Lorsqu'elles reviennent dans le RE, le pH très légèrement inférieur du lumen du RE suffit à dissocier les **protéines « résidentes »** du récepteur KDEL et à les libérer dans le lumen du RE. *Nous avons ici affaire à une sélection négative : toutes les protéines dépourvues de séquence de rétention sont transférées dans l'appareil de Golgi, où leur maturation continue.*

19.8

Les protéines lysosomiques sont dotées d'un signal de triage

Dans l'appareil de Golgi, deuxième station pour les protéines synthétisées dans le RE, le « travail en filigrane » sur les chaînes oligosaccharidiques est achevé, des signaux de triage sont ajoutés et le tri est effectué en fonction des destinations. Pour cela, l'appareil de Golgi – abrégé en Golgi dans la suite – possède une structure en segments : l'empilement des cisternae en forme de disques se poursuivant par des réseaux latéraux est fonctionnellement divisé en trois parties – *cis*, médian, *trans* (*fig.* 19.21). Le compartiment *cis* est apparenté au RE et reçoit de celui-ci la cargaison vésiculaire avec ses protéines nouvellement synthétisées. Elles parcourent les différentes zones du Golgi de *cis* vers *trans*, où elles sont enfin triées selon leur affectation. On ignore si ce sont des vésicules qui assurent le transport du *cis* vers le *trans*.

Dans le réseau du Golgi *cis*, les protéines destinées aux lysosomes reçoivent leur signal de triage : elles possèdent pour cela un épitope signal qui « commande » la phosphorylation de résidus mannoses de la structure oligosaccharidique. Une **phosphotransférase** décode ce signal et transfère une molécule de ***N*-acétyl-glucosamine phosphate** au groupement 6-hydroxyle d'un résidu mannose de la chaîne osidique. Une **phosphoglycosidase** clive ensuite la *N*-acétyl-glucosamine et libère le **résidu mannose-6-phosphate** (*fig.* 19.22). Cette série de réactions a lieu sur un ou deux résidus mannoses des chaînes oligosaccharidiques attachées à la protéine lysosomique par une liaison *N*-glycosidique. Le mannose-6-phosphate protège la chaîne contre la dégradation dans le Golgi et guide la protéine vers les lysosomes. L'importance du mannose-6-phosphate en tant que signal se mesure aux conséquences dramatiques provoquées par son absence (*encart* 19.4).

19.9

Les glycosylations terminales ont lieu dans le Golgi médian

Les glycoprotéines destinées à la membrane plasmique ou aux vésicules sécrétrices subissent deux types de modifications dans le Golgi. D'une part, le cœur oligosaccharidique *N*-glycosidique est rééquipé par **glycosylation terminale**, et d'autre part des chaînes latérales

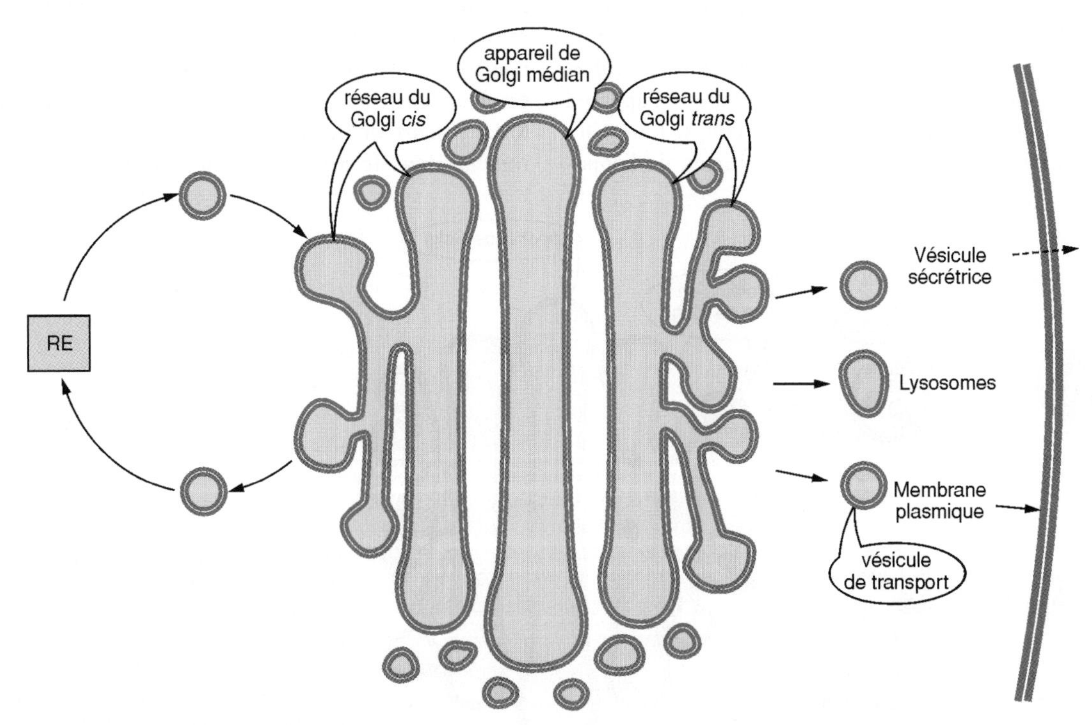

19.21 Topologie du Golgi. Les vésicules issues du RE arrivent dans le Golgi *cis* ; c'est à cet endroit que les protéines destinées aux lysosomes sont marquées. La partie médiane et le Golgi *trans* refaçonnent la structure oligosaccharidique des glycoprotéines ; le Golgi *trans* trie ensuite les protéines selon leur destination.

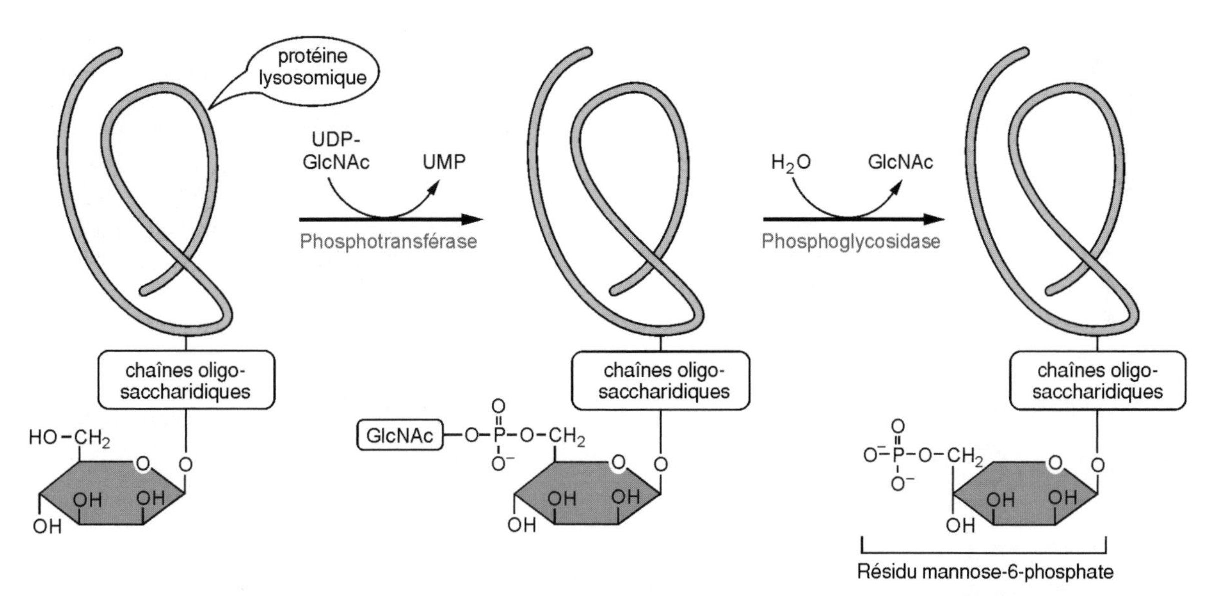

19.22 Synthèse du mannose-6-phospahte. La *N*-acétylglucosamine transférase est une enzyme qui utilise comme donneur le monosaccharide « activé » UDP-*N*-acétylglucosamine et libère de l'UMP. Après clivage de la *N*-acétylglucosamine (GlcNac), la protéine est marquée par le mannose-6-phosphate. Le signal de phosphorylation est probablement un épitope signal constitué de plusieurs segments discontinus de la chaîne polypeptidique.

Encart 19.4 : Maladie à cellules I

Les mutations du gène de la ***N*-acétylglucosamine phosphotransférase** qui conduisent à une absence totale ou à des altérations fonctionnelles de l'enzyme empêchent le marquage des protéines du lysosome par le mannose-6-phosphate. Des enzymes essentielles comme les hydrolases *ne* peuvent donc *pas* accéder aux lysosomes. La conséquence en est une accumulation de **glucosaminoglycanes et glycolipides** non digérés dans les lysosomes qui en raison de leur taille et de leur densité sont appelés **corps d'inclusion** — d'où le terme de cellules I. Les enzymes destinées aux lysosomes mais qui ne reçoivent pas de signal mannose-6-phosphate à cause du défaut de phosphotransférase sont sécrétées constitutivement (angl. *default pathway*). Ces « balles perdues » apparaissent en grandes quantités dans l'urine et le sang, ce qui est une indication diagnostique. Les patients souffrent de retard mental, de défauts de motricité et de déformations du squelette. Cette maladie d'accumulation lysosomique est autosomique récessive et ne se manifeste que lorsque les deux allèles sont touchés.

O-glycosidiques sont « branchées » sur la protéine. Les enzymes de la glycosylation terminale sont des **glycosidases** et des **glycosyltransférases** (*fig.* 19.23). Une série typique de réactions commence dans le Golgi *cis* avec l'élimination de trois résidus mannoses. Dans le Golgi médian, un **résidu *N*-acétyl-glucosamine** est ajouté, et deux autres résidus mannoses sont clivés. Deux résidus *N*-acétyl-glucosamines sont ajoutés l'un après l'autre à cette structure de base, puis un **résidu fucose** ; trois **résidus galactoses** viennent s'ajouter dans le Golgi *trans*. On obtient ainsi trois « extrémités » sur lesquelles trois **résidus d'acide sialique** – ou acide *N*-acétylneuraminique (*fig.* 2.39) – viennent se greffer, à raison d'un par extrémité. Cette glycosylation terminale laisse intact le cœur de la chaîne oligosaccharidique, qui vient du RE. À l'opposé, le reste de la structure saccharidique diffère selon le type de protéine et le contenu enzymatique des compartiments du Golgi.

L'***O*-glycosylation** des protéines se produit aussi dans l'appareil de Golgi. Contrairement aux « lourds » oligosaccharides *N*-glycosidiques, il s'agit dans ce cas de courtes chaînes de deux à trois résidus qui sont ajoutés successivement (*fig.* 19.24). Les principaux composants en sont la ***N*-acétylgalactosamine**, le **galactose**, l'**acide sialique** et le **fucose**. L'*O*-glycosylation est typique des protéines sécrétées et de celles de la membrane plasmique. Les sucres fixés par des liaisons *O*-glycosidiques aux protéines de surface des érythrocytes déterminent le **groupe sanguin** de l'individu ; les porteurs des types A, B ou 0 diffèrent par la spécificité et la disponibilité de glycosyltransférases qui participent à la synthèse des chaînes *O*-glycosidiques.

Malgré la grande spécificité des enzymes impliquées et le contrôle topologique strict de cette série de réactions, la **composition** et le **degré de ramification** des chaînes oligosaccharidiques peuvent varier considérablement : contrairement aux séquences linéaires d'acides nucléiques ou de protéines avec leur nombre limité de composants de base, il y a chez les oligosaccharides beaucoup plus

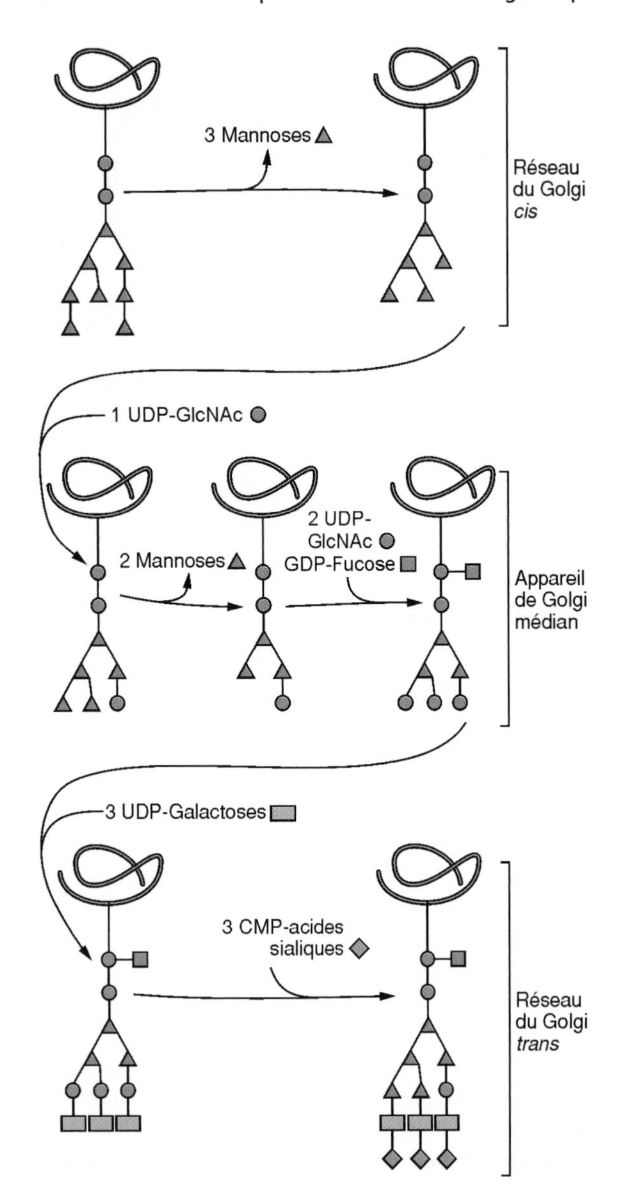

19.23 Glycosylation terminale. Les chaînes oligosaccharidiques fixées par des liaisons *N*-glycosidiques sont d'abord raccourcies puis allongées. Des monosaccharides activés par des nucléotides comme l'UDP (*N*-acétylglucosamine, galactose), le GDP (fucose) ou le CMP (acide sialique) sont utilisés comme donneurs dans ces réactions.

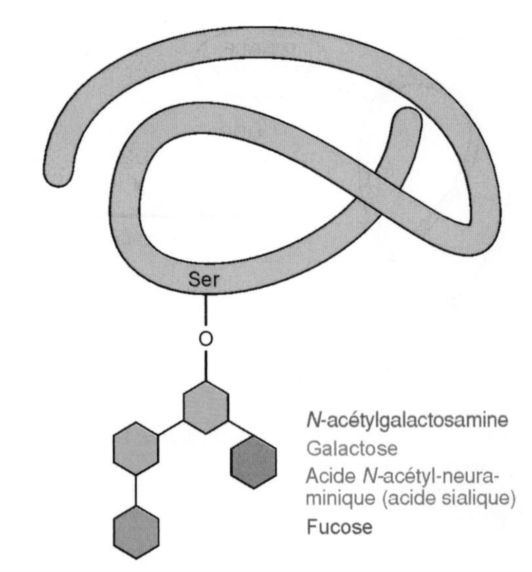

19.24 Oligosaccharides fixés par des liaisons *O*-glycosidiques. En général, la *N*-acétylglucosamine est directement greffée sur le polypeptide. À nouveau, les donneurs sont des monosaccharides activés par des nucléotides comme l'UDP-*N*-acétylglucosamine. Les accepteurs sont les groupements hydroxyles de la sérine et de la thréonine, mais *pas* de la tyrosine.

de possibilités de variations. Cette **variabilité structurale** se traduit par une **diversité fonctionnelle** : d'une part les oses, avec leurs groupements polaires et ioniques, rendent les protéines plus hydrophiles, comme dans le cas du collagène (§ 8.2). Dans les lysosomes, les chaînes oligosaccharidiques protègent les protéines qui les portent des enzymes agressives de cet organite. Ces deux fonctions ne sont pas liées à une séquence définie de chaîne osidique, mais dans certains cas particuliers, la composition et l'arrangement des résidus oligosaccharidiques peuvent parfaitement jouer un rôle important, comme dans la reconnaissance cellulaire par la sélectine (§ 25.4).

19.10 Le transport vésiculaire est spécifique et ciblé

Nous avons jusqu'à présent étudié deux formes de circulation cellulaire : d'une part le transport sélectif par les pores nucléaires qui contrôle, dans le noyau, l'importation et l'exportation des protéines et des acides nucléiques, d'autre part le transport (trans)membranaire qui gouverne l'importation de protéines nouvellement synthétisées dans les mitochondries, les peroxysomes et le RE. Nous en arrivons à un troisième type de circulation cellulaire, le **transport vésiculaire**, qui achemine les protéines nouvellement synthétisées du RE, à travers le Golgi *cis*, jusqu'au Golgi *trans*, centre de tri principal de la cellule, et depuis celui-ci, jusqu'à leurs destinations cellulaires finales (*fig.* 19.25). Les vésicules sont des organites sphériques entourés d'une membrane, qui servent de « ferry » aux (glyco)protéines, aux lipides et aux métabolites. Dans cette forme de transport, la topologie des protéines intégrées dans les membranes et la répartition asymétrique des lipides membranaires produits en grandes quantités par le RE (§ 24.5) sont parfaitement conservées.

Le transport vésiculaire a lieu en quatre étapes : empaquetage des substances à transporter, bourgeonnement hors de la membrane donneuse, fusion avec la membrane réceptrice, libération des substances contenues. Ces étapes ne sont pas toutes comprises au niveau moléculaire. Nous considérerons d'abord l'empaquetage

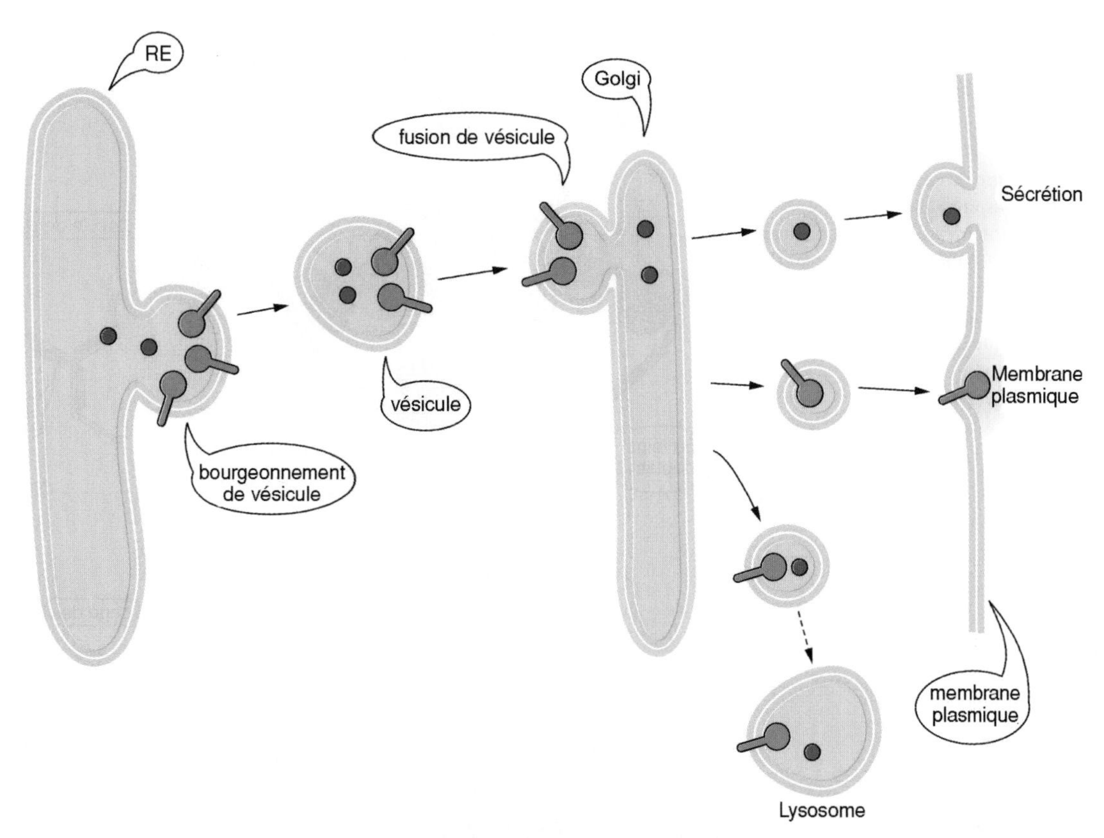

19.25 Déroulement du transport vésiculaire. De petites vésicules bourgeonnent de la membrane donneuse et transportent des protéines solubles dans leur lumen et des protéines transmembranaires dans leur enveloppe. Du point de vue topologique, les faces internes du RE, du Golgi et des vésicules sont équivalentes à la face externe de la membrane plasmique.

et le bourgeonnement à partir de l'exemple des vésicules recouvertes de clathrine, qui assurent le transport du réseau du Golgi *trans* vers les lysosomes (*fig.* 19.26). Comme nous l'avons vu, les récepteurs du mannose-6-phosphate situés sur la face luminale du Golgi *trans* reconnaissent les protéines lysosomales nouvellement synthétisées. Lorsque suffisamment de récepteurs sont occupés par des glycoprotéines portant des mannoses-6-phosphate, ils recrutent par l'intermédiaire d'un complexe de protéines adaptatrices de type **adaptine** une couronne de clathrine du côté cytoplasmique. La **clathrine** est une protéine de structure composée de trois chaînes lourdes et trois légères qui s'ordonnent en étoile à trois branches ou **triskèle** (*fig.* 19.26, en haut à droite). Les triskèles liées à la membrane s'arrangent en un **réseau polyédrique**, qui déforme la membrane jusqu'à ce qu'une vésicule bourgeonne et se détache de la membrane, aidée en cela par la **dynamine**, une ATPase qui joue le rôle de « garrot ».

Peu de temps après le bourgeonnement, le squelette de clathrine se désagrège et libère la vésicule « nue », qui accoste sur les **endosomes tardifs**, précurseurs immédiats des lysosomes matures, et fusionne avec leur membrane. Comment la cargaison de protéines lysosomales est-elle déchargée une fois arrivée à destination ? L'endosome possède une **pompe à protons dépendant de l'ATP** qui transporte les H^+ du cytoplasme dans l'organelle, ce qui abaisse son pH jusqu'à 6,0 (*fig.* 19.31). Ce milieu légèrement acide favorise la dissociation des protéines lysosomiques de leur récepteur du mannose-6-phosphate. Une **phosphatase endosomique** élimine le mannose-6-phosphate, ce qui assure que les protéines importées ne retourneront pas dans le Golgi. De leur côté, les récepteurs déchargés ancrés à la membrane quittent à nouveau l'endosome par les vésicules et reviennent au Golgi *trans* (*fig.* 19.27).

19.11 Les petites protéines G contrôlent le transport vésiculaire

Le rôle des vésicules recouvertes de clathrine ne se limite pas au transport des protéines depuis le réseau du Golgi *trans* jusqu'au lysosome. L'endocytose dépendant d'un récepteur des particules de LDL extracellulaires à travers la membrane plasmique utilise elle aussi ce type de vésicule (§ 29.4). Les systèmes de transport qui relient le RE et le Golgi, eux, emploient des vésicules à **protéines de structure COP** (angl. *coat protein*). On distingue deux types de COP : les vésicules à COP-II transportent leur chargement du RE vers le Golgi, alors que les vésicules à

19.26 Vésicules recouvertes de clathrine. Les récepteurs du mannose-6-phosphate, une fois chargés, fixent par leur partie cytoplasmique les protéines adaptatrices et la clathrine elle-même (à gauche). Une structure en forme de cage faite de triskèles de clathrine « aspire » une vésicule et sa cargaison de protéines destinées aux lysosomes hors de la membrane. La dynamine (non montrée) agit alors sur le « goulot » de la vésicule en train de bourgeonner. Le réseau polyédrique est formé de triskèles de clathrine (à droite).

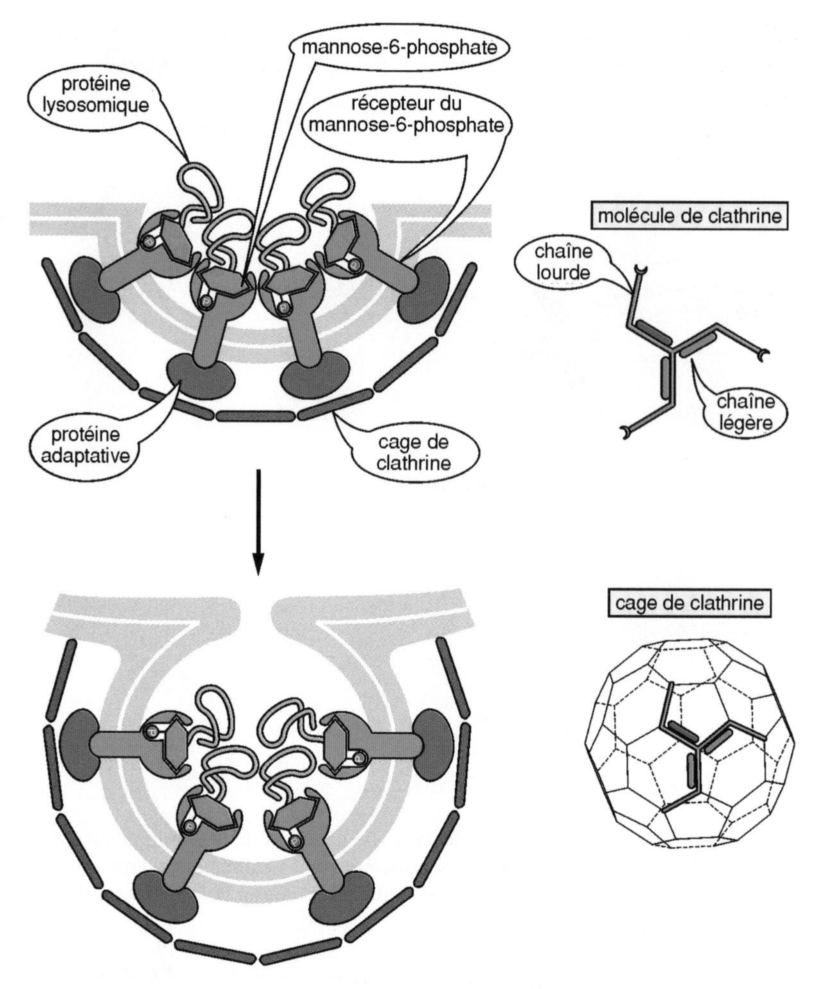

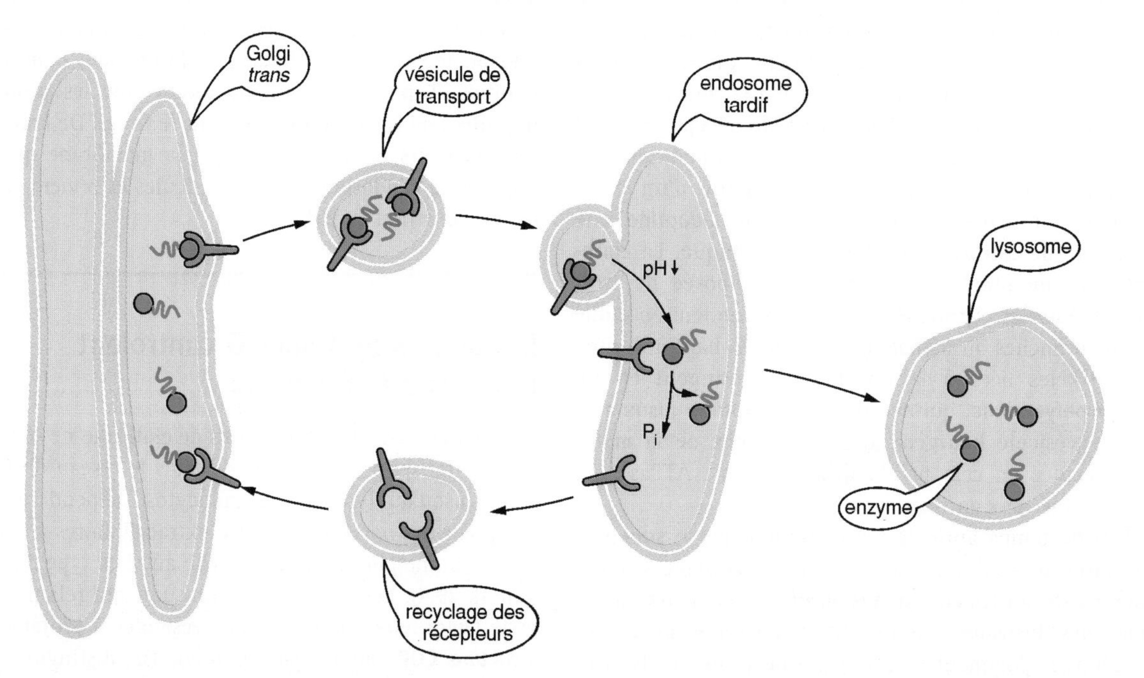

19.27 Transport vésiculaire entre le Golgi *trans* et les endosomes. Les endosomes sont « chargés » en enzymes lysosomiques (protéases, nucléases, phospholipases). Après un nouvel abaissement du pH, les endosomes tardifs fusionnent avec les lysosomes.

COP-I assurent le transport rétrograde. Comme la clathrine, les COP forment leur réseau sur une surface limitée de la couche lipidique et extraient ensuite une vésicule de la membrane. Nous allons étudier sur cet exemple comment ces réseaux se forment de manière contrôlée dans la **membrane donneuse** et comment ils se défont dans la **membrane réceptrice**. Le moteur de l'assemblage des composants COP-I est la petite **protéine G Arf** (angl. *ADP ribosylating factor*, facteur d'ADP-ribosylation) (§ 19.2), qui oscille entre l'état fixé au GDP et celui fixé au GTP (*fig.* 19.28). Les membranes donneuses qui sont prêtes pour le bourgeonnement possèdent un facteur d'échange de guanyl-nucléotide (GEF ; § 18.7) qui convertit Arf-GDP, qui est inactive, en sa forme active chargée en GTP. Arf-GTP se fixe alors à la membrane donneuse.

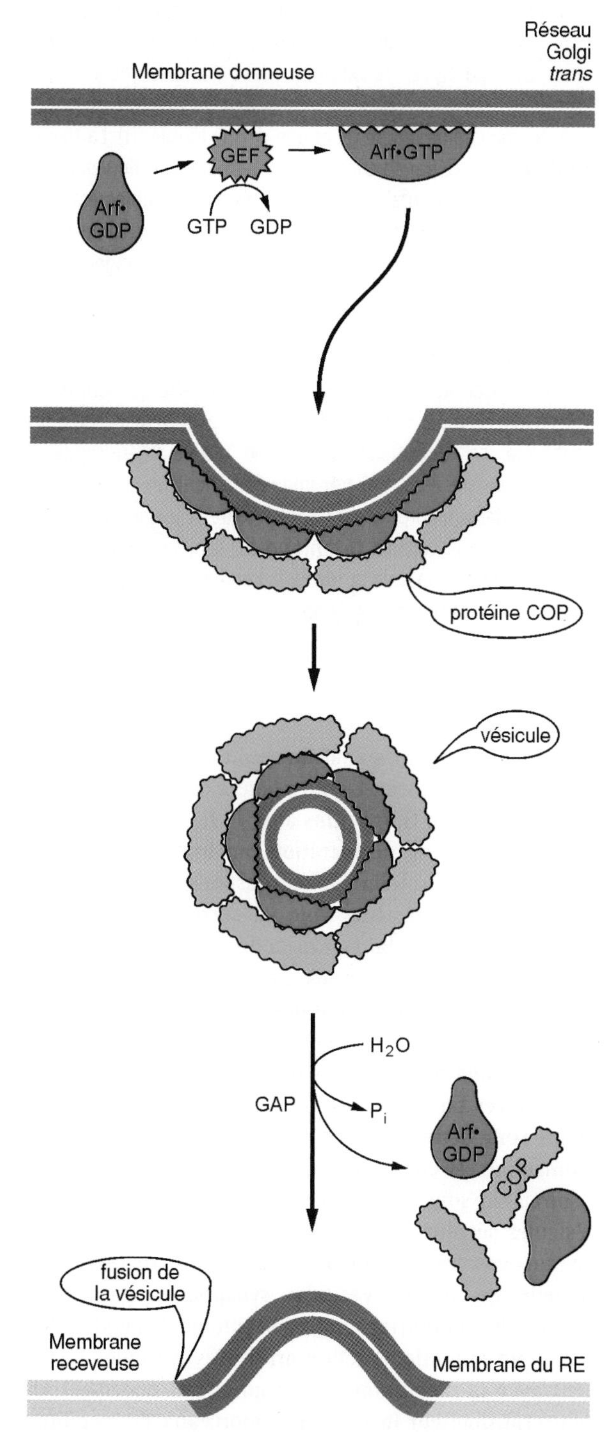

19.28 Arf régule le bourgeonnement des vésicules COP-I. Sous sa forme chargée en GTP, Arf favorise la formation de vésicules par recrutement des protéines de structure COP-I. Après hydrolyse du GTP, Arf-GDP libère les COP et initie la désagrégation de la structure formée. Le bourgeonnement des vésicules COP-II depuis le RE dépend de la protéine G Sar.

Arf-GTP recrute alors un réseau de protéines COP-I qui initie le processus de bourgeonnement vésiculaire. Contrairement au cas des vésicules de clathrine, le manteau de COP ne se désagrège pas juste après le départ de la vésicule de la membrane donneuse, mais seulement à l'arrivée à la membrane cible. Arf-GTP est en effet une ATPase « lente » qui a besoin de la **protéine activatrice de l'activité GTPasique** (angl. *GTPase activating protein*, GAP) à la membrane réceptrice pour hydrolyser le GTP en GDP et P_i (*encart* 4.1). Cette hydrolyse inactive à nouveau Arf et démarre le démontage de la structure COP, ce qui permet la fusion de la vésicule avec la membrane réceptrice. Arf-GDP quitte la membrane réceptrice et revient par diffusion jusqu'à la membrane donneuse pour recommencer un nouveau cycle de bourgeonnement vésiculaire.

Les **petites protéines G** assurent aussi la sélectivité de l'adressage et de la reconnaissance des vésicules COP. Les agents de ce recrutement de protéines sont les protéines G de type **Rab**, qui opèrent de la même manière qu'Arf (*fig.* 19.29). Une protéine GEF active Rab et la recrute à la membrane donneuse. Après assemblage des COP, bourgeonnement et migration vers la membrane cible, les protéines Rab se lient à des facteurs de fixation spécifiques – les **effecteurs de Rab** – dans la membrane réceptrice. Simultanément, deux autres protéines réceptrices entrent en action : **v-SNARE** du côté vésiculaire, et **t-SNARE** du côté de la membrane réceptrice (angl. *target membrane*). Chaque paire de ces récepteurs est spécifique d'une combinaison précise de membranes. Les deux récepteurs ne se « serrent la main » que si les signatures v et t correspondent. Le complexe SNARE commence alors la fusion tandis que Rab hydrolyse le GTP et, converti en Rab-GDP, se dissocie de la membrane cible. Une fois la fusion membranaire réalisée, des facteurs cytoplasmiques comme **NSF** et **SNAP** entrent en jeu pour dissocier le complexe SNARE et le rendre disponible pour une nouvelle fusion. Les SNARE sont les cibles des neurotoxines des *Clostridia* (*encart* 19.5).

La deuxième grande voie de transport qui part de l'appareil de Golgi apporte les protéines à la membrane plasmique, soit pour qu'elles s'y intègrent en tant que protéines membranaires, soit pour qu'elles soient sécrétées comme protéines solubles. C'est aussi par cette voie que la membrane plasmique est ravitaillée en lipides membranaires « frais » (§ 24.5). Contrairement à la voie

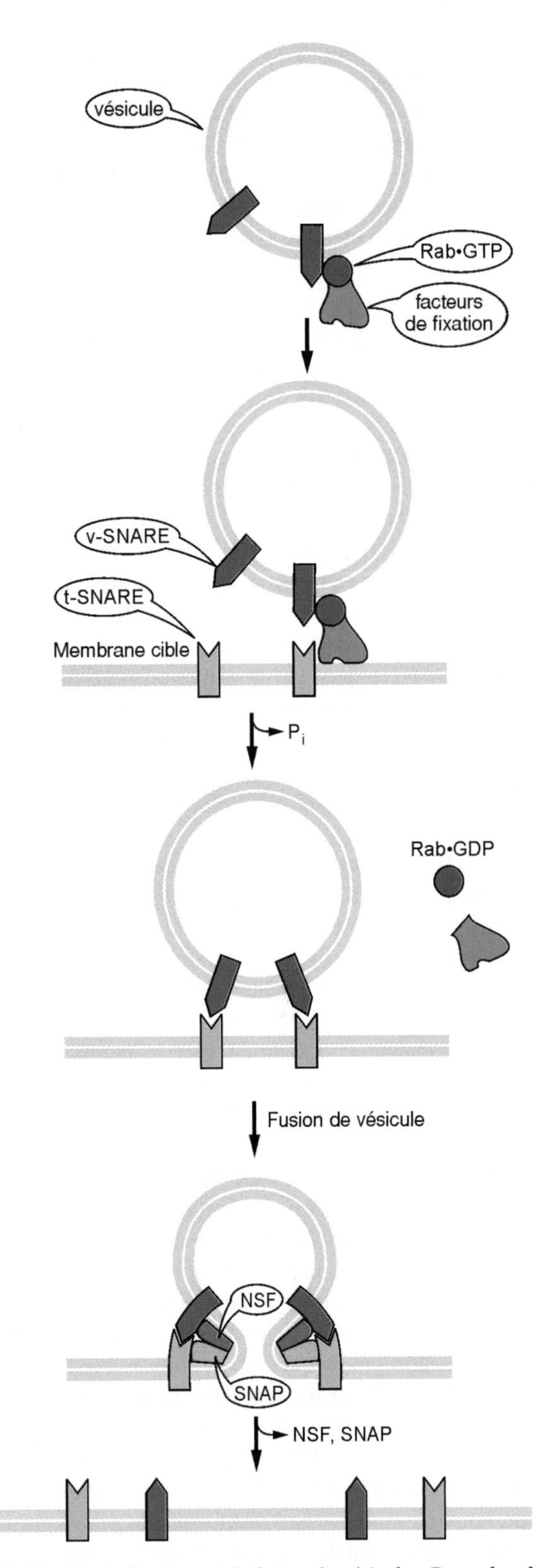

19.29 Modèle de fixation et de fusion de vésicules. Pour plus de détails, voir texte (NSF : angl. *N-ethylmaleimid-sensitive factor*, facteur sensible au *N*-éthylmaléimide ; SNAP : angl. *soluble NSF attachment protein*, protéine d'attachement soluble ; SNARE : angl. *SNAP receptor*, récepteur des SNAP).

Encart 19.5 : Botulisme et tétanos

Des protéines toxiques des bactéries anaérobies ***Clostridium botulinum*** et ***Clostridium tetani*** provoquent chez l'homme des maladies graves à haute mortalité. Les symptômes principaux du botulisme sont au début une diplopie, des difficultés de déglutition, une diminution des sécrétions salivaires, puis plus tardivement une paralysie respiratoire centrale. Les neurotoxines clostridiales sont des protéines de 150 kDa environ possédant chacune une chaîne légère (L) et une chaîne lourde (H). La **toxine botulique** se fixe par sa chaîne H aux terminaisons nerveuses des synapses neuromusculaires (§ 27.5), puis est probablement internalisée dans les cellules par endocytose dépendant d'un récepteur. Le pH bas des endosomes déclenche un changement de conformation de la toxine qui pénètre alors dans la membrane où elle forme un canal par lequel la chaîne L s'introduit dans le cytoplasme. La **chaîne L** détruit par son activité protéolytique des protéines intracellulaires, en particulier les SNARE qui sont essentielles à la fusion des vésicules synaptiques avec la membrane présynaptique. La neurotransmission s'en trouve interrompue. La thérapie consiste à administrer immédiatement un sérum immun contenant des anticorps neutralisants contre la toxine. La stratégie moléculaire de la **toxine tétanique** est similaire, mais le transport rétrograde axonal de la toxine la conduit au système nerveux central, générant une paralysie spastique.

lysosomique, aucun signal de reconnaissance spécifique analogue au mannose-6-phosphate n'est requis : les protéines quittent le Golgi *trans* avec le flux de masse. C'est pourquoi on parle de **sécrétion constitutive** ou d'**exocytose**. Certaines protéines sont transportées hors du Golgi *trans* par une troisième voie, la **sécrétion régulée**. Les mécanismes moléculaires exacts de ce dernier système de triage sont encore inconnus. Les protéines sécrétées par cette voie sont typiquement des hormones comme l'insuline ou des enzymes comme le trypsinogène, qui sont stockées dans des vésicules et attendent un signal pour être libérées par la cellule (*fig* 19.30). Souvent, ces protéines sont activées avant l'exocytose. Par exemple, la proinsuline est convertie en insuline puis conservée provisoirement sous forme d'hexamère lié au Zn^{2+} dans des vésicules sécrétrices (§ 28.5). La transmission neuronale est un cas exceptionnel de sécrétion régulée, dans laquelle de petites **vésicules synaptiques** gardent en réserve des neurotransmetteurs comme l'acétylcholine. Lorsqu'un potentiel d'action arrive, les vésicules fusionnent avec la membrane présynaptique et déversent leur neurotransmetteur (§ 27.5). Des morceaux de membrane sont à nouveau internalisés sous forme de vésicules recouvertes de clathrine, qui sont fusionnées à des endosomes au voisinage de la membrane plasmique, ce qui les remplit à nouveau de neurotransmetteur synthétisé dans le cytoplasme.

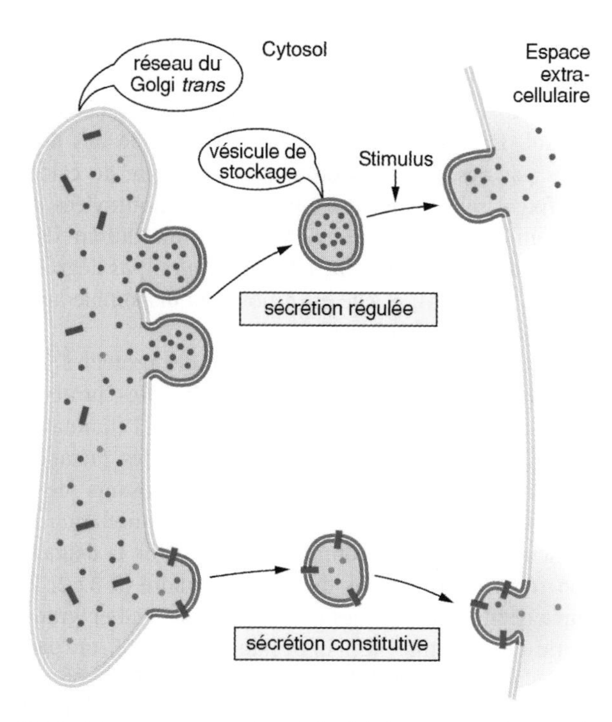

19.30 Voie de transport depuis le Golgi *trans*. La plupart des protéines sont exportées par la voie sécrétrice constitutive. De nombreuses cellules ont une sécrétion régulée dans laquelle les protéines et d'autres substances sont déposées dans des vésicules étanches et ne sont libérées qu'à la suite d'un signal extérieur.

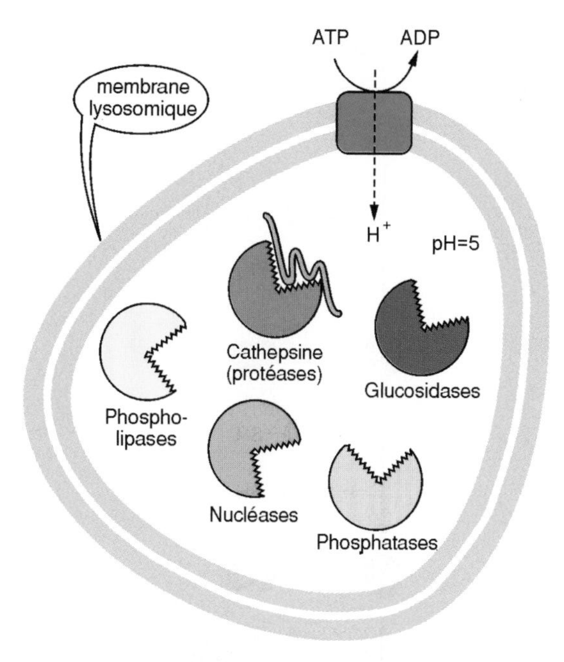

19.31 Protéines du lysosome. Quelques hydrolases importantes sont indiquées. Une pompe à protons dépendant de l'ATP (§ 26.3) achemine constamment des ions H^+ dans l'organelle contre le gradient de concentration. Le pH interne du lysosome s'en trouve nettement abaissé par rapport au pH du cytosol.

19.12 L'ubiquitine régule la dégradation des protéines cytosoliques

L'exocytose des protéines de la cellule a un pendant : du matériel étranger peut être internalisé dans la cellule par **endocytose** (*fig.* 33.6). Les vésicules d'endocytose fusionnent avec des endosomes précoces, précurseurs des endosomes tardifs, et finalement des **lysosomes**. On peut décrire les lysosomes comme des « décharges publiques » de la cellule, car ils rassemblent tout le matériel entré dans la cellule par endocytose. Les particules cellulaires comme les mitochondries, qui sont absorbées par autophagie par l'intermédiaire du RE terminent aussi dans les lysosomes. Ils possèdent une batterie de plus de 50 **hydrolases** différentes qui sont capables de dégrader en leurs composants élémentaires – acides aminés, nucléotides, monosaccharides, acides gras – à peu près tous les composés organiques (*fig.* 19.31). Les enzymes lysosomiques sont toutes hautement glycosylées : comme on l'a déjà dit, cette « carapace » oligosaccharidique sert de protection contre la digestion par les protéases lysosomiques (autolyse). Une des caractéristiques des enzymes lysosomiques est leur optimum de pH : elles travaillent à « pleine puissance » à un pH de 5,0-6,0. Lorsque ces enzymes efficaces s'échappent par une fuite du lysosome, elles ne peuvent occasionner de gros dégâts puisque le pH du cytosol est d'environ 7,2.

L'espace lysosomique étant hermétiquement séparé du cytosol, il faut qu'il y ait un système de dégradation particulier aux protéines cytosoliques. Cette tâche est assurée par un complexe multi-enzymatique appelé **protéasome**. Comment cette « déchiqueteuse » cytoplasmique sait-elle à quel moment une protéine vieillissante, mal repliée ou inutile doit être dégradée ? Pour cela, les cellules possèdent un système élaboré de reconnaissance et de marquage, qui couple les protéines caduques à l'**ubiquitine** (*fig.* 19.32). L'ubiquitine est une petite protéine dont la séquence de 76 acides aminés est exceptionnellement bien conservée et que l'on trouve pratiquement dans toutes les cellules eucaryotes – elle est donc ubiquitaire. L'ubiquitine est activée en trois étapes enzymatiques impliquant l'ATP et de la formation d'une fonction thioester de haute énergie. Une **ubiquitine ligase** transfère l'ubiquitine activée sur le groupement amine ε d'une chaîne latérale de lysine de la protéine cible en formant une liaison isopeptide (*fig.* 14.7b). Habituellement les protéines destinées au protéasome sont polyubiquitinylées. Nous avons ici un exemple rare d'« allongement » post-traductionnel d'une protéine en **polyprotéine**.

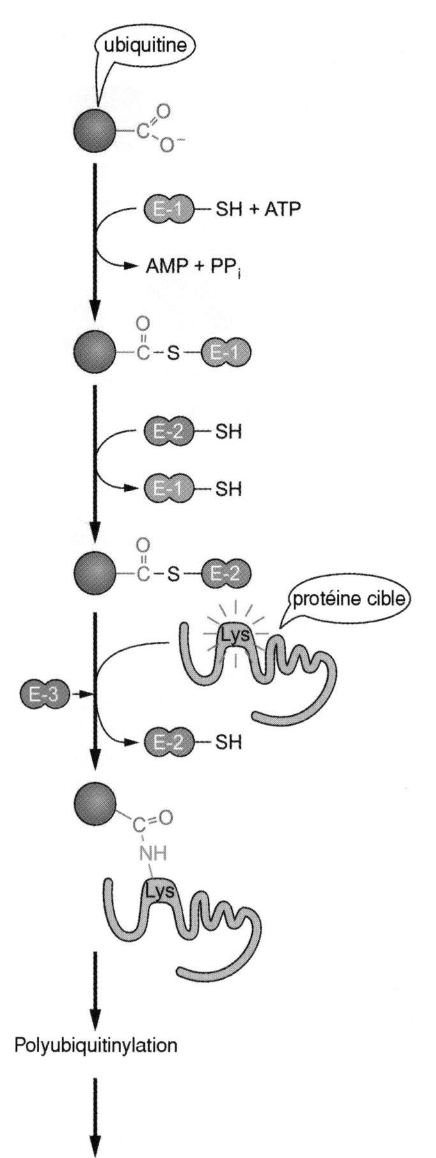

19.32 Ubiquitinylation des protéines. Une série de réactions enzymatiques active et transfère l'ubiquitine sur les protéines cibles, qui portent un « stigmate », par exemple un résidu méthionine oxydé (*encart* 13.2). Le protéasome libère l'ubiquitine la plupart du temps intacte si bien qu'elle peut entrer dans un nouveau cycle de marquage (E-1 : enzyme d'activation de l'ubiquitine ; E-2 : enzyme de conjugaison de l'ubiquitine ; E-3 : ligase ubiquitine-protéine).

Les protéines ubiquitinylées sont dégradées en petits fragments par les **protéasomes** cylindriques (*fig.* 19.33) dans un processus dépendant de l'ATP. Dans une cellule, on compte environ 30 000 de ces protéasomes, qui dégradent les protéines cytosoliques et nucléaires. La région centrale du protéasome, en forme de tonneau, est faite de quatre anneaux de sept sous-unités. La paroi interne porte les centres protéolytiques, si bien que la chambre réactionnelle est hermétiquement séparée du cytosol. L'accès à cette chambre est contrôlé des deux côtés par des **particules protéiques** en forme de calotte qui fixent sélectivement les protéines ubiquitinylées, les déplient en consommant de l'ATP et les introduisent dans le protéasome. L'ubiquitine elle-même *n'*est *pas* dégradée dans le processus, et elle est à nouveau disponible après une nouvelle activation.

Le mécanisme de l'ubiquitinylation des protéines joue un rôle important dans la dégradation des protéines virales dans les cellules infectées, dans l'élimination rapide de protéines régulatrices de cascades métaboliques ou dans la dégradation de composants de la transduction du signal. Le rôle de l'ubiquitinylation est particulièrement bien compris dans le cas de la **dégradation** régulée **des cyclines** du cycle cellulaire (§ 32.2). La durée de vie des protéines cytosoliques dépend en grande partie de la nature de leur résidu N-terminal, on parle de **règle de l'extrémité *N*** (angl. ***N*-end rule**). Par exemple, une arginine *N*-terminale raccourcit dramatiquement la durée de vie d'une protéine, alors qu'une méthionine la rallonge (*fig.* 19.34). L'addition post-traductionnelle d'un résidu arginine, par l'intermédiaire d'un ARNt^{Arg}, au résidu aspartate ou glutamate *N*-terminal d'une chaîne polypeptidique préexistante peut donc raccourcir considérablement la durée de vie de la protéine modifiée. *Nous avons ici un exemple rare d'élongation post-traductionnelle qui ne requiert pas de matrice d'ARNm.*

Les demi-vies biologiques des protéines varient dans une large mesure. Elles sont souvent le reflet de contraintes fonctionnelles particulières ou de localisations spécifiques. Approximativement 70 % des protéines ont une demi-vie d'environ deux jours. Pour prendre des exemples précis, l'insuline, hormone du plasma sanguin, est typiquement dégradée à 50 % en 3-5 minutes. D'autres protéines comme la cristalline du cristallin doivent durer approximativement le temps d'une vie humaine, car ce tissu est quasiment dépourvu de cellules et coupé de la circulation sanguine. Enfin, la demi-vie d'un anticorps de type IgG est d'environ 21 jours.

Nous avons donc décrit la vie des protéines de la naissance (la traduction) à la mort (la dégradation dans le lysosome ou les protéasomes). Nous terminons avec ce chapitre notre étude du « polissage » des protéines et revenons dans le noyau de la cellule, pour nous intéresser de plus près au rôle des protéines dans la régulation des gènes. De fait, les protéines gèrent leurs plans de construction elles-mêmes : elles mènent à bien et contrôlent le programme génétique de la cellule, et en dernier ressort, de l'organisme entier.

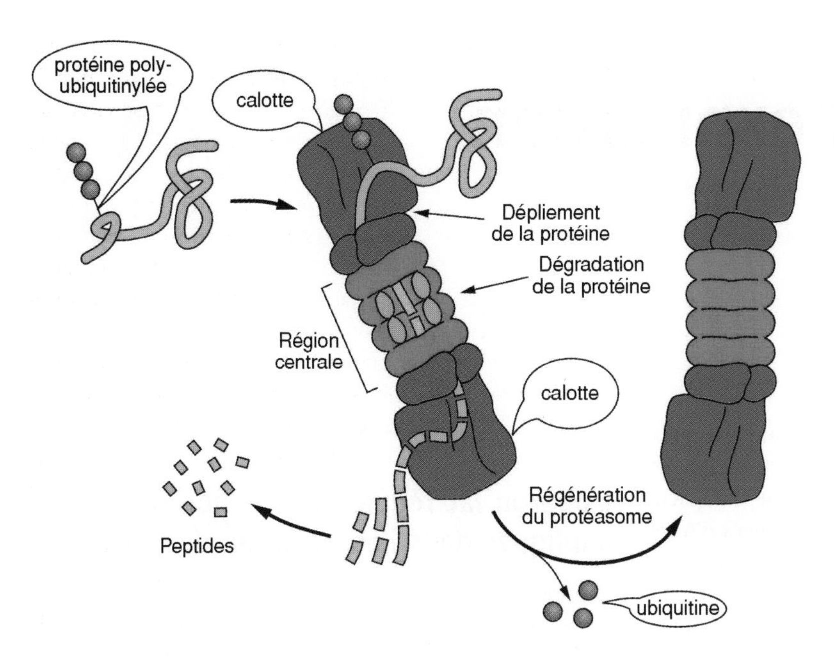

19.33 Structure du protéasome. Les protéines marquées par l'ubiquitine se fixent à la calotte sur laquelle des enzymes déplient le substrat puis le font entrer à l'intérieur. La chambre interne possède des activités protéolytiques de spécificités différentes. [RF]

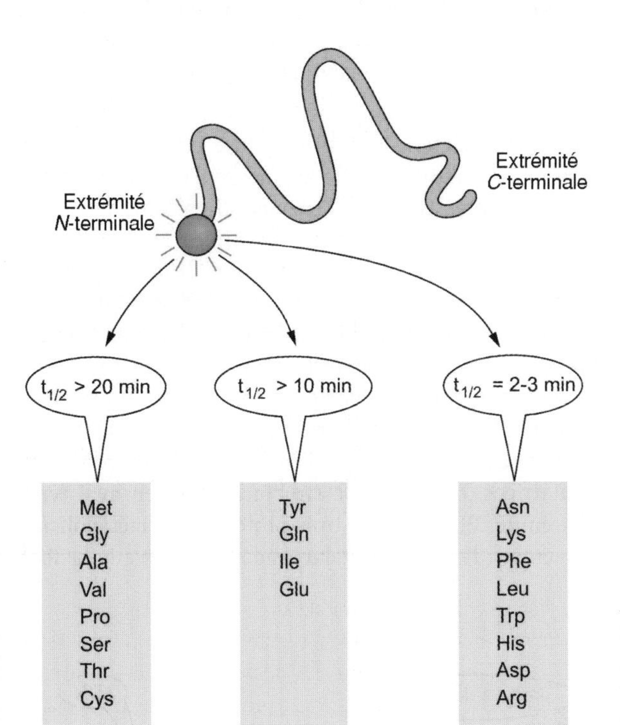

19.34 Demi-vies ($t_{1/2}$) de protéines en fonction de leur acide aminé *N*-terminal. Chez les eucaryotes comme la levure, des acides aminés comme Met, Ser, ou Thr à l'extrémité amino-terminale protègent d'une dégradation rapide, alors que Arg, Glu, ou Asp déstabilisent. Gln ou Asn déstabilisent indirectement lorsqu'ils sont hydrolysés en Glu ou Asp.

Contrôle de l'expression génique

20

Le plan de construction d'un organisme humain se trouve en principe en entier dans chacune de ses cellules. Le génome y est gardé en dépôt sous une forme compacte dans les chromosomes du noyau. Leurs séquences d'ADN contiennent les instructions nécessaires à la synthèse de dizaines de milliers d'ARN et de protéines. Toutefois, un type cellulaire donné ne réalise en fait qu'une petite partie de ce potentiel et c'est cette sélection qui le distingue des autres types cellulaires de l'organisme. L'expression sélective de certains gènes et la présence d'ARN et de protéines différents définissent ainsi l'identité de la cellule eucaryote. À ce profil d'expression de base vient s'ajouter la capacité des cellules à réagir à des signaux chimiques ou à un changement des conditions de l'environnement par une modification du profil d'expression des gènes. La perte du contrôle de l'expression des gènes peut conduire à la dédifférenciation et à la dégénérescence maligne des cellules. Étant donné l'ampleur de ces conséquences, les cellules ont développé un système de contrôle strict qui surveille l'expression des gènes à plusieurs niveaux. La transcription, qui peut être accrue par activation ou diminuée par répression, est l'une des cibles importantes de ce contrôle. Nous commencerons par un examen des mécanismes fondamentaux par lesquels les procaryotes gouvernent, simplement mais efficacement, l'expression de leurs gènes.

20.1 L'opéron *lac* régule l'expression de gènes impliqués dans l'assimilation des sucres

Comme très souvent, nous en savons plus sur les cellules procaryotes que sur les eucaryotes. Cette vérité concerne également les interrupteurs grâce auxquels une cellule contrôle l'expression de ses gènes. L'**opéron *lac*** (opéron lactose), qui contrôle chez *E. coli* l'absorption et l'utilisation d'un disaccharide, le lactose, est l'un des objets les mieux compris du monde de la régulation transcriptionnelle. Cette bactérie utilise le lactose comme source de carbone alternative lorsque le glucose n'est pas en quantité suffisante. Grâce à l'enzyme β-galactosidase, elle clive le lactose en deux monosaccharides, le glucose et le galactose, qui sont ensuite métabolisés. L'opéron *lac* qui gouverne cette assimilation est une **unité transcriptionnelle** qui comprend une **région régulatrice** et des **gènes de structure** qui sont sous le contrôle d'un régulateur (*fig.* 20.1). La région régulatrice porte un promoteur muni d'un segment flanquant en 3' d'environ 20 paires de bases, l'**opérateur**, sur lequel peuvent se fixer des protéines régulatrices. Les gènes de structure situés en aval (vers l'extrémité 3') spécifient trois protéines du métabolisme du lactose : l'enzyme β-galactosidase qui clive le lactose

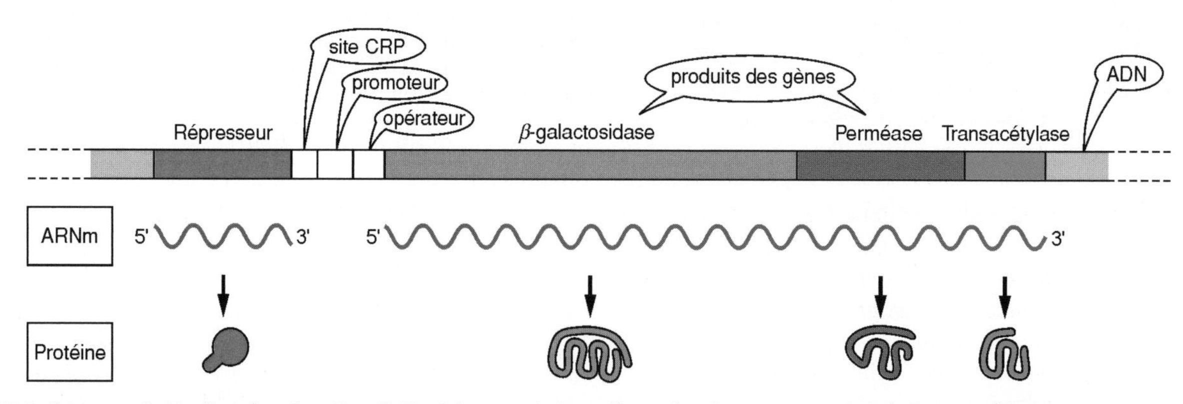

20.1 Structure de l'opéron *lac* chez *E. coli*. L'unité transcriptionnelle entière fait environ 6 kpb (1 kpb = 10^3 pb). Les segments de l'opéron qui spécifient des ARN ou des protéines sont appelés gènes de structure. Ils sont identifiés ici et dans les figures suivantes par le produit du gène, c'est-à-dire les enzymes β-galactosidase, perméase et transacétylase, issues d'un ARNm polycistronique (*fig.* 18.3). CRP indique le site de fixation de la protéine de réponse à l'AMPc (§ 20.2)

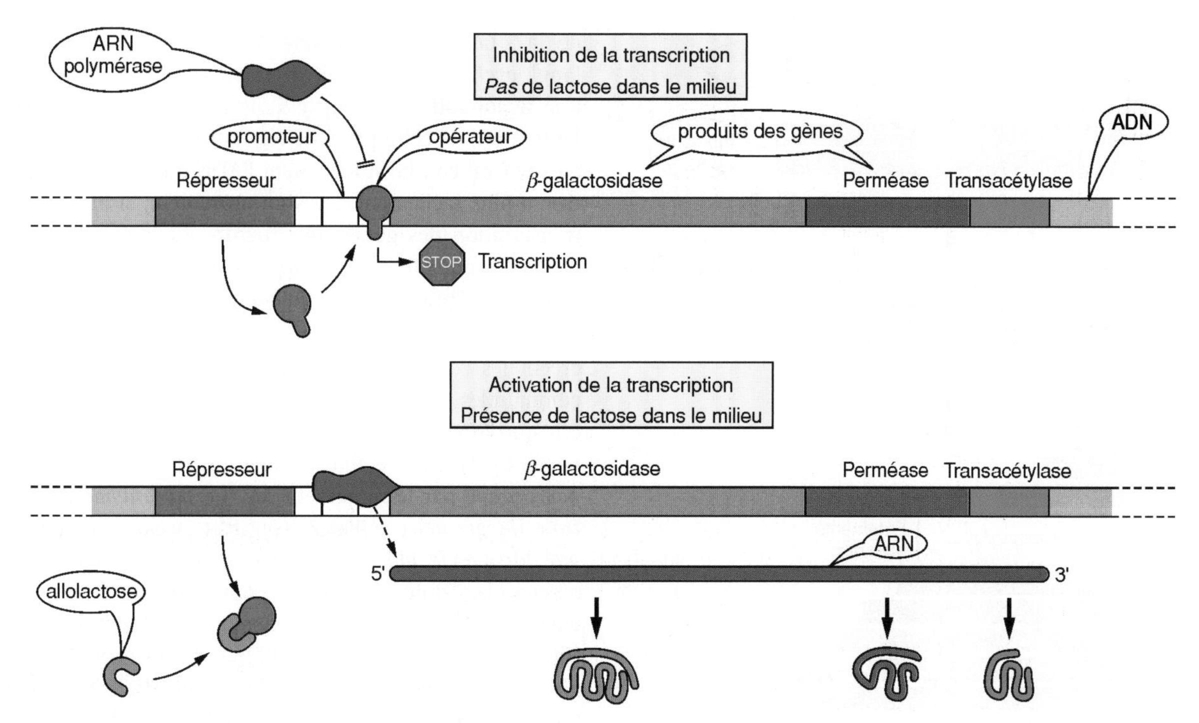

20.2 Régulation de l'opéron *lac* (détails : voir texte).

en galactose et glucose, ce qui en permet l'assimilation par le métabolisme de la bactérie. La perméase, une protéine de membrane, transporte le lactose dans la cellule. La transacétylase n'a probablement qu'une fonction indirecte dans le métabolisme du lactose.

Immédiatement en amont de l'opéron *lac* se trouve un gène régulateur constitutivement actif et qui produit constamment une petite quantité de protéine (environ dix molécules par cellule) qui inhibe l'opéron, et qu'on appelle donc le **répresseur *lac*** (*fig.* 20.2). En l'absence de lactose, ce répresseur se fixe avec une haute affinité ($K_D \approx 10^{-12}$ M) à l'opérateur, interdisant ainsi à la polymérase de se fixer au promoteur et empêchant ainsi la transcription des gènes de structure. Dans un milieu pauvre en lactose, la bactérie ne produit donc pas de protéines du métabolisme du lactose. En présence de lactose, une réaction secondaire produit par transglycosylation du **1,6-allolactose** (β-D-galactopyranosyl(1-6)glucose). Cet isomère peut se fixer sur un site spécifique du répresseur. Un changement de conformation induit par cette fixation diminue considérablement l'affinité du répresseur pour l'opérateur. Le répresseur est donc inactivé, et le blocage de la transcription est levé : c'est pourquoi l'allolactose est appelé **inducteur.** *Le répresseur lac est donc un détecteur indirect de lactose qui adapte l'équipement protéique de la bactérie aux variations de l'offre extérieure en lactose.* Comme le répresseur inhibe la transcription, on parle de **régulation négative.**

Le répresseur *lac* est une protéine symétrique constituée de quatre sous-unités identiques ; deux de ces sous-unités recouvrent le segment de 21 pb de l'opérateur en 5' du gène de la β-galactosidase. Les deux autres sous-unités peuvent se fixer à une autre **séquence opératrice** environ 400 pb en aval, ce qui confère à cette région d'ADN une conformation en boucle et contribue aussi à la répression de la transcription des gènes de structure : le blocage du démarrage de la transcription est ainsi doublement assuré (§ 20.5). On peut obtenir une cartographie précise des sites de fixation de tels répresseurs au moyen d'**empreintes sur l'ADN** (*encart* 20.1).

Encart 20.1 : Empreintes sur l'ADN

Cette méthode repose sur la protection sélective de segments d'un ADN contre la dégradation par une nucléase, causée par des protéines fixées à cet ADN. L'ADN « nu » sans protéine fixée est au contraire dégradé. Dans la pratique, l'ADN est marqué radioactivement au ^{32}P à une extrémité, puis incubé avec une **endonucléase**, la **DNase I** (*encart* 17.7). Cette endonucléase peut pratiquement cliver l'ADN entre deux nucléotides quelconques. Si le temps d'incubation est suffisamment court, la DNase I ne coupe en moyenne qu'une fois chaque fragment. On obtient ainsi un spectre continu de **fragments d'ADN** qui sont séparés par électrophorèse sur gel selon leur taille (*fig.* 20.3). Lorsqu'un segment de l'ADN est protégé par une protéine qui s'y fixe spécifiquement, la DNase I *ne* peut *pas* couper à cet endroit. : la région protégée se manifeste par un espace sans fragments et forme donc une empreinte dans le spectre continu des fragments d'ADN. Si l'on connaît la séquence de l'ADN, on peut localiser précisément le site de fixation de la protéine.

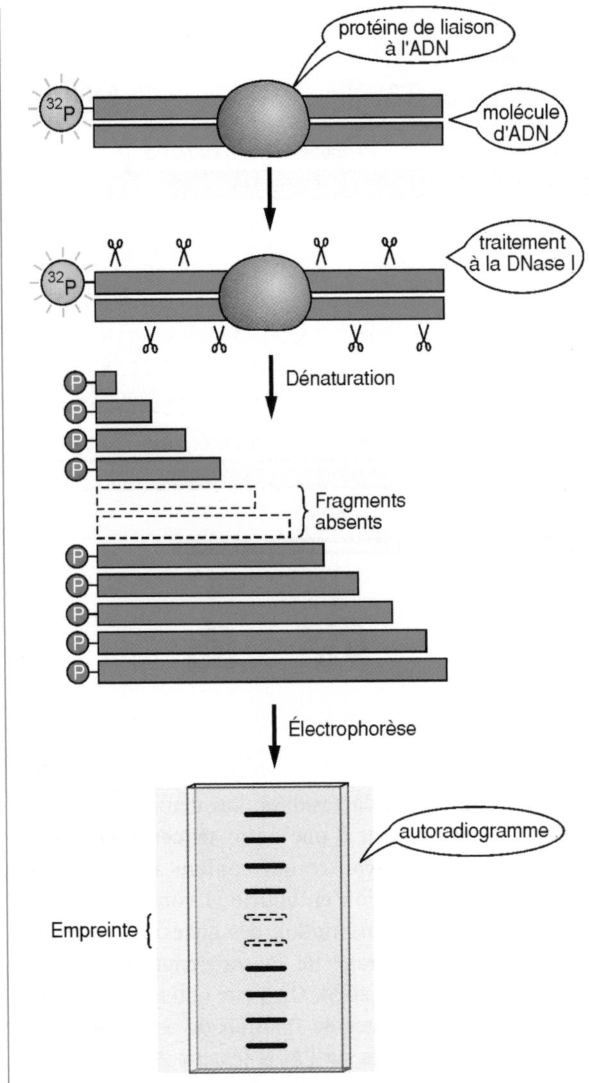

20.3 Cartographie de sites de fixation de protéines sur l'ADN par une expérience de protection contre la DNase I. Les fragments d'ADN qui sont présents en l'absence de protection par la protéine sont en pointillés.

20.2

L'assimilation des sucres est finement contrôlée par une régulation bilatérale

Les bactéries dirigent « en finesse » l'expression de leurs gènes : en dehors du répresseur *lac*, elles utilisent une deuxième « vis de réglage » qui agit sur l'opéron *lac*. *E. coli* préfère le monosaccharide glucose au disaccharide lactose comme source de carbone, car le glucose est plus facilement métabolisable. Comment ce choix est-il réalisé au niveau moléculaire ? Tant qu'il y a suffisamment de glucose dans le milieu nutritif, *E. coli* ne produit qu'une faible concentration intracellulaire d'un messager, l'AMPc (§ 29.5). Lorsque la source de glucose se tarit, la concentration d'AMPc augmente rapidement, ce qui est le signal de la « faim ». Une **protéine de réponse à l'AMPc**, CRP (angl. *cyclic AMP receptor protein*) est activée et se fixe à une **région CRP** de la partie 5' de l'opéron *lac* (*fig.* 20.4). La fixation de cette protéine régulatrice chargée en AMPc au site CRP courbe si fortement l'ADN que l'ARN polymérase a plus facilement accès au promoteur, si bien que la transcription des gènes de structure du métabolisme du lactose augmente. C'est pourquoi l'on parle d'**activation de la transcription** ou de **régulation positive**.

Régulations positive et négative se complètent et créent les conditions d'une régulation efficace « à deux commandes ». De cette manière, l'opéron *lac* n'est transcrit que lorsque deux conditions sont remplies simultanément : 1) CRP se fixe à l'opéron et 2) l'opéron *n'est pas* occupé par le répresseur *lac*. *Ce mécanisme de contrôle intègre deux signaux et ne met en marche l'opéron que lorsque le glucose manque et qu'il y a du lactose disponible.* Toutes les autres combinaisons de signaux éteignent l'opéron soit partiellement, soit complètement (*fig.* 20.5). La bactérie définit ainsi ses priorités : le glucose est utilisé en premier, et le lactose n'est métabolisé qu'ensuite.

Une bactérie dispose de nombreuses autres stratégies pour contrôler l'expression de ses gènes. Nous allons le montrer sur l'exemple de l'**opéron *trp*** (opéron tryptophane). L'opéron *trp* spécifie cinq enzymes de la biosynthèse du tryptophane, qui elles aussi sont sous le contrôle d'une paire opérateur-répresseur. L'opéron est régulé doublement : d'une part par un répresseur qui – comme le répresseur *lac* – bloque directement la transcription en se fixant à un opérateur en cas d'excès de tryptophane. Un deuxième mécanisme utilise le **couplage entre transcription et traduction** typique des procaryotes ; pour le comprendre, nous devons examiner de plus près l'ARNm des gènes de structure. L'ARNm de l'opéron *trp* a trois segments particuliers : la région 1 comporte deux codons voisins pour l'acide aminé (rare) tryptophane ; les régions 2 et 3 possèdent chacune une région palindromique qui peut former une structure en épingle à cheveux (*fig.* 20.6). Suivons maintenant l'ARN polymérase : elle démarre la synthèse d'ARN depuis le promoteur. Un ribosome traduit l'ARN naissant. Si la concentration en tryptophane de la cellule est suffisante, le ribosome lit rapidement la paire de codons Trp et couvre alors la région 2. Dans ces conditions, la région 3 forme une structure en boucle B « volumineuse » qui « saisit » la polymérase et l'oblige à faire une pause. La bulle de transcription se referme, la polymérase quitte l'ADN et la transcription s'arrête. La région 3 agit donc comme un **atténuateur** de transcription. *Lorsqu'il y a suffisamment de tryptophane, la structure en boucle de l'atténuateur assure une terminaison prématurée, si bien que les produits des gènes de l'opéron trp ne sont pas synthétisés : aucune enzyme de la synthèse du tryptophane n'est produite.*

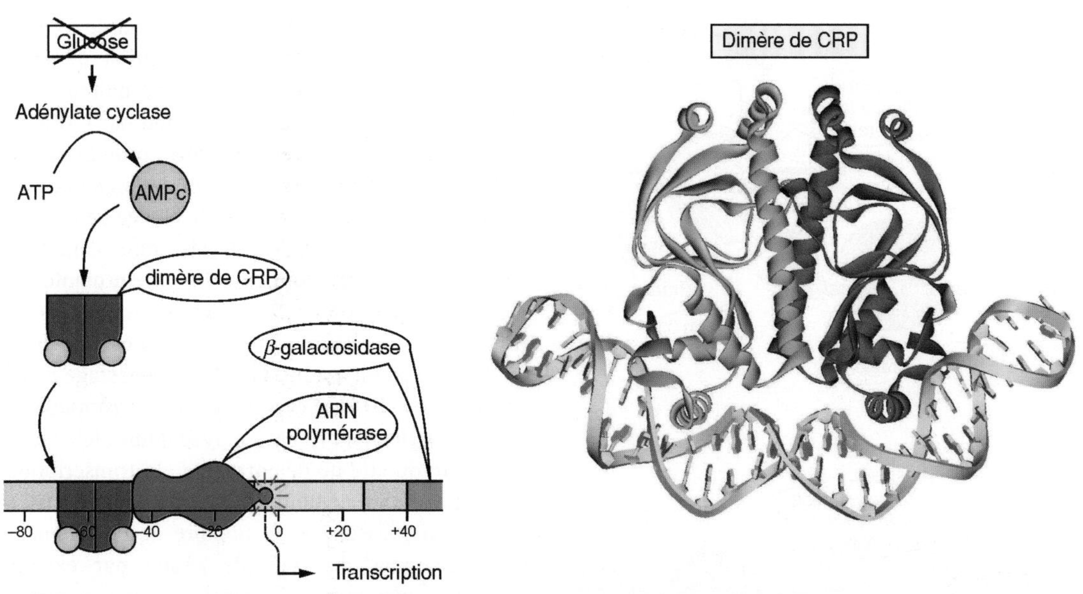

20.4 Régulation positive de l'opéron *lac*. À gauche : lorsque la concentration de glucose baisse, le taux d'AMPc augmente par activation de l'adénylate cyclase de (angl. *adenylate cyclase*) ; un dimère de CRP chargé en AMPc se fixe alors dans la région CRP et guide l'ARN polymérase vers le promoteur. CRP est aussi appelée CAP (angl. *catabolite activator protein*). À droite : la fixation d'un dimère de CRP induit une courbure d'environ 90° de l'ADN. CRP contacte par des résidus spécifiques la sous-unité α de l'ARN polymérase et la positionne favorablement pour la transcription des gènes de structure. [RF].

En cas de carence en tryptophane, le ribosome « freine » dans la région 1, où il doit incorporer au polypeptide naissant deux résidus tryptophanes l'un derrière l'autre, puisqu'il y a peu d'ARNt chargés en tryptophane disponibles. Le ribosome laisse donc provisoirement la région 2 libre, qui forme une autre épingle à cheveux A (au lieu de B). Cette boucle A permet à l'ARN polymérase de continuer à travailler sans obstacle, si bien que l'ARNm *trp* peut être transcrit et traduit dans son ensemble : les enzymes nécessaires à la biosynthèse du tryptophane sont maintenant produites. Ce mécanisme assure que la transcription coûteuse de l'opéron ne fonctionne qu'en cas de carence en tryptophane ; en cas d'excès en tryptophane, l'atténuateur assure au contraire un ralentissement de l'expression. *Les deux « commandes » du contrôle de l'opéron trp sont donc la répression et l'atténuation.*

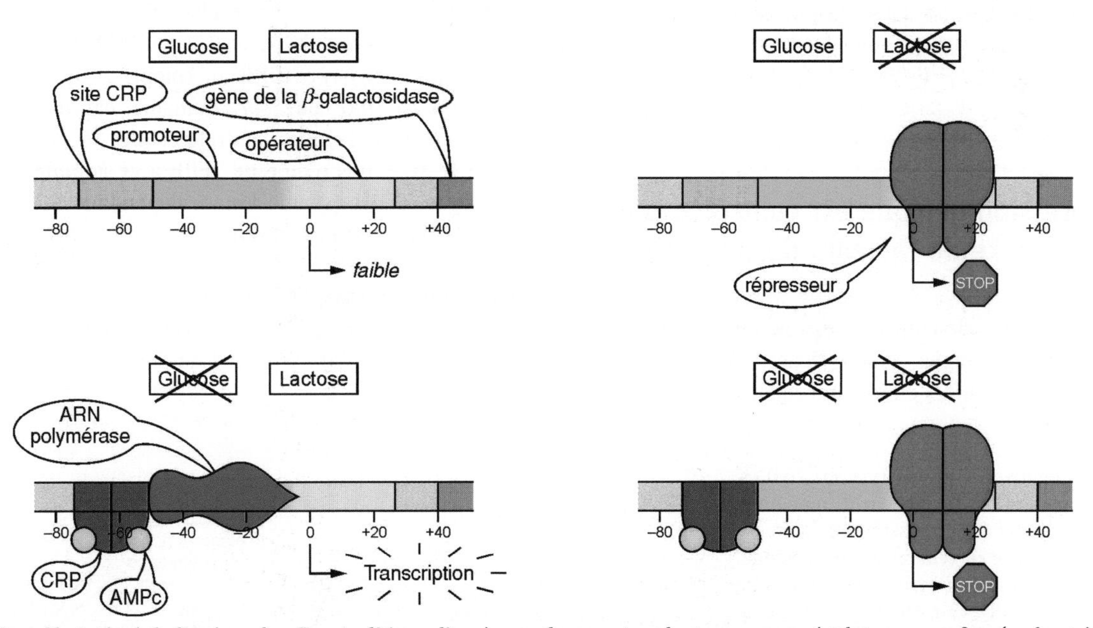

20.5 Contrôle intégré de l'opéron *lac*. En conditions d'excès en glucose et en lactose, aucun régulateur ne se fixe (en haut à gauche). En cas de carence en lactose, le répresseur *lac* bloque la transcription (en haut à droite) ; en cas de carence en glucose simultanée, ce blocage est toujours présent (en bas à droite). Ce n'est qu'en cas de carence en glucose et d'excès en lactose que l'opéron met en marche la transcription (en bas à gauche). L'inhibition de la transcription déclenchée par l'excès de glucose est aussi appelée répression catabolique.

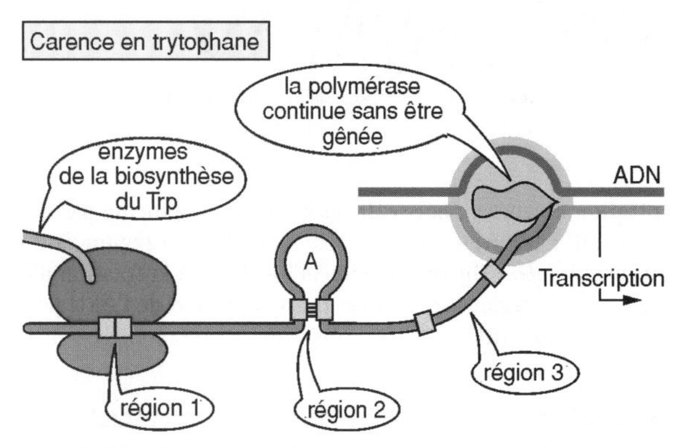

20.6 Atténuation de l'opéron *trp* d'*E. coli.* L'atténuateur fait partie de la région de l'opéron *trp* qui se trouve de 80 à 140 pb en amont du promoteur. Le ribosome suit l'ARN polymérase ; lorsque le tryptophane est en excès, la boucle de terminaison B se forme dans la région 3 et arrête l'ARN polymérase : les enzymes de la biosynthèse du tryptophane ne sont pas synthétisées. Lorsque le tryptophane manque, le ribosome ralentit à son passage sur les deux codons Trp voisins de la région 1 et laisse la région 2 transitoirement libre, ce qui lui permet de former la boucle A. Cette boucle laisse travailler l'ARN polymérase sans la gêner, si bien que les gènes de structure de l'opéron sont exprimés. [RF]

20.3 L'expression génique est contrôlée par un complexe de facteurs de transcription généraux

Les mécanismes de contrôle des opérons bactériens sont des stratégies simples mais efficaces de régulation des gènes. Au contraire, l'expression régulée des gènes eucaryotes implique souvent la construction de tout un complexe fait de **facteurs de transcription généraux**, qui interagissent directement avec le promoteur et participent au démarrage de la transcription par l'ARN polymérase II des gènes spécifiant des protéines. De cette manière, les promoteurs intègrent des signaux provenant de différentes régions de l'ADN et décident ou non de démarrer la transcription. Quels traits caractérisent le cœur de ce système de régulation – le **promoteur** – dans les gènes eucaryotes ? Comme chez les procaryotes, on trouve dans les promoteurs eucaryotes une **boîte TATA** environ 30 pb en amont du site de démarrage de la transcription (*fig.* 20.7). Les autres caractéristiques sont des **éléments initiateurs** riches en pyrimidines (éléments Inr) à proximité du site de démarrage de la transcription et un nombre variable de **boîtes CCAAT** ou de **boîtes GC** plus en amont. La présence et le nombre de ces éléments sont caractéristiques du type de gène : par exemple, les « gènes de ménage », qui spécifient des enzymes de base du métabolisme et sont transcrits dans tous les types cellulaires, contiennent de nombreuses boîtes GC mais pas de boîte TATA et le plus souvent pas de boîte CCAAT.

Les promoteurs eucaryotes sont en général « muets ». Il faut que les **facteurs de transcription** (angl. *transcription factors*, TF) généraux s'assemblent en une plateforme de départ pour l'ARN polymérase II pour que la transcription de l'ARNm puisse démarrer. **TFIID**, un complexe entre la **protéine de liaison à la boîte TATA** (angl. *TATA-binding protein*, TBP) et plusieurs **facteurs associés à TBP** (angl. *TBP associated factors*, TAF), se fixe en premier à la boîte TATA (*fig.* 20.8). La sous-unité TBP, de structure symétrique, se pose sur l'ADN comme une selle. Les TAF viennent alors se fixer sur la selle TBP : après recrutement des deux facteurs TFIIA et TFIIB, l'**ARN polymérase II** peut s'associer avec TFIIF au **complexe de démarrage.** L'enzyme se fixe par son domaine carboxy-terminal directement à l'entité centrale TFIID (§ 17.4). Enfin, TFIIH se fixe avec l'aide de TFIIE à ce complexe multiprotéique. TFIIH est une kinase dépendant de l'ATP qui phosphoryle certains résidus sérines et thréonines du domaine C-terminal (CTD) de l'ARN polymérase II et libère ainsi le complexe de démarrage. Simultanément, TFIIH ouvre l'ADN grâce à une activité hélicase associée dépendant de l'ATP : le signal de départ de la transcription est donné.

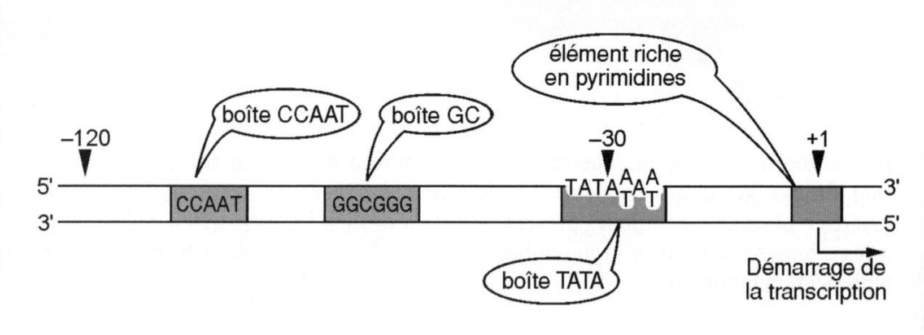

20.7 Structure des promoteurs eucaryotes. Ces structures sont fréquemment impliquées dans le contrôle de la transcription. La transcription démarre en général sur une adénine. L'élément Inr riche en pyrimidines et la boîte TATA sont localisés au site de démarrage de la transcription et dans la région -30 (c'est-à-dire 30 nucléotides en amont du site de démarrage de la transcription), respectivement, alors que les boîtes GC et CCAAT ont des positions variables.

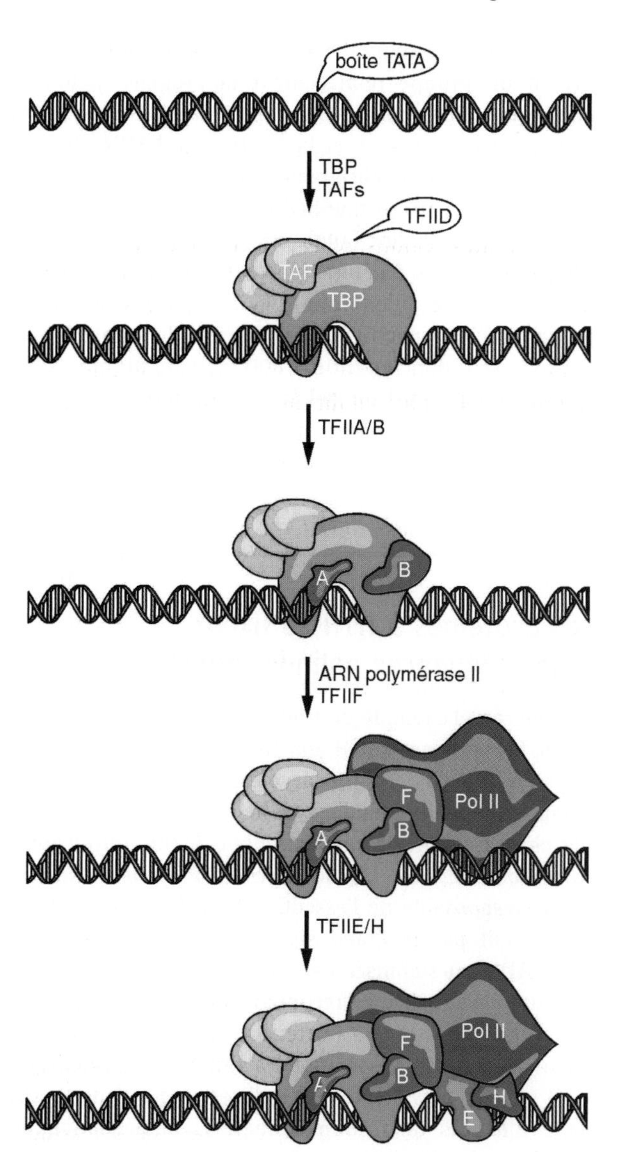

20.8 Assemblage du complexe de démarrage eucaryote. La construction du complexe de transcription sur la boîte TATA se fait de manière séquentielle. TBP, une sous-unité de TFIID, est responsable du démarrage de la transcription chez les ARN polymérases I, II, et III ; en revanche, il existe des TAF spécifiques de chaque type d'ARN polymérase. Sur les gènes dépourvus de boîte TATA, c'est le facteur TFII-I qui s'associe à l'élément Inr et permet l'association de TFIID au promoteur.

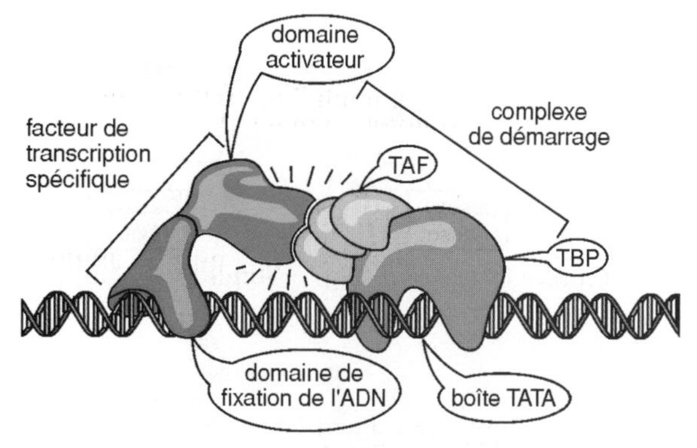

20.9 Mécanisme d'action de différents facteurs de transcription. Les activateurs se fixent le plus souvent sur des séquences régulatrices en amont du gène de structure et favorisent par leur domaine activateur le recrutement du complexe de démarrage au promoteur *via* TBP/TAF ; de cette manière, ils peuvent augmenter énergiquement la fréquence de transcription du gène régulé. Les répresseurs ont un effet opposé.

En dehors des facteurs de transcription généraux du type TFII, qui travaillent presque sur tous les gènes, il existe aussi des **facteurs de transcription spécifiques** qui régulent sélectivement un gène ou un groupe de gènes. Ces régulateurs constituent un groupe de protéines extraordinairement varié, qui se fixent à différentes séquences régulatrices sur le promoteur ou à une certaine distance de celui-ci ; ils permettent aux cellules de modifier spécifiquement leur profil d'expression. Ils agissent comme **activateurs** ou **répresseurs** en se fixant à des séquences régulatrices et en interagissant avec la machinerie de transcription *via* les TAF (*fig.* 20.9). Contrairement à leurs analogues fonctionnels bactériens, les répresseurs eucaryotes *ne* sont *pas* directement en compétition avec l'ARN polymérase pour la fixation à l'ADN : ils agissent plutôt sur le recrutement et l'organisation du complexe de démarrage.

20.4 Les régulateurs transcriptionnels se fixent à des segments d'ADN spécifiques

Comment une cellule eucaryote peut-elle, parmi des dizaines de milliers de gènes, activer précisément ceux dont les produits lui sont nécessaires ? L'activation suppose deux conditions : d'une part des séquences déterminées d'ADN doivent fixer des facteurs de transcription spécifiquement ; d'autre part ces **régulateurs transcriptionnels** doivent interagir avec le complexe de démarrage (*fig.* 20.9). Du côté de l'ADN, ce sont des nucléotides qui, depuis le grand et le petit sillon, interagissent avec les protéines de liaison à l'ADN, sans que l'appariement des bases au sein de la double hélice en soit affecté (*fig.* 20.10). Chaque paire de bases possède un profil caractéristique de groupements donneurs et accepteurs qui peuvent former des liaisons hydrogènes ou des interactions hydrophobes avec les régulateurs transcriptionnels. Les sucres et les groupements phosphates de l'ADN sur lesquels se fixent les histones, *ne* sont *pas* adaptés à ces processus de reconnaissance en raison de leur uniformité.

Les séquences d'ADN classiquement reconnues par les facteurs de régulation ont 6-20 nucléotides de long. Malgré cette taille limitée, les régulateurs transcriptionnels se fixent spécifiquement et fortement à leurs séquences d'ADN cibles : de multiples liaisons faibles conduisent à une interaction stable. Les régulateurs se

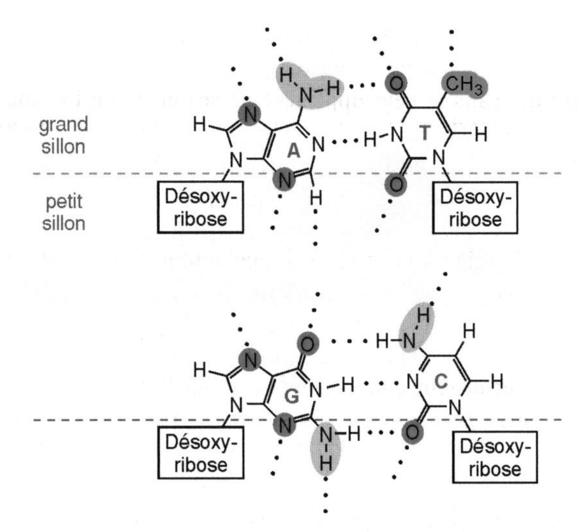

20.10 Sites d'interaction des régulateurs transcriptionnels sur les paires de bases. Les groupements donneurs (en jaune) ou accepteurs (en rouge) d'hydrogène forment des liaisons hydrogènes avec les chaînes latérales des résidus d'acides aminés des protéines, alors que les groupements méthyles (en vert) des thymines permettent des interactions hydrophobes. Le petit ou le grand sillon offrent de deux à quatre interactions par paire de bases. [RF]

fixent typiquement par une **hélice de reconnaissance** à leur séquence d'ADN spécifique (*fig.* 20.11). Le plus souvent, les facteurs de régulation sont des **dimères** ; la symétrie de la protéine reflète souvent la symétrie de la séquence d'ADN cible (§ 20.5).

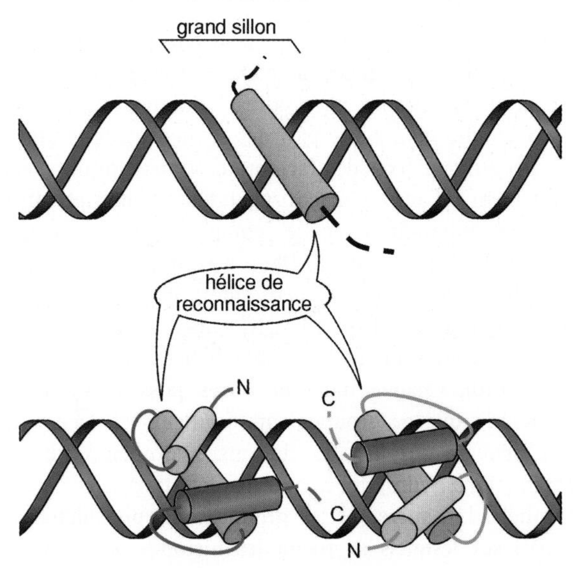

20.11 Hélice de reconnaissance des protéines de liaison à l'ADN. En haut : l'hélice de reconnaissance du régulateur contacte le grand sillon de l'ADN et se fixe aux parties des paires de bases orientées vers l'extérieur. En bas : la plupart des régulateurs se fixent à l'ADN sous forme de dimères. Les protéines à hélice-tour-hélice en sont un exemple typique. Pour des raisons de clarté, seules les régions de liaison à l'ADN sont représentées, avec leurs hélices de reconnaissance (en orange) et leurs hélices stabilisatrices (en bleu).

Les protéines régulatrices de la transcription constituent un groupe relativement hétérogène. Selon la nature des éléments de structure secondaire impliqués dans la reconnaissance et la fixation de l'ADN, ils sont appelés **protéines à hélice-boucle-hélice** (angl. *helix-loop-helix*, HLH), **à hélice-tour-hélice** (angl. *helix-turn-helix*, HTH), **à doigt de zinc** (angl. *zinc-finger*), ou à **glissière de leucines** (angl. *leucine-zipper*). L'analyse du génome humain montre qu'environ 6 % des gènes transcrits à partir d'ARNm spécifient des facteurs de transcription et produisent donc environ 1 800 facteurs différents. La technique de **retard sur gel** (angl. **electrophoretic mobility shift assay**, EMSA) est d'une grande utilité dans la recherche de séquences d'ADN cibles de régulateurs (*encart* 20.2).

20.5 Les protéines à HTH se fixent à des séquences palindromiques

Considérons l'exemple de protéines régulatrices particulières, les **protéines à HTH**, qui furent découvertes pour la première fois chez les procaryotes. Leur région sonde se compose de deux domaines en hélice de 7-9 acides aminés chacun reliés par une courte boucle (un tour) d'environ quatre résidus. L'hélice 2 est l'**hélice de reconnaissance**, responsable de l'essentiel de la fixation à l'ADN, qui se fait par le grand sillon. Cette interaction protéine-ADN est stabilisée par l'hélice 1, qui fait un angle de 120° avec l'hélice de reconnaissance. D'autres régions de la protéine situées à l'extérieur du motif HTH contribuent à la fixation spécifique à l'ADN. Les protéines à HTH sont le plus souvent des **dimères** et ont donc une paire d'hélices de reconnaissance. La dimérisation du répresseur *lac* (§ 20.1), représentant typique des protéines à HTH, permet au facteur de transcription de saisir l'ADN « comme dans une pince » par deux grands sillons séparés par un tour d'hélice (*fig.* 20.13, à droite).

Les protéines à HTH reconnaissent typiquement des **séquences d'ADN palindromiques** qui possèdent un axe de symétrie (*fig.* 20.14). Le positionnement exact des protéines à HTH sur le palindrome permet une interaction optimale entre les chaînes latérales des deux hélices de reconnaissance et les points de contact multiples sur les paires de bases de la séquence d'ADN cible. La fixation des protéines à HTH à l'ADN compte en fait parmi les interactions les plus fortes et les plus spécifiques que nous connaissions en biochimie.

Le motif HTH procaryote se retrouve presque à l'identique chez les régulateurs transcriptionnels eucaryotes : dans ce dernier règne, le motif HTH est présent par exemple dans le vaste groupe des **homéoprotéines.** Les homéoprotéines sont des facteurs de transcription monomériques qui gouvernent le développement embryonnaire de l'organisme. Des mutations dans les homéoprotéines,

Encart 20.2 : Retard sur gel (EMSA)

Les molécules d'ADN peuvent être séparées selon leurs tailles dans un champ électrique (*fig.* 20.12). Lorsqu'une protéine, par exemple un **facteur de transcription**, se fixe à une séquence d'ADN donnée, le complexe ADN-protéine qui en résulte a une masse moléculaire plus élevée que l'ADN « nu ». Selon la taille et la charge de la protéine associée, on obtient un retard de migration plus ou moins important de l'ADN dans le champ électrique. Expérimentalement, on incube un ADN marqué radioactivement avec une protéine de fixation potentielle puis on le soumet à une électrophorèse sur gel ; l'ADN sans protéine est déposé comme témoin. De très petites quantités d'une protéine se fixant spécifiquement peuvent provoquer un **retard** (ou décalage, angl. *shift*) caractéristique **de la bande d'ADN** visible sur l'autoradiogramme. Lorsque l'on recherche spécifiquement des partenaires de fixation à l'intérieur d'un mélange de protéines, on utilise souvent des oligonucléotides marqués au ^{32}P comme sonde ; on peut aussi utiliser des protéines biotinylées, qui sont ensuite détectées par des techniques utilisant la chimioluminescence.

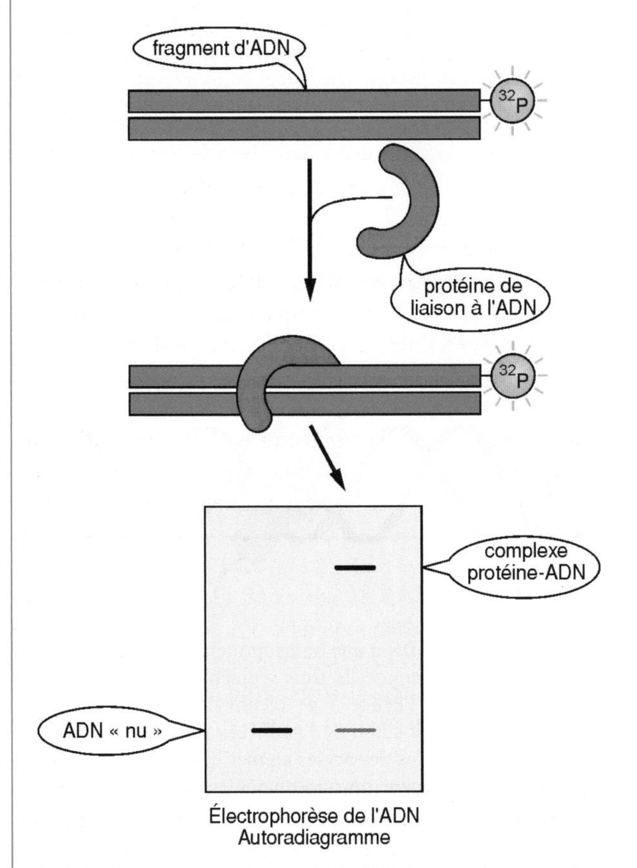

20.12 Principe du retard sur gel (EMSA). Le complexe protéine-ADN migre plus lentement que l'ADN « nu » dans le champ électrique.

étudiées de manière approfondie chez la mouche du vinaigre *Drosophila melanogaster*, conduisent à des erreurs dans le développement de segments de l'animal. Le motif HTH des homéoprotéines, spécifié par une **boîte homéo** bien conservée, comporte environ 60 acides aminés et forme trois segments en hélice. L'hélice 3 est responsable de la reconnaissance spécifique de l'ADN et de la fixation à celui-ci ; son positionnnement est déterminé par les hélices 1 et 2 au-dessus d'elle (*fig.* 20.15).

Les régulateurs contrôlent la totalité du plan de construction de l'organisme, et l'**ordre des gènes à boîte homéo**, (angl. **homeobox genes,** gènes Hox) sur l'ADN correspond à l'ordre de leurs expressions et de leurs fonctions le long de l'axe antéro-postérieur de l'embryon (*fig.* 20.16). Nous étudierons plus loin un cas analogue avec les gènes des globines β (*fig.* 20.20). Le **facteur de transcription Pit-1**, dont le défaut conduit au nanisme hypophysaire (*encart* 20.3), appartient lui aussi aux homéoprotéines.

Encart 20.3 : Le nanisme hypophysaire

La **somatotropine**, une hormone de croissance, est une protéine de l'adénohypophyse qui agit surtout sur l'ostéogenèse. Une production déficiente de cette hormone conduit au **nanisme hypophysaire**. La fréquence de cette maladie autosomique récessive est d'environ 1 :7 500. À l'origine, c'est souvent le facteur de transcription Pit-1, qui dirige la différenciation des cellules somatotrophes, thyrotrophes et lactotrophes de l'hypophyse, qui est touché. Pit-1 contrôle également l'expression des gènes de la somatotropine, de la thyrotropine (TSH, angl. *thyroid stimulating hormone*) et la prolactine (*tab.* 28.1). En cas de diagnostic précoce, une thérapie de substitution par injections régulières de facteur de croissance humain produit par expression recombinante dans des bactéries est possible (§ 22.9). La surproduction de l'hormone de croissance, due par exemple à des tumeurs de l'hypophyse, conduit à l'adolescence au **gigantisme**, mais se manifeste à l'âge adulte par un épaississement des traits du visage et une augmentation de la taille des extrémités. Ces derniers symptômes sont appelés **acromégalie**.

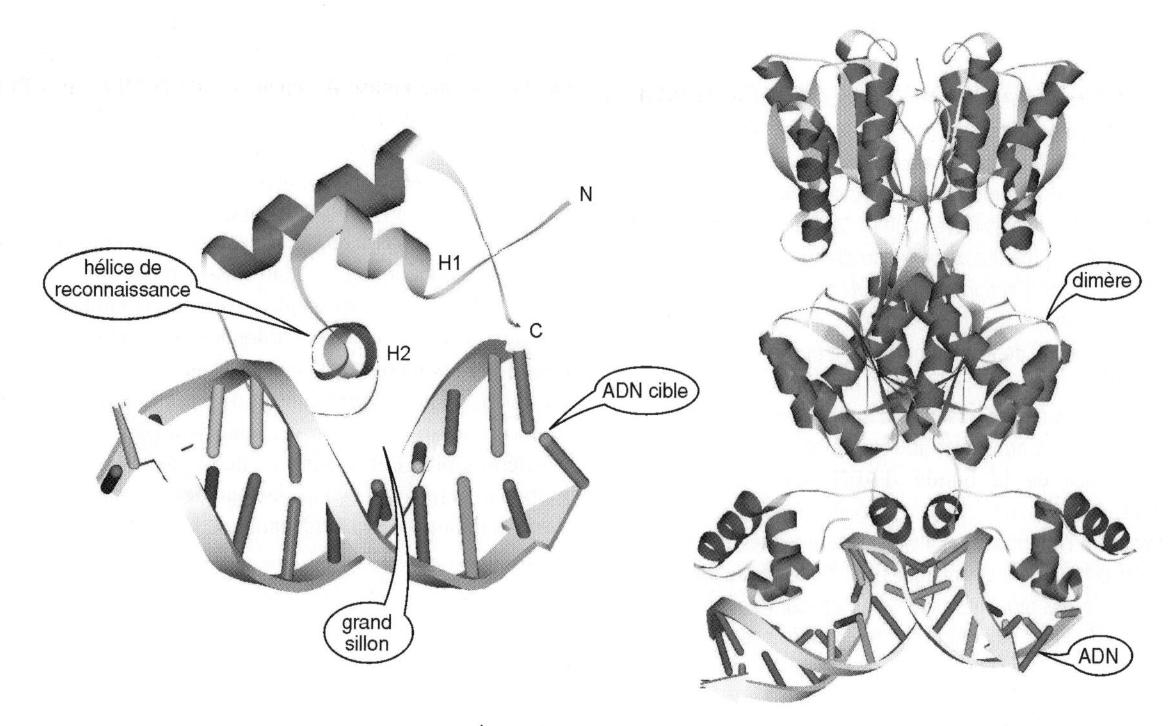

20.13 Fixation du répresseur *lac* à l'opérateur *lac*. À gauche : le motif HTH caractéristique (en jaune) se trouve dans la région N-terminale du répresseur *lac* (positions 1-26). L'hélice de reconnaissance s'adapte exactement au grand sillon. À droite : le répresseur *lac* se fixe sous forme dimérique à la séquence cible symétrique de l'opérateur ; l'ADN est alors « enfoui ». La protéine CRP est une autre protéine à HTH (*fig.* 20.4).

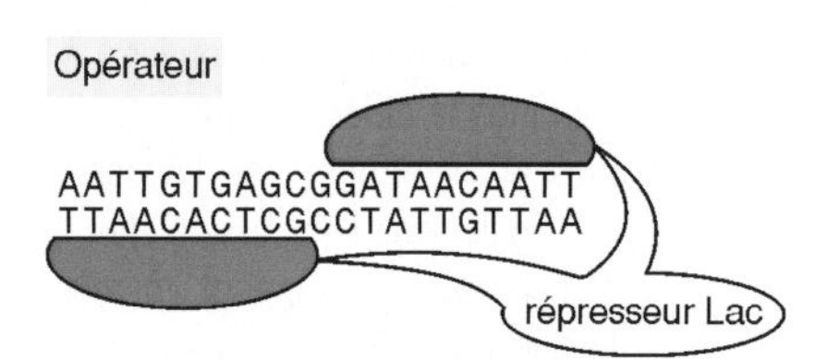

20.14 Séquence cible palindromique du répresseur *lac*. Les palindromes ont la même séquence sur les deux brins (en lisant à chaque fois de 5' vers 3' le brin considéré), d'où le rapprochement avec des mots comme GAG ou RADAR. Les 21 paires de bases de l'opérateur qui se trouve devant le gène de la β-galactosidase sont représentées ici. Dans ce cas, le palindrome n'est pas absolument parfait. Le répresseur *lac* se fixe à cette structure symétrique à l'aide de ses deux hélices de reconnaissance (en rouge).

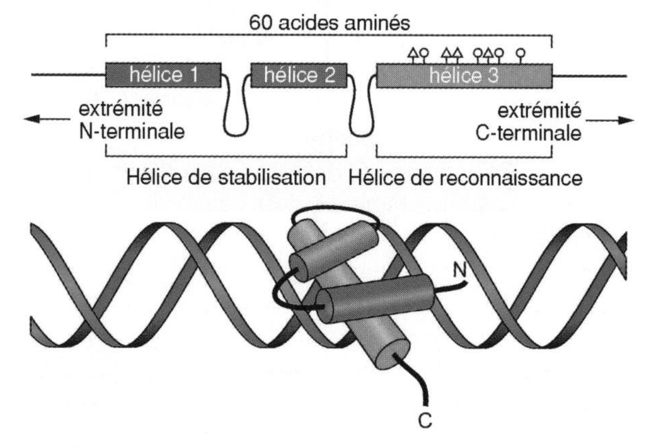

20.15 Fixation à l'ADN d'une homéoprotéine. Le motif de fixation à l'ADN est composé de trois segments en hélice, dont le troisième constitue l'hélice 3 de reconnaissance qui vient se nicher dans le grand sillon de l'ADN. Les flèches et les cercles indiquent les positions des acides aminés qui interagissent avec les bases et les groupements phosphates, respectivement. [RF]

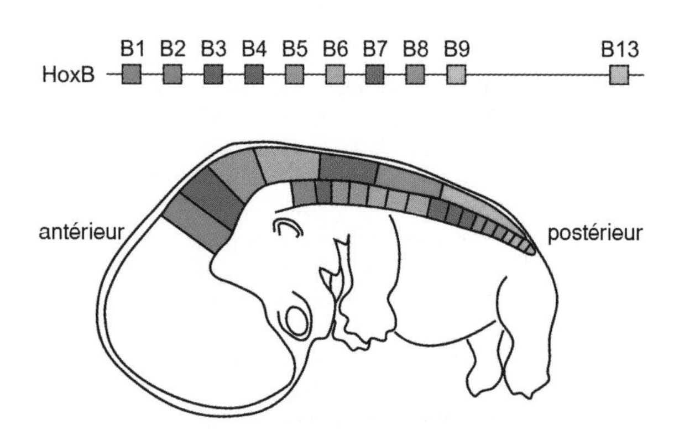

20.16 Ordre des gènes homéotiques. L'ordre des gènes homéotiques sur l'ADN reflète celui de leur expression dans les segments de l'axe antéro-postérieur de l'embryon humain (voir le code couleur). L'homme possède quatre groupes de gènes Hox (Hox A, B, C et D). Pour simplifier, seule l'expression du groupe de gènes HoxB est représentée. [RF]

20.6 Les récepteurs hormonaux appartiennent à la classe des protéines à doigt de zinc

Le groupe le plus important de facteurs de transcription est constitué par les **protéines à doigt de zinc**. Leurs « doigts » sont les chaînes latérales de résidus cystéines et histidines qui chélatent un ion zinc divalent (*fig.* 20.17). L'hélice de reconnaissance est fixée de cette façon à un feuillet β et orientée de manière à interagir avec l'ADN cible par le grand sillon. Chez l'homme, il existe 900 gènes de protéines à doigt de zinc, qui fixent du zinc par des liaisons de coordination impliquant deux résidus histidines et deux résidus cystéines (type C_2H_2) sur des brins β antiparallèles. *Le doigt de zinc C_2H_2 compte parmi les domaines de protéines les plus fréquents du génome humain*, ce qui suggère une grande polyvalence de ce motif. On le trouve aussi dans le **facteur de transcription SP1** qui se fixe aux segments d'ADN riches en GC (*fig.* 20.17), interagit avec TAF/TBP (*fig.* 20.9) et le guide vers les promoteurs des gènes de ménage. Les **récepteurs nucléaires** responsables des effets sur la régulation transcriptionnelle des hormones hydrophobes – les hormones stéroïdes, les thyronines, le calcitriol et les rétinoïdes – (§ 28.3) font aussi partie des protéines à doigt de zinc. Les récepteurs des hormones stéroïdes possèdent chacun deux doigts de zinc, qui orientent l'hélice de reconnaissance à angle droit par rapport à une deuxième hélice ; la plupart du temps ce sont des dimères qui reconnaissent des séquences palindromiques. Certains régulateurs possèdent toute une série de doigts par lesquels ils contactent l'ADN ; cette fixation par contacts multiples est particulièrement forte.

Plusieurs gènes sont sous le contrôle de l'AMPc : nous en avons déjà vu un exemple avec CRP, la protéine de réponse à l'AMPc des procaryotes (§ 20.2). Un palindrome retrouvé fréquemment dans les régions régulatrices des gènes eucaryotes est appelé **CRE** pour **cAMP-responsive element** (angl., élément de réponse à l'AMPc) : c'est le site de fixation des **protéines de liaison à CRE** (angl. *cAMP-regulated enhancer binding*, **CREB**), une fois phosphorylées par la protéine kinase A dépendant de l'AMPc. Les CREB sont des dimères et elles ont une structure étonnante : leurs segments C-terminaux portent de longues hélices ayant une bande longitudinale hydrophobe essentiellement faite de chaînes latérales de leucines. Deux molécules de CREB s'associent par ces résidus leucines arrangés linéairement en une structure faite d'un enroulement d'hélices (angl. ***coiled-coil***) (§ 5.7) qui donne au dimère un aspect en Y. Les résidus leucines des deux monomères s'intercalent les uns entre les autres à la manière des éléments d'une fermeture à glissière (angl. *zipper*) : on parle de **protéines à glissière de leucines** (angl. ***leucine-zipper protein***) (*fig.* 20.18). La glissière laisse libre des régions basiques de CREB situées plus en *N*-terminal : avec ces « baguettes », les dimères de CREB saisissent les séquences cibles palindromiques comme des pinces. Les CREB portent du côté *N*-terminal des domaines d'activation qui contactent le complexe de démarrage par l'intermédiaire de protéines médiatrices et régulent ainsi la transcription (*fig.* 20.9).

Les protéines à glissière de leucines peuvent former des **hétérodimères**, qui se fixent alors à des séquences asymétriques : le spectre des séquences d'ADN cibles de ces facteurs de transcription s'en trouve considérablement élargi. Le prototype de ces hétérodimères est le complexe entre **Jun A** et **Fos**, qui se fixe aux sites AP-1 des promoteurs. *Nous avons ici un exemple de contrôle combinatoire : des changements d'alliance entre différentes protéines peuvent permettre la reconnaissance d'un grand nombre de séquences d'ADN cibles et de communiquer avec les facteurs de transcription généraux.* C'est aussi un mécanisme simple de régulation que l'hétérodimérisation fournit à ces facteurs : lorsque des facteurs actifs sont combinés avec des CREB auxquelles la partie « pince » – c'est-à-dire l'hélice de reconnaissance – fait défaut, on obtient des dimères improductifs qui ne peuvent plus se fixer aux séquences d'ADN cibles.

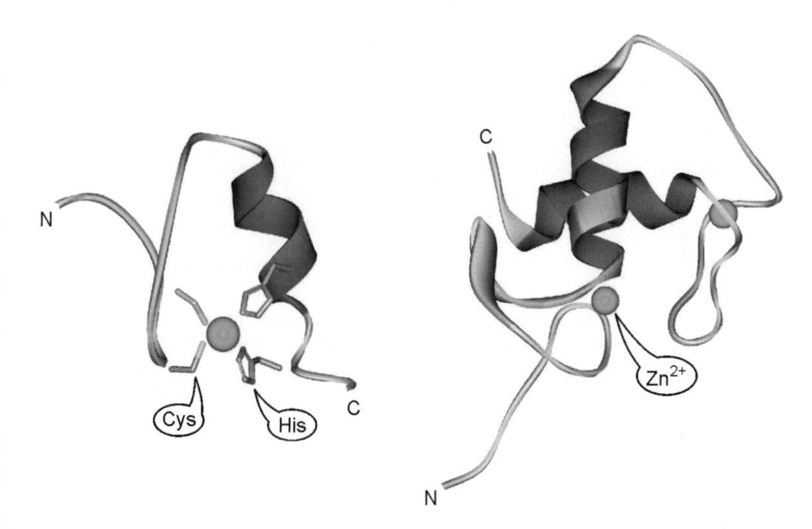

20.17 Protéines à doigt de zinc. À gauche : le facteur de transcription SP1 porte trois doigts de zinc à son extrémité *C*-terminale. Le troisième doigt représenté ici complexe un ion Zn^{2+} (en vert) par deux résidus histidines et deux résidus cystéines, ce qui oriente l'hélice de reconnaissance par rapport au feuillet β (en bleu). À droite : domaine de fixation à l'ADN d'un récepteur de l'œstrogène. Quatre résidus cystéines coordonnent un ion Zn^{2+} ; les points de contact avec l'ADN sont indiqués en jaune. Le site de fixation de l'hormone et le domaine d'activation (non montrés) sont situés respectivement en *C*-terminal et en *N*-terminal du domaine de fixation à l'ADN.

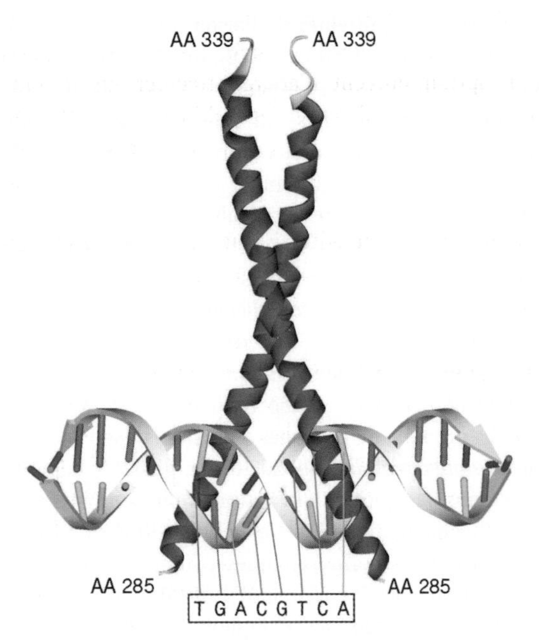

20.18 Glissière à leucines chez un dimère de CREB. Le motif en glissière se trouve dans la région C-terminale de la protéine. Deux molécules de CREB forment une glissière à leucines. Les domaines de fixation à l'ADN portent surtout des acides aminés basiques. Ils reconnaissent et se fixent spécifiquement au site de fixation CRE palindromique dans le grand sillon de leur ADN cible. Les nombres donnent la position des acides aminés (AA) sur la séquence. [RF]

mettent donc une interaction entre facteurs de transcription généraux et spécifiques. Cependant, les régulateurs transcriptionnels peuvent aussi inhiber le démarrage de la transcription : les séquences d'ADN cibles de ces répresseurs sont appelées **séquences de répression** (angl. ***silencer*** *sequences*).

Les activateurs et les répresseurs sont souvent des composants de **complexes multiprotéiques**, qui se fixent coopérativement à l'ADN ; certains facteurs peuvent donc parfaitement participer à différents systèmes de régulation. Cette polyvalence est une autre variété du contrôle combinatoire que nous rencontrons surtout chez les eucaryotes. Le locus du groupe des globines β, qui s'étend sur 100 000 paires de bases, fournit un bon exemple de régulation transcriptionnelle complexe. L'arrangement spatial des gènes de globine sur l'ADN reflète le déroulement temporel de leur expression dans le développement de l'organisme humain. Dans la période embryonnaire, ce sont les gènes les plus en 5' qui s'expriment, alors que dans la phase adulte ce sont les gènes les plus en 3'. Un grand nombre d'éléments régulateurs – promoteurs, activateurs, répresseurs, séquences activatrices, séquences de répression – orchestre l'expression des gènes des globines β en fonction du stade de développement (*fig.* 20.20). Par ailleurs, une **région régulatrice du locus** située en amont gouverne l'expression des gènes de globines en fonction du type cellulaire par interaction avec chacun des promoteurs.

20.7 Les séquences activatrices (angl. *enhancers*) et les séquences de répression (angl. *silencers*) se trouvent à distance du promoteur

Comment les régulateurs transcriptionnels influent-ils spécifiquement sur le démarrage de la transcription ? Ils possèdent pour cela des **domaines activateurs** qui fixent directement les protéines de type TFII en augmentant la **fréquence de démarrage**. Toutefois, les régulateurs transcriptionnels peuvent aussi se fixer à des séquences d'ADN régulatrices éloignées du promoteur et accroître ainsi la transcription : on parle d'élément activateur (angl. *enhancer element*). Comment une telle **séquence activatrice** ou **enhancer** peut-elle agir à des milliers de paires de bases de distance ? L'explication la plus simple est que le régulateur transcriptionnel induit la **formation d'une boucle** au sein du segment d'ADN qui sépare promoteur et séquence activatrice, qui place les deux éléments régulateurs à proximité l'un de l'autre (*fig.* 20.19). En fait, les régulateurs fixés à la séquence activatrice peuvent se fixer aux protéines du complexe de démarrage ou même directement à l'ARN polymérase et ainsi faciliter la transcription : *ces séquences régulatrices per-*

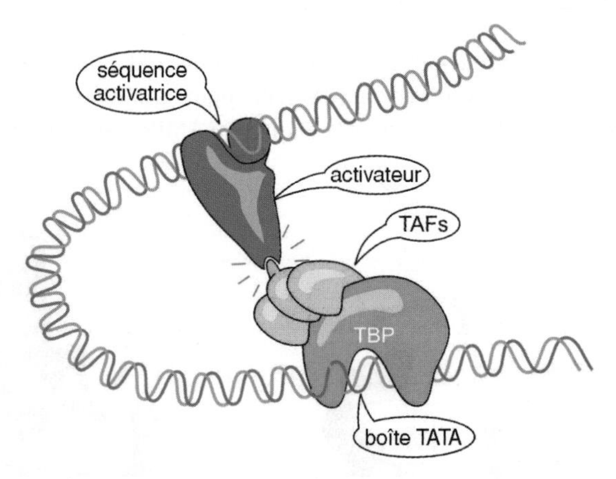

20.19 Éléments activateurs (*enhancers*) dans l'ADN eucaryote. Les régulateurs transcriptionnels se fixent à des séquences d'ADN spécifiques qui peuvent être éloignées de plusieurs kpb du promoteur. La formation d'une boucle de l'ADN central, met en contact étroit le régulateur transcriptionnel et les TAF du complexe de démarrage. D'autres protéines jouent souvent le rôle de médiateurs dans ce processus (non représenté).

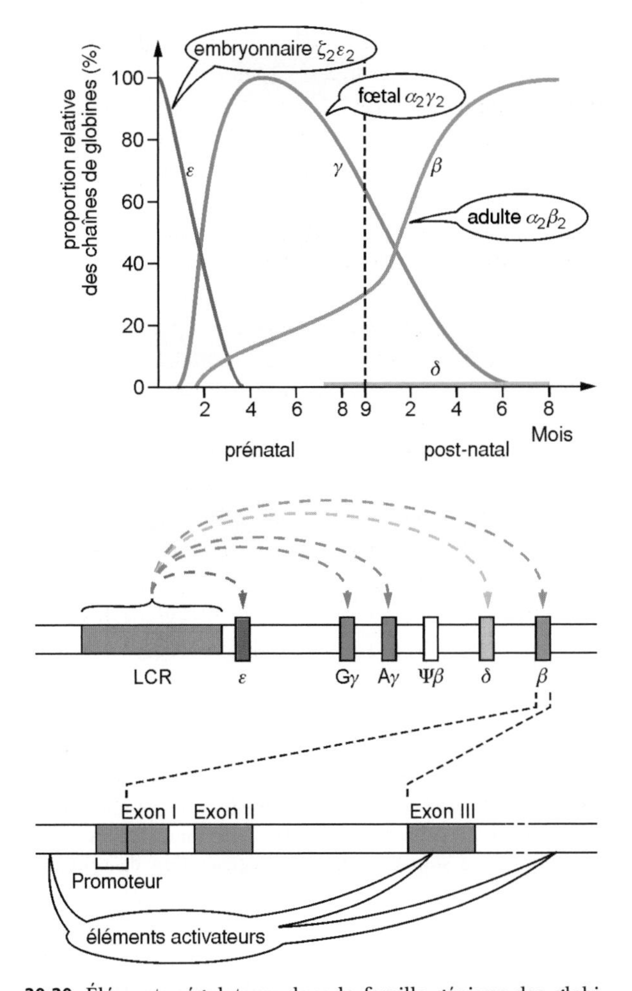

20.20 Éléments régulateurs dans la famille génique des globines β. En haut : expression du groupe génique des globines β en fonction du stade de développement chez l'homme. Au milieu : un segment LCR (angl. *locus control region*) coordonne l'expression des différents gènes par interaction avec les différents promoteurs. En bas : la structure génique des gènes de globines β est exemplaire du point de vue de la position des éléments activateurs, qui peuvent aussi être intrageniques, comme ici où ils sont localisés dans l'exon III ($\psi\beta$: pseudogène semblable aux gènes de globines β). Les hétérotétramères impliquant des produits de la famille des globines α spécifiques de certains stades sont indiqués (en haut).

20.8 La modification chimique des histones régule l'expression des gènes

Comme nous l'avons déjà vu, l'ADN nucléaire est entièrement enroulé autour des nucléosomes qui s'organisent en fibres chromatiniennes et sont compactés dans un espace très réduit (*fig.* 16.14). Comment les régulateurs transcriptionnels peuvent-ils se fixer à un ADN aussi compact pour réguler la transcription ? Lorsque les séquences cibles ne sont pas occupées par des nucléosomes, les facteurs de transcription peuvent se mettre au travail sans problème. Par contre, lorsque leurs sites de fixation sont couverts de nucléosomes, les facteurs de transcription doivent d'abord effectuer un travail de préparation pour dérouler les bobines des nucléosomes afin de se frayer un passage. De nombreux facteurs de transcription peuvent ainsi modifier de manière covalente des résidus des histones du cœur des nucléosomes. Certains ont une **activité histone acétyltransférase** grâce à laquelle ils acétylent les groupements ε-amine des résidus lysines (*fig.* 20.21), qui perdent ainsi leur charge négative et ne peuvent plus former de ponts salins, ce qui a pour conséquence un relâchement du cœur du nucléosome. Les séquences régulatrices sur l'ADN deviennent alors accessibles. Les histones peuvent être modifiées par **méthylation**, **ribosylation**, ou **phosphorylation** ; les mécanismes précis par lesquels ces modifications jouent sur la régulation transcriptionnelle dans le détail ne sont pas encore connus.

En général, on distingue deux formes différentes de chromatine fortement condensée : l'**euchromatine** et l'**hétérochromatine.** L'euchromatine est active transcriptionnellement, alors que l'hétérochromatine extrêmement condensée constitue une barrière pour les facteurs de transcription généraux et spécifiques : ces régions du génome sont en général inactives du point de vue transcriptionnel. Le **chromosome X inactif** des cellules somatiques chez la femme, également appelé **corpuscule de**

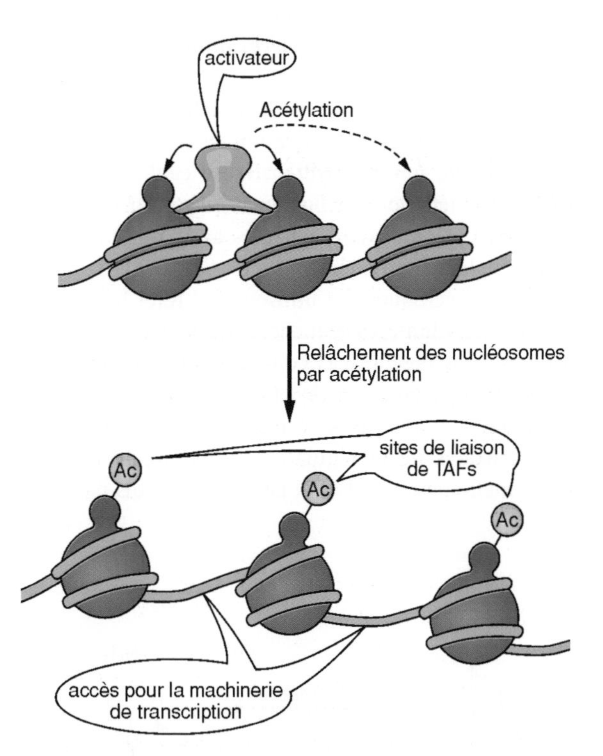

20.21 Décondensation des nucléosomes. Par des modifications chimiques des histones, les régulateurs transcriptionnels peuvent provoquer une décondensation de l'ADN compacté et ouvrir la voie à l'assemblage des facteurs de transcription généraux du complexe de démarrage. Les TAF peuvent aussi se fixer directement aux résidus lysines acétylés des histones.

Barr et inactivé définitivement, est un exemple extrême de condensation chromatinienne. L'inactivation transcriptionnelle de régions génomiques déterminées au sein de l'hétérochromatine peut être permanente ou transitoire. L'interrupteur LCR du **groupe des globines β** (*fig.* 20.20) semble jouer un rôle important dans la décondensation de la chromatine compacte, car des mutations de la séquence LCR abolissent complètement l'expression des gènes qu'il commande et aboutissent à des thalassémies β graves dues à une diminution ou une suppression de la synthèse des globines β (cf. *encart* 17.5).

20.9 La méthylation des régions riches en GC inactive les gènes

La **méthylation de l'ADN** représente une autre facette de la régulation de la transcription : en effet, les vertébrés convertissent environ 4 % de leurs résidus cytosines en 5-méthylcytosines. L'appariement des bases n'en est pas affecté (*fig.* 20.22). Typiquement, ce sont les régions riches en 5'-CG-3' qui sont méthylées ; ces **îlots CpG** sont particulièrement nombreux en amont des gènes de structure. On trouve en général des îlots CpG méthylés à l'extrémité 5' des gènes *non* transcrits, alors que ceux des gènes transcriptionnellement actifs ne sont pas méthylés. *Il existe manifestement une corrélation entre le statut par rapport à la méthylation des îlots CpG et l'expression des gènes.*

Le profil de méthylation de l'ADN d'une cellule est transmis fidèlement de génération en génération. Lors de la réplication, une **méthyltransférase** également appelée méthylase méthyle spécifiquement le résidu C des dinucléotides CpG qui sont appariés avec un dinucléotide CpG complémentaire déjà méthylé (*fig.* 20.23). La méthylation est spécifiquement utilisée pour fixer les étapes de la différenciation : les séquences d'ADN méthylées fixent des protéines régulatrices comme la **protéine de fixation des méthyl-CpG** (angl. *methyl-CpG binding protein*, MeCP) qui bloque leur activité transcriptionnelle. Les mécanismes exacts de la régulation différentielle des gènes par la méthylation de l'ADN ne sont toutefois pas encore

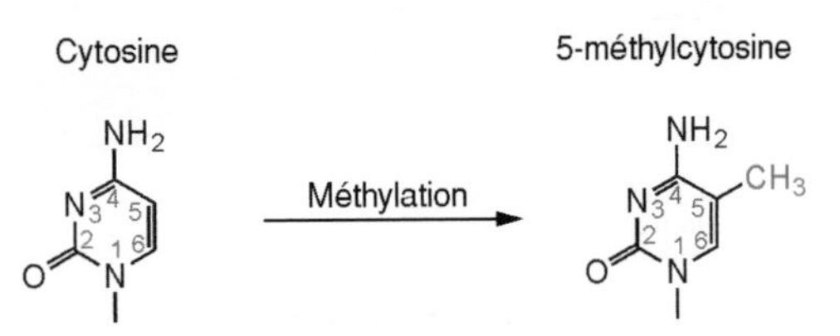

20.22 Méthylation des bases de l'ADN. Chez les eucaryotes, la 5-méthylcytosine est une base méthylée que l'on retrouve fréquemment. Les procaryotes ont surtout des N^6-méthyladénines. Chez les bactéries, la méthylation joue un rôle déterminant dans le clivage régulé de l'ADN par les endonucléases (§ 22.1).

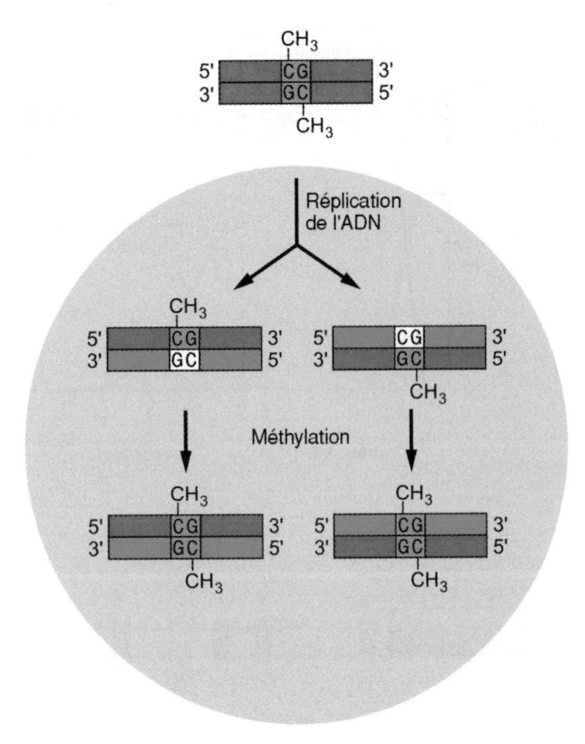

20.23 Transmission du profil de méthylation. Les résidus méthylcytosines existants dirigent la méthylase vers le dinucléotide GC du brin opposé, dont elle méthyle le résidu cytosine (« méthylase de conservation »). De cette manière, les profils de méthylation sont transmis d'une génération de cellules à l'autre. [RF]

bien compris. La méthylation semble aussi avoir un rôle dans l'**empreinte génomique parentale** (angl. *imprinting*) : les gènes maternels ou paternels peuvent être marqués d'un « poinçon » chimique ; un des deux gènes est méthylé et donc inactif, alors que l'autre n'est pas méthylé et est actif transcriptionnellement. Des défauts dans un gène non méthylé ne peuvent pas être compensés, car l'autre gène est inactivé durablement. L'empreinte parentale semble jouer un rôle important dans le développement embryonnaire.

La régulation de l'expression des gènes confère à chaque type cellulaire un profil unique à l'intérieur de l'assemblée des cellules. Cette individualité, acquise au cours du développement et de la différenciation de l'organisme, est un patrimoine important dont la conservation demande des mécanismes moléculaires élaborés. Non moins importantes sont la duplication et la transmission correctes de l'information génétique des cellules, activités auxquelles nous allons maintenant nous intéresser.

La réplication, copie de l'information génétique

21

Toutes les cellules somatiques d'un organisme possèdent la même information génétique sous forme d'une bibliothèque de données d'ADN. Avant chaque division, une cellule parentale doit donc répliquer son ADN avec exactitude puis transmettre un jeu complet de ces données à ses cellules filles. Ce processus, qui paraît simple conceptuellement, demande *in vivo* une machinerie complexe d'enzymes, de régulateurs et de protéines auxiliaires, qui copie les brins d'ADN très rapidement et précisément. Le processus fondamental de la **réplication** a lieu chez les eucaryotes dans l'« enceinte » du noyau. Les procaryotes n'ont pas de noyau et effectuent leur réplication dans le cytoplasme. Les bactéries répliquent leur ADN à la vitesse étonnante de 600 paires de bases par seconde environ. Les systèmes enzymatiques humains travaillent au moins trois fois plus lentement, probablement en raison de la condensation de leurs gènes autour des histones. Le **taux d'erreur** de la réplication, d'environ 1 : 10^{10} chez les eucaryotes supérieurs, est extrêmement bas, c'est-à-dire qu'il ne se produit qu'une erreur tous les dix milliards de bases ! Cette précision phénoménale est obtenue par une stratégie astucieuse de correction des erreurs de copie. Dans ce chapitre, nous allons nous intéresser à la mécanique de précision de la machinerie de réplication, qui assure à la fois la conservation et – comme nous le verrons plus loin – l'évolution des espèces.

21.1 La réplication de l'ADN est semi-conservative

Du point de vue de l'évolution, le processus fondamental de la **réplication de l'ADN** s'est développé très tôt et n'a pratiquement pas changé d'*Escherichia coli* à *Homo sapiens*. Dans la suite, les mécanismes sont donc présentés sur l'exemple des **procaryotes**, qui sont aussi les organismes chez lesquels la réplication est la mieux comprise. Le rôle de la réplication est clairement défini : produire une copie identique d'une double hélice. Pour ce faire, les deux brins complémentaires doivent tout d'abord être séparés ; chaque brin sert ensuite de matrice à la synthèse d'un brin complémentaire (*fig.* 21.1), qui est assurée par les **ADN polymérases** : ces enzymes ajoutent un par un à un nouveau polymère d'ADN les désoxyribonucléosides triphosphates, c'est-à-dire le dATP, le dCTP, le dGTP et le dTTP, ou collectivement les dNTP, en éliminant leur pyrophosphate.

$$(ADN)_n + dNTP \rightleftharpoons (ADN)_{n+1} + PP_i$$

(n : nombre de nucléotides)

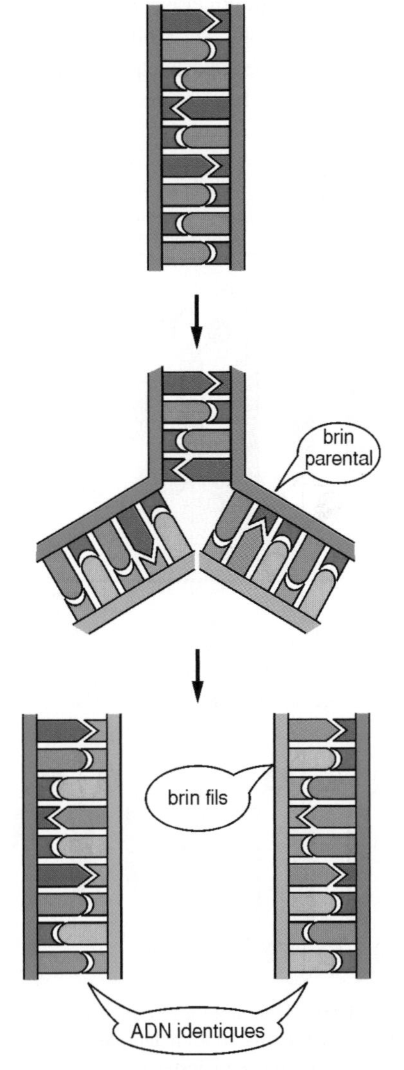

21.1 Réplication semi-conservative. Les brins parentaux (en vert sombre) dissociés servent de matrice à la synthèse des deux brins fils (en vert clair).

Cette réaction réversible est déplacée dans le sens de l'élongation de la chaîne par une **pyrophosphatase** qui clive le pyrophosphate en deux phosphates inorganiques (P_i) au cours d'une réaction exergonique : deux liaisons de haute énergie sont rompues par nucléotide incorporé. Comme la synthèse a lieu simultanément sur les deux brins matrices, deux **brins fils** complètement neufs, complémentaires des brins parentaux, sont synthétisés. Les deux doubles hélices nouvellement synthétisées sont parfaitement identiques ; comme elles sont constituées chacune d'un brin parental et d'un brin fils, on parle de **réplication semi-conservative**.

Cinq types principaux d'enzymes participent à la réplication : les ADN polymérases, les primases, les ligases, les hélicases et les topo-isomérases ; les eucaryotes ont en outre besoin de télomérases. Les ADN polymérases synthétisent toujours le nouveau brin d'ADN dans le sens 5' → 3'. L'enzyme la plus importante de la réplication chez *E. coli* – l'**ADN polymérase III** – a besoin, comme l'ARN polymérase, d'une matrice le long de laquelle elle travaille. Le modèle est cette fois le simple brin parental désapparié, qui présente à chaque fois à la polymérase le nucléotide correct (*fig.* 21.2).

Contrairement à l'ARN polymérase, l'ADN polymérase *ne* peut *pas* enchaîner des nucléotides libres. Elle a besoin d'une aide au démarrage constituée par un oligonucléotide : cette **amorce** (angl. *primer*) peut être un ARN ou un ADN. La réplication utilise des enzymes du type des **primases** qui ont un rôle de précurseur et synthétisent un court fragment d'ARN d'environ 3-10 ribonucléotides : ce sont des ARN polymérases spécialisées (*fig.* 21.3). L'ADN polymérase III peut alors ajouter d'autres nucléotides à l'extrémité 3'-OH libre de l'**amorce** en suivant les instructions de la matrice. À une étape ultérieure de la réplication, l'amorce d'ARN est éliminée. Pour comprendre cette stratégie qui semble au premier abord inutilement compliquée, nous la reconsidérerons plus loin du point de vue des exigences de fidélité de la réplication (§ 21.5).

L'ADN polymérase III atteint une efficacité de synthèse optimale grâce à sa structure complexe : une **enzyme cœur** (angl. ***core-enzyme***) dimérique de composition $\alpha_2\varepsilon_2\theta_2\tau_2$ est responsable de l'activité polymérase (*fig.* 21.4). Cependant, l'enzyme cœur isolée n'assemble qu'environ 60 nucléotides par événement de fixation à l'ADN avant de « tomber » de l'ADN – on parle de faible **processivité.** C'est pourquoi elle est assistée par d'autres protéines : un complexe γ, lui-même fait de plusieurs sous-unités protéiques, reconnaît et se lie à l'extrémité 3'-OH de l'amorce pour charger sur le brin parental deux sous-

21.2 Synthèse d'ADN dépendant d'une matrice. L'ADN polymérase III assemble des désoxyribonucléotides triphosphates qui forment une fonction phosphodiester avec l'extrémité 3' de la chaîne polynucléotidique. La synthèse d'ADN a toujours lieu dans le sens 5' → 3' ; pour ce faire, le brin matrice est lu dans le sens 3' → 5'.

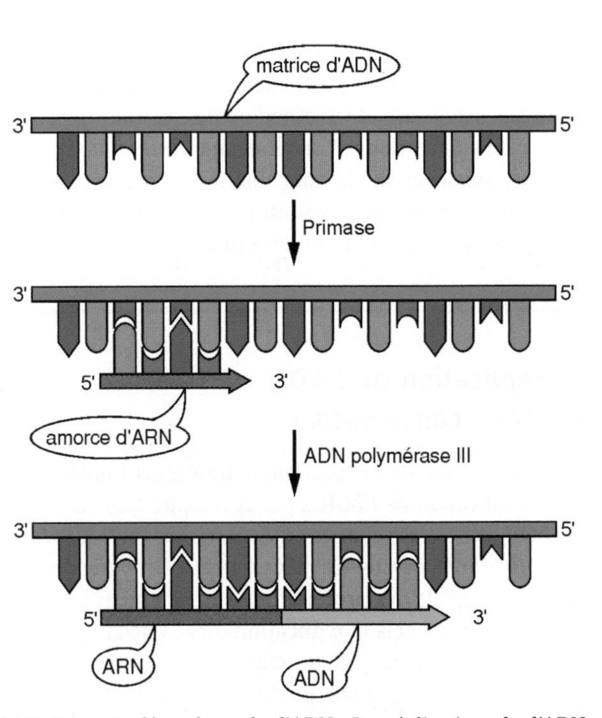

21.3 Primase dépendant de l'ADN. La réplication de l'ADN commence par la synthèse par une ARN polymérase d'un court fragment d'ARN (en gris), sur lequel l'ADN polymérase démarre. Cette amorce d'ARN est éliminée à une étape ultérieure de la réplication.

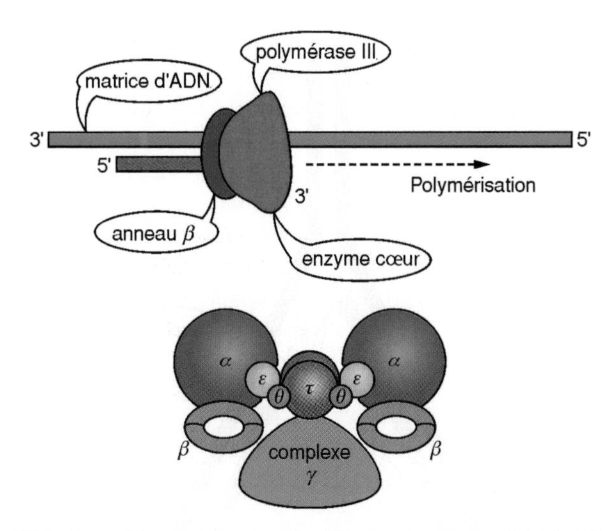

21.4 Assemblage et fixation de l'ADN polymérase III à l'ADN. En haut : un anneau glissant fait de deux sous-unités β associe l'ADN polymérase au brin matrice. En bas : la processivité de la polymérase est optimale lorsque toutes les sous-unités sont assemblées pour former l'holoenzyme. La structure dimérique garantit la synthèse simultanée des deux brins parentaux.

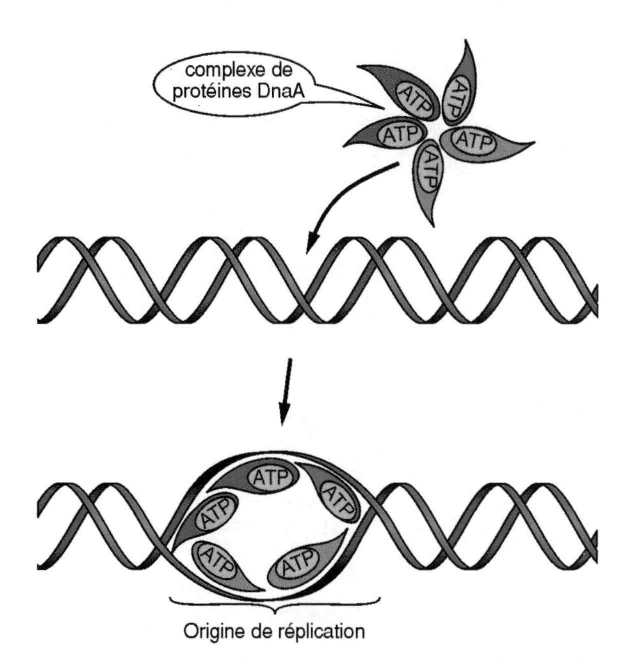

21.5 Démarrage de la réplication procaryote. Plusieurs copies de la protéine DnaA chargée en ATP s'assemblent au niveau des séquences de reconnaissance de l'origine de réplication et ouvrent la double hélice, si bien que l'appariement des bases « craque » sur une longueur d'environ 13 nucléotides. DnaA est ensuite inactivée par hydrolyse de l'ATP ; ceci empêche la réplication de démarrer en permanence. [RF]

unités β qui forment un anneau autour du site de démarrage de la réplication, dans un processus dépendant de l'ATP. L'enzyme cœur se fixe à cet **anneau glissant**, qui se déplace ensuite le long du rail du brin parental, maintenant ainsi l'ARN polymérase en position, ce qui augmente énormément sa processivité : une fois fixée à l'ADN, la polymérase peut synthétiser plus de 10 000 nucléotides « d'un bloc ».

21.2 Le démarrage de la réplication est effectué par des protéines qui se fixent à l'*origine*

Considérons maintenant le déroulement de la réplication à l'échelle moléculaire. Elle commence par l'**ouverture de la double hélice d'ADN**, qui sépare les deux brins complémentaires afin qu'ils puissent servir de matrice à la synthèse des brins fils. Normalement, la double hélice de l'ADN est très stable et résiste aussi à haute température. Ce n'est qu'à la **température de fusion** (ou **de dénaturation**) qui est généralement de l'ordre de 70-80° que la double hélice se déroule et libère les deux simples brins. À température physiologique, ce sont des protéines de liaison à l'ADN double brin comme **DnaA** qui sont chargées de ce rôle délicat. Elles se fixent à un segment déterminé – l'**origine de réplication** en abrégé ***ori*** – en courbant si fortement l'ADN que la double hélice s'ouvre sur une petite région d'environ 13 paires de bases (*fig.* 21.5). Des **protéines de liaison à l'ADN simple brin** ou **protéines SSB** (angl. *single strand binding proteins*) peuvent alors se fixer et stabiliser le complexe « ouvert ».

Les protéines de liaison à l'ADN forment une plateforme pour l'**hélicase**, une enzyme qui se fixe au complexe ouvert et continue à ouvrir le double brin. L'hélicase est une enzyme capable de fixer, de cliver l'ATP et de transformer l'énergie libérée par l'hydrolyse de l'ATP en travail mécanique : c'est un nouvel exemple de « **mécanoenzyme** » (§ 9.3). L'hélicase dépendant de l'ATP se déplace ensuite le long de la double hélice en séparant les deux brins complémentaires (*fig.* 21.6). Comme les brins dissociés ont une tendance à se réunir en raison de leur complémentarité, ils sont stabilisés par des protéines SSB. Mais les protéines SSB ne saisissent le simple brin que du « bout des doigts » en laissant les bases libres d'interagir avec un nucléotide complémentaire : la fonction de matrice pour la synthèse du nouveau brin n'en est pas affectée.

Les brins d'ADN dissociés forment une structure en Y appelée **fourche de réplication.** Les primases synthétisent alors le long de chaque « branche » de la fourche une amorce d'ARN en suivant les instructions des brins matrices, dans le sens 5' → 3'. Lorsque l'amorce est terminée, les **ADN polymérases III** s'associent au complexe et allongent les amorces. Ceci pose un problème que

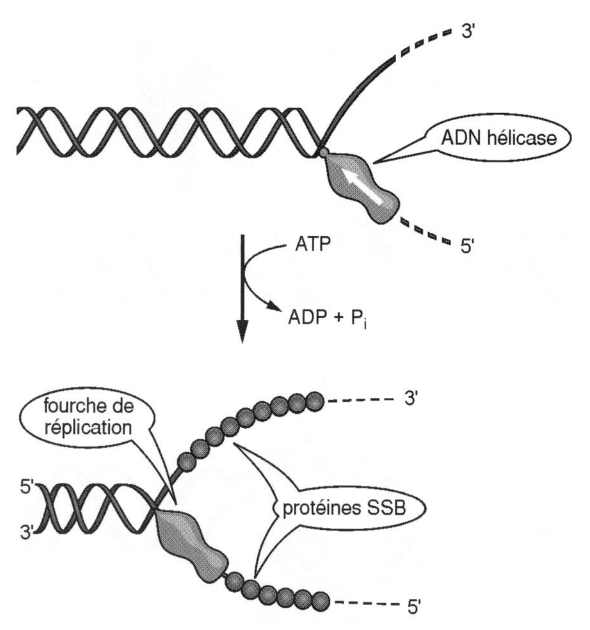

21.6 ADN hélicase en action. Deux types d'hélicases bactériennes se déplacent soit dans le sens 5' → 3', soit dans le sens 3' → 5' le long du brin ; ici, c'est l'hélicase 5'-3' qui est représentée en train d'ouvrir la double hélice. L'ADN est étiré par fixation des protéines SSB et fournit ainsi une glissière à l'ADN polymérase.

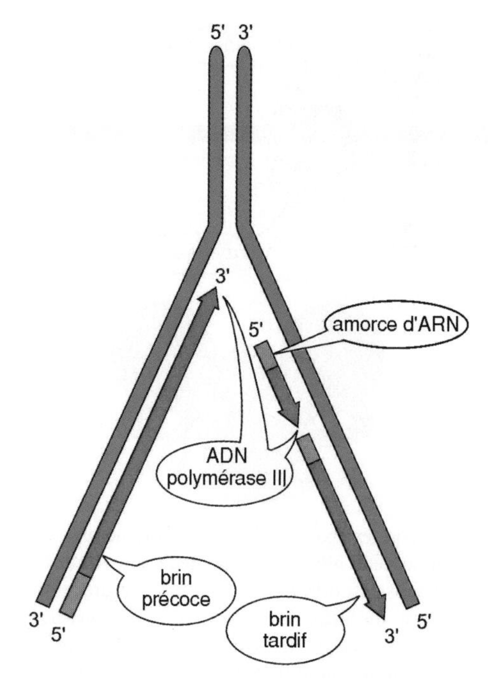

21.7 Structure de la fourche de réplication. Les deux brins fils sont synthétisés dans le sens 5' → 3'. Le brin précoce est synthétisé continûment derrière la fourche de réplication en progression. Le brin tardif est dans l'orientation opposée : ici, la synthèse s'éloigne de la fourche de réplication.

nous avons jusqu'ici laissé de côté : les deux simples brins qui servent de matrices sont antiparallèles (5' → 3' contre 3' → 5') alors que les ADN polymérases lisent exclusivement dans le sens 3' → 5' et ne peuvent donc synthétiser que dans le sens 5' → 3'. Les ADN polymérases doivent donc travailler différemment sur les deux matrices. La synthèse du **brin précoce** (angl. ***leading strand***) peut avoir lieu le long de la matrice 3' → 5' en direction de la fourche de réplication, car le sens de la synthèse et l'orientation de la matrice coïncident : l'hélicase se déplace comme une locomotive suivie par la polymérase (*fig.* 21.7). *Une seule amorce d'ARN suffit donc à démarrer une synthèse continue du brin précoce.*

Le brin complémentaire est synthétisé en sens opposé, d'où son nom de **brin tardif** (angl. ***lagging strand***) : l'ADN polymérase effectue la synthèse en partant de la fourche. Cette orientation défavorable implique l'utilisation d'un mécanisme élaboré de synthèse du brin tardif. La polymérase produit dans ce cas de petits fragments d'environ 135 nucléotides (mammifères) ou de 1000-2000 nucléotides (*E. coli*), s'arrête, et recommence. La synthèse du brin tardif est donc d'abord un « patchwork » et les **fragments d'Okazaki**, nommés ainsi d'après leur découvreur, ne sont assemblés en un brin continu que dans un deuxième temps (§ 21.3). La synthèse du brin tardif demande donc constamment de nouvelles amorces : c'est pourquoi la primase est intégrée en permanence dans le complexe de réplication – ou **primosome**.

21.3 La synthèse du brin tardif se fait en plusieurs étapes

Pour comprendre les particularités de la **synthèse du brin tardif**, nous devons garder à l'esprit le fait que la machinerie de réplication agit simultanément sur les deux brins fils : l'ADN polymérase III est un dimère dont les unités monomériques travaillent en même temps (*fig.* 21.8). Sur le brin précoce, la polymérase effectue la synthèse sans problème derrière la fourche de réplication, alors que sur le brin tardif le sens de la synthèse et le mouvement de la fourche sont opposés. La nature a résolu le problème par la **formation d'une boucle sur le brin matrice**, qui « fait un retour » sur la polymérase et lui permet de travailler en direction de la fourche. Cette solution pratique a pourtant un prix : à intervalles réguliers, la polymérase du brin tardif bute sur du double brin nouvellement synthétisé. L'enzyme s'arrête alors, se dissocie de l'anneau glissant et laisse « passer » le fragment d'Okazaki qu'elle vient de synthétiser jusqu'à arriver à

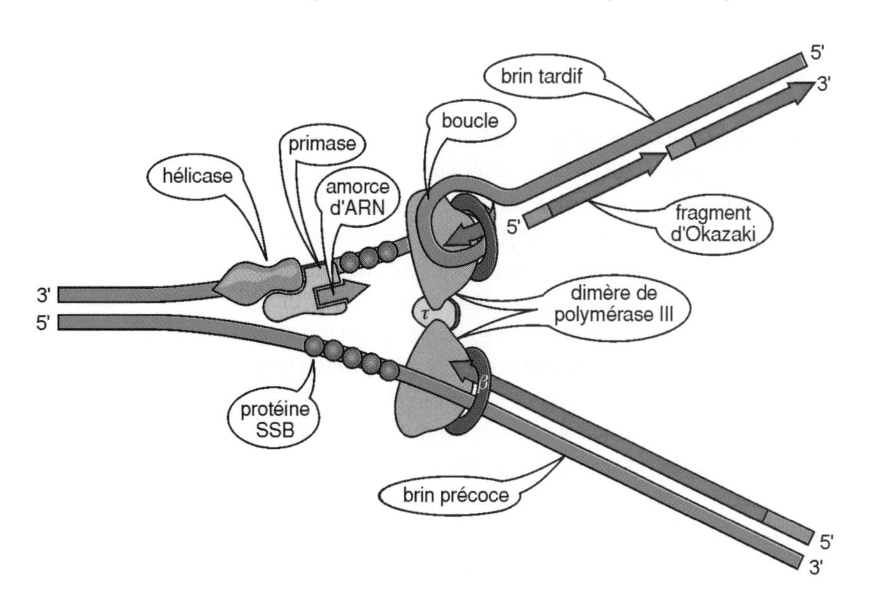

21.8 Synthèse coordonnée au niveau de la fourche de réplication. Les hélicases et les primases forment avec l'ADN polymérase III dimérique une machinerie de synthèse de haute masse moléculaire, qui agit simultanément sur les brins précoce et tardif. Grâce à l'« astuce de la boucle », la polymérase peut se déplacer dans le sens 3' → 5' par rapport au brin tardif même si la fourche de réplication va dans le sens opposé (5' → 3') par rapport à ce même brin.

un nouveau site de démarrage. Là, la primase a déjà déposé une amorce, sur laquelle la polymérase III se fixe *via* l'anneau glissant et travaille sur le nouveau fragment d'Okazaki, jusqu'à ce qu'elle rencontre le double brin nouvellement synthétisé : le cycle repart de zéro.

Le résultat de cette **synthèse discontinue** sur le brin tardif est une série de fragments d'Okazaki isolés qui doivent être réunis en un brin continu. À nouveau se pose un problème : comment produire un brin d'ADN continu à partir de nombreux hybrides ARN-ADN séparés ? Une autre enzyme, l'**ADN polymérase I**, entre alors en action : elle possède en plus de son activité polymérase 5' → 3' une **activité nucléase 5' → 3'** *absente* chez l'ADN polymérase III. L'ADN polymérase I peut enlever de l'extrémité 5' des désoxyribonucléotides, mais aussi des ribonucléotides : cette enzyme a une activité *exo*nucléolytique. Elle peut donc effectuer deux tâches : d'une part, elle dégrade nucléotide par nucléotide l'amorce d'ARN de l'extrémité 5' des fragments d'Okazaki grâce à son activité nucléase ; d'autre part, grâce à son activité polymérase, elle remplit en même temps avec des désoxyribonucléotides les espaces ainsi formés, à partir de l'extrémité 3' du fragment d'Okazaki précédent (*fig.* 21.9). Ce processus se déroule dès qu'un fragment d'Okazaki est terminé : le résultat net est un remplacement de ribonucléotides par des désoxyribonucléotides et un déplacement de la jonction entre fragments. L'ADN polymérase I est un outil important au laboratoire pour l'échange de nucléotides *in vitro* (*encart* 21.1).

Un problème demeure : l'extrémité 3' du brin tardif et l'extrémité 5' du fragment d'Okazaki sont bien « au coude à coude », mais ils ne forment pas encore une séquence continue. Une **ADN ligase** referme ces jonctions : l'enzyme bactérienne assemble les groupements 3'-hydroxyle et 5'-phosphate de nucléotides voisins en utilisant du NAD^+ ; les ligases à ADN eucaryotes utilisent le plus souvent de l'ATP comme cofacteur (*fig.* 21.11). La présence d'un double brin est une condition *sine qua non* de l'activité des ligases procaryotes et eucaryotes : les ligases n'assemblent pas d'ADN simple brin.

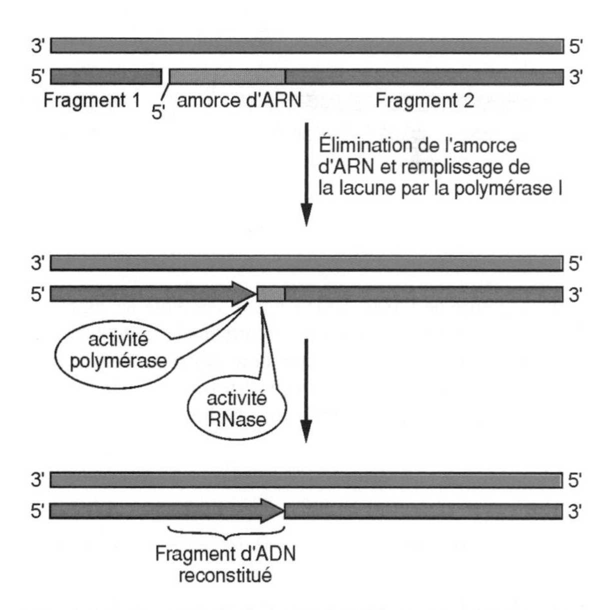

21.9 Achèvement du brin tardif. L'ADN polymérase I dégrade le segment d'ARN du fragment d'Okazaki 2 et remplit en même temps l'espace formé avec des désoxyribonucléotides qu'elle ajoute au fragment 1 grâce à son activité polymérase 5' → 3'. Chez les bactéries, l'ADN polymérase est assistée dans cette tâche par la RNase H.

Encart 21.1 : La translation de coupure simple brin

L'ADN polymérase I peut non seulement travailler sur des hybrides ARN-ADN, mais aussi sur de l'ADN double brin « pur » contenant une coupure simple brin (angl. *nick*). Grâce à sa double fonction, l'enzyme peut enlever un désoxyribonucléotide de l'extrémité 5' du fragment B et simultanément ajouter un désoxyribonucléotide à l'extrémité 3' du fragment A du côté opposé (*fig.* 21.10). En répétant ce procédé, le site de coupure « migre », d'où le nom de **translation de coupure simple brin** (angl. ***nick-translation***). Il s'agit d'une technique de marquage de molécules d'ADN classique en biologie moléculaire. À l'aide de l'**endonucléase DNase I** pancréatique, on pratique une coupure simple brin, qui laisse donc intact le brin opposé. Ensuite, l'**ADN polymérase I** introduit des nucléotides marqués ou modifiés chimiquement. On referme la coupure à l'aide de l'**ADN ligase**. L'ADN modifié peut alors être révélé simplement par autoradiographie ou par des techniques de chimioluminescence (§ 22.4).

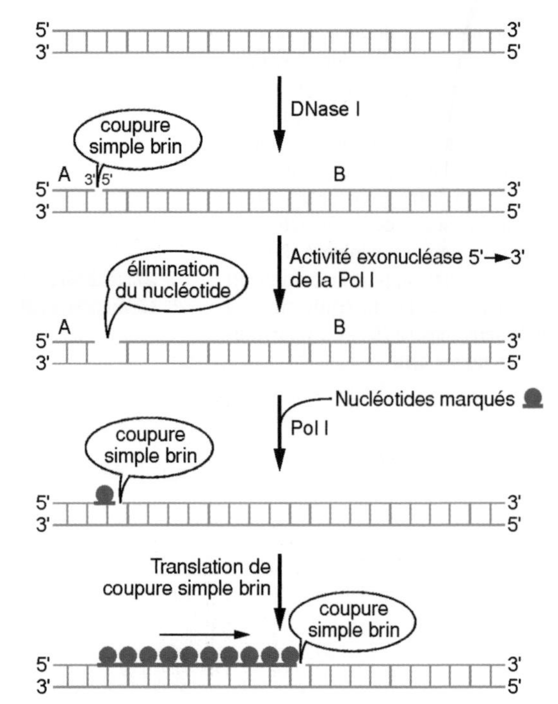

21.10 Principe de la translation de coupure simple brin. Voir texte pour plus de détails.

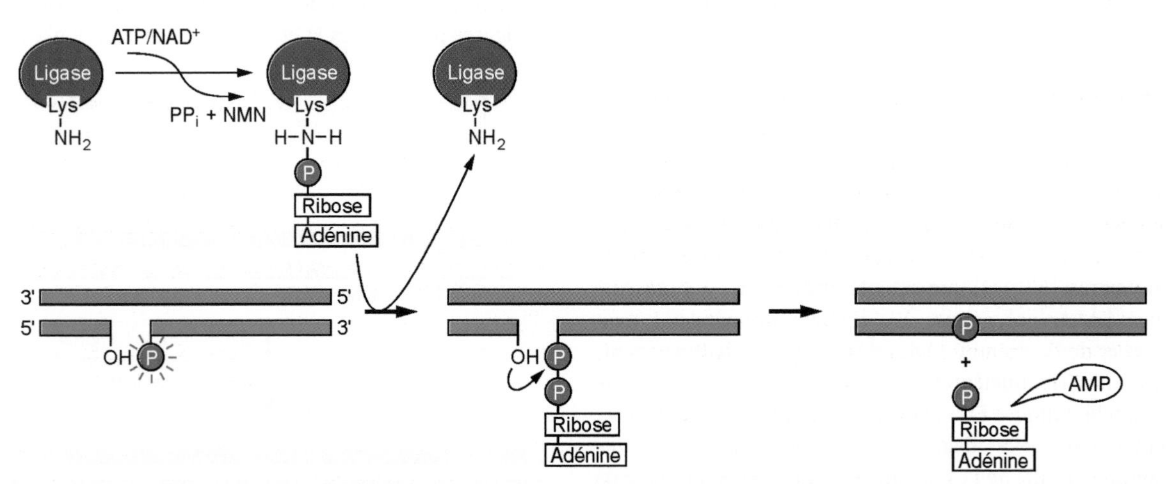

21.11 Ligature de l'ADN. L'ADN ligase assemble les extrémités 3' et 5' de deux brins en consommant du NAD^+ ou de l'ATP pour donner du pyrophosphate ou du nicotinamide mononucléotide (NMN) et un intermédiaire enzyme-adénylate dans lequel un AMP est fixé par une liaison covalente au groupement amine ε d'une chaîne latérale de lysine du centre actif. Le résidu AMP est transféré à l'extrémité 5' d'un fragment d'Okazaki, que le groupement 3'-hydroxyle du fragment voisin peut alors attaquer. L'AMP est libéré et la coupure est refermée sur une fonction phosphodiester.

21.4 La télomérase termine l'extrémité 5' du brin tardif

Le cycle de synthèse d'amorce, polymérisation de l'ADN, élimination de l'amorce, remplacement de l'ARN par de l'ADN et ligature se répète tant que le brin tardif peut être synthétisé de cette manière. Chez *E. coli*, dont le génome est circulaire, l'achèvement de ce brin ne pose pas de problème, car il y a toujours un nouveau point de départ pour une amorce. Il en va autrement chez les eucaryotes dont l'ADN est linéaire : lorsque la dernière amorce d'ARN à l'extrémité 5' du brin tardif a été dégradée par l'activité exonucléase 5' → 3', il reste une extrémité 3' simple brin sur la matrice, qui *ne* peut *pas* être

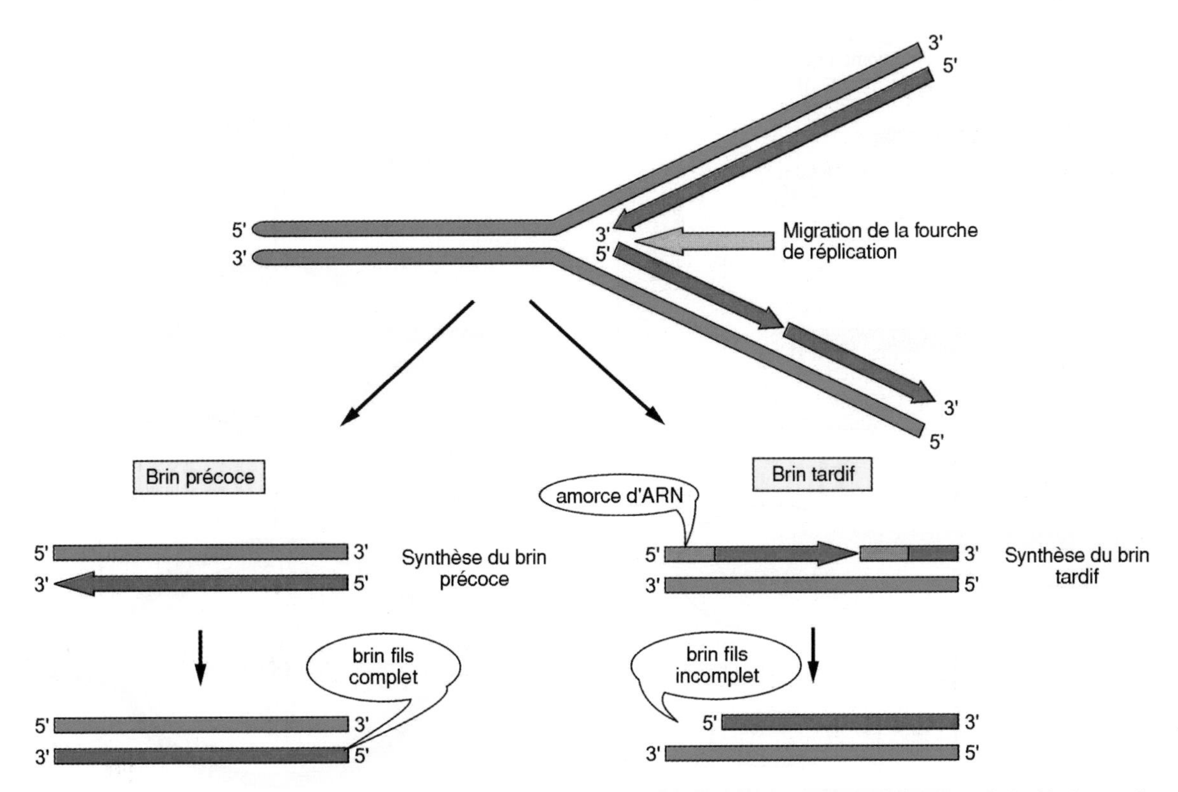

21.12 Problèmes posés par la réplication d'ADN linéaire. La dégradation de l'amorce 5'-terminale laisse un brin fils incomplet qui *ne* peut *pas* être complété par les ADN polymérases. Le brin précoce, lui, est répliqué entièrement sans problème.

complétée par l'ADN polymérase car celle-ci *ne* peut *ni* démarrer en l'absence d'ARN *ni* synthétiser dans le sens 3' → 5' (*fig.* 21.12). Si l'espace qui reste n'était pas rempli, on aurait à chaque cycle de réplication un raccourcissement des extrémités des chromosomes – et une délétion progressive de gènes qui en serait la conséquence fatale.

Les séquences terminales de l'ADN chromosomique – les **télomères** – sont en général non codantes et contiennent dans leur partie 3' des centaines de copies d'un hexanucléotide, par exemple 5'-GGGGTT-3'. Dans les cellules somatiques, le nombre de copies de cette séquence diminue à chaque division cellulaire, ce qui limite le nombre de divisions de ces cellules à 50-60. Pour contrebalancer le raccourcissement des chromosomes, la **télomérase**, enzyme dont le mode d'action a été étudié chez l'eucaryote unicellulaire *Tetrahymena*, entre en action. La télomérase porte dans son centre actif un **oligonucléotide d'ARN** de séquence 3'-AACCCCAAC-5' complémentaire de l'hexanucléotide répété 5'-GGGGTT-3' (*fig.* 21.13). Lorsque la machinerie de réplication arrive à l'extrémité 3' de la matrice du brin tardif, la télomérase s'associe à l'extrémité 3' du brin matrice (5'-TTG-3') par appariement de bases avec sa propre séquence 3'-AAC-5'. Ensuite, l'activité ADN polymérase de la télomérase utilise l'extrémité simple brin 3'-CCCAAC-5' de l'ARN comme matrice pour ajouter un hexanucléotide complémentaire, de séquence 5'-GGGTTG-3', à l'extrémité 3' de la matrice du brin tardif. L'ARN glisse ensuite jusqu'à la nouvelle extrémité 5'-TTG-3' de la matrice du brin tardif, la télomérase synthétise un hexanucléotide de séquence identique et ainsi de suite. *La télomérase est le prototype de la transcriptase « inverse », qui transcrit l'information de l'ARN vers l'ADN.*

Lorsque le brin matrice est allongé suffisamment, la primase et les ADN polymérases remplissent les segments complémentaires sur le brin tardif. La redondance des séquences répétées rend tout à fait tolérable la perte inévitable de quelques nucléotides à l'extrémité 5' du brin tardif : les séquences répétitives jouent le rôle d'un « tampon », qui protège contre la perte d'informations importantes – astuce géniale de la nature !

21.5 La réplication est d'une fidélité remarquable

La dissociation des brins de l'ADN à l'origine de réplication fait apparaître un **œil de réplication**, qui porte une fourche de réplication à chaque extrémité. Deux machineries de réplication se déplacent donc sur les rails de l'ADN dans des directions opposées : la réplication est **bidirectionnelle** en partant de l'origine (*fig.* 21.14). Dans les génomes circulaires de nombreux procaryotes, les

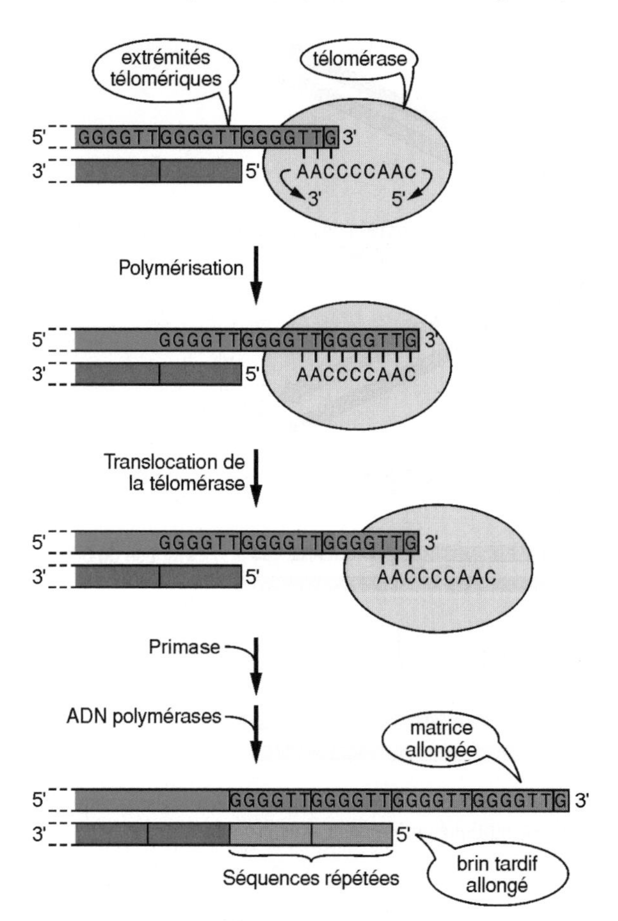

21.13 Fonction de la télomérase. Cette enzyme s'hybride par sa matrice d'ARN à l'extrémité 3' de la matrice du brin tardif et l'allonge en suivant les instructions de sa propre matrice d'ARN de six bases ; ce processus se répète plusieurs fois. La primase et les ADN polymérases allongent ensuite le brin tardif à la taille de la matrice obtenue.

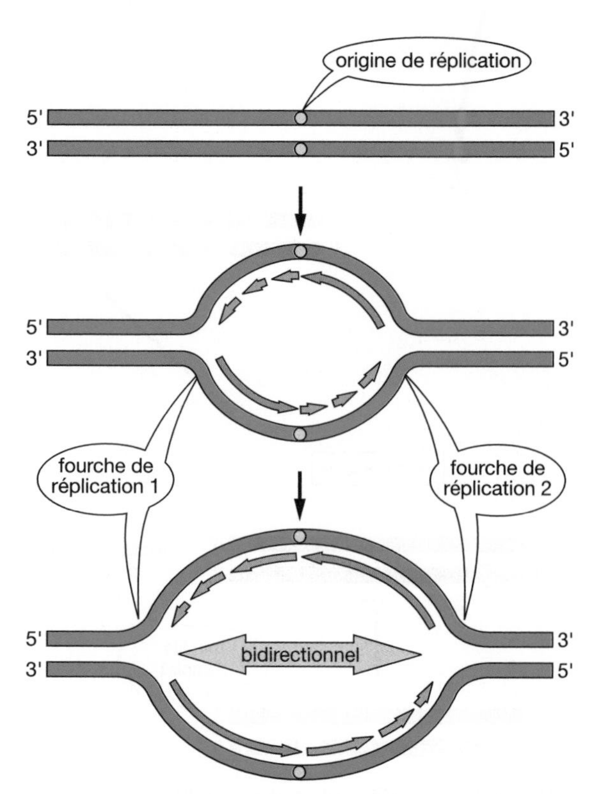

21.14 Réplication bidirectionnelle. Au début apparaissent deux fourches de réplication, qui assemblent deux machineries de réplication et les envoient dans des directions opposées.

machineries de réplication travaillent jusqu'à ce qu'elles aient atteint le point de terminaison.

Chez les eucaryotes, on a probablement quelques milliers d'origines de réplication dispersées sur le chromosome, qui sont parfois activées en même temps. Seuls ces **démarrages multiples de réplication** permettent le doublement complet du génome humain, avec ses 3,2 milliards de paires de bases, en moins de huit heures. Lorsque deux machineries de réplication issues d'origines voisines se rencontrent, il y a arrêt de la synthèse (*fig.* 21.15).

Outre sa complexité, la réplication est d'une fidélité fantastique : le **taux d'erreurs** est de l'ordre de 10^{-10} ! Si l'on écrivait les 3,2 milliards de paires de bases du génome humain entier en code à une lettre (A, C, G, T), il remplirait les pages d'un volume mille fois plus épais que le présent ouvrage – la machinerie de réplication fait en moyenne une erreur par copie de ce volume ! Pour en arriver là, il faut un système de **relecture** très minutieux. L'**ADN polymérase III** y joue un rôle prépondérant : en effet, cette enzyme n'ajoute un nucléotide à un brin polynucléotidique que lorsque l'extrémité 3' de celui-ci s'apparie parfaitement avec l'ADN matrice (*fig.* 21.2 en haut). Lorsqu'un nucléotide « incorrect » a été incorporé par erreur, l'activité polymérase s'arrête systématiquement à l'étape suivante. Chaque incorporation de nucléotide est donc « soigneusement vérifiée ».

Comment se présente ce laborieux contrôle de qualité au niveau moléculaire ? L'ADN polymérase III possède une deuxième activité enzymatique, que son nom n'indique pas : elle agit aussi comme **exonucléase 3' → 5'**. Cette activité retire un ou plusieurs nucléotides non appariés du brin fils naissant jusqu'à ce qu'elle rencontre une base parfaitement appariée avec le brin matrice. L'activité exonucléase s'arrête alors, l'activité polymérase 5' → 3' reprend et synthétise dans un deuxième passage la séquence « correcte ». De cette manière, l'ADN polymérase III peut se contrôler elle-même constamment pendant la réplication et effectuer au besoin des corrections : cette activité diminue le taux d'erreur jusqu'à 10^{-7} (*fig.* 21.16). Des **systèmes de réparation** agissant postérieurement diminuent encore le taux d'erreur d'un facteur 10^{3} (§ 21.6). Cette fidélité exceptionnelle a un prix : contrairement à l'ARN polymérase, l'ADN polymérase *ne* peut *pas* associer deux nucléotides libres. Son activité dépend de la présence d'une amorce, dont l'extrémité 3' parfaitement hybridée à la matrice constitue le

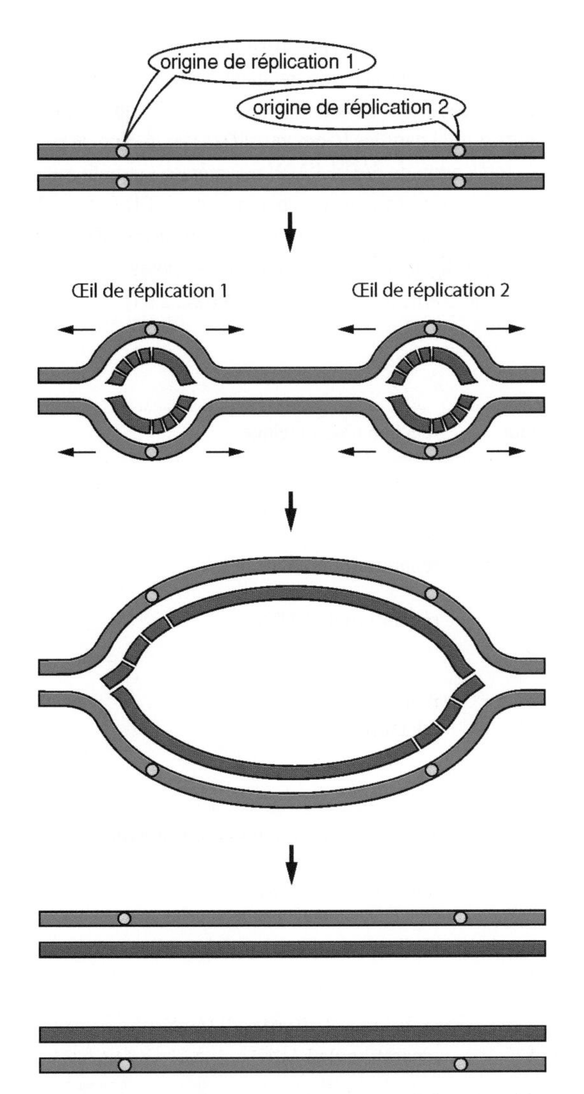

21.15 Origines de réplication multiples. La réplication démarre simultanément à partir de plusieurs origines ; pour simplifier, on n'en a représenté ici que deux. Les machineries de réplication se déplacent à une vitesse de 3 µm/min environ le long des brins matrices.

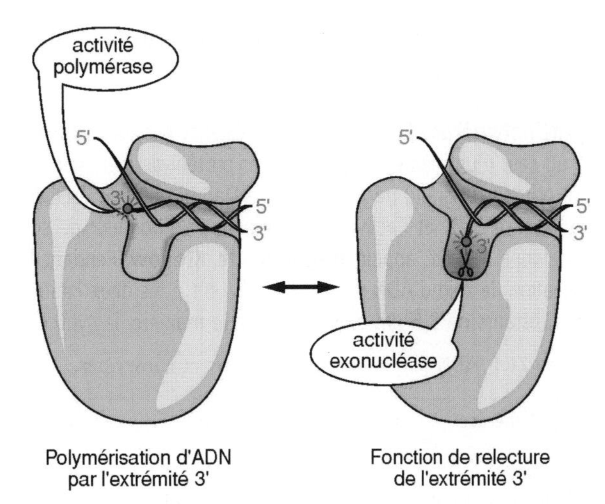

21.16 Double fonction des ADN polymérases. L'incorporation d'une base non complémentaire conduit à un arrêt de la réaction de polymérisation (à gauche). Le brin naissant pivote alors vers le centre actif possédant l'activité exonucléase 5'-3', qui clive le nucléotide incorrectement apparié (à droite). La polymérase continue son travail à partir de la nouvelle extrémité 3' du brin, elle-même parfaitement appariée. Le nucléotide « correct » peut donc être incorporé par appariement de bases au cours d'un deuxième essai.

point de départ. *Le processus apparemment laborieux par lequel la primase présente d'abord une amorce d'ARN à l'ADN polymérase, amorce qui sera dégradée par la suite, est donc la conséquence des contraintes élevées qui pèsent sur la fidélité de la réplication.* Outre l'ADN polymérase III, l'ADN polymérase I elle aussi pratique l'autocorrection (*encart* 21.2).

21.6 La réparation post-réplicative garantit une fidélité élevée

En plus de la fonction de relecture des polymérases réplicatives, il existe un autre système de surveillance de la réplication qui rectifie presque toutes les erreurs laissées par la machinerie de réplication. Les protéines de ce système reconnaissent les altérations de la structure de la double hélice provenant de mésappariements de bases : il s'agit du système de **réparation des mésappariements**. Comme les enzymes concernées travaillent sur le double brin déjà synthétisé, il se pose un problème : comment distinguer le brin parental « correct » du brin fils « erroné » ? Certains procaryotes ont résolu ce dilemme en méthylant avec un certain retard l'ADN nouvellement synthétisé en des résidus adénines appartenant à des **séquences GATC** caractéristiques, pour donner des N^6-méthyladénines (§ 20.9). Pendant la réplication, les brins fils – contrairement aux brins parentaux – ne sont pas encore méthylés et sont donc reconnaissables par les enzymes de réparation.

Comment fonctionne le système de réparation chez *E. coli* ? La protéine **MutS** glisse le long de l'ADN hémiméthylé et le « palpe » à la recherche de mésappariements. Lorsque cet « éclaireur » reconnaît un mauvais appariement, il recrute deux protéines auxiliaires, **MutL** et **MutH**. L'endonucléase MutH clive alors le brin non méthylé en une séquence GAT↓C au voisinage du mésappariement, du côté 5' ou 3'. En collaboration avec MutS, MutL et une

Encart 21.2 : L'ADN polymérase I bactérienne

L'**ADN polymérase I** réunit trois activités enzymatiques différentes au sein d'un même polypeptide. Par protéolyse ménagée, on peut obtenir un grand fragment de 67 kDa qui possède l'activité exonucléase 3'-5' et l'activité polymérase ; en l'honneur de son découvreur, il a été appelé **fragment de Klenow**. Pendant la réplication, le brin d'ADN naissant oscille entre les deux centres actifs distants de 3,5 nm environ. De cette manière, la synthèse (activité polymérase) et la **relecture** (activité exonucléase 3'-5') sont inséparablement liées. Le fragment N-terminal plus petit, de 36 kDa, possède une activité exonucléase 5'-3' qui dégrade les segments d'ARN dans les fragments d'Okazaki. À côté de son rôle dans la réplication de l'ADN, l'ADN polymérase I remplit aussi des fonctions importantes dans la réparation de l'ADN (*encart* 23.3). Chez les procaryotes, il existe encore une troisième ADN polymérase (de type II), tandis que les eucaryotes possèdent au moins cinq types différents d'ADN polymérases (*tab.* 21.1).

Tableau 21.1 ADN polymérases procaryotes et eucaryotes.

ADN polymérase	structure quaternaire	activité enzymatique	fonction physiologique
procaryotes			
ADN polymérase I	1 polypeptide (103 kDa)	polymérase exonucléase 5'-3' exonucléase 3'-5'	réplication de l'ADN : élimination des amorces, relecture réparation de l'ADN
ADN polymérase II	1 polypeptide (88 kDa)	polymérase exonucléase 3'-5'	réparation de l'ADN
ADN polymérase III	10 sous-unités $\alpha,\beta,\gamma,\tau,\delta,\delta',\varepsilon,\theta,\psi,\chi$ dimérique	polymérase exonucléase 3'-5'	réplication de l'ADN relecture
eucaryotes			
ADN polymérase α	5 sous-unités (chez l'Homme)	polymérase	synthèse de courts fragments d'ADN
ADN polymérase β	1 polypeptide	polymérase	réparation de l'ADN
ADN polymérase γ	1 polypeptide	polymérase exonucléase 3'-5'	réplication mitochondriale
ADN polymérase δ	2 sous-unités	polymérase exonucléase 3'-5'	réplication de l'ADN nucléaire réparation de l'ADN
ADN polymérase ε	5 sous-unités	polymérase exonucléase 3'-5'	réplication de l'ADN nucléaire réparation de l'ADN

hélicase, l'**exonucléase I** dégrade le brin défectueux jusqu'à avoir dépassé le site du mésappariement (*fig.* 21.17). L'ADN polymérase III remplit alors l'espace créé, et l'ADN ligase fait la jonction au niveau de la coupure simple brin : la réparation post-réplicative est terminée.

Le **système Mut eucaryote** utilise un autre code de reconnaissance : les brins d'ADN nouvellement synthétisés sont trahis par des coupures qui ne sont refermées qu'ultérieurement, ce qui laisse une fenêtre temporelle dans laquelle les enzymes de réparation peuvent « diagnostiquer » un défaut du brin fils et le « traiter ». Au total, le système Mut et d'autres processus de réparation (*chap.* 23) aboutissent à une augmentation d'environ un facteur 1 000 de la fidélité de la réplication, c'est-à-dire que le taux d'erreur total est d'environ 10^{-7} x 10^{-3} = 10^{-10} par nucléotide. L'importance des systèmes de réparation secondaires est illustrée de manière évidente par les défauts moléculaires rencontrés dans le **carcinome colorectal** (*encart* 21.3).

Encart 21.3 : Les tumeurs colorectales

Les tumeurs colorectales représentent environ 10 % des cancers dans les pays industrialisés. Parmi celles-ci, les **tumeurs colorectales héréditaires sans polypose** (angl. *hereditary nonpolyposis colorectal cancer*, HNPCC) occupent une place importante. Ces cancers héréditaires possèdent une incidence relativement élevée. Plus de 50 % des cas de HNPCC sont causés par des mutations dans le gène **homologue de MutS** chez l'Homme, mais des mutations de l'homologue de MutL peuvent aussi s'exprimer sous forme d'un HNPCC. L'absence d'un ou plusieurs composants du système de réparation se traduit probablement par une augmentation du taux d'erreur de la réplication. On ne comprend pas encore pourquoi la prévalence accrue des tumeurs liée aux gènes Mut se manifeste préférentiellement par des carcinomes colorectaux. Des défauts d'un autre système de réparation peuvent par exemple conduire à une dermatose maligne du type de *Xeroderma pigmentosum* (*encart* 23.1).

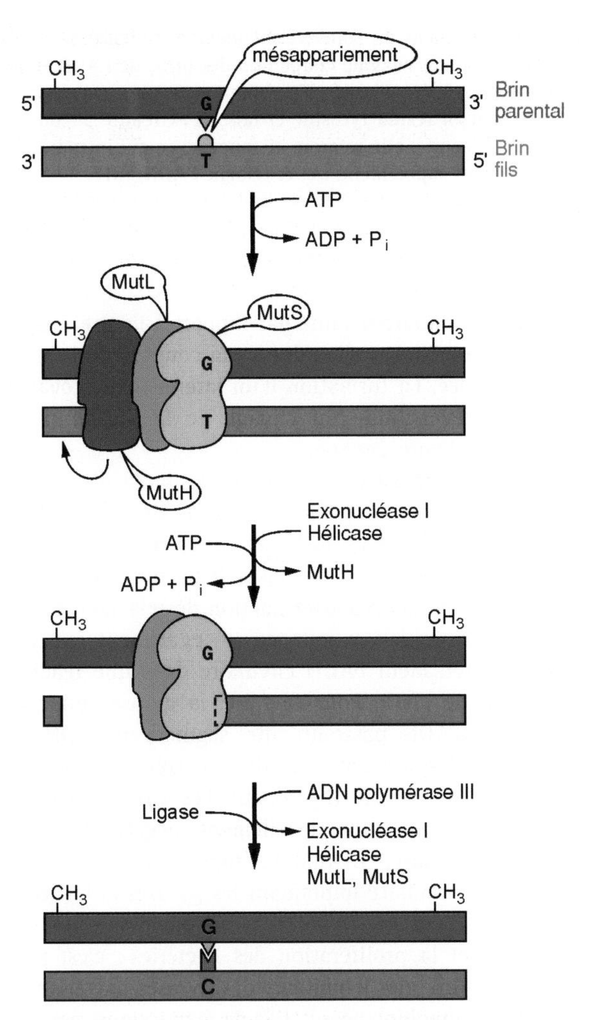

21.17 Réparation des mésappariements. MutH reconnaît et clive une séquence GATC hémiméthylée. L'appellation Mut des protéines du système de réparation a été choisie parce que des modifications de leurs gènes élevaient nettement le taux de mutation chez le procaryote concerné. [RF]

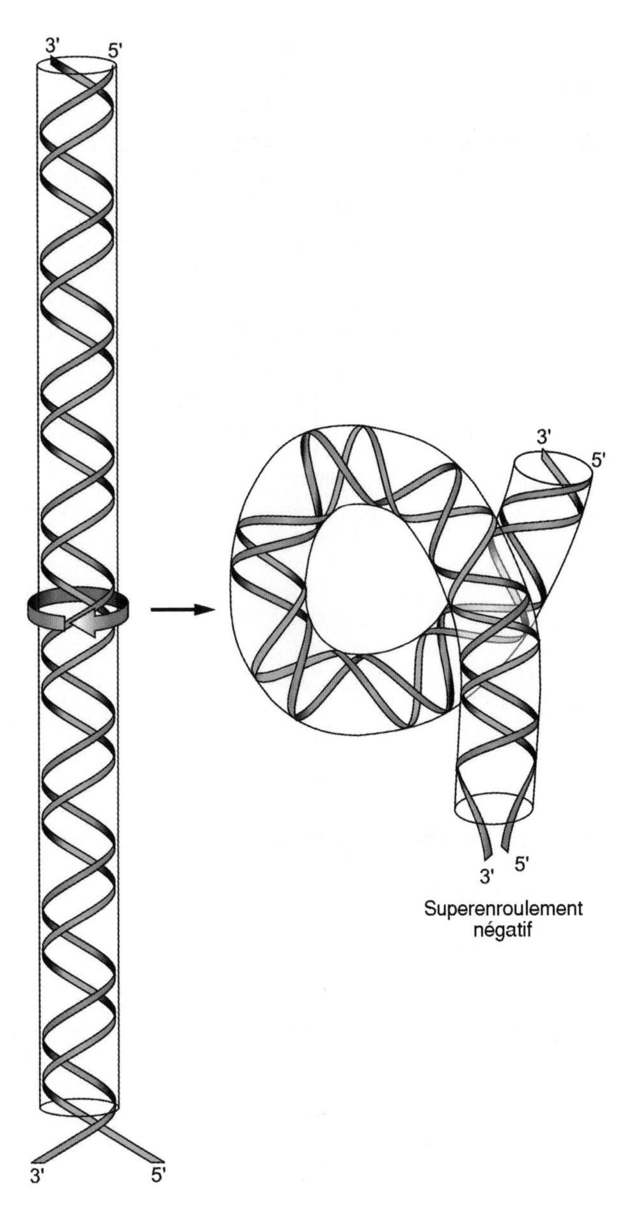

21.18 Problèmes topologiques liés à la fourche de réplication. La double hélice d'ADN s'ouvre dans le sens inverse des aiguilles d'une montre au niveau de la fourche de réplication. La diminution du nombre d'entrelacements en arrière de la fourche de réplication produit un superenroulement négatif. [RF]

21.7 Les topo-isomérases déroulent les brins de l'ADN

Nous avons jusqu'ici ignoré un problème, qui provient de l'enroulement en hélice de l'ADN : un mouvement linéaire de la fourche de réplication sur une distance de dix nucléotides signifie que l'ADN parental doit faire un tour autour de son axe. La liberté de rotation de longs brins d'ADN tels qu'on les trouve dans les chromosomes est pourtant strictement limitée. Au niveau de la fourche de réplication, la double hélice est déroulée dans le sens inverse des aiguilles d'une montre (donc vers la gauche) ; comme il s'agit d'une double hélice droite, le nombre de tours d'hélice en arrière de la fourche diminue. À l'opposé, des **supertours d'ADN** s'accumulent en avant de la polymérase. Toute variation par rapport au nombre d'entrelacements normal entre les deux brins est appelée **superenroulement** (angl. ***supercoiling***). Lorsqu'en raison du stress de torsion, le nombre d'entrelacements diminue, on parle de **superenroulement négatif** (*fig.* 21.18).

Pour maîtriser ce problème topologique, la machinerie de réplication se sert d'une classe d'enzymes que nous n'avons pas encore rencontrée : les **topo-isomérases**, qui relâchent le stress de torsion. Par exemple, la **topo-isomérase I** se fixe au double brin parental à proximité de la fourche de réplication et coupe *l'un* des deux brins (*fig.* 21.19). Les extrémités voisines de la double hélice

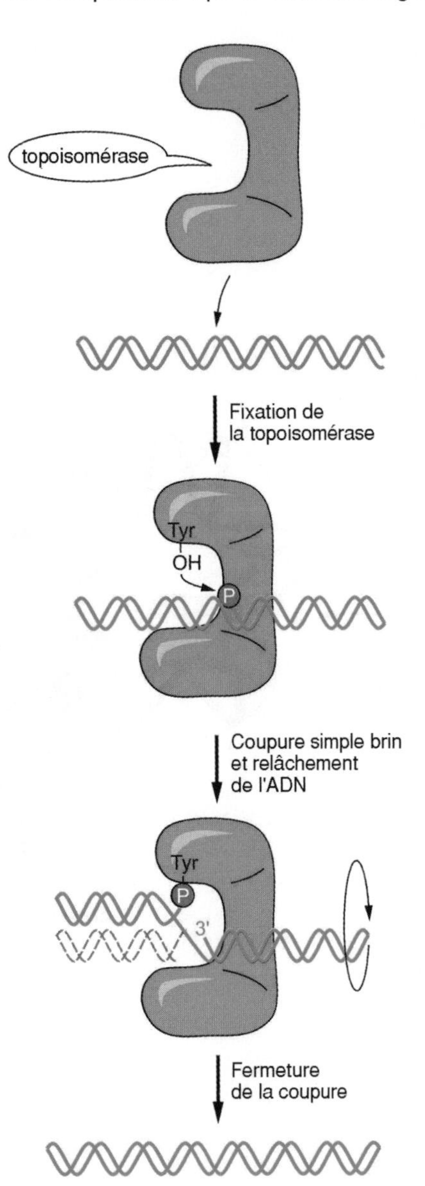

21.19 Relâchement du superenroulement négatif par la topo-isomérase I. Cette enzyme coupe l'un des brins de l'ADN superenroulé, fixe l'extrémité 5' obtenue par le groupement hydroxyle d'un résidu tyrosine et laisse l'extrémité 3' tourner librement. Ensuite, elle referme la coupure, ce qui introduit un entrelacement supplémentaire, et relâche l'ADN. [RF]

peuvent alors tourner l'une par rapport à l'autre jusqu'à ce que celle-ci soit « détendue » ; la coupure de brin est alors refermée. La formation d'un **intermédiaire covalent** assure la réversibilité du clivage de la liaison phosphoester de haute énergie.

La **topo-isomérase II** peut séparer des molécules d'ADN en pelote, en coupant les deux brins de ces « nœuds gordiens », en relâchant l'ADN et en refermant la cassure double brin. Les topo-isomérases II bactériennes ont la particularité de contrecarrer l'action de relâchement des topo-isomérases I. Ces enzymes – également appelées **gyrases** – torsadent l'ADN circulaire dans une réaction dépendant de l'ATP. Pour ce faire, la gyrase coupe les deux brins d'ADN, passe un autre segment de l'ADN circulaire par l'espace entre les deux extrémités obtenues et referme la coupure (*fig.* 21.20). Les gyrases peuvent ainsi induire un superenroulement négatif dans un génome circulaire. L'équilibre topologique de l'ADN génomique circulaire impliquant les gyrases et les topo-isomérases est d'une importance fondamentale pour la croissance et la prolifération des bactéries : c'est pour cette raison que des **inhibiteurs** des gyrases bactériennes comme la novobiocine ou l'acide nalidixique peuvent être utilisés comme antibiotiques. Le **relâchement** de l'ADN circulaire joue aussi un rôle important dans la réplication de l'ADN mitochondrial des cellules eucaryotes (*encart* 21.4).

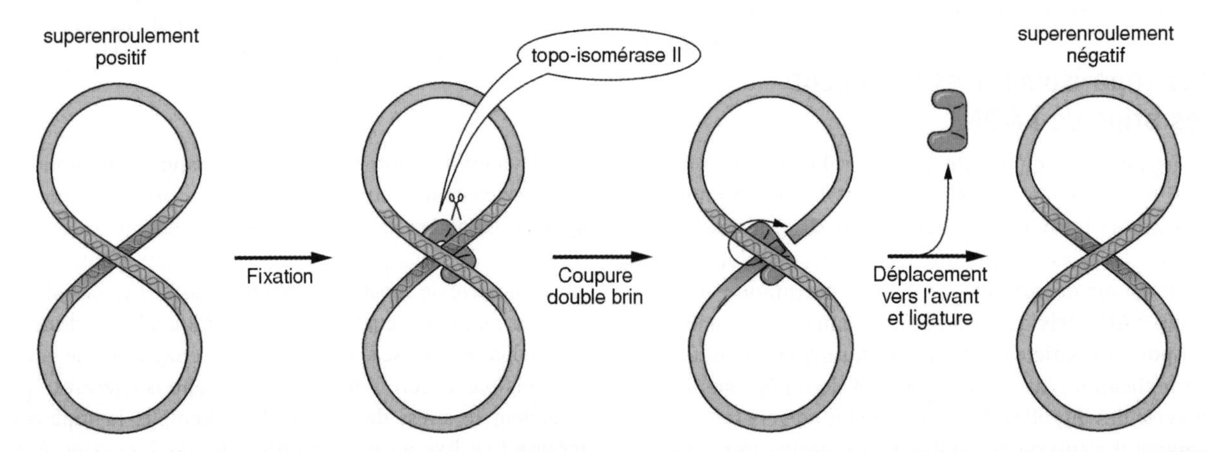

21.20 Mode d'action des gyrases bactériennes. Ces enzymes catalysent l'introduction de superenroulement négatif dans un ADN circulaire. Pour ce faire, L'ADN subit une coupure double brin (en arrière du plan de la feuille), le brin intact traverse la coupure (vers l'arrière) et le brin coupé est refermé (en avant). Cette manœuvre diminue le nombre d'entrelacements de l'ADN.

Encart 21.4 : Réplication de l'ADN mitochondrial

Les mitochondries sont des **organites auto-réplicatifs** qui sont répartis dans les cellules filles au moment de la division. L'ADN mitochondrial humain, avec une taille de 16 569 pb, est environ 200 000 fois plus petit que le génome nucléaire. L'ADN mitochondrial est circulaire et superenroulé ; il est constitué d'un brin H et d'un brin L complémentaire (*fig.* 21.21). La réplication débute par un **relâchement** de l'ADN par les topo-isomérases. Ensuite commence, à partir d'une origine de réplication bien définie, la **réplication unidirectionnelle** du brin L. ; contrairement au cas de l'ADN nucléaire, il n'y a pas de fourche de réplication.

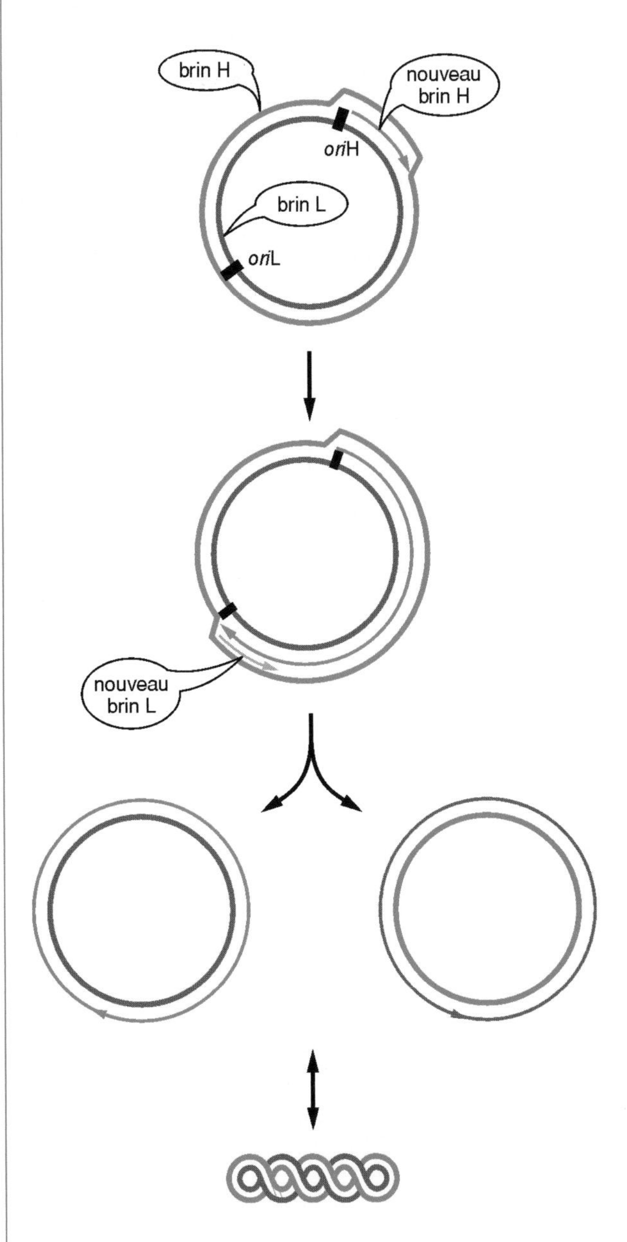

21.21 Réplication de l'ADN mitochondrial. Voir texte pour plus de détails. [RF]

Lorsqu'environ un tiers du brin H complémentaire a été synthétisé, la synthèse unidirectionnelle d'un nouveau brin L commence à partir d'une deuxième origine de réplication. Les deux complexes de réplication se déplacent dans des directions opposées jusqu'à ce que les deux brins circulaires soient terminés. Une fois la réplication terminée, l'ADN mitochondrial est superenroulé par des gyrases.

21.8 Les nucléosomes sont redistribués lors de la réplication

L'ADN chromosomique est monté sur des « bobines protéiques » avec lesquelles il forme des nucléosomes (*fig.* 16.12). Que se passe-t-il dans ces **complexes d'histones** pendant la réplication, et – comme le nombre de bobines requises double – où les nouveaux complexes sont-ils incorporés ? Les nucléosomes parentaux sont déjà « relâchés » avant l'arrivée de la fourche de réplication et les complexes d'histones sont disponibles pour le double brin nouvellement synthétisé (*fig.* 21.22). La redistribution des noyaux d'histones se fait de manière plus ou moins aléatoire ; dans un premier temps, 50 % des sites des histones restent inoccupés. Des complexes protéiques comme le **facteur d'assemblage de la chromatine CAF-1** (angl. *chromatin assembly factor 1*) travaillent ensuite derrière la fourche de réplication en progression et terminent la compaction des deux doubles brins fils sur des histones nouvellement synthétisées.

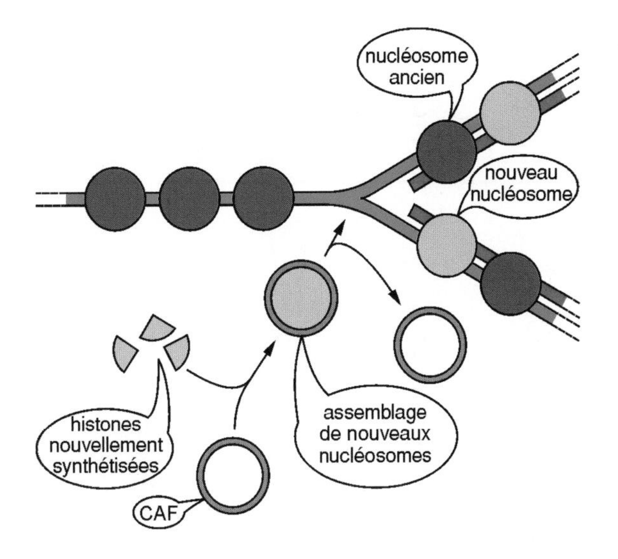

21.22 Redistribution des nucléosomes pendant la réplication. Les nucléosomes parentaux sont répartis aléatoirement sur les deux brins fils. De nouvelles histones sont synthétisées dans la phase G_1 du cycle cellulaire et sont déjà « en attente » en vue de la réplication, pendant la phase S (§ 32.1). Sous la direction de CAF-1, elles sont assemblées en nucléosomes sur les branches de la fourche de réplication. [RF]

Nous avons vu que toutes les cellules utilisent une large palette d'enzymes, de régulateurs, et de protéines auxiliaires pour transmettre l'information contenue dans leur ADN fidèlement à l'original et sans erreur à la génération suivante. Un grand nombre des enzymes que nous avons décrites et dont les modes d'action ont été explorés pour la première fois dans l'étude de la réplication appartiennent maintenant à l'équipement de base des laboratoires de biologie moléculaire. Grâce à elles, l'ADN peut être amplifié rapidement, modifié spécifiquement, assemblé avec d'autres ADN (« recombiné ») puis exprimé en grandes quantités. Nous allons donc maintenant nous intéresser aux technologies de l'ADN recombinant.

Technologies de l'ADN recombinant

22

Longtemps, les acides nucléiques ont été des « Livres des Sept Sceaux » : leur taille et leur composition monotone semblaient à elles seules des obstacles presque insurmontables à l'analyse des gènes. Avec l'introduction de nouvelles méthodes biochimiques, cette situation s'est complètement retournée : aujourd'hui, les acides nucléiques sont plus faciles à explorer que n'importe quelle autre molécule complexe des cellules. La raison de ce changement rapide tient au développement de techniques novatrices partiellement automatisées qui permettent une identification fiable, une multiplication rapide et un remodelage structural presque infini des acides nucléiques. L'élargissement et l'affinement de l'éventail des méthodes de génétique moléculaire ont rénové de fond en comble la recherche en sciences biomédicales. Dans ce chapitre, nous allons nous intéresser à des techniques d'identification, d'amplification et modification des acides nucléiques. Des manipulations de biologie moléculaire permettent de produire des médicaments ou des vaccins en quantités presque illimitées sous la forme de **protéines recombinantes**. Le transfert de gènes dans des ovocytes fécondés permet la production d'**animaux transgéniques** ; des délétions ou modifications ciblées de gènes fournissent des **modèles animaux de maladies humaines**. Un tour de force unique a permis en 2001 de produire une première version de la séquence du génome humain, qui sert depuis de système de navigation pour la recherche de nouveaux gènes, pour la localisation de gènes défectueux, mais aussi pour l'analyse fonctionnelle de produits de gènes. Nous commençons notre tour d'horizon par les méthodes et techniques de biologie moléculaire et par le clivage ciblé des acides nucléiques.

22.1 Les endonucléases de restriction clivent l'ADN en des sites spécifiques

Les molécules d'ADN peuvent être d'une longueur considérable : les chromosomes humains peuvent contenir des brins d'ADN continus de 3×10^8 pb ! Le génome circulaire des procaryotes est beaucoup plus petit, mais contient quand même environ 10^6 pb. Une étape décisive de l'analyse de l'ADN consiste donc à morceler par des enzymes les acides nucléiques en fragments maniables. Les endonucléases clivent en général un double brin d'acide nucléique en de nombreux endroits (*encart* 17.7). Les **endonucléases de restriction**, ou **enzymes de restriction**, quant à elles, ne clivent le double brin que lorsqu'elles reconnaissent une séquence spécifique : elles possèdent donc une **spécificité de clivage**. Les endonucléases de restriction sont d'origine bactérienne ; elles coupent classiquement l'ADN en des sites de reconnaissance caractéristiques qui correspondent souvent à des **séquences palindromiques** de quatre, six ou huit nucléotides de

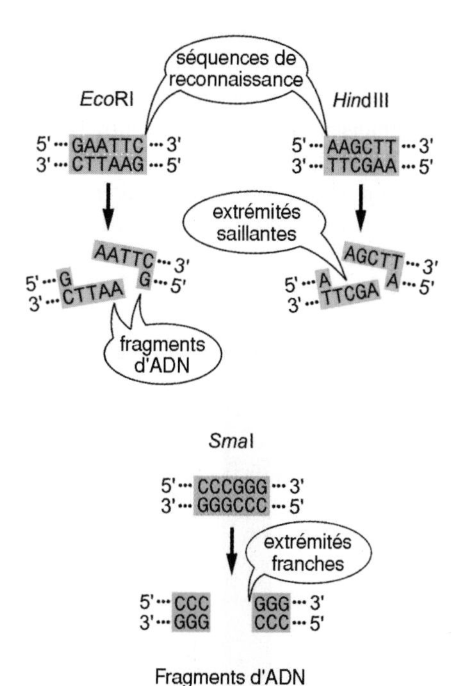

22.1 Séquences reconnues par les endonucléases. Les enzymes de restriction comme *Eco*RI ou *Hin*dIII produisent des extrémités cohésives, alors que *Sma* I donne des extrémités franches. Le nom des endonucléases de restriction provient de leur souche bactérienne d'origine : ainsi, *Eco*RI est produite par *E. coli* RY13, *Hin*dIII par *Haemophilus influenzae*, *Sma*I par *Serratia marcescens*, etc. Les chiffres romains servent à distinguer les différentes enzymes isolées à partir d'une même souche.

long (*fig.* 22.1). Selon l'endroit de la coupure, les endonucléases produisent des **extrémités franches** ou bien **saillantes.** La taille de la séquence de reconnaissance d'une endonucléase de restriction détermine sa fréquence moyenne de coupure : une enzyme qui reconnaît une séquence de quatre paires de bases coupe statistiquement avec une fréquence de 1 : 4^4, c'est-à-dire en moyenne une fois tous les 256 nucléotides. De leur côté, les enzymes de restriction ayant une préférence pour un hexanucléotide coupent avec une fréquence de 1 : 4^6, c'est-à-dire en moyenne une fois tous les 4 096 nucléotides.

Une application importante de ces enzymes est la **digestion** de l'ADN, dans laquelle une enzyme de restriction clive un ADN isolé en un nombre défini de fragments dépendant du nombre de séquences de reconnaissance spécifiques présentes. Lorsque par exemple on digère l'ADN du phage lambda par l'enzyme ***Hind*III**, qui reconnaît la séquence cible AAGCTT présente en sept exemplaires dans l'ADN du phage, on obtient huit fragments différents qui peuvent être observés après électrophorèse. Les acides nucléiques ont une densité importante de charges négatives à cause de leurs groupements phosphates : à pH physiologique ce sont des anions, qui migrent vers l'anode dans un champ électrique. Lorsqu'on utilise un **gel d'agarose** poreux, les acides nucléiques sont séparés strictement selon leur taille, c'est-à-dire que les petits fragments d'ADN migrent vite, et les grands lentement (*fig.* 22.2). Les bandes d'ADN obtenues par électrophorèse sont invisibles dans un premier temps ; on les rend visibles en utilisant le **bromure d'éthidium**, qui s'intercale entre les paires de bases de l'ADN et fluoresce sous un rayonnement UV.

Lorsque l'on digère un ADN séparément par deux enzymes différentes comme *Hind*III et ***Bam*HI**, on obtient

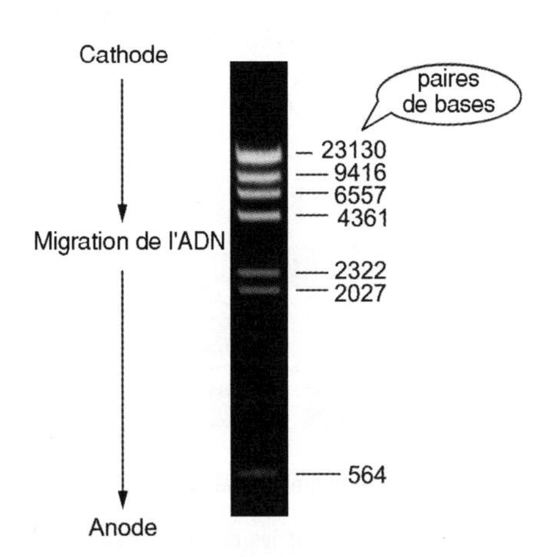

22.2 Électrophorèse sur gel d'ADN du phage lambda « restreint ». Lorsque l'on digère de l'ADN de lambda isolé par *Hind*III, on obtient des fragments allant de 0,1 à 23,1 kb. Sept fragments sont visibles après séparation sur un gel d'agarose à 1 % et coloration au bromure d'éthidium ; le huitième fragment, qui est le plus petit (125 pb) est déjà sorti du gel du côté de l'anode à cause de sa grande mobilité. [RF]

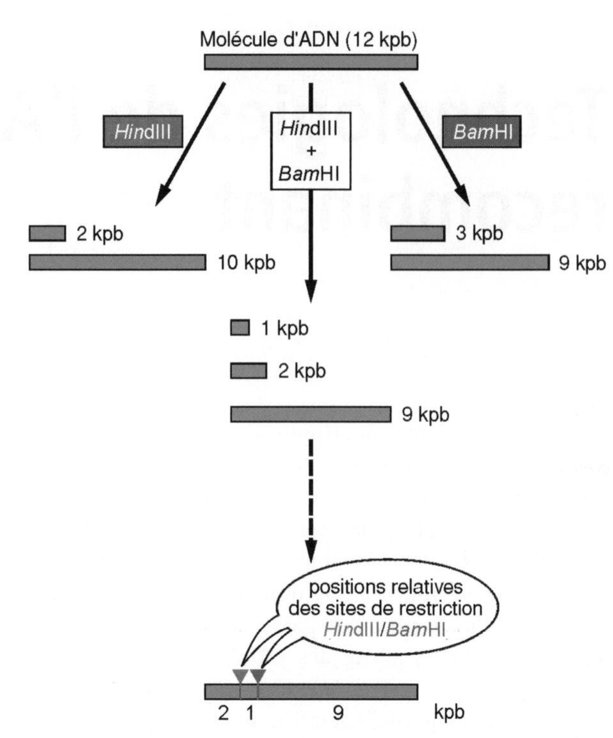

22.3 Cartographie d'une molécule d'ADN. À partir du profil obtenu en combinant deux endonucléases de restriction, on peut déterminer l'ordre relatif des fragments sur l'ADN de départ. L'utilisation conjointe des enzymes produit un fragment « mixte » ayant une extrémité 5'-terminale *Hin*d III et une extrémité 3'-terminale *Bam*H I ; la distance entre les deux sites est de 1kpb.

deux profils différents (*fig.* 22.3). L'utilisation combinée des deux enzymes – *Hind*III et *Bam*HI – donne un troisième profil de fragments, plus complexe que les deux premiers. Si l'on examine le profil de fragments après électrophorèse, on peut reconstruire par comparaison des trois profils l'ordre relatif des fragments dans l'ADN de départ : on construit une **carte de restriction.** Chez les virus, ou les bactéries comme *E. coli*, on utilise des cartes de restriction pour localiser rapidement une région d'ADN sur le génome dont elle provient et en préparer des fragments spécifiques. Les cartes de restriction servent aussi à l'analyse des gènes et à l'isolement de régions intéressantes d'un gène. Réaliser une carte détaillée demande toutefois l'utilisation de trois enzymes ou plus.

22.2 Les molécules d'ADN peuvent être recombinées

De nombreuses enzymes de restriction produisent des **extrémités saillantes** ; comme ces extrémités nouvelles peuvent s'apparier avec les extrémités complémentaires

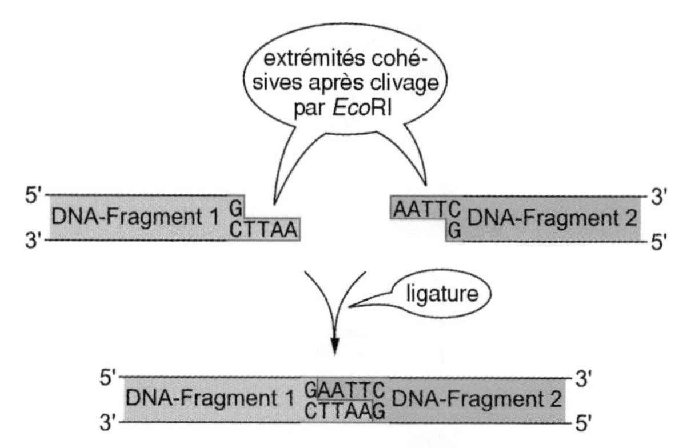

22.4 Assemblage de fragments d'ADN d'origines différentes. Après hybridation des fragments 1 et 2 par leurs extrémités cohésives, l'ADN ligase referme les coupures simple brin, créant ainsi une nouvelle molécule d'ADN recombinante 1-2.

d'un autre ADN coupé par la même enzyme, elles sont également appelées **extrémités cohésives** (*fig.* 22.4). De cette façon, on peut combiner entre eux deux fragments d'ADN qui faisaient originellement partie de régions différentes du génome : on parle d'**ADN recombinant**. La production d'ADN recombinant a ouvert de nouvelles possibilités de conception de protéines novatrices (§ 22.9) ainsi que d'amplification de séquences spécifiques.

L'introduction d'un fragment d'ADN (angl. *insert*) dans une molécule d'ADN linéarisée – le **vecteur** – permet l'amplification d'un fragment d'ADN donné dans une cellule hôte : on parle de **clonage** d'un fragment d'ADN. Les vecteurs fréquemment utilisés sont les **bactériophages**, c'est-à-dire des virus bactériens à ADN circulaire, et les **plasmides**. Les plasmides sont des molécules circulaires d'ADN d'au plus 100 kpb, d'origine naturelle, qui possèdent une origine de réplication et peuvent se multiplier dans des bactéries indépendamment du génome de l'hôte. Dans un clonage, l'ADN du plasmide est linéarisé par la même enzyme de restriction que celle qui a été utilisée pour isoler le fragment d'intérêt ; les deux ADN sont ensuite mélangés. Les extrémités cohésives du fragment d'ADN s'hybrident aux extrémités libres de l'ADN du vecteur et comblent le « trou » de l'ADN du plasmide : il en résulte un ADN circulaire plus gros (*fig.* 22.5). Une **ADN ligase** referme les jonctions. Le plasmide recombinant est alors introduit dans *E. coli* où il peut se multiplier : on parle de **transformation**.

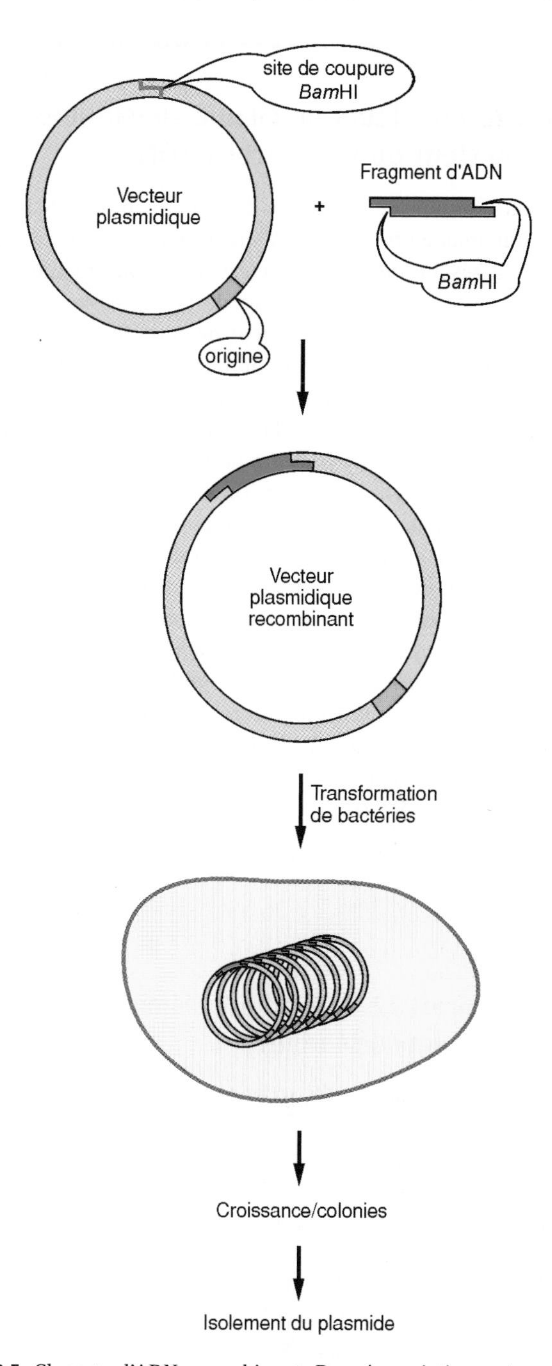

22.5 Clonage d'ADN recombinant. Par réassociation entre un vecteur d'ADN et un fragment d'ADN, on obtient un plasmide recombinant qui peut être utilisé pour transformer *E. coli*. La division des bactéries dans les colonies amplifie le plasmide ; le clivage de restriction par *Bam*HI de l'ADN du plasmide isolé permet ensuite de purifier le fragment d'intérêt par électrophorèse (non montré).

22.3

Des terminateurs de chaîne spécifiques permettent de séquencer l'ADN

La cartographie de restriction d'un fragment d'ADN fournit une image grossière de la structure d'un gène ; toutefois, la résolution de nombreuses questions requiert en dernier ressort la connaissance de la succession exacte des bases. Par exemple, on peut déduire de la séquence d'un gène la séquence de la protéine correspondante en utilisant le code génétique, on peut rechercher des mutations dans des gènes dont la séquence est déjà connue, ou encore déterminer le degré de parenté de gènes dont les séquences sont similaires. On a pour cela développé une méthode de séquençage qui repose sur la synthèse *in vitro* d'ADN en présence de nucléotides induisant une terminaison de la synthèse : on parle de **méthode par terminaison de chaîne.** Le plus souvent, on utilise un simple brin du fragment à séquencer. Une amorce oligonucléotidique (angl. *primer*) (§ 21.1) est synthétisée et marquée par un radio-isotope ou un fluorophore. Les oligonucléotides sont synthétisés facilement (*encart* 22.1) par une technique qui rappelle la synthèse en phase solide des oligopeptides (§ 7.2).

Encart 22.1 : Synthèse chimique d'oligonucléotides

La synthèse automatisée des acides nucléiques s'effectue sur une matrice de gel de silice dans le sens 3' → 5'. Pour permettre la formation de la liaison phosphoester et empêcher celle de produits secondaires indésirables, l'atome de phosphore 3' des nucléotides est activé sous forme de **phosphoramidite**, leur extrémité 5'-OH est bloquée par un **groupement diméthoxytrityle** (DMT) et la base est protégée car elle est réactive (*fig.* 22.6). Le point de départ est un résidu nucléosidique 3'-terminal fixé à la matrice par un groupement **adaptateur** (angl. ***spacer***). Tout d'abord, le groupement de protection DMT de son extrémité 5' est éliminé par un traitement à l'acide (étape 1). En ajoutant un phosphoramidite, un deuxième résidu est associé par cette extrémité 3' activée au groupement 5' du premier nucléoside (étape 2). enfin, l'atome de phosphore trivalent est oxydé en **phosphoester** pentavalent (étape 3). La déprotection du groupement 5' du résidu terminal entame le deuxième cycle de la synthèse. Après incorporation de tous les nucléotides voulus, les groupements de protection des bases et des résidus phosphates sont éliminés et l'oligonucléotide est libéré de son support. La synthèse automatisée produit rapidement et de manière reproductible des oligonucléotides ayant jusqu'à 100 résidus de long ; les applications classiques nécessitent des oligonucléotides de 15-30 nucléotides.

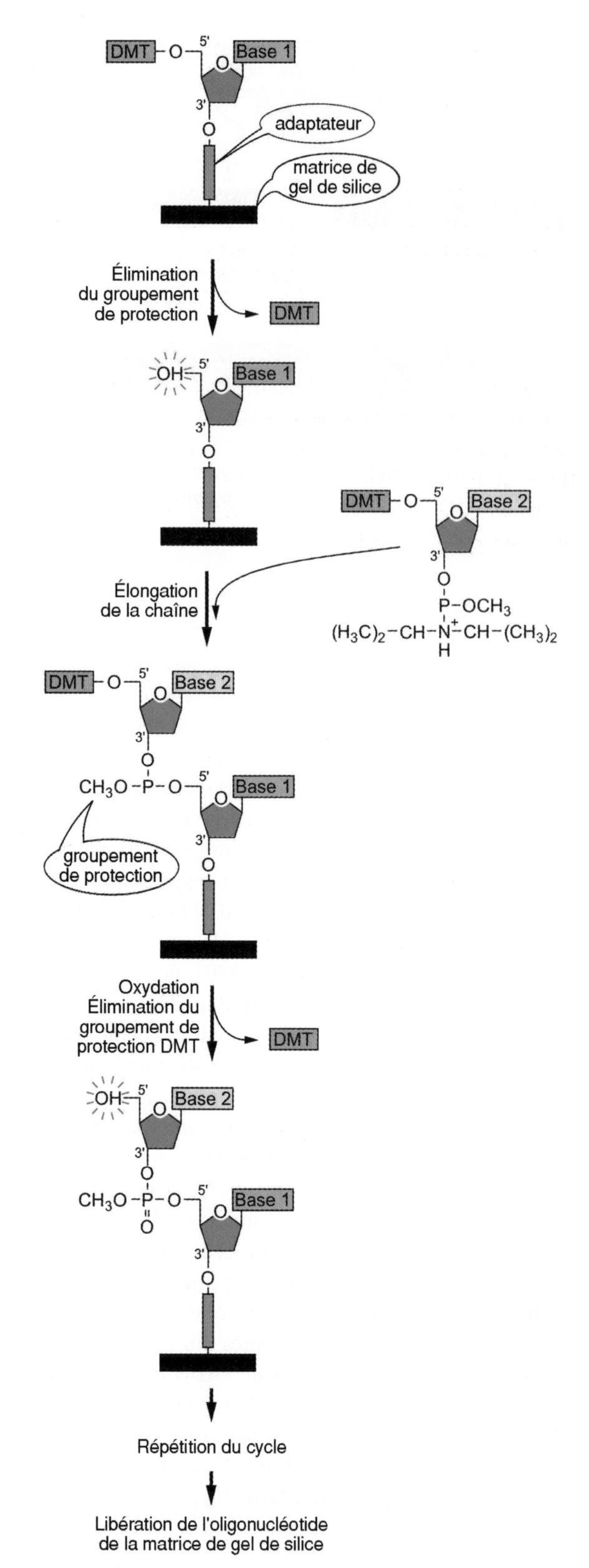

22.6 Principe de la synthèse des oligonucléotides. Les oligonucléotides sont produits dans des synthétiseurs complètement automatisés. Après chaque étape (explications dans le texte), les réactifs et les produits secondaires sont éliminés par lavage. Le rendement de chaque étape doit être supérieur à 98 % pour pouvoir produire des oligonucléotides assez longs avec un taux d'erreur acceptable.

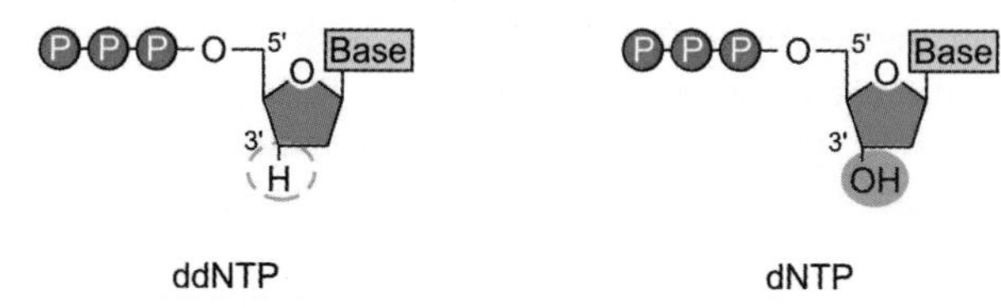

22.7 Structure d'un didésoxynucléoside triphosphate (ddNTP). Le groupement 3'-OH manquant empêche toute élongation du côté 3'. À titre de comparaison, un 2'-désoxynucléoside triphosphate (dNTP) est représenté (cf. *fig.* 17.7 également).

L'amorce synthétique s'apparie avec le simple brin à séquencer. À partir de cette amorce, l'ADN polymérase synthétise le brin complémentaire dans le sens 5' → 3'. On a ajouté au mélange des quatre désoxynucléosides triphosphates (dATP, dCTP, dGTP, dTTP) une petite quantité d'un **didésoxynucléoside triphosphate** – par exemple du ddATP –, qui peut être incorporé par l'ADN polymérase mais ne permet pas d'élongation ultérieure de la chaîne à cause de l'absence de groupement hydroxyle à la position 3' (*fig.* 22.7). Dans notre exemple, il peut donc y avoir **terminaison** de la synthèse à chaque résidu adénine (d'où le terme de « méthode des didésoxy »).

Lorsque le didésoxynucléotide est ajouté en quantités molaires faibles par rapport au désoxynucléotide, on a une répartition statistique des **terminaisons de chaîne**, d'où un profil caractéristique de fragments d'ADN de longueurs différentes car le ddNTP à faible concentration n'est que rarement incorporé, si bien que des fragments assez longs peuvent être synthétisés (*fig.* 22.8, en haut). De même, de petites quantités des autres didésoxyribonucléosides triphosphates, le ddCTP, le ddGTP ou le ddTTP, sont ajoutées dans trois autres réactions de synthèse séparées, ce qui conduit à des terminaisons de chaîne sur

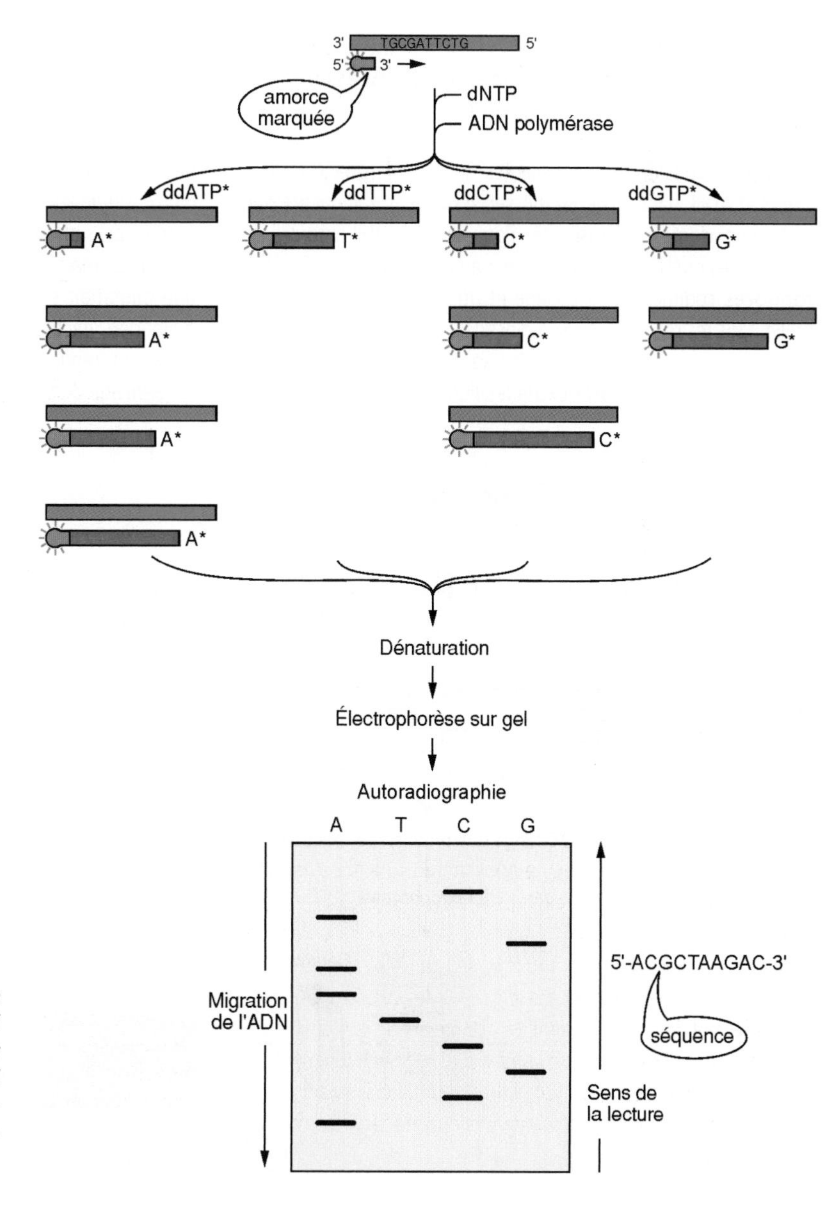

22.8 Séquençage d'ADN par la méthode de terminaison de chaîne. Le brin d'ADN à séquencer est utilisé comme matrice par l'ADN polymérase Les fragments d'ADN sont révélés par autoradiographie ou fluorimétrie après leur séparation par électrophorèse.

les C, les G et les T respectivement. Les quatre réactions sont ensuite dénaturées, et séparées par **électrophorèse sur gel de polyacrylamide** à haute résolution sur quatre pistes parallèles, comme nous l'avons vu dans l'analyse des protéines (§ 6.5). Cette méthode sépare selon leur taille des fragments d'ADN faisant entre 10 et 500 nucléotides, même s'ils ne diffèrent que par un seul nucléotide ; on obtient ainsi des **échelles de fragments d'ADN**.

La séquence nucléotidique – ou **séquence en bases** – du fragment d'ADN d'intérêt se lit directement sur un autoradiogramme du gel en examinant les fragments radiomarqués par ordre de taille (*fig.* 22.8, en bas). On parle de **séquençage de Sanger**, du nom de son inventeur. Une alternative au radiomarquage consiste à utiliser des nucléotides marqués par des groupements fluorescents pour détecter les fragments d'ADN (*encart* 22.2). Les **séquenceurs d'ADN** complètement automatisés utilisent l'électrophorèse capillaire à haute résolution (§ 6.7) pour séparer les fragments d'ADN. Sans le développement et l'automatisation de cette technique, le séquençage des $3{,}2 \times 10^9$ paires de bases du génome humain aurait été presque impossible.

22.4 Les acides nucléiques peuvent s'hybrider entre eux

La capacité de l'ADN à former un double brin par appariement de bases est une propriété générale des acides nucléiques : on peut en effet trouver des doubles brins ADN/ADN, ADN/ARN et ARN/ARN. Lorsqu'un ADN double brin est chauffé à 90-100 °C ou soumis à un pH alcalin extrême (>13), il se **dénature** par dissociation des paires de bases entre les deux simples brins (*fig.* 22.10). Ce processus est réversible : à des températures de l'ordre

Encart 22.2 : Séquençage fluorescent

L'emploi de substances fluorescentes dans le marquage de fragments d'ADN permet de se passer d'isotopes radioactifs sans perte importante de sensibilité. Pour ce faire, les amorces, les dNTP ou les ddNTP sont couplés de manière covalente à des **fluorophores** comme la fluorescéine et utilisés de la manière habituelle dans les réactions de séquençage. Les fragments issus de la méthode de terminaison de chaîne sont séparés par électrophorèse. Un rayonnement laser excite les fluorophores qui réémettent un rayonnement caractéristique. Les signaux d'émission sont enregistrés par les photomultiplicateurs d'un détecteur sensible et l'exploitation des données est automatisée. On évite ainsi le déchiffrement manuel des autoradiogrammes qui est assez fastidieux. L'utilisation conjointe de quatre substances fluorescentes permet de s'affranchir de l'électrophorèse séparée des différents mélanges réactionnels contenant les ddNTP sur quatre pistes : une migration sur une seule voie suffit pour analyser les quatre mélanges réactionnels simultanément (*fig.* 22.9). Ces simplifications ont rendu possible l'automatisation à grande échelle du séquençage de Sanger.

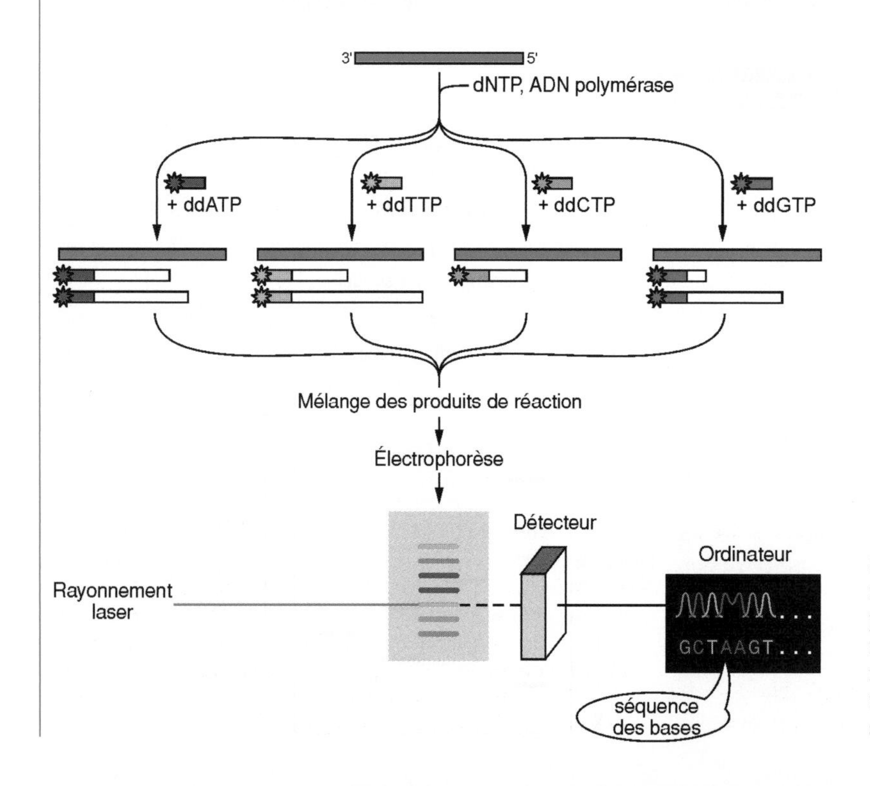

22.9 Séquençage d'ADN automatisé. Le marquage des fragments d'ADN se fait par les amorces, qui sont couplées à différentes substances fluorescentes. Quatre réactions utilisant chacune un ddNTP différent sont séparées par électrophorèse sur une même piste et révélées.

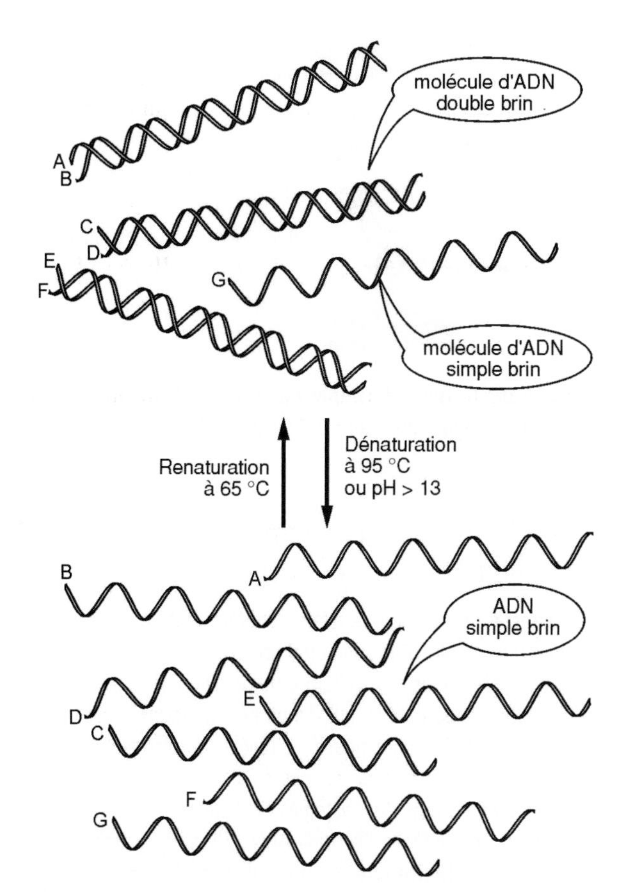

22.10 Hybridation des acides nucléiques. Les brins complémentaires (par exemple A/B) sont dénaturés en simples brins à haute température et peuvent se renaturer à nouveau en doubles brins complémentaires par refroidissement, alors que les segments non complémentaires (G) demeurent sous forme de simple brin.

de 65 °C et à pH neutre, les deux simples brins se réassocient (« s'hybrident ») en un double brin : on parle de **renaturation.** De même, deux brins d'ADN et d'ARN complémentaires peuvent s'hybrider entre eux et former un **hétéroduplex** identique au produit intermédiaire de la transcription que nous avons déjà vu (*fig.* 17.3).

La détection d'un segment de gène particulier au sein d'un mélange complexe d'ADN équivaut à la recherche d'une aiguille dans une meule de foin. La dénaturation et l'**hybridation** sont utilisées spécifiquement pour cette recherche d'une substance à l'état de traces. Dans cette technique, le mélange d'ADN, après digestion par une enzyme de restriction (§ 22.1), est séparé par électrophorèse sur gel d'agarose puis dissocié en simples brins par l'utilisation de conditions alcalines. Les simples brins sont ensuite transférés du gel à une matrice de nitrocellulose, par diffusion ou en appliquant un champ électrique (*fig.* 22.11). Ce procédé a été appelé **empreinte de Southern** (angl. ***Southern blotting***) en l'honneur de son inventeur ; on produit en effet une empreinte (angl. *blot* : tache, marque) sur la matrice du profil d'ADN présent dans

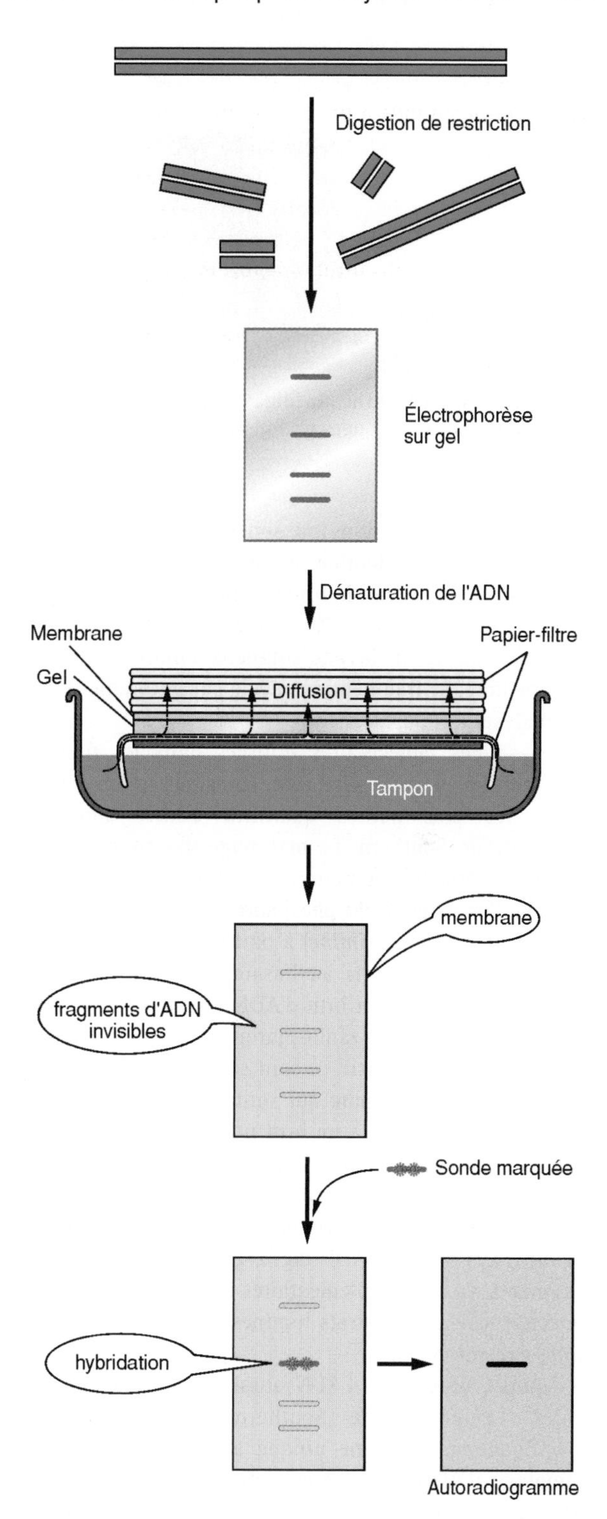

22.11 Empreinte de Southern de l'ADN. Le mélange d'ADN à examiner est digéré par des enzymes de restriction. Après une séparation par électrophorèse et une dénaturation alcaline, il est transféré sur une membrane par diffusion dans un liquide ou par électrotransfert. Des oligonucléotides ou des fragments d'ADN ou d'ARN marqués peuvent être employés comme sondes. Des marqueurs d'ADN de longueur connue permettent d'estimer la longueur de l'ADN hybridé.

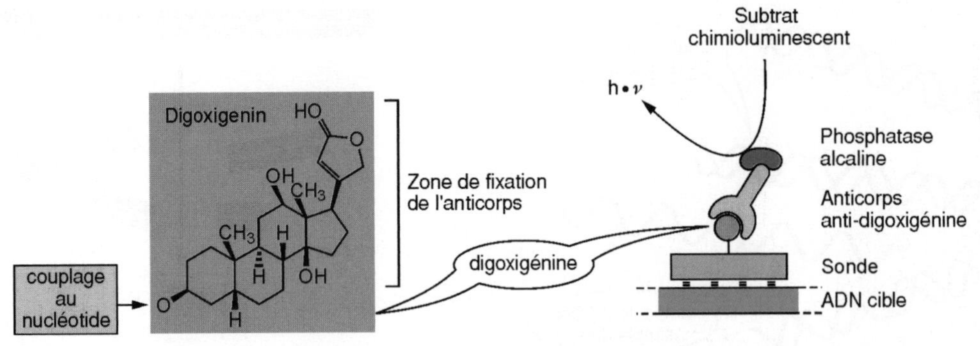

22.12 Marquage de l'ADN. La digoxigénine est un stéroïde d'origine végétale qui est couplé chimiquement au nucléotide. La digoxigénine est typiquement utilisée dans des systèmes de détection indirects impliquant des anticorps couplés à une enzyme.

l'agarose. On ajoute alors une sonde moléculaire, sous la forme d'un oligonucléotide marqué. Dans un solvant de renaturation, la sonde s'hybride à une température appropriée – par exemple 65 °C – avec le fragment d'ADN complémentaire. Un lavage soigneux élimine l'oligonucléotide libre. Le fragment est révélé par autoradiographie ou analyse de fluorescence.

Les sondes moléculaires utilisées dans les procédés d'hybridation doivent être assez sensibles pour détecter même les plus petites quantités d'ADN dans une empreinte de Southern. Le marquage des sondes se fait par deux méthodes : le marquage radioactif utilise le plus souvent l'**isotope ^{32}P du phosphore**. Par amorçage aléatoire (angl. *random priming*) à partir d'un grand nombre d'oligonucléotides « pris au hasard », l'ADN polymérase peut synthétiser sur un brin d'ADN un grand nombre de courtes sondes d'ADN radio-marquées. Dans le cas d'un marquage non radioactif, ce sont souvent des **nucléotides marqués à la digoxigénine** qui sont utilisés et incorporés par l'ADN polymérase à un brin nouvellement synthétisé (*fig.* 22.12). Les fragments d'ADN digoxigénylés peuvent être révélés par des anticorps dirigés contre la digoxigénine, couplés à une enzyme comme la phosphatase alcaline. Les sondes d'ADN digoxigénylées hybridées aux fragments d'ADN complémentaires fixés à la matrice sont détectées par des substrats luminescents avec une sensibilité exceptionnelle.

Équipée de sondes d'ADN aussi spécifiques que sensibles, l'empreinte de Southern permet d'identifier spécifiquement un gène unique au sein d'un mélange complexe d'ADN, par exemple de l'ADN génomique. Il est vrai que pour appliquer une telle stratégie, on doit au moins connaître la séquence d'une petite partie du gène pour pouvoir construire une sonde complémentaire. Nous étudierons plus loin une application importante de ce procédé, l'analyse de défauts génétiques par polymorphisme de longueur de fragments de restriction (angl. *restriction fragment length polymorphism*, RFLP) (§ 22.8). Ce procédé d'empreinte est aussi adapté à la révélation spécifique de l'ARN. Cette méthode est appelée **empreinte Northern** (angl. ***Northern blotting***) (*encart* 22.3).

Encart 22.3 : Empreinte Northern (angl. *Northern blotting*)

Pour détecter un ARN, on transfère généralement un mélange des ARNm d'une cellule, d'un tissu ou d'un organe par électrophorèse sur une membrane de nitrocellulose ou de nylon. On utilise le plus souvent une sonde d'ADN, qui donne en conditions renaturantes un hybride ADN/ARN qui peut être révélé de différentes façons. Outre l'autoradiographie de sondes d'ADN marquées au ^{32}P, on utilise de plus en plus des systèmes de détection non radioactifs qui mettent en évidence l'hybride ARN/ADN par l'action d'enzymes comme la **luciférase** sur un substrat chimioluminescent. Grâce à ce procédé, le profil d'expression d'une cellule à différents stades de sa différenciation ou en réponse à différents stimuli externes peut être analysé. Il manque encore l'« empreinte Eastern » pour que la rose des vents soit complète.

22.5 L'hybridation permet une localisation chromosomique

Une application importante des sondes d'ADN marquées est la recherche d'ARN spécifiques ou de régions d'ADN choisies au sein d'assemblées de cellules comme les tissus et les organes : on parle d'**hybridation *in situ***. Une méthode particulière, la **peinture chromosomique**, permet la localisation d'un gène ou d'un segment d'ADN. Des chromosomes isolés y sont incubés brièvement à pH alcalin sur une lame de microscope pour en dénaturer le double brin. Une sonde d'ADN spécifique du gène ou de la région d'ADN d'intérêt, couplée par exemple à la fluorescéine, est utilisée pour la détection. Après hybridation, la sonde indique par une tache lumineuse la position du gène recherché sur le chromosome corres-

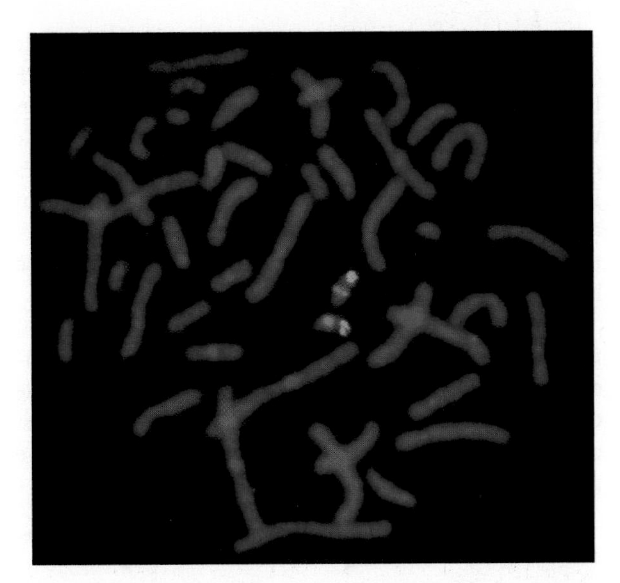

22.13 Localisation chromosomique. Classiquement, on utilise des chromosomes métaphasiques, dont l'ADN est très condensé (*encart* 16.2). Les marqueurs fluorescents montrent ici une coloration de régions spécifiques de la paire de chromosomes 22 humains. L'utilisation de fluorophores différents permet de visualiser simultanément deux gènes ou plus. [RF]

pondant (*fig.* 22.13). La peinture chromosomique assigne chaque gène ou chaque petit segment d'ADN à un chromosome et fournit aussi une **cartographie** des positions relatives des gènes à l'intérieur du chromosome et des indications sur les réarrangements chromosomiques.

L'hybridation *in situ* permet aussi d'analyser la répartition des molécules d'ARN – surtout les ARNm – dans une cellule, un tissu ou même un organisme. Cette technique utilise de fines coupes de tissu, qui sont soigneusement fixées sur des lames de microscope et hybridées avec des sondes d'ADN. Dans ces conditions, seul l'ARN est simple brin, tandis que l'ADN chromosomique reste sous forme double brin et ne peut donc pas s'hybrider. Si l'on utilise un marqueur fluorescent, on parle d'**hybridation *in situ* couplée à la microscopie de fluorescence** (angl. ***fluorescence coupled in situ hybridization*, FISH**). À l'aide de cette technique, on peut par exemple suivre la répartition d'un ARNm au cours du développement embryonnaire et en tirer des conclusions sur le rôle du gène correspondant dans les processus de différenciation. Ceci termine notre étude des techniques les plus importantes de fragmentation, ligature, séquençage et identification de l'ADN. Nous allons maintenant nous intéresser aux possibilités de multiplication et de modification de l'ADN.

22.6 La réaction de polymérisation en chaîne amplifie des fragments d'ADN déterminés

Le clonage de l'ADN – c'est-à-dire la production de nombreuses copies fidèles d'un acide nucléique – a révolutionné l'étude moléculaire des cellules et des organismes. La méthode la plus simple d'amplification d'un fragment d'ADN spécifique repose sur la **réaction de polymérisation en chaîne** ou **PCR** (angl. ***polymerase chain reaction***). La condition préalable à sa réalisation est la connaissance au moins partielle de la séquence de l'ADN.

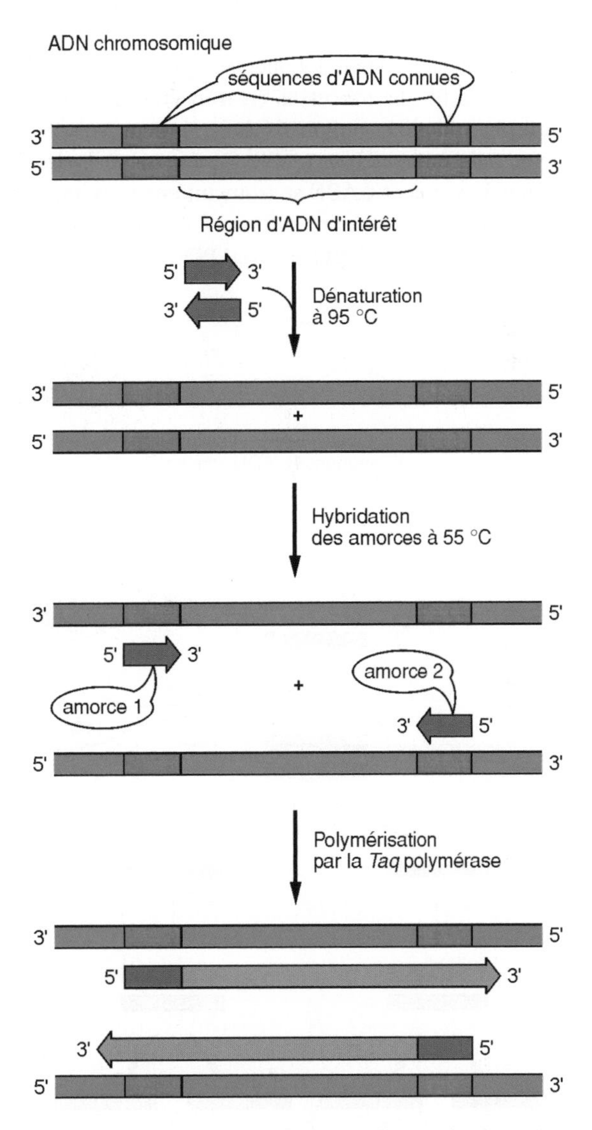

22.14 Réaction initiale d'une PCR. Le mélange réactionnel contient l'ADN matrice (angl. *template*), l'ADN polymérase, les deux amorces et un mélange de dNTP. La polymérase *Taq* (*fig.* 4.5) fréquemment utilisée provient de la bactérie *Thermus aquaticus*, qui vit dans les sources chaudes et produit donc une enzyme thermostable, qui supporte une température de 95 °C sans perte d'activité enzymatique.

Grâce à cette information, on synthétise deux oligonucléotides de 15-20 résidus qui s'hybrident chacun sur l'un des deux brins complémentaires et encadrent la région d'ADN à amplifier (*fig.* 22.14). Tout d'abord, le mélange réactionnel est chauffé à 95 °C : il y a **dénaturation**. Dans l'étape suivante de refroidissement à environ 55 °C, les amorces s'associent aux deux simples brins complémentaires – c'est l'**hybridation** – et servent de points de départ à la réaction de l'ADN polymérase. La synthèse s'effectue dans le sens 5' → 3' le long des simples brins matrices : c'est la **polymérisation**.

La réaction initiale est interrompue par un chauffage court à 95 °C ; les doubles brins nouvellement formés se dénaturent. Lorsque la température redescend à 55 °C, les amorces en large excès se réhybrident avec chacun des deux brins, le brin parental et le brin fils. Au cours du deuxième cycle, l'ADN polymérase synthétise au total quatre brins fils. Le processus en trois étapes – dénaturation, hybridation, polymérisation – peut ensuite se répéter indéfiniment (*fig.* 22.15). Après 20-30 **cycles de réaction**, le segment d'ADN se trouvant entre les amorces a été amplifié de plusieurs millions à plusieurs milliards de fois. En principe, grâce à la PCR, il est possible d'amplifier une molécule d'ADN unique jusqu'à ce qu'elle devienne le produit majoritaire du mélange réactionnel. L'ADN amplifié donne souvent une bande intense après une électrophorèse sur gel. *La sensibilité fantastique de cette méthode a son revers : la technique de PCR est très sensible aux traces d'ADN contaminant.* La PCR peut aussi détecter des ARNm, lorsque ceux-ci sont préalablement recopiés sous forme d'un ADN par la **transcriptase inverse** (RT) ; on parle alors de **RT-PCR**.

La réaction de PCR fait l'objet d'applications extrêmement variées : par exemple, l'énorme potentiel d'amplification de la PCR en a fait une méthode de choix dans le **diagnostic viral**, la recherche de **défauts génétiques**, ainsi que le diagnostic criminel – la **médecine légale** – grâce aux « empreintes génétiques » (*encart* 22.4).

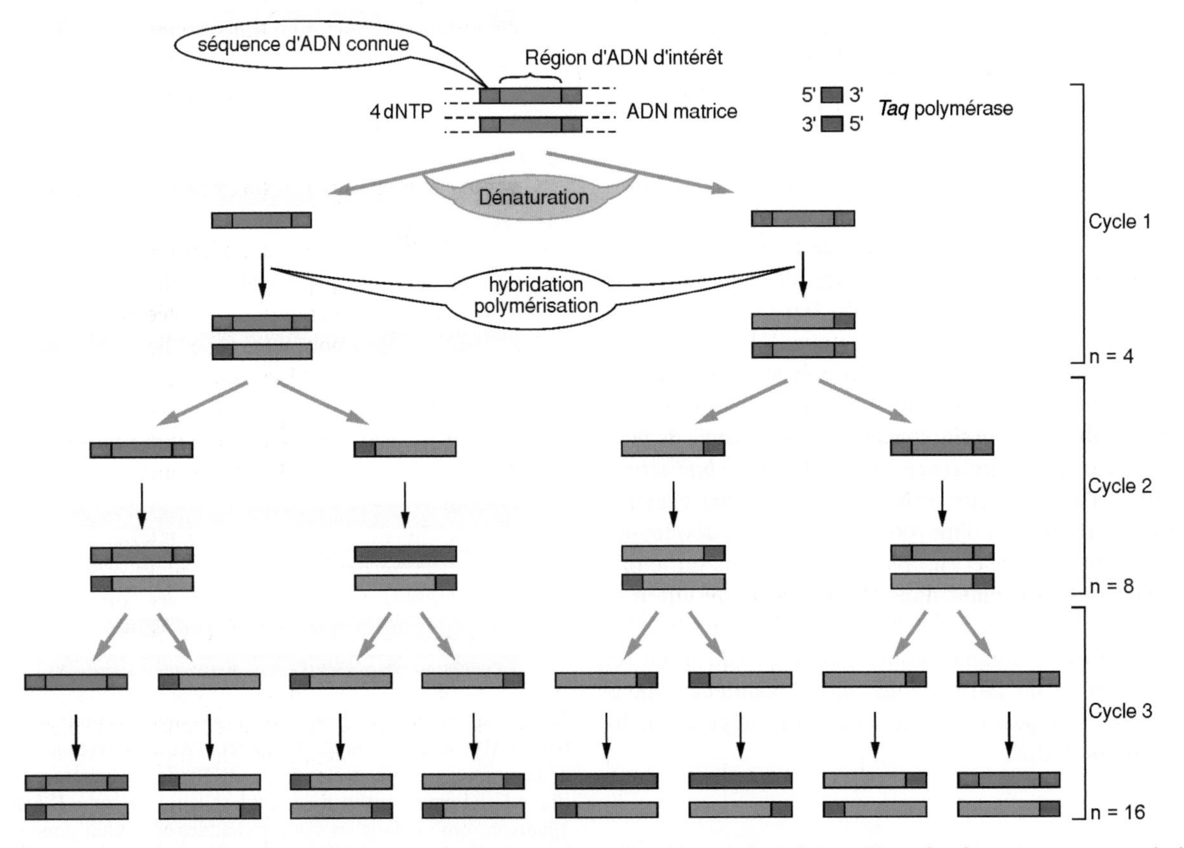

22.15 Cycles d'amplification par PCR. Après quelques cycles, le produit déterminé par les positions des deux amorces est majoritaire.

Encart 22.4 : Empreintes génétiques

Le génome humain contient un grand nombre de séquences répétées. Les **microsatellites**, dispersés dans tout le génome, en sont l'exemple le plus connu. Le nombre de séquences répétées diffère fortement d'un individu à un autre, variant d'environ quatre à quarante pour un même locus ; c'est pourquoi on les appelle aussi **VNTR** (angl. *variable number of tandem repeats*). Si l'on utilise des paires d'amorces dans les régions flanquant les loci VNTR des différents chromosomes pour réaliser une PCR, le mélange réactionnel donnera après séparation par électrophorèse un profil de fragments d'ADN de différentes longueurs caractéristique d'un individu et de ses VNTR (*fig.* 22.16). Cette **empreinte génétique** permet l'identification presque certaine d'un individu. L'ADN d'un seul cheveu humain ou de quelques spermatozoïdes suffit à mener à bien une telle analyse de manière reproductible.

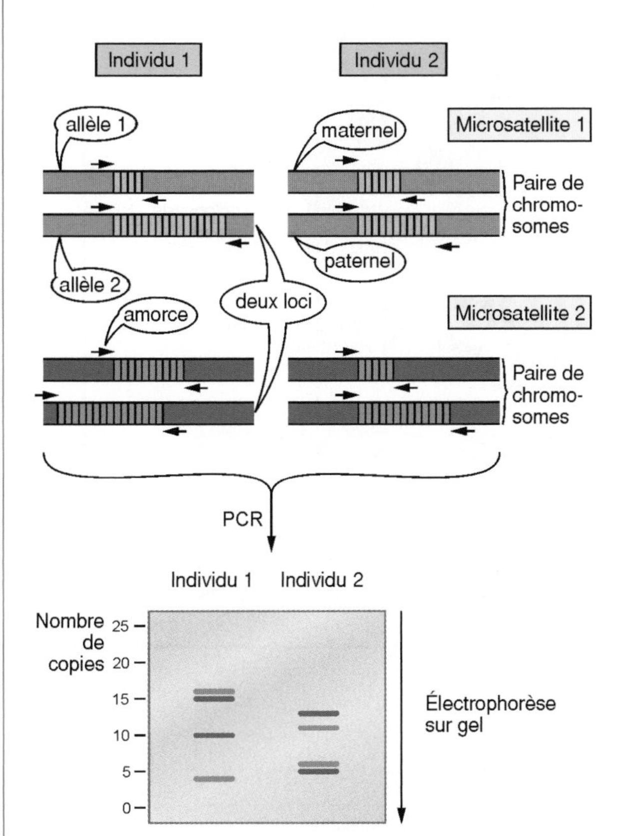

22.16 Empreintes génétiques. Ici, deux localisations géniques (loci) de deux individus sont examinées. Les microsatellites de chromosomes homologues (allèles) d'un même individu peuvent avoir des nombres de copies différents selon qu'ils sont d'origine maternelle ou paternelle.

22.7

Les banques d'ADN permettent d'identifier des gènes inconnus

La PCR permet le clonage *in vitro* de fragments d'ADN d'une longueur variant de 50 à environ 4 000 pb à partir de l'ADN total d'un organisme. Lorsque l'on a besoin de fragments plus longs ou lorsque l'information de séquence nécessaire à la synthèse des amorces manque, d'autres stratégies doivent être mises en œuvre. Une méthode éprouvée est la construction de **banques de gènes**. Elle consiste à fragmenter l'ADN total d'un organisme donneur à l'aide d'une enzyme de restriction et à insérer les segments d'ADN obtenus dans un **vecteur plasmidique** qui se multiplie facilement chez une bactérie hôte, produisant ainsi de nombreuses copies des fragments incorporés (§ 22.2). Outre les instructions nécessaires à sa propre réplication, l'ADN du plasmide contient en général un ou plusieurs **gènes de résistance**, qui spécifient par exemple une enzyme dégradant la pénicilline (§ 23.8). Lorsque l'on cultive les bactéries sur un milieu nutritif solide contenant de l'ampicilline, seules se multiplient les bactéries transformées, qui contiennent le gène de résistance du plasmide ; les bactéries non transformées meurent (*fig.* 22.17). Dans le cas idéal, les banques génomiques contiennent un grand nombre de vecteurs portant des fragments couvrant l'ensemble de l'ADN de l'organisme.

L'ensemble des bactéries transformées constitue une banque de gènes également appelée **banque génomique**. Les banques d'ADN de mammifères contiennent en général plusieurs millions de plasmides recombinants différents. Comment peut-on pêcher un gène donné au milieu de ces innombrables fragments ? On « étale » les bactéries de la banque génomique sur un milieu nutritif solide (*fig.* 22.18). En une nuit, elles forment des **colonies**. On applique alors un papier-filtre sur le milieu solide et on obtient ainsi une « copie » – appelée **réplique** – des colonies qui avaient poussé sur le milieu. Les bactéries qui restent collées sur le filtre sont lysées et, après dénaturation alcaline, on examine l'ADN plasmidique qu'elles contiennent grâce à une sonde spécifique du fragment d'ADN recherché : on appelle cette technique **hybridation sur colonies.**

L'hybridation sur colonies est une méthode classique d'isolement de gènes dont on connaît la protéine spécifiée ; elle est particulièrement utilisée lorsque seules de très petites quantités de protéine sont disponibles. Par dégradation d'Edman (§ 7.1), ou analyse par spectrométrie de masse (§ 7.3), on obtient à partir de protéines à l'état de traces des séquences partielles d'environ 10-30 acides aminés de long. Ces séquences sont transformées par l'opération inverse de la traduction, réalisée en utilisant le code génétique, en des séquences nucléotidiques et fournissent ainsi les informations nécessaires à la synthèse d'oligonucléotides

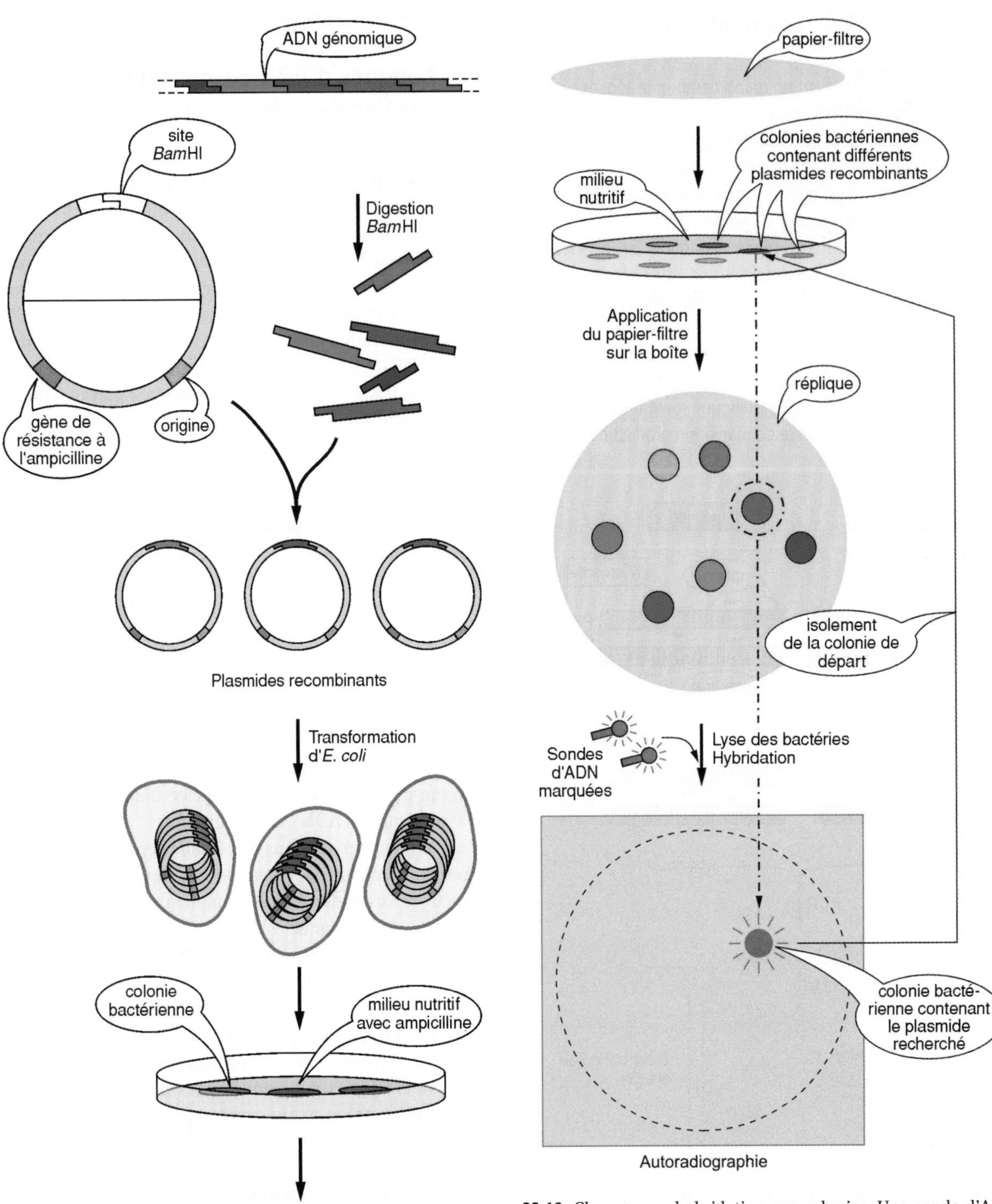

22.17 Construction d'une banque de gènes. L'ADN circulaire recombinant porte un fragment de l'organisme donneur. L'ADN du plasmide ne doit avoir qu'un site pour l'endonucléase de restriction utilisée ; souvent, il fait partie d'un site de clonage multiple (angl. *multiple cloning site*), dans lequel plusieurs endonucléases de restriction peuvent couper. Une colonie bactérienne contient en général un seul type de plasmide.

22.18 Clonage par hybridation sur colonies. Une sonde d'ADN marquée permet l'identification sur la réplique des colonies qui portent le gène d'intérêt. Ces colonies sont isolées à partir du milieu solide initial et mises en culture ; de grandes quantités d'ADN recombinant peuvent ainsi être produites par amplification en un temps relativement court.

marqués. Du fait de la dégénérescence du code, on utilise un mélange d'amorces « dégénérées », qui possèdent en certaines positions des nucléotides différents. Les sondes marquées sont ensuite employées pour une hybridation sur colonie. Comme le flux d'information va du gène à la protéine, on parle alors de **génétique inverse**. Les plasmides n'acceptent des fragments d'ADN étranger que jusqu'à une taille de quelques kpb ; c'est pourquoi l'on utilise plutôt le **phage lambda** comme vecteur pour les banques génomiques, car il accepte jusqu'à 20 kpb d'ADN étranger (§ 16.5). Les **cosmides**, qui sont des hybrides entre des phages λ et des plasmides, et les **vecteurs BAC** (angl. *bacterial artificial chromosome*) peuvent incorporer des fragments encore plus grands de 50 kpb et 1 000 kpb, respectivement ; ils sont particulièrement adaptés à la technique de « marche » sur le chromosome (angl. *chromosome walking*) (*encart* 22.5).

Les banques génomiques peuvent être construites à partir de n'importe quel organisme. L'inconvénient en est que dans beaucoup de cas, les vecteurs recombinants portent dans leur immense majorité (> 98 %) des séquences non codantes : les exons spécifiant des protéines représentent au maximum 1,4 % du génome humain (*fig.* 23.32). Ce problème peut être élégamment contourné par la construction de **banques d'ADNc**. Pour cela, les ARNm totaux de cellules cultivées, d'un tissu ou d'un organe sont isolés, et recopiés sous forme d'une copie d'ADNc (complémentaire) par une **transcriptase inverse** (RT) rétrovirale (*fig.* 22.20). Ceci génère un hétéroduplex ; après digestion enzymatique du brin d'ARN, la RT, enzyme polyvalente, effectue la synthèse du brin d'ADN complémentaire. Des oligonucléotides adaptateurs (angl. *linker*) contenant des sites de restriction multiples sont ligaturés aux extrémités de l'ADNc. Après clivage avec l'endonucléase de restriction convenable, l'ADNc est inséré dans un vecteur d'ADN préalablement linéarisé.

Encart 22.5 : Marche sur le chromosome

Des gènes ordonnés en séries peuvent être exprimés les uns après les autres durant le développement embryonnaire d'un organisme ; nous en avons vu un exemple avec les gènes des globines (*fig.* 20.20). Lorsque l'on a cloné un segment A d'un premier gène, on peut construire une sonde à partir d'une région terminale de A et l'utiliser pour cribler une banque génomique pour identifier un segment B voisin (*fig.* 22.19). On identifie une région terminale de ce second segment et on l'utilise comme sonde pour le clonage d'un troisième segment C et ainsi de suite, jusqu'à ce que l'on puisse reconstruire par analyse de recouvrement une séquence continue (contig d'ADN), qui contient un gène 2 voisin. Cette stratégie appelée « marche sur le chromosome » peut être mise en œuvre dans la direction 3' ou 5'. On voit ici l'avantage d'avoir des grands fragments d'ADN dans les banques génomiques : plus leur taille est importante, plus grands sont les « pas » que l'on peut faire sur le chromosome. Des stratégies analogues sont utilisées pour le séquençage de génomes entiers (§ 23.12).

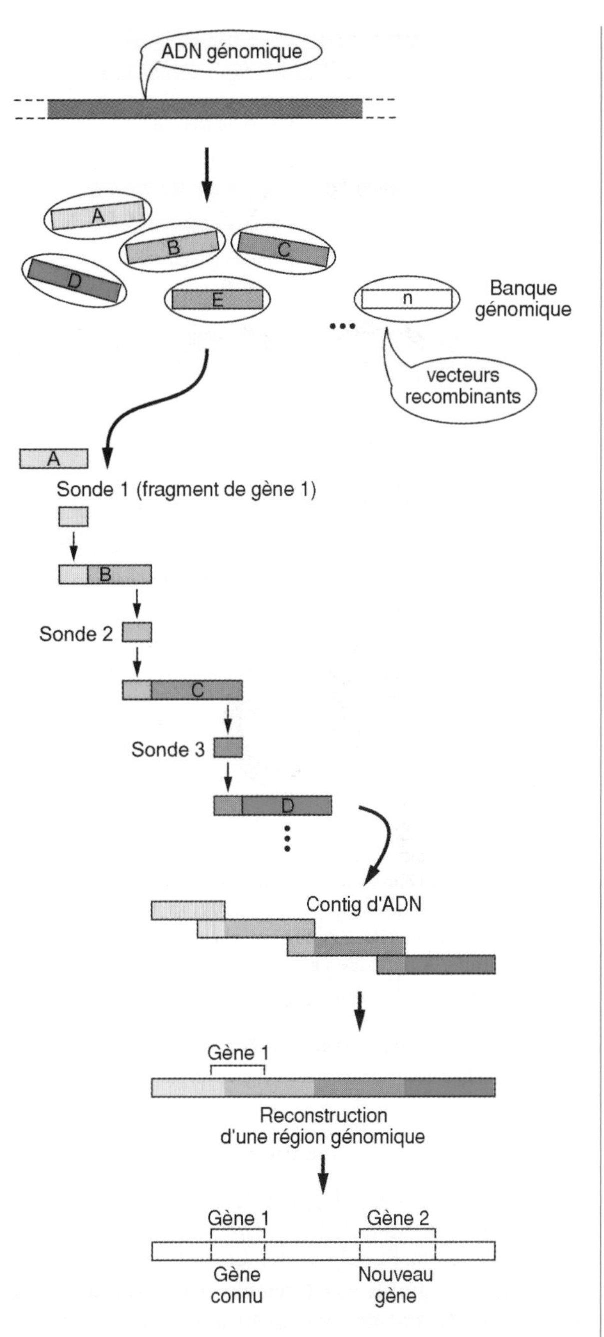

22.19 Stratégie de marche sur le chromosome. Comme pour l'hybridation sur colonies, la marche sur le chromosome est utile lorsque le génome de l'organisme n'est pas encore entièrement connu.

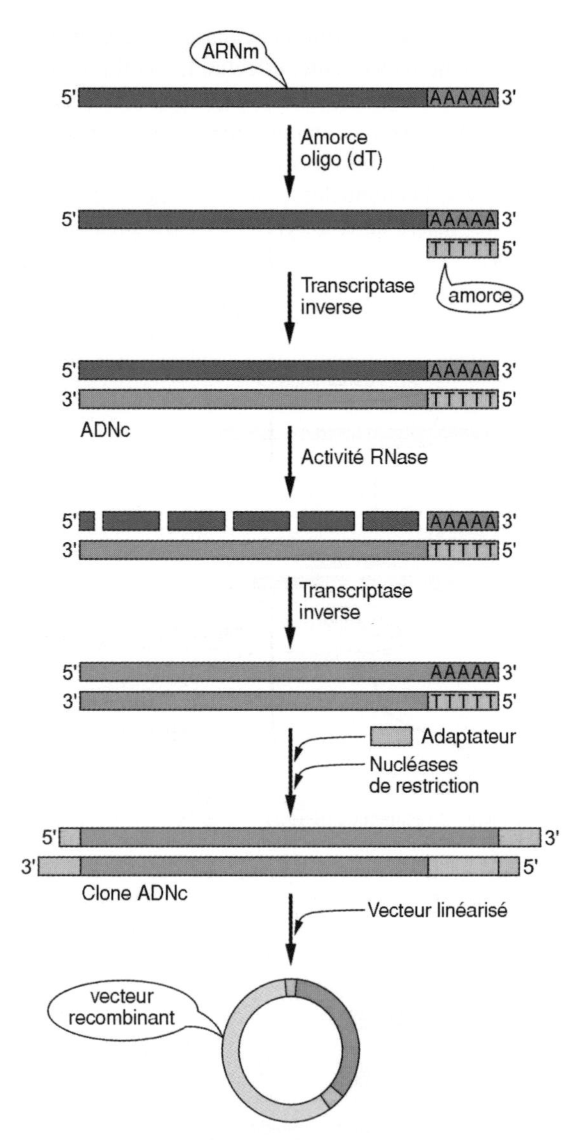

22.20 Synthèse d'ADNc. Comme les ARNm portent presque tous une queue poly(A), l'oligo-d$(T)_n$ complémentaire est une amorce fréquemment utilisée. La transcriptase inverse synthétise à partir de l'extrémité 3' de l'ARNm une copie d'ADNc ; grâce à son activité RNase endogène, elle coupe l'ARNm en plusieurs endroits. À partir de l'extrémité 3', la RT dégrade l'ADNc par son activité 5'-3' exonucléase en le remplaçant simultanément par de l'ADN. Après ligature avec un ADN adaptateur, et clivage de restriction, l'ADNc peut être inséré dans l'ADN d'un vecteur. [RF]

La recherche d'un gène particulier dans une banque d'ADNc utilise à nouveau l'hybridation sur colonies (*fig.* 22.18) et la PCR (§ 22.6). Comme les cellules ont souvent des profils d'expression très différents, les banques d'ADNc – contrairement aux banques génomiques – sont spécifiques du type cellulaire, du tissu ou de l'organe dont proviennent les ARNm. En raison de la complexité inférieure des banques d'ADNc, il est beaucoup plus facile d'isoler la partie codante d'un gène à partir d'une telle banque. Si l'on sait dans quelles cellules ou tissus le gène recherché est fortement exprimé, un choix judicieux de la banque d'ADNc facilite beaucoup la recherche. Pour isoler le gène entier, y compris ses parties non codantes, on utilise l'ADNc marqué comme sonde pour le criblage de la banque génomique correspondante, ou sa séquence pour sonder les banques de données (§ 23.13).

22.8

Le polymorphisme de longueur de fragments de restriction permet la découverte de gènes impliqués dans une maladie déterminée

Nous avons vu comment on recherche des gènes pour lesquels des informations au moins partielles sont disponibles, que ce soit au niveau de l'ADN ou des protéines. Mais comment peut-on cloner des gènes complètement inconnus, responsables chez l'homme de maladies graves comme la myopathie de Duchenne (§ 9.7) ou la mucoviscidose ? On utilise classiquement la technique de **clonage positionnel** pour trouver des gènes au sujet desquels on ne dispose que d'une localisation chromosomique grossière.

Le clonage positionnel est basé sur la connaissance des **polymorphismes de longueur de fragments de restriction** – ou **RFLP** – des ADN d'individus atteints ou sains provenant de familles concernées par la maladie. De cette façon, on tire parti du fait que les endonucléases de restriction coupent l'ADN génomique en des séquences spécifiques et produisent un profil caractéristique de fragments d'ADN. Des variations individuelles de séquence peuvent éliminer des sites de restriction ou en créer de nouveaux. Lorsque ces mutations sont situées dans les gènes associés à la maladie (ou à proximité de ces gènes), des sondes d'ADN appropriées permettent de mettre en évidence des différences de profil de restriction entre les individus sains et atteints par empreinte de Southern. Dans le cas de l'**anémie falciforme** (§ 10.9), qui est provoquée par un échange de nucléotides A → T dans le gène de la globine β, un unique site de restriction de l'enzyme *Mst*II (5'-CTTNAGG-3') disparaît : la digestion de l'ADN d'un porteur de la mutation caractéristique de l'anémie falciforme par *Mst*II donne un fragment plus grand que celle de l'ADN d'un individu sain (*fig.* 22.21). Grâce à une sonde dérivée du gène de la globine β, on peut déterminer si un individu porte la mutation sur un allèle (porteur hétérozygote), deux allèles (porteur homozygote) ou aucun (sain). Les RFLP sont transmis à la descendance de manière mendélienne et sont donc des outils de diagnostic intéressants.

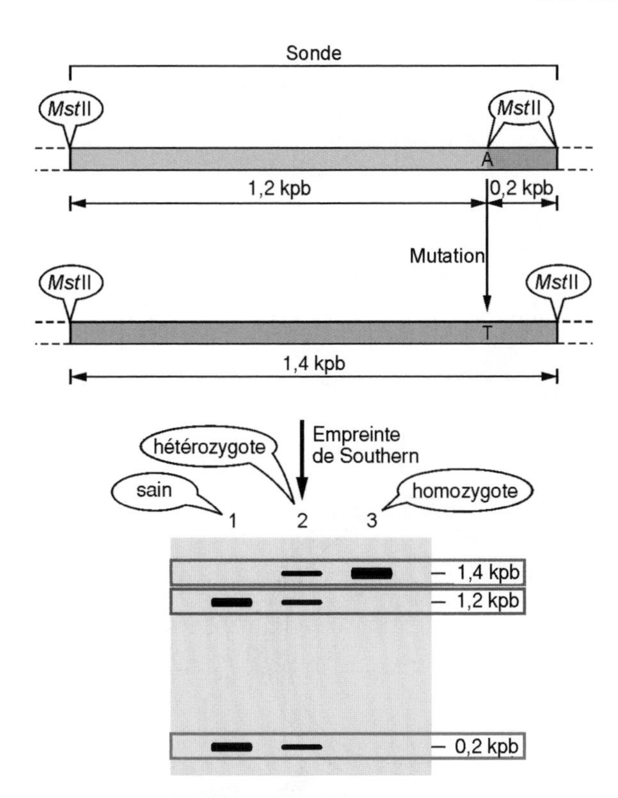

22.21 Analyse de RFLP dans le cas de l'anémie falciforme. Les sites de l'endonucléase de restriction *Mst*II dans le gène de la globine β sont indiqués, chez les individus sains et malades (en haut). Les profils de fragments d'ADN chez 1) les individus sains ayant des gènes de la globine intacts ($\beta^A\beta^A$), 2) les porteurs hétérozygotes ($\beta^A\beta^S$) et 3) les porteurs homozygotes ($\beta^S\beta^S$) sont représentés schématiquement.

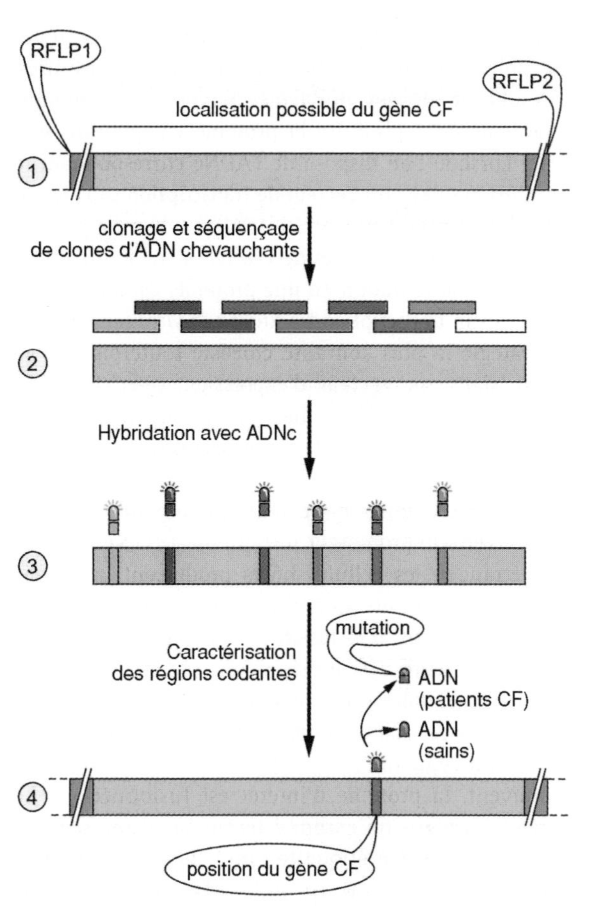

22.22 Clonage positionnel du gène CF. Deux RFLP ont permis de restreindre la localisation du gène CF à une zone de 10^6 pb (1). Cette région a été séquencée entièrement par marche sur le chromosome (2). Ces nouvelles séquences d'ADN ont été hybridées avec des banques d'ADNc issues de tissu glandulaire pour en identifier les régions codantes (3). L'association systématique de ΔF508 avec la mucoviscidose permet l'identification formelle du gène muté dans cette maladie.

Nous allons suivre sur l'exemple de la **mucoviscidose** (angl. *cystic fibrosis*, CF) le clonage positionnel d'un gène impliqué dans une maladie (*fig.* 22.22). Les analyses de RFLP de familles touchées ont indiqué que, chez les parents hétérozygotes sains, une sonde d'ADN (D7S15) s'hybridait avec deux fragments, alors que chez les enfants homozygotes malades, un seul fragment était marqué par la sonde. Une hybridation *in situ* par la sonde D7S15 a permis de situer le gène sur le chromosome 7. En utilisant d'autres marqueurs de RFLP, la zone génomique associée à la mucoviscidose a pu être restreinte à un segment d'environ 2×10^6 pb qui a été cartographié et séquencé par marche sur le chromosome (*encart* 22.5). Grâce aux sondes d'ADN produites à partir de cette région, des banques d'ADNc de tissus glandulaires, dans lesquels la mucoviscidose commence par se manifester, ont servi à la recherche de régions codantes et donc de **gènes candidats** susceptibles d'être impliqués. Parmi ces candidats, le gène CF long de 230 kpb et contenant 24 exons a été identifié ; ce gène spécifie un **canal à ions chlorures** (angl. *CF transmembrane regulator*, CFTR) de 1 480 acides aminés qui comporte 12 segments qui traversent la membrane plasmique des cellules glandulaires (*encart* 26.4). Environ 70 % des patients atteints de mucoviscidose sont porteurs d'une délétion d'un codon entier qui aboutit à la perte de la phénylalanine à la position 508 (ΔF508) de la séquence de CFTR, ce qui produit un canal ionique défectueux.

Avec l'élucidation complète du génome humain, il existe maintenant de nouvelles techniques utilisant le **polymorphisme de nucléotides simples** (angl. ***single nucleotide polymorphism***, SNP, § 23.13) pour isoler des gènes associés à des maladies.

22.9 Les protéines recombinantes sont utilisées en thérapeutique

Souvent, le rôle physiologique ou le mode d'action moléculaire d'une protéine n'est que partiellement connu, ou est complètement inconnu, et ce malgré la connaissance de sa séquence. Les techniques de biochimie et de génétique moléculaire fournissent alors les outils nécessaires à la résolution de ces problèmes ouverts. Une première étape consiste à produire la protéine en quantité suffisante. Lorsque l'on dispose de l'ADNc correspondant, on peut l'insérer dans un **vecteur de transcription** sous le contrôle d'un promoteur fort. L'ARN polymérase transcrit alors de grandes quantités de l'ARNm correspondant, qui peut être ensuite traduit en une protéine. On appelle cette combinaison **transcription/traduction *in vitro*** (*encart* 18.3). La stratégie la plus courante consiste toutefois à cloner l'ADNc dans un **vecteur d'expression**, avec lequel on transforme une bactérie, une levure, ou une cellule de mammifère (*fig.* 22.23). Les polymérases de la cellule transcrivent l'ADNc en ARNm qui est ensuite traduit en une protéine. Comme les vecteurs d'expression portent le plus souvent un promoteur fort qui dirige l'expression du gène étranger, les cellules hôtes produisent la protéine souhaitée en grande quantité, si bien qu'elle s'agrège parfois en **corps d'inclusion** (angl. *inclusion bodies*). D'autres vecteurs d'expression font sécréter la protéine par la cellule hôte dans le milieu de culture : celle-ci peut alors être isolée comme composant majoritaire du surnageant cellulaire (*chap.* 6).

Souvent, la protéine d'intérêt est fusionnée par son extrémité amino- ou carboxy-terminale à une séquence particulière appelée **étiquette** (angl. ***tag***) ou « drapeau » (angl. *flag*). (*fig.* 22.24). On utilise dans ce but des vecteurs d'expression qui portent déjà l'information de la **séquence drapeau.** Après insertion de la séquence d'ADNc, de la protéine d'intérêt, les cellules hôtes synthétisent une **protéine de fusion.** L'avantage d'une séquence drapeau comme celle de l'**hémagglutinine** (HA) est la possibilité d'utiliser systématiquement des anticorps contre le partenaire de fusion HA, au lieu d'avoir à produire des anticorps contre la protéine d'intérêt : après lyse des cellules hôtes, la protéine peut être spécifiquement détectée dans le lysat par immunoempreinte. (§ 6.8). De même, les anticorps contre HA permettent l'immunoprécipitation de la protéine fusion (*encart* 33.5). Si l'on utilise une **séquence hexahistidine (His_6)** comme étiquette, la protéine de fusion obtenue peut être purifiée par chromatographie d'affinité sur chélate de Ni^{2+} (*encart* 6.1). Par fusion avec la **protéine verte fluorescente** (angl. ***green fluorescent protein***, GFP) de la méduse *Aequorea victoria* qui donne une fluorescence intense lorsqu'elle est irradiée, ou avec ses dérivés, on peut déterminer simplement la localisation (sub)cellulaire de la protéine partenaire, étudier son association avec d'autres protéines et observer ses mouvements dans la cellule (*encart* 5.7).

Les protéines recombinantes sont d'une importance capitale dans la production de médicaments. Par exemple, on administre de l'**érythropoïétine** recombinante dans les cas d'altération du développement des érythrocytes (érythropoïèse) consécutive à des maladies

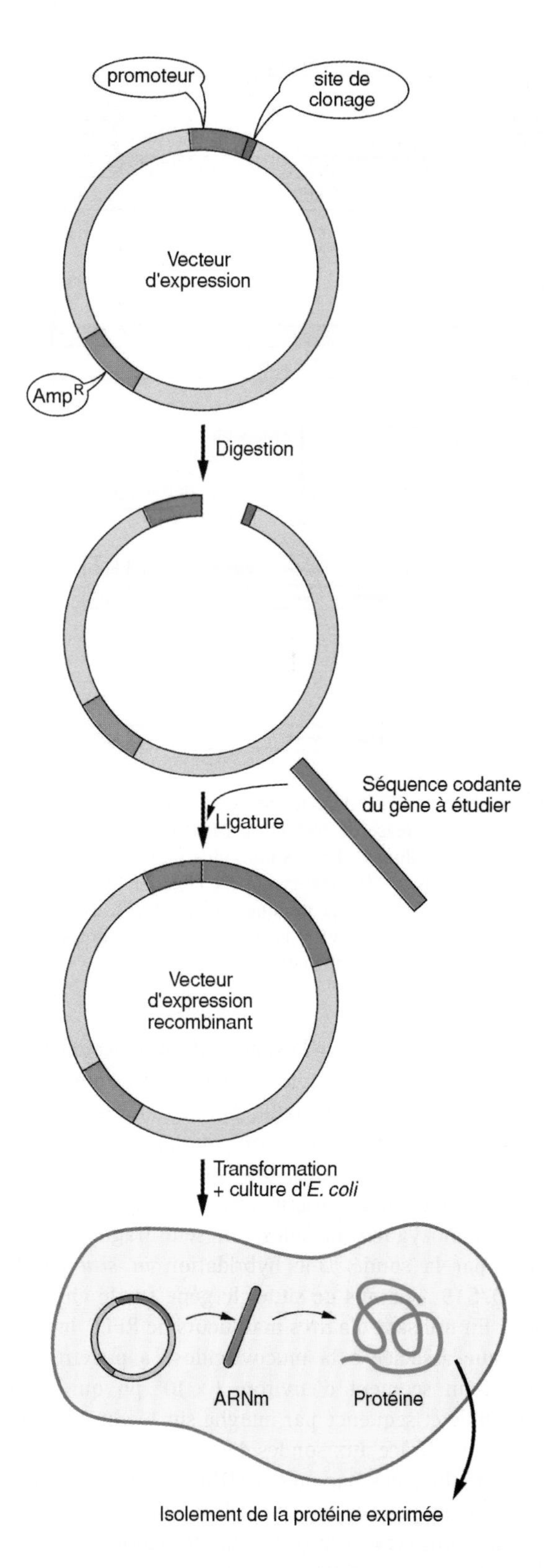

22.23 Construction d'un vecteur d'expression recombinant. Le vecteur possède un site de clonage multiple immédiatement derrière un promoteur fort. Après insertion de l'ADN étranger, des cellules hôtes sont transformées avec le vecteur, et on peut commencer la synthèse en masse de la protéine. Pour les besoins de la sélection, le vecteur contient un gène de résistance à l'ampicilline (Amp^R).

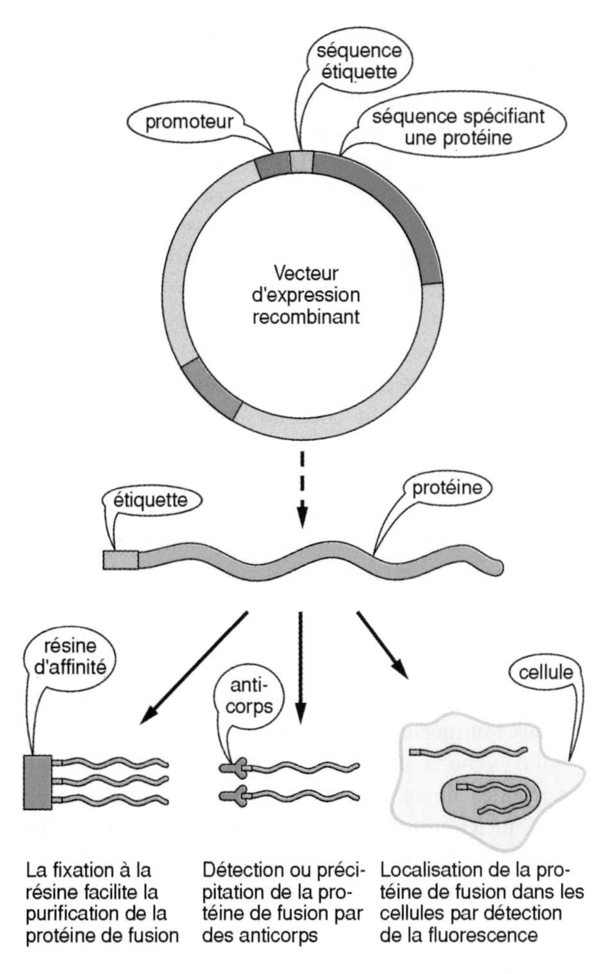

22.24 Construction de protéines de fusion. La fusion de la protéine à analyser avec une étiquette en facilite la purification, la détection, et parfois aussi le repliement « correct ». La séquence étiquette peut quelquefois être éliminée spécifiquement par clivage protéolytique ; seule reste alors la protéine « originale ».

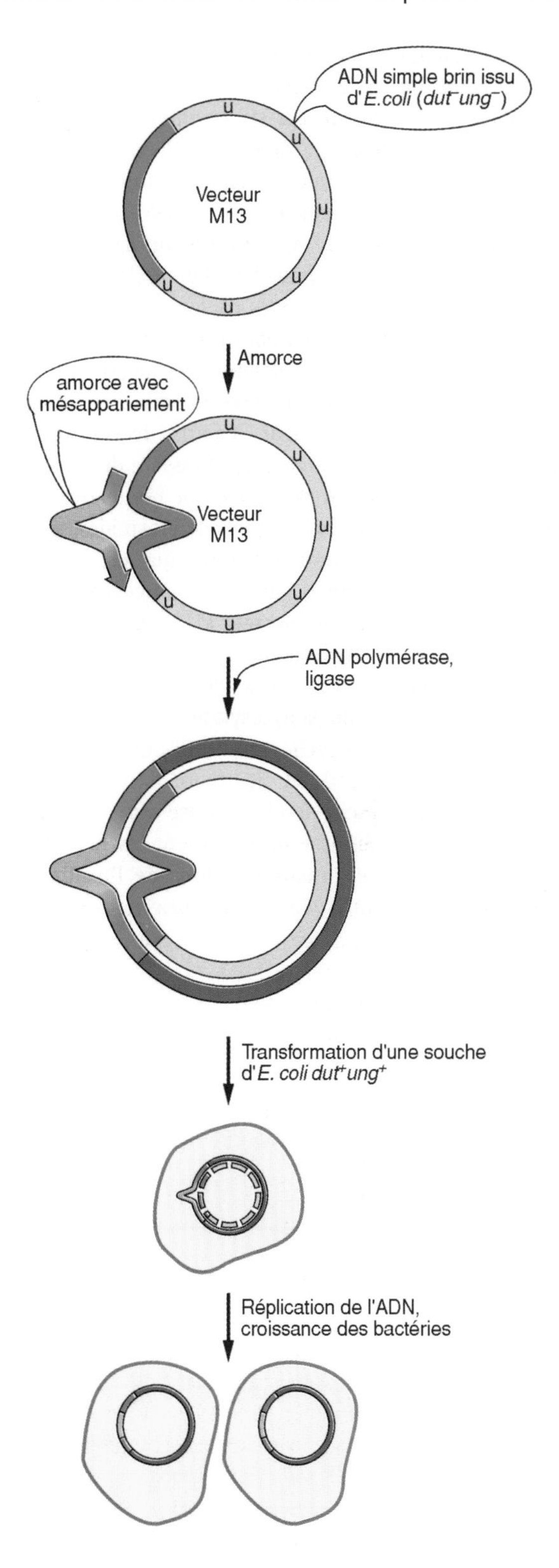

22.25 Mutagenèse dirigée. Un simple brin M13 qui a été propagé dans une souche spéciale d'*E. coli* (*dut⁻ung⁻*) et a incorporé des U à la place des T est hybridé *in vitro* avec l'oligonucléotide synthétique qui porte la mutation souhaitée. L'ADN polymérase termine la synthèse du brin fils qui contient des T. Après transformation d'*E. coli* sauvage (*dut⁺ung⁺*), le brin matrice contenant des U est dégradé sélectivement alors que le brin fils est répliqué en grande quantité. [RF]

des reins. L'**hormone de croissance** (*encart* 20.3), l'**insuline** (§ 46.6), et **l'activateur du plasminogène tissulaire** (§ 14.6), humains sont d'autres exemples de produits des technologies de l'ADN recombinant.

22.10 La mutagenèse ciblée contribue à l'élucidation de la fonction des protéines

Au nombre des méthodes importantes d'analyse fonctionnelle des protéines, on compte la **mutagenèse dirigée** de l'ADN correspondant (*fig.* 22.25). Elle consiste à muter spécifiquement des nucléotides isolés ou des groupes de nucléotides, ce qui aboutit au niveau de la protéine à une modification, délétion ou insertion d'un acide aminé, ou bien d'un segment spécifique de la structure primaire. L'expression de la protéine « mutée » permet ensuite d'analyser les conséquences structurales et fonctionnelles de ces changements et finalement d'en tirer en retour des conclusions sur le rôle du segment muté.

Pour modifier ponctuellement l'ADN, on clone la séquence cible dans un vecteur double brin et on en sépare les deux simples brins. Un oligonucléotide synthétique d'environ 20 nucléotides de long, complémentaire de la séquence cible à l'exception d'un mésappariement en son centre – mutation, délétion ou insertion –, peut alors s'hybrider par ses séquences flanquantes intactes à l'ADN simple brin du vecteur. À partir de cette amorce, une ADN polymérase et une ligase finissent de synthétiser *in vitro* le double brin circulaire. La réplication de ce duplex produit ensuite deux types de plasmides, un dont l'ADN porte la mutation et l'autre qui est intact. Le vecteur voulu est obtenu par une « astuce » simple. On utilise comme matrice un **vecteur M13** simple brin qui a été répliqué dans une souche spéciale d'*E. coli*, dans laquelle manquent les gènes de deux enzymes, la **dUTPase** (*dut*$^-$) l'**uracile-*N*-glycosylase** (*ung*$^-$). La dUTPase dégrade rapidement le dUTP en dUMP ; en effet, lorsque le dUTP s'accumule, il est incorporé dans l'ADN à la place du TTP. L'uracile-*N*-glycosylase est une enzyme de réparation qui élimine normalement les U de l'ADN. Une souche *dut*$^-$/*ung*$^-$ incorpore donc de l'uridine à la place de la thymidine dans le brin originel de M13. Si maintenant on synthétise le deuxième brin à partir d'un oligonucléotide mutagénique et de cette matrice uracilée et qu'on transforme une souche sauvage d'*E. coli* (*dut*$^+$/*ung*$^+$) avec le vecteur M13 double brin obtenu, le brin matrice contenant des U sera sélectivement reconnu et dégradé par l'uracile-*N*-glycosylase, alors que le brin d'ADN portant des T synthétisé *in vitro* sera répliqué en masse. À partir de l'ADN obtenu, le variant souhaité de la protéine peut alors être exprimé.

Une autre stratégie importante dans l'analyse fonctionnelle des produits des gènes est la production de **mutants dominants négatifs**, dans lesquels le produit du gène muté bloque la fonction du produit du gène normal. Nous avons déjà rencontré un exemple « naturel » de mutant dominant négatif dans l'ostéogenèse imparfaite (§ 8.4). La modification de l'une des trois chaînes α de la triple hélice conduit à une perte de fonction grave du collagène chez les patients atteints. L'introduction de mutants de ce type dans le génome d'un animal modèle peut être particulièrement révélatrice car l'effet de la mutation dominante négative peut être observé dans le contexte physiologique. Nous reviendrons sur ces **modèles animaux transgéniques** (§ 23.10).

Nous venons d'étudier les méthodes et techniques importantes de manipulation et de caractérisation des acides nucléiques. Nous allons maintenant nous tourner vers les processus fondamentaux de modification de l'information génétique *in vivo*.

Modification de l'information génétique

23

La capacité d'une espèce à survivre est extrêmement dépendante de sa **variabilité génétique**, qui lui permet de s'adapter à des variations des conditions de son environnement. L'aptitude aux mutations et aux recombinaisons de gènes est donc depuis longtemps d'une importance vitale pour la survie d'une espèce. Au contraire, les individus pris isolément se distinguent par leur **stabilité génétique**. Une cellule – en tant que partie d'un organisme entier – dépense une énergie énorme pour lutter contre toutes sortes de mutations. Nous avons déjà étudié les mécanismes par lesquels la cellule s'efforce de maximiser la fidélité de réplication de son ADN (§ 21.5 et suivants). Toutefois, des modifications aléatoires de l'ADN, indépendantes de la réplication, peuvent se produire. C'est pourquoi la cellule possède tout un arsenal de systèmes de réparation qui visent un but unique, reconnaître rapidement les modifications de l'ADN et les éliminer avec une grande fiabilité. Lorsque ces **systèmes de correction et de réparation** ne remplissent pas leur rôle, ne serait-ce qu'une fois, la mutation est conservée. De nombreuses mutations sont sans conséquences – mais dans le pire des cas, elles sont fatales à la cellule, voire à l'organisme. Dans la suite, nous allons étudier les mécanismes de modification et de réparation de l'ADN.

23.1 Les substitutions les plus fréquentes sont les transitions et les transversions

Les mutations des gènes sont le plus souvent dues à un échange d'un ou plusieurs nucléotides. Ces **substitutions** peuvent se produire « spontanément », c'est-à-dire sans intervention extérieure, ou bien être dues à l'exposition à des composés chimiques ou à un rayonnement. On distingue dans le principe deux types de substitutions nucléotidiques : les **transitions** remplacent une base purique par une autre base purique, ou une base pyrimidique par une autre. Les **transversions**, au contraire, remplacent une base purique par une pyrimidique ou inversement (*fig.* 23.1). Des transitions spontanées peuvent par exemple apparaître lorsque la forme céto prédominante de la

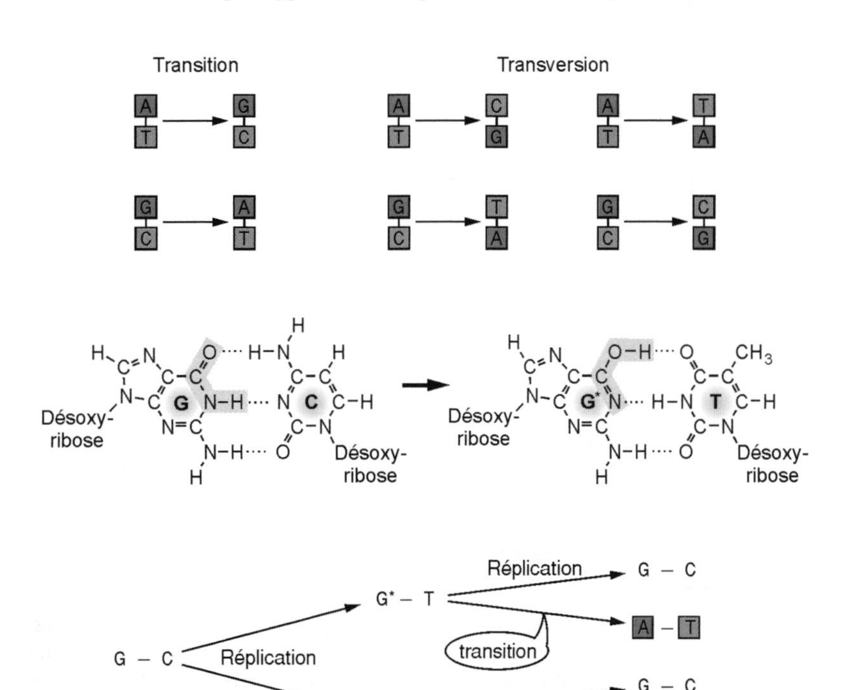

23.1 Transition et transversion de nucléotides. Il existe deux types de transitions et quatre types de transversions. Une forme tautomérique de G (marquée par *) peut s'apparier avec T au lieu de C (au centre) pendant la réplication et produit au cycle de réplication suivant (en bas) A·T (en couleur) au lieu de G·C sur l'un des deux brins fils.

guanine est convertie en la forme énol par **tautomérisation,** forme spéciale d'isomérie de constitution (§ 1.4). Cette forme énol s'hybride avec une thymine (G*·**T**) au lieu d'une cytosine à cause de la modification de ses capacités à former des liaisons hydrogènes, si bien qu'au cycle suivant de réplication, on obtient A·**T** au lieu de G·C. Comme les formes céto et énol de la guanine sont dans un rapport de 1 : 10^4, les transitions ne sont pas rares.

En dehors de l'incorporation de nucléotides incorrects au cours de la réplication, qui est le plus souvent corrigée par relecture et réparation post-réplicative (§ 21.5), des mutations spontanées peuvent aussi être provoquées par réaction chimique. Par exemple, il se produit occasionnellement des **désaminations spontanées** de cytosines en uraciles dans la cellule. Comme l'uracile s'apparie avec l'adénine, cela provoque une transition de C·G vers T·A. De même, l'adénine peut se désaminer spontanément en hypoxanthine ; cette base modifiée s'apparie avec une cytosine. La conséquence en est une transition A·T → G·C (*fig.* 23.2). Des résidus purines peuvent aussi disparaître : cette **dépurination** produit un nucléotide « apurique » qui ne peut plus s'apparier. Dans des conditions physiologiques, les **liaisons glycosidiques** entre la base purique et le désoxyribose peuvent se rompre : étant donné la taille du génome humain, ces ruptures de liaisons (> 10^3 par cellule et par jour) sont d'une grande importance biologique.

Les **agents mutagènes** peuvent induire des changements dans l'ADN par **modification de bases** : par exemple, l'hydroxylamine, une base forte, peut réagir avec la cytosine (*fig.* 23.3). Le dérivé de la cytosine formé s'hybride avec l'adénine au lieu de la guanine, ce qui produit une transition C·G → T·A. Les **agents alkylants,** qui introduisent des groupements méthyles ou éthyles sur le groupement hydroxyle de la position 6 de la guanine, sont des mutagènes redoutables. L'O^6-méthylguanine est capable de former un appariement de bases avec la thymine au lieu de la cytosine, ce qui aboutit à une transition G·C → A·T. L'O^4-méthylthymine, quant à elle, peut s'apparier avec une guanine. De même, les **carcinogènes** comme le benzopyrène réagissent avec les guanines pour greffer des hydrocarbures polycycliques volumineux à l'anneau purique.

Quelles sont les conséquences des substitutions nucléotidiques qui ne sont pas reconnues à temps par les systèmes de réparation ? Si la **mutation ponctuelle** se trouve dans une région codante d'un gène, elle peut entraîner des conséquences différentes (*fig.* 23.4). **Mutation faux-sens** : elle crée un triplet qui spécifie un autre acide aminé et conduit à l'incorporation d'un résidu « faux ». **Mutation neutre** : le triplet modifié code le même acide aminé et le produit du gène reste donc inchangé ; la mutation est neutre ou « silencieuse ». **Mutation non-**

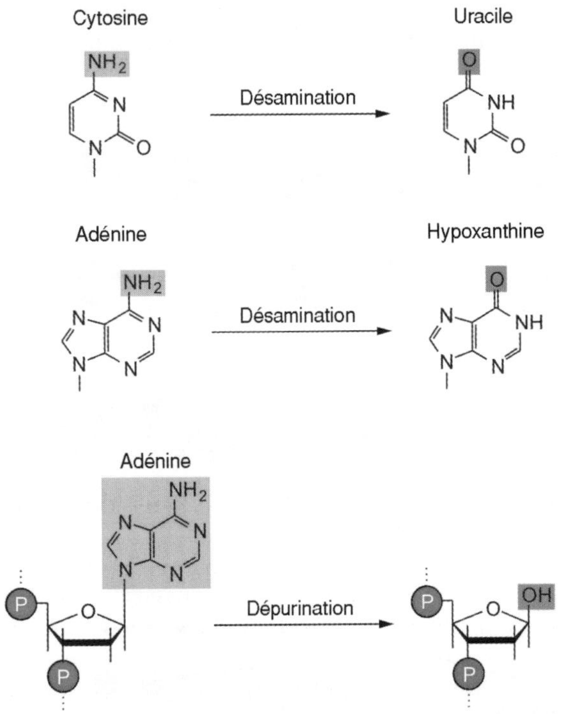

Cytosine — Désamination → Uracile
Adénine — Désamination → Hypoxanthine
Adénine — Dépurination

23.2 Désamination et dépurination des nucléotides. La désamination d'une 5-méthylcytosine peut donner une thymine (non montré).

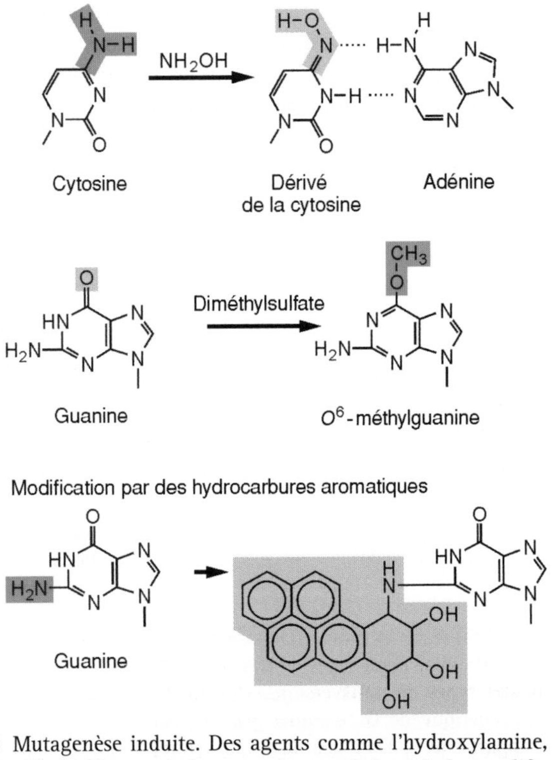

Cytosine — NH_2OH → Dérivé de la cytosine · Adénine
Guanine — Diméthylsulfate → O^6-méthylguanine
Modification par des hydrocarbures aromatiques
Guanine

23.3 Mutagenèse induite. Des agents comme l'hydroxylamine, le diméthylsulfate ou le benzopyrène conduisent à des modifications covalentes des bases. Lorsque ces dommages de l'ADN ne sont pas reconnus par les systèmes de réparation, cela produit des mutations. [RF]

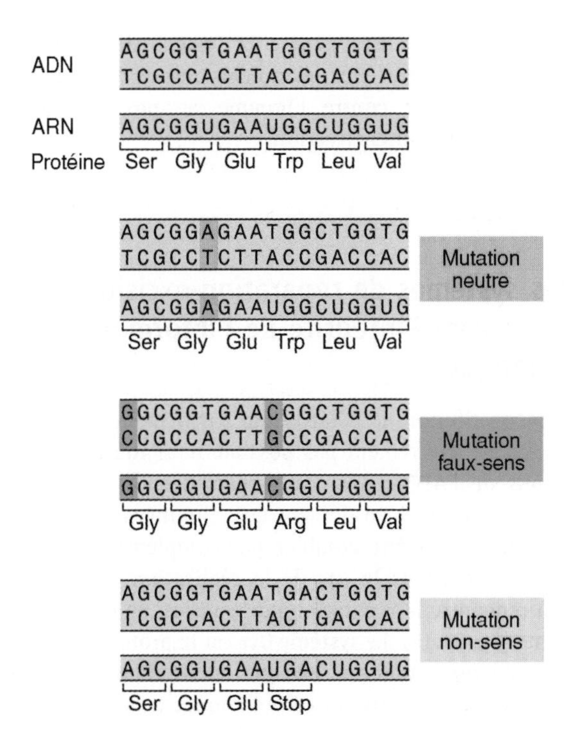

23.4 Les substitutions nucléotidiques et leurs conséquences. Lorsque le produit du gène n'est pas modifié malgré l'échange, on parle de mutation neutre. Lorsqu'un autre acide aminé est incorporé à la suite de la mutation, on parle de mutation faux-sens. Lorsque la mutation produit un codon stop, on parle de mutation non-sens.

squelette désoxyribose/phosphate
résidus thymines voisins
Rayonnement UV
anneau cyclobutane
Dimère de thymines de type cyclobutane
Photoproduit 6-4

23.5 Produits de dimérisation par rayonnement UV. Le plus souvent, des résidus thymines voisins sont assemblés en un dérivé cyclobutane. Plus rarement, on obtient une liaison 6-4 entre les deux résidus thymines (en bas à droite) ou entre une thymine et une cytosine voisine (non montré).

sens : la substitution nucléotidique aboutit à un nouveau codon stop, ce qui produit un gène écourté.

Outre les substitutions, on peut également avoir des **délétions** ou **insertions** d'un ou plusieurs nucléotides. Ces mutations peuvent être causées par exemple par les **colorants de type acridine**, qui en raison de l'arrangement plan de leur système polycyclique ont tendance à **s'intercaler** entre les paires de bases de l'ADN. Ils déforment alors si fortement l'ADN qu'ils peuvent provoquer une insertion ou une délétion à l'étape suivante de la réplication. Lorsqu'une telle mutation se produit dans un exon, elle en change le cadre de lecture – si elle n'insère ou n'élimine pas un nombre entier de triplets (voir *encart* 26.4). Les substances mutagènes comme l'acridine orange peuvent induire des tumeurs dans l'organisme humain, car l'apparition d'une tumeur est toujours précédée d'une altération de l'ADN. En dehors des produits chimiques, les **rayonnements ionisants** et le **rayonnement UV** sont également des facteurs mutagènes importants. Le rayonnement UV induit la formation de **dimères de pyrimidines**, c'est-à-dire que deux résidus voisins, le plus souvent des thymines, s'associent linéairement ou cycliquement (*fig.* 23.5). Ces dimères de thymines intramoléculaires – c'est-à-dire à l'intérieur d'un même brin – distordent l'ADN et représentent un véritable obstacle pour l'ADN polymérase. Pour éviter des perturbations fatales lors de la réplication, la cellule se protège grâce à un système élaboré qui détecte les dimères de pyrimidines et répare le brin défectueux.

23.2 La réparation de l'ADN est rapide et efficace

En principe, on peut imaginer deux manières de corriger les erreurs présentes sur un ADN muté : une nouvelle synthèse ou un remplacement. Les cellules emploient les deux stratégies. Puisque ces processus sont – comme souvent – mieux compris chez les procaryotes, nous allons d'abord nous intéresser aux systèmes de réparation bactériens ; nous verrons cependant que les cellules de mammifères utilisent des systèmes très semblables. L'O^6**-méthylguanine méthyltransférase** utilise la stratégie la plus « directe ». Cette enzyme élimine tout simplement le résidu méthyle gênant de l'O^6-méthylguanine (§ 23.1) et le transfère sur un résidu cystéine de son centre actif (*fig.* 23.6). L'ADN est ainsi ramené à son état initial.

Une autre enzyme, l'**ADN photolyase**, réalise le « tour de force » de « dynamiter » le noyau cyclobutane des dimères de thymines formés par le rayonnement UV. L'enzyme reconnaît les positions défectueuses du brin et

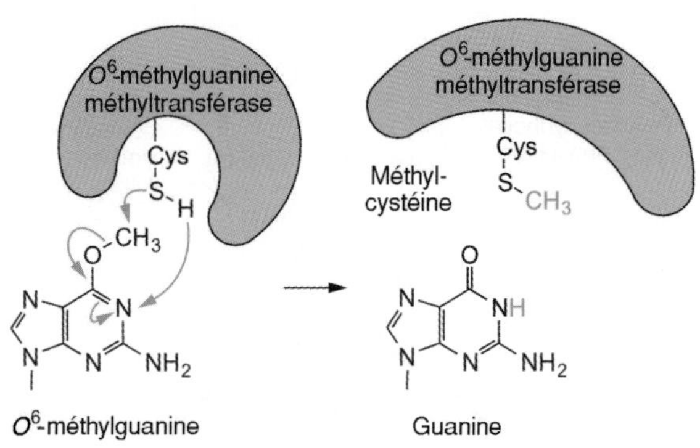

23.6 Réparation enzymatique de l'O^6-méthylguanine. Le radical méthyle est transféré au groupe thiol (-SH) de la chaîne latérale d'une cystéine du centre actif de la méthyltransférase. Ce processus est irréversible, c'est-à-dire que la transférase est « morte » après avoir réparé une seule liaison. Dans le cas d'une alkylation massive de l'ADN, la protéine peut activer l'expression de son propre gène. La méthyltransférase existe chez les eucaryotes et les procaryotes.

ouvre les deux liaisons C-C du noyau cyclobutane à l'aide de deux cofacteurs qui absorbent la lumière (*fig.* 23.7). En présence de photons, le 5,10-méthylène tétrahydrofolate, composé chromophore, transmet l'énergie de rayonnement à la flavine adénine dinucléotide réduite ($FADH^-$), qui transfère alors son électron libre au noyau cyclobutane. Le dimère de thymines se clive alors en libérant des radicaux libres, produits secondaires de la réaction ; de plus, le $FADH^-$ est régénéré. Le système de l'ADN photolyase est présent chez les procaryotes et de nombreux eucaryotes ; par contre l'homme ne possède pas ce système de photoréactivation.

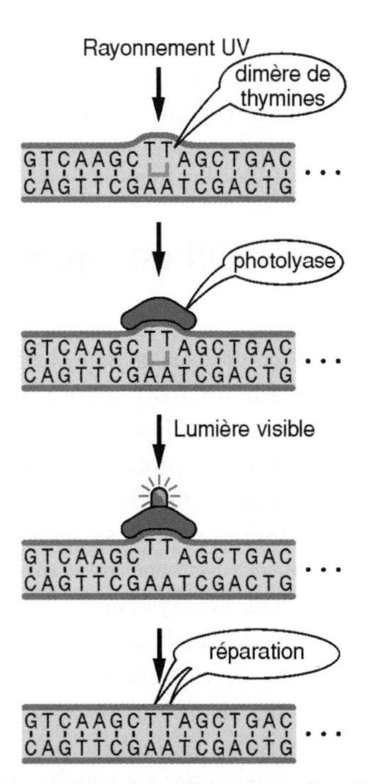

23.7 Mécanisme de la photoréactivation. Les dimères de thymines induits par le rayonnement UV sont reconnus par la photolyase. La lumière visible active la photolyase par l'intermédiaire de ses deux cofacteurs, le 5,10-méthylène tétrahydrofolate et la flavine adénine dinucléotide.

23.3 Des systèmes de réparation-excision conservent l'intégrité de l'information génétique

La reconstitution de l'état initial par inversion des réactions n'est assurément pas possible pour toutes les altérations de l'ADN : dans la plupart des cas, les parties défectueuses du brin doivent être éliminées et la lacune ainsi créée doit être comblée par complémentarité avec l'autre brin. Dans le cas de la réplication, nous avons déjà rencontré la réparation par excision de mésappariements (*fig.* 21.17). Le **système Uvr** est le prototype du système de **réparation par excision nucléotidique**. Dans ce système, quatre activités enzymatiques travaillent sur le brin : nucléase, hélicase, polymérase et ligase. Dans un premier temps, un complexe protéique fait d'une sous-unité UvrB et de deux sous-unités UvrA examine l'ADN à la recherche d'« irrégularités de structure » provenant par exemple de la dimérisation de pyrimidines. À ce stade, le complexe $UvrA_2B$ s'arrête et courbe le brin concerné en consommant de l'ATP (*fig.* 23.8). Les sous-unités A se dissocient alors pour laisser la place à la sous-unité UvrC, qui avec UvrB coupe le brin défecteux des deux côtés du dimère de pyrimidines. L'oligonucléotide de dix à douze résidus qui en résulte est dissocié par l'hélicase UvrD. UvrB et UvrD se dissocient alors du brin et libèrent la voie à l'ADN polymérase I, qui remplit l'espace ainsi créé. L'ADN ligase referme les coupures et reforme ainsi le brin intact.

Le système d'excision effectue aussi d'autres réparations comme l'élimination de dérivés hydrocarbures (*fig.* 23.3, en bas). Chez l'homme, il existe un ensemble d'enzymes analogue mais de structure plus complexe, dans lequel l'**excinucléase** découpe un oligonucléotide un peu plus long de 24-32 nucléotides autour de la position défectueuse. La maladie *Xeroderma pigmentosum*, due à l'absence d'un des composants de ce complexe, montre bien l'importance de ce système de réparation (*encart* 23.1).

Un autre système de réparation est spécialisé dans l'excision d'une seule base incorrecte ou défectueuse. Par exemple, les résidus cytosines d'un ADN peuvent se désaminer spontanément en uraciles (*fig.* 23.2). De telles **désaminations** spontanées ne sont pas rares : en l'absence de réparation, on aurait une forte augmentation du nombre de mutations spontanées. Une enzyme, l'**uracile-ADN-glycosylase**, que nous avons déjà rencontrée dans la mutagenèse dirigée (§ 22.10), reconnaît les résidus ura-

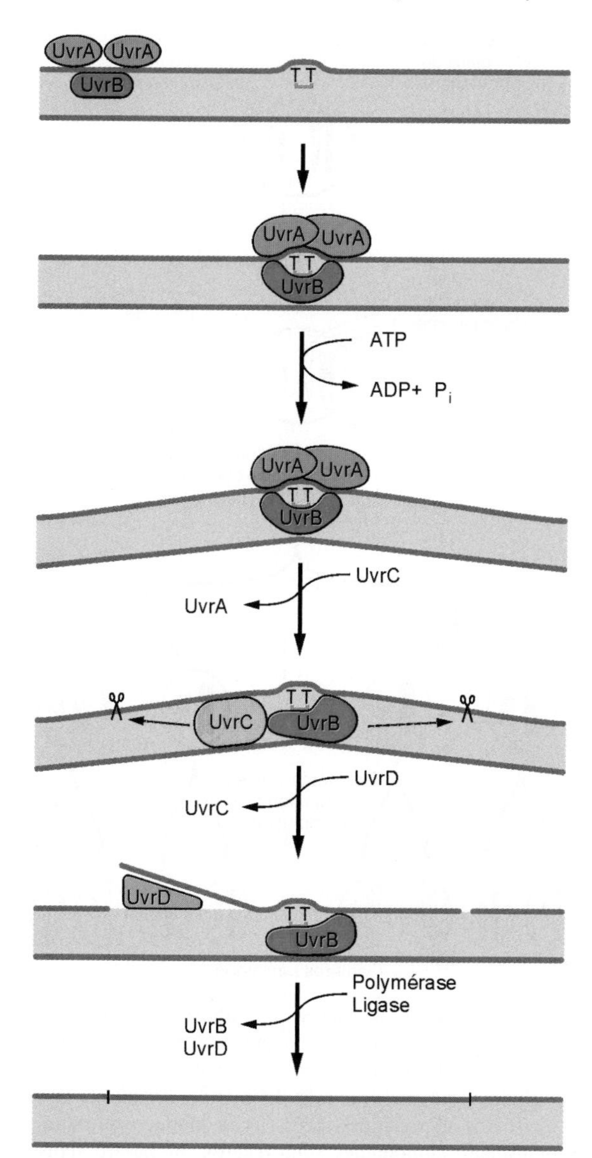

23.8 Réparation par excision de nucléotide chez *E. coli*. L'enzyme de réparation UvrBC n'est pas une endonucléase « conventionnelle », car elle coupe le brin en *deux* endroits et excise un oligonucléotide : c'est pourquoi on l'appelle excinucléase. L'hélicase UvrD dissocie l'oligonucléotide du brin complémentaire. Le système Uvr peut aussi réparer des liaisons covalentes entre les deux brins. [RF]

ciles du brin d'ADN, clive la liaison glycosidique entre l'uracile et l'unité désoxyribose, produisant ainsi un **dérivé apyrimidique (AP)** (*fig.* 23.9). Dans un deuxième temps, l'endonucléase AP clive la liaison phosphoester en 5'-terminal du résidu modifié. Après élimination du résidu désoxyribose phosphate par la désoxyribose phosphodiestérase, l'ADN polymérase remplit l'espace libre par un désoxycytidylate et la ligase referme la coupure simple brin. On parle de **réparation par excision de base.** À ce stade, nous pouvons aussi chercher à comprendre pourquoi l'ADN – contrairement à l'ARN – « dédaigne » l'uracile comme base (*encart* 23.2).

Encart 23.1 : *Xeroderma pigmentosum*

Cette maladie autosomique récessive d'une fréquence de 1 : 250 000 est caractérisée par une atrophie et une hyperkératose de la peau, une ulcération de la cornée, et une apparition de nombreuses tumeurs essentiellement cutanées. Son origine moléculaire est un défaut du système de réparation de l'ADN qui remédie normalement à la dimérisation des pyrimidines induite par les UV. C'est le plus souvent l'activité excinucléase qui est absente chez les patients, ce qui provoque une accumulation de mutations. Des défauts d'autres composants du système de réparation peuvent produire la même symptomatique. Avant l'âge de 30 ans, des tumeurs multiples et des métastases apparaissent chez les individus atteints. Il n'existe actuellement aucune thérapie causale ; les espoirs reposent sur les procédés de thérapie génique. Des défauts héréditaires du système de réparation des mésappariements favorisent aussi l'apparition de carcinomes colorectaux (*encart* 21.3).

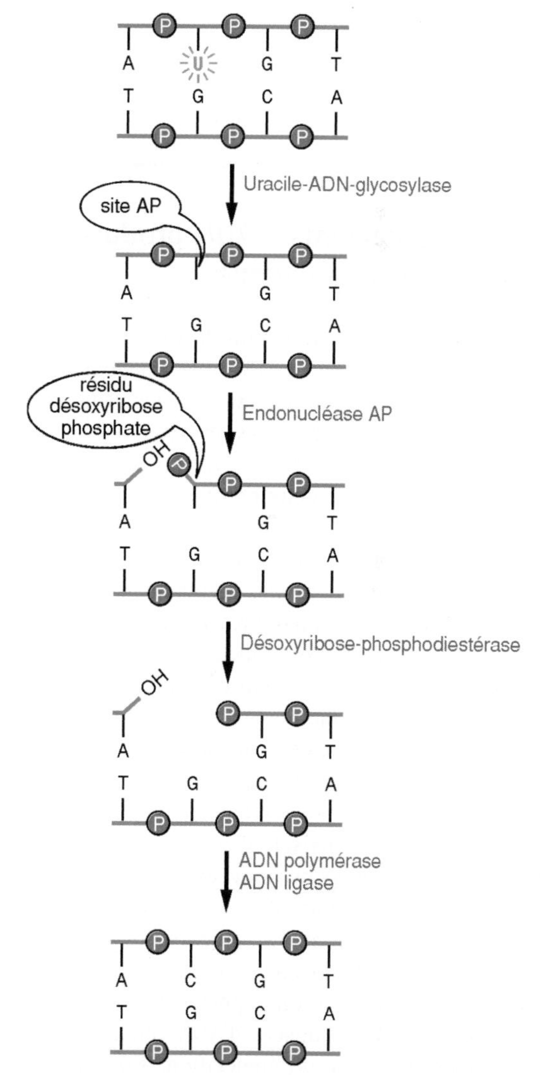

23.9 Réparation par excision de base par l'uracile-ADN-glycosylase. Les dimères de thymines, l'hypoxanthine et les purines alkylées comme la méthyladénine sont éliminées de la même manière par des ADN-*N*-glycosylases. La suite de la réparation a lieu comme indiqué. [RF]

Encart 23.2 : Pourquoi l'ARN utilise-t-il l'uracile et l'ADN non ?

Supposons que l'ADN incorpore — comme l'ARN — de l'uracile au lieu de thymine. Une désamination spontanée de cytosines en uraciles serait alors fatale, car l'enzyme de réparation ne pourrait distinguer entre l'uracile incorporé par la transcription et celui formé spontanément. À la longue, tous les résidus cytosines seraient convertis en uraciles, ce qui — comme les mécanismes de réparation seraient inopérants — entraînerait une rapide perte d'information. Le groupement méthyle de l'atome C5 des thymines est donc un signe de reconnaissance qui les différencie des cytosines désaminées et permet donc une réparation ciblée de la séquence d'ADN. Le prix en est une méthylation coûteuse de désoxyuridylate en désoxythymidylate (*fig.* 45.15). Contrairement au cas de l'ADN, la désamination des cytosines *n'*est *pas* corrigée après coup dans l'ARN, car celui-ci n'est pas porteur de l'hérédité. C'est pourquoi l'ARN peut utiliser comme composant l'uracile, qui « revient moins cher ».

23.4

Les réarrangements d'ADN produisent de la diversité génétique

La réplication et son autocontrôle rigide sont des processus qui donnent de l'ADN une image statique de bibliothèque d'information. En fait, des régions d'ADN peuvent aussi être déplacées et réassociées *in vivo*. Lorsqu'un segment d'ADN est transféré à l'intérieur d'un chromosome ou entre deux chromosomes différents, on parle de **translocation.** Lorsque l'association de segments d'ADN d'origines différentes crée une nouvelle molécule d'ADN, on a affaire à une **recombinaison.** L'échange entre des segments apparentés (homologues) issus de deux molécules d'ADN est appelé **recombinaison homologue.** Ce processus a lieu essentiellement pendant la division sexuelle – la méiose –, qui produit les cellules sexuelles – les gamètes – disposant d'un simple jeu haploïde de chromosomes (*fig.* 23.10).

Les processus de recombinaison homologue ou non homologue (recombinaison illégitime) peuvent générer des gènes complètement nouveaux. Ils apportent ainsi une contribution importante à la variabilité génétique à l'intérieur d'une espèce. Par ailleurs, les cellules et les organismes utilisent la recombinaison homologue dans les processus de réparation post-réplicatifs et pour le réarrangement de séquences d'ADN impliquées dans le développement et la différenciation. Considérons tout d'abord les processus moléculaires de recombinaison pendant la méiose (*fig.* 23.11). Les gènes peuvent être échangés entre des chromosomes homologues par ***crossing-over*** de chromatides.

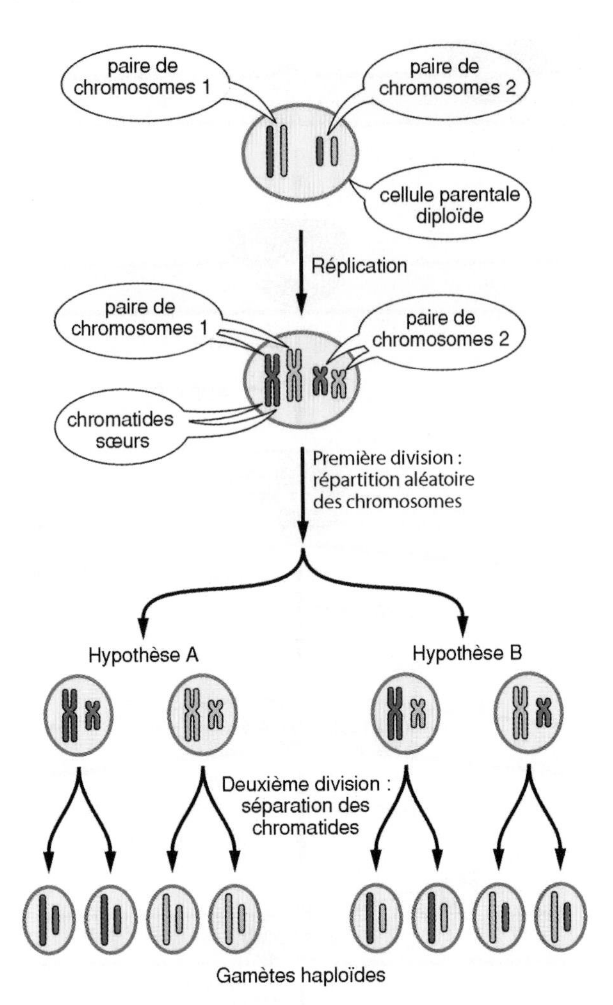

23.10 Processus de la méiose. La division réductrice d'un gamète possédant deux paires de chromosomes est montrée ici à titre d'exemple. Tout d'abord, les chromosomes homologues sont répliqués pour donner huit chromatides organisées en quatre paires de chromatides sœurs. À la première division, les chromosomes homologues sont répartis au hasard dans les cellules filles ; à la seconde division, les chromatides de chaque chromosome sont séparées et distribuées dans quatre gamètes haploïdes.

Pour la recombinaison homologue, les chromatides non sœurs doivent être arrangées précisément. Après une coupure précise à des positions correspondantes des deux segments homologues, les deux doubles brins se dissocient chacun sur une courte distance. Selon la représentation classique, les simples brins dissociés peuvent s'assembler avec le simple brin homologue de l'ADN partenaire par appariement de bases complémentaires, et former une **double hélice mixte.** Si les segments de brin échangés sont positionnés exactement, ils sont ligaturés avec leur partenaire ; on obtient ainsi un **croisement de brins** – appelé **jonction de Holliday** en l'honneur de son découvreur – qui est mobile (*fig.* 23.12). Au site de croisement des brins, on a un domaine hétéroduplex où la double hélice est constituée de simples brins d'origines différentes.

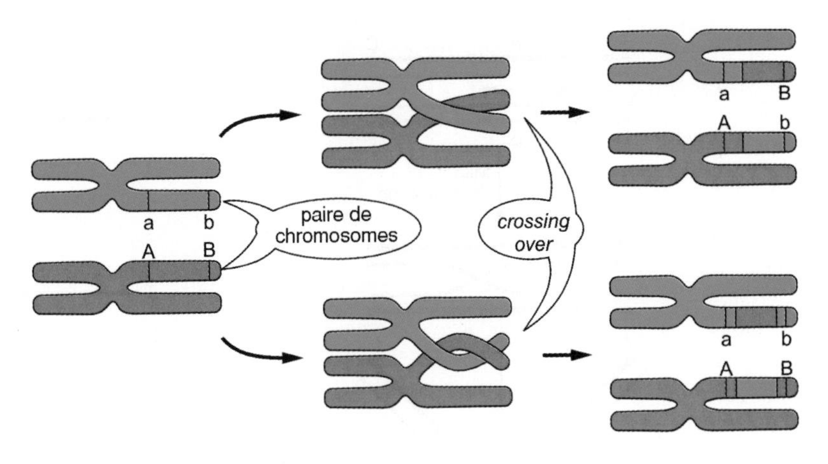

23.11 Recombinaison génétique. Pendant la première division de la méiose, les chromatides non sœurs de chromosomes homologues échangent du matériel génétique. L'échange a lieu entre des segments d'ADN entrecroisés. On a donc un réarrangement des chromosomes avant même qu'ils soient répartis entre les gamètes (ovule ou spermatozoïde). Les allèles différents A et a d'un côté, B et b de l'autre, peuvent être ainsi combinés d'une autre manière.

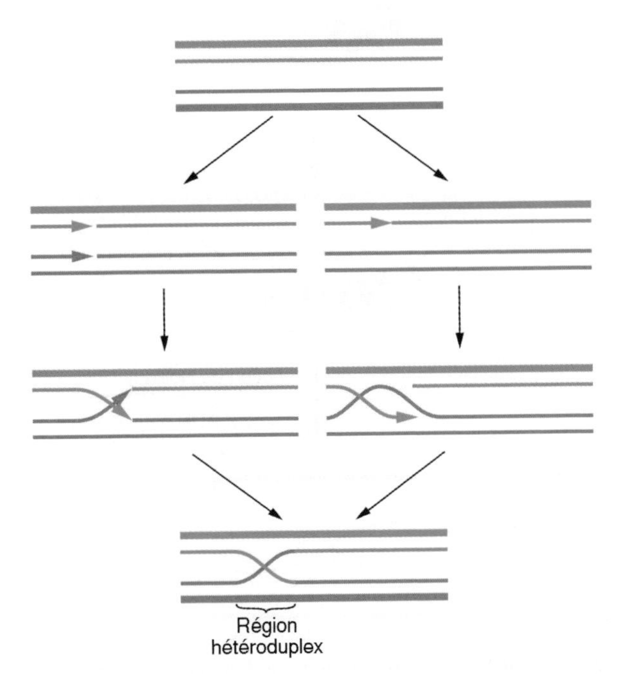

23.12 Jonction de Holliday. Le modèle « classique » part de *deux* coupures simples brins qui permettent une dissociation des brins des deux molécules d'ADN homologues et conduisent à l'échange de brins. Le modèle « élargi » (à droite) postule l'existence d'*une seule* coupure simple brin par laquelle le double brin intact « s'immisce » en déplaçant le brin homologue. Le deuxième double brin n'est coupé qu'après formation de la boucle. Les brins d'ADN homologues peuvent alors s'associer et être ligaturés.

23.5 Les jonctions de Holliday peuvent être résolues de deux façons

La jonction de Holliday peut se déplacer le long de l'ADN par dissociation-réassociation ; on appelle cette étape **migration de branche**. Celle-ci crée un échange progressif de brins entre les deux gènes. Comment ce « nœud gordien », qui ne pourrait pas être traversé par la réplication, peut-il être résolu ? L'hétéroduplex d'ADN doit pour cela subir une rotation de 180° autour du point de branchement. L'ADN réarrangé peut alors être coupé et religaturé de deux manières (*fig.* 23.13). Lorsque ce sont les deux brins parentaux, jusqu'alors intacts, qui sont coupés au niveau de la jonction de Holliday, la ligature produit une **région hétéroduplex recombinante** encadrée par des segments parentaux d'origines différentes. Au contraire, lorsque les brins qui avaient déjà été coupés au départ sont recoupés au niveau de la jonction, on obtient une **région hétéroduplex non recombinante**, flanquée de segments parentaux de la même origine.

Quelles protéines sont impliquées dans la formation des jonctions de Holliday ? Chez les procaryotes, trois protéines dominent la scène moléculaire : RecA, SSB et un complexe protéique constitué des sous-unités RecBCD (*fig.* 23.14). Le complexe **RecBCD** se fixe à l'extrémité de l'ADN puis se déplace sur le brin d'ADN grâce à son activité hélicase dépendant de l'ATP. Il dissocie le double brin dont il dégrade un brin par son activité exonucléase 3'-5', tandis que les **protéines SSB** stabilisent le simple brin complémentaire. (§ 21.2). Dès que RecBCD rencontre des séquences spécifiques dont le consensus est GCTGGTGG, son activité nucléase 3'-5' est inhibée et son activité nucléase 5'-3' est activée, si bien qu'elle dégrade le brin complémentaire. Cette « commutation » produit un simple brin dont l'extrémité 3' est recouverte de **protéines RecA** qui assurent le contact entre le simple brin stabilisé et le brin partenaire homologue. Le simple brin s'insère donc dans le double brin où il forme des appariements de bases avec le brin complémentaire (*fig.* 23.14, en bas). La dissociation du double brin est catalysée par RecA qui favorise ainsi l'échange de brins. Le brin déplacé du double brin peut être clivé après formation d'une boucle et s'hybrider avec le brin complémentaire de l'ADN partenaire homologue. Les lacunes créées par les activités nucléases sont finalement remplies par l'ADN polymérase et refermées par la ligase.

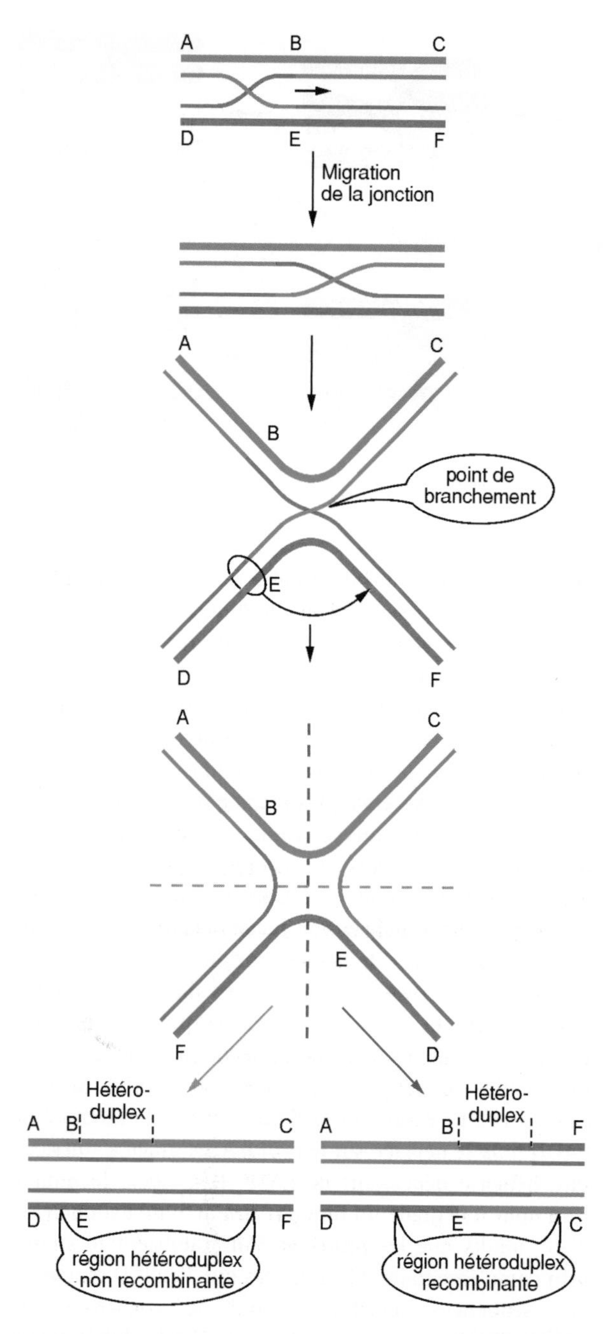

23.13 Résolution de la jonction. Après migration du site de croisement des brins, la jonction de Holliday est désentrelacée par une rotation à 180° du brin inférieur. Selon le plan de coupure, – vertical ou horizontal –, on obtient des régions hétéroduplex recombinantes ou non.

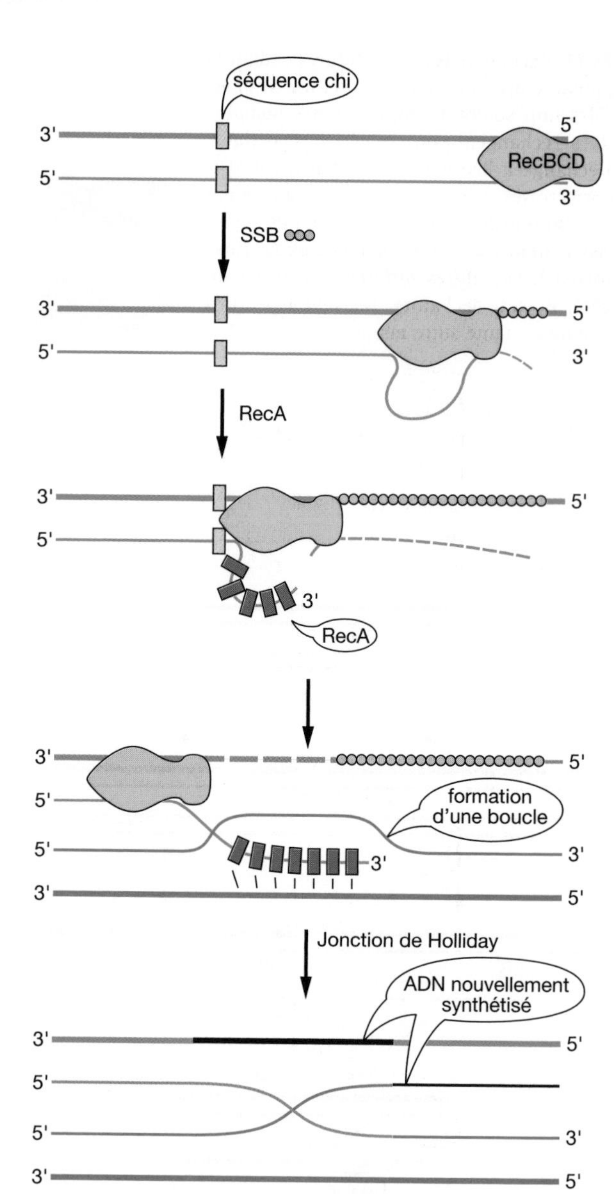

23.14 Modèle de la recombinaison homologue chez *E. coli*. RecBCD déclenche la recombinaison à partir des séquences chi de reconnaissance (angl. *cross-over hot spot instigator*). Des protéines RecA se fixent au simple brin que RecBCD libère. Par un deuxième site de fixation, les protéines RecA s'associent au deuxième double brin (en rouge) et dirigent ainsi son invasion par le simple brin (en vert). Le brin complémentaire déplacé, qui forme une boucle (angl. *loop*) est clivé et hybridé au simple brin restant de la première molécule d'ADN. Une nouvelle synthèse d'ADN termine la jonction.

Après formation de la jonction de Holliday, les protéines Ruv déterminent la suite des événements moléculaires. **RuvA** et **RuvB** favorisent l'échange de brins et font donc migrer le point de branchement (*fig.* 23.13, en haut). Finalement, **RuvC** déclenche la résolution de la structure de Holliday. L'identification de protéines comme RecA chez les eucaryotes supérieurs suggère que les processus de recombinaison ont été conservés au cours de l'évolution. La recombinaison homologue qui se déroule entre chromosomes appariés pendant la méiose est un processus extrêmement précis et représente une **source de variabilité génétique** importante à l'intérieur d'une espèce donnée. La recombinaison homologue participe aussi à la réparation de l'ADN endommagé pendant la réplication (*encart* 23.3).

Encart 23.3 : Réparation par recombinaison

Comme nous l'avons vu, la cellule élimine les dimères de thymines par photoréactivation ou réparation par excision (§ 23.2). Lorsque ces systèmes de réparation sont pris en défaut ou lorsqu'un problème important se produit au cours de la réplication, la cellule se sert de la recombinaison homologue pour assurer la correction de la séquence. Si par exemple un dimère de thymines bloque l'ADN polymérase, cet obstacle peut être « sauté » par synthèse d'un nouveau fragment d'Okazaki en amont de l'endroit du défaut sur le brin matrice (*fig.* 23.15). Il reste sur le brin fils une lacune qui ne peut absolument pas être comblée par la polymérase et la ligase à cause du défaut. C'est là qu'intervient la recombinaison homologue : la lacune est remplie par apposition exacte du deuxième brin parental et recombinaison. La lacune transférée au brin parental peut être comblée sans problème en utilisant comme matrice le brin fils. Le dimère de thymines du premier brin parental est excisé ; le brin fils intact donne les instructions nécessaires à la reconstitution de la séquence de départ.

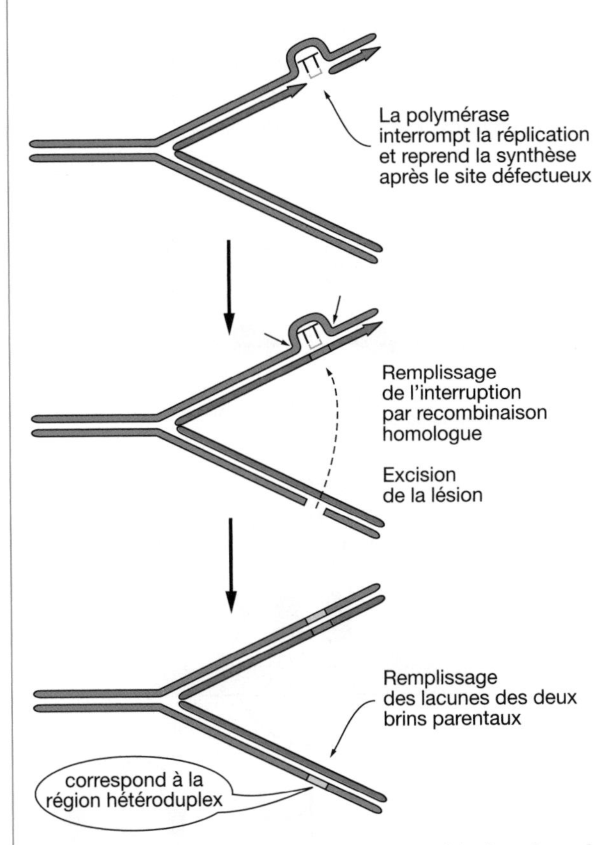
TT
La polymérase interrompt la réplication et reprend la synthèse après le site défectueux
Remplissage de l'interruption par recombinaison homologue
Excision de la lésion
Remplissage des lacunes des deux brins parentaux
correspond à la région hétéroduplex

23.15 Réparation post-réplicative par recombinaison homologue. [RF].

23.6 La diversité des anticorps repose sur une recombinaison spécifique de site

La recombinaison homologue échange des segments de gènes entre paires de chromosomes sans modifier l'ordre de ces gènes. Au contraire, la **recombinaison spécifique de site** et **transpositionnelle** conduit à un changement de l'ordre de gènes ou de groupes de gènes à l'intérieur des chromosomes. Dans ce cas, des segments d'ADN peuvent être supprimés, transférés ou recopiés. L'exemple le mieux compris est le réarrangement programmé des gènes d'anticorps pendant le développement du système immunitaire. Nous allons nous intéresser en détail à ce processus fondamental.

Le **système immunitaire** des mammifères reconnaît des structures moléculaires (les antigènes) comme certaines protéines bactériennes ou virales et protège l'organisme contre celles-ci en se fixant à ces antigènes pour les éliminer spécifiquement. Dans ce but, les lymphocytes B produisent des **anticorps** (immunoglobulines) qui reconnaissent spécifiquement les antigènes et s'y fixent (§ 33.9). L'organisme humain possède au moins 10^{11} anticorps différents, ce qui lui permet d'avoir toujours « sous la main » une immunoglobuline adaptée à la reconnaissance d'un antigène donné. Comme le génome humain ne contient qu'environ 30 000 gènes, tous les anticorps ne peuvent pas provenir de gènes différents. La gigantesque **diversité des anticorps** est obtenue pendant la différenciation des lymphocytes par réarrangement d'un nombre limité de segments de gènes. Les composants des immunoglobulines (Ig) humaines sont des chaînes légères de deux types (κ, λ) et des chaînes lourdes de cinq types principaux (α, δ, ε, γ et μ). Une immunoglobuline de type G (IgG) se compose de deux chaînes légères identiques et de deux chaînes lourdes identiques (*fig.* 33.19). Chaque chaîne possède une **région variable** qui détermine la spécificité de l'anticorps ; à cet endroit les structures primaires diffèrent fortement d'un anticorps à l'autre. Du côté C-terminal, on trouve une **région constante** dont la séquence varie peu entre anticorps du même type.

Quatre segments de gènes contiennent l'information complète permettant de construire une chaîne légère : L (angl. *leader*), V (*variable*), J (*joining*) et C (*constant*). Dans les gamètes, ces segments d'ADN sont arrangés en séries de 5' vers 3' sur les chromosomes concernés. Dans le cas de la chaîne κ, un **segment V**, qui spécifie la plus grande partie de la région variable, suit le **segment L** qui spécifie le **peptide signal** plus en 5'. Au total, il existe environ 70 combinaisons L-V différentes chez l'homme, 40 pour la chaîne λ et 30 pour la chaîne κ. Plus loin vers l'extrémité 3' suivent de quatre (λ) à cinq (κ) **segments J**, qui spécifient chacun une petite partie C-terminale de la région variable. L'extrémité 3'-terminale d'un gène

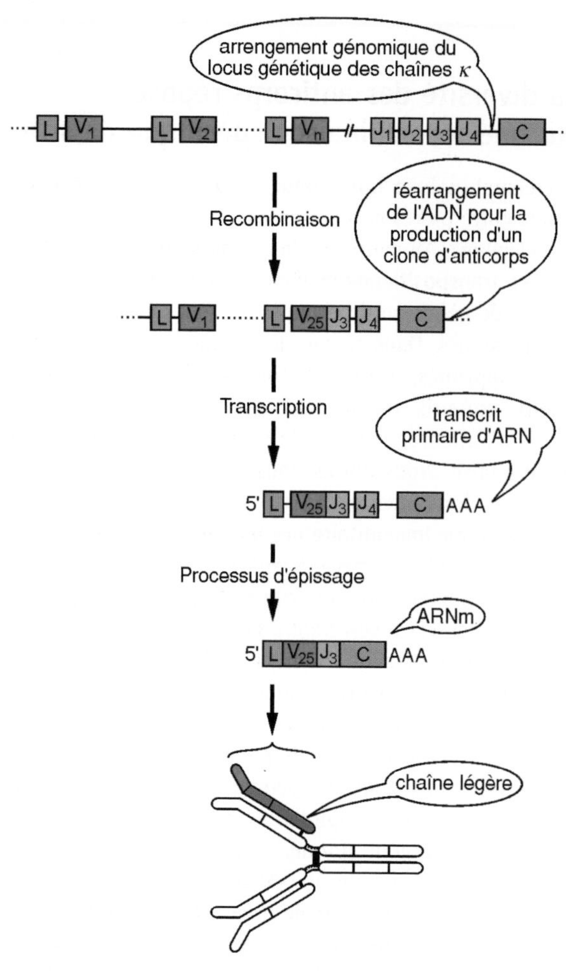

23.16 Maturation des gènes d'anticorps chez la souris(locus κ). Le réarrangement des segments V et J produit un gène entier qui fournit le transcrit de la chaîne légère (chaîne κ). Les régions L, V, J, et C sont connectées par l'épissage pour former un ARNm fonctionnel. Deux chaînes légères κ et deux chaînes lourdes forment un anticorps spécifique de type IgG. Le peptide signal (§ 19.4) spécifié par le segment L est déjà clivé lors de l'association des deux chaînes.

d'immunoglobuline est constituée par le **segment C** qui code la région constante. Dans les cellules précurseurs des lymphocytes, ces segments sont organisés en groupes sur un chromosome (*fig.* 23.16 en haut). Lors de la différenciation des lymphocytes B, il se produit un **réarrangement** et une réassociation de ces segments de gènes dans lesquels un segment L-V est recombiné avec l'un des quatre gènes J. Les séquences situées entre les deux segments recombinés sont éliminées, ce qui produit une combinaison L-V-J continue. Par contre, les combinaisons L-V plus en 5' et les gènes J plus en 3' sont conservés. En principe, il existe donc $40 \times 5 + 30 \times 4$ possibilités de combinaisons L-V-J.

Quels mécanismes permettent le réarrangement des gènes d'anticorps pendant la maturation des lymphocytes ? Contrairement à la recombinaison homologue, la recombinaison spécifique de site ne requiert que de courtes régions d'homologie. Les gènes d'anticorps portent du côté 3'-terminal de chaque segment V un palindrome séparé par une séquence de 12 pb d'une région riche en adénines. Du côté 5'-terminal de chaque segment J, on trouve une région homologue, avec cette fois une séquence de 23 pb séparant le palindrome d'une région riche en T (*fig.* 23.17). Les **enzymes de recombinaison RAG1** et **RAG2** reconnaissent ces séquences et associent des combinaisons de segments ayant une séquence de 12 pb (V) et une séquence de 23 pb (J), mais non deux régions V ou deux régions J entre elles.

La diversité des gènes d'anticorps est encore augmentée par une « imprécision », produite par une **jonction variable** entre les segments V et J : sur une longueur de trois bases, toutes les transitions entre V et J sont possibles (*fig.* 23.18). De plus, des **délétions** ou des **insertions** de quelques nucléotides peuvent se produire au niveau de cette transition V-J, ce qui élève encore la variabilité d'un facteur 100 environ. *Grâce à cette diversité de jonctions, la recombinaison VJ à elle seule produit plus de 3×10^4 chaînes légères différentes.*

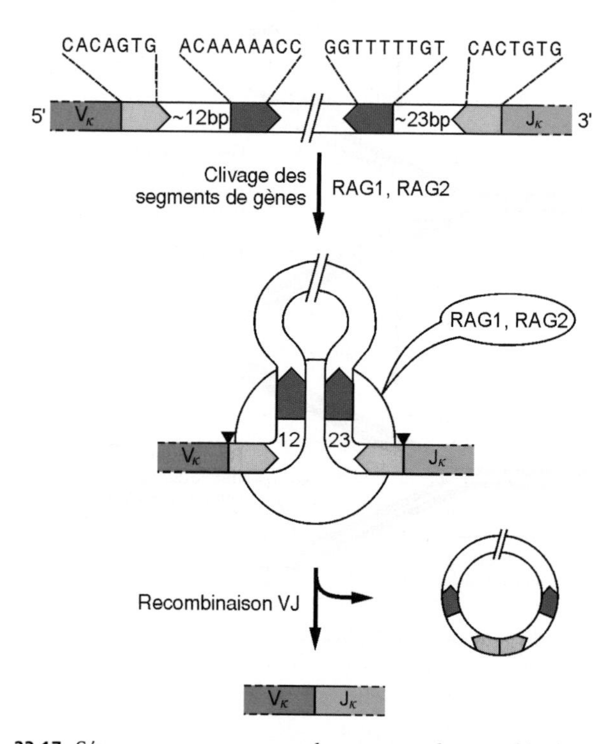

23.17 Séquences reconnues par les enzymes de recombinaison. RAG1 et RAG2 reconnaissent des signaux palindromiques et rapprochent les segments de gènes concernés en formant une boucle. Elles excisent la région en boucle, ce qui produit un ADN cyclique, et réunissent les segments V et J en une molécule continue.

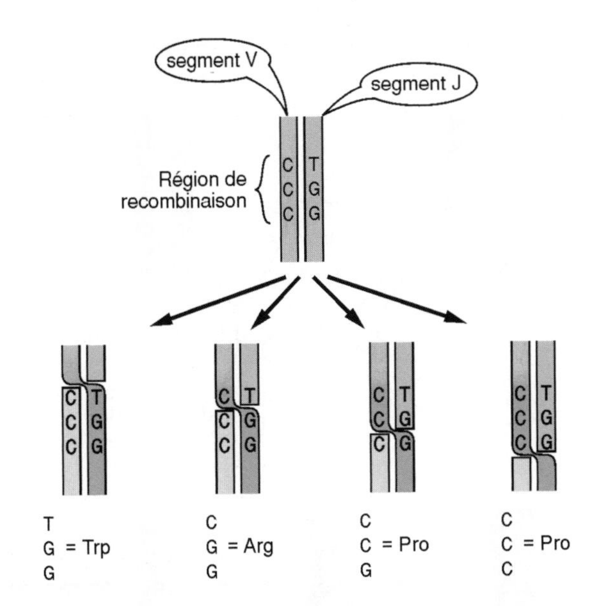

23.18 Transition V-J variable. Selon le mode d'assemblage, le codon de transition provient uniquement de J, uniquement de V ou bien des deux à la fois. Les acides aminés spécifiés par celui-ci, le tryptophane, l'arginine ou la proline, avec leurs propriétés chimiques différentes, contribuent à la diversité des sites de fixation des antigènes. [RF]

Encart 23.4 : SCID, le syndrome d'immunodéficience sévère combinée

Les syndromes d'immunodéficience héréditaires constituent un large groupe hétérogène de maladies, qui compte en particulier le **syndrome SCID** (angl. *severe combined immunodeficiency*) parmi ses membres. Les patients sont dépourvus de réponse immunitaire fonctionnelle dépendant des cellules B ou T. À l'origine de ce syndrome, on trouve par exemple des défauts de la machinerie enzymatique qui effectue la recombinaison spécifique de site. Dans un modèle murin du SCID, les animaux ne présentent qu'un petit nombre de lymphocytes B ou T matures car la recombinaison des segments V, J et D est manifestement altérée, et la diversité des récepteurs des cellules T ou des immunoglobulines ne peut pas être générée. Comme prévu, on ne trouve que quelques combinaisons VJ ou VJD dans ces cellules. Chez les patients souffrant du syndrome SCID on observe aussi des altérations semblables de la recombinaison non homologue des segments D et J. Les mécanismes moléculaires sous-jacents ne sont pas encore compris dans le détail. Une autre forme de SCID est due à un défaut de l'adénosine désaminase (§ 23.11).

Dans le cas des chaînes lourdes, le nombre de combinaisons est encore augmenté par un **segment de diversité (D)** présent en 27 copies environ, et qui se trouve en 5' du segment J. À partir de 65 segments V, 6 segments J et 27 segments D, on obtient par deux recombinaisons spécifiques de site plus de 10^4 variants. L'imprécision des transitions V-D et D-J se traduit à nouveau par un facteur 10^2, si bien qu'à l'arrivée, on obtient plus de 10^6 versions des chaînes lourdes. La combinaison des chaînes lourdes et légères porte le répertoire d'anticorps d'un individu à plus de **3×10^{10} immunoglobulines différentes** : *le réarrangement spécifique d'un ensemble limité de gènes produit une variété réellement inépuisable de produits de gènes.* La diversité des anticorps est encore accrue par hypermutation somatique (§ 33.11). Le nombre de **lymphocytes B** est à la mesure de celui des anticorps : chacune de ces quelque 10^{12} cellules immunitaires produit en effet un seul type d'anticorps, chacun ayant une spécificité particulière. Le deuxième pilier du système immunitaire est constitué par les **lymphocytes T**, qui reconnaissent les antigènes à la surface des cellules cibles au moyen de leurs récepteurs spécifiques des cellules T (§ 33.6). Les cellules T mettent en œuvre des stratégies très similaires pour diversifier au maximum leur équipement en récepteurs de cellules T (§ 23.7). L'importance de ces processus de recombinaison est attestée par l'existence d'un grave **syndrome d'immunodéficience**, dans lequel la recombinaison VDJ est défectueuse (*encart* 23.4).

23.7 La plasticité de l'ADN repose sur la recombinaison somatique et l'amplification génique

Les récepteurs de la surface des lymphocytes T qui reconnaissent les antigènes, ou **récepteurs des cellules T**, sont constitués typiquement de deux chaînes (α, β), qui traversent la membrane plasmique (§ 33.11). Ces chaînes possèdent chacune une partie amino-terminale variable qui fixe l'antigène et des segments carboxy-terminaux constants qui forment des segments transmembranaires. Les gènes correspondants sont « mixés » par **recombinaison spécifique de site** à partir d'environ 100 gènes V et 50 gènes J (α) ou 30 segments V, 2 segments D et 12 segments J (β). En comptant les mutations qui sont introduites lors de la recombinaison, il en résulte probablement plus de 10^{17} récepteurs de cellules T différents. Contrairement aux gènes d'immunoglobulines, qui subissent encore des mutations dans leurs régions variables après les réarrangements géniques, les récepteurs de cellules T sont stables après réorganisation de leurs gènes, et *ne* subissent *pas* d'hypermutation.

Alors que la recombinaison homologue se produit typiquement lors de la méiose, et laisse des traces dans les gamètes haploïdes de la lignée germinale, la recombinaison spécifique de site réarrange l'ADN dans les cellules diploïdes de l'organisme. Elle est donc également appelée **recombinaison somatique**. On remarque ici pour la première fois la malléabilité – la **plasticité** – de l'ADN d'un organisme. L'**amplification génique**, qui se manifeste par exemple sous la « pression sélective » d'un médicament, en est un autre exemple (*encart* 23.5).

Encart 23.5 : Amplification génique

Le **méthotrexate** inhibe la **dihydrofolate réductase** (DHFR), une enzyme impliquée dans la synthèse des nucléotides (*encart* 45.4). Cet inhibiteur réprime la synthèse d'ADN, ce qui affecte surtout les cellules tumorales qui se divisent rapidement, il est donc utilisé dans le traitement des leucémies. Une utilisation de longue durée contre les formes de leucémie chroniques conduit souvent à une résistance au médicament. Les cellules leucémiques présentent alors une activité DHFR excessivement élevée, qui ne peut plus être inhibée par les concentrations de méthotrexate utilisables : il y a récidive. La base moléculaire de ce phénomène est une amplification sélective du gène de la DHFR qui fait apparaître des centaines de copies du gène initial (*fig.* 23.19). Une amplification génique sous une **pression de sélection** « dure », comme c'est le cas dans une chimiothérapie, apparaît probablement par une **recombinaison non homologue ou illégitime** entre chromatides filles au cours de la mitose. Les cellules transmettent leur génotype modifié à leurs descendantes.

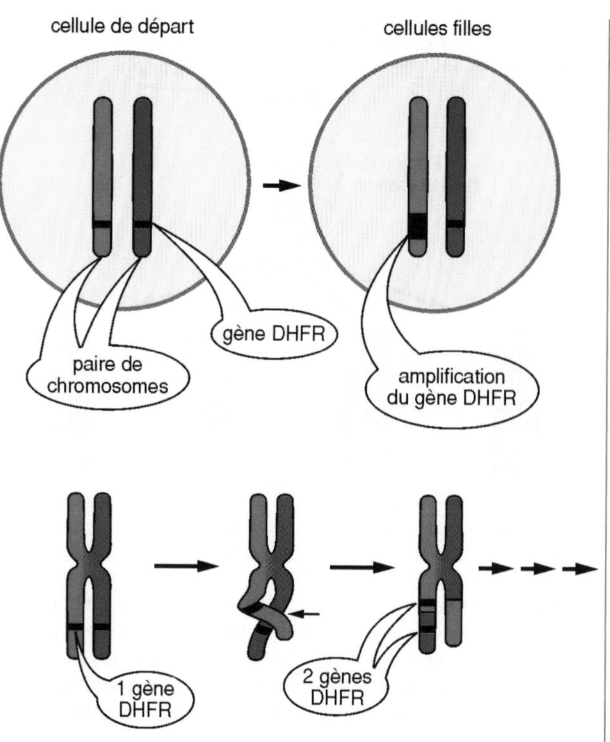

23.19 Mécanisme de la résistance au méthotrexate. Sous une pression de sélection importante, le gène de la DHFR peut être amplifié sur le chromosome (en haut) dans un processus impliquant probablement des *crossing-over* illégitimes entre chromatides filles (en bas).

23.8 Les transposons sont des éléments génétiques mobiles

L'existence d'éléments génétiques mobiles – les **transposons** –, qui font la navette entre différents segments d'ADN en transportant de l'information génétique, est une nouvelle preuve de la dynamique des génomes. Ces éléments peuvent, en se déplaçant, modifier des groupes entiers de gènes. Selon le type de produit intermédiaire, on distingue entre les transpositions avec intermédiaire d'ARN et celles avec intermédiaire d'ADN. On rencontre les transposons dans les cellules procaryotes et eucaryotes ; c'est encore une fois chez *E. coli* que les processus moléculaires de la transposition sont le mieux compris ; on y trouve deux classes d'éléments génétiques mobiles à intermédiaire d'ADN : les **séquences d'insertion** et les **transposons complexes** (*fig.* 23.20).

Comment ces gènes « sauteurs » peuvent-ils s'intégrer dans le génome cible ? Pour répondre à la question, considérons une séquence d'insertion : sur une région d'environ 1 kpb, elle porte le gène d'une enzyme bifonctionnelle, la **transposase**, et deux extrémités flanquantes contenant des **séquences répétées inversées** (IR ; angl. *inverted repeats*) d'environ 20 pb de long qui sont arrangées symétriquement (*fig.* 23.21). La transposase excise d'abord son propre gène présent au site d'intégration dans le génome de l'hôte – le site donneur – et libère

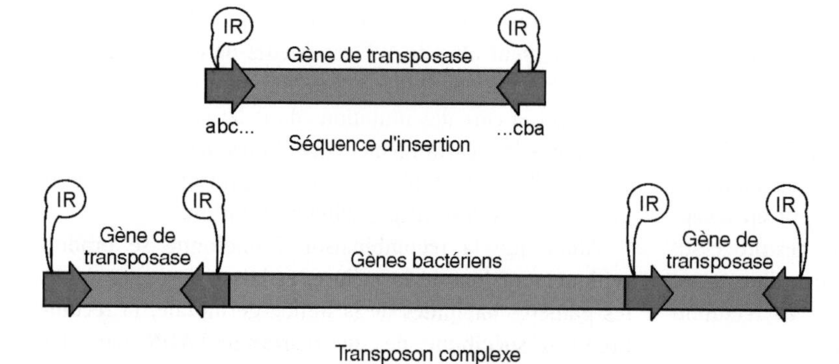

23.20 Transposons bactériens. Les séquences d'insertion ont une longueur d'environ 800-1 200 pb (en haut), alors que les transposons complexes sont plus longs (5-20 kpb, en bas). Ils sont constitués de deux séquences d'insertion qui encadrent des gènes bactériens (IR : angl. *inverted repeat*, séquence répétée inversée). [RF]

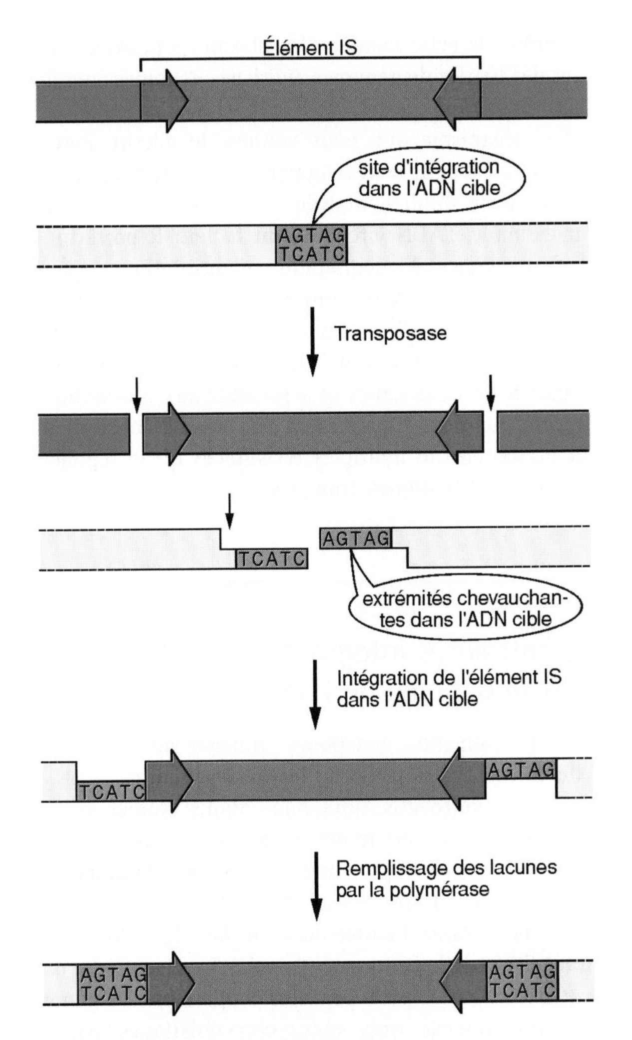

23.21 Intégration d'une séquence d'insertion. Les séquences cibles de la transposase ont typiquement des longueurs variant entre huit et douze paires de bases. La faible spécificité de clivage de la transposase permet l'intégration de séquences d'insertion en presque n'importe quel site du génome.

ainsi le transposon. Ensuite, elle clive par son activité endonucléase une séquence cible de l'ADN chromosomique en produisant des extrémités cohésives, qu'elle ligature avec les extrémités du transposon. Le remplissage des lacunes des régions flanquantes par l'ADN polymérase et l'ADN ligase produit une duplication des séquences cibles. Le transposon est donc encadré par deux sites de clivage de la transposase, qui permettent un nouveau déplacement de la séquence d'insertion.

Les transposons complexes, qui portent souvent des gènes spécifiant d'autres enzymes et des **résistances à des antibiotiques**, sont insérés dans leur totalité dans les génomes. La plupart des gènes dans lesquels un transposon est inséré s'en trouvent inactivés. Pourtant, si le promoteur de la transposase est intégré dans d'une région promotrice bactérienne ou à proximité, cela peut parfois renforcer l'expression du gène bactérien.

En dehors des transposons, les bactéries utilisent aussi les **plasmides** comme transporteurs de gènes ; nous les connaissons déjà comme outils essentiels d'analyse de l'ADN (§ 22.2). Les plasmides portent au sein de leur génome circulaire double brin des gènes de **facteurs sexuels** (bactériens), de résistance aux antibiotiques (*fig.* 22.17) ou de **toxines**. Les bactéries peuvent échanger entre elles des plasmides naturels comme de **facteur F** (facteur de fertilité) (*fig.* 23.22). La bactérie donneuse (F^+) contient un plasmide F qui porte les gènes nécessaires à la formation d'un canal tubulaire (le pilus F) dirigé vers une bactérie sans plasmide F (F^-). Lors de la **conjugaison** entre ces deux bactéries, l'ADN du facteur F est clivé et, sous forme de simple brin, transféré par le pilus à la bactérie receveuse. Les cellules donneuse et receveuse convertissent ensuite les simples brins en ADN double brin.

Les plasmides F peuvent être intégrés facultativement et réversiblement dans le génome bactérien. Il existe pour cela un site d'intégration prédéterminé dans le génome bactérien ; en effet, l'incorporation requiert des **séquences homologues** entre les ADN de la bactérie et du plasmide (*fig.* 23.23). Lors de l'excision, les plasmides se reconstituent normalement à l'identique. Toutefois, il arrive qu'un plasmide acquière ainsi des parties du génome de l'hôte, qu'il peut ensuite transférer à d'autres

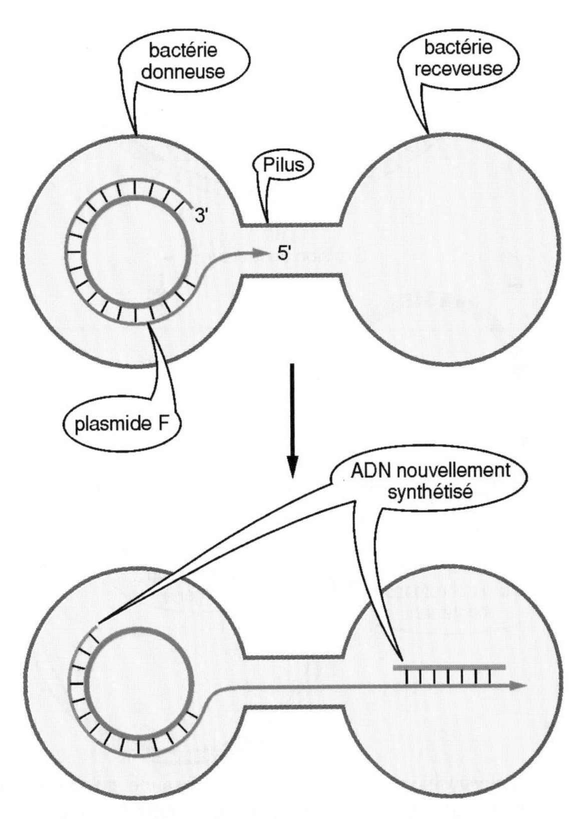

23.22 Transfert d'ADN par conjugaison bactérienne. Une copie du plasmide F est transférée par le pilus à la cellule réceptrice ; une deuxième copie reste dans la cellule donneuse.

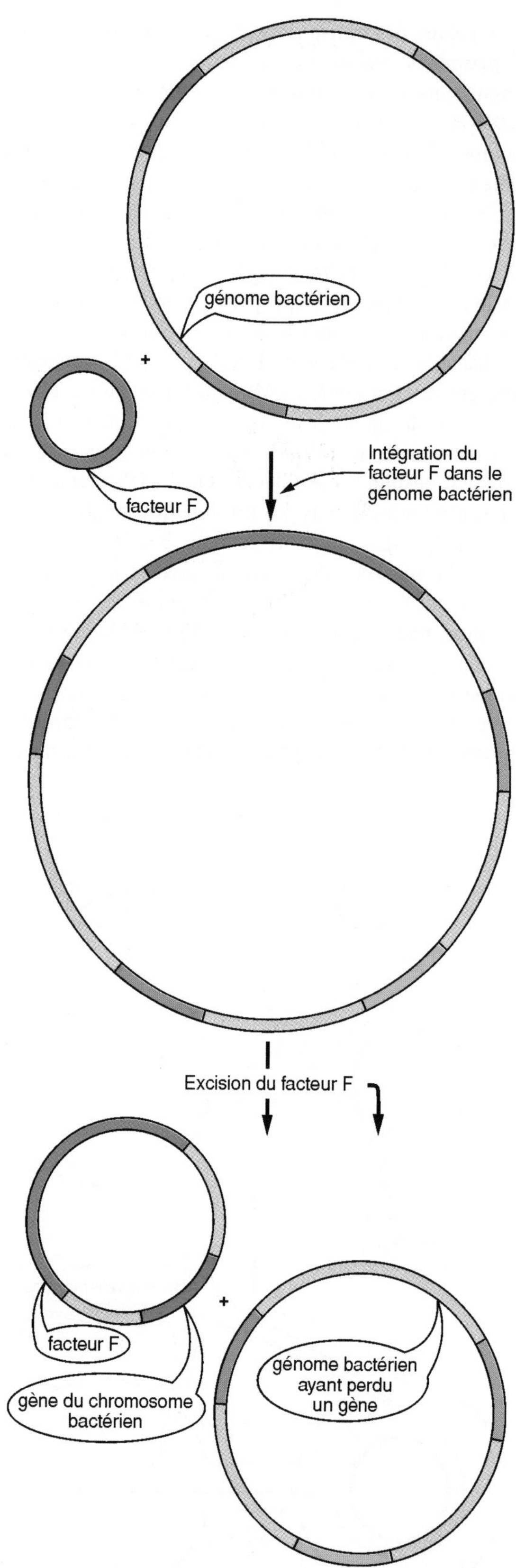

23.23 Transposition d'un plasmide. Le plasmide circulaire (le facteur F) peut s'intégrer en de nombreux endroits du génome bactérien puis s'en exciser : l'intégration est réversible. Lors de l'excision, le plasmide peut aussi emporter avec lui des morceaux de l'ADN génomique : on obtient alors un facteur modifié F'.

bactéries. De cette manière, les plasmides peuvent transférer des parties de génomes, voire des génomes complets, d'une bactérie à l'autre.

Le mécanisme que nous venons de décrire joue un rôle essentiel dans le développement des **multirésistances**, un problème fondamental de l'antibiothérapie moderne. Par exemple, l'ADN circulaire du facteur R porte un ou plusieurs gènes de dégradation d'antibiotiques comme celui de la β-lactamase, une enzyme qui clive les antibiotiques de type β-lactame comme la pénicilline, et les inactive. Par conjugaison, les bactéries transfèrent le facteur R avec ses gènes de résistance aux antibiotiques. De cette manière apparaissent des souches bactériennes qui présentent de multiples résistances et ne répondent plus aux antibiotiques courants.

23.9 Les rétrovirus intègrent leur ADN dans le génome de l'hôte

Certains éléments génétiques transposables dans les cellules eucaryotes utilisent des intermédiaires d'ARN. Le groupe des **rétrovirus**, dont nous allons étudier le cycle plus en détail, en est le prototype. Les génomes rétroviraux « font la navette » entre une **forme ARN simple brin** dans le virus et une forme ADN double brin dans la cellule hôte. Après l'entrée du virus dans la cellule, l'ARN viral est d'abord rétrotranscrit en ADN, qui s'intègre dans le génome, où il peut persister longtemps. Le génome rétroviral possède trois gènes caractéristiques, *gag* qui spécifie le précurseur des protéines de la nucléocapside du virus, *pol* qui contient l'information concernant l'ADN polymérase dépendant de l'ARN ou **transcriptase inverse** et une autre enzyme, l'**intégrase**, et enfin *env*, qui spécifie la protéine d'enveloppe du virus (*fig.* 23.24). Aux deux extrémités de l'ADN se trouvent de longues séquences terminales répétées (**LTR**) qui font de 250 à 1 400 pb de long.

Pour que le génome rétroviral s'intègre dans le génome de l'hôte, il faut que l'ARN viral soit recopié sous forme d'ADN. Comme c'est ici une matrice d'ARN qui sert à la synthèse d'un ADN, il s'agit d'une **transcription inverse**. La transcriptase inverse (angl. *reverse transcriptase*, RT) polyvalente est importée depuis le virus jusque dans la cellule, où elle synthétise de l'ADN double brin en suivant le modèle de la matrice d'ARN (*fig.* 23.25). Lors de cette réaction complexe, l'enzyme synthétise un ADN simple brin grâce à son activité polymérase, tandis qu'elle hydrolyse par son activité ribonucléase (RNase H) le brin d'ARN déjà lu. Le brin d'ADN antiparallèle est ensuite synthétisé progressivement ; les LTR ainsi synthétisées contiennent des signaux d'intégration et de transcription du génome viral.

L'intégrase, elle aussi importée du virus dans la cellule, catalyse l'**insertion** de l'ADN rétroviral en n'importe quel

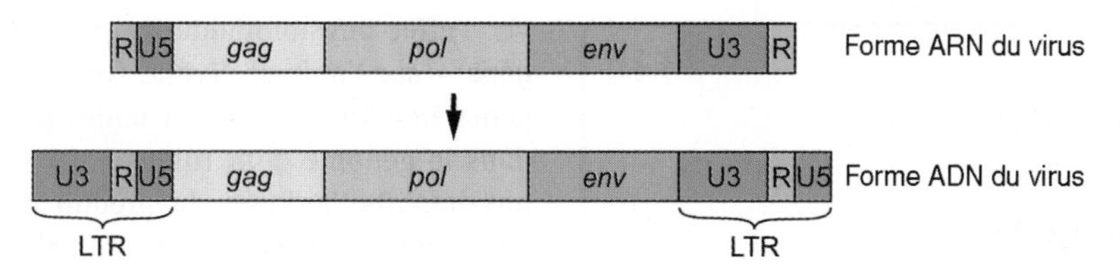

23.24 Formes ARN et ADN des rétrovirus. Les gènes centraux *gag*, *pol*, et *env* spécifient des protéines qui dirigent la rétrotranscription, l'intégration et la réplication. Dans la forme ARN, ces gènes de structure sont encadrés par des séquences non répétées U3 et U5 (angl. *unique sequences*) et par des séquences terminales répétées (R). La forme ADN possède des séquences U3 et U5 supplémentaires, qui forment avec R et les autres U3 et U5 les longues séquences terminales répétées (LTR).

point ou presque du génome de l'hôte, insertion qui se déroule d'une manière analogue à celle des séquences d'insertion (§ 23.8). Là aussi, les séquences cibles de l'ADN de l'hôte sont dupliquées. Un rétrovirus peut être transmis de génération en génération. Le virus se multiplie grâce à l'ARN polymérase de la cellule, qui transcrit son génome. Les rétrovirus empaquètent alors les molécules d'ARN simple brin avec les **protéines de nucléocapside** (angl. *core proteins*) dans une **enveloppe virale.** De nombreux rétrovirus peuvent acquérir et muter, durant leur réplication, des gènes ou des segments de gènes du génome de l'hôte dont les produits sont souvent des kinases, des facteurs de croissance ou leurs récepteurs (*encart* 30.2). Puisque ce sont des produits viraux, ils échappent au contrôle cellulaire et peuvent donc **transformer** des cellules de l'hôte, qui croissent alors de manière incontrôlée et invasive. Pourtant, tous les rétrovirus ne donnent pas de cancers ; par exemple, le VIH-1 (virus de l'immunodéficience humaine), l'agent du SIDA, n'a pas intrinsèquement d'effet oncogène (*encart* 33.4).

La découverte d'éléments génétiques transposables et l'élucidation de leurs mécanismes d'action ont conduit à une réinterprétation : le génome cellulaire est de plus en plus considéré comme une réserve dynamique d'information génétique en transformation constante. La **plasticité** du génome eucaryote ouvre de nouvelles perspectives dans l'utilisation ciblée de « passeurs » de gènes en thérapeutique. Dans les sections suivantes, nous allons nous intéresser à la modification ciblée du patrimoine génétique chez les organismes modèles et à la situation actuelle de la thérapie génique.

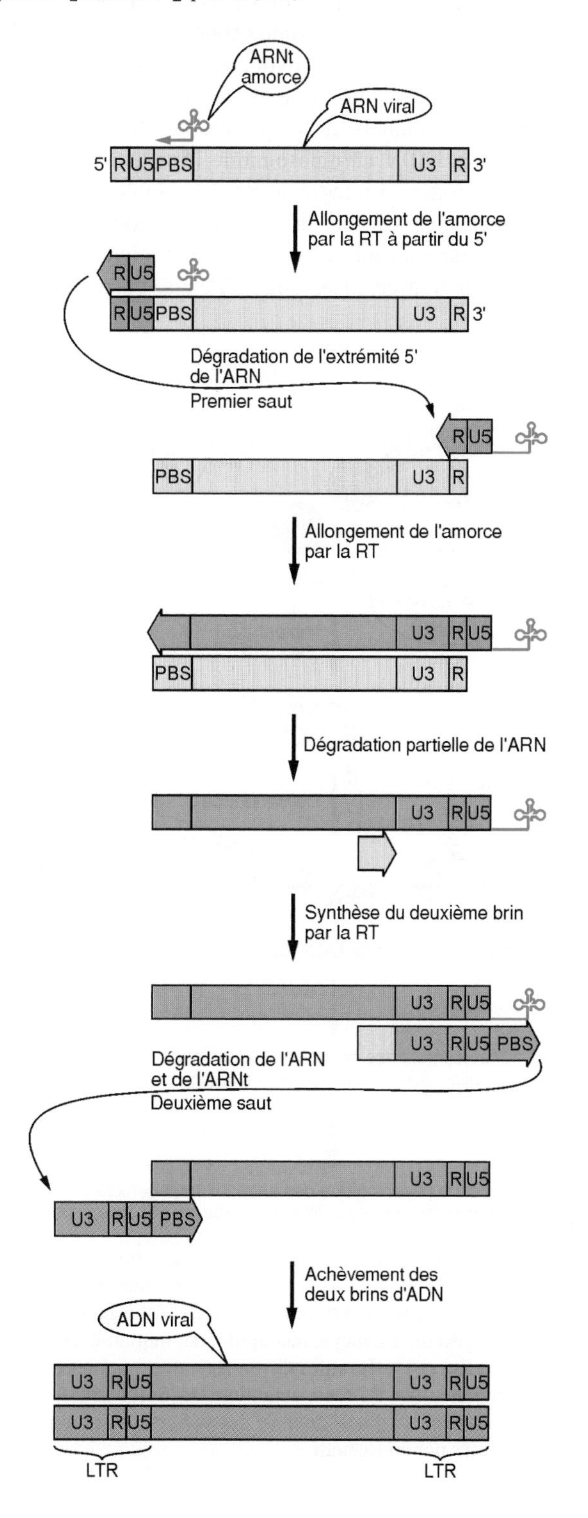

23.25 Rétrotranscription de l'ARN viral. À partir d'un ARNt amorce à l'extrémité 5' de l'ARN viral, la transcriptase inverse RT synthétise l'extrémité 3' du simple brin d'ADN. Simultanément, elle dégrade l'ARN viral à partir de son extrémité 5' grâce à son activité RNase H. Après « replacement » à l'extrémité 3' de l'ARN, la RT continue la synthèse de l'ADN. Une séquence résiduelle de l'ARN viral sert d'amorce à la synthèse du brin complémentaire de l'ADN. Après un « saut » du deuxième brin, les brins d'ADN sont terminés (PBS : angl. *primer binding site*, site de liaison de l'amorce). [RF]

23.10 Les animaux transgéniques permettent d'analyser la fonction d'un produit de gène

La plasticité des génomes permet l'intégration d'ADN étranger. Cette propriété est utilisée pour étudier la fonction de produits de gènes chez l'animal vivant. Pour ce faire, on introduit de une à plusieurs centaines de copies du gène considéré par **micro-injection** dans les pronucléi d'ovocytes fécondés. Les ovocytes micro-injectés sont ensuite implantés chez une mère porteuse. Chez une fraction des animaux de la portée, l'ADN étranger est incorporé à l'ADN chromosomique (*fig.* 23.26). Lorsque le gène étranger est intégré de manière stable dans l'ADN des **gamètes**, c'est-à-dire des ovocytes ou des spermatozoïdes, il est transmis aux générations suivantes. Chez les **animaux transgéniques** ainsi obtenus, on peut observer l'effet physiologique du gène étranger – ou **transgène** – sur l'animal vivant. Grâce à cette technique, des gènes humains intacts ou mutés peuvent être introduits dans le génome d'un rongeur par exemple, et les effets physio(patho)logiques du produit de ces gènes peuvent être étudiés dans ce modèle animal.

La preuve définitive de la fonction supposée d'une protéine est souvent apportée par une **inactivation ciblée** (angl. *knock-out*) du gène concerné dans un modèle animal : par recombinaison homologue, le gène intact (x^+) est remplacé par un gène défectueux (x^-), qui n'est pas exprimé, ou bien exprimé sous une forme modifiée (§ 23.4). La recombinaison homologue est un événement beaucoup plus rare qu'une recombinaison illégitime à un endroit quelconque du génome, qui intègre le gène x^- tout en laissant en place le gène x^+. Des procédés de criblage résolutifs permettent de sélectionner les cellules (x^+/x^-) ayant subi une recombinaison homologue et possédant la **délétion de gène** souhaitée (*encart* 23.6).

Des cellules souches embryonnaires portant cette délétion (x^+/x^-) sont injectées dans des blastocystes d'embryons de souris à un stade précoce ; on obtient ainsi des souris chimériques dont une partie des cellules porte la délétion (*fig.* 23.28). Par accouplement avec des souris de type sauvage (x^+/x^+), on obtient une génération dans laquelle quelques animaux peuvent porter la délétion dans leur lignée germinale. Ces souris sont hétérozygotes pour le gène x (x^+/x^-).

micro-injection
ovocyte fécondé
ADN du gène d'intérêt d'origine étrangère
Implantation chez une mère porteuse
Descendance
souris transgénique
Analyse par PCR de l'ADN des descendants
Croisement des animaux transgéniques avec des animaux de type sauvage
Étude physiologique des animaux transgéniques et comparaison avec les animaux de type sauvage de la portée

23.26 Production d'animaux transgéniques. L'injection d'ADN linéaire dans le pronucleus de l'ovocyte fécondé d'une souris peut aboutir à une intégration stable du transgène dans le génome receveur. L'ovocyte manipulé est implanté chez une mère porteuse et l'intégration du transgène est examinée dans la descendance par PCR ou empreinte de Southern. À partir d'animaux hétérozygotes pour le transgène, on obtient des homozygotes par croisement.

Encart 23.6 : Délétion ciblée de gènes

Pour éteindre spécifiquement un gène, on remplace des parties essentielles de celui-ci par un gène de résistance à la **néomycine** (*neo*), ce qui inactive le gène (*fig.* 23.27). Un **gène de la thymidine kinase** (*tk*) du virus *Herpes simplex* flanque la construction. La membrane plasmique de cellules souches embryonnaires pluripotentes (angl. *embryonic stemm cells*, ES) de souris est perméabilisée pendant un temps court par des impulsions électriques (électroporée) pour y introduire l'ADN vecteur. Le gène cible intact est remplacé par le gène recombinant inactivé par recombinaison homologue, ce qui élimine le gène *tk*. Lorsque la recombinaison n'est pas homologue, le gène *tk* est lui aussi intégré avec le gène de résistance à la néomycine, et les cellules ES tk^+ obtenues répondent au **ganciclovir**, un agent toxique. Si l'on cultive les cellules ES transformées en présence de néomycine — **sélection positive** — *et* de ganciclovir — **sélection négative** — seules survivent les cellules neo^+/tk^-. On identifie par cartographie de restriction et empreinte de Southern les clones ES dont le gène cible a été inactivé (x^-/x^+) et on les utilise pour la production d'animaux « knock-out ».

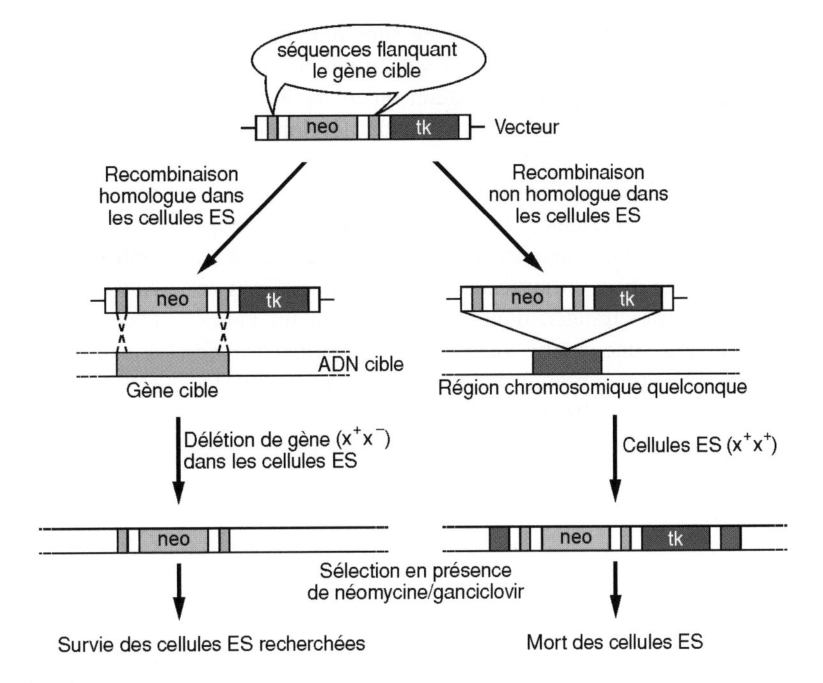

23.27 Recombinaison homologue dans des cellules ES murines. La croissance en présence de néomycine et de ganciclovir sélectionne les cellules neo^+/tk^- dont le gène cible est inactivé (x^-/x^+).

Par croisement des hétérozygotes, on obtient une deuxième génération dont 25 % possède le génotype souhaité (x^-/x^-). Les **souris « knock-out »** peuvent alors être examinées en vue de déterminer les fonctions essentielles du produit du gène X, et les conséquences de l'absence de X *in vivo*. *La technique de délétion ciblée de gènes a produit de nombreux résultats novateurs et constamment enrichi notre connaissance des fonctions des gènes et des protéines.*

Un raffinement de la technique consiste, non pas à inactiver complètement le gène, mais à introduire des mutations plus subtiles, jusqu'à des mutations ponctuelles du gène choisi. On peut ainsi obtenir des modèles animaux pertinents des maladies humaines. Le **gène CFTR** muté dans les cas de mucoviscidose (§ 22.8) servira ici d'exemple. Par recombinaison homologue, on a pu remplacer le gène CFTR « naturel » par celui portant la mutation ΔF508 fréquente chez les malades (*encart* 26.4). De cette manière, on a produit des souris transgéniques chez lesquelles les effets de cette mutation précise ont pu être étudiés *in vivo*. Les délétions de gènes peuvent aussi conduire à une **létalité embryonnaire**, si bien que

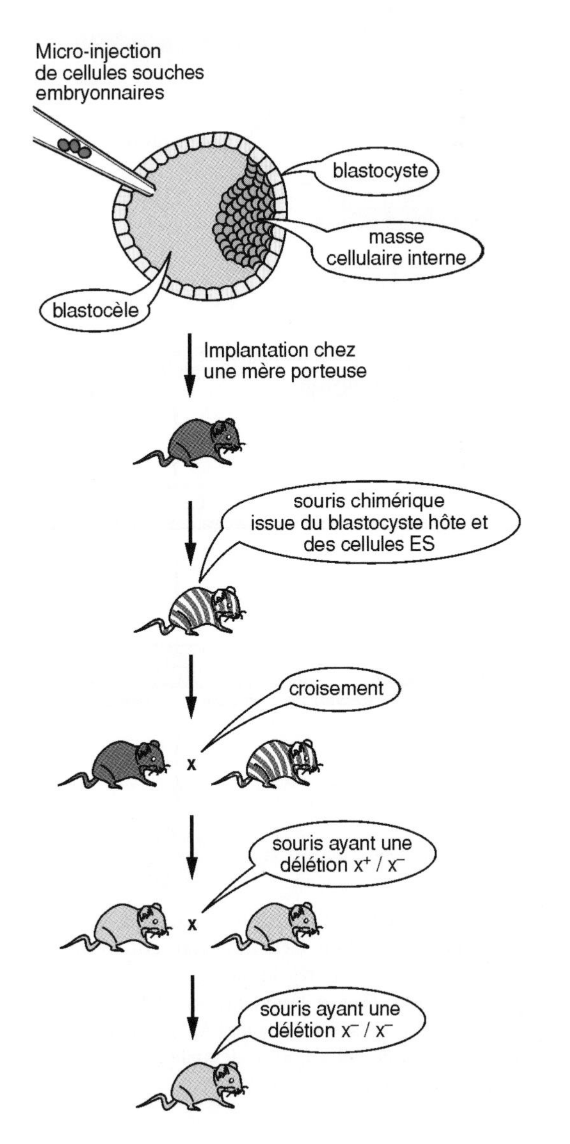

23.28 Délétions de gènes chez la souris. Des cellules souches embryonnaires portant un gène délété ou inactivé sont cultivées puis micro-injectées dans un blastocyste hôte. Les cellules souches s'intègrent à la masse cellulaire interne du blastocyste, qui est implanté chez une mère porteuse. Celui-ci se développe pour donner une souris chimérique portant une mosaïque génétique : seule une partie des cellules contient la délétion de gène souhaitée, tandis que les autres cellules portent le gène intact. On obtient après plusieurs croisements des souris homozygotes x^-/x^-.

les études sur animaux vivants ne sont plus possibles. Dans ce cas, on peut modifier la stratégie d'inactivation de façon que le gène ne soit éteint qu'en réponse à un signal externe, à une période précise du développement, ou encore dans certaines cellules, organes ou tissus. On parle alors d'**inactivation conditionnelle**.

Une autre stratégie vise le niveau post-transcriptionnel et induit spécifiquement la dégradation d'un ARNm cible dans un système cellulaire choisi. Dans ce but, un ADN étranger, dont la séquence est un palindrome dont une moitié correspond à la séquence de l'ARN cible, est introduit dans la cellule (*fig.* 23.29). La transcription de cette séquence donne un ARN qui forme un duplex avec les deux segments de son palindrome. Une ribonucléase, **Dicer**, reconnaît et clive l'ARN double brin en petits fragments de 21-23 pb de long, qui sont appelés **siRNA** (angl. *small interfering RNA*). Le siRNA se fixe à un complexe enzymatique, le **complexe RISC** (angl. *RNA-induced silencing complex*), et l'active ; ce complexe dissocie le double brin d'ARN en hydrolysant de l'ATP. Le siRNA simple brin sert alors d'appât à l'ARNm cible complémentaire. Dès qu'il forme un duplex avec cet ARNm cible, il est reconnu par RISC et dégradé par l'activité endonucléase de celui-ci. L'ARNm cible n'est donc plus disponible pour la traduction : le gène concerné est « rendu silencieux » ; en anglais, on parle de ***gene silencing***. Même si les mécanismes moléculaires de l'**interférence d'ARN** ne sont pas encore connus dans le détail, on prédit un grand avenir à cette méthode.

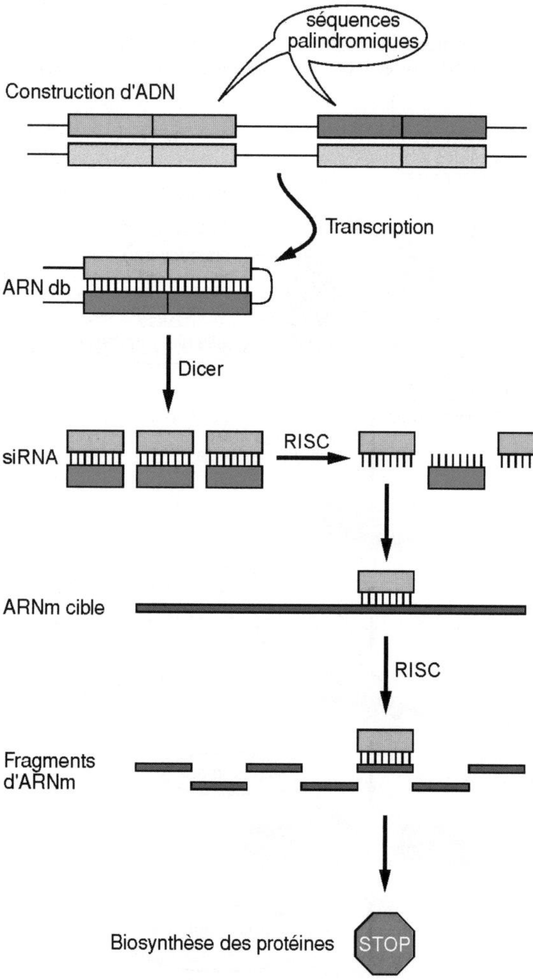

23.29 Interférence d'ARN. Un ADN palindromique est introduit dans la cellule à l'aide d'un vecteur, et transcrit en un ARNm. Les segments complémentaires forment un ARN double brin, qui est reconnu par Dicer et fragmenté en siRNA. RISC reconnaît les siRNA et les dissocie. Lorsque l'ARNm cible est hybridé avec le simple brin du siRNA, RISC dégrade l'ARN double brin formé et retire ainsi l'ARN cible de la circulation.

23.11 La thérapie génique permet le traitement de maladies héréditaires

Le développement rapide des techniques de génétique moléculaire a éveillé depuis le milieu des années 1970 l'espoir d'un traitement des défauts génétiques chez l'homme par la **thérapie génique somatique**. Par ces termes, on entend le transfert et l'expression de gènes intacts dans les cellules somatiques pour y remplacer des gènes non fonctionnels et donc soigner la maladie. Outre l'hémophilie (par exemple la déficience en facteur VIII) et le diabète sucré (insuline), le SCID (immunodéficience sévère combinée, angl. ***severe combined immunodeficiency***) (*encart* 23.4) est lui aussi dans le collimateur de la thérapie moléculaire. Le SCID peut être causé par un défaut d'**adénosine désaminase** (ADA) dû le plus souvent à une mutation non-sens. Le défaut d'ADA conduit à une accumulation intracellulaire de désoxyadénosine, puis à une concentration excessive en désoxyadénosine triphosphate (dATP), en particulier dans les lymphocytes. L'excès d'ATP inhibe la ribonucléotide réductase, une enzyme clé de la biosynthèse des nucléotides (§ 45.6) et produit ainsi une carence en nucléotides qui compromet durablement les capacités de prolifération des **lymphocytes T**. Chez les individus atteints, on observe des infections graves répétées avec une symptomatique engageant le pronostic vital, ce que l'on cherche à pallier par la thérapie génique (*encart* 23.7).

La thérapie génique en est encore à ses débuts : les difficultés techniques concernent surtout le **contrôle de l'expression** du gène introduit. Le problème du dosage se comprend bien en considérant l'exemple de l'hémophilie, dans laquelle une thérapie génique visant à remplacer un facteur de coagulation absent ou défectueux implique un risque de déclencher une thrombophilie due à une surexpression (§ 14.7). À partir de là, il est compréhensible que de nombreux essais de thérapie géniques en soient encore

Encart 23.7 : Thérapie génique de l'absence d'ADA

La déficience en adénosine désaminase, une maladie autosomique récessive rare, semble être un candidat idéal à la thérapie génique, car c'est une **maladie héréditaire monogénique**, due à l'absence totale d'une enzyme unique — les porteurs hétérozygotes ne sont donc pas touchés. ADA est une protéine comportant une chaîne unique et l'expression de son gène est constitutive, c'est-à-dire qu'elle n'est pas soumise à une régulation. Dans le cadre d'essais cliniques, des patients ont été traités, apparemment avec succès, par thérapie génique somatique contre l'absence d'ADA. Pour ce faire, des lymphocytes T ont été prélevés sur les patients, transfectés (néologisme issu de transformer et infecter) par un vecteur viral portant le gène ADA intact, puis réintroduits chez les patients. Les premiers effets de la thérapie ont été encourageants ; après quelque temps cependant, certains patients ont développé des leucémies à cellules T. Il existe également encore des risques et des problèmes concernant l'efficacité de la transfection, l'innocuité des vecteurs viraux et l'acceptation de ces nouveaux essais thérapeutiques au sein de la société.

à la phase des tests sur l'animal ou dans le meilleur des cas au stade (pré)clinique, comme c'est le cas pour l'anémie falciforme, les thalassémies, la myopathie de Duchenne, l'emphysème héréditaire et la mucoviscidose. L'**intervention sur les cellules de la lignée germinale**, le stade suivant qui permettrait une réparation durable du défaut génétique, pose des problèmes d'éthique qui ne peuvent être résolus que par un consensus de la société dans son ensemble.

23.12 L'homme déchiffre son propre génome

C'est dans une grande effervescence que les biologistes ont attendu la publication de la séquence nucléotidique du génome humain en 2001. Réalisant l'un des plus ambitieux projets de l'histoire de l'humanité, un consortium international du nom de HUGO (angl. *human genome organisation*) soumettait une **première version du génome humain**, qui comprend au total 3,2 milliards de paires de bases réparties sur 22 autosomes et deux hétérosomes (x, y). Des affinements de cette première version ont depuis abouti à l'élucidation d'environ 99 % de la séquence du génome humain. Une des plus grandes surprises de cette découverte est le nombre relativement « réduit » de gènes, qui ne dépasse probablement pas 30 000. Parmi ceux-ci, au plus 75 % **spécifient des protéines** (environ 22 500) tandis que les 25 % restants vont à des **gènes ne codant pas de protéines**, dont les transcrits ne contiennent pas de cadre ouvert de lecture (environ 7 500). Le gros des gènes spécifiant des protéines peut être réparti en un nombre raisonnable de classes fonctionnelles de protéines (*fig.* 23.30). Parmi les gènes ne spécifiant pas de protéines, plus de mille codent des ARNr, ARNt, snRNA, et d'autres ARN. Dans le cas d'autres protéines ne codant pas de protéines comme les microARN (miARN), on ignore quel rôle jouent leurs transcrits ; il est possible que ce soient des ARN régulateurs (*fig.* 23.29).

Le séquençage des énormes bibliothèques d'ADN de l'homme, de la souris, du rat, de la mouche du vinaigre et du nématode, mais aussi de végétaux comme le riz et

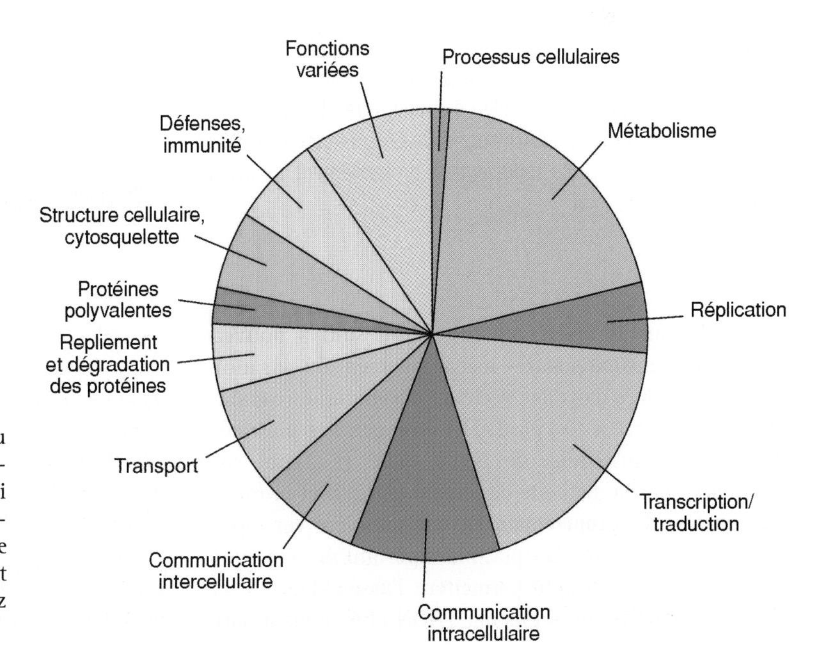

23.30 Fonctions biologiques des protéines du génome humain. Les produits de gènes connus sont classés ici en douze catégories, qui correspondent chacune à une fonction cellulaire. Le génome de la souris contient 99 % de gènes homologues ; seuls 1 % des gènes sont spécifiques de la souris et sont absents chez l'homme – et inversement ! [RF].

l'arabette (*Arabidopsis thaliana*) a favorisé le développement de nouvelles stratégies de séquençage ; parmi celles-ci, nous allons présenter à titre d'exemple le **séquençage aléatoire** (angl. ***shotgun sequencing***, de *shotgun*, fusil) (*fig.* 23.31). On utilise le plus souvent des lymphocytes comme source d'ADN génomique humain. L'ADN qui en est extrait est fragmenté mécaniquement ou par des enzymes, et les fragments produits sont utilisés pour construire une banque génomique. On utilise comme vecteurs des **chromosomes bactériens artificiels** (angl. ***bacterial artificial chromosomes***, BAC), capables d'accepter des fragments allant jusqu'à 120 kpb (§ 22.7). Dans un deuxième temps, l'ordre des fragments insérés dans les BAC est déterminé par des techniques comme la marche sur le chromosome (*encart* 22.5) et les séquences de ces fragments sont assemblées en **contigs** (de l'adjectif contigu). Les cartes de restriction des gènes connus et les marqueurs de séquence issus de segments d'ADN codants et non codants facilitent l'élaboration de ces contigs (*encart* 23.8).

Encart 23.8 : Cartographie grossière du génome humain

Pour obtenir une carte grossière donnant une vue d'ensemble du génome, on utilise des **marqueurs de séquence** qui existent en une seule copie dans le génome. On recherche ces marqueurs dans les fragments aléatoires d'une banque de gènes, ce qui permet d'ordonner ces derniers. Les **séquences STS** (angl. *sequence tag sites*) sont des exemples de marqueurs qui peuvent être amplifiés par PCR à partir de l'ADN génomique et localisés dans le génome ; les séquences STS sont le plus souvent des segments non exprimés. Les **marqueurs EST** (angl. *expressed sequence tags*), au contraire, sont rétrotranscrits en ADNc à partir des ARNm totaux d'une cellule ou d'un tissu par RT-PCR, puis identifiés. Ils représentent donc exclusivement les segments d'ADN codants. Si l'on séquence un grand nombre de séquences EST issues de cellules, tissus ou organes différents, on peut en tirer un aperçu presque complet du répertoire des séquences exprimées, c'est-à-dire de l'ADN transcrit. Chez l'homme, les segments de gènes codants représentent probablement moins de 1,4 % du génome total.

Les fragments insérés dans les BAC sont à nouveau fragmentés **aléatoirement** – mécaniquement ou par ultrasons – et clonés dans des vecteurs plasmidiques capables de recevoir de 1 à 10 kpb d'ADN étranger. Les plasmides portant des insertions de petite taille (≤ 1kpb) sont séquencés par la méthode de Sanger (§ 22.3) et ordonnés par **analyse de recouvrement** en une première version de la séquence d'intérêt. Les plasmides portant des insertions plus longues (5-10 kpb) permettent l'assemblage de ces courtes séquences en segments d'ADN plus longs à partir desquels la séquence entière des fragments insérés dans les BAC peut être reconstruite. La cohérence de ces assemblages avec les cartes génomiques (partielles) préexistantes est examinée. Des clonages, séquençages et cartographies répétés au cours desquels chaque segment d'ADN est séquencé six à huit fois conduisent petit à petit à un déchiffrement complet du contig, puis à la séquence de chromosomes entiers. C'est en suivant ce principe que la séquence du génome humain a pu être presque entièrement élucidée, au prix d'un travail méticuleux et pénible. On attend dans un futur proche une **version affinée** dans laquelle chacun des 22 autosomes et les deux hétérosomes seront séquencés et les régions codantes annotées.

La version de travail du génome humain est à la base de nombreux programmes de recherche visant à identi-

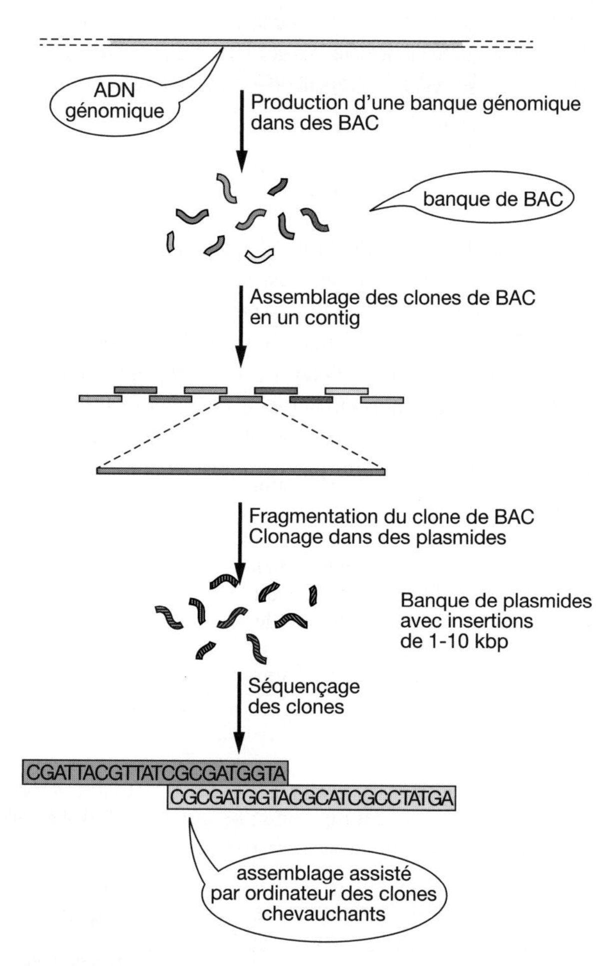

23.31 Séquençage aléatoire (*shotgun*). Dans la stratégie de séquençage aléatoire hiérarchisé (représentée de manière très simplifiée), de longs fragments d'environ 150 kpb sont produits de façon aléatoire pour générer une cartographie grossière. Ensuite, des fragments plus petits de 1-10 kpb sont obtenus et séquencés. Dans la stratégie de séquençage aléatoire holistique, le génome entier est fragmenté en segments de 0,5-4kpb qui sont séquencés et assemblés par des algorithmes complexes pour donner la séquence entière.

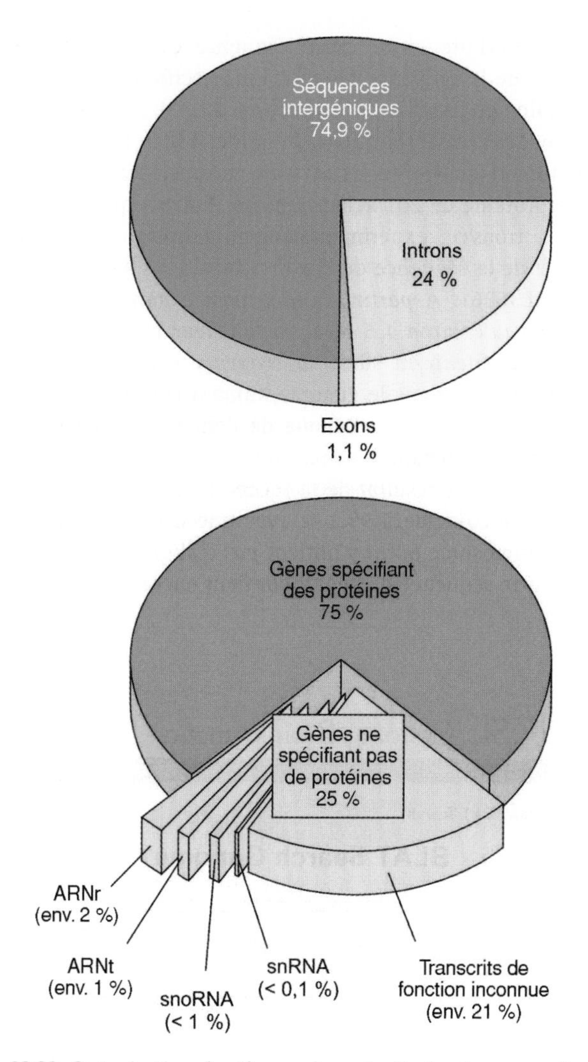

23.32 Organisation du génome humain. En haut : proportion relative de séquences codantes. Jusqu'à présent, environ 226 000 exons ont été identifiés. En bas : répartition entre gènes spécifiant ou non des protéines. Parmi les ARNr on a 150-200 gènes d'ARNr 5,8S, 18S ou 28S organisés en tandem, et 200-300 gènes d'ARNr 5S. Le déchiffrement d'autres génomes de mammifères, en particulier ceux de la souris et du rat, a également contribué dans une large mesure à l'annotation du génome humain.

fier et annoter les régions codantes. Seuls 25 % environ du génome humain sont occupés par des gènes ; les 75 % restants sont des **séquences intergéniques** qui contiennent par exemple des régions régulatrices (*fig.* 23.32). La **densité** moyenne **de gènes** est d'environ un gène tous les 80 kpb dans l'ensemble du génome. Parmi les gènes transcrits, ce sont les gènes spécifiant des protéines qui dominent quantitativement, gènes au sein desquels les séquences d'introns se taillent la part du lion, alors que les exons n'en représentent qu'une fraction. *Au total, les segments spécifiant des protéines ne représentent qu'un peu plus de 1 % du génome humain.* Parmi les ARN ne spécifiant pas de protéines, les ARNr sont en tête avec environ 650-900 gènes, suivis par les ARNt avec 350-500 gènes, les quelque 100 gènes de snoRNA qui sont impliqués dans la modification des ARNr dans le nucléole (§ 17.9), et moins de 20 gènes de snRNA qui jouent un rôle important dans l'épissage des pré-ARNm. (§ 17.6). Enfin, le génome humain renferme au moins 2 500 **pseudo-gènes** non fonctionnels qui ont perdu leur promoteur ou accumulé des mutations en grand nombre, et qui ne génèrent donc plus de produit ; seule une petite partie de ces pseudo-gènes est encore transcrite.

Les gènes spécifiant des protéines sont préférentiellement localisés dans des **régions riches en GC** ; Les **séquences répétées**, pour la plupart apportées par des transposons, constituent 45-50 % du génome. À l'évidence, le génome humain est moins stable qu'on l'avait anticipé, car les transposons ont plusieurs fois réécrit la carte génomique au cours de l'évolution. Ces séquences répétées sont-elles du « remplissage » ou bien des « messages incompris », les recherches futures le diront. Moins de 0,1 % du génome humain renferme des **îlots CpG**, qui sont la cible de méthylations et contribuent à la régulation de l'expression génique (§ 20.9). On peut s'attendre à ce que le déchiffrement de nouveaux génomes de mammifères approfondisse nos connaissances de la structure, l'organisation et la fonction de ces bibliothèques de gènes.

23.13 L'analyse des gènes *in silico* apporte des informations utiles

La recherche biomédicale moderne s'appuie d'une part sur des procédés expérimentaux, et d'autre part sur l'interrogation à l'aide d'ordinateurs et de l'internet, d'immenses banques de données qui conservent des données structurales et fonctionnelles concernant les gènes, les protéines et les autres biomolécules – ce que l'on appelle l'**analyse *in silico*** dans le jargon spécialisé (§ 15.5). Supposons que nous soyons à la recherche de nouveaux partenaires d'interaction de la guanylate cyclase sensible au NO (GC) (§ 28.4) chez l'homme, et que nous ayons identifié plusieurs protéines candidates. À partir des données des ADNc, nous synthétisons des oligonucléotides avec lesquels nous effectuons des empreintes Northern. Celles-ci révèlent un candidat particulièrement intéressant, dont l'ARNm est retrouvé essentiellement dans les cellules de muscle lisse, où GC est elle aussi abondante. Nous nous servons alors de la séquence de l'ADNc de ce candidat pour interroger la banque de données du **National Centre for Biotechnology Information** (NCBI), dans laquelle les gènes, ADNc et marqueurs génétiques connus sont enregistrés sous un numéro d'accès (angl. *accession number*). Par alignement de séquences, le moteur de recherche trouve une coïnci-

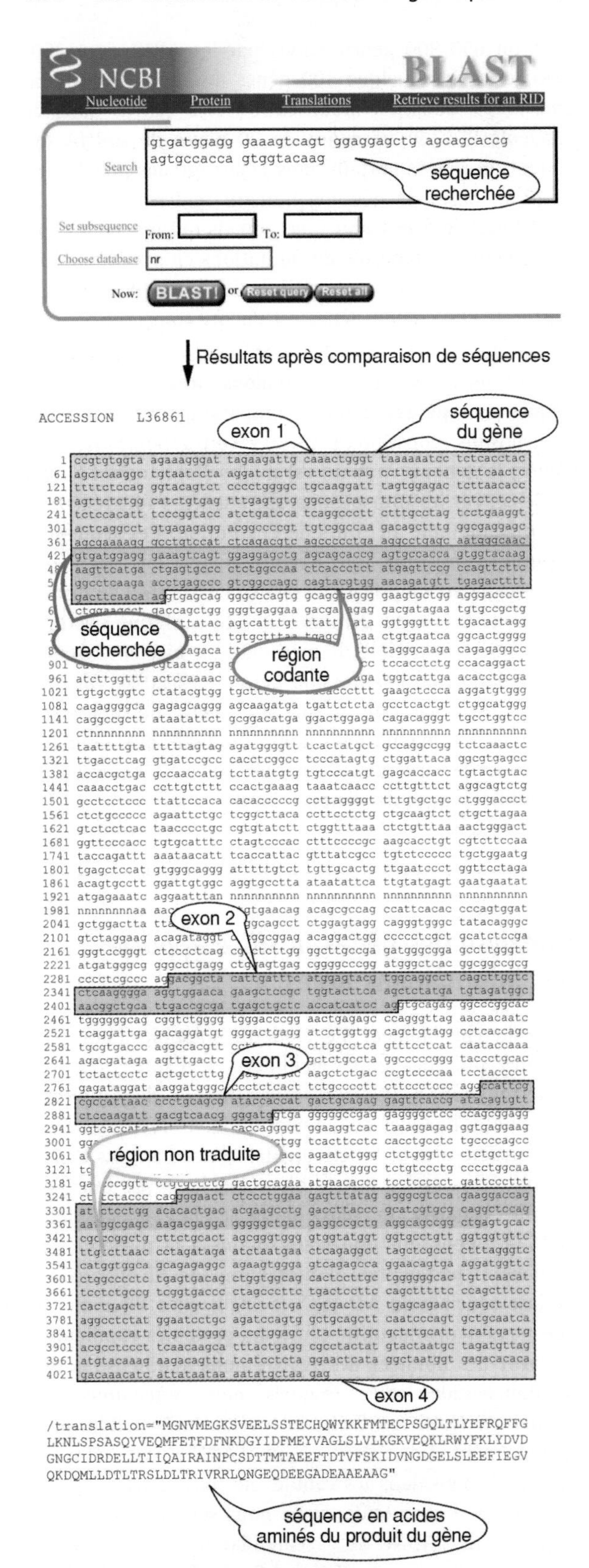

23.33 Identification de gènes *in silico*. Grâce au programme BLAST, on peut comparer les séquences d'ADN obtenues expérimentalement avec les gènes humains connus. Les nucléotides des introns matérialisés par un « n » indiquent les régions non séquencées.

dence parfaite entre notre séquence partielle et une région de la séquence L36861, qui spécifie une protéine humaine de fonction inconnue (*fig.* 23.33).

Le gène correspondant, long de 4 053 nucléotides, comprend quatre exons et trois introns, qui spécifient une protéine de 201 acides aminés. Notre séquence partielle trouvée expérimentalement correspond à une partie de la séquence de l'exon 1 (positions 421-480) du gène L36861. *À partir d'une séquence partielle qui ne couvre qu'environ 1,5 % de la longueur totale du gène, on peut obtenir* in silico *la séquence entière du gène.* Pour localiser dans le génome humain le gène identifié, nous interrogeons la **Banque de données de séquences génomiques humaines** en partant de la séquence L36861 (*fig.* 23.34). Le résultat de la recherche montre que cette séquence coïncide à 99,1 % avec une région séquencée du chromosome 6. On *n'*obtient *pas* d'alignement parfait car notre séquence de départ contient encore des régions

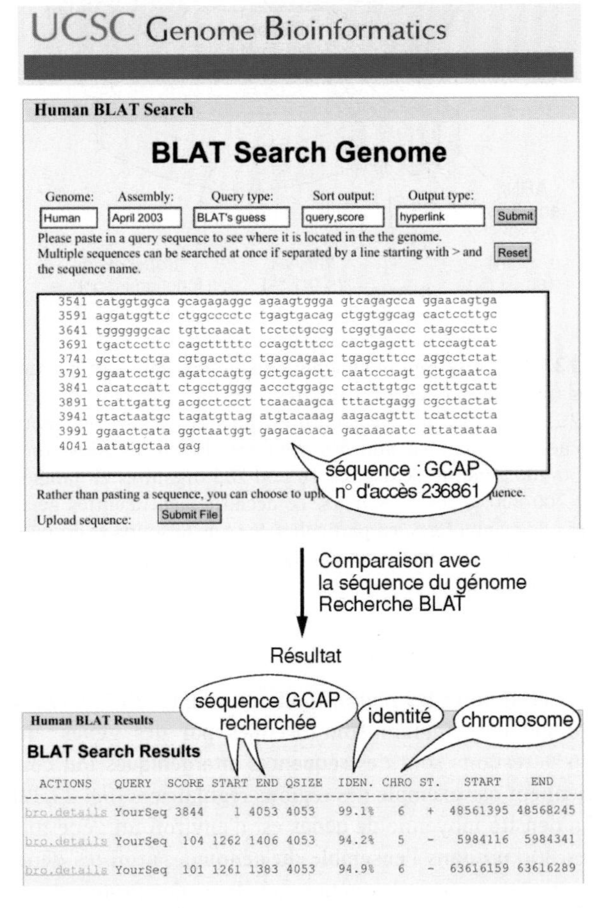

23.34 Recherche d'une région génomique dans la séquence du génome humain. On interroge la banque du génome humain avec la séquence complète L36861, longue de 4 053 nucléotides. On obtient comme résultat la localisation chromosomique du gène correspondant ainsi que la séquence complète de celui-ci incluant les séquences introniques qui manquaient encore (*fig.* 23.33).

incomplètement séquencées dans les introns du gène L36861. Ces lacunes sont maintenant comblées par les données de séquences du génome humain. De plus, la recherche identifie encore deux autres gènes potentiels qui présentent environ 80 % d'identité avec L36861. Il pourrait s'agir de gènes apparentés qui spécifieraient par exemple d'autres protéines associées à GC et encore inconnues.

Grâce à l'information de séquence obtenue, nous pouvons maintenant cloner l'ADNc correspondant à L36861 et exprimer la protéine dans des cellules hôtes. L'analyse fonctionnelle de cette protéine une fois isolée montre que sa fixation à GC stimule fortement l'activité enzymatique de celle-ci. Cette information est introduite dans les banques de données, où L36861 apparaît désormais comme **protéine activatrice de GC** (angl. ***GC-activating protein***, GCAP) (*fig.* 23.34).

Avec la progression du séquençage du génome humain, il est pour la première fois possible d'établir une comparaison directe entre les séquences génomiques de deux individus ou plus. Les variations génétiques de loin les plus fréquentes sont les **substitutions ponctuelles de bases**, que l'on trouve en moyenne toutes les 1 000 pb et qui sont transmises de génération en génération. Lorsque la fréquence d'une telle mutation ponctuelle est supérieure à 1 % dans une population, on parle de **polymorphisme de nucléotide simple** ou **SNP** (prononcer « snip », angl. ***single nucleotide polymorphism***) (*fig.* 23.35). On connaît à l'heure actuelle plus de 1,4 million de ces SNP dont la répartition le long du génome humain est appelée **carte des SNP**. La **variabilité génétique** entre les individus est liée aux SNP. Par exemple, les différences d'efficacité et de toxicité de médicaments comme les β-bloquants sont la conséquence de variations infimes de la structure et de la fonction des enzymes de leur métabolisme, dont le reflet au niveau génétique est un ensemble de SNP. Si l'on a une corrélation significative entre l'effet du médicament et le profil SNP, son **efficacité** peut être prédite, et les intolérances et effets secondaires indésirables peuvent être minimisés.

Les SNP peuvent aussi servir de marqueurs dans la recherche sur les **maladies polygénétiques** comme l'ostéoporose ou la maladie d'Alzheimer. Pour ce faire, on recherche une corrélation entre un phénotype particulier et les cartes SNP de patients et de leur famille. Lorsque la corrélation est significative, elle peut constituer un point de départ pour la recherche de gènes ou de groupes de gènes responsables de la maladie. Enfin,

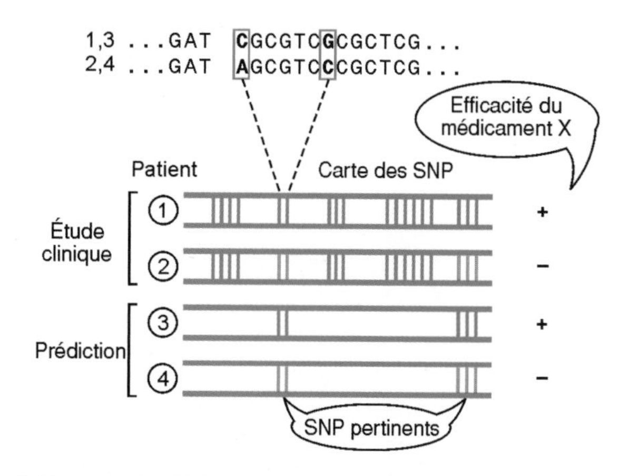

23.35 Carte des SNP et efficacité des médicaments. En haut : les substitutions sont souvent héritées en bloc – on parle alors d'haplotype. Des études cliniques examinent la corrélation entre le profil des effets d'un médicament (+ = efficace ; – = inefficace) et l'haplotype des cartes des SNP des patients traités (1, 2). Lorsque la corrélation est significative, on peut prédire chez un troisième groupe de patients lequel répondra (3) ou non (4) au traitement.

les SNP sont des indicateurs utiles dans l'étude des **problèmes anthropologiques** : ils permettent de comparer les gènes et génomes d'espèces étroitement apparentées comme l'homme et le chimpanzé – et ainsi de tirer des conclusions sur l'évolution des espèces.

Nous achevons ici notre promenade à travers le vaste domaine de la biologie et de la génétique moléculaires, qui clôt le troisième chapitre de cet ouvrage. Il est à prévoir que dans les prochaines décennies, nous allons être submergés par un véritable flot d'informations provenant du déchiffrement de nouveaux génomes, mais aussi de l'exploration de zones inconnues des cartes génétiques – par exemple les séquences intergéniques. Avec la fin du séquençage du génome s'ouvre aussi l'univers des produits de gènes – le **protéome** – qui représente un niveau de complexité supplémentaire en raison des modifications post-transcriptionnelles et post-traductionnelles qualitatives et quantitatives. Le grand défi de l'ère post-génomique sera de mettre en évidence les tâches complexes effectuées par les protéines à l'intérieur et à l'extérieur de la cellule. Les protéines assurant des fonctions clés dans la transduction du signal – la production, la transmission et le traitement des signaux biologiques – en sont une bonne illustration ; elles feront l'objet de la partie suivante de ce livre.

Partie IV Transduction du signal au niveau des membranes biologiques

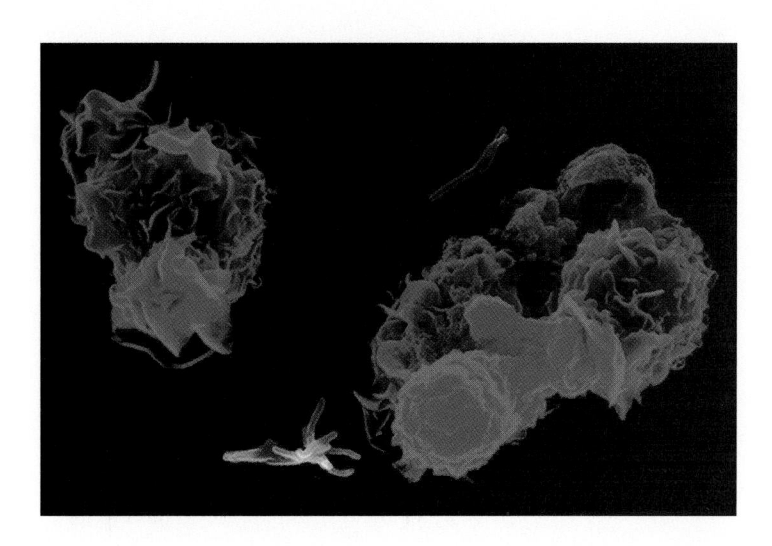

La structure chimique des molécules, les mécanismes biochimiques de base ou bien encore la diversité des fonctions sont très similaires de la bactérie à l'homme, quand on considère les plus petites unités fonctionnelles de ces organismes. Cette unicité est considérée comme une indication de l'origine commune des Procaryotes et des Eucaryotes. Les cellules sont définies avant tout par l'existence de frontières vis-à-vis de l'extérieur, donc par leurs membranes biologiques, mais également par leurs capacités de communication intra- et intercellulaire, ce qu'on peut résumer brièvement au niveau moléculaire par « les mécanismes de transduction ». Cette quatrième partie va couvrir un vaste champ : on commencera par explorer la structure des biomembranes et les principes des échanges transmembranaires grâce à différents canaux ; on s'intéressera ensuite à la diversité des « stations émettrices et réceptrices » du signal comme les enzymes, les hormones, différents récepteurs et effecteurs. La charpente cellulaire – le cytosquelette – sera étudiée d'un point de vue dynamique, comme dans le cas de la division ou de la mort cellulaire. Plus encore que dans le cas de cellules isolées, la coopération cellulaire est particulièrement nécessaire entre les nombreuses cellules d'un organisme pluricellulaire. Quelle que soit leur diversité, l'activité de chacune des nombreuses cellules d'un organisme doit pouvoir être prise en compte. Dans le même temps, il faut des réponses coordonnées face aux stimuli externes : seul un système très raffiné de communication intercellulaire peut y parvenir. On verra donc ici les principes de base de la signalisation neuronale et de la signalisation hormonale. Enfin, nous considérerons le fonctionnement du système immunitaire – le système permettant de repousser de façon coordonnée tout envahisseur extérieur. De fait, pour remplir l'ensemble de ces fonctions cellulaires, il existe un vaste arsenal d'outils moléculaires tels que les transmetteurs, récepteurs, kinases, phosphatases, protéines adaptatrices et régulateurs divers. Ils transmettent les informations cellulaires et contribuent au large spectre des processus de transduction de signal.

Un instantané de la défense cellulaire : cette image de microscopie à balayage montre des macrophages (du grec « gros mangeurs », en violet) s'attaquant à la bactérie de la tuberculose (en vert). Avec l'aimable autorisation de Stefan Kaufmann et Volker Brinkmann (Max-Planck-Institut für Infektionbiologie, Berlin).

Structure et dynamique des membranes biologiques 24

Les membranes biologiques sont des structures qui forment des couches, et sont constituées principalement de lipides et de protéines. La notion de vie est indissociable de leur existence. Ainsi, les **membranes plasmiques** marquent les frontières entre deux cellules différentes et séparent l'espace cytosolique de l'espace extracellulaire : *la membrane plasmique détermine la taille, la forme et enfin l'individualité d'une cellule.* À l'intérieur d'une cellule, les membranes délimitent les organites cellulaires, comme le noyau, les mitochondries et l'appareil de Golgi. Elles créent ainsi des zones bien circonscrites ou **compartiments cellulaires**, dans lesquels des réactions particulières de métabolisme ou de synthèse des macromolécules sont réalisées. Les membranes biologiques sont formées par des **bicouches** continues de molécules lipidiques d'une épaisseur de 5 à 8 nm. La plupart des protéines membranaires sont enchâssées dans cette bicouche. Les membranes forment de la sorte des barrières physiques qui contrôlent le transport et l'échange de substances entre la cellule et son environnement extracellulaire mais contrôlent également le transport intracellulaire. *Équipées de protéines spécifiques appelées récepteurs, elles régulent le flux d'informations entre la cellule et l'extérieur.* Les **membranes des cellules excitables** jouent un rôle crucial dans la génération et la propagation d'influx nerveux dans les neurones et dans la contraction des cellules musculaires. À la diversité structurale des membranes correspond une grande variété de fonctions.

24.1 Les phospholipides forment spontanément des bicouches dans les milieux aqueux

Les principaux éléments constitutifs des membranes biologiques sont les glycérophospholipides, les sphingomyélines et le cholestérol (§ 2.14). Tous ces lipides portent à la fois des groupements hydrophobes et des groupements hydrophiles ; elles présentent ainsi des caractéristiques dites amphiphiles ou amphipathiques. Les glycérophospholipides et les sphingomyélines sont regroupés sous le nom de **phospholipides** (*tab.* Lipides). Les représentants les plus importants des glycérophospholipides sont la phosphatidyl-choline (lécithine), la phosphatidyl-sérine et la phosphatidyl-éthanolamine (céphalines). Les sphingomyélines sont des céramides ou plus généralement des sphingolipides (*fig.* 24.1). Le **cholestérol** a une structure fondamentalement différente des phospholipides, mais il partage avec eux les propriétés amphiphiles.

Les phospholipides portent des **« têtes » polaires** qui leur permettent de se lier par des ponts hydrogènes aux molécules d'eau environnantes ou – s'ils portent des groupements chargés comme la phosphatidyl-choline – de se lier entre eux par des liaisons ioniques.

À l'opposé, les **« queues » non-polaires** des phospholipides sont hydrophobes. Elles ont tendance à s'agréger entre elles pour exclure toute molécule d'eau (§ 1.6 et 5.8). Cet effet hydrophobe constitue la force majeure dans le comportement des membranes. Des liaisons de Van der Waals entre les chaînes alkylées des queues hydrophobes contribuent à former un empilement dense des lipides, qui est renforcé par les interactions électrostatiques entre les têtes polaires (voir § 1.5). L'**amphiphilie** et l'existence de **chaînes latérales hydrophobes** sont donc les caractéristiques les plus importantes qui permettent aux phospholipides de former des bicouches dans un environnement aqueux.

Les phospholipides sont pratiquement insolubles dans l'eau. Au contraire, ils se dissolvent bien dans les solvants organiques, comme l'éthanol. Si on mélange une solution éthanolique de lipides avec de l'eau, alors les phospholipides forment spontanément une **bicouche** (*fig.* 24.2). Les têtes hydrophiles sont orientées vers l'eau, avec laquelle elles forment une surface de contact continue, tandis que les queues hydrophobes, globalement cylindriques s'associent entre elles et s'alignent pour former une bicouche sous les forces d'exclusion de l'eau.

Contrairement aux lipides, les acides gras « simples » comme l'acide palmitique ou l'acide stéarique présentent une queue hydrophobe de forme globalement conique. De ce fait, elles ne forment pas des bicouches mais des **micelles** sphériques (diamètre d'environ 10 à 20 nm) : les chaînes alkylées forment une monocouche moléculaire orientée vers l'intérieur et bordées par les têtes polaires qui interagissent avec les molécules d'eau. En revanche, grâce à la structure cylindrique de leurs queues apolaires, les phospholipides peuvent former de minces couches d'une taille beaucoup plus importante.

On peut produire expérimentalement des **bicouches lipidiques planes** en introduisant une solution de phospholipides dans une minuscule ouverture pratiquée dans un septum séparant deux chambres remplies d'eau (*fig.* 24.3). Une bicouche moléculaire tendue entre les bords de l'ouverture se forme spontanément dans ces conditions, ce qui permet de fabriquer des membranes artificielles allant jusqu'à 1 mm de diamètre environ. Les groupe-

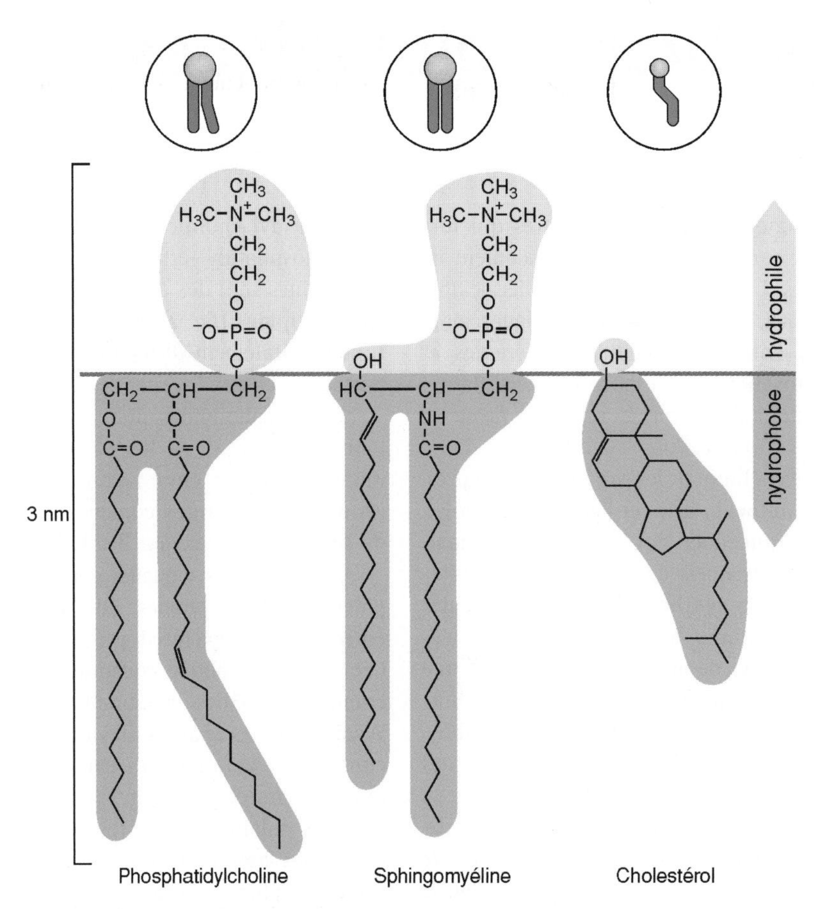

24.1 Les lipides des membranes biologiques : la phosphatidyl-choline, les sphingomyélines et le cholestérol sont représentés comme exemples types. Tandis que la phosphatidyl-choline possède une chaîne formée par le glycérol, les sphingomyélines sont constituées de sphingosine, longue chaîne carbonée portant une insaturation en position 4, une fonction amine en 2 et deux fonctions alcool sur les carbones 1 et 3. Les groupements acyles fréquemment trouvés dans les phospholipides proviennent d'acides gras tels que le palmitate (C16 saturé), le stéarate (C18 saturé) et l'oléate (C18 insaturé) (voir § 2.14). Dans l'oléate, la double liaison *cis* provoque une courbure de 30° dans la chaîne latérale. Au moment de leur découverte, la fonction physiologique des sphingomyélines était encore aussi énigmatique qu'un « sphinx ». Encerclé : symbole pour lipide.

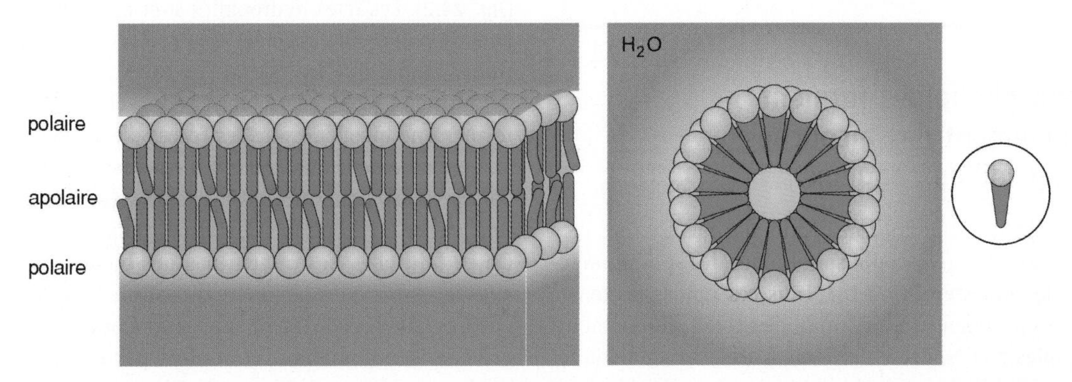

24.2 La bicouche et le micelle : les phospholipides forment des couches (à gauche). La forme cylindrique de leurs groupements alkylés empêche la formation d'un micelle, qui est l'arrangement préféré pour les acides gras dont la queue hydrophobe est de forme conique. Dans les deux cas, les groupements polaires formant la tête constituent la zone de contact entre les lipides et l'eau. Encerclé : symbole pour lipide.

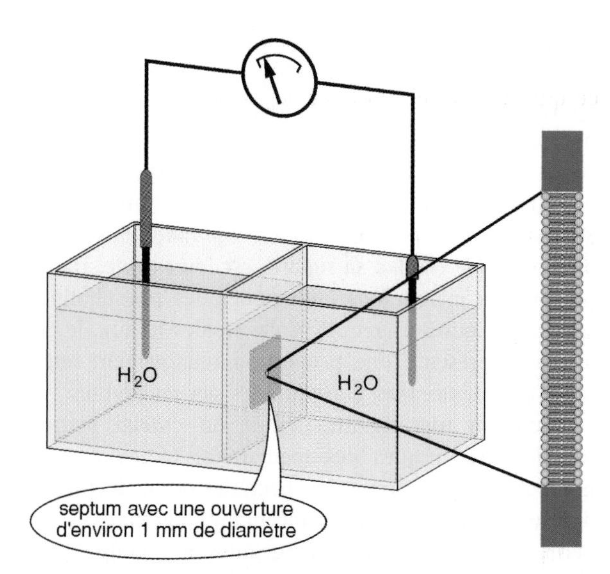

24.3 Membranes planes : une membrane synthétique scelle l'ouverture minuscule dans une paroi (septum) qui sépare deux compartiments remplis d'eau. Ces bicouches expérimentales permettent d'analyser la conductivité électrique et la perméabilité des membranes synthétiques. [RF]

ments phospholipidiques à la périphérie de cette membrane plane se fixent directement à la paroi. Ces membranes synthétiques sont des modèles idéaux pour analyser les caractéristiques des bicouches phospholipidiques et des protéines qui y sont intégrées.

En l'absence de septum, la formation d'une membrane plane n'est pas possible car les chaînes alkylées hydrophobes de la périphérie entreraient en contact avec les molécules d'eau. C'est pourquoi les lipides en solution aqueuse ne forment pas de membranes planes mais des structures sphériques (*fig.* 24.4). La formation d'une **bicouche lipidique continue et sphérique** empêche le contact direct entre les parties hydrophobes et l'eau. Ces structures, appelées **liposomes**, peuvent atteindre 1 µm de diamètre. Contrairement aux micelles, elles entourent un espace intérieur – un compartiment – rempli d'eau, qui est hermétiquement séparé du milieu extérieur par la bicouche lipidique. La tendance des phospholipides à **s'associer entre eux** est tellement forte que les liposomes se reforment spontanément après rupture mécanique.

Une approche thérapeutique prometteuse pour une application ciblée des médicaments est basée sur l'utilisation de **liposomes artificiels** comme navettes (vecteurs). Un médicament est placé dans le compartiment intérieur aqueux de liposomes, qui sont ensuite injectés dans la circulation sanguine. Les liposomes transportent leur chargement jusqu'à un site d'action choisi dans le corps, par exemple un organe particulier ou une tumeur, se fixent à une structure cible et y déchargent leur contenu, provoquant une forte concentration locale en médicament.

24.2 Les membranes biologiques sont des structures dynamiques

Des études sur des membranes synthétiques ont démontré que des molécules phospholipidiques individuelles peuvent bouger dans le plan de la membrane, qu'elles peuvent tourner autour de leur axe ou encore qu'elles peuvent osciller. Par contre, elles ne peuvent pas facilement passer d'une monocouche à l'autre (*fig.* 24.5).

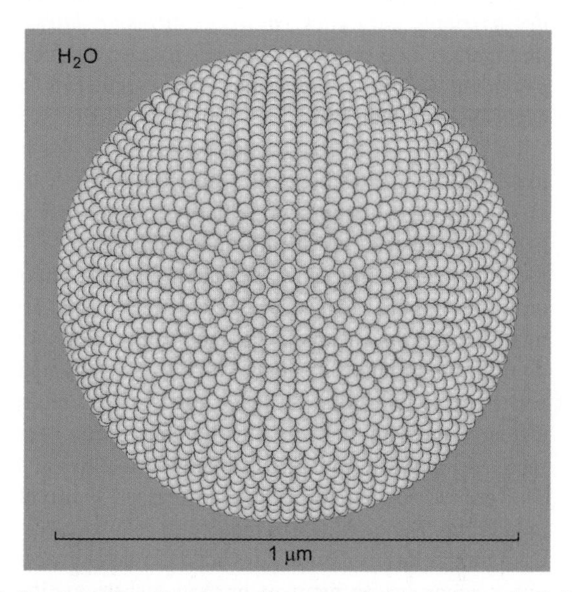

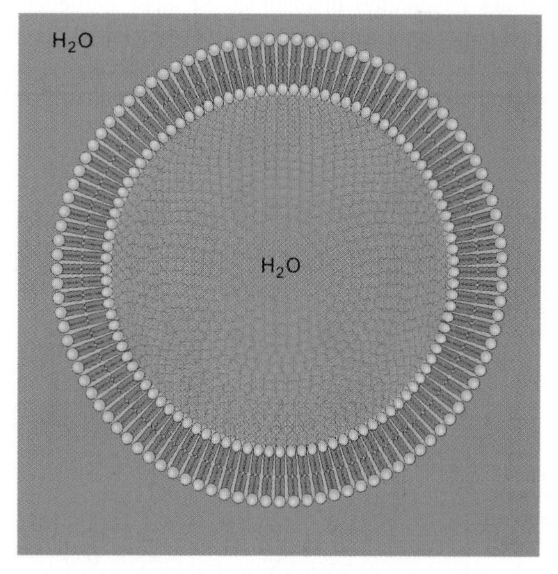

24.4 Structure d'un liposome : l'autoassociation des phospholipides a pour résultat la formation d'une bicouche continue qui est entourée d'eau sur les deux côtés. L'organisation sphérique (à gauche, vue de l'extérieur) permet la séparation complète entre structures hydrophiles et structures hydrophobes. Les liposomes peuvent atteindre un diamètre de 1 µm. Par comparaison, une cellule eucaryote typique mesure environ 20 µm en diamètre.

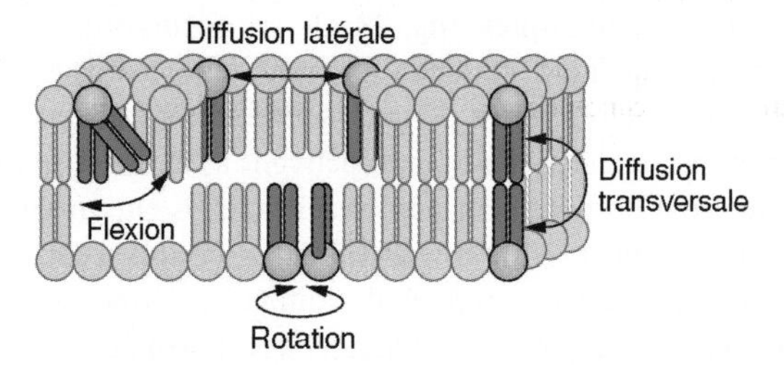

24.5 Mouvements des phospholipides dans la membrane. En dehors des diffusions latérales et transversales, il y a également des rotations autour de l'axe propre des molécules et des flexions dans le plan de la monocouche. Ces mouvements confèrent à la membrane des propriétés dynamiques.

Les changements de place dans le plan d'une monocouche se produisent rapidement, en moins d'1 µs (ce qui correspond à 10^6 changements de place par seconde). Cette **mobilité latérale** est également retrouvée dans les membranes biologiques : par exemple, une molécule phospholipidique peut faire le tour d'un globule rouge en quelques secondes. Les **mouvements transversaux** spontanés d'une couche à l'autre – également appelés les Flip-Flop – sont, au contraire, extrêmement rares (environ un événement par jour). *Une membrane est donc une structure bidimensionnelle fluide avec une dynamique propre considérable.*

La **fluidité** des membranes dépend essentiellement de la longueur et du degré d'insaturation des chaînes alkylées. La fluidité de la membrane est d'autant plus importante que les chaînes sont courtes et qu'elles portent des doubles liaisons (insaturations). Les chaînes alkylées courtes ont moins tendance à s'associer entre elles que les chaînes longues ; les chaînes insaturées assouplissent l'empilement dense des chaînes latérales hydrophobes par les courbures imposées par les doubles liaisons *cis*. La fluidité des membranes biologiques est aussi influencée de façon importante par la présence de **cholestérol**. Bien qu'il soit chimiquement différent des phospholipides, le cholestérol leur est équivalent fonctionnellement : le noyau stérol tétracyclique avec sa chaîne latérale alkylée est encombrant et présente une structure légèrement courbée hydrophobe sur laquelle le groupement hydroxyle constitue la tête polaire (*fig.* 24.6). Le noyau stérol immobilise les chaînes latérales alkylées voisines et rigidifie ainsi la membrane : *plus la proportion de cholestérol dans une membrane est grande, plus sa fluidité est faible et plus sa* **rigidité** *est importante.* Dans la plupart des membranes biologiques, les phospholipides sont majoritaires ; avec 20 % des lipides totaux, le cholestérol représente une proportion relativement importante des membranes plasmatiques des eucaryotes.

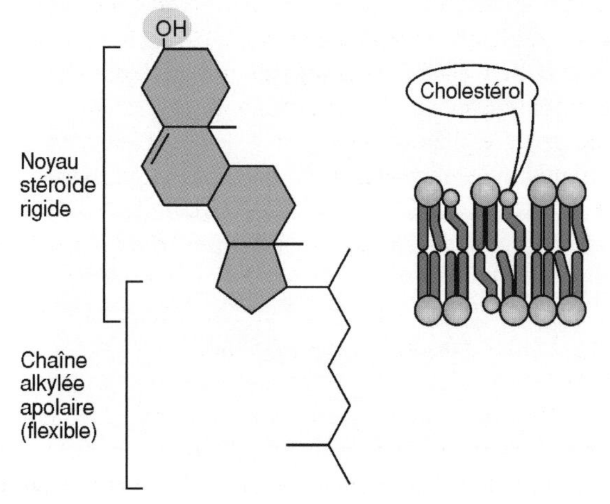

24.6 Structure du cholestérol : la molécule est constituée d'un tétracycle carboné relativement rigide presque plan et d'une chaîne latérale allongée et flexible (*encart* 42.3).

Maintenir une rigidité définie est crucial pour les fonctions spécifiques des membranes biologiques. Les microorganismes comme les bactéries ou les levures ont développé des stratégies moléculaires alternatives pour permettre des conditions changeantes de fluidité de leurs membranes : aux températures basses, ils incorporent plus de chaînes alkylées insaturées dans les phospholipides pour diminuer la rigidité de leurs membranes.

24.3 Les membranes lipidiques permettent une perméabilité sélective

Les molécules sont perpétuellement en mouvement : ainsi le glucose et les molécules d'eau circulent dans le cytosol à une vitesse pouvant aller jusqu'à 2 500 km/h. Les effets mesurables de ces mouvements désordonnés sont pourtant faibles : les collisions permanentes avec d'autres molécules diminuent beaucoup les possibilités de **diffusion latérale** effective. *Les membranes lipidiques forment des barrières naturelles contre la diffusion latérale des molécules ; à ce propos, il faut distinguer les propriétés physico-chimiques intrinsèques d'une molécule de ses* **capacités de pénétration**. Des petites molécules gazeuses telles que l'O_2 ou le CO_2, ou des petites molécules hydrophobes telles que les hormones stéroïdes (cortisol par ex.) ou la thyronine (précurseur de la thyroxine thyroïdienne) peuvent traverser les membranes biologiques relativement facilement (*fig.* 24.7). De façon plus surprenante, la molécule polaire d'eau peut également traverser les biomembranes sans entrave ; c'est une condition importante pour le phénomène d'osmose (§ 1.9). En revanche, des petites molécules polaires, telles que l'urée ou le glycérol diffusent environ 100 fois plus lentement que l'eau. Des molécules polaires plus grosses comme le glucose ou des zwitterions comme les acides aminés se heurtent à la membrane. Les ions ou des molécules relativement grandes comme des protéines, des acides nucléiques ou des polysaccharides ne peuvent pratiquement pas diffuser à travers les membranes. Certains peptides et protéines constituent une exception parce qu'ils possèdent des séquences spécifiques de transfert membranaire.

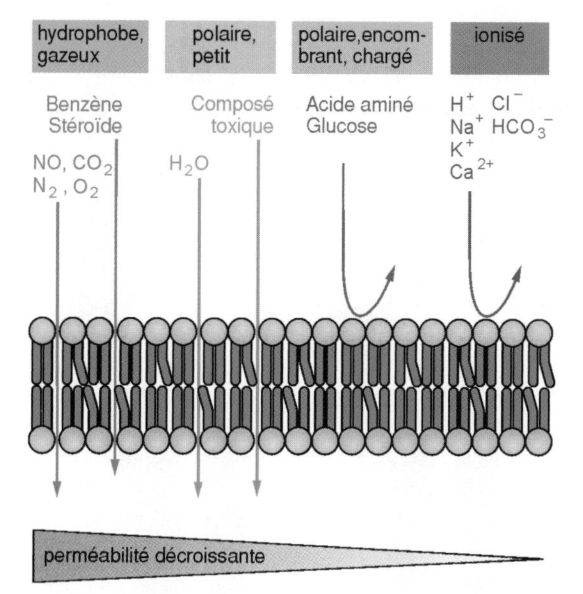

24.7 Perméabilité des membranes synthétiques. Quatre groupes de substances sont classés selon leur perméabilité. Par exemple, le coefficient de perméabilité est 5×10^{-3} cm/s pour H_2O et 1×10^{-12} pour Na^+. La perméabilité des membranes biologiques peut cependant être augmentée considérablement par des transports facilités ou actifs. [RF]

Les molécules polaires et chargées sont **entourées de molécules d'eau** dont elles doivent, en quelque sorte, se débarrasser pour pouvoir traverser l'espace hydrophobe de la bicouche lipidique et dont elles doivent s'entourer à nouveau une fois arrivées de l'autre côté de la membrane : la diffusion au travers de l'espace central lipophile (environ 3,5-5 nm) est donc très désavantageuse d'un point de vue énergétique (*fig.* 24.8). Pour cette raison, les membranes constituent des barrières quasi infranchissables pour des ions tels que Na^+ et Cl^- : leur vitesse de diffusion transmembranaire est 10^9 fois plus lente que celle de l'eau.

La **perméabilité sélective** des membranes a des conséquences biologiques très importantes : des compartiments délimités par des membranes peuvent, par exemple, maintenir des compositions ioniques spécifiques, qui

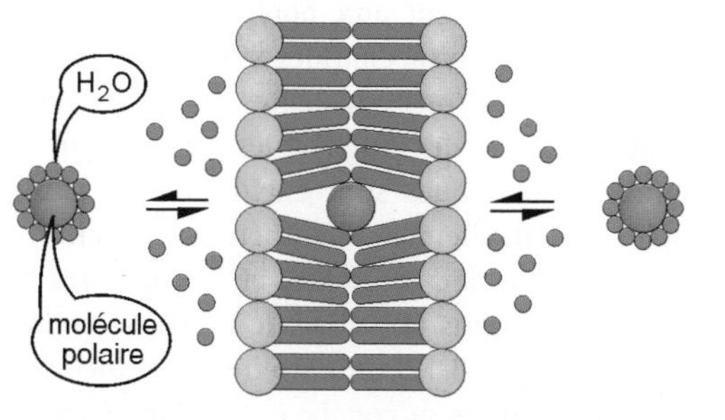

24.8 La diffusion transmembranaire des substances polaires. La molécule en solution aqueuse se débarrasse de son enveloppe d'eau et pénètre la bicouche lipidique en consommant de l'énergie. L'énergie pour l'enlèvement de l'enveloppe d'eau est regagnée par la « réhydratation » sur la face opposée.

Tableau 24.1 Concentrations typiques intra- et extracellulaires d'ions essentiels.

ion	concentration extracellulaire [mM]	concentration intracellulaire [mM]
H^+	4×10^{-5}	7×10^{-5}
Na^+	145	10
K^+	5	140
Ca^{2+}	2,5	10^{-4}
Cl^-	110	10

Les valeurs pour H^+ correspondent à une valeur de pH de 7,2 (intracellulaire) ou 7,4 (extracellulaire). Pour Ca^{2+}, la concentration cytosolique correspond au Ca^{2+} libre, c'est-à-dire non lié à des protéines ; la concentration en Ca^{2+} dans des compartiments subcellulaires isolés, comme le réticulum endoplasmique, peut varier fortement par rapport aux valeurs données ici (§ 27.7).

se distinguent nettement de l'environnement extérieur (*tab.* 24.1). Cette perméabilité sélective est aussi une condition fondamentale pour permettre des propriétés cellulaires spécifiques telles que la synthèse d'ATP au niveau des membranes mitochondriales, l'excitation au niveau des membranes neuronales ou la régulation du volume cellulaire grâce à la diffusion osmotique.

24.4 Les membranes biologiques sont asymétriques et chargées

Outre leur composition particulière, leur fluidité et leur perméabilité sélective, les membranes biologiques sont caractérisées par leur **asymétrie**. Par exemple, on trouve la phosphatidyl-éthanolamine, la phosphatidyl-sérine et le phosphatidyl-inositol presque exclusivement sur la face intérieure cytosolique de la membrane plasmique des globules rouges intacts tandis que la phosphatidyl-choline et la sphingomyéline se trouvent plus fréquemment sur la face extérieure extracellulaire (*fig.* 24.9). La conséquence d'une telle **inégalité de la répartition des lipides** entre les deux monocouches d'une membrane est évidente : puisque la phosphatidyl-sérine et le phosphatidyl-inositol portent des charges négatives alors que les sphingomyélines et la phosphatidyl-choline sont neutres (*tab.* Lipides), la monocouche cytosolique porte une **charge « nette » négative**. On verra plus tard, que les disparités des charges sont essentielles pour la génération d'une différence de potentiel dans les cellules excitables (§ 27.1). De plus, dans les cellules sensorielles, des protéines impliquées dans les cascades de signalisation utilisent les molécules ionisées de la face membranaire cytosolique comme sites d'ancrage (§ 29.9). Enfin, si au cours d'une lésion cellulaire, la phosphatidyl-sérine anionique se trouve exposée à la surface extracellulaire, l'annexine V – une protéine

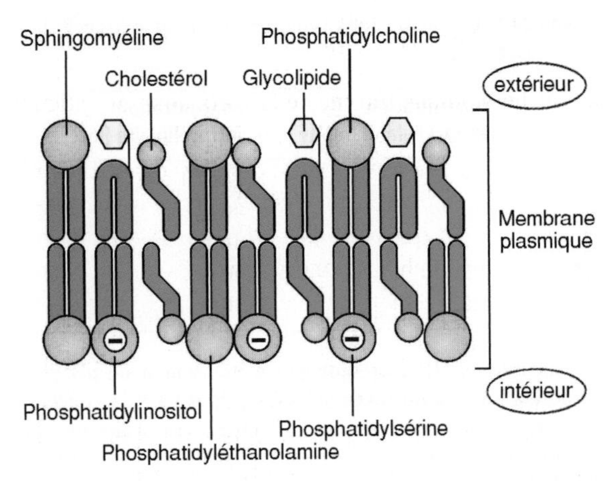

24.9 Répartition des composants lipidiques dans les membranes plasmiques. La couche externe se compose principalement de sphingomyéline, de phosphatidyl-choline et de glycolipides. La couche interne est riche en phosphatidyléthanolamine et en phosphatidylinositol et phosphatidylsérine qui sont chargés négativement. Le cholestérol se trouve dans les deux couches.

de la matrice extracellulaire – détecte la localisation ectopique (du grec *ektopos* : inhabituel, insolite) de ce phospholipide et déclenche la mort cellulaire programmée (§ 32.5).

L'asymétrie des membranes biologiques est accentuée par la présence des **glycolipides** (lipides liés à des oses) qui sont uniquement localisés sur la face extérieure de la membrane plasmique. Les **cérébrosides** sont les représentants les plus simples des glycolipides. Ils ne sont pas chargés et portent un résidu galactose ou un résidu glucose (*fig.* 24.10). Les gangliosides en dérivent par l'addition de résidus osidiques supplémentaires comme la *N*-acétylgalactosamine et l'acide sialique (acide *N*-acétylneuraminique). Les **gangliosides** peuvent acquérir des charges négatives additionnelles par sulfatation de leurs résidus osidiques. Les sphingomyélines, les cérébrosides et les gangliosides sont les lipides majeurs des membranes plasmiques des cellules nerveuses.

Les glycolipides ne constituent qu'une petite partie des lipides totaux de la membrane plasmique (environ 2 %). Ils sont pourtant fonctionnellement très importants, car ils forment avec les glycoprotéines membranaires (*fig.* 25.10) la **glycocalix** qui est très polaire. Ce « glaçage » moléculaire de la membrane plasmique a des fonctions biologiques diverses : *la glycocalix confère à chaque type de cellule une surface spécifique qui lui permet d'établir des interactions avec d'autres cellules, notamment par l'intermédiaire de protéines spécifiques qui ont une grande affinité pour les glucides (lectines : voir* § 25.4*). Par ailleurs, ce sont des glycolipides et des glycoprotéines qui sont à la base des groupes sanguins humains (*§ 19.9*).*

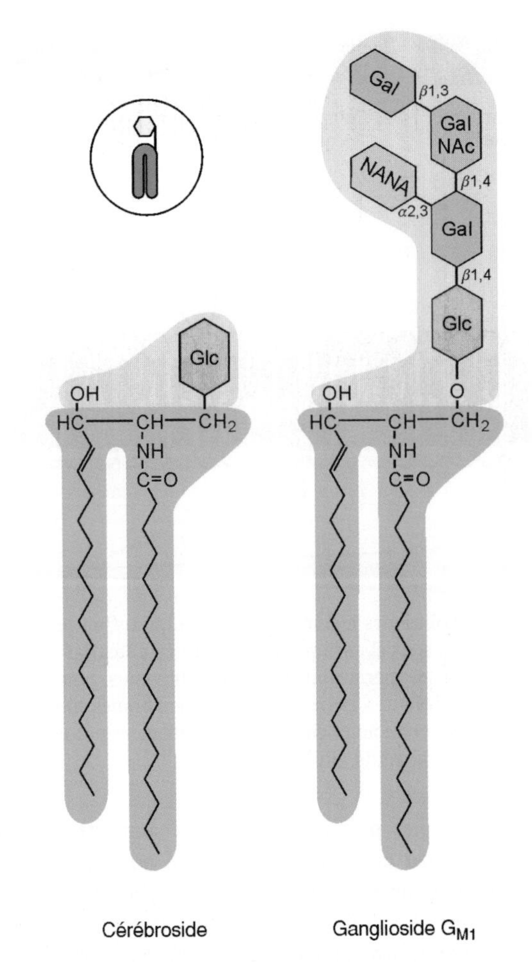

24.10 Structure de deux exemples de glycolipides. Le glucosylcéramide, un cérébroside et le ganglioside G_{M1} sont des prototypes de leurs classes de glycolipides respectives. α et β indiquent le type de liaison entre les résidus sucres.

24.5 Le réticulum endoplasmique produit des membranes asymétriques

Comment se forment les membranes biologiques asymétriques ? Contrairement aux polypeptides, aux polynucléotides ou aux polysaccharides synthétisés *de novo* par la formation de liaisons covalentes respectivement entre des acides aminés, des nucléotides ou des glucides, les membranes biologiques sont exclusivement constituées de lipides nouvellement synthétisés à partir d'une matrice lipidique déjà présente, et liés par des liaisons non covalentes. Dans la cellule, le **réticulum endoplasmique lisse** (REL) (*fig.* 3.12) est entouré d'une bicouche lipidique qui porte dans sa couche externe (côté cytosol) les enzymes nécessaires à la synthèse des phospholipides (§ 42.10). Ces lipides hydrophiles sont intégrés dans la couche externe de la membrane immédiatement après leur synthèse (*fig.* 24.11).

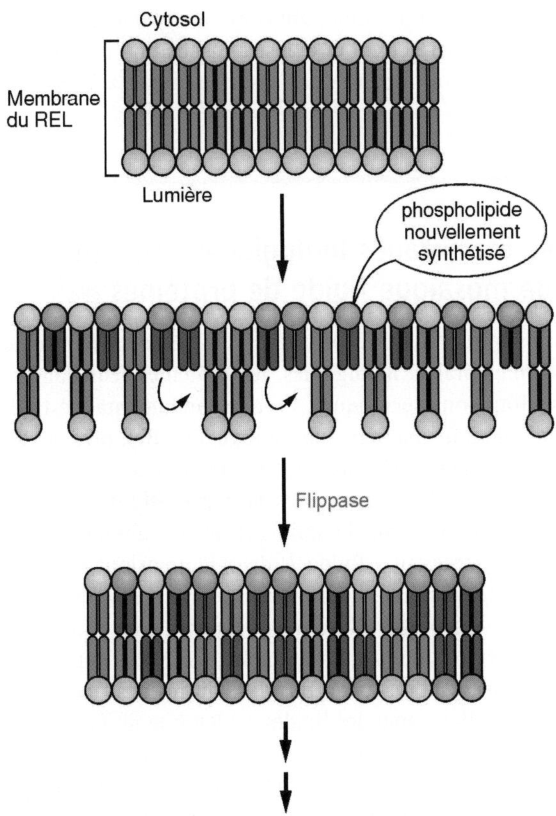

24.11 Synthèse des membranes biologiques. La synthèse de phospholipides a lieu dans la face cytosolique du réticulum endoplasmique lisse, qui intègre également les lipides nouvellement synthétisés. Des protéines de translocation facilitent le transport de phospholipides choisis vers la lumière du REL, garantissant une croissance similaire des deux couches de la membrane. [RF]

Des protéines de translocation spécifiques permettent ensuite à une partie des phospholipides, de passer dans la couche lipidique interne de la membrane du réticulum endoplasmique (côté lumière du REL). Les protéines qui permettent ce passage « acrobatique » portent le nom évocateur de **« flippases »** (ou translocases). L'efficacité de cette diffusion transversale est variable selon la composition de chaque phospholipide, ce qui entraîne une répartition différente entre les deux couches lipidiques ; ainsi la phosphatidyl-choline se localise préférentiellement dans la couche interne de la membrane. L'**intégration unilatérale** est l'une des raisons de l'asymétrie membranaire. Les phospholipides nouvellement synthétisés parviennent à la membrane plasmique grâce au transport vésiculaire *via* l'appareil de Golgi. De cette manière, l'asymétrie membranaire est préservée ; la face interne du REL ou celle de l'appareil de Golgi est **équivalente d'un point de vue topologique** à la face extracellulaire de la membrane plasmique, c'est-à-dire que la phosphatidyl-choline se localise préférentiellement à la surface externe de la cellule (*fig.* 24.12).

La synthèse des glycolipides constitue une véritable « odyssée ». La synthèse du précurseur céramide à partir de sphingosine a lieu au niveau de la face cytosolique du REL. Un premier résidu glucose est ajouté au niveau de la face cytosolique de l'appareil de Golgi ; après transfert vers la lumière de l'appareil de Golgi, les autres résidus de sucres sont ajoutés un à un (*fig.* 24.12). À la différence des phospholipides, les glycolipides *ne* peuvent *plus* changer de face membranaire après leur synthèse. *La répartition unilatérale des glycolipides contribue de façon essentielle à l'asymétrie des membranes biologiques.*

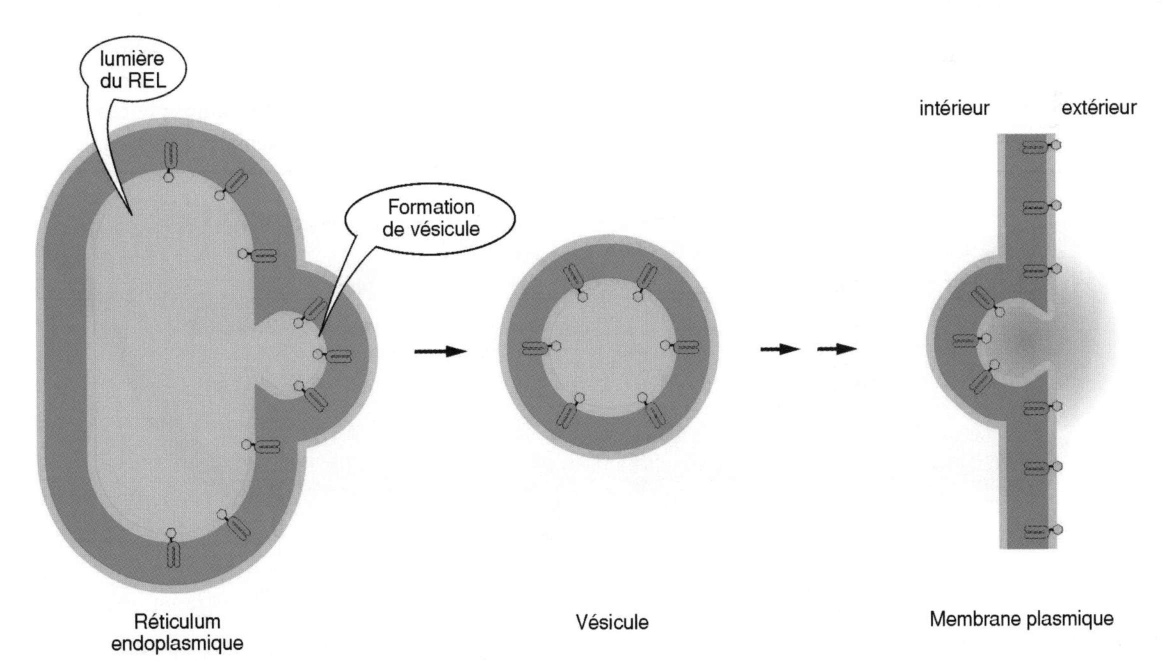

24.12 Transport des phospholipides vers la surface extérieure de la cellule. Le transport vésiculaire du REL vers la membrane plasmique *via* l'appareil de Golgi (non montré) permet d'assurer un transfert des phospholipides de la face interne du REL vers la face externe de la membrane plasmique. On parle d'équivalence topologique.

24.6

La composition et la répartition des lipides dans les membranes biologiques fluctuent

De même qu'il existe une répartition asymétrique des lipides entre les deux couches d'une même membrane cellulaire, la répartition des lipides varie de façon importante entre les différents types de membranes d'une même cellule ou entre les membranes équivalentes de types cellulaires différents. Ainsi, la membrane cellulaire des bactéries ne comporte ni cholestérol, ni phosphatidylcholine, tandis que la membrane plasmique des érythrocytes ou la gaine de myéline des cellules de Schwann est composée pratiquement pour moitié de ces lipides. Dans les cellules eucaryotes, les membranes des mitochondries se distinguent nettement des autres types de membranes par une **composition en lipides** particulière, comportant une forte proportion de phosphatidyl-choline et phosphatidyl-éthanolamine, une faible proportion de cholestérol (< 3%) et une absence de glycolipides. On peut également trouver au sein d'une membrane plasmique des répartitions en lipides hétérogènes. Des **radeaux lipidiques** (angl. *lipid rafts*), riches en cholestérol et en glycolipides, et présentant de ce fait une fluidité réduite par rapport à la membrane environnante, semblent être des régions préférentielles pour l'emplacement des protéines membranaires à ancre lipidique (*fig.* 25.7). Des replis de membranes plasmiques en forme de massue, les **caveolae** ont une composition lipidique similaire – richesse en cholestérol et en glycolipides – mais sont également caractérisées par l'abondance de protéines membranaires particulières, les **cavéolines**. La signification biologique de la diversité chimique et de la **répartition hétérogène des lipides** membranaires n'est pas encore totalement comprise ; il est possible qu'elles spécifient un arrangement local des protéines en zones fonctionnelles ou en champs de signalisation et permettent une mise à disposition de cofacteurs lipidiques pour les enzymes associées aux membranes.

24.7

Les membranes biologiques forment une mosaïque fluide de protéines

Alors que les lipides constituent les éléments de structure des membranes biologiques, les protéines leur confèrent des fonctions spécifiques. Ce rôle fondamental se traduit également de manière quantitative. En effet, près de 20 % des protéines codées par le génome humain – c'est-à-dire environ 6 000 – codent des **protéines (trans)membranaires**. De fait, la bicouche lipidique des membranes se comporte comme un « fluide à deux dimensions », au sein duquel les protéines hydrophobes peuvent se « dissoudre ». Comme les protéines sont en général plus grosses que l'épaisseur d'une membrane biologique, elles dépassent et se dressent d'un côté ou de l'autre des membranes (*fig.* 24.13). Comme les lipides – bien que de façon nettement plus lente – les protéines peuvent diffuser latéralement, de telle sorte qu'une membrane biologique présente une surface toujours changeante : on parle de **mosaïque fluide** (angl. *fluid mosaic*). La dynamique des membranes biologiques, qui permet des réactions rapides en réponse à des stimulations extérieures, est une conséquence directe de sa fluidité. Le coût énergétique pour la translocation de protéines au travers de la bicouche membranaire est – comme dans le cas des glycolipides – très élevé. Seules quelques protéines particulières de translocation ont la capacité d'effectuer un « salto » par-dessus la membrane, pour transporter une cargaison de molécules d'un côté de la membrane à l'autre ; le cas des flippases en est un des meilleurs exemples (*fig.* 24.11).

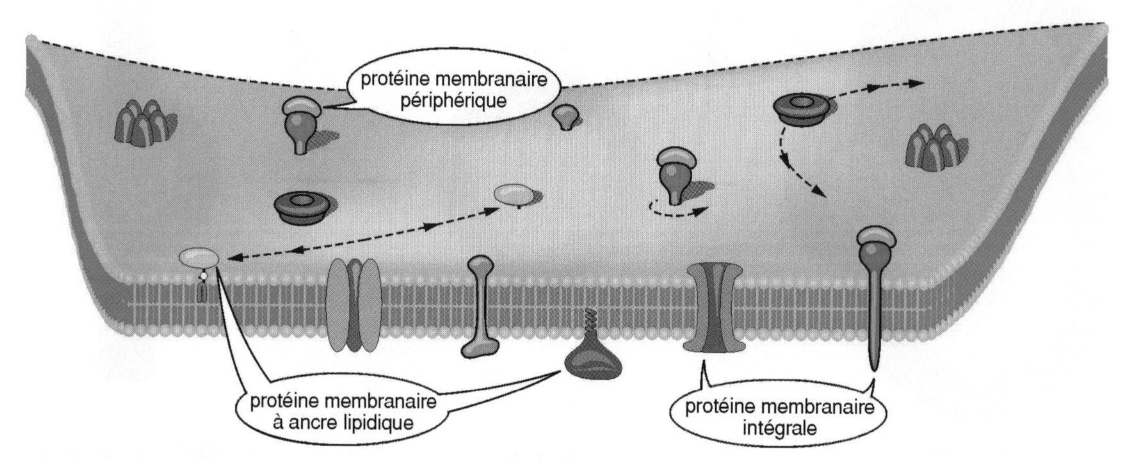

24.13 Modèle de mosaïque fluide des membranes. Les protéines intégrales (ou intrinsèques) membranaires traversent la bicouche lipidique ; les protéines membranaires extrinsèques (ou périphériques) sont liées de façon indirecte à la membrane. Quelques protéines membranaires s'enfoncent dans la bicouche lipidique grâce à leurs ancres (glyco)lipidiques (*fig.* 25.7). La capacité de mouvement latéral des protéines membranaires est indiquée par des flèches.

De façon similaire à la répartition différentielle des lipides membranaires, la présence et la fonction des protéines membranaires dépendent du type et de l'origine des membranes biologiques. Les membranes intracellulaires comme la membrane interne des mitochondries ou la membrane du réticulum sarcoplasmique sont constituées pour une grande proportion de protéines, cette proportion pouvant atteindre 75 %. Cette valeur reflète les fonctions importantes de ces membranes. Les membranes myélinisées des axones représentent l'autre extrémité de cette échelle, avec une très faible proportion de protéines (< 25 %) : ces membranes jouent en premier lieu un rôle d'isolant, ce qui est favorisé par la forte proportion de lipides (*fig.* 27.11). Par comparaison, les membranes plasmiques des cellules eucaryotes ont une proportion équilibrée en lipides et protéines. Quant aux membranes bactériennes, elles ressemblent par leur répartition lipides-protéines plutôt aux membranes internes des mitochondries. La **répartition différentielle des protéines** *est avant tout un miroir des différentes exigences fonctionnelles des membranes spécialisées.*

24.8 Les détergents permettent de dissoudre les membranes biologiques

Les meilleurs agents de dissolution des membranes biologiques sont les **détergents** synthétiques : ils possèdent une structure amphipathique et forment des micelles dans les solutions aqueuses. Des exemples de détergents très utilisés sont le **dodécyl sulfate de sodium** (SDS, ou lauryl sulfate de sodium) et le triton X-100 (*fig.* 24.14). Les sels de Na^+ et de K^+ d'acides gras constituent des détergents naturels – savons – qui sont formés par traitement alcalin, à partir des graisses animales.

Les détergents dissolvent les membranes biologiques et forment des **micelles mixtes** avec les phospholipides et les glycolipides. Ils solubilisent également les protéines membranaires et forment avec les protéines membranaires et les phospholipides restants des complexes solubles en solutions aqueuses (*fig.* 24.15). Les détergents synthétiques forment une enveloppe autour

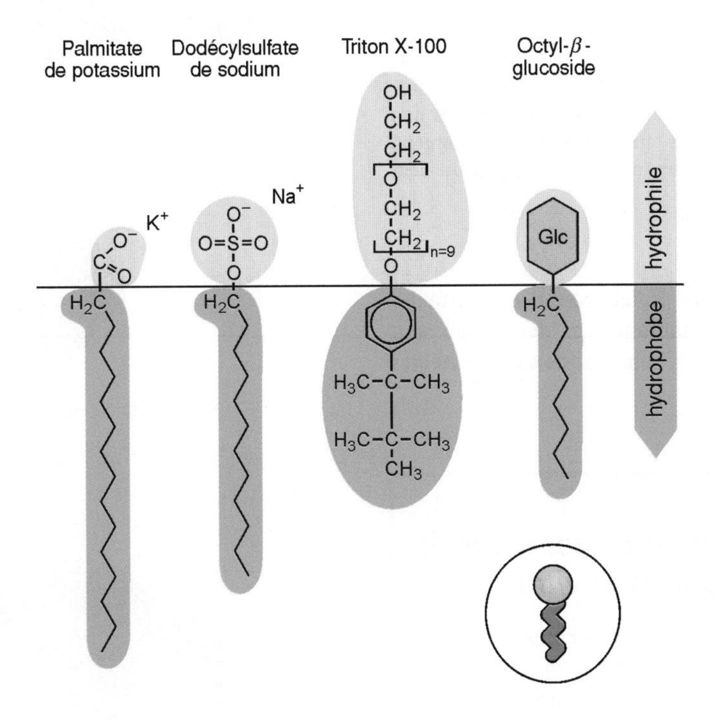

24.14 Structure de détergents. Le dodécyl sulfate de sodium (SDS) est le prototype des détergents ioniques, le triton X-100 (polyoxyéthylène-p-t-octylphénol ; n ≈ 9) et l'octyl-**β**-glucoside sont des exemples de détergents non anioniques (cf. symbole). Pour comparaison, le palmitate de potassium, un savon, est indiqué comme exemple de détergent à base d'acide gras.

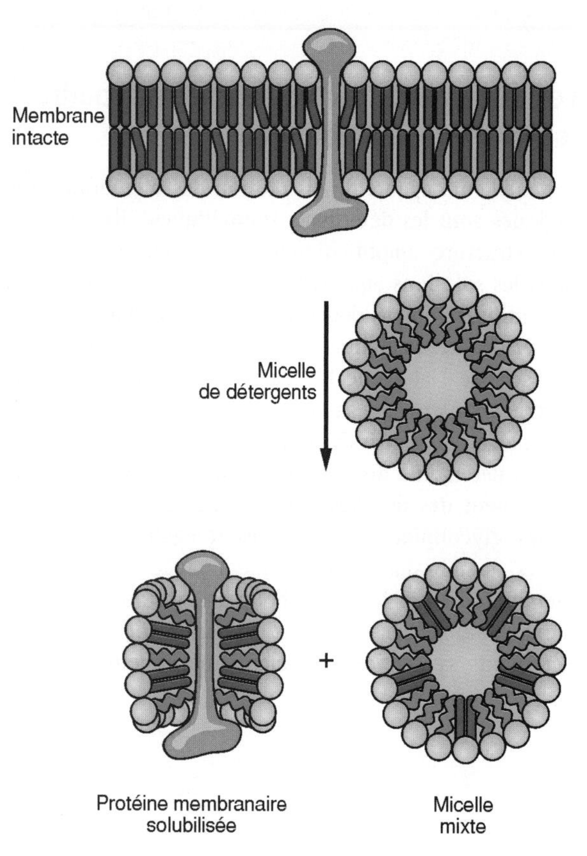

24.15 Solubilisation des protéines membranaires. Les détergents permettent d'extraire de la bicouche lipidique les protéines intrinsèques membranaires. Les détergents ioniques comme le SDS extraient les protéines de la membrane en les dénaturant, tandis que des détergents doux (la plupart du temps non ioniques) forment des complexes ternaires (protéine, détergent, phospholipide) et solubilisent les protéines en gardant leur structure intacte.

de la partie hydrophobe des protéines, qui est normalement enfoncée dans la membrane. Les détergents sont des agents indispensables à la **solubilisation des protéines membranaires**.

24.9 Des systèmes membranaires fonctionnels peuvent être reconstitués *in vitro*

La solubilisation et l'isolement de protéines membranaires en présence de détergents offrent la possibilité de **reconstituer des membranes fonctionnelles,** constituées d'un seul type de protéines. Pour reconstituer un système de transport ionique, ou **canal ionique** (§ 26.5), des membranes riches en transporteur ionique recherché sont isolées et solubilisées grâce à un détergent doux non anionique. Les protéines membranaires solubilisées sont alors séparées du reste des protéines membranaires par une faible concentration de détergent (§ 6.1 et suivants). Dès que le canal ionique d'intérêt y est présent, le détergent est échangé progressivement, par exemple par dialyse, contre des phospholipides synthétiques ou purifiés. Les phospholipides forment des micelles et les canaux ioniques purifiés s'y intègrent (*fig.* 24.16). *Les systèmes membranaires reconstitués permettent de comprendre des processus membranaires complexes, en étudiant la fonction de composés isolés en vésicules artificielles.*

Nous avons traité ici tous les aspects fondamentaux de la dynamique et de l'organisation des membranes biologiques, ainsi que de leurs composants structuraux. Nous

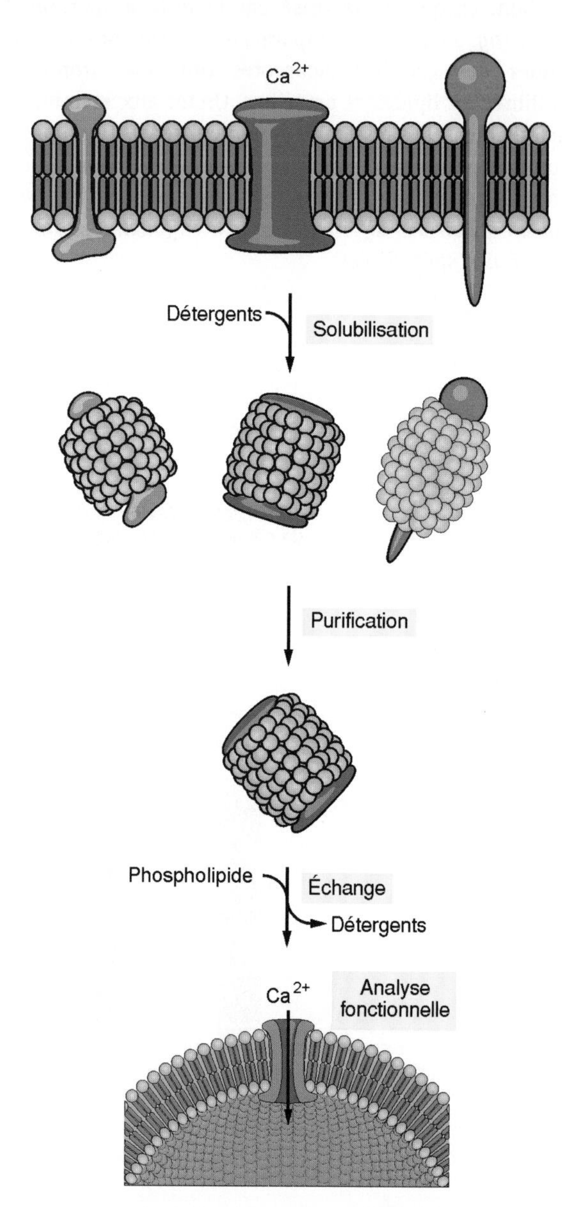

24.16 Reconstitution d'un système membranaire fonctionnel. Dans cet exemple, on solubilise par un détergent doux une membrane qui comprend un canal Ca^{2+} parmi d'autres protéines membranaires. Le canal ionique est purifié, transféré dans une vésicule constituée de phospholipides (détail) et son analyse fonctionnelle est réalisée.

allons maintenant nous tourner vers la machinerie moléculaire – des **protéines membranaires** – dont l'énorme diversité reflète l'importance fonctionnelle des membranes biologiques. Nous verrons que les protéines membranaires remplissent des rôles aussi divers que le transport de substances nutritives à travers la membrane plasmique, la génération et le maintien d'un potentiel d'action au niveau des membranes excitables, mais également l'utilisation d'énergie ou sa transmission vers les membranes de divers organites intracellulaires. *Ainsi, les protéines membranaires confèrent aux cellules leur spécificité : la diversité des cellules souches est due de façon non négligeable aux différences dans leur équipement en protéines membranaires.*

Importance fonctionnelle des protéines dans les membranes biologiques

25

L'étendue des fonctions d'une cellule dépend principalement de son équipement protéique. À ce titre, les protéines associées aux membranes jouent un rôle prépondérant : elles peuvent former des **canaux** traversant la membrane et moduler de façon ciblée la perméabilité aux ions ou aux molécules polaires. Comme **transporteurs**, elles permettent le transfert de métabolites, d'ions ou même de protéines à travers la membrane cellulaire ; comme **enzymes**, elles contribuent à la transformation et à l'utilisation d'énergie ; comme **récepteurs**, elles constituent des « antennes », qui perçoivent les signaux du « monde extérieur » et les transmettent au milieu intérieur de la cellule. *Grâce aux protéines ancrées dans leur membrane, les cellules peuvent communiquer entre elles et réagir de façon coordonnée à des changements de leur environnement.* Nous nous attacherons tout d'abord à décrire les particularités structurales des protéines membranaires puis nous mettrons ensuite l'accent sur leurs capacités fonctionnelles.

25.1 Les protéines membranaires intégrales traversent les membranes de part en part

Les protéines peuvent être ancrées dans les membranes de différentes façons. Dans la plupart des cas, les protéines traversent complètement la membrane : on parle de **protéines membranaires intégrales** (ou intrinsèques). Ces protéines comportent dans leur structure primaire au moins un segment hydrophobe, c'est-à-dire un segment riche en acides aminés présentant des chaînes latérales hydrophobes. L'hydrophobicité des chaînes latérales peut être représentée par leur **spectre de polarité** (*fig.* 25.1) ; la polarité varie entre extrêmement hydrophobe (acides aminés avec une chaîne latérale aliphatique ou aromatique, comme la phénylalanine) et extrêmement hydrophile (tous les acides aminés chargés, comme l'arginine). Le segment hydrophobe d'une protéine transmembranaire traverse la bicouche lipidique, typiquement sous la forme d'une **hélice transmembranaire α droite** ; dans ce milieu hydrophobe, les atomes du squelette peptidique forment entre eux des liaisons hydrogènes, tandis que les chaînes latérales hydrophobes sont dirigées vers l'extérieur, en contact direct avec les lipides membranaires. Le « cœur » hydrophobe d'une membrane biologique a une épaisseur d'environ 3,5-5 nm ; et il suffit d'une hélice α droite constituée d'environ 20-30 acides aminés pour traverser cette distance. Les protéines membranaires qui présentent une seule hélice transmembranaire peuvent alors

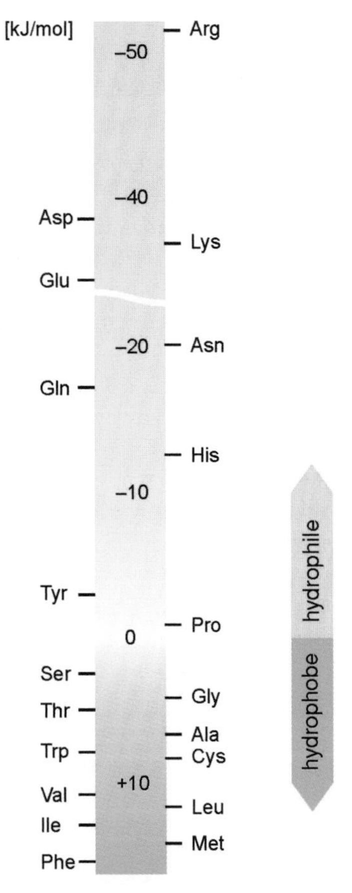

25.1 Spectre de polarité des acides aminés. L'échelle exprime le calcul de l'énergie libre standard [kJ/mol], nécessaire pour permettre le passage d'un acide aminé d'un environnement hydrophobe (hélice transmembranaire) vers un milieu aqueux (§ 3.9). Plus la différence d'énergie libre est fortement négative ($\Delta G < 0$ kJ ; partie jaune), plus l'acide aminé est hydrophile. [RF]

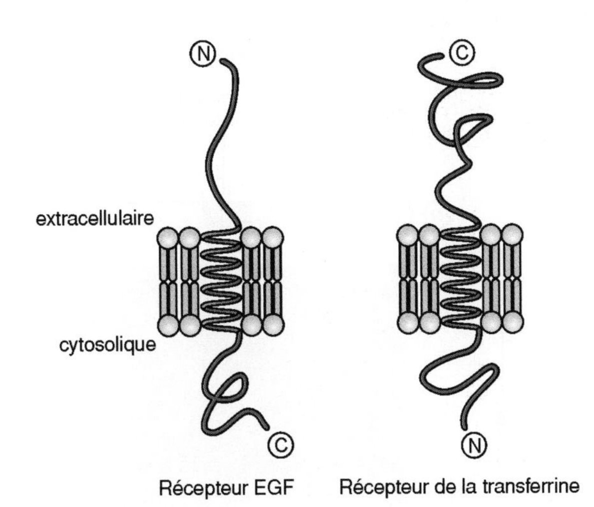

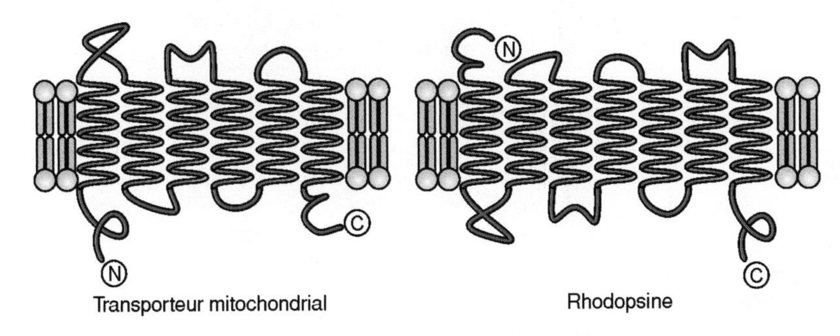

25.2 Orientation des protéines transmembranaires. Les protéines présentant une seule hélice transmembranaire peuvent être engagées dans la membrane selon deux orientations différentes. Les protéines présentant plusieurs domaines transmembranaires peuvent avoir leurs domaines amino- et carboxyterminaux du même côté de la membrane (transporteur mitochondrial) ou de deux côtés différents (rhodopsine).

avoir leur chaîne polypeptidique selon deux orientations différentes : l'extrémité N-terminale peut être située ou bien du côté cytosolique ou bien du côté extracellulaire (*fig.* 25.2). C'est au moment de la synthèse protéique au niveau du réticulum endoplasmique que des séquences signal décident de la **topologie des protéines membranaires** (§ 19.5) ; en général, il n'existe qu'une seule orientation possible pour chaque protéine. Outre les protéines avec un seul domaine transmembranaire, il existe des protéines avec plusieurs domaines transmembranaires formés par des hélices α droites successives. Ainsi, la rhodopsine, qui permet la réception de la lumière traverse sept fois la membrane des cellules photoréceptrices (§ 29.6); quelques transporteurs vont jusqu'à traverser la membrane cellulaire une douzaine de fois (§ 26.5).

La **glycophorine**, la protéine la plus abondante des membranes érythrocytaires, est un exemple type de protéine membranaire intégrale comprenant un seul segment transmembranaire (*fig.* 25.3). La glycophorine possède trois domaines de fonctions bien distinctes : un domaine hydrophile sur la face extracellulaire porte de nombreux groupements glucidiques – d'où le nom de glycophorine – et permet les interactions des érythrocytes avec les autres cellules ; une hélice hydrophobe permet l'ancrage de la glycophorine dans la membrane ; un domaine hydrophile intracellulaire est riche en acides aminés chargés négativement, comme l'aspartate et le glutamate. Ce domaine cytosolique constitue un site d'ancrage du cytosquelette (*chap.* 31).

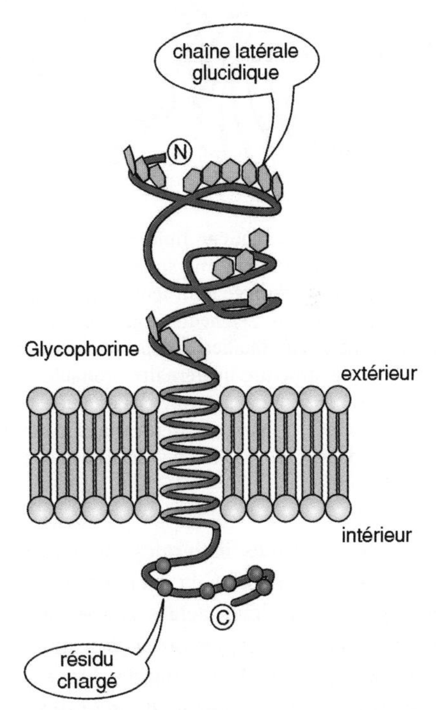

25.3 Intégration de la glycophorine dans la membrane des érythrocytes. La protéine traverse la membrane par une hélice α droite. L'extrémité N-terminale est située sur la face extérieure de la cellule et porte 16 chaînes latérales glucidiques (en jaune). L'extrémité C-terminale est tournée vers l'intérieur de la cellule et comporte de nombreux acides aminés chargés, soit basiques (en violet), soit acides (en rouge).

25.4 Tonneau β dans la couche lipidique. En haut : chaque monomère de porine présente une structure en forme de tonneau, dont la paroi est formée d'un feuillet β antiparallèle circulaire organisé en 16 segments transmembranaires. Une grande boucle entre deux feuillets β dépasse dans la lumière (en rouge). En bas : la structure quaternaire probable en situation physiologique est un trimère, présentée ici en vue de dessus. Les acides aminés acides et basiques (représentés pour une seule porine, respectivement en rouge et en bleu) donnent au pore sa sélectivité. [RF]

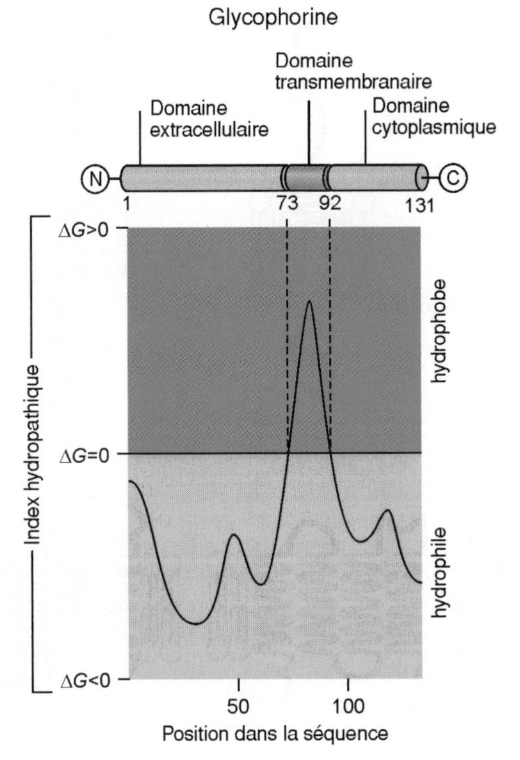

25.5 Profil d'hydropathie de la glycophorine. L'index d'hydropathie est une mesure de l'énergie [kJ/mol], nécessaire pour transférer un segment de longueur définie d'un milieu hydrophobe vers un milieu hydrophile. Dans la séquence en acides aminés de la glycophorine, le segment entre les positions 73 et 92 présente un maximum d'énergie (maximum d'hydrophobie), indiquant une hélice α droite transmembranaire. [RF]

Souvent, les protéines intégrales membranaires sont aussi liées plus fortement à la membrane grâce à des liaisons covalentes de leurs acides aminés hydrophobes avec des groupements alkyles ou acyles, qui s'intègrent dans la membrane (§ 25.2). Les **porines** bactériennes utilisent une toute autre stratégie d'intégration dans les membranes : les porines possèdent au total 16 segments transmembranaires qui s'organisent selon un **feuillet β antiparallèle circulaire** (*fig.* 25.4). De cette façon, la protéine prend une forme de tonneau (angl. *barrel*), avec une face extérieure hydrophobe, qui traverse la bicouche lipidique. La face intérieure de ces tonneaux β est garnie de chaînes latérales hydrophiles, formant un canal hydrophile qui laisse passer les ions et les molécules hydrophiles jusqu'à 600 Daltons. Une grande boucle entre deux feuillets β forme une languette, qui rétrécit la lumière du pore et permet de réguler le passage des molécules (*fig.* 25.4, *en haut*).

À partir de la structure primaire d'une protéine membranaire, on peut prédire assez facilement, où sont les régions hydrophobes qui forment le plus probablement les hélices transmembranaires. Pour cela, on fait glisser une fenêtre de 10–20 résidus sur l'ensemble de la séquence en acides aminés et pour chaque position de la fenêtre, on calcule l'énergie nécessaire pour transférer ce segment d'une couche lipidique vers un milieu aqueux (*fig.* 25.5). L'**index d'hydropathie** (ou **indice d'hydrophobie**) calculé ainsi est un critère important pour la prédiction des régions transmembranaires dans les séquences protéiques nouvellement identifiées. L'identification définitive des régions transmembranaires d'une protéine dépend de son analyse tridimensionnelle par cristallographie X (§ 7.4), ce qui n'a été possible jusqu'à présent que pour un petit nombre de protéines membranaires : un exemple typique est celui de la protéine membranaire bactérienne, la gramicidine (*fig.* 25.19).

25.2 Les protéines membranaires périphériques sont liées d'un seul côté aux lipides membranaires

L'utilisation de détergents est indispensable pour extraire de la couche lipidique les protéines membranaires intégrales, qui traversent complètement la membrane, comme la glycophorine. En revanche, les **protéines membranaires périphériques** (ou extrinsèques) peuvent souvent être extraites plus facilement, par exemple en utilisant un changement de pH ou bien une concentration ionique élevée. Les protéines membranaires périphériques sont accrochées par des liaisons ioniques et des liaisons hydrogènes aux protéines membranaires intégrales et également aux têtes hydrophiles des phospholipides et glycolipides (*fig.* 25.6, *en bas*). Ces protéines membranaires ne traversent donc pas la membrane mais sont accrochées à la face cytosolique *ou* à la face extracellulaire de la membrane plasmique. Des protéines membranaires périphériques sont également associées en grand nombre aux membranes des organites cellulaires comme l'appareil de Golgi ou les mitochondries.

Les **protéines à ancres lipidiques** occupent une situation intermédiaire entre les protéines membranaires intégrales et périphériques (intrinsèques et extrinsèques). Elles s'enfoncent dans la couche lipidique, mais seulement sur une face, soit côté cytosolique, soit côté extracellulaire (*fig.* 25.6, *au milieu*). Trois types d'ancres lipidiques prédominent dans les protéines membranaires de la face cytosolique : des résidus myristyl (C_{14}) à l'extrémité N-terminale, des résidus palmityl (C_{16}) fixés sur des cystéines internes, ou des groupements géranyl (C_{20}) – ou plus généralement des résidus prényl – à l'extrémité C-terminale (*tab.* Lipides *et encart* 19.1). L'oncogène RAS constitue un exemple de **protéine prénylée**, qui plonge dans la membrane grâce à un groupement farnésyl (C_{15}) fixé à une cystéine de l'extrémité C-terminale (§ 30.3). Un autre groupe de protéines membranaires n'est rencontré que sur la face extracellulaire : ces protéines sont liées de façon covalente, par leur extrémité C-terminale, aux deux chaînes alkylées d'un résidu phosphatidylinositol membranaire via un pont constitué de quatre résidus glucidiques (*fig.* 25.7). Ces **protéines à ancre GPI (glycosylphosphatidylinositol)** peuvent être libérées de la membrane par l'action de phospholipases : l'ancre est alors coupée entre un groupement phosphate et un groupement diacylglycérol et la protéine est libérée dans l'espace extracellulaire. L'acétylcholinestérase (*encart* 26.6) est un exemple type de protéine à ancre GPI. Cette enzyme permet la dégradation de l'acétylcholine au niveau des espaces intersynaptiques des motoneurones (§ 27.5).

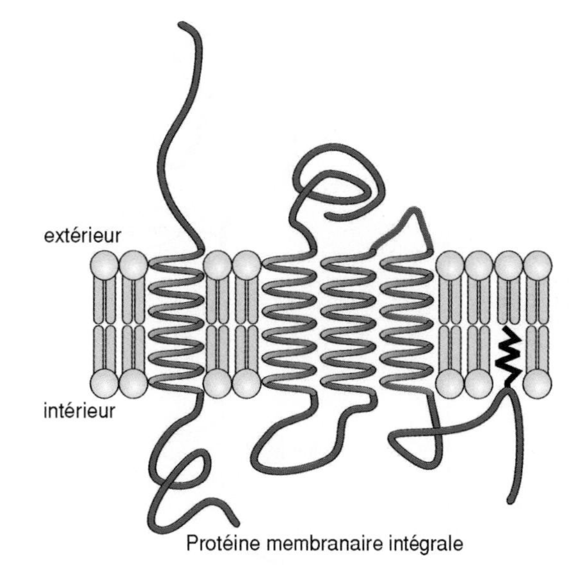

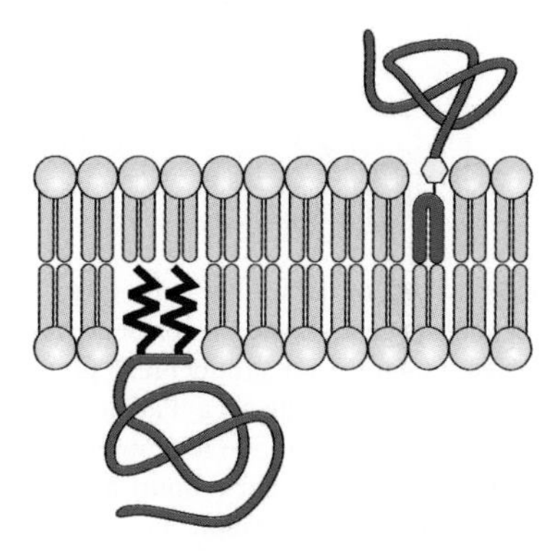

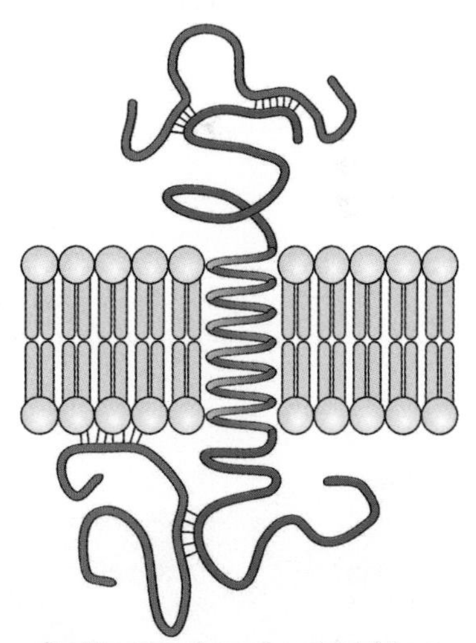

25.6 Types de protéines membranaires. Les protéines membranaires intégrales présentent un ou plusieurs domaines transmembranaires et sont souvent fixées à la membrane également par un groupement (glyco)lipidique (en noir). D'autres protéines sont seulement ancrées dans la membrane par des groupements lipidiques. Enfin, les protéines membranaires périphériques (en violet) s'accrochent à la membrane de façon indirecte, *via* leur fixation à des protéines membranaires intégrales par des groupements phospho- ou glycolipidiques (*fig.* 24.13).

Protéine ancrée dans la membrane

NH_3^+

extrémité carboxy-terminale de la protéine

Pont phospho-éthanol-amine

C=O

NH

$(CH_2)_2$

P

Ancre glycosyl-phosphatidyl-inositol (GPI)

Galactosamine

Mannose

$H_3N^+(CH_2)_2$ P

N-acétylglucosamine

Inositol

P

site d'attaque des phospholipases

25.7 Protéines à ancre GPI. Ces protéines, synthétisées au niveau du réticulum endoplasmique, présentent d'abord un segment transmembranaire ; un groupement phosphatidylinositol glycosylé se lie secondairement à l'acide aminé C-terminal. L'ancre GPI de Thy-1 est montrée ici comme exemple (avec un fort grossissement de l'ancre par rapport à la membrane). Il est probable que l'ancre GPI augmente la mobilité latérale de la protéine dans la membrane ; simultanément, elle rend la protéine susceptible à l'action de la phospholipase.

25.3 Les protéines membranaires se déplacent dans la couche lipidique

Comment peut-on visualiser les protéines membranaires ? On utilise une technique de **cryofracture** associée à la microscopie électronique. Les membranes cellulaires sont congelées instantanément dans l'azote liquide, puis coupées à froid au cryomicrotome. De cette façon, les deux couches lipidiques de la membrane se séparent par endroits (*fig.* 25.8). Si on sublime superficiellement sous vide la surface congelée et qu'on recouvre d'or ou de platine la surface mise à nu (ombrage), on peut obtenir une empreinte appelée réplique (angl. *replica*) respectivement de la face intérieure ou extérieure de la membrane. On peut alors visualiser au microscope électronique à transmission (MET) les protéines membranaires qui dépassent de cette membrane.

Les protéines membranaires intégrales peuvent se déplacer à l'intérieur d'une couche lipidique. Cette diffusion latérale peut être mise en évidence et quantifiée par la technique d'**extinction de fluorescence** (*fig.* 25.9). Un anticorps spécifique couplé à un fluorochrome tel que la rhodamine par exemple, reconnaît et se lie à une protéine membranaire spécifique. On éteint alors localement la fluorescence en soumettant une surface très précise de la cellule à un bref rayon lumineux de forte puissance. À partir de ce temps 0, les protéines liées à l'anticorps éteint diffusent en dehors de cette zone et dans le même temps, des protéines portant l'anticorps intact migrent à l'intérieur de la surface considérée. Si on mesure le remplissage de la zone irradiée par des molécules fluo-

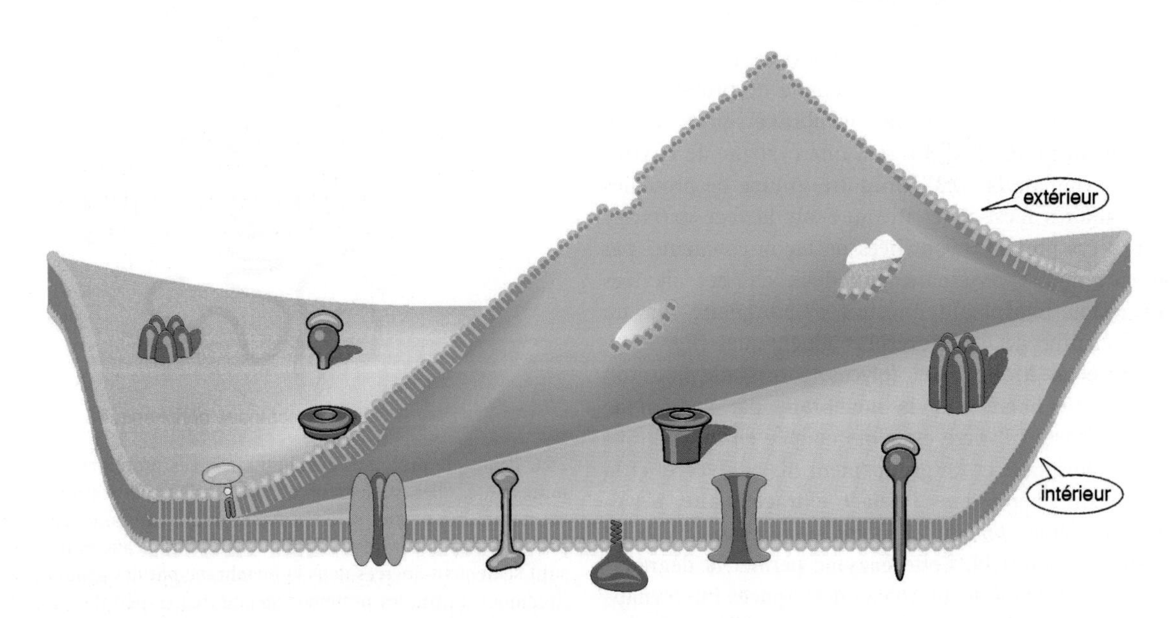

25.8 Répartition des protéines entre les deux couches lipidiques d'une membrane. Modèle très simplifié de deux couches lipidiques séparées, dont les protéines sont visualisées par cryofracture.

rescentes au cours du temps, on obtient une mesure de la **vitesse de diffusion latérale** des protéines intégrales membranaires. Une protéine intégrale telle que la glycophorine peut faire le tour d'une cellule de la taille d'un érythrocyte en 10 minutes ; les vitesses de diffusion latérale varient beaucoup en fonction du type de protéine membranaire et en fonction du type de membrane.

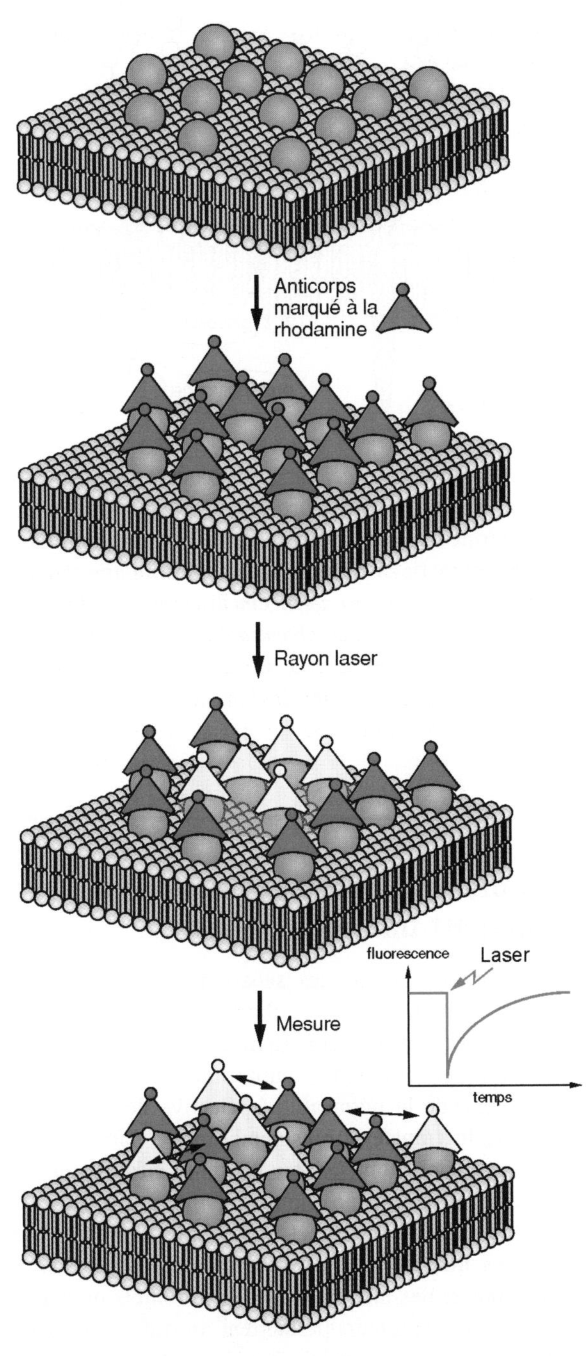

25.9 Diffusion latérale d'une protéine membranaire. Des anticorps spécifiques de la protéine considérée sont couplés à la rhodamine (fluorescence rouge). Un rayon laser permet de dégrader la rhodamine et donc d'éteindre la fluorescence sur une surface très localisée. On suit ensuite la ré-augmentation au cours du temps de la fluorescence dans le segment irradié (en bas à droite). Comme les anticorps utilisés présentent un seul site de liaison à l'antigène, l'apparition secondaire de fluorescence dans le segment irradié indique qu'une protéine couplée à l'anticorps non dégradé s'est introduite dans ce segment.

25.4 Les protéines membranaires donnent aux membranes leur diversité fonctionnelle

Les protéines membranaires comme la glycophorine font souvent partie de complexes protéiques dans la membrane cellulaire. Ainsi, le domaine cytosolique de la glycophorine sert d'ancre à un vaste réseau de protéines, qui constitue une sorte d'armature pour la membrane plasmique des globules rouges : on parle de **cytosquelette**. Nous verrons plus tard les caractéristiques moléculaires de ce réseau (*chap.* 31). Le domaine extracellulaire de la glycophorine remplit d'autres fonctions : ce domaine est garni d'un « peigne » constitué de 16 chaînes d'oligosaccharides (*fig.* 25.3), dont beaucoup portent à leur extrémité une charge négative due à un résidu d'acide sialique (§ 19.9). Avec environ 10^6 copies par érythrocyte, cette **glycoprotéine** donne à la surface cellulaire une forte charge négative, qui protège les globules rouges contre les interactions indésirables avec les cellules endothéliales ou d'autres cellules sanguines (*fig.* 25.10). Il existe également des **glycolipides**, qui possèdent une chaîne oligosaccharidique chargée négativement, et contribuent à la charge négative globale de la surface des érythrocytes. En outre, les globules rouges – comme la plupart des autres types cellulaires – présentent à leur surface des **protéoglycanes** intégraux ou périphériques avec de longues chaînes polysaccharidiques qui ont de fortes charges négatives nettes (§ 8.6). Globalement, l'ensemble de ces composés glycosylés forme la **glycocalix** d'une cellule.

Le positionnement des résidus glucidiques donne à la surface de chaque cellule un **profil de surface** unique. Les résidus oligosaccharidiques présents sur la membrane plasmique d'une cellule sont reconnus par des protéines de surface particulières – **sélectines** – des autres cellules et permettent ainsi une reconnaissance de cellule à cellule (*fig.* 25.11). Lors de réactions d'inflammation, des protéines intégrales membranaires comme la E-sélectine des cellules endothéliales permettent la reconnaissance cellule spécifique et l'**adhésion** des granulocytes neutrophiles sur les parois des vaisseaux. En effet, quand ces sélectines sont exposées à la surface des cellules endothéliales en raison d'une stimulation spécifique, elles provoquent la liaison des granulocytes neutrophiles présents dans la circulation, *via* leur composante de glycocalix. Les granulocytes neutrophiles sont alors freinés et roulent le long de l'endothélium, jusqu'à s'arrêter et migrer à proximité de la zone d'inflammation (§ 31.9). La reconnaissance cellulaire par les sélectines

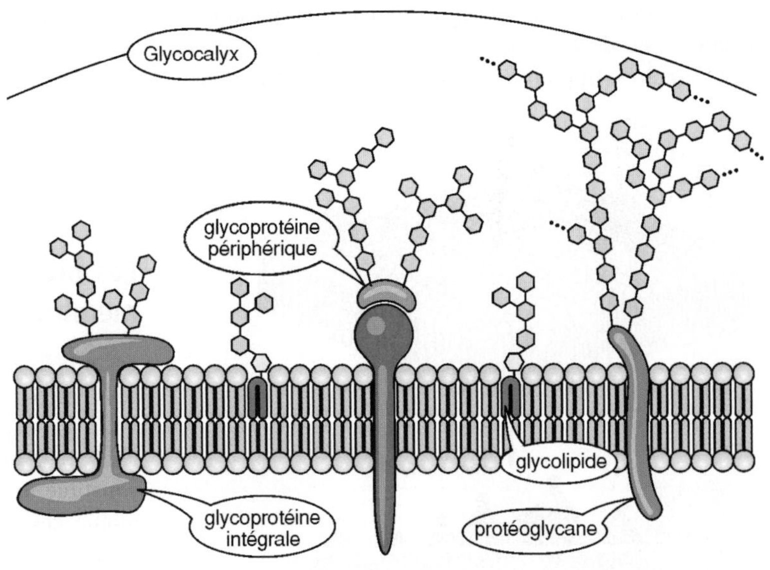

25.10 Composants de la glycocalix cellulaire. Des glycoprotéines intégrales et périphériques, des protéoglycanes et des glycolipides forment l'essentiel de la glycocalix extracellulaire. En général, les résidus glucidiques se situent seulement sur la face extracellulaire et non sur la face cytosolique de la membrane plasmique. Des glycoprotéines de la matrice extracellulaire peuvent également s'accrocher à des protéines intégrales membranaires, de telle sorte que les limites de la glycocalix d'une cellule ne sont pas définies de façon très précise.

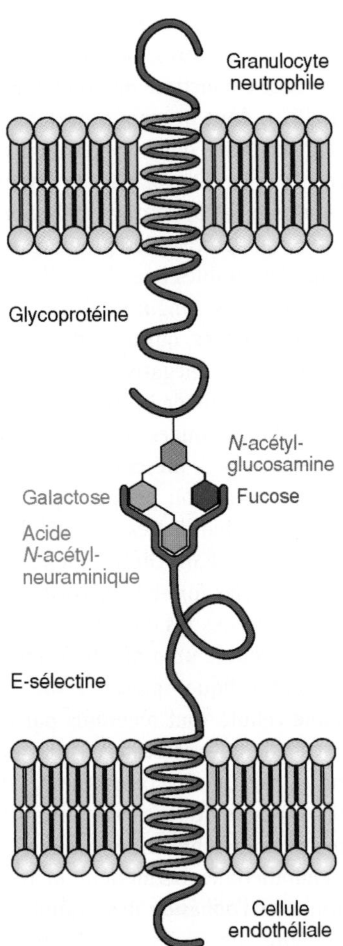

25.11 Rôle de la sélectine dans les phénomènes d'adhésion cellulaire. Une inflammation locale entraîne la production de médiateurs chimiques comme des cytokines et chémokines qui stimulent la synthèse de E-sélectine par les cellules endothéliales voisines. La E-sélectine peut se lier aux glycoprotéines membranaires des granulocytes neutrophiles par l'intermédiaire du résidu d'acide sialique de leur chaîne oligosaccharidique. Outre les E- et L-sélectines, on peut noter l'importance physiologique de la P-sélectine située sur la surface des plaquettes (thrombocytes).

est doublement sécurisée, car les leucocytes neutrophiles sondent la surface extérieure des cellules endothéliales par l'intermédiaire de leurs L-sélectines et renforcent ainsi les interactions cellulaires. *La diversité des glucides et la variabilité de leur agencement dans les glycoprotéines, protéoglycanes et glycolipides sont idéales pour spécifier de façon unique une surface cellulaire. On peut dire qu'un « code barre » moléculaire assure la spécificité des interactions cellulaires.*

25.5 Les protéines membranaires régulent le transport transmembranaire

Les membranes plasmiques séparent l'espace intérieur cellulaire du monde extracellulaire tandis que les membranes intracellulaires permettent de partager l'intérieur de la cellule en différents compartiments bien distincts. Compte tenu de la perméabilité sélective des bicouches lipidiques, le transfert transmembranaire par diffusion simple est un phénomène très restreint. Néanmoins, les cellules ont à leur disposition un important arsenal de **transporteurs** qui leur permet tout autant d'importer des substances nutritives et des molécules de signalisation que d'exporter des métabolites et des produits de dégradation. Ces transporteurs permettent un trafic transmembranaire extrêmement précis, rapide et d'une spécificité remarquable. Nous commencerons par une description générale des systèmes de transport.

Comme nous l'avons déjà mentionné, les membranes *synthétiques* présentent seulement une perméabilité limitée vis-à-vis de la majorité des molécules polaires comme par exemple le glucose, et sont pratiquement imperméables aux ions comme H^+ ou Na^+. En revanche, les membranes *biologiques* sont complètement perméa-

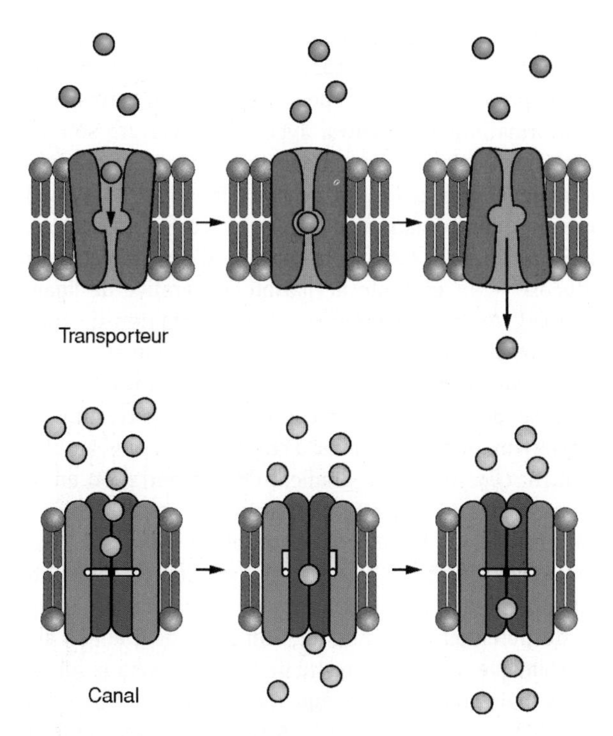

25.12 Classes de protéines de transport intégrales. Les protéines de transport (transporteurs) et les canaux facilitent le transport passif de molécules à travers la membrane.

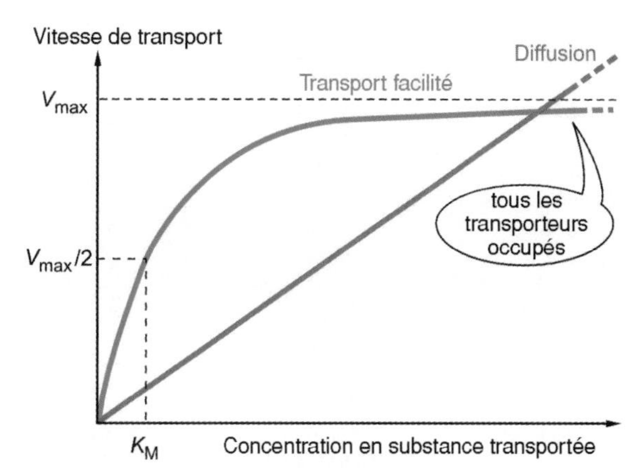

25.13 Cinétique de diffusion simple (passive) et de transport facilité. Un $\Delta G < 0$ est nécessaire pour qu'une diffusion spontanée soit possible ; plus la différence de concentration est grande entre les deux côtés de la membrane, plus la vitesse de diffusion sera élevée. La vitesse de diffusion en cas de transport facilité augmente tout d'abord proportionnellement plus fortement que la différence de concentration, puis s'approche de façon asymptotique d'une vitesse maximale, pour laquelle toutes les molécules de transporteur disponibles sont occupées : l'augmentation ultérieure de différence de concentration de la substance ne permet alors plus d'augmenter la vitesse de transport. [RF]

bles au glucose ou aux cations : *les médiateurs de cette* **perméabilité sélective** *des biomembranes sont des protéines membranaires intégrales qui, selon leur fonction, sont décrites comme* **protéines de transport** *(*angl. *carrier proteins) ou comme* **canaux** (*fig.* 25.12). Les protéines de transport lient une substance (substrat) d'un côté de la membrane, subissent alors des changements conformationnels et transportent leur chargement de l'autre côté de la membrane sans jamais former de canal continu (pore) au travers de la membrane. Au contraire, les canaux forment dans la bicouche lipidique un **pore aqueux**, au travers duquel les substances peuvent pénétrer selon un gradient de concentration ; l'état d'ouverture du canal constitue un moyen de régulation du passage du substrat.

On distingue trois modes de transfert membranaire : la diffusion simple (passive), le transport facilité et le transport actif. Dans le cas de la **diffusion passive**, les molécules traversent la membrane en suivant un gradient de concentration décroissant, sans intervention de protéines de transport. La vitesse de diffusion V augmente de façon linéaire en fonction de la différence de concentration pour le composé considéré entre les deux côtés de la membrane (*fig.* 25.13). Le **transport facilité** suit également un gradient de concentration décroissant, mais la vitesse de diffusion est au départ supérieure à une augmentation linéaire en fonction de la concentration de la substance considérée, jusqu'à ce qu'elle s'approche de la vitesse maximale V_{max}. La cinétique du transport facilité suit une courbe de Michaelis, laquelle a déjà été décrite dans le cas des réactions enzymatiques (§ 13.2). La constante de Michaelis K_M indique la concentration [S], pour laquelle le substrat est transporté à la moitié de la vitesse maximale $V_{max}/2$; elle est caractéristique d'une combinaison donnée de transporteur et de substrat. Comme les enzymes, les transporteurs peuvent être (in)activés de façon compétitive ou allostérique, ce qui modifie la vitesse de transport et aussi sa dépendance vis-à-vis de la concentration du composé transporté. Enfin, le **transport actif** nécessite une dépense d'énergie métabolique, pour transporter des molécules à contre-courant du gradient de concentration ; la cellule vient à bout de ce défi en utilisant des pompes membranaires qui consomment de l'ATP (§ 25.7).

25.6 Le transport transmembranaire peut être uni- ou bidirectionnel

La plupart du temps, les protéines de transport, comme les enzymes, sont spécifiques d'un substrat particulier, qu'elles reconnaissent grâce à un site de liaison spécifique. De nombreuses protéines de transport membranaires ne transportent qu'un seul type de substrat : on parle d'**uniports** (*fig.* 25.14). Les transporteurs qui peuvent transporter au moins deux substrats différents en même

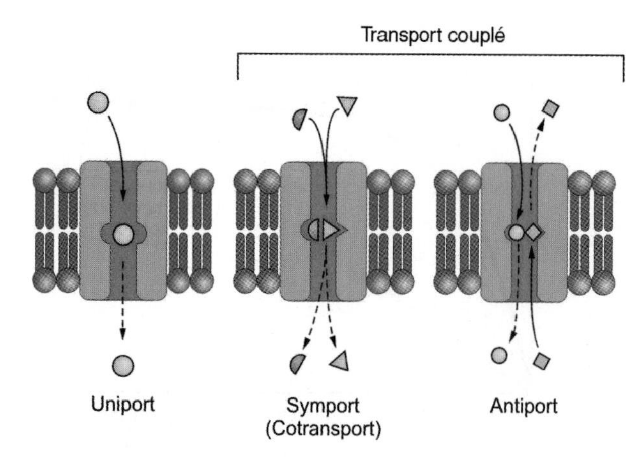

25.14 Mécanismes de transport transmembranaire par des transporteurs protéiques. Les sites spécifiques de liaison de la substance considérée à l'intérieur du transporteur sont marqués. Les termes « symport » et « cotransport » sont utilisés indifféremment.

temps sont plus efficaces et sont appelés **symports** s'ils transportent les deux substances dans le même sens ou **antiports** s'ils les transportent en sens inverse.

On peut prendre pour exemple des différents modes de transport le cas du **transport de glucose transépithélial**, au niveau de l'épithélium intestinal. La couche cellulaire, qui isole hermétiquement la lumière intestinale du tissu sous-jacent fortement vascularisé, possède une structure polarisée : la face apicale, tournée vers la lumière de l'intestin, présente une surface énormément augmentée par la présence de nombreux replis – microvillosités – et un équipement en transporteurs différent de la face basolatérale orientée vers le tissu intestinal (*fig.* 25.15).

Sur la face apicale des cellules de l'épithélium intestinal un **symport Na^+/glucose** prend en charge le glucose. Cette protéine intégrale peut prendre (au moins) deux conformations différentes, avec une ouverture soit vers l'intérieur, soit vers l'extérieur de la cellule. Le transport commence par la liaison de deux ions Na^+ au symport et une conformation d'ouverture côté extérieur ; la liaison de Na^+ facilite la liaison d'une molécule de glucose – un exemple de **liaison coopérative de ligands** (§ 10.4). Avec ce chargement, la conformation du transporteur se modifie en conformation d'ouverture vers l'intérieur, le transporteur libère les deux ions Na^+ et le glucose, puis se replace en conformation d'ouverture vers l'extérieur permettant ainsi l'entrée d'un nouveau chargement (*fig.* 25.16). Le gradient de concentration en Na^+ au niveau de la membrane plasmique apicale, diminue fortement entre la lumière intestinale et le cytosol, ce qui entraîne l'activité du symport. La variation d'énergie libre ΔG dépend à la fois du gradient de concentration ionique et du potentiel de membrane : on parle de **gradient électrochimique**. Le Na^+ est rejeté de la cellule vers la lumière intestinale grâce à une pompe fonctionnant par hydrolyse de l'ATP (Na^+/K^+-ATPase ; § 26.1) et se trouve à nouveau disponible pour le prochain symport. Le coût énergétique pour le transport actif de glucose est finalement payé sous forme d'ATP à l'ATPase concernée.

Le symport apical permet à la cellule épithéliale d'accumuler des quantités considérables de glucose qui passeront ensuite par transport facilité dans les tissus conjonctifs riches en capillaires, au niveau de la membrane basolatérale de l'épithélium intestinal. Cette fonction est remplie par le **transporteur de glucose** (GLUT2), une protéine de transport de type uniport. GLUT2 appartient à une famille structurale de protéines, qui se distinguent

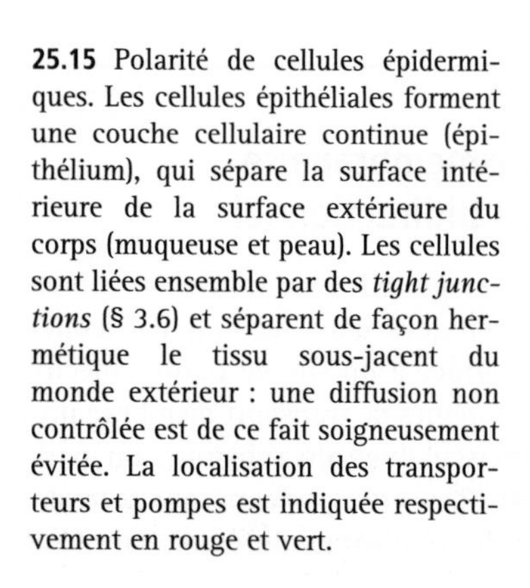

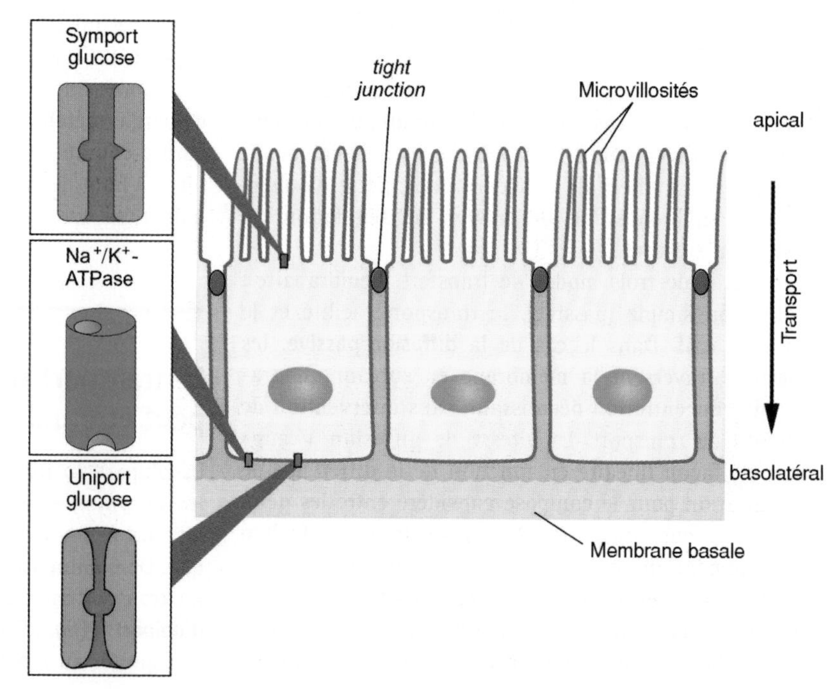

25.15 Polarité de cellules épidermiques. Les cellules épithéliales forment une couche cellulaire continue (épithélium), qui sépare la surface intérieure de la surface extérieure du corps (muqueuse et peau). Les cellules sont liées ensemble par des *tight junctions* (§ 3.6) et séparent de façon hermétique le tissu sous-jacent du monde extérieur : une diffusion non contrôlée est de ce fait soigneusement évitée. La localisation des transporteurs et pompes est indiquée respectivement en rouge et vert.

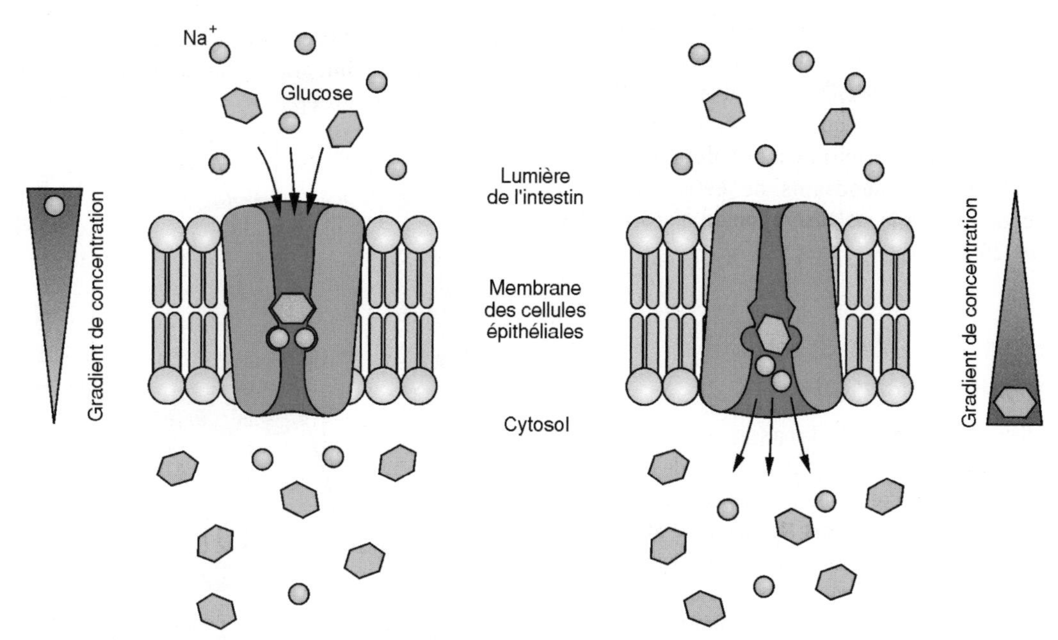

25.16 Symport Na^+-glucose dans les cellules épithéliales de l'intestin. Les cellules épithéliales intestinales possèdent un symport Na^+-glucose, qui permet de transporter une molécule de glucose pour deux ions Na^+. [RF]

fortement les unes des autres par leurs valeurs de K_M vis-à-vis du glucose et par leurs distributions tissulaires (*encart* 46.1). Leur mode de fonctionnement précis n'est pas encore élucidé ; on suppose que ce transporteur prend deux conformations réversibles – « flip » ou « flop » –, d'ouverture vers l'un ou l'autre côté de la membrane (*fig.* 25.7). Une molécule de glucose présente sur la face cytosolique se lie à la forme flip, qui passe alors en conformation flop et libère son substrat du côté extracellulaire. Entre les conformations flip et flop, il existe (au moins) une conformation fermée, qui n'est pas bien comprise actuellement. En principe, le transport peut également se faire en direction flop-flip : dans ce cas, le transporteur permet, par exemple, l'apport de glucose aux érythrocytes qui utilisent ce composé comme réserve d'énergie. En dehors des protéines de transport « résidentes », il existe aussi des variantes « mobiles » : un exemple type est la **valinomycine** d'origine bactérienne (*encart* 25.1).

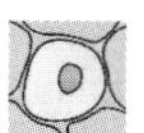

Encart 25.1 : Ionophores

La valinomycine, un antibiotique de la bactérie *Streptomyces* est un exemple type de **protéine de transport mobile**. Ce peptide cyclique s'enfonce par sa surface hydrophobe dans la membrane plasmique d'une cellule ; son noyau hydrophile fixe alors un ion K^+ de la face cytosolique, tout en le débarrassant de ses molécules d'eau. La fixation de l'ion induit un changement de conformation de la valomycine qui se ferme et transporte l'ion K^+ chélaté sur un groupement carbonyle au travers de la couche lipidique. Le transporteur se « tourne » alors vers l'autre face de la membrane et décharge sa cargaison d'ions. On parle d'un **ionophore**. La valinomycine permet de niveler le gradient de concentration en K^+ au niveau des membranes biologiques et met ainsi des cellules « hors service ». L'antiport A23187 est un ionophore synthétique, qui permet l'entrée d'un cation divalent (Ca^{2+}, Mg^{2+}) en échange de la sortie de deux protons H^+. L'**ionophore A23187** est utilisé expérimentalement pour augmenter de façon ciblée la concentration intracellulaire en Ca^{2+}.

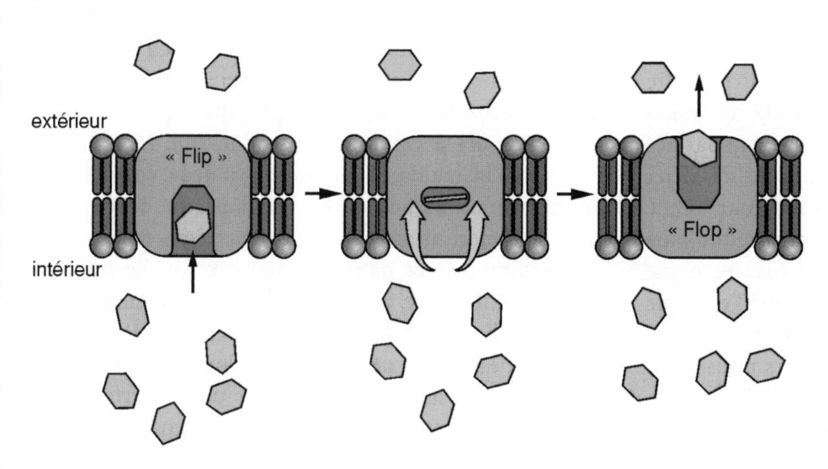

25.17 Transport facilité par des uniports. Ce modèle a été créé pour le transport de glucose ; un modèle similaire est également valable pour la valinomycine (*encart* 25.1).

Le transport de glucose au travers des cellules de l'épithélium intestinal est réalisé de façon extrêmement efficace avec un facteur d'enrichissement d'environ 50 000. Ainsi, le glucose présent en quantité même minime dans l'alimentation peut être extrait ; des défauts génétiques dans l'un des composants de cette chaîne de transport conduisent à la **malabsorption du glucose-galactose** (*encart* 25.2).

Encart 25.2 : Malabsorption du glucose-galactose

Cette maladie rare se manifeste dès la naissance par des diarrhées et des pertes hydriques (déshydratation) à la suite de repas riches en glucides. La cause de cette maladie génétique tient à des mutations dans le gène du **symport Na^+/glucose SGLT-1**, présent sur le chromosome 22. Ces mutations provoquent la synthèse d'une protéine tronquée ou son absence, qui ne peut plus assurer qu'imparfaitement ou pas du tout, sa fonction dans l'épithélium intestinal. L'augmentation de la concentration en glucose induit par osmose une entrée d'eau dans l'intestin grêle, d'où des phénomènes de diarrhée. SGLT-1 est spécifique du transport de **glucose** et de son épimère le **galactose**. Ce transporteur est aussi exprimé dans les cellules épithéliales des tubules rénaux, permettant une réabsorption efficace de glucose au niveau des tubules primaires. En l'absence de ce transporteur, les patients présentent du glucose dans les urines (glucosurie). Il n'existe pas de thérapie pour soigner cette maladie ; on peut cependant diminuer les symptômes en adoptant un régime sans glucose ni galactose et au contraire riche en fructose.

25.7 Les pompes et canaux permettent les transferts d'ions au travers des membranes

Alors que la diffusion passive et le transport facilité suivent toujours le gradient de concentration du substrat, le **transport actif** peut transporter des substances contre leur gradient de concentration ($\Delta G > 0$), ce qui nécessite alors une dépense énergétique. Ce travail ambitieux est réalisé de deux façons différentes : un transport actif primaire par **des pompes** qui couplent l'**hydrolyse d'ATP** au transport du substrat ou un transport actif secondaire par des **protéines de transport** couplant le transport de deux substrats **selon un gradient** favorable. Pour cette deuxième catégorie, le principe de base consiste toujours en un couplage d'une réaction non coûteuse et d'une réaction coûteuse en énergie. On a déjà détaillé l'exemple du symport Na^+-glucose qui utilise l'impulsion d'un gradient électrochimique ; d'autres transporteurs utilisent ce même principe pour introduire dans une cellule des acides aminés, des ions ou d'autres glucides contre leur gradient de concentration. Les bactéries utilisent l'existence d'un gradient de protons au niveau membranaire pour faire fonctionner des symports et des antiports. Ainsi, la lactose-perméase d'*E. coli* couple le transport de lactose avec le flux sortant de protons (§ 25.1) : on parle de **force de transport protonique**. Le transport actif peut aussi se faire en utilisant la lumière – un exemple type étant celui de la rhodopsine bactérienne (*encart* 26.3). Le transport actif primaire est quant à lui réalisé par des pompes membranaires, qui couvrent leurs besoins en énergie par l'hydrolyse d'ATP (*fig.* 25.18). De telles pompes sont la plupart du temps bifonctionnelles : d'une part, elles constituent des enzymes, qui hydrolysent les liaisons phosphates riches en énergie et d'autre part des transporteurs, qui utilisent l'énergie libérée par l'hydrolyse d'ATP pour transporter un substrat. Ces pompes peuvent être inhibées de façon compétitive ou allostérique.

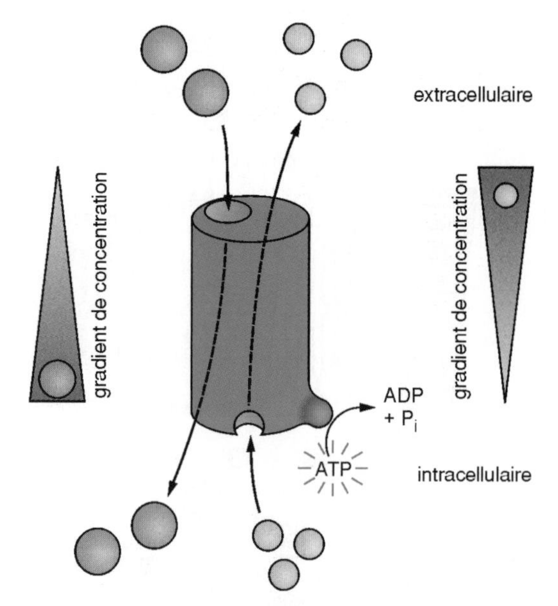

25.18 Transport actif par des pompes membranaires. Dans ce modèle, une protéine (en vert) permet de faire sortir de la cellule un type d'ion (en jaune) et entrer un autre type d'ion (en orange), à contre courant de leurs gradients de concentration. L'énergie nécessaire est fournie par l'hydrolyse d'ATP.

Le deuxième type de protéines membranaires qui permettent un transport facilité sont les **canaux**. Par exemple, la gramicidine, un autre antibiotique, peut former une hélice de brins β (ou de feuillet β) « ouverte », pour constituer un pore membranaire hydraté (*fig.* 25.19). Cette molécule s'insère dans une seule des deux couches lipidiques des membranes, formant ainsi un demi-canal ; c'est la dimérisation avec une deuxième molécule de gramicidine insérée dans la deuxième couche lipidique qui va permettre de former un canal transmembranaire. Ce canal dimérique laisse passer préférentiellement les ions K^+. Il est moins perméable aux ions Na^+. La bactérie *Bacillus brevis* utilise la gramicidine pour « perforer » les membranes d'autres bactéries, induisant leur mort, ce qui

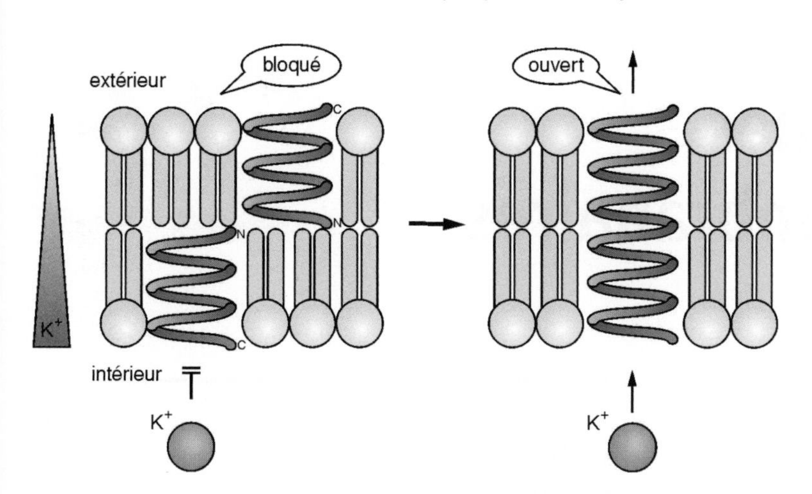

25.19 Transport facilité par un canal ionique. Le modèle montre comment la gramicidine A, un antibiotique, forme une hélice de brins β ouverte, qui traverse une seule des deux couches lipidiques de la membrane. Une dimérisation « tête à tête » permet de former un canal aqueux, qui peut s'ouvrir et se fermer spontanément. La séquence en acides aminés de la gramicidine A est inhabituelle et comporte 6 acides aminés de forme D ainsi que des extrémités N- et C-terminales modifiées. Attention : l'espace interne des hélices α, que l'on trouve dans beaucoup de protéines est fermé et ne forme *aucun* pore.

lui permet d'élargir son propre espace vital. L'efficacité du transport facilité par des canaux protéiques peut encore être illustrée par la protéine échangeuse d'ions Protéine 3 des membranes érythrocytaires : l'expression de ce canal dans des membranes synthétiques augmente leur perméabilité pour le Cl^- et le HCO_3^- d'un facteur 10^7 !

Nous n'avons décrit ici que les principes de base régissant la structure et la fonction des protéines membranaires. Dans les chapitres suivants, nous détaillerons les particularités moléculaires de ces protéines très diverses. Nous allons commencer par la structure et les mécanismes d'action des pompes et des canaux.

Pompes ioniques et canaux membranaires

26

Les cellules vivantes sont en situation d'échanges constants avec leur environnement. Le flux d'ions et de molécules traversant les membranes est contrôlé par deux classes de protéines de transport membranaires : des **pompes** et des **canaux**. Les pompes transportent un ligand, typiquement un ion, contre son gradient de concentration, et l'énergie nécessaire est fournie par l'hydrolyse d'ATP ou la force d'attraction d'un gradient électrochimique. Il s'agit donc d'un transport actif à travers la membrane, ce qui est différent du cas des canaux, qui typiquement laissent diffuser les ions selon leur gradient de concentration électrochimique et participent ainsi à la diffusion passive de molécules. Les pompes et les canaux jouent ensemble un rôle prépondérant dans la génération des potentiels membranaires et plus généralement dans la génération et la propagation d'un influx nerveux, mais également dans la synthèse et la consommation des liaisons riches en énergie.

26.1 La Na^+/K^+-ATPase constitue un antiport

On peut mesurer l'importance du transport actif transmembranaire par le fait que les cellules consomment jusqu'à 50 % de leur production d'ATP pour faire fonctionner les pompes membranaires. Le « vaisseau amiral » de telles pompes membranaires est la **Na^+/K^+-ATPase.** Cet antiport exporte trois ions Na^+ et en échange importe deux ions K^+, l'énergie nécessaire étant apportée par l'hydrolyse d'une molécule d'ATP (*fig.* 26.1). La Na^+/K^+-ATPase se trouve dans pratiquement toutes les cellules de l'organisme humain, où elle induit et maintient la **répartition différentielle des ions** entre l'espace extra- et intracellulaire (*tab.* 24.1). Elle fonctionne sous la forme d'un hétérotétramère constitué de 2 grosses sous-unités catalytiques α et deux chaînes β supplémentaires (accessoires).

La pompe présente au minimum deux conformations différentes, qui s'ouvrent alternativement vers la face interne ou vers la face externe de la cellule ; on parle d'endo- ou d'exo-forme (du grec *endon*, intérieur ; *exo*, extérieur). **L'endo-forme** possède des sites de liaison de haute affinité pour trois ions Na^+. Dès que le Na^+ s'y lie,

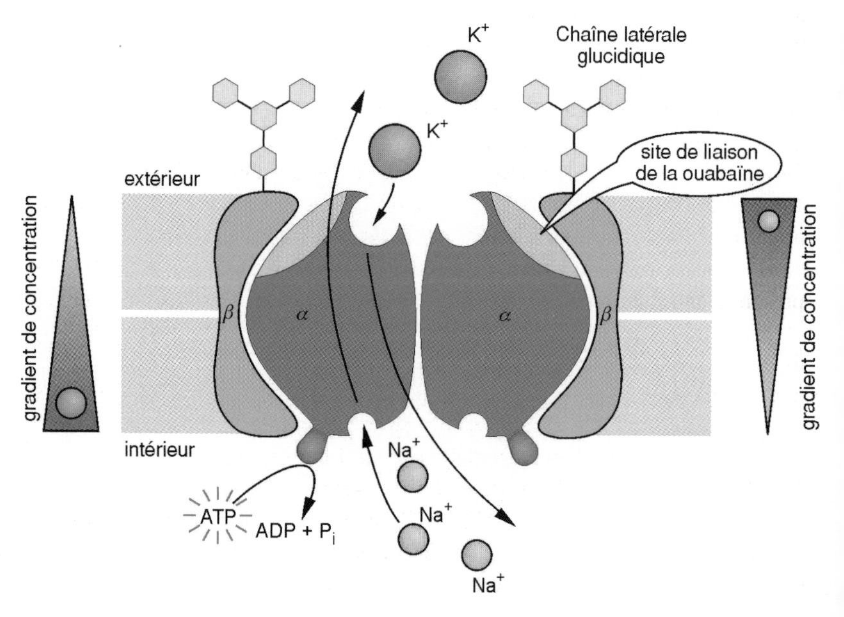

26.1 Structure schématisée de la Na^+/K^+-ATPase. Les sous-unités α comportent chacune dix hélices transmembranaires ; elles portent des sites de liaison à l'ATP et au Na^+ sur la face cytoplasmique et des sites de liaison au K^+ ou à la ouabaïne sur la face extracellulaire. On ne sait pas précisément si le transport ionique se produit simultanément ou successivement dans les deux sous-unités α. Les sous-unités β avec de nombreuses chaînes oligosaccharidiques protègent le transport par les sous-unités α depuis le réticulum endoplasmique vers la membrane plasmique, mais ne prennent pas part directement au transport ionique.

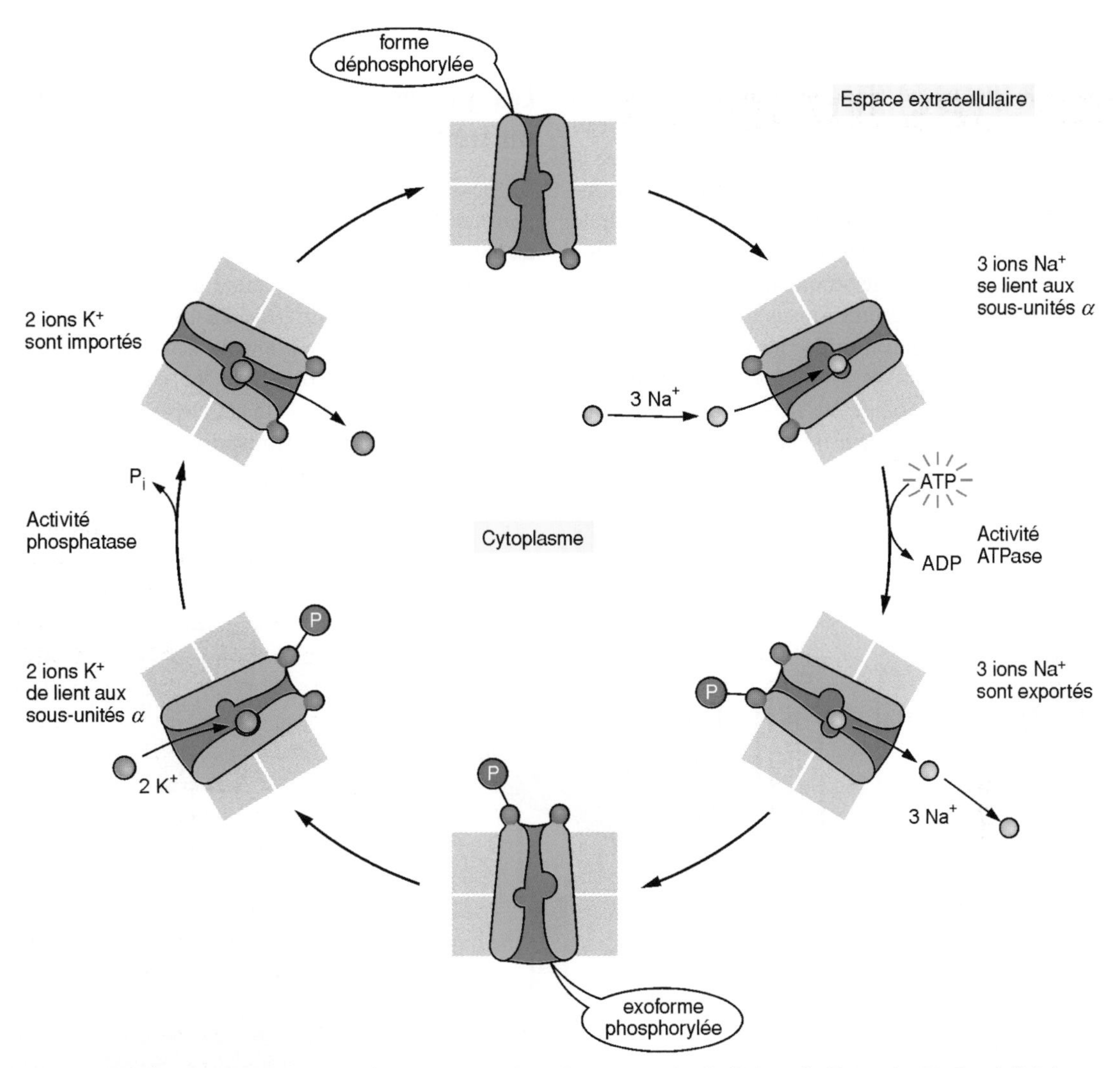

26.2 Cycle de la Na^+/K^+-ATPase. Pour simplifier, on n'a représenté ici qu'un site de liaison du Na^+ et du K^+. En réalité, le processus est plus complexe que ce qui est présenté ici : par exemple, il existe des conformations « intermédiaires » de la pompe, qui peut être en position fermée vers les deux côtés de la membrane.

la sous-unité α utilise l'hydrolyse d'un ATP pour catalyser l'**autophosphorylation** d'un résidu aspartate dans cette même sous-unité. La phosphorylation induit le changement de conformation de la pompe en exo-forme, qui présente une affinité réduite pour le Na^+ et libère donc cet ion du côté extracellulaire. L'**exo-forme** présente alors plus d'affinité pour le K^+ et lie deux ions K^+, ce qui provoque sa déphosphorylation et le retour à l'état d'endo-forme de la pompe. La pompe déphosphorylée présente maintenant une plus faible affinité pour le K^+ et libère les deux ions dans le cytoplasme. La position de départ est à nouveau atteinte ; la liaison de trois Na^+ marque le début d'un nouveau cycle (*fig.* 26.2). *Ce système permet d'atteindre une vitesse de transport énorme : elle s'élève à environ 10^4 ions par seconde, ce qui correspond à 2000 cycles de fonctionnement de la pompe.*

La conformation de la Na^+/K^+-ATPase change donc plusieurs fois au cours d'un **cycle de fonctionnement de la pompe** ainsi que l'affinité de liaison vis-à-vis des ions. Grâce à cela, le transport des deux ions contre leur gradient de concentration est possible : mais tout cela coûte de l'énergie ! Avec un potentiel de membrane d'environ – 50 mV, l'export de 3 mol de Na^+ et l'import de 2 mol de K^+ nécessite un changement d'énergie libre ($\Delta G \geq 41$ kJ). De ce fait, le transport ionique est couplé à l'hydrolyse d'une liaison riche en énergie, celle de l'ATP. Dans les conditions cellulaires, cette hydrolyse délivre une énergie libre suffisante pour amorcer la pompe, soit un $\Delta G = -50$ kJ/mol (*équation* 26.1). En principe, de telles pompes peuvent également fonctionner en sens inverse : le gradient électrochimique permet alors la synthèse d'ATP. On reviendra plus tard sur cette variante (§ 37.8).

$$3\ Na^+_{IC} + 2\ K^+_{EC} + ATP \rightleftharpoons 3\ Na^+_{EC} + 2\ K^+_{IC} + ADP + P_i \quad (26.1)$$

Les Na^+/K^+-ATPases ont de nombreuses fonctions : d'une part ce sont des **pompes à électrons**, car au cours d'un cycle, elles exportent hors de la cellule une charge positive, contribuant ainsi à la génération du potentiel de membrane. D'autre part, elles stabilisent le volume cellulaire, dans la mesure où elles pompent activement des ions hors de la cellule, contrecarrant ainsi le flux d'eau entrant par le biais des forces osmotiques. Si on inhibe la Na^+/K^+-ATPase des érythrocytes par la **ouabaïne**, un inhibiteur de pompes ioniques (*fig.* 26.1), le Na^+ s'accumule dans la cellule. L'osmolarité intracellulaire augmente alors (§ 1.9), ce qui entraîne secondairement une entrée massive d'eau dans la cellule, jusqu'à ce que celle-ci éclate (lyse de la cellule). On utilise les **dérivés de la digitaline** pour leurs propriétés cliniques : ils inhibent le fonctionnement de la pompe Na^+/K^+-ATPase des membranes des cardiomyocytes (*encart* 26.1).

26.2 Les gradients ioniques sont la force motrice du transport transmembranaire

On peut expliquer le jeu des pompes ioniques et transporteurs à travers l'exemple du **transport transépithélial de glucose**. Le transporteur Na^+-glucose, dont nous avons déjà détaillé le fonctionnement de symport au niveau de la membrane apicale (*fig.* 25.16), entraîne dans les cellules épithéliales de l'intestin deux ions Na^+ avec chaque molécule de glucose. Si le Na^+ n'était pas continuellement réexpédié hors de la cellule, le fonctionnement du symport et avec lui le transport de glucose cesseraient

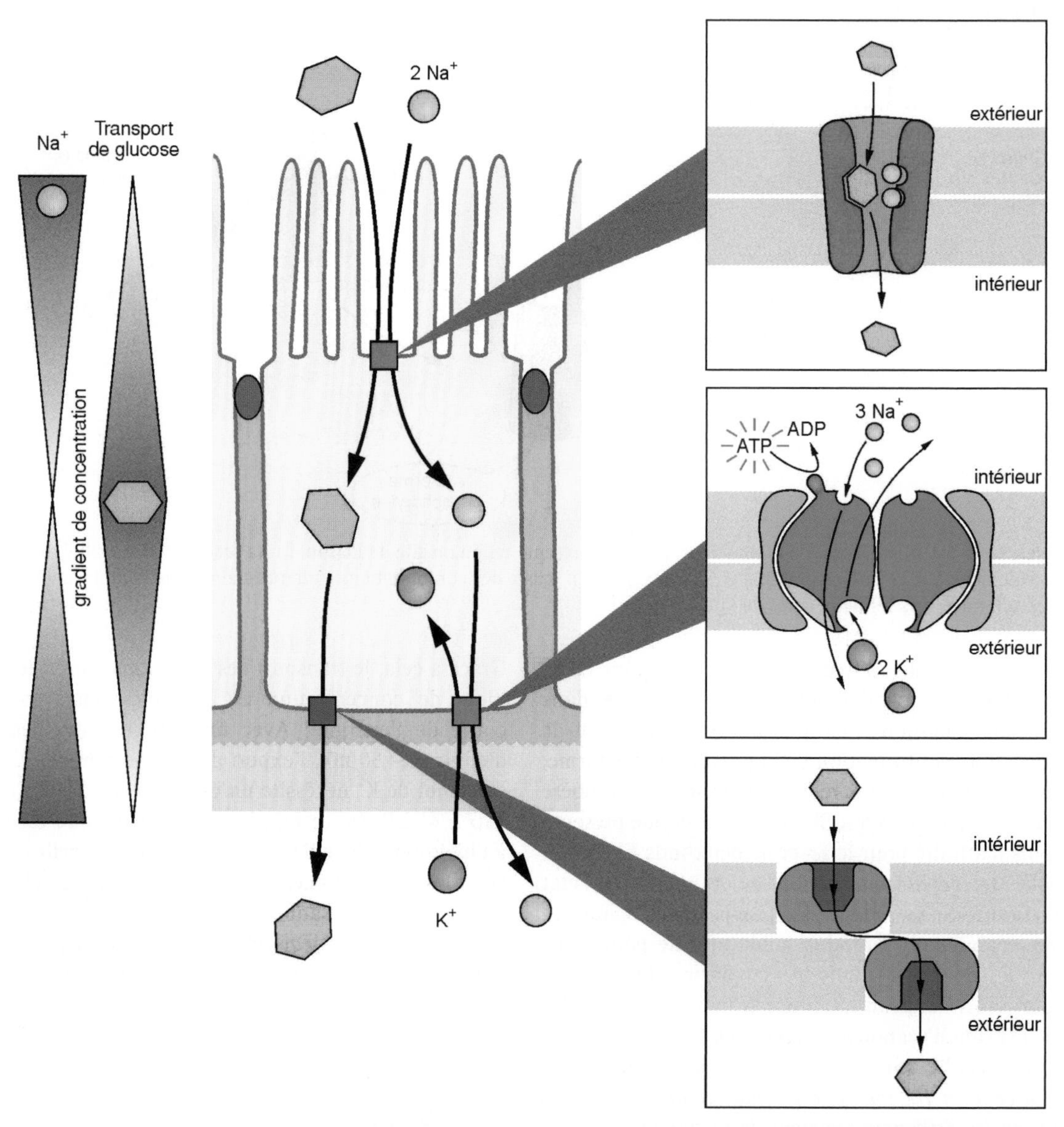

26.3 Transport transépithélial de glucose. Trois protéines, réparties de façon hétérogène dans les cellules épithéliales sont responsables en grande partie du transport transépithélial de glucose : le symport glucose-Na^+ (en rouge) transporte le glucose et le Na^+ au niveau de la membrane apicale tournée vers la lumière (en haut), tandis que la Na^+-K^+-ATPase (en vert) et le transporteur de glucose (en bleu) réalisent respectivement le transport actif et la diffusion passive au niveau de la membrane basolatérale (en bas).

Encart 26.1 : Mécanisme d'action des glucosides de digitaline

La digitoxine (ou digitaline) et la digoxine sont connues depuis très longtemps en médecine traditionnelle pour leurs propriétés médicamenteuses de « toniques cardiaques ». Elles sont utilisées avec succès dans les thérapies d'insuffisances cardiaques – sous le nom trivial de **glucosides cardiotoniques**. Les préparations à base de digitaline (extraite de la digitale : *Digitalis purpurea*) se lient au domaine extracellulaire de la Na^+/K^+-ATPase des cardiomyocytes et bloquent la pompe en « exo-forme », en empêchant sa déphosphorylation. La pompe ne peut alors plus former un gradient de Na^+ suffisant, ce qui perturbe l'export de Ca^{2+} des cardiomyocytes. L'**accumulation de Ca^{2+}** dans le compartiment intracellulaire se manifeste par une augmentation de la contraction des cardiomyocytes et une diminution du rythme cardiaque, ce qui conduit à une amélioration de la fonction cardiaque. Les glucosides de digitaline sont utilisés à une concentration qui ne bloque que partiellement la Na^+-K^+-ATPase ; on évite ainsi une lyse des cardiomyocytes. Le surdosage ou l'empoisonnement par les glucosides cardiotoniques conduit à des perturbations importantes du rythme cardiaque.

rapidement. Une Na^+/K^+-ATPase située au niveau de la membrane basolatérale prend en charge le maintien d'un fort gradient de Na^+ en échange de l'hydrolyse d'ATP. Ce processus sert de courroie de transmission pour l'entrée de glucose : on parle de **force motrice du Na^+** (*fig.* 26.3). Le gradient fortement décroissant de Na^+ vers le cytosol entraîne l'enrichissement en glucose de la cellule épithéliale. Le glucose est ensuite transporté passivement et de façon indépendante du Na^+ au travers de la membrane basolatérale grâce à un transporteur. Par le système capillaire sanguin, il peut alors atteindre les tissus consommateurs de glucose.

Des comparaisons de séquence ont permis de montrer que la Na^+/K^+-ATPase des membranes plasmiques appartient à une famille d'ATPases transporteuses de cations, qui présentent toutes un mécanisme d'action similaire, au niveau moléculaire, probablement en raison d'une origine phylogénétique commune. La **pompe Na^+/Ca^{2+}** des membranes plasmiques présente une structure voisine et maintient de façon similaire un fort gradient de concentration entre le Ca^{2+} extracellulaire et intracellulaire (environ 10^{-3} m par rapport à 10^{-7} m). Une **Ca^{2+}-ATPase sarcoplasmique** pompe deux ions Ca^{2+} en échange de l'hydrolyse d'une molécule d'ATP et permet le transfert de calcium du cytosol vers le réticulum sarcoplasmique (§ 9.5 ; *fig.* 26.4). Comme la Na^+/K^+-ATPase, la Ca^{2+}-ATPase subit une phosphorylation réversible au cours du transport ionique. Cette pompe fait chuter de façon rapide la concentration cytosolique du messager Ca^{2+}, ce qui constitue une condition décisive pour le fonctionnement des voies de signalisation mettant en jeu le Ca^{2+} comme messager.

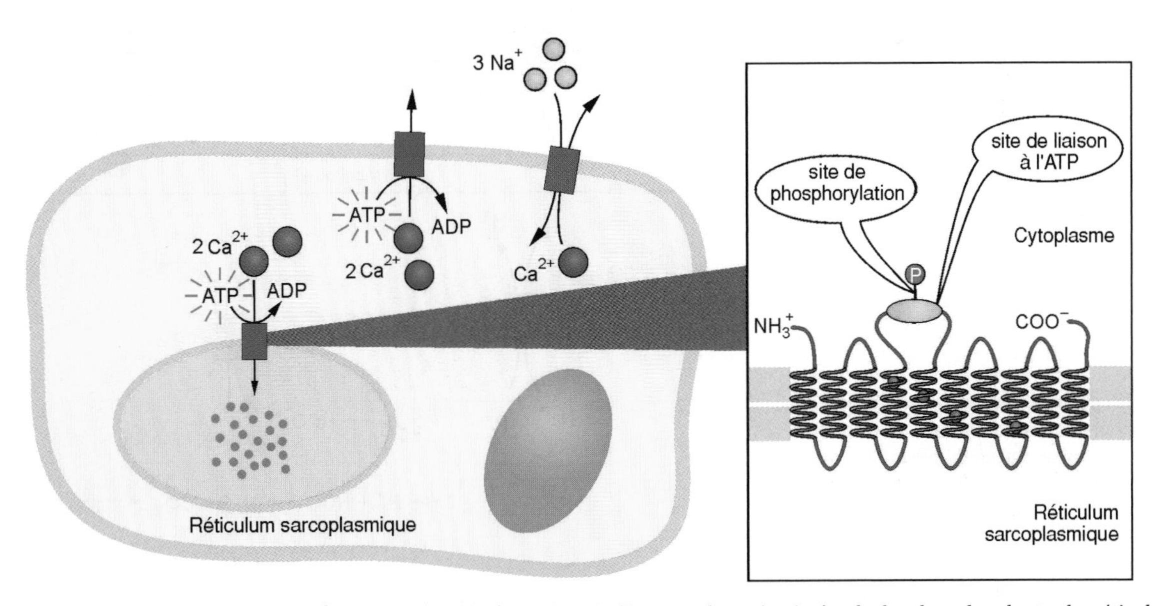

26.4 Ca^{2+}-ATPases cellulaires. La Ca^{2+}-ATPase (en bleu) est la protéine membranaire intégrale la plus abondante du réticulum sarcoplasmique ; on la trouve également au niveau de la membrane plasmique. Encart : la sous-unité α de la Ca^{2+}-ATPase sarcoplasmique est détaillée. La liaison d'ATP et la phosphorylation ont lieu au niveau des domaines cytosoliques ; quatre résidus dans les hélices transmembranaires sont responsables du transport de Ca^{2+}. Un échangeur Na^+/Ca^{2+} (en violet) au niveau de la membrane plasmique utilise la force motrice du Na^+ pour exporter le Ca^{2+} hors de la cellule ; dans ce cas, un ion Ca^{2+} est échangé contre 3 ions Na^+.

26.3

Les transporteurs de protons éliminent les surcharges cellulaires d'ions H^+

Une autre fonction des forts gradients de Na^+ au niveau de la membrane plasmique est de contribuer au **maintien du pH cytosolique.** Une accumulation de protons, résultant par exemple de processus métaboliques, modifierait le pH cytosolique et provoquerait l'inactivation d'enzymes intracellulaires, voire la dénaturation de certaines protéines. Deux transporteurs de protons ont pour charge principale le maintien d'une valeur normale de pH intracellulaire, aux alentours de 7,2 (*fig.* 26.5). L'**échangeur Na^+/H^+** couple simplement l'efflux de protons à l'influx de Na^+. Au contraire, l'**échangeur Cl^-/HCO_3^-** est un cotransporteur (de type antiport), qui utilise le gradient de Na^+ : il importe du Na^+ et du bicarbonate (HCO_3^-) et exporte en contrepartie du H^+ et du Cl^- ; de cette manière, l'électroneutralité est maintenue. L'efficacité de cet échangeur est double : d'une part, un ion H^+ est directement exporté hors du cytosol, d'autre part, l'ion HCO_3^- importé prend aussi en charge un proton cytosolique et est converti en H_2O et CO_2, ces deux molécules pouvant ensuite diffuser librement vers l'extérieur de la cellule. *L'effet net est donc une élimination de deux protons du cytosol, ce qui contribue efficacement à lutter contre une diminution du pH intracellulaire.*

Les pompes ATP-dépendantes jouent un rôle décisif dans le transport de protons dans les cellules et les organites cellulaires. Un prototype de ce type de transporteur est la **K^+/H^+-ATPase** des cellules pariétales gastriques, responsables de la synthèse de sucs gastriques (*encart* 26.2).

Le transport de protons joue un rôle important dans l'**acidification**, c'est-à-dire la diminution de pH, dans les compartiments cellulaires tels que les lysosomes, les endosomes et les vésicules de sécrétion. Ainsi, les lysosomes présentent une **H^+-ATPase** membranaire, qui pompe de façon active les ions H^+ du cytosol vers l'organite, ce qui entraîne une chute de pH significative, puisqu'on obtient un pH intralysosomal de 5,0-6,0, par rapport au pH cytosolique environnant de 7,2 (*fig.* 19.31). Cela permet l'activation des enzymes lysosomales, lesquelles présentent un optimum de pH « acide ». Les H^+-ATPases ne subissent pas de cycle de phosphorylation. Elles se distinguent en cela des Na^+/H^+-ATPases et des autres pompes membranaires de type P, qui présentent une phosphorylation réversible. Les bactéries halophiles, qui colonisent les marais salants, ont choisi une autre stratégie moléculaire, pour se débarrasser des protons : elles utilisent l'énergie lumineuse pour faire fonctionner la **bactériorhodopsine**, une pompe à protons qui utilise un gradient de H^+ pour produire de l'ATP (*encart* 26.3).

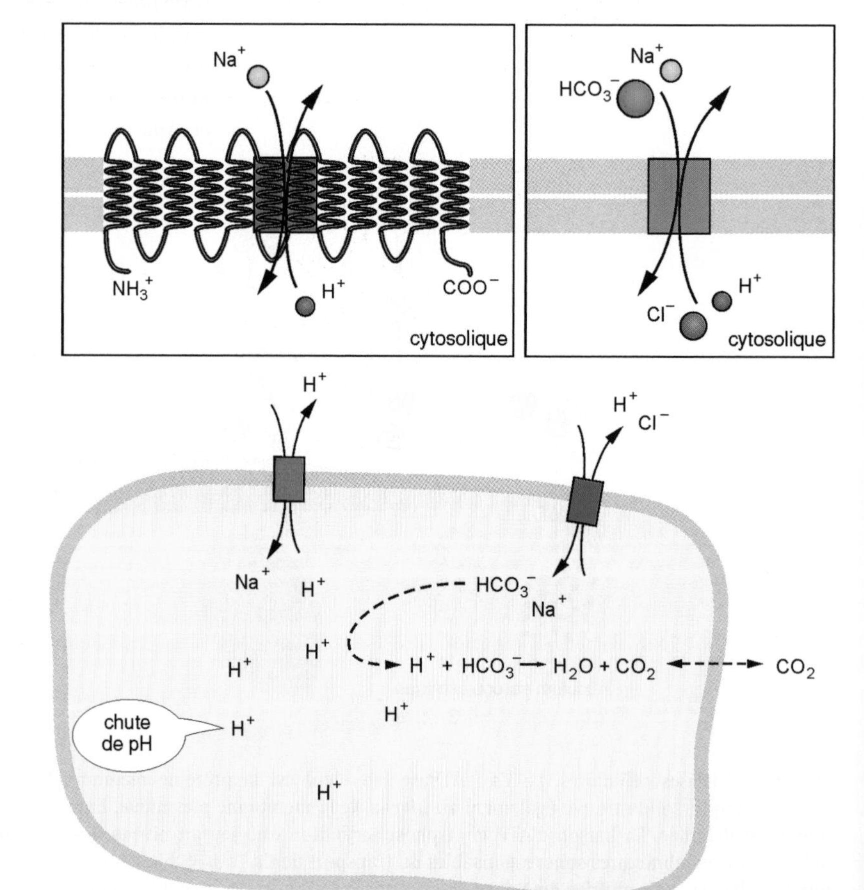

26.5 Régulation du pH intracellulaire. Si des protons s'accumulent dans une cellule à cause du métabolisme ou de la respiration cellulaire, l'échangeur Cl^--HCO_3^- (en bleu) est tout d'abord activé et permet l'entrée de HCO_3^- qui va lier un ion H^+ ; secondairement, l'échangeur Na^+-H^+ (en rouge) est activé. L'échangeur Na^+-H^+ NHE-1 possède douze hélices transmembranaires, dont deux sont impliquées dans le transport ionique, et un domaine régulateur sur la face cytosolique.

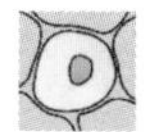

Encart 26.2 : Sécrétion d'HCl par les cellules pariétales

Les glandes de la paroi gastrique (au niveau du fundus) synthétisent deux à trois litres de solution diluée d'acide chlorhydrique (environ 150 mM HCl) par jour, à un pH voisin de 2,0. La membrane apicale de leurs cellules pariétales porte un grand nombre de **pompes K^+/H^+-ATPases**. Cette pompe (antiport) effectue le transport actif de H^+ vers la lumière stomacale et génère ainsi un gradient important d'ions H^+ (avec un excès d'environ 10^6 fois dans la lumière). L'excès d'ions OH^- résultant de l'export de protons est pris en charge par une anhydrase carbonique des cellules pariétales qui, en présence du CO_2 entré par diffusion, catalyse la transformation en HCO_3^-. Un **échangeur HCO_3^-/Cl^-** de la membrane basolatérale exporte alors cet ion hydrogénocarbonate, qui est éliminé par les capillaires, dans la circulation sanguine. Dans le même temps, un ion Cl^- est importé dans la cellule. Cet ion Cl^- suit son gradient de concentration et ressort de la cellule vers la lumière par un **canal Cl^-** (*fig.* 26.6). Le transfert de H^+ vers la lumière s'accompagne d'une entrée de K^+ qui ressort de la cellule par un **canal K^+** apical (transport cyclique) ; l'eau diffuse librement dans les cellules pariétales. Quatre protéines de transport sont nécessaires pour produire l'acide gastrique des cellules pariétales stomacales et assurer le maintien de leur pH et de leur électroneutralité. Ces cellules produisent également une protéine (un facteur intrinsèque), qui est indispensable à la résorption de la vitamine B_{12}.

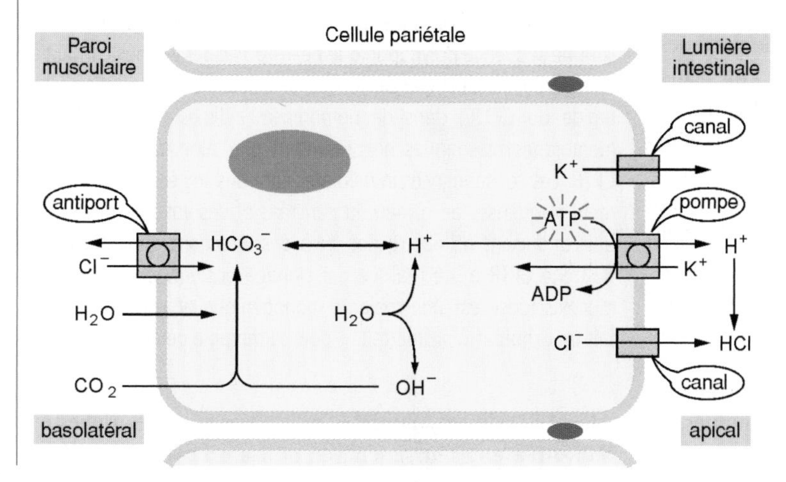

26.6 Sécrétion de HCl à travers les cellules pariétales de l'estomac. Les cellules pariétales se protègent de l'agressivité des sucs gastriques grâce à leur glycocalix (*fig.* 25.10). [RF]

Encart 26.3 : La bactériorhodopsine – une pompe à protons dépendante de la lumière

Halobacterium halobium porte sur sa membrane un grand nombre d'unités de la **pompe à proton** bactériorhodopsine. Cette protéine de 26 kDa possède sept hélices transmembranaires et constitue un ancêtre structural du photorécepteur humain, la rhodopsine (§ 29.6). La bactériorhodopsine se lie de façon covalente par un groupement ε-aminé d'un résidu lysine au **rétinal, un chromophore** qui réagit à la lumière par une isomérisation tout-*trans* vers 13-*cis* (photoisomérisation). Le changement de conformation du transporteur provoque le transport de protons vers l'extérieur de la cellule (*fig.* 26.7). Un gradient de protons est créé au niveau de la membrane, qui permet la synthèse d'ATP de la bactérie : on parle d'une **force motrice protonique**. On rencontre une stratégie analogue, d'utilisation inverse de la réaction d'ATPase (synthèse d'ATP), dans les chaînes respiratoires des cellules eucaryotes (§ 37.8). Attention : la rhodopsine, le photorécepteur des eucaryotes, subit une isomérisation *cis-trans* et non *trans-cis*.

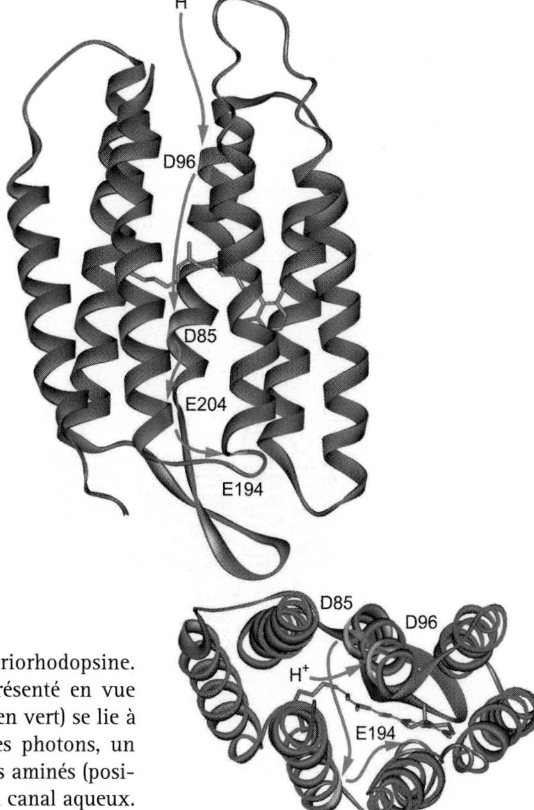

26.7 Transport de protons dépendant de la lumière par la bactériorhodopsine. Un modèle tridimensionnel de la protéine transmembranaire est présenté en vue latérale (en haut) et en vue du dessus (en bas). Le rétinal tout-*trans* (en vert) se lie à la bactériorhodopsine au niveau d'un résidu lysine. Sous l'effet des photons, un proton se déplace vers l'extérieur de la cellule le long de divers acides aminés (positions indiquées en gris : D, aspartate ; E, glutamate), à l'intérieur d'un canal aqueux. On peut dire que le rétinal agit comme une barrière actionnée par la lumière.

26.4

Les transporteurs ABC transfèrent des ions, des lipides et des médicaments à travers les membranes

En dehors des transporteurs de glucides et de cations déjà décrits, il existe une troisième grande famille de transporteurs, ceux qui possèdent une cassette de liaison à l'ATP (angl. *ATP-Binding-Cassette*) et sont de ce fait appelés **transporteurs ABC**. Cette famille recouvre un large spectre de transporteurs aux fonctions très variées, qui régulent le transfert transmembranaire d'ions, de lipides, de glucides (perméases), de peptides et même de protéines ; des composés « étrangers » (xénobiotiques) tels que des médicaments peuvent également être transportés. Les transporteurs ABC présentent 12 hélices transmembranaires ; ces hélices sont regroupées en deux domaines transmembranaires formant un canal avec une sélectivité de substrat très élevée et qui présentent sur leur face cytosolique deux domaines régulateurs dépendants de l'hydrolyse d'ATP et d'une phosphorylation réversible. Un exemple type de cette famille est le **transporteur d'ions chlorures** qui régule la sécrétion de Cl^- par les cellules épithéliales dans le poumon, le pancréas ou l'intestin. Une mutation dans le gène de ce transporteur se traduit par une maladie parmi les plus répandues, la **mucoviscidose** (*encart* 26.4). Ce transporteur d'ions chlorures est régulé par la liaison d'ATP et une protéine kinase AMPc dépendante (*fig.* 26.8).

Les transporteurs ABC jouent un rôle important dans la présentation des antigènes aux macrophages et aux lymphocytes : ils transportent dans le réticulum endoplasmique des peptides qui sont présents dans le cytosol du fait de la fragmentation des antigènes (§ 33.8). Le **gène MDR1** (angl. *Multi-Drug-Resistance gene 1*), qui rend les cellules tumorales résistantes à de nombreux médicaments cytotoxiques, code en fait pour un transporteur ABC. Les cellules tumorales résistantes sont très riches en **MDR-ATPase** et réussissent, en utilisant l'hydrolyse d'ATP, à rejeter les molécules cytostatiques hors de la cellule, avant que celles-ci aient rempli leur effet toxique ; les cancers du foie sont particulièrement touchés, car les hépatocytes expriment fortement la MDR1-ATPase pour les besoins de la « détoxication » de composés endogènes ou exogènes. De façon similaire, la **résistance multiple** du parasite vecteur de la malaria *Plasmodium falciparum* contre les médicaments anti-paludéens les plus courants tient à un transporteur ABC : les parasites résistants expriment en masse cette protéine et rejettent donc les

Encart 26.4 : La mucoviscidose

La mucoviscidose (angl. *Cystic Fibrosis*) est une maladie génétique autosomale récessive due à la mutation d'un seul gène, dont l'évolution est toujours létale. Cette maladie se manifeste déjà chez le nourrisson par une concentration anormalement élevée d'ions chlorures dans la sueur, une insuffisance pancréatique et des infections fréquentes des voies respiratoires. La cause de ces symptômes classiques consiste en mutations au niveau d'un gène couvrant une région d'environ 250 kpb, c'est-à-dire le **gène CFTR** (angl. *Cystic Fibrosis Transmembrane Regulator*). Ce gène code pour un canal anionique, qui exporte le Cl^- hors des cellules. Les deux tiers des cas de mucoviscidose sont dus à une délétion d'un codon pour la phénylanine (ΔPhe^{508}). L'absence d'un acide aminé sur une séquence polypeptidique de 1 400 acides aminés conduit à une **glycosylation partielle**, qui aboutit à une dégradation trop rapide du CFTR ; dans de nombreuses cellules épithéliales, les membranes plasmiques ne présentent plus alors aucune activité CFTR. Les conséquences immédiates sont des sécrétions anormalement visqueuses au niveau du pancréas et des voies respiratoires, qui conduisent à l'obstruction et à des infections. L'identification du gène CFTR a été réalisée par clonage positionnel (§ 22.8). La mucoviscidose est une maladie monogénique et constitue de ce fait un candidat « prometteur » pour la thérapie génique.

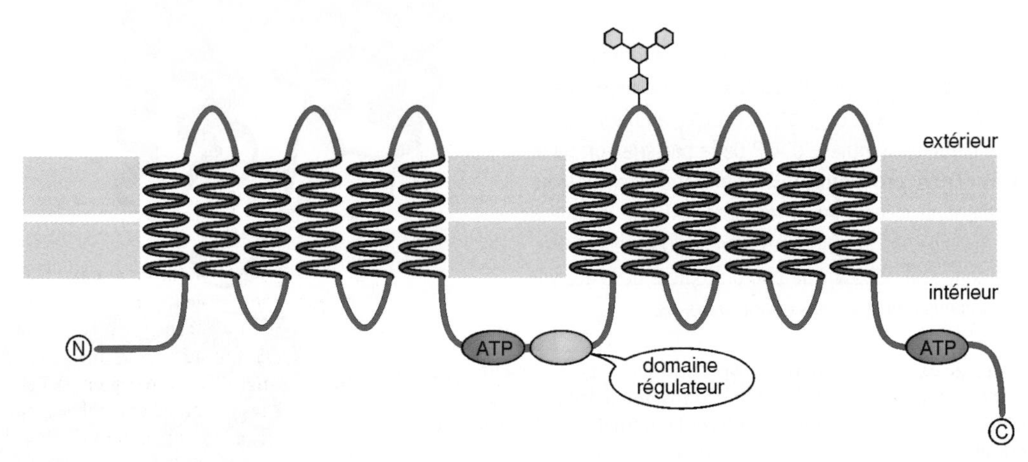

26.8 Structure du transporteur ABC pour les ions chlorures. Le transporteur CFTR consiste en une chaîne polypeptidique qui se subdivise en deux groupes de six hélices transmembranaires. La glycosylation du domaine extracellulaire détermine la demi-vie du transporteur (*encart* 26.4).

médicaments hors de la cellule aussi vite qu'ils y pénètrent. *Ces exemples illustrent bien les capacités d'adaptation des cellules cancéreuses et des parasites qui ont su développer des stratégies moléculaires « sophistiquées » d'une grande efficacité, leur permettant d'échapper aux traitements thérapeutiques.*

26.5 Les canaux ioniques forment des pores temporaires dans les membranes

Le cas du transporteur Cl^- impliqué dans la mucoviscidose constitue une transition avec le grand groupe des **canaux ioniques** vers lequel nous nous tournons maintenant. Les canaux ioniques possèdent des rôles fondamentaux dans la propagation du signal électrique au niveau du système nerveux et dans l'excitation musculaire. Contrairement aux pompes, qui ne forment à aucun moment de leur cycle un pore traversant la membrane, et qui consomment de l'énergie à chaque « coup de pompe », les canaux ioniques forment des **pores transmembranaires**, qui peuvent s'ouvrir et se fermer. À l'état ouvert, ils laissent passer les ions selon leur gradient électrochimique, sans dépenser d'énergie ; inversement, ils ne peuvent pas être à l'origine de la formation d'un gradient. *Les caractéristiques les plus remarquables des canaux ioniques sont : une extrême rapidité de transport et un débit important, une grande sélectivité – la plupart du temps vis-à-vis d'un faible nombre ou d'un seul type d'ions – et également une ouverture et une fermeture contrôlées.* On trouve principalement trois types de canaux ioniques dans les membranes (*fig.* 26.9).

Les canaux ioniques dépendants du potentiel constituent un exemple type des **canaux à quatre sous-unités.** Leur ouverture dépend d'un changement du potentiel membranaire. Comme dans le cas des pompes, ils dérivent d'un ancêtre commun ; c'est pourquoi les différentes familles de canaux ioniques présentent, au niveau moléculaire, des parentés structurales et fonctionnelles. Les canaux potassium dépendants du potentiel, présents au niveau des axones de cellules nerveuses, sont constitués de quatre sous-unités identiques, qui possèdent chacune 6 hélices transmembranaires (S1 à S6) (§ 26.6). Il existe un second type de canaux potassium, non dépendants du potentiel, et qui possèdent seulement deux hélices transmembranaires correspondant à S5 et S6. Les deux types de canaux ont en commun le fait que l'hélice S6 constitue la paroi d'un long canal rétréci vers l'intérieur de la cellule (*fig.* 26.10). Du côté extracellulaire élargi, des boucles protéiques entre les hélices S5 et S6 ou **boucles P** (angl. *pore loops)* forment un **filtre sélectif** qui peut complexer deux ions K^+. Ces segments ont pour caractéristique commune, l'existence d'une séquence consensus Thr-Val-Gly-Tyr-Gly (TVGYG), qui lie les ions K^+ au niveau des groupements carbonyle de leurs liaisons peptidiques.

De façon similaire au canal formé par la gramicidine (*fig.* 25.19), les canaux K^+ oscillent entre un état ouvert et un état fermé. Il faut en revanche noter que l'ouverture des **canaux K^+ dépendants du potentiel** est contrôlée : un changement du potentiel de membrane est ici responsable de l'ouverture et de la fermeture du canal (§ 27.1). Au moment de la dépolarisation d'une cellule nerveuse, l'environnement électrique du canal est modifié, provoquant l'ouverture du canal. Le canal ouvert peut laisser passer un **flux d'ions** considérable qui, selon le gradient électrochimique, peut atteindre 10^7 ions par seconde, soit mille fois plus que le flux classiquement atteint par le biais d'une pompe ionique (environ 10^4 s^{-1}). Le flux ionique s'interrompt, quand un segment globulaire – une « boule », constituée par une « chaîne » peptidique (angl. *ball and chain*) – au niveau N-terminal du canal K^+ vient fermer et ainsi inactiver le canal du côté cytosolique (*fig.* 26.11). Un canal potassium peut donc avoir au moins trois conformations différentes : « fermé », « ouvert » ou « inactivé ».

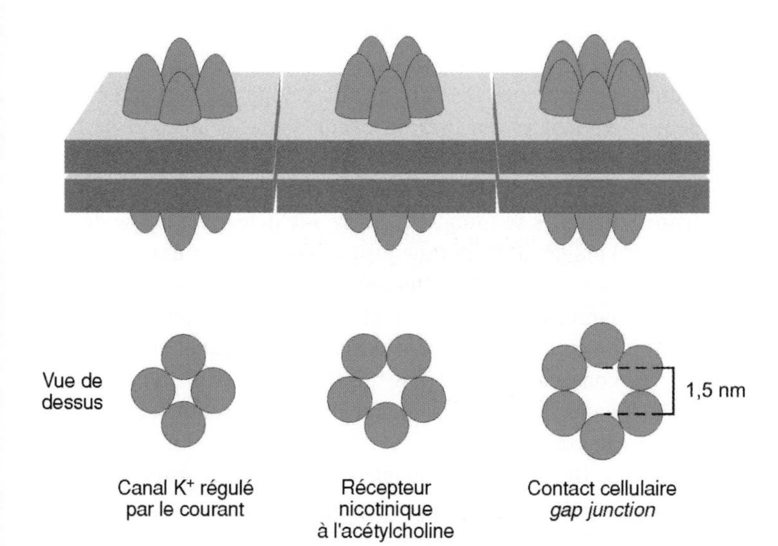

26.9 Types de canaux membranaires sous forme schématique. Plusieurs sous-unités (quatre à six) forment un pore central de diamètre croissant (jusqu'à 1,5 nm) au prix d'une perte de sélectivité. Le canal K^+ et le récepteur à l'acétylcholine sont montrés à titre d'exemples respectifs d'un canal dépendant du potentiel et d'un canal dépendant du ligand. Dans le cas des *gap junctions*, l'hexamère est présent dans chacune des deux membranes en contact (§ 26.9). [RF]

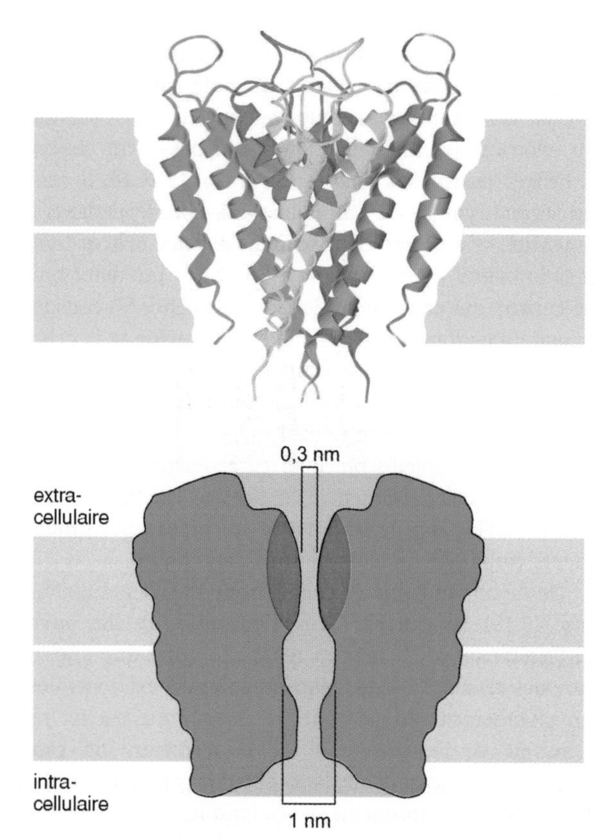

26.10 Structure d'un canal K^+ bactérien. Dans le modèle tridimensionnel (en haut), les quatre sous-unités de l'homotétramère sont présentées. Deux hélices transmembranaires de chaque sous-unité permettent la formation d'un canal en entonnoir. La coupe (en bas) montre le canal transmembranaire dont la lumière présente des diamètres variables. Au niveau le plus étroit (en rouge : filtre de sélectivité), les ions K^+ doivent se débarasser de leurs molécules d'eau pour pouvoir passer. [RF]

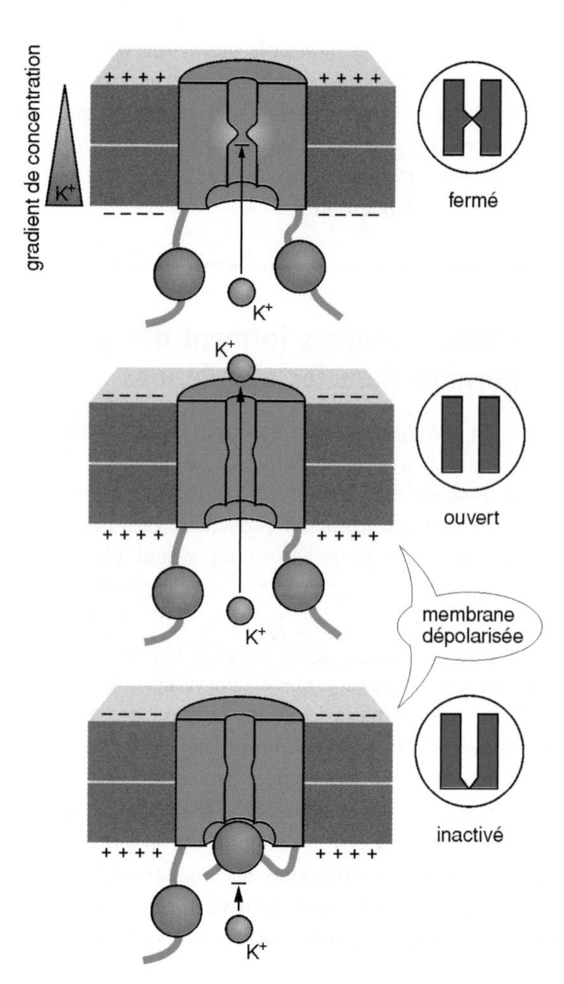

26.11 Régulation d'un canal K^+ dépendant du potentiel, selon le modèle boule-chaîne. Une dépolarisation de la membrane induit un changement de l'environnement électrique dans une protéine canal membranaire fermée. Le changement de conformation provoque l'ouverture de « l'écluse ». Le domaine mobile N-terminal (boule rouge) obture rapidement l'ouverture du canal et interrompt le flux d'ions, même si « l'écluse » est encore ouverte ; le canal inactivé reprend avec retard la conformation fermée. Chaque sous-unité porte une « boule » (seulement deux sur quatre sont représentées ici) d'environ 19 acides aminés.

26.6 Les canaux ioniques dépendants du potentiel perçoivent les variations de potentiel membranaire

Comment un canal ionique perçoit-il une variation du potentiel membranaire ? Pour le comprendre, on peut examiner le fonctionnement d'un **canal Na^+ dépendant du potentiel**, présent dans les synapses neuromusculaires et les neurones. Sur le principe, il est constitué de façon similaire au canal K^+ ; pourtant il n'est composé que d'*une seule* chaîne polypeptidique présentant quatre domaines homologues, dont chacun est équivalent à une des sous-unités du canal K^+ (*fig.* 26.12). Les canaux Ca^{2+} sont également formés selon le modèle du canal Na^+.

Le canal Na^+ dispose de quatre **détecteurs de potentiel**, qui se trouvent dans la quatrième hélice transmembranaire (S4) de chaque domaine homologue (*fig.* 26.13). Cette hélice présente une séquence remarquable : tous les trois acides aminés, on trouve un résidu chargé (lysine ou arginine). Des ions de charge opposée sont situés dans les hélices voisines du canal. Dans sa position de base, le détecteur de potentiel est « enclenché ». Au moment de la **dépolarisation membranaire**, une partie des liaisons ioniques se rompt et « libère » le détecteur, qui se dévisse hors de la membrane jusqu'à se retrouver dans une position où les liaisons ioniques peuvent s'enclencher à nouveau. Le mouvement de S4 entraîne un changement de conformation allostérique dans le canal et l'ouverture consécutive d'un pore : à travers ce pore transmembranaire, les ions Na^+ peuvent circuler selon leur gradient de concentration.

De façon remarquable, les canaux Na^+ disposent d'une « minuterie » : après 1 ms maximum, les canaux se ferment à nouveau, même si la membrane est encore dépo-

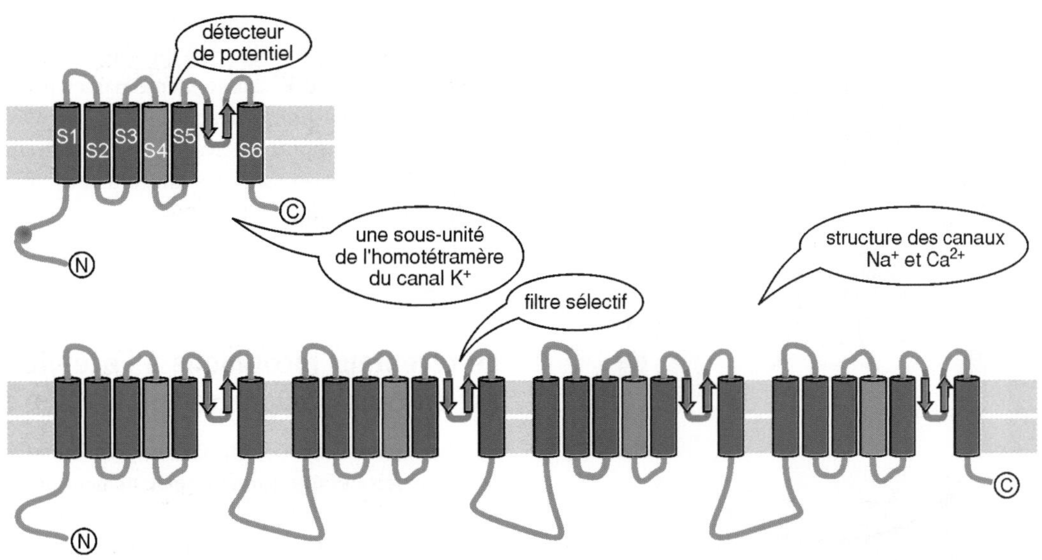

26.12 Organisation structurale des canaux ioniques dépendants du potentiel. Les canaux K^+ sont des homotétramères, dont chaque sous-unité comporte six segments transmenbranaires (S1-S6), parmi lesquels S4 (en bleu clair) est le détecteur de potentiel. Les boucles situées entre les hélices (boucles P en rouge) forment un filtre sélectif. Les canaux pour le Na^+ et le Ca^{2+} sont en revanche constitués par une unique chaîne polypeptidique comportant quatre domaines homologues ; contrairement au cas du canal K^+, on *ne* trouve *pas* de structure N-terminale boule-chaîne. Les canaux dépendants de l'AMPc ou du GMPc (non montrés) présentent une structure voisine de celle du canal K^+, mais *sans* détecteur de potentiel.

larisée (*fig.* 26.14). Un segment interhélicoïdal, entre les hélices S3 et S4, assure probablement dans le canal Na^+ la même fonction que la « boule » du canal K^+ et referme le canal ionique. Le canal se trouve alors dans un état inactivé réfractaire, jusqu'à ce que la repolarisation de la membrane lui permette de retrouver l'état fermé activable. Le canal ionique passe donc par une succession d'états : fermé/activable, ouvert ou bien fermé/réfractaire. On verra plus tard que l'**état réfractaire** joue un rôle important dans la propagation du signal neuronal (§ 27.4).

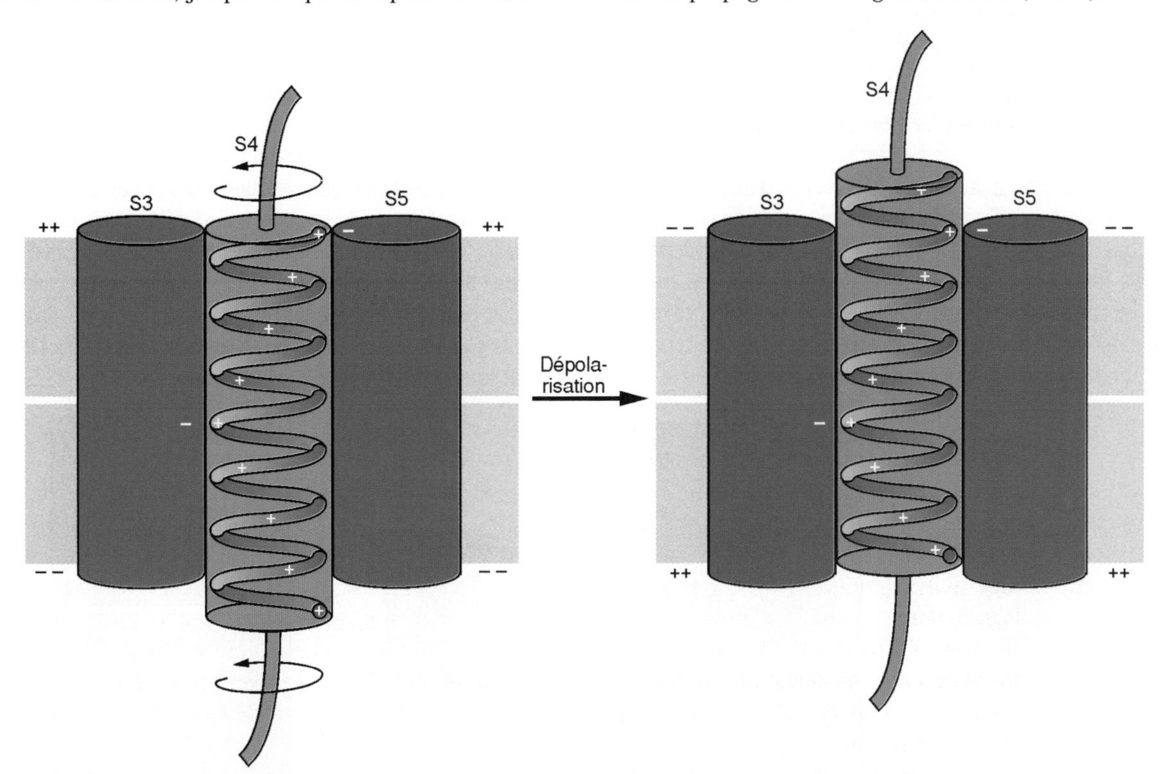

26.13 Détecteur de potentiel d'un canal ionique. La dépolarisation de la membrane induit une rotation oblique du détecteur (en sens inverse des aiguilles d'une montre), qui conduit à la sortie d'une ou deux charges positives hors de la membrane. Ce changement de conformation se répercute sur les domaines plus internes : le canal s'ouvre et permet l'influx d'ions.

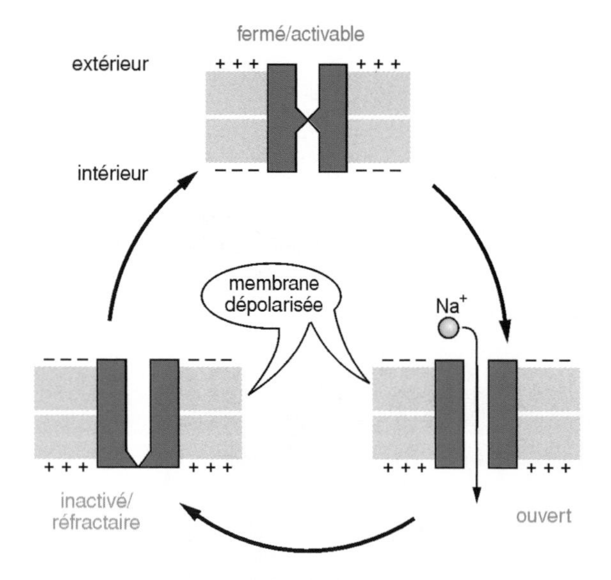

26.14 Cycle de fonctionnement d'un canal Na^+ dépendant du potentiel. Les différentes conformations successives du canal sont schématisées dans l'ordre de fonctionnement. À l'état de base, le canal est fermé. La dépolarisation de la membrane induit un changement conformationnel vers la forme ouverte qui passe spontanément à la forme réfractaire fermée. La repolarisation de la membrane permet au canal d'atteindre à nouveau l'état de base fermé activable. Alternativement, un canal peut passer à l'état réfractaire par l'intermédiaire de liaison de Ca^{2+} ou par déphosphorylation (non montré).

Les canaux ioniques sont sélectifs : ainsi le canal Na^+ laisse passer environ dix fois plus efficacement le Na^+ que le K^+; le canal K^+ laisse même passer préférentiellement le K^+ avec une efficacité allant jusqu'à dix mille fois plus par rapport au Na^+. Cette **sélectivité ionique** remarquable repose sur des mécanismes moléculaires variés (*encart* 26.5).

26.7 Le récepteur nicotinique à l'acétylcholine est un canal ionique régulé par son ligand

Le changement de conformation d'un canal entre une forme ouverte et une forme fermée ne peut pas être seulement régulé de façon allostérique par des changements de potentiel ; la liaison du ligand, des modifications covalentes, ou des tensions mécaniques peuvent aussi induire de tels changements. L'exemple le plus connu d'un **canal ionique régulé par son ligand** est celui du **récepteur nicotinique à l'acétylcholine**, qui transmet l'excitation synaptique à l'interface entre la fibre nerveuse et le muscle – la plaque motoneurale – (§ 27.5). Le récepteur à l'acétylcholine nicotinique est un canal spécifique des cations, formé de cinq sous-unités (α_2, β, γ, δ) qui forment un pore le long de leur axe de symétrie (*fig.* 26.16). Quand deux

Encart 26.5 : Sélectivité des canaux ioniques

Les canaux protéiques « sélectionnent » les ions selon des principes différents : le **canal Na^+** sélectionne les ions selon leur taille et laisse encore passer les ions Na^+ hydratés, tandis que les ions K^+ hydratés, plus gros, sont refoulés (*fig.* 26.15). Dans ce cas précis, les chaînes latérales des acides aminés au contact du pore forment le « chas d'une aiguille » qui ne laisse passer les ions hydratés que jusqu'à une taille donnée. Cette stratégie ne peut pas convenir pour les **canaux K^+**, puisque les ions Na^+ sont moins encombrants que les ions K^+ et pourraient donc passer sans problème la partie la plus étroite du canal. Dans ce cas, la clé pour comprendre le mécanisme sélectif mis en jeu passe par l'étude du **bilan énergétique**. Pour passer la partie la plus étroite, les ions doivent se débarrasser de leurs molécules d'eau environnantes, ce qui représente un coût énergétique en terme d'énergie libre. Dans le cas des ions K^+, la liaison avec les groupements carbonyle permet une interaction « optimale » au niveau du filtre de sélectivité, ce qui compense (largement) la perte en énergie libre. Dans le cas des ions Na^+ moins encombrants, il semble que l'interaction est « sub-optimale » seulement et que cela ne compense pas la perte d'énergie libre : de ce fait, les ions Na^+ restent environnés de molécules d'eau, et l'encombrement est alors trop important pour passer la partie la plus étroite du canal. La **séquence consensus TVGYG** permet également d'assurer la sélectivité du canal K^+ (§ 26.5).

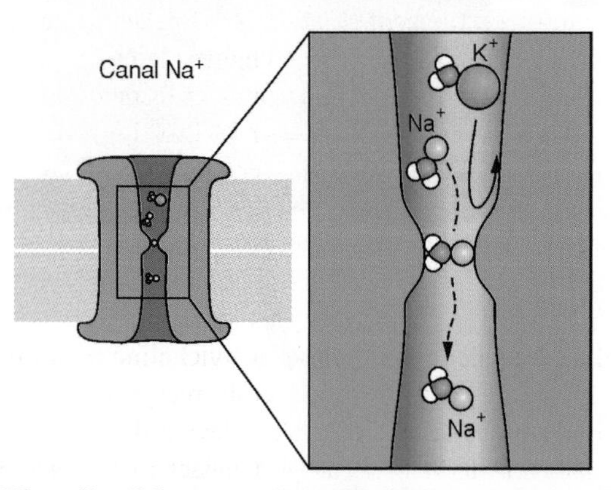

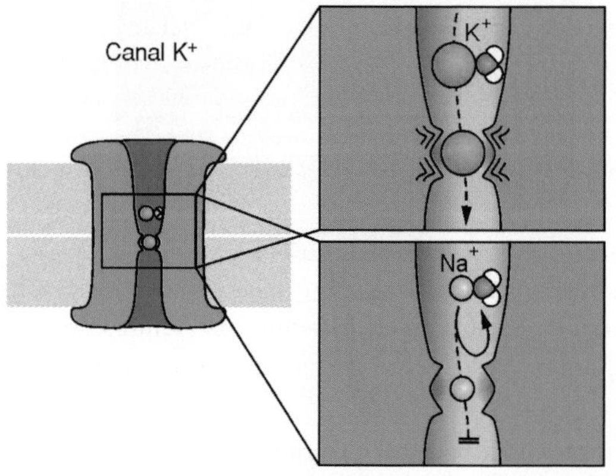

26.15 Filtre sélectif des canaux Na^+ et K^+. Les ions peuvent seulement passer un par un aux endroits les plus étroits du canal, ce qui définit la limite maximale du flux ionique de ce canal.

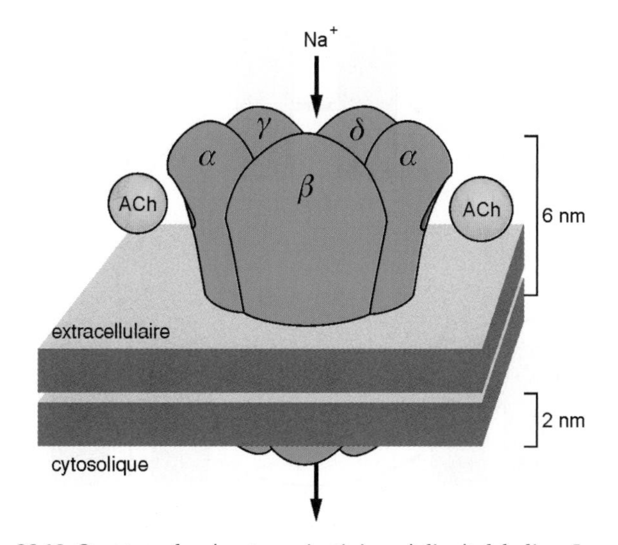

26.16 Structure du récepteur nicotinique à l'acétylcholine. Les cinq sous-unités forment un pore et l'endroit le plus étroit définit la taille maximale des ions qui peuvent passer. La structure quaternaire α_2, β, γ, δ montrée ici représente la forme « adulte » du récepteur. Un deuxième type, le récepteur muscarinique à l'acétylcholine est un récepteur couplé à une protéine G (*fig.* 28.6, *chap.* 29) ; on peut les différencier par leurs principaux agonistes, respectivement la nicotine et la muscarine.

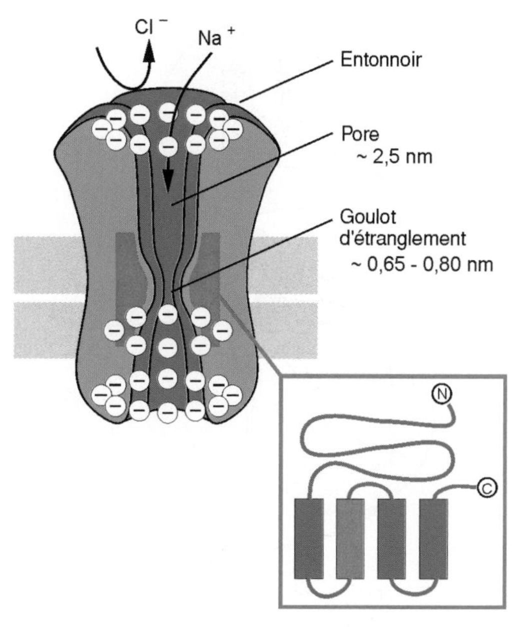

26.17 Filtre ionique du récepteur à l'acétylcholine. Des couronnes de charges négatives dans l'entonnoir marquant l'entrée du récepteur interdisent l'accès aux anions. En outre, la partie la plus étroite du pore limite la taille des cations qui peuvent traverser. L'encadré montre schématiquement une des cinq sous-unités ; le deuxième segment transmembranaire tapisse la surface interne du pore (en rouge).

molécules d'acétylcholine se lient aux deux sous-unités α, le canal s'ouvre. Les cations affluent alors dans la cellule selon leur gradient de concentration électrochimique, en particulier les ions Na^+.

Pourquoi le récepteur à l'acétylcholine laisse-t-il passer seulement les cations de taille « correcte » et pas également les anions ? Les deux entrées en forme d'entonnoir du récepteur à l'acétylcholine présentent une couronne d'acides aminés avec des chaînes latérales riches en charges négatives ; une autre couronne de charges négatives est positionnée à l'intérieur du canal (*fig.* 26.17). Les **anneaux de charges négatives** repoussent les anions dès l'entrée dans le canal ; au contraire, ils laissent passer les cations. Dans le goulot du canal, cinq hélices – une par sous-unité – limitent la **lumière à un minimum** d'environ 0,65 nm de diamètre, ce qui définit la nature des ions de taille correcte : Li^+, Na^+ et K^+ peuvent passer, tandis que de gros ions comme Ca^{2+} ne le peuvent quasiment pas. Le récepteur à l'acétylcholine n'est donc pas totalement sélectif comme le sont les canaux dépendants du potentiel. Cela pourrait être dû au fait que les cinq sous-unités constituantes forment une lumière un peu plus grande que dans le cas des canaux, qui comptent seulement quatre sous-unités (§ 26.9).

26.8 Les ligands régulent l'ouverture des récepteurs

Le récepteur à l'acétylcholine ouvre son canal ionique seulement lorsque les deux sites de liaison des sous-unités α sont occupés par leur ligand, l'acétylcholine (*fig.* 26.16). Après environ 1 ms, le canal se referme spontanément et se trouve dans un état inactivé réfractaire. On présente cette ouverture temporaire suivie d'une fermeture rapide du canal comme une conséquence d'un **mouvement tournant et latéral** à la fois des segments hélicoïdaux du récepteur. Les chaînes latérales de résidus leucine sont agencées en éventail et forment une sorte de diaphragme qui peut bloquer le flux ionique quand le récepteur est en position fermée. Au moment de la liaison des ligands, ces chaînes latérales s'écartent, laissant l'espace disponible pour les petites chaînes latérales hydrophiles de résidus sérine, ce qui ouvre un passage suffisant pour laisser les ions se faufiler (*fig.* 26.18). La liaison de deux molécules d'acétylcholine induit donc un changement de conformation du récepteur, qui ouvre le passage intérieur. Malgré la brièveté de l'ouverture, un flux considérable d'ions peut passer : en 1 ms, environ 25 000 ions Na^+ traversent le récepteur à l'acétylcholine.

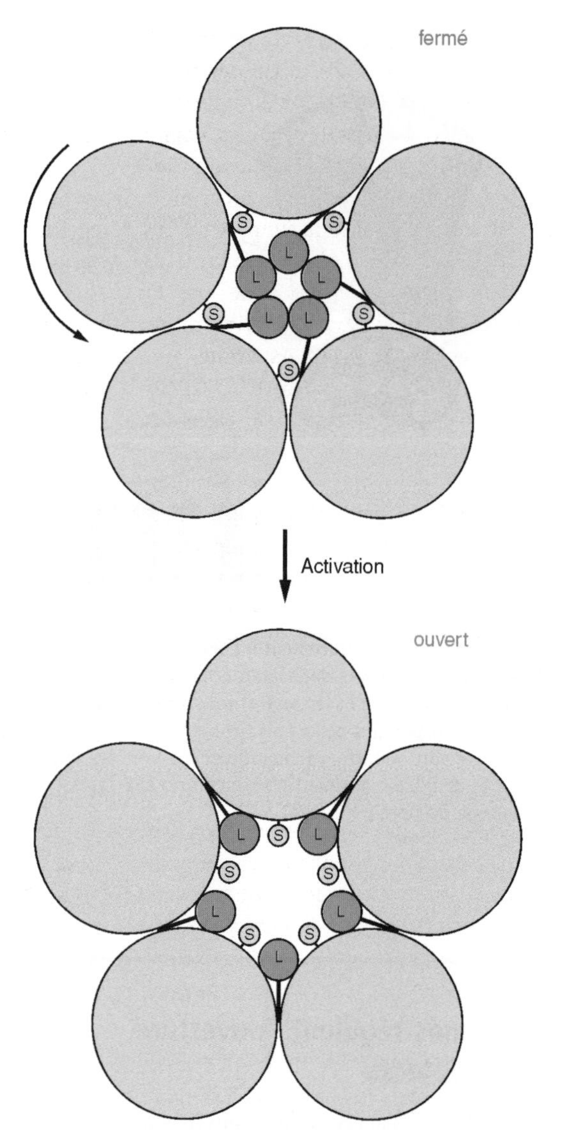

26.18 Régulation de la perméabilité du récepteur à l'acétylcholine. À l'état fermé, des chaînes latérales hydrophobes de leucine (L) bloquent le flux ionique ; à l'état ouvert, des résidus de sérine hydrophile (S) tapissent la paroi du pore. Un mouvement de rotation latérale des hélices (en bleu) qui portent ces acides aminés, contrôle probablement l'état du récepteur. [RF]

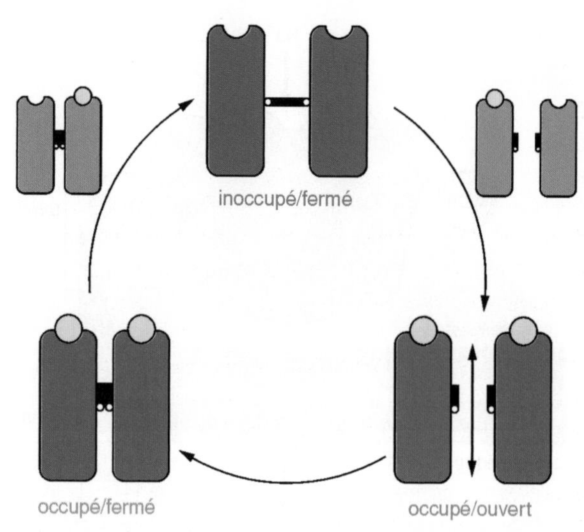

26.19 Cycle de changement de conformation du récepteur à l'acétylcholine. Les trois états principaux du récepteur (inoccupé/fermé ; occupé/ouvert ; occupé/fermé) sont soulignés ; les états intermédiaires hypothétiques sont indiqués en petit.

L'effet de l'acétylcholine au niveau de la fente synaptique est de toute façon limité dans le temps. En effet, l'enzyme **acétylcholinestérase** clive rapidement le ligand en acétate et en choline (*encart* 26.6), d'où une chute brutale de la concentration en ligand dans la fente synaptique. Même si on bloque l'enzyme et qu'une forte concentration en ligand demeure présente, le canal se referme spontanément, on parle de **désensibilisation**. On peut suivre l'ouverture et la fermeture de canaux individuels par la **méthode du *patch clamp*** (*encart* 26.7). À nouveau, il existe (au moins) trois conformations différentes du récepteur : inoccupé/fermé, occupé/ouvert et occupé/fermé (*fig.* 26.19). *Comme les canaux dépendants du potentiel, les récepteurs dépendants du ligand subissent un cycle de changements de conformation.*

Pour les canaux ioniques constitués par des récepteurs dépendants de ligand, on parle également de **récepteurs ionotropes**. Outre le récepteur à l'acétylcholine, on trouve

Encart 26.6 : Biosynthèse et dégradation de l'acétylcholine

L'**acétylcholinetransférase** est une enzyme cytoplasmique, qui est localisée au niveau présynaptique des terminaisons axonales et qui est responsable de la synthèse d'acétylcholine à partir de choline (triméthylaminoéthanol) et d'acétyl-CoA ; les trois groupements méthyle de la choline proviennent de la méthionine. Un transporteur d'acétylcholine de type antiport permet l'apport d'acétylcholine nouvellement synthétisée dans les vésicules synaptiques en échange de protons. Une ATPase présente en permanence dans les membranes prend en charge les protons présents dans le cytoplasme et les transfère dans les vésicules (*fig.* 19.31). Une vésicule contient environ 10^4-10^5 molécules d'acétylcholine. Après sa libération dans la fente synaptique, l'acétylcholine est rapidement hydrolysée en acétate et choline par la **cholinestérase** qui est une enzyme membranaire à ancre GPI. La choline est récupérée par les terminaisons synaptiques et réutilisée. Dans le cas de la myasthénie auto-immune *(Myasthenia gravis)*, on utilise des inhibiteurs compétitifs de l'acétylcholinestérase pour augmenter la demi-vie du neurotransmetteur (*encart* 27.3). Au contraire, des inhibiteurs se liant de façon covalente à l'acétylcholinestérase peuvent bloquer les influx nerveux cholinergiques, provoquant une paralysie respiratoire qui peut conduire à la mort (§ 13.7).

Encart 26.7 : Le patch clamp

On peut mesurer par cette méthode les **flux ioniques** passant à travers des canaux individuels. Pour cela, on place un capillaire avec une pointe finement étirée (environ 1 µm de diamètre) au niveau d'une membrane cellulaire ; une faible pression permet d'appliquer la membrane de façon hermétique à la surface en verre, et d'isoler un petit **domaine membranaire** (angl. *patch*) du milieu environnant (*fig.* 26.20). Une manipulation mécanique permet de libérer ce fragment de membrane et d'effectuer des mesures individuelles. Une électrode est enfoncée dans le capillaire rempli de tampon et est reliée à un instrument de mesure. Si on applique **une tension donnée** (angl. *to clamp*, pincer), on peut mesurer le flux d'ions qui passe dans ce domaine membranaire isolé avec une grande précision de temps (de l'ordre de la µs). On peut faire varier les conditions sur la face cytosolique (externe) ou extracellulaire (interne) de la membrane et mesurer l'impact de ces variations sur le flux ionique. Ainsi l'intensité du courant ionique à travers un récepteur à l'acétylcholine nicotinique s'élève à environ 4 pA (10^{-12} Ampère), ce qui représente un flux d'environ $2\text{-}3 \cdot 10^4$ ions Na^+ par milliseconde.

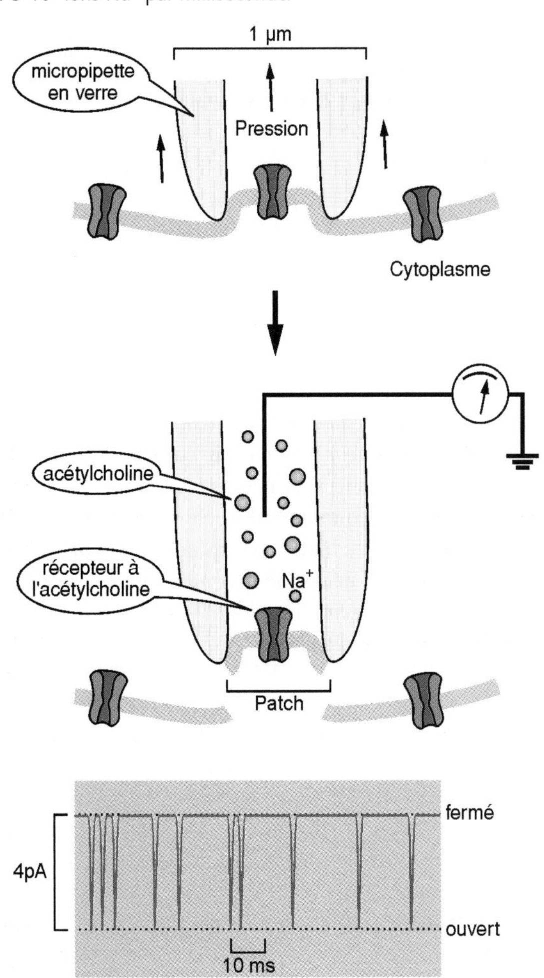

26.20 Principe du *patch-clamp*. Les variations de polarité indiquées dans la courbe (en bas) sont typiques de la mesure obtenue pour un récepteur à l'acétylcholine après stimulation par son ligand.

aussi dans le système nerveux central des récepteurs ionotropes pour des acides aminés comme le glutamate, la glycine et le GABA (angl. *γ-amino-butyric acid*) et pour des dérivés d'acides aminés comme la sérotonine (5-hydroxytryptamine). En raison de leurs parentés structurales avec le récepteur nicotinique à l'acétylcholine, on considère que la plupart de ces récepteurs ont une origine phylogénétique commune. Les **récepteurs au glutamate** forment en revanche une famille protéique distincte qui, selon leur activation ou non par le ligand synthétique N-Méthyl-D-Aspartate, est subdivisée en récepteurs NMDA et non-NMDA. On reviendra sur ces récepteurs importants quand on parlera de la neurotransmission (§ 27.6).

Jusqu'ici, deux mécanismes permettant d'ouvrir des canaux ioniques ont été détaillés : l'activation par un ligand et l'activation par les changements de potentiel. Il existe encore au moins deux mécanismes, qui permettent d'ouvrir et de fermer des canaux ioniques : la **phosphorylation réversible** et la **traction mécanique** (*fig.* 26.21). La phosphorylation d'acides aminés hydroxylés comme la tyrosine, la sérine ou la thréonine provoque un changement de conformation, qui ouvre le canal ; ce processus est réversé par l'action de phosphatases, qui clivent les groupements phosphates précédemment ajoutés. Un autre mécanisme consiste à exercer une pression ou une tension sur un canal ionique, par le biais de composants du cytosquelette, ce qui se traduit par l'ouverture du canal considéré. Ces **mécanorécepteurs** jouent un rôle important dans la perception, par exemple l'ouïe : on les trouve dans les cellules ciliées de la cochlée.

26.9 Les pores cellulaires permettent l'échange de matière entre cellules voisines

Parmi les canaux membranaires des cellules, les pores de type **gap junctions** (ou jonctions communicantes) possèdent une lumière plus grande et une sélectivité moindre. Ces pores cellulaires constituent des points remarquables, au niveau desquels deux cellules voisines se trouvent si rapprochées qu'un canal continu existe entre elles (§ 3.6). Chacune des deux membranes cellulaires en contact contrôle une partie du pore commun, c'est-à-dire un hexamère constitué de sous-unités de connexines, appelé le **connexone** (*fig.* 26.22). Ces pores cellulaires sont peu sélectifs : des molécules aussi différentes chimiquement que des ions, des acides aminés, des glucides, des coenzymes ou des messagers peuvent traverser ces *gap junctions* pour peu que leur taille soit inférieure à 1 000 Daltons.

Les *gap junctions* jouent un rôle important dans la contraction du muscle cardiaque, en permettant le couplage

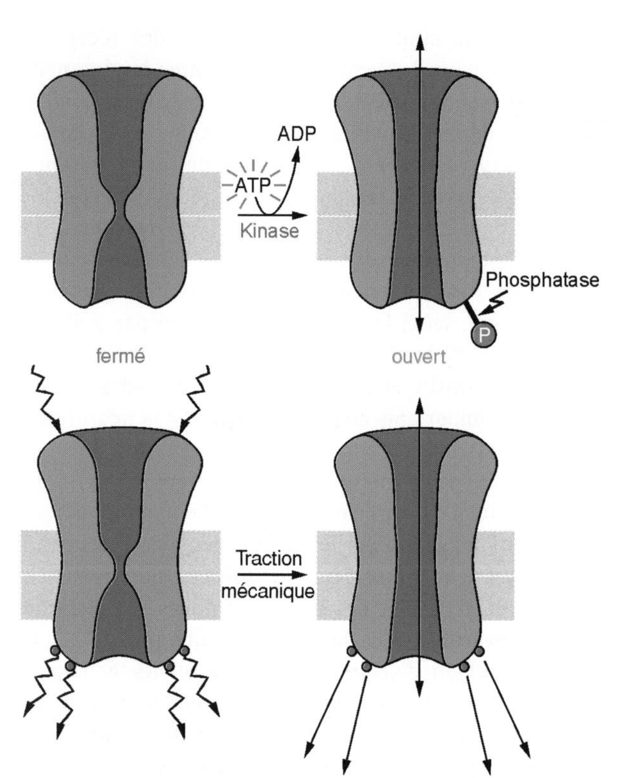

26.21 Mécanismes alternatifs d'ouverture et fermeture des canaux ioniques. La plupart des canaux ioniques sont contrôlés par la fixation d'un ligand ou sont dépendants du potentiel (non montré). D'autres canaux ioniques s'ouvrent par phosphorylation et se ferment par déphosphorylation (en haut) tandis que l'ouverture des canaux ioniques régulés par des signaux mécaniques dépend probablement de variations de tensions au niveau de composants du cytosquelette.

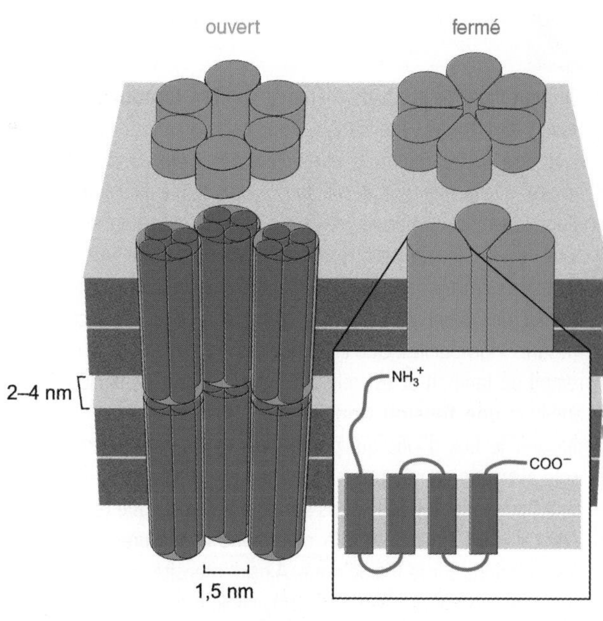

26.22 Structure des *gap junctions*. Deux connexones – hexamères de sous-unités de connexines– forment un canal continu entre les espaces cytosoliques de deux cellules voisines ; le diamètre du pore est d'environ 1,5 nm. Chaque molécule de connexine possède quatre hélices transmembranaires (encart). La concentration en Ca^{2+} d'une cellule régule l'état d'ouverture du pore.

de l'excitation électrique entre toutes les cellules musculaires cardiaques (syncytium cardiaque), ce qui induit une propagation coordonnée de la contraction dans l'ensemble du tissu musculaire cardiaque. Les *gap junctions* permettent également la propagation quasi-instantanée de l'excitation électrique au niveau des synapses (*fig.* 27.12). Elles ont aussi une fonction logistique et permettent, grâce au transport transcellulaire, l'approvisionnement métabolique dans les tissus mal irrigués (bradytrophiques) comme la cornée de l'œil. En revanche, les *gap junctions* peuvent se fermer très rapidement quand la concentration en Ca^{2+} d'une cellule augmente trop fortement ou quand son pH chute brutalement : en cas de risque de « naufrage », les cellules voisines ferment hermétiquement leurs « écoutilles », pour se protéger elles-mêmes.

Les bases moléculaires de l'excitation neuronale

27

Que vous soyez en train de feuilleter ces pages rapidement, ou que vous souhaitiez enregistrer l'intégralité de ce chapitre dans votre cerveau ou bien que vous soyez en train de peiner pour apprendre votre cours, toutes ces activités cérébrales sont basées sur les capacités d'interconnexions très précises d'un réseau de plus de 100 milliards de **neurones** (cellules nerveuses), rien que dans le cerveau. Le **système nerveux** humain régule des fonctions spontanées du corps, il contrôle les mouvements, transmet les perceptions et contrôle le comportement, il permet de se souvenir et d'être conscient et il crée ainsi l'identité humaine. Nous sommes loin de comprendre ce système complexe de **traitement d'information** dans tous ses détails moléculaires et encore moins dans sa globalité. Des travaux de recherche intensifs apportent pourtant constamment de nouvelles connaissances sur les processus moléculaires impliqués dans la **transmission du signal neuronal** et c'est pourquoi les neurosciences sont un domaine de recherche en expansion rapide. Dans ce chapitre qui concerne l'étude fonctionnelle du système nerveux, on se concentrera sur les principes de l'excitation neuronale. On examinera plus précisément le fonctionnement moléculaire des cellules excitables et on analysera les mécanismes biochimiques impliqués dans la génération, la propagation et la transmission des signaux neuronaux.

27.1 Un potentiel de repos se forme au niveau de la membrane cellulaire

Les cellules disposent dans leur milieu intérieur d'un nombre important de macromolécules – protéines, acides nucléiques, polysaccharides – dont les charges de surface se compensent grâce à la présence d'ions de charges opposées comme le Na^+, le K^+ et le Cl^-. Ces petits ions contribuent pour une bonne part à l'**osmolarité** intracellulaire d'environ 300 mosm/L (§ 1.9), tandis que les macromolécules n'ont que peu d'importance (*fig.* 27.1). Si les cellules n'exportaient pas constamment hors de leur cytoplasme des ions comme le Na^+, on observerait une entrée d'eau massive qui aurait pour conséquence un gonflement des cellules et finalement leur éclatement par lyse osmotique. Le prix à payer pour l'export ionique est une **distribution inégale des charges** au niveau de la membrane : comme la plupart des macromolécules restantes portent des charges négatives, le cytoplasme se trouve constamment en déficit de charges positives ; il est chargé négativement par rapport à l'espace extracellulaire.

Avec ses différents canaux ioniques, la membrane plasmique fonctionne donc comme une couche isolante disposant d'une perméabilité sélective : elle sépare la face

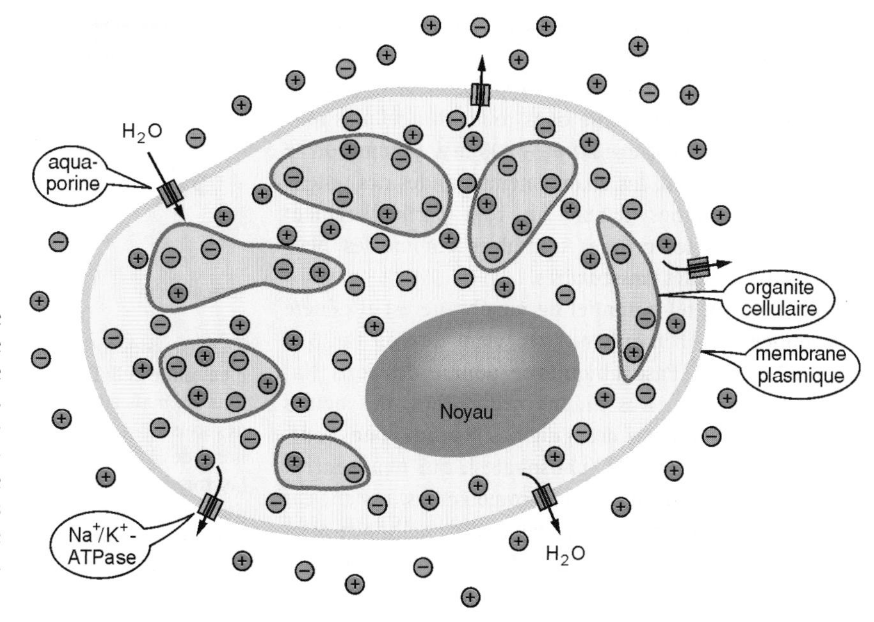

27.1 La régulation de l'osmolarité intracellulaire. La cellule diminue l'entrée d'eau surtout par l'export de Na^+ par la Na^+/K^+-ATPase (§ 26.1). L'eau peut traverser de façon contrôlée la membrane par des pores protéiques (aquaporine), comme c'est le cas dans les érythrocytes ou les cellules des tubules rénaux, ou de façon non contrôlée par diffusion directe à travers la membrane.

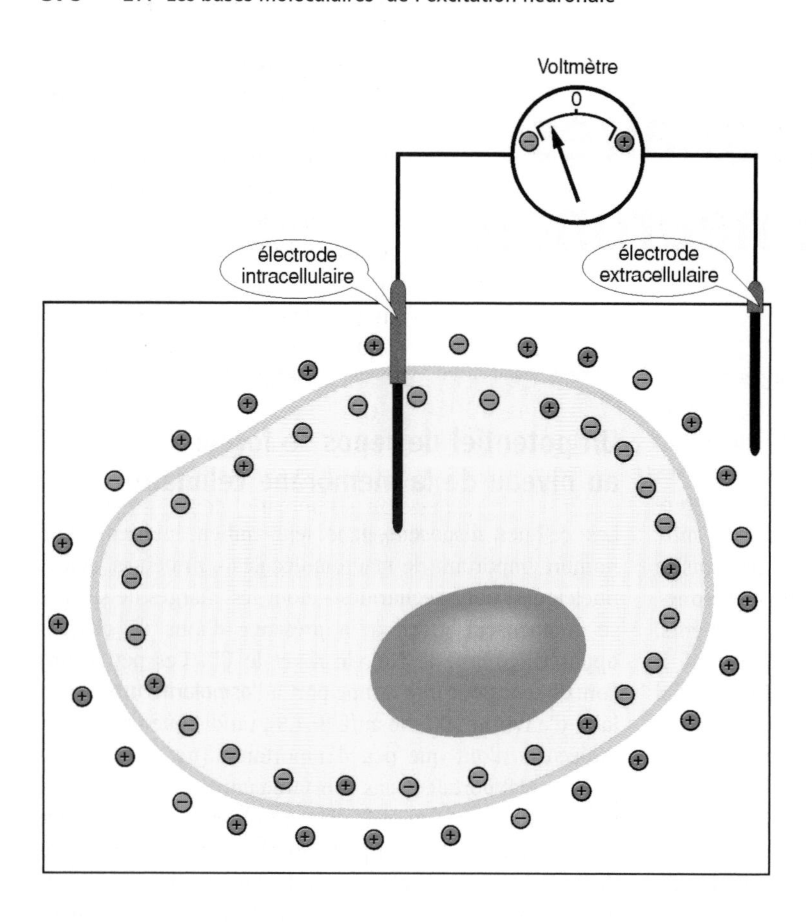

27.2 Mesure de la différence de potentiel au niveau de la membrane plasmique à l'aide de microélectrodes. Le potentiel de la membrane reflète la différence entre les charges électriques des compartiments intra- et extracellulaires. Le surplus de charges positives ou négatives est surtout concentré au voisinage de la membrane, tandis que le reste du cytoplasme présente une neutralité électrique. Le potentiel de membrane oscille considérablement en fonction du type de cellule ; dans le cas des neurones, le potentiel de repos s'élève en général à une valeur comprise entre – 60 et – 75 mV. [RF]

intérieure de la face extérieure d'une cellule et elle sépare également des concentrations différentes d'ions. *Comme les ions portent des charges électriques, une différence de potentiel ou* **tension électrique** *est ainsi générée, qu'on appelle un* **potentiel de membrane**. Dans la mesure où l'on a fixé arbitrairement à zéro le potentiel du liquide extracellulaire et que le surplus de charges négatives se trouve dans le cytoplasme, le potentiel de membrane porte un signe négatif. Pour les neurones à l'état de repos, ce potentiel de membrane au repos, appelé plus succinctement le **potentiel de repos**, s'élève à – 70 mV. On peut le mesurer à l'aide des microélectrodes (*fig.* 27.2). On trouve des potentiels de membrane dans toutes les cellules animales, ils varient entre – 20 et – 200 mV. Comme on le verra ultérieurement, les changements rapides des potentiels de membranes jouent un rôle particulièrement important dans les cellules excitables comme les neurones et les cellules musculaires.

Comment un tel potentiel de membrane est-il généré et comment est-il maintenu ? On vient de voir (§ 26.1) que la Na^+/K^+-ATPase ubiquitaire pompe des ions Na^+ hors de la cellule. Des anions organiques, des acides aminés (carboxylates), des glucides (carboxylates, sulfates) ou des nucléotides (phosphates), qui représentent souvent des composants de macromolécules, restent car ils ne peuvent pas traverser la membrane cellulaire simplement. En même temps, la Na^+/K^+-ATPase importe des ions K^+ dans la cellule ; plus précisément, elle importe

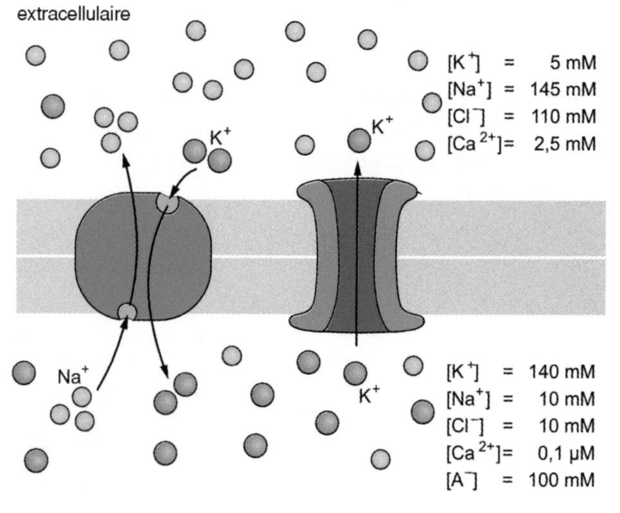

27.3 La concentration et l'échange d'ions au niveau de la membrane cellulaire. La Na^+/K^+-ATPase (à gauche) importe des ions K^+, mais elle exporte plus d'ions Na^+. Dans le même temps, des ions K^+ suivent leur gradient de concentration et diffusent hors de la cellule par des canaux non contrôlés ouverts (à droite) de la membrane au repos. Par des canaux spécifiques de la membrane au repos, des ions Na^+ traversent la membrane dans la direction opposée (entrée dans la cellule, non montré). Plusieurs flux ioniques contribuent au potentiel de repos d'une cellule. De gros anions (A^-) n'existent que dans le cytoplasme.

2 K^+ en échange de 3 Na^+ (*fig.* 26.1). Chaque « action » de la pompe permet donc d'exporter une charge positive nette. L'ATPase génère ainsi un déséquilibre électrique et elle est « **électrogène** ». Dans une cellule nerveuse au repos, les charges négatives intracellulaires sont principalement compensées par le K^+ : la concentration intracellulaire en K^+ est presque 30 fois supérieure à la concentration extracellulaire (*fig.* 27.3). Il existe donc un fort **gradient de K^+** à travers la membrane cellulaire, qui chute du cytosol vers l'espace extracellulaire.

27.2

Le gradient de K^+ détermine en général le potentiel de repos

Pourquoi ce fort gradient ne provoque-t-il pas la fuite de K^+ hors de la cellule ? De fait, beaucoup de cellules possèdent des **canaux K^+** sélectifs, spécifiques des membranes au repos et qui ne sont dépendants ni du potentiel ni de ligands mais qui sont ouverts en permanence : ils permettent un échange quasiment libre des ions K^+ à travers la membrane (*fig.* 27.3). *À l'état de repos, il existe un équilibre entre la force motrice – due au fort gradient de concentration – qui pousse le K^+ hors de la cellule – et le potentiel électrique – dû aux molécules porteuses de charges négatives dans le cytoplasme – qui a tendance à retenir les ions K^+ dans la cellule.* Le potentiel électrique contrebalance donc le gradient chimique : on parle d'un **équilibre électrochimique** (*fig.* 27.4). Le potentiel d'équilibre du K^+ s'élève à – 90 mV et il est donc proche du potentiel de repos réel d'une cellule d'environ – 70 mV. Puisque dans les cellules nerveuses il existe également un flux d'ions Na^+ et d'ions Cl^- par des canaux de repos, ces ions contribuent aussi, bien que de façon plus modeste, à la génération du potentiel de repos. En utilisant l'**équation de Nernst**, on peut décrire quantitativement le potentiel d'équilibre des ions (*encart* 27.1).

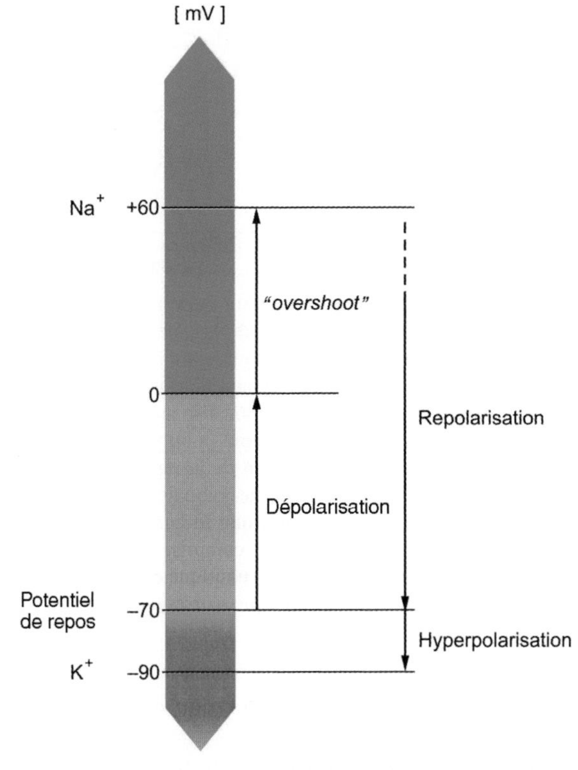

27.4 Les niveaux des potentiels d'équilibre pour les ions Na^+ et K^+ et le niveau d'un potentiel de repos typique d'une cellule. À l'état de repos, tous les ions d'une cellule qui peuvent traverser la membrane influencent le potentiel de membrane. Les changements du potentiel de repos vers le potentiel d'équilibre du Na^+ sont décrits respectivement comme une dépolarisation (jusqu'à 0 mV) ou un *overshoot* (> 0 mV) ; le retour vers le potentiel de repos est appelé une repolarisation. Si le potentiel de membrane va vers le potentiel d'équilibre du K^+, on parle d'une hyperpolarisation (§ 27.3).

Encart 27.1 : L'équation de Nernst et les flux ioniques

Quand les efflux et les influx d'un ion se contrebalancent, il n'y a plus de flux net à travers la membrane et il se constitue un **potentiel d'équilibre** pour cet ion. Les deux forces motrices du flux ionique, le gradient de concentration chimique et la différence du potentiel électrique sont en équilibre. Ensemble, les deux paramètres forment le **gradient électrochimique**. En utilisant l'équation de Nernst, on peut calculer le potentiel d'équilibre E pour chaque ion à une température T donnée, si les concentrations relatives des ions dans les compartiments intracellulaires et extracellulaires ($[c]_i$ et $[c]_e$) sont connues (*fig. 27.5*). Dans des cellules nerveuses avec $[c]_i^{K+} = 150$ mM et $[c]_e^{K+} = 5$ mM, le potentiel d'équilibre pour K^+ à 37 °C se situe à – 90,8 mV, tandis que le potentiel d'équilibre pour Na^+ avec $[c]_i^{Na+} = 15$ mM et $[c]_e^{Na+} = 150$ mM monte à + 61,5 mV. Avec une valeur de – 70 mV, le potentiel de repos de la plupart des cellules est très proche du potentiel d'équilibre de K^+ et est, en revanche, loin de celui de Na^+.

$$E = \frac{RT}{zF} \cdot \ln \frac{c_a}{c_i}$$

E [V]	Potentiel d'équilibre
R [J/K · mol]	Constante des gaz
T [K]	Température absolue
F [J/V · mol]	Constante de Faraday
c_a	Concentration ionique extracellulaire
c_i	Concentration ionique intracellulaire
z	Charge des ions

27.5 L'équation de Nernst et ses paramètres.

Le Na^+ présente une répartition inverse de celle du K^+ : la concentration extracellulaire est à peu près dix fois plus élevée que la concentration intracellulaire. De ce fait, le potentiel d'équilibre du Na^+ est loin du potentiel de repos d'une cellule. C'est seulement quand on inhibe la pompe Na^+-K^+ que le potentiel de repos d'une cellule disparaît et que la distribution des ions s'approche de l'équilibre électrochimique. La répartition inégale du K^+ et Na^+ de part et d'autre de la membrane a des conséquences importantes. De petites variations des charges suffisent pour générer un fort changement de potentiel au niveau de la membrane cellulaire : ainsi les cellules nerveuses laissent passer des flux ioniques à travers leur membrane plasmique en utilisant des **canaux contrôlés par le potentiel** de membrane et elles réussissent à changer brutalement leur potentiel de membrane ; la **propagation de l'influx nerveux** est basée sur ce phénomène.

27.3

Les cellules nerveuses peuvent réagir à un stimulus par la génération d'un potentiel d'action

Les neurones sont multiformes ; malgré tout, leur organisation structurale se distingue toujours nettement de toutes les autres cellules du corps. La morphologie d'une cellule nerveuse reflète l'ensemble des fonctions qu'elle doit remplir lors du traitement neuronal des informations, c'est-à-dire la perception d'un stimulus, la génération d'une réponse, et la transmission rapide du signal aux autres cellules nerveuses. Un neurone typique est constitué d'un corps cellulaire arrondi avec un noyau central et d'une multitude de ramifications, appelées les **dendrites** (du grec *dendron*, l'arbre), par lesquelles la cellule reçoit des signaux chimiques des autres neurones. Un seul prolongement étendu du cytoplasme – nommé la fibre nerveuse ou **l'axone** – achemine des signaux électriques sur de grandes distances jusqu'aux ramifications fines au bout de l'axone ou terminaisons axonales (*fig.* 27.6). La transmission du signal vers les cellules voisines est réalisée au niveau de sites de contact spécialisés, les **synapses**. Au niveau des **terminaisons synaptiques** de la cellule présynaptique, des neurotransmetteurs sont libérés dans la **fente synaptique**. Ce signal chimique est reçu par les récepteurs de la cellule postsynaptique et peut ensuite induire un signal électrique par changement du potentiel membranaire local. Selon les tâches à remplir, on distingue trois types majeurs de cellules nerveuses : les neurones sensoriels transmettent des signaux provenant des organes de sens, les motoneurones envoient des commandes aux muscles. Enfin, les interneurones (la vaste majorité des cellules nerveuses) transmettent des signaux entre neurones sur des distances plus ou moins longues

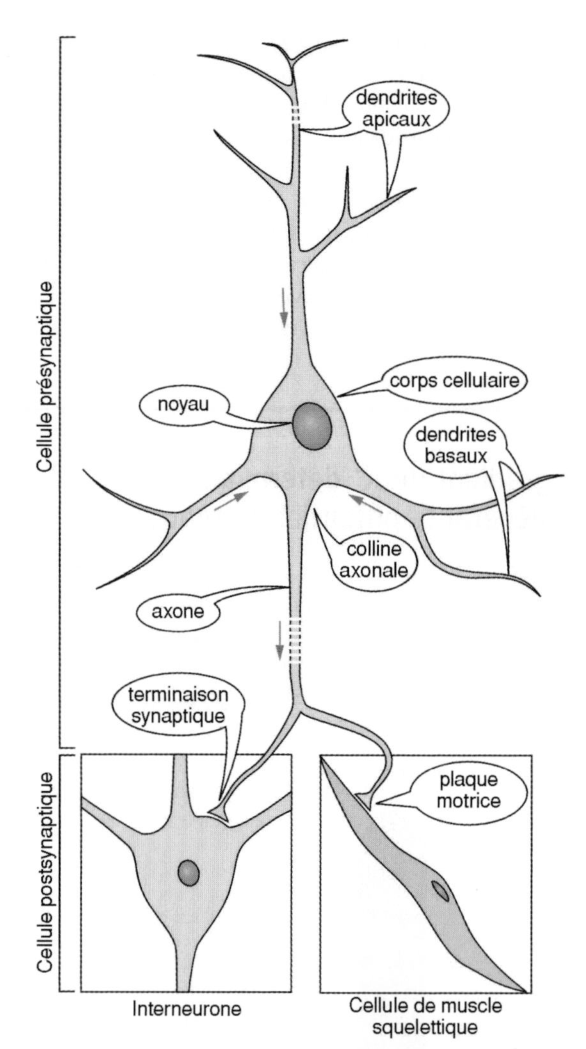

27.6 Représentation schématique d'un neurone. Les directions de déplacement des signaux pour les dendrites (signaux entrants) et l'axone (signaux sortants) sont indiquées par des flèches. La majorité des contacts synaptiques avec les terminaisons axonales d'autres neurones se localise au niveau des dendrites et du corps cellulaire (non montré). L'intégration neuronale du signal et la génération de la réponse ont lieu au niveau du cône d'émergence (colline axonale). Un axone peut être jusqu'à 10 000 fois plus long que le corps cellulaire. Les axones humains ont une longueur comprise entre 0,1 mm et jusqu'à plus de 1 m. La cellule présynaptique est appelée motoneurone si la cellule postsynaptique correspondante est une cellule musculaire (à droite).

et contribuent ainsi à la configuration de l'architecture fonctionnelle du réseau neuronal.

L'excitabilité des neurones est à la base du traitement des informations dans les réseaux neuronaux : les neurones peuvent réagir à des stimuli de nature chimique, électrique ou sensorielle par un faible, ou au contraire, par un fort changement du potentiel membranaire et propager cette modification. Si on considère d'un peu plus près un interneurone qui répond à une stimulation électrique suffisante par le déclenchement d'un **potentiel d'action** – une « impulsion » nerveuse – au niveau de

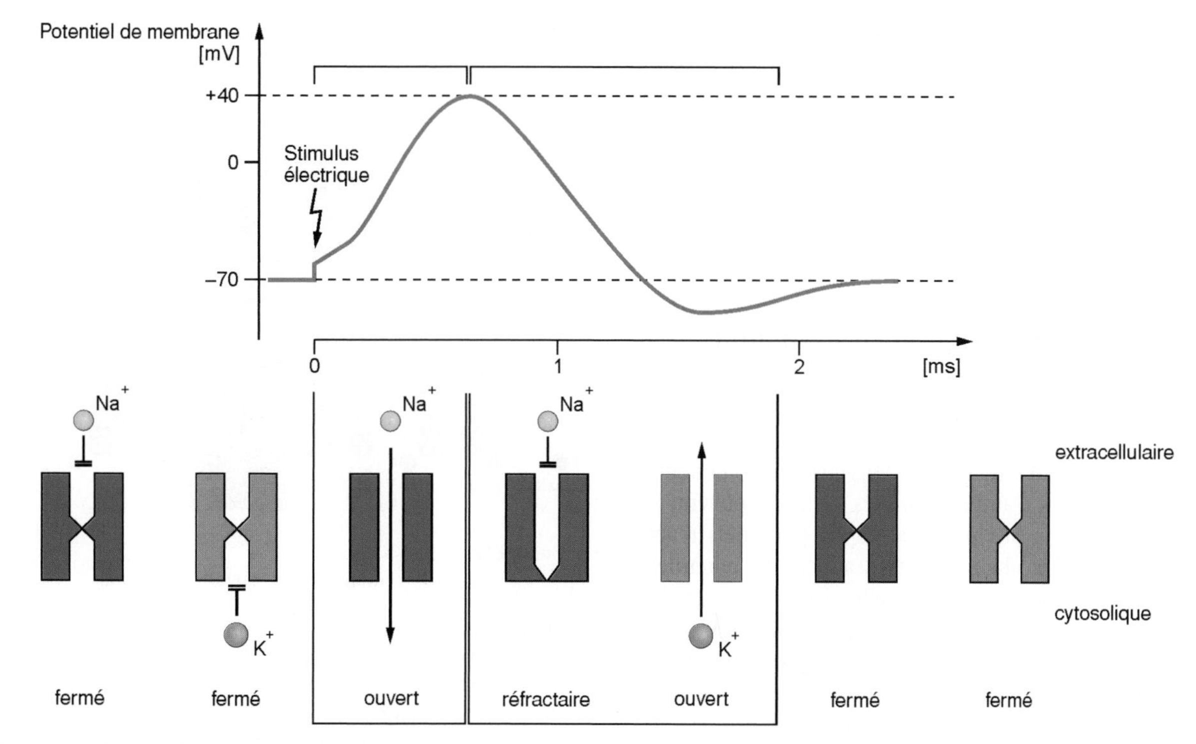

27.7 Déroulement d'un potentiel d'action neuronal au niveau de l'axone avec dépolarisation, repolarisation et hyperpolarisation. Quand la dépolarisation déclenchée par une stimulation locale dépasse une valeur seuil, des canaux sodiques dépendants du potentiel (en bleu) s'ouvrent brutalement ; les canaux K^+ dépendants du potentiel (en orange) réagissent avec un délai. Ces canaux ioniques fonctionnent selon le principe du « tout ou rien » : la conductivité d'un canal pris individuellement est toujours constante et elle n'est pas dépendante de l'intensité du stimulus.

l'axone : contrairement au potentiel de repos, pour lequel le K^+ joue « le premier violon », l'action est ici déterminée par le Na^+. Des canaux sodiques spécifiques perçoivent par leurs détecteurs (§ 26.6) un changement de potentiel et s'ouvrent quasi instantanément – après avoir atteint un seuil correspondant à une valeur de potentiel augmentée de 15 à 20 mV. Le long du fort gradient de concentration, plus de 6 000 ions Na^+ par canal envahissent la cellule et provoquent par le déplacement des charges positives une augmentation rapide du potentiel de membrane, le résultat étant une **dépolarisation** (*fig.* 27.7). L'entrée du Na^+ provoque une inversion complète de polarité électrique : après moins de 1 ms, le potentiel membranaire s'élève à + 30 à 40 mV (angl. *overshoot*). Les canaux Na^+ se referment à peu près 1 ms après leur ouverture et acquièrent un état non excitable, dit réfractaire (*fig.* 26.14). À ce moment, le gradient électrochimique pour le K^+ est loin de son état d'équilibre (+ 30 mV vs. – 90 mV) : du K^+ se précipite hors de la cellule par des canaux K^+, et la perte intracellulaire des charges positives inverse à nouveau brusquement le potentiel membranaire : ce processus est appelé une **repolarisation**. Durant ce processus, la cellule exagère l'inversion et atteint passagèrement un potentiel membranaire de – 90 mV environ : cette **hyperpolarisation** induit la fermeture des canaux K^+ dépendants du potentiel. Peu de temps après, la cellule atteint à nouveau le potentiel de repos de – 70 mV environ.

Les potentiels d'action reflètent l'ouverture et la fermeture, décalées dans le temps, des canaux Na^+ et K^+ dépendants du potentiel, en parallèle avec les **changements des courants ioniques**. Initialement, on observe une forte élévation du courant de Na^+ à travers la membrane, qui atteint son maximum en moins de 1 ms et qui

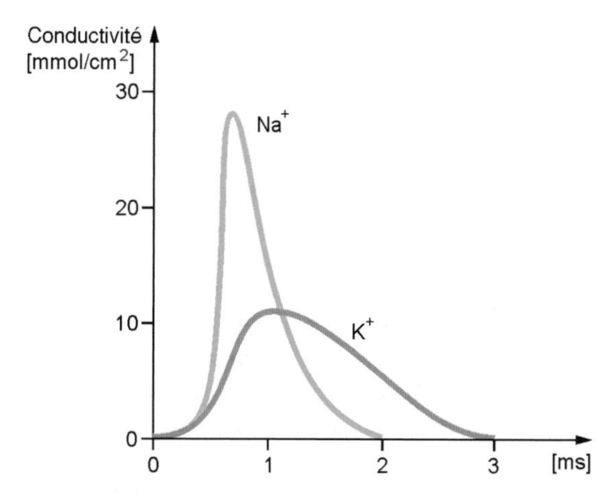

27.8 Les flux ioniques à travers une membrane axonale. Le graphique indique l'évolution au cours du temps des conductivités respectives pour le Na^+ et le K^+ à un point donné de l'axone. [RF]

diminue ensuite (*fig.* 27.8). Simultanément, le courant de K^+ commence à augmenter, il atteint son maximum après 1 ms environ pour s'affaiblir ensuite. Les cellules nerveuses ne sont pas les seules à présenter des potentiels d'action, on en observe également dans les cellules musculaires.

27.4

Les potentiels d'action se déroulent de façon unidirectionnelle, stéréotypée et souvent saltatoire

Les dendrites d'une cellule nerveuse transmettent les signaux venant d'autres neurones : le plus souvent, dans ce cas, il n'y a pas propagation de potentiels d'action mais plutôt des changements graduels du potentiel de membrane jusqu'au corps cellulaire. La centrale de « calcul » prenant en compte l'ensemble des signaux dendritiques – le lieu de **l'intégration neuronale** et donc de décision pour ou contre « la mise à feu » – est le **cône d'émergence** : c'est là que se trouve l'origine cellulaire des potentiels d'action. La valeur seuil permettant le déclenchement des potentiels d'action est plus faible au niveau du cône d'émergence – une élévation de 10 mV est déjà suffisante – si bien que les signaux d'excitation neuronale y sont générés en premier lieu. Une fois déclenché, le potentiel d'action a des effets importants sur les régions voisines de la membrane : les canaux Na^+ voisins perçoivent grâce à leurs détecteurs de potentiel la dépolarisation et y répondent par l'ouverture. C'est ainsi qu'un « effet domino » est généré et la dépolarisation se propage rapidement. Une particularité moléculaire empêche par ailleurs que le signal se propage dans les deux directions : après leur activation, les canaux Na^+ acquièrent pour un temps court un état non activable, dit **état réfractaire** (*fig.* 26.14). La conséquence est une **propagation unidirectionnelle** du potentiel d'action le long de l'axone jusqu'à sa terminaison synaptique (*fig.* 27.9). Une propagation rétrograde du potentiel d'action est bloquée efficacement par le cycle d'activité/inactivité des canaux. La durée minimale de l'état réfractaire est de 1 ms et détermine la fréquence maximale des potentiels d'action d'un neurone : cette fréquence peut atteindre plusieurs centaines d'impulsions (angl. *spikes* pics d'activité) par seconde, mais normalement un neurone ayant une fréquence de 100 Hz est considéré comme très actif.

Les potentiels d'action constituent l'unité de mesure dans le traitement du signal neuronal. En principe, ils se déroulent de la même façon dans tout le système nerveux. Quand la valeur seuil est dépassée, une séquence d'événements identique se déroule selon le **« principe du tout ou rien »** : la dépolarisation suivie d'une repolarisation est uniforme ; l'amplitude (100 mV environ) et la durée (1-2 ms) ne se modifient pas lors de la propagation

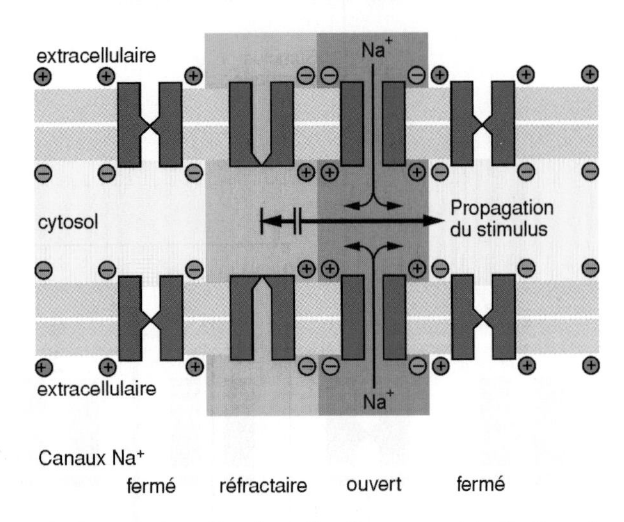

27.9 Propagation directionnelle d'un potentiel d'action. La figure montre une coupe longitudinale d'un axone. La succession ordonnée des états respectifs fermé/activable, ouvert ou bien fermé/réfractaire des canaux Na^+ dépendants du potentiel garantit la propagation directionnelle du potentiel d'action (vers la droite du schéma).

axonale (*fig.* 27.10). Comment un **signal aussi stéréotypé** peut-il être à l'origine du traitement de l'information neuronale dans toute sa diversité ? On trouve la réponse à cette question dans le **codage de fréquence** au niveau de chaque neurone individuel : la force d'un stimulus n'est *pas* corrélée à l'amplitude d'un potentiel d'action mais à la fréquence des trains de potentiels d'action. Plus le nombre de *spikes* par seconde est important, plus le stimulus est fort. En outre, la durée d'un stimulus est codée par la « durée des trains de potentiels » : plus le stimulus est long, plus les *bursts* sont longs, c'est-à-dire les séries de potentiels d'action. L'information transportée par un axone est donc caractérisée par deux propriétés du signal : le nombre des impulsions nerveuses et l'écart entre ces impulsions.

En dehors des neurones, un autre type cellulaire est indispensable au fonctionnement du système nerveux : les cellules gliales (du grec *glia*, colle). Elles sont dix à cinquante fois plus nombreuses que les neurones et remplissent des fonctions structurales et métaboliques importantes. Chez les vertébrés, beaucoup d'axones sont presque entièrement recouverts de deux types de cellules gliales : les **oligodendrocytes** – dans le système nerveux central – et les **cellules de Schwann** – dans le système nerveux périphérique – s'enroulent autour de l'axone. Ainsi, plusieurs couches membranaires forment les **gaines de myéline** qui sont pauvres en protéines. Elles isolent électriquement les circuits nerveux « nus » ce qui empêche la formation de fuites de courant, qui indui-

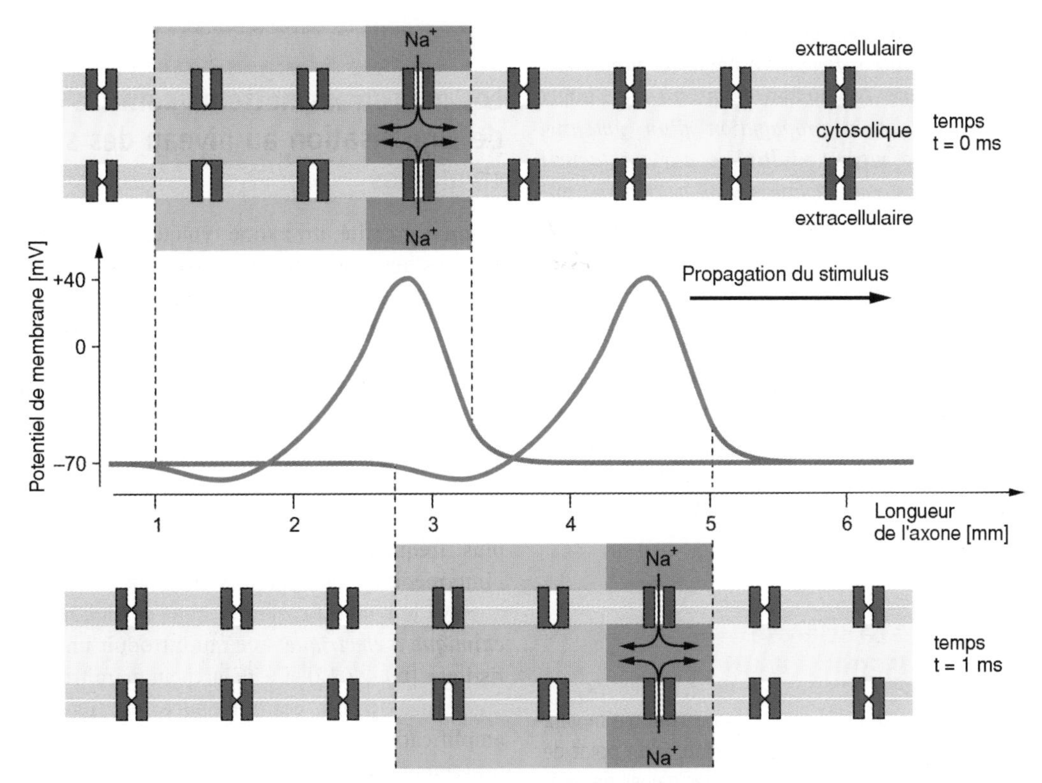

27.10 Propagation d'un potentiel d'action le long d'un axone non myélinisé. Les deux « instantanés » pris avec un délai de 1 ms montrent clairement comment le potentiel d'action est propagé. Seuls les états des canaux Na^+ sont indiqués sur la figure. La direction de la propagation de l'excitation électrique est indiquée par la flèche. Dans les axones myélinisés, la vitesse de conduction est beaucoup plus importante.

raient une baisse de l'amplitude des potentiels d'action. Un potentiel d'action peut donc courir le long d'un axone myélinisé sans diminuer notablement en amplitude. Sur le trajet axonal, le potentiel d'action rencontre périodiquement des **noeuds de Ranvier**, où l'isolation autour de l'axone est absente (*fig.* 27.11). Au niveau des noeuds de Ranvier, la membrane axonale est particulièrement riche en canaux dépendants du potentiel. Ces canaux réagissent brusquement à l'arrivée d'un potentiel d'action. Ils le régénèrent et le renvoient avec une *amplitude maximale* vers

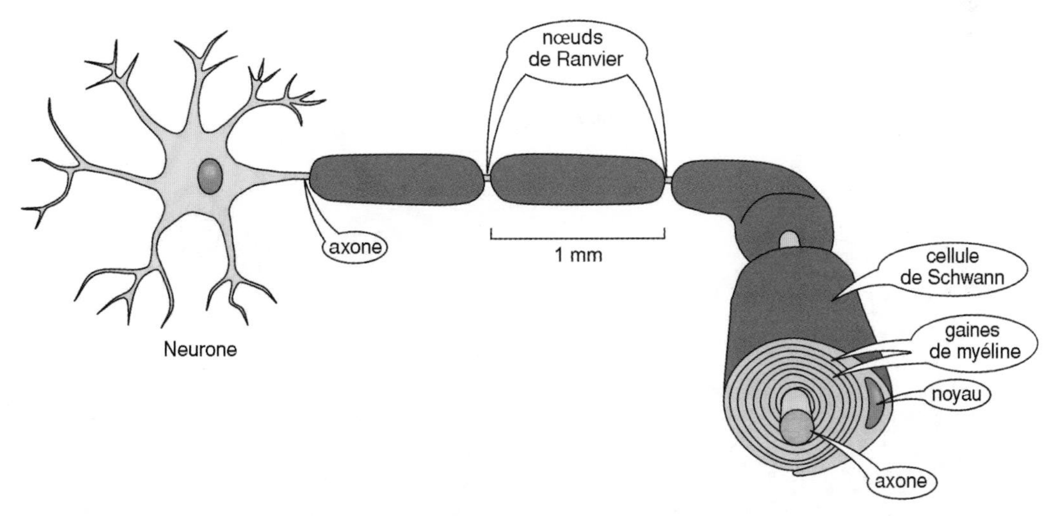

27.11 La gaine de myéline d'un axone. Dans le système nerveux périphérique, de nombreuses cellules de Schwann s'enroulent autour d'un axone et créent des segments (d'une longueur allant jusqu'à 1 mm) électriquement isolés. Entre eux se forment des petites lacunes (0,5 µm), qu'on appelle les nœuds de Ranvier. Ce n'est qu'au niveau de ces régions « nues » de la membrane axonale que des ions peuvent traverser la membrane, car les canaux ioniques dépendants du potentiel se concentrent dans cette région. Le saut des potentiels d'action d'un nœud de Ranvier au suivant génère la conduction saltatoire du signal. [RF]

le *segment axonal suivant*, de nouveau myélinisé. *Le potentiel d'action « saute » donc d'un nœud au nœud suivant. De ce fait, une* **conduction saltatoire de l'influx nerveux** *est générée et la propagation d'un potentiel d'action peut voir sa vitesse multipliée par un facteur important. Les axones non myélinisés de vertébrés conduisent l'influx nerveux avec une vitesse de moins de 3 m/s. Au contraire, l'influx nerveux peut atteindre une vitesse de conduction de presque 100 m/s (soit 360 km/h) dans les fibres motrices rapides Aα chez l'homme.*

On peut comprendre clairement l'importance de la conduction saltatoire en examinant les symptômes de la **sclérose en plaques**. Dans le cas de cette maladie, une démyélinisation des fibres nerveuses dans le cerveau et la moelle épinière mêne à un ralentissement de la propagation du signal neuronal (*encart* 27.2).

Encart 27.2 : La sclérose en plaques (SEP)

La SEP est marquée par une perte croissante du contrôle moteur et des perturbations croissantes de la perception. D'un point de vue cellulaire, cela correspond à une atrophie des gaines de myéline au niveau des axones dans le système nerveux central et dans la moelle épinière – également appelée une **démyélinisation** – qui est accompagnée par une conduction ralentie de l'influx nerveux. Les causes moléculaires de la SEP ne sont toujours pas totalement connues. Un mécanisme pathogénétique probable est la synthèse **d'auto-anticorps** agissant contre des protéines basiques des gaines de myéline (MBP *myelin basic proteins*) et contre d'autres composants des cellules gliales. La maladie se trouve plus souvent chez les femmes que chez les hommes. La thérapie symptomatique s'effectue par traitement avec des hormones stéroïdes (corticostéroïdes) ou avec la corticotropine (ACTH) ; il n'existe toujours pas de thérapie curative. Parmi les maladies auto-immunes, on compte aussi la myasthénie grave (*encart* 27.3)

27.5 Les neurotransmetteurs sont les molécules de signalisation au niveau des synapses chimiques

À son extrémité, un axone typique entre en contact avec d'autres neurones mais aussi avec des cellules musculaires ou glandulaires par l'intermédiaire de synapses. Dans le cas de **synapses électriques**, le stimulus est transmis sous forme de courants ioniques par des pores cellulaires (*gap junctions* ; § 26.9). Cette transmission aux cellules voisines est directe et sans délai. Par exemple, dans le muscle cardiaque, des groupes de cardiomyocytes peuvent se contracter de façon synchrone grâce à ce mode de transmission. Dans les neurones, on observe beaucoup plus fréquemment une transmission de stimulus par l'intermédiaire de **synapses chimiques.** Dans ce cas, on observe une modification du type de signal – *électrique à chimique à électrique* – ce qui introduit un délai caractéristique (*fig.* 27.12). Ce délai peut paraître un désavantage, mais il est contrebalancé par l'avantage d'une amplification du signal et également la possibilité d'un traitement du signal. On va tout d'abord examiner de près comment la modification et l'amplification des signaux neuronaux fonctionnent. On détaillera ensuite les possibilités de traitement du signal.

Les synapses chimiques sont caractérisées par des terminaisons synaptiques qui ne sont pas en contact direct avec la membrane cellulaire postsynaptique mais qui en sont séparées par une **fente synaptique** d'une largeur de 20 à 40 nm remplie de liquide extracellulaire. Dans les terminaisons axonales présynaptiques, des **neurotransmetteurs** (messagers chimiques) comme l'acétylcholine sont stockés dans de petites **vésicules synaptiques.** À l'arrivée d'un potentiel d'action – le *signal électrique* –, la dépolarisation active des canaux Ca^{2+} dépendants du

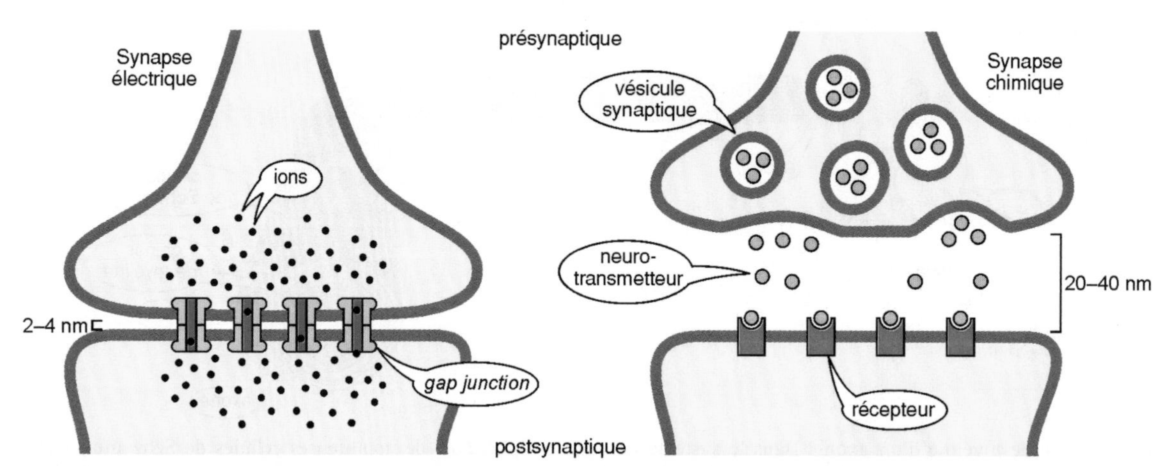

27.12 Le principe des synapses électriques et chimiques. Au niveau des synapses électriques, l'influx nerveux peut être transmis directement et sans délai sous la forme de flux ioniques par les connexones des *gap junctions* (*fig.* 26.22). Au niveau des synapses chimiques qui présentent une fente synaptique 10 fois plus large, la double modification du signal introduit un délai typique dans la propagation du signal (au minimum 0,3 ms ; dans la plupart des cas jusqu'à quelques millisecondes).

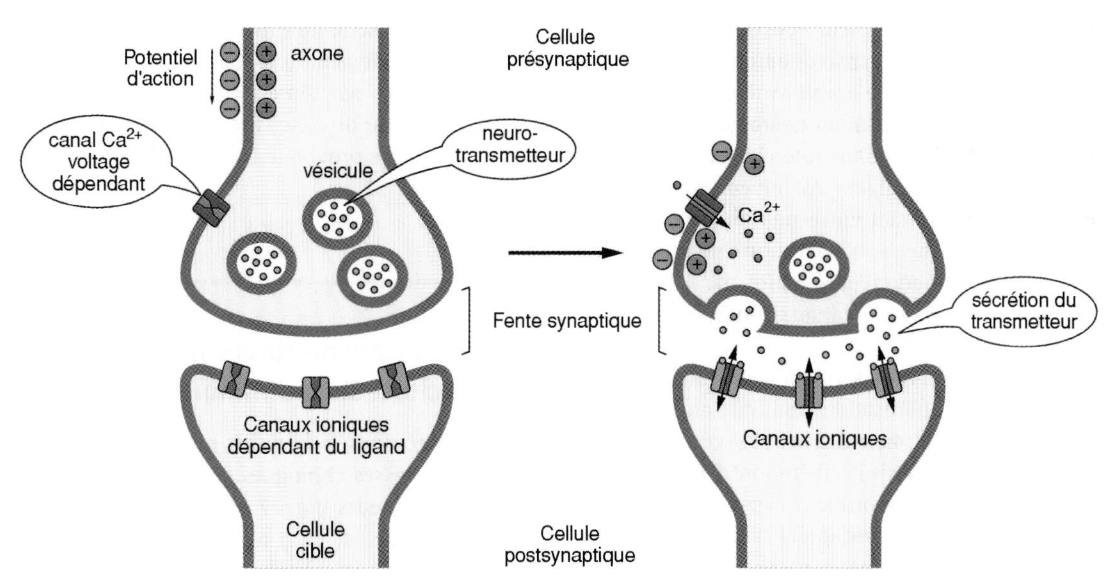

27.13 Traduction du signal par les neurotransmetteurs au niveau des synapses chimiques. L'influx nerveux entrant provoque l'ouverture des canaux Ca^{2+} puis une fusion des vésicules synaptiques avec la membrane présynaptique. Les neurotransmetteurs sont alors libérés et atteignent une concentration extrêmement forte dans la fente synaptique. Des récepteurs spécifiques postsynaptiques perçoivent le signal chimique et répondent par l'activation de leurs canaux dépendants des ligands. Le flux ionique induit à travers la membrane provoque un changement local du potentiel membranaire et induit ainsi un signal électrique dans la cellule cible (non montré).

potentiel dans la membrane présynaptique, ce qui provoque une entrée de Ca^{2+} et une augmentation transitoire de la concentration intracellulaire en Ca^{2+}. Il s'ensuit une fusion des vésicules contenant les neurotransmetteurs avec la membrane plasmique proche et la libération de leur contenu dans la fente synaptique. Les neurotransmetteurs ainsi libérés diffusent rapidement à travers la fente et se lient – comme *signal chimique* – aux **canaux ioniques dépendants de ligands** des cellules cibles postsynaptiques (*fig.* 27.13). L'activité induite des canaux modifie le potentiel membranaire local par des flux ioniques, provoquant une dépolarisation graduelle ou au contraire une hyperpolarisation de la membrane qui peut influencer – comme *signal électrique* – le comportement de la cellule postsynaptique. Un seul potentiel d'action suffit pour déverser le contenu de plusieurs vésicules synaptiques, contenant chacune 10^4 à 10^5 molécules de transmetteur. Dans la plupart des cas, ces neurotransmet-

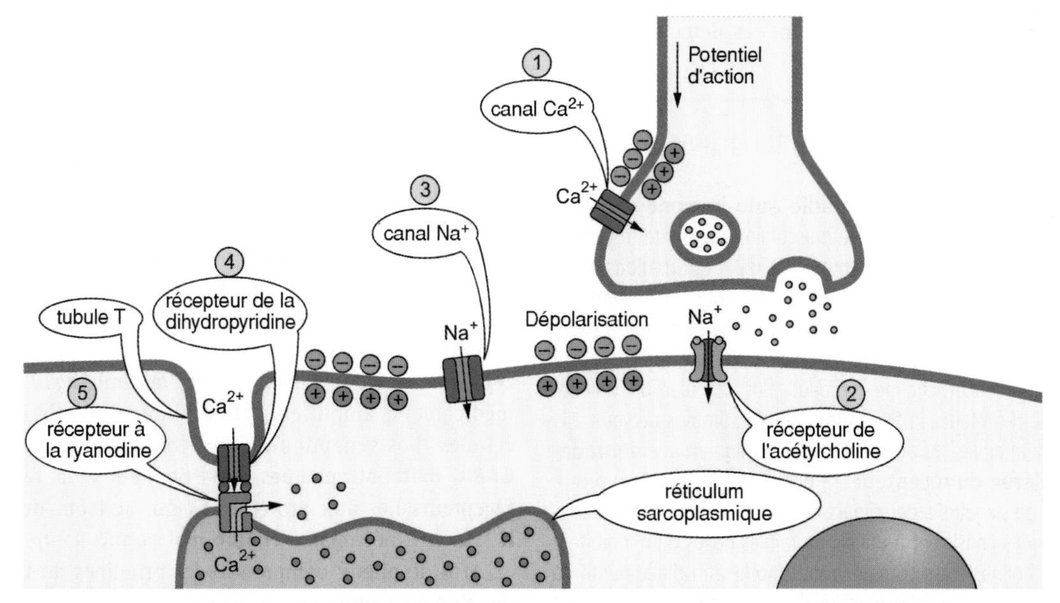

27.14 Traduction du signal neuromusculaire. Au niveau de la plaque motrice, l'action concertée des divers canaux ioniques dépendants du potentiel ou bien de ligands permet la transformation d'un signal électrique en contraction musculaire (voir les explications dans le texte). Les récepteurs à l'acétylcholine sont fréquemment trouvés dans les replis de la membrane postsynaptique (non montré).

teurs activent plusieurs récepteurs postsynaptiques, d'où la réaction de milliers de canaux ioniques : la synapse chimique fonctionne comme *amplificateur de signal.*

La **transmission de l'excitation neuromusculaire**, dans laquelle l'acétylcholine joue un rôle clé, est bien caractérisée sur le plan moléculaire. Au niveau de la **plaque motrice** – le site de contact entre motoneurone et fibre musculaire squelettique – l'excitation neuronale est transformée en contraction musculaire par l'activation séquentielle d'au moins cinq canaux ioniques différents (*fig.* 27.14).

Lorsqu'un influx nerveux arrive à la terminaison d'un motoneurone, la dépolarisation induit l'ouverture de **canaux Ca^{2+} dépendants du potentiel** (1), ce qui permet une entrée de Ca^{2+} et induit la libération d'acétylcholine au niveau de la plaque motrice. Le neurotransmetteur libéré active à son tour le **récepteur nicotinique à l'acétylcholine** (2) dans la membrane postsynaptique, ce qui mène à une dépolarisation locale et à l'ouverture de **canaux Na^+ dépendants du potentiel** (3) aboutissant à une amplification de la dépolarisation. Des potentiels d'action se propagent alors à l'ensemble de la membrane plasmique de la cellule musculaire, le sarcolemme (§ 9.1). Ils atteignent finalement le système de tubules T à l'intérieur de la fibre musculaire striée (*fig.* 9.8) où ils activent des canaux Ca^{2+} dépendants du potentiel du type **récepteurs à la dihydropyridine** (4). Le signal est transmis à des **récepteurs à la ryanodine** voisins (5), qui constituent des canaux Ca^{2+} dans la membrane du réticulum sarcoplasmique (RS). De ce fait, la concentration cytosolique de Ca^{2+} est fortement augmentée. Il faut noter que le Ca^{2+} provient surtout du RS dans les muscles squelettiques tandis que dans le muscle cardiaque, c'est également du Ca^{2+} extracellulaire qui entre dans la cellule pour parvenir au sarcolemme. L'augmentation de concentration intracellulaire en Ca^{2+} aboutit dans les deux cas – ainsi que dans la musculature lisse (§ 9.6) où le Ca^{2+} extracellulaire joue également le rôle principal – à la contraction des myofibrilles par l'intermédiaire de protéines liant le Ca^{2+}. L'inhibition de cette cascade au niveau du récepteur à l'acétylcholine provoque le développement d'une **myasthénie** (*encart* 27.3).

Encart 27.3 : Myasthénie grave

La myasthénie grave est une **maladie auto-immune** rare, dont les symptômes sont une faiblesse musculaire fluctuante (myasthénie), des paupières tombantes (ptose) et des perturbations de la vision. La cause de cette maladie grave est – dans la plupart des cas – la production d'**auto-anticorps** contre le récepteur à l'acétylcholine, ce qui provoque une diminution du nombre de récepteurs. Comme l'acétylcholine ne peut plus stimuler un nombre suffisant de récepteurs, la transformation du stimulus nerveux à la synapse est affaiblie. Les auto-anticorps provoquent une **dégradation accélérée du récepteur** : la demi-vie biologique du récepteur passe de six jours à deux jours et demi environ. Les approches thérapeutiques consistent à utiliser de faibles doses d'un inhibiteur de l'acétylcholinestérase comme le mestinone, afin d'augmenter la concentration en neurotransmetteur dans la synapse en retardant le catabolisme de l'acétylcholine, ainsi que des immunosuppresseurs pour réduire la production des auto-anticorps.

27.6 Les neurotransmetteurs peuvent être excitateurs ou inhibiteurs

Différents composés de poids moléculaire bas, appartenant à des classes chimiques diverses jouent des rôles de neurotransmetteurs (*fig.* 27.15) : des acides aminés (glutamate, glycine, acide γ-amino-butyrique), des dérivés d'acides aminés (catécholamine, histamine, sérotonine), l'acétylcholine ainsi que l'ATP et ses produits de dégradation (l'adénosine). Les canaux ioniques des cellules cibles qui sont dépendants des neurotransmetteurs transforment les signaux chimiques en signaux électriques, ce qui génère un **potentiel** (post)**synaptique**. Au niveau des **synapses excitatrices**, l'acétylcholine ou le glutamate – le neurotransmetteur le plus important du système nerveux central – exercent une action stimulatrice. Ils ouvrent des canaux ioniques dépendants de ligands, réduisent par l'entrée de Na^+ le potentiel membranaire local, et exercent de ce fait un **PPSE**, un potentiel postsynaptique excitateur. Des PPSEs uniques ne peuvent pas déclencher un potentiel d'action dans le neurone cible : ils dépolarisent le potentiel membranaire de moins d'un millivolt. Pour déclencher un potentiel d'action, de nombreux signaux entrants doivent s'additionner.

En revanche, d'autres neurotransmetteurs comme la glycine exercent un effet inhibiteur : au niveau des **synapses inhibitrices**, ils ouvrent des canaux Cl^- dépendants du potentiel, ce qui induit une hyperpolarisation locale de la membrane cible et la génération d'un **PPSI**, un potentiel postsynaptique inhibiteur qui contrarie la génération des potentiels d'action. L'acide γ-amino-butyrique (GABA) contrôle deux types de récepteurs. Les **récepteurs $GABA_A$ et $GABA_C$ ionotropes** sont des canaux chlore dépendants de ligands, et sont la cible de nombreuses molécules psychotropes comme par exemple, des hypnotiques (barbituriques) et des sédatifs (des benzodiazépines comme le Librium et le Valium) (*fig.* 27.16). Ces médicaments amplifient l'effet inhibiteur du GABA sur les cellules postsynaptiques. Au contraire, les **récepteurs $GABA_B$ métabotrophiques** appartiennent à la famille des récepteurs liés aux protéines G, qui activent des canaux K^+ par un mécanisme encore mal connu (*chap.* 29).

Afin de mieux comprendre les principes du **traitement des signaux neuronaux**, on va utiliser maintenant quelques métaphores techniques : on peut concevoir le neurone comme un ordinateur qui intègre d'innombrables signaux

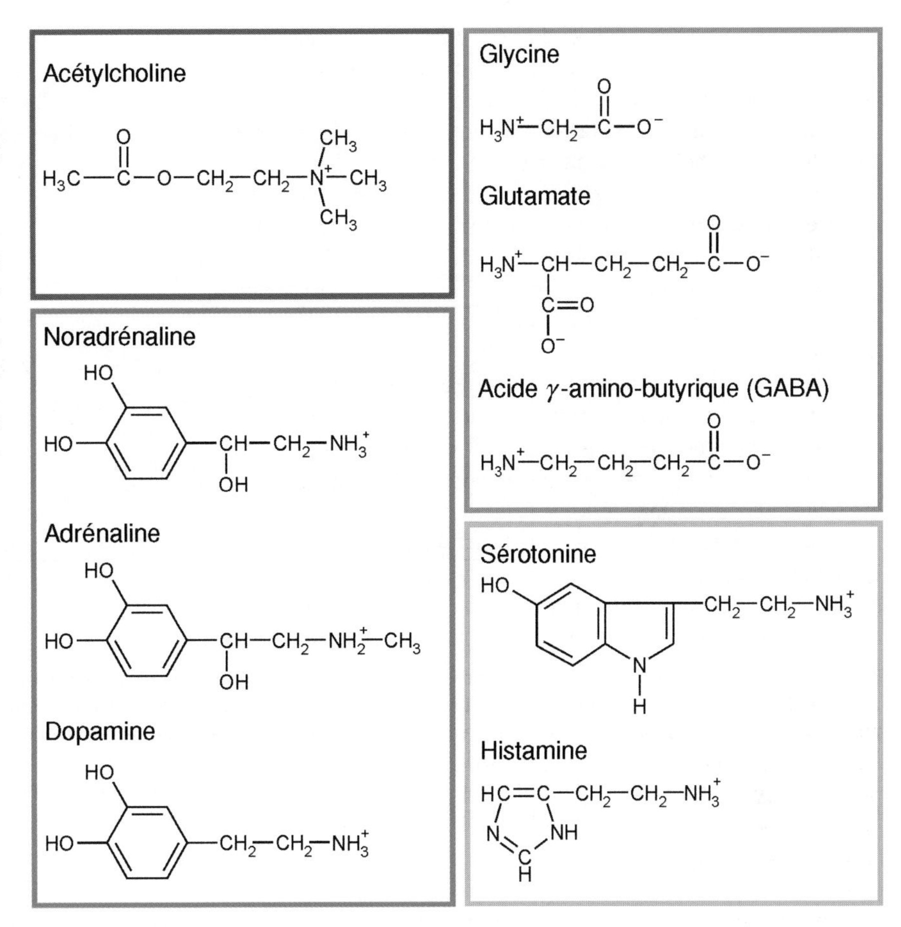

27.15 Structure de quelques neurotransmetteurs représentatifs. Les catécholamines adrénaline (angl. *epinephrine*), noradrénaline (angl. *norepinephrine*) et dopamine sont formés à partir de la tyrosine, l'histamine ou l'histidine respectivement. La sérotonine est un dérivé du tryptophane ; ils appartiennent à la famille des amines biogènes (*encart* 44.4). Contrairement à la glycine et au glutamate, l'acide γ-amino-butyrique (GABA) n'est pas un acide aminé protéogène. L'ATP et les gaz NO et CO jouent également un rôle dans la neurotransmission (non montré).

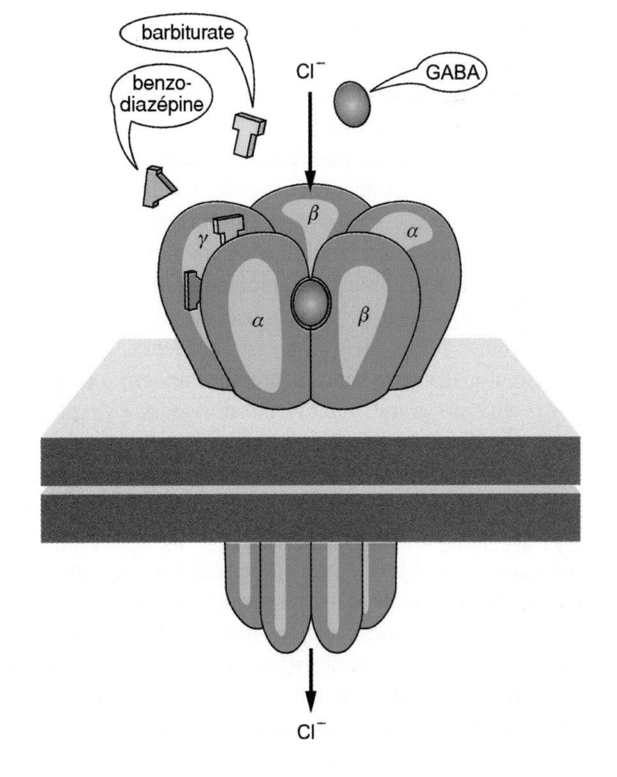

27.16 Structure du récepteur $GABA_A$. Le récepteur ionotrope $GABA_A$ est un hétéropentamère et présente dans la plupart des cas la structure $\alpha_2\beta_2\gamma_2$ avec deux sous-unités α et deux sous-unités β identiques. Les différents sites de liaison pour le GABA des barbiturates et des benzodiazépines sont indiqués. Contrairement au récepteur $GAGA_A$, le récepteur $GABA_C$ est un homopentamère composé de cinq sous-unites-ρ. [RF]

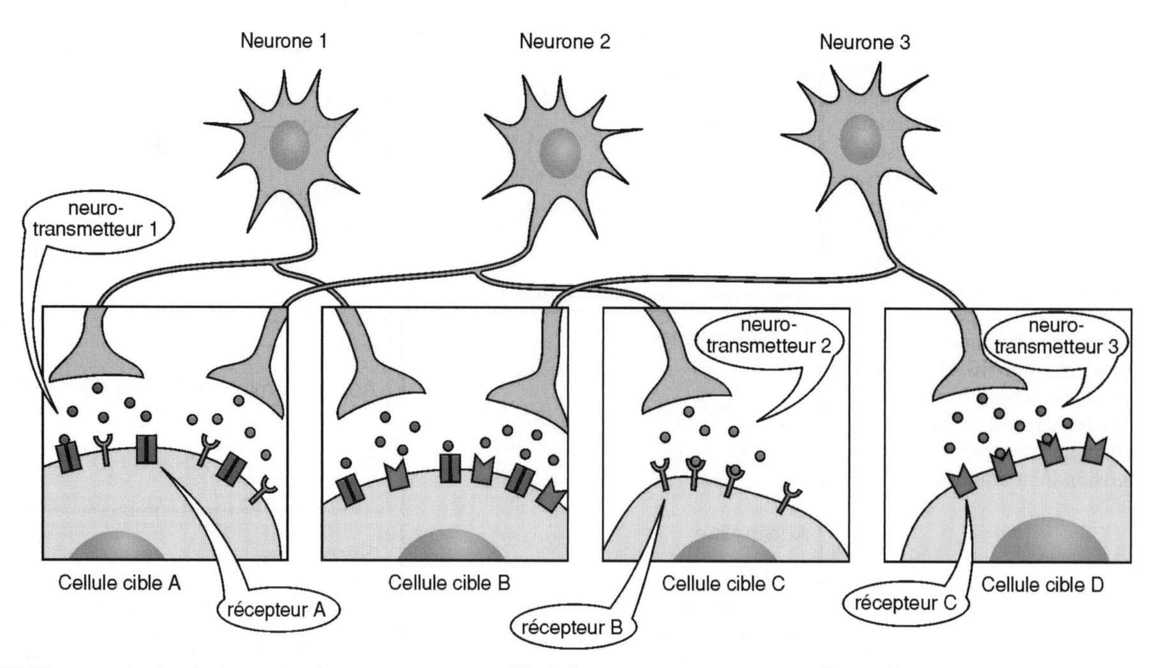

27.17 Un exemple simple des connexions entre neurones. Généralement, un neurone particulier ne libère qu'un seul type de neurotransmetteur dans l'espace intersynaptique. La qualité inhibitrice ou bien excitatrice du signal est déterminée par les récepteurs postsynaptiques Un neurone est en contact avec de nombreux autres neurones par plusieurs synapses et c'est l'intégration de tous les signaux inhibiteurs et excitateurs qui décide finalement de la réponse du neurone cible. Le regroupement d'un très grand nombre de neurones dont chacun est influencé par des milliers de synapses crée un réseau neuronal extrêmement complexe, dans lequel la structure des connexions est déterminante pour la transmission des informations.

entrants, afin de générer une réponse. En moyenne, 10^3 terminaisons synaptiques d'autres neurones – jusqu'à 10^5 dans les cellules de Purkinje du cervelet – convergent vers une seule cellule nerveuse et lui transmettent constamment de petits PPSEs et PPSIs comme analogues de signaux entrants. L'**addition dans le temps et dans l'espace** de tous les signaux inhibiteurs et excitateurs constitue **l'intégration neuronale** et a lieu au niveau du cône d'émergence. La résultante est un seul signal sortant digital : « tirer ou ne pas tirer ». Comme on l'a déjà vu, les potentiels d'action générés codent leurs informations par une fréquence, c'est-à-dire une succession de signaux digitaux. Après transformation en un signal analogique, c'est-à-dire un nombre de molécules de transmetteur libérées au niveau de la synapse, le comportement de nombreux autres neurones est influencé (*fig.* 27.17). L'ensemble des **connexions neuronales** revient à connecter entre eux un grand nombre d'ordinateurs « simples » et crée un **réseau neuronal** puissant.

Le nombre total de connexions synaptiques dans le cerveau humain est estimé à 10^{14}. Mais la **complexité énorme** qui en résulte ne suffit pas pour expliquer sa puissance cognitive. Il faut également tenir compte de **la plasticité structurale** d'un réseau neuronal aussi important : le réseau fonctionne en interaction constante avec son environnement et constitue un **système auto-organisateur** et flexible, qui est en mesure d'amplifier ou d'affaiblir ses connexions neuronales *selon son activité* ; c'est ce qu'on appelle la **plasticité synaptique.** On peut prendre l'exemple de la **potentialisation à long terme** (LTP ; angl *long term potentiation*), une amplification durable des connexions synaptiques qu'on observe après une stimulation forte et simultanée des cellules pré- et postsynaptiques (*fig. 27.18*). Les causes moléculaires de la LTP sont la stimulation de canaux ioniques spécifiques qui sont contrôlés selon *deux modes.* Ces **récepteurs canaux NMDA** – appelés ainsi d'après leur ligand synthétique le N-méthyl-D-aspartate – sont à la fois activés par le glutamate et le potentiel membranaire. Lors d'une transmission synaptique (1) normale, le neurotransmetteur glutamate se lie bien à son récepteur, mais le canal du récepteur NMDA reste d'abord fermé, parce qu'il est bloqué par des ions Mg^{2+}. La dépolarisation postsynaptique se produit alors principalement grâce à des récepteurs au glutamate non-NMDA. Ce n'est qu'après une nouvelle stimulation arrivant au niveau d'une membrane postsynaptique déjà « pré-dépolarisée » (2) que ce blocage est suspendu. Des ions Na^+ et Ca^{2+} peuvent alors affluer dans la cellule. L'augmentation de concentration du Ca^{2+} induit l'activation du système Calmoduline/CaM-kinase (§ 29.8) et déclenche différentes cascades de signalisation. La phosphorylation et la synthèse *de novo* de récepteurs non-NMDA mènent à un renforcement de la connexion synaptique. Un mécanisme de rétrocontrôle contribue à l'amplification du signal : un **messager rétrograde** – probablement le NO – est transmis vers la cellule

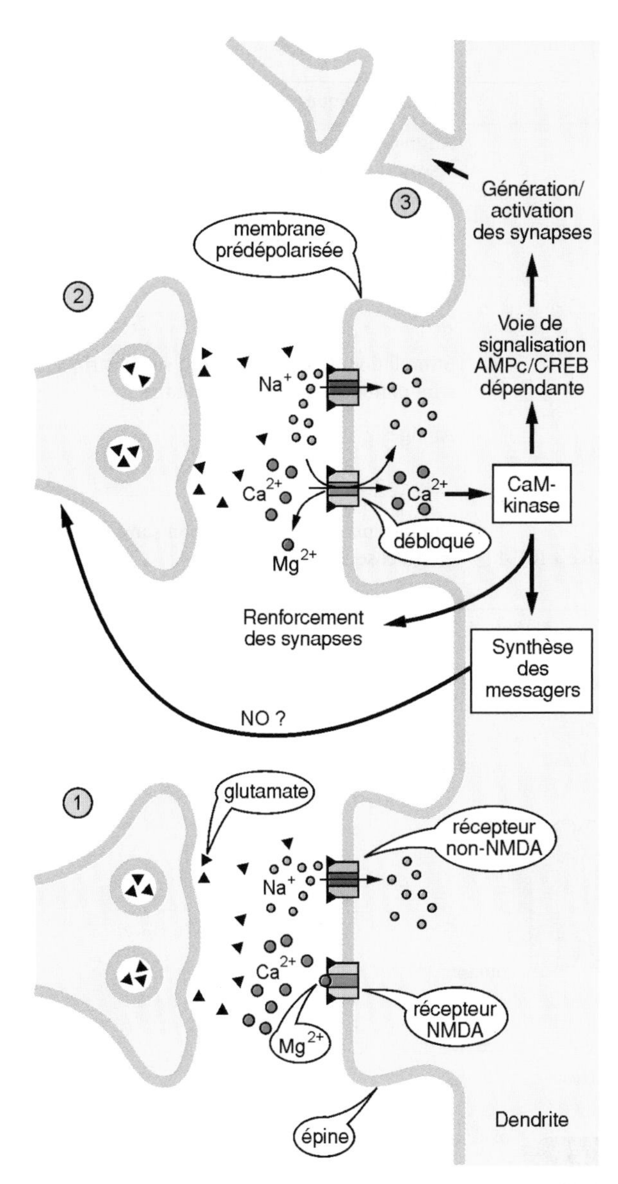

27.18 Le principe de la potentialisation à long terme (LTP) par l'intermédiaire des récepteurs NMDA. Les récepteurs canaux au NMDA sont trouvés en grande quantité sur les épines dendritiques (angl. *spines*), et sont contrôlés doublement. La liaison d'un ligand ne suffit pas. Il faut en plus une dépolarisation de la membrane postsynaptique pour supprimer le blocage par le Mg^{2+}. L'entrée consécutive de Ca^{2+} entraîne l'activation du complexe calmoduline/CaM-kinase et un renforcement ainsi qu'une amplification de l'activité synaptique (explications dans le texte). [RF]

présynaptique et induit une augmentation de la libération de transmetteurs. Plus tardivement (3), la stimulation de nouvelles synapses est induite par l'intermédiaire de processus AMPc/CREB dépendants (§ 20.6 et 29.5). La potentialisation à long terme est un modèle cellulaire des mécanismes impliqués dans **l'apprentissage et la mémorisation.**

27.7 Des neuropeptides et des toxines modulent l'activité synaptique

Le nombre de neurotransmetteurs à poids moléculaire bas est relativement faible ; au contraire, le nombre de **neuropeptides** connus, qui agissent comme transmetteurs au niveau des synapses est en constante augmentation (*tab.* 27.1). Les enképhalines sont des exemples de transmetteurs peptidiques qui non seulement peuvent se lier aux cellules postsynaptiques mais peuvent également atteindre par diffusion des cellules cibles éloignées : on parle alors de **neurohormones**. Parmi les prototypes de ce groupe, on compte le neuropeptide Y, impliqué dans la régulation de l'appétit, ainsi que l'enképhaline et ses dérivés les endorphines, qui se lient comme analgésiques endogènes aux mêmes récepteurs que la morphine. Il est à noter que les endorphines et la corticotropine (ACTH), le régulateur le plus important de la biosynthèse du cortisol, proviennent d'un précurseur commun, la proopiomélanocortine (POMC) (§ 28.5). *On a là un premier exemple de liaison entre différents systèmes de communication du corps : la signalisation neuronale et la signalisation hormonale coopèrent l'une avec l'autre et sont fonctionnellement complémentaires.*

De nombreuses toxines s'attaquent au système nerveux. Par exemple, la **strychnine**, qui est synthétisée par des plantes du genre *Strychnos,* se lie spécifiquement aux récepteurs à la glycine dans le système nerveux central et les bloque presque complètement (*fig.* 27.19). Ce blocage de récepteurs inhibiteurs, provoque une surexcitabilité générale accompagnée de spasmes musculaires et de crampes conduisant finalement à la mort par blocage des muscles respiratoires. La **tétrodotoxine** (TTX), le poison du poisson-globe, se lie aux canaux sodiques des fibres nerveuses et bloque tout flux ionique. En conséquence, les axones ne peuvent plus propager de potentiel d'action, ce qui provoque une paralysie des muscles respiratoires et la mort rapide par asphyxie. Un poison moins connu, mais tout aussi mortel, est la **vératridine** qui se trouve dans les semences d'une liliacée : cette toxine se lie aux canaux sodiques et les bloque en conformation « ouverte », ce qui empêche également la propagation de l'influx nerveux. Les toxines de serpents, comme la **bungarotoxine** et la **cobratoxine** se lient avec une haute affinité au récepteur nicotinique à l'acétylcholine et inhibent ainsi la transmission neuromusculaire : la respiration est alors bloquée.

En dehors du blocage chimique, la perte complète de fonction d'un neurone peut également avoir lieu après section mécanique d'un axone, c'est par exemple le cas pour des paraplégies observées après des accidents. Ces dommages sont généralement irréparables ; ce n'est que très récemment que l'on a commencé à développer des stratégies moléculaires et cellulaires pour obtenir la **régénération des cellules nerveuses** (*encart* 27.4).

Tableau 27.1 Neuropeptides et neurohormones humaines

Famille	Représentants	Effets biologiques
Hormones neurohypophysaires	Vasopressine Ocytocine	Augmentation de la tension artérielle, résorption d'eau dans les reins, déclenchement de l'accouchement
Tachykinines	Substance P Substance K (Neurokinine A) Bombésine	Contraction des muscles lisses, hyperalgésie
Gastrines	Gastrine Cholécystokinines	Stimulation de la sécrétion du suc gastrique, stimulation de la sécrétion biliaire
Opioïdes	Endorphines Enképhalines Dynorphine	Analgésie
Insulines	Insuline facteurs de croissance « insulin-like » IGF-I IGF-II	Diminution de la concentration sanguine en glucose

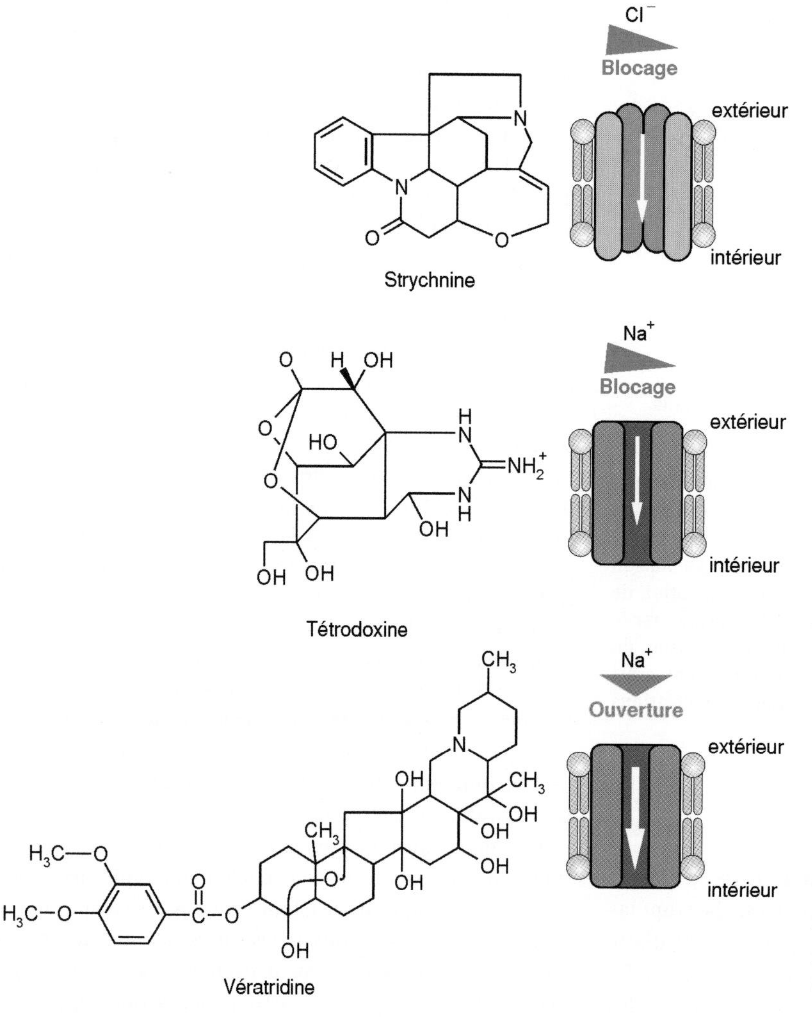

27.19 Structure chimique de différentes neurotoxines de faible poids moléculaire. Les protéines cibles ainsi que les mécanismes d'action de la strychnine, de la tétrodoxine et de la vératridine sont indiqués. La dose létale de la strychnine chez l'homme est d'environ 75 mg. [RF]

Encart 27.4 : La régénération des cellules nerveuses

Quand la transmission des stimuli par les cellules nerveuses est détruite à cause d'un trauma ou d'une maladie neurodégénérative, on observe fréquemment la démyélinisation, la rétraction ou une croissance aberrante des axones sectionnés et finalement la mort des neurones affectés. Des cellules souches embryonnaires (encore pluripotentes) peuvent être isolées et cultivées *in vitro*. Quand on les stimule par le **facteur de croissance NGF** (*nerve growth factor*), ces cellules peuvent se différencier et remplacer des neurones et des cellules gliales dégénérées. Ce processus est stimulé par des **facteurs neurotrophiques** comme la neurotrophine NT-3 et le BDNF (*brain derived neurotrophic factor*), des **protéines d'adhésion** comme la NCAM (*neuronal cell adhesion molecule*) et les cadhérines qui « guident » l'axone en croissance, et aussi des **protéines de la matrice extracellulaire** comme la laminine et les nétrines, qui interagissent avec les récepteurs membranaires des neurones en croissance. Chez l'animal, on a pu démontrer que la transplantation de cellules souches embryonnaires peut remplacer des oligodendrocytes défectueux et mener à une rémission partielle d'une paralysie. Il est évident que ces mécanismes de régénération sont d'une importance cruciale pour le traitement de traumatismes de la moelle épinière mais également pour des maladies neurodégénératives comme la rétinite pigmentaire, dont le symptôme le plus connu est une réduction progressive du champ visuel.

Les principes de la communication intercellulaire par les hormones

28

Les organismes multicellulaires ont développé des systèmes de communication « sophistiqués » par lesquels des cellules isolées, des groupes de cellules, des tissus et des organes peuvent échanger des informations, synchroniser leurs activités et ainsi les utiliser pour le bien-être de l'organisme entier. L'importance de ce système de communication – qui est structuré de façon hiérarchique – est clairement démontrée quand des cellules quittent ces réseaux : par exemple, les cellules cancéreuses perdent tout « contact social » et prolifèrent « sans égards » pour les cellules voisines. Si un organisme perd le contrôle de populations entières de cellules, cela signifie souvent son arrêt de mort. Il est donc important de comprendre les nombreux mécanismes qui permettent le **« dialogue » moléculaire** entre cellules (angl. *molecular cross talk*). Dans le chapitre précédent, on avait déjà examiné une « branche » de ce système de communication : la spécificité du système nerveux tient avant tout aux connexions directes établies entre neurones et à l'emploi de neurotransmetteurs, qui opèrent localement pour transmettre des informations d'une cellule à l'autre. Au contraire, les **systèmes hormonaux** ne dépendent pas d'un contact immédiat entre une cellule émettrice et une cellule réceptrice. Ces systèmes utilisent des messagers qui parcourent souvent de grandes distances avant d'atteindre « leurs » cellules cibles. On examinera d'abord de près les principes généraux qui garantissent la spécificité et l'efficacité des systèmes hormonaux, puis on détaillera l'ensemble des « règles » moléculaires qui régissent la communication cellulaire.

28.1 La communication intercellulaire utilise plusieurs modalités

On peut distinguer principalement trois **modalités de signalisation** dans le système hormonal. Si les substances messagères sont synthétisées loin de leur site d'action et si elles doivent par conséquent parcourir de longues distances dans la circulation sanguine pour atteindre leur cible, on parlera de **signalisation endocrine**. Les molécules de signalisation correspondantes sont appelées **hormones** (*fig.* 28.1). L'adénohypophyse (lobe antérieur de l'hypophyse) constitue un exemple de ce contrôle « centralisé » qui permet à un ensemble de cellules produisant une hormone, par exemple la prolactine, de contrôler le fonctionnement de cellules cibles, cellules de la glande mammaire dans l'exemple présent. Une fois sécrétée par les cellules endocrines, l'hormone passe dans la circulation sanguine pour atteindre finalement ses cellules cibles dans la glande mammaire et induire la production et la sécrétion de lait. *Ainsi, un type cellulaire contrôle le comportement d'un deuxième type cellulaire par un mécanisme moléculaire « d'appel à longue distance ».*

D'autres médiateurs agissent uniquement dans le voisinage immédiat de leur lieu de synthèse. Dans ce cas, on parle d'une **signalisation paracrine** (*fig.* 28.2). Par exemple, les **eicosanoïdes**, parmi lesquels on trouve les prostaglandines et les leukotriènes n'ont qu'une durée de

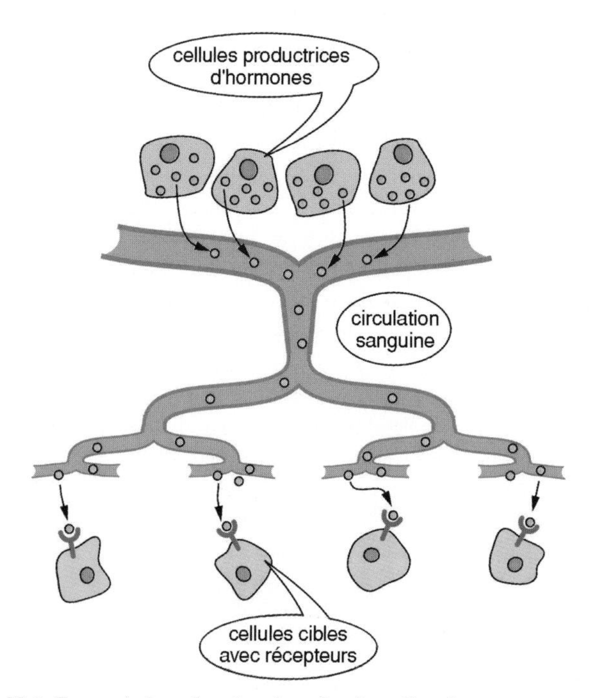

28.1 Transmission du signal endocrine. Des hormones sont transportées via la circulation sanguine vers des cellules cibles éloignées de leur site de production et elles y agissent par l'intermédiaire de récepteurs spécifiques. Les sites de production majeurs des hormones sont des glandes comme la glande pinéale (épiphyse), l'hypothalamus, l'hypophyse, la (para)thyroïde, le thymus, la surrénale, le pancréas, les ovaires et les testicules.

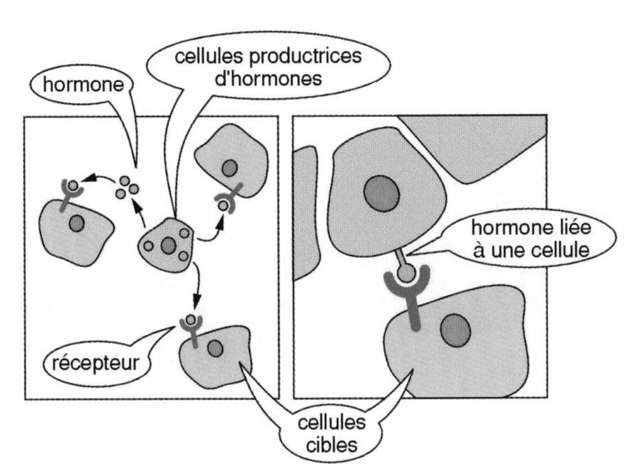

28.2 Transmission de signal paracrine. Le mode de signalisation paracrine comprend l'action des substances de signalisation cellulaire sur les cellules voisines (à gauche) ainsi que l'interaction cellule-cellule directe par des molécules de surface (à droite). [RF]

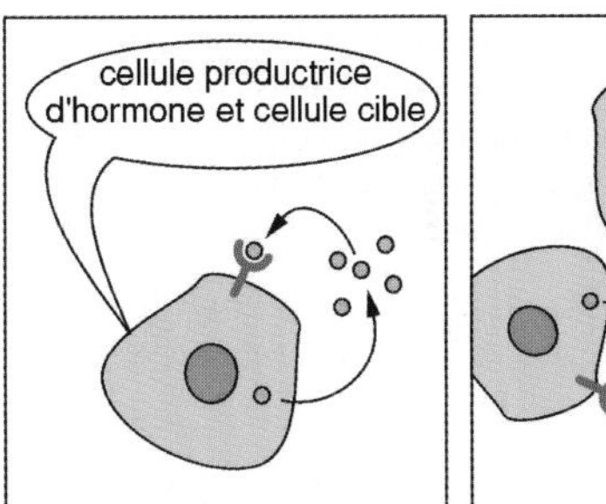

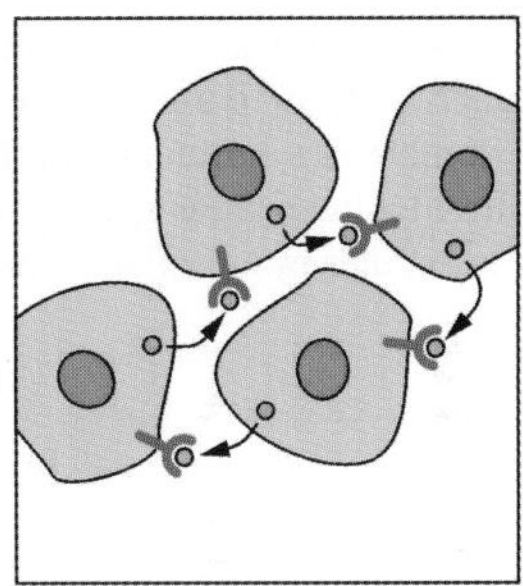

28.3 Signalisation autocrine. Dans ce mode de signalisation, les substances de signalisation agissent sur la cellule productrice elle-même (à gauche). Par division cellulaire, on peut obtenir un clone dont les cellules filles se stimulent mutuellement (à droite). La frontière entre actions auto- et paracrines est donc floue. Ainsi, les eicosanoïdes agissent à la fois de manière autocrine et paracrine. [RF]

vie moyenne de quelques secondes. Leur rayon d'action est donc très limité (§ 41.11). Un effet paracrine des prostaglandines est, par exemple, l'agrégation locale des thrombocytes aux environs immédiats de la blessure d'un vaisseau sanguin. Un effet « à grande échelle », selon un mode de signalisation endocrine, aurait des conséquences fatales. La courte demi-vie biologique des messagers paracrines est surtout due à leur incorporation rapide par les cellules cibles puis leur dégradation rapide par des enzymes ou à leur fixation à la matrice extracellulaire et leur inactivation à ce niveau. La propagation du stimulus au niveau de la synapse neuronale suit également un mode de signalisation paracrine. La **communication directe de cellule à cellule** constitue un cas particulier d'effet paracrine : à ce niveau, la molécule de signalisation est fixée à la surface de la cellule émettrice et son interaction directe avec une molécule réceptrice à la surface de la cellule cible permet un « dialogue » cellulaire, par exemple entre les granulocytes et les cellules endothéliales des vaisseaux sanguins.

La stimulation cellulaire peut également aboutir à un « monologue ». C'est le cas où la cellule productrice reconnaît sa propre molécule de signalisation et y réagit : on appelle ce mécanisme un **mode de signalisation autocrine** (*fig.* 28.3). Un exemple de signalisation autocrine est fourni par les lymphocytes qui sont stimulés au contact d'antigènes et produisent alors des chémokines comme les interleukines. Ces chémokines stimulent en retour la croissance des lymphocytes (§ 33.7). Par division cellulaire, on obtient une sous-population de cellules « helper », stimulées par des effets hormonaux auto- et paracrines ; ce processus est strictement régulé par les cellules elles-mêmes. *Quand un mode de signalisation autocrine n'est plus sous contrôle, il peut en résulter des tumeurs malignes : des cellules « autistes » produisent leurs propres hormones et se multiplient sans cesse malgré l'absence de stimulation externe.*

28.2 Les systèmes de signalisation endocrines sont sélectifs, amplificateurs et flexibles

Afin de satisfaire les exigences des différentes cellules cibles, l'organisme humain produit des centaines d'hormones et de molécules de signalisation différentes. Elles sont extrêmement hétérogènes d'un point de vue chimique : elles incluent des classes de substances aussi différentes que des oxydes gazeux (monoxyde d'azote NO), des stéroïdes (œstrogènes) et d'autres dérivés du cholestérol (calcitriol), des dérivés d'acides aminés (thyroxine), des peptides (angiotensine) et des protéines (somatotropine). En conséquence, la **sélectivité** du système de signalisation endocrine est déterminée par les cellules cibles : elles possèdent des ensembles de récepteurs différents et choisissent dans la multitude des hormones circulantes les ligands « appropriés » vis-à-vis desquels elles réagissent ensuite.

Dans le mode de signalisation endocrine, une hormone doit souvent parcourir des distances importantes entre la cellule de la glande sécrétrice et la cellule cible. La dilution au niveau de la circulation sanguine peut expliquer pourquoi les concentrations en ligands au niveau du site d'action sont souvent très faibles (environ 1–100 nM). Les cellules cibles ont donc développé des mécanismes d'amplification qui permettent de détecter les « faibles » signaux reçus et d'y apporter une réponse biologique significative (*fig.* 28.5). Cette **amplification** est basée principalement sur trois stratégies : l'activation de cascades enzymatiques, l'assemblage de complexes multiprotéiques et la synthèse de molécules de signalisation intracellulaires. L'activation et l'assemblage ont lieu simultanément et permettent à un seul complexe ligand-récepteur de produire une diversité de **messagers secondaires** (angl. *second messengers*) qui vont finalement changer le comportement de la cellule cible. Parmi ces seconds messagers, on compte des substances aussi

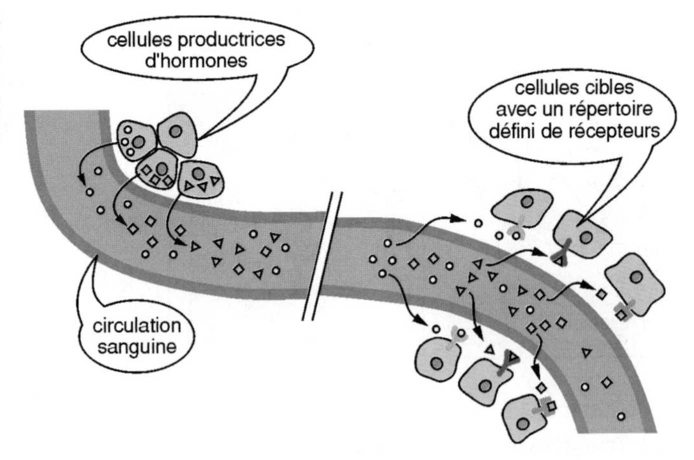

28.4 Sélectivité de la signalisation endocrine. Afin de réguler l'activité d'une grande variété de cellules, il faut de nombreuses hormones différentes. Les cellules cibles « filtrent » les ligands grâce à leurs récepteurs, puis lient les hormones et y réagissent par un signal intracellulaire.

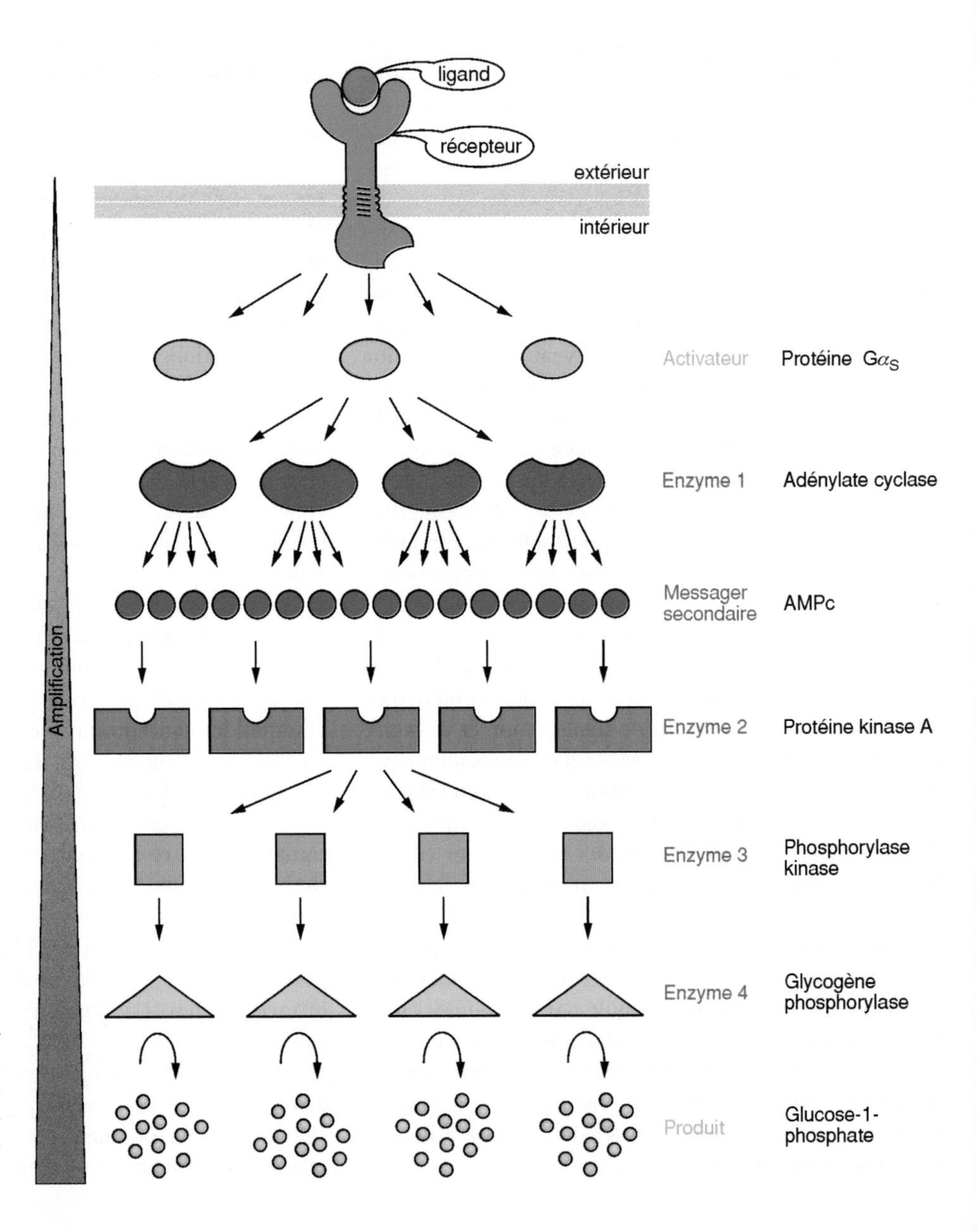

28.5 Mécanisme d'amplification de signal. Un récepteur β-adrénergique à adrénaline/noradrénaline est figuré ici. Son activation contrôle la dégradation du glycogène, une substance de réserve intracellulaire, par l'intermédiaire du second messager AMPc, et induit la production de glucose-1-phosphate, permettant finalement la production d'énergie (§ 4.6). [RF]

Acétylcholine
Cellule de muscle squelettique
Cardiomyocyte
Vésicules sécrétrices
Cellule glandulaire

28.6 Diversité des réponses cellulaires à l'acétylcholine. Les cellules musculaires squelettiques portent le récepteur nicotinique à l'acétylcholine, tandis que les cellules musculaires cardiaques et les cellules glandulaires expriment le type muscarinique du récepteur. Chaque type cellulaire répond à un ligand identique par des récepteurs et des cascades de signalisation différents, ce qui induit des réponses biologiques très variées.

diverses que les nucléotides cycliques AMPc et GMPc, des ions comme le Ca^{2+} ou des composés lipidiques comme l'inositol-trisphosphate et le diacylglycérol. En raison de leur petite taille, les messagers secondaires peuvent se propager rapidement dans la cellule stimulée. Typiquement, ils agissent comme activateurs allostériques ; c'est pourquoi leur concentration cytosolique est régulée strictement.

Les cellules ne réagissent pas toujours de façon uniforme vis-à-vis d'un ligand ; beaucoup plus fréquemment, elles peuvent réagir à un ligand donné par des **réponses variées.** La variété des réponses cellulaires est déterminée à la fois au niveau du récepteur et au niveau du déclenchement des signaux intracellulaires. On a déjà vu l'exemple du GABA et de ses récepteurs ionotrope ou métabotrope. L'acétylcholine constitue un exemple de transmetteur pour lequel existent deux types de récepteurs spécifiques (*fig.* 28.6). Le **récepteur à l'acétylcholine nicotinique** est un canal ionique contrôlé par un ligand (§ 26.7), tandis que le **récepteur à l'acétylcholine muscarinique** appartient à la classe des récepteurs liés aux protéines G (RCPG, *chap.* 29). Les cellules des muscles squelettiques portent le récepteur de type nicotinique et réagissent à l'acétylcholine par une contraction, tandis que les cellules du muscle cardiaque portent un récepteur de type muscarinique et répondent par une relaxation. Finalement, les cellules glandulaires qui portent aussi des récepteurs muscariniques mais les couplent à d'autres voies de signalisation que les cellules musculaires et réagissent à l'acétylcholine par une sécrétion.

28.3

Les récepteurs intracellulaires agissent comme facteurs de transcription

Les hormones peuvent se diriger principalement vers deux types de « stations réceptrices », des **récepteurs membranaires** ou bien des **récepteurs intracellulaires** (*fig.* 28.7). Les **hormones hydrophiles**, comme par exemple l'insuline, ne peuvent pas traverser la membrane cellulaire : elles se lient aux parties extracellulaires de récepteurs situés sur la membrane plasmique. Au contraire, les **hormones lipophiles** comme le cortisol traversent facilement la membrane de la cellule cible et se lient à des récepteurs intracellulaires. En raison de leur faible solubilité dans l'eau, beaucoup de ligands lipophiles sont liés à des protéines de transport après leur sécrétion par la cellule productrice d'hormone et transportés ainsi vers la cellule cible. Les composés actifs ne sont alors libérés qu'au niveau de la membrane plasmique de leur cellule cible.

Les hormones lipophiles se divisent en deux grandes classes (*fig.* 28.8) : les **stéroïdes** auxquels appartiennent les minéralocorticoïdes comme l'aldostérone, les glucocorticoïdes (cortisol), les progestagènes (progestérone), les androgènes (testostérone) ou les œstrogènes (œstradiol) et les **hormones thyroïdiennes** (thyronine), parmi lesquelles on peut distinguer la thyroxine (tétra-iodo-thyronine ou T4) et la tri-iodo-thyronine (T3) qui est la forme réellement active. En outre, on rattache aux hormones lipophiles le calcitriol, un dérivé de stéroïdes (*encart* 42.5), ainsi que l'acide rétinoïque, le dérivé de la

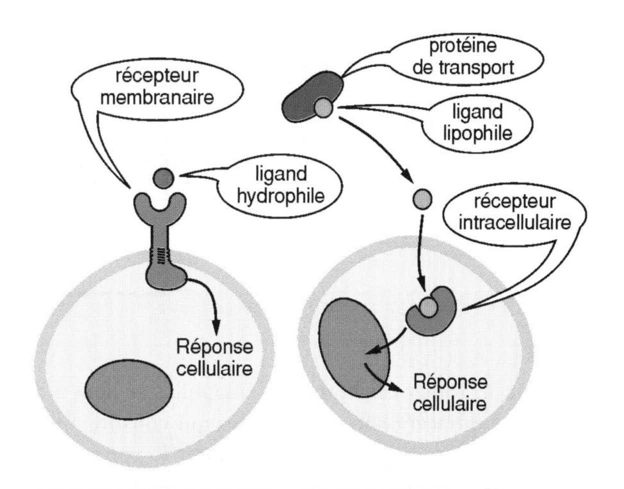

28.7 Les principaux types de récepteurs cellulaires. Les récepteurs membranaires (à gauche) ont typiquement un domaine extracellulaire servant à la liaison du ligand, un segment transmembranaire et un domaine cytosolique, qui assure le contact avec les voies de signalisation intracellulaires. Les récepteurs intracellulaires se trouvent surtout dans le cytosol ; après liaison avec le ligand, ils atteignent le noyau où ils exercent un contrôle transcriptionnel.

28.8 Exemples types d'hormones lipophiles. L'aldostérone, le cortisol, la progestérone et les hormones sexuelles testostérone et œstradiol appartiennent à la classe des hormones stéroïdes. Les hormones thyroïdiennes, la thyroxine et la triiodothyronine se distinguent par un seul atome d'iode (position indiquée en vert). La synthèse du calcitriol a lieu à partir de la vitamine D3 (Cholécalciférol) ; celle de l'acide rétinoïque à partir de la vitamine A.

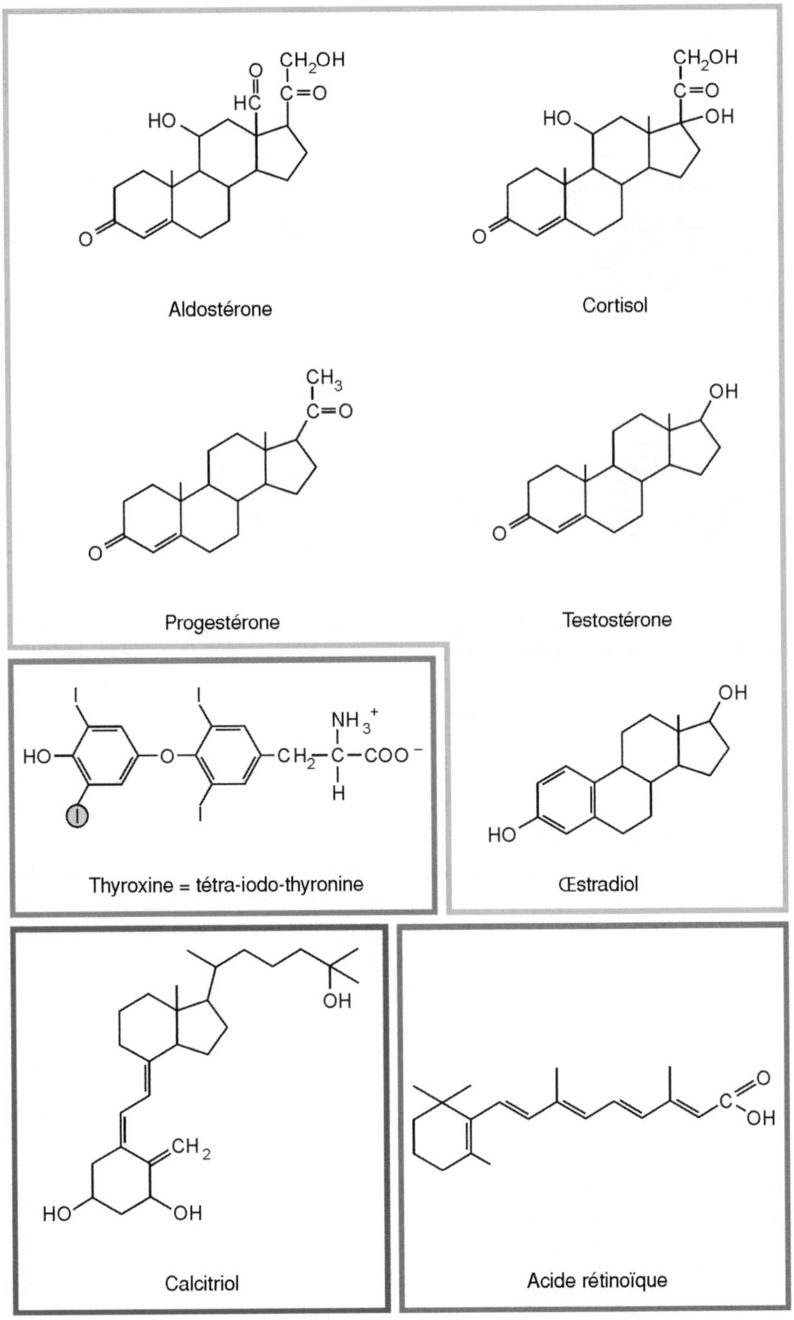

vitamine A. Toutes ces hormones lipophiles se lient à des récepteurs intracellulaires spécifiques qui constituent des facteurs de transcription car ils régulent l'expression de gènes cible définis. Ces récepteurs peuvent avoir une localisation cytoplasmique ou bien nucléaire. *Les hormones lipophiles contrôlent des processus fondamentaux comme la croissance, la différenciation, le métabolisme et la reproduction.*

Les récepteurs aux hormones lipophiles présentent une structure relativement uniforme avec trois **domaines structuraux** qui prennent respectivement en charge des **fonctions effectrices** différentes : liaison à l'hormone, liaison à l'ADN et activation de la transcription (*fig.* 28.9). Les récepteurs intracellulaires existent souvent sous la forme d'un complexe (inhibiteur) qui ne se dissocie qu'après fixation du ligand et qui libère alors la forme active du récepteur ; le complexe inhibiteur peut être constitué d'une seule protéine ou bien d'un ensemble de plusieurs protéines inhibitrices.

On peut prendre le cas du récepteur au cortisol qui se trouve dans le cytoplasme. Après la liaison de l'hormone, le **complexe formé d'un inhibiteur et du récepteur** se dissocie ; le domaine de liaison à l'ADN et le domaine de dimérisation deviennent alors accessibles. Deux molé-

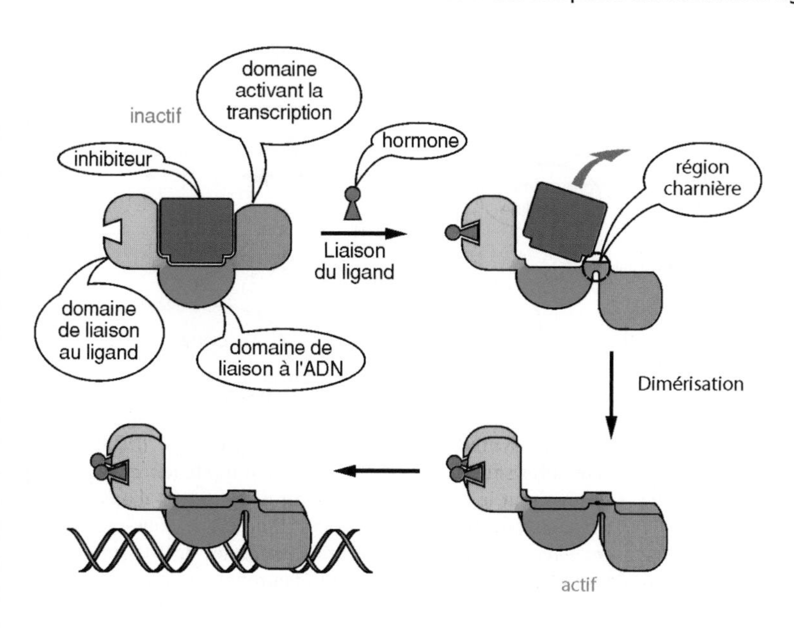

28.9 Activation d'un récepteur par des hormones lipophiles. La liaison de l'hormone induit la dissociation du complexe inhibiteur et le démasquage de la région de liaison à l'ADN. La dimérisation permet d'aboutir à des homodimères ou à des hétérodimères, qui reconnaissent ensuite des séquences cibles sur l'ADN.

cules de récepteurs s'associent pour former le facteur de transcription actif (homodimère) qui est transféré (translocation) dans le noyau où il se lie à la séquence cible d'ADN (*fig.* 28.10). Contrairement aux récepteurs du cortisol, les récepteurs à la T3 se trouvent toujours sous forme de **dimères associés à l'ADN**. La liaison de l'hormone au récepteur permet l'activation « sur place » et permet ensuite de moduler la transcription des gènes cibles. La T3 doit donc trouver directement son chemin à travers la membrane plasmique, le cytosol et la membrane nucléaire jusqu'au noyau.

Les propriétés particulières d'un récepteur sont utilisées dans le cas de l'**acide rétinoïque.** Ce composé joue un rôle important dans la maturation et la différenciation des cellules sanguines ainsi que d'autres types cellulaires et est utilisé avec succès dans la thérapie de la leucémie aiguë myéloblastique (*encart* 28.1). Les dérivés de l'acide rétinoïque sont appelés rétinoïdes.

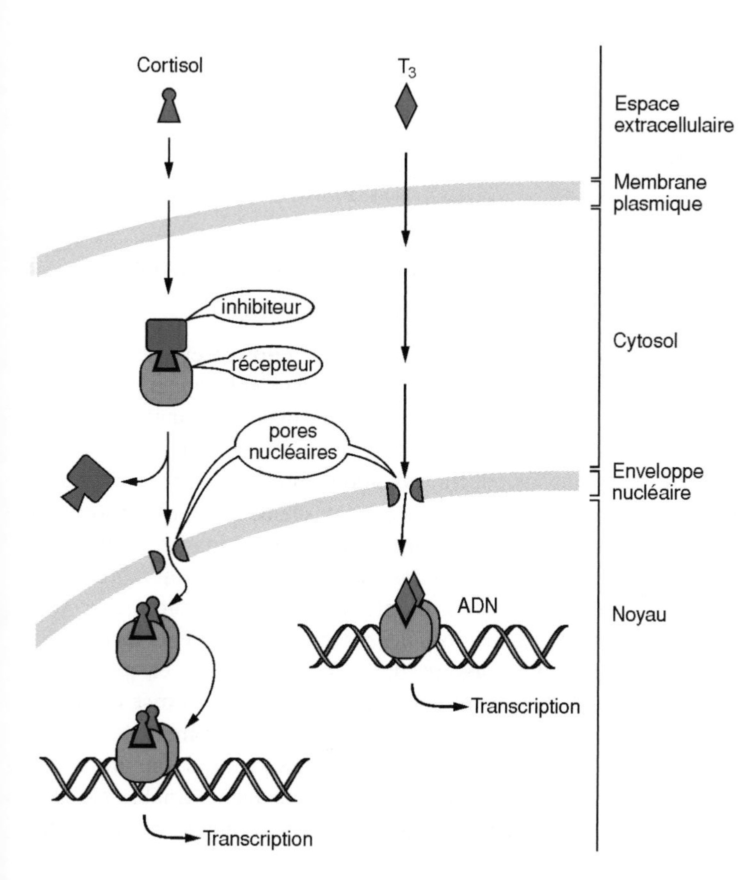

28.10 Activation de récepteurs intracellulaires. Les récepteurs au cortisol sont localisés dans le cytosol. Ils se dimérisent après la liaison avec l'hormone et sont transférés (translocation) dans le noyau où ils se lient à l'ADN cible. Au contraire, les récepteurs à la thyronine sont liés à l'ADN en permanence et ils sont activés sur place par l'hormone. L'effecteur primaire est la triiodothyronine qui est synthétisée par déiodination de la thyroxine.

Encart 28.1 : L'acide rétinoïque dans la thérapie de la leucémie

Contrairement à la leucémie aiguë lymphoblastique, la **leucémie aiguë myéloblastique** (LAM) atteint fréquemment des adultes. Souvent, ces patients ne réagissent plus à une simple chimiothérapie. La LAM tire son origine d'un blocage dans la différenciation des promyélocytes, qui représentent un précurseur immature des myélocytes et des granulocytes neutrophiles. Une des causes les plus fréquentes de la perturbation de la maturation observée est une **translocation chromosomique,** où le gène pour le **récepteur à l'acide rétinoïque RARα** localisé sur le chromosome 17 fusionne avec le gène pour le facteur de transcription PML localisé sur le chromosome 15. La protéine de fusion RARα-PML lie encore l'acide rétinoïque, mais elle reconnaît aussi d'autres séquences cibles sur l'ADN, ce que ne ferait pas RARα seul. Cela provoque un blocage de la différenciation normale des promyélocytes : les cellules souches s'accumulent dans la moelle osseuse et prolifèrent sans inhibition. De fortes doses d'acide rétinoïque éliminent ce blocage ; chez plus de 90 % des patients, on observe une amélioration à long terme (rémission). La thérapie combinée utilisant l'acide rétinoïque et des cytostatiques a permis d'obtenir une amélioration significative des chances de guérison de la LAM.

28.4 Le monoxyde d'azote est un messager gazeux

Le **monoxyde d'azote (NO)** est un messager inhabituel car sous forme gazeuse. C'est un radical qu'on connaît plutôt comme polluant que comme transmetteur d'un signal biologique. Les cellules endothéliales, les neurones, les cellules musculaires et plus particulièrement les macrophages le synthétisent à partir de l'arginine, un acide aminé. Les enzymes qui catalysent cette réaction inhabituelle sont des NO-synthases (*fig.* 28.11) et appartiennent à une superfamille d'oxydases (angl. *mixed function oxidases*).

Une petite molécule gazeuse comme le NO diffuse pratiquement sans inhibition à travers la membrane de la cellule productrice et peut par la suite agir (action paracrine) sur les cellules voisines. La demi-vie du NO dans les cellules est extrêmement courte (< 5 sec) et c'est pourquoi ce composé n'a pas d'effet toxique – du moins à faible concentration. Le rôle du récepteur est joué par la **guanylate cyclase**, une enzyme cytosolique qui est activée par la liaison du NO. Celui-ci se lie à l'ion Fe^{2+} d'un groupement héminique de la cyclase et active ainsi l'enzyme, ce qui entraîne une élévation de la concentration en GMPc ; ensuite, des **kinases GMPc-dépendantes** déclenchent les effets biologiques spécifiques de la cellule cible. L'endothélium produit des quantités importantes de NO, qui agissent sur les cellules musculaires lisses du voisinage, provoquant une relaxation : de cette façon, le NO

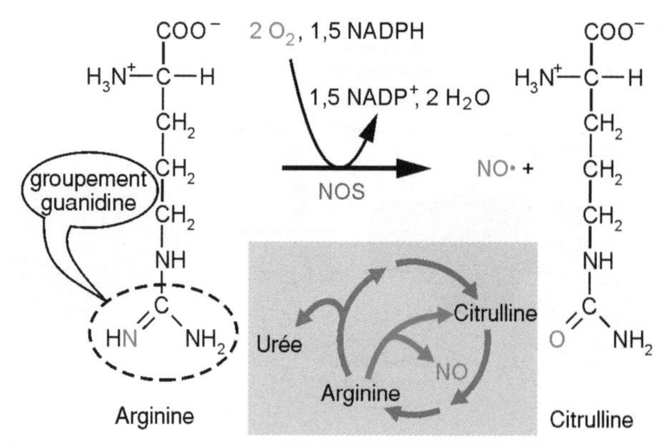

28.11 Biosynthèse du NO. Les NO-synthases (NOS) intracellulaires sont des oxydases à fonction mixte (*encart* 42.4) qui synthétisent le messager NO à partir d'arginine et d'oxygène en consommant du NADPH ; la citrulline est le sous-produit de cette réaction. On distingue trois isoformes de NO-synthases : les eNOS endothéliales, les nNOS neuronales et les iNOS inductibles. En bas : la réaction donnant la citrulline et le NO à partir de l'arginine représente un « court-circuit » du cycle de l'urée, qui évite la synthèse de produits intermédiaires comme l'ornithine ou le succinate d'arginine (§ 43.2).

exerce une fonction dilatatrice des vaisseaux sanguins et contribue efficacement à une baisse de la tension artérielle. Ces principes moléculaires (utilisation de donneurs de NO) sont mis à profit dans la thérapie de l'angine de poitrine (Nitroglycérides) ou des troubles de l'érection (Viagra). Outre ses fonctions cardiovasculaires, le NO remplit aussi des fonctions importantes dans la défense contre les infections par les macrophages, et ceci grâce à ses caractéristiques cytotoxiques. Malgré sa toxicité évidente, une autre molécule gazeuse, le monoxyde de carbone (CO), est probablement aussi utilisée comme signal biologique.

28.5 Les hormones protéiques sont libérées à partir de précurseurs inactifs

Les peptides et les protéines représentent le groupe le plus grand et le plus diversifié de substances de signalisation intercellulaires. Comme **neurohormones,** elles agissent dans le système nerveux (*tab.* 27.1) ; comme **hormones (glandotropes)**, par exemple les libérines, les statines et les tropines, elles régulent la libération des hormones de l'hypophyse et des glandes endocrines périphériques. La famille des **cytokines**, qui inclut les chémokines, les interleukines, les interférons, le TNF (facteur de nécrose des tumeurs) et différents facteurs de croissance, assure des fonctions auto- et paracrines mais également endocrines dans la croissance et la différenciation cellulaires (§ 28.1). On se limitera ici aux hormones protéiques et peptidiques qui ont des rôles *endocrines*. Leur taille est extrêmement variable : la TRH (angl. *TSH releasing hormone*) se compose de seulement

Tableau 28.1 Une sélection d'hormones protéiques et peptidiques humaines. Dans certains cas, les lieux de synthèse des précurseurs indiqués ici ne sont pas identiques aux lieux de libération des substances actives.

Hormone	Lieu de synthèse	Effet biologique
Libérines		
Thyrolibérine (TSH releasing hormone, TRH)	Hypothalamus	Stimulation de la biosynthèse et de la sécrétion de la TSH
Corticolibérine (Corticotropin releasing hormone, CRH)	Hypothalamus	Stimulation de la libération de l'ACTH
Gonadolibérine (Gonadotropin releasing hormone, GnRH)	Hypothalamus	Stimulation de la libération de la FSH et de la LH
Somatolibérine (Growth factor releasing hormone, GRH)	Hypothalamus	Stimulation de la libération des hormones de croissance
Statines		
Somatostatine	Hypothalamus	Inhibition de la libération des hormones de croissance
Tropines		
Thyrotropine (TSH)	Adénohypophyse	Stimulation de la production de la thyronine
Corticotropine (ACTH)	Adénohypophyse	Stimulation de la synthèse des glucocorticoïdes dans le cortex de la glande surrénale
Folliculostimuline (FSH)	Adénohypophyse	Stimulation des follicules, spermatogenèse
Lutéotropine (LH)	Adénohypophyse	Stimulation de la synthèse des hormones sexuelles
Prolactine (PRL)	Adénohypophyse	Stimulation de la production laitière
Somatotropine (STH, hormone de croissance)	Adénohypophyse	Stimulation de la formation de l'IGF-I et IGF-II
Hormones peptidiques diverses		
Insuline	Pancréas (cellules β)	Diminution de la concentration du glucose sanguin
Glucagon	Pancréas (cellules α)	Augmentation de la concentration du glucose sanguin
Facteur atrionatriurétique (ANF ; peptide atrionatriurétique, ANP)	Cœur	Diurèse, natriurèse
Angiotensine-II	Foie	Vasoconstriction
Bradykinine	Foie	Vasodilatation
Endothéline	Cellules endothéliales	Vasoconstriction
Ocytocine	Cellules neurosécrétrices de l'hypothalamus	Contraction utérine
Vasopressine (Hormone anti-diurétique, ADH)	Cellules neurosécrétrices de l'hypothalamus	Réabsorption du Na^+

trois acides aminés tandis que la prolactine, par exemple, possède 198 résidus (*tab.* 28.1).

Les hormones protéiques sont souvent synthétisées à partir d'un précurseur inactif. Ainsi, la biosynthèse de l'insuline est effectuée à partir de la forme pré-pro- qui ne donne la forme active qu'après clivage protéolytique. Une illustration remarquable de ce principe est le cas de la **pro-opiomélanocortine** (POMC) qui est synthétisée dans l'adénohypophyse et qui donne par protéolyse plusieurs hormones actives : la corticotropine (ACTH, adrenocorticotrophic hormone), la mélanotropine (γ-MSH, γ-melanocyte stimulating hormone) et la β-lipotropine (β-LTP, β-lipotrophic peptide). De plus, de nombreux fragments inactifs sont aussi produits (*fig.* 28.12). Dans d'autres régions du système nerveux central, la β-lipotropine est encore clivée, successivement en endorphine, enképhaline et β-MSH. *Le clivage protéolytique libère donc à partir d'un seul polypeptide plusieurs hormones actives ; le spectre des produits dérivés dépend du type cellulaire.*

28.6 Les récepteurs de surface activent des cascades de signalisation intracellulaire

Les cellules cible des hormones hydrophiles sont équipées d'un ensemble de récepteurs présents à la surface membranaire. Ces « antennes » moléculaires fonctionnent comme **convertisseurs de signal**, et traduisent des événements extracellulaires de reconnaissance et de liaison en signaux intracellulaires, lesquels vont changer par la suite le comportement de la cellule cible. On distingue trois grandes classes de récepteurs de surface dépendants de ligands, dont chacune traduit les signaux extracellulaires à sa façon. Les **canaux ioniques dépendants des transmetteurs** régulent le flux d'ions à travers les membranes (§ 26.7). Les **récepteurs couplés à une enzyme** (*chap.* 30) présentent quant à eux une activité enzymatique propre ou bien ils « recrutent » après la

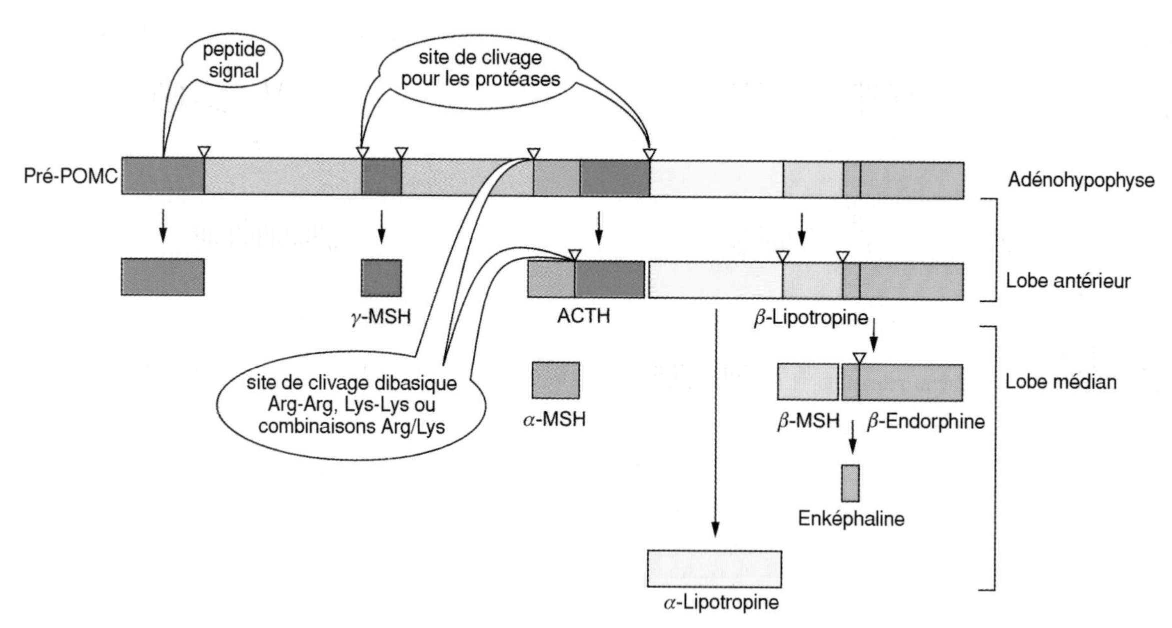

28.12 Maturation protéoloytique de la POMC. Les principaux produits dans le lobe antérieur de l'hypophyse sont l'ACTH, la β-lipotropine et la γ-MSH, tandis que le lobe médian synthétise la α- et la β-MSH, la α-lipotropine, la β-endorphine et des enképhalines. Des protéases localisées à la membrane sont probablement responsables de cette maturation spécifique de la POMC. Parmi les enképhalines, on distingue selon les résidus aminoterminaux la Leu-enképhaline et la Met-enképhaline.

fixation de leur ligand des enzymes intracellulaires, principalement des kinases, qui phosphorylent ensuite des substrats cytosoliques. Les **récepteurs liés aux protéines G** (*chap.* 29) sont associés à des protéines trimériques (protéines G) qui sont activées par la liaison de nucléotides guanyliques et régulent alors l'activité d'enzymes membranaires ou de canaux ioniques (*fig.* 28.13).

Les récepteurs couplés à leur ligand « émettent » depuis la surface cellulaire, à travers le cytosol, et jusqu'au noyau ; ils changent ainsi le comportement de la cellule. La **phosphorylation réversible** de protéines et de nucléosides guanyliques joue le rôle d'une clé. On va illustrer ce principe par l'exemple de récepteurs liés à des enzymes : dès qu'un ligand se fixe dans la poche de liaison extracellulaire d'un récepteur membranaire, on

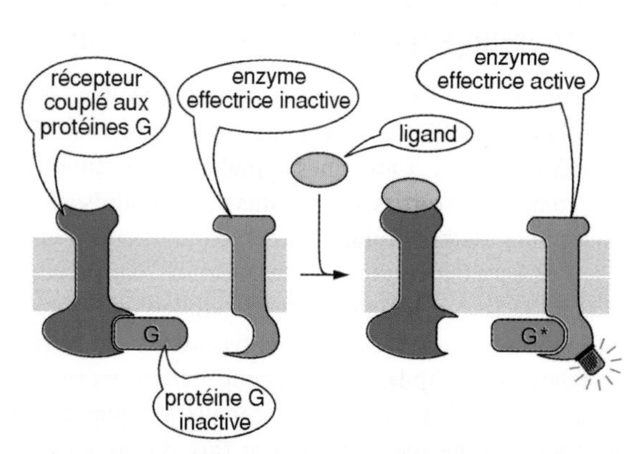

28.13 Mécanisme simplifié de liaison des récepteurs aux protéines G. Les protéines G transmettent le signal induit par la liaison du ligand à son récepteur à une enzyme effectrice ou bien à un canal ionique (non montré).

observe une **dimérisation** du récepteur – dont le mécanisme moléculaire n'est pas encore complètement compris – ce qui induit un changement profond de conformation. Ce phénomène provoque l'activation du domaine intracellulaire du récepteur – souvent une kinase – (*fig.* 28.14). Grâce à la consommation d'ATP, ce **récepteur à activité kinase** peut alors phosphoryler des protéines cibles intracellulaires, parmi lesquelles d'autres kinases, et mettre ainsi en mouvement des cascades de phosphorylations réversibles. *La spécificité de substrat des kinases impliquées dans une cascade de signalisation permet de garantir la* **directionnalité** *de cette cascade. En effet, seule une succession définie de réactions enzymatiques permettra de transmettre un signal provenant du « monde extérieur » – l'espace extracellulaire – vers le « monde intérieur » – la plupart du temps le noyau – de façon correcte.*

On trouve souvent au début d'une voie de transduction de signal la phosphorylation du récepteur lui-même. On parle d'**auto-activation**. La phosphorylation peut affecter les groupements hydroxyles des chaînes latérales de résidus thréonine ou tyrosine situés dans les domaines intracellulaires de récepteur. Malgré sa nature covalente, la liaison de l'ester phosphorique n'est pas durable : les **phosphatases** éliminent rapidement les résidus de phosphate critiques et inactivent ainsi le récepteur à activité enzymatique (*fig.* 28.15). *En principe, une telle phosphorylation réversible peut activer ou bien inactiver de façon allostérique une protéine : son rôle le plus essentiel consiste cependant fréquemment à mettre en route ou arrêter brutalement une cascade de transduction de signal.* La phosphorylation réversible permet souvent de démasquer

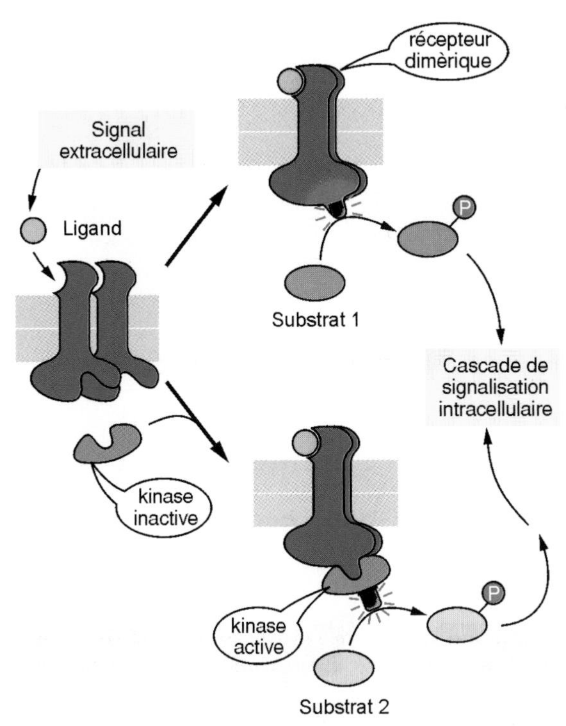

28.14 Activation induite par les ligands de récepteurs présentant une activité enzymatique. L'occupation du site de liaison du ligand mène, via une dimérisation et une transition allostérique, à l'activation du domaine catalytique au niveau de la face cytosolique (en haut). Alternativement, un récepteur peut, après liaison de son ligand, lier et activer des enzymes cytosoliques, par exemple des kinases (en bas). Les deux modes d'activation induisent une cascade de signalisation intracellulaire. Parfois, les récepteurs non stimulés existent déjà sous forme de dimères.

un nouveau motif de reconnaissance sur le récepteur, sur lequel des enzymes intracellulaires ou des protéines adaptatrices peuvent se lier.

28.7 Les protéines G permettent de relier différentes cascades de signalisation

Les cellules utilisent encore la phosphorylation réversible d'une toute autre façon que celle décrite précédemment : elles disposent en effet d'un équipement riche en différentes **protéines liant des nucléotides guanyliques** – en bref des **protéines G** – qui lient le GDP ou le GTP grâce à un site de liaison spécifique. On distingue principalement les « petites » protéines G monomériques et les « grosses » protéines G hétérotrimériques. De façon générale, les protéines G contenant le GDP sont inactives et sont activées seulement après la liaison du GTP. Les récepteurs comme celui de la rhodopsine sont liés, à l'état de base, à des protéines G contenant du GDP (*fig.* 28.16). Après la liaison d'un ligand, le récepteur activé accélère l'**échange de GDP par le GTP.** Les protéines G activées peuvent alors activer à leur tour des effecteurs intracellulaires – surtout des

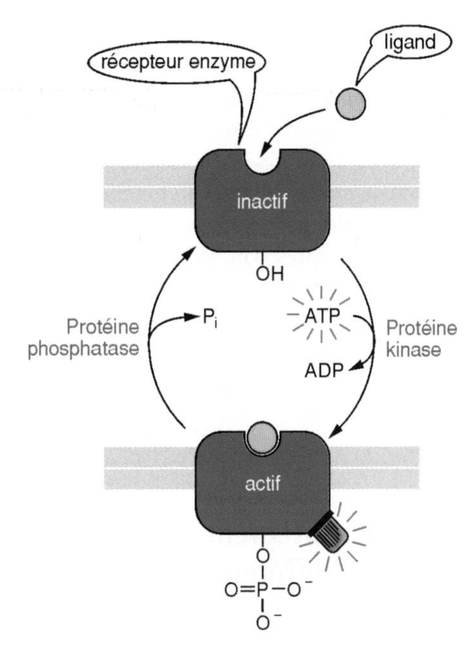

28.15 Régulation de l'activité d'un récepteur à activité enzymatique par phosphorylation. Les kinases activent le récepteur ; les phosphatases l'inactivent. Le bilan net de la réaction est l'hydrolyse d'ATP en ADP et Pi. En principe, l'inverse est possible : une phosphorylation peut inactiver (= inhibition), un déphosphorylation peut activer (= dé-inhibition).

enzymes, mais également des canaux ioniques – qui transmettent le signal perçu par le récepteur. L'état actif des protéines G est de courte durée : les protéines G elles-mêmes constituent des enzymes disposant d'une **activité endogène GTPase**, qui hydrolyse rapidement le GTP en GDP et P_i. En conséquence, la protéine G activée retourne rapidement à son état inactif. La re-phosphorylation du GDP libre en GTP par des activités kinases, puis l'échange du GDP contre du GTP au niveau de la protéine G, indui-

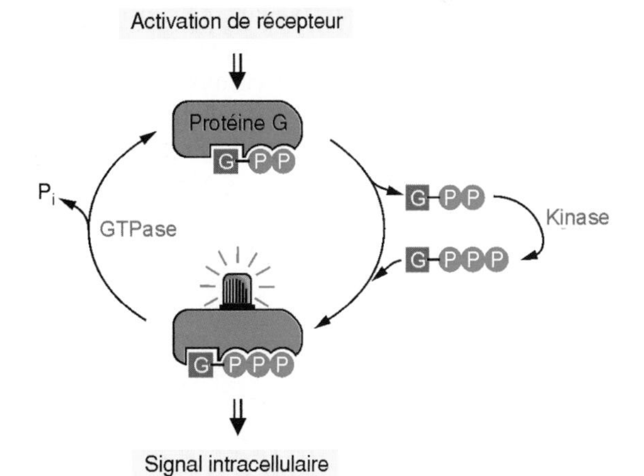

28.16 Cycle d'une protéine G. L'association de la protéine G, avec le récepteur ou la protéine cible respectivement, n'est pas montrée pour une raison de simplification. La re-synthèse de GTP à partir du GDP passe par les nucléosides disphosphates kinases.

sent enfin un nouveau cycle d'activité. *Les proteines G peuvent donc modifier leur état d'activité par l'échange et l'hydrolyse des nucléotides guanyliques et transmettre de cette manière des signaux externes* (*chap.* 29).

Les récepteurs liés à des enzymes ou à des protéines G utilisent donc le même principe de fonctionnement – **une activation transitoire par phosphorylation réversible** – de deux façons différentes. On avait déjà vu ce principe général en ce qui concerne les petites protéines G comme Rab, Ran et Arf : l'hydrolyse retardée leur assigne une fonction de métronome ou bien d'un « Zeitgeber » moléculaire (*encart* 4.1).

28.8

Les effecteurs intègrent les signaux de récepteurs différents

Les voies de signalisation qui ont été déclenchées par différents récepteurs n'agissent pas de façon isolée : un « dialogue » s'instaure entre les différentes cascades de transduction d'une cellule, ce qui permet d'**intégrer les différentes informations** qui surviennent. L'activation de plusieurs kinases cellulaires peut permettre l'activation simultanée de deux voies de signalisation différentes (*fig.* 28.17). Dans ce cas, on s'aperçoit que l'activation d'une seule voie de signalisation ne suffit pas à provoquer l'effet biologique : c'est seulement quand les deux voies de signalisation indépendantes ont donné leur « feu vert » que les effecteurs de ces voies sont activés de façon coordonnée et qu'ils déclenchent des réactions spécifiques de la cellule. De cette façon, les cellules intègrent différents signaux, par exemple ceux reçus par leurs récepteurs d'adhésion et par leurs récepteurs aux hormones de croissance, dans une réponse présentant une séquence « ordonnée ».

L'intégration des signaux venant de plusieurs voies de transduction est toujours indispensable quand les cellules doivent prendre des décisions fondamentales, souvent irrévocables. L'acquisition d'une différenciation cellulaire, l'initiation de la division cellulaire ou l'aiguillage vers la mort cellulaire programmée nécessitent l'**activation concertée de plusieurs voies de signalisation**. Dans la plupart des cas, ce sont des signaux externes qui décident du destin cellulaire. Les récepteurs jouent donc un rôle très important. Ils doivent percevoir les signaux de l'« extérieur » avec une grande sensibilité et une capacité de discrimination très fine puis les transmettre vers l'« intérieur » de façon fiable. Dans le chapitre suivant, on examinera plus précisément la structure et le mode de fonctionnement de ces détecteurs cellulaires.

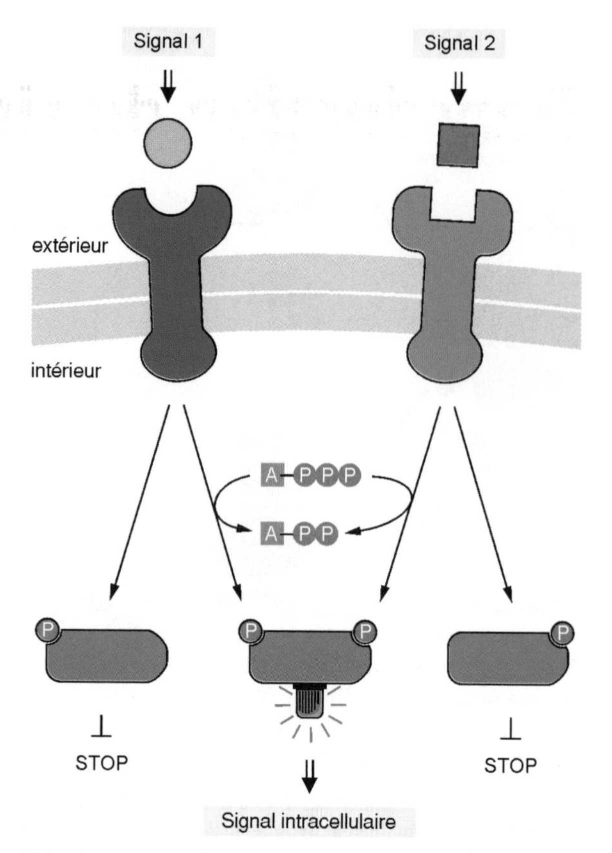

28.17 Intégration cellulaire des informations. Dans cet exemple, il faut activer simultanément deux voies de signalisation qui convergent vers une enzyme intracellulaire, laquelle est ensuite activée par une induction commune. Chaque voie prise séparément mène à une impasse. [RF]

Transduction du signal par des récepteurs couplés aux protéines G (RCPG)

29

Les récepteurs couplés aux protéines G (RCPGs) représentent la plus grande famille de récepteurs présents à la surface des cellules et ils comptent environ 900 gènes différents chez l'Homme. Cette famille forme ainsi – avec celle des protéines à doigts de zinc – l'une des familles de protéines les plus diversifiées. On y trouve des récepteurs sensibles à la lumière, aux odeurs et aux saveurs, aux substances déclenchant et calmant la douleur, mais aussi des récepteurs aux neurotransmetteurs, aux chimiokines (ou chémokines), aux lipides bioactifs ainsi qu'aux hormones peptidiques et à des protéases. Malgré le nombre important de gènes différents, l'architecture (la structure) générale des récepteurs couplés aux protéines G est très conservée au niveau protéique. Comme leur nom l'indique, ces récepteurs interagissent avec des **protéines G** intracellulaires, grâce auxquelles ils déclenchent des cascades de signaux intracellulaires. Les cibles principales de cette voie de signalisation sont des enzymes intracellulaires ou bien des canaux ioniques de la membrane plasmique, dont les activités sont modulées directement ou indirectement par les protéines G. Les récepteurs couplés aux protéines G peuvent ainsi influencer, entre autres, le métabolisme, le mouvement et l'agrégation des cellules, mais aussi leur prolifération et leur différenciation. Le « vaisseau amiral » des récepteurs couplés aux protéines G est la **rhodopsine**, le récepteur à la lumière, qui joue un rôle central dans la vision.

29.1 Les récepteurs couplés aux protéines G possèdent sept domaines transmembranaires

Les récepteurs couplés aux protéines G sont constitués d'une seule chaîne polypeptidique, qui traverse sept fois la membrane plasmique (*fig.* 29.1). Des segments hydrophobes de 20 à 30 acides aminés forment des hélices droites (α) qui traversent la bicouche lipidique. Ces sept **hélices transmembranaires** (hélices TM) forment une unité compacte. Les hélices TM1 à TM7 sont numérotées en sens inverse des aiguilles d'une montre (cellule vue du dessus). L'intégration dans la membrane laisse des boucles ou « bras » libres, qui permettent aux récepteurs de

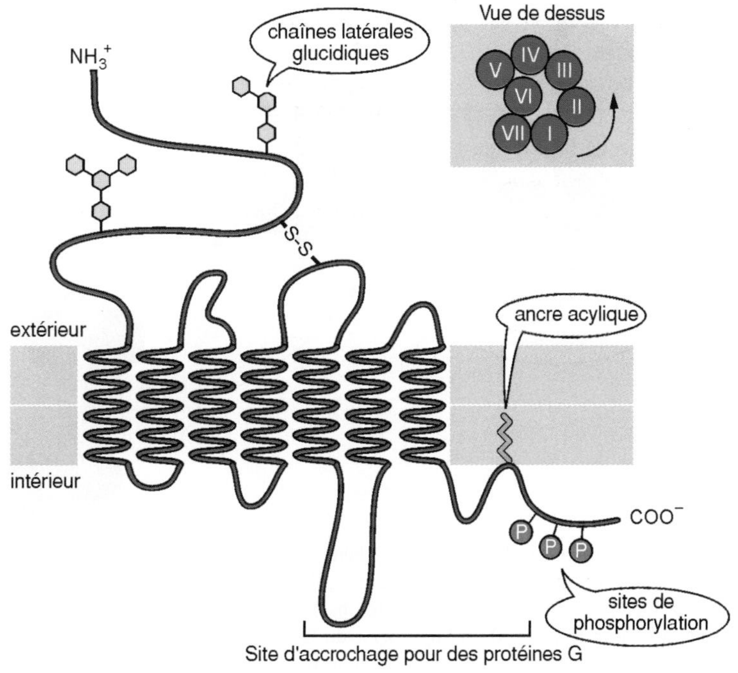

29.1 Structure des récepteurs couplés aux protéines G. Les domaines extracellulaires contiennent des chaînes latérales glucidiques et des ponts disulfure. Le domaine carboxyterminal est souvent ancré dans la membrane plasmique, côté cytosolique, par un palmitoyl-thioester, ce qui permet probablement la formation d'une quatrième boucle intracellulaire. L'interaction avec les protéines G passe principalement par le troisième et le quatrième domaine intracellulaires. L'extrémité carboxylique peut être phosphorylée (§ 29.3).

« saisir » de grands ligands, sur la face extracellulaire. En revanche, les petits ligands, comme les catécholamines, « se faufilent » dans une poche hydrophobe, maintenue ouverte du côté extracellulaire, par les segments transmembranaires.

Les RCPGs à l'état de base, c'est-à-dire en l'absence de ligand, se lient du côté cytosolique à des **protéines G** *hétérotrimériques (protéines liant du GTP)* (§ 28.7). Ces protéines G sont constituées des sous-unités α, β et γ et la sous-unité α, à l'état de base, lie une molécule de GDP. Lorsqu'un ligand extracellulaire se lie au récepteur, il déclenche un changement profond de conformation dans la protéine récepteur, qui se transmet depuis les segments transmembranaires jusqu'aux domaines intracellulaires. Le récepteur « occupé » est alors activé et agit comme **facteur d'échange de guanine** (GEF) (angl. *guanine nucleotide exchange factor*). L'affinité de la sous-unité α pour le GDP se réduit, et l'échange avec le GTP est facilité (*fig.* 29.2). La liaison du GTP provoque la dissociation de la protéine G (complexe trimérique) en deux molécules actives, la sous-unité α liant le GTP et le dimère $\beta\gamma$; chacune de ces deux molécules peut agir sur des protéines effectrices différentes. Les protéines G activées se désactivent elles-mêmes par hydrolyse du GTP : la sous-unité α possède en effet une activité GTPase « intrinsèque », qui catalyse l'hydrolyse du GTP en GDP et P_i. L'hydrolyse du GTP est encore accélérée par des **protéines activant la GTPase** (GAP ; angl. *GTPase activating proteins*). On obtient d'abord une sous-unité α inactive liant le GDP, laquelle peut ensuite se réassocier avec un dimère $\beta\gamma$ libre pour former une protéine G (trimérique) liant le GDP : le retour à l'état de base est ainsi atteint.

La sous-unité α activée, liée au GTP, transmet le signal entrant (fixation d'un ligand extracellulaire au récepteur) aux **protéines effectrices intracellulaires** – dans la plupart des cas des enzymes. Les RCPGs contrôlent ainsi deux voies principales de transduction du signal : l'une modifie les concentrations intracellulaires en **nucléotides cycliques** comme l'AMPc et le GMPc, tandis que l'autre aboutit à la libération d'inositol-1,4,5-*tris*phosphate (IP_3) et de Ca^{2+} (*fig.* 29.3). De nombreux récepteurs couplés aux protéines G peuvent utiliser ces deux voies

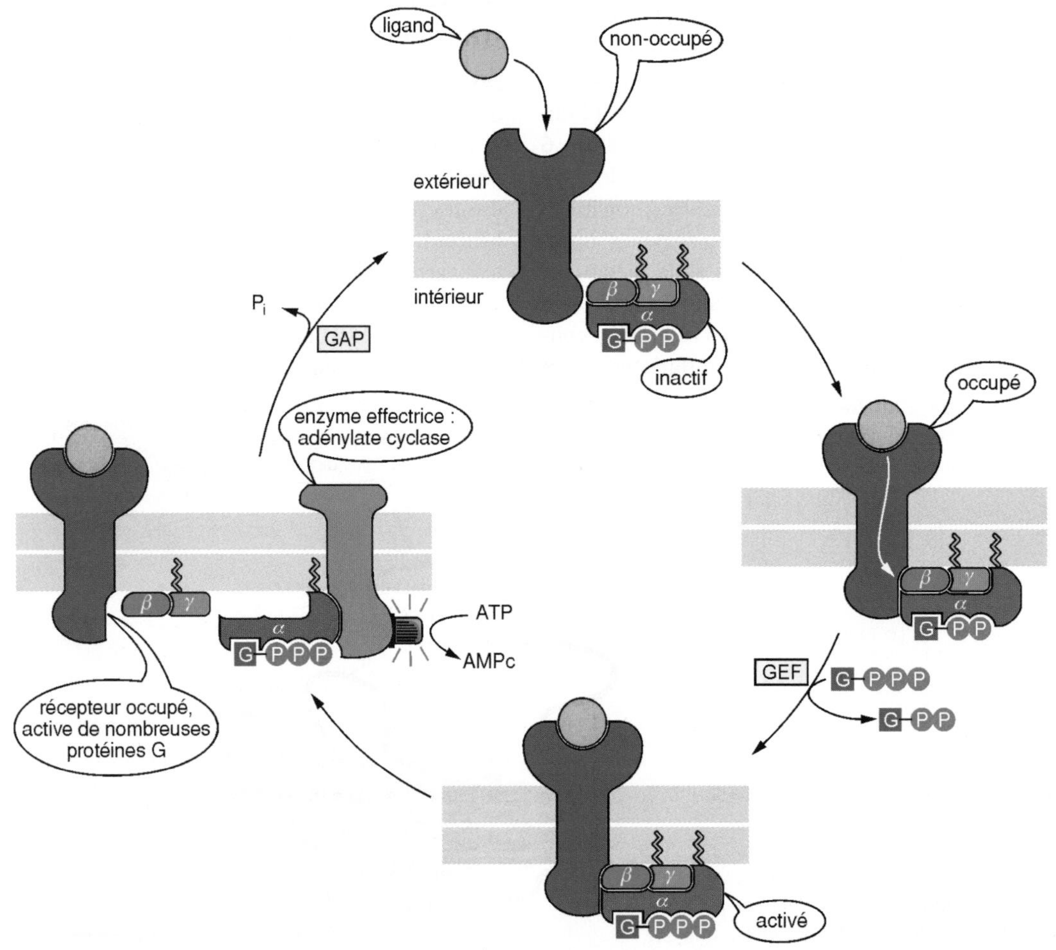

29.2 Cycle d'activation des protéines G hétérotrimériques. À l'état de base (en haut), une protéine G chargée d'une molécule de GDP se lie au récepteur non occupé. Après la liaison du ligand, le récepteur stimule l'échange GDP vers GTP au niveau de la sous-unité α. Ensuite, la protéine G activée (en bas) se dissocie en sous-unités α et $\beta\gamma$, qui interagissent avec des protéines cibles (uniquement démontré pour α). Par hydrolyse du GTP, la sous-unité α retourne à l'état de base et se réassocie avec les sous-unités γ. Quelques récepteurs présentent un cycle modifié, dans lequel l'association avec la protéine G n'a lieu qu'après la fixation du ligand.

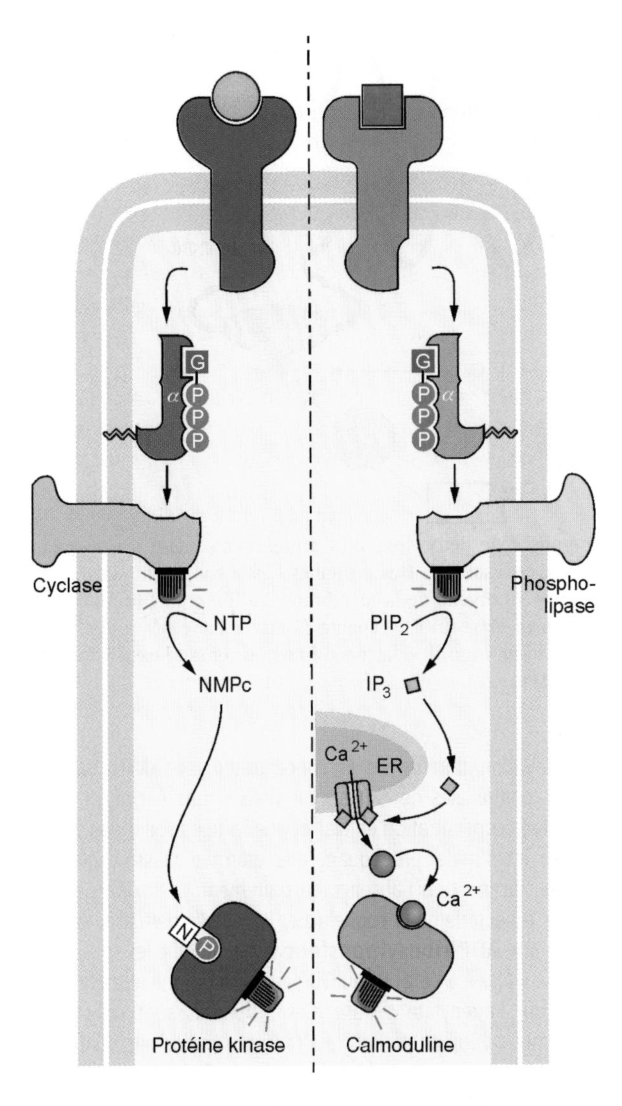

29.3 Transduction intracellulaire des signaux par les récepteurs couplés aux protéines G. Sur les deux voies de signalisation, l'activation des protéines G mêne à une régulation d'enzymes, par exemple la cyclase (à gauche) et la phospholipase (à droite). Ces enzymes participent à la synthèse ou la dégradation de messagers secondaires comme l'AMPc et le GMPc (plus généralement : NMPc ou cNMP, angl. *cyclic nucleotide mono phosphates*), ou bien provoquent une libération de Ca^{2+}. Le Ca^{2+} et les NMPc activent des effecteurs comme la calmoduline ou des protéines kinases. Abréviations : RE, réticulum endoplasmique, IP_3 inositol-1,4,5-*tri*phosphate, PIP_2, phosphatidyl-inositol 4,5-*bis*phosphate.

de signalisation simultanément. Des exemples importants de transduction du signal par les protéines G sont présentés dans le tableau 29.1.

29.2 Les protéines G modulent l'activité de l'adénylate cyclase

De nombreux RCPGs régulent la concentration en AMPc de façon indirecte, en contrôlant l'activité de l'enzyme effectrice, l'adénylate cyclase (ou adényl cyclase), grâce à Gα, la sous-unité α de la protéine G. L'**adénylate cyclase** est une protéine intégrale de la membrane plasmique, qui catalyse la cyclisation de l'ATP en AMPc (*fig.* 29.4). Fondamentalement, les RCPGs peuvent provoquer deux effets opposés : les sous-unités α des **protéines G stimulatrices** (protéines G_s) activent l'adénylate cyclase et induisent une augmentation de la concentration en AMPc, tandis que les sous-unités α des **protéines G inhibitrices** (protéines G_i) inhibent l'enzyme et provoquent ainsi une diminution de la concentration intracellulaire en AMPc. L'AMPc est un messager secondaire et un régulateur allostérique de nombreuses enzymes intracellulaires. Il transmet le signal extracellulaire et permet une réponse spécifique de la cellule (§ 29.5). Certaines protéines G peuvent être inhibées de façon efficace par des toxines bactériennes (*encart* 29.1).

Le génome humain code plus de 27 sous-unités α différentes (isoformes), 5 sous-unités β, et 13 sous-unités γ

Tableau 29.1 Exemples choisis de transduction du signal par des proteines G

Ligand	Groupe de substance	Effet biologique
Adrénaline	Catécholamine	Dégradation du glycogène ; augmentation de la contractilité de la musculature cardiaque
Vasopressine	Peptide	Réabsorption d'eau (reins)
Acétylcholine	Dérivé d'un aminoalcool	Relaxation de la musculature cardiaque
Dopamine	Amine biogène	Régulation des hormones hypophysaires
Prostaglandine	Dérivé de l'acide arachidonique	Processus d'inflammation
Facteur de complément C5a	Peptide	Médiateur de l'inflammation
Facteur activateur des plaquettes (PAF)	Phospholipide	Régulateur de la réponse immunitaire
Leucotriène B_4 (LTB_4)	Dérivé d'acide gras	Recrutement des leucocytes
Interleukine-8 (CXCL-8)	Protéine	Activation des granulocytes neutrophiles, angiogénèse
GCP-2 (angl. *Granulocyte-chemotactic protein*)	Protéine	Recrutement des granulocytes
Sécrétine	Peptide	Stimulation de la sécrétion du pancréas (cellules des acini)

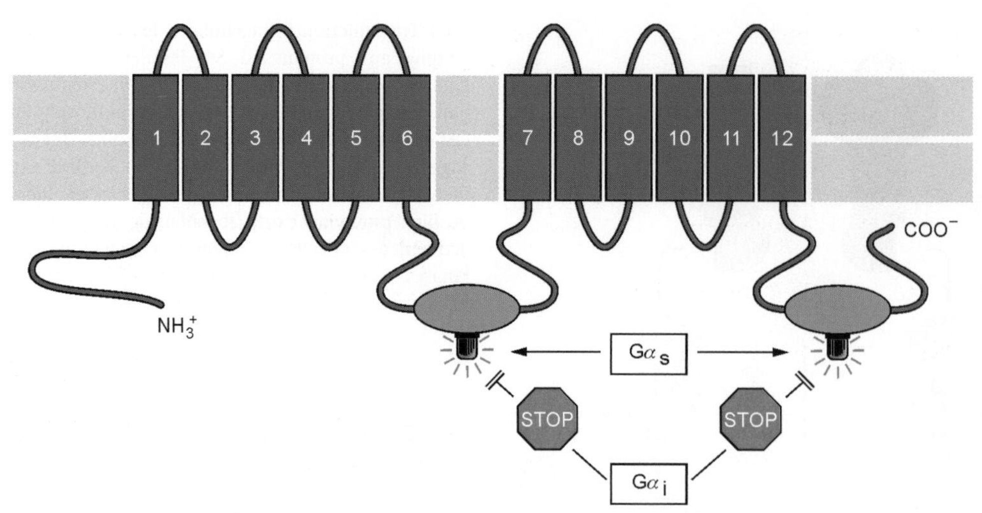

29.4 Structure des domaines de l'adénylate cyclase. L'enzyme est composée de deux domaines présentant chacun six segments transmembranaires ; les deux centres actifs (en bleu clair) sont situés côté cytosolique. Des protéines G à activité stimulatrice (G_s) ou inhibitrice (G_i) sont liées à l'adénylate cyclase, et situées en permanence au niveau de la membrane. La forskoline (un diterpène de faible masse moléculaire) isolée de la plante médicinale indienne *Coleus forskolii* est capable d'activer l'adénylate cyclase de façon directe, c'est-à-dire sans interaction avec des protéines G ; c'est pourquoi on utilise la forskoline pour étudier expérimentalement les effets d'une augmentation de la concentration cytosolique en AMPc.

Encart 29.1 : Les mécanismes d'action des toxines bactériennes

La bactérie *Vibrium cholerae* sécrète dans l'intestin humain une toxine à activité enzymatique, qui peut pénétrer dans les cellules épithéliales de l'intestin *via* le ganglioside G_{M1}, un lipide membranaire. La **toxine cholérique** catalyse dans ces cellules le transfert d'un groupement ADP-ribosyl du NAD^+ vers un résidu arginine de la sous-unité α_s des protéines G et elle inhibe ainsi, de façon permanente, leur activité GTPase (*fig.* 29.5). La sous-unité α_s modifiée ne peut plus retourner à l'état de base associé au GDP et elle stimule en permanence l'adénylate cyclase, ce qui entraîne une élévation durable de la concentration en AMPc dans les cellules épithéliales de l'intestin. Il s'ensuit une élévation importante de la concentration en Na^+ et une forte entrée d'eau dans la lumière intestinale, provoquant une diarrhée massive qui peut entraîner la mort en l'absence de traitement. La toxine pertussique de la bactérie de la coqueluche, *Bordetella pertussis*, est également une **ADP-ribosyltransférase**, qui modifie les sous-unités α_i et les « fixe » à l'état lié au GDP, ce qui supprime leur effet inhibiteur sur l'adénylate cyclase. Ces propriétés sont utilisées en recherche expérimentale, où les toxines bactériennes sont devenues des outils indispensables dans l'étude de la transduction des signaux par les protéines G.

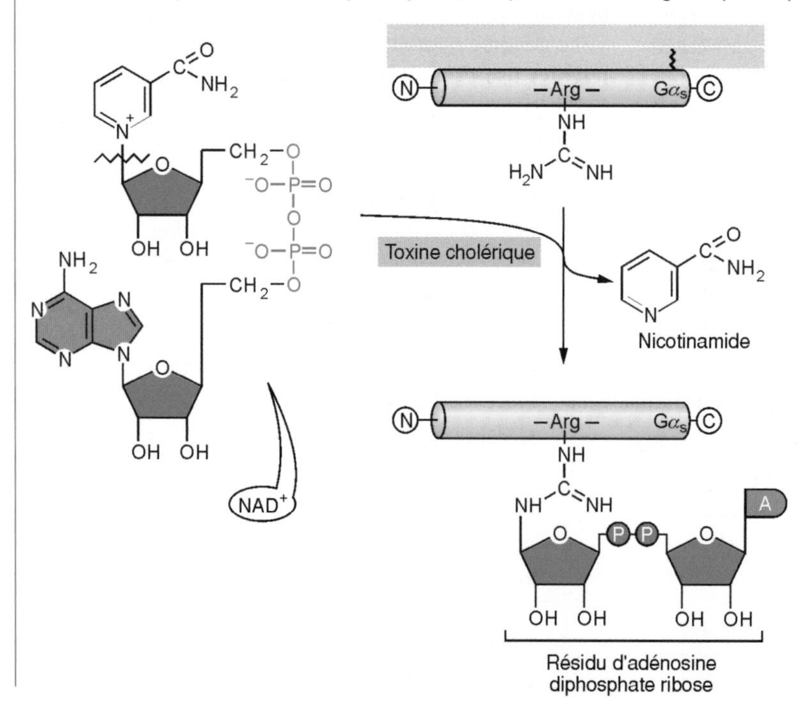

29.5 ADP-ribosylation de la sous-unité $G\alpha_s$ sous l'action enzymatique de la toxine cholérique. La ribosylation de l'ADP libère le nicotinamide.

Tableau 29.2 Transduction des signaux par l'intermédiaire des sous-unités Gα (Signification des indices α : s, stimulatrice ; olf, olfactive ; i, inhibitrice ; t, transducine ; q, sans signification spécifique).

Ligand	Récepteur	Type Gα	Effet moléculaire	Effet biologique
Adrénaline	Récepteur β_1-adrénergique	α_s	Active l'adénylate cyclase [AMPc] ↑	Dégradation du glycogène
Substances olfactives	Récepteurs olfactifs	α_{olf}	Active l'adénylate cyclase [AMPc] ↑	Sensation d'odeur
Acétylcholine	Récepteur M_2-muscarinique	α_i	Inhibe l'adénylate cyclase [AMPc] ↓	Relaxation de la musculature cardiaque
Lumière (photons)	Rhodopsine	α_t	Active la GMPc phosphodiestérase [GMPc] ↓	Phototransduction dans la rétine
Bradykinine	Récepteur de la bradykinine	α_q	Active la phospholipase C-β ; $[IP_3]$ ↑ ; $[Ca^{2+}]$ ↓	Relaxation de la musculature lisse

de protéines G, qui présentent des homologies de séquence importantes. *Leur* **combinatoire** *garantit une grande diversité de protéines G hétérotrimériques, qui s'associent avec des RCPGs différents et contribuent ainsi à la spécificité des voies de signalisation intracellulaires.* Les sous-unités α les plus importantes sont notées dans le *tableau* 29.2 : outre les sous-unités α_s et α_i, il faut également évoquer la sous-unité α_q qui active la phospholipase C-β, et la sous-unité α_t (transducine) qui stimule une phosphodiestérase GMPc-dépendante dans les photorécepteurs. En revanche, les effecteurs des sous-unités $\alpha_{12/13}$ ne sont pas encore connus en détail. En dehors des sous-unités α, les dimères $\beta\gamma$ exercent aussi une activité modulatrice et régulent, par exemple, l'activité de canaux ioniques. Ainsi, le récepteur muscarinique à l'acétylcholine des cardiomyocytes peut exercer un double effet par le biais de sa protéine G : la sous-unité α_i inhibe l'adénylate cyclase, tandis que le **dimère** $\beta\gamma$ correspondant ouvre des canaux K^+ ; de cette façon, l'acétylcholine diminue à la fois la fréquence cardiaque et la contractilité du muscle cardiaque. De plus, les sous-unités $\beta\gamma$ peuvent aussi influencer elles-mêmes l'activité de l'adénylate cyclase ou de la phospholipase C-β.

29.3 Des kinases phosphorylent et désensibilisent les récepteurs couplés aux protéines G

Le mécanisme intrinsèque d'inactivation des sous-unités Gα *ne* suffit *pas* pour éliminer complètement un signal reçu. Tant que le récepteur reste activé, il peut réactiver les protéines Gα précédemment inactivées par l'hydrolyse de GTP et qui sont maintenant liées au GDP. Un mécanisme d'inactivation directe du récepteur intervient alors, dans lequel les sous-unités $\beta\gamma$ des protéines G jouent encore un rôle important : elles constituent une plateforme, qui permet l'accrochage de **kinases spécifiques des récepteurs couplés aux protéines G** (GRK ; angl. *G-protein receptor specific kinases*) et leur recrutement par le récepteur. Une fois associées, les GRKs phosphorylent rapidement des résidus sérine ou thréonine présents dans le domaine intracellulaire du récepteur (*fig.* 29.6). Un autre régulateur de la transduction des signaux cellulaires, l'**arrestine**, peut alors s'accrocher aux segments phosphorylés du récepteur et empêcher d'autres interactions de ce

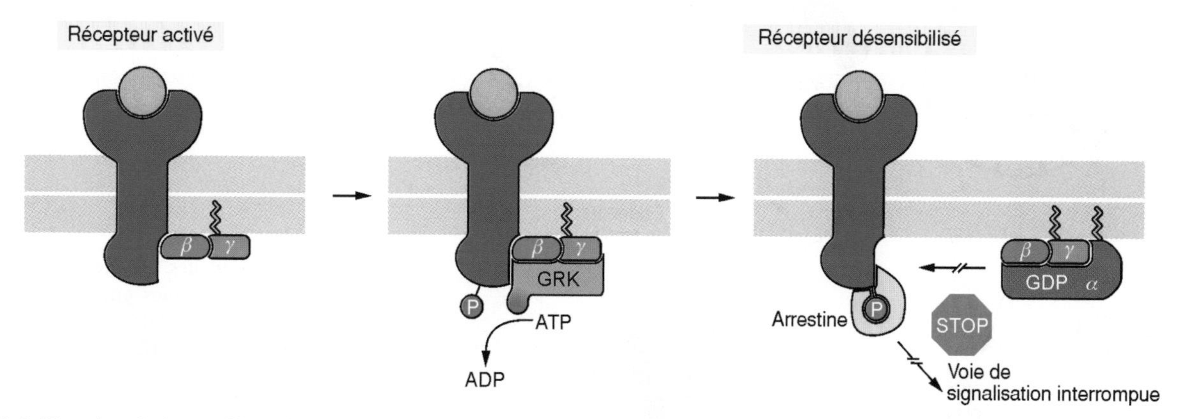

29.6 Phosphorylation et désensibilisation des récepteurs couplés aux protéines G. Au minimum six GRK différentes peuvent phosphoryler préférentiellement le domaine carboxyterminal des récepteurs. L'arrestine se lie secondairement aux segments phosphorylés et bloque le récepteur empêchant l'activation ultérieure par une protéine G. Dans le cas de la rhodopsine (§ 29.6), l'arrestine entraîne un affaiblissement de la transduction du signal lors d'une stimulation lumineuse permanente (adaptation).

récepteur avec des protéines G : le récepteur est ainsi désensibilisé. La fin est donc annoncée dès le début : *la fixation du ligand sur son récepteur induit le déclenchement du signal mais également – avec délai – l'élimination du signal. On parle de désensibilisation homologue.*

L'adaptation d'une cellule à une exposition durable à un ligand passe par deux mécanismes différents. La **phosphorylation du récepteur** permet une désensibilisation rapide, à l'échelle des secondes ou des minutes ; pour un temps, la cellule est sourde (réfractaire) vis-à-vis du ligand. Ce mécanisme permet à la cellule d'apporter des réponses adéquates à des stimuli répétés. Lors d'une stimulation prolongée par un ligand, la **dégradation protéolytique du récepteur** permet une adaptation lente, à l'échelle des heures. *Les mécanismes de désensibilisation permettent aux cellules d'éviter une activation permanente lors d'une exposition longue à un ligand, ce qui pourrait entraîner une détérioration de leurs voies de signalisation.*

29.4 L'endocytose des récepteurs utilise des vésicules à manteau de clathrine

Les arrestines forment toute une famille de protéines homologues, qui servent d'adaptateurs pour la fixation de molécules de clathrine, une protéine structurale, et peuvent initier l'internalisation des récepteurs. Les récepteurs marqués par les arrestines se rassemblent dans des « creux » des membranes couverts sur leur face cytosolique par un « manteau » formé de molécules de clathrine polymérisées (§ 19.10). Des vésicules se forment alors au niveau de ces puits recouverts de clathrine (angl. *coated pits*) et s'enfoncent à l'intérieur de la cellule grâce à l'intervention de la dynamine, une ATPase de la membrane. Après internalisation, les vésicules se défont de leurs manteaux de clathrine et elles fusionnent pour donner des endosomes, les précurseurs des lysosomes. Dans ce milieu acide, le ligand se dissocie du récepteur. Les récepteurs internalisés sont déphosphorylés, côté cytosolique, grâce à des phosphatases et ainsi re-sensibilisés. Les récepteurs internalisés peuvent ensuite suivre deux voies : soit ils sont transportés avec leurs ligands dans des compartiments lysosomiaux où ils sont dégradés par des protéases – on parle d'une **régulation négative** (angl. *downregulation*) (*fig.* 29.7) ; soit ils sont recyclés et

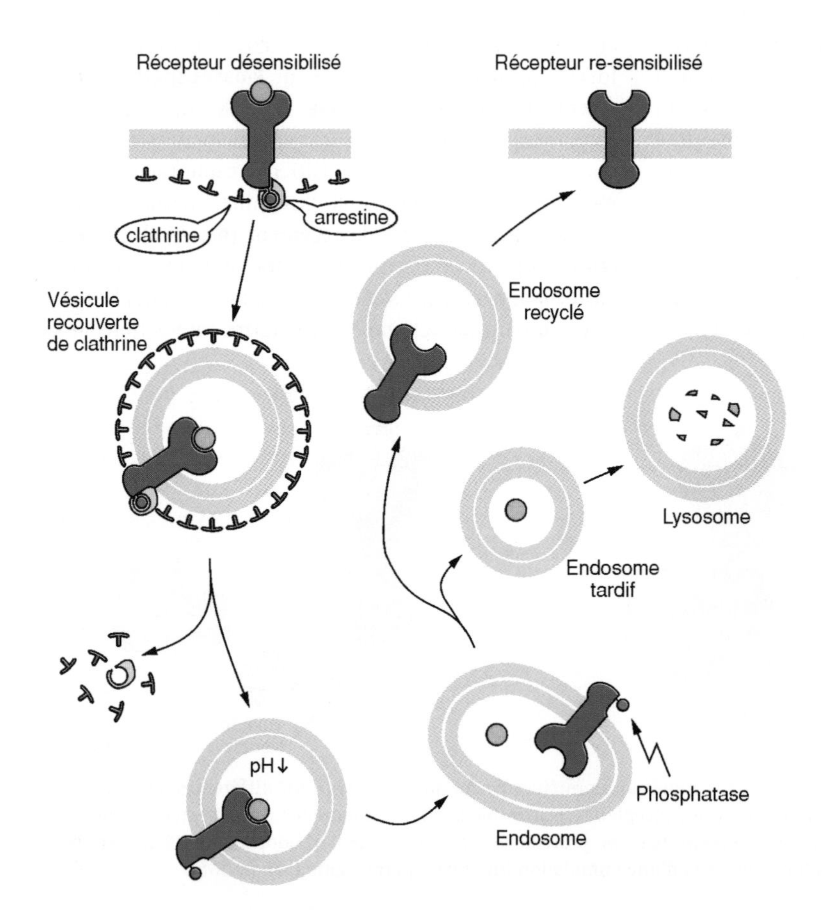

29.7 Internalisation des récepteurs couplés aux protéines G. Les voies principales sont la dégradation lysosomiale du ligand ou bien le retour vers la surface cellulaire où une nouvelle activation peut avoir lieu. Quelques étapes intermédiaires du recyclage des récepteurs restent hypothétiques. Alternativement, les récepteurs liés aux protéines G peuvent être internalisés de manière indépendante des clathrines (non montré).

retournent à la membrane plasmique pour être réutilisés. Les mécanismes qui décident de la voie suivie par les récepteurs sont toujours inconnus.

Le processus d'**endocytose par l'intermédiaire d'un récepteur** est également employé par la cellule pour l'incorporation de particules LDL (angl., *low density lipoproteins*) (§ 42.5). Des virus utilisent aussi l'internalisation de récepteurs, de façon opportuniste, pour atteindre l'intérieur des cellules en « passagers clandestins » (*encart* 29.2).

Encart 29.2 : Invasion virale de cellules par l'intermédiaire de récepteurs

Le virus de l'immunodéficience humaine (VIH) utilise des récepteurs de la surface cellulaire pour infecter des lymphocytes T auxiliaires (angl. *T-helper cells*). L'infection par le virus dépend d'une combinaison de récepteurs : d'une part un récepteur couplé aux protéines G, comme les **récepteurs aux chimiokines** de type CXCR4 ou CCR5, et d'autre part le **récepteur CD4** des lymphocytes T auxiliaires (§ 33.6). Le virus s'accroche probablement d'abord au récepteur couplé aux protéines G et provoque son internalisation. La particule virale chemine alors vers l'intérieur de la cellule comme « passager clandestin » du récepteur, puis elle se multiplie dans la cellule et bloque les fonctions cellulaires. Des stratégies thérapeutiques ont été développées à partir de la connaissance de ce mécanisme ; elles visent à inhiber l'entrée du virus dans la cellule en **bloquant le récepteur**. Cette stratégie semble prometteuse. En effet, les individus portant une mutation dans le gène codant le récepteur CCR5, qui altère le site de fixation du virus sont largement – mais pas totalement – protégés contre une infection par le VIH. D'autres virus utilisent aussi des récepteurs de la surface cellulaire comme « talon d'Achille » lors de leurs invasions des cellules hôtes.

29.5 L'AMPc contrôle l'expression des gènes par l'intermédiaire de facteurs de transcription

De nombreuses hormones régulent la concentration intracellulaire en AMPc par l'intermédiaire de récepteurs couplés aux protéines G (*tableau* 29.2). Une caractéristique de l'AMPc – comme d'autres messagers intracellulaires – est son existence éphémère. **La phosphodiestérase dépendante de l'AMPc**, une enzyme cytosolique, est responsable de l'hydrolyse rapide de ce médiateur puissant en adénosine monophosphate (AMP) (*fig.* 29.8). La courte demi-vie de ce nucléotide cyclique garantit une concentration basale relativement basse de l'AMPc dans les cellules : c'est une condition indispensable pour qu'une régulation grâce à des variations de concentration soit possible. Des stimulants, comme la **caféine** ou la théophylline, inhibent la phosphodiestérase dépendante de l'AMPc et prolongent ainsi l'effet des hormones qui stimulent l'adénylate cyclase. Cet effet ne passe pas par une élévation excessive du niveau d'AMPc, mais plutôt par un retard dans le retour à une concentration de base. On a déjà vu un exemple des conséquences graves induites par une élévation durable des concentrations en AMPc dans l'encart consacré aux toxines bactériennes (*Encart* 29.1).

Une autre caractéristique commune aux seconds messagers est leur action comme modulateurs allostériques. Dans le cas de l'AMPc, une protéine cible importante est la **protéine kinase A (PKA), dépendante de l'AMPc** (*fig.* 29.9). En présence de faibles concentrations en AMPc, la protéine kinase est inactive : l'enzyme inactive est constituée par un complexe hétérotétramérique formé de deux sous-unités catalytiques et de deux sous-unités régulatrices. Une élévation de la concentration en AMPc lors d'une stimulation hormonale induit la liaison de deux molécules d'AMPc sur chaque sous-unité régulatrice de la protéine kinase A, provoquant un **changement de conformation allostérique** dans les domaines régulateurs de la protéine. Le complexe se dissocie alors et les sous-unités catalytiques sont ainsi « désinhibées » ; sous leur forme active, elles peuvent alors phosphoryler des

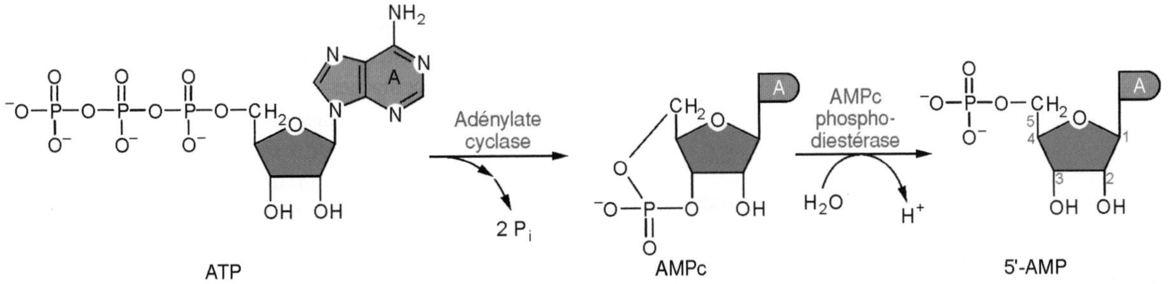

29.8 Synthèse et dégradation de l'AMPc. La réaction catalysée par l'adénylate cyclase libère d'abord une molécule de pyrophosphate qui est hydrolysé dans un deuxième temps par une pyrophosphatase en deux Pi, ce qui rend la réaction pratiquement irréversible.

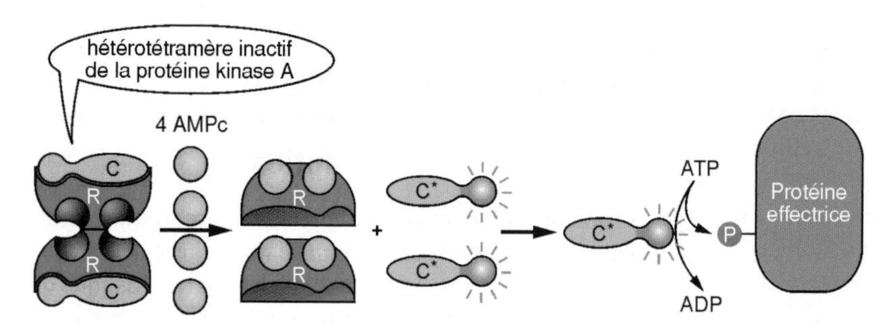

29.9 Activation de la protéine kinase A. Les sous-unités catalytiques C sont inactives quand elles sont complexées avec les sous-unités régulatrices R. Après la liaison de l'activateur allostérique AMPc, le complexe se dissocie et libère deux molécules d'enzyme active C*, qui peuvent alors phosphoryler diverses protéines effectrices. La protéine kinase A existe sous forme soluble ou sous forme associée à la membrane.

résidus sérine ou thréonine dans des protéines effectrices situées en aval dans la cascade de signalisation.

L'effet des protéines kinases A est limité dans le temps car des **phosphatases** interviennent rapidement pour déphosphoryler les protéines effectrices. Après la désensibilisation de récepteur, l'inactivation de protéines G et la dégradation de l'AMPc, on rencontre ici une quatrième voie par laquelle la machinerie de signalisation cellulaire peut être stoppée après une stimulation hormonale. Un exemple très parlant de cascade de signalisation induite par l'AMPc est la glycogénolyse, qui consiste à dégrader le glycogène en glucose-1-phosphate après une stimulation hormonale (*fig.* 28.5). La **transduction de signal AMPc-dépendante** contribue à des mécanismes fondamentaux comme la prolifération et la différenciation cellulaires et également à des phénomènes plus complexes comme l'apprentissage ou la mémoire (*fig.* 27.18). En effet, la signalisation par l'AMPc exerce son effet jusqu'au niveau de l'ADN : quand une protéine kinase A est activée par une élévation d'AMPc, l'enzyme active est transloquée du cytosol vers le noyau où elle phosphoryle la protéine CREB (*fig.* 29.10). Le CREB est un facteur de transcription qui se lie à des séquences régulatrices de l'ADN, qu'on nomme des **éléments de réponse à l'AMPc** ou CRE (angl. *cAMP responsive elements*) (§ 20.6).

Le CREB phosphorylé est le dernier maillon d'une longue chaîne d'événements, qui va du récepteur au gène : ce facteur active la transcription des gènes sensibles à l'AMPc et il change ainsi le patron d'expression d'une cellule stimulée par une hormone. *On trouve ici le premier exemple d'une cascade de signalisation qui relie des signaux externes à l'expression cellulaire des gènes.* On rencontrera d'autres exemples dans le chapitre sur les récepteurs couplés à des enzymes (§ 30.4)

29.10 Régulation de l'expression des gènes par l'AMPc. L'AMPc provoque la dissociation du complexe inactif et la translocation des sous-unités catalytiques vers le noyau de la cellule. Les sous-unités catalytiques peuvent alors phosphoryler un résidu sérine du CREB, ce qui entraîne une activation transcriptionnelle des gènes sensibles à l'AMPc. [RF]

29.6

Les cellules sensorielles utilisent des voies de signalisation dépendantes des protéines G

Des récepteurs couplés aux protéines G prennent en charge des fonctions centrales de perception sensorielle dans les domaines de la vision, de l'olfaction et du goût. Par exemple, les **cellules sensorielles olfactives** situées au niveau de l'épithélium olfactif du nez humain disposent de plusieurs centaines de récepteurs olfactifs différents couplés à des protéines G. Chaque cellule sensorielle olfactive n'exprime qu'un seul type de récepteur et est donc spécialisée dans la détection d'une seule ou de quelques substances odorantes. Les activités combinées et séquentielles des nombreuses cellules sensorielles olfactives permettent de distinguer près de 10 000 odeurs différentes. La plupart de ces **récepteurs olfactifs** (récepteurs des odeurs) est couplée avec la protéine G stimulatrice G_{olf}, dont la sous-unité α active l'adénylate cyclase, ce qui induit une élévation de la concentration en AMPc et provoque une ouverture des canaux cationiques dépendants de l'AMPc. L'entrée des ions K^+ et Ca^{2+} dans la cellule génère des potentiels d'action qui se propagent par les axones des cellules sensorielles olfactives, pour converger vers le bulbe olfactif de façon spécifique de l'odeur détectée. L'intégration de ces signaux au niveau du cerveau permet de donner l'impression d'une odeur. L'adaptation rapide du nez humain à de fortes odeurs a un corollaire moléculaire, qui consiste en une **désensibilisation homologue** (§ 29.3) des récepteurs olfactifs. Mais il existe en outre un deuxième mécanisme d'inactivation du récepteur qui passe par l'intermédiaire de la protéine kinase A : cette enzyme peut aussi phosphoryler de façon ciblée des récepteurs liés aux protéines G et ainsi les inactiver (*fig.* 29.11). Néanmoins, ce processus n'est pas spécifique des récepteurs et peut se produire lors de n'importe quelle élévation de la concentration en AMPc : on parle de **désensibilisation hétérologue** (qui ne dépend pas du ligand du récepteur).

Un autre nucléotide cyclique, le GMPc, joue un rôle important dans la **phototransduction,** au début du processus de la vision. Le mécanisme d'action de la phototransduction est bien compris sur le plan moléculaire et nous allons le considérer en détail : la rétine de l'œil humain dispose de deux classes de cellules sensorielles photosensibles. Selon leur forme, on distingue parmi les **cellules photoréceptrices** les cônes et les bâtonnets. Alors que trois types de cônes permettent la vision des couleurs dite trichromatique, les bâtonnets sont responsables de la vision clair/sombre dite monochromatique. De très faibles intensités lumineuses suffisent pour exciter les bâtonnets, qui sont extrêmement sensibles. Leur photo-

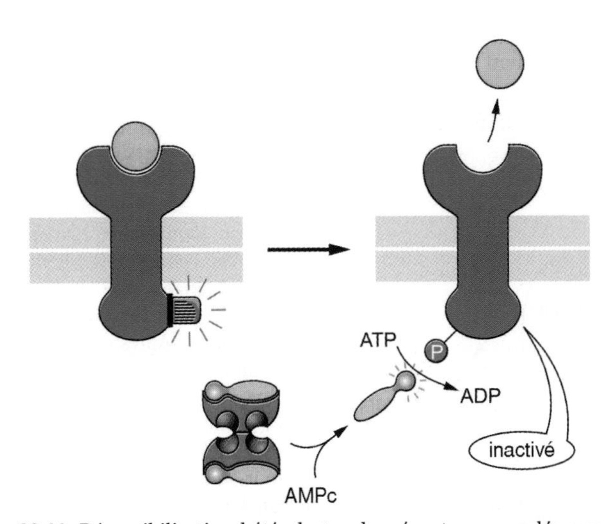

29.11 Désensibilisation hétérologue des récepteurs couplés aux protéines G. La protéine kinase A dépendante de l'AMPc phosphoryle des segments intracellulaires des récepteurs et les inactive ainsi. En principe, chaque élévation de la concentration intracellulaire en AMPc peut déclencher une telle désactivation (partielle) des récepteurs couplés aux protéines G.

récepteur est la **rhodopsine**, qui est intégrée dans la membrane des disques – la partie externe des bâtonnets est constituée par un empilement de disques membraneux. La rhodopsine est formée de la protéine **opsine** et du chromophore **rétinal**, un dérivé de la vitamine A, qui est lié au domaine transmembranaire de l'opsine. Quand un photon touche le récepteur, le rétinal subit une photoisomérisation qui se traduit par un changement de conformation de la forme 11-*cis* à la forme tout-*trans* (*fig.* 29.13) et provoque ensuite un changement stérique de l'opsine. La métarhodopsine II, une molécule à très courte demi-vie est ainsi générée. Le photorécepteur peut se lier à une protéine G activée, la **transducine** (G_t). Suite à l'échange GDP-GTP, la sous-unité α de la transducine stimule une phosphodiestérase spécifique qui provoque une brusque chute de la concentration en GMPc (*fig.* 29.12). Ce processus aboutit à la fermeture de **canaux Na^+ dépendants du GMPc** et que l'on trouve en grand nombre dans la membrane des bâtonnets.

À l'état de repos, en l'absence de stimulations lumineuses, les canaux sodiques d'une cellule photoréceptrice sont ouverts. L'entrée de Na^+ maintient un potentiel membranaire de - 40 mV et la sécrétion permanente du neurotransmetteur glutamate dans la région synaptique. La lumière induit une fermeture des canaux Na^+ et, par voie de conséquence, une hyperpolarisation des bâtonnets et une diminution de la sécrétion synaptique du transmetteur. Ces changements graduels sont traités par les cellules nerveuses en aval dans la rétine, et traduits en signal neuronal. Le signal est conduit *via* le tractus optique vers le cortex visuel du cerveau pour y donner une impression visuelle.

La puissance particulière de la phototransduction est l'**amplification** énorme du signal entrant : quelques photons suffisent pour stimuler une cellule photoréceptrice. Le processus entier se déroule en quelques millisecondes et il est réversible : la sous-unité *α* de la protéine G_t hydrolyse le GTP et revient à sa forme liée au GDP inactive. En même temps, une activité kinase du récepteur désactive, en association avec l'arrestine (§ 29.3), le récepteur stimulé. La métarhodopsine II étant une molécule instable, elle se décompose rapidement après son activation donnant l'opsine et le rétinal libre tout-*trans*. Ce dernier est ensuite re-transformé par une **isomérase** – avec plusieurs étapes intermédiaires – en 11-*cis* rétinal, qui se lie de nouveau à l'opsine : le photocycle est terminé (*fig.* 29.13). Simultanément, une phosphatase déphosphoryle le récepteur et le détache de l'arrestine. L'état de base est de nouveau atteint.

Mais comment la chute de concentration en GMPc induite par la stimulation lumineuse est-elle rapidement annulée? La **protéine activant la guanylate cyclase** dépendante du Ca^{2+} (angl. *guanyl cyclase activating protein*, GCAP) remplit cette fonction (*fig. 29.14*). Au repos, les canaux sodiques laissent en fait passer de faibles quantités d'ions Ca^{2+}, qui se lient dans le cytosol à la protéine

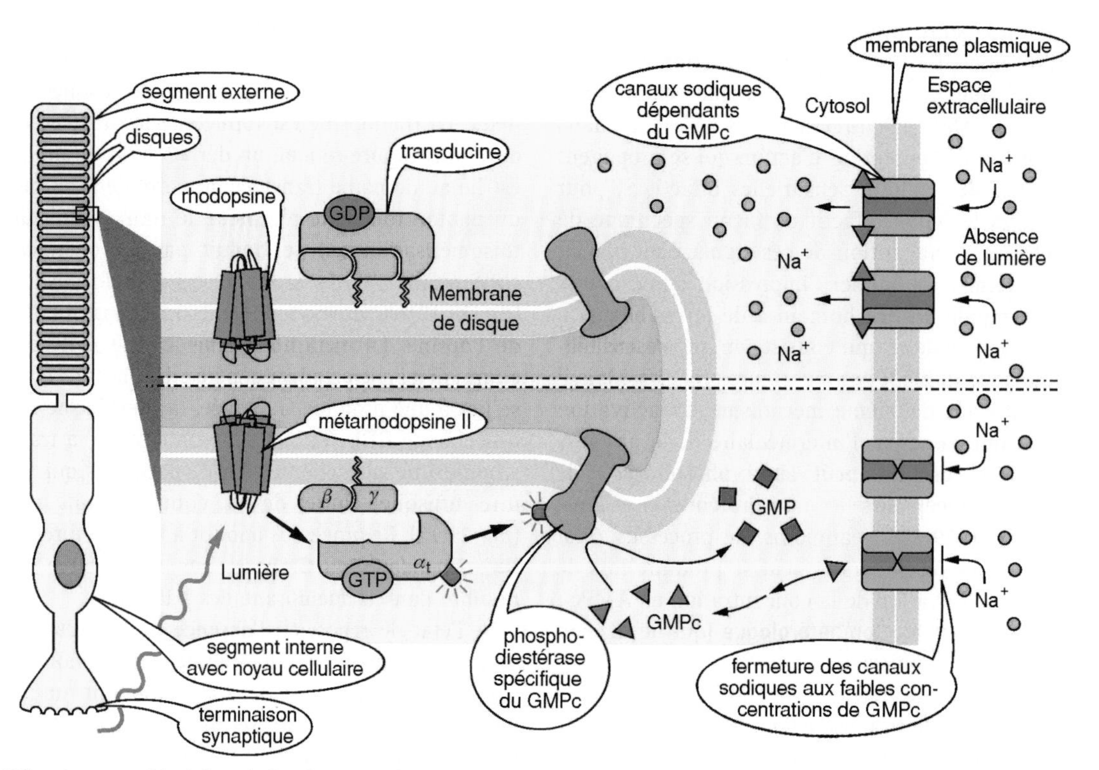

29.12 Mécanismes moléculaires de la phototransduction. Le bâtonnet (à gauche) est constitué d'un segment externe sensible à la lumière avec un empilement de disques et d'un segment interne portant la terminaison synaptique. En l'absence de stimulus lumineux (agrandissement : en haut), les canaux Na^+ du segment externe sont ouverts et le bâtonnet maintient grâce à l'entrée de Na^+ (courant d'obscurité) un potentiel membranaire d'environ - 40 mV ; en conséquence, il déverse en permanence le neurotransmetteur glutamate au niveau des terminaisons synaptiques (non montré). L'activation de la rhodopsine par des photons entraîne une cascade de signalisation (agrandissement : en bas) qui mène à la diminution de la concentration en GMPc et finalement à la fermeture des canaux Na^+. De ce fait, la cellule photosensible subit une hyperpolarisation. Ce signal est transmis en aval aux cellules de la rétine sous forme d'une réduction de la libération du transmetteur (non montré).

GCAP. Cette protéine, une fois chargée en Ca^{2+}, s'accroche à la **guanylate cyclase associée à la membrane** et affaiblit son activité. La fermeture des canaux sodiques lors d'une stimulation lumineuse diminue la concentration cytosolique en Ca^{2+} car le calcium est pompé constamment vers l'extérieur de la cellule (voir *fig.* 29.18). En conséquence, le complexe Ca^{2+}-GCAP se dissocie et la forme de protéine GCAP libre de Ca^{2+}, dite « apo », se forme et peut activer la guanylate cyclase. Le GMPc est alors synthétisé rapidement et la concentration de ce messager remonte

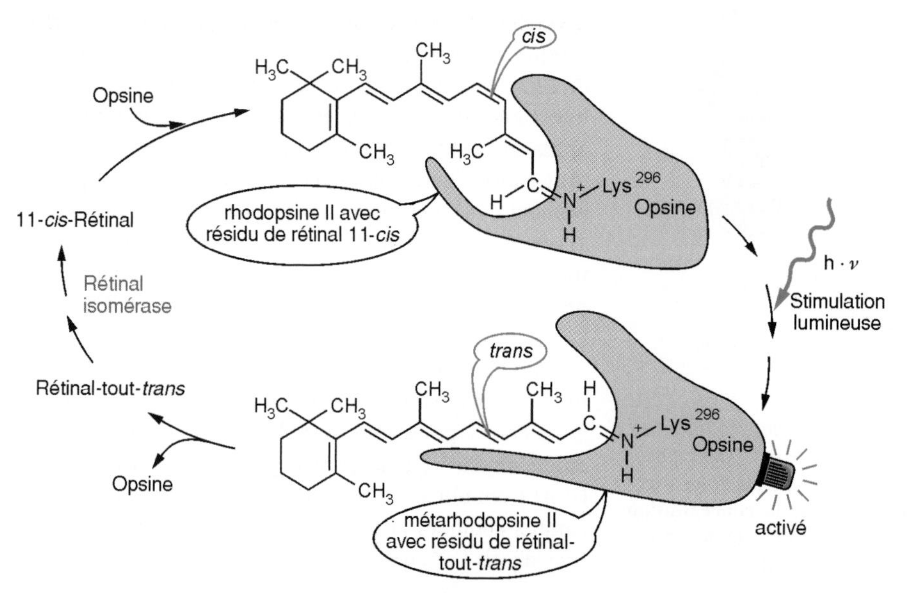

29.13 Liaison réversible du rétinal à l'opsine. À l'état de base, le 11-*cis* rétinal est lié de façon covalente au groupement ε-amine d'un résidu lysine dans l'hélice transmembranaire TM7 de l'opsine (Lys^{296} pour la rhodopsine des bâtonnets). Après exposition à la lumière, la métarhodopsine II contenant le rétinal sous forme tout-*trans* est formée. Après cette photoisomérisation, le tout-*trans* rétinal perd sa liaison à l'opsine et diffuse hors de la molécule de photorécepteur. L'isomérisation en forme *cis* a lieu grâce à l'action de la rétinal isomérase et une nouvelle liaison à l'opsine régénère la rhodopsine activable.

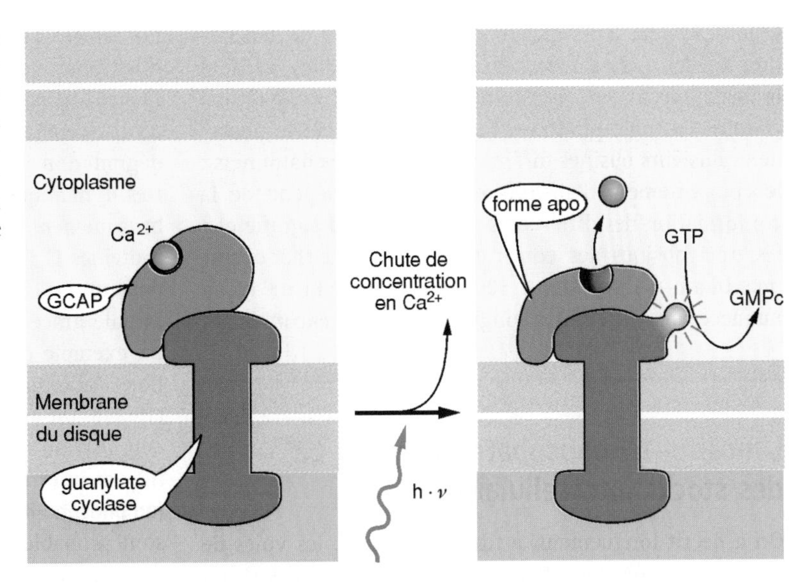

29.14 Régulation de la concentration en GMPc. La protéine GCAP est une protéine liant le Ca^{2+} qui inhibe, à l'état de repos (à gauche), la guanylate cyclase associée à la membrane. Après une stimulation lumineuse, la fermeture des canaux cationiques provoque une diminution de la concentration en Ca^{2+} et la protéine GCAP libre de Ca^{2+} (forme apo) peut activer la cyclase (à droite).

rapidement au-dessus d'une valeur seuil critique. Les canaux sodiques de la membrane plasmique s'ouvrent alors à nouveau, permettant à du Ca^{2+} d'entrer dans la cellule en même temps que le Na^+. L'association avec le GCAP inhibe à nouveau la guanylate cyclase : le système est de retour à son état de base et prêt à recevoir une nouvelle stimulation. La protéine GCAP joue également un rôle clé dans **l'adaptation lumineuse** : une exposition continue à la lumière conduit à une diminution de la concentration cytosolique en Ca^{2+} et dans ce cas, la guanylate cyclase est de moins en moins inhibée, donnant un « coup de pouce » à la synthèse de GMPc. Cette augmentation induit une nouvelle ouverture des canaux sodiques dépendants du GMPc et le photorécepteur s'adapte lentement au changement d'intensité lumineuse par une faible dépolarisation de sa membrane.

Les **cônes** de la rétine sont activés seulement par les fortes intensités lumineuses. Après activation, ils inhibent le système très sensible des bâtonnets et créent ainsi les conditions de base pour la **vision des couleurs** pendant

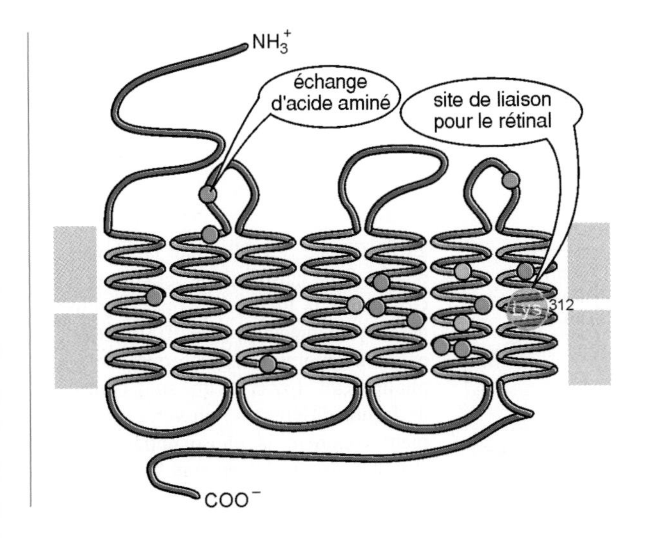

Encart 29.3 : Le trichromatisme et les perturbations de la vision chromatique

L'homme est un **trichromate** : sa vision des couleurs est le résultat de l'action de trois types de cônes, qui possèdent des photorécepteurs différents couplés à des protéines G, et apparentés à la rhodopsine. Ils possèdent le 11-*cis* rétinal comme chromophore. Les trois isoformes d'**opsines des cônes** (*fig.* 29.15) ont des maximums d'absorption aux longueurs d'onde de 420 nm (bleu), 530 nm (vert) ou bien 560 nm (rouge) environ. Il existe plusieurs formes de **dyschromatopsies** ; le daltonisme dichromatique avec des déficits dans la perception du rouge et du vert chez les mâles est l'affection la plus fréquente. Tandis que le gène pour le « récepteur du bleu » est localisé sur le chromosome 7, les gènes d'opsines pour les récepteurs à longueurs d'onde courtes et moyennes se trouvent – couplés l'un à l'autre – sur le chromosome X. À cause de leur grande ressemblance et de leur proximité, ils subissent relativement souvent des événements de recombinaisons génétiques menant à des délétions ou à la formation de gènes hybrides dysfonctionnels, ce qui conduit ou bien à la **deutéranopie** (absence de perception du vert) ou bien à la **protanopie** (absence de perception du rouge), car les récepteurs pour respectivement le vert ou le rouge manquent. La prévalence de ces deux maladies chez le sexe mâle est respectivement d'environ 1,5 et 0,7 %, ce qui est beaucoup plus élevé que chez la femme.

29.15 Différences de séquence entre deux opsines des cônes. Les protéines des deux photorécepteurs disposant des maximums d'absorption aux longueurs d'onde respectivement longue ou bien moyenne (les récepteurs « du rouge » ou « du vert ») ne se distinguent que par 15 acides aminés sur 364 (points colorés). Les trois résidus qui contribuent le plus aux différences dans les caractéristiques d'absorption sont marqués en jaune. Au contraire, les opsines des cônes « bleus » et « verts » se distinguent par plus de 200 acides aminés (non montré). [RF]

le jour. Malgré leurs différences de forme et de sensibilité, les deux classes de cellules photosensibles utilisent le même mécanisme de phototransduction avec le rétinal comme « attrape-photon ». Par contre, les cônes possèdent plusieurs opsines différentes de celle des bâtonnets : le comportement d'absorption du rétinal dépend de la conformation des différentes opsines, ce qui signifie que les trois opsines des cônes, tout comme la rhodopsine (maximum d'absorption : 500 nm), répondent de façon nuancée aux différentes longueurs d'onde (*encart* 29.3).

29.7 L'inositol-*tris*phosphate libère du Ca^{2+} des stocks intracellulaires

On a décrit longuement, à titre d'exemples, les voies de signalisation des récepteurs couplés aux protéines G qui utilisent respectivement G_{olf} et G_t et les nucléotides cycliques AMPc et GMPc. Les récepteurs couplés aux protéines G peuvent alternativement déclencher une **cascade de signalisation par le phosphoinositol**, via la protéine G_q (*fig.* 29.16). L'enzyme membranaire **phospholipase C-β** est activée par la sous-unité $G\alpha_q$ et hydrolyse ensuite le phospholipide phosphatidyl-inositol-4,5-bisphosphate (PIP_2) situé sur la face cytosolique de la membrane plasmique. L'hydrolyse génère deux messagers : l'**inositol-1,4,5-trisphosphate** (IP_3) et le **diacylglycérol** (DAG). L'IP_3 est un messager soluble qui diffuse vers la membrane du réticulum endoplasmique où il se lie à des canaux Ca^{2+} sensibles à l'IP_3 provoquant leur ouverture, ce qui entraîne une brusque élévation de la concentration intracellulaire en Ca^{2+}. Le DAG est un messager qui reste dans la membrane plasmique où il active des enzymes de la famille des protéines kinases C qui phosphorylent alors des résidus sérine ou thréonine de leurs protéines effectrices (*encart* 30.1).

Le second messager inositol-1,4,5-*tris*phosphate subit – comme les nucléotides cycliques – une dégradation rapide (*fig.* 29.17). Des phosphatases déphosphorylent l'IP_3 en trois étapes, pour former l'**inositol**, lequel est réutilisé pour la synthèse de PIP_2. Le pourcentage de PIP_2 ne dépasse pas 1 % des lipides totaux de la couche interne de la membrane plasmique ; pourtant la synthèse et la dégradation de ce composé constituent des phénomènes très dynamiques. Ce cycle métabolique peut être accéléré brusquement par la stimulation de récepteurs couplés aux protéines G : la concentration en IP_3 augmente très rapidement et elle retombe aussi rapidement à sa valeur initiale grâce à l'action de phosphatases. On rencontre ici un exemple de régulation rapide, qui transmet des réactions cellulaires à l'échelle de la seconde. Le **chlorure de Lithium**, un antidépresseur fréquemment utilisé, bloque la dégradation de l'IP_3 au niveau de l'inositol-4-phosphate (IP_1) et interrompt ainsi le **cycle des phosphatidyl-inositols (ou phospho-inositides)** ; les maladies maniaco-dépressives sont probablement dues à une « activabilité » anormale des canaux Ca^{2+} sensibles à l'IP_3.

L'inositol-1,4,5-trisphophate agit par des canaux ioniques Ca^{2+} dépendants de l'IP_3 – appelés brièvement récepteurs à l'IP_3 – présents dans la membrane du réticulum endoplasmique (*fig.* 29.18). Après l'ouverture de ces canaux, le Ca^{2+} sort du réservoir intracellulaire et la **concentration cytosolique en Ca^{2+}** augmente de 10 à 50 fois, passant d'une valeur initiale de 100 nM à 1-5 µM après la stimulation. Le cytosol contient de nombreux effecteurs dépendants du Ca^{2+} qui transmettent le signal d'élévation de la concentration en Ca^{2+} (§ 29.8), comme la calmoduline. Les récepteurs à l'IP_3 subissent un rétrocontrôle positif : du Ca^{2+} cytosolique se lie à ces canaux, augmente leur affinité pour l'IP_3 et amplifie de ce fait la vague d'efflux de Ca^{2+}. L'augmentation de la concentration en Ca^{2+} provoque à son tour l'ouverture de **canaux SOC** (angl. *store operated channels*), des canaux Ca^{2+} de la membrane plasmique, par lesquels du Ca^{2+} extracellulaire peut entrer dans la cellule, ce qui conduit à une augmentation supplémentaire de la concentration cytosolique en Ca^{2+}. Dans le cas des cellules musculaires, la brusque augmentation de la concentration cytosolique en Ca^{2+} entraîne une activation de canaux Ca^{2+} spécifi-

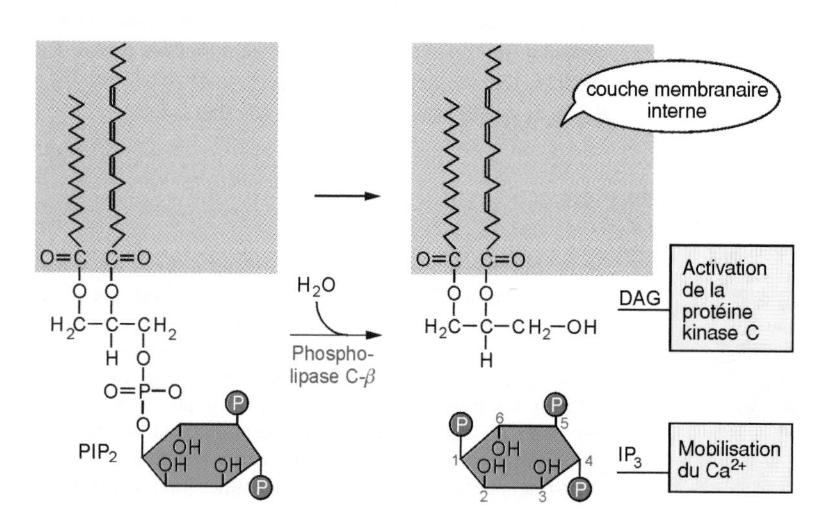

29.16 Clivage du PIP_2 par la phospholipase C-β. La liaison d'une sous-unité GTP-$G\alpha_q$ active la lipase et permet l'hydrolyse de PIP_2 en diacylglycérol (DAG) et IP_3. Il existe au moins trois isoformes de phospholipases C ($\beta\gamma$ et δ) qui sont contrôlées de façons différentes : on verra ultérieurement comment la phospholipase C-γ est stimulée par des récepteurs couplés à des enzymes (*encart* 42.7).

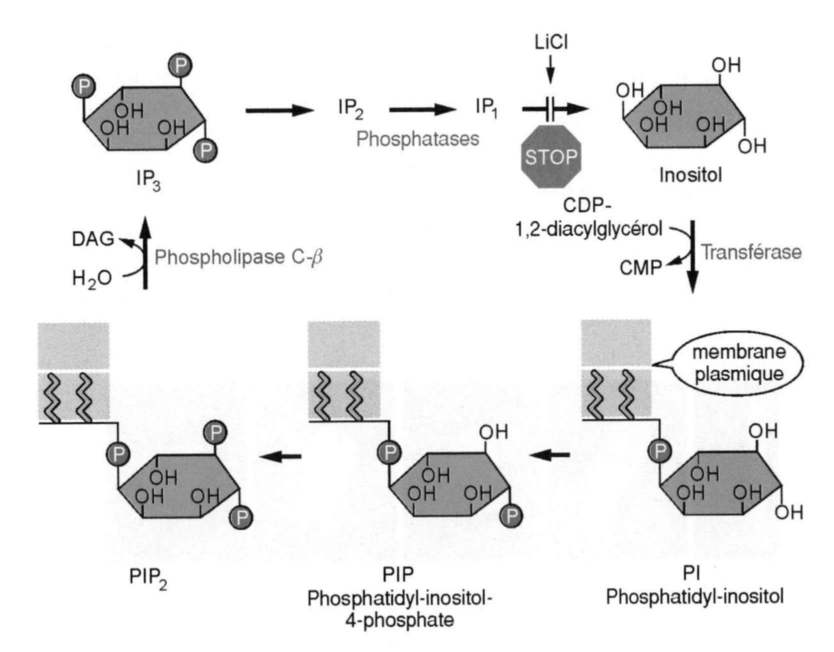

29.17 Cycle des phospho-inositides. L'IP_3 libéré par l'hydrolyse du PIP_2 (en haut, à gauche) est dégradé rapidement par des phosphatases en inositol libre, *via* la formation d'IP_2 et d'IP_1. Cet inositol est finalement recyclé en PIP_2, ce qui nécessite du diacylglycérol activé par le CDP (DAG) ; le phosphatidyl-inositol (PI) et le phophatidyl-inositol-4-phophate (PIP) constituent des produits intermédiaires.

ques dans le réticulum sarcoplasmique – aussi appelés récepteurs à la ryanodine – par lesquels de grandes quantités de Ca^{2+} peuvent quitter le réservoir intracellulaire pour affluer dans le cytosol (*fig.* 27.14). L'augmentation momentanée de la concentration intracellulaire en Ca^{2+} active à son tour des Ca^{2+}-ATPases et des antiports Na^+/Ca^{2+} qui permettent de rétablir de façon rapide et efficace la concentration initiale en Ca^{2+} par pompage de Ca^{2+} vers les citernes intracellulaires ou bien hors de la cellule.

La stimulation de nombreux récepteurs couplés à la protéine G_q entraîne une propagation du Ca^{2+} dans le cytoplasme sous forme de vagues qui s'atténuent rapidement par le biais des mécanismes de rétrocontrôle décrits précédemment. En revanche, quelques récepteurs couplés à la protéine G_q, comme le récepteur à la vasopressine, provoquent des **oscillations de signaux de Ca^{2+}**, c'est-à-dire qu'après une première vague, une deuxième vague de Ca^{2+} de même amplitude suit, et ainsi de suite. *La fréquence de ces oscillations peut croître avec la con-*

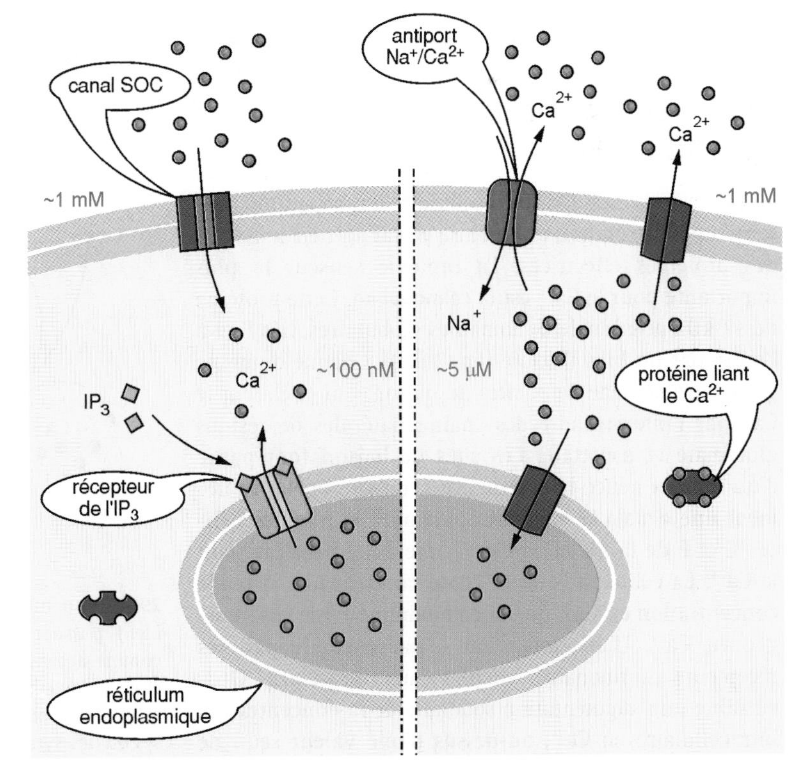

29.18 Régulation de la concentration cytosolique en Ca^{2+}. À gauche : l'IP_3 permet la libération du Ca^{2+} des stocks intracellulaires ; des canaux SOC permettent l'entrée de Ca^{2+} extracellulaire. À droite : le transport du Ca^{2+} hors du cytoplasme nécessite l'activité de Ca^{2+}-ATPases au niveau du réticulum endoplasmique et de la membrane plasmique ainsi que d'antiports Na^+/Ca^{2+}, au niveau de la membrane plasmique. Des protéines liant le Ca^{2+} régulent aussi la concentration en Ca^{2+} libre. Les mitochondries et le noyau participent aussi à la régulation de la concentration en Ca^{2+} cytosolique (non montré). [RF]

Encart 29.4 : Mesure de la concentration en Ca^{2+} intracellulaire

Des colorants fluorescents comme le **Fura-2**, un dérivé de l'éthylène diamine tétra-acétate, chélate les ions Ca^{2+}. Quand on ajoute le Fura-2 à des cellules, sous une forme qui peut passer la barrière lipidique, le colorant peut diffuser dans le cytosol où il est hydrolysé et acquiert sa forme active qui ne peut plus sortir de la cellule. La liaison de deux molécules de Ca^{2+} à cette molécule chélatrice entraîne un déplacement de son maximum d'excitation de fluorescence de 340 nm à 380 nm. Le calcul du **quotient d'absorption de la fluorescence** à 340 nm et à 380 nm (F340/380) permet de quantifier la concentration cytosolique en Ca^{2+} et permet de suivre cette valeur en continu (*fig.* 29.19). Dans cet exemple, une cellule musculaire lisse a été exposée à des conditions hypoxiques et y répond par une contraction Ca^{2+}-dépendante, et l'on peut visualiser l'augmentation transitoire de la **concentration cytosolique en Ca^{2+}** $[Ca^{2+}]_i$ due à l'efflux de calcium hors du réticulum sarcoplasmique.

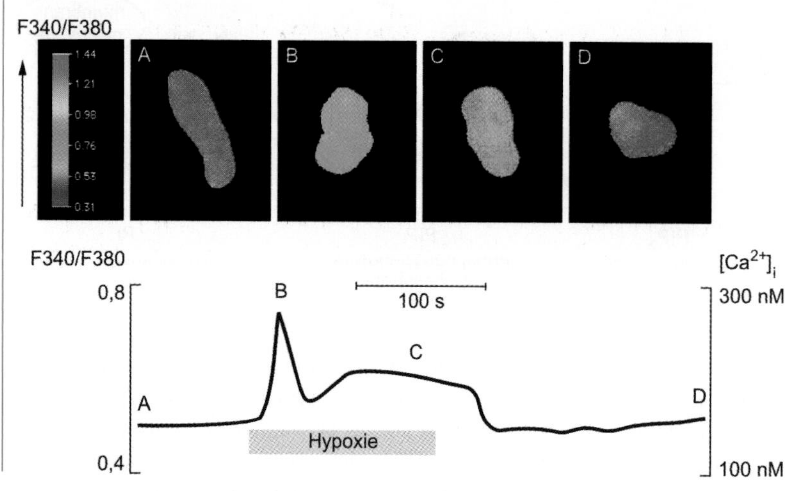

29.19 Évolution au cours du temps de la concentration cytosolique en Ca^{2+}. Une cellule musculaire lisse isolée d'une artère pulmonaire a été d'abord chargée en Fura-2/AM puis exposée à des conditions hypoxiques. Le quotient d'absorption de la fluorescence (F340/380 ; à gauche) a été mesuré, la concentration en Ca^{2+} a été calculée (à droite) et codée par des couleurs (en haut) : le bleu correspond à la concentration en Ca^{2+} la plus faible et le rouge à la concentration la plus forte. [RF]

centration en ligands, ce qui permet de traduire l'intensité du signal externe par une réponse « codée en fréquence » de la cellule. On peut visualiser les changements de la concentration en Ca^{2+} intracellulaire à l'aide de colorants fluorescents (*encart* 29.4).

29.8 Le Ca^{2+} et la calmoduline agissent en duo

Le Ca^{2+} est un messager intracellulaire important qui présente une distribution ubiquitaire et qui agit en se liant à des protéines effectrices. La protéine senseur la plus importante pour le Ca^{2+} est la **calmoduline.** Cette protéine de 17 kDa possède deux domaines globulaires, liés l'un à l'autre par un bras flexible (*fig.* 29.20). Chaque domaine globulaire possède deux sites de liaison, qui chélatent le Ca^{2+} par l'intermédiaire des chaînes latérales de résidus glutamate et aspartate. Ces sites de liaison font partie d'un motif « hélice-boucle-hélice », qu'on appelle également une **« main EF »** par analogie avec le rôle des hélices E et F de la parvalbumine - une autre protéine liant le Ca^{2+}. La cellule à l'état de repos contient une si faible concentration en Ca^{2+} que la calmoduline *n'*est *pas* chargée en Ca^{2+}. Une stimulation - par exemple par des récepteurs hormonaux couplés aux protéines G - entraîne une augmentation soudaine de la concentration intracellulaire en Ca^{2+}, au-dessus d'une valeur seuil de

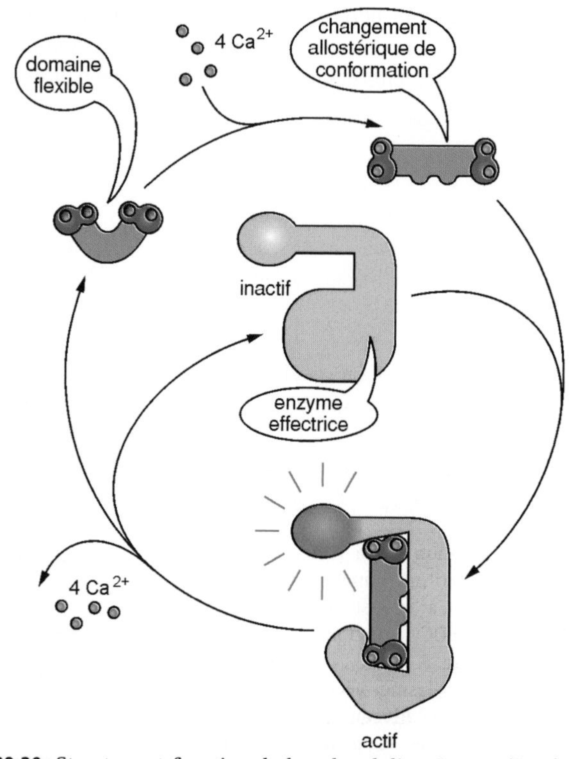

29.20 Structure et fonction de la calmoduline. La protéine (en bleu) possède quatre sites de liaison au Ca^{2+} ; le Ca^{2+} agit comme activateur allostérique. Le complexe Ca^{2+}/calmoduline expose deux segments hydrophobes qui se lient avec une forte affinité aux protéines effectrices cytosoliques, comme des kinases ou des synthétases, changeant l'activité de ces enzymes.

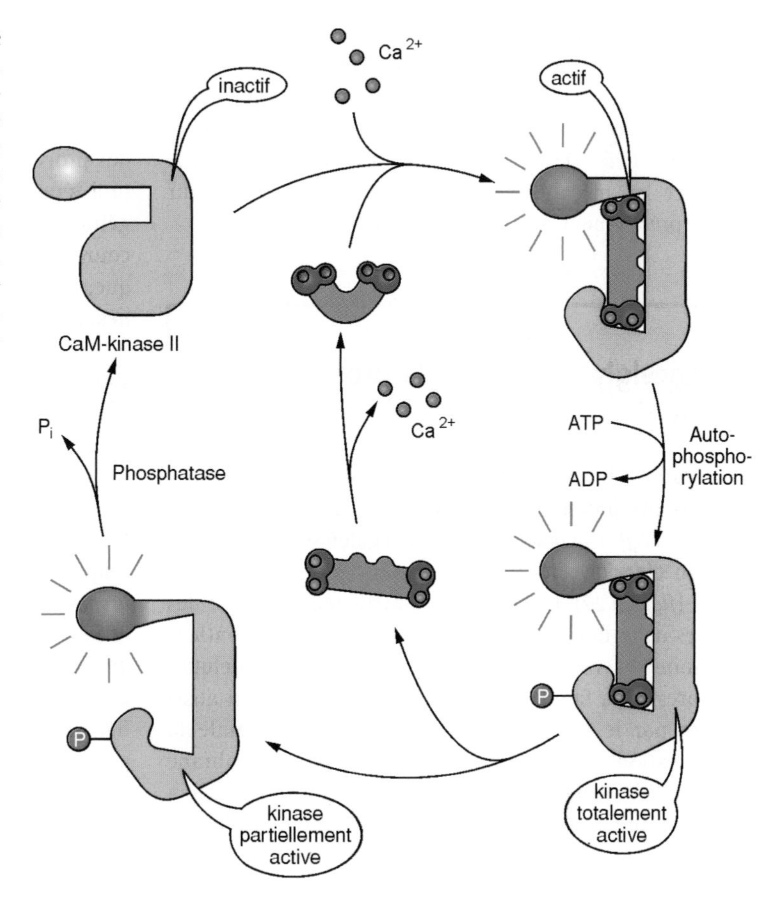

29.21 Activation de la CaM kinase II. L'enzyme multimérique contient huit à douze sous-unités, qui peuvent lier autant de complexes Ca^{2+}/calmoduline. Pour simplifier, la figure ne montre qu'*une seule* sous-unité catalytique, activée de manière allostérique par l'association avec le complexe Ca^{2+}/calmoduline. L'étape suivante d'(auto)phosphorylation renforce l'état activé, de sorte que la kinase reste partiellement active, même après la dissociation du complexe Ca^{2+}/calmoduline. On parle de « mémoire moléculaire ». Seule la déphosphorylation mêne à la désactivation complète de l'enzyme.

0,5 µM environ. Quatre ions Ca^{2+} au maximum se lient alors à la calmoduline, ce qui induit l'activation allostérique de la protéine. Par la suite, le **complexe Ca^{2+}/calmoduline** peut se lier à des protéines effectrices et les activer à son tour. *De ce fait, la calmoduline décode des signaux qui régulent la concentration cytosolique en Ca^{2+}.*

La plupart des effets cellulaires du Ca^{2+} ont lieu par l'intermédiaire de kinases Ca^{2+}/calmoduline-dépendantes. Le prototype est la **Ca^{2+}/calmoduline kinase II** (CaM kinase II), qui phosphoryle de nombreuses protéines cibles après la liaison du complexe Ca^{2+}/calmoduline (*fig.* 29.21). Parmi les substrats de la CaM kinase II, on compte des canaux ioniques au Ca^{2+}, des enzymes comme l'adénylate cyclase et la phosphodiestérase, ainsi que des facteurs de transcription comme le CREB (§ 20.6), qui sont aussi phosphorylés de façon dépendante de l'AMPc par la protéine kinase A (§ 29.5). De ce fait, les deux voies de signalisation qui sont liées aux protéines G et utilisent l'AMPc ou bien le Ca^{2+} se croisent à ce niveau. *L'interconnexion des cascades de signalisation permet de coordonner la réponse à un signal hormonal et d'apporter une réponse fine à un stimulus externe.* De plus, le Ca^{2+} peut également influencer directement l'expression des gènes, c'est-à-dire sans passer par l'activation de cascades de signalisation (*encart* 29.5).

Malgré des différences chimiques évidentes, le Ca^{2+} partage avec les nucléotides cycliques des caractéristiques typiques de messager secondaire : il agit comme activateur allostérique et sa concentration cytosolique est strictement régulée. Des éléments de contrôle importants sont le métabolisme rapide de l'IP_3 par des phosphatases, ce qui détermine l'efflux de Ca^{2+} hors des stocks

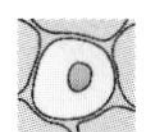

Encart 29.5 : Le Ca^{2+} est un activateur de transcription

En dehors de sa fonction comme modulateur de l'activité des enzymes cellulaires, le Ca^{2+} peut aussi contrôler directement – sans l'intermédiaire de kinases ou de phosphatases – l'expression de gènes. Par exemple, le **répresseur de transcription DREAM** (angl. *downstream regulatory element antagonist modulator*), qui dispose de quatre motifs dits mains EF, peut servir d'exemple de cette action directe. En l'absence de Ca^{2+}, le facteur DREAM est fortement lié à l'élément promoteur DRE et inhibe ainsi la transcription du gène de la prodynorphine. Lors d'un accroissement de la concentration en Ca^{2+} dans le noyau, le facteur DREAM lie des ions Ca^{2+} ; il change alors de conformation et perd ainsi son affinité pour l'élément DRE. La transcription du gène de la dynorphine est alors débloquée. La **dynorphine** est un neuropeptide opioïde qui contrôle la libération des neurotransmetteurs au niveau des terminaisons pré-synaptiques, et régule par exemple des processus cognitifs. Des éléments DRE sont également présents dans les promoteurs d'autres gènes comme celui de l'oncogène *c-fos*.

intracellulaires ainsi que l'évacuation du Ca^{2+} hors de l'espace cytosolique. *Seul le renouvellement continuel et à un niveau important des messagers, permet aux cellules de réagir à un signal extracellulaire de manière rapide et ciblée.* De fait, les cellules utilisent la coopérativité et les mécanismes de rétrocontrôle positif pour réagir précisément aux stimuli externes.

29.9

Le diacylglycérol active la protéine kinase C

L'activation de la phopholipase C-β par des récepteurs couplés aux protéines G ne déclenche pas uniquement la cascade IP_3/Ca^{2+}, mais elle induit également la génération du **diacylglycérol** (DAG), un messager lié à la membrane (*fig.* 29.22). Le DAG est un activateur puissant des kinases de la famille des **protéines kinases C**, qui contient au moins 12 membres chez les mammifères. Quelques membres de la famille des protéines kinases C sont aussi activés par le Ca^{2+}, d'où leur nom. Le Ca^{2+} stimule la translocation des kinases du cytosol vers la membrane plasmique ; elles sont alors activées par le DAG associé à la membrane. Une protéine kinase C activée phosphoryle de nombreuses protéines cibles au niveau de résidus sérine ou thréonine, par exemple des canaux ioniques, des enzymes et des facteurs de transcription. Les protéines kinase C participent à des réactions cellulaires aiguës comme la libération de neurotransmetteurs ou la contraction musculaire mais elles peuvent aussi influer sur des processus à long terme, comme la différenciation, la prolifération et l'apoptose, par le contrôle de l'expression génique (*encart* 30.1). Le DAG lui-même a une demi-vie courte et il est hydrolysé rapidement : l'acide arachidonique, un précurseur dans la biosynthèse des prostaglandines, constitue l'un des produits de l'hydrolyse (§ 41.11).

Une caractéristique commune des différentes voies de signalisation régulées par les récepteurs couplés aux protéines G, est l'activation d'enzymes catalysant les phosphorylations. Les protéines kinases A et C ainsi que les CaM kinases phosphorylent leurs protéines cibles au niveau de résidus spécifiques sérine et thréonine et modifient ainsi l'activité de leurs protéines effectrices, lesquelles propagent ensuite le signal. *Chaque cellule dispose d'un jeu caractéristique de ces protéines effectrices et peut, de ce fait, donner une réponse propre, spécifique de la cellule, en réponse à un signal hormonal relativement uniforme.* Face à la diversité et au grand nombre de ligands et de voies de signalisation intracellulaires correspondantes, les récepteurs couplés aux protéines G représentent des « commutateurs généraux » des cellules. Le deuxième pilier de la transduction intracellulaire des signaux est constitué par les récepteurs à activité enzymatique, vers lesquels on va se tourner maintenant.

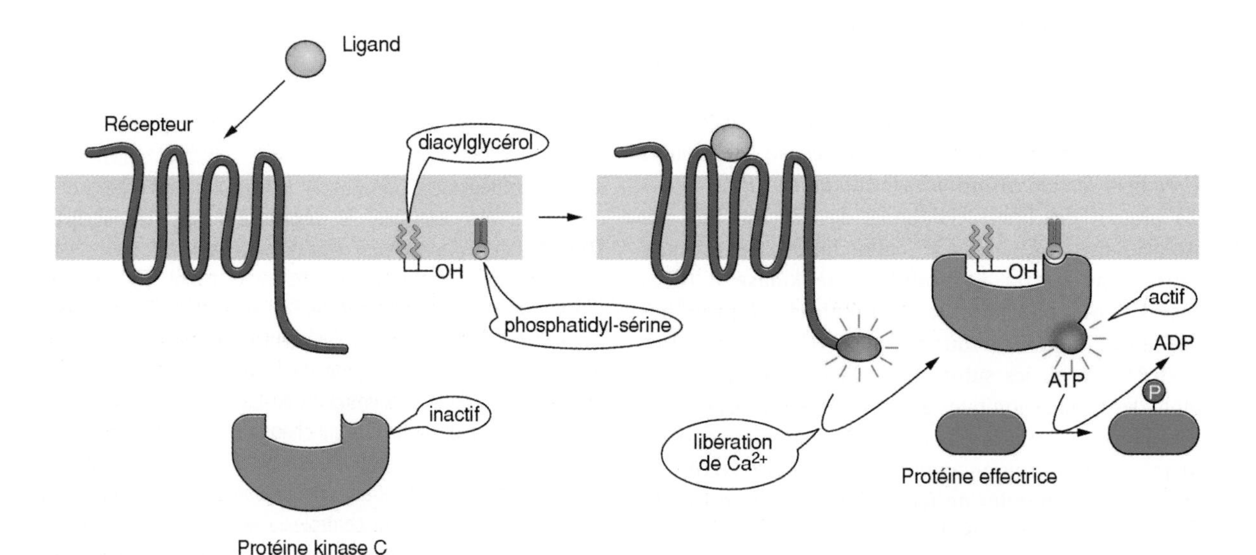

29.22 Activation de la protéine kinase C. Quand la cellule est à l'état de repos, la kinase est cytosolique (à gauche). Après stimulation, l'augmentation de la concentration en Ca^{2+} intracellulaire conduit à la translocation de l'enzyme vers la face interne de la membrane plasmique (à droite), où elle est activée par le DAG. L'association avec la phosphatidyl-sérine conduit au déploiement de l'activité enzymatique maximale. Différentes protéines kinases C obéissent à ce mécanisme (§ 30.3).

Transduction du signal par des récepteurs à activité enzymatique

30

Une autre classe importante de récepteurs cellulaires, les récepteurs à activité enzymatique, sont les intermédiaires dans la réponse physiologique aux hormones protéiques. On y trouve le grand groupe des récepteurs aux facteurs de croissance et aux tropines, qui contrôlent la prolifération et la différenciation cellulaires. À la différence des récepteurs intracellulaires, les récepteurs à activité enzymatique sont ancrés dans la membrane plasmique et lient des ligands par l'intermédiaire de leurs domaines extracellulaires. À la différence des récepteurs couplés aux protéines G, ils disposent d'un **site catalytique** propre situé du côté cytosolique, et dont l'activité est régulée par la liaison du ligand. Alternativement, après stimulation par le ligand, ces récepteurs peuvent recruter et activer des enzymes intracellulaires, qui transmettent des signaux vers l'intérieur de la cellule, selon les « instructions » données par le récepteur. Typiquement, les récepteurs à activité enzymatique déclenchent des cascades de signalisation qui vont jusqu'au noyau : elles altèrent des **patrons d'expression de gènes** et entraînent des effets à long terme sur le métabolisme, la croissance, la différenciation et la mort des cellules. Des mutations dans les gènes codant ces récepteurs à activité enzymatique ou leurs effecteurs (en aval dans la cascade) peuvent induire un découplage entre les voies de signalisation et le contrôle par des stimuli externes, provoquant une **dé-différenciation** des cellules atteintes et déclenchant, de ce fait, une croissance cellulaire désinhibée.

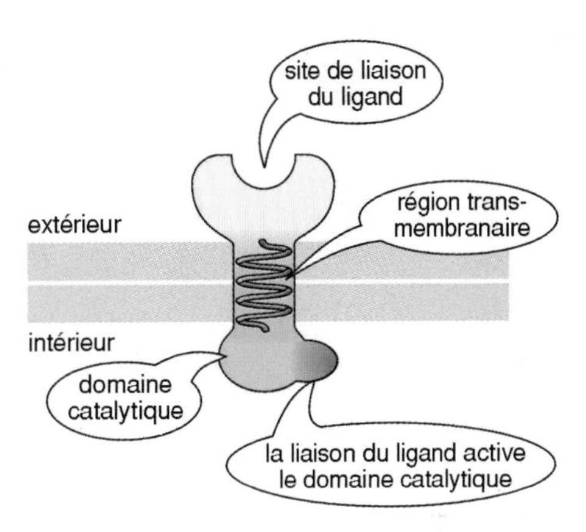

30.1 Structure de base des récepteurs à activité enzymatique. Le domaine extracellulaire est le site de liaison des ligands. Un domaine transmembranaire ancre le récepteur dans la membrane plasmique, et le domaine intracellulaire possède la fonction catalytique.

30.1 Les récepteurs à activité enzymatique présentent le plus souvent une activité tyrosine kinase

Les récepteurs à activité enzymatique sont constitués typiquement d'une seule chaîne polypeptidique comportant trois domaines. Le segment extracellulaire est chargé – comme dans le cas des récepteurs couplés aux protéines G – de la liaison avec le ligand, un segment transmembranaire traverse la membrane, et la partie intracellulaire présente l'activité catalytique (*fig.* 30.1). La plupart des récepteurs à activité enzymatique sont dotés d'une **activité tyrosine kinase** ; un petit nombre présente une activité sérine/thréonine kinase ou bien tyrosine phosphatase ou encore guanylate cyclase.

Des représentants typiques de la famille des tyrosine kinases sont les récepteurs aux **facteurs de croissance** comme le NGF (angl. *nerve growth factor* ; facteur de croissance neurotrophique), l'EGF (angl. *epidermal growth factor* ; facteur de croissance de l'épiderme), le VEGF (angl. *vascular endothelial growth factor* ; facteur de croissance endothélial vasculaire) ou le PDGF (angl. *platelet derived growth factor* ; facteur de croissance des plaquettes sanguines). Tous ces récepteurs traversent la membrane une seule fois. Leur domaine cytosolique à activité kinase est constitué d'un seul élément (structure continue) ou bien de deux segments interrompus par un segment intermédiaire (structure discontinue) : dans les deux cas, le domaine catalytique acquiert son activité complète après stimulation par le ligand externe (*fig.* 30.2). Un autre représentant important de cette famille est le **récepteur à l'insuline** qui est – contrairement à la plupart des membres de cette famille de récepteurs – un dimère composé de deux sous-unités identiques, dont chacune est constituée de deux chaînes ($\alpha\beta$). Initialement, les sous-unités sont synthétisées sous la forme d'une seule chaîne polypeptidique, qui est clivée

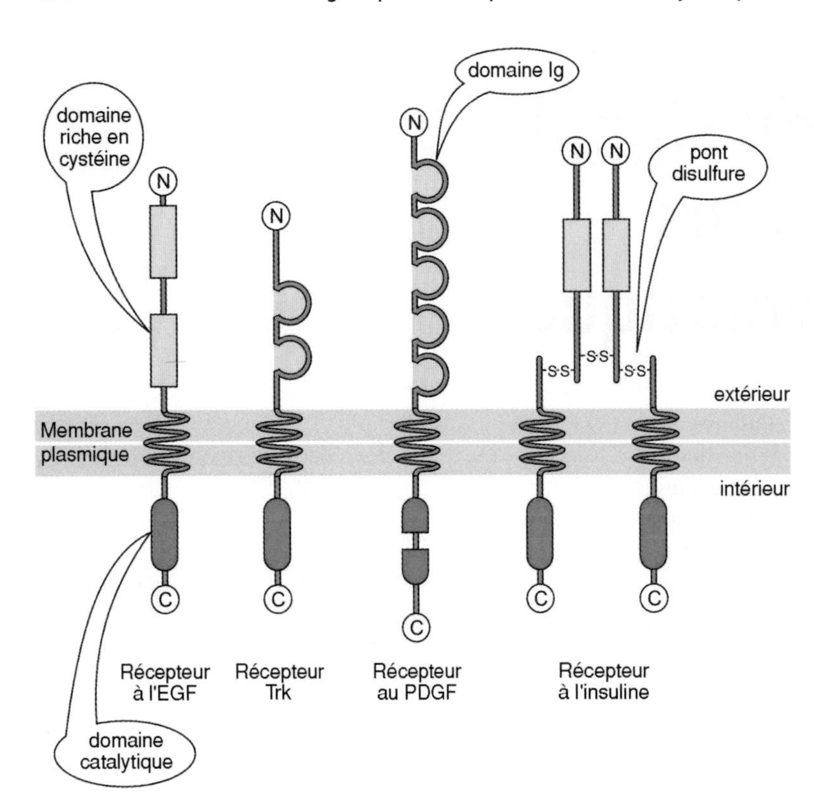

30.2 Différentes classes de récepteurs à activité tyrosine kinase. La famille inclut quatre grandes classes dont les prototypes sont les récepteurs à l'EGF, au PDGF, TrkA et à l'insuline. Les récepteurs Trk sont activés par des neurotrophines comme le NGF ou le NT-3 (*encart* 27.4). Les récepteurs apparentés diffèrent, par exemple, par le nombre de domaines extracellulaires à immunoglobuline (Ig).[RF]

de façon post-traductionnelle en une chaîne α et une chaîne β par protéolyse limitée. Les récepteurs à l'IGF-1 et -2 (angl. *Insulin like growth factor*) font également partie de cette classe de récepteurs.

30.2 Des ligands induisent la dimérisation et l'autophosphorylation

En l'absence de ligand, les récepteurs à activité enzymatique sont pratiquement « muets » : dans cet état de base, ils ne disposent d'aucune activité enzymatique. Comment un ligand extracellulaire peut-il activer un domaine enzymatique intracellulaire ? Le mécanisme fondamental consiste en une **dimérisation du récepteur,** qui entraîne l'activation des centres catalytiques. L'association de deux molécules de récepteur peut être obtenue de différentes façons : par exemple, le facteur de croissance PDGF est lui-même un dimère et il est capable d'agripper en même temps deux molécules de récepteur. De ce fait, les deux domaines catalytiques se retrouvent en contact (*fig.* 30.3). Dans le cas du récepteur à l'EGF, la liaison du ligand induit probablement un changement de conformation dans le domaine extracellulaire du récepteur, ce qui facilite sa dimérisation. Dans le cas du récepteur à l'insu-

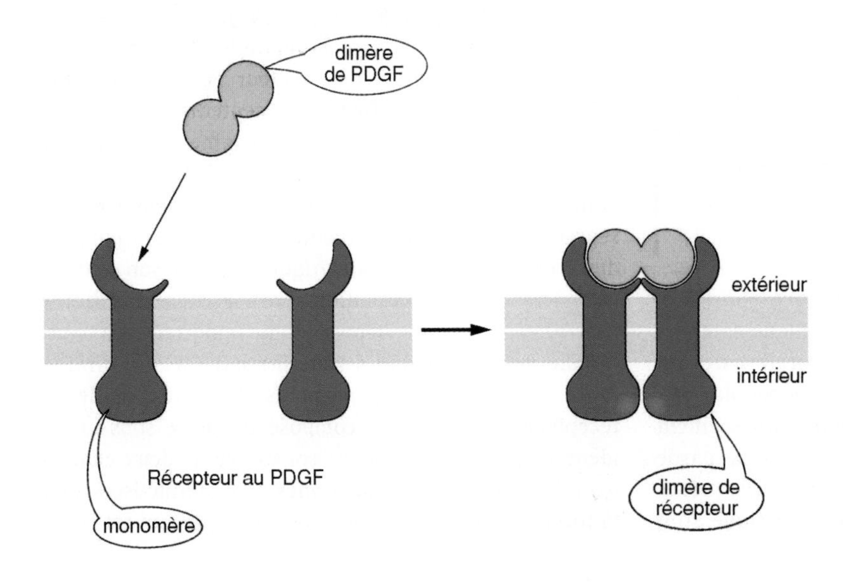

30.3 Mécanisme d'activation des récepteurs du PDGF. Les deux sites de liaison assurent une « double prise » du dimère de PDGF sur deux molécules de récepteur, ce qui permet de les amener à proximité l'un de l'autre. Alternativement, des ligands monomériques, comme la somatotropine ou hGH (angl. *human growth hormone*) peuvent lier simultanément deux récepteurs, on parle d'un ligand bivalent.

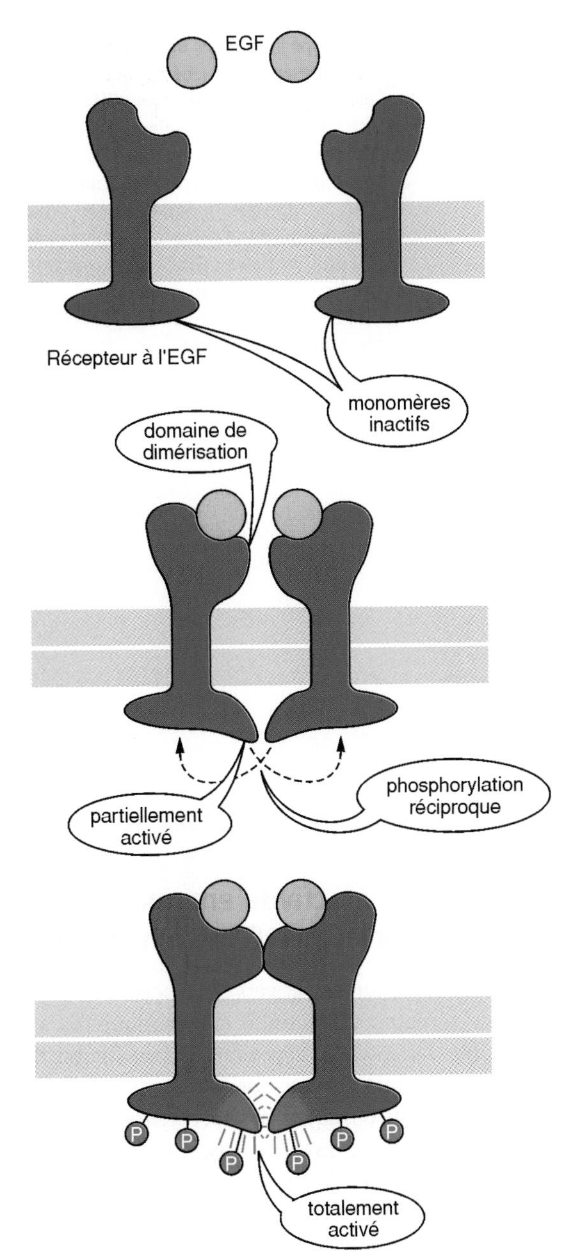

30.4 Autophosphorylation des récepteurs à activité tyrosine kinase, avec pour exemple le récepteur à l'EGF. La liaison du ligand induit une dimérisation du récepteur et ainsi une apposition des deux domaines catalytiques, qui utilisent l'ATP pour se phosphoryler réciproquement, ce qui provoque une activation durable.

line, deux unités de récepteurs sont déjà associées à l'état de base : on suppose que les domaines intracellulaires gardent une certaine distance en l'absence de stimulus et qu'ils ne se rapprochent qu'après liaison du ligand – avec les conséquences que l'on va détailler ci-dessous.

La liaison du ligand entraîne deux conséquences pour le récepteur à activité enzymatique : d'une part une transition allostérique provoque l'activation, de courte durée seulement, de son domaine kinase ; et d'autre part la dimérisation se traduit par l'**apposition** des deux domaines kinase maintenant actifs, lesquels induisent alors la phosphorylation mutuelle de résidus tyrosine à l'intérieur et à l'extérieur des domaines kinases (*fig.* 30.4). Cette **autophosphorylation** permet d'augmenter encore l'activité enzymatique des domaines tyrosine kinase et de maintenir plus longtemps cette activité : on parle d'**autoactivation** du récepteur.

Les phosphorylations sur des résidus tyrosine situés à l'extérieur du domaine catalytique ont une fonction supplémentaire importante : elles créent des sites d'ancrage pour des protéines adaptatrices intracellulaires. Ces protéines sont souvent elles-mêmes phosphorylées par le récepteur à activité tyrosine kinase – on parle d'une **phosphorylation de substrat** – et servent ensuite de plateforme pour l'assemblage d'autres composants de la cascade de signalisation intracellulaire (*fig.* 30.5). De cette façon, le récepteur activé s'entoure de protéines de signalisation qui permettent d'introduire le message externe à plusieurs niveaux dans le système de signalisation intracellulaire. Un tel **réseau de protéines de signalisation** peut aussi inclure les effecteurs d'autres voies de signalisation, c'est-à-dire utilisant d'autres couples signal-récepteur, et relier ainsi la réponse d'une cellule à différents signaux externes (§ 30.3). *Pour la première fois, on rencontre ici un principe fréquemment utilisé par les cellules pour la transduction intracellulaire des signaux : suite à un stimulus externe, des réseaux d'éléments de signalisation sont rapidement mis en place dans le cytosol puis ils sont aussi rapidement dégradés quand le stimulus décroît.* De cette façon, la cellule peut aussi traiter de façon appropriée des signaux entrant avec une fréquence élevée.

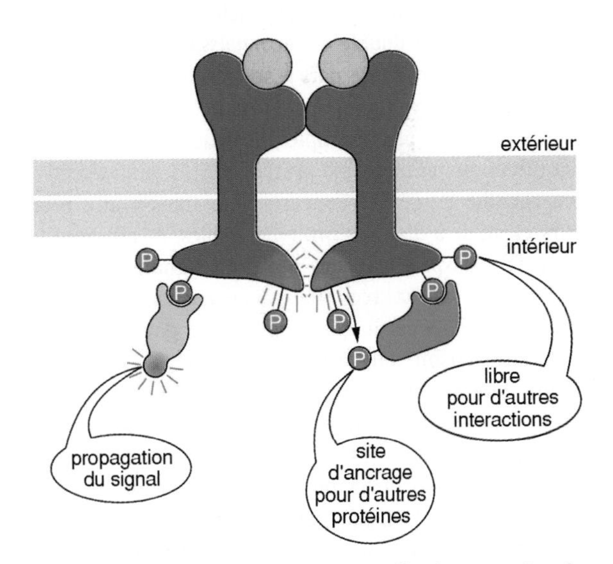

30.5 Recrutement de protéines de signalisation par phosphorylation de résidus tyrosine. La phosphorylation réciproque sur des résidus tyrosine situés en dehors des domaines catalytiques crée des sites d'ancrage pour des protéines « émettrices de signaux » qui sont alors activées comme enzymes, ou bien qui peuvent servir, après phosphorylation, de sites de liaison pour d'autres effecteurs.

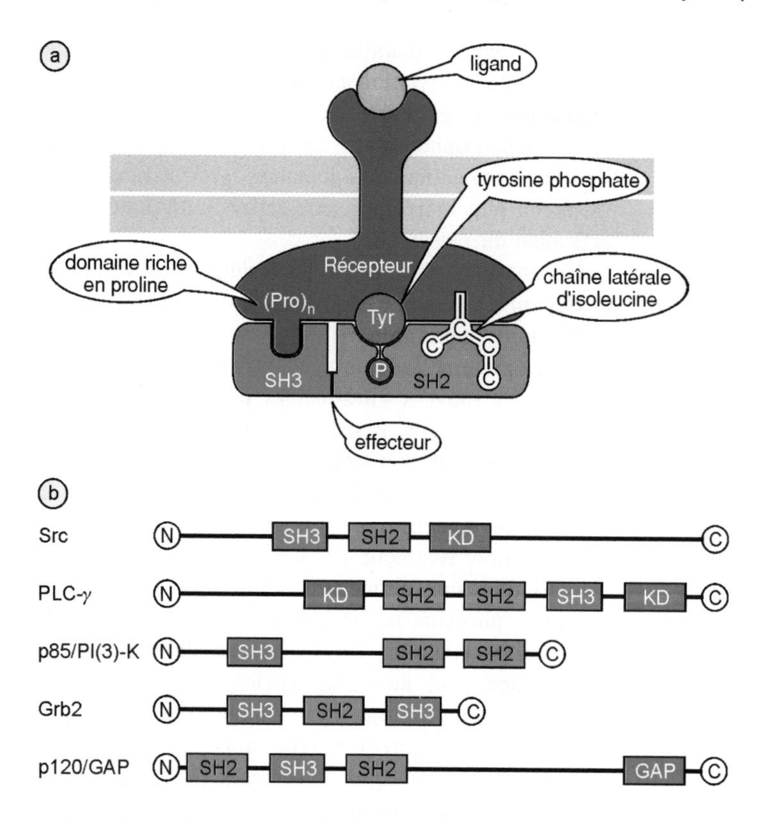

30.6 Spécificité des domaines SH2 et SH3. a) Représentation schématique des groupements cibles, respectivement SH2 (à gauche) ou SH3 (à droite). b) Sélection de protéines de signalisation présentant des domaines SH2 : Src : tyrosine kinase virale ; PLC-γ : phospholipase C-γ ; p85/PI(3)-K : sous-unité régulatrice de la phosphatidylinositol 3-kinase ; Grb2 : angl. *growth factor receptor binding protein* ; p120/GAP : angl., *GTPase activating protein* ; DC : domaine catalytique.

Les nouveaux sites de phosphotyrosine (sur le récepteur) recrutent des protéines intracellulaires via leurs **domaines SH2** (angl. *Src homology type 2 domains*), ainsi appelés car ils ont été isolés pour la première fois à partir du virus du sarcome de Rous. On trouve des sites d'ancrage de type SH2 dans de nombreuses protéines des cascades de signalisation intracellulaire (*fig.* 30.6). Ils sont constitués d'une centaine d'acides aminés et disposent d'un **système double de reconnaissance** de la protéine cible : ils se lient d'une part à ses résidus de phosphotyrosine et d'autre part aux chaînes latérales d'acides aminés voisins, par exemple l'isoleucine. Cette double identification permet aux protéines SH2 une sélectivité remarquable en ce qui concerne leur liaison aux récepteurs et aussi à d'autres protéines cibles, et elle renforce de ce fait la spécificité des voies de signalisation mises en jeu en aval. La reconnaissance exclusive du résidu phosphotyrosine par le domaine SH2 est garantie par une poche de liaison, au fond de laquelle on trouve une chaîne latérale d'arginine : le résidu phosphotyrosine établit une liaison ionique avec ce groupement. Au contraire, les chaînes latérales « courtes » comme celle de la phosphosérine ou de la phosphothréonine ne dépassent pas suffisamment et, par conséquent, ne permettent pas de liaison avec des domaines SH2. Outre les domaines SH2, les protéines de signalisation de la voie des phosphotyrosine disposent fréquemment de **domaines SH3,** des séquences riches en proline (10 résidus environ) qui lient aussi les protéines cibles.

30.3 Les récepteurs à activité enzymatique activent des protéines G monomériques

On va se tourner maintenant vers les cascades de signalisation des récepteurs à activité enzymatique, en commençant par l'activation dépendante d'un ligand de la **phospholipase C**, une enzyme que l'on avait déjà rencontrée dans le chapitre traitant des récepteurs couplés aux protéines G. Dans ce premier cas, l'isoforme β était activée ; les récepteurs à activité enzymatique comme le récepteur à l'EGF recrutent en revanche l'isoforme γ_1 de la phospholipase C par l'intermédiaire de ses domaines SH2, la mettant ainsi à portée du domaine à activité kinase du récepteur, qui peut alors phosphoryler un résidu tyrosine de l'enzyme cible, et ainsi l'activer (*fig.* 30.7). La réaction suivante se déroule comme pour la cascade de signalisation par l'intermédiaire des protéines G (*fig.* 29.16) : la phospholipase C γ_1 activée hydrolyse le phosphatidyl-inositol-4,5-*bis*phosphate (PIP_2) en diacylglycérol (DAG) et en inositol *tris*phosphate (IP_3) provoquant une augmentation transitoire de la concentration intracellulaire en Ca^{2+}. *On rencontre ici un premier exemple de point de contact entre les voies de signalisation de deux types différents de récepteurs membranaires : ils utilisent tous deux le trio de messagers secondaires constitué par le DAG, l'*IP_3 *et le* Ca^{2+}.

De nombreux récepteurs à activité enzymatique activent la **protéine Ras**, un « interrupteur général » de la transduction des signaux intracellulaires. La protéine Ras,

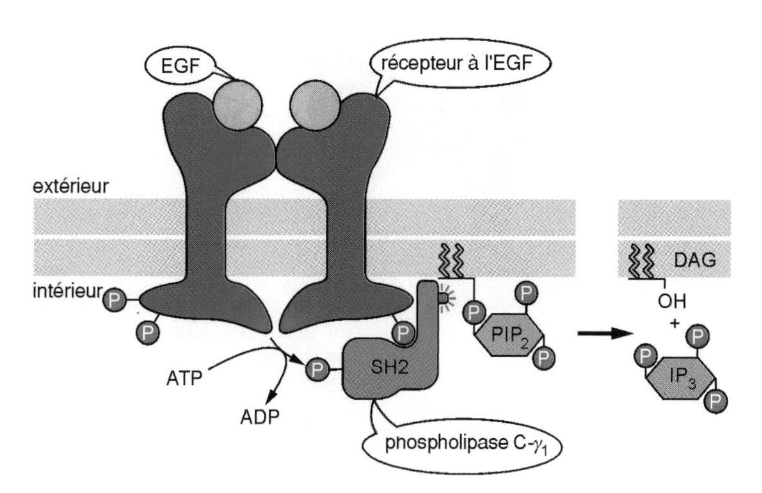

30.7 Activation de la phospholipase C-γ_1. Le récepteur à l'EGF stimulé recrute par son domaine SH2 la phospholipase C-γ_1 libre dans le cytosol et active l'enzyme par phosphorylation. La phospholipase se lie également au cytosquelette par son domaine SH3 (non montré) et se place ainsi de façon optimale par rapport à son substrat PIP_2. La phospholipase est alors temporairement immobilisée à la membrane ; les phosphatases terminent ce processus. Pour les abréviations, voir le texte.

qui a été trouvée pour la première fois chez le virus du sarcome du rat (angl. *rat sarcome virus*), appartient à la famille des « petites » protéines G monomériques, qui sont insérées dans la membrane plasmique par des ancres lipidiques et mesurent seulement à peu près la moitié d'une sous-unité α de protéine G trimérique. Chez l'homme, cette famille regroupe environ 125 protéines différentes. Comme leurs « grandes » sœurs, les petites protéines G (§ 29.2) subissent également un cycle d'activité : elles sont inactives sous la forme liée au GDP et sont actives comme protéines liées au GTP (*fig.* 30.8). Ce cycle est régulé à deux niveaux : des **facteurs d'échange de type GEF** catalysent l'échange GDP/GTP et activent ainsi la protéine G – de façon similaire aux récepteurs couplés aux protéines G. L'activité GTPase endogène de Ras est cependant 100 fois plus faible que celle de la protéine

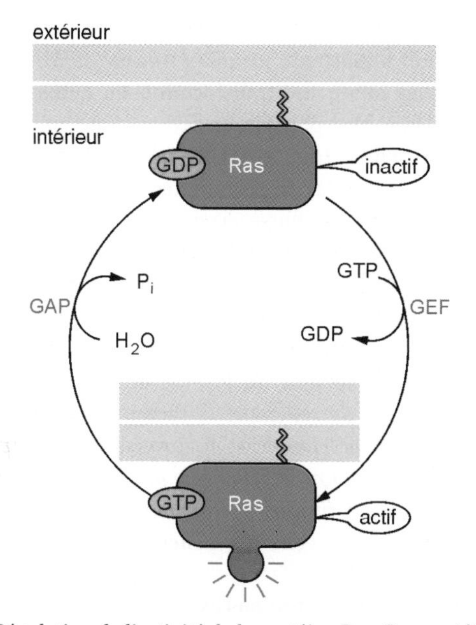

30.8 Régulation de l'activité de la protéine Ras. Des protéines de type GEF catalysent l'échange de GDP en GTP et activent ainsi la protéine Ras ; des protéines de type GAP accélèrent l'hydrolyse du GTP et contribuent ainsi à l'inactivation de la protéine Ras. L'inhibition de la protéine GAP bloque l'hydrolyse du GTP et provoque une activation prolongée de la protéine Ras.

Gα ; c'est pourquoi il faut une stimulation par des **protéines activatrices de type GAP** pour contrebalancer l'action des GEF et faciliter l'hydrolyse du GTP en GDP (*fig.* 29.1). Le retour à la forme Ras liée au GDP boucle le cycle : la protéine Ras est de nouveau inactive.

La protéine Ras est fixée à la face interne de la membrane plasmique par un double ancrage, *via* des groupements respectivement prényle (polyisoprénoyle en C20) et palmitoyle, au niveau de son extrémité C-terminale (*encart* 19.1). Quels stimuli activent la protéine Ras associée à la membrane ? Le récepteur EGF activé lie non seulement la phospholipase C γ_1 mais également la **protéine adaptatrice à domaine SH2, Grb2** (*fig.* 30.6), qui remorque, *via* ses deux domaines SH3, le **facteur d'échange GEF Sos** (*fig.* 30.9). Ce réseau de protéines de signalisation autour du récepteur EGF activé permet de placer le facteur d'échange Sos au niveau de la membrane plasmique, juste à proximité de l'endroit où la protéine Ras avait « jeté l'ancre ». Dans cette configuration, la protéine Sos peut stimuler l'échange GDP/GTP de la protéine Ras, ce qui aboutit à la conformation active de cette protéine G. Le récepteur EGF activé se sert donc du complexe GRb2-Sos comme d'un « bras extensible » pour activer la protéine Ras.

30.4 La protéine GTP-Ras active la voie de signalisation par les MAP kinases

Quels sont les rôles de la protéine Ras activée dans la cellule ? La protéine GTP-Ras déclenche une cascade de signalisation qui aboutit à l'activation de kinases effectrices cytosoliques et à la transmission de signaux vers le noyau (*fig.* 30.10). La cheville ouvrière de cette cascade est constituée par la **protéine Raf**, une sérine/thréonine kinase cytosolique, qui est recrutée par la protéine GTP-Ras et est activée au niveau de la membrane. La protéine Raf activée par la protéine Ras déclenche une avalanche de phosphorylations et d'activations qui touche tout d'abord la **kinase MEK**. Cette enzyme peut phosphoryler

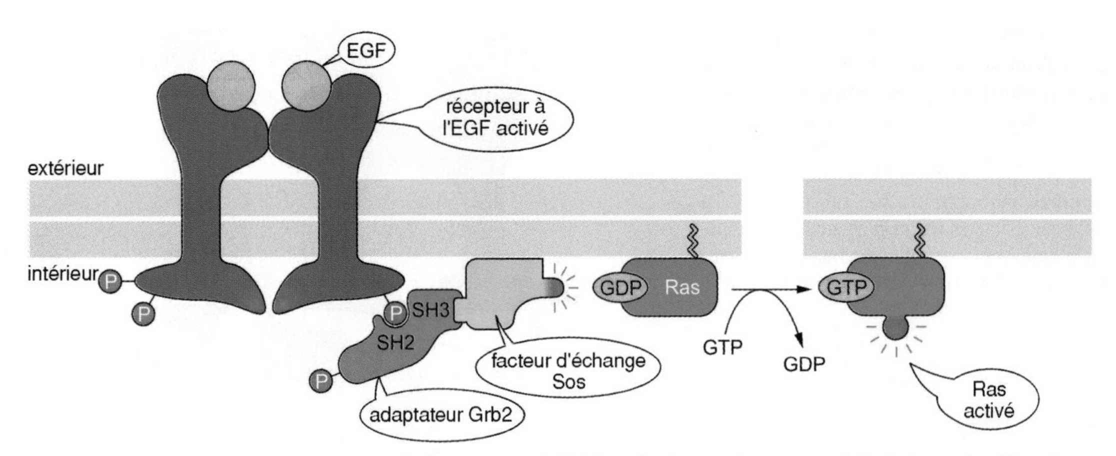

30.9 Activation de la protéine Ras dépendante de l'EGF. Quand l'EGF se lie à son récepteur, celui-ci s'autophosphoryle et recrute ensuite le complexe Grb2-Sos qui catalyse alors l'échange de GDP en GTP dans la protéine Ras. Sos (angl. *son of sevenless*) fait allusion à la mutation « sevenless » de la drosophile qui provoque l'absence de la septième (sur huit) cellule photoréceptrice dans chaque unité (ommatidie) de son œil composé.

aussi bien des résidus thréonine que tyrosine : on parle d'une kinase à spécificité « mixte ». La kinase MEK activée phosphoryle ensuite des **MAP kinases** au niveau de

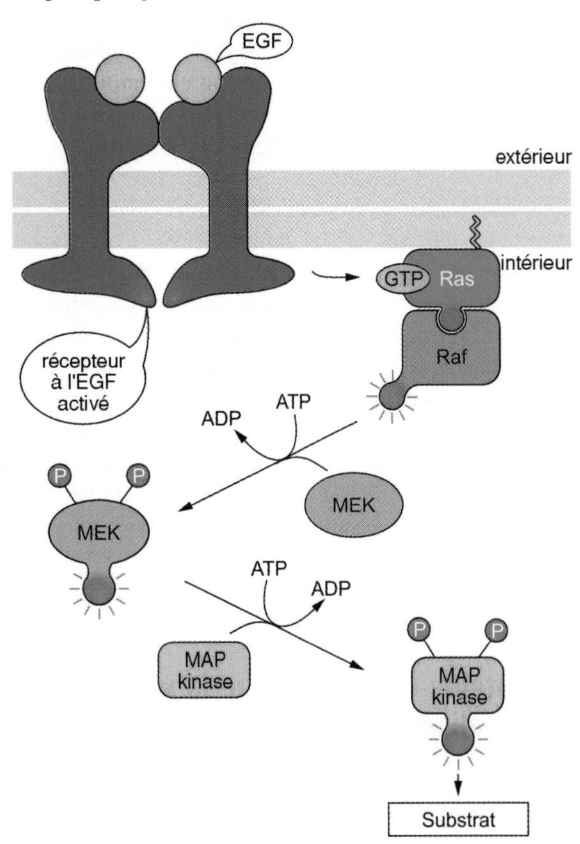

30.10 Voie de signalisation des MAP kinases. La protéine GTP-ras initie la cascade des MAP kinases *via* trois intermédiaires enzymatiques : Raf (angl. *Ras activated factor*), MEK (MAP/ERK-kinase, également appelée MAP kinase kinase) et MAP kinase (angl. *mitogene activated protein kinase*), synonyme de ERK (angl. *extracellular signal regulated kinase*). Ces kinases sont successivement activées par phosphorylation ; chaque kinase située en aval dans la cascade sert de substrat à l'enzyme située en amont. Les deux types de MAP kinases les plus importants sont ERK-1 et ERK-2.

résidus thréonine et tyrosine, qui ne sont séparés l'un de l'autre que par un acide aminé (Thr - Xaa - Tyr). Ce « double mixte » permet aux MAP kinases d'acquérir leur pleine activité et de poursuivre la transmission du signal en phosphorylant des effecteurs cytosoliques puis nucléaires. La grande spécificité de substrat des kinases mises en jeu permet d'obtenir une suite ordonnée d'activations et confère à la cascade une orientation précise. *La voie de signalisation par les MAP kinases constitue un « nœud » de signalisation dans les cellules eucaryotes et de nombreuses voies de signalisation, qui contrôlent des fonctions élémentaires comme la prolifération et la différenciation, y aboutissent.*

Dans le cytosol, les MAP kinases peuvent activer d'autres protéines kinases. On va suivre ici cette voie de signalisation importante jusqu'au noyau : la MAP kinase phosphorylée subit une translocation du cytosol vers le noyau où elle phosphoryle et active toute une batterie de protéines cibles (*fig.* 30.11). Le **facteur de transcription Elk-1** est un substrat important de la MAP kinase. Ce facteur forme un complexe avec un deuxième facteur de transcription, le SRF (angl. *serum responsive factor*), et le complexe se lie à des séquences régulatrices d'ADN de type SRE (angl. *serum responsive elements*). Grâce à ces sites promoteurs clés, Elk-1 et SRF contrôlent ensemble la transcription de tout un groupe de gènes parmi lesquels on trouve par exemple le facteur de transcription Fos. *Une cascade complexe de protéines – récepteurs, adaptateurs, facteurs d'échange, protéines G, kinases, facteurs de transcription – transmet ainsi des signaux externes jusqu'au niveau des gènes et altère le comportement d'une cellule.*

Le **facteur de transcription Fos** fait partie des gènes précoces (angl. *immediate early genes*) qui répondent à la phosphorylation d'Elk-1 (*fig.* 30.12). Fos forme un complexe avec le facteur de transcription Jun, qui est d'ailleurs également régulé par phosphorylation grâce à la MAP kinase. Le **complexe Fos-Jun** activé, aussi appelé

AP-1, déclenche une deuxième vague d'expression de gènes, produisant des facteurs de contrôle importants pour la prolifération et la différenciation cellulaire. *Le signal Ras, à courte durée de vie, est donc traduit – grâce à la cascade des MAP kinases – en changement d'expression génique à moyen terme, et aboutit finalement à une altération de l'activité cellulaire à long terme.*

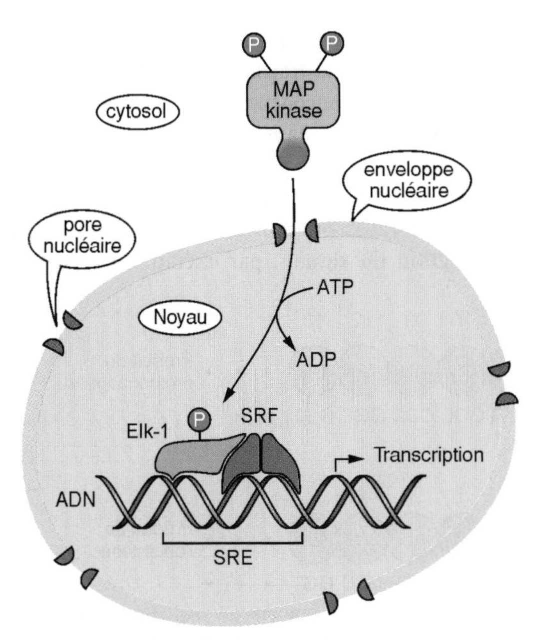

30.11 Phosphorylation d'Elk-1 par la MAP kinase. La MAP kinase subit une translocation dans le noyau et y phosphoryle la protéine Elk-1(angl. *ets-like protein*) dont le complexe formé avec le SRF (angl. *serum responsive factor*) se lie à l'élément de réponse SRE (ang. *serum responsive element*). Le complexe Elk-1/SRF activé stimule l'expression de nombreux gènes cibles.

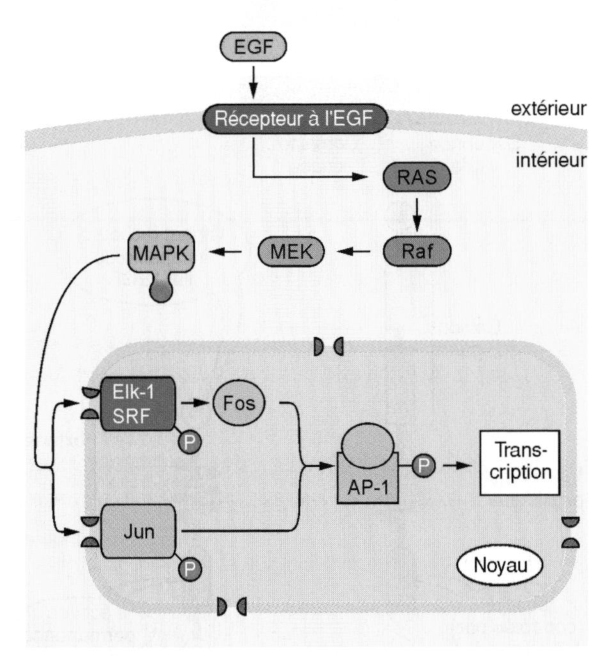

30.12 Régulation Ras-dépendante de l'expression génique. Le complexe Elk-1/SRF activé par la voie des MAP kinases, active à son tour le gène *fos*. Le produit de ce gène Fos forme avec Jun, également phosphorylé par les MAP kinases, le complexe AP-1, qui active alors d'autres gènes.

De façon alternative, la **protéine kinase C** peut également phosphoryler la protéine Raf et déclencher ainsi la cascade des MAP kinases (*encart* 30.1). Comme des récepteurs couplés aux protéines G et des récepteurs à activité enzymatique peuvent activer la protéine kinase C, on a ici un autre exemple de croisement entre les voies de signalisation liées à ces deux classes de récepteurs.

La voie de signalisation des MAP kinases illustre de façon impressionnante le principe d'**activation par assemblage,** qui constitue un fil rouge dans l'ensemble de la transduction des signaux. *De toute évidence, la spécificité et la sélectivité remarquables des voies de signalisation intracellulaires reposent sur la capacité à créer des réseaux complexes de protéines, qui perçoivent, connectent et diffusent des signaux entrants, puis à dissocier rapidement ces réseaux en éléments individuels.* Les cellules utilisent ces systèmes transitoires et mobiles de transmission « radio » pour réagir de façon ciblée aux signaux externes.

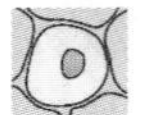

Encart 30.1 : La protéine kinase C et les esters de phorbol

Les protéines kinases de type C (PKC) sont stimulables par le Ca^{2+} et composées de deux domaines : à l'état de base, le domaine régulateur se lie comme pseudo-substrat au domaine catalytique et inhibe l'activité de l'enzyme. La liaison du diacylglycérol (DAG) lève cette inhibition intramoléculaire et rend le site actif de la sérine/thréonine kinase accessible aux substrats. Le principe est donc : **activation par levée d'inhibition** (désinhibition). Des analogues végétaux du DAG, comme **les esters de phorbol,** activent aussi la PKC par levée d'inhibition (*fig.* 30.13). Mais contrairement au DAG, les esters de phorbol sont des molécules beaucoup plus complexes, qui résistent à l'hydrolyse et sont dégradées très lentement dans les cellules des mammifères. De ce fait, ils activent la PKC de façon durable, maintiennent la cascade de la MAP kinase en activité et favorisent ainsi une croissance des cellules sans inhibition : ils agissent comme **promoteurs de tumeur**. Le 12-O-tetradecanoyl-phorbol 13-acétate (TPA) est un ester de phorbol fréquemment utilisé dans la recherche expérimentale sur le cancer.

30.13 Structure du tétra-décanoyl-phorbol-acétate (TPA). La longue chaîne latérale acylée du polyalcool (coloré en vert) imite les groupements acyles du DAG.

30.5 Les protéines de signalisation mutées possèdent un potentiel oncogène

De nombreux gènes codant des protéines impliquées dans les cascades de signalisation intracellulaire ont d'abord été identifiés comme **oncogènes** dans des cellules tumorales. *RasH*, *rasK* ou *rasN* sont parmi ceux qu'on trouve le plus fréquemment dans les tumeurs humaines, et résultent de mutations du gène *ras* « normal », lequel est encore appelé un proto-oncogène (*fig.* 30.14). Dans le cas de *rasH*, la mutation d'un résidu dans le produit de l'oncogène correspondant provoque une diminution de l'activité GTPase ; elle est pratiquement résistante aux protéines GAP qui stimulent normalement l'hydrolyse du GTP et permettent l'inactivation de la protéine Ras. Dans la mesure où la concentration en GTP dans les cellules excède habituellement celle du GDP d'un facteur dix, la protéine RasH mutée est constamment dans sa forme active et stimule sans cesse la prolifération cellulaire : ce stimulus durable et non régulé conduit à la transformation des cellules affectées. On retrouve des oncogènes qui ressemblent aux gènes *ras* cellulaires – *c-ras* – dans le génome de certains virus : on les nomme alors gènes *v-ras* (*encart* 30.2).

Les produits des oncogènes peuvent induire des signaux prolifératifs pratiquement à tous les niveaux de la transduction du signal : par exemple, l'oncogène *sis*

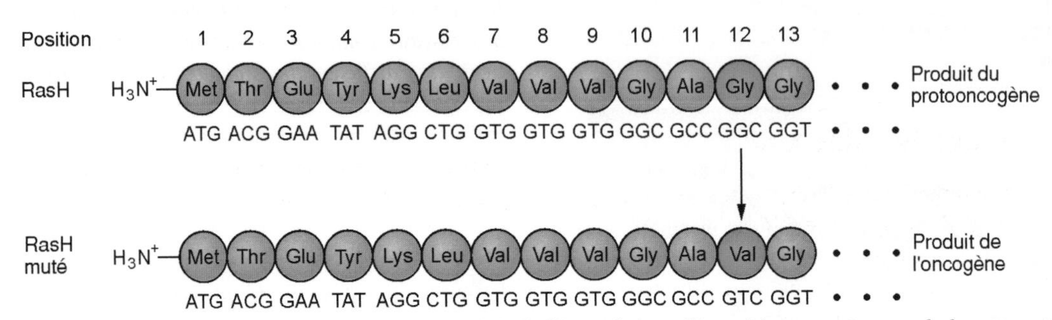

30.14 Mutations ponctuelles dans l'oncogène *rasH*. Le produit de l'oncogène *rasH* possède souvent un seul changement en position 12, où la Val (RasH muté) remplace la Gly (type sauvage) ; cela correspond à une mutation ponctuelle GGC → GTC au niveau du gène. Quelques tumeurs de la thyroïde présentent un génotype *rasH muté*. D'autres mutations affectent les positions 13, 59 et 61 dans la séquence en acides aminés des oncogènes RasH, RasK ou bien Ras N. [RF]

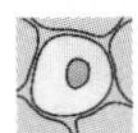

Encart 30.2 : Les oncogènes viraux

Les virus tumoraux peuvent intégrer, dans leur propre ADN, des gènes de leur hôte codant pour des éléments de voies de signalisation. Des événements de recombinaison et de mutation leur permettent alors de générer des gènes viraux, qui produisent en continu des protéines de signalisation actives ; ces gènes peuvent ensuite transformer les cellules hôtes. Un exemple typique est le facteur ***v-raf*, un oncogène** viral qui se forme par mutation du gène *raf* humain. Le produit du proto-oncogène c-Raf possède, outre un domaine kinase, un domaine régulateur. Dans l'oncogène, des séquences virales remplacent cette région et l'activité kinase ne peut plus être régulée : l'oncogène v-Raf est continuellement actif (*fig.* 30.15). L'**oncogène viral *v-erbB*** produit un récepteur à l'EGF raccourci, qui possède le domaine kinase et le domaine transmembranaire mais pas le domaine extracellulaire de liaison à un ligand. Ce variant du récepteur n'est plus sous contrôle des signaux EGF externes et il est de fait **constitutivement actif**. Les cellules hôtes expriment ce récepteur raccourci en grande quantité et elles subissent alors un véritable « tir de barrage » de signaux prolifératifs, ce qui aboutit à la transformation des cellules infectées.

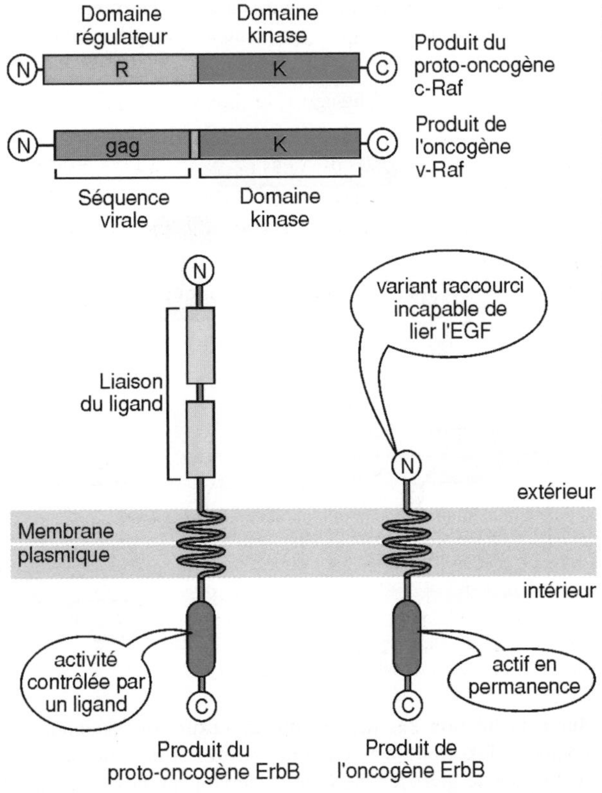

30.15 Produits des oncogènes v-Raf et v-ErbB ainsi que de leurs proto-oncogènes.

produit en grande quantité un variant actif du **ligand** PDGF, un facteur de croissance puissant ; l'oncogène *erbB* code pour un **récepteur** EGF « sans tête » ; les oncogènes *src* produisent des **kinases** intracellulaires qui présentent une activité constitutive ; les oncogènes *fos* et *jun* synthétisent des variants, actifs en permanence, des **facteurs de transcription** Fos et Jun. *L'analyse fonctionnelle de ces protéines et l'étude structurale de leurs gènes ont beaucoup contribué à la compréhension des voies de signalisation intracellulaire. Cette recherche marque aussi les premiers pas vers un diagnostic nuancé et une thérapie « rationnelle » des cancers, basée sur une connaissance détaillée des mécanismes moléculaires impliqués dans la pathogenèse des cancers.*

30. 6 Les cytokines utilisent des récepteurs couplés à une tyrosine kinase

Dans les paragraphes précédents, on n'a examiné que les récepteurs à activité tyrosine kinase dont le domaine kinase fait partie intégrante de la protéine réceptrice. Il existe un deuxième grand groupe de récepteurs à activité enzymatique, qui ne disposent pas de leur propre domaine kinase ; les membres de ce groupe recrutent, avant ou après stimulation, des kinases cytosoliques inactives. Le prototype des **récepteurs couplés à une tyrosine kinase** est le récepteur à la somatotropine. La somatotropine est une hormone protéique bivalente, produite par l'hypophyse, et qui atteint ses cellules cibles (par exemple dans l'os) *via* la circulation sanguine. Elle s'accroche par ses deux sites de liaison à deux récepteurs monomériques, entraînant la formation d'un dimère (*fig.* 30.16). L'apposition des deux monomères induit l'autophosphorylation et ainsi l'activation des kinases associées aux récepteurs, et consécutivement la phosphorylation du dimère de récepteur, ce qui crée de nouveaux sites d'ancrage pour des protéines de signalisation à domaines SH2. La phosphorylation de facteurs de transcription en aval, permet d'activer ensuite des groupes entiers de gènes, qui contrôlent par exemple la croissance osseuse. L'absence de somatotropine conduit au nanisme (*encart* 20.3).

Des **cytokines** comme l'interleukine-2, l'interleukine-6, l'érythropoïétine et les interférons sont des exemples typiques de ligands des récepteurs couplés à des tyrosine kinases. Les cytokines forment une classe hétérogène de « petites » protéines qui sont synthétisées, dans la plupart des cas, par les cellules du système immunitaire et qui servent à la communication intercellulaire (*tableau* 30.1).

Les **Janus kinases** (JAK) appartiennent à la famille des enzymes couplées à des récepteurs aux cytokines. Comme dans le cas de la voie des MAP kinases, la cascade de signalisation par les JAK kinases transmet des signaux, à l'aide de relais intermédiaires, jusqu'au noyau. Les **facteurs STAT** (angl. *signal transducers and activators of transcription*) constituent des liens non enzymatiques dans cette cascade. Ils se trouvent dans le cytosol de cellules non stimulées et après l'activation des JAK, les protéines STAT se lient par leurs domaines SH2 (*fig.* 30.6) à des résidus phosphotyrosine, qui sont leurs « points d'ancrage » sur leurs récepteurs. Chaque protéine STAT est alors phosphorylée par les JAK au niveau d'un résidu tyrosine (*fig.* 30.17). Les protéines STAT phosphorylées se dimérisent par association intermoléculaire des résidus phosphotyrosine avec les domaines SH2. Les dimères de STAT subissent une translocation dans le noyau où ils agissent comme facteurs de transcription et contrôlent l'expression de nombreux gènes. La **voie de signalisation JAK-STAT** présente une importance physiologique, par exemple dans l'activation des cellules phagocytaires lors des réactions inflammatoires ou bien dans la maturation des cellules sanguines à partir des cellules souches de la moelle osseuse.

La transduction du signal par les cytokines illustre de façon impressionnante le principe des « court-circuits » : à partir des récepteurs couplés à une kinase, le signal est

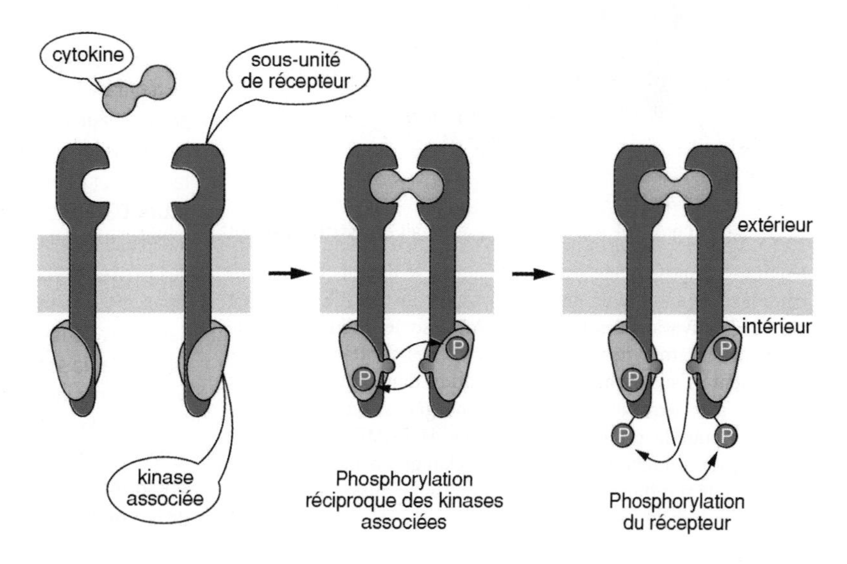

30.16 Activation des récepteurs couplés à une tyrosine kinase. La dimérisation induite par un ligand, le recrutement de kinases cytosoliques, et la phosphorylation des récepteurs sont les étapes initiales de la cascade de signalisation. Les nouveaux résidus phosphotyrosines permettent l'accrochage d'autres protéines de signalisation. La figure montre l'exemple d'un récepteur homodimérique ; il existe également des récepteurs hétérodimériques ou hétérotrimériques.

Tableau 30.1 L'activation des récepteurs associés aux tyrosine kinases par les cytokines

Ligand cytokine	Lieu de synthèse	Effet biologique
Interleukine-1 (IL-I)	Cellules présentant des antigènes	Activation des lymphocytes T
Interleukine 2 (IL-2)	Lymphocytes T	Activation des lymphocytes T et B
Interleukine 6 (IL-6)	Lymphocytes T	Synthèse des protéines de la phase aiguë ; croissance et différenciation des lymphocytes B
Interféron-β	Fibroblastes/autres types cellulaires	Effet antiviral
Interféron-γ	Lymphocytes T auxiliaires, lymphocytes T cytotoxiques	Activation des macrophages
TNF-α (angl. *tumor necrosis factor*)-α	Leucocytes variés	Médiateur de la réponse immunitaire
Somatotropine	Hypophyse	Croissance des os et croissance en hauteur

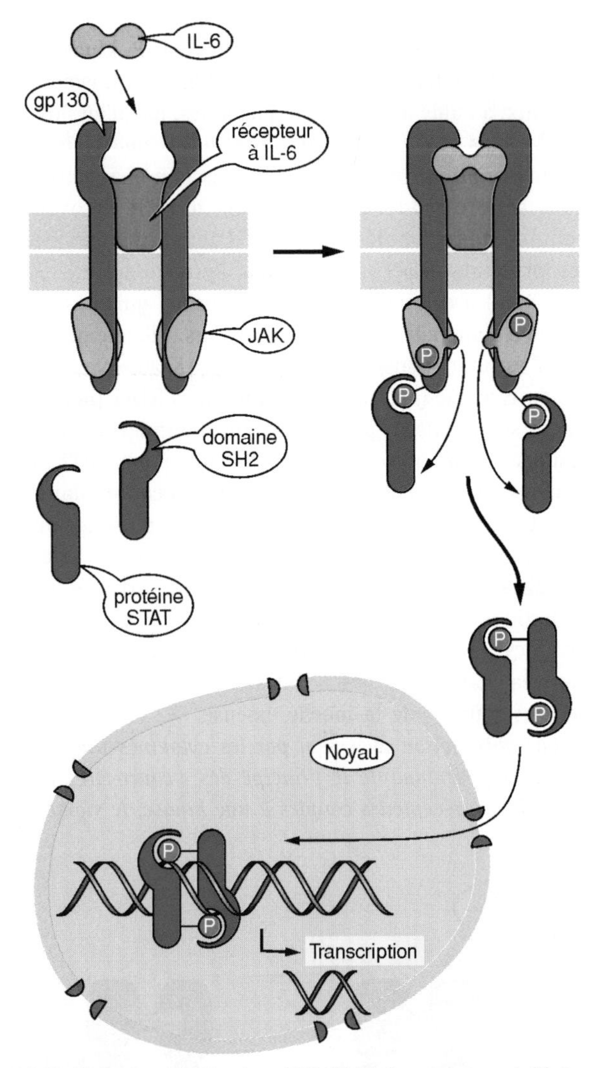

30.17 Voie de signalisation JAK-STAT. Le récepteur à l'interleukine-6 dispose d'une sous-unité qui lie le ligand et forme un complexe ternaire avec deux sous-unités gp130. Ce complexe permet l'activation des protéines JAK associées, qui phosphorylent à leur tour des protéines STAT. Les protéines STAT se dimérisent et subissent une translocation dans le noyau où ils se lient aux séquences régulatrices de gènes, qui codent par exemple pour la protéine C réceptrice de l'AMPc (CRP) ou le fibrinogène. Comme leur expression change au moment d'une phase aiguë d'inflammation, on les regroupe aussi sous le nom de protéines de phase aiguë.

transmis directement aux facteurs de transcription, qui peuvent immédiatement activer ou bien inactiver des gènes. Cette réaction rapide permet aux cellules une adaptation immédiate à des conditions externes changeantes.

Les tyrosine kinases forment la classe dominante des enzymes couplées à des récepteurs, mais pas la seule : par exemple, les récepteurs à l'ANF (angl. *atrial natriuretic factor*) possèdent une **activité guanylate cyclase** au niveau de leur domaine cytoplasmique, qui permet de produire – après la liaison du ligand – le second messager GMPc à partir du GTP. Les **tyrosine phosphatases** associées aux récepteurs constituent un autre exemple, dont le prototype est la protéine CD45, associée au récepteur des lymphocytes T. Après stimulation du récepteur par un antigène, le domaine cytoplasmique de la protéine CD45 peut déphosphoryler des kinases de type Src, ce qui les active. Un autre grand groupe de récepteurs couplés à des enzymes est celui des récepteurs associés à des **sérine thréonine/kinases** ; les représentants les plus importants sont stimulés par des facteurs de croissance transformants (*encart* 30.3).

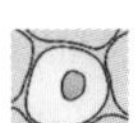 Encart 30.3 : Facteurs de croissance transformants

Le génome humain code pour un minimum de 29 facteurs de croissance transformants de type TGF-β (angl. *transforming growth factor*). Selon le type de cellules, ces facteurs multifonctionnels peuvent être stimulateurs ou inhibiteurs de la croissance. Ils régulent la synthèse de protéines de la matrice extracellulaire et stimulent de ce fait la formation de la matrice osseuse. Au niveau des fibroblastes de la peau, ils agissent de manière chimiotactique et contribuent à la cicatrisation. Les **ligands des facteurs TGF-β** sont synthétisés sous forme de précurseurs de poids moléculaire élevé, qui sont immobilisés à la surface cellulaire par des **protéoglycanes** comme le β-glycane. Une protéolyse limitée libère les facteurs actifs qui forment des dimères et provoquent l'assemblage des deux sous-unités (R-I et R-II) des récepteurs au TGF-β. Par la suite, la sous-unité R-II phosphoryle, par son activité sérine/thréonine kinase, la sous-unité R-I, qui est alors activée et phosphoryle á son tour des résidus sérine et thréonine des facteurs de transcription Smad. Les facteurs Smad phosphorylés s'associent avec d'autres co-facteurs et régulent la transcription de leurs gènes cibles après translocation dans le noyau.

30.7

Les intégrines sont des récepteurs associés à la matrice extracellulaire

La liaison de facteurs de croissance, mais aussi de composants de la matrice extracellulaire peuvent tous deux induire de profonds changements dans le comportement d'une cellule. En effet, les cellules exposent à leur surface des récepteurs qui ne disposent pas d'activité enzymatique propre : ces **récepteurs intégrines** (en bref, des intégrines) relient le cytosquelette (intérieur) d'une cellule avec la matrice environnante (extérieur). Les intégrines sont des hétérodimères formés de deux chaînes α et β dont chacune possède un domaine transmembranaire (*fig.* 30.18). De nombreuses intégrines se lient par leur domaine externe à des protéines de la **matrice extracellulaire** comme par exemple le collagène, la fibronectine ou la laminine (*fig.* 8.14). Côté cytosolique, les intégrines se lient par l'intermédiaire de protéines adaptatrices comme la vinculine et la taline à des composés du **cytosquelette**, par exemple l'actine et l'α–actinine (§ 31.5). Les « nœuds » où les intégrines relient le cytosquelette avec la matrice extracellulaire sont appelés les **points d'adhésion focale**. Grâce à ces sites, la matrice extracellulaire peut influencer la forme et le comportement des cellules : la polarisation, la croissance, le développement et le mouvement des cellules reflètent souvent des réactions à des changements dans l'environnement cellulaire (*encart* 30.4).

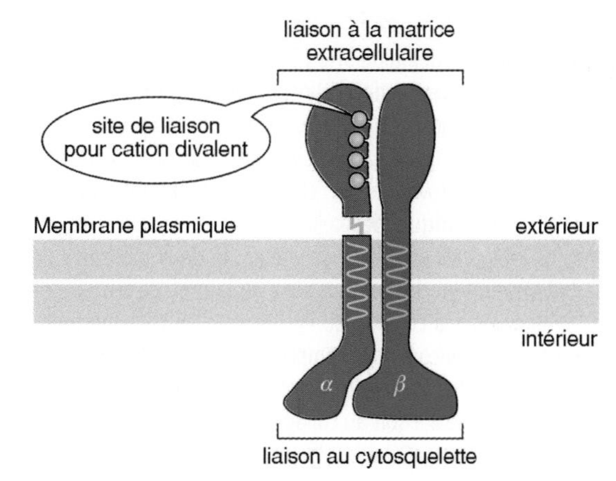

30.18 Structure des intégrines. Il s'agit d'hétérodimères avec deux sous-unités transmembranaires, α et β. La sous-unité α lie des cations divalents. Les régions terminales portent des sites de liaison pour des composants de la matrice extracellulaire ou pour des protéines d'adhésion.

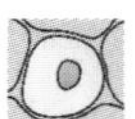

Encart 30.4 : Les intégrines

La transduction du signal par l'intermédiaire des intégrines a lieu au niveau de points d'adhésion focale, où les filaments d'actine se lient *via* un adaptateur au domaine cytosolique des intégrines et provoquent de ce fait leur concentration locale (*fig.* 30.19). Si une cellule se lie à des composants de la matrice extracellulaire par ses intégrines (phénomène d'adhérence), alors une **kinase d'adhésion focale FAK** (angl. *focale adhesion kinase*) associée aux intégrines est activée. L'autophosphorylation d'une kinase FAK produit

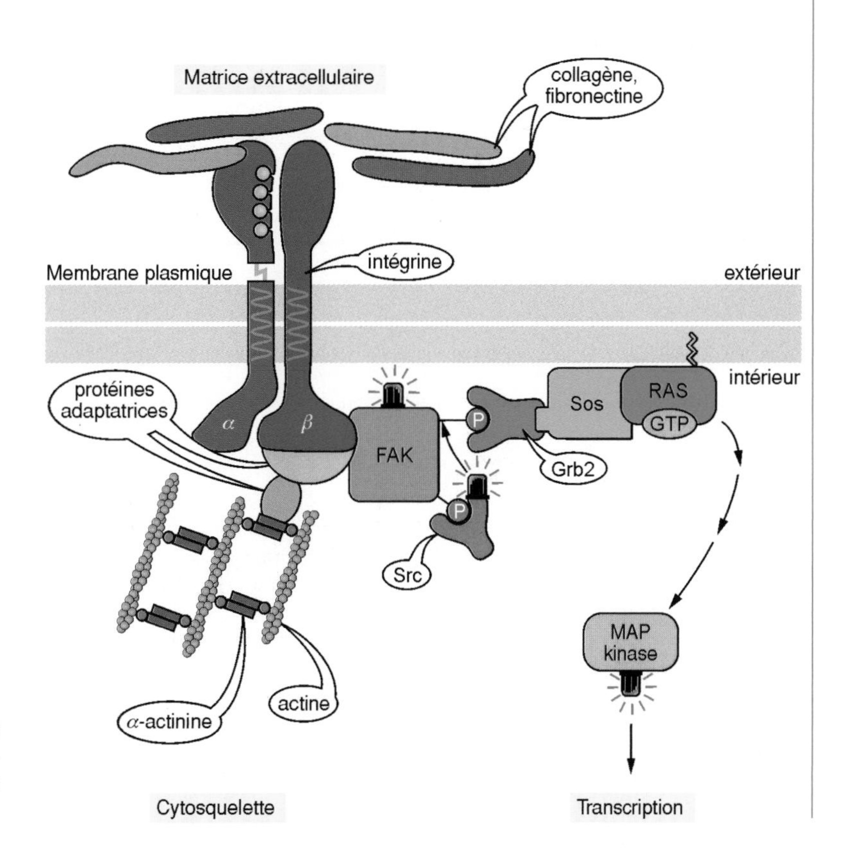

30.19 Voies de signalisation des récepteurs intégrines. Pour des raisons de simplification, la figure ne montre qu'une molécule récepteur avec des protéines associées. [RF]

des résidus phosphotyrosine, auxquels la kinase cytosolique Src peut se lier par son domaine SH2 (*fig.* 30.6), ce qui induit son activation. La protéine Src activée phosphoryle à son tour la protéine FAK et augmente ainsi son activité. La création de ponts Grb2-Sos (*fig.* 30.9) active ensuite la protéine Ras, qui déclenche la voie MAP kinase et provoque un changement durable du **profil d'expression génique** des cellules adhérentes. Dans ce mécanisme, les intégrines sont les « serviteurs de deux maîtres » : d'un côté ils transmettent des informations de la matrice extracellulaire vers l'intérieur de la cellule ; de l'autre coté ils transmettent, par des mécanismes encore mal compris, des instructions du cytosol vers l'extérieur. Par exemple, l'intégrine $\alpha_2\beta_1$ peut, selon les signaux internes, se lier soit au collagène soit à la laminine et structurer la matrice extracellulaire selon les instructions de la cellule.

Les intégrines sont remarquables à plus d'un titre. D'une part, elles marquent la transition entre des protéines d'adhésion « passives » et des récepteurs « actifs » à la surface cellulaire. *D'autre part, les intégrines montrent que la transduction d'un signal cellulaire n'est en aucun cas une voie à sens unique : les cellules reçoivent des signaux de leur environnement mais émettent aussi des impulsions pour modifier cet environnement.* Dans ce domaine, la structure interne des cellules – et en particulier leur cytosquelette – joue un rôle important. On en revient à un sujet, que l'on avait déjà brièvement abordé en parlant des protéines membranaires (§ 25.4) et dont on va préciser maintenant les détails moléculaires.

Structure et dynamique du cytosquelette

31

La structure interne d'une cellule eucaryote est très organisée : une armature flexible de fibres protéiques sillonne l'espace intracellulaire et constitue un feutrage interne de la membrane plasmique. Cet assemblage de protéines forme des rails pour le transport des organites cellulaires et organise la séparation des chromosomes au moment de la division cellulaire ; il stabilise les évaginations en doigts de gants de la membrane (microvillosités) et forme un réseau mobile, qui permet les contractions et les mouvements cellulaires. Ce réseau présent en filigrane dans les cellules eucaryotes est appelé **cytosquelette** – ce qui pourrait faire penser à un squelette osseux rigide. En fait, le cytosquelette est une structure exceptionnellement dynamique : des assemblages et restructurations continuels le maintiennent constamment en mouvement. Les « poutrelles » de cette armature sont les **filaments**, dont les composants protéiques principaux sont l'actine, la tubuline, la lamine et la vimentine ; de nombreuses autres protéines y sont associées. On étudiera dans ce chapitre l'assemblage du cytosquelette eucaryote et on fera la connaissance des principaux éléments structuraux. Par contraste, les procaryotes ne possèdent pas de réseau intracellulaire comparable.

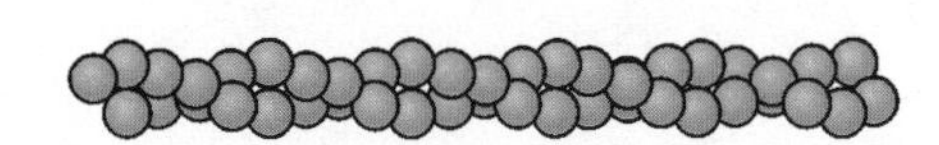

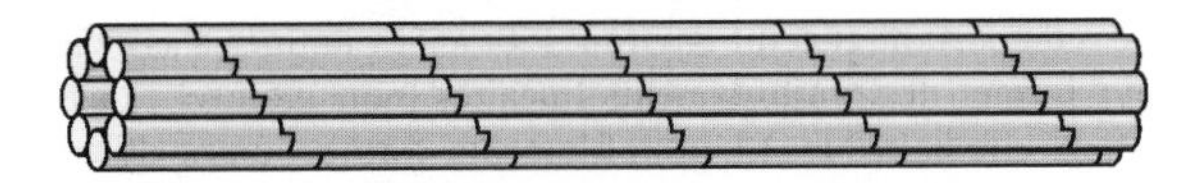

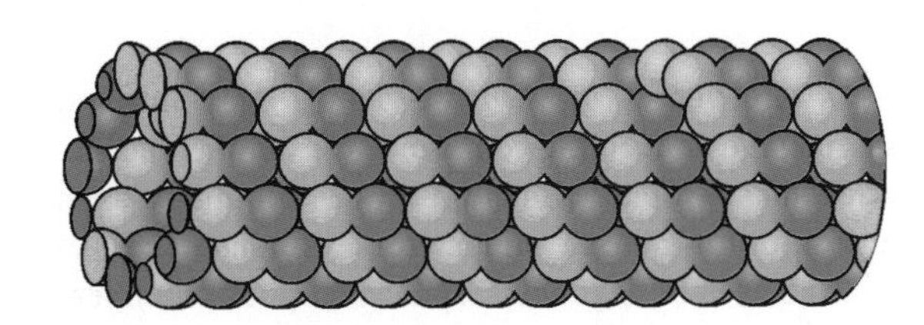

31.1 Types de filaments du cytosquelette. Les filaments d'actine, également appelés microfilaments, avec un diamètre extérieur d'environ 7 nm, les filaments intermédiaires (10 nm) et les microtubules (25 nm) sont les éléments de structure du cytosquelette.

31.1

Trois types de filaments protéiques forment le cytosquelette

La cellule utilise trois composants principaux pour bâtir son cytosquelette : les filaments d'actine ou microfilaments, les filaments intermédiaires et les microtubules (*fig.* 31.1). Les minces **filaments d'actine** sont assemblés dans le cytosol en faisceaux et en réseaux, qui sont particulièrement compacts au voisinage de la membrane plasmique, donnant ainsi à la cellule sa forme et sa stabilité. Les **filaments intermédiaires** sont des filaments qui forment des câbles et donnent à la cellule sa résistance mécanique contre les forces extérieures. Certains, assemblés en lamina, stabilisent la face interne de la membrane nucléaire. En ce qui concerne les **microtubules**, ce sont de grosses fibres tubulaires, qui partent d'un point central dans la cellule, le centrosome, et forment des rails permettant le mouvement des organites et – pendant la mitose – des chromosomes (*fig.* 3.18).

31.2

Les microtubules sont des structures dynamiques du cystosquelette

Les microtubules sont des fibres creuses de 25 nm de diamètre environ, dont la densité est maximale dans les neurones ; ils sont formés par la polymérisation de **tubuline.** La tubuline est un hétérodimère protéique en forme d'haltère, constitué de **deux isoformes liées grâce au GTP**, la tubuline α et la tubuline β. Les dimères s'associent en protofilaments et l'assemblage ordonné de 13 protofilaments forme un tube, où les dimères $\alpha\beta$ sont côte à côte (*fig.* 31.2). Comme les dimères de tubuline s'assemblent toujours selon la même orientation, l'ensemble d'un microtubule présente deux extrémités (ou pôles) que l'on peut différencier et qui sont décrites comme respectivement les **extrémités positives et négatives.** Cette polarité est – comme on le verra plus tard – un facteur important, qui conditionne la direction du transport intracellulaire le long des microtubules.

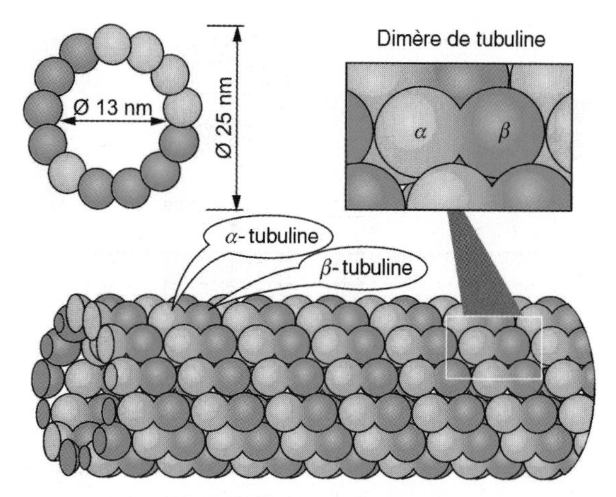

31.2 Structure des microtubules. Des dimères d'α- et de β-tubuline, comportant chacun environ 450 acides aminés s'associent pour former des protofilaments linéaires (non montré) ; l'association circulaire de 13 protofilaments forme l'unité de base d'un microtubule (coupe en haut à gauche). Les microtubules atteignent typiquement une longueur entre 0,2 et 25 nm. [RF]

Des expériences *in vitro* ont permis de montrer que l'assemblage de tubuline commence par un phénomène de **nucléation** : des hétérodimères libres de tubuline s'assemblent pour former un oligomère ; ces oligomères sont métastables et se dégradent rapidement pour redonner les dimères (*fig.* 31.3). Si un oligomère dépasse une taille critique de six à sept dimères, alors l'assemblage rapide de nouveaux dimères de tubuline continue, et on observe un phénomène d'**élongation** : la vitesse de polymérisation est alors proportionnelle à la concentration en tubuline libre présente dans le milieu. La polymérisation rapide induit une diminution de la concentration en tubuline libre. Il existe un seuil de concentration pour lequel l'association et la dissociation se trouvent en équilibre : on atteint un **équilibre dynamique**. Les cellules raccourcissent la phase de démarrage de la polymérisation grâce au phénomène de nucléation (*lat.* nucleus, noyau), c'est-à-dire en utilisant des « noyaux de tubuline » préexistants, ce qui permet de commencer l'élongation sans délai.

Les microtubules sont des **assemblages** extrêmement **dynamiques**, qui peuvent croître par leurs deux extrémités, même si les vitesses sont variables : l'extrémité (+) croît environ quatre fois plus vite que l'extrémité (-). La raison tient à un micro-environnement différent, au sein duquel le dimère de tubuline doit s'insérer avec une orientation correcte (*fig.* 31.4). À l'extrémité (+), quand une sous-unité α arrive, elle rencontre une sous-unité β déjà incorporée, ce qui induit un changement de conformation rapide et permet de conclure sans délai l'élongation. À l'extrémité (-), la situation est inverse. Ici, c'est une sous-unité β qui arrive et rencontre une sous-unité α du tubule et le changement de conformation nécessaire de la sous-unité β est plus lent. Il s'ensuit une vitesse d'élongation nettement ralentie à l'extrémité (-) ; de façon similaire, la vitesse de dégradation diffère également selon l'extrémité. La croissance ou la dégradation dépend aussi d'une **concentration seuil C_c** en dimères de tubuline libres. Si la concentration cytosolique en tubuline libre est supérieure à C_C, alors le microtubule croît par ses deux extrémités, même si c'est à des vitesses différentes. Si la concentration en tubuline libre de la cellule chute au-dessous de C_C, alors le microtubule se raccourcit. L'assemblage et la dégradation continuelle des microtubules constituent un phénomène appelé **instabilité dynamique** des microtubules. L'hydrolyse de GTP est à nouveau le moteur de cette dynamique. Bien que les monomères de tubuline lient tous deux une molécule de GTP, seule la sous-unité β dispose d'une activité GTPase. Après son association dans le microtubule, la sous-unité β hydrolyse, avec un temps de retard, le GTP lié en GDP et P_i ; cela provoque un changement de conformation dans les dimères, et l'affinité de la tubuline β-GDP vis-

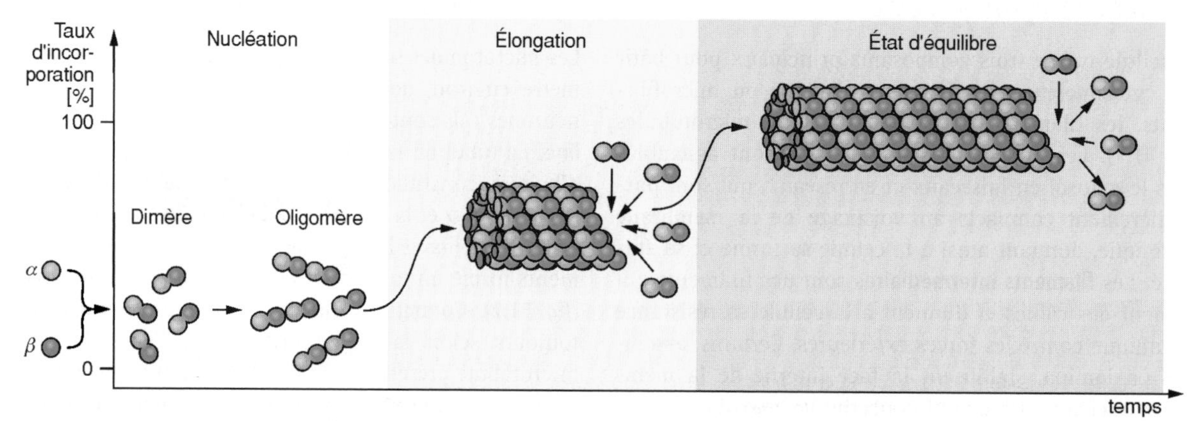

31.3 Polymérisation des microtubules. La courbe présente trois phases : une phase initiale de nucléation (angl. *lag phase*), au cours de laquelle six à sept dimères de tubuline au moins doivent s'associer pour permettre un assemblage productif ; une phase de croissance logarithmique avec une élongation rapide ; et une phase d'équilibre dynamique (angl. *steady state*), pendant laquelle l'incorporation et la dégradation de dimères sont en équilibre. Dans la plupart des cellules, environ 50 % de la tubuline est sous forme polymérisée. [RF]

31.4 Polarité des microtubules. Des expériences *in vitro* ont montré que l'incorporation de dimères de tubuline se fait plus rapidement à l'extrémité (+) qu'à l'extrémité (-). Cette différence tient au fait que les exigences conformationnelles des dimères de tubuline sont différentes en fonction de leur position à l'extrémité (+) ou (-). Le GTP et le Mg^{2+} sont nécessaires pour une croissance optimale des microtubules.

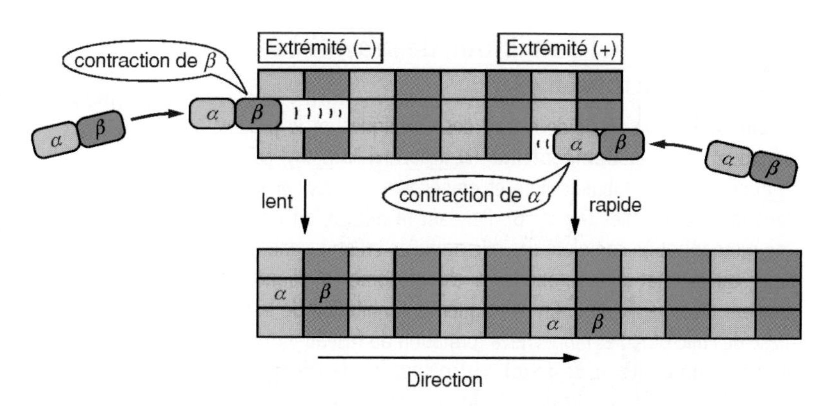

à-vis des molécules de tubuline voisines diminue. Comme l'assemblage de tubuline-GTP au niveau de l'extrémité en croissance est plus rapide que l'hydrolyse de GTP, il se forme une **« coiffe » protectrice de tubuline-GTP** à cette extrémité, qui empêche la dissociation rapide de la tubuline-GDP (*fig.* 31.5). En revanche, les dimères de tubuline-GDP se dissocient beaucoup plus rapidement au niveau de l'extrémité sans coiffe qu'à l'extrémité protégée. Quand les deux processus sont à l'équilibre, la longueur du microtubule reste constante malgré une synthèse et une dégradation continuelles à ses extrémités : on parle d'un **phénomène de tapis roulant** (angl. *treadmilling*). *Les microtubules se transforment donc en permanence : ils croissent, stagnent ou se raccourcissent en fonction des besoins de la cellule.*

Les microtubules ont en général une demi-vie de quelques minutes. La mitose exige en particulier des transformations rapides des tubules (*fig.* 3.18) : c'est pourquoi les inhibiteurs de la synthèse des microtubules répriment la division cellulaire (*encart* 31.1). Les extrémités (-) des microtubules sont ancrées dans les centrosomes, à proximité du noyau de la cellule, et les microtubules croissent en direction des chromosomes pour se lier à leurs centromères (*encart* 16.2). Des protéines spécifiques peuvent se lier à l'extrémité (+) des filaments et interrompre les transformations continuelles. Ces « **bouchons protéiques** » stabilisent les microtubules et empêchent leur croissance dynamique. D'autres microtubules partant d'un centrosome peuvent rester « inutilisés » : ils ne trouvent pas de centromère et se dégradent alors rapidement.

31.3 Les filaments intermédiaires confèrent la résistance mécanique

Le deuxième composant majeur du cytosquelette est représenté par les **filaments intermédiaires.** Ils servent d'abord à la stabilisation mécanique de la cellule et à renforcer l'assemblage de cellules isolées en couches cellulaires souples mais pourtant bien jointives, comme dans le cas de la peau. Contrairement aux microtubules et – comme on le verra plus tard – aux filaments d'actine, les filaments intermédiaires ne sont pas constitués d'une seule classe de protéines, mais de plus de 50 protéines différentes, qui appartiennent à 5 grandes classes (I-V ; *tab.* 31.1). Les **cytokératines** représentent la classe I (kératines acides) et la classe II (kératines neutre-basiques), que l'on trouve principalement dans les cellules épithéliales.

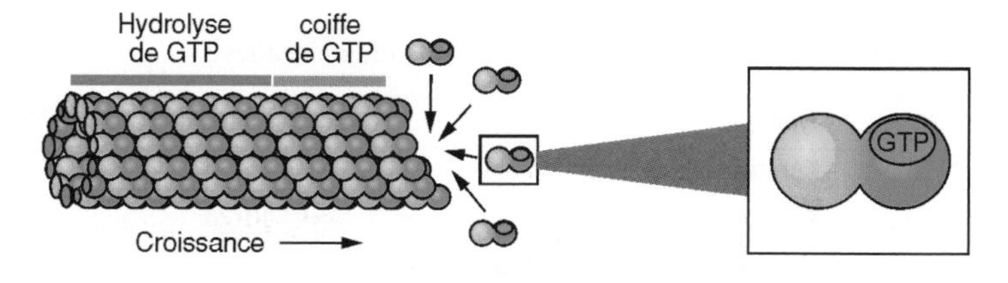

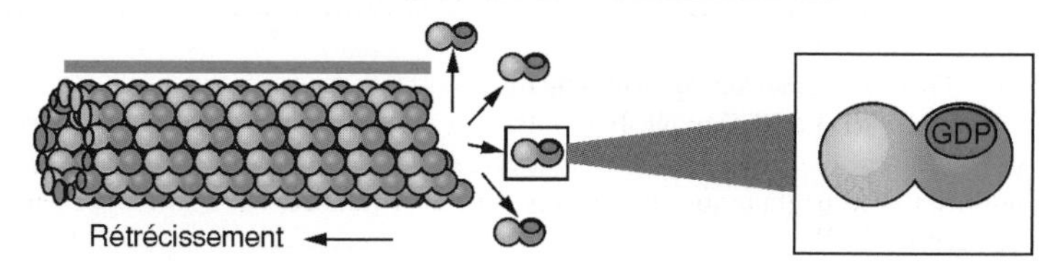

31.5 Instabilité dynamique de microtubules. Si la concentration en GTP-tubuline dans la cellule est supérieure à une concentration seuil Cc, on observe une croissance nette du microtubule. Quand la concentration en GTP-tubuline descend sous la valeur seuil Cc, la tendance s'inverse : la GDP-tubuline formée quitte rapidement le microtubule et provoque sa dégradation. Pour simplifier, on n'a représenté sur la figure que le nucléotide porté par la β-tubuline. [RF]

Encart 31.1 : Inhibition de la synthèse des microtubules

La **colchicine**, un alcaloïde extrait des colchiques, et le produit chimique voisin la **démécolcine** (N-désacétyl-N-méthyl-colchicine) se lient à la tubuline libre et empêchent sa polymérisation dans les microtubules (*fig.* 31.6). Pendant la mitose, on observe une réorganisation complète des microtubules en un fuseau mitotique, qui permet la séparation des chromosomes dupliqués au moment de la réplication. En conséquence, l'inhibition de la synthèse des microtubules empêche la formation du fuseau mitotique et la division cellulaire. Le **taxol**, un composant de l'écorce d'if, est au contraire un stabilisateur des microtubules : les microtubules perdent alors leur instabilité dynamique et les cellules sont immobilisées en mitose. Que l'on **inhibe la formation des microtubules** ou que l'on **bloque la dissociation des microtubules**, on empêche la division cellulaire. Cette situation souligne l'importance de la transformation dynamique des microtubules. Des substances voisines de la colchicine, comme la **vincristine**, sont des cytostatiques efficaces, et sont utilisées comme médicaments dans la thérapie contre la leucémie, afin de lutter contre la multiplication cellulaire.

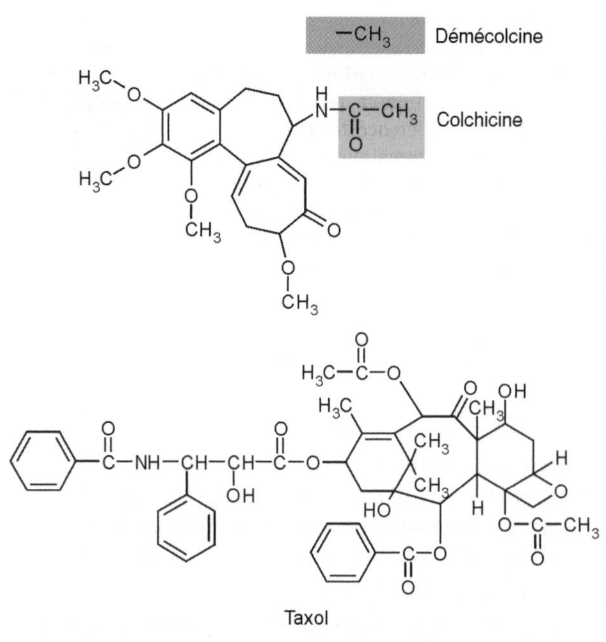

31.6 Structures de la colchicine, la démécolcine et le taxol.

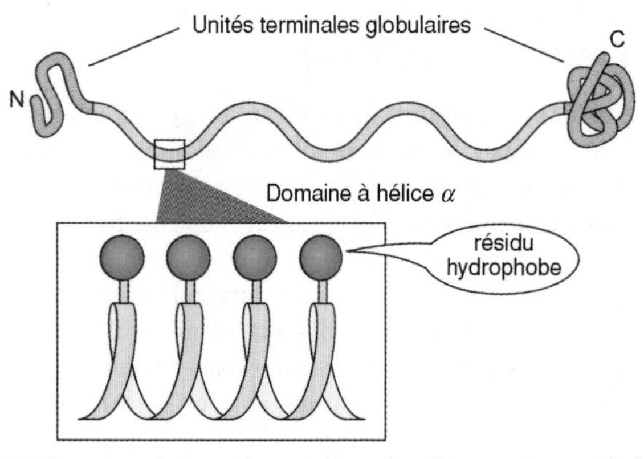

31.7 Structure de base des protéines des filaments intermédiaires. Leur domaine central présente une conformation d'hélice α ; typiquement, on trouve un résidu avec une chaîne latérale hydrophobe tous les quatre acides aminés. Ainsi, l'hélice présente longitudinalement une bande hydrophobe qui interagit avec la bande hydrophobe d'une deuxième protéine, ce qui induit la dimérisation de deux protéines de filaments intermédiaires. [RF]

On va mettre l'accent sur les caractéristiques communes des protéines appartenant aux filaments intermédiaires, en prenant l'exemple des kératines, avant de se tourner vers les autres classes. Les kératines possèdent une structure de base allongée, avec un domaine central en hélice α et deux domaines terminaux adjacents de structures variables (*fig.* 31.7).

Les cytokératines forment d'abord des **hétérodimères** constitués chacun d'un monomère acide et d'un monomère basique. Les parties centrales s'enroulent en super hélice (angl. *coiled coil*) pour former une tige maintenue par les interactions hydrophobes des chaînes latérales. L'assemblage antiparallèle de deux dimères aboutit à un tétramère avec des extrémités débordantes. Ces tétramères s'agrègent de façon linéaire pour former des **protofilaments** (*fig.* 31.8). L'association latérale de huit protofilaments aboutit enfin à un filament intermédiaire complet. Comme les tétramères sont assemblés de façon

Tableau 31.1 Types de protéines des filaments intermédiaires

Classe	Type	Taille (kDa)	Expression
I	Kératines acides	40-70	Cellules épithéliales
II	Kératines basiques	40-70	Cellules épithéliales
III	Protéines similaires à la vimentine		
	Vimentine	54	Fibroblastes, cellules endothéliales, leucocytes
	Desmine	53	Cellules musculaires
	Protéines fibrillaires, Acides de la glie	51	Cellules gliales
	Périphérine	57	Neurones périphériques et centraux
IV	Protéines des neurofilaments		
	NF-L ; NF-M ; NF-H	67-200	Axones
V	Lamines nucléaires	60-75	Lamina nucléaire des cellules eucaryotes
	Lamines A, B, C		

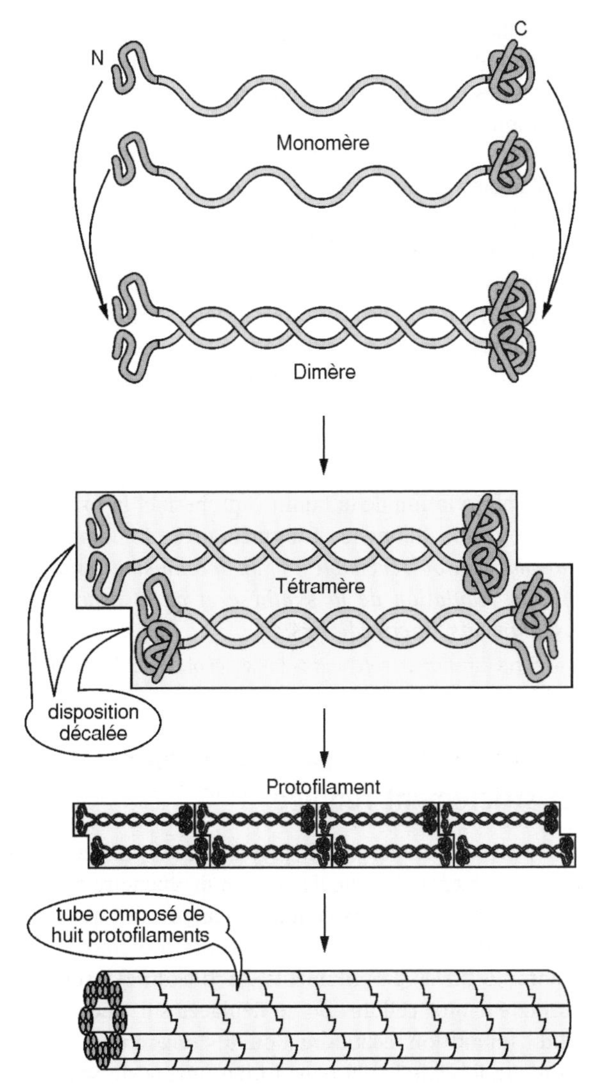

31.8 Polymérisation des filaments intermédiaires. Les dimères s'assemblent d'abord pour former des tétramères avec des extrémités débordantes, ceux-ci se regroupent ensuite en protofilaments ; huit protofilaments s'associent pour former un filament. Des domaines terminaux de tailles différentes débordent latéralement (non montré). [RF]

antiparallèle, un tel filament ne possède *aucune* polarité. Les domaines centraux en hélice permettent les associations longitudinales et latérales dans le filament, tandis que les domaines terminaux débordent sur les côtés du filament et sont prédisposés aux interactions avec d'autres protéines cytosoliques. Cette disposition particulière permet à des protéines de tailles très différentes de former des filaments intermédiaires. Contrairement aux microtubules et – comme on le verra aussi plus tard – aux filaments d'actine, les filaments intermédiaires ne présentent pas de polarité ni de formation uniforme.

Les filaments intermédiaires constitués de cytokératine sont particulièrement abondants dans les cellules épithéliales et forment au niveau des sites de contact entre cellules des **desmosomes**, qui permettent de « souder » des cellules voisines entre elles (*fig.* 31.9). Les filaments de cytokératine sont ancrés dans les complexes protéiques des **plaques denses** sur la face interne de la membrane plasmique ; ces plaques servent de sites d'ancrage pour les cadhérines, des protéines membranaires présentes en permanence, et qui lient entre elles des cellules voisines. Les filaments intermédiaires de cytokératine sont tendus entre desmosomes au travers de toute la cellule et assurent l'ancrage latéral des cellules ; ce réseau donne à l'épithélium ses capacités de résistance mécanique. Une mutation dans le gène de la cytokératine peut conduire à une pathologie dite **épidermolyse bulleuse simple** (lat. *epidermolysis bullosa simplex*) (*encart* 31.2).

Les filaments de cytokératine permettent également l'ancrage des cellules épithéliales dans la matrice extracellulaire, comme par exemple dans le cas d'une membrane basale : on appelle ces sites de contact des **hémidesmosomes** (*fig.* 31.10). Leur formation côté cytosol correspond à celle des desmosomes classiques : les filaments de cytokératine sont ancrés dans des plaques denses au niveau de la face cytoplasmique. Les protéines

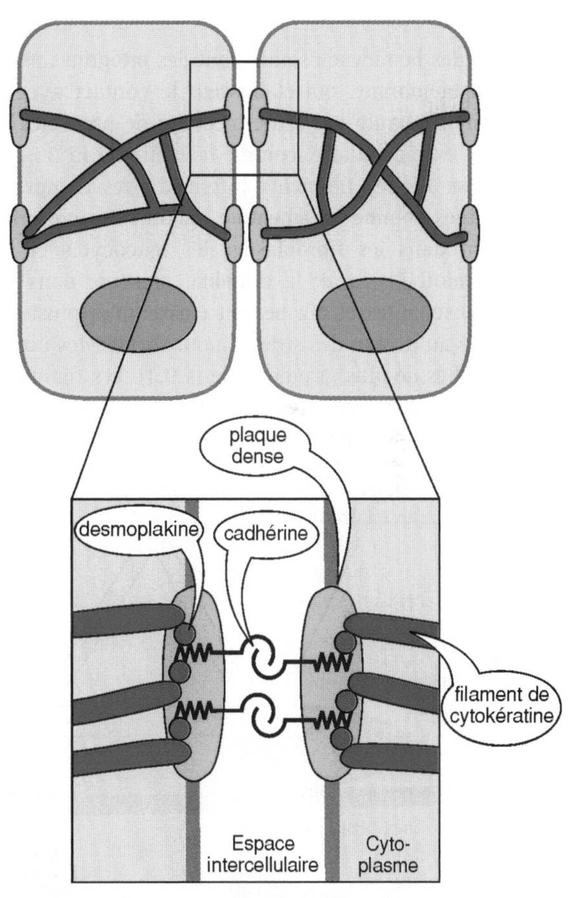

31.9 Liaison des filaments de cytokératine aux desmosomes. Les filaments de cytokératine (en vert) se lient à des protéines ancres (en bleu) au niveau des plaques denses (en jaune), qui forment la base pour l'accrochage de protéines membranaires intégrales du type des cadhérines. Les cadhérines permettent la liaison des cellules épithéliales pour former une couche continue (comparer avec l'*encart* 31.4).

Encart 31.2 : *Epidermolysis bullosa*

Des mutations dans les **gènes des cytokératines** conduisent à la formation de filaments intermédiaires présentant des disfonctionnements. Ceux-ci ne garantissent plus alors une jonction solide entre les cellules épithéliales de la peau. Chez les patients présentant cette pathologie, un faible stress mécanique suffit à provoquer des décollements bulleux de la couche supérieure de la peau (lat. *epidermolysis bullosa simplex*). Des mutations ponctuelles du gène codant le **collagène de type VII**, qui n'est pas lui-même impliqué dans les filaments intermédiaires, conduit à des symptômes similaires, l'*epidermolysis bullosa dystrophica.* La pathologie est due dans ce cas à une séparation de couches plus profondes de la peau, car le collagène de type VII permet la liaison de l'épithélium à la membrane basale. Des mutations dans les gènes des **neurofilaments** présents au niveau des neurones (*tab.* 31.1) peuvent induire une maladie neurologique grave, la sclérose latérale amyotrophique (SLA). Suite aux disfonctionnements des filaments intermédiaires, une perte croissante de la fonction des neurones moteurs et spinaux est observée, conduisant à une atrophie musculaire évolutive et à l'apparition croissante de paralysie (*encart* 37.4).

d'ancrage des hémidesmosomes sont des **intégrines** associées à la membrane, qui établissent le contact avec la lamina environnante par l'intermédiaire de protéines de la matrice extracellulaire, comme la laminine (§ 30.7).

La classe III des filaments intermédiaires comprend des protéines comme la **vimentine**, qu'on retrouve principalement dans les fibroblastes, les leucocytes et les cellules endothéliales, et la **desmine**, présente dans les cellules musculaires et qui permet d'assembler plusieurs sarcomères au niveau des stries Z pour former des unités fonctionnelles de plus grande taille (§ 9.1). Les filaments de vimentine sont constitués - contrairement à la cytokératine - d'un seul type de protéine. Un prototype des filaments intermédiaires de classe IV est représenté par les **neurofilaments**, qu'on trouve principalement dans les axones des neurones et qui assurent des fonctions de stabilisation à ce niveau.

Enfin, un représentant de la classe V est constitué par les **filaments de lamine** (à ne pas confondre avec la protéine de matrice lamin<u>in</u>e). Ces filaments doublent la membrane nucléaire par une lamina et la stabilisent mécaniquement (*fig.* 3.11). Pendant la mitose, la membrane nucléaire disparaît ; le signal est donné par la phosphorylation d'un résidu sérine dans le domaine terminal de la lamine, qui induit une dissociation des filaments de lamine et provoque la disparition de la membrane nucléaire (*fig.* 31.11). Ce processus est réversible et s'inverse dans les cellules filles par la déphosphorylation de la lamine, qui permet la formation de nouveaux filaments intermédiaires de lamine. *La phosphorylation réversible est un mécanisme important pour la régulation de la synthèse et de la dégradation des filaments intermédiaires.*

31.4 L'agrégation d'actine en filaments est strictement régulée

Le troisième composant du cytosquelette est constitué par les filaments d'actine de 7-8 nm de diamètre environ, présents dans toutes les cellules eucaryotes et qui représentent une proportion importante des protéines totales (environ 5-20 %). Les filaments d'actine du cytosquelette permettent aux cellules de se déplacer sur une matrice solide (migration cellulaire), ou le long d'un gradient chimique (chimiotactisme), ou bien encore de se diviser (cytokinèse). Les filaments d'actine rassemblent les propriétés de stabilité des filaments intermédiaires et de

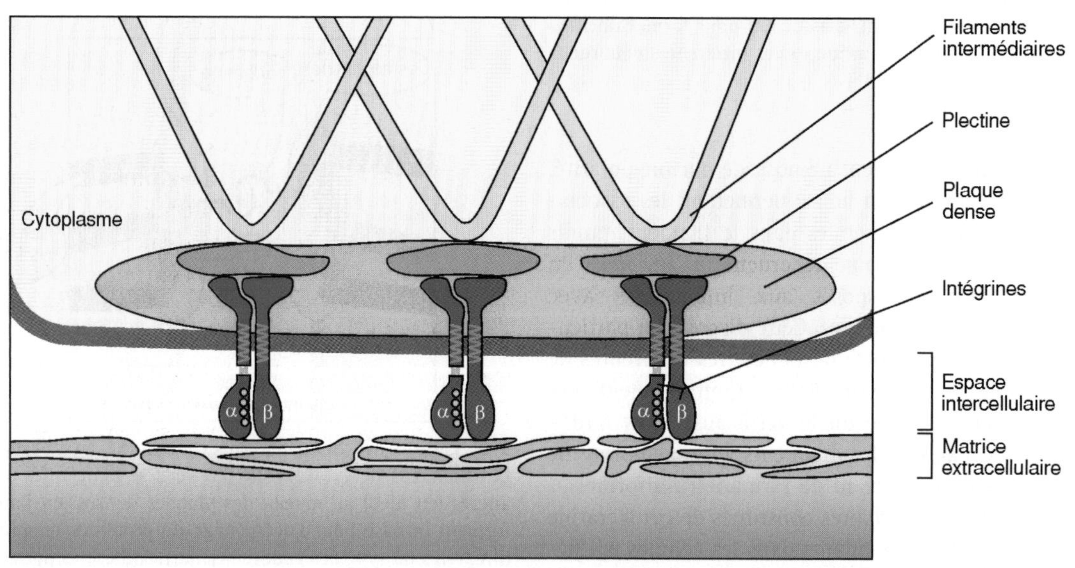

31.10 Formation d'hémidesmosomes. Des intégrines du type $\alpha_6\beta_4$ permettent d'ancrer les cellules épithéliales dans la lamina sous-jacente. [RF]

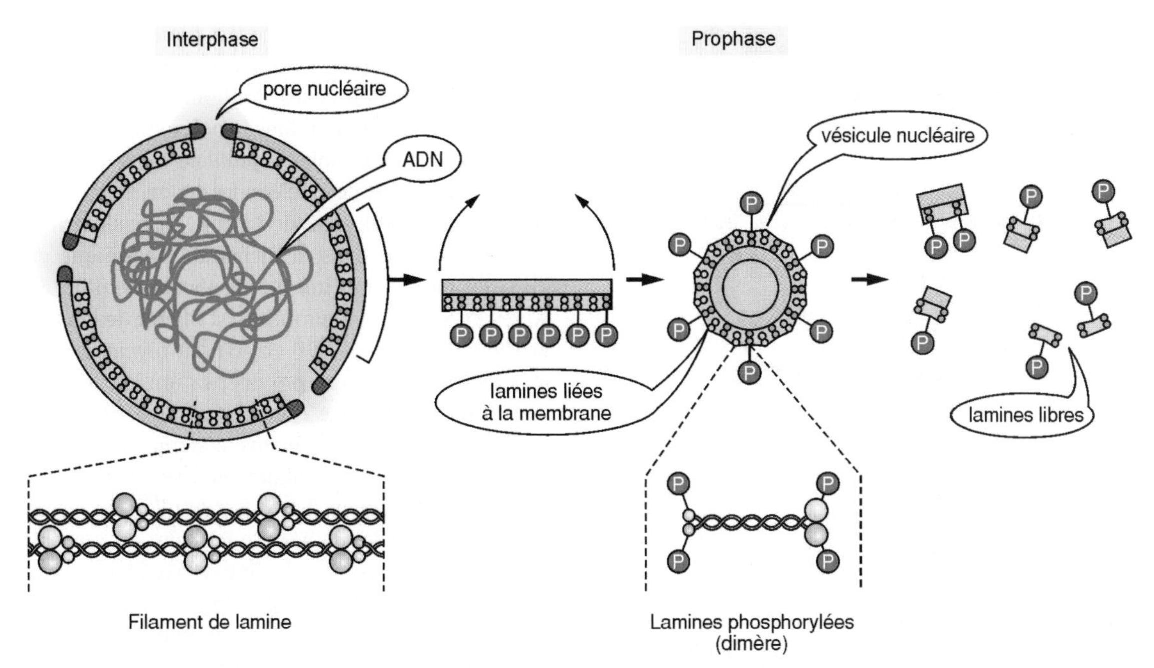

31.11 « Démontage » des filaments de lamine par phosphorylation. Quand la cellule passe en prophase, on observe la phosphorylation des filaments de lamine du noyau. Ils forment alors des vésicules nucléaires et se dégradent jusqu'à l'état de monomères de lamine. Au moment du passage en télophase, les molécules de lamine subissent une déphosphorylation ; elles se réassocient alors pour former des filaments de lamine, qui constituent la lamina nucléaire des cellules filles.

dynamisme des microtubules : une partie des filaments d'actine est stable, par exemple dans les fibres musculaires (§ 9.1) ou dans les microvillosités, les évaginations en doigts de gants des cellules épithéliales, tandis qu'une autre partie est dynamique et est soumise à des modifications permanentes.

Les cellules maintiennent environ 50 % de leur quantité totale d'actine sous forme de monomères d'actine disponibles (actine G pour actine globulaire), dont une partie peut être immédiatement utilisée en cas de besoin pour la polymérisation en filaments d'actine. La condition préalable à la polymérisation est la liaison d'ATP à l'actine et la présence de cations tels que le K^+ et le Mg^{2+}. La première étape est la formation de **dimères d'actine**,

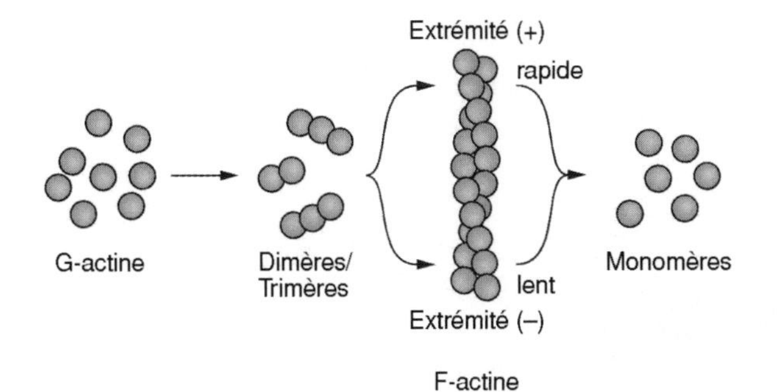

31.12 Polymérisation réversible de l'actine. L'actine globulaire (actine G ; contrairement aux protéines G, ce nom est *sans* relation avec le GTP) forme spontanément et de façon réversible des dimères et trimères qui servent de « germes » pour la polymérisation polarisée de filaments d'actine (actine F). Dans les filaments d'actine, les monomères d'actine sont alignés de telle sorte qu'on a l'impression de deux chaînes enroulées ensemble.

qui sont instables et se dégradent rapidement. C'est seulement quand une troisième molécule se lie, que l'on obtient un trimère relativement stable, qui va servir de germe pour une agrégation croissante (*fig.* 31.12). L'association de monomères à ce trimère de départ est responsable de la **phase de nucléation**, similaire à ce que l'on a déjà vu dans le cas de l'agrégation de tubuline (*fig.* 31.3). L'actine *n*'est *pas* une molécule symétrique : l'actine de la fibre en croissance subit un changement de conformation, ce qui confère une **polarité** au polymère. Le filament d'actine formé a donc deux pôles : une extrémité (-) qui croît lentement et une extrémité (+) qui croît beaucoup plus rapidement.

Après son incorporation dans un filament (actine F ou actine fibrillaire), l'actine est dégradée avec un temps de retard, grâce à l'hydrolyse d'ATP en ADP ; l'ADP-actine qui en résulte se lie avec une affinité plus faible que l'ATP-actine aux molécules d'actine voisines. L'extrémité (+) dispose généralement d'une **« coiffe » d'ATP-actine**, grâce à l'incorporation rapide d'unités liées à l'ATP, ce qui ralentit la dissociation des molécules d'actine ; en revanche cette coiffe protectrice d'ATP-actine fait souvent défaut à l'extrémité (-), car l'incorporation d'ATP-actine est plus lente et les molécules d'actine peuvent plus facilement se séparer de l'association (comparer avec la *fig.* 31.5). Si la synthèse à l'extrémité (+) et la dégradation à l'extrémité (-) s'équilibrent, on obtient une **instabilité dynamique** du filament d'actine sans changement effectif de sa longueur : on est à nouveau en présence d'un « tapis roulant » moléculaire (*fig.* 31.13).

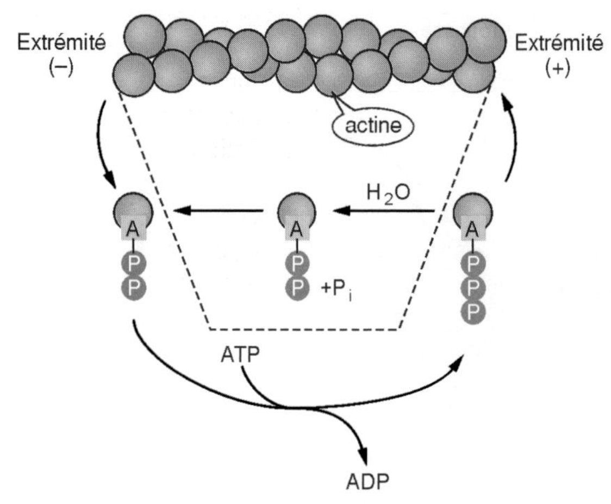

31.13 Filaments d'actine dans le « tapis roulant » moléculaire. La transformation dynamique d'un filament d'actine peut être séparée en quatre étapes : association rapide de l'ATP-actine à l'extrémité (+) puis dissociation lente ; hydrolyse d'ATP en ADP et P_i dans le filament ; dissociation rapide de l'ADP-actine à l'extrémité (-) puis association lente ; échange retardé de l'ADP en ATP dans l'actine monomérique (en dehors du filament).

En raison de l'importance des filaments d'actine dans de nombreux processus vitaux, la cellule garde à sa disposition de nombreuses protéines, qui par diverses stratégies interviennent dans la polymérisation de l'actine (*fig.* 31.14). Par exemple, la **profiline** est une protéine qui permet l'échange de nucléotides et peut promouvoir de ce fait la polymérisation de l'actine. Normalement, la profiline est ancrée dans la membrane plasmique et liée à du phosphatidyl-inositol-4,5-*bis*phosphate (PIP_2) (§ 29.7). Après un stimulus, la profiline est libérée de la membrane, accélère l'échange d'ADP en ATP au niveau de l'actine G et entraîne ainsi une polymérisation en actine F. Au contraire, la **gelsoline** est une protéine impliquée dans la dégradation des filaments d'actine. En présence de concentrations intracellulaires élevées en Ca^{2+}, la gelsoline se lie au filament d'actine et se glisse en biseau entre deux dimères d'actine liés : le filament est alors découpé en deux fragments. La gelsoline se fixe alors à l'extrémité (+) du nouveau filament d'actine et empêche une nouvelle agrégation d'actine. La diminution de la concentration cytosolique en Ca^{2+} lève ce blocage. Des toxines de champignons inhibent aussi la polymérisation de l'actine selon un mécanisme similaire (*encart* 31.3).

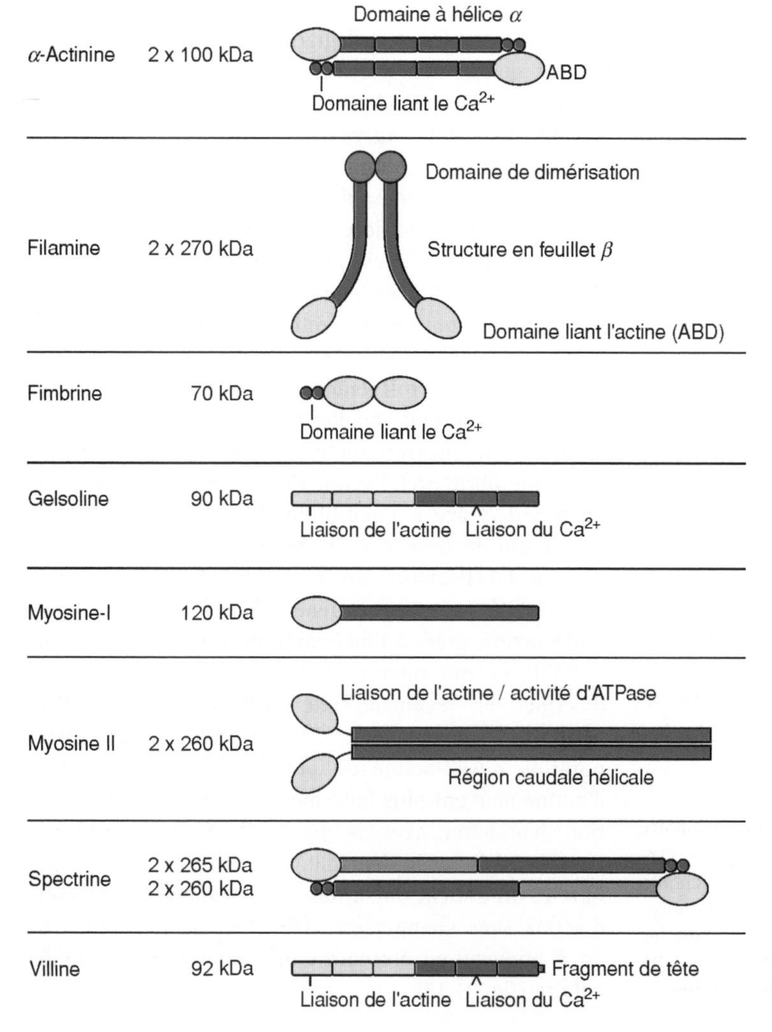

31.14 Structures des protéines liant l'actine. La figure ne montre que quelques représentants importants parmi le grand nombre de protéines associées à l'actine. La tropomyosine est un autre représentant des protéines liant l'actine (*fig.* 9.9).

Encart 31.3 : Cytochalasine et phalloïdine

La **cytochalasine** est un alcaloïde extrait de champignon (*fig.* 31.15) qui se lie à l'extrémité (+) des filaments d'actine et inhibe durablement toute autre association de monomères d'ATP-actine : les filaments d'actine ne peuvent alors plus croître. La **phalloïdine**, une toxine de l'amanite phalloïde (le champignon *Amanita phalloides*) se fixe le long des filaments d'actine et les stabilise en empêchant leur dépolymérisation. Dans les deux cas, on assiste à une forte déstructuration de la charpente de filaments d'actine et à des dommages durables pour la cellule. Comme dans le cas des microtubules, où la colchicine et le taxol inhibent respectivement la synthèse et la dégradation (*encart* 31.1), on peut constater ici la nécessité d'une **évolution dynamique de la structure des filaments** pour la survie des cellules. Les propriétés de la phalloïdine sont utilisées en recherche. Cette toxine, qui se lie à l'actine, est couplée à un groupement fluorescent et permet de mettre en évidence le réseau de filaments d'actine d'une cellule.

Cytochalasine-B

Phalloïdine

31.15 Structures de la cytochalasine et de la phalloïdine.

31.5 Des protéines de liaison à l'actine assurent l'interconnexion des filaments isolés

Comme dans le cas des myocytes, où la myosine et la troponine s'associent aux filaments d'actine pour former des unités fonctionnelles plus grosses, diverses protéines peuvent se lier, s'associer ou s'assembler en réseaux avec les filaments d'actine du cytosquelette pour former des structures supramoléculaires et permettre ainsi aux cellules d'acquérir de nouvelles capacités fonctionnelles. Par exemple, l'**α-actinine** permet l'organisation des filaments d'actine en faisceaux intracellulaires qui, avec la myosine II, jouent un rôle dans l'adhésion cellulaire en formant des **fibres de stress** intracellulaires (*fig.* 31.16). L'α-actinine est une protéine dimérique allongée disposant de deux sites de liaison à l'actine, ce qui lui permet d'associer deux filaments d'actine entre eux. Grâce à la formation à intervalles réguliers de ces ponts, on obtient une structure ordonnée de filaments d'actine antiparallèles, qui laissent entre eux suffisamment d'espace libre pour l'association avec de la myosine II. Les fibres de stress ainsi formées sont contractiles, courent le long de la face inférieure des cellules en culture et s'associent à la membrane au niveau de points d'adhésion focaux (§ 31.6).

La **fimbrine** est une autre protéine qui se lie à l'actine, et permet d'ordonner les filaments d'actine en faisceaux parallèles, qu'on trouve typiquement dans les microvillosités et autres évaginations de la membrane cellulaire comme les filopodes. La fimbrine est un monomère avec deux sites voisins de liaison à l'actine : en raison du faible espace entre ces sites, les filaments d'actine sont rassemblés en **faisceaux parallèles** compacts (*fig.* 31.17). Outre la fimbrine, la **villine** est aussi une protéine qui permet d'assembler les filaments d'actine de façon serrée. Cette protéine en forme de crochet, se complexe au Ca^{2+} et se lie aux filaments d'actine, au niveau des faisceaux parallèles présents surtout dans les microvillosités des cellules de l'épithélium de l'intestin grêle et des tubules rénaux. Contrairement aux faisceaux des fibres contractiles, la myosine ne peut pas s'intercaler dans les filaments compacts : c'est pourquoi ces faisceaux parallèles ne peuvent pas se contracter. La **filamine** est une autre protéine de liaison à l'actine, qui permet l'assemblage des filaments d'actine en réseaux. Comme l'α-actinine et la fimbrine, la filamine possède deux sites de liaison à l'actine, et accroche ensemble deux filaments qui se croisent (*fig.* 31.18). Cet assemblage permet de former un **réseau** relativement lâche, surtout utilisé pour doubler la face intérieure de la membrane plasmique.

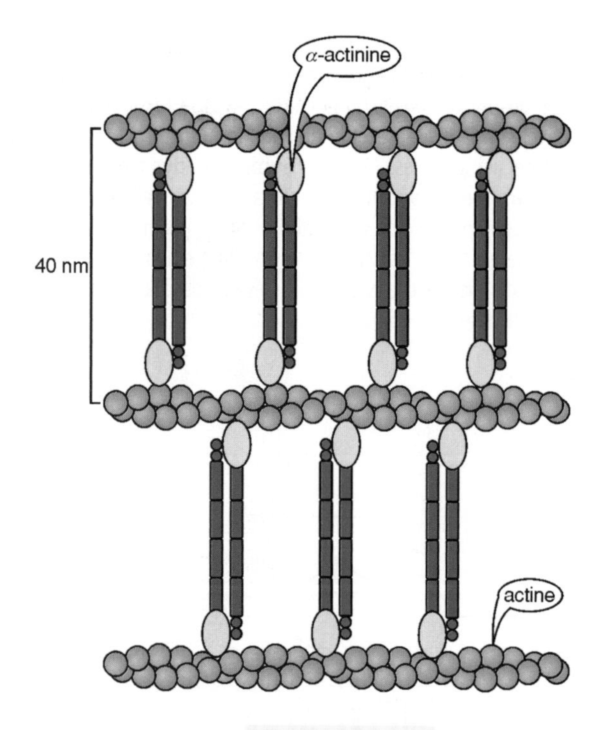

31.16 Échafaudage d'actine-actinine dans les fibres de stress contractiles. Lors d'une augmentation de la concentration cytosolique en Ca^{2+}, l'α-actinine se dimérise par association des domaines liant le Ca^{2+} (en vert) et peut ensuite se lier aux filaments d'actine par ses domaines terminaux (en jaune clair). Dans les faisceaux antiparallèles, les filaments d'actine isolés se trouvent à une distance de 40 nm environ l'un de l'autre. Lors d'une diminution de la concentration en Ca2+, le complexe de poids moléculaire élevé se dissocie à nouveau. La filamine et la tropomyosine contribuent également à la composition des fibres de stress ; la myosine II est responsable de la contractilité (non montré). [RF]

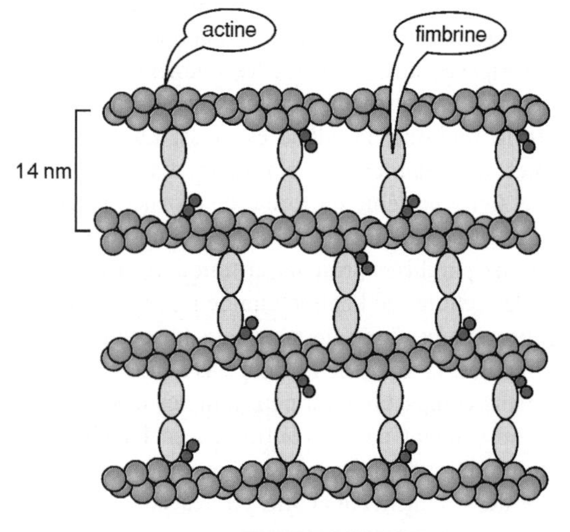

31.17 Faisceaux parallèles de filaments d'actine. La fimbrine relie les filaments voisins distants d'environ 14 nm. Cette protéine qui possède deux sites de liaison respectivement pour l'actine et le Ca^{2+} est présente dans les évaginations (projections) à la surface de nombreux types cellulaires. [RF]

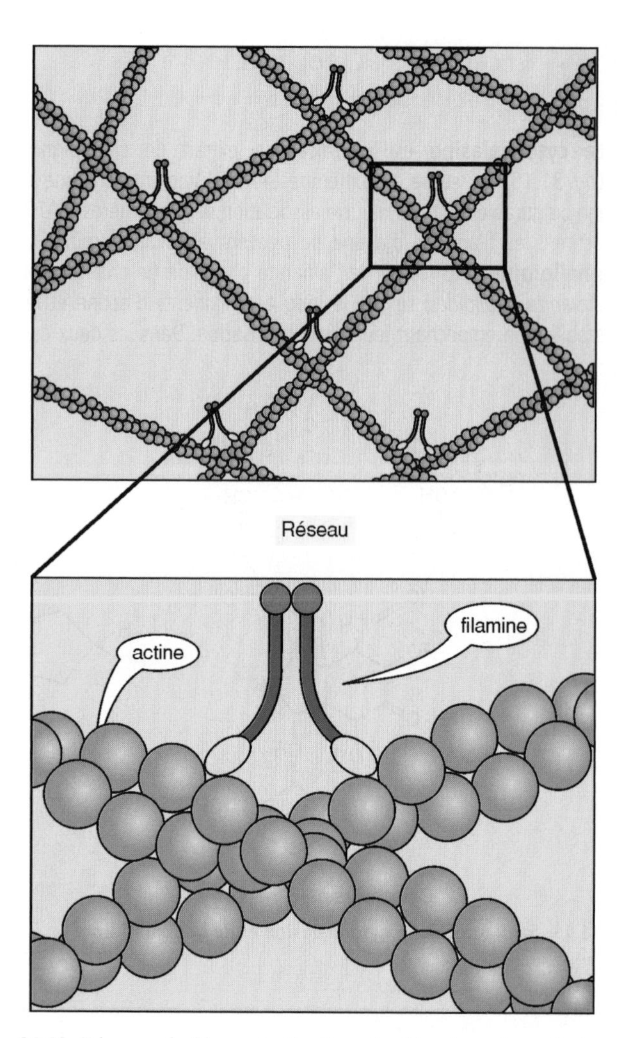

31.18 Réseaux de filaments d'actines. La filamine est un dimère composé de deux sous-unités identiques de 270 kDa. Elle s'ouvre en forme de V et dispose d'une envergure de 60 nm. Chaque monomère porte respectivement un domaine pour la liaison à l'actine et un domaine pour la dimérisation. Les deux domaines sont séparés par une région riche en feuillets β (pas dessiné à l'échelle). [RF]

31.6 Les filaments d'actine forment la charpente de la cellule

Comment ces trois types de filaments d'actine – faisceaux contractiles, parallèles et en réseaux – sont-ils intégrés dans le cytosquelette d'une cellule ? On peut considérer comme exemple la formation des **microvillosités** épithéliales. On compte environ un millier de ces digitations à la surface externe d'une cellule épithéliale de l'intestin. Elles permettent d'augmenter cette surface d'un facteur 20 environ et de favoriser la réabsorption de substances nutritives. Les microvillosités sont parcourues par un échafaudage régulier de filaments d'actine associés en faisceaux parallèles, dans lesquels la fimbrine et la villine servent « d'agrafes » moléculaires (*fig.* 31.19).

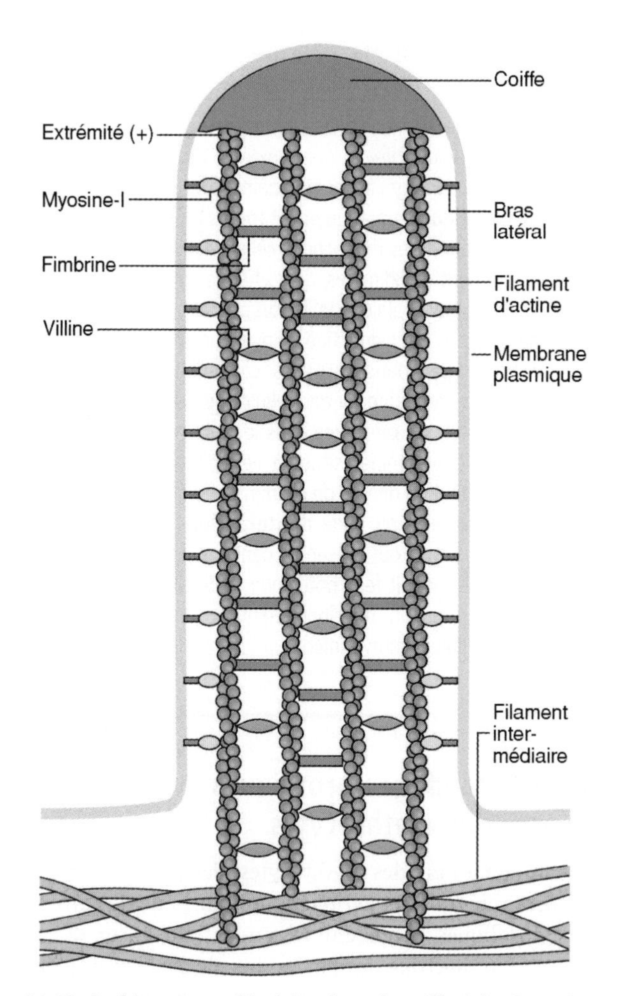

31.19 Architecture moléculaire des microvillosités. Les microvillosités des cellules épithéliales contiennent des faisceaux parallèles de 20 à 30 filaments d'actine. Ils sont reliés latéralement par la villine et la fimbrine et ils sont fixés à la membrane plasmique par la myosine I. Les extrémités (+) des filaments sont toujours orientées vers les extrémités des microvillosités. Le réseau de microvillosités s'enracine dans le cytosquelette et est ainsi stabilisé. [RF]

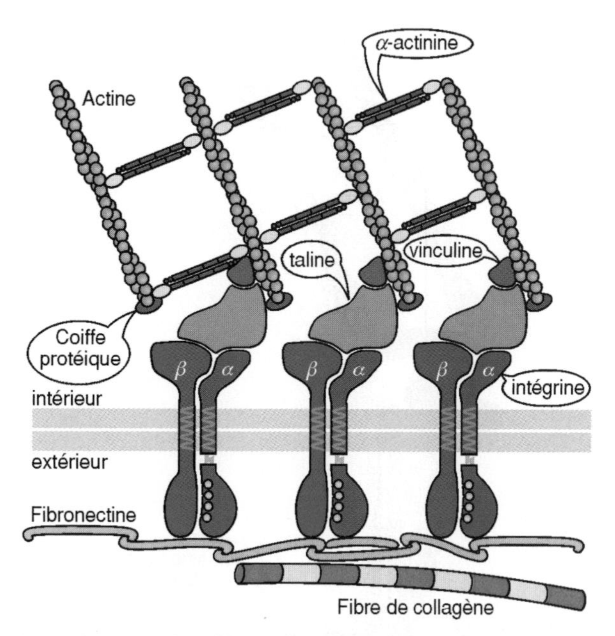

31.20 Ancrage des fibres de stress aux points d'adhésion focaux. La liaison des intégrines à des protéines de la matrice extracellulaire (représentées ici par les composants fibronectine et collagène) entraîne une accumulation locale des intégrines qui s'organisent du côté cytosolique en un faisceau de fibres de stress *via* la formation d'un complexe multiprotéique. L'extrémité (+) des filaments d'actine des fibres contractiles est protégé par une cape protéique. [RF]

Ce quadrillage est ancré dans la membrane plasmique grâce à des complexes de **myosine I** (§ 31.8) et de **calmoduline** (*fig.* 4.3 et § 29.8). Les faisceaux parallèles de filaments d'actine renforcent les microvillosités et leur permettent de résister à l'influence des pressions externes.

Les faisceaux contractiles des fibres de stress se concentrent au niveau de **points d'adhésion focaux** qui attachent une cellule à la matrice sous-jacente. Entre la matrice externe et la charpente interne, on trouve des protéines membranaires intégrales du type des récepteurs intégrines (§ 30.7). L'ancrage des faisceaux de fibres de stress aux intégrines se fait par l'intermédiaire d'un complexe multiprotéique dont font partie, parmi d'autres protéines, la **taline** et la **vinculine.** Ce complexe permet de fixer les fibres de stress au domaine cytosolique des intégrines (*fig.* 31.20). Des enzymes telles que les **kinases FAK** (angl. *focal adhesion kinase*) et – après leur recrutement à partir du cytosol – la kinase Src (*fig.* 30.19) constituent d'autres composants de ce complexe, qui transmettent les signaux reçus au niveau de l'espace extracellulaire et les traduisent en signaux de remodelage du cytosquelette.

Comme dans le cas des filaments intermédiaires, il existe un équivalent des sites d'adhésion focaux cités ci-dessus, au niveau de l'interaction cellule-cellule : on parle de **jonctions d'adhérence** (angl. *adherence junctions*) (*fig.* 31.21). Les **caténines** prennent en charge l'accrochage des filaments d'actine à la membrane plasmique côté cytosolique et se lient à leur tour au domaine cytosolique des **cadhérines**, des protéines à ancrage membranaire (*encart* 31.4).

Les filaments d'actine forment **un réseau de soutènement** très dense sous la membrane plasmique. Cette charpente faite de filaments d'actine et de protéines liées à l'actine détermine la forme de la cellule et joue un rôle décisif dans les mouvements cellulaires. L'érythrocyte est utilisé comme cellule modèle pour l'étude des mécanismes moléculaires impliqués dans la formation de ce cortex cellulaire (*lat. cortex,* écorce). En effet, cette cellule est dépourvue de noyau et d'autres organites cellulaires et ne possède donc qu'*une* membrane, la membrane plasmique.

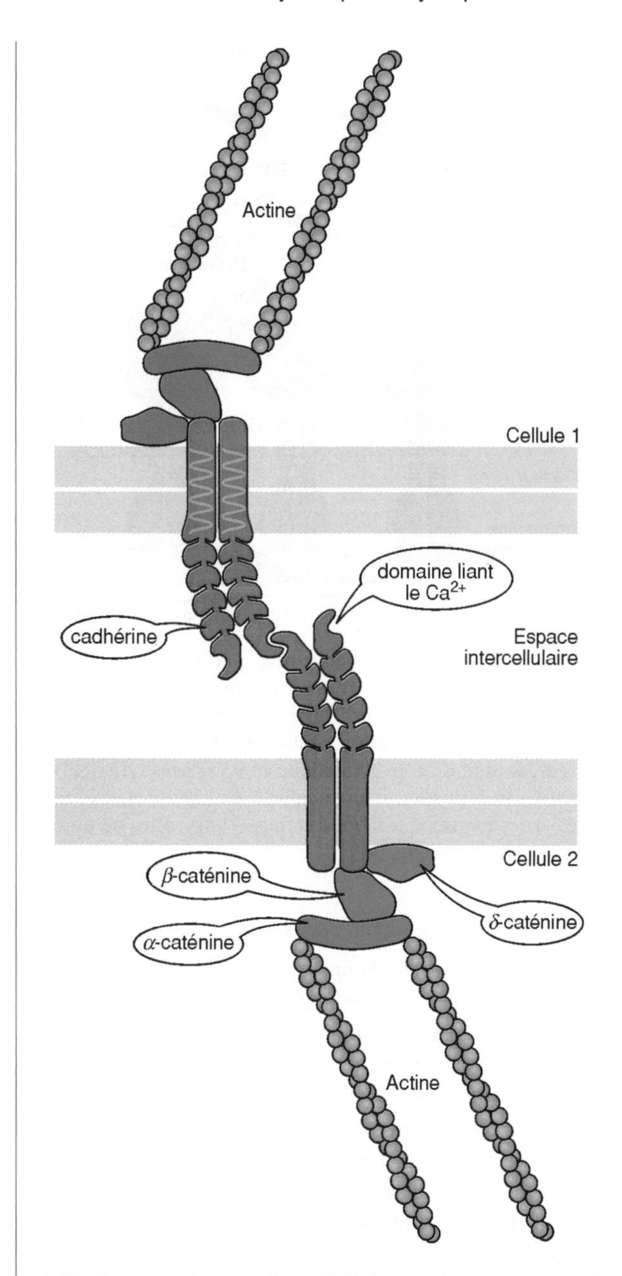

31.21 Structure des jonctions d'adhérence. Des complexes de caténine avec les sous-unités α, β, et δ forment des points de contact pour des filaments d'actine, au niveau de la région cytosolique des cadhérines. L'α-caténine est une protéine similaire à la vinculine et établit le contact avec l'actine. Les jonctions d'adhérence « saisissent » à l'intérieur des cellules épithéliales, une « ceinture » de filaments d'actines. Cette ceinture confère à la couche de cellules épithéliales sa stabilité mécanique.

Encart 31.4 : Les cadhérines

On connaît plus de 20 molécules d'adhésion dépendantes du Ca^{2+} (*angl. Ca²⁺ Adhesion proteins*), qui forment la famille des **cadhérines**. Ces protéines intégrales membranaires sont présentes dans la membrane plasmique de pratiquement toutes les cellules de mammifères et permettent les interactions cellule-cellule (*fig.* 31.9). Les cadhérines forment des dimères, dont chaque sous-unité présente cinq domaines extracellulaires de liaison au Ca^{2+}, une hélice transmembranaire et un petit domaine cytosolique (*fig.* 31.21). On en distingue trois types principaux : les cadhérines E des cellules endothéliales, les cadhérines N des cellules nerveuses et musculaires, et les cadhérines P présentes dans le placenta et la peau. Les deux derniers acides aminés situés à l'extrémité N-terminale de chaque sous-unité d'un dimère de cadhérines sont responsables du contact intercellulaire : on parle d'**interaction homophile**. Les cadhérines sont avant tout présentes dans les desmosomes et les jonctions d'adhérence. Il faut noter que l'adhésion intercellulaire est essentielle pour un développement et une différenciation ordonnés des cellules embryonnaires.

31.7 Des échafaudages protéiques stabilisent la paroi des érythrocytes

Dans la membrane des érythrocytes, des protéines membranaires intégrales et périphériques ainsi que des protéines cytosoliques coopèrent et tendent un vaste réseau cortical. La **spectrine** forme les fils de ce réseau ; elle constitue environ 25 % de la masse protéique de la membrane érythrocytaire et peut se lier aux filaments d'actine. La spectrine est formée de deux chaînes, α et β, orientées de façon antiparallèle et liées entre elles de façon lâche (*fig.* 31.22). Les deux chaînes de spectrine sont constituées en grande partie de domaines répétés de 106 résidus, et ces deux chaînes sont liées ensemble par des segments flexibles. Deux hétérodimères sont associés par des parties terminales phosphorylées et forment un **tétramère** très allongé d'une longueur atteignant 200 nm.

La spectrine s'accroche à plusieurs protéines membranaires intégrales grâce à des **protéines adaptatrices** : le point d'ancrage le plus important est la protéine bande 3 de la membrane des érythrocytes, un transporteur d'anions (*fig.* 31.23). L'ankyrine sert de « colle » entre la spectrine et la protéine bande 3. Un deuxième site

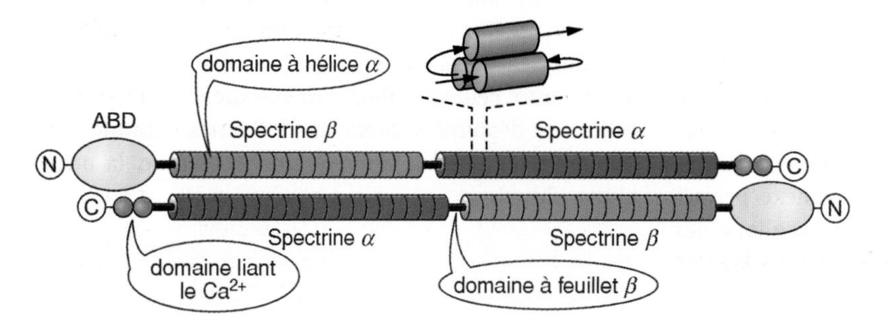

31.22 Structure d'un multimère de spectrine. Les chaînes α et β sont apparentées et constituées de domaines répétés de 106 résidus ; le détail d'un ensemble de trois hélices est montré en agrandissement (en haut). Deux dimères $\alpha\beta$ s'associent « tête-bêche » pour former un tétramère qui dispose ainsi de deux domaines de liaison à l'actine et de quatre domaines de liaison au Ca^{2+}. [RF]

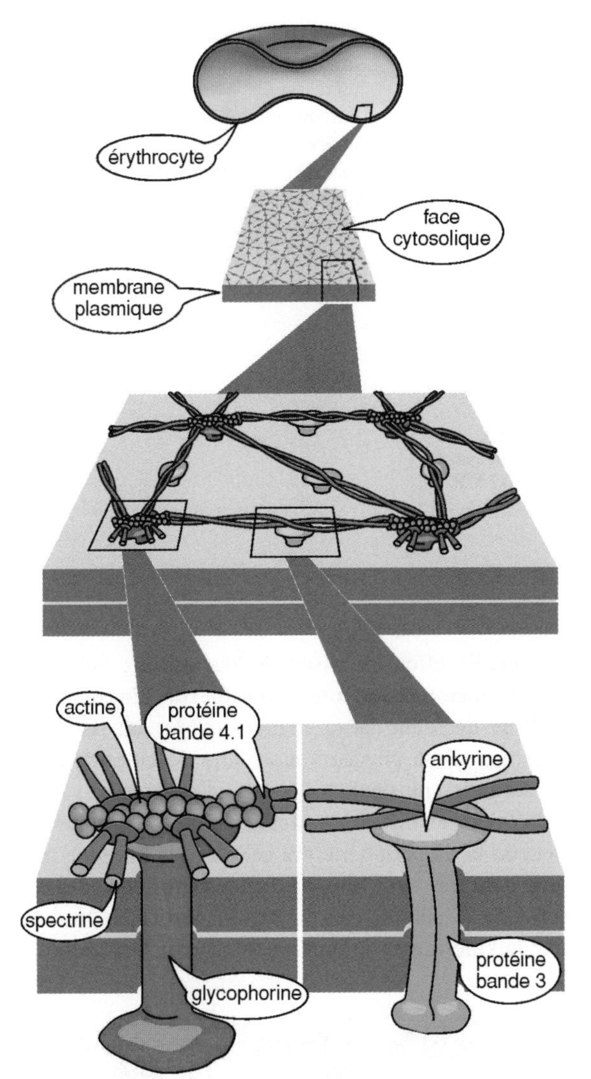

31.23 Réseau cortical de la membrane érythrocytaire. La spectrine et l'actine forment un réseau qui se lie, via l'ankyrine et la protéine 4.1, aux protéines membranaires intégrales de la face cytosolique de la membrane érythrocytaire. Sans ce réseau, les membranes érythrocytaires sont rapidement dégradées en petites vésicules.

d'ancrage de la spectrine à la membrane se fait au niveau de la **glycophorine** (*fig.* 25.3), et utilise la protéine 4.1 (ou bande 4.1) comme « zone tampon ». Dans de tels nœuds de communication, au moins quatre molécules de spectrine convergent pour former avec la protéine 4.1 une plate-forme à laquelle est associée une courte **chaîne d'actine** d'environ 13 monomères. On trouve cet échafaudage protéique dans le cytosquelette cortical des globules rouges, ce qui protège leur membrane plasmique contre les pressions subies lors du passage par des capillaires étroits. Ce réseau flexible permet d'assurer l'intégrité structurale des érythrocytes pendant leur long voyage dans le système circulatoire. En 120 jours – la durée moyenne de leur demi-vie – ils parcourent en effet plus de mille kilomètres.

31.8

Les filaments d'actine et les microtubules forment des rails pour les moteurs protéiques

Des moteurs protéiques, comme la myosine, se déplacent le long de rails de filaments d'actine et de microtubules, et produisent des mouvements cellulaires d'une diversité impressionnante. En effet, les filaments d'actine et la myosine II concluent des « alliances stratégiques » également en dehors des cellules musculaires. Ainsi, pendant la télophase de la mitose (*fig.* 3.17), elles établissent un anneau contractile autour de la cellule prête à se diviser, qui se serre au moment de la cytokinèse et permet l'individualisation des deux cellules filles. Le répertoire des interactions actine-myosine est considérablement augmenté par l'existence de nombreux types de myosine : les eucaryotes possèdent jusqu'à 18 classes différentes de myosine. En dehors de celui de la myosine-II, le mécanisme d'action de la **myosine I**, qu'on trouve dans de nombreux types de cellules non musculaires, est particulièrement bien compris. Ces deux types de myosine possèdent en commun le domaine moteur avec des sites de liaison à l'ATP et à l'actine (*fig.* 31.24). Par contre, la région médiane allongée de la myosine II est absente de la myosine I, ce qui *empêche* la dimérisation de cette protéine. La myosine I peut se lier à toutes sortes de structures par sa région terminale, comme par exemple, à des vésicules et à la membrane plasmique (*encart* 31.5).

De façon similaire à la myosine, d'autres moteurs protéiques, comme la kinésine et la dynéine, peuvent se déplacer le long de rails constitués par les microtubules, par le jeu de la liaison à l'ATP puis de son hydrolyse, et servir de « jambes » à des vésicules et à divers organites cellulaires. Comme la myosine II, la **kinésine** possède deux chaînes lourdes dont les têtes lient l'ATP et dont les parties médianes forment des tiges qui s'enroulent ensemble ; l'extrémité libre ou « queue » est bloquée par deux chaînes légères (*fig.* 31.26). La kinésine établit le contact avec les microtubules au niveau de ses deux **domaines moteurs** : quand ils sont liés à l'ATP, ils se lient solidement à la tubuline ; l'hydrolyse de l'ATP libère cet accrochage solide et la kinésine fait « un pas » en direction de l'extrémité (+) des microtubules. L'autre pôle de la molécule de kinésine – sa queue – se lie à des protéines récepteurs des vésicules ou des organites cellulaires et peut ainsi définir la **cargaison** qui sera transportée dans la cellule. La kinésine et la myosine se distinguent donc par le détail de leurs mécanismes d'action : en ce qui concerne la kinésine, la production d'énergie est couplée à l'hydrolyse d'ATP, tandis que dans le cas de la myosine, c'est seulement au moment de la libération d'ADP, qu'est donné le coup d'envoi (§ 9.6). En outre, la liaison de l'ATP à la kinésine induit

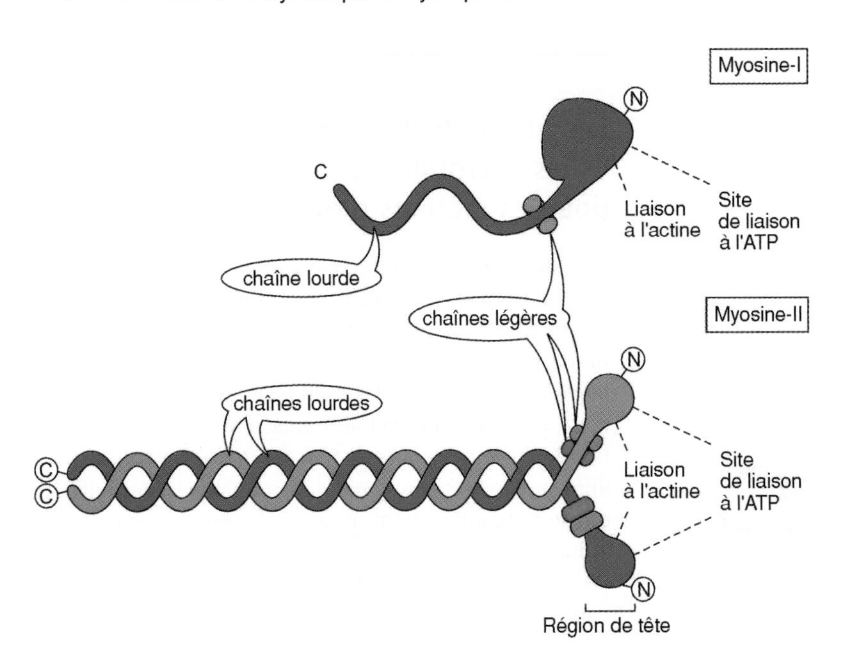

31.24 Différents types de molécules de myosine. La myosine I est un monomère tandis que la myosine II est un dimère auquel les domaines en super hélice (angl. *coiled-coil*) des régions médianes et terminales confèrent son caractère de molécule « bicéphale ». Les myosines sont associées à un nombre variable (n = 1-6) de chaînes légères.

l'association de celle-ci à la tubuline, tandis que la liaison d'ATP à la myosine conduit à sa dissociation d'avec l'actine (§ 9.3).

La kinésine travaille « en solitaire » : en principe, une molécule de kinésine suffit pour prendre en charge une cargaison et la déplacer le long d'un microtubule ; cependant, avec environ 2-5 µm. s^{-1}, la kinésine se déplace plus lentement que le « mille pattes » constitué par la myosine. De fait, pour des raisons d'efficacité, les vésicules sont transportées par plusieurs molécules de kinésine. En effet, en raison de leur affinité faible vis à vis des microtubules, une molécule de kinésine liée à l'ADP se décroche assez facilement du rail. La liaison d'une vésicule à plusieurs molécules de kinésine permet de garantir plusieurs **« points d'assurance »**. Enfin, l'extrémité (+) des microtubules pointe en général en direction de la périphérie des cellules ; la kinésine transporte donc les vésicules de façon **centrifuge**, depuis le centre de la cellule vers la région corticale. On trouve donc la kinésine en grande quantité dans les axones des

Encart 31.5 : Mode d'action de la myosine I

Tout comme sa « grande sœur » la myosine II, la myosine I utilise la liaison puis la dégradation d'ATP pour se déplacer en direction du pôle (+) des filaments d'actine et transporter ainsi différentes cargaisons (*fig.* 31.25). La myosine I charge sa cargaison sur sa queue et se déplace ensuite le long des rails. De cette façon, elle peut transporter des vésicules le long de filaments d'actine, ou bien faire glisser deux filaments d'actine en sens inverse l'un de l'autre ou bien provoquer le déplacement d'un filament d'actine par rapport à la membrane plasmique. L'accrochage en parallèle de nombreuses molécules de myosine I au niveau des microvillosités de la membrane plasmique a conduit à l'hypothèse que cette protéine repousse la membrane en déplaçant le grillage de filaments. Il est possible que la myosine I représente un ancêtre de la myosine II au cours de l'évolution, qui est capable de réaliser des déplacements lents de filaments, mais ne permet pas le glissement rapide observé dans les filaments des cellules musculaires.

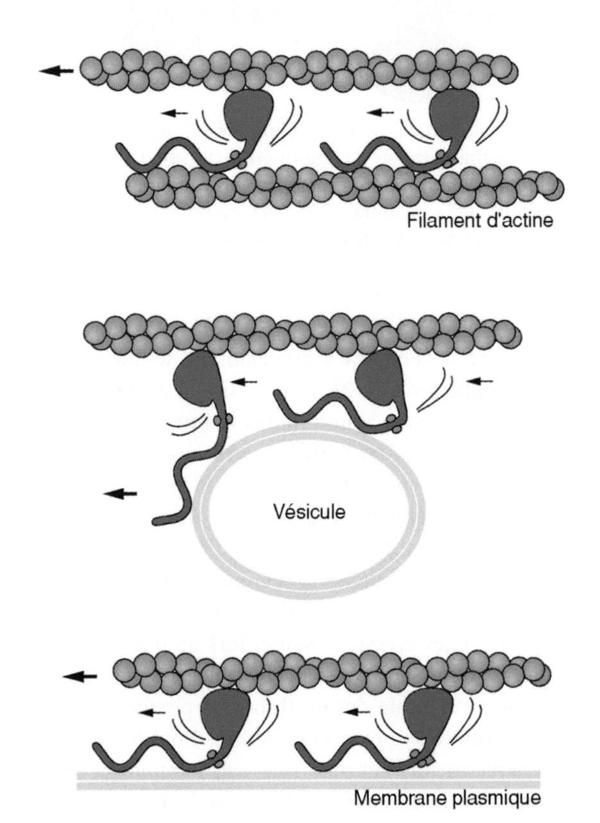

31.25 Mécanisme de transport par la myosine I. Avec ses « têtes » motorisées par l'ATP, ce moteur protéique se déplace le long des filaments d'actine et transporte ainsi différentes cargaisons. [RF]

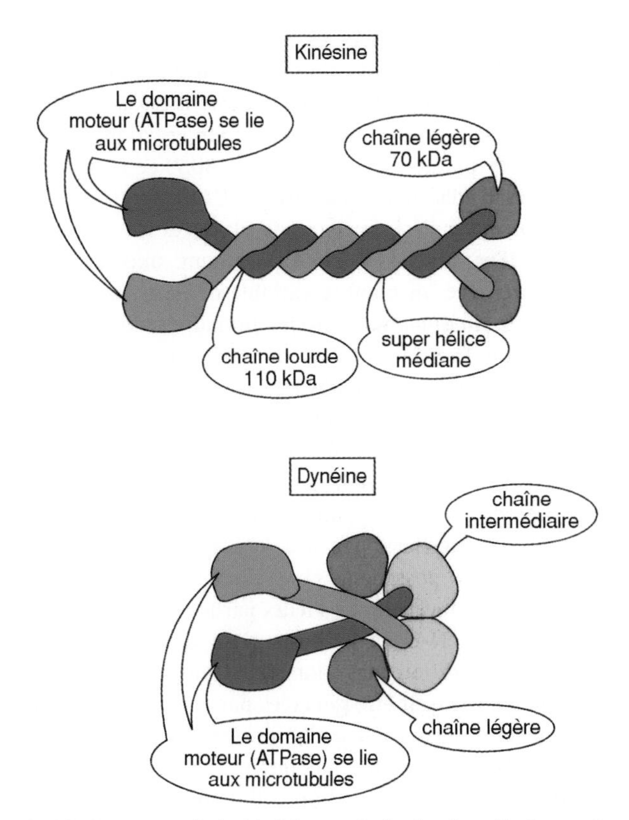

31.26 Structures de la kinésine et de la dynéine. En haut : la kinésine est un tétramère avec deux chaînes lourdes de 110 kDa et deux chaînes légères de 70 kDa. Les régions médianes des chaînes lourdes forment des structures en super hélice (angl. *coiled coil).* Les têtes possèdent une activité ATPase et des sites de liaison aux microtubules. En bas : le complexe cytosolique de dynéine (jusqu'à 2.10^3 kDa) compte deux chaînes lourdes (en bleu) d'environ 500 kDa et un nombre variable de chaînes légères ou intermédiaires de 15 - 120 kDa.

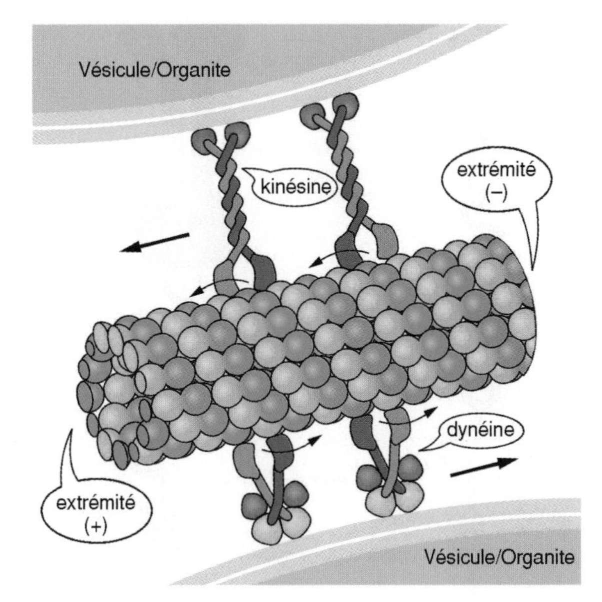

31.27 Transport vésiculaire le long d'un microtubule. Les deux moteurs protéiques charrient leur cargaison dans des directions opposées : la kinésine court vers l'extrémité (+) et la dynéine vers l'extrémité (-). En fonction de la structure de leur région terminale, ces moteurs protéiques se chargent de cargaisons différentes.

cellules nerveuses, où tous les microtubules indiquent par leur extrémité (+) la direction qui va du corps cellulaire vers la périphérie. Dans ces cellules, la kinésine prend en charge le **transport antérograde** des organites cellulaires et des vésicules vers les extrémités axonales ; dans ce cas, des distances considérables sont franchies dans un temps extrêmement court.

La **dynéine** organise au contraire le **transport rétrograde** des vésicules depuis la périphérie vers le centre d'une cellule. La dynéine est une molécule géante à deux têtes ; elle ne possède pas de région médiane allongée et sa queue comporte un nombre variable de chaînes légères et intermédiaires (*fig.* 31.26). Comme dans le cas de la kinésine, la tête de la dynéine présente une activité ATPase et des sites de liaison à la tubuline, tandis que la structure moléculaire variable de la queue détermine le type de cargaison qui est transporté. Sur les rails de microtubules, la dynéine se déplace du pôle (+) vers le pôle (-), donc en sens inverse de la kinésine (*fig.* 31.27). *Dans les axones des cellules nerveuses, où les rails de microtubules sont agencés de façon unidirectionnelle, les moteurs protéiques, comme la direction de transport et le choix de substances transportées sont donc fixés.* La dynéine et la kinésine sont des moteurs moléculaires complémentaires l'un de l'autre et permettent l'approvisionnement de compartiments même très éloignés du noyau de la cellule. *Ce système de transport binaire joue par exemple un rôle important dans l'approvisionnement métabolique des axones, qui sont particulièrement longs.*

31.9 Les sélectines et les protéines CAM permettent l'adhésion cellulaire

Outre les cadhérines, les sélectines représentent un autre groupe important de récepteurs de surface, qui participent à l'adhésion entre cellules (§ 25.4). Les **sélectines** s'associent en général avec un partenaire différent : on parle d'**interactions cellule-cellule hétérophiles**. Les sélectines reconnaissent un groupement glucidique sur les cellules cibles ; ainsi, les cellules endothéliales impliquées dans une réaction inflammatoire, exposent des sélectines à leur surface, afin de capturer les granulocytes neutrophiles passant à proximité dans le flux sanguin (*fig.* 31.28). Les granulocytes sont freinés par leur liaison aux sélectines, ils roulent hors du flux sanguin et adhèrent secondairement à des intégrines activées de l'endothélium. Rouler puis adhérer sont les premiers pas dans le phénomène de diapédèse, c'est-à-dire le phénomène

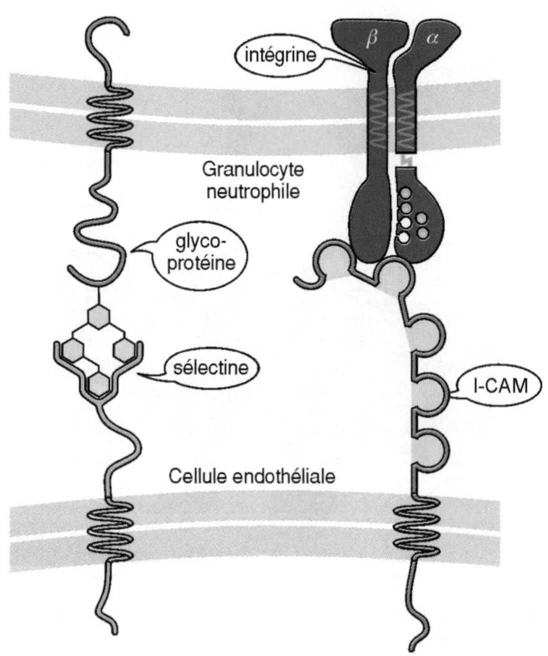

31.28 Sélectines et protéines CAM sont des médiateurs de l'adhésion cellule-cellule hétérophile. Les sélectines sont des protéines constituées d'une chaîne polypeptidique unique avec une hélice transmembranaire, huit domaines extracellulaires et un court domaine cytosolique. Le domaine N-terminal reconnaît dans les granulocytes neutrophiles des chaînes oligosaccharidiques contenant de la sialine (à gauche). Par l'intermédiaire des intégrines les granulocytes « roulants » s'accrochent de façon hétérophile aux molécules d'adhésion intercellulaires I-CAM (angl. *intercellular adhesion molecules*) des cellules endothéliales. Les protéines liant des glucides sont communément appelées des lectines.

par lequel des granulocytes neutrophiles sortent de la circulation sanguine lors d'une réaction inflammatoire.

L'adhésion des granulocytes neutrophiles aux cellules endothéliales est un autre exemple d'interaction cellule-cellule hétérophile : les intégrines (§ 30.7) se lient à des **molécules d'adhésion cellulaires** ou CAM (angl. *cellular adhesion molecules*), une grande classe de protéines de surface. Les protéines CAM possèdent une structure modulaire avec un nombre variable de domaines extracellulaires, un domaine transmembranaire et un domaine cytosolique (*fig.* 31.28). Les domaines extracellulaires sont constitués d'un « sandwich » de deux feuillets reliés par un pont disulfure et appartiennent à la classe des domaines Ig (immunoglobulines) (*fig.* 33.23). Les **protéines** neuronales **N-CAM**, qui sont exprimées en grand nombre et présentent une forte variabilité, sont en général caractérisées par des **interactions homophiles**. Ces protéines possèdent cinq domaines Ig et deux domaines fibronectine dans leurs parties extracellulaires. Des protéines N-CAM présentant un domaine cytosolique raccourci ou des domaines transmembranaires manquants peuvent être générées par épissage alternatif. Comme dans le cas de la cadhérine (*encart* 31.4), les protéines CAM présentent une importance vitale dans le contrôle de la différenciation cellulaire et de la migration cellulaire, en particulier pendant le développement embryonnaire.

Ainsi se termine notre description du cytosquelette. On va maintenant se tourner vers les processus fondamentaux qui régulent la « naissance » de nouvelles cellules ou « la mort » de cellules âgées.

Cycle cellulaire et mort cellulaire programmée

32

De sa naissance à sa mort, la durée de vie d'une cellule est régulée par un « code moléculaire » complexe, qui programme précisément la croissance et la division cellulaires, et les gouverne parfaitement. Le **cycle de division cellulaire** forme le centre de cet univers cellulaire et il est strictement contrôlé. D'une part, il faut s'assurer que le génome complet d'une cellule est dupliqué et distribué de façon parfaitement égale dans les cellules filles lors de la mitose. D'autre part, il faut faire de la place pour de nouvelles cellules et se débarrasser des débris cellulaires – un problème énorme si l'on considère que l'organisme humain produit environ 10^{11} nouvelles cellules sanguines par jour, et qu'il se débarrasse d'un nombre équivalent de cellules. Dans ce chapitre, on va examiner les mécanismes moléculaires qui commandent la multiplication des cellules et la mort cellulaire programmée ou **apoptose**. Comme on le verra très vite, notre connaissance de ces processus moléculaires reste encore très fragmentaire.

32.1 Les cyclines et les kinases dépendantes des cyclines contrôlent le cycle cellulaire eucaryote

La naissance d'une nouvelle cellule nécessite la duplication de l'ADN chromosomique, la séparation des chromosomes ainsi que leur répartition dans les deux cellules filles (§ 3.5). Ces tâches sont accomplies successivement au cours du cycle cellulaire : la duplication de l'ADN a lieu pendant la **phase S** (synthèse) ; la séparation des jeux de chromosomes puis la répartition des chromosomes ainsi que d'autres composants cellulaires entre les cellules filles lors de la cytokinèse ont lieu pendant la **phase M** (mitose) (*fig.* 32.1). Entre la fin de la phase M et le début de la phase S se trouve une première phase intermédiaire, la **phase G_1** (angl. *gap*), durant laquelle la cellule est en croissance grâce à une synthèse de protéines. Pendant une deuxième phase de croissance, la **phase G_2**, la cellule se prépare pour la mitose. Il existe trois **points de contrôle** importants (angl. *checkpoints)* pendant lesquels la cellule vérifie le bon déroulement du cycle. En phase G_1 tardive, il existe un premier point de contrôle pour déterminer si la cellule a atteint une taille suffisante, si l'ADN n'est pas endommagé et décider de l'entrée ou non en cycle de division. Un deuxième point de contrôle, en fin de phase G_2, permet à la cellule de contrôler si la duplication de l'ADN est bien complète et si aucune erreur n'a été introduite. Si des défauts sont détectés, le cycle s'arrête, ce qui donne à la cellule le temps d'achever la réplication ou bien de réparer l'ADN. L'ensemble des phases G_1, S et G_2 est appelé l'**interphase**. Un troisième point de contrôle, à la fin de la phase M, permet d'examiner la disposition correcte des deux jeux de chromosomes dans le fuseau mitotique : la cellule ne donne le « feu vert » à la division et à la cytokinèse qu'après ce triple contrôle (*fig.* 3.17). Certaines cellules, comme les neurones, peuvent demeurer indéfiniment en interphase, c'est-à-dire au repos et sans se diviser : ce stade de quiescence cellulaire est également appelé **phase G_0**.

À quoi ressemble le système de contrôle moléculaire qui régule le cycle cellulaire ? Des travaux fondamentaux sur des organismes modèles comme les levures (*encart* 32.1), le xénope et l'oursin ont donné les premiers aperçus de la machinerie moléculaire, conservée – du moins dans ses principes fondamentaux et ses éléments de base – également dans les cellules humaines.

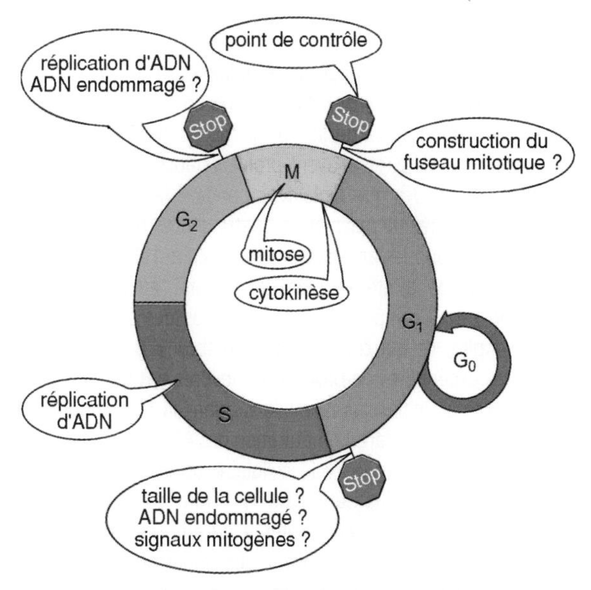

32.1 Cycle cellulaire d'une cellule eucaryote. La durée du cycle cellulaire chez une cellule proliférative est d'environ 24 h : la mitose dure une heure et l'ensemble des autres phases qu'on résume sous l'appellation d'interphase dure 23 h L'interphase comprend les phases : G_1 (2–20 h), S (6–10 h) et G_2 (2–4 h). G_0, phase de quiescence. La cellule contrôle son cycle au niveau des *checkpoints*, ici symbolisés par des stops.

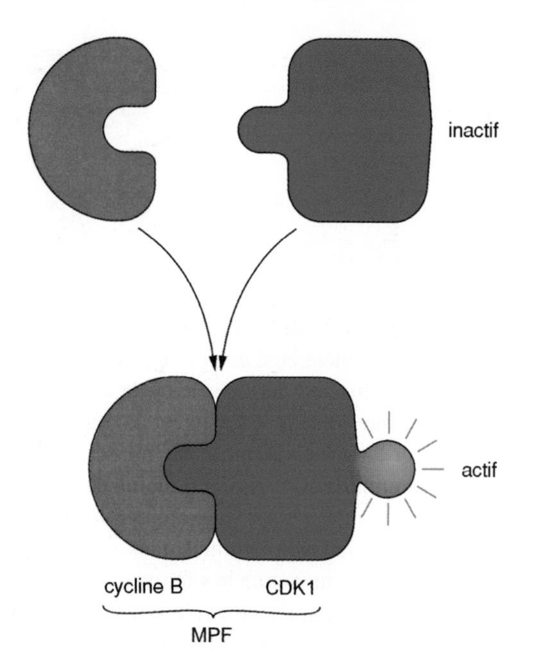

32.2 Complexe formé par la cycline B et la protéine CDK1. La protéine CDK1 est aussi appelée Cdc 2 (angl. *cell division cycle protein 2*). Lors de sa découverte, le dimère de cycline B et CDK1 a été nommé MPF (angl. *M-phase promoting factor*) en raison de sa fonction, qui est de provoquer l'entrée d'une cellule en phase M. La nomenclature des composants, qui contribuent au cycle cellulaire, est assez complexe et peu rationnelle. C'est pourquoi on utilise dans ce livre quelques simplifications qui parfois ne représentent pas complètement la complexité de la machinerie de contrôle du cycle cellulaire.

Au cœur de ce système de contrôle, on trouve des protéines régulatrices de la famille des **cyclines** et des enzymes du type des **protéines kinases cyclines dépendantes** (CDK ; angl. *cyclin-dependent-kinase*) : elles passent par une succession d'états actifs et inactifs et donnent ainsi la cadence pour le passage d'une phase à l'autre du cycle cellulaire. On distingue au moins huit types de cyclines (A à H) et neuf kinases dépendantes des cyclines (CDK1 à 9). Parmi les CDK, seulement quatre (CDK1, 2, 4 et 6) possèdent une fonction directe dans le cycle cellulaire et parmi les cyclines, seuls des membres des familles A, B, D et E ont avec certitude des fonctions dans les transitions du cycle cellulaire. On rattache à ces éléments la **kinase CAK** (angl. *Cdk activating kinase*) dont l'activité ne dépend pas du cycle cellulaire (§ 32.2). Pour simplifier, on va d'abord se concentrer sur deux protagonistes majeurs, la **cycline B** et la **kinase CDK1** (*fig.* 32.2) et on cherchera à comprendre comment ces molécules peuvent fixer le rythme de division d'une cellule.

32.2 L'activation de CDK1 déclenche la mitose

L'exemple des cascades de signalisation cellulaires nous avait déjà appris que des enzymes pouvaient passer par des cycles d'activité et d'inactivité. Dans le cas de la

Encart 32.1 : *Saccharomyces cerevisiae*

La levure (bourgeonnante) ***S. cerevisiae*** et la levure (fissipare) ***Schizosaccharomyces pombe*** ont joué un rôle clé dans l'élucidation des composantes de la machinerie du cycle cellulaire. Ces eucaryotes unicellulaires peuvent proliférer aussi bien sous forme de cellules haploïdes que diploïdes : pendant la sporulation, une cellule diploïde génère par méiose quatre spores haploïdes, ce qui simplifie beaucoup les analyses génétiques. En 1997, le **génome** de *S. cerevisiae* a été le premier génome eucaryote élucidé complètement : il comprend $1,2.10^7$ pb localisées sur 16 chromosomes simples, ce qui correspond à un total d'au moins 5 800 gènes. Des expériences de base sur les levures ont permis d'éclaircir les processus moléculaires impliqués dans la transcription et la réplication de l'ADN, dans la maturation des ARN, dans l'adressage des protéines et dans le cycle cellulaire (d'une durée d'environ 2 heures). De plus, l'utilisation de la levure comme organisme modèle pour les cellules eucaryotes a pu être validée (*fig.* 32.3). Cet organisme présente des avantages importants pour l'étude expérimentale de mécanismes régulateurs complexes, comme la possibilité de générer des **mutants thermosensibles**, qui se développent normalement à des températures basses (permissives) mais qui perdent des fonctions spécifiques aux températures élevées (restrictives). Cette stratégie a été particulièrement fructueuse pour l'identification des mutations affectant le cycle cellulaire (mutants Cdc) chez *S. cerevisiae* et *S. pombe*.

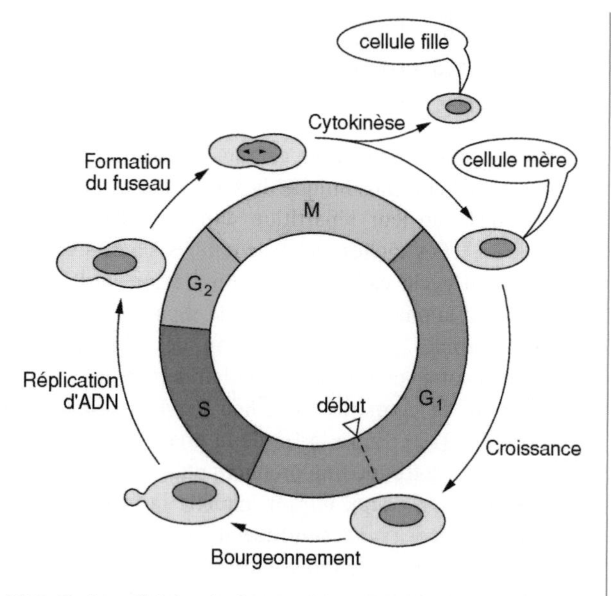

32.3 Cycle cellulaire de *S. cerevisiae*. Cette cellule de levure se divise par bourgeonnement. Les transitions entre les phases G_1, S et M sont « fluides », car la réplication de l'ADN, la formation du fuseau mitotique et le bourgeonnement se produisent en parallèle. Contrairement à la plupart des cellules eucaryotes, l'enveloppe nucléaire *n*'est *pas* dégradée chez *S. cerevisiae*. « Début » marque un point de contrôle présent chez les eucaryotes supérieurs.

mitose, on va tout d'abord examiner les conditions nécessaires à l'activation de la **kinase effectrice CDK1**. La première étape indispensable est son association avec la cycline B. La CDK1 elle-même est présente pendant tout le cycle cellulaire tandis que la disponibilité en **protéine activatrice cycline B** est régulée. Cette dernière est présente de façon cyclique dans la cellule : la synthèse de cycline B ne commence qu'en phase S tardive dans la cellule (*fig.* 32.4) ; la protéine s'accumule alors pendant les phases S et G_2 ; sa concentration atteint son maximum en phase M puis chute brutalement en fin de mitose, au moment du point de contrôle M/G_1. À ce moment, la traduction de l'ARNm de la cycline B cesse et dans le même temps des mécanismes de dégradation sont activés, ce qui entraîne une diminution rapide de sa concentration. *La cycline porte donc bien son nom : sa concentration fluctue périodiquement (de façon cyclique) au cours du cycle cellulaire.*

L'association de la cycline B avec la kinase CDK1 est une condition nécessaire mais pas suffisante pour obtenir une activité kinase maximale de la protéine CDK1. L'action de **la kinase activant la CDK** ou **CAK** (angl. *CDK activating kinase*) est encore plus importante. Ce complexe de la cycline H et de la CDK7 phosphoryle la protéine CDK1 sur un résidu thréonine critique (Thr-161). Toutefois, cet effet activateur est neutralisé initialement par la phosphorylation simultanée sur un résidu thréonine et un résidu tyrosine (Thr-14, Tyr-15) situés à proximité du centre actif : ces phosphorylations inhibitrices verrouillent tout d'abord l'activité enzymatique de la protéine CDK1 (*fig.* 32.5). Le moteur du cycle cellulaire est donc « fin prêt », mais ne tourne pas encore « à plein régime ». Comment la protéine CDK1 est-elle activée à la fin de la phase G_2, donnant ainsi le « coup d'envoi » de la mitose ?

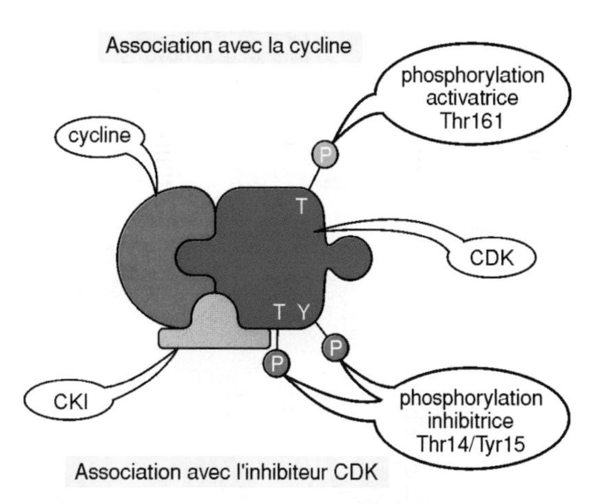

32.5 Régulation du complexe cycline/CDK. Un contrôle multilatéral par des kinases activatrices et inhibitrices est exercé sur l'activité du complexe cycline/CDK. En outre, certaines CDK peuvent se lier à un inhibiteur des CDK (CKI), lequel peut contribuer à l'inactivation du complexe (§ 32.3).

La phosphatase Cdc25 se charge de cette tâche « délicate » : elle déphosphoryle le complexe en positions Tyr-14 et Thr-15 (*fig.* 32.6). C'est ainsi que conjointement à l'augmentation de la concentration en protéine régulatrice cycline B, la protéine Cdc25 déclenche une activation quasi-instantanée de la protéine CDK1 ; des mécanismes de rétrocontrôle positif contribuent en outre à cette activation. La protéine CDK1 activée phosphoryle alors divers substrats, ce qui déclenche la mitose (*fig.* 32.7). La localisation subcellulaire du complexe cycline B/CDK1 est également importante pour la régulation de la transition G_2/M de la mitose : en fin de prophase, le complexe s'accumule dans le noyau où il « dégrade » la lamina nucléaire par l'intermédiaire de phosphorylations (*fig.* 31.11). La kinase CDK1 est le pro-

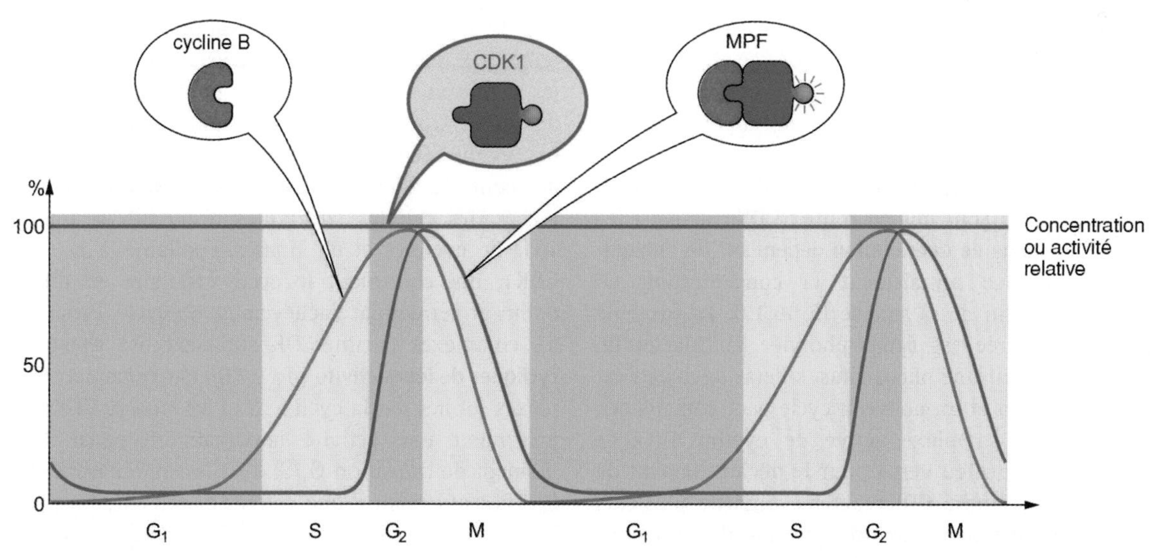

32.4 Les variations cycliques de la concentration en cycline B d'une cellule. La cycline B (en rouge) suit des cycles d'accumulation rapide pendant les phases S et G_2 suivies par une chute brutale en phase M. En revanche, l'activité de la protéine CDK1 (en vert) est presque constante tandis que le MPF (en bleu) suit avec retard les variations de la cycline B.

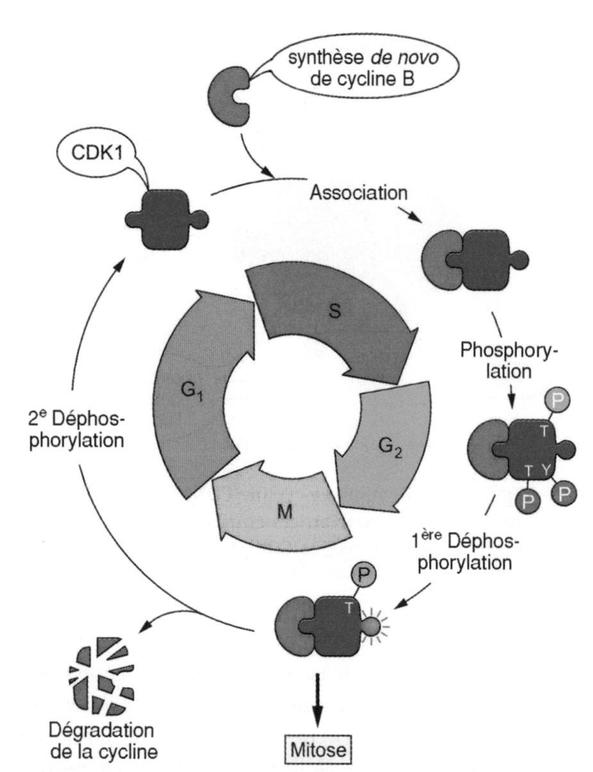

32.6 Régulation du complexe cycline/CDK lors du cycle cellulaire. L'association de la cycline B et de la CDK1 ainsi que des phosphorylations et déphosphorylations donnent le signal du départ pour la mitose. À la fin de la mitose, la dégradation protéolytique de la cycline entraîne l'inactivation et la déphosphorylation complètes de la CDK1 : la cellule passe de nouveau en interphase. [RF]

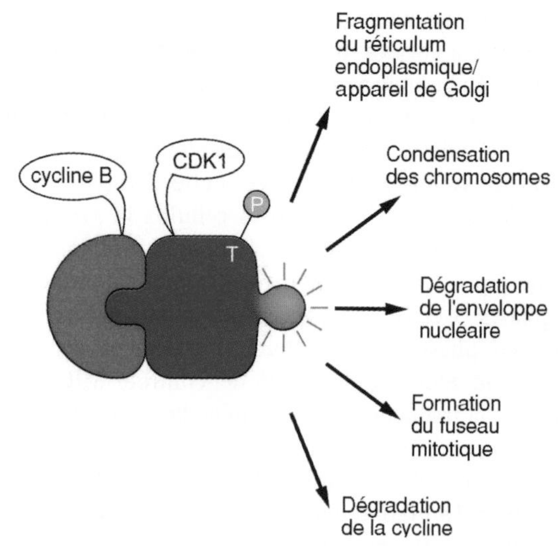

32.7 Actions multilatérales de la protéine CDK1. Les mécanismes moléculaires par lesquels la CDK1 activée induit la transformation du réseau de microtubules, ainsi que la fragmentation des organites cellulaires, ne sont pas encore connus en détail.

totype d'une « **puce moléculaire** » qui regroupe et traite différentes informations. L'enzyme commence à agir seulement quand trois conditions sont réunies : elle est complexée avec la cycline B, le résidu Thr-161 est phosphorylé et les résidus Tyr-14/Thr-15 sont déphosphorylés. *Ces exigences strictes permettent de s'assurer qu'une cellule ne « trébuche » pas dans la mitose de façon précoce ou non contrôlée, mais au contraire qu'une division cellulaire n'est déclenchée que lorsque des conditions optimales sont réunies.*

En phase M tardive, les mécanismes d'inactivation de la protéine CDK1 sont mis en route : CDK1 active elle-même un **système de dégradation dépendant de l'ubiquitine,** qui diminue brutalement la concentration en cycline B à la fin de la mitose (§ 19.12). La protéine CDK1 ainsi libérée est déphosphorylée au niveau du résidu Thr-161 par une phosphatase : l'état de départ est à nouveau atteint et un nouveau cycle peut commencer.

Comment le complexe activé de cycline B/CDK1 peut-il donner le « feu vert » pour le déclenchement de la mitose ? La kinase CDK1 activée possède plusieurs substrats : la **phosphorylation de l'histone H1** déclenche probablement la condensation des chromosomes, un événement caractéristique de la mitose. En prophase de mitose, la phosphorylation de la laminine dans l'enveloppe nucléaire entraîne une **fragmentation et une solubilisation** réversibles **de la lamina nucléaire** (*fig.* 31.11). La phosphorylation de protéines associées aux microtubules par la protéine CDK1 déclenche probablement aussi l'**instabilité dynamique** des microtubules (*fig.* 31.5), ce qui amorce le remodelage du cytosquelette, phénomène qui va culminer avec la formation du fuseau mitotique. De même, la protéine CDK1 induit dans la cellule mère, directement ou par l'intermédiaire de cascades de kinases, la fragmentation du réticulum endoplasmique et de l'appareil de Golgi, dont les fragments seront ensuite répartis entre les deux cellules filles où ils seront de nouveau assemblés.

La synthèse *de novo* de la cycline B en phase S (*fig.* 32.4) lance le cycle d'activation suivant de la protéine CDK, entraînant la cellule vers une nouvelle mitose en la faisant passer au-delà du point de contrôle en fin de phase G_2. Mais comment sont régulées les autres parties du cycle cellulaire et comment les autres points de contrôle sont-ils dépassés ? Pour accomplir ces tâches, les cellules eucaryotes disposent de toute une série de cyclines et de kinases, similaires à la protéine CDK1, qui contrôlent le cycle cellulaire en différents points et permettent l'achèvement du cycle. Presque tous les complexes cycline/CDK subissent des **changements cycliques de leur activité** (*fig.* 32.8). Par exemple, les complexes formés par la cycline D et les kinases CDK4/CDK6 présentent une activité maximale en phase G_1. Au moment de transition G_1/S, c'est la combinaison cycline E/CDK2 qui montre une activité maximale. En phase S, la cycline A domine en combinaison avec la kinase CDK2 tandis qu'elle détermine la phase G_2 en complexe avec la protéine CDK1. Finalement, comme on l'a vu précédemment, le duo cycline B/CDK1 possède son maximum

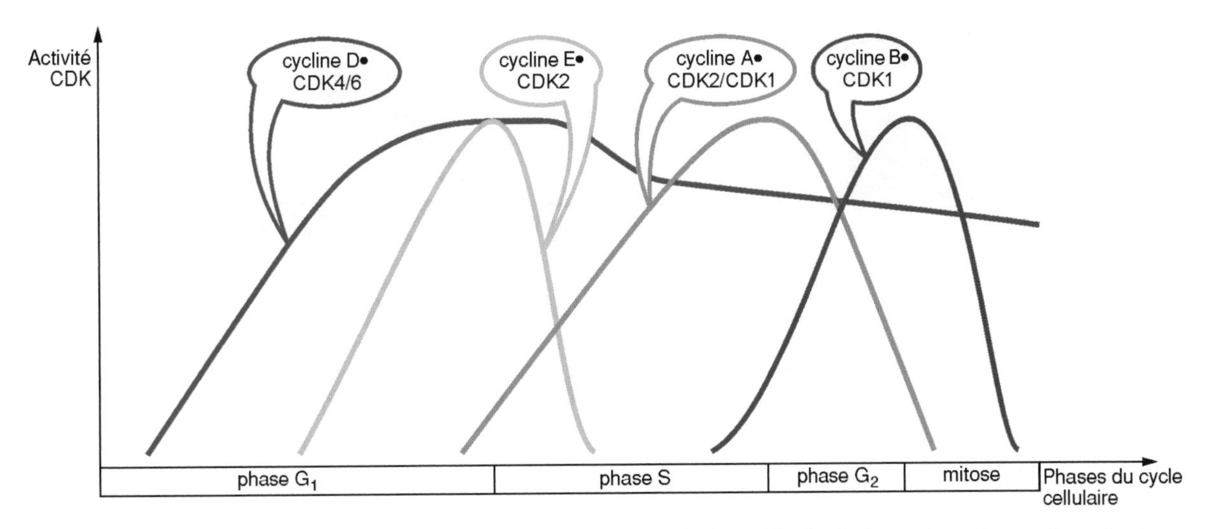

32.8 Variations d'activités des complexes CDK, dépendantes du cycle cellulaire. L'activité des cyclines de type D ne fluctue pas aussi fortement que les autres régulateurs du cycle cellulaire.

d'activité au début de la phase M. Parmi ces complexes, la paire **cycline H/CDK7** – plus connue sous l'acronyme CAK – constitue une exception car elle semble contribuer à différentes transitions de phase et est active pendant pratiquement tout le cycle cellulaire. Il est aussi probable que la CAK joue d'autres rôles en dehors du cycle cellulaire.

32.3 La kinase CDK4 contrôle le point de restriction en phase G_1

La cycline D veille conjointement avec les protéines CDK4 et CDK6 sur le point de restriction G_1/S, tandis que la cycline E et la kinase CDK2 contrôlent le passage de la cellule de la phase G1 tardive en phase S précoce (*fig.* 32.9). Au niveau de cette transition importante, des **inhibiteurs de CDK** (CKI), comme les inhibiteurs INK4 ou les inhibiteurs protéiques CIP/KIP de type p21 et p27, sont également présents : l'inhibiteur INK4 peut ainsi se lier aux protéines CDK4 et CDK6 et bloquer leur association avec la cycline D. Si l'on examine plus précisément ce point de restriction, on peut aussi noter que la synthèse de cycline D est contrôlée par des **facteurs de croissance** et que la présence de ces facteurs conditionne le passage du point de contrôle G_1/S par la cellule. Une surabondance de ces facteurs peut induire une expression constitutive de cycline D, et aboutir à une perte de contrôle de la croissance et de la division cellulaire.

Par quels mécanismes moléculaires le complexe cycline D/CDK contrôle-t-il l'entrée en phase S ? Le substrat le plus important des kinases CDK4 et CDK6 activées est la **protéine Rb,** qui a tout d'abord été découverte comme produit du gène du rétinoblastome (*encart* 32.2). La protéine Rb relie la régulation du cycle cellulaire au contrôle de la transcription car la protéine Rb native se lie aux facteurs de transcription de type E2F et inhibe leur activité. Or ces facteurs régulent à la fois l'expression de gènes du cycle cellulaire mais aussi l'expression de gènes impliqués dans la réplication de l'ADN. Plus précisément, le facteur E2F est lié en permanence à ses séquences régulatrices mais réprime ses gènes cibles quand il est lié à Rb (*fig.* 32.10). Le **complexe cycline D/CDK4** activé phosphoryle la protéine Rb, ce qui dissocie le complexe formé par Rb et E2F : la transcription des gènes contrôlés par E2F est alors activée, dont celui de la cycline E. En complexe avec la kinase CDK2, la cycline E provoque l'hyperphosphorylation et l'inactivation de la protéine Rb, permettant le passage de la cellule en phase S.

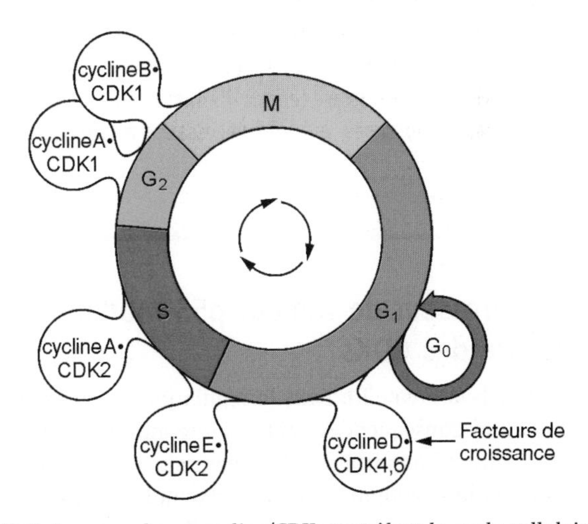

32.9 Les complexes cycline/CDK contrôlent le cycle cellulaire. Pour passer le point de restriction en phase G_1 tardive, les cellules ont besoin de facteurs de croissance comme l'EGF, qui stimule la synthèse de la cycline D *via* la protéine Ras (§ 30.3). En l'absence de facteurs de croissance, les cellules passent en phase G_0 – la phase de quiescence sans division cellulaire ; un excès de facteurs de croissance maintient le cycle cellulaire constamment en rotation, ce qui présente un risque de dégénérescence maligne.

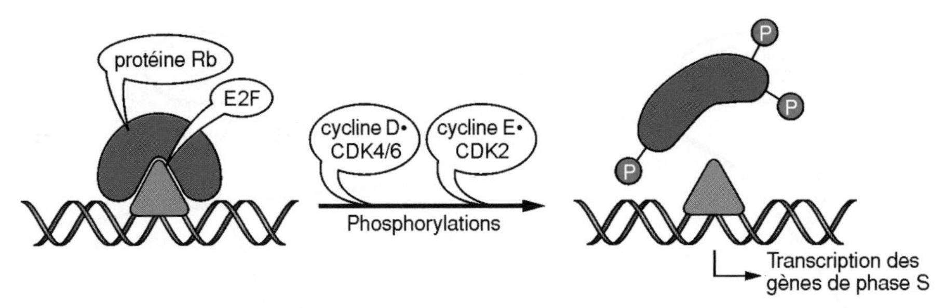

32.10 Rôle de la protéine Rb dans le contrôle du cycle cellulaire. Des facteurs de croissance stimulent la synthèse de la cycline D qui, en complexe avec les protéines CDK4 et CDK6, provoque la phosphorylation de la protéine Rb. De ce fait, la répression de l'expression génétique E2F-dépendante est suspendue. Le complexe cycline E/CDK2 renforce la phosphorylation de la protéine Rb et débloque ainsi définitivement la biosynthèse des protéines inductrices pour la phase S (*encart* 32.2).

Encart 32.2 : Rétinoblastome

Le **rétinoblastome** est une tumeur de la rétine, qui se manifeste chez l'enfant avec une prévalence de 1 : 18 000. Parmi les individus atteints, beaucoup présentent également une prédisposition pour le développement de tumeurs multiples dans d'autres tissus. Cette tumeur est due à des mutations ponctuelles ou à des délétions qui affectent un exon ou bien l'intégralité du **gène du rétinoblastome**, situé sur le chromosome 13. Le rétinoblastome se manifeste le plus fréquemment en raison d'une double mutation du gène *Rb* : une première mutation dans la lignée germinale (premier allèle) et une autre mutation, indépendante de la première (deuxième allèle), dans une cellule somatique. Des mutations dans le gène *Rb* se rencontrent aussi dans d'autres formes de tumeurs comme des cancers de la vessie, des poumons ou des seins. La protéine Rb intacte possède manifestement une position clé dans la répression d'une croissance cellulaire incontrôlée, et c'est pourquoi on parle de **suppresseur de tumeur**. Parmi les produits des gènes contrôlés par la protéine Rb *via* sa liaison au facteur E2F, on compte des régulateurs du cycle cellulaire comme les cyclines A et E ou les kinases CDK1 et CDK2, mais aussi la dihydrofolate réductase (*encart* 45.4) et l'ADN polymérase α, c'est-à-dire des enzymes, qui sont nécessaires à la réplication de l'ADN en phase S.

32.4 Le suppresseur de tumeur p53 module l'activité des CDKs

Le rôle de la protéine Rb dans la régulation du cycle cellulaire et les conséquences graves d'une mutation de son gène montrent l'importance fondamentale du contrôle de la prolifération cellulaire. Un autre exemple frappant est le cas du **suppresseur de tumeur p53**. L'exposition de cellules à des rayons ionisants supprime de manière ciblée la dégradation de la protéine p53. Celle-ci va alors s'accumuler et arrêter le cycle cellulaire au niveau du point de contrôle en phase G_1 tardive (*fig.* 32.11). En l'occurrence, le suppresseur de tumeur accorde du temps à la cellule pour permettre une réparation de l'ADN et il empêche ainsi les conséquences fatales d'une réplication incorrecte de l'ADN en phase S. Comment ce contrôle est-il régulé sur le plan moléculaire ?

De façon similaire à la protéine Rb, la protéine p53 agit comme **régulateur transcriptionnel**. À la suite d'une lésion de l'ADN, ce facteur de transcription peut se lier directement au promoteur du gène de la **p21, l'inhibiteur de CDK**, et activer l'expression de p21 (*fig.* 32.12). À des concentrations suffisamment fortes, la protéine p21 inhibe le complexe cycline E/CDK2 lors de transition G_1/S, et également le complexe cycline D/CDK4 qui contrôle le point de restriction en phase G_1 tardive : le cycle s'arrête à ce point, ce qui donne du temps à la cellule pour les réparations de l'ADN nécessaires. La protéine p21 peut également se lier à la sous-unité PCNA (angl. *proliferant cell nuclear antigen*) de **l'ADN polymérase δ**, inhiber l'action de cette enzyme et ainsi entraver la réplication d'ADN : la p21 présente donc une double action. L'importance générale du contrôle du cycle cellulaire par l'intermédiaire des suppresseurs de tumeur est illustrée de manière exemplaire par les conséquences d'un gène *p53* défectueux (*encart* 32.3).

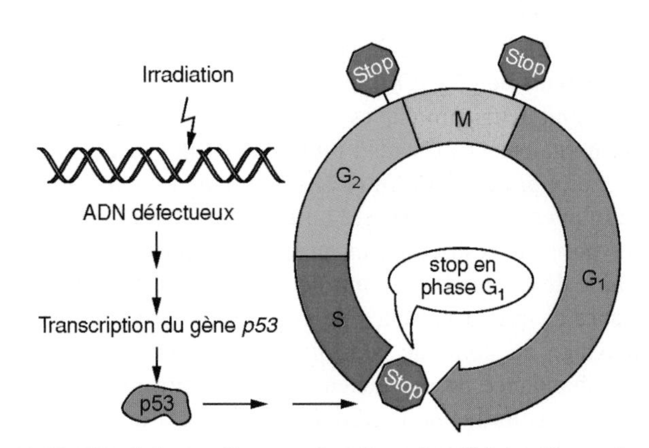

32.11 Rôle de la protéine p53 dans le cycle cellulaire. En cas de dommages de l'ADN, la p53 arrête le cycle en phase G_1, afin que des travaux de réparation de l'ADN puissent avoir lieu avant le début de la phase S. Si la réplication d'ADN a été défectueuse ou en cas d'un mauvais arrangement des chromosomes, les points de contrôle, respectivement en phase G_2 ou bien en phase M, permettent de créer d'autres « temps morts ». La protéine p53 est assistée par la protéine p21, un inhibiteur des CDK, qui inhibe l'activité du complexe cycline E/CDK2 lors de la transition G_1/S.

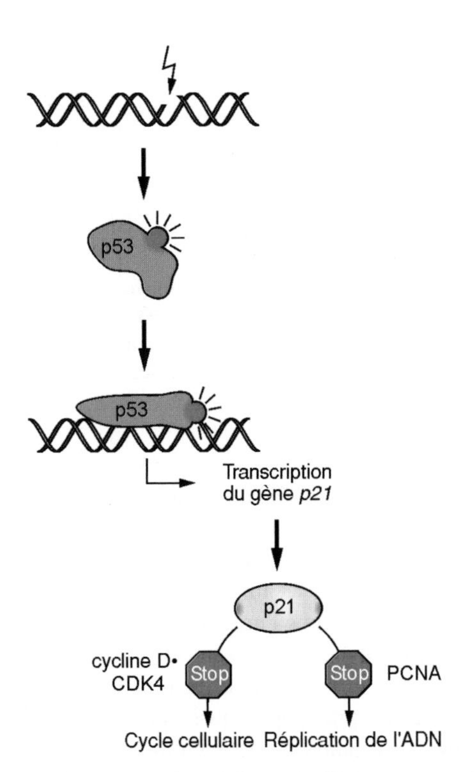

32.12 Mode d'action de la protéine p53. Une augmentation de la concentration en p53 induit l'expression de l'inhibiteur des CDK, la p21. *Via* la protéine Bax et la cascade des caspases (§ 32.5), la p53 peut également induire la dégradation protéolytique de la p21.

Encart 32.3 : p53 et le syndrome de Li-Fraumeni

Des mutations dans le gène *p53* sont impliquées dans plus de 50 % des tumeurs humaines, par exemple dans les leucémies et les lymphomes et aussi dans des cancers du cerveau, du sein et de l'intestin. Des formes héréditaires de mutations de *p53* sont à l'origine du **syndrome de Li-Fraumeni**, qui se traduit par un fort risque de développement de tumeurs multiples, et plus particulièrement de tumeurs du tissu conjonctif (sarcomes). La défaillance de la protéine p53 empêche une expression adéquate de la protéine p21, si bien que le complexe cycline D/CDK4 et d'autres complexes cycline/CDK laissent passer les cellules en phase S sans contrôle. Le risque d'une transmission d'ADN défectueux (avant réparation) aux cellules filles est alors augmenté. L'accumulation de mutations occasionnée par cette absence de contrôle conduit à une instabilité du génome et à une forte augmentation des risques de dégénérescences malignes.

Le suppresseur de tumeur p53 dispose encore d'un autre point d'entrée pour ses actions protectrices : cette protéine veille sur l'entrée des cellules dans le processus de mort programmée. Ce sont probablement des cofacteurs associés à la p53 qui décident de la survie ou de la mort d'une cellule. Ce dernier point nous amène maintenant aux mécanismes moléculaires qui peuvent déclencher la mort cellulaire programmée.

32.5 Une cascade enzymatique déclenche la mort cellulaire programmée

Dans l'organisme adulte, la prolifération et l'élimination des cellules sont soigneusement équilibrées : des cellules trop âgées ou détériorées sont remplacées par de nouvelles cellules mais le nombre total de cellules dans l'organisme adulte reste globalement constant. Dans ce contexte, la mort cellulaire accidentelle ou traumatique – également appelée **nécrose** – est plutôt l'exception que la règle ; la majorité des morts cellulaires est due à la mort cellulaire programmée ou **apoptose** (grec *apoptosis*, flétrissement, chute des feuilles). On trouve un exemple parlant de ce phénomène dans le cas des cellules de la moelle osseuse, lesquelles forment diverses lignées de cellules différenciées – érythrocytes, lymphocytes, leucocytes – à partir de cellules souches pluripotentes. Le revers de cette médaille est que le corps humain doit éliminer environ 10^{11} cellules sanguines par jour par apoptose. De façon similaire, environ la moitié des neurones est « sacrifiée » lors de l'ontogenèse du système nerveux pour faire de la place aux cellules nouvellement intégrées dans le système. Enfin, la disparition des membranes interdigitales chez l'embryon constitue un exemple visible de processus apoptotique.

De nombreux facteurs externes peuvent déclencher l'apoptose, par exemple les rayons UV ou ionisants, des cytostatiques, des hormones, le manque de facteurs de croissance, l'hypoxie ou des infections virales. Lors de l'apoptose, les cellules vouées à la mort passent par une série de changements morphologiques caractéristiques : le premier signe visible est souvent une **condensation de la chromatine** qui peut correspondre à une **fragmentation de l'ADN** dans le noyau (*fig.* 32.13). Ce premier signe est suivi par une succession rapide d'événements : la fragmentation du noyau, la condensation du cytoplasme et enfin la désintégration de la cellule en particules apoptotiques. Les débris cellulaires sont pris en charge par des macrophages ou d'autres cellules voisines, et éliminés complètement par phagocytose : l'apoptose est une mort cellulaire « parfaitement mise en scène » et activement régulée. Au contraire, les **cellules nécrotiques** gonflent jusqu'à éclater et répandre leur contenu dans l'espace extracellulaire : la conséquence de ce processus non-régulé est une réaction inflammatoire locale.

Quels mécanismes moléculaires déclenchent l'apoptose d'une cellule ? Le « message mortel » est transmis par un réseau de voies de signalisation convergentes, qui aboutissent toutes à une cascade d'enzymes effectrices. Le **suppresseur de tumeur p53** est l'un des inducteurs les plus importants de l'apoptose. Comme on l'a vu précédemment, après des lésions de l'ADN, la protéine p53 ouvre une fenêtre de temps dans la phase G_1, pendant laquelle

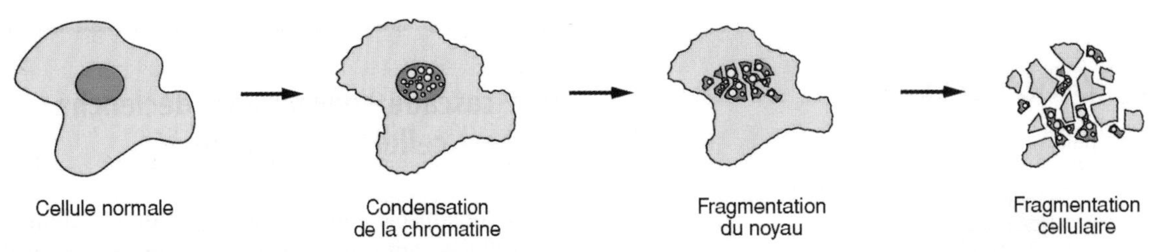

32.13 Caractéristiques morphologiques de l'apoptose. Les premiers signes visibles de l'apoptose sont la condensation de la chromatine, le ratatinement du corps cellulaire accompagné de gonflements de la membrane plasmique en forme de bulles (angl. *blebbing*). Plus tard, le noyau se fragmente et finalement la cellule se désagrège en corpuscules apoptotiques qui sont rapidement éliminés par des phagocytes environnants – comme les macrophages ou les granulocytes neutrophiles. La mort de cellules âgées qui restent en phase G_0 après 50 cycles de division environ *n*'est *pas* due à l'apoptose.

les travaux de réparation de l'ADN peuvent être effectués (§ 23.2. et suivants). De façon alternative, en cas de lésions irrémédiables de l'ADN (par exemple après un rayonnement ionisant), la p53 peut envoyer une cellule dans la voie apoptotique ; dans ce cas, la p53 induit l'expression du **gène bax** (*fig.* 32.14). Au niveau de la membrane mitochondriale externe, la protéine Bax – de concert avec d'autres membres de la **famille Bcl-2** – régule la libération du **cytochrome c** de l'espace intramembranaire de cet organite vers le cytosol. Le cytochrome c forme dans le cytosol un complexe avec la protéine **Apaf-1**, qui lie alors deux molécules de procaspase-9, le prototype de la famille des cysteinyl-aspartyl-protéases, brièvement appelées des **caspases.** Les caspases portent dans leur site catalytique un résidu cystéinyl et clivent leur substrat préférentiellement au niveau de résidus aspartyle (Asp-Xaa). L'auto-activation de la procaspase génère la caspase-9, qui active à son tour des caspases effectrices comme la procaspase-3 et aboutit doucement à la mort cellulaire.

La p53 protège donc l'organisme des dommages génotoxiques en provoquant le « suicide » des cellules affectées. Dans ces circonstances, les protéines Bax agissent comme **facteurs pro-apoptotiques** : elles rendent les mitochondries perméables au cytochrome c. Au contraire, en complexe avec le **facteur anti-apoptotique** Bcl-2, la protéine Bax forme un hétérodimère dans lequel son effet est neutralisé. En fin de compte, c'est la balance entre les facteurs pro- et anti-apoptotiques qui détermine la destinée d'une cellule. Ces mécanismes fondamentaux de l'apoptose ont été démontrés pour la première fois chez le **nématode C. elegans** (*encart* 32.4).

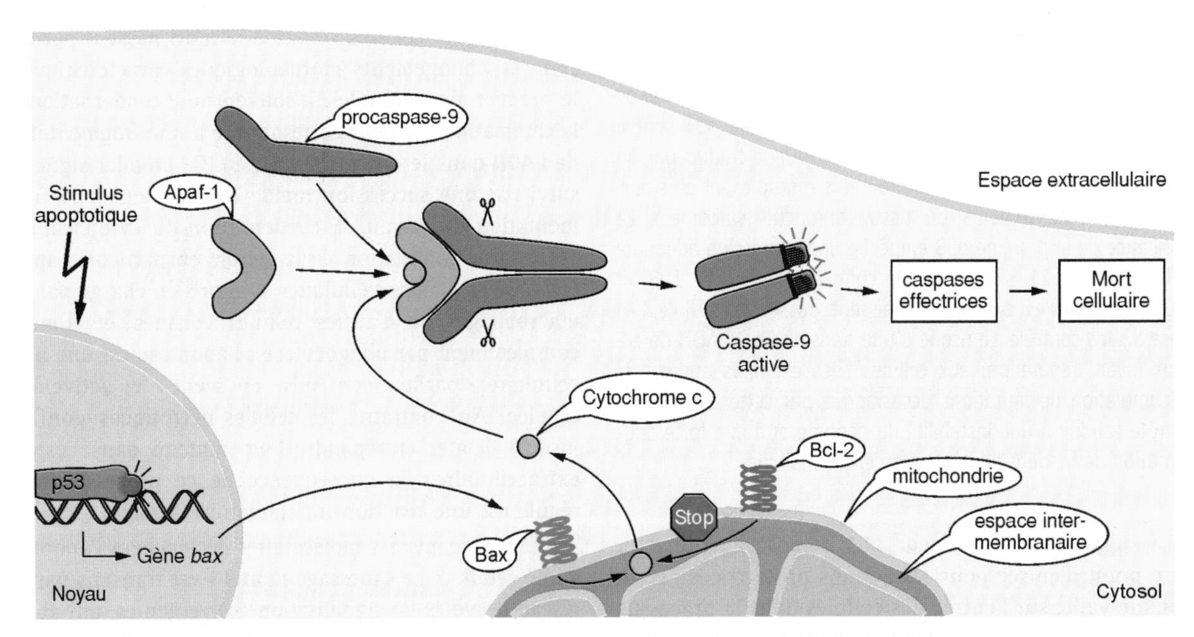

32.14 Apoptose par l'intermédiaire de la protéine p53. Des détériorations de l'ADN, des chocs thermiques, de l'hypoxie ou bien encore l'action des glucocorticoïdes déclenchent l'expression du gène *bax* par la voie de signalisation de la p53. Le canal Bax est formé d'un homodimère qui régule la libération du cytochrome c au niveau de la membrane mitochondriale externe ; la protéine Bcl-2 inhibe cet effet. En combinaison avec le cytochrome c, le facteur Apaf-1 active la caspase-9 effectrice (Apaf-1 : angl. *apoptosis proteases activating factor* ; Bcl-2 : angl. *B-cell lymphoma* ; Bax : angl ; *Bcl-2 associated protein x*).

Encart 32.4 : *Caenorhabditis elegans*

Le nématode C. *elegans* (*fig.* 32.15) est un organisme modèle important qui a permis d'élucider pour la première fois de nombreux mécanismes biologiques. Ce ver vit naturellement dans les sols, est la plupart du temps hermaphrodite, présente une taille de 1 mm environ et est constitué d'exactement 959 cellules somatiques et d'environ 2 000 cellules germinales. Son génome a été l'un des premiers génomes eucaryotes totalement séquencé. Il comprend $9,7.10^7$ pb et au moins 19 600 gènes. *C. elegans* est un objet d'étude idéal pour la **biologie du développement** : la transparence de ce ver permet de suivre de manière minutieuse l'origine et le développement de chaque cellule – ce qu'on appelle aussi la **généalogie cellulaire**. De nombreux facteurs contrôlant la différenciation cellulaire ont été identifiés pour la première fois chez C. *elegans* – et sont également présents chez des eucaryotes supérieurs. Ce nématode joue aussi un rôle pionnier dans l'élucidation des **mécanismes de l'apoptose**. Lors du développement normal du ver, 1 090 cellules sont générées, dont exactement 131 sont éliminées. Les produits des gènes *ced-3* et *ced-4* sont responsables de la mort programmée de ces cellules ; leurs homologues chez les vertébrés sont la caspase-9 et le facteur Apaf-1.

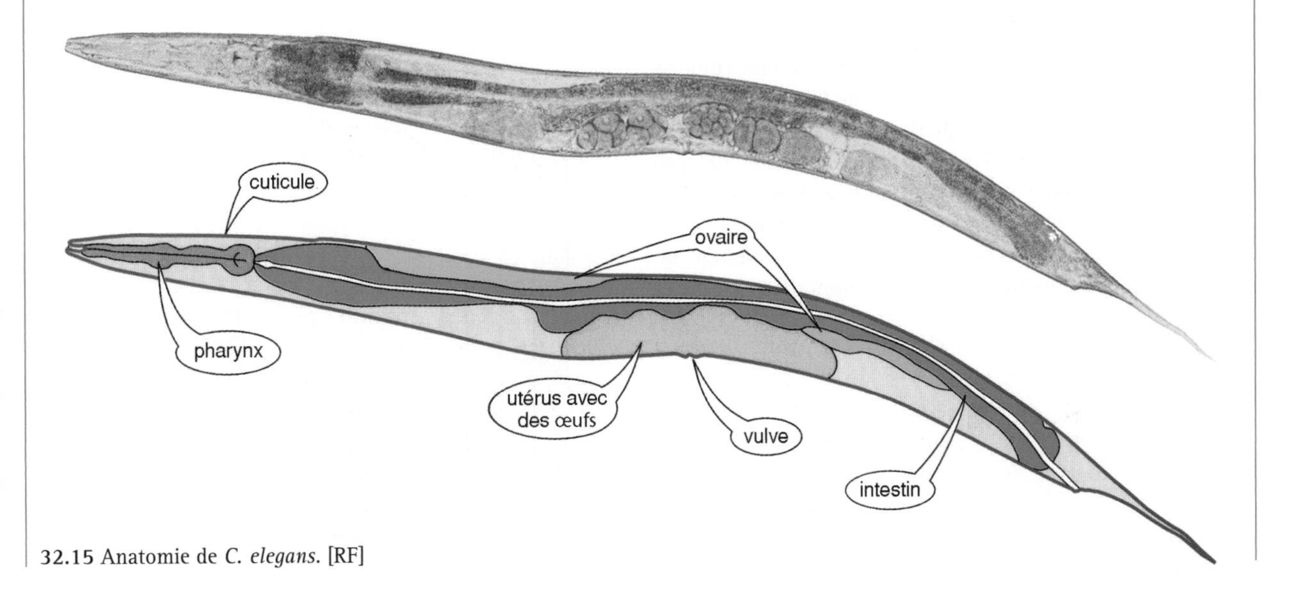

32.15 Anatomie de *C. elegans*. [RF]

32.6 Les caspases dégradent des protéines exerçant des fonctions spécifiques dans la cellule

Comment la cascade des caspases déclenche-t-elle le programme de mort cellulaire ? Des effecteurs comme la caspase-3 visent trois classes de protéines différentes. La dégradation ciblée de **protéines de structure,** comme la lamine ou l'actine, entraîne la désintégration de la lamina nucléaire, des filaments d'actine du cytosquelette et du réseau cortical d'une cellule (*fig.* 32.16). La protéolyse d'**enzymes de réparation et de clivage d'ADN** ainsi que de leurs cofacteurs, comme la PARP (poly (ADP-ribose) polymérase) ou U1-snRNP, inactive des processus cellulaires essentiels. L'un de ces « anges de mort » est la DNAse activée par les caspases ou CAD (angl. *caspase activated DNAse*) qui coupe l'ADN dans les intervalles entre nucléosomes (*voir fig.* 16.13). Cette fragmentation de l'ADN est visible en électrophorèse sur gel d'agarose : l'observation « d'échelles d'ADN » sert à l'identification des processus apoptotiques. Les caspases effectrices « découpent » également des **protéines du cycle cellulaire**

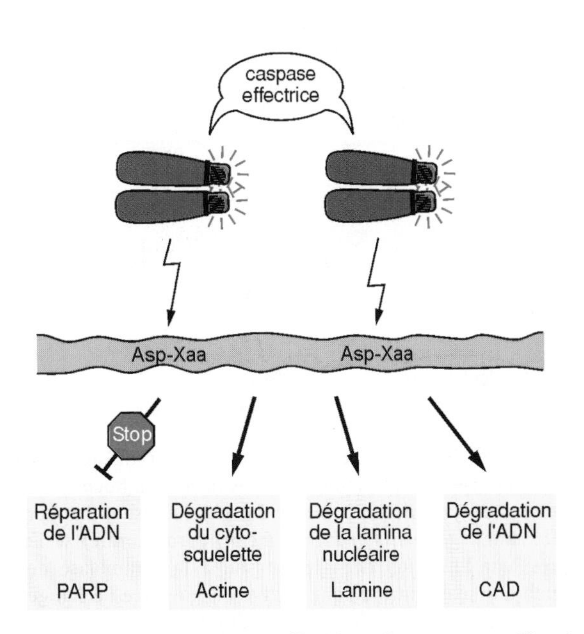

32.16 Substrats des caspases effectrices. Les caspases effectrices de type 2,3, et 7 attaquent différents substrats cellulaires, ce qui aboutit à la « mise hors service » des cellules.

comme les protéines Rb, p21 ou bien p27. Un coup mortel peut aussi être porté à la kinase d'adhésion focale (*encart* 30.4) dans les complexes d'adhésion focaux, provoquant le détachement de la cellule apoptotique de son ancrage dans la matrice. *La cascade des caspases n'induit donc pas une protéolyse généralisée, mais plante plutôt « ses couteaux » de façon ciblée pour atteindre seulement des protéines bien choisies – dont la dégradation provoque les conséquences les plus irrémédiables !*

Une des premières conséquences de l'apoptose est la **perte de l'asymétrie membranaire** (§ 24.4) : le cytochrome c libéré hors des mitochondries subit entre autres une translocation vers la face interne de la membrane plasmique et induit – par un mécanisme encore mal compris – un échange de phosphatidyl-sérine de la couche interne de la membrane – dans laquelle on la trouve normalement de façon exclusive – vers la couche externe (*fig.* 32.17). L'enzyme **scramblase** (angl. *to scramble*, bouleverser) soutient ce processus ; elle appartient à la famille des flippases lesquelles catalysent l'échange de phospholipides entre les couches membranaires externe et interne (§ 24.5). La surface de la cellule « vouée à la mort » présente donc un composant inhabituel et peut se lier secondairement à des protéines comme l'**annexine V**, une protéine de la matrice extracellulaire. La phosphatidyl-sérine externalisée « marque » donc les particules apoptotiques naissantes, et celles-ci peuvent alors être détectées par les phagocytes environnants puis éliminées. *La mort cellulaire programmée permet d'éliminer les cellules défectueuses, infectées ou mises au rebut pour toute autre raison, et ceci d'une façon rapide, efficace et qui ne laisse pas de traces.*

32.17 Perte de l'asymétrie membranaire. Ce mécanisme, encore en partie hypothétique, montre que les facteurs mitochondriaux comme le cytochrome c ou le facteur induisant l'apoptose (AIF : angl. *apoptosis inducing factor*) (non montré) se lient, après leur libération dans le cytosol, à la scramblase de la membrane plasmique, ce qui l'active et provoque l'échange de phosphatidyl-sérine de la face cytosolique vers la face extracellulaire. Ces protéines sont alors reconnues par l'annexine V. De ce fait, la scramblase contrecarre la voie de biosynthèse des lipides membranaires (§ 24.5).

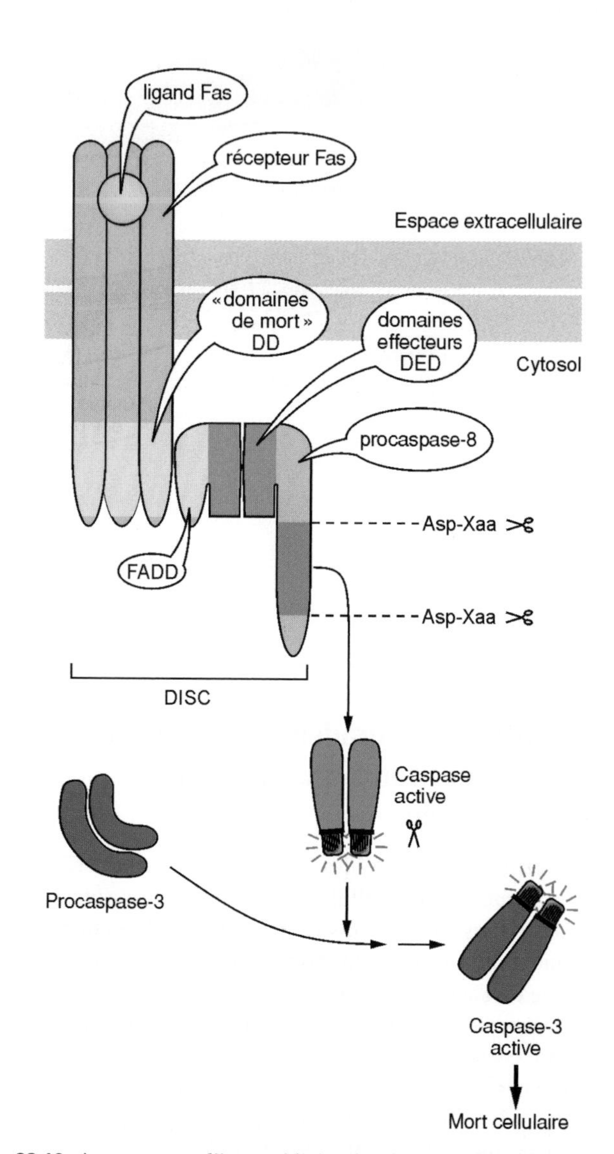

32.18 Apoptose par l'intermédiaire du récepteur Fas. Le ligand FasL induit l'oligomérisation des récepteurs Fas qui recrutent par leurs domaines DD des protéines adaptatrices du type FADD (angl. *Fas associated DD*-proteins). La FADD dispose de domaines DED (angl. *death effector domain*) qui mettent en route la cascade des caspases *via* les procaspases-8 et -3. Alternativement, le récepteur au TNF de type 1 (TNF-R1) et la TRADD (angl. *TNF-R1 associated protein with death domains*) peuvent aussi déclencher la cascade. DISC : angl. *death-induced signaling complex*.

Nous avons pour l'instant rencontré une « **voie intrinsèque** » de déclenchement de la mort cellulaire programmée, où les mitochondries (intracellulaires) constituent le déclencheur principal. Une alternative est représentée par une « **voie extrinsèque** », déclenchée par la liaison de signaux externes à des récepteurs exposés sur la membrane plasmique, comme les récepteurs Fas : ces récepteurs appartiennent à la grande famille des récepteurs au TNF et on les trouve à la surface de nombreuses cellules (*tableau* 30.1). La liaison d'un ligand Fas compétent induit une oligomérisation du récepteur Fas, ce qui entraîne l'activation des « domaines de mort » de type DD (angl. *death domains*) de ce récepteur (*fig.* 32.18). La liaison de protéines adaptatrices FADD cytosoliques (angl. *Fas associated death domains*) aux domaines DD activés permet de former un complexe, qui peut alors lier deux molécules de procaspase-8, lesquelles s'autoactivent réciproquement. C'est le « coup d'envoi » pour l'activation des cascades effectrices en aval (*fig.* 32.16). Alternativement, le récepteur au TNF de type 1 (TNF-R1) peut aussi déclencher l'apoptose *via* la protéine adaptatrice TRADD et la cascade des caspases.

La **voie de signalisation par le récepteur Fas** joue un rôle central dans la réponse immunitaire : un exemple type de mort cellulaire programmée commence par le « baiser mortel » du lymphocyte T cytotoxique. Par l'intermédiaire d'un récepteur, la cellule T reconnaît une cellule infectée par un virus et se lie à elle, puis elle exprime son ligand Fas. Ce ligand se lie au récepteur Fas de la cellule affectée et lui porte alors le « coup mortel » (*fig.* 33.17). *La stratégie de l'organisme est de sacrifier quelques cellules isolées, déjà attaquées par le virus, pour protéger l'ensemble des cellules environnantes d'une infection virale.* De façon similaire, des cellules tumorales qui expriment à leur surface des antigènes tumoraux spécifiques seront reconnues par les lymphocytes T cytotoxiques et – dans le meilleur des cas – éliminées. Grâce à ses propres lymphocytes, un organisme reconnaît les éléments étrangers présents à la surface de ses cellules et déclenche alors la « machinerie de mort » de façon ciblée.

La mort cellulaire régulée fait partie des mécanismes cellulaires et moléculaires les plus lourds de conséquences et qui sont donc les plus parfaitement contrôlés. Le système de défense des organismes supérieurs surveille soigneusement ces mécanismes et c'est pourquoi on va maintenant examiner de près les bases moléculaires de l'immunité innée et acquise.

Bases moléculaires du système immunitaire

33

Le système immunitaire décide de la vie ou de la mort d'une cellule. En effet, sans système de défense fonctionnel, on est à la merci des infections virales, bactériennes, par les champignons ou les parasites et l'on est incapable de survivre, si des contre-mesures ne sont pas prises. Fonctionnellement, la protection contre les substances étrangères comporte deux lignes de défense : le **système immunitaire naturel** se dresse contre les invasions de molécules étrangères, mais n'est pas capable d'adaptation spécifique. Cette branche non adaptative du système de défense est héritée ; on parle d'**immunité innée.** Ses acteurs cellulaires les plus importants sont les macrophages et les granulocytes neutrophiles. Au contraire, le **système immunitaire adaptatif** fabrique sur mesure ses armes contre une substance étrangère ou un agent excitateur donné et le neutralise de façon ciblée ; on a affaire à un système de défense spécifique. En outre, le système immunitaire des mammifères peut « se souvenir » : si l'on a contracté une fois la varicelle, on est protégé, quasiment pour le reste de sa vie, contre une deuxième infection. On peut dire à ce propos que le système immunitaire distingue presque parfaitement entre le **« soi »** et le **« non soi »** ; cette capacité de discrimination est si fine, que le système immunitaire d'un individu peut identifier ses propres cellules cancéreuses et les éliminer. Si cette capacité de discrimination est défaillante, le système de défense peut se retourner contre son propre organisme, lequel peut alors devenir agresseur de lui-même. La spécificité et la mémoire sont des qualités que le système immunitaire acquiert au contact des agressions changeantes du monde extérieur. Le système immunitaire adaptatif n'est donc pas inné, mais se développe seulement grâce aux contacts d'un individu avec son environnement ; il comporte des **composants humoraux** et **cellulaires.** La réponse immunitaire humorale s'établit par l'intermédiaire d'anticorps (Ig : Immunoglobulines), spécifiques d'**antigènes** donnés (composés générés par des anticorps). Les anticorps sont produits par les lymphocytes B (ou cellules B).

33.1 Le système du complément s'attaque aux invasions bactériennes

Lorsqu'un organisme infectieux menace le corps humain, celui-ci déclenche une réaction immunitaire graduelle : tout d'abord, les mécanismes de défense innée sont mis en œuvre, qui visent à l'élimination rapide (à l'échelle des minutes et des heures) des envahisseurs. Ensuite, on arrive à ce qu'on appelle la réaction immunitaire (précoce), qui ne provoque pas encore d'acquisition durable d'immunité (à l'échelle des heures et des jours). C'est seulement quand un agent pathogène a forcé ces deux lignes de défense, que des mécanismes d'immunité adaptative sont déclenchés (à l'échelle de plusieurs jours). On va se tourner d'abord vers une première ligne de défense : le « fer de lance » de l'immunité innée est le **système du complément**, qui s'attaque aux envahisseurs les plus fréquemment rencontrés, les bactéries. Avec le concours des cellules phagocytaires, comme les macrophages et les granulocytes neutrophiles – brièvement appelés les **phagocytes** – ce système « complète » le système immunitaire adaptatif. Les facteurs du complément peuvent se lier directement à des **polysaccharides** de la paroi bactérienne ; ils peuvent également attaquer les bactéries marquées par des anticorps et anéantir les envahisseurs. Pour cela, le système du complément dispose d'un arsenal de plus de 20 proenzymes, cofacteurs, protéines perforatrices de membranes et récepteurs. Comme dans le cas de la coagulation et de l'apoptose, le mécanisme majeur consiste en une cascade protéolytique (*fig.* 33.1). Plusieurs facteurs peuvent activer la cascade du complément : les anticorps présents au niveau de la membrane plasmique des bactéries déclenchent la **voie classique**, tandis que les polysaccharides présents à la surface de ces bactéries, ou bien des champignons ou encore d'autres parasites déterminent la **voie alternative.** Les facteurs clés de cette cascade sont les facteurs C1 à C9, B et D, qui par leur action concertée, perforent les parois bactériennes, et contribuent à la lyse des intrus.

Le point de départ de la voie classique est la formation du **complexe C1**, qui se lie *via* sa sous-unité **C1q**, à des anticorps présents à la surface des bactéries ou des parasites (*fig.* 33.2). Les proenzymes C1r et C1s sont alors activées, et clivent par protéolyse limitée les facteurs C4

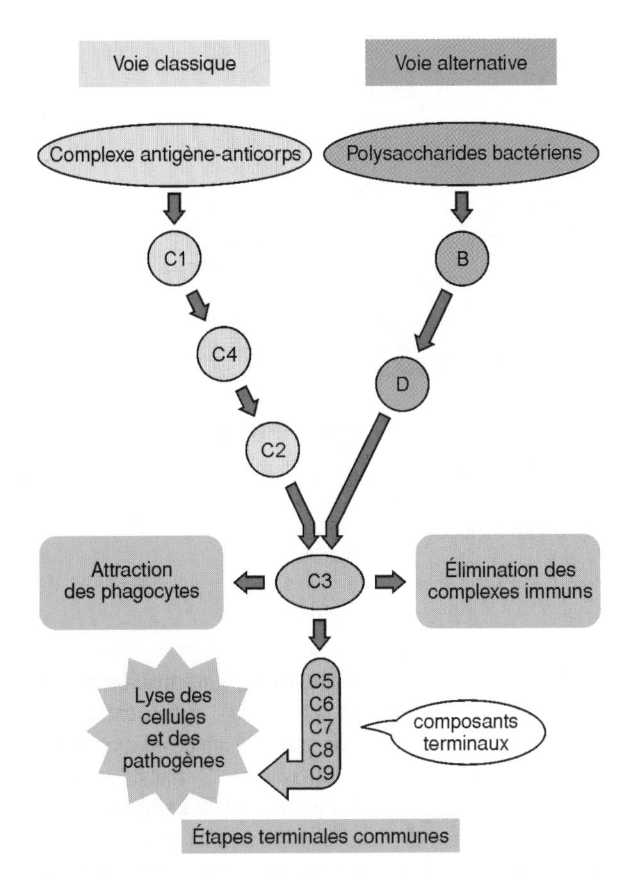

33.1 Composants du système du complément. Le facteur C1 comporte deux proenzymes (C1r, C1s) et un cofacteur non enzymatique C1q. C2, B et D sont – comme C1r et C1s – des précurseurs inactifs de protéases ; C5 est une protéine associée à la membrane, tandis que C6 à C9 sont des protéines formant des pores. La voie alternative active le système *via* C3 ; les facteurs terminaux C5 à C9 forment avec C3 la partie terminale commune aux voies classique et alternative. [RF]

(en C4a et C4b) et C2 en (C2a et C2b). Une troisième voie d'activation, la voie des lectines (*via* la protéine MBL), dont la signification physiologique n'est pas encore claire chez l'homme, converge ici avec la voie classique : elle active les facteurs C4 et C2. Le complexe obtenu de C2b (enzyme active) et C4b forme la **C3 convertase**, qui clive le facteur C3 (en C3a et C3b). Le facteur C3b activé forme alors avec C2b-C4b un complexe ternaire, appelé brièvement **C5 convertase**, qui clive le facteur C5 (en C5a et C5b). Toutes ces voies mènent donc à la formation de C5b, qui déclenche la réaction finale de la cascade avec l'assemblage du **complexe d'attaque membranaire.** Les fragments protéolytiques, comme C3a et C5a, jouent secondairement un rôle de signal chimique : ils attirent les macrophages et les granulocytes neutrophiles, qui reconnaissent, grâce à des récepteurs spécifiques, le marquage de la surface bactérienne par C3b et C4b, et phagocytent alors les envahisseurs : on parle d'un phénomène d'**opsonisation**.

33.2 Le complexe terminal crée des pores dans les membranes bactériennes

C5b, le plus gros fragment issu du clivage de C5 reste au niveau de la membrane et forme une plate-forme pour le recrutement des facteurs C6 et C7 (*fig.* 33.3). La liaison de C7 à C5b et C6 induit un changement de conformation, qui permet l'exposition d'un segment hydrophobe « cryptique » de C7, et entraîne son accrochage dans la membrane. C8 est intégré dans le complexe par un mécanisme analogue et contribue comme C6 et C7 à la formation d'un pore. Plusieurs molécules C9 s'accrochent successivement au complexe et « s'enfoncent » dans la membrane. Le résultat final est un **pore moléculaire** d'environ 10 nm de diamètre, dont la paroi est constituée

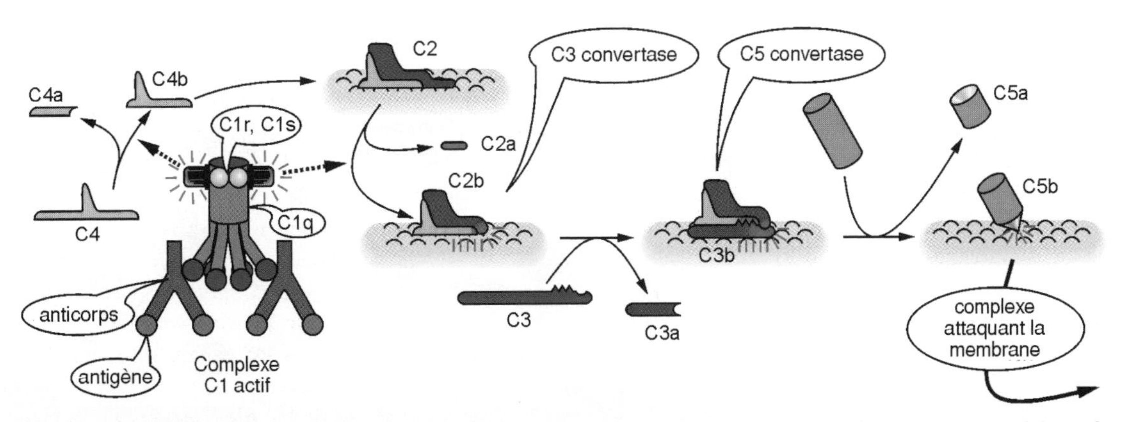

33.2 Activation de la cascade du complément par la voie classique. C1q reconnaît et se lie à des anticorps présents à la surface des bactéries ; chaque hétérohexamère porte deux molécules C1r et C1s. Par des clivages protéolytiques successifs (voir détails dans le texte), on obtient les convertases associées à la membrane C3 et C5. C5b pose la première pierre du complexe permettant l'attaque de la membrane. C3a et C5a constituent des signaux chimiotactiques : leur gradient de concentration guide les macrophages et les granulocytes neutrophiles vers le foyer d'infection.

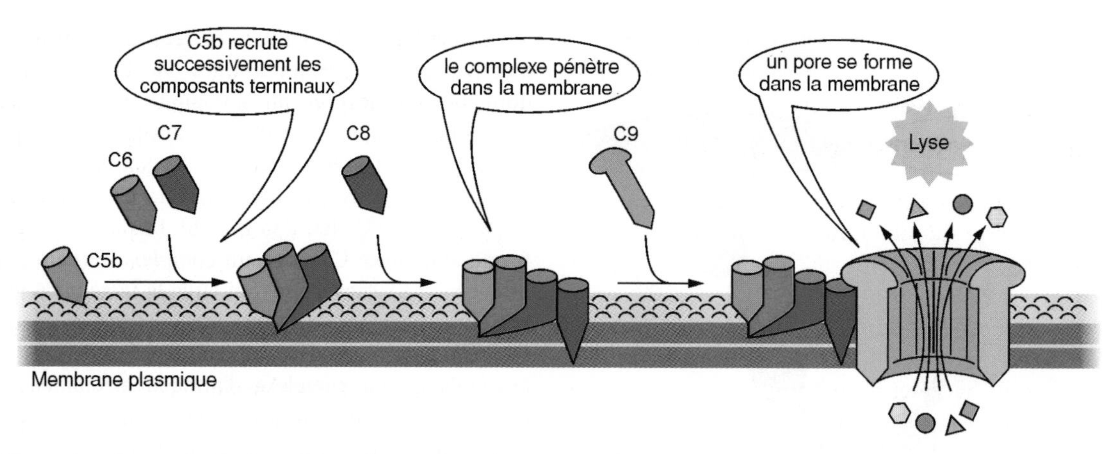

33.3 Formation d'un pore membranaire par le complexe d'attaque. Le facteur non enzymatique C5b recrute l'un après l'autre C6, C7 et C8, qui permettent « d'amarrer » le complexe dans la membrane et constituent une plate-forme pour la polymérisation de C9 : le pore ainsi formé présente une hauteur d'environ 20 nm et une lumière d'un diamètre de 10 nm environ.

de 10 à 15 molécules C9, qui « percent » la membrane plasmique. *Le système du complément est donc un système effecteur très efficace, qui peut lyser lui-même les bactéries, ou les préparer pour l'opsonisation par les phagocytes ou bien encore indiquer par chimiotactisme l'emplacement du foyer d'infection aux cellules de l'inflammation.* Ce système est étroitement contrôlé (*encart* 33.1).

Encart 33.1 : Angio-oedème héréditaire

Une petite partie des facteurs du complément circulants peut aussi être activée par des surfaces non bactériennes ; un contrôle efficace empêche cependant que des cellules quelconques du corps soient lysées. La protéase à sérine **Facteur I** (se dit « i »), avec l'aide du facteur H et du cofacteur protéique membranaire MCP (angl. *membrane cofactor protein*), clive le composant clé C3b sur la membrane cellulaire, ce qui l'inactive. La protéine **C1-inhibiteur** est un régulateur, qui agit « encore plus précocement » dans la cascade, puisqu'il inhibe efficacement les facteurs C1s et C1r activés. La protéine C1-inhibiteur joue un autre rôle important, comme inhibiteur de la **kallikréine plasmatique**, l'enzyme clé dans la phase contact de la coagulation (*encart* 14.1). En cas d'une déficience génétique de la protéine C1-inhibiteur ou de production d'auto-anticorps contre cet inhibiteur, on observe une perte de cette fonction inhibitrice (*fig.* 33.4) ; la kallikréine activée forme alors des quantités excessives de l'hormone vasoactive et pro-inflammatoire, la **bradykinine**, ce qui conduit à une perméabilité anormalement élevée des vaisseaux et à une fuite de liquide dans les tissus interstitiels. Ces crises **d'angio-oedèmes** constituent un danger mortel, quand elles touchent les voies respiratoires. *On a ici un exemple parlant des relations étroites qui existent entre les cascades protéolytiques de différents systèmes effecteurs.*

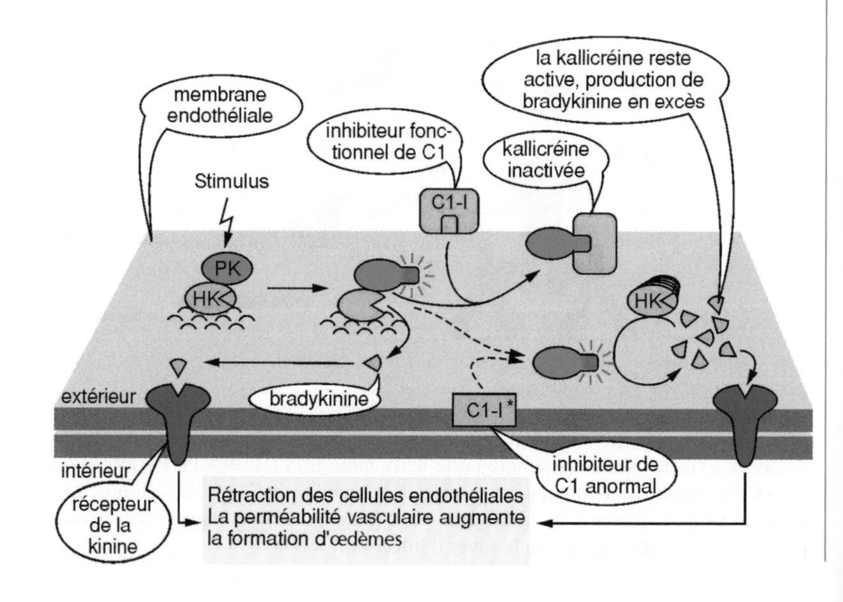

33.4 Pathogenèse de l'angio-œdème. Voir les détails dans le texte. KP : kallikréine plasmatique ; KH : kininogène de haut poids moléculaire ; C1-I : Inhibiteur C1.

33.3

Le système immunitaire naturel utilise des récepteurs homologues de Toll

Les protéines chimioattractives C3a et C5a attirent les macrophages et les granulocytes neutrophiles, les composants les plus importants du système immunitaire inné, et établissent une liaison avec la deuxième ligne de défense en aval dans ce système. Ces phagocytes portent à leur surface des **récepteurs de type TLR** (angl. *toll-like receptors* ; Toll : récepteur protéique de drosophile). Les récepteurs TLR réagissent à des protéoglycanes bactériens ou bien à des lipopolysaccharides (LPS), et induisent dans les cellules qui les portent une cascade de signalisation, aboutissant à l'activation du système de défense anti-infectieux. On va détailler, à titre d'exemple, le processus mis en jeu par l'interaction entre les LPS et le récepteur TLR-4 (*fig.* 33.5). Le LPS produit par les bactéries se lie à une protéine de liaison, ou LBP (angl. *LPS binding protein*). Les phagocytes reconnaissent le complexe LPS-LBP par leur protéine de surface CD14, et celle-ci interagit alors avec le récepteur TLR-4. L'activation de ce récepteur lui permet de lier la protéine adaptatrice MyD88, qui recrute ensuite la kinase IRAK, laquelle active la protéine TRAF6, qui à son tour active la kinase IKK. Cette dernière kinase – un dimère de sous-unités α et β – phosphoryle l'**inhibiteur cytosolique IκB**, ce qui libère le **facteur de transcription NF-κB** qui lui était associé, tandis que IκB est rapidement dégradé par le protéasome. Le facteur NF-κB libre est transloqué dans le noyau et active des gènes dont les produits modulent les défenses immunitaires aussi bien innées qu'adaptatives : des cytokines, des chimiokines, mais aussi IκB. Ce dernier se lie à nouveau à NF-κB, ce qui interrompt de nouveau la cascade de signalisation. Ces réactions « induites » n'aboutissent pas à une immunité durable, mais sont les précurseurs de la réponse immunitaire adaptative.

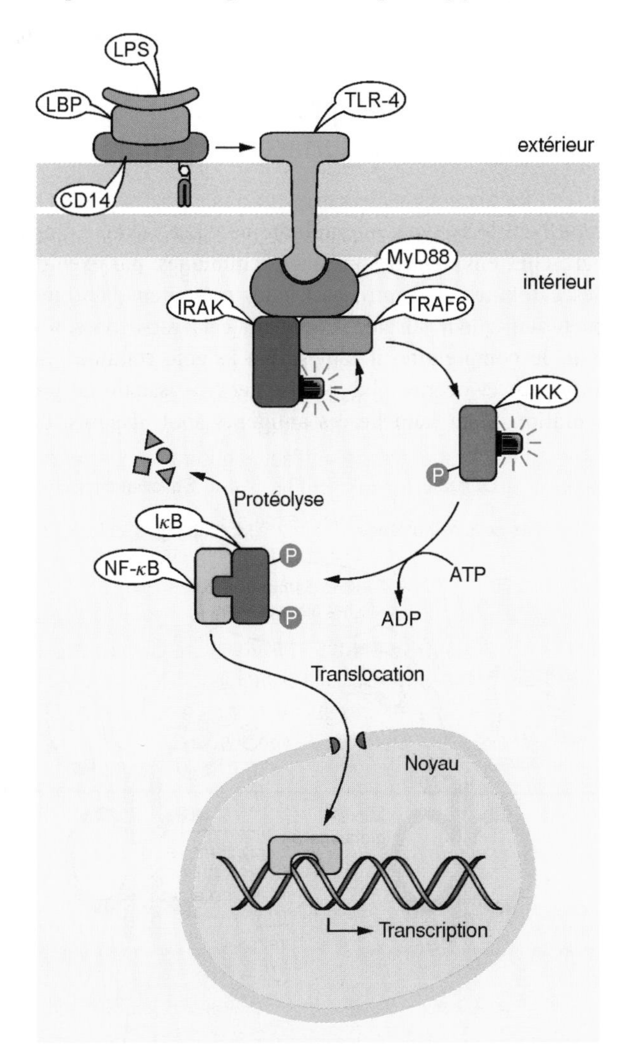

33.5 Activation de NF-κB par les récepteurs TLR. Le complexe ternaire constitué de LPS, LBP et CD14 active TKR-4, qui recrute alors MyD88. Il en résulte l'activation successive d'IRAK (angl. *IL-1-receptor-associated kinase*), TRAF6 (angl. *TNF-receptor-associated factor*) et IKK (κ-kinase), la kinase IKK activée phosphoryle IκB (angl. *inhibitor of NF-κB*), qui se dissocie du complexe avec NF-κB (angl. *nuclear factor*). NF-κB diffuse dans le noyau et active les promoteurs de gènes, qui jouent un rôle dans la défense contre les infections. L'appellation CD, pour *cluster of differenciation*, représente un groupe hétérogène de plus de 250 protéines de cellules sanguines.

En dehors des TLR, les macrophages et les granulocytes neutrophiles portent aussi des récepteurs, dits **F_C-récepteurs**, qui recherchent la présence d'anticorps à la surface des bactéries et peuvent s'y lier (*fig.* 33.6). Comme les bactéries portent de nombreux anticorps et présentent donc de nombreux sites de liaison à leur surface, la liaison d'anticorps sur une bactérie provoque un rassemblement local (angl. *clustering*) de F_C-récepteurs à la surface de la cellule phagocytaire, ce qui donne finalement le signal pour l'internalisation de la bactérie. Les F_C-récepteurs jouent aussi un rôle déclencheur dans les réactions immunopathologiques, comme dans le cas des chocs anaphylactiques *via* les mastocytes.

Quand les macrophages se saisissent d'un agent pathogène, ils libèrent des **cytokines**, comme le TNF-α (angl. *tumor necrosis factor-α*) et l'interféron-α, mais aussi des médiateurs lipidiques, comme les prostaglandines, les leucotriènes et le facteur activateur de plaquettes PAF (angl. *platelet activating factor*) (*tab.* 29.1). Les phagocytes répondent alors par l'**activation d'une chaîne respiratoire** (angl. *respiratory burst*), où la NADPH oxydase, une enzyme lysosomale, produit toute une batterie de radicaux libres d'oxygène, comme le peroxyde d'hydrogène (H_2O_2), l'ion superoxyde (O_2^-), le radical hydroxyle (OH•), l'hypochlorite (OCl^-) et le monoxyde d'azote (NO•), en échange de consommation d'oxygène. Ces agents chimiques toxiques constituent des molécules bactéricides qui permettent aux phagocytes de tuer les bactéries endocytosées ; les phagocytes les découpent ensuite en petits morceaux « manipulables ». Par ailleurs, les phagocytes produisent des peptides antimicrobiens, comme

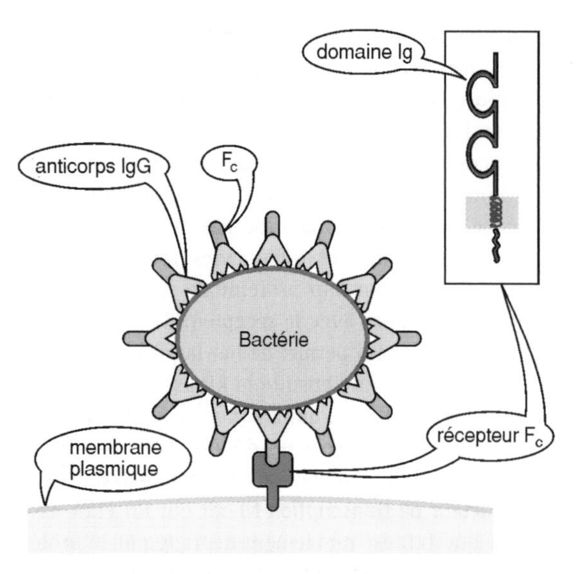

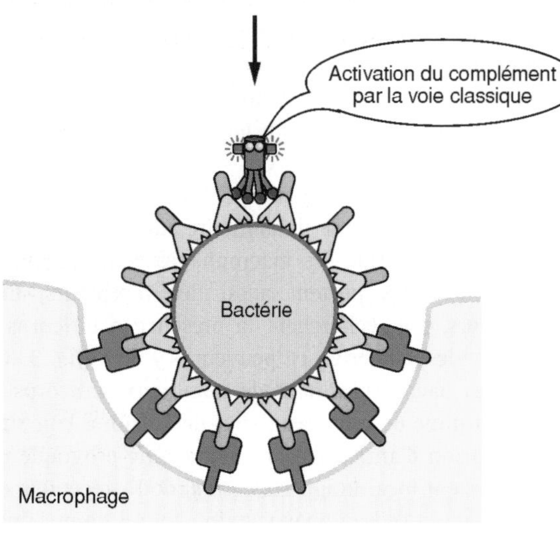

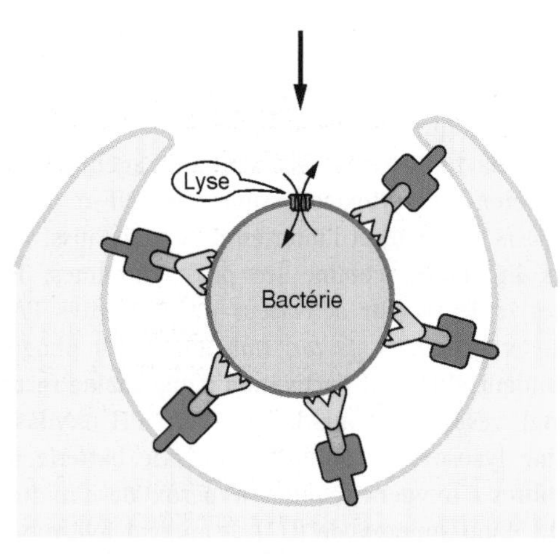

33.6 Phagocytose dépendante du récepteur F_c. Les macrophages et les granulocytes neutrophiles exposent des récepteurs transmembranaires F_c, qui possèdent sur leur face extracellulaire deux domaines immunoglobulines (Ig) (encadré), lesquels se lient spécifiquement au fragment F_c des anticorps (*fig.* 33.21). La chaîne α du récepteur F_c peut s'associer avec les chaînes β ou bien γ, qui portent des domaines ITAM (angl. *immuno receptor tyrosine kinase activating module*) et peuvent déclencher des cascades de signalisation intracellulaire.

la **défensine**, et sécrètent des enzymes lytiques comme le lysozyme, qui hydrolysent les parois bactériennes protectrices et permettent d'éliminer les assaillants.

33.4 Les protéines MHC présentent les antigènes à la surface des cellules

Quand les phagocytes se saisissent d'une bactérie, elles en informent le système immunitaire de deux façons : d'une part, elles envoient des messages chimiques, par exemple des cytokines et d'autre part, elles présentent l'antigène bactérien à leur surface. Comment cela est-il possible ? Pour le comprendre, il faut suivre la voie cellulaire des antigènes et décrire plus précisément l'« assiette de présentation », sur laquelle ces antigènes sont disposés. Les

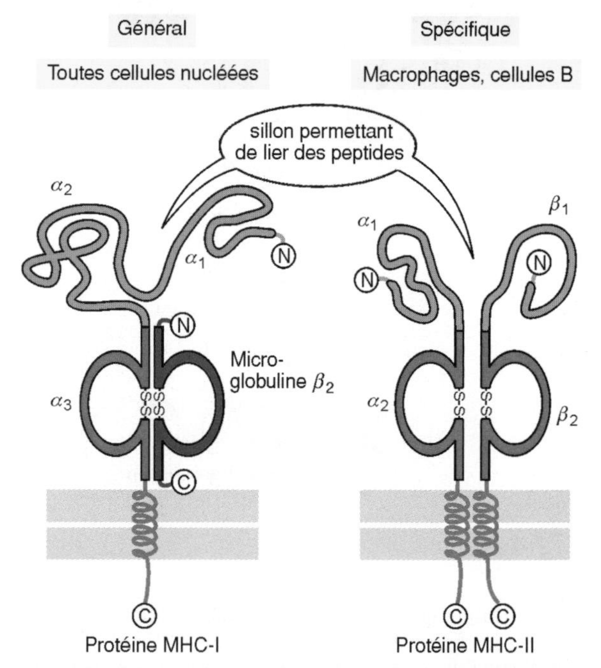

33.7 Classes de protéines MHC. Les protéines MHC-I comportent deux sous-unités : elles possèdent une chaîne transmembranaire α avec trois domaines extracellulaires (α_1 - α_3), parmi lesquels α_1 et α_2 lient et présentent l'antigène ; la microglobuline β_2 complète le complexe de la partie extracellulaire des protéines MHC-I. Les protéines MHC-II sont des hétérodimères composées de chaînes transmembranaires α et β, où $\alpha_1\beta_1$ lient et présentent les antigènes. Les érythrocytes ne portent *aucune* protéine MHC. [RF]

phagocytes portent à leur surface des protéines spécifiques, codées par un groupe de gènes particuliers – appelé **complexe majeur d'histocompatibilité** ou **MHC** (angl. *major histocompatibility complex*) (*fig.* 33.7). On distingue deux classes de protéines codées par le MHC. On trouve les **protéines MHC de classe I** (en bref protéines MHC-I) à la surface de la plupart des cellules, tandis que les **protéines MHC de classe II** (ou protéines MHC-II) sont restreintes aux cellules qui présentent des antigènes, comme les macrophages, les cellules dendritiques ou les lymphocytes B. Les protéines MHC sont des protéines membranaires intégrales, constituées de deux chaînes polypeptidiques, qui exposent du côté extracellulaire des domaines de présentation d'antigènes. Les protéines MHC-I jouent ainsi un rôle majeur dans le rejet des organes transplantés (*encart* 33.2).

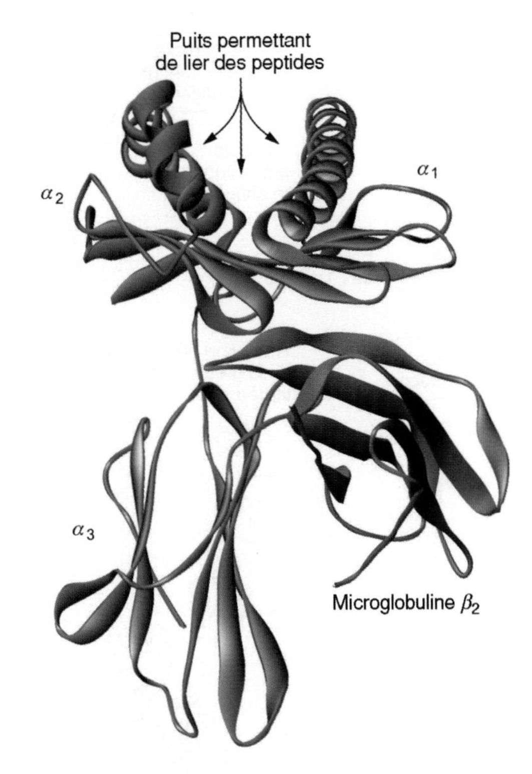

33.8 Modèle du site de liaison des protéines MHC-I. Deux hélices α flanquent un puits à la surface de la protéine MHC-I, dont le corps est recouvert par un vaste feuillet β. Les hélices délimitent les extensions latérales de la poche de liaison, qui couvre environ huit résidus. Les peptides qui conviennent typiquement à cette fente, possèdent des résidus d'ancrage conservés en position 3 (Tyr, Phe) et 8 (Leu, Ile, Val). [RF]

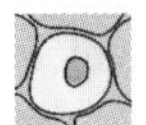

Encart 33.2 : Gènes MHC et rejet des greffes d'organes

Le terme « histocompatibilité » est employé pour indiquer la tolérance tissulaire. Dans le cas de rejet d'un tissu étranger, comme après une transplantation d'organe, les protéines MHC et les cellules T porteuses de CD8 de l'organisme receveur jouent un rôle central ; les anticorps et le système du complément ne sont en revanche impliqués que dans le cas de « rejet suraigu ». Les **gènes MHC** humains sont localisés sur le chromosome 6 et l'on dénombre au moins 11 loci MHC. Ces gènes sont exceptionnellement **polymorphes** : pas moins de 100 allèles – formes alternatives d'un seul et même gène – sont décrits. La diversité combinatoire obtenue à partir des onze loci différents est si grande, qu'on ne trouve pratiquement pas deux individus portant une combinaison de gènes MHC parfaitement identique ; seuls certains jumeaux font exception. Le choix des donneurs et des receveurs pour les transplantations d'organes vise à atteindre la plus grande identité possible d'allèles MHC, pour minimiser les réactions de rejet inévitables. Les protéines MHC humaines sont également décrites comme les **molécules HLA** (angl. *human leucocyte antigens*).

Les domaines N-terminaux α_1 et α_2 des protéines MHC-I ou α_1 et β_1 des protéines MHC-II sont variables : ils forment à leur surface des « sillons », où les antigènes peuvent se lier et sont présentés aux cellules T. Dans le cas des **protéines MHC-I**, les deux domaines N-terminaux des chaînes α forment un creux en biseau, qui peut accueillir des antigènes peptidiques (*fig.* 33.8). La taille des peptides antigéniques est primordiale. Les peptides d'environ 8-10 acides aminés ont une taille optimale : au-delà, les peptides sont rejetés et en deçà, ils sont rapidement relâchés, car ils se fixent faiblement ou pas du tout. En revanche, la séquence des peptides fixés par les protéines MHC peut varier dans une large mesure ; seules deux **positions d'ancrage** sont définies avec précision. À l'extrémité C-terminale, on trouve typiquement un résidu portant une chaîne latérale aliphatique (leucine, isoleucine ou valine), tandis qu'un résidu avec une chaîne latérale aromatique (tyrosine ou phénylalanine) est présent dans le segment N-terminal. Le peptide est fixé dans la poche de liaison des protéines MHC-I, seulement par ces deux points d'ancrage au niveau des groupements N- et C-terminaux, ce qui provoque une courbure de la chaîne peptidique et permet aux cellules T de les « détecter » avec ses récepteurs. Les **protéines MHC-II** présentent un sillon plus grand pour la fixation des antigènes, qui leur permet de saisir des peptides allant jusqu'à 25 acides aminés ; il y a alors quatre résidus d'ancrage, qui doivent se situer à une distance bien définie les uns des autres (n, n+3, n+5, n+8) pour pouvoir convenir à la poche de liaison. S'agissant de la taille et de la séquence des peptides, les protéines MHC-II paraissent plus « tolérantes » que les protéines MHC-I. Elles remplissent donc bien leur rôle de présentation d'antigènes variés.

Comment des protéines étrangères accèdent-elles jusqu'à la surface cellulaire ? Prenons tout d'abord le cas des protéines MHC-II : les phagocytes chargent les bactéries endocytosées dans des endosomes, où des enzymes protéolytiques fragmentent les protéines étrangères et produisent de petits fragments peptidiques (*fig.* 19.31) – on parle d'**apprêtement des antigènes.** Une

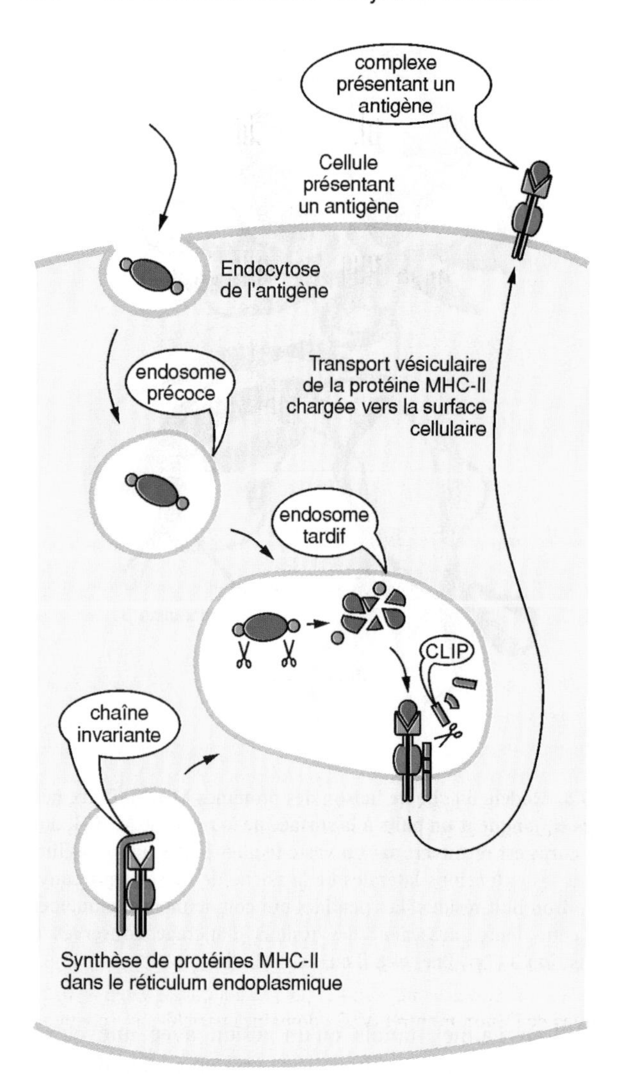

33.9 Devenir d'un antigène après son endocytose dans un phagocyte. Des peptides bactériens de 13 à 24 résidus sont produits dans les endosomes, et peuvent se lier aux protéines MHC-II. De façon similaire, des cellules B internalisent aussi des récepteurs anticorps après la liaison de leurs antigènes et génèrent des peptides à partir des antigènes étrangers, qu'ils exposent à leur surface par le biais de leurs protéines MHC de classe II. (*fig.* 33.15).

protéine MHC-II est synthétisée dans le réticulum endoplasmique en même temps qu'une **chaîne invariante.** Ces deux éléments s'associent, ce qui bloque le site de liaison aux peptides de la protéine MHC-II et la désigne pour le transport vésiculaire vers les endosomes *via* le Golgi (*fig.* 33.9). À l'arrivée dans les endosomes, des enzymes protéolytiques du type des cathepsines découpent la chaîne invariante et laissent le **peptide CLIP** (angl. *class-II-associated invariant-chain peptide*) dans le sillon de fixation des antigènes comme « couvercle de protection ». Les peptides bactériens engendrés dans les endosomes déplacent le CLIP de façon compétitive, se lient à la protéine MHC-II, ce qui stabilise le complexe. À ce niveau, les chemins se séparent : le peptide bactérien lié à la protéine MHC-II est transporté dans des vésicules jusqu'à la surface cellulaire, tandis que les peptides non liés et d'autres composants bactériens restent dans les lysosomes jusqu'à leur dégradation complète.

33.5 Les lymphocytes forment la colonne vertébrale du système immunitaire acquis

Comment une protéine bactérienne peut-elle déclencher une réponse immunitaire ? Les déterminants cellulaires du système immunitaire adaptatif sont environ **deux billions (2.10^{12}) de lymphocytes** – ce qui est comparable à la masse cellulaire du foie. Les lymphocytes proviennent – comme les macrophages, les mastocytes et les granulocytes neutrophiles – des cellules souches hématopoïétiques (formant le sang) de la moelle osseuse. On distingue deux types : les **lymphocytes B** produisant des anticorps (cellules B), qui ont été mis en évidence pour la première fois dans l'organe appelé « bourse de Fabricius » des oiseaux, et effectuent leur maturation dans la moelle osseuse ; et **les lymphocytes T** (cellules T), qui maturent dans le thymus, un organe lymphoïde thoracique. Les cellules B et T s'établissent secondairement dans les ganglions lymphatiques, dans la rate, ainsi que dans les organes lymphoïdes de l'intestin et du pharynx (*fig.* 33.10).

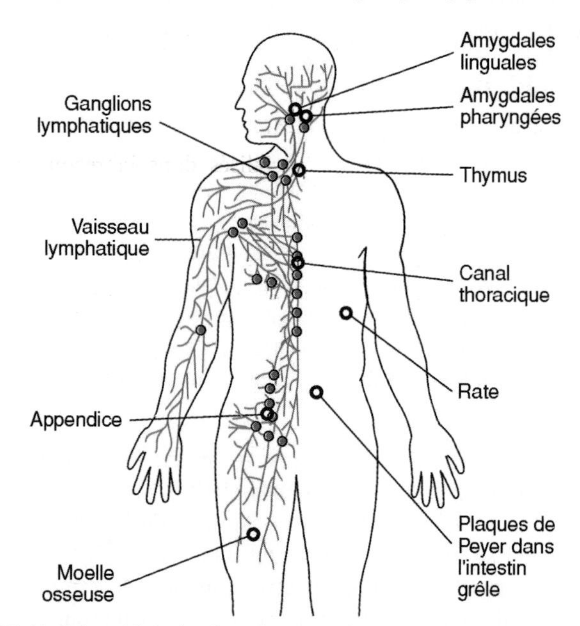

33.10 Répartition des lymphocytes dans le corps. La maturation des lymphocytes B et T a lieu dans les organes lymphoïdes primaires, la moelle osseuse et le thymus ; ils passent dans le sang pour gagner les organes lymphatiques secondaires. Ceux-ci comprennent le système de vaisseaux lymphatiques (en bleu), les amygdales linguale et pharyngée, les ganglions lymphatiques mais également du tissu lymphatique présent dans le système digestif (estomac, intestin), dans la peau et dans le système respiratoire. Le contact avec des substances étrangères stimule les lymphocytes, qui passent à nouveau dans le sang par le canal thoracique (lat. *ductus thoracicus*) et colonisent ensuite les ganglions lymphatiques. [RF]

Les lymphocytes se distinguent par l'immense diversité de leur répertoire de récepteurs membranaires, qui peuvent reconnaître et lier une diversité tout aussi grande de structures cibles, et y réagir. La liaison forte d'une molécule déclenche chez le lymphocyte affecté, une multiplication (prolifération), qui se traduit par la croissance de tout un clone de cellules filles portant les mêmes spécificités moléculaires : on parle de **sélection clonale.** Des cellules B sélectionnées se différencient encore en cellules plasmatiques, qui produisent de grandes quantités d'anticorps solubles, spécifiques de la molécule détectée. Dans le cas des cellules T, le contact avec une molécule appropriée induit la différenciation en deux types de cellules effectrices : des **cellules T cytotoxiques** (cellules T_C), également appelées « cellules tueuses », et des **cellules T auxiliaires** (cellules T_H, angl. *helper cells*). Les cellules T_C peuvent reconnaître les cellules cibles infectantes, qui présentent à leur surface des antigènes endogènes, tandis que les cellules T_H peuvent se lier aux phagocytes qui exposent à leur surface des antigènes exogènes (§ 33.7). Une relation équilibrée entre cellules T tueuses et auxiliaires constitue un préalable indispensable à un bon fonctionnement du système immunitaire.

33.6 Les cellules T organisent la défense immunitaire des cellules

Les cellules T expriment à leur surface des **récepteurs spécifiques de cellules T**, spécialisés dans la reconnaissance d'antigènes. La liaison d'un antigène à l'un de ces récepteurs déclenche l'activation de la cellule T (*fig.* 33.11). Les récepteurs de cellules T sont des hétérodimères, composés d'une chaîne α et d'une chaîne β, flanquées parfois de deux chaînes additionnelles γ et δ, qui possèdent toutes des domaines structuraux similaires : la partie extracellulaire contient des domaines Ig variable et constant, liés par une hélice transmembranaire à un court domaine cytosolique. Le site de liaison à l'antigène est formé par l'ensemble des deux domaines variables. La diversité des récepteurs de cellules T – comme celle des anticorps – résulte des **recombinaisons somatiques** d'un nombre restreint de segments de gènes. En combinant différentes chaînes α et β obtenues par ces recombinaisons, on peut obtenir jusqu'à 10^6 récepteurs de cellules T différents. Les limites imprécises de ces segments de gènes – on parle de **diversité jonctionnelle** – (comparer avec la *fig.* 23.18), permettent d'augmenter encore cette variabilité d'un facteur 10^{11}, si bien que l'ensemble du répertoire, chez l'homme, pourrait se composer de plus de 10^{17} récepteurs de cellules T.

Les deux types de lymphocytes T portent des récepteurs de cellules T à leur surface, mais ils se distinguent néanmoins par ce qu'on appelle leur **co-récepteur**, du type

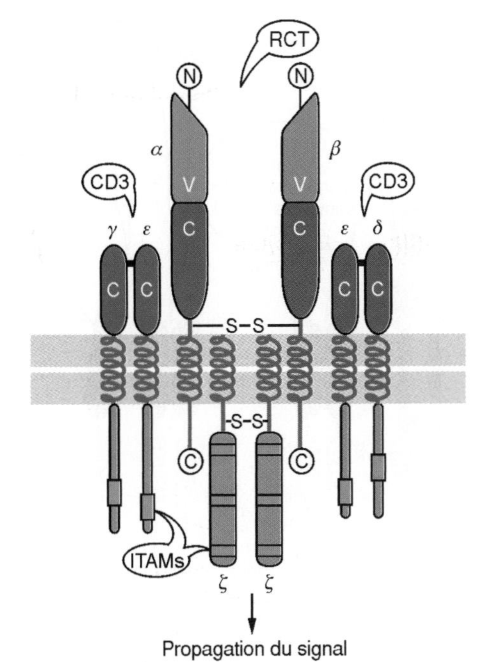

33.11 Structure d'un récepteur de cellule T (RCT) avec ses composants associés. Les deux chaînes du récepteur de cellule T comptent environ 280 acides aminés et sont reliées par un pont disulfure (*fig.* 33.23). Le récepteur est flanqué de chaînes invariantes (γ, δ, et ε) ; ils forment ensemble le complexe CD3, qui – de même que l'homodimère ζ – transmet dans la cellule un signal, après la liaison de l'antigène. Ces protéines associées au récepteur portent des séquences ITAM (angl. *immuno receptor tyrosine kinase activating module*), qui permettent d'activer la cascade de signalisation intracellulaire. La tyrosine kinase ZAP-70 est un effecteur important, qui se lie aux domaines cytosoliques de ζ (non montré). V, C : domaines variables et constants.

CD8 (pour les cellules T tueuses) ou **CD4** (pour les cellules T auxiliaires), lesquels contribuent à la reconnaissance des antigènes sur leurs cellules cibles (*fig.* 33.12). Les cellules T tueuses peuvent détruire directement des virus ou des cellules infectées par des parasites. En revanche, les cellules T auxiliaires stimulent la réponse immunitaire de cellules B qui présentent à leur surface un antigène « approprié » ; de la même façon, elles peuvent activer des macrophages qui présentent des antigènes.

33.7 Les cellules T auxiliaires stimulent les cellules B

Comment les lymphocytes T reconnaissent-ils les antigènes liés aux MHC, présentés par exemple par des macrophages, et quelles sont les réactions déclenchées par cette reconnaissance ? Grâce à leurs sondes moléculaires, en l'occurrence les récepteurs de cellules T, les différentes cellules T peuvent détecter les antigènes présentés par les

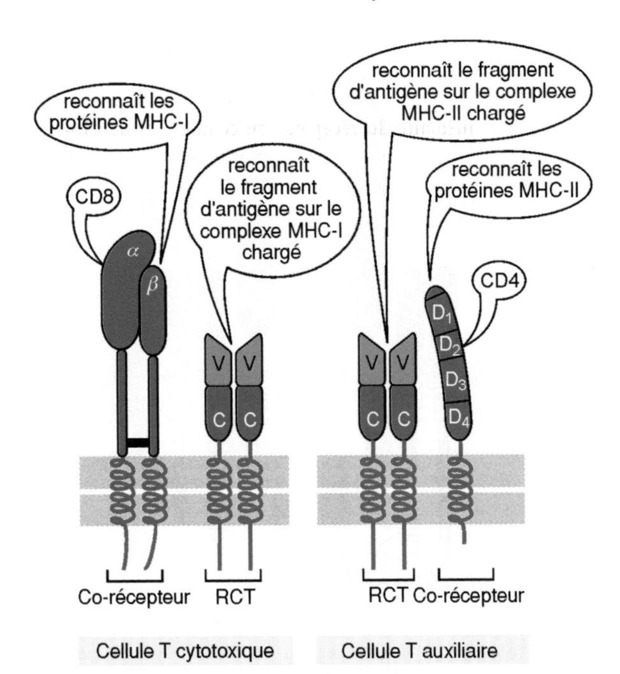

33.12 Récepteurs présents sur les cellules T. Les deux types de cellules disposent du même type de récepteur de cellule T, mais diffèrent par leurs co-récepteurs CD8 (pour les cellules T_C) ou CD4 (pour les cellules T_H). La molécule CD4 possède quatre domaines Ig similaires (D_1-D_4), et les deux sous-unités de CD8 possèdent chacune un domaine de type Ig. La tyrosine kinase Lck est un effecteur important, qui se lie au domaine cytosolique de CD4 (non montré).

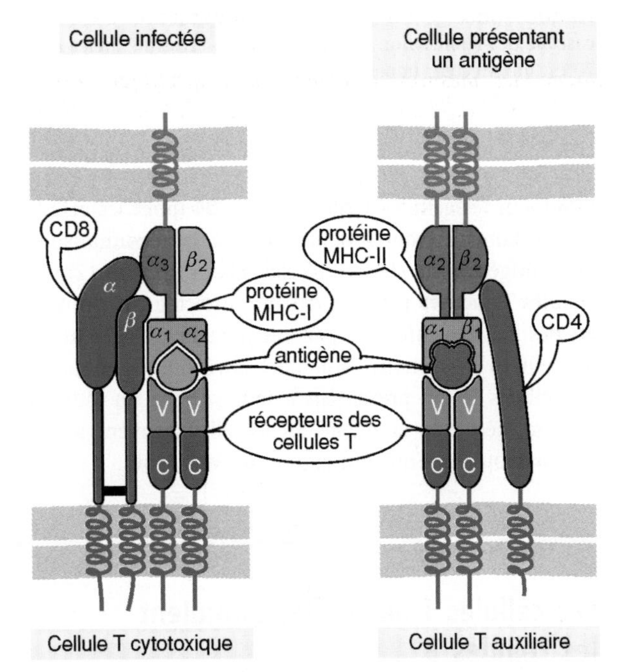

33.13 Reconnaissance d'un complexe antigène-protéine MHC par une cellule T. Les récepteurs des cellules T cytotoxiques, avec l'aide du corécepteur CD8, reconnaissent les protéines MHC-I présentant des antigènes sur des cellules infectées, qui produisent elles-mêmes l'antigène adéquat (endogène). Les récepteurs des cellules T auxiliaires, avec l'aide du corécepteur CD4, se lient aux protéines MHC-II présentant des antigènes sur des cellules, qui absorbent par endocytose des antigènes « exogènes ».

protéines MHC d'un macrophage (*fig.* 33.13). De fait, les cellules T auxiliaires sont spécialisées dans les antigènes, qui sont complexés avec les protéines MHC-II des cellules présentatrices d'antigènes, comme les macrophages, les cellules B et les cellules dendritiques, tandis que les cellules T cytotoxiques reconnaissent les antigènes couplés aux protéines MHC-I de la plupart des cellules somatiques (à l'exception des érythrocytes). *Les récepteurs de cellules T ne sondent donc pas la présence d'antigènes « libres », mais se lient sélectivement à des peptides en association avec des protéines MHC : on parle de restriction MHC.*

Quand une liaison « effective » entre une protéine MHC de classe II et un récepteur de cellule T – on parle de signal primaire – intervient, alors la cellule présentatrice d'antigène, par exemple un macrophage, est activée et sécrète l'**interleukine 1** (IL-1), une cytokine, ce qui constitue le signal secondaire. L'interleukine 1 se lie alors au récepteur à l'IL-1 de cellules T auxiliaires, induisant leur activation (*fig.* 33.14). C'est seulement quand les deux signaux ont été perçus que la cellule T auxiliaire concernée est activée, commence à synthétiser des récepteurs de surface pour l'**interleukine 2** (IL-2) et en même temps à sécréter le ligand correspondant, l'interleukine 2. Cette stimulation autocrine conduit à une **prolifération** cellulaire, et permet d'aboutir à partir de l'activation d'*une seule* cellule T auxiliaire, à l'obtention d'un **clone** entier de cellules. Dès que le taux de signal secondaire chute, la cellule T auxiliaire est inactivée. Des mécanismes similaires sont mis en jeu dans le développement de la tolérance vis-à-vis du soi ou auto-tolérance (*encart* 33.3).

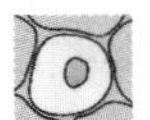

Encart 33.3 : Développement de l'auto-tolérance

Les cellules T, ayant le droit de vie et de mort sur les autres cellules, doivent posséder un don de « divination » très performant. En effet, si leurs récepteurs reconnaissent des antigènes de leur propre organisme (« auto-antigènes »), il se produit des réactions auto-immunes fatales (*encarts* 17.3 et 46.4). La sélection du répertoire adéquat des cellules T résulte de la **maturation dans le thymus** : c'est là qu'ont lieu les mécanismes de sélection positifs et négatifs. Les cellules T « aveugles », qui ne portent aucun récepteur ou qui ne reconnaissent aucune protéine MHC, sont réformées. Toutes les cellules T dont les récepteurs se lient avec une forte affinité à une protéine MHC couplée à un auto-antigène sont également éliminées – mécanisme de **sélection négative**. Seules les cellules qui ne remplissent aucun critère de rejet sont incitées à proliférer – mécanisme de **sélection positive**. Elles peuvent potentiellement reconnaître une protéine MHC liée à un peptide exogène (« étranger »). Des signaux encore inconnus permettent de former, à partir de ces cellules souches, des sous-populations de cellules T auxiliaires et cytotoxiques. La sélection stricte dans le thymus induit l'apoptose d'environ 95 % de toutes les cellules T. Des mécanismes complexes d'**anergie clonale** garantissent le maintien de l'auto-tolérance, également en dehors du thymus.

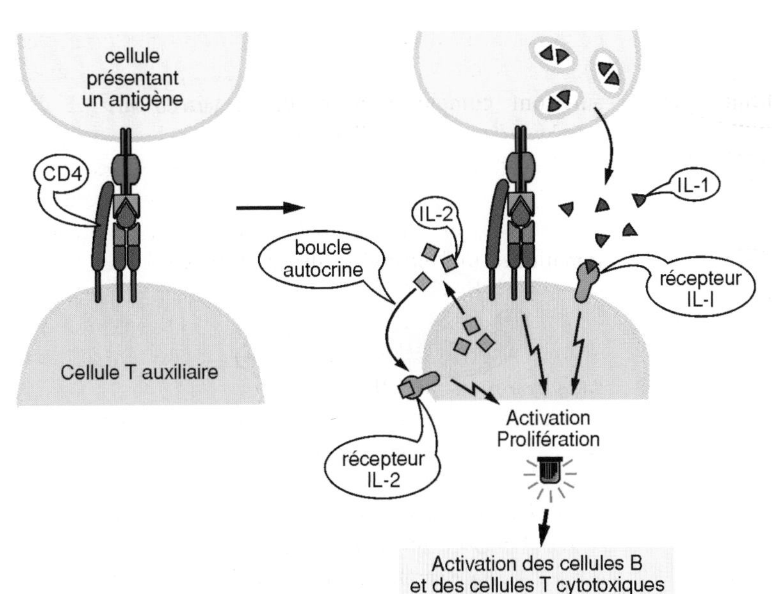

33.14 Activation d'une cellule T auxiliaire. Le signal primaire est la reconnaissance des antigènes présentés par les protéines MHC-II par l'intermédiaire du récepteur de cellule T et de CD4 ; le signal secondaire est l'interleukine 1 (IL-1). Cette stimulation initie l'auto-activation des cellules T auxiliaires *via* l'interleukine 2 (IL-2).

Comment la cellule T activée peut-elle stimuler le système humoral de défense immunitaire ? Indépendamment de l'activation des lymphocytes T, chaque protéine bactérienne importante est détectée puis liée à la surface des cellules B, grâce à un anticorps approprié. Le complexe antigène-anticorps est internalisé, remanié et des peptides bactériens isolés sont présentés *via* les protéines MHC de classe II. À ce moment, les cellules T auxiliaires activées vont pouvoir reconnaître « leur » antigène à la surface des cellules B (*fig.* 33.15). Les cellules T_H synthétisent alors les **cytokines** IL-4 et IL-5, qui stimulent la croissance et la différenciation des cellules B reconnues. Les cellules T auxiliaires délivrent à leur surface le signal secondaire indispensable, sous la forme du **ligand CD40**, qui se lie au **récepteur CD40** des cellules B. Sous l'action des cellules T auxiliaires, les cellules B se transforment en **cellules plasmatiques** (ou plasmocytes), qui résident dans la moelle osseuse et qui, au cours de leur vie éphémère de quatre à cinq jours, produisent environ un milliard de molécules d'anticorps identiques, spécifiques de la protéine étrangère présentée. Une petite fraction des cellules B activées forme les **cellules B mémoire** qui survivent jusqu'à l'exposition suivante au même antigène et permettent alors une réponse immunitaire plus rapide.

Outre les interleukines, les cellules T auxiliaires synthétisent aussi l'interféron-γ, une **cytokine**, qui active les macrophages et conduit à une phagocytose accrue des germes d'infection. De plus, les cellules auxiliaires stimulent aussi les cellules T cytotoxiques. *Ainsi, les cellules T auxiliaires jouent un rôle central : elles renforcent les mesures de défense non spécifiques prises par les macrophages du système immunitaire naturel, elles véhiculent la défense humorale par les cellules B et stimulent également la défense cellulaire par les cellules T cytotoxiques du système immunitaire adaptatif.* C'est pourquoi l'infection des cellules T par le virus de l'immunodéficience humaine conduit à des perturbations importantes des défenses de l'organisme (*encart* 33.4).

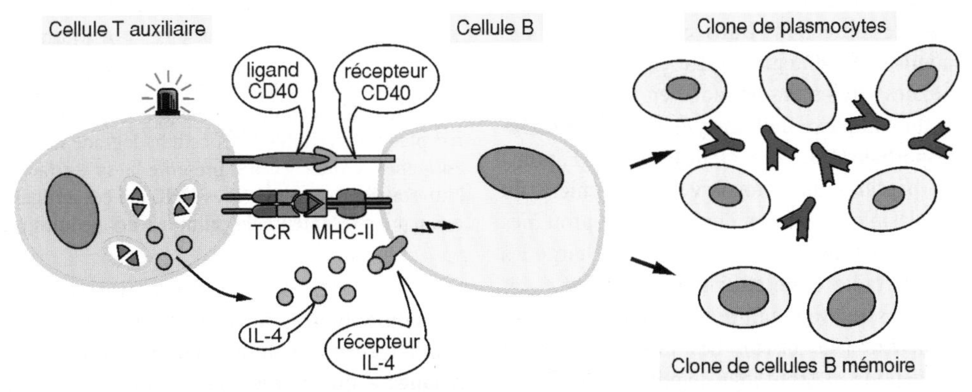

33.15 Activation d'une cellule B grâce aux cellules T auxiliaires. Les cellules T auxiliaires activées se lient à des cellules B, qui exposent à leur surface un antigène, grâce au complexe formé par la protéine MHC-II et le récepteur de cellule T. Elles stimulent ensuite les cellules B, à l'aide des récepteurs pour CD-40 et des interleukines IL-4 et IL-5, induisant la sécrétion d'anticorps et la formation de cellules mémoire. La plupart du temps, les cellules B et les cellules T_H reconnaissent différents déterminants antigéniques de la même protéine étrangère.

Encart 33.4 : VIH et immunodéficience acquise

Le **virus d'immunodéficience humaine** (VIH), la cause primaire du syndrome d'immunodéficience acquise (**SIDA**), fait partie des rétrovirus. Il utilise le co-récepteur CD4 et un récepteur des chimiokines (*encart* 29.2) pour entrer dans les cellules T auxiliaires. Une **transcriptase réverse,** spécifique du VIH, « rétrotranscrit » l'ARN en ADN, et celui-ci peut alors être intégré dans le génome de l'hôte comme provirus, puis rester sous forme latente, jusqu'à ce que les cellules auxiliaires soient activées. À ce moment-là, la transcription de l'ADN viral a lieu, et les protéines de l'enveloppe (env), de la capside nucléaire (gag) et les enzymes (pol) sont synthétisées. Il s'ensuit l'assemblage des particules infectieuses puis la mort de la cellule hôte. Le virus détruit les cellules T auxiliaires cibles et diminue ainsi les mécanismes de défense cellulaire de l'hôte : dans la phase tardive de l'infection, les défaillances du système immunitaire augmentent, ce qui facilite les **infections opportunistes**, comme la pneumonie par le *Pneumocystis carinii*. La faiblesse des défenses est aussi responsable du développement fréquent de tumeurs, comme dans le cas du **syndrome de Kaposi**. Une thérapie combinée, avec des inhibiteurs de la transcriptase réverse (3'-azido-2', 3'-didéoxy-thymidine) et des protéases virales, permet de faire chuter le titre du virus mais ne permet pas d'éliminer complètement le VIH ; des vaccins sont encore en cours de développement.

33.8

Les cellules T cytotoxiques donnent le coup de grâce aux cellules infectées

Quand une cellule du foie est infectée par le virus de l'hépatite, l'ADN viral se réplique dans la cellule et produit des ARNm qui utilisent la machinerie cellulaire pour la synthèse de protéines virales. Après sa réplication, le virus lyse la cellule hôte et s'attaque aux cellules voisines. C'est pourquoi une cellule infectée envoie très tôt des signaux d'alerte vers « l'extérieur », pour signaler la présence d'un envahisseur et permettre d'éviter une propagation incontrôlée de l'infection. Dans ce but, les cellules hôtes ont élaboré une stratégie « raffinée » : une petite partie des protéines virales est dégradée en peptides dans le cytosol, par un complexe multienzymatique, le **protéasome**. Des **transporteurs ABC** (§ 26.4), utilisant l'ATP, pompent alors ces peptides du cytosol vers la lumière du réticulum endoplasmique, où des chaînes α de protéines MHC-I nouvellement synthétisées prennent en charge les peptides viraux de taille et de structure adéquates et les combinent avec des microglobulines β2 (*fig.* 33.7) pour former un complexe (*fig.* 33.16). Les protéines MHC-I chargées d'un peptide passent par l'appareil de Golgi, parviennent à la surface cellulaire par transport vésiculaire et peuvent alors y présenter le peptide viral.

Quand une cellule T cytotoxique détecte un antigène viral à la surface d'une cellule, l'issue est dramatique :

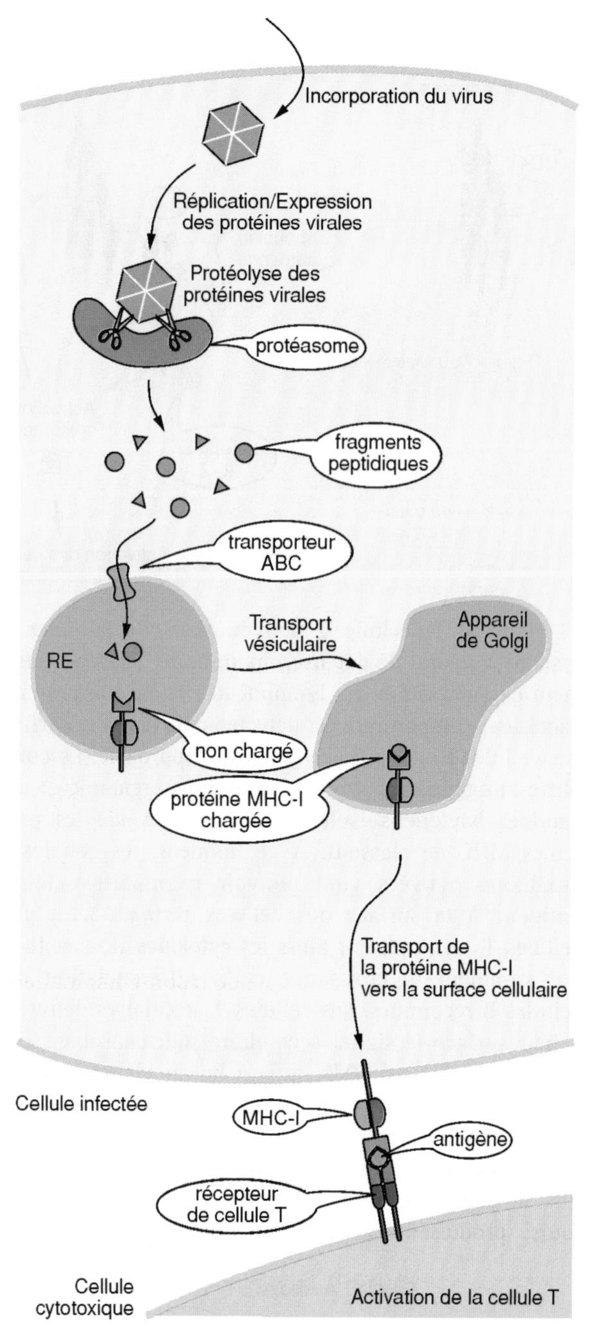

33.16 Présentation d'antigènes viraux. Tant qu'un virus prolifère dans une cellule, il échappe au « radar » formé par les récepteurs de cellules T. La cellule dégrade une petite partie des antigènes viraux et les présente à la surface cellulaire par l'intermédiaire des protéines MHC, où ces antigènes sont reconnus par les récepteurs de cellules T des cellules tueuses.

la cellule tueuse déverse au niveau de son point de contact avec la cellule cible des vésicules – les **granules lytiques** – qui contiennent des quantités importantes de **perforine** (*fig.* 33.17). La perforine appartient à la classe des protéines permettant de former des pores membranaires, que l'on avait déjà rencontrée dans le système du complément (§ 33.2). Ces perforations compromettent

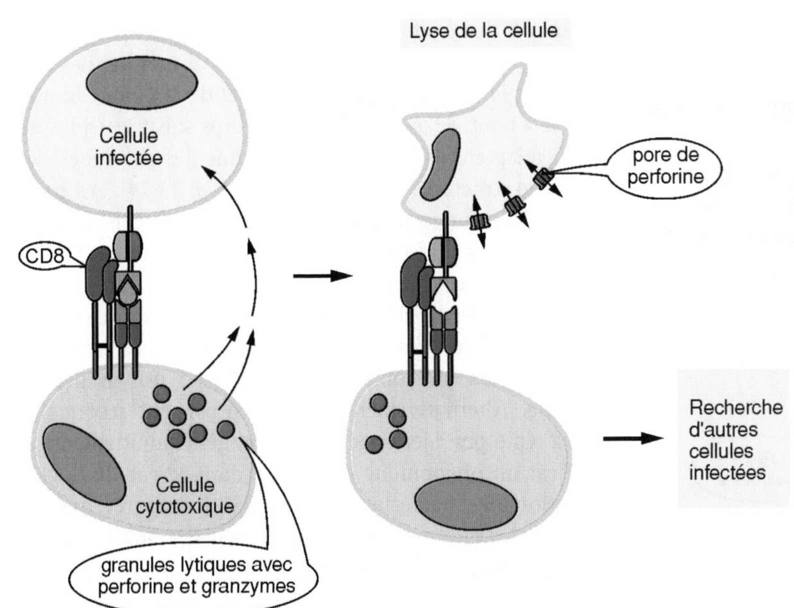

33.17 Induction de la lyse et de l'apoptose dans des cellules infectées. La reconnaissance des antigènes étrangers active le déversement des granules lytiques (dégranulation) par les cellules cytotoxiques, ce qui libère de la perforine et des granzymes au niveau des points de contacts avec les cellules infectées. Simultanément, des ligands Fas sont exposés (*fig.* 32.18) à la surface de ces cellules, ce qui déclenche l'apoptose de la cellule cible.

l'intégrité de la membrane plasmique des cellules infectées et lancent le processus de lyse cellulaire. À travers ces pores, les granules lytiques libèrent des protéases – appelées brièvement des **granzymes** – qui envahissent la cellule cible, où elles déclenchent la cascade des caspases, ce qui met en route le processus de mort cellulaire programmée : la cellule cible, qui se sacrifie au profit des cellules voisines non infectées, subit pour ainsi dire plusieurs morts.

La lutte contre les cellules infectées par les cellules T cytotoxiques fournit un exemple de réponse immunitaire cellulaire, qui permet d'anéantir sélectivement des corps étrangers. Cette réponse est également soutenue efficacement par la réponse immunitaire *via* la production d'anticorps.

33.9 Les cellules B organisent la réponse immunitaire humorale

Le corps humain réagit à l'exposition à un antigène par la production d'anticorps spécifiques contre ce composé étranger. Typiquement, les peptides et les protéines, les polysaccharides et les acides nucléiques constituent des antigènes. En revanche, les sels métalliques comme le chromate ou des composés organiques comme le dinitrophénol ne peuvent pas *per se* provoquer des réactions immunologiques : on parle d'**haptènes** (du grec *haptein*, adhérer), qui nécessitent un support, par exemple une protéine, pour permettre l'induction d'anticorps spécifiques. La région d'une protéine, responsable de la liaison à un anticorps, est appelée **déterminant antigénique** ou plus brièvement **épitope** (*fig.* 33.18). On distingue les épitopes linéaires, formés par un segment continu d'une chaîne polypeptidique, et les épitopes conformationnels, pour lesquels différents segments d'une ou de plusieurs chaînes polypeptidiques contribuent à former l'épitope. Les protéines présentent généralement plusieurs déterminants antigéniques, qui sont tous *différents*. Par contre, quand une protéine possède plusieurs domaines ou sous-unités identiques, elle possède plusieurs déterminants antigéniques identiques et on parle alors d'**antigène multivalent**.

Les anticorps sont composés de chaînes lourdes et de chaînes légères. L'être humain possède **cinq classes principales** d'anticorps : les immunoglobulines G ou IgG, et aussi les IgA, IgD, IgE et IgM (*tab.* 33.1). Une molécule typique d'IgG se compose de deux chaînes légères d'environ 220 acides aminés chacune et de deux chaînes lourdes d'environ 440 acides aminés chacune (*fig.* 33.19).

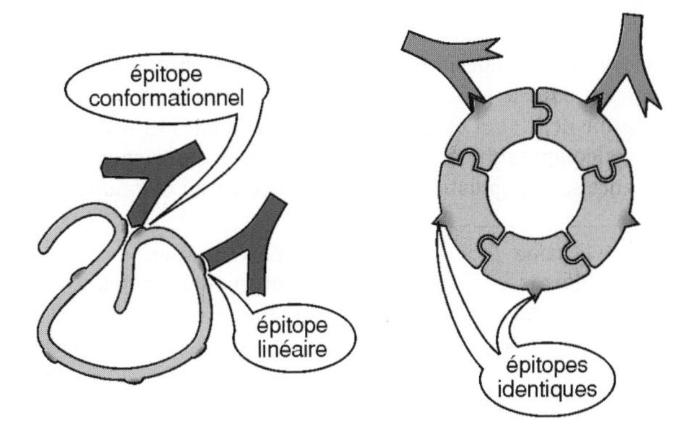

33.18 Déterminants des antigènes. Des épitopes conformationnels (discontinus) et linéaires (continus) sont présentés schématiquement ; à gauche, la protéine montrée possède au total six épitopes différents. À droite, un complexe protéique de plusieurs sous-unités identiques possède en revanche plusieurs épitopes identiques, car chaque sous-unité porte le même jeu de déterminants antigéniques.

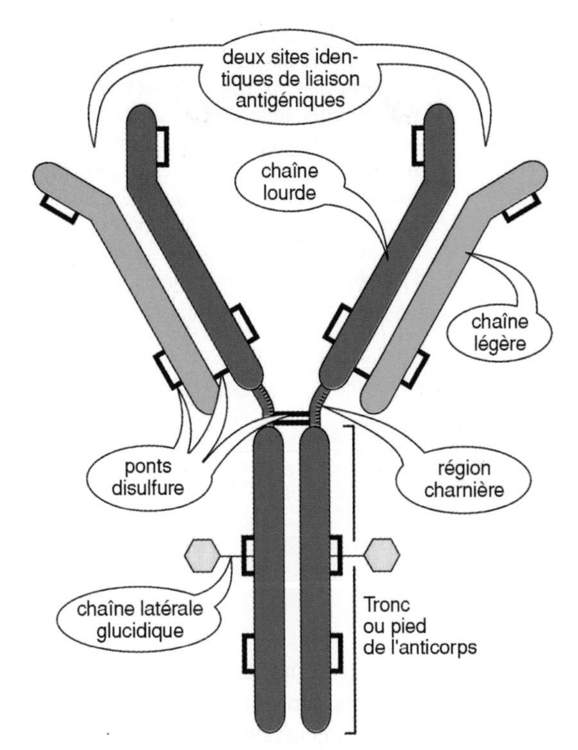

33.19 Structure de base d'un anticorps de type IgG. Chacune des trois « extrémités » mesure environ 10 nm. Les anticorps de type IgD, IgE et IgG possèdent chacun deux sites de liaison des antigènes. Chaque unité de ces anticorps possède deux paratopes. Les IgA et IgM possèdent respectivement jusqu'à deux et cinq sous-unités de base, ce qui porte à dix leur nombre de sites de liaison d'antigènes.

Chaque chaîne légère est reliée à l'une des chaînes lourdes par un pont disulfure et des ponts disulfure supplémentaires relient les deux hétérodimères pour former un tétramère. L'homme possède deux types de chaînes légères (χ, λ) et cinq types principaux de chaînes lourdes (α, δ, ε, γ, μ). Les anticorps IgA ont une **structure en forme de Y**, avec deux bras reliés au « tronc » par une région charnière flexible. À l'extrémité des deux bras, se trouvent deux **sites de liaison des antigènes** identiques, appelés également **paratopes**, qui sont formés par des segments *à la fois* de la chaîne légère *et* de la chaîne lourde. Par le « bout de ses doigts », l'anticorps saisit les épitopes, qui s'adaptent parfaitement à la forme des paratopes : on parle de structures complémentaires (*fig.* 33.24). Les paratopes d'un anticorps déterminent donc la précision de sa spécificité de liaison, tandis que le tronc détermine ses fonctions effectrices.

Une molécule d'Ig peut lier au maximum deux antigènes identiques au niveau de ses paratopes identiques et former alors un complexe ternaire, qui est en général soluble. Alternativement, un anticorps peut reconnaître deux épitopes identiques d'un antigène multivalent, ce qui est un phénomène important dans le cas de l'opsonisation des bactéries par les IgM (comparer avec la *fig.* 33.6). Deux anticorps ou plus peuvent aussi interagir avec des épitopes différents et se complexer avec des antigènes pour former une structure de haut poids moléculaire, le plus souvent insoluble ; on parle d'**immunoprécipitation** (*encart* 33.5).

La structure tripartite d'un anticorps devient évidente, quand on le digère par des protéases, comme la **papaïne** : on obtient en effet deux fragments, qui lient les antigènes ou F_{ab} (angl. *antigen binding*), ainsi qu'un fragment, facilement cristallisable ou F_c (angl. crystallisable). Ces fragments correspondent aux deux « bras » (F_{ab}) et au tronc (F_c) ; chacun de ces fragments a une masse moléculaire d'environ 50 kDa (*fig.* 33.21). Un anticorps peut se lier par son fragment F_c à des récepteurs de F_c, présents par exemple à la surface des mastocytes. Les fragments F_{ab} ne peuvent lier qu'un seul antigène à la fois : ils sont **monovalents**. La protéase de type **pepsine** peut cliver les anticorps au niveau de la région charnière, tout en laissant intacts les ponts disulfures situés entre les deux bras liant les antigènes : on obtient alors des **fragments divalents** $F_{(ab')2}$. Le tronc restant ne possède plus de pont disulfure et est dégradé en fragments plus petits par la pepsine.

Tableau 33.1 Composition, localisation et fonction des différentes classes d'immunoglobulines humaines. Les IgA (dans le mucus mais *pas* dans le plasma) et les IgM (dans leur forme sécrétée) forment des dimères ou des pentamères à partir d'unités d'anticorps en forme de Y ; ces unités sont alors reliées par des segments J supplémentaires. En outre, les IgA possèdent aussi une chaîne protéique (composants sécrétés), qui les protège contre une dégradation rapide dans la lumière intestinale. Quelques anticorps possèdent des sous-populations : il existe ainsi chez l'être humain quatre sous-types d'IgG, IgG_{1-4} et deux sous-types d'IgA, IgA_{1-2}.

Type	Chaîne lourde	Chaîne légère	Concentration plasmatique mg/ml	Localisation	Fonction effectrice
IgA	α	χ ou λ	3,5	Sécrétions comme la salive, la sueur, le lait maternel	Protection de l'épithélium ; protection du tractus digestif estomac-intestin
IgD	δ	χ ou λ	0,03	Plasma	Nécessaire pour la différenciation des cellules mémoire et plasmatiques
IgE	ε	χ ou λ	0,00005	Mastocytes ; derme	Protection contre les parasites
IgG	γ	χ ou λ	13,5	Plasma, sang foetal	Activation du complément ; liaison aux macrophages et aux granulocytes ; protection du fœtus
IgM	μ	χ ou λ	1,5	Plasma	Activation du complément

Encart 33.5 : Immunoprécipitation

La plupart des protéines possèdent deux épitopes différents ou plus. Par ailleurs, les anticorps peuvent lier chacun deux molécules d'antigènes grâce à leurs paratopes ; les anticorps contre différents épitopes peuvent donc former de vastes **réseaux**, qui ne sont plus solubles en milieu aqueux et précipitent : c'est l'**immunoprécipitation directe**. En recherche expérimentale, on utilise la plupart du temps l'**immunoprécipitation indirecte** (*fig.* 33.20) *via* une protéine qui lie les anticorps, la **protéine A** de *Staphylococcus aureus*. Dans ce cas, la protéine A est d'abord fixée sur de petites billes de gel, l'ensemble est ensuite chargé d'une IgG spécifique puis incubé avec un mélange d'antigènes. Les anticorps spécifiques lient alors « leur » antigène et on peut séparer par centrifugation les billes chargées d'antigènes des protéines libres. En conditions dénaturantes (chaleur, SDS), le complexe immun précipite et on peut séparer la protéine d'intérêt par électrophorèse SDS et par western blotting (§ 6.8). Cette méthode est utilisée pour mettre facilement en évidence les modifications post-traductionnelles d'une protéine.

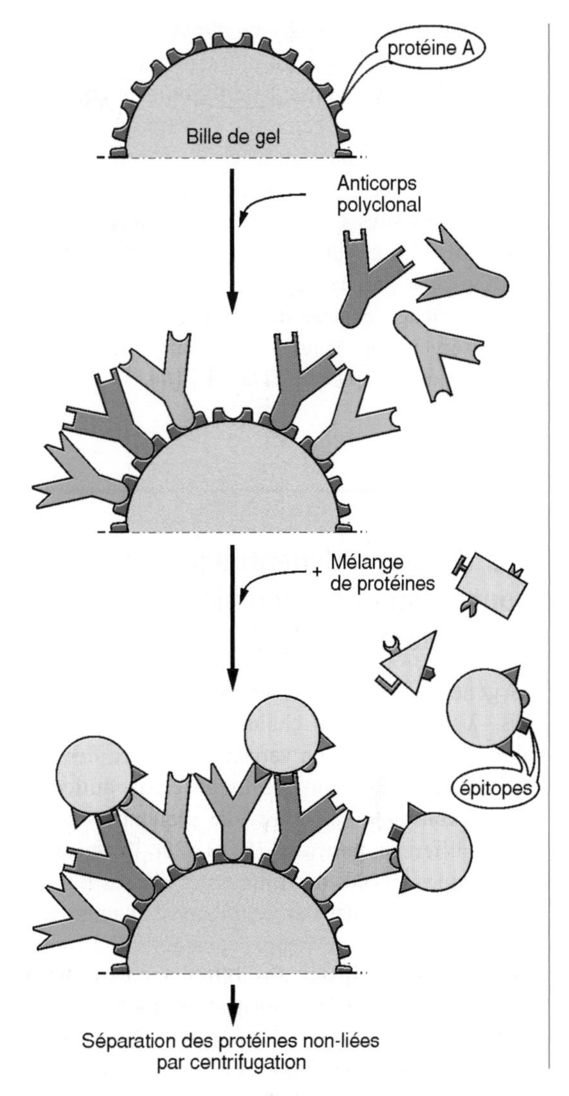

33.20 Principe de l'immunoprécipitation indirecte. La protéine A est immobilisée à la surface de petites billes de gel ; les IgG peuvent se lier à la protéine A par leur « tronc » et elles peuvent complexer les protéines choisies par leurs « bras ».

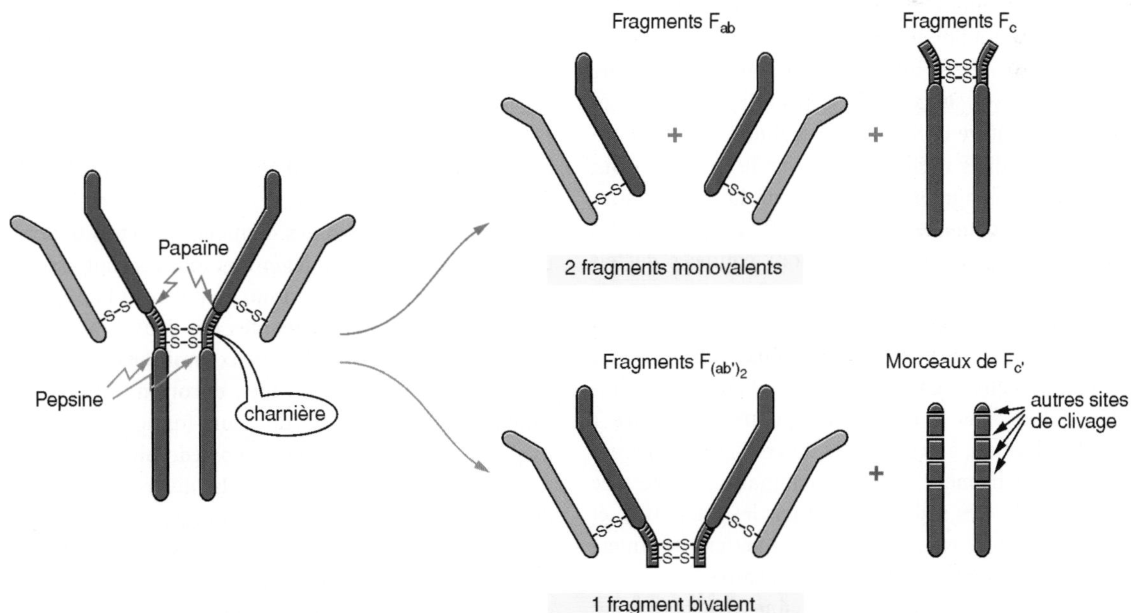

33.21 Fragmentation d'une immunoglobuline G. La protéolyse limitée par la papaïne fournit deux fragments identiques F_{ab} et un fragment F_c. Le clivage par la pepsine permet d'obtenir un dimère $F_{(ab')2}$, tandis que le fragment F_c est dégradé en plus petits morceaux.

La **molécule pentamérique d'IgM**, avec ses dix sites de liaison aux antigènes, est particulièrement apte à lier les antigènes multivalents (comportant plusieurs épitopes identiques), comme ceux que l'on trouve fréquemment à la surface des bactéries, et à s'accrocher telle une « pieuvre » à cette surface. Ses fragments Fc fournissent ensuite des sites d'accrochage pour le facteur du complément C1q, ce qui conduit finalement à la lyse de la cellule cible (*fig.* 33.2). De la même façon, les molécules d'IgG proches les unes des autres à la surface d'un parasite, servent de plate-forme pour l'activation par le système du complément *via* C1q (*fig.* 33.6).

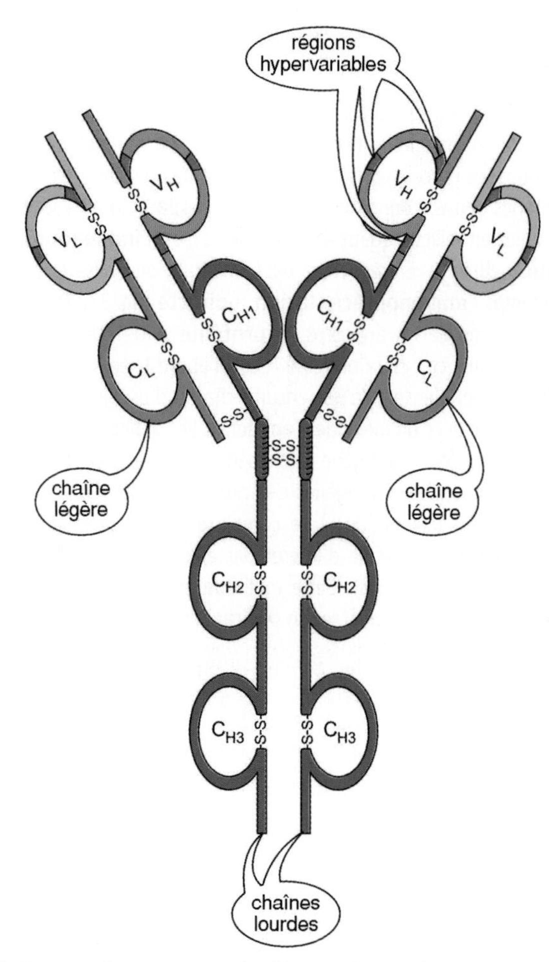

33.22 Domaines structuraux d'un anticorps de type IgG. Les régions variables (V_L et V_H) constituent les sites de liaison aux antigènes, tandis que les régions constantes (C_L et C_H) transmettent la fonction biologique de l'anticorps. Les régions variables des chaînes légères et lourdes possèdent chacune trois segments avec une variabilité de séquence particulièrement forte (en rouge). [RF]

33.10 Les chaînes polypeptidiques des anticorps sont formées de domaines variables et constants

Le génome humain code pour deux types de chaînes légères, λ et χ, et ces chaînes possèdent chacune deux domaines : une **région variable** (V_L) avec des différences de séquence importantes entre différents anticorps, et une **région constante** (C_L) avec une séquence très conservée entre différents anticorps (*fig.* 33.22). De façon similaire, les chaînes lourdes des différentes classes d'Ig possèdent globalement la même structure, avec chacune une région variable (V_H) et une région constante (C_H) ; toutefois, le nombre de domaines constants par chaîne lourde varie entre trois (IgA, IgD et IgG) et quatre (IgE et IgM). Par ailleurs, les anticorps sont toujours glycosylés : les IgG portent typiquement une chaîne latérale glucidique au niveau de leur domaine C_{H2}. La glycosylation contribue à une meilleure solubilité de ces grosses protéines.

Chaque domaine des anticorps présente une structure caractéristique avec deux feuillets β antiparallèles reliés par un pont disulfure et formant un cylindre : cette organisation des feuillets a été décrite pour la première fois, dans le cas des immunoglobulines, et on la désigne sous l'appellation de **domaine Ig** (*fig.* 33.23). La plupart des protéines du système immunitaire sont équipées de tels domaines Ig. On retrouve jusqu'à un millier de copies de domaines Ig dans le génome humain et c'est pratiquement l'un des modules protéiques les plus utilisés ; on l'a déjà rencontré dans le cas des protéines d'adhésion cellulaire (§ 31.9) et dans le cas des récepteurs de cellules T (§ 33.7). L'utilisation, à des fins très diverses, des domaines Ig repose probablement sur la combinaison entre une structure de base très stable, formée par les feuillets β, et des boucles flexibles en surface, qui permettent des interactions avec différentes molécules partenaires.

Les domaines Ig variables des chaînes légères et des chaînes lourdes possèdent trois segments avec un plus fort degré de variabilité de séquence : on parle de **régions hypervariables** (*fig.* 33.24). Les segments hypervariables forment les boucles, dont certaines relient entre elles les structures à feuillets β des domaines Ig. Trois boucles des chaînes respectivement légères et lourdes sont assemblées pour former un site discontinu de liaison à l'antigène. Ces paratopes situés aux extrémités des deux bras d'un anticorps peuvent former des creux profonds ou seulement de faibles dépressions, ou bien encore des proéminences saillantes. La diversité de leur forme est quasiment inépuisable : un être humain possède plus de 10^{10} molécules d'anticorps différentes ; la diversité innombrable des paratopes reflète celle des antigènes et de leurs épitopes. C'est l'une des raisons pour lesquelles l'**affinité** des anticorps vis-à-vis de leurs antigènes varie dans de grandes proportions (encart 33.6).

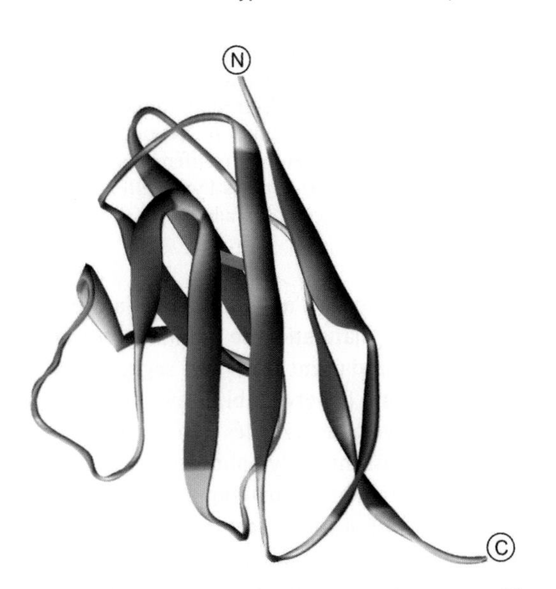

33.23 Structure d'un domaine immunoglobuline. Le modèle en ruban montre une région VL. Deux feuillets β antiparallèles composés de trois (en lilas) et quatre (en vert) segments forment une structure en cylindre. Le pont disulfure interne est indiqué en rouge. Les trois boucles hypervariables (en jaune) au « sommet » du domaine Ig forment le paratope de liaison des antigènes. Les extrémités N- et C-terminales sont indiquées. [RF]

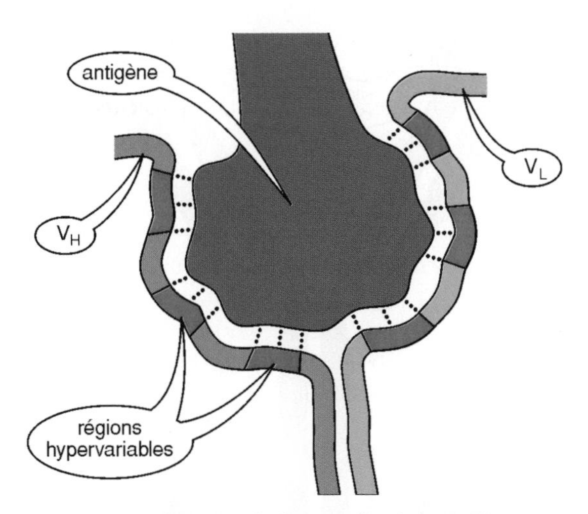

33.24 Structure d'un site de liaison d'antigènes. Un paratope est formé à partir de trois segments hypervariables de chaînes légères et lourdes. Ces segments forment ensemble une surface, qui définit la spécificité antigénique d'un paratope.

Encart 33.6 : Affinité et avidité

La liaison réversible d'un antigène au paratope d'un anticorps suit la relation suivante :

$$Ag + Ak \rightleftharpoons Ag{\cdot}Ak$$

La constante d'équilibre K_{ass} de cette réaction est :

$$K_{ass} = \frac{[Ag \cdot Ak]}{[Ag] \cdot [Ak]}$$

où [Ag] et [Ak] sont les concentrations respectivement en antigène et en anticorps libres et [Ag.Ak] la concentration en complexe immun. Cette constante d'équilibre (également appelée constante d'association) est une mesure de l'**affinité**, c'est-à-dire de la force de liaison entre un antigène monovalent et un site de liaison unique d'un anticorps : plus le K_{ass} est grand, plus la concentration en antigène libre est petite, et donc plus l'affinité est grande. Pour un complexe antigène-anticorps typique, le K_{ass} se situe entre 10^{-12} et 10^{-5} mol/L. Cette affinité peut être encore considérablement accrue, quand l'anticorps reconnaît deux déterminants (identiques) sur un antigène. La force de liaison d'un anticorps pour un antigène multivalent est appelée **avidité**. Ainsi, une IgM, avec ses dix sites de liaison antigéniques qui ne possèdent chacun qu'une faible affinité, se lie avec une forte avidité aux antigènes multivalents présents à la surface des bactéries, ce qui permet de former une plate-forme pour préparer l'attaque par le système du complément.

33.11 Des hypermutations somatiques conduisent à la maturation de l'affinité des anticorps de cellules B

Les cellules B, qui portent des anticorps à leur surface (*fig.* 33.25), sont issues de la maturation de cellules précurseurs présentes dans la moelle osseuse. L'épissage alternatif du gène des Ig permet la formation de chaînes lourdes, dont l'extrémité carboxy-terminale présente un segment hydrophobe en hélice α traversant la membrane plasmique de cellules B : on obtient alors un **anticorps ancré dans la membrane**, exposé à la surface des cellules (*encart* 17.2). Dans ce cas, l'anticorps joue le rôle d'un récepteur, qui signale la liaison d'un antigène et peut ainsi activer la cellule qui le porte. L'hétérodimère constitué par les sous-unités Ig-α et -β joue le rôle d'un corécepteur ; sur la face cytosolique, le dimère Igαβ est associé à une tyrosine kinase similaire à Src, comme Lyn (§ 30.2). La liaison d'un antigène conduit à l'agrégation de récepteurs et à la phosphorylation des séquences ITAM (*fig.* 33.11) des deux chaînes d'Ig-α et Ig-β, qui recrutent et phosphorylent alors la kinase cytosolique Syk ; la **cascade** mitogène **des MAP kinases** est ensuite touchée par le biais de la protéine adaptatrice BLNK (angl. *B cell linker protein*) et de Grb2-Sos (*fig.* 30.9). Ce premier signal prépare la cellule B à l'état prolifératif. Dans le même temps, le complexe antigène-anticorps est internalisé et fragmenté, puis les antigènes étrangers sont présentés à la surface de la cellule B par les protéines MHC-II. Une cellule T reconnaît l'un de ces antigènes grâce à son récepteur et délivre alors un deuxième signal sous forme de cytokines, lequel « libère » définitivement la cellule B et permet sa prolifération.

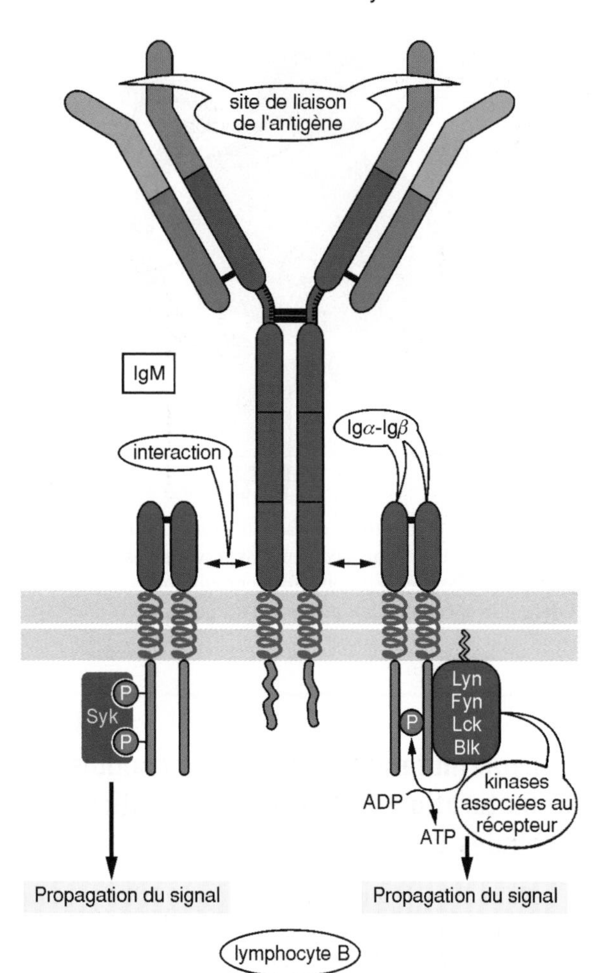

33.25 Anticorps à fonction de récepteur. Un anticorps lié à la membrane de type IgM (forme monomérique) est représenté à la surface d'une cellule B. La liaison d'un antigène déclenche la voie des MAP-kinases (§ 30.4), qui ouvre ensuite la voie à la prolifération des cellules B et à leur différenciation en cellules plasmatiques. Outre Lyn, les kinases Fyn et Blk, similaires aux kinases Src, participent à cette cascade.

Après l'exposition à l'antigène, la cellule B subit un processus appelé **maturation de l'affinité**. Des **mutations ponctuelles** se produisent dans les segments de gènes codant les régions hypervariables, avec une probabilité 10^6 fois plus élevée que dans les autres régions géniques (*fig.* 33.26). S'agissant de lymphocytes déjà différenciés, on parle d'**hypermutation somatique** (§ 23.6). *Les clones, qui possèdent une affinité particulièrement élevée pour leur antigène, sont stimulés et sélectionnés en priorité lors de l'exposition suivante à cet antigène ; plusieurs cycles d'hypermutation et de sélection permettent de produire des anticorps de haute affinité.* De fait, un antigène ne stimule pas la prolifération d'un seul clone mais de nombreux clones, pourvu qu'ils possèdent une affinité suffisante pour cet antigène : il s'agit d'une réponse immunitaire polyclonale. En revanche, dans le cas de dégénérescence maligne de cellules B, on obtient des clones qui dérivent d'*une seule* cellule originelle. Ils produisent alors un seul type d'anticorps en grande quantité. La production ciblée d'un tel **anticorps monoclonal** permet d'obtenir des anticorps spécifiques en quantité illimitée (*encart* 33.7).

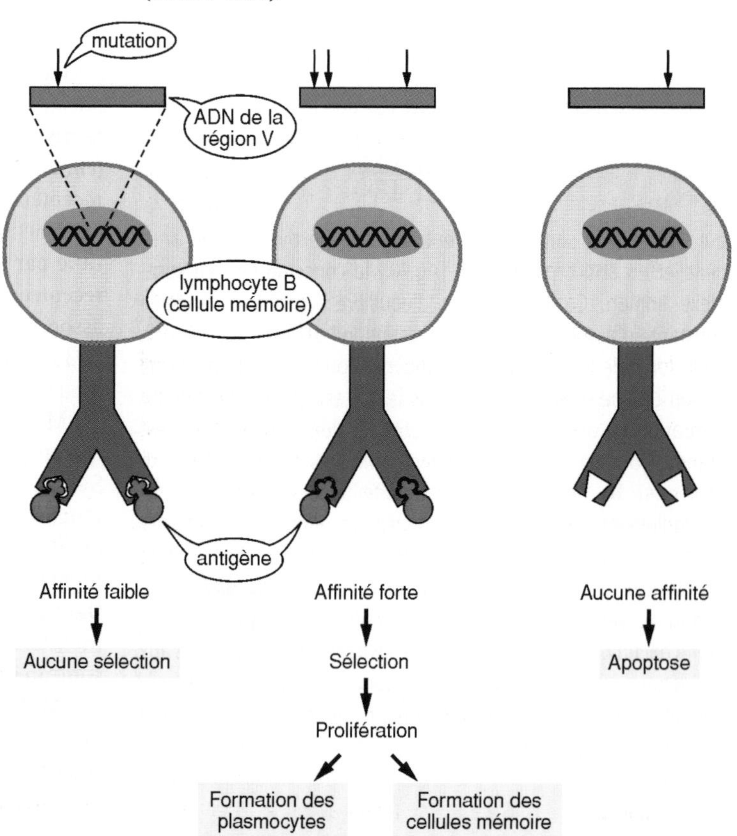

33.26 Hypermutations somatiques. Après la stimulation par un antigène, les cellules B des ganglions lymphatiques peuvent modifier la structure de leurs paratopes grâce à des hypermutations somatiques. Il en découle la formation d'anticorps présentant une affinité accrue pour l'antigène concerné ; après stimulation, les cellules B correspondantes prolifèrent particulièrement vite. Simultanément, des cellules mémoire sont formées dans les organes lymphatiques.

Notre examen du système immunitaire humain touche à sa fin. Ses composants moléculaires et cellulaires protègent l'organisme contre les infections. L'immunité innée constitue la première ligne de défense ; elle n'est cependant pas spécifique d'un agent pathogène et n'offre donc pas de protection contre des infections renouvelées. La deuxième ligne de défense repose sur l'immunité adaptative et met en œuvre la sélection clonale d'une série de lymphocytes, qui permet de reconnaître pratiquement n'importe quel antigène. *Les lymphocytes spécifiques d'antigènes particuliers se différencient alors selon deux voies : d'une part des cellules effectrices attaquent et détruisent l'agent pathogène et d'autre part des cellules mémoire stockent les informations acquises, ce qui permet une réponse immunitaire rapide et efficace dans le cas d'une ré-infection.* Les vertébrés comme la souris, le lapin, le mouton, l'âne et le cheval possèdent un système immunitaire d'une force similaire à celui de l'être humain et sont de ce fait souvent utilisés pour des immunisations expérimentales contre des antigènes choisis. Au contraire, le système immunitaire des invertébrés est relativement primitif. Fréquemment, ces espèces recourent seulement à l'utilisation de cellules phagocytaires.

L'examen détaillé du système immunitaire et de ses mécanismes spécifiques de transduction du signal termine la quatrième partie de ce livre. Dans la prochaine et dernière partie, on examinera l'ensemble des processus métaboliques, qui permettent la survie et le fonctionnement des cellules et des organismes.

Encart 33.7 : Les anticorps monoclonaux

Une souris est immunisée par un antigène choisi puis on prélève sa rate ; les lymphocytes, qui produisent des anticorps contre tous les antigènes possibles, sont extraits (*fig.* 33.27). Les lymphocytes différenciés sont fusionnés avec des **cellules de myélome** en croissance permanente (dites immortalisées), qui ne produisent elles-mêmes *aucun* anticorps. Le mélange de cellules est alors cultivé dans du **milieu HAT**, contenant un inhibiteur des synthèses nucléotidiques, l'aminoptérine, ainsi que des dérivés nucléotidiques l'hypoxanthine et la thymidine. Les cellules de myélome non fusionnées meurent en présence de l'inhibiteur car leur synthèse de nucléotides, et par conséquent leur réplication, est totalement bloquée. En présence d'aminoptérine, les **lymphocytes** non fusionnés peuvent utiliser la thymidine et l'hypoxanthine du milieu, grâce à une « voie de secours » – que les cellules de myélome ne possèdent pas – ; mais ces cellules ne sont pas immortalisées et meurent donc assez rapidement en culture. Seules les cellules fusionnées à partir des lymphocytes et des cellules de myélome, appelées **cellules d'hybridome**, survivent car elles possèdent *à la fois* la voie de secours *et* l'immortalité. Les cellules d'hybridome sont ensuite sélectionnées par **isolement**. Chaque cellule ne produit qu'un seul type d'anticorps contre l'antigène choisi, que son lymphocyte avait produit avant sa fusion avec la cellule de myélome : cet anticorps peut alors être produit en quantité illimitée par culture celllulaire.

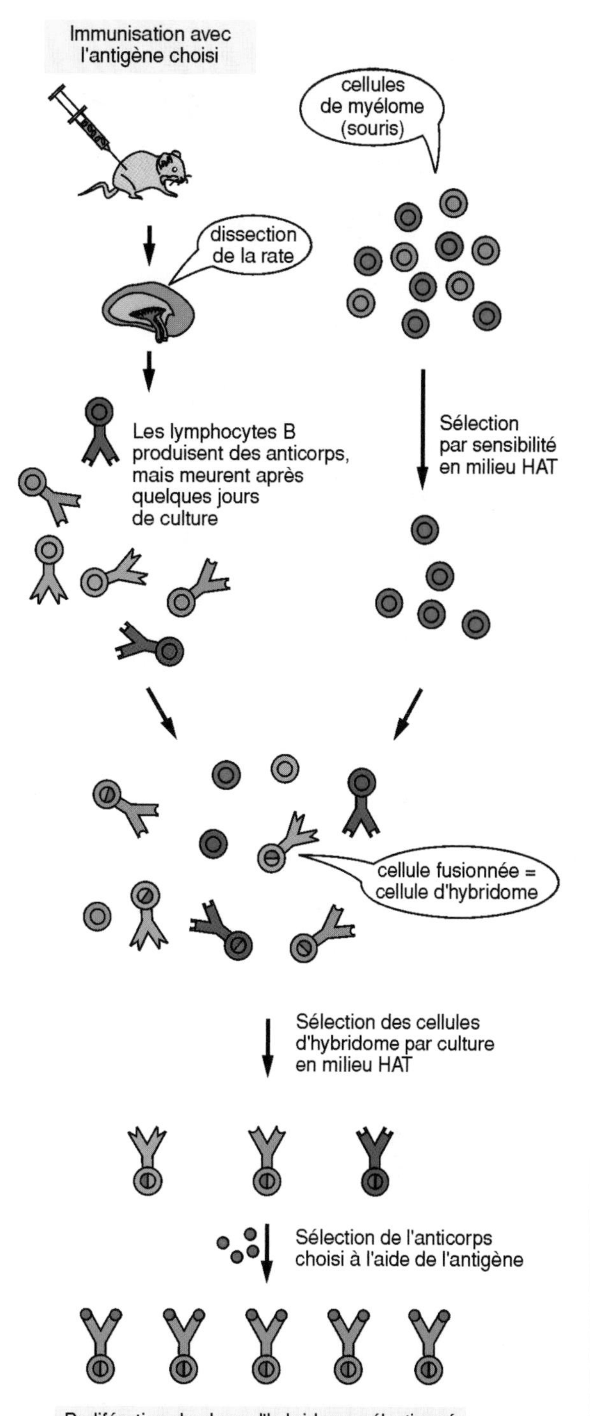

33.27 Stratégie de production d'un anticorps monoclonal. Les cellules de myélome utilisées sont déficientes en hypoxanthine-guanine phosphoribosyl transférase (HGPT), une enzyme qui permet la synthèse de nucléotides en présence d'aminoptérine *via* une « voie de secours » (§ 45.8). Après la fusion avec un lymphocyte B, les cellules d'hybridome formées survivent en milieu HAT, grâce à la complémentation en HGPT provenant des cellules B.

Partie V Transformation d'énergie et biosynthèse

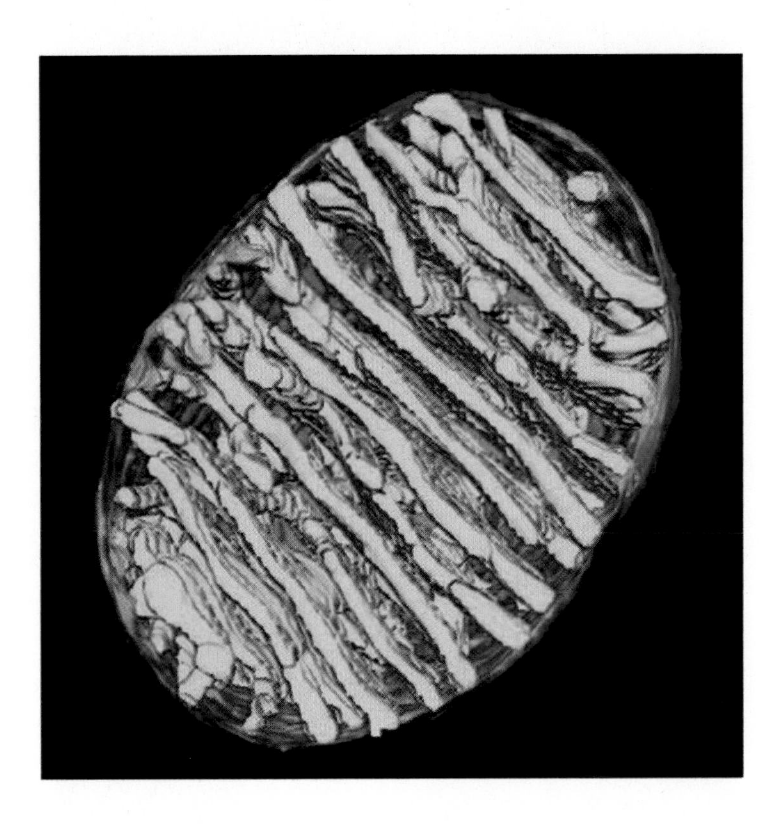

Même au repos, un organisme multicellulaire n'est pas dans un état stable. Il a continuellement besoin d'une alimentation en énergie chimique pour maintenir ses structures internes complexes et assurer ainsi sa survie. La source d'énergie la plus importante est la photosynthèse, employée par les organismes phototrophes (forme de l'autotrophie) comme les plantes, pour transformer l'énergie radiante du soleil en énergie chimique, ce qui la rend accessible aux organismes chimiotrophes (forme de l'hétérotrophie) comme les mammifères. Les éléments végétaux absorbés par un organisme animal dans sa nourriture sont transformés et dégradés par un réseau complexe de réactions catalysées enzymatiquement. L'ensemble des transformations chimiques dans un organisme est décrit sous le nom de **métabolisme**. Un grand nombre de substances nutritives est transformé, grâce au métabolisme, en un nombre limité d'éléments de base. Inversement, un organisme comme le corps humain génère une énorme diversité de molécules endogènes à partir d'un nombre restreint de composés de départ. La variété de ces composés est reflétée par la complexité du métabolisme : même des organismes unicellulaires comme les bactéries exécutent plus de mille réactions chimiques différentes. Pourtant, le métabolisme repose sur un petit nombre de principes de base, de réactions principales et de composés clés, que l'on va voir dans le chapitre d'introduction. Dans les chapitres suivants, on détaillera quelques voies métaboliques choisies. On analysera leur régulation et leur intégration ainsi que les conséquences de perturbations ponctuelles du réseau métabolique.

La structure tridimensionnelle d'une mitochondrie du cervelet de poulet est représentée ici en reconstruction par tomographie électronique. Les crêtes membranaires avec leurs replis multiples (*cristae*) sont montrées en jaune, la membrane externe en bleu foncé et la partie de la membrane interne qui fait directement face à la membrane externe en bleu clair. Avec la permission amicale de T.G. Frey (San Diego State University) et G.A. Perkins (University of California San Diego).

Les principes de base du métabolisme

34

Le métabolisme d'un organisme comprend des **processus anaboliques**, qui servent à la synthèse de molécules de stockage et de matériaux de construction cellulaire, et des **processus cataboliques**, qui servent avant tout à générer de l'énergie, par dégradation de molécules issues de la nourriture ou du stockage (*fig.* 34.1). Entre ces deux orientations principales, on trouve, sous le nom de **métabolisme intermédiaire,** de nombreuses combinaisons, qui permettent une utilisation extrêmement efficace et flexible des ressources chimiques d'un organisme. Des séquences de réactions relient des composés de départ et des produits finaux par le biais d'intermédiaires successifs et sont appelées des **voies de métabolisme**.

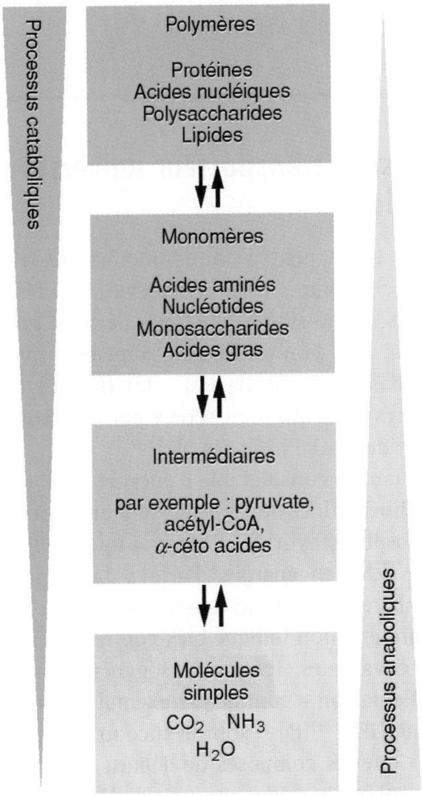

34.1 Les deux orientations des processus métaboliques. Des membres représentatifs des quatre niveaux de complexité moléculaire sont indiqués (polymères, monomères, intermédiaires métaboliques, molécules simples). Les lipides forment des agrégats similaires aux polymères.

34.1 Les réactions biochimiques obéissent aux lois de la thermodynamique

Les cellules sont les unités fonctionnelles les plus petites d'un organisme et obéissent, ainsi que des machines, aux lois fondamentales de la physique et de la chimie (§ 3.7 et suivants). Elles ont besoin d'énergie pour maintenir leurs structures complexes et exercer leurs fonctions spécifiques. Si l'on interrompt l'approvisionnement externe d'une cellule en énergie, elle perd rapidement son organisation interne et elle se désintègre. Ce phénomène est bien décrit par la deuxième loi de la thermodynamique, selon laquelle le degré de « désordre » – l'**entropie** (§ 3.8) – d'un système isolé doit croître lors de chaque nouvel événement. On peut considérer qu'une cellule et son environnement immédiat forment un système clos. La cellule peut s'organiser, parce qu'elle tire des substances nutritives de son environnement et synthétise à partir de celles-ci des molécules, qui créent ou permettent de maintenir un ordre cellulaire. En compensation, la cellule doit redonner à son environnement des molécules « simples » et de l'énergie calorique obtenues lors de ces synthèses, ce qui conduit à une augmentation de l'entropie extracellulaire. De fait, l'accroissement d'ordre intracellulaire est plus que compensé par l'élévation d'entropie extracellulaire et l'entropie globale du système augmente (*fig.* 34.2).

Mais d'où provient l'énergie indispensable au maintien de l'intégrité cellulaire ? Dans les substances nutritives, les composés organiques et l'hydrogène ne sont pas présents sous leur forme la plus stable d'un point de vue énergétique. Les cellules aérobies prélèvent ces substances nutritives dans l'environnement et les transforment, grâce à une consommation d'oxygène, en formes possédant un potentiel énergétique plus bas, c'est-à-dire en dioxyde de carbone et en eau. L'énergie libérée lors de ces réactions peut être stockée sous forme de liaisons chimiques ou bien transmise sous forme de chaleur. Typiquement, **l'oxydation de substances nutritives** ne se fait pas en une seule étape, mais plutôt grâce à une **chaîne de réactions simples** qui génèrent des intermédiaires riches en énergie. Ce stockage intermédiaire permet une utilisation ultérieure et à des endroits différents, de l'énergie provenant

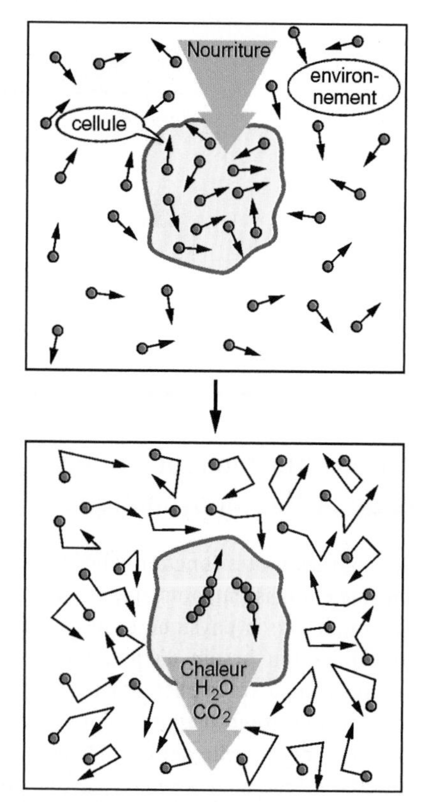

34.2 Thermodynamique d'une cellule vivante. La cellule et son environnement forment ensemble un système clos. L'augmentation de l'ordre intracellulaire par l'intermédiaire de réactions métaboliques, comme la synthèse *de novo* de protéines cellulaires, est plus que compensée par la perte de l'ordre extracellulaire, suite à l'émission de chaleur et de petites molécules. L'entropie totale du système augmente en raison de l'augmentation des mouvements moléculaires extracellulaires.

des substances nutritives. Le « transporteur d'énergie » biochimique le plus important et le plus universellement utilisable est **l'adénosine triphosphate**, brièvement l'**ATP**. Par exemple, le métabolisme complet d'une molécule de glucose permet de produire jusqu'à 30 molécules d'ATP (§ 37.1). La quantité totale d'ATP mobilisée par un homme au repos atteint environ 70 kg par jour. Cette quantité impressionnante prouve à quel point un organisme dépend de son approvisionnement en énergie pour conserver sa structure fortement ordonnée.

En principe, une réaction biochimique ne peut se dérouler que de façon spontanée, quand la modification en énergie libre est négative, c'est-à-dire quand de l'énergie est libérée et que la réaction est **exergonique**. Pour la formation des produits C et D à partir des substrats A et B, cela signifie que :

$$\Delta G = \Delta G°' + RT \cdot \ln [C] \cdot [D]/[A] \cdot [B]$$

où ΔG dépend de la nature des réactifs (ce qui est résumé dans $\Delta G°'$) et de leurs concentrations (§ 3.9). En **conditions standards**, à pH 7 environ, on peut écrire que $\Delta G = \Delta G°'$. Pour une série de réactions liées entre elles, la variation totale en énergie libre est égale à la somme des variations en énergie libre des différentes réactions. Par exemple, si l'on considère la série de réactions :

$A \rightarrow B + C$	$\Delta G°' = + 22{,}2$ kJ/mol
$B \rightarrow D$	$\Delta G°' = - 30{,}5$ kJ/mol
$A \rightarrow C + D$	$\Delta G°' = - 8{,}3$ kJ/mol

En conditions normales, A ne peut pas être transformé spontanément en B et C parce que $\Delta G°'$ est positif et que la réaction est donc **endergonique**. Par contre, la transformation de B en D est exergonique et de ce fait possible d'un point de vue thermodynamique. Si on couple les deux réactions chimiques l'une avec l'autre, alors A peut spontanément réagir pour donner C et D car la **variation totale d'énergie libre** est **négative**. *Une réaction endergonique ($G°' > 0$), défavorable d'un point de vue thermodynamique, peut donc être actionnée par couplage avec une réaction exergonique ($\Delta G°' < 0$), qui est favorable d'un point de vue thermodynamique.* Typiquement, B représente un composé riche en énergie comme l'ATP, dont le métabolisme libère de l'énergie. Alternativement, l'énergie libre peut aussi être stockée dans des conformations « actives » de protéines ou dans des gradients ioniques, qui actionnent par la suite des étapes réactionnelles thermodynamiquement défavorables. Ces considérations fondamentales expliquent pourquoi le métabolisme humain doit produire et consommer des quantités considérables d'ATP.

34.2

L'ATP est le transporteur universel d'énergie

Comment l'ATP peut-il faire fonction de transporteur d'énergie chimique ? L'ATP est formé d'un résidu d'adénine, d'une unité ribose ainsi que de trois groupements phosphate, dont l'un est lié au groupement hydroxyle de l'unité ribose par une liaison ester (P-O-C) et dont les deux autres sont mis « en série » par des liaisons anhydride d'acide (P-O-P) (*fig.* 34.3).

Une quantité considérable d'énergie ($\Delta G°' = - 35{,}2$ kJ/mol) est libérée lors de l'hydrolyse d'une des deux fonctions phosphoanhydride. C'est pourquoi on parle d'un **composé riche en énergie**. Parfois, la liaison dont le clivage libère de l'énergie est représentée par un tilde (~). Cette représentation indique que, contrairement à d'autres liaisons covalentes, les produits générés par le clivage d'une telle liaison – comme par exemple l'ADP et l'orthophosphate HPO_4^{2-} (P_i) – sont beaucoup « plus pauvres en énergie » que les composés de départ. Souvent, la fonction phosphoanhydride interne de l'ATP est également clivée, ce qui aboutit à la formation d'AMP et de pyrophosphate (PP_i). Puis, l'hydrolyse de la fonction phosphoanhydride dans le PP_i fournit encore une fois une grande quantité d'énergie libre.

34.3 Structures de l'ATP, de l'ADP et de l'orthophosphate. Il faut noter le grand nombre de structures mésomères limites de l'orthophosphate (en bas).

$$ATP + H_2O \rightarrow ADP + P_i + H^+ \quad \Delta G°' = -35{,}2\ kJ/mol$$
$$ATP + H_2O \rightarrow AMP + PP_i + H^+ \quad \Delta G°' = -35{,}2\ kJ/mol$$
$$PP_i + H_2O \rightarrow 2P_i + H^+ \quad \Delta G°' = -20{,}5\ kJ/mol$$

Sous sa forme active, l'ATP est le plus souvent complexé avec du Mg^{2+}, plus rarement du Mn^{2+}. En raison de l'action stabilisatrice des cations divalents, l'énergie standard nécessaire pour l'hydrolyse de chacune des deux fonctions anhydrides est d'environ 30 kJ/mol aux concentrations physiologiques en magnésium. L'énergie ainsi libérée peut être utilisée pour des biosynthèses, transformée en travail mécanique ou bien utilisée pour le transport actif de molécules. On parle également d'un haut **potentiel de transfert de groupe** pour les composés riches en énergie car le groupement phosphate terminal de l'ATP peut, par exemple, être transféré à une autre molécule, ce qui génère un nouveau composé riche en énergie. C'est ce qui se passe lors de la synthèse d'urée ou du cycle pyrimidine avec l'activation de CO_2/HCO_3^- en carbamoyl-phosphate (§ 43.2, 45.4). De façon similaire, les cascades de signalisation biologique, qui doivent être rapidement mises en marche et arrêtées, exploitent aussi la grande disponibilité en ATP et la facilité d'hydrolyse des composés phosphate.

Pourquoi l'ATP dispose-t-il d'une telle énergie d'hydrolyse et d'un si fort potentiel de transfert pour les groupements phosphate ? Pour aborder cette question, il faut considérer les produits initiaux et finaux de la réaction d'hydrolyse. Le produit de départ, l'ATP, est caractérisé par une forte densité de charges négatives : à pH neutre, l'ATP porte 4 charges négatives. La répulsion mutuelle de ces charges de même signe se réduit lorsqu'un groupement phosphate est clivé. Dans le même temps, le groupe libre d'orthophosphate formé dispose d'une plus forte stabilité de résonance, ce qui s'explique par un grand nombre des structures mésomères limites (*fig.* 34.3 en bas). *Ces deux facteurs – répulsion électrostatique et stabilisation par résonance – contribuent de façon importante à la forte teneur énergétique de l'ATP.*

Outre l'ATP, d'autres métabolites peuvent aussi transférer des groupements phosphates, par exemple le phosphoénolpyruvate, le carbamoyl-phosphate, et la créatine phosphate. Ces composés disposent même d'un potentiel de transfert pour des groupements phosphates plus élevé que celui de l'ATP, comme on peut le déduire de l'énergie libre de leur hydrolyse (*fig.* 34.4). Par conséquent, ils peuvent transférer des groupements phosphates à l'ADP et régénérer ainsi l'ATP. D'autres produits du métabolisme, comme le glucose-6-phosphate et le 3-phosphoglycérol, disposent au contraire d'un potentiel de transfert plus faible que celui de l'ATP, et ils peuvent donc être générés par des phosphorylations dépendantes de l'ATP. *La dualité des propriétés des nucléosides phosphates d'adénine, respectivement comme donneurs (ATP) ou bien comme accepteurs (ADP) de groupements phosphates, justifie leur rôle central comme transporteurs de phosphates dans le métabolisme.*

Après son hydrolyse enzymatique, l'ATP peut être rapidement régénéré dans les cellules à partir d'ADP et de P_i et être de nouveau disponible comme transporteur d'énergie (*fig.* 34.5). Ce cycle est essentiel pour le métabolisme et donne à l'ATP un rôle de **transporteur**

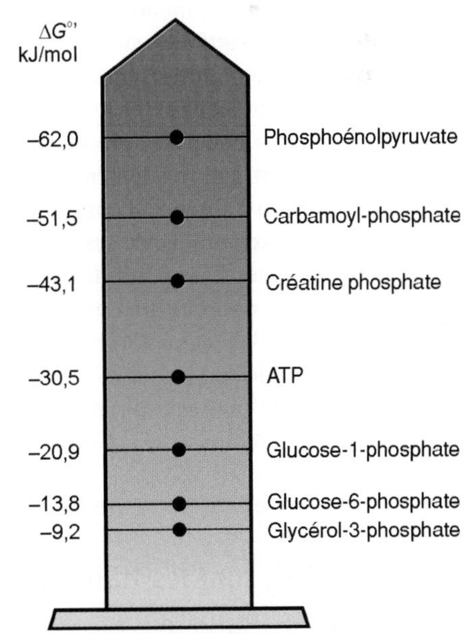

34.4 Énergie libre de l'hydrolyse des composés phosphate. Les énergies libres standard ($\Delta G°'$) de l'ATP et d'autres composés phosphates significatifs pour le métabolisme sont indiquées.

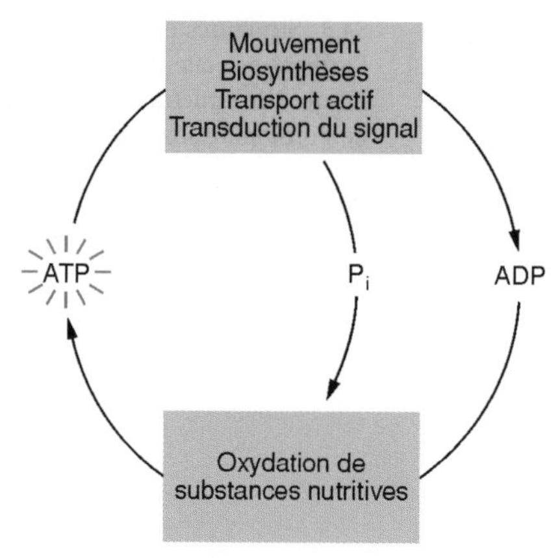

34.5 Cycle ATP-ADP. L'ADP et le phosphate (P_i) sont formés par l'hydrolyse d'une fonction phosphoanhydride. L'énergie libérée lors de cette hydrolyse est utilisée comme force motrice pour des réactions endergoniques, qui ne sont pas favorisées d'un point de vue thermodynamique. Dans l'organisme, la régénération de l'ATP à partir d'ADP est couplée à l'oxydation des substances nutritives qui est favorable d'un point de vue énergétique. L' « auréole » autour de l'ATP symbolise la richesse en énergie.

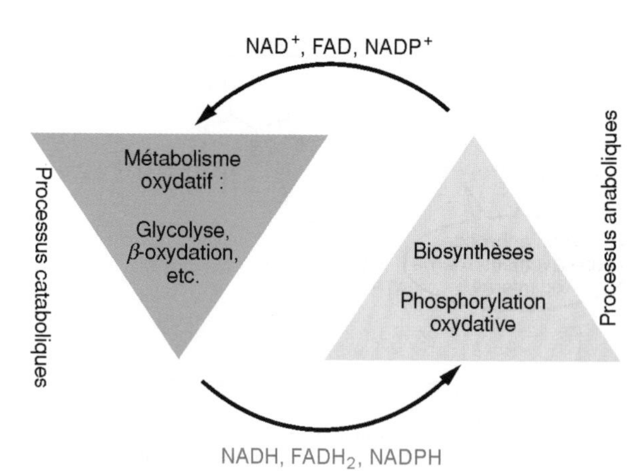

34.6 Rôle central des transporteurs d'électrons dans le métabolisme. Les coenzymes transporteurs d'hydrogène, NADH, NADPH et $FADH_2$, relient les processus de dégradation de substances nutritives comme la glycolyse ou l'oxydation des acides gras, à des processus anaboliques. Tandis que le NADPH est directement utilisé pour des biosynthèses, le NADH et le $FADH_2$ sont presque exclusivement réoxydés lors de la phosphorylation oxydative et utilisés pour la synthèse d'ATP.

d'énergie universel chez les êtres vivants – depuis les organismes unicellulaires jusqu'à l'homme. L'ATP constitue un donneur rapide d'énergie : sa demi-vie dans la cellule est inférieure à une minute, mais la majeure partie de l'ATP utilisé est aussi rapidement régénérée par de nouvelles phosphorylations de l'ADP (§ 37.8). Le quotient entre l'ATP d'un côté, et la somme de ses produits l'ADP et l'AMP de l'autre, se situe typiquement aux alentours de 500, ce qui indique que l'ATP est présent en excès molaire énorme, autrement dit que la charge en énergie d'une cellule est très importante (*encart* 34.4). Dans une cellule métaboliquement active, cet excès molaire important de l'ATP par rapport à l'ADP et l'AMP est dû au catabolisme oxydatif des substrats, et l'ATP peut servir de force motrice pour les synthèses, les mouvements, la transmission de signaux et le transport.

L'ATP ainsi que d'autres composés phosphates riches en énergie ne s'hydrolysent que très lentement de façon spontanée – c'est-à-dire en l'absence d'enzymes. Malgré une hydrolyse fortement exergonique de ses groupements phosphates, et donc favorisée d'un point de vue thermodynamique, l'ATP présente pourtant une grande stabilité cinétique. *Cette stabilité inhérente à l'ATP est indispensable pour ses fonctions biologiques et elle garantit que des enzymes utilisant l'ATP puissent diriger, de manière ciblée, le flux d'énergie libre dans l'organisme.*

34.3 Le NADH et le $FADH_2$ sont les transporteurs d'électrons les plus importants

Chez les organismes aérobies, la **phosphorylation oxydative** est la source la plus importante d'ATP. Par cette voie métabolique, des substances nutritives comme le glucose ou les acides gras sont oxydées et l'énergie libre gagnée est utilisée pour synthétiser de l'ATP à partir de l'ADP et du P_i. Les électrons libérés pendant l'oxydation sont finalement transférés à l'oxygène qui sert comme accepteur d'électrons terminal (*fig.* 37.3). Cependant, il ne s'agit pas d'une réaction simple et directe. Au contraire, les électrons libérés lors de l'oxydation des substances nutritives, sont pris en charge par des transporteurs spécifiques et canalisés dans une **chaîne de transport d'électrons**, localisée dans la membrane mitochondriale interne, où ils sont alors transférés vers l'O_2, avec formation d'H_2O. Le transport d'électrons constitue la force motrice qui permet la formation d'un gradient de protons à travers la membrane mitochondriale interne et ce gradient fournit ensuite l'énergie nécessaire pour la synthèse d'ATP. Les **transporteurs d'électrons** les plus importants sont les nucléotides à nicotinamide et à flavine (*fig.* 34.6). Ils absorbent des électrons ou bien de l'hydrogène de façon réversible, et constituent le lien entre l'oxydation de substances nutritives, le transport mitochondrial d'électrons et le gain d'ATP. Ils mettent aussi des **équivalents de réduction** à la disposition des activités de biosynthèse, sous la forme d'électrons ou d'ions hydrures.

Le **nicotinamide adénine dinucléotide** – en bref : le **NAD^+** – est l'accepteur d'électrons le plus important lors des oxydations de substances nutritives. Il est synthétisé à partir de la vitamine B_3 sous forme de nicotinamide ou de niacine (*encart* 34.1). Le groupement réactif du NAD^+ est le noyau de pyrimidine, qui porte une charge positive à l'état oxydé et passe à l'état réduit non chargé de **NADH**, en acceptant un ion hydrure H^- (2 e^- et 1 H^+) (*fig.* 34.8).

Une réaction typique, dans laquelle c'est le **NADPH** qui est utilisé comme transporteur d'électrons, est la réduc-

Encart 34.1 : Le nicotinamide adénine dinucléotide

Le composé de départ dans la biosynthèse du NAD^+ est le nicotinate, qui provient surtout de la nourriture (voir le tableau Vitamines). Le transfert du nicotinate sur le 5-phosphoribosyl pyrophosphate (PRPP) (*fig.* 45.1) aboutit au nicotinate ribonucléotide (*fig.* 34.7). Ensuite, l'ATP transfère son résidu d'adénosine monophosphate sur le groupe ribose-5-phosphate, ce qui conduit à la formation de désamido-NAD^+ ; cette réaction est rendue irréversible par l'hydrolyse du pyrophosphate formé. Ensuite, le transfert d'un groupement amine provenant de la chaîne latérale de la glutamine permet d'obtenir le produit final, le nicotinamide adénine dinucléotide. À partir du NAD^+, la NAD^+ kinase permet de générer le coenzyme $NADP^+$ par phosphorylation ATP dépendante du groupement 2'-hydroxyle localisé sur un cycle ribose.

34.7 La biosynthèse du nicotinamide adénine dinucléotide (NAD^+). Secondairement, la phosphorylation du résidu d'adénine nucléotide au niveau d'un groupement hydroxyle du ribose conduit à la formation du $NADP^+$ (*fig.* 34.8).

34.8 Changements rédox des nicotinamides nucléotides. Un ion hydrure ($H^- = 2\ e^- + H^+$) est accepté pendant la conversion de la forme oxydée (à gauche) en forme réduite (à droite) ; les électrons participants sont indiqués par des points rouges. NADH : R = H ; NADPH : R = PO_3^{2-}.

tion d'un groupement cétone en groupement hydroxyle par une réductase (ou une déshydrogénase) (*fig.* 34.9). Les nucléotides à nicotinamide servent de co-substrats dans différentes réactions. Ils se dissocient de leur enzyme en fin de réaction et sont régénérés au cours d'une réaction séparée, grâce à l'action d'une deuxième enzyme. *À quelques exceptions près, le NAD^+/NADH agit comme co-substrat des déshydrogénases lors de processus cataboliques tandis que le $NADP^+$/NADPH fonctionne comme co-substrat des réductases lors de processus anaboliques.*

Un autre transporteur d'électrons important est la **flavine adénine dinucléotide** – en bref : le **FAD** – un

$$NADPH + R{-}C(=O){-}R' + H^+ \rightleftharpoons NADP^+ + R{-}CH(OH){-}R'$$

34.9 Réaction rédox avec participation du système $NADP^+$/NADPH. Un ion hydrure est enlevé au NADPH et transféré au groupement carbonyle. Pour neutraliser l'alcoolate (-C-O^-) formé, un proton est prélevé dans l'environnement.

Encart 34.2 : La flavine adénine dinucléotide

Le précurseur des transporteurs d'électrons à flavine est la riboflavine (vitamine B_2), qui est constituée du ribitol, un polyol dérivé du ribose, et de l'isoalloxazine, un noyau hétérotricyclique (voir tableau Vitamines). La phosphorylation de la riboflavine grâce à l'ATP permet de former le riboflavine-5-phosphate – aussi nommé la **flavine mononucléotide** (FMN) (*fig.* 34.10). La **flavine adénine dinucléotide** (FAD) est le résultat du transfert d'un résidu d'AMP sur le groupe 5-phosphate du ribitol. Les flavines constituent des groupements prosthétiques qui se lient très fortement à leurs enzymes – parfois même de façon covalente – si bien que leur régénération a lieu lors d'une deuxième réaction catalysée par la même enzyme. Des protéines spéciales portant des flavines – les **flavoprotéines** – peuvent s'associer de manière réversible à différentes déshydrogénases (*encart* 37.2). Grâce à elles, les flavines peuvent aussi transférer leur équivalent de réduction d'une enzyme à une autre.

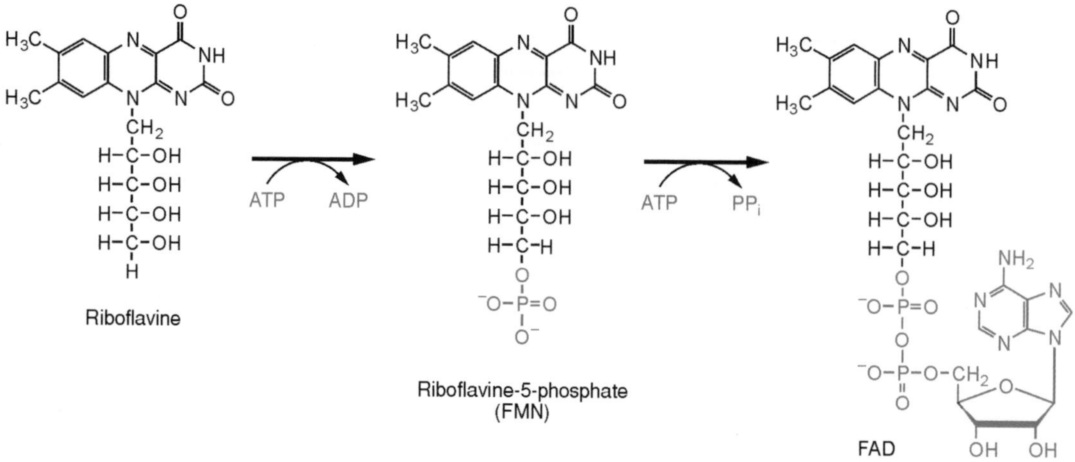

34.10 Biosynthèse de la flavine adénine dinucléotide. Le FAD se distingue du FMN par la présence d'un résidu AMP (marqué en vert).

dérivé de la riboflavine, qui dérive elle-même d'un sucre (*encart* 34.2). La partie réactive du FAD est un noyau isoalloxazine. Pendant la réaction de réduction, la molécule accepte deux électrons (2 e^-) et deux protons (2 H^+) pour former le $FADH_2$ (*fig.* 34.11). Contrairement au noyau de nicotinamide, qui transfère simultanément deux électrons sous forme d'un ion hydrure, le noyau isoalloxazine est aussi capable d'accepter et de redonner des électrons un par un. *C'est pourquoi les flavoprotéines sont utilisées préférentiellement lors des passages de réactions à un électron à des réactions à deux électrons.* Lors d'une réaction d'oxydation typique avec participation du FAD, une double liaison est générée dans le substrat : un transfert net de 2 H conduit à la formation de $FADH_2$.

Le NADH et le $FADH_2$ sont principalement couplés à la chaîne de transport d'électrons de la phosphorylation oxydative (§ 37.2), tandis que le NADPH fournit presque exclusivement des équivalents de réduction sous forme d'ions hydrures, pour des réactions de réduction liées à des activités de biosynthèse. Le groupement phosphate supplémentaire du NADPH dirige ce transporteur d'électrons vers des enzymes réductrices, comme l'acide gras synthase, qui utilise ce co-substrat au cours de deux étapes (*fig.* 34.12). Comme l'ATP, le NADPH est aussi généré et utilisé continuellement. En l'absence d'enzymes, il est également – comme l'ATP – extraordinairement stable, c'est-à-dire qu'il ne réagit que très lentement avec l'oxygène de manière spontanée. Ceci est aussi valable pour d'autres transporteurs d'électrons comme le NADH et le $FADH_2$. *Cette stabilité endogène, associée à des affinités variables en fonction des enzymes, garantit une utilisation des transporteurs d'électrons adaptée aux différentes fonctions mises en jeu dans le métabolisme et permet le fonctionnement de cascades enzymatiques, qui contrôlent efficacement le flux d'équivalents de réduction dans une cellule.*

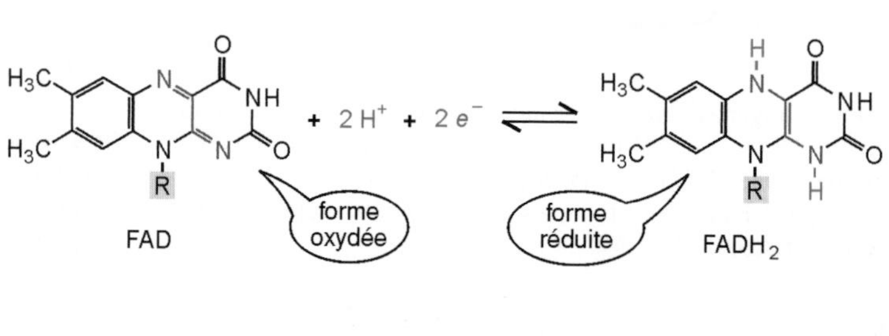

34.11 Transfert d'électrons par des flavines nucléotides. Deux électrons et deux protons (2 e^- + 2 H^+ = 2 H) sont acceptés lors de la transformation de la forme oxydée en forme réduite.

$$R-CH_2-CO-R + NADPH + H^+ \longrightarrow R-CH_2-CH(OH)-R + NADP^+$$

$$R-CH_2-CH(OH)-R \longrightarrow R-CH=CH-R + H_2O$$

$$R-CH=CH-R + NADPH + H^+ \longrightarrow R-CH_2-CH_2-R + NADP^+$$

34.12 Réduction d'un groupement cétone en groupement méthyle par le NADPH. Lors de la biosynthèse des acides gras, $2\ H^- + 2\ H^+ = 4\ H$ sont transférés en deux étapes sur le substrat. Au cours d'une étape intermédiaire (au milieu), une molécule d'eau est enlevée par déshydratation (à comparer avec la *fig.* 41.18).

34.4 Le coenzyme A est le transporteur de groupement acyle le plus important

Outre leurs rôles comme transporteurs d'énergie et d'électrons, les coenzymes exercent également des fonctions importantes dans le transfert de groupes chimiques. Le représentant le plus important de cette classe de molécules, le **coenzyme A** (CoA), participe au transfert des groupements acyles – et avant tout du groupement acétyle (*encart* 34.3). Les résidus acyles forment de manière réversible une liaison covalente avec le groupement thiol terminal du CoA, ce qui aboutit à la formation d'acyl-CoA, un composé disposant d'une **fonction thioester réactive.** L'hydrolyse de ce thioester, comme ci-dessous dans le cas de l'acétyl-CoA, est une réaction fortement exergonique :

$$\text{Acétyl-CoA} + H_2O \rightarrow CH_3COO^- + \text{CoA} + H^+$$
$$\Delta G°' = -31{,}4 \text{ kJ/mol}$$

Encart 34.3 : Coenzyme A

Le composé de départ pour la biosynthèse du CoA est la vitamine B_5 ou acide pantothénique. C'est un amide formé à partir de l'acide butyrique 2,4-dihydroxy-3,3-diméthyle et de la β-alanine, un acide aminé non protéinogène (voir le tableau Vitamines). Par une phosphorylation ATP dépendante, ce composé est transformé en 4-phosphopantothénate, lequel réagit avec le groupe α-aminé de la cystéine. Avec la formation d'un deuxième groupe amide, on obtient la 4-phospho-pantothényle cystéine (*fig.* 34.13). Par une décarboxylation, on obtient ensuite la 4-phosphopantéthéine, sur laquelle une transférase ajoute une unité complète d'AMP. Une phosphorylation ATP dépendante sur le résidu C-3' de l'unité ribose permet aboutir enfin au coenzyme A, qui dispose d'un groupement thiol extraordinairement réactif (-SH ; également appelé groupement sulfhydrile ou mercapto).

L'acyl-CoA dispose d'un potentiel de transfert important, c'est-à-dire qu'il peut facilement transférer des groupements acyles sur des substrats lors de réactions catalytiques. Par analogie avec l'ATP et son groupement phosphate réactif, on parle ici d'un groupement acyle « activé ». Comme les autres molécules de transfert, telles que l'ATP, le NADH, le NADPH et le $FADH_2$, l'acyl-CoA est très stable d'un point de vue cinétique et constitue un co-substrat, qui autorise un flux contrôlé de groupements acyles entre différentes voies de métabolisme. Le CoA dispose de multiples talents : il peut lier des groupements acyles comportant de deux jusqu'à 24 atomes de carbone et participe aussi bien à la dégradation qu'à la synthèse de métabolites. *Un jeu limité de molécules de transfert pour des groupements acyles, des résidus phosphates, des électrons, et des atomes d'hydrogène permet donc une grande diversité de processus de transfert dans le métabolisme.*

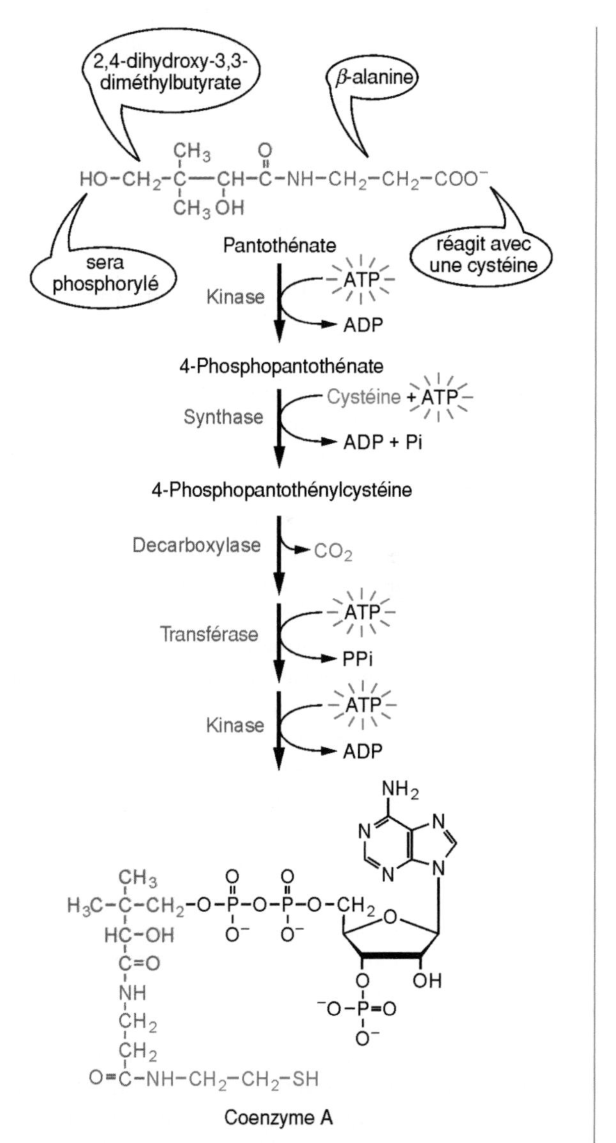

34.13 Biosynthèse du coenzyme A. Les composants mis en jeu ainsi que le groupement thiol réactif sont indiqués en couleur.

L'élément structural commun à toutes ces molécules de transfert est l'adénosine phosphate : il s'agit donc de dérivés de ribonucléotides. Cette propriété commune n'est probablement pas accidentelle : dans les scénarios retraçant l'origine du monde vivant, l'hypothèse actuellement défendue est que les acides ribonucléiques sont apparus avant les protéines et les acides désoxyribonucléiques. Dans ce **monde d'ARN** (*fig.* 3.2), tous les processus, y compris les catalyses, ont été accomplis par des molécules de type ARN. Les ribozymes catalytiques (§ 12.7) ont probablement « sélectionné » l'aide de dérivés de l'adénosine phosphate, en raison de leurs fonctions de transport spécifiques. Les protéines, d'apparition plus récente et qui présentent un potentiel catalytique remarquablement plus varié que les ARN, ont probablement « adopté » les coenzymes déjà parfaitement évolués. Quelques coenzymes ont alors suffi pour contribuer au fonctionnement d'un grand nombre d'enzymes différentes. Les coenzymes à adénosine phosphate sont des transporteurs de groupe, qui représentent donc probablement des « fossiles vivants » d'un monde ARN disparu depuis longtemps. Très tôt, ils se sont révélés utiles et polyvalents, et c'est pourquoi ils ont été conservés également dans le « monde des protéines ».

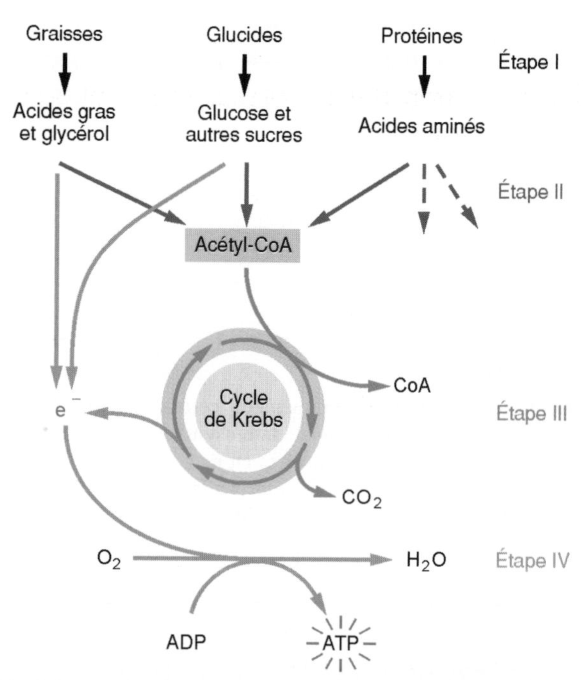

34.14 Les quatre étapes principales aboutissant au gain d'énergie dans le catabolisme. Dans ce schéma simplifié, l'étape I représente l'hydrolyse des substances nutritives en unités de base, l'étape II indique leur transformation en unités d'acétyl-CoA, l'étape III est l'oxydation de l'acétyl-CoA en CO_2 et l'étape IV représente le transfert d'électrons sur l'oxygène permettant de générer de l'ATP (phosphorylation oxydative). La formation d'ATP n'est montrée que pour l'étape IV, car elle se taille la « part du lion » de la production de l'ATP.

34.5 Les voies du catabolisme débouchent dans le cycle de Krebs

Les sources d'énergie les plus importantes pour un organisme sont les glucides, les graisses et les protéines. Ce sont eux qui fournissent, après hydrolyse, les « combustibles » du métabolisme, c'est-à-dire des sucres, des acides gras et des acides aminés. Bien que très différents quant à leur structure chimique (§ 2.1), ces trois classes de composés passent par des processus cataboliques similaires qui débouchent finalement sur le cycle de Krebs (cycle de l'acide citrique) et la phosphorylation oxydative. Il en va de même pour les processus anaboliques. Avant d'étudier en détail les voies de métabolisme les plus importantes, on va voir brièvement les principes de base communs. En simplifiant, on peut distinguer quatre étapes dans le **catabolisme** : la dégradation des glucides, graisses et protéines en composés de base (étape I), la conversion des sucres, acides gras et acides aminés en acétyl-CoA (II), la dégradation oxydative de l'acétyl-CoA en dioxyde de carbone avec formation simultanée de transporteurs d'électrons sous forme réduite (III) et enfin la génération d'ATP par transfert des électrons sur l'oxygène (IV) (*fig.* 34.14).

Des voies cataboliques différentes acheminent les « combustibles majeurs » vers la production d'**acétyl-CoA**, qui constitue le nœud de communication commun. Initialement, les glucides sont clivés en sucres plus simples comme le glucose, les graisses sont hydrolysées en glycérol et acides gras, et les protéines sont dégradées en acides aminés. À ce moment, aucune énergie n'est encore fournie. Par la suite, ces différents éléments sont transformés en un petit nombre d'unités de base, avant tout en acétyl-CoA. Une partie de l'énergie disponible est déjà mobilisée lors de cette transformation, et environ 10 % de l'ATP total est produit. Les électrons récupérés lors des étapes d'oxydation sont transférés en premier lieu sur le FAD et le NAD^+.

Le cycle de Krebs et la phosphorylation oxydative représentent les étapes terminales communes. À ce niveau, les groupements acyles sont transformés en CO_2 et tous les équivalents de réduction présents dans les transporteurs d'électrons, NADH et $FADH_2$, sont finalement transférés sur l'O_2 avec formation simultanée d'H_2O. C'est à ce moment que sont générés les 90 % restants de l'ATP obtenu. Ainsi, la diversité chimique des produits de départ se réduit drastiquement à travers 3 étapes jusqu'à ce que finalement, la phosphorylation oxydative transfère les électrons extraits des substances nutritives sur l'oxygène. *Toutes les grandes voies de métabolisme aboutissent, via l'acétyl-CoA, à la « plaque tournante » du métabolisme, le cycle de Krebs.* Le glucose-6-phosphate, le glycéraldéhyde-3-phosphate ainsi que le pyruvate représentent d'autres nœuds de communication importants dans le réseau du métabolisme.

34.6 La régulation des processus métaboliques est multifactorielle

Le métabolisme garantit une mise à disposition continuelle d'énergie, qui doit s'adapter à de fortes variations des exigences cellulaires. Par exemple, les besoins en ATP augmentent d'un facteur 20 environ entre l'état de repos et une phase maximale d'exercice sportif. Quels mécanismes de régulation permettent d'adapter le métabolisme à ces deux extrêmes ? Comme dans le cas des molécules clés du métabolisme, une stratégie réductionniste s'applique ici : les niveaux de régulation sont en nombre limité. On distingue **trois types majeurs de régulation** : le contrôle transcriptionnel (*chap.* 20), la régulation allostérique (§ 13.8) et la modification covalente (§ 13.7) ; tous visent les enzymes et leurs substrats (*fig.* 34.15).

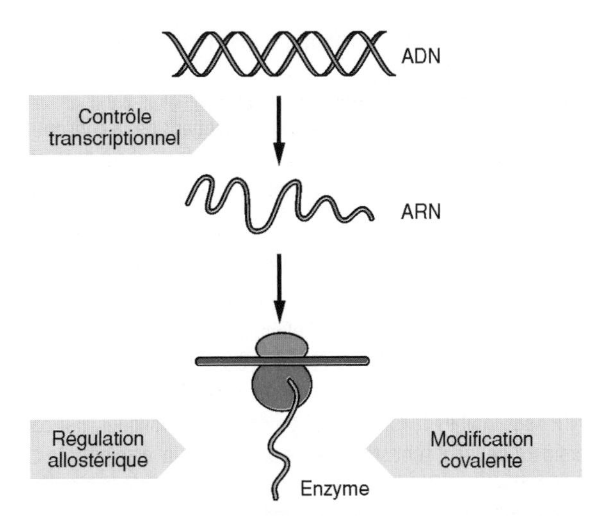

34.15 Principes de base de la régulation du métabolisme. D'autres niveaux de régulation se trouvent par exemple au niveau post-transcriptionnel, où la stabilité des ARNm peut être modulée.

La disponibilité en enzyme est généralement régulée par le **taux de transcription** du gène correspondant. Des substrats adéquats peuvent induire l'augmentation du taux de transcription et, de ce fait, de la quantité d'enzyme, d'un facteur allant jusqu'à 100 : on parle d'**induction d'enzyme.** Des produits exogènes peuvent ainsi induire l'expression d'enzymes du système de biotransformation (*encart* 42.2) ; de même, des métabolites peuvent réprimer l'expression d'enzymes (§ 20.2). La **régulation allostérique** est un mécanisme réversible, qui module l'activité enzymatique au niveau protéique. Un cas particulier de ce principe de régulation très répandu est le **rétrocontrôle négatif**, dans lequel le produit final d'une voie de métabolisme agit sur une enzyme « précoce » de la chaîne biosynthétique et contrôle ainsi l'activité de toute cette voie (*fig.* 34.16). Par exemple, le cholestérol inhibe une étape clé de sa biosynthèse, la HMG-CoA-réductase et contrôle ainsi efficacement l'ensemble de sa propre biosynthèse : en présence d'un excès de cholestérol dans la cellule, l'inhibition de cette étape précoce de la biosynthèse permet d'éviter l'accumulation d'intermédiaires inutiles.

Un autre principe régulateur est l'interconversion d'enzymes par **modification covalente** réversible. Dans le cas de la glycogène phosphorylase, l'enzyme la plus importante dans la dégradation du glycogène, une pénurie en glucose provoque une phosphorylation hormono-dépendante, qui induit une activation de la phosphorylase. La déphosphorylation enzymatique replace la phosphorylase dans son état inactif (*encart* 40.4). Les trois principes de régulation sus-mentionnés agissent en parallèle mais à des échelles de temps très différentes : la régulation allostérique se produit à l'échelle des millisecondes, les modifications covalentes ont lieu à l'échelle des secondes, tandis que le contrôle transcriptionnel dure pendant des heures. *L'utilisation de ces différentes fenêtres de temps garantit, que des cellules ou des organes puissent aussi bien réagir à court terme à un changement de situation métabolique que s'adapter à long terme à un changement durable d'environnement.*

Une autre variable contrôlée dans le métabolisme est la **disponibilité en substrat** : l'insuline, par exemple, induit dans de nombreuses cellules la translocation des transporteurs de glucose depuis les vésicules cytoplasmiques vers la surface cellulaire (*encart* 46.1). Une quantité accrue de glucose peut ainsi atteindre la cellule et accéder à des enzymes telles que la glycogène synthase, qui permet de stocker le sucre sous forme de glycogène dans le cytosol (*chap.* 41). La plupart des substrats d'une cellule sont présents à des concentrations inférieures à la valeur du K_M des enzymes qui les métabolisent. Ainsi, une augmentation de la disponibilité en substrat provoque une augmentation proportionnelle de la vitesse de

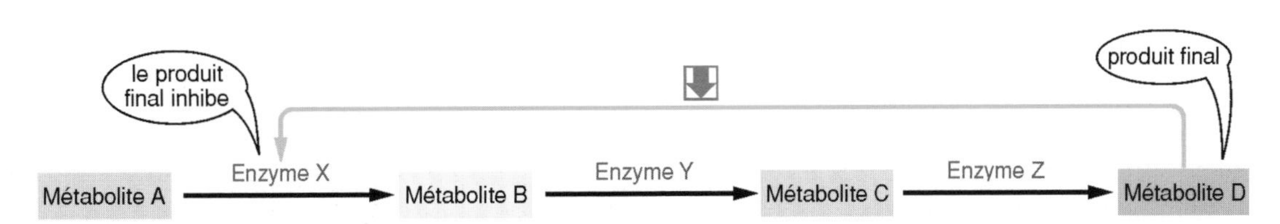

34.16 Principe du rétrocontrôle négatif. Le produit final D d'une voie métabolique hypothétique inhibe l'enzyme X, qui constitue une étape clé de sa chaîne biosynthétique. Ainsi, on évite efficacement l'accumulation d'intermédiaires inutiles.

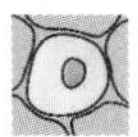

Encart 34.4 : Charge énergétique d'une cellule

La charge énergétique est définie par le quotient de la concentration en ATP et de la concentration en adénosines phosphate globalement disponibles. On tient compte du fait qu'un ATP peut être formé à partir de deux ADP (§ 45.5).

Charge énergétique = [ATP] + 1/2 [ADP] / [ATP] + [ADP] + [AMP]

Théoriquement, la charge énergétique d'une cellule peut varier entre 0 (seulement AMP) et 1 (seulement ATP) ; sa valeur est typiquement comprise entre 0,8 et 0,95. Dans le cas d'une charge énergétique plus élevée, les processus cataboliques générant de l'ATP sont inhibés tandis que les processus anaboliques, qui consomment de l'ATP sont stimulés. Ce pattern est inversé dans le cas de charges énergétiques faibles. *Ainsi, une cellule s'assure qu'elle dispose toujours d'une charge énergétique suffisante.*

réaction enzymatique et donc un renouvellement accéléré de substrat (§ 13.2). Une forme spécifique de la disponibilité en substrat est d'une importance capitale pour le métabolisme énergétique : la concentration relative en phosphates d'adénosine permet de réguler de nombreuses voies de métabolisme et reflète la **charge énergétique** d'une cellule (*encart* 34.4).

Dans la plupart des cas, les chaînes de réactions anaboliques d'une part et cataboliques d'autre part se distinguent par leurs **enzymes clés**, qui représentent des points cruciaux pour les contrôles de type allostérique ou covalent. Alternativement, les voies de biosynthèse et de dégradation peuvent être séparées spatialement dans une cellule par une **compartimentation** (§ 3.3) des différents types de réactions. Par exemple, la dégradation des acides gras se produit dans les mitochondries tandis que leur synthèse a lieu dans le cytoplasme. Une « répartition du travail » similaire se déroule également entre différents organes. La synthèse des acides gras a lieu en majorité dans le foie, tandis que le muscle se taille « la part du lion » pour la synthèse *de novo* du glycogène. L'importance biologique de ces principes de base dans la régulation du métabolisme est soulignée par le fait que des principes similaires sont utilisés chez toutes les formes de vie – chez les protistes et les pluricellulaires, les bactéries et les plantes, les animaux et les êtres humains. *Les stratégies fondamentales du métabolisme ont probablement émergé très tôt au cours de l'évolution et elles ont été conservées pendant des milliards d'années en raison de leur économie et de leur efficacité.*

Comment peut-on analyser les processus métaboliques sur le plan moléculaire ? L'analyse comporte plusieurs niveaux. La première étape est l'identification et la compréhension de réactions individuelles, ce qui exige la purification, l'identification structurale et l'analyse fonctionnelle d'enzymes, coenzymes, substrats, inhibiteurs et activateurs définis. Dans une étape suivante, on peut étudier des voies entières de métabolisme ainsi que leurs interactions au niveau de différents **organites cellulaires**. Dans ce but, on peut par exemple isoler des mitochondries ou des peroxisomes par centrifugation différentielle. La **culture cellulaire** permet l'étude des interactions métaboliques et des processus de régulation dans des populations cellulaires bien définies. L'analyse des flux de métabolites par **perfusion d'organes isolés**, soumis à des conditions variables, permet de mieux comprendre les performances métaboliques, en les intégrant au niveau d'un organe particulier comme le foie ou le cœur. Les interactions globales du métabolisme peuvent être étudiées *in vivo* par des **études sur l'organisme total**. On peut alors suivre les flux de substrats, d'intermédiaires ou de produits marqués par des isotopes. Depuis peu, les méthodes d'imagerie comme la tomographie à émission de positrons (TEP), et l'imagerie par résonance magnétique fonctionnelle (IRMf) permettent aussi de suivre de façon non invasive, dans l'espace, les flux de métabolites chez l'homme. La combinaison des connaissances acquises à différents niveaux a permis d'élucider de nombreuses voies de métabolisme jusque dans leurs détails moléculaires, de préciser dans quel ordre elles interviennent dans le métabolisme et d'apprécier leur importance dans le métabolisme global.

La glycolyse, prototype d'une voie métabolique

35

Comme tout être vivant, l'être humain a besoin d'énergie chimique pour vivre. Contrairement aux organismes autotrophes comme les plantes vertes, les animaux et les êtres humains dépendent de l'énergie qu'ils obtiennent à partir de composés organiques : ce sont des organismes **hétérotrophes.** Dans ce domaine, le glucose joue un rôle central. Ce monosaccharide représente la principale source d'énergie de l'organisme humain et sert de précurseur dans la synthèse de nombreux produits du corps. La chaîne de réactions qui dégrade le glucose d'origine exogène ou synthétisé de façon endogène, tout en libérant de l'énergie, s'appelle la **glycolyse.** Ce « clivage » du sucre (du grec *glycos,* sucré ; *lysis,* dissolution) constitue une voie métabolique conservée au cours de l'évolution et se déroule de façon similaire dans pratiquement toutes les cellules : une molécule de glucose est convertie en deux molécules de pyruvate et de l'ATP ainsi que du NADH sont produits. En **conditions anaérobies,** cette voie métabolique ne fournit que peu d'ATP, et une grande partie du pyruvate formé doit être convertie en lactate pour permettre la ré-oxydation du NADH. En présence de quantités suffisantes d'oxygène - donc en **conditions aérobies** - le cycle de Krebs (ou cycle de l'acide citrique) et la phosphorylation oxydative se connectent à la glycolyse : l'ensemble de cette chaîne respiratoire produit alors du CO_2 et de l'H_2O à partir du glucose avec un gain considérablement plus élevé en ATP. La glycolyse, parfois appelée voie d'Embden-Meyerhof, fut la première voie métabolique complexe à être élucidée d'un point de vue biochimique. De nombreux principes, présentés ici dans le cadre de la glycolyse, sont valables pour n'importe quel processus métabolique.

35.1 La voie de la glycolyse nécessite dix étapes

La dégradation du glucose a lieu dans le **cytosol** des cellules. Les sources principales de glucose disponibles dans la cellule proviennent soit de l'alimentation, soit de synthèse *de novo* de glucose, soit de la dégradation du glycogène, une substance de réserve intracellulaire. Au repos, un organisme humain consomme environ 200 g de glucose par jour pour la glycolyse. Cette voie métabolique comporte dix étapes au cours desquelles une molécule de glucose est convertie en deux molécules de pyruvate. En bilan net, deux molécules d'ATP et deux molécules de NADPH sont également produites (*fig.* 35.1).

Entre le précurseur et le produit final de la glycolyse, on trouve neuf intermédiaires, qui sont tous phosphorylés. Deux composés en C6, le glucose et le fructose, sont caractéristiques des premières étapes de la glycolyse, tandis que deux unités en C3, le glycérate et le pyruvate, caractérisent la phase finale. Les étapes de la glycolyse forment une succession de neuf réactions enzymatiques en série et d'une réaction en parallèle (*fig.* 35.2). Le tableau 35.1 résume les caractéristiques principales des réactions mises en jeu.

Tableau 35.1 Principaux types de réactions mis en jeu dans la glycolyse

Réaction	Enzyme et cofacteurs
Transfert de groupement phosphate	Quatre kinases transfèrent chacune un groupement phosphate de l'ATP vers un intermédiaire ou d'un intermédiaire vers l'ADP
Isomérisation	Deux isomérases convertissent des aldoses en cétoses et inversement
Clivage aldolique	Une aldolase clive la liaison centrale C-C d'un intermédiaire en C_6 et génère ainsi deux unités en C_3
Oxydation et phosphorylation	Une déshydrogénase catalyse un transfert d'électron d'un substrat vers le NAD^+ ; le substrat est également phosphorylé
Transfert intramoléculaire de groupement phosphate	Une mutase transfère un groupement phosphate de façon intramoléculaire, d'un atome d'oxygène à un autre
Déshydratation	Une déshydratase (énolase) clive une molécule d'eau à partir d'un intermédiaire en formant une double liaison

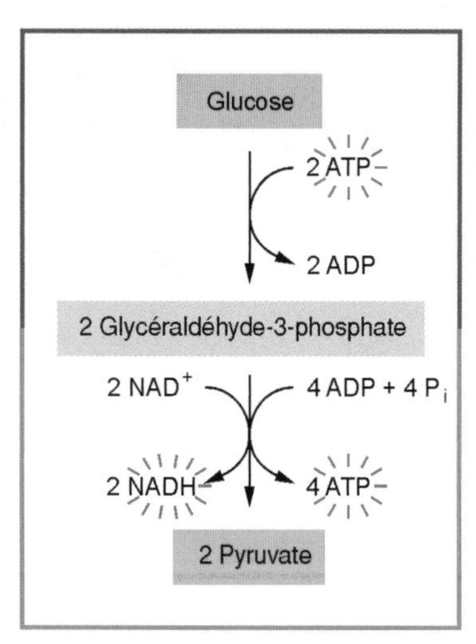

35.1 Bilan de la glycolyse. On distingue deux phases : pendant la première phase, 2 molécules d'ATP sont « investies » pour la formation du composé intermédiaire, le glycéraldéhyde-3-phosphate ; durant la deuxième phase, 4 molécules d'ATP et 2 de NADH sont produites ; les produits finaux sont deux molécules de pyruvate.

35.2

La synthèse du glycéraldéhyde-3-phosphate consomme de l'ATP

Examinons la **première phase de la glycolyse** en détail. Dès que du glucose est disponible sous forme libre dans le cytoplasme, l'enzyme **hexokinase** phosphoryle, au niveau du groupement hydroxyle en C6, le sucre en utilisant une molécule d'ATP, ce qui produit du glucose-6-phosphate (*fig.* 35.3). Avec les deux charges négatives du groupement phosphate, le glucose se retrouve « piégé » dans la cellule et peut entrer véritablement dans la voie de la glycolyse : un export à travers la membrane cellulaire n'est plus possible en raison de la densité de charge trop élevée.

L'hexokinase est considérée comme le prototype des enzymes, qui « s'adaptent » à leur substrat. D'autres enzymes, comme la Taq polymérase (*fig.* 4.5) ou la lactate déshydrogénase (*encart* 39.3), fonctionnent également selon ce principe que l'on décrit aussi sous le nom de « ***induced fit*** ». Une caractéristique des kinases est l'enserrement étroit du substrat dans le site actif : en ce qui concerne l'hexokinase, l'exclusion d'eau qui accompagne la réaction favorise le transfert direct d'un groupement phosphate de l'ATP vers le glucose. Comme d'autres kinases impliquées dans la glycolyse, l'hexokinase est dépendante du cation divalent Mg^{2+}, qui est complexé au groupement triphosphate de l'ATP (§ 34.2).

Au cours de la réaction suivante, l'enzyme **glucose-phosphate isomérase** convertit le glucose-6-phosphate en fructose-6-phosphate. Il s'agit de la transformation d'un aldose en cétose, durant laquelle le groupement carbonyle

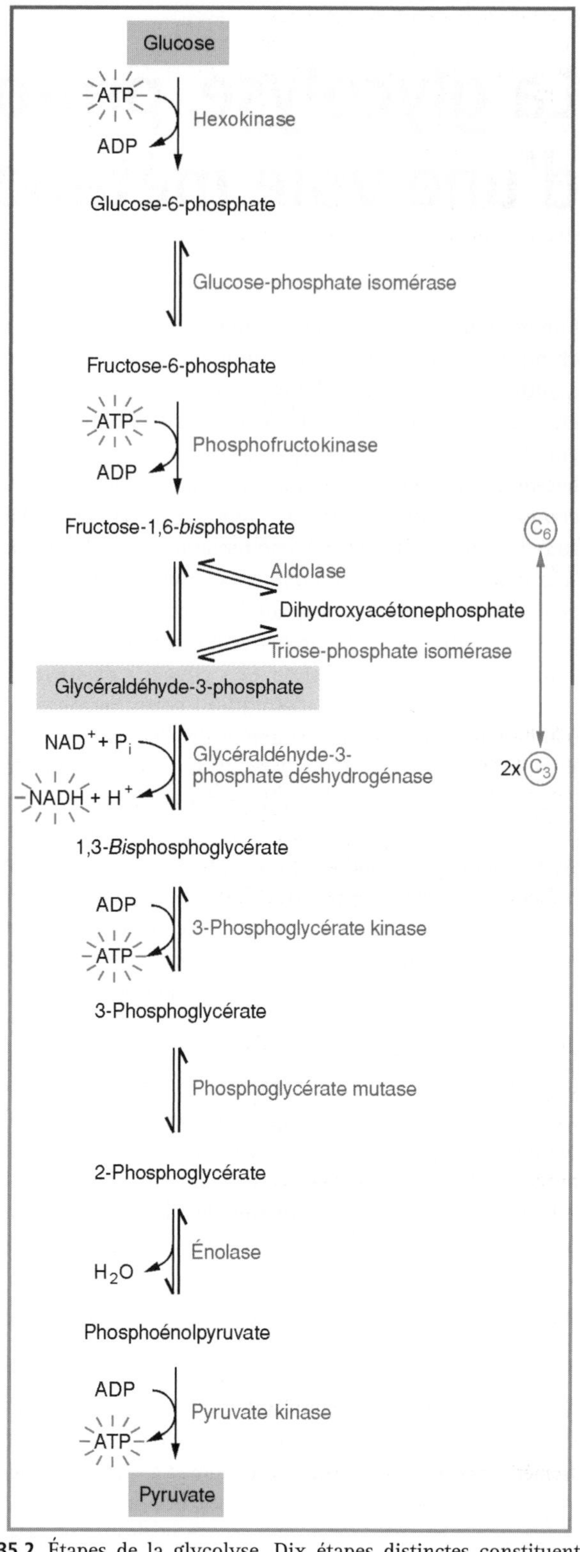

35.2 Étapes de la glycolyse. Dix étapes distinctes constituent l'ensemble de la glycolyse. Elles catalysent six types différents de réactions (*tab.* 35.1).

est déplacé du C1 en C2, avec formation d'un intermédiaire ènediol du type -CH(OH)=CH(OH)- (à comparer avec la *fig.* 35.7). Le noyau pyranose (hexose) du glucose est

35.3 Réaction catalysée par l'hexokinase. En présence de Mg^{2+}, cette enzyme catalyse le transfert du groupement phosphate de l'ATP spécifiquement vers le groupement hydroxyle en C6 du glucose ; les groupements hydroxyles situés sur d'autres atomes de C *ne* sont *pas* phosphorylés. L'hexokinase peut phosphoryler d'autres hexoses comme le fructose ou le mannose. La réaction est pratiquement irréversible.

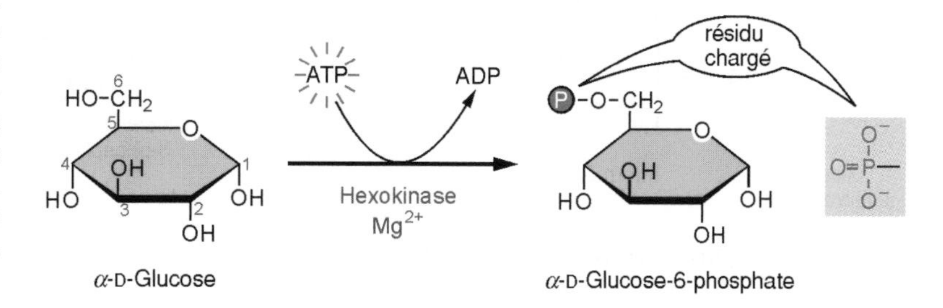

35.4 Réaction catalysée par la glucose-phosphate isomérase. Un changement intramoléculaire permet l'isomérisation de l'aldopyranose glucose-6-phosphate en cétofuranose fructose-6-phosphate ; celui-ci est en équilibre avec la forme cétopyranose (non montrée).

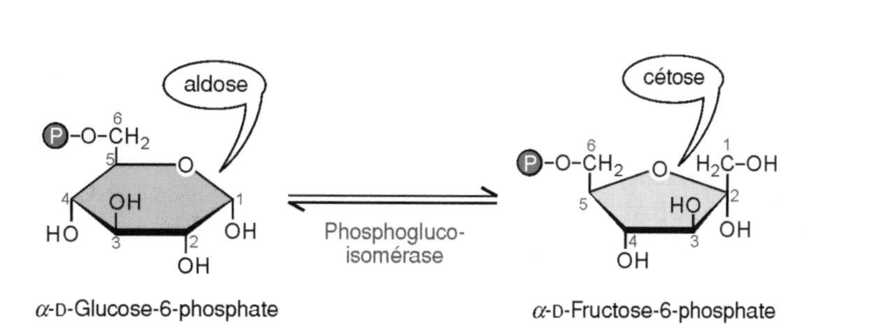

35.5 Réaction catalysée par la phosphofructokinase (PFK). L'enzyme phosphoryle spécifiquement le groupement hydroxyle en C1 ; les autres groupements hydroxyles du fructose-6-phosphate ne sont pas estérifiés. L'activité de la PFK est régulée de façon allostérique (comparer avec la *fig.* 35.18).

ATP → ADP, Phosphofructokinase, Mg^{2+}

α-D-Fructose-6-phosphate → α-D-Fructose-1,6-*bis*phosphate

35.6 Réaction catalysée par l'aldolase. Le clivage de la liaison entre les carbones C3 et C4 aboutit à la formation d'un cétose (dihydroxyacétone-phosphate) et d'un aldose (glycéraldéhyde-3-phosphate). La réaction inverse, c'est-à-dire la liaison d'un aldéhyde et d'une cétone, est appelée condensation aldolique, d'où le nom d'aldolase.

α-D-Fructose-1,6-*bis*phosphate (site de clivage) ⇌ Aldolase ⇌ Dihydroxyacétonephosphate (cétone) + D-glycéraldéhyde-3-phosphate (aldéhyde)

transformé en noyau furanose (pentose) du fructose (*fig.* 35.4). En utilisant une molécule d'ATP, une phosphorylation supplémentaire par la **phosphofructokinase** permet de convertir le fructose-6-phosphate en fructose-1,6-*bis*phosphate (*fig.* 35.5). Cette réaction est fortement exergonique. C'est essentiellement la vitesse de cette deuxième phosphorylation qui détermine la vitesse de la dégradation du glucose (étape limitante) : la phosphofructokinase (PFK) est l'**enzyme clé** de la glycolyse.

Durant la réaction suivante, l'**aldolase** clive le fructose-1,6-*bis*phosphate au niveau de la liaison centrale C-C ; cette hydrolyse produit deux fragments en C3 à partir de la molécule en C6 initiale ; simultanément, la fonction hémiacétal (C-O-C) disparaît. Deux isomères triose phosphates sont formés : le dihydroxyacétone-3-phosphate (DHAP) – un cétose – et le glycéraldéhyde-3-phosphate (GA3P) – un aldose – (*fig.* 35.6). Les deux intermédiaires en C3 sont des isomères aldose-cétose, qui se distinguent seulement par l'agencement spatial de leurs liaisons et non par leur formule chimique brute. Le DHAP est l'isomère le plus stable, mais il ne peut pas entrer directement dans la voie de la glycolyse. Il faut d'abord qu'une **triose-phosphate isomérase** convertisse cette molécule en GA3P en passant par un intermédiaire ènediol (*fig.* 35.7) pour que la glycolyse puisse se poursuivre. L'économie de la glycolyse se manifeste ici : au

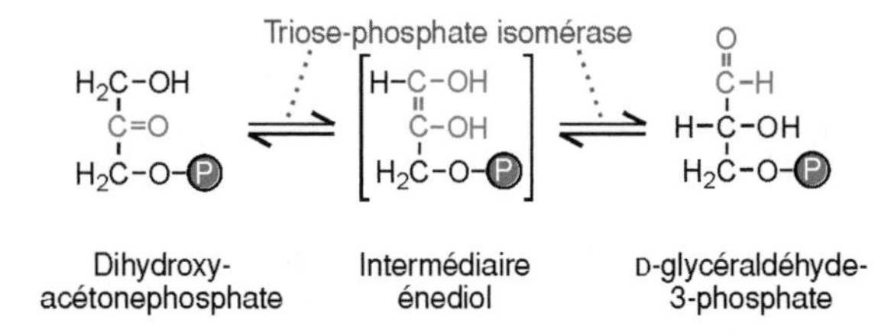

35.7 Réaction catalysée par la triose-phosphate isomérase. Les isomères dihydroxyacétone-phosphate (96 %) et glycéraldéhyde-3-phosphate (4 %) restent en équilibre *via* un intermédiaire ènediol. Le substrat utilisé dans la réaction suivante de la glycolyse, le glycéraldéhyde-3-phosphate, est fourni en permanence grâce à cette réaction.

niveau de cette étape, on évite une voie de dégradation séparée pour le DHAP.

La première phase de la glycolyse se termine ici. Le bilan intermédiaire net indique une production de deux molécules de glycéraldéhyde-3-phosphate et d'ADP à partir d'une molécule de glucose et de deux molécules d'ATP. Cette première phase de la glycolyse se traduit donc par une *consommation* d'ATP.

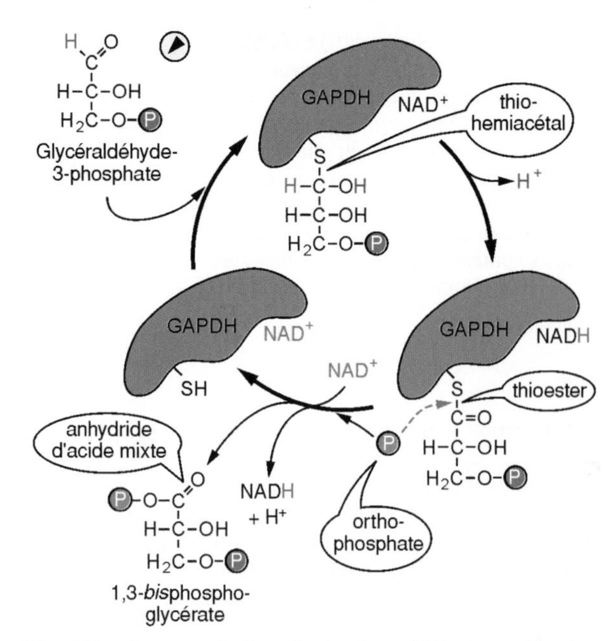

35.9 Mécanisme catalytique de la glycéraldéhyde-3-phosphate déshydrogénase (GAPDH). Le cosubstrat de cette réaction est le NAD^+.

35.3 L'oxydation du glycéraldéhyde-3-phosphate libère de l'ATP

Dans la **deuxième phase de la glycolyse**, une partie de l'énergie emmagasinée dans le glycéraldéhyde-3-phosphate est mobilisée et l'investissement de départ en ATP est compensé. La première étape est l'oxydation et la phosphorylation du GA3P en 1,3-*bis*phosphoglycérate (1,3-BPG) (*fig.* 35.8).

L'enzyme **glycéraldéhyde-3-phosphate déshydrogénase** (GAPDH) catalyse cette réaction, qui utilise du P_i et du NAD^+ et produit du NADH. La catalyse suit le même mécanisme que pour d'autres **déshydrogénases** : la GAPDH possède un groupement thiol dans son site actif, qui réagit avec la fonction aldéhyde et permet tout d'abord

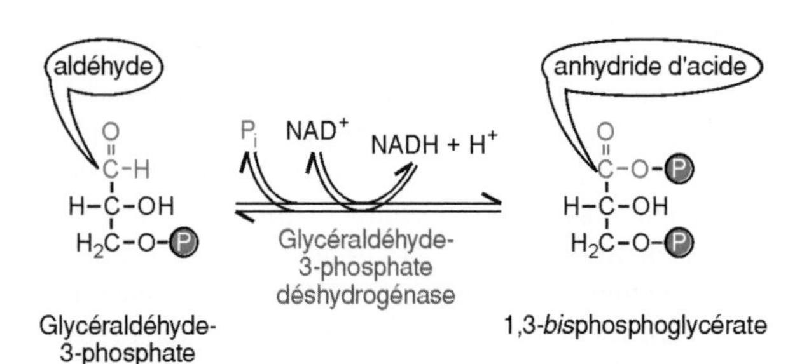

35.8 Réaction catalysée par la glycéraldéhyde-3-phosphate déshydrogénase. Le glycéraldéhyde-3-phosphate est oxydé au niveau du carbone C1. Un ion hydrure (H^-) est alors transféré sur le NAD^+ et un proton est éliminé en solution. Le groupement acide formé est lié à un phosphate « libre » (P_i) pour former une fonction anhydride d'acide riche en énergie.

de former un intermédiaire covalent thiohémiacétal (*fig.* 35.9, flèche de départ). Dans une deuxième étape, le NAD^+, qui constitue un cosubstrat se liant de façon réversible à la déshydrogénase, accepte un ion hydrure ($2 e^- + H^+ = H^-$). Un proton est alors libéré et l'oxydation en C1 induit la formation d'un intermédiaire thioester lié à l'enzyme par ce même carbone. La fonction thioester présente un haut potentiel de transfert de groupes et l'introduction d'orthophosphate (P_i) dans la molécule permet de former une fonction anhydride d'acide mixte. La liaison covalente avec l'enzyme subit alors un clivage « phosphorolytique ». Dans le même temps, le NADH est échangé contre du NAD^+ ; la déshydrogénase est alors « régénérée » et peut entamer un nouveau cycle catalytique. Le produit de cette réaction est un acyl phosphate qui dispose d'un fort potentiel de transfert de groupements phosphates.

L'intermédiaire glycolytique 1,3-*bis*phosphoglycérate est le précurseur du **2,3-*bis*phosphoglycérate** (2,3-BPG), qui joue un rôle primordial dans la régulation allostérique de l'hémoglobine (*encart* 35.1).

L'étape suivante de la glycolyse permet pour la première fois d'obtenir de l'énergie de façon directe. La **phosphoglycérate kinase** catalyse le transfert du groupement phosphate riche en énergie du 1,3-*bis*phosphoglycérate vers l'ADP, permettant la formation d'ATP et de 3-phosphoglycérate (*fig.* 35.10). Comme on a obtenu deux molécules de 1,3-BPG à partir d'une molécule de glucose, cette réaction libère en fait deux molécules d'ATP. Le bilan énergétique est alors équilibré car deux molécules d'ATP ont également été utilisées pour la synthèse du fructose-1,6-*bis*phosphate.

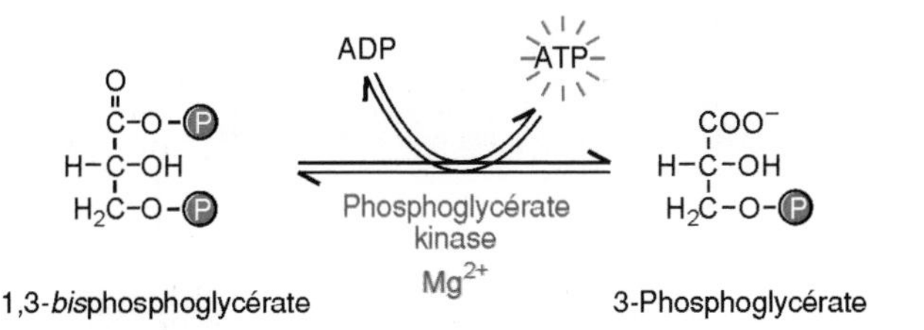

35.10 Réaction catalysée par la phosphoglycérate kinase. Parmi les quatre réactions de la glycolyse impliquant l'ATP, c'est la seule qui soit réversible.

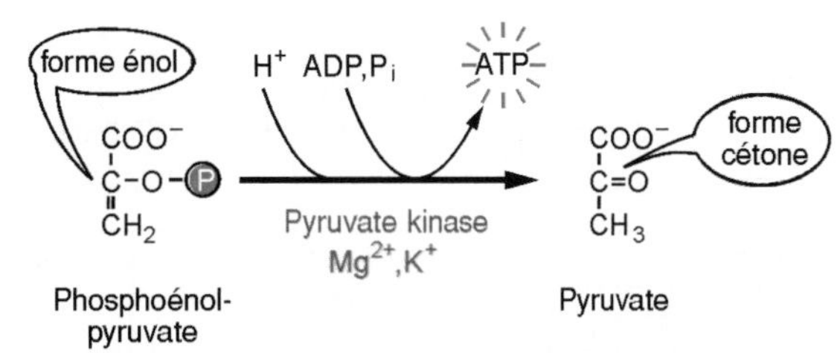

35.12 Étape finale de la glycolyse. Le potentiel énergétique élevé du phosphoénolpyruvate permet à la forme énol de passer à l'état nettement plus stable de forme cétol après le transfert du groupement phosphate. L'action de la pyruvate kinase nécessite du Mg^{2+} et également du K^{+}.

Encart 35.1 : Le 2,3-BPG un régulateur allostérique

Dans une des voies secondaires de la glycolyse, la ***bis*phosphoglycérate-mutase** convertit le 1,3-*bis*phosphoglycérate en 2,3-*bis*phosphoglycérate, une molécule qui constitue un régulateur allostérique. Le 2,3-BPG est caractérisé par un grand nombre de charges négatives (2,3-BPG^{5-}), qui lui confèrent une qualité importante : il peut se lier à la chaîne β présente dans la cavité centrale du tétramère d'immunoglobuline et y réguler l'affinité pour l'O_2 de façon allostérique (§ 10.7). Le 2,3-BPG lie quasi-exclusivement la **désoxy-hémoglobine**. Il déplace ainsi l'équilibre de la liaison de l'hémoglobine de sa forme oxygénée vers sa forme désoxygénée et facilite la libération d'oxygène au niveau des capillaires. Les érythrocytes possèdent une concentration exceptionnellement forte en 2,3-BPG, de trois ordres de grandeur au-dessus de celle du 1,3-BPG (4 mM *vs.*1 µM). Un séjour prolongé en altitude conduit à une augmentation supplémentaire de la concentration en 2,3-BPG (jusqu'à 8 mM) et à une libération encore plus efficace d'O_2 au niveau des capillaires. L'hémoglobine fœtale ($\alpha_2\gamma_2$) ne peut pas lier le 2,3-BPG avec ses chaînes γ et possède donc une affinité plus forte pour l'O_2 que l'hémoglobine adulte ($\alpha_2\beta_2$). Le gradient d'affinité transplacentaire soutient efficacement le transfert d'O_2 de la circulation maternelle vers la circulation fœtale.

35.4

La production de pyruvate est couplée à la formation d'ATP

À la fin de la voie de la glycolyse, du pyruvate est produit, et l'énergie libérée est utilisée pour former de l'ATP.

L'enzyme **phosphoglycérate mutase** catalyse le transfert intramoléculaire du groupement phosphate de la position C3 dans le 3-phosphoglycérate vers le groupement hydroxyle en C2 : le 2-phosphoglycérate est ainsi formé. L'**énolase** élimine ensuite une molécule d'eau du 2-phosphoglycérate pour former une molécule de phosphoénolpyruvate (*fig.* 35.11).

La fonction énolphosphate nouvellement formée dispose d'un niveau d'énergie extraordinairement élevé pour le transfert de groupement phosphate ($\Delta G^{\circ\prime}$ = - 62 kJ/mol ; à comparer avec la *fig.* 34.4). Ce potentiel est utilisé durant l'étape terminale de la glycolyse, où l'enzyme **pyruvate kinase** catalyse simultanément la conversion de phosphoénolpyruvate en pyruvate et la formation d'ATP à partir d'ADP et de P_i (*fig.* 35.12). On décrit ce gain d'ATP sous le nom de – **phosphorylation dépendante d'une chaîne de substrats** – à la différence de la production d'ATP sous l'effet d'un gradient de protons (§ 37.9).

La réaction catalysée par la pyruvate kinase est pratiquement irréversible car, malgré le couplage avec la formation d'une nouvelle fonction phosphoanhydrique (ATP à partir d'ADP) riche en énergie, cette réaction est encore fortement exergonique (*fig.* 35.13). Dans ce cas précis, le concept de « rôle moteur » des groupements phosphates riches en énergie dans le métabolisme est bien clair : l'énergie libérée pendant la conversion du phosphoénolpyruvate suffit à actionner les réactions précédentes, qui sont en partie au moins endergoniques. Le **couplage habile de réactions endergoniques et exergoniques** *permet de garantir le sens univoque et l'irréversibilité de la glycolyse.*

3-Phosphoglycérate — Phosphoglycérate mutase — 2-Phosphoglycérate — Énolase (H_2O) — Phosphoénol-pyruvate

35.11 Étapes réactionnelles préparant la formation de pyruvate. Le 2-phosphoglycérate et le phosphoénolpyruvate constituent des intermédiaires. Une double liaison entre les carbones C2 et C3 (préfixe « ène ») est formée ; comme le carbone C2 porte un groupement hydroxyle (« ol ») phosphorylé, on parle alors de composé phosphoénol (indiqué en rouge) – d'où l'appellation d'« énolase » pour l'enzyme qui catalyse cette réaction.

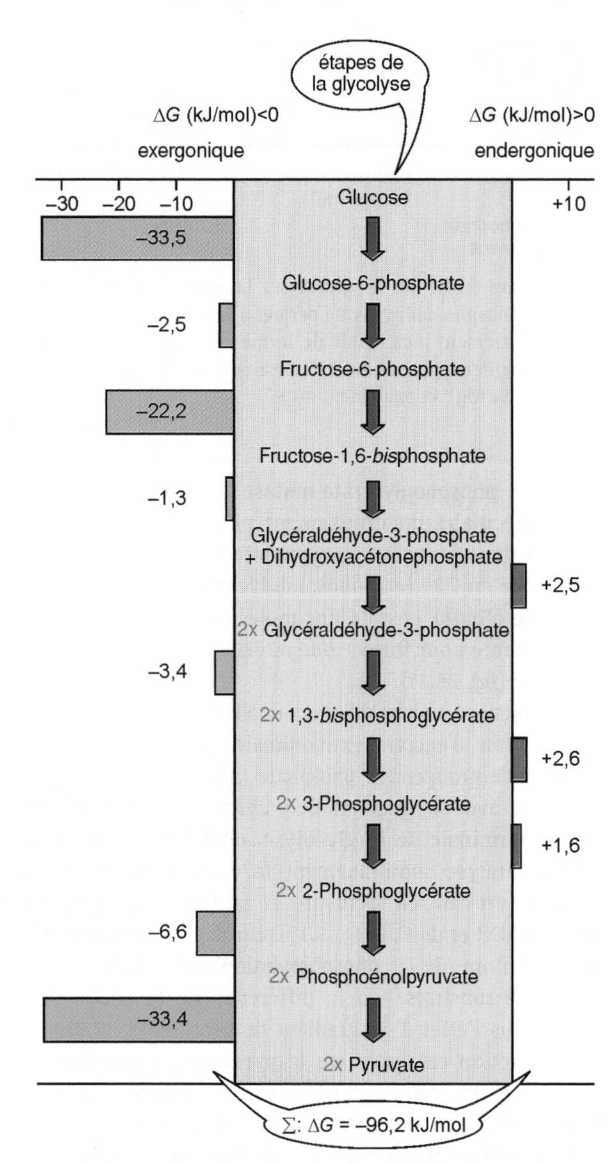

35.13 Changement d'énergie libre au cours des différentes réactions de la glycolyse. Les réactions endergoniques ($\Delta G > 0$) sont indiquées par des barres rouges sur le côté droit, et les réactions exergoniques ($\Delta G < 0$) par des barres vertes sur le côté gauche. Les valeurs indiquées pour les variations d'énergie libre ont été estimées en tenant compte des concentrations intracellulaires typiques de chaque métabolite concerné.

35.5 Le bilan énergétique de la glycolyse est positif

La somme des dix étapes mises en jeu dans la glycolyse aboutit au bilan réactionnel suivant :

$$\text{Glucose} + 2\ NAD^+ + 2\ ADP + 2\ P_i \rightarrow 2\ \text{Pyruvate} + 2\ NADH + 2\ H^+ + 2\ ATP + 2\ H_2O$$

La conversion d'une molécule de glucose en 2 molécules de pyruvate s'accompagne donc de la production de deux molécules d'ATP : un gain minime d'énergie, qui

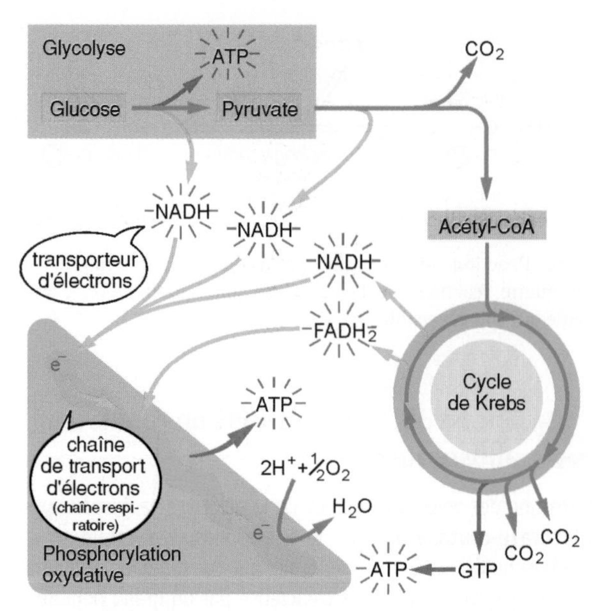

35.14 Glycolyse aérobie : relations entre la glycolyse, le cycle de Krebs et la phosphorylation oxydative. En conditions aérobies (avec consommation d'O_2), le métabolisme complet du glucose libère du CO_2 et de l'H_2O et génère de l'ATP.

suffit cependant, en **conditions anaérobies** – par exemple au cours d'un exercice musculaire intense – comme énergie rapidement utilisable. À partir d'une molécule de glucose, une quantité beaucoup plus importante d'énergie peut être obtenue en **conditions aérobies**, grâce aux processus post glycolytiques : la régénération du NAD^+ à partir du NADH est utilisée pour l'obtention de nouvelles molécules d'ATP. La pyruvate déshydrogénase catalyse la transformation du produit final de la glycolyse, le pyruvate, en acétyl-CoA et produit simultanément du NADH. L'acétyl-CoA débouche ensuite dans le cycle de Krebs ou cycle de l'acide citrique, où il est métabolisé complètement en CO_2, par l'intermédiaire du citrate (*chap.* 36). Cette dégradation fournit du GTP, converti finalement en ATP grâce à l'action de la nucléoside diphosphate kinase, et aussi les transporteurs d'électrons NADH et $FADH_2$. Avec le NADH déjà engendré par la glycolyse, ces transporteurs d'électrons sont utilisés au cours de la phosphorylation oxydative pour produire de grosses quantités d'ATP (*chap.* 37). La **glycolyse** est donc étroitement liée à la dégradation du pyruvate en acétyl-CoA, au **cycle de Krebs** et à la **phosphorylation oxydative** (*fig.* 35.14).

35.6 D'autres glucides entrent dans la voie de la glycolyse

On a déjà rencontré l'un des principes d'économie de la nature dans le cas du dihydroxyacétone-phosphate : des composés apparentés n'utilisent pas de voie métabolique

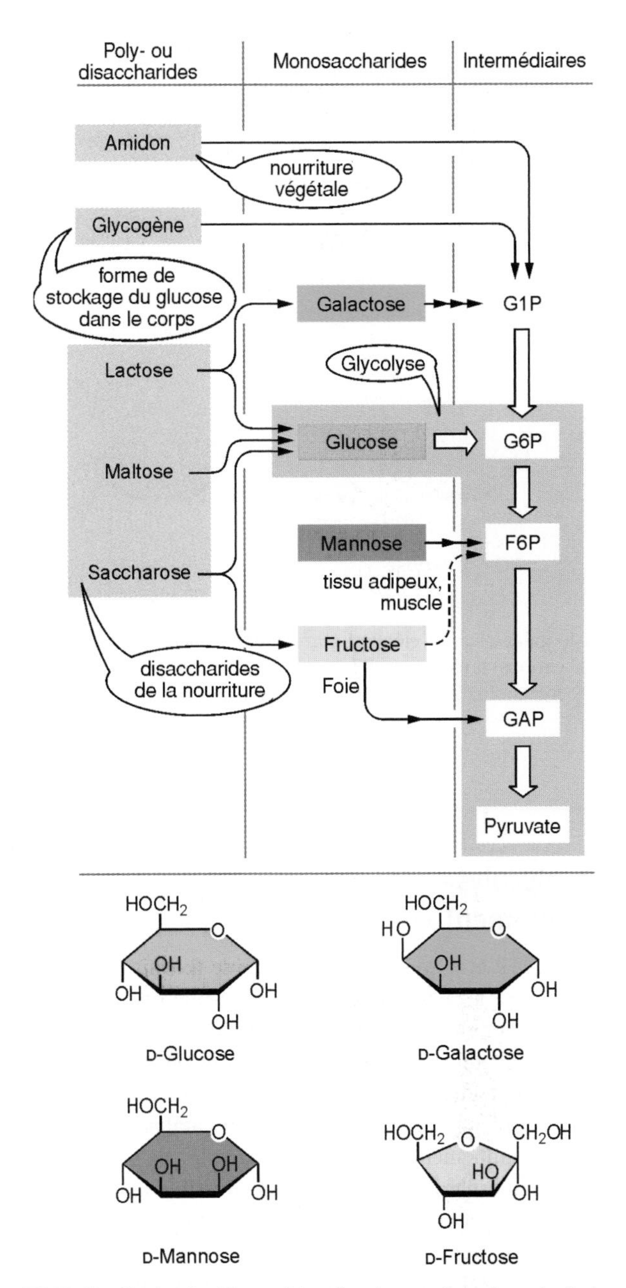

35.15 Entrée de glucides voisins du glucose dans la voie de la glycolyse. G1P : glucose-1-phosphate ; G6P : glucose-6-phosphate ; F6P : fructose-6-phosphate ; GAP : glycéraldéhyde-3-phosphate. Les anomères α sont montrés ici (voir *tab.* Glucides)

propre, mais entrent dans une voie métabolique bien établie par un chemin de traverse. Cette stratégie est également valable pour des sucres voisins du glucose, comme le fructose, le mannose ou le galactose : ils utilisent une série de réactions parallèles pour entrer dans le cycle de la glycolyse au niveau d'une étape appropriée (*fig.* 35.15).

Le **mannose** est l'épimère en C2 du glucose et on le trouve dans les aliments riches en glycoprotéines. Après phosphorylation par l'hexokinase, le mannose-6-phosphate obtenu est converti par la phosphomannose isomérase en fructose-6-phosphate, lequel peut entrer directement dans la voie de la glycolyse. L'entrée du **fructose** est plus compliquée : ce composé provient du saccharose, un disaccharide présent en quantités importantes dans la nourriture. Dans les tissus adipeux et les muscles, l'hexokinase phosphoryle une petite proportion du fructose en fructose-6-phosphate, ce qui lui ouvre la voie de la glycolyse. Il est vrai que la valeur du K_M de l'hexokinase est environ 20 fois plus élevée pour le fructose que pour le glucose, mais comme ce dernier est en faible concentration, il n'apparaît pas vraiment comme un substrat concurrent. Il en va différemment dans un milieu riche en glucose comme le foie : la prédominance du glucose dans ce tissu interdit l'accès direct du fructose à la glycolyse. Grâce à un « détour », les hépatocytes peuvent néanmoins utiliser le fructose : la fructokinase catalyse tout d'abord la transformation du fructose en fructose-1-phosphate. La fructose-1-phosphate aldolase (aldolase B) clive ensuite cette molécule en dihydroxyacétone-phosphate et en glycéraldéhyde. Au cours d'une réaction dépendante de l'ATP, la triose kinase phosphoryle alors le glycéraldéhyde en glycéraldéhyde-3-phosphate. Les deux isomères triose phosphates peuvent à nouveau s'insérer dans la voie de la glycolyse (*fig.* 35.16). La « préparation » du fructose pour la glycolyse passe par des étapes réactionnelles classiques (*tab.* 35.1). Dans le cas du **galactose**, l'épimère en C4 du glucose, ce répertoire ne suffit plus : la conversion nécessite ici l'action de quatre enzymes et comprend, outre le transfert et l'échange d'un groupement phosphate, un transfert de groupement uridyl ou UDP (formation d'UDP-galactose) puis une épimérisation (*fig.* 35.17). La galactokinase catalyse la première étape et phosphoryle le galactose en utilisant de l'ATP (réaction 1). Dans l'étape suivante, le galactose-1-phosphate obtenu réagit avec de l'uridine diphosphate glucose (UDP-glucose) : la réaction (2) est catalysée par la galactose-1-phosphate

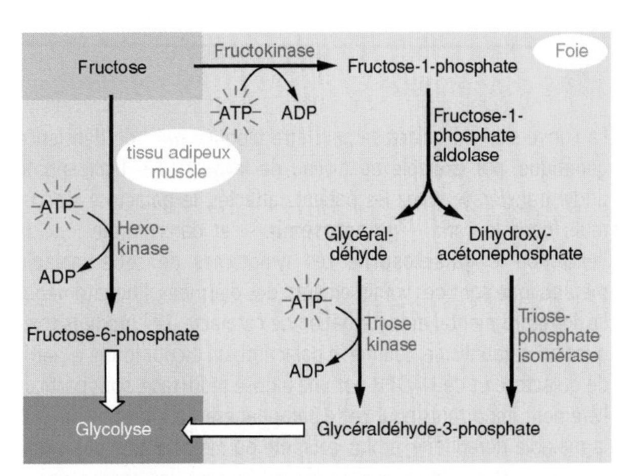

35.16 Entrée du fructose dans la voie de la glycolyse. Dans les tissus adipeux et dans les muscles, l'hexokinase convertit directement le fructose en fructose-6-phosphate, lequel rejoint la voie de la glycolyse. Le foie, qui métabolise la majeure partie du fructose, utilise pour cela un intermédiaire triosephosphate.

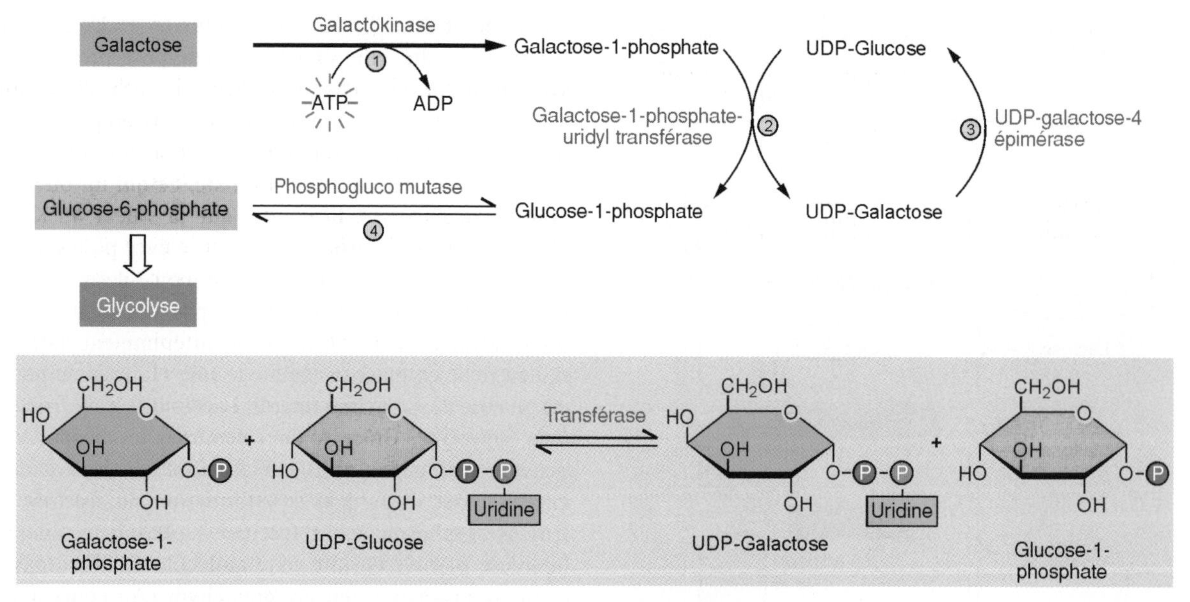

35.17 Entrée du galactose dans la voie de la glycolyse. Pour utiliser le galactose, un élément constitutif du lactose présent dans l'alimentation, l'action de quatre enzymes est nécessaire (en haut ; explications dans le texte). Le transfert d'uridyl (présenté en bas) et l'épimérisation sont réversibles, si bien que le glucose peut aussi être métabolisé en galactose par cette voie.

uridyltransférase. Elle aboutit à la formation d'UDP-galactose et de glucose-1-phosphate. L'UDP-galactose épimérase (3) inverse ensuite la configuration du groupement hydroxyle en position C4 sur le résidu galactose et régénère ainsi l'UDP-glucose. La phosphoglucomutase (4) transforme enfin le glucose-1-phosphate en glucose-6-phosphate et établit ainsi la connexion avec la glycolyse. Quand cette « dérivation » permettant la dégradation du galactose ne fonctionne pas, des pathologies graves peuvent être observées (*encart* 35.2).

Encart 35.2 : La galactosémie congénitale

La conversion du galactose peut être bloquée par une déficience génétique, par exemple au niveau de la galactose-1-phosphate uridyl transférase. Chez les patients affectés, le galactose s'accumule dans le sang – **galactosémie** – et dans l'urine lors de l'excrétion – **galactosurie**. Les symptômes de cette maladie métabolique sont des vomissements, des diarrhées, l'hépatomégalie, le retard mental et la formation de cataracte. Les produits toxiques du catabolisme, comme le galactitol, un alcool formé à partir de galactose et de NADPH par une aldose réductase, sont particulièrement importants pour cette pathogenèse. La galactosémie est la maladie héréditaire la plus courante du métabolisme des glucides. Les critères utilisés pour le diagnostic sont une concentration anormalement élevée de galactose dans le sang et dans l'urine ainsi qu'une déficience en activité uridyl transférase dans les érythrocytes. La thérapie consiste en un régime sans galactose, qui améliore les symptômes.

35.7 La glycolyse est étroitement contrôlée

Avec l'ATP et le pyruvate, la glycolyse fournit deux composés clés, à la fois pour le métabolisme énergétique et pour les activités de biosynthèse. Il n'est donc pas surprenant que cette voie métabolique soit étroitement contrôlée. Typiquement, les étapes régulées dans une telle voie de métabolisme sont les enzymes qui catalysent les réactions pratiquement irréversibles. Dans le cas de la glycolyse, la **phosphofructokinase** (PFK) constitue l'enzyme clé. La PFK est un homotétramère (*fig.* 35.18).

La PFK est régulée de multiples façons : l'ATP constitue un inhibiteur allostérique réversible, qui diminue l'affinité de l'enzyme pour son substrat (§ 13.8). Au contraire, l'AMP et l'ADP sont des activateurs allostériques, qui se lient à l'enzyme de façon non covalente (*fig.* 35.19). La charge énergétique d'une cellule (*encart* 34.4) contrôle donc l'activité de la PFK : quand la charge énergétique est faible (concentration basse en ATP et concentration élevée en ADP ou AMP), la glycolyse et donc la production d'ATP sont stimulées, et inversement. Outre la charge énergétique, le citrate contrôle aussi l'activité de la PFK : une concentration élevée de ce produit dérivé de la dégradation du pyruvate inhibe la PFK, ce qui réduit la production de pyruvate, d'acétyl-CoA et finalement aussi de citrate. Le fructose-2,6-*bis*-phosphate (F-2,6-BP), un sous-produit de la glycolyse, est aussi un activateur allostérique important de la PFK (*encart* 39.2).

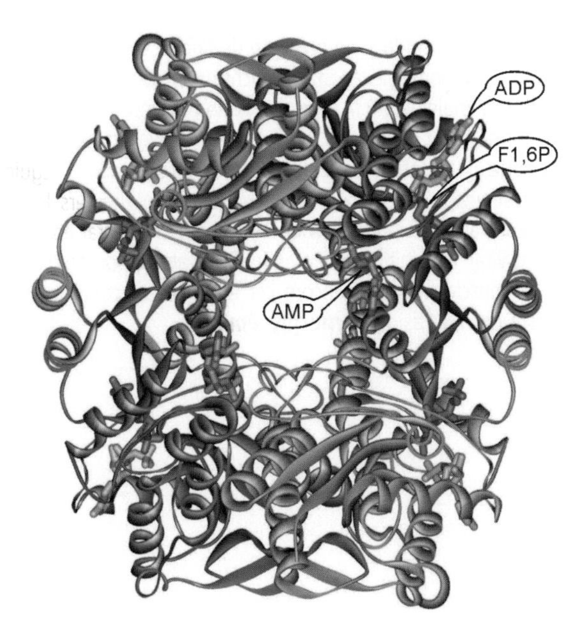

35.18 Modèle structural présentant la forme active de la phosphofructokinase. Les quatre unités identiques sont représentées en bleu et en jaune. Le produit réactionnel, le fructose-1,6-*bis*-phosphate (en rouge) et l'ADP (en vert) occupent les centres catalytiques. L'activateur allostérique AMP est également montré (en orange).

Indirectement, la réaction clé catalysée par la PFK – la phosphorylation du fructose-6-phosphate en fructose-1,6-*bis*phosphate – contribue également à la régulation des enzymes situées au début et à la fin de la chaîne de réactions : l'hexokinase et la pyruvate kinase. L'**hexokinase** est de fait inhibée de façon allostérique par son propre produit de réaction, le glucose-6-phosphate : il s'agit d'une inhibition par le produit. Normalement, le glucose-6-phosphate est métabolisé rapidement, mais quand la PFK est inhibée, le fructose-6-phosphate – son substrat – s'accumule. Comme il est lui-même en équilibre avec le glucose-6-phosphate, un « bouchon » dû à l'accumulation de ce dernier se forme secondairement et inhibe l'activité hexokinase. Ce mécanisme permet de réduire, dès le départ et sans délai, l'entrée de glucose dans la voie de la glycolyse et de lutter contre une accumulation non désirée d'intermédiaires précieux.

En ce qui concerne la **pyruvate kinase**, l'enzyme qui contrôle le flux sortant de métabolites glycolytiques, le fructose-1,6-*bis*phosphate joue le rôle d'activateur allostérique. Ce mécanisme permet d'adapter la vitesse de la réaction finale de la glycolyse à celle de son enzyme clé. L'ATP joue en revanche un rôle d'inhibiteur allostérique de la pyruvate kinase et réduit la production de pyruvate, quand la charge énergétique de la cellule est déjà élevée. Les métabolites du pyruvate, l'acétyl-CoA et l'alanine, constituent de la même manière des inhibiteurs allostériques. Il faut en outre noter qu'il existe deux **isoenzymes** (ou isozymes) de la pyruvate kinase, régulées de façon organe-spécifique (*encart* 35.3).

La **glucokinase** est une isoenzyme de l'hexokinase, exprimée dans le foie, et qui convertit le glucose en glucose-6-phosphate ; la valeur de son K_M est environ 50 fois plus élevée que celle de l'hexokinase (5 mM *vs.* 100 µM) mais, contrairement à cette dernière, elle très spécifique du glucose. Quand la glycolyse se réduit dans le foie et que l'organe libère du glucose « libre » dans le sang, l'approvisionnement d'organes extrahépatiques est tout d'abord assuré. C'est seulement quand une très forte concentration en glucose (≈ 5 mM) est présente dans les hépatocytes qu'on observe un métabolisme significatif du glucose par la glucokinase : le glucose-6-phosphate qui en résulte, constitue un produit terminal dans la synthèse de glycogène, la forme de réserve du glucose.

En conditions aérobies, la glycolyse ne peut exercer de façon optimale ses fonctions métaboliques – production de molécules riches en énergie et mise à disposition d'éléments pour la biosynthèse – qu'en équipe avec le cycle de Krebs et la phosphorylation oxydative. On se penchera sur ces deux voies métaboliques dans les chapitres suivants.

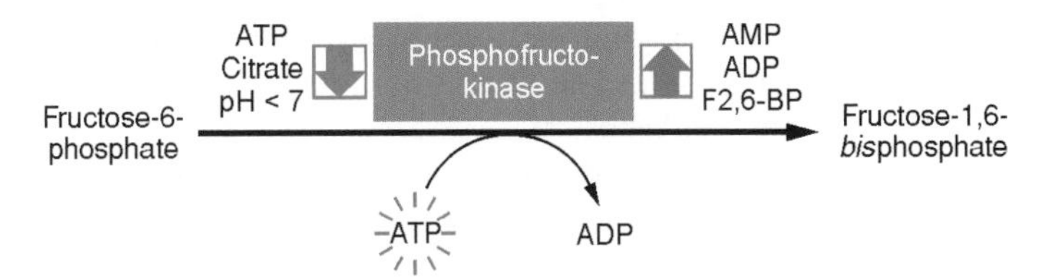

35.19 Contrôle de l'activité phosphofructokinase (PFK). L'enzyme est aussi régulée par la valeur de pH intracellulaire. L'activité de la PFK diminue rapidement pour un pH < 7 et empêche une surproduction de pyruvate et de lactate, qui conduirait à une chute supplémentaire de pH. F2,6-BP : fructose-2,6-*bis*phosphate.

Encart 35.3 : Les isoenzymes

Les isoenzymes (ou isozymes) catalysent la même réaction biochimique, mais sont codées par des gènes différents et se différencient donc par leurs séquences primaires et leurs mécanismes de régulation. Il existe ainsi deux gènes différents codant la pyruvate kinase : la **forme L** est exprimée dans le *foie* (angl. *liver*) et la **forme M** prédomine dans les *muscles* et le cerveau. Une phosphorylation réversible module l'activité de la forme L, mais pas de la forme M. Quand le sang présente de faibles concentrations en glucose, l'hormone glucagon déclenche une cascade de kinases, qui aboutit finalement à la phosphorylation et ainsi à l'inactivation de la forme L (*fig.* 35.20). La forme M reste active. En cas d'**hypoglycémie**, l'utilisation de glucose par le foie est donc régulée négativement et le glucose disponible est détourné vers le cerveau, car l'approvisionnement de ce dernier en substrat énergétique est vital. L'inhibition concomitante de l'absorption de glucose par les muscles renforce encore cet effet. Les mécanismes sont inversés dans le cas de l'**hyperglycémie**.

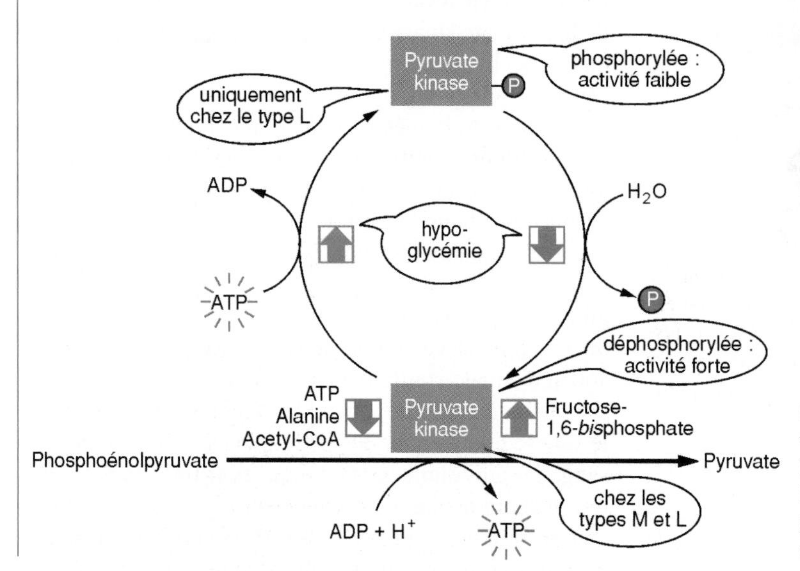

35.20 Régulation des isoenzymes de la pyruvate kinase. L'activité des deux isoformes (L, M) est régulée de façon allostérique (en bas) ; l'isoenzyme de forme L (en haut) est contrôlée par une phosphorylation réversible dépendante du taux de sucre sanguin.

Le cycle de Krebs, plaque tournante du métabolisme

36

Le métabolisme glycolytique jusqu'au pyruvate ne peut mobiliser qu'une petite partie de l'énergie stockée dans le glucose. Seul le lien avec le **cycle de l'acide citrique** ou **cycle des acides tricarboxyliques**, plus souvent appelé **cycle de Krebs** du nom de son découvreur, assure une utilisation plus complète. Le pont entre la glycolyse et le cycle de Krebs est assuré en conditions aérobies, par une décarboxylation oxydative qui permet de convertir le pyruvate en acétyl-CoA. Ce dernier entre alors dans le cycle de Krebs et est totalement converti en CO_2. Au cours du cycle, l'hydrogène lié est récupéré pour former du NADH et du $FADH_2$, lesquels sont utilisés dans les réactions suivantes de la phosphorylation oxydative pour produire de grandes quantités d'ATP. Le métabolisme des graisses et de certains acides aminés débouche aussi de façon prépondérante dans le cycle de Krebs *via* l'acétyl-CoA. D'autre part, le cycle de Krebs fournit également des éléments initiaux pour des activités de biosynthèse. Par ses fonctions intégratives, ce cycle constitue une plaque tournante du métabolisme. Chez les eucaryotes, le cycle de Krebs se déroule dans la **matrice mitochondriale** et est donc séparé spatialement de la voie de la glycolyse, puisque celle-ci est localisée dans le cytosol : il s'agit de voies de métabolisme fonctionnant successivement et en parallèle par **compartimentation.**

Encart 36.1 : Le complexe de la pyruvate déshydrogénase

Chez les eucaryotes, le complexe PDH, avec une taille d'environ 7 800 kDa, est l'un des plus gros complexes multienzymatiques connus. Des études structurales ont montré qu'il est composé d'environ 22 molécules de pyruvate déshydrogénase (E1), qui entourent un noyau de 60 sous-unités de dihydroliponamide transacétylase ; à l'intérieur sont stockées 6 molécules de dihydroliponamide déshydrogénase (E3) (*fig.* 36.1). Le noyau de E2 forme un échafaudage dodécaédrique aux coins duquel de nombreux centres réactionnels trimériques se regroupent et permettent la synthèse d'acétyl-CoA. Ce noyau est relativement flexible et sa taille peut varier dans une proportion allant jusqu'à 20 % (angl. *breathing core*). Avec leurs groupements liponamides, les unités E2 possèdent des antennes flexibles, permettant le transfert de groupements acyles. D'autres protéines associées appartiennent au complexe PDH, comme la PDH kinase et la PDH phosphatase, qui régulent l'activité enzymatique du complexe par phosphorylation réversible.

36.1

La décarboxylation oxydative du pyruvate fournit de l'acétyl-CoA

Voyons tout d'abord le « pont » reliant la glycolyse et le cycle de Krebs : le pyruvate cytosolique produit est transporté par un symport, en même temps que des protons H^+, et passe à travers la membrane des mitochondries jusqu'à

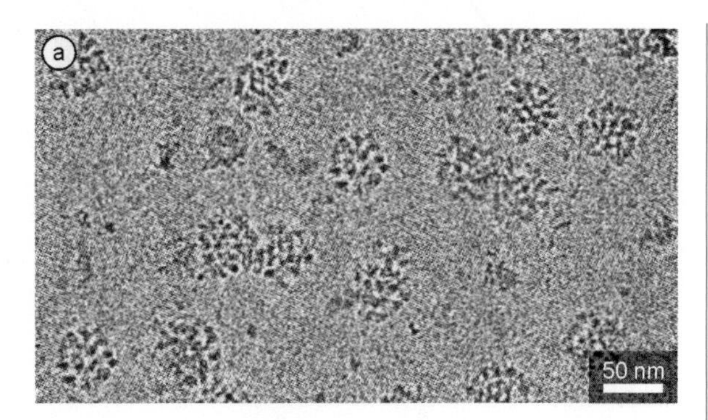

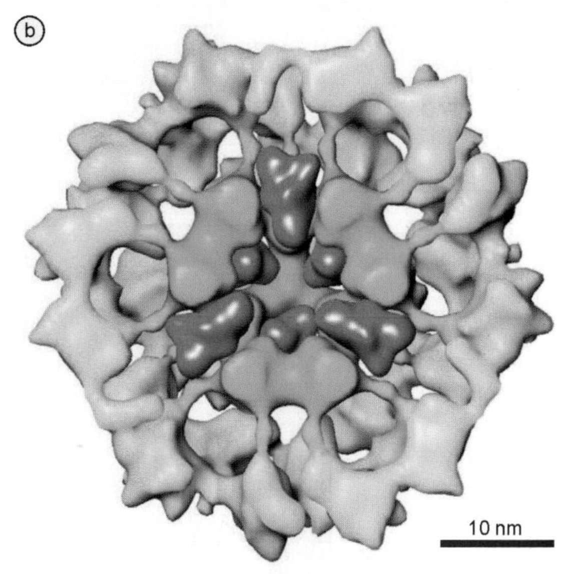

36.1 Complexe de la pyruvate déshydrogénase (bovine). Image par cryo-microscopie électronique de plusieurs complexes (a) et reconstruction tridimensionnelle d'un complexe en coupe transversale (b). E_1 = pyruvate déshydrogénase (en jaune), E_2 = dihydroliponamide transacétylase (en vert), E_3 = dihydroliponamide déshydrogénase (en rouge) ; liaisons E_1-E_2 (en bleu). [RF]

la matrice mitochondriale. À ce niveau, le **complexe de la pyruvate déshydrogénase** (PDH) catalyse la décarboxylation oxydative du pyruvate en acétyl-CoA, au cours de laquelle du CO_2 et du NADH sont formés (*encart* 36.1). Cette réaction clé est pratiquement irréversible :

Pyruvate + CoA-SH + NAD^+ → Acétyl-CoA + CO_2 + NADH + H^+

Trois composants enzymatiques du complexe PDH sont responsables de la décarboxylation oxydative (*fig.* 36.2) : la pyruvate déshydrogénase (E_1), la dihydroliponamide transacétylase (E_2) et la dihydroliponamide déshydrogénase (E_3). Cinq cofacteurs sont également impliqués : le thiamine pyrophosphate (TPP) (*encart* 36.2), le coenzyme A, l'acide lipoïque (ou liponamide), le FAD et le NAD^+.

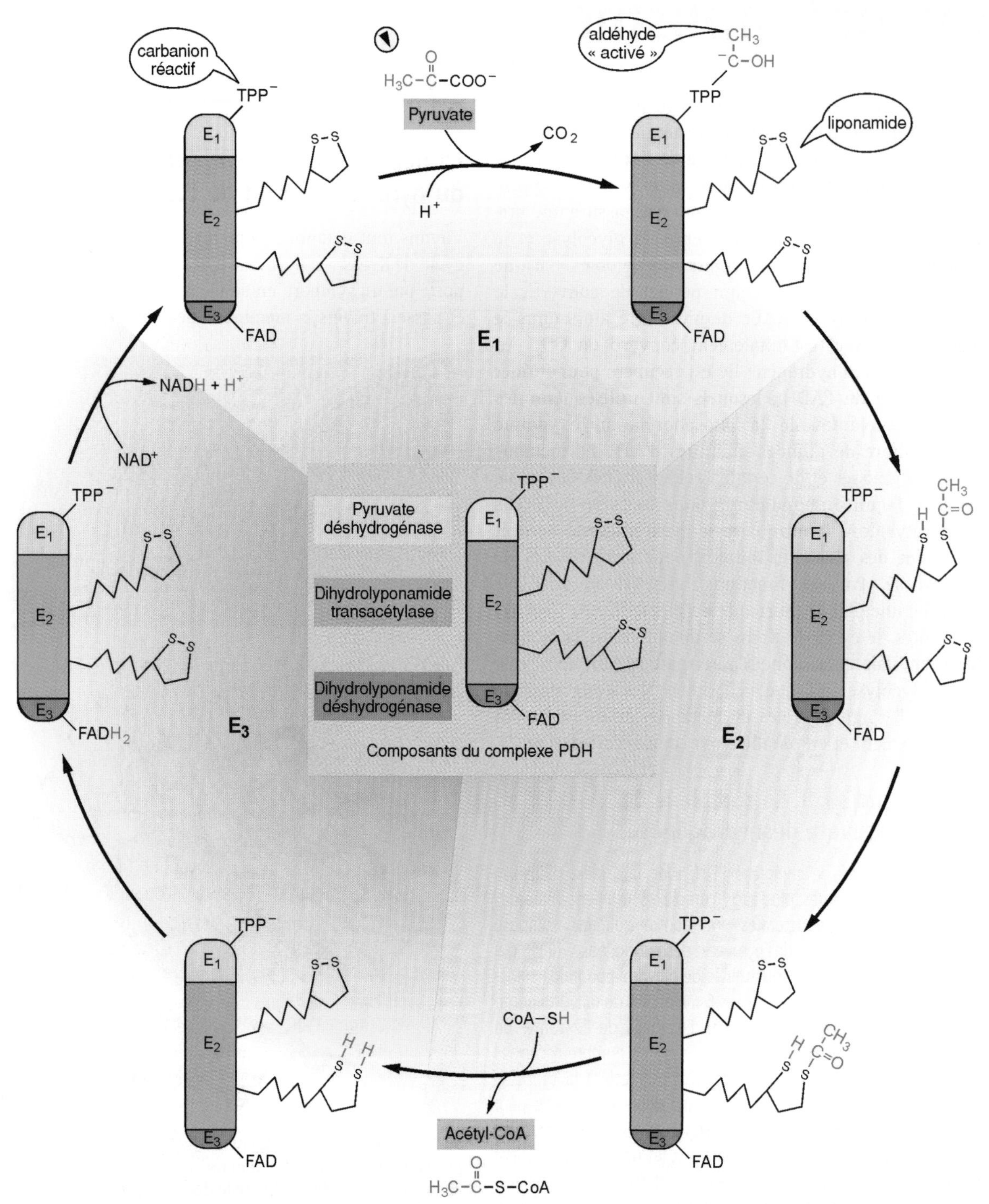

36.2 Mécanisme réactionnel du complexe de la pyruvate déshydrogénase. Les trois enzymes impliquées dans le complexe multienzymatique géant sont la pyruvate déshydrogénase (E_1), la dihydroliponamide transacétylase (E_2) et la dihydroliponamide déshydrogénase (E_3). TPP : thiamine pyrophosphate ; CoA : Coenzyme A.

Encart 36.2 : Le thiamine pyrophosphate et le Béri-Béri

Le thiamine pyrophosphate (TPP) (*fig.* 36.3) résulte de la phosphorylation intracellulaire de la thiamine (vitamine B_1). Le TPP est un cofacteur essentiel de l'α-cétoglutarate déshydrogénase, de la pyruvate déshydrogénase et de la transcétolase. Outre son noyau pyrimidine, le TPP possède un noyau thiazolium avec une chaîne latérale présentant une structure CH-azide. Dans le complexe de la déshydrogénase, la dissociation d'un proton génère un carbanion réactif, qui peut se lier au groupement cétol chargé positivement d'un acide α-cétolique comme le pyruvate. La structure intermédiaire qui en résulte est stabilisée, ce qui permet l'élimination d'un groupement CO_2 à partir du dérivé acide α-cétolique. Il subsiste un dérivé hydroxyacétyle (« aldéhyde activé »), stabilisé par résonance, qui subit une oxydation en acide lors du transfert suivant sur le liponamide (*fig.* 36.2). Comme le précurseur du TPP, la vitamine B_1 ne peut pas être synthétisée par l'organisme et une assimilation insuffisante de cette vitamine engendre la maladie du Béri-Béri, dont les symptômes sont des douleurs dans les membres, des tremblements, une faiblesse musculaire et de la cardiomyopathie. La raison réside la plupart du temps dans une alimentation trop peu variée, comme dans le cas d'une absorption quasi-exclusive de riz poli ou d'alcoolisme ; une thérapie de substitution est conseillée. Le diagnostic peut être confirmé par la mesure d'une activité transcétolase réduite dans les érythrocytes.

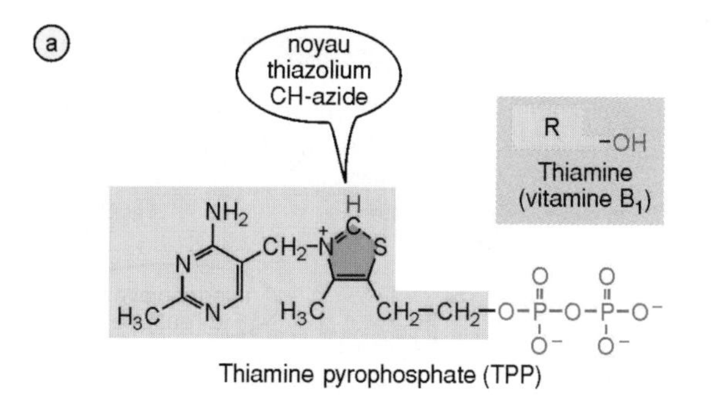

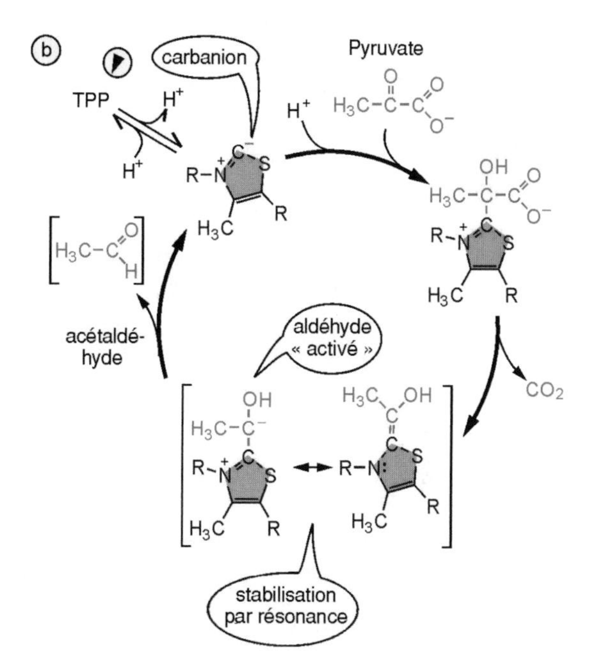

36.3 Thiamine pyrophosphate (a) et mécanisme réactionnel impliqué dans la décarboxylation du pyruvate (b). Dans le cas de la décarboxylation oxydative, l'acétaldéhyde formé n'est pas libéré mais oxydé et transféré sous forme d'acétate sur le liponamide (*fig.* 36.2).

Au début de cette suite de réactions complexe, le pyruvate se lie au groupement prosthétique de la pyruvate déshydrogénase, le pyrophosphate de thiamine, disponible sous forme d'un **carbanion réactif** ; un dérivé hydroxyéthyl thiamine est produit (« aldéhyde activé », *fig.* 36.2) avec libération de CO_2. Le groupement hydroxyéthyle est ensuite oxydé en groupement acétyle et transféré sur un premier groupement liponamide par l'intermédiaire de la formation d'un thioester. Ce groupement prosthétique de la transacétylase présente une liaison disulfure cyclique qui est réduite au cours de la réaction en dihydroliponamide. La transacétylase transfère ensuite le groupement acétyle sur un deuxième résidu liponamide et seulement ensuite sur le coenzyme A, ce qui permet la libération d'acétyl-CoA. La dihydroliponamide déshydrogénase régénère le groupement liponamide grâce à son groupement prosthétique, le FAD. Le cosubstrat NAD^+ est enfin réduit en en NADH grâce au $FADH_2$ formé. Le complexe multienzymatique a alors atteint de nouveau l'état initial.

36.2 Le cycle de Krebs (cycle de l'acide citrique) est une succession en boucle de neuf réactions individuelles

Après la décarboxylation oxydative du pyruvate, le cycle de Krebs peut vraiment commencer. Contrairement à la suite linéaire de réactions de la glycolyse, le cycle de Krebs met en jeu une suite fermée de neuf réactions, pour lesquelles le produit de départ et le produit final sont identiques, c'est-à-dire l'oxaloacétate (*fig.* 36.4). À chaque « tour » dans le cycle, un groupement acétyle est exclu de l'acétyl-CoA et son oxydation fournit deux CO_2 ; trois NADH, un $FADH_2$ et un GTP sont également libérés. Le *tableau* 36.1 résume les caractéristiques des réactions impliquées.

La **réaction de départ du cycle** consiste en la liaison d'un oxaloacétate avec une molécule d'acétyl-CoA pour former du citrate (*fig.* 36.5). La **citrate synthase** est responsable de la formation d'une liaison C-C entre le groupement α-cétol de l'oxaloacétate et le groupement méthyle du CH-azide de l'acétyl-CoA pour former un **composé C_6**. La liaison avec le Coenzyme A, nécessaire à l'activation, est ensuite clivée par hydrolyse. Durant l'étape suivante du cycle, l'enzyme **aconitase** isomérise le citrate obtenu en isocitrate (*fig.* 36.6). Cette réaction

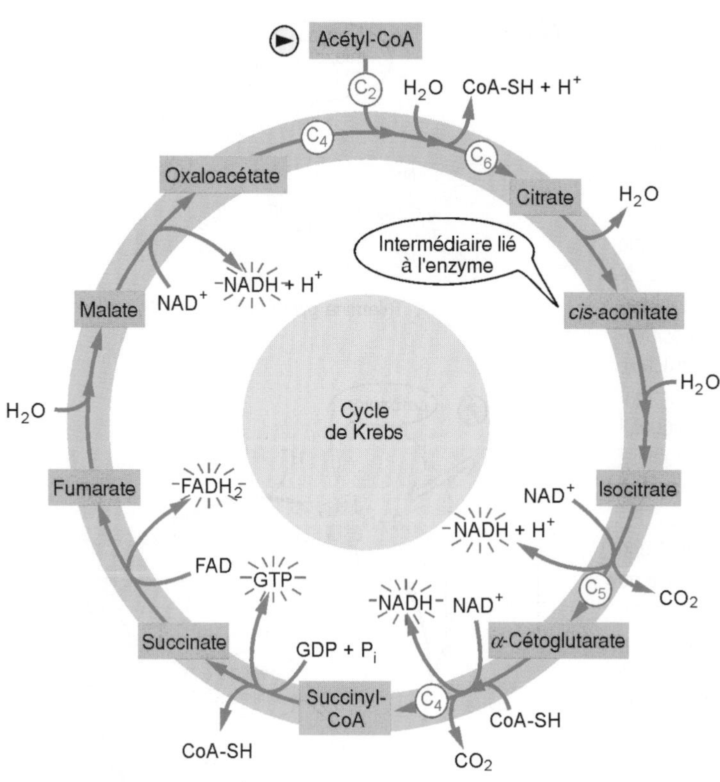

36.4 Étapes du cycle de Krebs. Le cycle débute par la liaison de l'oxaloacétate (molécule en C4) avec une unité d'acétyl-CoA (molécule en C2). Une molécule en C6 est formée, le citrate, qui présente trois groupements carboxyliques, et donne son nom au cycle de Krebs, encore appelé cycle du citrate ou de l'acide citrique.

CH-azide

$$H_3C{-}\overset{O}{\overset{\|}{C}}{-}S{-}CoA \;+\; \begin{matrix} O{=}C{-}COO^- \\ H_2C{-}COO^- \end{matrix} \xrightarrow[H_2O \;\;\; H^+]{\text{Citrate synthase}} \begin{matrix} H_2C{-}COO^- \\ HO{-}C{-}COO^- \\ H_2C{-}COO^- \end{matrix} \;+\; CoA{-}SH$$

Acétyl-CoA — Oxaloacétate — Citrate

36.5 Liaison entre l'oxaloacétate et l'acétyl-CoA. Par addition d'aldole, on obtient le citryl-CoA, un produit intermédiaire riche en énergie (non montré), qui s'hydrolyse spontanément en citrate. L'ensemble de cette réaction est pratiquement irréversible.

Tableau 36.1 Principaux types de réactions dans le cycle de Krebs

Réaction	Enzymes et cofacteurs
Addition d'aldol	Une synthase effectue une liaison C-C par attaque nucléophile sur un résidu carbonyle d'un acide *α*-cétolique
Isomérisation	Une isomérase déplace au cours d'une réaction stéréospécifique à deux étapes un groupement hydroxyle, ce qui aboutit à la formation d'une double liaison par l'intermédiaire d'une déshydratation
Hydratation	Une hydratase ajoute de façon stéréospécifique une molécule d'eau sur une double liaison, ce qui aboutit à la formation d'un alcool optiquement actif
Oxydation	Deux déshydrogénases catalysent le transfert d'électrons du substrat vers le NAD^+ ou le FAD
Décarboxylation oxydative	Deux déshydrogénases / décarboxylases éliminent du CO_2 oxydatif de leur substrat et transfèrent simultanément des électrons sur le NAD^+
Transfert de groupement phosphate	Une synthétase catalyse le transfert d'un groupement phosphate sur le GDP, ce qui donne du GTP

se déroule en deux étapes couplées entre elles. En premier, le groupement hydroxyle en C3 du citrate est éliminé par déshydratation ; un intermédiaire *cis*-aconitate présentant une double liaison C-C est formé. L'aconitase catalyse ensuite l'hydratation stéréospécifique, c'est-à-dire l'ajout d'une molécule d'H_2O au *cis*-aconitate, ce qui introduit un groupement hydroxyle au niveau du carbone C2 : l'isocitrate est formé. Le bilan des deux étapes de cette réaction est la transformation d'un groupement hydroxyle tertiaire en un groupement hydroxyle secondaire, essentiel pour la réaction suivante de décarboxylation.

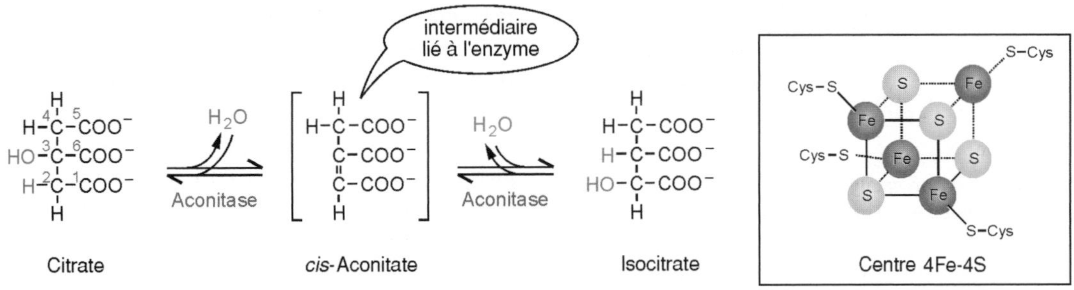

36.6 Réactions catalysées par l'acotinase. L'enzyme aconitase appartient à la famille des protéines à centre fer-soufre. Elle contient dans son site actif un complexe formé de quatre atomes de fer et quatre atomes de soufre (4Fe-4S), lié à la protéine par un résidu cystéine (Cys-S) (encadré à droite). Une isoforme cytosolique de l'aconitase joue un rôle important dans la régulation de l'expression des protéines liant le fer (§ 18.7).

36.3 Des oxydo-réductases fournissent les équivalents de réduction NADH et $FADH_2$

Durant la réaction suivante, l'**isocitrate déshydrogénase**, la première des quatre oxydoréductases du cycle de Krebs, catalyse la décarboxylation oxydative de l'isocitrate en α-cétoglutarate. Au cours de cette réaction, du CO_2 est libéré et du NADH est formé. Le bilan de la réaction est :

$$\text{Isocitrate} + NAD^+ \rightarrow \alpha\text{-Cétoglutarate} + CO_2 + NADH + H^+$$

Cette réaction présente également deux étapes (*fig.* 36.7). L'oxalosuccinate est d'abord formé par oxydation du groupement hydroxyle en C2, ce qui permet le transfert de 2 e^- et d'1 H^+ (correspondant à l'ion hydrure H^-) sur le NAD^+, tandis qu'un proton est libéré. Dans un deuxième temps, l'oxalosuccinate, un acide β-cétocarboxylique instable, est décarboxylé en C3 pour former un **acide dicarboxylique en C5**, l'α-cétoglutarate. Cette réaction pratiquement irréversible est la **réaction clé** du cycle de Krebs. Elle est fortement exergonique et donne son sens univoque à cette suite de réactions. Grâce à elle, le cycle ne va jamais « en marche arrière ».

Une deuxième décarboxylation oxydative, fortement exergonique elle aussi, se produit ensuite et est catalysée par le complexe multienzymatique de l'**α-cétoglutarate déshydrogénase** (*fig.* 36.8). Le coenzyme mis en jeu est de nouveau le thiamine pyrophosphate (*fig.* 36.3). Le complexe mutienzymatique convertit l'α-cétoglutarate par décarboxylation oxydative en succinyl-CoA. Un autre CO_2 est encore libéré et un NADH formé. Le succinyl-CoA provenant de la décarboxylation de l'α-cétoglutarate est un thioester riche en énergie, dont le potentiel de transfert de groupement peut être utilisé pour le gain d'un groupement phosphate riche en énergie. La **succinyl-CoA synthétase** catalyse le clivage du succinyl-CoA avec la formation simultanée de GTP à partir de GDP et de P_i, ainsi que la régénération du CoA-SH (*fig.* 36.9).

Cette réaction est la seule étape du cycle de Krebs, au cours de laquelle un phosphate anhydride d'acide est formé. Le GTP peut transmettre secondairement son groupement γ-phosphate à la molécule qui transmet universellement l'énergie, c'est-à-dire l'ATP. L'enzyme qui catalyse cette réaction est la **nucléoside diphosphate kinase** : GTP + ADP → GDP + ATP (§ 45.5). Le cycle est à nouveau parvenu à un **composé en C4**, le succinate. À partir de là, trois étapes permettent de régénérer l'oxaloacétate (*fig.* 36.10). Tout d'abord, la **succinate déshydrogénase** oxyde le succinate en fumarate en formant du $FADH_2$:

$$\text{Succinate} + FAD \rightarrow \text{Fumarate} + FADH_2$$

Contrairement aux autres enzymes du cycle de Krebs, qui sont des protéines solubles de la matrice mitochondriale, la succinate déshydrogénase est fixée à la membrane interne des mitochondries, où elle constitue un lien entre le cycle de Krebs et la phosphorylation oxydative. Plus précisément, dans l'équation ci-dessus, il ne s'agit que de la partie de la réaction, qui est catalysée

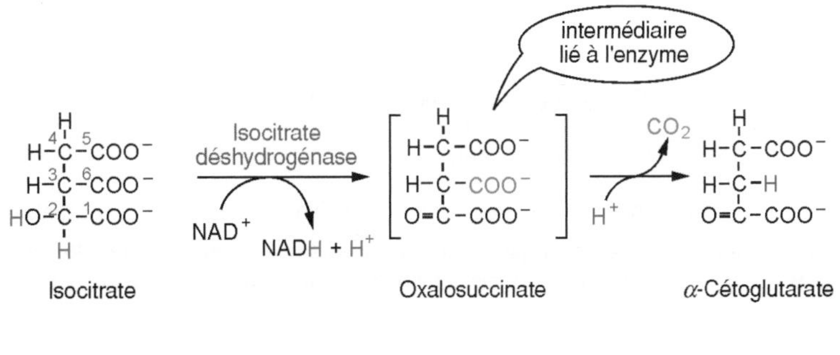

36.7 Réactions catalysées par l'isocitrate déshydrogénase. L'enzyme catalyse deux étapes, c'est-à-dire la déshydratation et la décarboxylation.

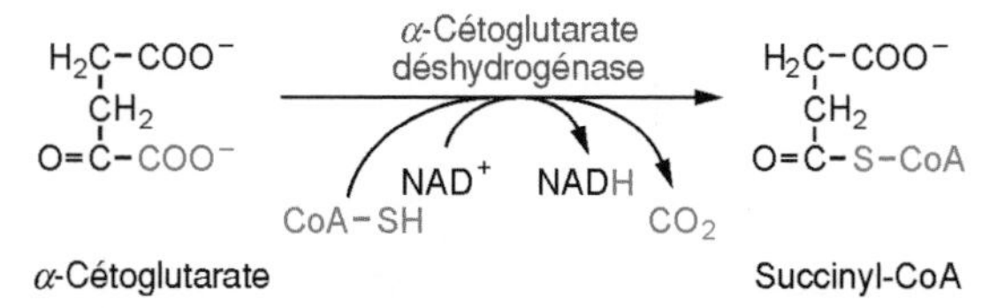

36.8 Bilan de la réaction catalysée par le complexe de l'α-cétoglutarate déshydrogénase. Les coenzymes et les mécanismes mis en jeu dans cette réaction sont les mêmes que pour le complexe homologue de la pyruvate déshydrogénase (*fig.* 36.2).

Succinyl-CoA — Succinyl-CoA-synthétase (GDP + P_i → GTP ; CoA-SH) → Succinate

36.9 Réaction catalysée par la succinyl-CoA-synthétase. En ce qui concerne le bilan des charges, il faut tenir compte du fait que, dans les conditions physiologiques de pH, le GDP et le P_i portent ensemble cinq charges négatives et le GTP seulement quatre. L'eau formée par la condensation du GDP et P_i (en vert) est utilisée dans l'hydrolyse du succinyl-CoA.

par les deux sous-unités hydrophiles du complexe II de la chaîne respiratoire. Le complexe (entier) permet de transférer les électrons obtenus par oxydation du succinate, du $FADH_2$ vers la voie de la phosphorylation oxydative (§ 37.4).

L'étape suivante du cycle de Krebs est l'hydratation du fumarate en L-malate. La **fumarase** est l'enzyme qui catalyse cette réaction d'addition stéréospécifique (*fig.* 36.10) :

Fumarate + H_2O → L-Malate

Enfin, la **malate déshydrogénase** convertit le L-Malate en oxaloacétate. Pour cela, cette enzyme oxyde le groupement hydroxyle en groupement α-cétone. L'accepteur d'électrons est à nouveau le NAD^+ (*fig.* 36.10) :

Malate + NAD^+ → Oxaloacétate + NADH + H^+

Le cycle se referme sur cette réaction : on est de retour au composé de départ, l'oxaloacétate. Le bilan du cycle de Krebs peut s'écrire :

$$\text{Acétyl-CoA} + 3\ NAD^+ + FAD + GDP + P_i + 2\ H_2O \rightarrow$$
$$2\ CO_2 + \text{CoA-SH} + 3\ NADH + 3\ H^+ + FADH_2 + GTP$$

Pour que le **bilan énergétique** du cycle de Krebs soit complet, il faut anticiper le fait que le NADH et le $FADH_2$ sont régénérés en NAD^+ et FAD dans la chaîne de transport d'électrons de la phosphorylation oxydative (*fig.* 37.3). D'un point de vue arithmétique, jusqu'à 8,3 mol d'ATP peuvent être gagnées à partir de 3 mol de NADH et d'1 mol de $FADH_2$ (§ 37.11). Pour que le bilan soit vraiment complet, il faut encore ajouter qu'1 mol de GTP peut encore être transformée en 1 mol d'ATP. La dégradation d'une molécule d'acétyl-CoA en CO_2 et en H_2O permet donc, en un tour du cycle de Krebs, de délivrer l'équivalent de 9,3 liaisons phosphate riches en énergie. Si l'on tient compte aussi de la décarboxylation du pyruvate, qui produit 1 mol de NADH correspondant à 2,3 mol d'ATP, une mol de pyruvate fournit alors au total environ 11,5 mol d'ATP.

Les transporteurs d'électrons NAD^+ et FAD, régénérés par le biais de la phosphorylation oxydative, sont réutilisés immédiatement : sans ces cofacteurs, le cycle de Krebs ne peut pas fonctionner. Contrairement à la glycolyse, qui peut régénérer le NAD^+ utilisé initialement au niveau de l'étape ultérieure de conversion du pyruvate en lactate et ainsi produire de l'ATP même en conditions anaérobies, le cycle de Krebs est quant à lui tributaire de la consommation d'O_2 *via* la chaîne de transport des électrons. *Le cycle de Krebs est donc* **obligatoirement aérobie** *tandis que la glycolyse est* **facultativement aérobie**.

36.4 Le cycle de Krebs contribue à des voies cataboliques et anaboliques

Le cycle de Krebs joue un rôle important dans le gain de composés phosphates riches en énergie par utilisation de l'acétyl-CoA issu de la voie catabolique de la glycolyse. Il joue aussi un rôle considérable dans des voies anaboliques (*fig.* 36.11). Ainsi, l'oxaloacétate et l'α-cétoglutarate constituent des précurseurs importants pour la biosynthèse des acides aminés tandis que le succinate est un composant essentiel dans la synthèse des porphyrines (§ 44.8). *Le cycle de Krebs est* **amphibole,** *car il exerce des fonctions aussi bien anaboliques que cataboliques.*

Toutefois, si des composants individuels s'échappent du cycle, le cycle entier s'arrête très vite. Par exemple, si l'α-cétoglutarate est utilisé pour la biosynthèse d'acides aminés, alors il faut introduire de nouveaux composants à d'autres endroits du cycle pour lui permettre de continuer à fonctionner. En l'occurrence, l'étape du cycle au cours de laquelle le réapprovisionnement se fait, importe

Succinate — Succinate déshydrogénase (FAD → $FADH_2$) → Fumarate — Fumarase (H_2O) → L-Malate — Malate déshydrogénase (NAD^+ → NADH + H^+) → Oxaloacétate

36.10 Transformation étape par étape du succinate en oxaloacétate. Au cours de cette oxydation, deux atomes d'hydrogène (2 H = 2 H^+ + 2e⁻) sont prélevés sur le FAD et un ion hydrure (H^- = H^+ + 2e⁻) est prélevé sur le NAD^+ tandis qu'un proton est libéré.

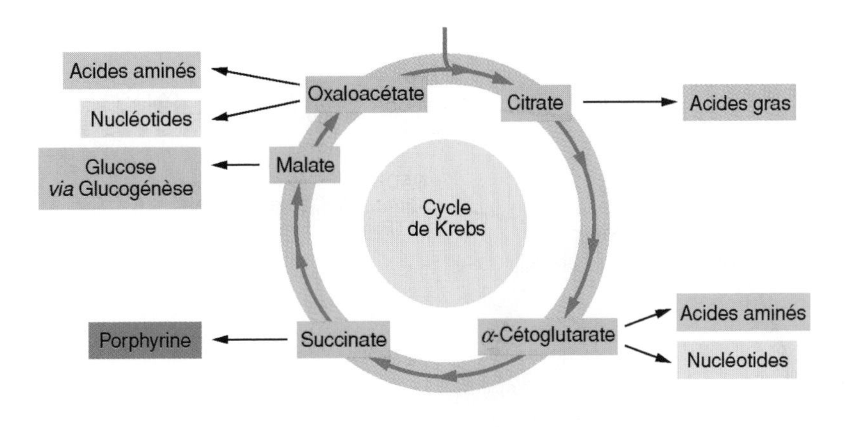

36.11 Intermédiaires du cycle de Krebs qui jouent des rôles de précurseurs dans des voies du métabolisme anabolique.

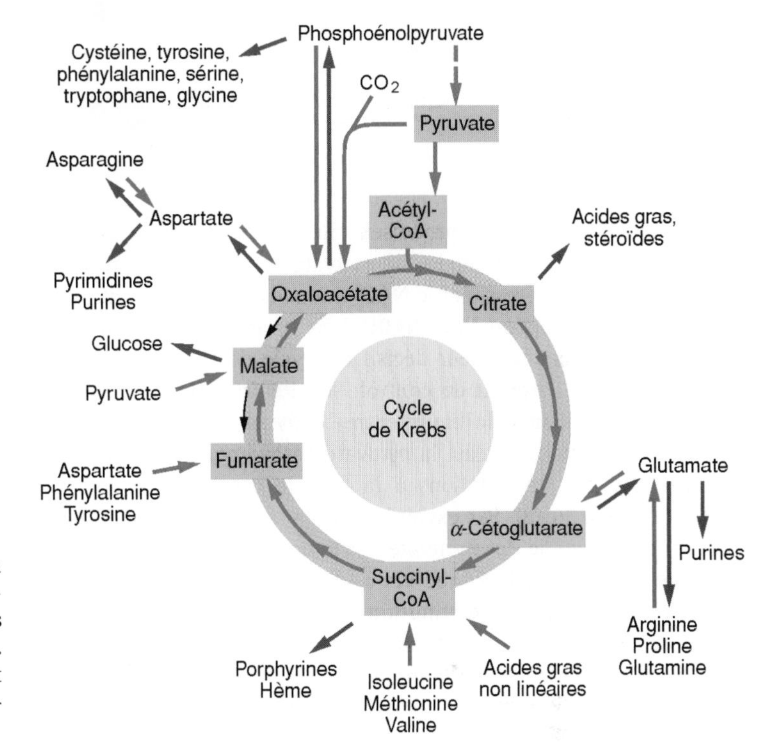

36.12 Flux entrants et sortants de composants du cycle de Krebs. Les voies de métabolisme anaboliques sont indiquées par des flèches en *bleu* et les réactions anaplérotiques par des flèches en *rouge*. L'aspartate et le phosphoénolpyruvate entrent principalement dans le cycle au niveau de l'oxaloacétate.

peu. Typiquement, la **pyruvate carboxylase** est une des enzymes qui exerce une **fonction anaplérotique** (du grec *anaplerein*, remplir). En consommant de l'ATP, elle permet de fournir de l'oxaloacétate comme « substrat de départ » du cycle, à partir de pyruvate et de CO_2. Le pyruvate constitue donc à la fois le produit de la glycolyse mais également un fournisseur d'élément de biosynthèse important (*fig.* 36.12) :

$$\text{Pyruvate} + CO_2 + ATP + H_2O \rightarrow \text{Oxaloacétate} + ADP + P_i + 2\,H^+$$

36.5 Le cycle de Krebs est soumis à un contrôle étroit

En principe, le cycle de Krebs se déroule de façon « autonome », c'est-à-dire qu'il peut fonctionner dès que les composants, les cofacteurs et les substrats sont présents en quantités suffisantes. Son rôle fondamental dans le métabolisme rend toutefois indispensable un contrôle rigoureux de la succession de réactions. Comme dans le cas de la glycolyse, ce sont les étapes irréversibles qui sont régulées en premier lieu, c'est-à-dire les étapes qui poussent le cycle dans une certaine direction. Outre la citrate synthase, les points de contrôle prédestinés visent les enzymes de « démarrage » et avant tout les

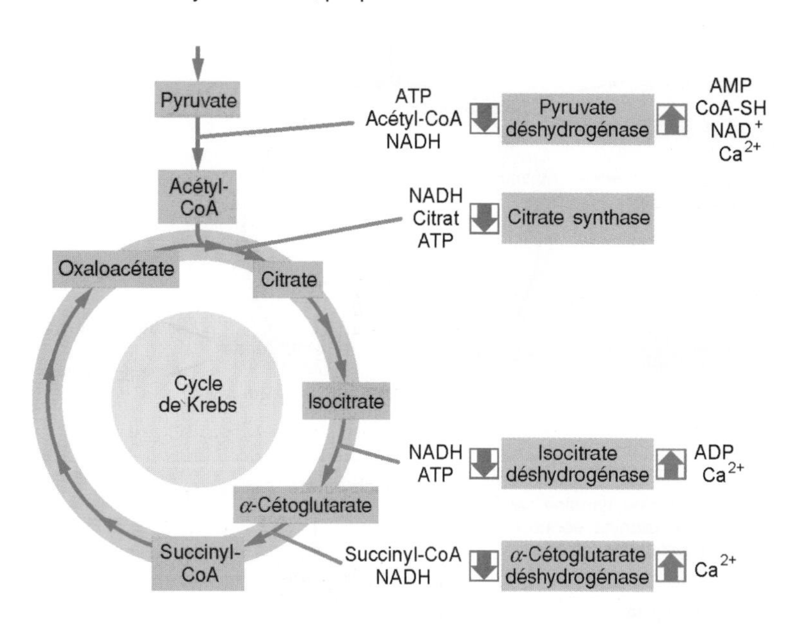

36.13 Régulation multilatérale du cycle de Krebs et de la décarboxylation oxydative du pyruvate. Pour simplifier, seuls les substrats et les produits des réactions régulées ont été indiqués. Flèche verte : stimulation ; flèche rouge : inhibition de l'enzyme concernée.

deux déshydrogénases, qui produisent du CO_2 par décarboxylation oxydative. Comme la pyruvate déshydrogénase, ces enzymes nécessitent le NAD^+ comme cosubstrat. C'est pourquoi le **rapport NAD^+/NADH** dans les mitochondries constitue un régulateur décisif du cycle de Krebs. Stratégiquement, le point de contrôle le plus important est celui qui se situe à la limite entre la glycolyse et le cycle de Krebs : à ce niveau, la **pyruvate déshydrogénase** se distingue par ses fonctions à la fois de capteur et d'effecteur (*fig.* 36.13). Par exemple, l'ATP est un inhibiteur allostérique de la pyruvate déshydrogénase, qui diminue l'affinité de l'enzyme vis-à-vis du pyruvate et donc son efficacité. Une diminution de l'approvisionnement en acétyl-CoA ralentit alors le cycle de Krebs. D'autres effecteurs régulent le nombre de complexes PDH actifs par un mécanisme de **phosphorylation réversible**. L'augmentation de la production d'acétyl-CoA conduit à une inhibition du complexe PDH, tandis qu'une augmentation de la disponibilité en substrat CoA-SH stimule le complexe enzymatique.

L'entrée d'acétyl-CoA dans le cycle grâce à la **citrate synthase** est le premier point de contrôle important dans le cycle de Krebs lui-même. L'ATP joue ici un rôle d'inhibiteur allostérique ; le NADH et le produit de la réaction, le citrate, inhibent aussi la synthase (inhibition de produit). Toutefois, la formation de citrate est limitée en règle générale, avant tout par la disponibilité en acétyl-CoA et en oxaloacétate. Le deuxième point de contrôle dans le cycle de Krebs se situe au niveau de l'**isocitrate déshydrogénase** : l'ADP joue un rôle d'activateur allostérique de l'enzyme et l'ATP un rôle d'inhibiteur allostérique, tandis que le produit NADH constitue un inhibiteur compétitif, qui peut supplanter le cofacteur NAD^+ au niveau de l'enzyme. Le troisième point de contrôle important dans le cycle de Krebs se situe au niveau de l'**α-cétoglutarate déshydrogénase**, qui est inhibée par le succinyl-CoA et le NADH. Au niveau de chaque point de contrôle, on trouve donc une inhibition par le produit de réaction. Les trois étapes de décarboxylation oxydative, nécessaires pour transformer complètement le pyruvate en CO_2, sont également accélérées, quand la concentration en Ca^{2+} est augmentée dans la matrice mitochondriale sous l'action de stimuli externes (*fig.* 36.13). *Dans leur ensemble, les éléments de contrôle du cycle de Krebs répondent à la charge énergétique ou au besoin momentané en énergie de la cellule : quand le rapport ATP/ADP est élevé, ils diminuent le flux entrant d'acétyl-CoA et par conséquent réduisent la vitesse de métabolisme du cycle.* Le « gaspillage » d'énergie par la cellule est ainsi évité. En outre, le contrôle est couplé à la respiration cellulaire : *la « roue » du cycle de Krebs ne tourne que lorsque la phosphorylation oxydative du NADH et du $FADH_2$ permet simultanément de régénérer le NAD^+ et le FAD.* Ces deux processus fournisseurs d'énergie dans la mitochondrie sont donc étroitement reliés. On va donc se tourner maintenant vers la chaîne respiratoire et les mécanismes moléculaires de la phospho-rylation oxydative.

La phosphorylation oxydative, transport d'électrons et synthèse d'ATP

37

Pour couvrir ses besoins énergétiques de base, un être humain produit par jour une quantité d'ATP, qui représente environ le poids de son corps. La voie décrite jusqu'ici de dégradation du glucose en CO_2 *via* la glycolyse et le cycle de Krebs ne contribue que pour une faible part au gain d'ATP. Cela tient au fait que l'hydrogène extrait du sucre a été transféré aux « stocks intermédiaires » de NAD^+ et de FAD, en conservant la majeure partie de sa charge énergétique. Les molécules formées de NADH et de $FADH_2$ constituent des équivalents de réduction de grande valeur énergétique et servent de donneurs d'électrons dans la **chaîne respiratoire**, qui constitue la prochaine et dernière étape du catabolisme oxydatif des molécules nutritives. La chaîne respiratoire – également appelée **chaîne de transport d'électrons** – catalyse une cascade d'oxydoréductions, qui se déroule au niveau de grands complexes enzymatiques situés sur la membrane interne des mitochondries. À la fin de la chaîne de transport d'électrons, on trouve comme accepteur terminal l'oxygène « provenant de la respiration », lequel est réduit en eau. La dégradation complète du glucose en dioxyde de carbone et en eau est ainsi atteinte. La phosphorylation d'ADP est couplée à cette oxydation, et met (schématiquement) à disposition l'**énergie chimique sous forme d'ATP**. Le long de la chaîne de transport, l'énergie du flux d'électrons est utilisée petit à petit pour construire **un gradient de protons**, et cette force motrice protonique permet la synthèse d'ATP. Ce processus de couplage est appelé phosphorylation oxydative et a lieu dans les **mitochondries** – pour lesquelles on emploie la métaphore de « centrales énergétiques de la cellule ». Dans le chapitre suivant, on va présenter la machinerie moléculaire mise en jeu. Les questions principales sont : comment fonctionne cette « batterie » cellulaire ? Quels « pompes » et « moteurs » cellulaires sont mis en jeu ? Et comment génèrent-ils leur « courant » ?

37.1 Le NADH cytosolique parvient dans la chaîne respiratoire par des détours

Contrairement à la glycolyse et au cycle de Krebs, qui ont lieu principalement en solution, la phosphorylation oxydative se joue principalement et avant tout dans la membrane interne des mitochondries chez les eucaryotes (*fig.* 37.1). Chez les procaryotes, elle a lieu au niveau de la membrane cytoplasmique interne. Parmi les grands **complexes de protéines membranaires intégrales** qui se trouvent là, certains catalysent les réactions de la phosphorylation oxydative. Comme la membrane interne des mitochondries doit être suffisamment étanche – même pour de minuscules protons – des **systèmes de transport** spéciaux sont nécessaires pour l'import et l'export de composés, même de faible poids moléculaire. Cela concerne en particulier le NADH provenant de la glycolyse, qui est produit dans le cytosol, et qui peut diffuser grâce à des complexes de porines à travers la membrane externe des mitochondries jusqu'à l'espace intermembranaire, mais qui ne peut franchir ensuite la membrane interne et donc pas entrer dans la mitochondrie. Ce NADH transmet alors ses électrons à des molécules de transport (angl. *carrier*), lesquelles sont ensuite transférées dans la matrice mitochondriale à l'aide de protéines de transport.

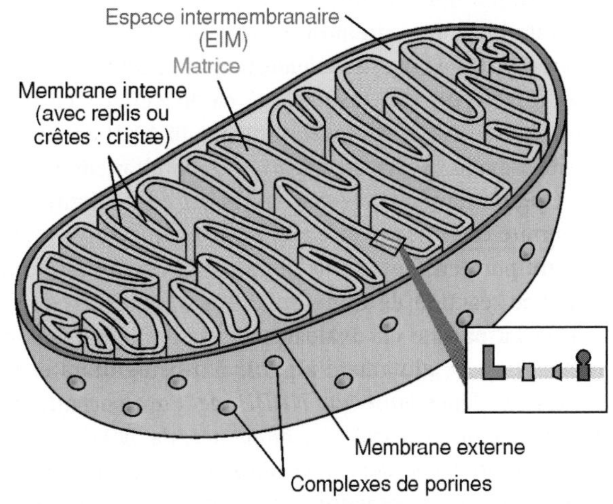

37.1 Mitochondrie en coupe. Les replis de la membrane mitochondriale interne (cristae) augmentent sa surface et par là-même la plate-forme pour les réactions de la phosphorylation oxydative (à comparer avec l'illustration p. 477). On différencie dans la membrane mitochondriale interne une face matricielle (en vert) d'une face cytosolique, qui est tournée vers l'espace intermembranaire (en bleu). Des complexes de porine dans la membrane mitochondriale externe permettent un échange libre de substances de faible poids moléculaire entre le cytosol et l'espace intermembranaire. Encadré : représentation symbolique des complexes impliqués dans la phosphorylation oxydative (*fig.* 37.3).

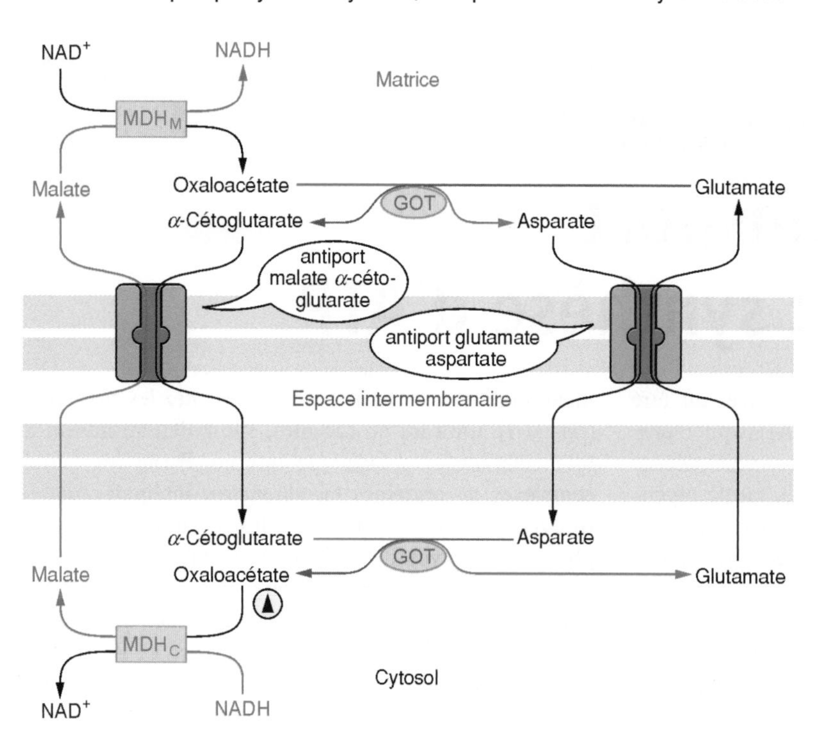

37.2 Composants et réactions de la navette malate-aspartate. L'antiport malate/ α-cétoglutarate et l'antiport glutamate/ aspartate sont représentés schématiquement. GOT : glutamate-oxaloacétate transaminase ; MDH : malate déshydrogénase ; voir les détails dans le texte.

Un exemple type de système de transport (angl. *shuttle* ou navette) du NADH est la **navette malate-aspartate** présente dans le cœur et le foie (*fig.* 37.2). Tout d'abord, une malate déshydrogénase cytosolique (MDH_C) réduit l'oxaloacétate en malate, en utilisant du NADH. Le malate est ensuite transporté par un antiport, à travers la membrane mitochondriale interne et en échange d'α-cétoglutarate, pour atteindre la matrice mitochondriale. Dans la matrice, une deuxième malate déshydrogénase (MDH_M) réoxyde le malate en oxaloacétate, ce qui redonne du NADH. Une transaminase (§ 43.1) convertit ensuite l'oxaloacétate en aspartate ; simultanément, de l'α-cétoglutarate est formé à partir de glutamate. L'aspartate est à nouveau transféré dans le cytosol grâce à un antiport, en échange de glutamate. À ce niveau, une deuxième réaction de transamination permet la conversion de l'aspartate en oxaloacétate et simultanément la régénération de glutamate à partir d'α-cétoglutarate. *La conversion dépendante du NADH de l'oxaloacétate en malate termine le cycle : en bilan net, du NADH a été transporté du cytosol vers la matrice mitochondriale et ses électrons peuvent maintenant contribuer directement à la phosphorylation oxydative.*

37.2 La chaîne de transport d'électrons est alimentée à deux niveaux

La phosphorylation oxydative comprend deux parties : durant la **première phase**, des électrons (e^-) sont finalement transmis du NADH et du $FADH_2$ à de l'O_2 ; ce **transport d'électrons** est couplé à la translocation de protons (H^+) de la matrice vers l'espace intermembranaire (*fig.* 37.3). Durant la **deuxième phase**, l'énergie emmagasinée de façon intermédiaire, sous forme d'un **gradient de protons** à travers la membrane mitochondriale interne, est mobilisée par un courant inverse de H^+ vers la matrice pour permettre la synthèse d'ATP. Du NADH à l'hydrogène, la chaîne de transport d'électrons implique trois grands **complexes de protéines membranaires** : la NADH déshydrogénase (complexe I), la cytochrome *c* réductase (III) et la cytochrome *c* oxydase (IV). Deux **transporteurs mobiles** s'y ajoutent, plus précisément l'**ubiquinone** lipophile et le **cytochrome c** hydrophile, lesquels prennent en charge le transport d'électrons entre les complexes (*tab.* 37.1). Les complexes de protéines membranaires servent de pompes à protons, qui couplent le transport d'électrons au **transport de protons** « vectoriel », depuis la membrane interne des mitochondries, côté matrice vers la face cytoplasmique, de telle sorte qu'un gradient de concentration et de charge soit créé. Différentes déshydrogénases permettent l'accès direct d'électrons à l'ubiquinone, *via* le $FADH_2$, et représentent des « entrées de service » dans cette chaîne de réactions, qui peuvent contourner le complexe I. Parmi ces déshydrogénases, on compte la succinate déshydrogénase (complexe II). Il s'agit d'un autre complexe membranaire, qui se charge des électrons du succinate provenant du cycle de Krebs. La deuxième phase de la phosphorylation oxydative est dominée par l'ATP synthase (complexe V), un « moteur » moléculaire, qui utilise le **gradient de protons** pour produire de l'ATP à partir d'ADP et de P_i.

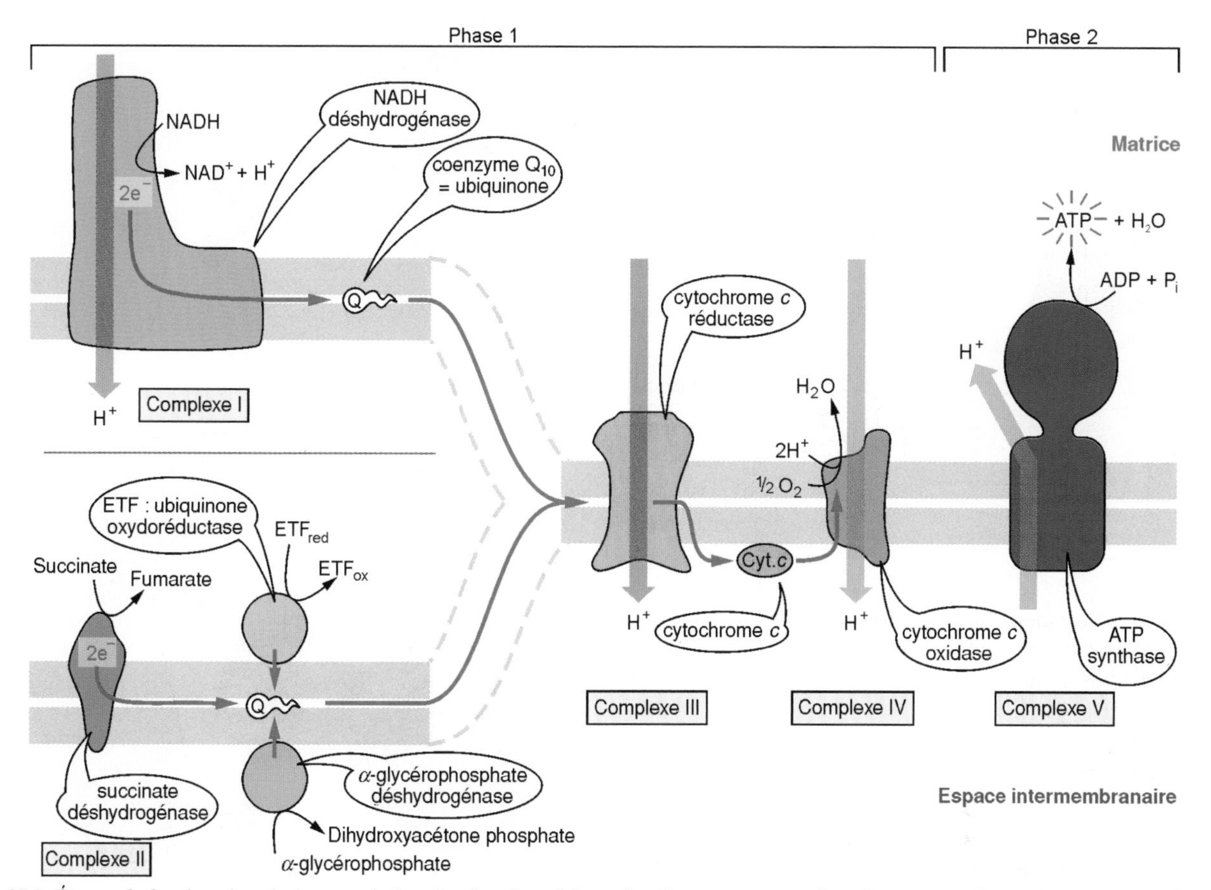

37.3 Étapes de la phosphorylation oxydative. Le chemin suivi par les électrons est représenté en rouge, depuis le complexe I (en haut à gauche) ou depuis les déshydrogénases dépendantes du FAD comme le complexe II (en bas à gauche) jusqu'à l'oxygène en passant par les complexes III et IV ainsi que par les transporteurs mobiles d'électrons que sont les coenzymes Q et le cytochrome c. Le complexe V permet la condensation d'ATP à partir d'ADP et P_i. Les flèches grises symbolisent le transport de protons à travers la membrane mitochondriale interne. ETF : electron transferring flavoprotein. Voir les détails dans le texte.

Tableau 37.1 Composants de la phosphorylation oxydative

Composant	Nombre de sous-unités (codé par le génome mitochondrial)	Fonction
NADH déshydrogénase (complexe I)	46 [7]	Oxydation du NADH ; réduction de l'ubiquinone, transport vectoriel de protons
Succinate déshydrogénase (complexe II)	4 [0]	Déshydrogénation du succinate ; réduction de l'ubiquinone ; enzyme du cycle de Krebs *pas* de transport de protons
Cytochrome *c* réductase (complexe III)	11[1]	Oxydation de l'ubihydroquinone ; réduction du cytochrome *c* ; transport vectoriel de protons
Cytochrome *c* oxydase (complexe IV)	13 [3]	Oxydation du cytochrome *c* ; transport vectoriel de protons
ATP synthase (complexe V)	16 [2]	Reflux de protons ; synthèse d'ATP
Coenzyme Q (= ubiquinone)	(Lipide)	Transfert d'hydrogène (membranaire)
Cytochrome *c*	1 [0]	Transfert d'électrons (espace intermembranaire)

37.3 Le complexe I introduit des électrons dans la chaîne respiratoire à partir du NADH

La première étape de la chaîne respiratoire des mammifères est catalysée par la **NADH déshydrogénase (complexe I)**, un complexe de protéines membranaires en forme de L d'environ 1 000 kDa et formé de 46 sous-unités. Ce complexe, le plus volumineux de la chaîne respiratoire, se compose de deux parties de tailles similaires, dont l'une est presque entièrement insérée dans la membrane et contient les sept sous-unités du complexe codées par le génome mitochondrial (*fig.* 37.4). L'autre partie est

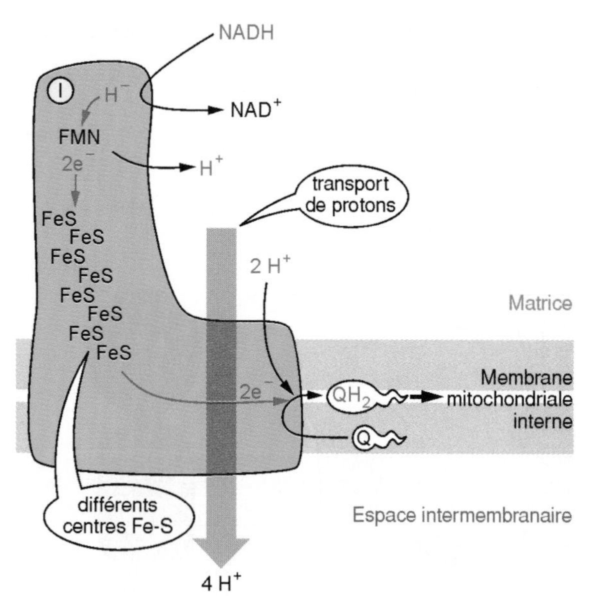

37.4 Représentation simplifiée des transports de protons et d'électrons dans le complexe I. L'accepteur d'électrons est l'ubiquinone (Q), qui passe à l'état d'ubiquinol (QH_2). FeS : centre fer-soufre.

principalement composée d'un fragment hydrophile qui dépasse dans la matrice mitochondriale.

Le complexe I porte comme cofacteurs une molécule de **flavine mononucléotide** (FMN) et une molécule de phosphopantéthéine liée de façon covalente ainsi que plusieurs **centres fer-soufre** différents, huit centres binucléaires (2Fe–2S) et quatre centres tétranucléaires (4Fe–4S) (*fig.* 37.5). Ces centres fer-soufre sont liés à des résidus cystéines de la chaîne polypeptidique par des groupements thiol. Quel que soit le nombre d'atomes de fer complexés, les centres fer-soufre ne peuvent toujours fixer ou libérer qu'*un seul* électron ; cette propriété les différencie des donneurs de deux électrons comme le $FMNH_2$.

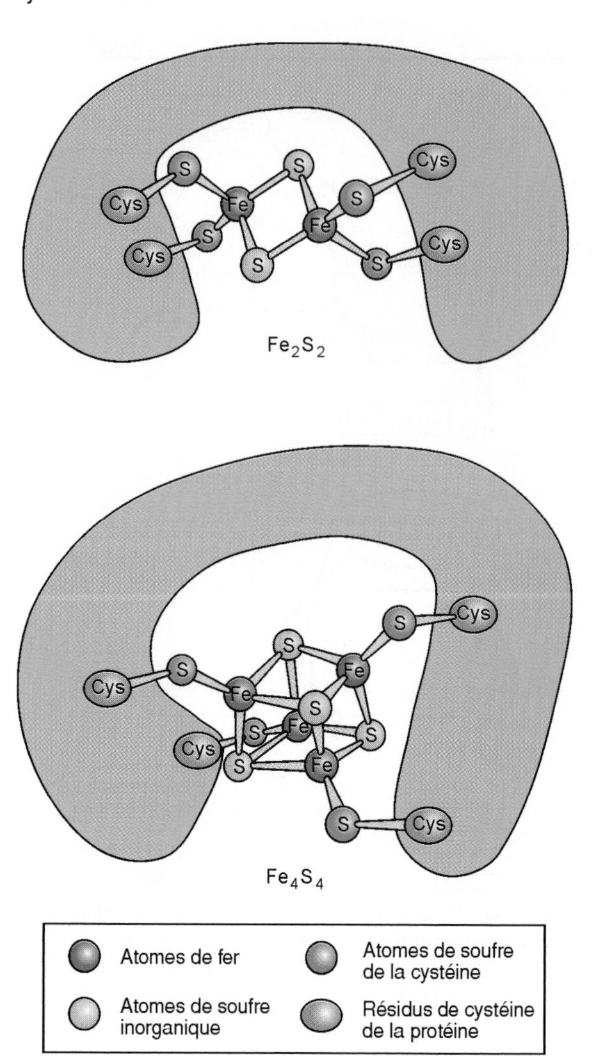

37.5 Centres fer-soufre comme groupements prosthétiqes de la NADH déshydrogénase (complexe I). Ces centres possèdent des potentiels rédox très variables selon la géométrie et l'environnement protéique (*fig.* 37.15).

NADH

$H^- + H^+$

Flavine-mononucléotide (FMN) oxydé

Flavine-mononucléotide ($FMNH_2$) réduite

$H^+ + e^-$

$H^+ + e^-$

Sémiquinone intermédiaire (FMNH•) radical libre

37.6 Réduction du FMN et réoxydation du $FMNH_2$. Au cours de la réduction, le FMN absorbe de façon formelle deux électrons et deux protons pour former le $FMNH_2$. Avec la perte d'un premier électron, un radical semiquinone stable est formé à partir du $FMNH_2$, avec un électron non apparié, délocalisé sur l'ensemble des cycles (FMNH•). Avec la perte d'un deuxième électron et la déprotonation, le FMN est régénéré.

Le complexe I transfère tout d'abord deux électrons sous forme d'un ion hydrure ($H^- = 1\ H^+ + 2\ e^-$), du NADH vers le FMN, qui peut être protoné pour former du $FMNH_2$; du NAD^+ est ainsi libéré (*fig.* 37.6). Les deux électrons sont ensuite transférés un par un vers une chaîne de centres fer-soufre, grâce à la formation d'un intermédiaire semiquinone. Un tel changement d'un donneur de deux électrons vers un accepteur d'un seul électron constitue une caractéristique de fonctionnement des coenzymes à flavine, le FMN, le FAD et la riboflavine. Comme dans un fil électrique, les électrons courent alors le long des centres fer-soufre du complexe I et atteignent l'ubiquinone lipophile, qui « nage » dans la membrane mitochondriale.

Le transport d'électrons du NADH vers l'ubiquinone dans le complexe I, permet de « pomper » quatre protons de la face matricielle de la membrane mitochondriale interne vers l'espace intermembranaire (*fig.* 37.4). Le mécanisme moléculaire mis en jeu dans le **couplage entre le transport d'électrons et la translocation de protons** reste encore inconnu pour une large part. *D'un point de vue biologique, il est néanmoins déterminant que l'énergie libre des réactions d'oxydoréduction catalysées – c'est-à-dire le transfert d'électrons du NADH vers l'ubiquinone – soit « convertie » en gradient de protons et puisse ainsi être conservée de façon intermédiaire, comme dans un condensateur.* Des mutations dans les gènes de sous-unités du complexe I peuvent conduire à des neuropathies et des myopathies sévères ainsi qu'à la cécité (*encart* 37.1).

Encart 37.1 : Neuropathie optique héréditaire de Leber (LHON)

La neuropathie optique héréditaire de Leber (LHON) est une maladie rare, qui se manifeste par une lésion du nerf optique, aboutissant à la cécité. Elle est suscitée par des mutations dans le génome mitochondrial, avec une transmission exclusivement maternelle. Par exemple, l'échange d'une seule base dans le gène codant la sous-unité ND4 du complexe I induit la substitution d'un résidu arginine critique par un résidu histidine. Le transfert d'électrons vers l'ubiquinone est alors perturbé, ce qui conduit à une synthèse d'ATP réduite dans les mitochondries touchées. Il en résulte une pénurie en ATP, qui se traduit principalement par des lésions des cellules à forte activité métabolique – par exemple les neurones des nerfs optiques. Cette pathologie se manifeste plus chez les hommes portant le gène altéré (50 %) que chez les femmes (10 %). Des mutations dans le génome mitochondrial, touchant les gènes des sous-unités ND1 ou ND6 du complexe I, ou encore le cytochrome *b* du complexe III, peuvent aussi conduire au syndrome de LHON.

37.4 Différentes déshydrogénases dépendantes du FAD contribuent aussi à la chaîne respiratoire

Une deuxième voie de la chaîne respiratoire, indépendante de celle précédemment décrite, utilise des déshydrogénases de la membrane mitochondriale interne, qui portent le FAD comme groupement prosthétique : après leur réduction en $FADH_2$, ces **enzymes flaviniques** transfèrent deux électrons sur l'ubiquinone. Contrairement au NADH, un cosubstrat qui diffuse librement, le $FADH_2$ est un groupement prosthétique fermement attaché à son apoprotéine, et c'est pourquoi il existe plusieurs systèmes enzymatiques spécifiques des différentes flavoprotéines permettant son « déchargement ». La **succinate déshydrogénase** (complexe II), qu'on a déjà vue dans le cycle de Krebs, est le principal représentant de ces déshydrogénases (*fig.* 37.3, en bas).

Comme dans le cas du complexe I, deux électrons sont transférés du complexe II (*fig.* 37.7) vers l'ubiquinone, par une cascade utilisant le $FADH_2$ et plusieurs centres fer-soufre. En raison de la faible chute de potentiel rédox entre le succinate et l'ubiquinone (§ 37.7), le complexe II est le seul complexe multiprotéique de la chaîne respiratoire, qui n'apporte *aucune* contribution à la formation du gradient de protons. D'autres enzymes flaviniques de la membrane mitochondriale interne, comme l'α-glycérophosphate déshydrogénase ou l'ETF-ubiquinone oxydoréductase (angl. *electron transferring flavoprotein*), fournissent des électrons directement à la chaîne de transport d'électrons *via* l'ubiquinone – donc

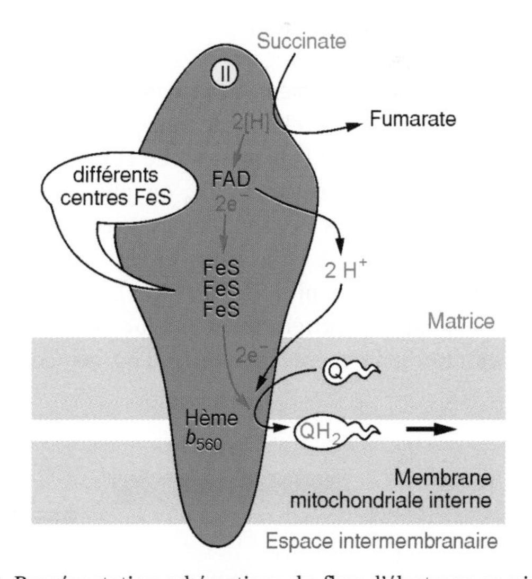

37.7 Représentation schématique du flux d'électrons au niveau de la succinate déshydrogénase (complexe II). L'enzyme est un complexe membranaire intégral, qui ne pompe aucun proton. En bilan, les deux protons libérés pendant l'oxydation du $FADH_2$ sont retrouvés dans le QH_2. Le centre héminique b_{560} *ne* prend très probablement *pas* part au transport d'électrons.

en contournant le complexe I (*encart* 37.2). Toutefois, pour des raisons historiques, on *ne* compte *pas* ces enzymes parmi les membres officiels de la chaîne respiratoire. L'entrée directe au niveau du complexe II ou d'une autre déshydrogénase a un coût : comme on le verra plus tard, le $FADH_2$ délivre moins d'ATP que le NADH, le contournement du complexe I ne permet la translocation que de six protons par molécule de $FADH_2$, tandis que dix protons sont obtenus par molécule de NADH (§ 37.11).

Encart 37.2 : Electron transferring flavoprotein (ETF)

La protéine ETF est un hétérodimère contenant du FAD. C'est un transporteur d'électrons, qui peut assurer la β-oxydation directement à partir de l'acyl-CoA déshydrogénase (§ 41 .4). Une ubiquinone oxydoréductase, côté matrice mitochondriale, réoxyde l'ETF et introduit ses électrons dans la chaîne respiratoire *via* l'ubiquinone. De façon similaire, des électrons provenant du NADH cytosolique peuvent également alimenter la chaîne respiratoire *via* la **navette de l'α-glycérophosphate** (*fig.* 37.3 en bas à gauche). Dans ce cas, une α-glycérophosphate déshydrogénase cytosolique, présente principalement au niveau des muscles squelettiques et du cerveau, transfère les deux électrons du NADH sur le dihydroxyacétone phosphate *via* la formation d'α-glycérophosphate. Ce dernier peut passer par les pores de la membrane mitochondriale externe vers l'espace intermembranaire. Une deuxième α-glycérophosphate déshydrogénase, située sur la membrane mitochondriale interne, et qui dépasse dans l'espace intermembranaire par ses centres actifs, réoxyde l'α-glycérophosphate en dihydroxyacétone-phosphate (DHAP) et transfère ses électrons directement sur l'ubiquinone. Le DHAP ainsi formé retourne dans le cytosol à nouveau par diffusion à travers les pores et commence un nouveau cycle.

Le **point de rassemblement** ou le « confluent » des différents « affluents » de la chaîne de transport des électrons est donc représenté par l'**ubiquinone**. Ce cosubstrat rédox est également appelé **coenzyme Q_{10}** ou plus brièvement **Q**. C'est un dérivé des benzoquinones avec une chaîne latérale composée de dix sous-unités isopréniques (en C5) insaturées simples (*encart* 42.1). Cette chaîne latérale aliphatique extrêmement longue rend l'ubiquinone extraordinairement lipophile, d'où sa solubilité remarquable dans les membranes biologiques et sa capacité à diffuser librement à l'intérieur de la bicouche lipidique. Il transfère les électrons des complexes I et II (et d'autres déshydrogénases également) vers le complexe III. De façon similaire au FMN, la réduction de l'ubiquinone (Q) permet le transfert de deux protons, par une étape intermédiaire que constitue la formation du radical semiquinone ($Q^{\cdot}$), jusqu'à la forme complètement réduite d'ubiquinol (QH_2) (*fig.* 37.8).

37.5 La cytochrome *c* réductase transfère des électrons vers le cytochrome *c*

Dans la partie suivante de la chaîne de transport des électrons, une protéine membranaire, la **cytochrome c réductase** (complexe III), transfère les électrons de l'ubihydroquinone (ubiquinol) vers le cytochrome *c*, soluble dans l'espace intermembranaire. Ce processus est à nouveau couplé avec la translocation de protons de la matrice vers l'espace intermembranaire. Le complexe III est un **dimère** dont chaque monomère comprend 11 sous-unités différentes, parmi lesquelles une protéine fer-soufre : cette protéine, appelée du nom de son découvreur **protéine de Rieske**, est ancrée dans le complexe par une seule hélice transmembranaire et possède un domaine catalytique mobile avec un centre 2Fe–2S (centre Rieske), qui dépasse dans l'espace intermembranaire (*fig.* 37.9).

Les cytochromes *b* et c_1 appartiennent aussi aux sous-unités catalytiques du complexe III. Les **cytochromes** sont des protéines transporteuses d'électrons, qui portent des groupements hèmes (ou héminiques) comme groupements prosthétiques (*fig.* 37.10). L'atome de fer central peut passer par oxydoréduction d'un état réduit ferreux (Fe^{2+}) à un état oxydé ferrique (Fe^{3+}). Le **cytochrome b** du complexe III est extrêmement hydrophobe et porte des **groupements hèmes b_H** (angl. *high potential*) et **b_L** (*low potential*), qui se situent dans un faisceau d'hélices transmembranaires. Le cytochrome *b* possède deux sites de liaison pour le substrat ubiquinol (QH_2) : un centre d'oxydation de l'ubiquinol **Q_o** (angl. *output*) côté membrane interne et un centre de réduction de l'ubiquinone **Q_i** (angl. *input*) côté matrice ; Q_o et Q_i sont liés électriquement *via* les groupements hémes b_H et b_L. Le **cytochrome c_1** se situe

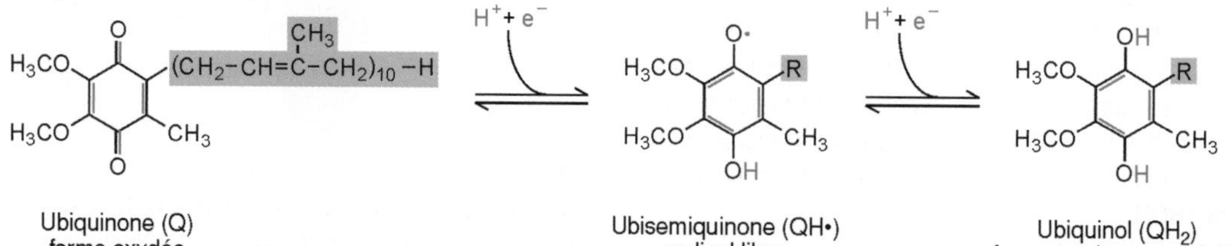

37.8 Le cosubstrat rédox ubiquinone (coenzyme Q_{10}). Le gain successif de deux électrons et de deux protons conduit de l'ubiquinone Q à l'ubiquinol QH_2 par un intermédiaire semiquinone (QH•)

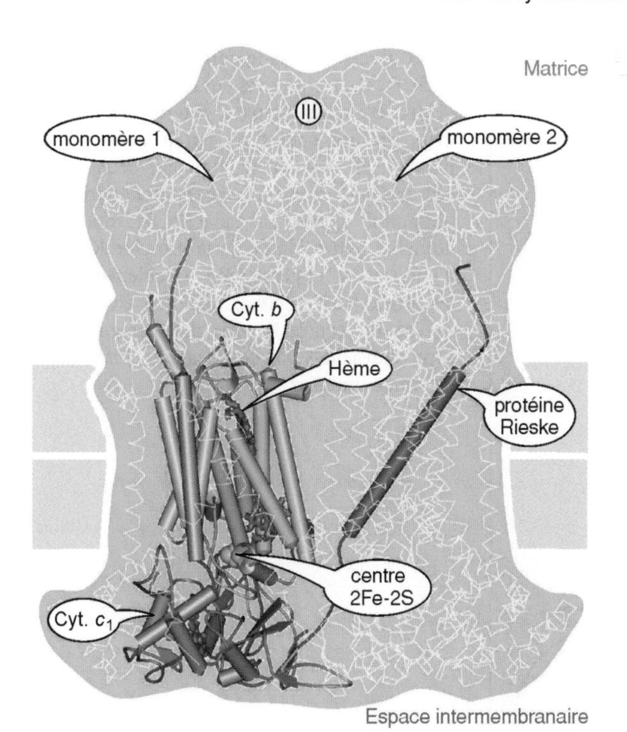

37.9 Structure du complexe III. La protéine de Rieske (en violet) avec son centre 2Fe–2S (en jaune), le cytochrome *b* (en vert) avec ses deux groupements héminiques (en rouge) ainsi que le cytochrome c_1 (en bleu) avec un groupement héminique (en rouge) sont mis en évidence. Les chaînes polypeptidiques des autres protéines du complexe et du deuxième monomère sont seulement esquissées. En raison de son groupement hème, le complexe III est également appelé complexe cytochrome bc_1. [RF]

aussi côté membrane interne de la mitochondrie avec son domaine portant l'hème c_1 proche du centre fer-soufre de la protéine de Rieske (*fig.* 37.9).

Le complexe III transfère les électrons apportés par ubiquinol sur le cytochrome *c*, *via* le centre fer-soufre, et transporte simultanément deux protons à travers la membrane interne de la mitochondrie. Ce couplage d'un transfert d'électrons et d'un transport de protons est décrit sous le nom de **cycle Q**. Initialement, l'ubiquinol se lie au centre Q_o. Il existe alors une « bifurcation » : un premier électron de l'ubiquinol est transféré, *via* le centre 2Fe–2S et l'hème c_1, sur le groupement héminique d'une première molécule de cytochrome *c* (*fig.* 37.11). Une molécule intermédiaire de semiquinone ($Q^{\bar{\cdot}}$) est formée au niveau du centre Q_o, puis oxydée en ubiquinone (Q) par perte d'un autre électron. Cet électron passe ensuite par les hèmes b_L et b_H jusqu'au centre Q_i côté matrice. À cet endroit, une molécule d'ubiquinone (Q) est liée, qui reprend l'électron 2 et « attend » ensuite sous la forme d'une semiquinone ($Q^{\bar{\cdot}}$) ; la première moitié du cycle Q est alors achevée. Une deuxième molécule de semiquinone se lie alors au centre Q_o et partage ses deux électrons entre les deux voies : un électron (électron 3 du cycle Q) réduit une autre molécule de cytochrome *c* et l'autre (électron 4) prend son chemin de Q_o par b_L et b_H et retrouve l'électron 2 dans la semiquinone ($Q^{\bar{\cdot}}$). Grâce à deux protons prélevés dans l'espace matriciel, une molécule d'ubiquinol (QH_2) est enfin régénérée au niveau du centre Q_i et libérée au niveau de la membrane mitochondriale interne.

Au cours d'un cycle Q complet, le bilan net est donc l'oxydation d'une molécule d'ubiquinol en ubiquinone et le transfert de deux protons côté intermembranaire. Ces protons ne sont pas « pompés » : il s'agit plutôt d'un recyclage raffiné d'électrons à travers la membrane, qui garantit un déplacement de charges. Les deux électrons de l'ubiquinol sont enfin transférés sur le **cytochrome c**,

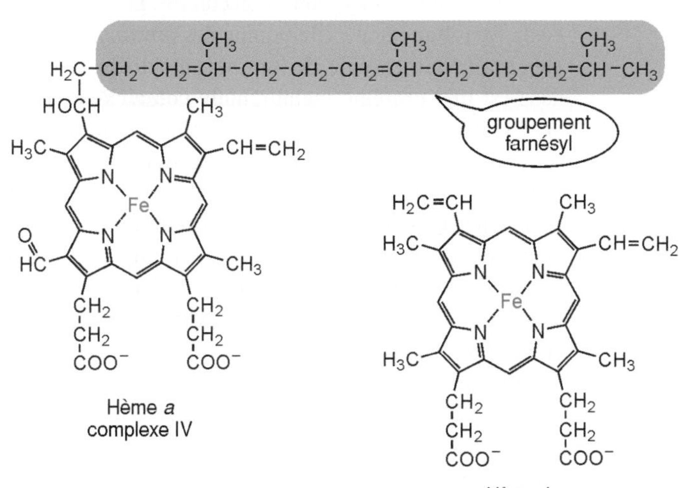

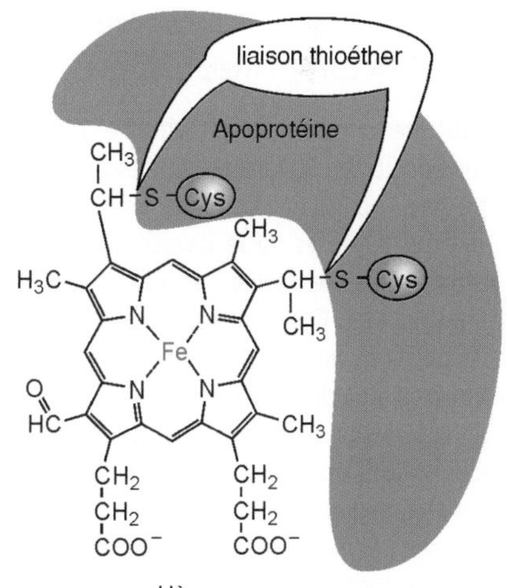

37.10 Groupements héminiques des cytochromes. Les groupements hèmes se différencient par la structure de leurs anneaux porphyriques ; ils sont fixés par leur chaîne latérale à leurs protéines de liaison. Les ligands axiaux sont la plupart du temps des résidus histidine ; seul l'hème *c* est lié de façon covalente à son apoprotéine par une liaison thioéther. On trouve l'hème *a* avec son résidu farnésyl caractéristique dans le complexe IV, l'hème *b* dans le complexe III, l'hémoglobine ainsi que dans la myoglobine et l'hème *c* dans le complexe III et le cytochrome c.

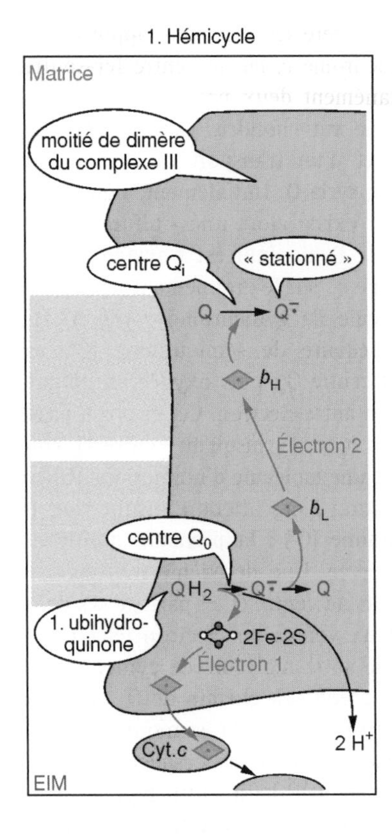

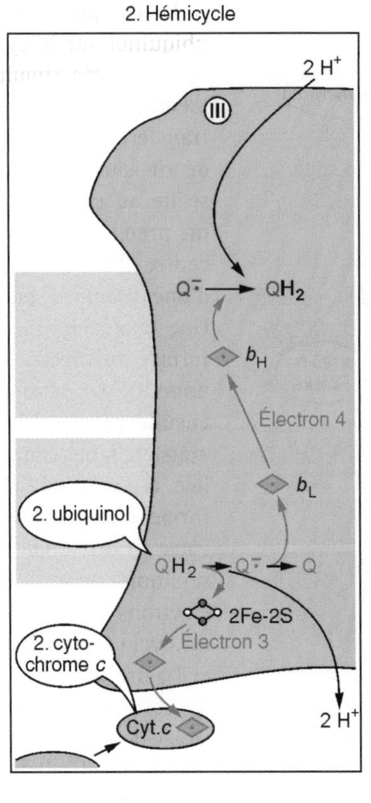

37.11 Cycle Q dans le complexe III. Durant un cycle Q, quatre protons sont libérés au total du centre Q_o dans l'espace intermembranaire et deux protons sont fixés par le centre Q_i côté matrice, si bien qu'en bilan net deux protons ont traversé la membrane mitochondriale par ubiquinol oxydé. La capacité de rotation du domaine hydrosoluble de la protéine Rieske est d'environ 60° et permet le « basculement » entre les deux voies suivies par les électrons au niveau du centre Q_o. Les groupements hèmes sont représentés par des losanges. EIM : espace intermembranaire.

une petite protéine rédox, soluble dans la phase aqueuse de l'espace intermembranaire, et qui établit le lien entre les complexes III et IV. Le cytochrome *c* mitochondrial est une protéine « ancienne », très conservée d'un point de vue évolutif, dont les régions fonctionnellement importantes de la séquence protéique sont pratiquement identiques entre organismes différents tandis que d'autres segments se sont fortement différenciés (*encart* 37.3).

Encart 37.3 : Conservation structurale de protéines

La structure primaire du cytochrome *c* est extrêmement bien conservée : 26 des 104 acides aminés ont une position invariante, c'est-à-dire qu'ils ne se sont pas modifiés au cours des 1,5 milliard d'années de la diversification évolutive des espèces (*fig.* 15.6). Ainsi, les acides aminés nécessaires à la liaison de l'hème (His, Met, Cys) sont totalement invariants. La plupart des autres positions ne « tolèrent » pas n'importe quel acide aminé : on trouve plutôt des substitutions conservatives, c'est-à-dire que les changements sont limités à des acides aminés de mêmes caractéristiques physico-chimiques, comme l'acide aspartique *vs.* l'acide glutamique. Une substitution n'est donc autorisée que si le cytochrome *c* demeure structurellement et fonctionnellement intact. Huit positions seulement peuvent être substituées presque librement. Les histones, dont la structure primaire n'a pratiquement pas varié depuis environ 1,5 milliard d'années, sont conservées de façon similaire. La comparaison de séquences de telles protéines, très répandues et optimisées très tôt au cours de l'évolution, est extrêmement utile pour la construction d'arbres phylogénétiques couvrant des périodes de temps très longues.

37.6 La cytochrome *c* oxydase transfère des électrons vers l'oxygène moléculaire

On arrive maintenant à la **cytochrome c oxydase** (complexe IV), qui catalyse la dernière étape de la chaîne respiratoire. Cette enzyme transfère les électrons du cytochrome *c* vers l'oxygène moléculaire pour former de l'eau. Simultanément, elle pompe des protons à travers la membrane mitochondriale interne. La cytochrome *c* oxydase est une protéine membranaire complexe constituée de 13 sous-unités, dont les trois plus grandes (UE1-3) sont codées par le génome mitochondrial ; les dix autres sous-unités, pas directement liées à la catalyse, sont codées par le génome nucléaire. La sous-unité UE1 porte deux centres rédox, à savoir l'hème *a* ainsi qu'un **centre binucléaire** composé de l'hème a_3 et de Cu_B, tandis que la sous-unité UE2 porte le centre rédox Cu_A avec deux ions cuivre (*fig.* 37.12).

Comment se produisent le flux d'électrons et le transport de protons dans le complexe IV ? Le site de liaison pour le substrat cytochrome *c* se trouve à proximité du **centre Cu_A** sur UE2 dans l'espace intermembranaire (*fig.* 37.13). Le transporteur mobile cytochrome *c* se lie à cet endroit et transfère un électron *via* le centre Cu_A sur l'hème *a*. Celui-ci est ensuite guidé vers le centre binucléaire hème a_3/Cu_B. Quatre électrons sont nécessaires au total pour réduire l'oxygène moléculaire ; l'extraction de quatre protons « chimiques » de la matrice

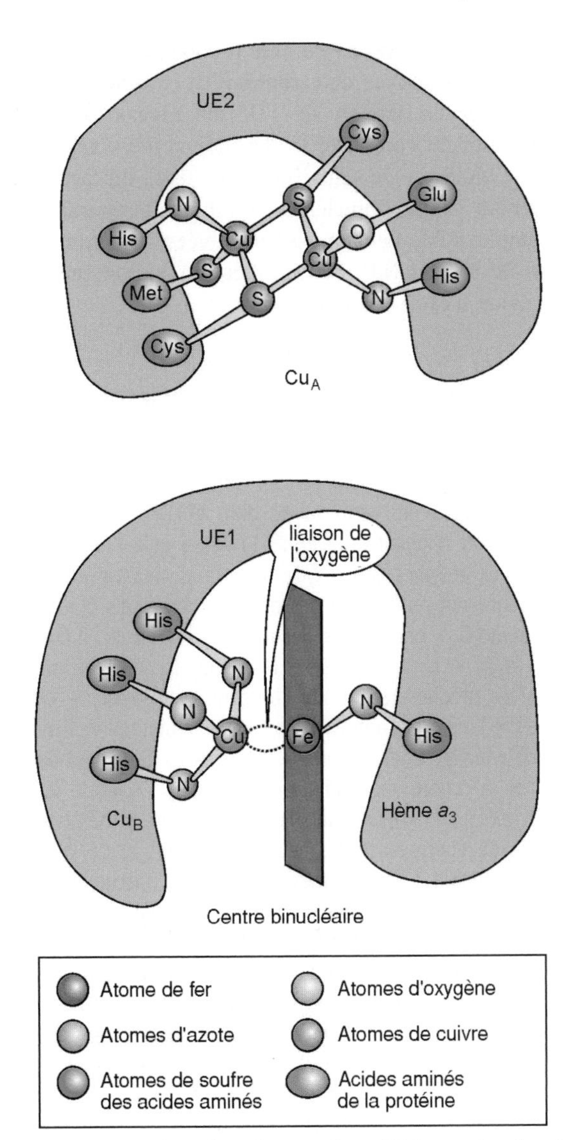

37.12 Centres cuivre dans le complexe IV. Le centre Cu_A (en haut) contient deux atomes de cuivre, liés par des atomes de soufre à des cystéines de la chaîne polypeptidique. Le centre actif pour la réduction de l'oxygène est localisé dans le centre binucléaire entre Cu_B et l'hème a_3 (en bas).

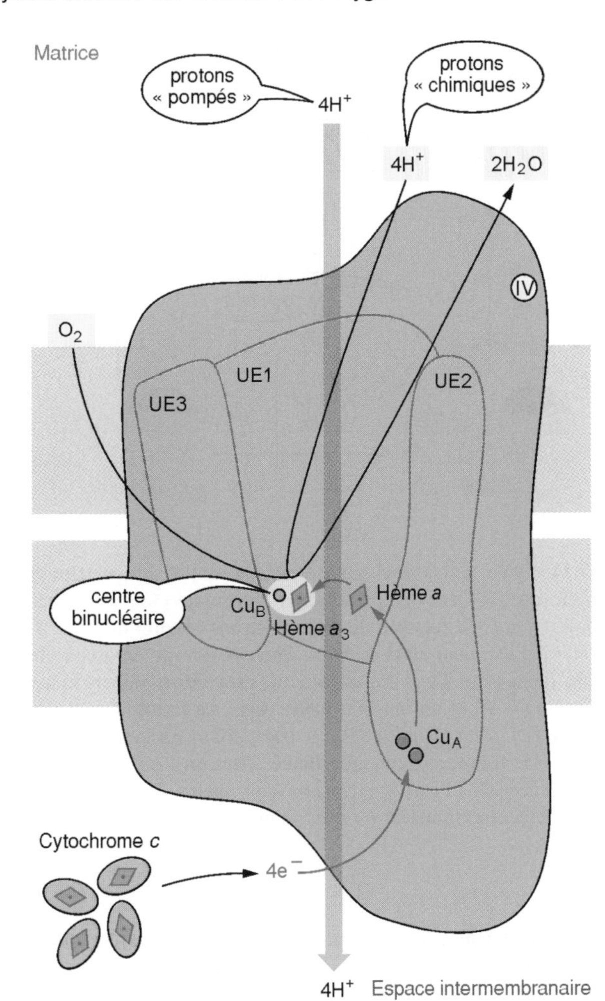

37.13 Flux d'électrons et transport de protons dans le complexe IV. La cytochrome c oxydase est représentée avec ses trois sous-unités codées par le génome mitochondrial (UE1-3) et ses trois centres rédox. Contrairement au cas du complexe III (comparer avec la *fig.* 37.11), le chemin suivi par les électrons passe par les deux groupements héminiques de la cytochrome c oxydase, parallèlement au plan de la membrane.

permet alors de former deux molécules d'eau. Dans le même temps, quatre protons « pompés » sont transportés, selon un mécanisme encore mal compris, de la matrice vers le côté intermembranaire de la membrane.

On va considérer en détail la **réduction de l'oxygène au niveau du centre binucléaire** (*fig.* 37.14). Tout d'abord, l'électron fourni par la première molécule de cytochrome *c* réduit le Cu^{2+} en Cu^+ : c'est l'**état O**. Une autre molécule de cytochrome *c* fournit un deuxième électron pour réduire le Fe^{3+} en Fe^{2+} ; ainsi, le centre héminique a_3/Cu_B est complètement réduit : c'est l'**état R**. Une molécule d'O_2 se fixe alors au centre binucléaire et réoxyde les deux centres métalliques. On obtient en théorie un anion péroxyde O_2^{2-} lié ; en réalité, un **résidu tyrosine** voisin fournit un troisième électron, et la molécule d'oxygène est donc clivée instantanément : c'est l'**état P_M**. Un atome d'oxygène est alors produit sous une forme totalement réduite (OH^-), tandis qu'un deuxième atome se lie à l'hème a_3, en formant un intermédiaire oxoferryl ($Fe = O^{2+}$) ; dans ce complexe, l'atome de fer est à l'état inhabituel d'oxydation +4. L'électron du troisième cytochrome *c* réduit ensuite le radical tyrosyl : c'est l'**état F**. Enfin, l'électron du quatrième cytochrome *c* réduit l'ion Fe^{4+} dans l'hème a_3 en ion Fe^{3+} ; le deuxième atome d'oxygène, maintenant complètement réduit reste lié à ce centre sous forme d'OH^- : c'est l'**état O**. Après la capture de deux protons, les deux groupements hydroxyles, qui restent encore liés au centre binucléaire, sont libérés dans la matrice mitochondriale sous forme de molécules d'eau – mais probablement après le cycle réactionnel suivant.

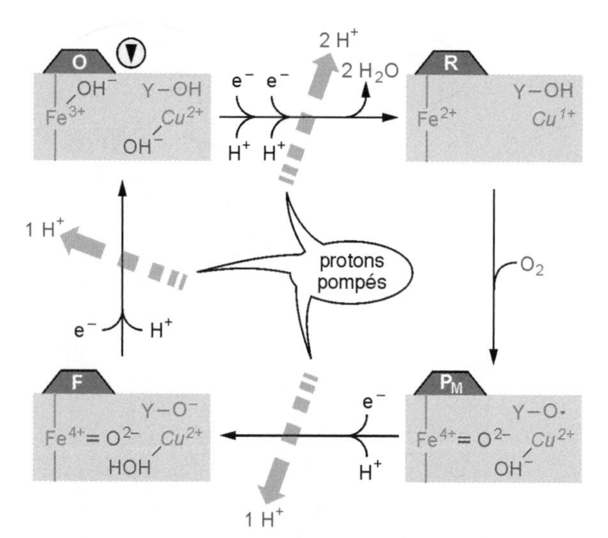

37.14 Cycle réactionnel au niveau du centre binucléaire du complexe IV. L'enzyme peut passer par quatre états différents : O, R, P_M et F. La fixation de deux électrons conduit de l'état O à l'état R ; l'O_2 peut alors se fixer. Après le clivage des deux atomes d'oxygène, l'état P_M est atteint, caractérisé par un radical tyrosyl (Y-O•) et un ion hydroxyle (OH^-). La fixation d'un troisième électron conduit à l'état F, comportant un ion hydroxyle. Avec la fixation d'un quatrième électron, on obtient un deuxième OH^- ; l'état O est à nouveau atteint. La charge nette dans le centre binucléaire reste toujours constante (+ 3).

En bilan net, la cytochrome c oxydase transfère quatre électrons de quatre molécules de cytochrome c vers une molécule d'O_2, qui est réduite en deux molécules d'H_2O ; quatre protons « chimiques » sont nécessaires. Simultanément, quatre protons sont « pompés » par des canaux qui débouchent vers le centre binucléaire de la sous-unité UE1 et transportés de la matrice mitochondriale vers l'espace intermembranaire (*fig.* 37.13). Un aspect remarquable de la réduction d'oxygène est le « chargement anticipé » du centre binucléaire par deux électrons et la mise à disposition d'un troisième électron à partir d'un résidu tyrosine voisin. De cette façon, les **intermédiaires superoxydes et péroxydes** sont pratiquement inexistants et la libération d'oxygène partiellement réduit sous forme d'anion superoxyde O_2^-•, ou de radical péroxyde HO_2• est inhibée efficacement. Ces intermédiaires réactifs de l'oxygène sont en effet fortement cytotoxiques (*encart* 37.4).

Des inhibiteurs spécifiques peuvent mettre « hors de combat » des complexes individuels de la chaîne respiratoire, ce qui a été d'une grande utilité pour l'analyse biochimique de cette chaîne respiratoire. Ainsi, le roténon et l'amytal inhibent sélectivement le complexe I et bloquent de façon ciblée l'assimilation de NADH mais pas l'entrée dans la chaîne respiratoire par le complexe II ou par d'autres déshydrogénases dépendantes du $FADH_2$. L'antimycine A inhibe de façon compétitive la réduction de l'ubiquinone au niveau du centre Q_i du complexe III, tandis que des poisons comme le cyanure (CN^-), l'azide (N_3^-) et le monoxyde de carbone (CO) entrent en compétition avec la liaison de l'O_2 au niveau du centre binucléaire du complexe IV. Le monoxyde d'azote (NO) est une molécule de signalisation (§ 28.4), qui peut aussi se lier au centre binucléaire et inhiber temporairement le complexe IV ; l'enzyme est réactivée par la conversion lente de NO en N_2O. La signification biologique de ce processus n'est pas encore claire.

Encart 37.4 : Peroxyde et sclérose latérale amyotrophique

Les radicaux libres de l'oxygène sont extrêmement réactifs et peuvent conduire à des cassures de brins d'ADN, à l'inactivation d'enzymes et d'inhibiteurs (*fig.* 13.11) ainsi qu'à l'oxydation de lipides. Les enzymes superoxyde dismutase, catalase et péroxydase dégradent rapidement des radicaux libres, tels que l'anion superoxyde O_2^-•, pour former des produits inoffensifs : $2\ O_2^-\bullet + 2\ H^+ \rightarrow H_2O_2 + O_2$ et $2\ H_2O_2 \rightarrow 2\ H_2O + O_2$. La cellule se protège contre les produits réactifs de l'oxygène (angl. *reactive oxygen species*, ROS) par des antioxydants comme le glutathion, l'α-tocophénol (vitamine E) et l'ascorbate (vitamine C). Un défaut dans le gène de la superoxyde dismutase conduit à la sclérose latérale amyotrophique (SLA), une maladie neurologique, qui se manifeste par une dégénérescence des neurones moteurs et de la moelle épinière menant à une paralysie progressive. L'accumulation de radicaux réactifs de l'oxygène conduit à des lésions des cellules nerveuses vulnérables. Un diagnostic prénatal de la sclérose latérale amyotrophique est possible, mais une thérapie causale n'est pas (encore) possible. Des symptômes similaires peuvent être observés dans le cas de mutations portant sur des gènes codant les neurofilaments (*encart* 31.2).

37.7 Le transport d'électrons et la phosphorylation sont couplés

Si l'on considère le flux d'électrons sur l'ensemble de la chaîne respiratoire, il devient clair qu'il suit une **différence de niveaux d'énergie**. Sur leur chemin à travers les principaux centres d'oxydoréduction jusqu'à l'oxygène accepteur terminal, les électrons sont transférés de transporteurs présentant un potentiel rédox bas à des transporteurs présentant un potentiel rédox plus élevé (*fig.* 37.15). Ainsi, les électrons « à haute énergie » portés par le NADH de départ perdent de plus en plus de leur énergie libre.

Le flux d'électrons allant du NADH ou du succinate vers l'oxygène est donc un **processus fortement exergonique**, qui est utilisé par les complexes I, III et IV, pour pomper à travers la membrane mitochondriale, dix (cas du NADH) ou bien six (cas du succinate) protons par atome d'oxygène réduit. L'énergie gagnée par l'oxydation

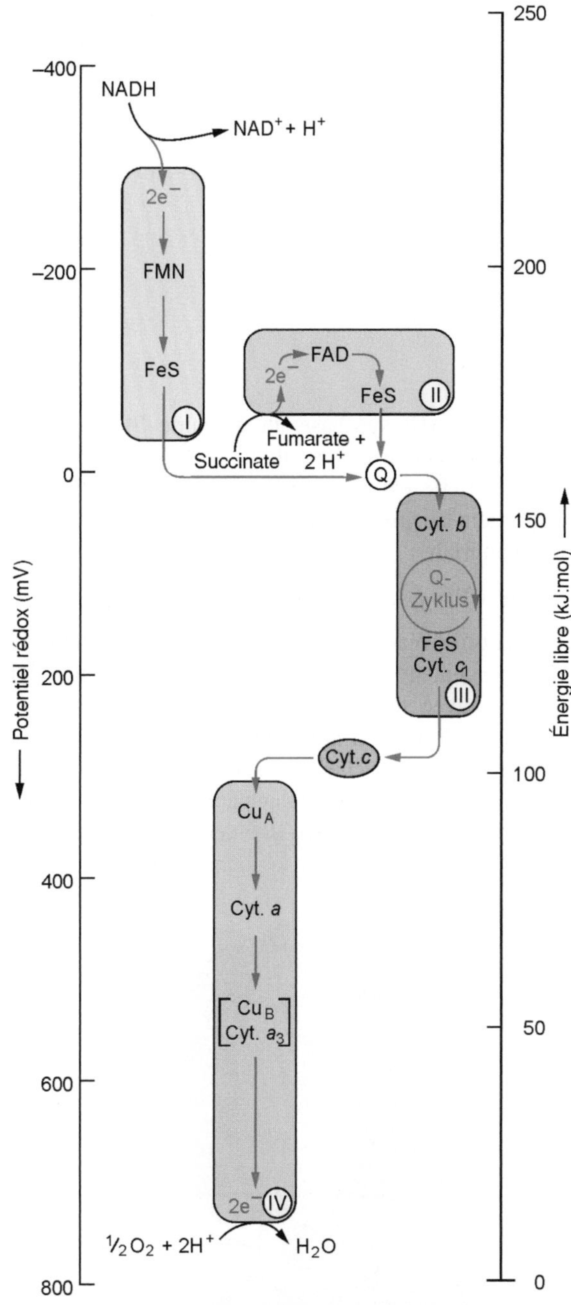

37.15 Différences énergétiques dans la chaîne respiratoire. Le flux d'électrons entre deux transporteurs libres et quatre complexes multienzymatiques membranaires suit le potentiel rédox croissant des centres rédox impliqués (échelle de gauche). Cela s'accompagne d'une perte progressive d'énergie libre des électrons (échelle de droite). Le potentiel rédox est une mesure de la force électromotrice : un agent fortement réducteur comme le NADH, qui perd facilement des électrons, a un potentiel rédox négatif (faible) tandis qu'un agent oxydant comme O_2, qui capte facilement des électrons, possède un potentiel rédox positif (élevé). [RF]

est ensuite stockée de façon intermédiaire sous la forme d'un **potentiel chimio-osmotique** (*encart* 37.5). Durant le transport des protons (chargés) à travers la membrane

Encart 37.5 : Théorie chimio-osmotique

Le flux d'électrons dans la chaîne respiratoire constitue la force motrice permettant le transport des protons, lequel s'accompagne d'un transfert de charges lors du passage à travers la membrane interne des mitochondries. En raison de la faible concentration en protons (0,1 µmol/L à pH 7,0), on observe une différence de concentration et donc un gradient osmotique. Des substances tampons, comme des acides organiques, des phosphates, et des protéines, font en sorte que les protons présents du côté de l'espace intermembranaire acide (excédentaire) soient rapidement liés et ravitaillent le côté de la matrice basique (déficitaire). Ainsi, la différence de pH entre la matrice et l'espace intermembranaire est seulement de 0,5 unités de pH. Le **potentiel chimio-osmotique des protons** $\Delta\mu H$ s'établit à partir d'un **composant électrique** $\Delta\Psi$ et d'un **composant osmotique** ΔpH :

$$\Delta\tilde{\mu} H = F \cdot \Delta\Psi - 2{,}3\ RT \cdot \Delta pH$$

Dans les mitochondries intactes, synthétisant de l'ATP, la valeur $\Delta\tilde{\mu} H$ atteint tout juste 20 kJ/mol. Cette valeur peut être convertie grâce à la constante de Faraday en une différence de potentiel d'environ 200 mV, décrite comme **force protomotrice** Δp :

$$\Delta p = \Delta\tilde{\mu} H / F$$

Le rendement de la phosphorylation oxydative chez l'être humain se situe aux environs de 100 W (état de repos). Pour une tension utile de 200 mV, il passe un courant d'environ 500 A à travers la membrane interne des mitochondries. Cette valeur peut augmenter encore considérablement lors d'exercices physiques.

interne, il se forme en effet un potentiel de membrane électrique avec un excès de charges négatives dans l'espace intermembranaire. Selon le principe d'une batterie galvanique, les mitochondries utilisent cette **force protomotrice** pour la synthèse d'ATP, et c'est le courant inverse de protons de l'espace intermembranaire vers la matrice qui fournit l'énergie libre nécessaire à la synthèse d'ATP (*fig.* 37.16).

Le transport d'électrons et la synthèse d'ATP sont étroitement couplés, c'est-à-dire que les électrons ne circulent librement dans la chaîne respiratoire, que dans la mesure où de l'ADP est simultanément transformé en ATP. Quand la synthèse d'ATP s'arrête, le potentiel chimio-osmotique des protons n'augmente que jusqu'à ce que l'énergie libre des réactions d'oxydoréductions ne soit plus suffisante pour permettre le transport de nouveaux protons à travers la membrane mitochondriale. Comme la translocation des protons et les réactions d'oxydoréductions sont également couplées étroitement, le flux d'électrons chute jusqu'à atteindre une activité de base, qui correspond à la « fuite de protons » à travers la membrane interne des mitochondries. Ces « contraintes » énergétiques présentent aussi un sens physiologique : quand la charge énergétique d'une cellule est élevée et que celle-ci dispose de beaucoup d'ATP et de peu d'ADP (*encart* 34.4), alors la synthèse d'ATP diminue et le flux

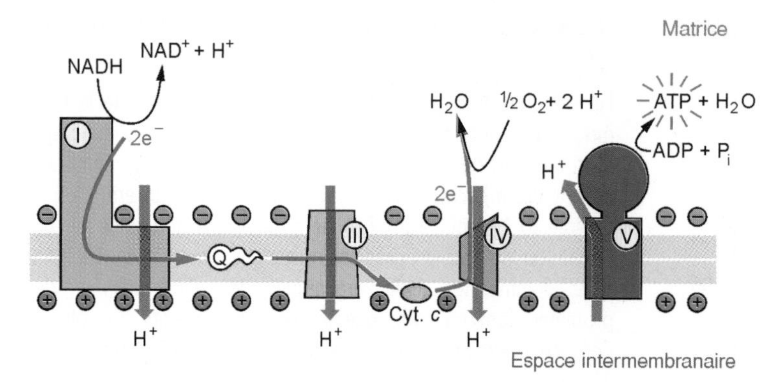

37.16 Conservation de l'énergie dans la phosphorylation oxydative. Le transport d'électrons dans la chaîne respiratoire, le transport vectoriel de protons et la synthèse d'ATP forment un système couplé.

d'électrons dans les mitochondries est réduit. Des quantités insuffisantes de NADH et de $FADH_2$ sont alors réoxydées et la pénurie de ces formes oxydées de substrats impose une « rotation » plus lente du cycle de Krebs. *Ce* **contrôle « respiratoire »** *permet d'adapter la production d'énergie d'une cellule à ses besoins réels en énergie et d'éviter un gaspillage d'énergie métabolique précieuse.*

37.8 Un nano moteur rotatif synthétise de l'ATP

L'enzyme clé de la production d'énergie par les mitochondries est l'**ATP synthase** (complexe V). Ce grand complexe protéique membranaire (> 500 kDa) se compose de deux segments : un **domaine F_1**, au niveau duquel la synthèse d'ATP a lieu, forme une sphère qui dépasse dans l'espace matriciel, tandis que le **domaine F_0** (appelé « O » en raison de l'inhibiteur oligomycine) est intégré à la membrane mitochondriale interne (*fig.* 37.17). Le domaine F1 de l'ATP synthase des mammifères comprend cinq sous-unités : $\alpha_3\beta_3\gamma\delta\varepsilon$. Le domaine F_0 comporte onze sous-unités différentes, où les sous-unités a_1c_{10} forment un **canal protonique** central et où les sous-unités b_2OSCP_1 (OSCP : angl. *oligomycin sensitivity conferring protein*) relient les domaines F_0 et F_1. Quand les protons passent au niveau d'un résidu aspartate crucial des sous-unités c, alors ils déclenchent un mouvement de rotation de l'anneau de sous-unités c_{10} dans le fragment F_0 dans la membrane mitochondriale. Avec les sous-unités $\gamma\delta\varepsilon$ de F1 fixées côté matrice, cet anneau forme un **rotor** (partie mobile). Les sous-unités a, b et OSCP, fixées de façon asymétrique, servent de **stator** (partie fixe) et empêchent que les hexamères $\alpha_3\beta_3$ qui recouvrent le rotor ne puissent tourner. La rotation de la sous-unité γ conique au centre de l'hexamère provoque des changements périodiques de conformation dans les centres catalytiques situés au niveau des limites entre les trois dimères $\alpha\beta$, qui fournissent finalement l'énergie pour la synthèse d'ATP (*encart* 37.6). Avec un diamètre d'environ 10 nm, le complexe V est le plus petit **moteur** identifié jusqu'à maintenant ; il travaille avec un rendement de près de 100 % (*fig.* page 77).

L'activité ATP synthase du domaine F1 catalyse la synthèse fortement endergonique de l'ATP à partir de P_i et d'ADP ; elle est mue par la force protomotrice due au gradient de protons à travers la membrane interne mitochondriale :

$$ADP + Pi \rightarrow ATP + H_2O \quad \Delta G^{\circ\prime} = + 30,5 \text{ kJ/mol}$$

Comment une réaction chimique peut-elle être actionnée « mécaniquement » ? Le « truc » de la nature réside dans le fait qu'avec les changements conformationnels des sous-unités β, induits par le mouvement de rotation du rotor γ, l'ATP nouvellement synthétisé, fermement lié jusque-là, se retrouve véritablement « repoussé » hors de la poche de liaison (état O). Une deuxième conformation (état L) exclut l'eau hors de la poche de liaison du centre

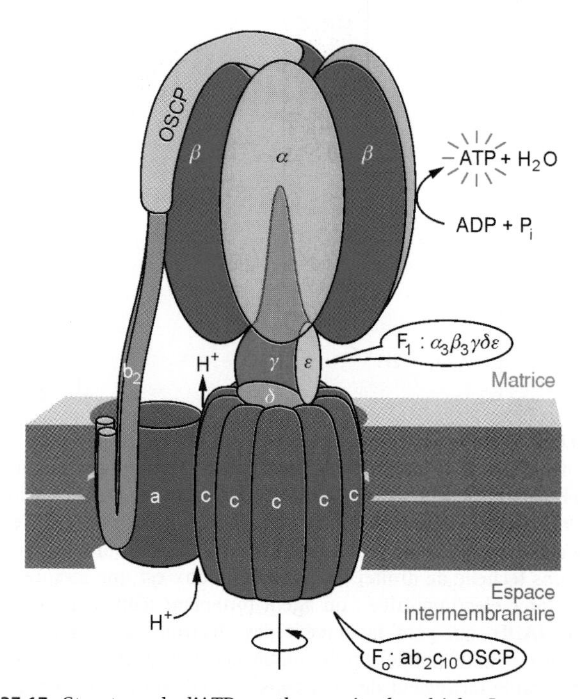

37.17 Structure de l'ATP synthase mitochondriale. Le moteur moléculaire consiste en un domaine F_1 sur la face matricielle, composé de $\alpha_3\beta_3\gamma\delta\varepsilon$, et un domaine F_0 intégré dans la membrane ($a_1b_2c_{10}OSCP_1$), jouant le rôle de « turbine à protons ». Chez les mammifères, il existe sept autres protéines dans ce complexe enzymatique, dont la fonction n'est pas connue et qui ne sont pas représentées ici (comparer avec la figure page 77).

Encart 37.6 : Mécanisme de synthèse de l'ATP

Dans l'hexamère F1, chacune des trois sous-unités β dispose d'un centre actif (*fig.* 37.18). Ceux-ci peuvent adopter trois conformations différentes, dont chacune ne se produit qu'une seule fois dans le complexe enzymatique : O = état ouvert ; L = état de liaison lâche ; T = état de liaison tendue. La triade de réactions commence à l'état L avec la liaison d'ADP et de P_i. Dans la conformation suivante, état T, la condensation d'ADP et de P_i en ATP a lieu par formation d'une liaison phosphodiester. Finalement, le passage à l'état O libère l'ATP, le produit de la réaction, puis le complexe repasse à l'état L et commence un nouveau cycle de synthèse. Le « nanomoteur » tourne grâce au gradient de protons et permet grâce à son composant asymétrique γ le passage de l'état T à O. La coopération stricte entre les centres actifs impose qu'une transition T-O induise dans le même temps une transition L-T ou O-L dans les sous-unités β voisines. Après trois mouvements de rotation du rotor γ chacun d'environ 120°, l'état de départ est à nouveau atteint : chaque sous-unité β est passée par les trois états et a synthétisé une molécule d'ATP. L'interconversion directionnelle, cyclique et mue par les protons entre états O, L et T permet une production continue : par cycle, trois molécules d'ATP sont produites. Si l'on considère que le rotor tourne d'une sous-unité c sur dix par passage de proton à contre-courant, 3 protons 1/3 (10 : 3) passent de l'espace intermembranaire (H^+_I) vers la matrice (H^+_M) par molécule d'ATP synthétisée.

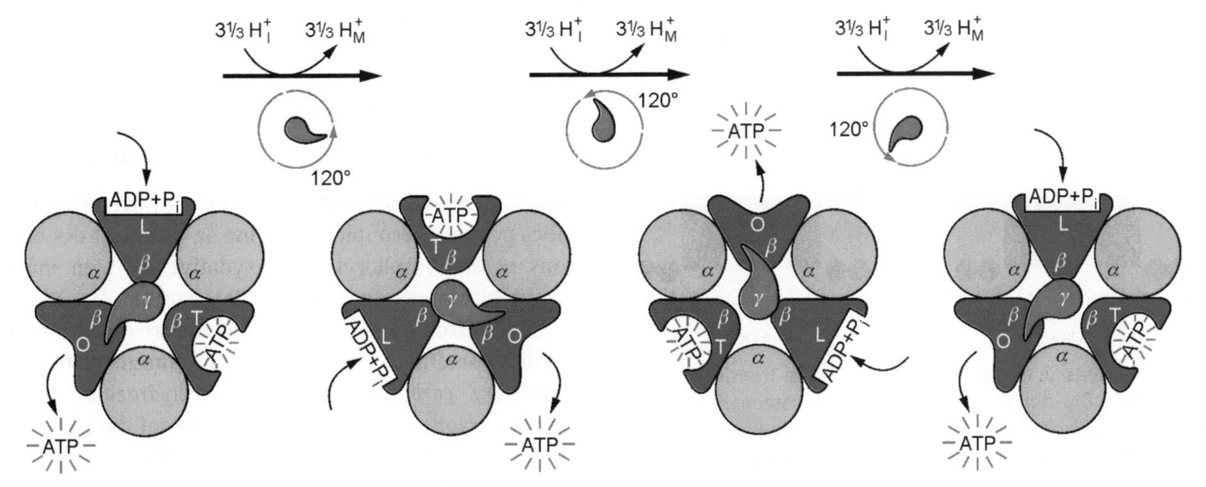

37.18 Cycle catalytique de l'ATP synthase. Les trois sous-unités β prennent des conformations différentes en fonction de la position de la sous-unité γ, laquelle subit un mouvement de rotation. Vu depuis la face matricielle (en haut), le nanomoteur tourne dans le sens inverse des aiguilles d'une montre.

actif et favorise ainsi la formation de la liaison anhydride acide phosphorique entre l'ADP et le P_i. Enfin, une troisième conformation (état T) possède une affinité beaucoup plus grande pour l'ATP que pour l'ADP + P_i et abaisse la **constante d'équilibre** de la réaction quasiment jusqu'à un, c'est-à-dire que substrats et produits sont à peu près équimolaires en conditions standards. *L'environnement protéique du centre actif « paie » donc tout d'abord un prix énergétique pour la synthèse, qui lui est « remboursé » ensuite par la rupture mécanique des interactions avec le produit de la réaction.* La coopération stricte entre les centres actifs de F_1 empêche un fonctionnement « à vide » du système quand les concentrations en ADP sont faibles (*encart* 37.6).

La **preuve expérimentale** du mécanisme de rotation peut être apportée de façon saisissante par la réaction inverse, à savoir l'hydrolyse de l'ATP : les hexamères $\alpha_3\beta_3$ sont tout d'abord fixés sur une plaque de verre. Après addition d'ATP, on peut visualiser la rotation des sous-unités γ se trouvant au centre, en fixant un filament d'actine fluorescent de plusieurs µm au niveau de cet « arbre » et en suivant ses mouvements avec un micros-

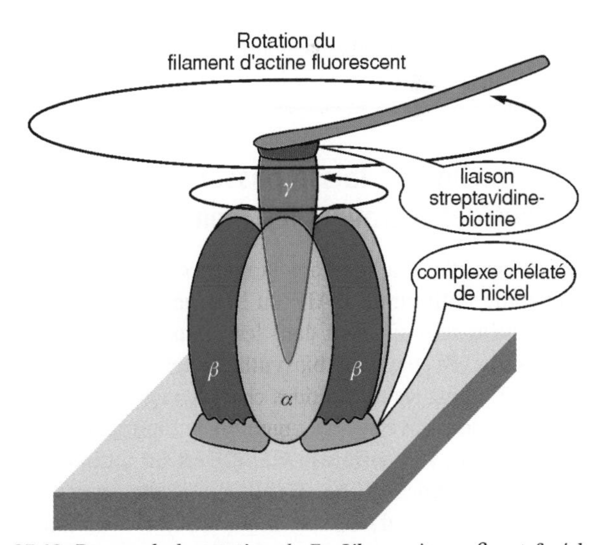

37.19 Preuve de la rotation de F_1. L'hexamère $\alpha_3\beta_3$ est fixé la tête en bas sur une lame de verre, par ses sous-unités β *via* la formation d'un complexe avec le Ni^{2+} ; sa capacité catalytique est alors maintenue. La rotation de la sous-unité γ peut alors être mesurée de façon indirecte en suivant le mouvement d'un filament d'actine fluorescent, fixé au rotor par une liaison avidine-biotine.

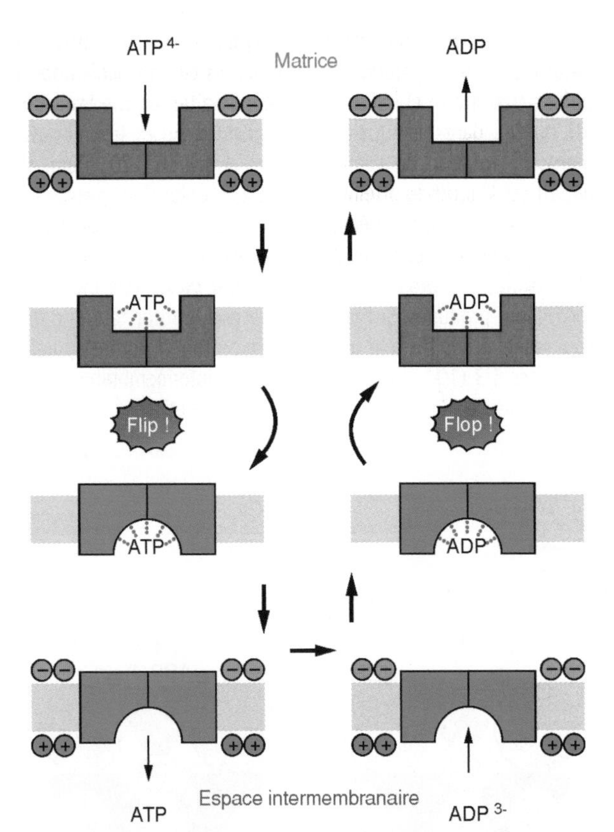

37.20 Mécanisme d'action hypothétique de la translocase ATP/ADP, dit « flip-flop ». La translocase est composée de deux sous-unités identiques, qui exposent un site de liaison pour les nucléotides, alternativement sur la face cytosolique ou sur la face matricielle de la membrane interne mitochondriale ; l'ATP et l'ADP se lient avec à peu près la même affinité.

cope à fluorescence (*fig.* 37.19). On a déjà vu un autre exemple de transport de protons actionné par l'ATP avec le cas de l'H^+-ATPase lysosomale (§ 26.3).

37.9

Une translocase laisse passer les nucléotides à travers les membranes

La synthèse d'ATP a lieu dans la matrice mitochondriale, tandis que l'utilisation d'ATP ou la formation d'ADP les plus élevées se produisent dans les compartiments cellulaires où s'effectue une biosynthèse active, comme le cytosol. Comme les nucléotides chargés négativement ne peuvent pas traverser la membrane mitochondriale interne *per se*, la **translocase ATP/ADP** est un antiport qui remplit cette fonction (*fig.* 37.20). Par ce transport couplé, une molécule d'ADP est importée hors de l'espace intermembranaire par molécule d'ATP exportée hors de la matrice. L'ATP peut ensuite diffuser à travers la membrane mitochondriale externe vers le cytoplasme par les pores constitués de porine.

Comme l'ATP porte une charge négative de plus que l'ADP, il se produit simultanément au cours de ce transport un échange de charge entre la matrice (excès de charges négatives) et l'espace intermembranaire (positif). *Le potentiel de membrane est donc utilisé pour partager les nucléotides, selon les besoins, des deux côtés de la membrane interne mitochondriale.* Les groupements phosphate, nécessaires pour la synthèse d'ATP, sont transportés en même temps que des protons à travers la membrane interne des mitochondries, par un symport (P_i^- + H^+), qui est actionné par le gradient osmotique de protons. En bilan net, pour chaque ADP + P_i cytosoliques, fournis à l'ATP synthase de la matrice et export de l'ATP formé vers le cytosol, un proton est « pompé » en retour vers l'espace matriciel ; les coûts énergétiques pour la synthèse d'ATP s'élèvent d'autant.

37.10

Les agents découplants causent un « court-circuit » dans la batterie protonique

Des groupements aromatiques faiblement acides et lipophiles peuvent découpler la chaîne de transport des électrons et la phosphorylation oxydative ou bien même « court-circuiter » le gradient de protons (*fig.* 37.21). Le 2,4-dinitrophénol (DNP) ou le cyanure de carbonyle *p*-trifluorométhoxyphénylhydrazone (angl. *p-trifluoromethoxy carbonyl cyanide phenylhydrazone*, FCCP) sont des anions qu'on trouve normalement dans le cytosol et qui constituent des **agents découplants** car ils peuvent absorber des protons au niveau de la membrane mitochondriale interne, diffuser sous leur forme neutre à travers la membrane interne et se dissocier à nouveau côté matrice. Par le transport de protons de la membrane mitochondriale interne vers la matrice, les agents découplants réduisent le gradient de protons existant et interrompent la synthèse d'ATP ; l'énergie inutilisée du potentiel de membrane chimioosmotique est libérée sous forme de **chaleur**. Simultanément, les agents découplants

OH
O_2N
2,4-dinitrophénol
NO_2
cyanure de carbonyle *p*-trifluorométhoxy-phénylhydrazone
F
F–C–O–
F
H
–N–N=C
CN
CN

37.21 Agents découplants de la phosphorylation oxydative. Les acides faibles sont en partie dissociés dans le cytosol ; dans l'espace intermembranaire, qui possède une valeur de pH plus faible, ils absorbent des H^+ (en rouge), diffusent sous forme non chargée à travers la membrane mitochondriale interne, et libèrent à nouveau leur H^+ sur la face matricielle, qui possède une valeur de pH plus élevée. Le bilan net est un transport de protons de l'espace intermembranaire vers la matrice.

accélèrent le transfert d'électrons du NADH vers l'O_2, car le transport de protons ne se fait plus en échange d'une force protomotrice. Cette situation est comparable au hurlement d'un moteur, quand le conducteur passe une vitesse tout en accélérant à fond.

Le principe du découplage du transport d'électrons et de la phosphorylation oxydative est également retrouvé dans des phénomènes biologiques. La **thermogénine** (angl. *uncoupling protein*) est une protéine membranaire intégrale de la membrane interne mitochondriale, qui constitue un canal protonique pouvant découpler la phosphorylation oxydative de façon régulée. Pendant ce « court-circuit » dans la batterie de protons mitochondriale, l'énergie stockée est libérée sous forme de chaleur. Ce phénomène se produit avant tout dans la graisse « brune », un tissu qui sert d'abord à la production de chaleur. Sa couleur vient des cytochromes qui sont présents en forte concentration dans les mitochondries. La **thermogenèse dans la graisse brune** est particulièrement importante chez les nouveaux-nés, car elle leur permet de maintenir leur température corporelle ; elle est également utilisée par les animaux hibernants ou adaptés au froid.

37.11 La combustion d'une mole de glucose fournit jusqu'à 30 moles d'ATP

On a fait jusqu'ici les bilans séparés de chacune des trois voies métaboliques fondamentales – la glycolyse, le cycle de Krebs et la phosphorylation oxydative. Quel est maintenant le bilan d'ensemble du métabolisme d'une molécule de glucose en CO_2 et en H_2O ? Pour la glycolyse et le cycle de Krebs, le bilan réactionnel est le suivant :

$$\text{Glucose} + 10\ NAD^+ + 2\ FAD + 2\ H_2O + 4\ ADP + 4\ P_i$$
$$\rightarrow 6\ CO_2 + 10\ NADH + 10\ H^+ + 2\ FADH_2 + 4\ ATP$$

On peut aussi faire le bilan total du gain d'énergie : à la fin de la glycolyse, deux ATP ont été formés dans le cytosol. Deux ATP supplémentaires, formés secondairement à partir de GTP, sont apportés par le cycle de Krebs, lequel fournit en outre, avec l'aide de la pyruvate déshydrogénase, huit NADH et deux FADH à la chaîne respiratoire. Les deux NADH produits par la glycolyse sont transportés par un système de navette à l'intérieur des mitochondries. *La phosphorylation oxydative se taille finalement la part du lion dans le gain d'ATP.* Respectivement dix et six protons sont pompés par NADH oxydé et par $FADH_2$ oxydé. Au total, pour chaque molécule de glucose totalement oxydée, jusqu'à 112 protons sont transportés à travers la membrane mitochondriale interne. La synthèse de chaque molécule d'ATP utilise en moyenne 3 protons 1/3 et un proton supplémentaire est utilisé pour le transport de nucléotides ou de groupements phosphate à travers la membrane mitochondriale interne. L'ensemble des protons pompés suffit donc à produire exactement 26 molécules d'ATP et si l'on y ajoute les quatre protons fournis directement par **phosphorylation au niveau du substrat** (§ 35.4), on arrive tout juste à 30 molécules d'ATP produites par molécule de glucose. Toutefois, il faut tenir compte des déperditions inévitables dues à une sortie de GTP ou d'ATP du cycle de Krebs, ou bien à une entrée d'équivalents de réduction par la navette moins efficace du glycérophosphate, et cette valeur idéale n'est pratiquement jamais atteinte *in vivo*. Le **rendement** de la totalité du processus est généralement de l'ordre de 30 %.

Jusqu'à présent, on s'est intéressé exclusivement à la production d'énergie obtenue par la dégradation du glucose. Il existe par ailleurs des voies de métabolisme du glucose, qui servent des buts aussi bien anaboliques que cataboliques ou qui présentent même un caractère uniquement anabolique. La voie des pentoses phosphates et la gluconéogenèse constituent des exemples vers lesquels on va se tourner maintenant.

Voie des pentoses phosphates, un module adaptatif du métabolisme

38

Le glucose est une molécule clé du métabolisme humain ; on a déjà vu en détail son rôle dans la production de phosphates riches en énergie comme l'ATP. On va se tourner maintenant vers deux autres aspects de ses fonctions métaboliques, qui mettent en jeu la voie des pentoses phosphates : d'une part, le pentose **D-ribose** peut être généré et utilisé comme élément pour la synthèse de nucléotides et d'acides nucléiques ; d'autre part, l'**équivalent de réduction NADPH** peut être formé et utilisé pour des processus anaboliques. Le NADPH ne se distingue du NADH que par un groupement phosphate supplémentaire placé en position 2 de son noyau ribose (*fig.* 34.8). À cause de cette petite différence, deux réservoirs d'équivalents de réductions sont présents dans le cytosol. De fait, le $NADH/NAD^+$ est surtout un cosubstrat des enzymes du catabolisme tandis que le $NADPH/NADP^+$ est plutôt utilisé par les enzymes du métabolisme anabolique.

38.1 La voie des pentoses phosphates se déroule en deux phases

Les réactions de la voie des pentoses phosphates se déroulent toutes dans le **cytosol**. On distingue principalement une **phase oxydative** et une **phase non-oxydative** (*fig.* 38.1). Lors de la première phase (oxydative), du NADPH est formé tandis que trois étapes enzymatiques permettent de transformer le glucose-6-phosphate en un pentose, le ribulose-5-phosphate ; d'où le nom de « voie des pentoses phosphates ». Le NADPH synthétisé est surtout nécessaire pour des biosynthèses réductives et pour la régénération du glutathion réduit, tandis que le ribulose-5-phosphate – après l'isomérisation en ribose 5-phosphate – est disponible pour les synthèses d'ARN, d'ADN et de cofacteurs contenant des nucléotides. Lors de la deuxième phase (non-oxydative), des sucres C_3, C_4, C_5, C_6 et C_7 sont successivement transformés de l'un en l'autre par une séquence complexe de réactions. Les produits terminaux sont le glycéraldéhyde-3-phosphate et le fructose-6-phosphate, qui permettent une jonction transversale (angl. *shunt*) vers la glycolyse – d'où le nom alternatif de **shunt des pentoses-phosphates.**

Le point de départ de la voie des pentoses phosphates est le glucose-6-phosphate, synthétisé par phosphorylation à partir du glucose libre (§ 35.2) et – comme on le verra plus tard – également formé comme intermédiaire dans la synthèse *de novo* du glucose (*chap.* 39). La voie des pentoses phosphates utilise six types de réaction : déshydrogénation, hydrolyse, isomérisation, épimérisation ainsi que deux réactions de transfert (*tab.* 38.1).

Tableau 38.1 Types de réaction dans la voie des pentoses phosphates

Type de réaction	Enzymes et cofacteurs
Déshydrogénation/ Oxydation	Glucose-6-phosphate déshydrogénase 6-Phosphogluconate déshydrogénase
Hydrolyse	Lactonase
Isomérisation	Pentose-5-phosphate isomérase
Épimérisation	Pentose-5-phosphate épimérase
Transfert de 2 carbones	Transcétolase (avec thiamine pyrophosphate)
Transfert de 3 carbones	Transaldolase

38.1 La voie des pentoses phosphates se divise en une phase oxydative et une phase non-oxydative. Le point de départ commun est le glucose-6-phosphate ; le ribulose-5-phosphate constitue un intermédiaire. Les possibilités d'utilisation des produits générés sont indiquées à droite. En principe, le glycéraldéhyde-3-phosphate et le fructose-6-phosphate peuvent être retransformés en glucose *via* la gluconéogenèse (*fig.* 39.1).

Glucose-6-phosphate déshydrogenase — NADP⁺ → NADPH + H⁺
Lactonase — H_2O → H^+
6-Phosphogluconate déshydrogenase — NADP⁺ → NADPH + CO_2

Glucose-6-phosphate | 6-Phosphoglucono-δ-lactone | 6-Phosphogluconate | Ribulose-5-phosphate

38.2 Étapes de la phase oxydative de la voie des pentoses phosphates. Le pentose ribulose-5-phosphate est synthétisé en trois étapes à partir du glucose-6-phosphate.

38.2

La phase oxydative fournit du NADPH et du ribulose-5-phosphate

L'oxydation du glucose-6-phosphate représente le début de la voie des pentoses phosphates : le groupement C_1 du sucre est déshydrogéné par la **glucose-6-phosphate déshydrogénase**, d'où la formation d'un groupement carboxyle. Celui-ci forme un ester interne – un lactone – avec le groupement hydroxyle $C_5(\delta)$: le 6-phosphoglucono-δ-lactone est ainsi généré (*fig.* 38.2). Lors de cette réaction, 1 H^+ est libéré et un ion hydrure (1 H^+ + 2 e^-) est transféré sur du $NADP^+$, ce qui génère une première molécule de NADPH. Ensuite, l'enzyme **lactonase** hydrolyse le lactone pour donner du 6-phosphogluconate (forme ionisée de l'acide gluconique-6-phosphate). Puis, l'enzyme **6-phosphogluconate déshydrogénase** convertit le 6-phosphogluconate en ribulose-5-phosphate par deux réactions consécutives : une oxydation suivie d'une décarboxylation, ce qui génère une deuxième molécule de NADPH.

Le bilan réactionnel net de la partie oxydative de la voie des pentoses phosphates peut s'écrire en conséquence :

$$\text{Glucose-6-phosphate} + 2\ NADP^+ + H_2O \rightarrow$$
$$\text{Ribulose-5-phosphate} + 2\ NADPH + 2\ H^+ + CO_2$$

Le NADPH produit lors de la phase oxydative n'est pas seulement utilisé pour des biosynthèses réductives mais il contribue également au maintien d'un **milieu réducteur** dans la cellule. On peut s'en rendre compte clairement par les conséquences d'une déficience génétique en glucose-6-phosphate déshydrogénase (*encart* 38.1).

Par la suite, la **pentose-5-phosphate isomérase** permet de transformer le cétose ribulose-5-phosphate en un aldose, le ribose-5-phosphate, *via* un **intermédiaire ènediol** (*fig.* 38.3). On avait déjà rencontré ce mécanisme de biosynthèse dans l'étude de la glycolyse (*fig.* 35.7). *Cette réaction fournit un élément central pour la synthèse de nucléotides et, en même temps, elle marque le passage dans la phase non-oxydative de la voie des pentoses phosphates.*

Encart 38.1 : Déficience en glucose-6-phosphate déshydrogénase

Les globules rouges ont besoin de grandes quantités de NADPH, particulièrement pour la régénération du glutathion qu'elles utilisent comme antioxydant contre les peroxydes (*encart* 37.4) et pour la réduction de l'hémoglobine oxydée. Elles se fournissent en agent réducteur NADPH par la voie des pentoses phosphates. Chez les porteurs d'un gène défectueux pour la glucose-6-phosphate déshydrogénase (G6PDH), les érythrocytes deviennent des « points faibles » et une anémie hémolytique grave peut se développer : la prise de médicaments spécifiques (comme la primaquine, un produit anti-malaria) ou la consommation de produits végétaux (des fèves) ont comme conséquence une augmentation de la production des peroxydes et par la suite une oxydation des lipides membranaires et une dégradation accélérée des érythrocytes. Inversement, un déficit en G6PDH peut présenter un certain avantage sélectif, comme dans le cas de l'anémie falciforme (*encart* 10.3) : la plupart des 400 millions de porteurs vivent dans des pays tropicaux. Ils sont mieux protégés contre une infection par la malaria, car le plasmodium a absolument besoin d'un milieu réducteur pour son métabolisme. Les parasites sont donc encore plus sensibles au stress oxydatif que leurs cellules hôtes. Le gène G6PDH étant localisé sur le chromosome X, l'effet protecteur bénéficie particulièrement aux porteuses (hétérozygotes) de cette déficience.

38.3

La phase non-oxydative interconvertit des glucides

Si une cellule a plus besoin de NADPH que de ribose-5-phosphate, ou s'il lui faut recycler des sucres de 3 à 6 carbones, alors elle « met en route » la phase non-oxydative

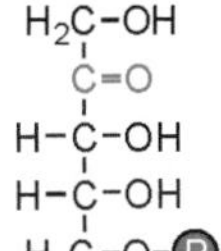

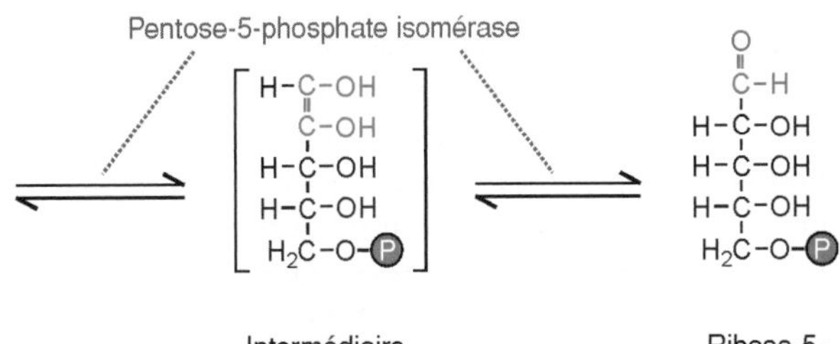

38.3 Isomérisation du ribulose-5-phosphate en ribose-5-phosphate.

de la voie des pentoses phosphates. Plusieurs modifications du squelette carboné, avec **conservation du nombre total d'atomes de carbone** (n = 15), permettent alors de transformer trois molécules de pentoses phosphates produites lors de la phase oxydative en une molécule de triose phosphate (glycéraldéhyde-3-phosphate ; n = 3) et deux molécules d'hexose (fructose-6-phosphate ; n = 6), qui peuvent être directement utilisées dans la glycolyse (*fig.* 38.4).

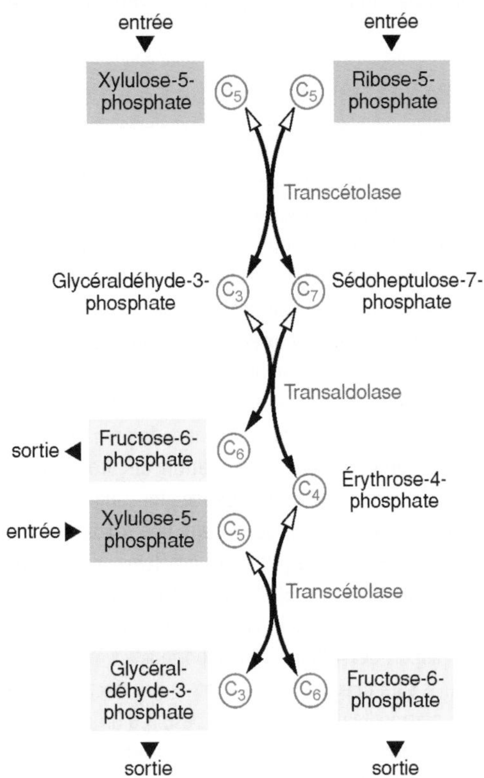

38.4 Étapes de la phase non-oxydative de la voie de pentoses phosphates. En bilan net, trois pentoses phosphates (en vert) sont transformés en un triose phosphate et deux hexoses phosphate (en jaune). Toutes les réactions sont entièrement réversibles (pointes de flèche claires) ; c'est pourquoi tous les pentoses phosphates sont finalement en équilibre avec du ribulose-5-phosphate.

Lors d'une réaction préliminaire, l'enzyme **pentose-5-phosphate épimérase** convertit le produit de la phase oxydative, le ribulose-5-phosphate, en son épimère, le xylulose-5-phosphate (*fig.* 38.5) et génère ainsi un des substrats requis pour la réaction suivante, qui est catalysée par l'enzyme **transcétolase.** Lors de cette réaction, le xylulose-5-phosphate réagit avec le produit de la phase oxydative, le ribose-5-phosphate. Le transfert d'une unité à 2 carbones du cétose vers l'aldose permet d'obtenir le triose glycéraldéhyde-3-phosphate et l'heptose sédoheptulose-7-phosphate (*fig. 38.6*).

Ribulose-5-phosphate ⇌ (Pentose-5-phosphate épimérase) Xylulose-5-phosphate

38.5 Épimérisation du ribulose-5-phosphate en xylulose-5-phosphate. Les deux pentoses se distinguent seulement par leur configuration en C_3.

Pendant l'étape suivante, la **transaldolase** transfère une unité à 3 carbones du sédoheptulose-7-phosphate sur le glycéraldéhyde-3-phosphate, ce qui aboutit à la formation d'un aldotétrose, l'érythrose-4-phosphate, et d'un cétohexose, le fructose-6-phosphate, lequel est un intermédiaire dans la voie de la glycolyse (*fig.* 38.7). Par la suite, la **transcétolase** catalyse à nouveau le transfert d'une unité C_2 du xylulose-5-phosphate, cette fois-ci, sur l'érythrose-4-phosphate (*fig.* 38.8) pour donner le glycéraldéhyde-3-phosphate et le fructose-6-phosphate, c'est-à-dire deux intermédiaires dans la voie de la glycolyse. La phase non-oxydative se termine ainsi.

Le bilan réactionnel de la phase non-oxydative peut s'écrire par conséquent :

3 Ribulose-5-phosphate → Glycéraldéhyde-3-phosphate + 2 Fructose-6-phosphate

Comme toutes les réactions de la phase non-oxydative, l'isomérisation du ribulose-5-phosphate en ribose-5-phosphate est aussi réversible. C'est pourquoi, à l'aide de cette réaction, l'ensemble du ribose-5-phosphate excédentaire peut être converti en **intermédiaires de la glycolyse.** La phase non-oxydative de la voie des pentoses phosphates permet donc de relier les voies métaboliques qui génèrent du NADPH et celles qui génèrent du NADH/ATP. Alternativement, le glycéraldéhyde-3-phosphate et le fructose-6-phosphate peuvent être utilisés lors des étapes finales de la gluconéogenèse (fig. 39.1) pour la synthèse *de novo* du glucose. Avant de se pencher sur d'autres variantes de la voie des pentoses phosphates, on va détailler encore un peu le fonctionnement des deux transférases impliquées.

La transcétolase et la transaldolase catalysent **trois réactions de transfert totalement réversibles.** La transcétolase transfère des unités à 2 carbones à l'aide du coenzyme thiamine pyrophosphate (*encart* 36.2), tandis que la tran-

Xylulose-5-phosphate + Ribose-5-phosphate ⇌ (Transcétolase) Glycéraldéhyde-3-phosphate + Sédoheptulose-7-phosphate

38.6 Transfert d'un groupement à 2 carbones par la transcétolase.

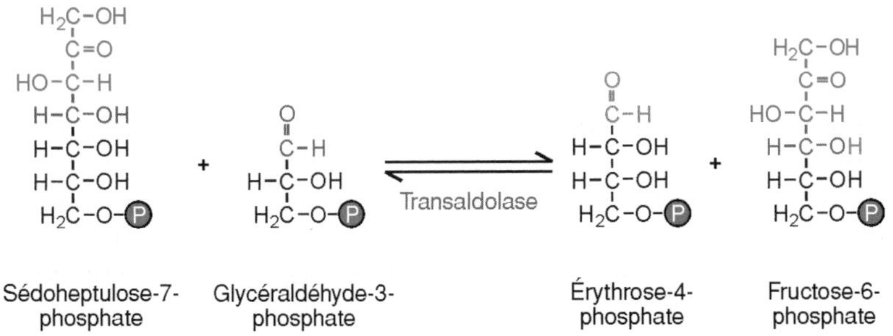

Sédoheptulose-7-phosphate + Glycéraldéhyde-3-phosphate ⇌ (Transaldolase) Érythrose-4-phosphate + Fructose-6-phosphate

38.7 Transfert d'un groupement à 3 carbones par la transaldolase.

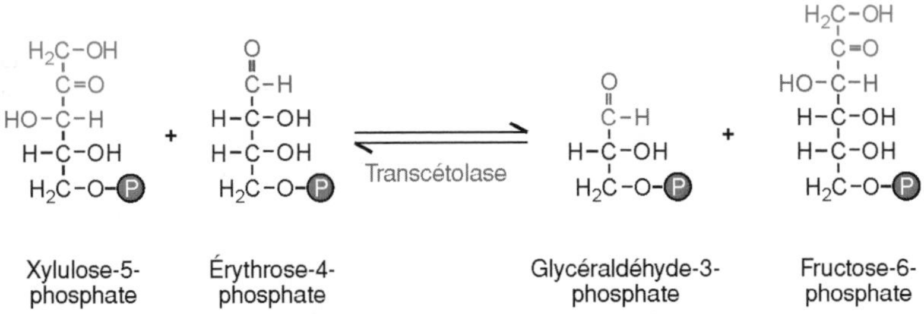

Xylulose-5-phosphate + Érythrose-4-phosphate ⇌ (Transcétolase) Glycéraldéhyde-3-phosphate + Fructose-6-phosphate

38.8 Transfert d'un groupement à 2 carbones par la transcétolase.

saldolase, qui dispose d'un résidu lysine dans son centre actif, transfère des unités à 3 carbones (*encart* 38.2). Le donneur est dans tous les cas un cétose tandis que l'accepteur est toujours un aldose.

38.4

La voie des pentoses phosphates permet l'adaptation aux besoins variables des cellules

Les réorganisations du squelette carboné, qui se déroulent au cours de la phase non-oxydative de la voie des pentoses phosphates, sont totalement réversibles et permettent donc une adaptation précise aux différentes situations métaboliques. Par exemple, en présence de quantités suffisantes de glucose, le tissu adipeux a besoin de fortes quantités de NADPH pour réaliser la **néosynthèse des acides gras**. Dans ces conditions, la voie des pentoses phosphates fournit surtout du NADPH en transformant du glucose-6-phosphate en ribose-6-phosphate. Par contre, cette situation ne nécessite pas une augmentation de la biosynthèse des nucléotides et le pentose est donc converti en glycéraldéhyde-3-phosphate et fructose-6-phosphate. *Via* la glycolyse et l'action de la pyruvate déshydrogénase, ces intermédiaires peuvent finalement fournir de l'acétyl-CoA, utilisé comme élément pour la synthèse des acides gras. S'il y a suffisamment d'acétyl-CoA disponible et que les besoins en ATP sont couverts, les deux intermédiaires peuvent s'insérer dans la **voie de la néoglucogénèse**, au niveau des **étapes terminales** (*fig.* 39.1) et ils sont alors retransformés en glucose-6-phosphate : le cycle s'achève ainsi (*fig.* 38.10). D'un point de vue formel, une molécule de glucose-6-phosphate peut ainsi parcourir six tours de la voie des pentoses phosphates pour être oxydée totalement en six CO_2 ; douze molécules de NADPH sont alors formées. Chez les mammifères, ce mode de fonctionnement cyclique de la voie des pentoses phosphates ne joue cependant qu'un rôle mineur.

Normalement la voie des pentoses phosphates est couplée à la **glycolyse** *via* la formation de glycéraldéhyde-3-phosphate et de fructose-6-phosphate. Dans ce mode de fonctionnement, des équivalents de réduction (NADPH, NADH) ainsi que des équivalents d'énergie (ATP) sont générés simultanément. À partir des six atomes de carbones du glucose, l'un est clivé sous forme de CO_2 et les cinq autres contribuent au pool de pyruvate (*fig.* 38.11).

La situation se présente différemment dans des cellules en prolifération : ces cellules ont besoin de grandes quantités de ribose-5-phosphate pour leur synthèse d'acides nucléiques. Si ce besoin dépasse celui en NADPH, la voie des pentoses phosphates peut « se brancher » sur la glycolyse et prélever les éléments nécessaires sous forme de glycéraldéhyde-3-phosphate et de fructose-6-phosphate. Dans ce mode, la phase non-oxydative fonctionne de façon rétrograde et génère trois molécules de ribose-5-phosphate à partir d'une molécule de glycéraldéhyde-3-phosphate et de deux molécules de fructose-6-phosphate (*fig.* 38.12). Elle *ne* produit donc *pas* de NADPH. *Grâce à cette flexibilité hors du commun, la voie des pentoses phosphates constitue un module métabolique idéal pour adapter continuellement les quantités disponibles en NADPH, ATP, ribose-5-phosphate et en pyruvate ou respectivement en acétyl-CoA, aux besoins changeants du métabolisme d'une cellule (fig. 38.13).* Dans ce domaine, une des tâches principales est de fournir du NADPH pour permettre la réduction du glutathion oxydé, par exemple dans les érythrocytes.

La **régulation** de la phase oxydative de la voie des pentoses phosphates passe par celle de son enzyme clé, la glucose-6-phosphate déshydrogénase. Le point le plus important est la **disponibilité en NADP⁺**, car le $NADP^+$ agit comme activateur allostérique tandis que le NADPH agit comme inhibiteur compétitif (inhibition par le produit) de l'activité enzymatique. Dans la mesure où le NADPH se trouve en excès molaire d'environ 70 : 1 par rapport au $NADP^+$ en conditions physiologiques, la consommation d'équivalents de réduction (NADPH) provoque une augmentation de la proportion en $NADP^+$ et conduit à une stimulation rapide de la déshydrogénase. La voie des pentoses phosphates est donc particulièrement active

Encart 38.2 : La transaldolase

L'enzyme dispose dans son centre actif d'une lysine dont le groupement ε-aminé forme une base de Schiff (–C=N–) avec le groupement carbonyle du cétose donneur (*fig.* 38.9). Après protonation de l'atome d'azote de la base de Schiff, la liaison entre C3 et C4 du cétose peut être rompue : il se forme un intermédiaire qui est un carbanion réactif, stabilisé par résonance. Le produit, un aldose, quitte alors le centre actif. Dans une deuxième étape, l'atome de carbone du groupement carbonyle d'un aldose accepteur subit une attaque nucléophile par le carbanion. Une nouvelle liaison C–C est alors formée. L'hydrolyse de la base de Schiff régénère le groupement ε-aminé dans le centre actif et libère un cétose, dont la longueur dépasse celle de l'aldose accepteur de trois atomes de carbone. Les parallèles avec le mécanisme impliqué dans le métabolisme de la thiamine pyrophosphate, le cofacteur de la transcétolase, sont évidents (*encart* 36.2).

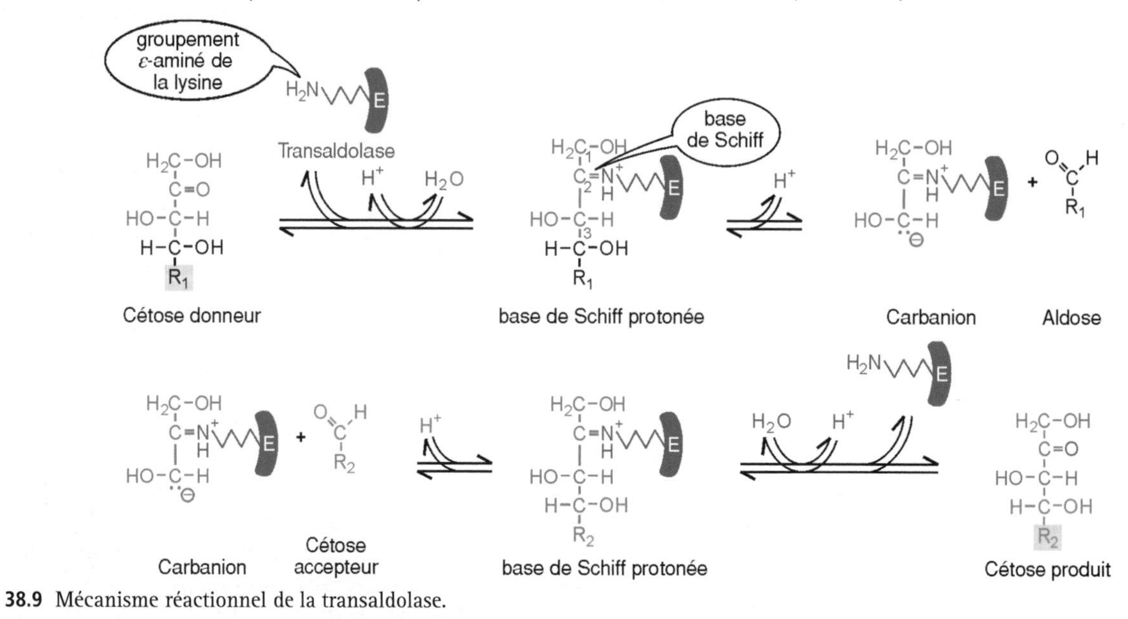

38.9 Mécanisme réactionnel de la transaldolase.

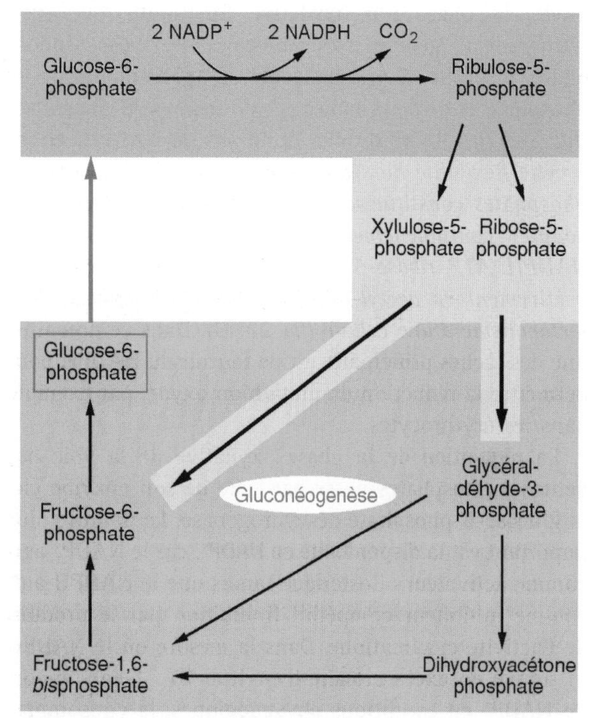

38.10 Couplage de la voie des pentoses phosphates à la gluconéogenèse. Dans ce mode de fonctionnement, le ribulose-5-phosphate est finalement retransformé en glucose-6-phsophate à l'aide de la transcétolase, la transaldolase et des enzymes de la gluconéogenèse.

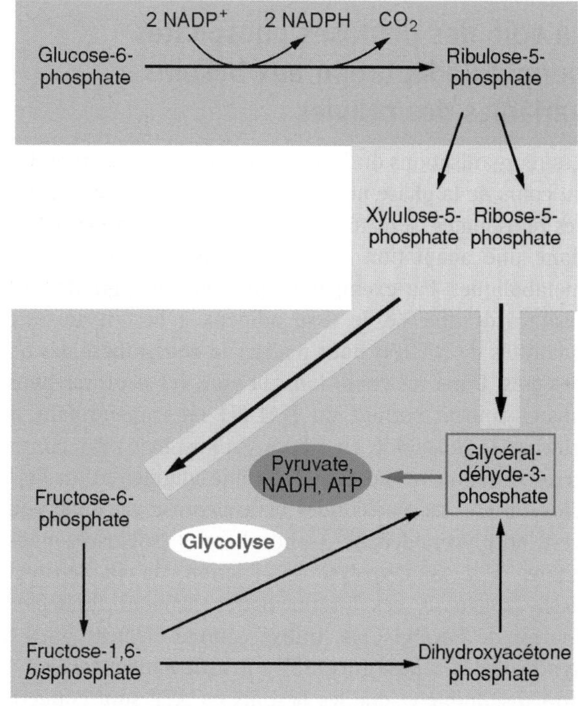

38.11 Couplage de la voie des pentoses phosphates à la glycolyse. Dans ce mode « d'alimentation », le ribulose-5-phosphate est transformé en pyruvate qui est utilisé ultérieurement pour la production d'ATP ou bien comme élément lors de biosynthèses.

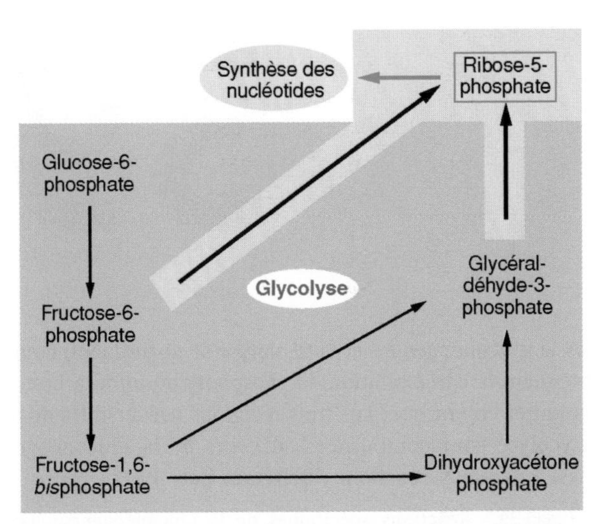

38.12 Couplage de la voie des pentoses phosphates à la glycolyse. Ce mode « d'extraction » génère du ribose-5-phosphate pour la synthèse d'ADN sans formation de NADPH.

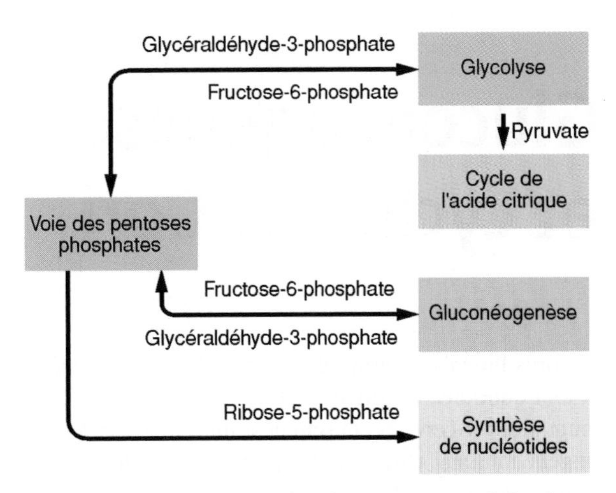

38.13 La voie des pentoses phosphates comme module adaptateur entre glycolyse, cycle de Krebs, gluconéogenèse et synthèse de nucléotides.

dans le tissu adipeux, car dans ce tissu, la présence de fortes concentrations en glucose s'accompagne d'une augmentation des besoins en NADPH. Par contre, dans le tissu musculaire qui présente une faible consommation en NADPH, le shunt des pentoses phosphates est fortement réduit. *La phase non-oxydative de la voie de pentoses phosphates est régulée en premier lieu par le besoin et* **la disponibilité en substrat.** *Comme les réactions impliquées sont totalement réversibles, le sens des réactions peut changer selon l'offre en substrat.*

En résumé, la voie des pentoses phosphates présente une **double fonction** qui est, d'une part de dégrader le glucose pour générer du NADPH et d'autre part de transformer le glucose en d'autres éléments du métabolisme, plus particulièrement en pentoses nécessaires aux synthèses de nucléotides et d'acides nucléiques. Cette voie fait donc le lien entre catabolisme et anabolisme du glucose. On va maintenant se tourner vers ce dernier aspect, avec l'étude de la gluconéogenèse, c'est-à-dire la synthèse *de novo* de glucose à partir de précurseurs qui ne sont pas eux-mêmes des sucres.

Encart 38.3 : Le glutathion

Le glutathion (GSH) est un tripeptide (γ-glutamyl-cystéyl-glycine) disposant d'une liaison isopeptidique et d'un groupement sulfhydryle (-SH). Il est présent en forte concentration (jusqu'à 5 µM) dans probablement toutes les cellules et il remplit des fonctions importantes, par exemple dans le processus d'élimination des peroxydes, ainsi que dans la réduction de la ferrihémoglobine (Fe^{3+}) et de l'acide déhydroascorbique (*encart* 8.1). La **glutathion peroxidase**, une protéine à sélénocystéine, catalyse des réactions de réduction, dans lesquelles le groupement SH libre est utilisé comme donneur d'électrons et forme un pont disulfure avec une deuxième molécule de GSH (GSSG). La régénération de la forme oxydée passe par une réaction dépendante du NADPH catalysée par la **glutathion réductase** (*fig.* 38.14). Le glutathion est un effecteur important des systèmes de protection anti-oxydatifs. À la différence, par exemple, du tripeptide TRH (voir tableau Molécules de signalisation), le SH ne correspond pas à la traduction d'un messager mais est généré par l'intermédiaire de deux réactions enzymatiques dépendantes de l'ATP. Au cours de la première réaction, la **γ-glutamyl-cystéine synthétase** lie le groupement γ-carboxyle du glutamate activé au groupement α-amino de la cystéine. Ensuite, la **glutathion synthétase** catalyse la condensation du dipeptide formé avec de la glycine. Le glutathion réduit (GSH) et le glutathion oxydé (GSSG) forment un système rédox, dont le ratio minimal (GSH : GSSG) en conditions physiologiques est de 10 :1. Des protéines de fusion incluant la **glutathion-S-transférase (GST)** sont utilisées pour la purification de protéines de fusion recombinantes (§ 6.4).

38.14 Glutathion. Le groupement sulfhydryle libre (en haut) du tripeptide réduit (GSH) forme un pont disulfure dans la forme oxydée (GSSG). Les lipides sous forme de peroxydes (R-O-OH) sont transformés en forme réduite (R-OH) grâce au GSH ; la régénération du GSH nécessite du NADPH.

Gluconéogenèse et cycle des Cori

39

Le corps humain a besoin de glucose. À l'état de repos, le besoin quotidien en glucose est de l'ordre de 200 g minimum, dont le cerveau consomme à lui seul 75 %. Ce contingent minimal correspond à peu près aux réserves qui sont stockées dans différents tissus du corps – en majorité sous forme de glycogène dans le foie et dans les muscles, et en quantités plus faibles sous forme de glucose dissous dans le sang. Au cours d'un jeûne, ces sources de glucose se tarissent après seulement un ou deux jours. Une sous-alimentation du cerveau en glucose pourrait avoir des conséquences fatales. En effet, le cerveau utilise prioritairement le glucose comme source d'énergie et ne peut s'adapter à la consommation de corps cétoniques qu'après environ cinq jours de jeûne. La nature a cependant trouvé une solution, la gluconéogenèse, pour synthétiser du glucose à partir de précurseurs qui ne sont pas eux-mêmes des glucides, comme le lactate, le pyruvate ou des acides aminés. Les **acides aminés glycogéniques** indispensables pour ce processus proviennent principalement de la musculature squelettique. Par ailleurs, ce sont avant tout le foie et les reins, qui synthétisent suffisamment de glucose *de novo* pour approvisionner aussi le système nerveux central, la musculature squelettique et les érythrocytes, car ces tissus ne sont pas capables d'assurer leur propre gluconéogenèse. Le point de départ commun de la gluconéogenèse est avant tout le pyruvate, que le foie génère à partir du lactate ou de l'alanine.

39.1 La gluconéogenèse passe par dix étapes enzymatiques

Du pyruvate jusqu'au glucose, dix réactions participent à la gluconéogenèse ; une branche latérale introduit une réaction supplémentaire. La première étape a lieu dans les **mitochondries** et la dernière au niveau du **réticulum endoplasmique**. Toutes les réactions intermédiaires se déroulent dans le **cytosol** (*fig.* 39.1). Six réactions de la gluconéogenèse sont également impliquées dans la glycolyse ; toutefois, pour des raisons thermodynamiques, la gluconéogenèse **n'est pas simplement l'inverse de la glycolyse** (*fig.* 35.2), car la conversion du glucose en pyruvate est une transformation fortement exergonique (ΔG = - 96,2 kJ/mol). Les réactions décisives, par lesquelles la gluconéogenèse et la glycolyse se distinguent, comprennent la carboxylation, la phosphorylation/décarboxylation et l'hydrolyse. Les trois réactions irréversibles de la glycolyse sont contournées au cours de la gluconéogenèse par quatre réactions différentes (*tab.* 39.1).

Tableau 39.1 Réactions spécifiques de la gluconéogenèse. Les autres réactions sont des inversions directes des étapes de la glycolyse (*tab.* 35.1)

Type de réaction	Enzymes et cofacteurs
Carboxylation	Pyruvate carboxylase ; biotine, ATP
Phosphorylation	Phosphoénolpyruvate carboxykinase ; GTP
Hydrolyse	Fructose-1,6-*bis*phosphatase Glucose-6-phosphatase

39.2 Une carboxylation transitoire mène au phosphoénolpyruvate *via* la formation d'oxaloacétate

Les deux premières réactions de la gluconéogenèse servent à la conversion du pyruvate en phosphoénolpyruvate. La **pyruvate carboxylase** est une enzyme, qui utilise la biotine comme groupement prosthétique pour transférer un groupement carboxyle sur le pyruvate (*encart* 39.1). Cette réaction, qui consomme de l'ATP pour générer de l'oxaloacétate, se déroule dans la **matrice mitochondriale**. L'oxaloacétate est le seul intermédiaire en C_4 de la gluconéogenèse. La synthèse d'oxaloacétate à partir de pyruvate constitue une réaction anaplérotique (nourricière), importante pour le « réapprovisionnement » du cycle de Krebs (§ 36.4).

Pyruvate + HCO_3^- + ATP $\rightarrow$ Oxaloacétate + ADP + P_i + H^+

Les réactions suivantes de la gluconéogenèse ont lieu dans le **cytosol**. Cependant, il n'existe pas de mécanisme pour transporter l'oxaloacétate lui-même à travers la membrane mitochondriale interne. C'est pourquoi, celui-ci est tout d'abord réduit en malate par la malate déshydrogénase *mitochondriale*, en utilisant du NADH (*fig.* 37.2). Différents **antiports** peuvent alors se charger du transport du malate à travers la membrane mitochondriale interne (*fig.* 39.3). Après sa diffusion dans le cytosol, le malate est

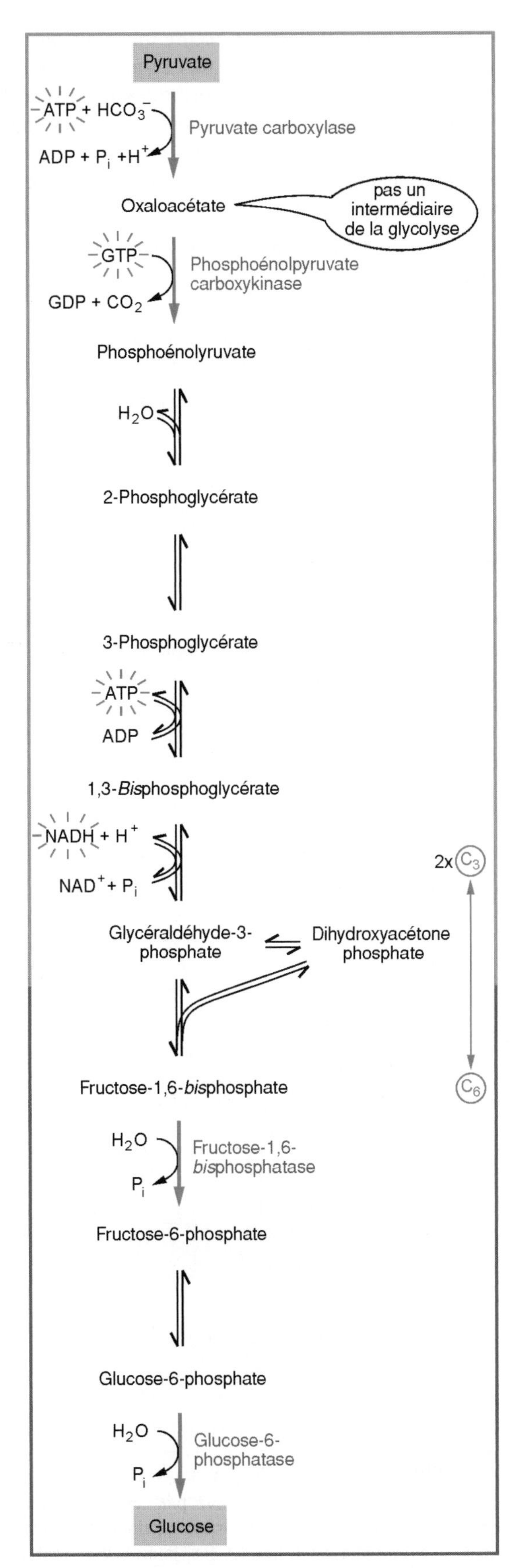

39.1 Étapes de la gluconéogenèse. Seules les enzymes *non impliquées* dans la glycolyse (*fig.* 35.2) sont indiquées.

Encart 39.1 : La biotine

La biotine (vitamine H) est un transporteur universel de groupements carboxyles (–COOH). Constituant un groupement prosthétique, elle est liée de façon covalente au groupement ε-aminé d'un résidu lysine de la pyruvate carboxylase (*fig.* 39.2). Pour réaliser la carboxylation du substrat, le chargement et le transfert ont lieu au niveau de deux centres actifs différents : tout d'abord, en utilisant de l'ATP, l'atome N1 du noyau de la biotine se lie de façon covalente à un groupement carboxyle du bicarbonate. La longue chaîne latérale du résidu lysyle est ensuite utilisée comme un bras flexible, qui oriente la biotine vers le site de liaison du pyruvate, afin de transférer le groupement carboxyle « activé » sur l'accepteur, le pyruvate. La réaction totale est exergonique et produit de l'oxaloacétate. Le groupement prosthétique est régénéré au cours de cette réaction. Le chargement de la biotine ne se déroule qu'en présence d'acétyl-CoA, qui fonctionne comme activateur allostérique de la pyruvate carboxylase.

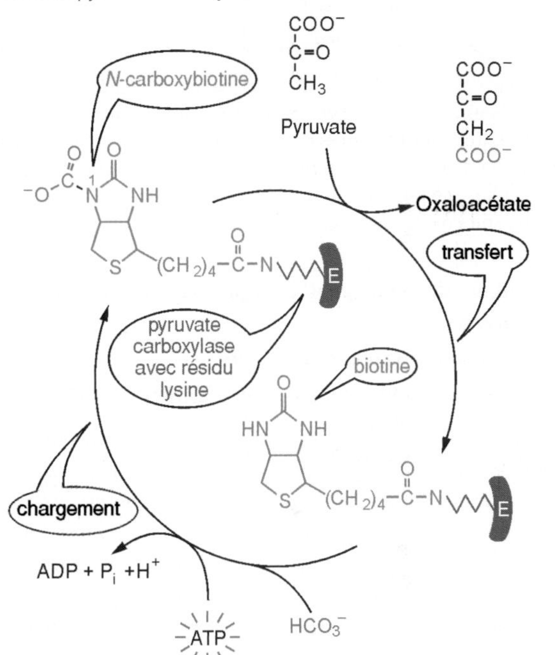

39.2 Mécanisme de la carboxylation du pyruvate dépendante de la biotine. Le groupement ε-*N*-biotinyl-lysine est appelé en bref la biocytine (*tab.* Vitamines).

à nouveau oxydé en oxaloacétate par une malate déshydrogénase *cytosolique*, ce qui régénère le NADH, lequel trouvera une utilisation ultérieure dans la gluconéogenèse.

Toutes les étapes suivantes de la gluconéogenèse se déroulent maintenant dans le cytosol. La **phosphoénolpyruvate carboxykinase** catalyse la phosphorylation et la décarboxylation simultanées de l'oxaloacétate pour donner le phosphénolpyruvate : cette réaction consomme un autre composé phosphate riche en énergie sous la forme de GTP.

Oxaloacétate + GTP → Phosphoénolpyruvate + GDP + CO_2

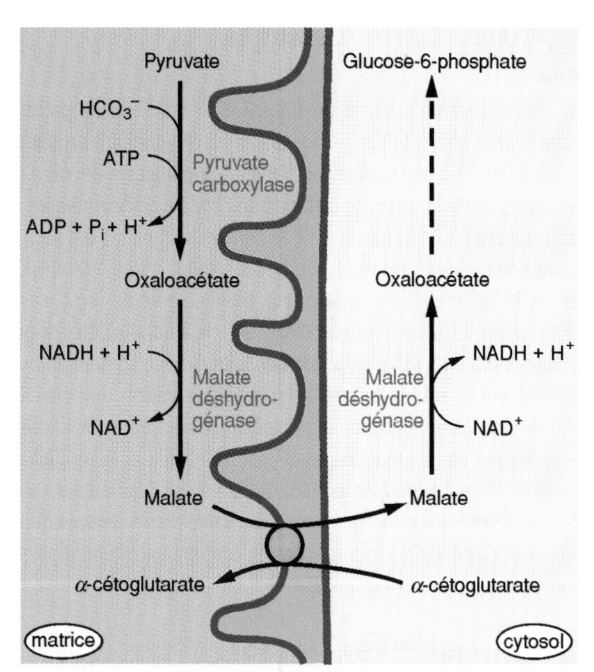

39.3 La voie de transport de l'oxaloacétate depuis la matrice mitochondriale vers le cytosol. Le transfert à travers la membrane mitochondriale interne se déroule après la réduction en malate (*fig.* 37.2). En fonction de la situation métabolique, il s'agit d'un échange par un antiport, soit contre de l'α-cétoglutarate, soit contre du citrate ou du phosphate.

La somme des deux réactions partielles fournit le bilan net suivant :

Pyruvate + ATP + GTP + HCO_3^- →
Phosphoénolpyruvate + ADP + GDP + P_i + H^+ + CO_2

En conditions standard, l'énergie libre pour l'ensemble de cette réaction est légèrement positive ($\Delta G^{\circ\prime}$ = + 0,9 kJ/mol). Mais comme le phosphoénolpyruvate lui-même est rapidement métabolisé et n'est donc présent qu'en très faibles concentrations, la réaction est finalement très exergonique (ΔG = - 25 kJ/mol) et par conséquent pratiquement irréversible. Le coût énergétique se traduit par l'utilisation des deux composés phosphates riches en énergie, l'ATP et le GTP. Les cinq étapes suivantes de la gluconéogenèse, jusqu'au fructose-1,6-*bis*phosphate, représentent l'inverse des réactions correspondantes de la glycolyse (*fig.* 39.1). Il s'agit d'une hydratation, d'une isomérisation, d'une phosphorylation dépendant de l'ATP et d'une réduction utilisant le NADH. Finalement, l'aldolase relie deux triose phosphates pour donner un hexose *bis*phosphate.

39.3

Deux phosphatases constituent des enzymes clés de la gluconéogenèse

Les voies anaboliques et cataboliques se séparent à nouveau au niveau du fructose-1,6-*bis*phosphate : l'hydrolyse en fructose-6-phosphate, qui est catalysée par la **fructose-1,6-*bis*phosphatase** est encore une réaction pratiquement irréversible ($\Delta G^{\circ\prime}$ = - 16,3 kJ/mol). De ce fait, la fructose-1,6-*bis*phosphatase constitue une **enzyme clé de la gluconéogenèse**. Comme la voie des pentoses phosphates (*fig.* 38.4) « s'enclenche » aussi au niveau du fructose-6-phosphate, cette étape de la gluconéogenèse est étroitement régulée (§ 39.4).

Fructose-1,6-*bis*phosphate + H_2O → Fructose-6-phosphate + P_i

L'étape suivante de la gluconéogenèse, l'isomérisation du fructose-6-phosphate en glucose-6-phosphate, utilise de nouveau la même enzyme que la glycolyse. En revanche, la réaction finale est à nouveau différente. Au cours de cette réaction fortement exergonique ($\Delta G^{\circ\prime}$ = -12,1 kJ/mol), la **glucose-6-phosphatase** hydrolyse le glucose-6-phosphate en glucose libre et en phosphate libre.

Glucose-6-phosphate + H_2O → Glucose + P_i

Comme la première étape, cette dernière réaction *n'a pas* lieu dans le cytosol : la glucose-6-phosphatase est un composant d'un complexe enzymatique qui est intégré dans la membrane du **réticulum endoplasmique lisse** (REL) (*fig.* 39.4). C'est pourquoi le glucose-6-phosphate est d'abord transporté dans la lumière du RE puis hydrolysé à ce niveau ; le glucose libre et le phosphate inorganique regagnent alors le cytosol à l'aide d'un transporteur.

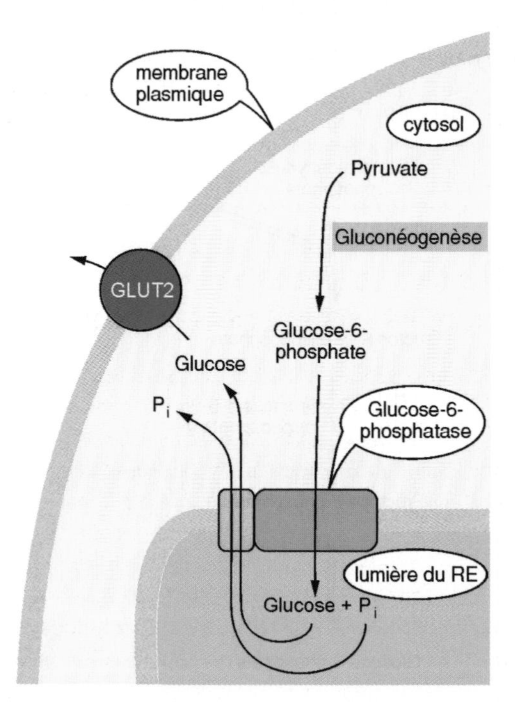

39.4 Le complexe de la glucose-6-phosphatase dans la membrane du réticulum endoplasmique des hépatocytes. Le glucose-6-phosphate est transporté dans la lumière du RE par un complexe translocase/phosphatase et clivé par celui-ci. Le phosphate inorganique et le glucose formés atteignent le cytosol grâce à une protéine de transport (en jaune), qui n'est pas encore caractérisée en détail. Le glucose libre peut quitter la cellule par le transporteur de glucose GLUT2.

Finalement, le **transporteur de glucose** GLUT2 transporte le glucose à travers la membrane plasmique vers l'extérieur de la cellule et celui-ci parvient dans le plasma sanguin. Le complexe de la glucose-6-phosphatase est présent dans les cellules hépatiques et rénales, mais *ne* se trouve *pas* dans les cellules nerveuses et musculaires. De ce fait, le cerveau et les muscles *ne* peuvent *pas* produire de glucose libre et sont donc de purs consommateurs de glucose. *On trouve ici un exemple d'***expression spécifique** *d'une enzyme clé au niveau* **d'un organe**, *ce qui présente des conséquences fonctionnelles et régulatrices importantes* (§ 39.5).

Les deux réactions d'hydrolyse de la gluconéogenèse sont donc catalysées par des phosphatases spécifiques, tandis que des kinases sont nécessaires pour permettre les réactions glycolytiques inverses. Le bilan net de la gluconéogenèse est donc :

$$2 \text{ Pyruvate} + 4 \text{ ATP} + 2 \text{ GTP} + 2 \text{ NADH} + 6 \text{ H}_2\text{O} \rightarrow \text{Glucose} + 4 \text{ ADP} + 2 \text{ GDP} + 6 \text{ P}_i + 2 \text{ NAD}^+ + 2 \text{ H}^+$$

Par conséquent, la gluconéogenèse n'est pas « bon marché » : six nucléosides triphosphates (NTP) et deux équivalents de réduction sont utilisés par molécule de glucose nouvellement synthétisée. Au contraire, la conversion de glucose en pyruvate ne produit que deux ATP et deux NADH. *Il faut donc payer un « prix » de quatre NTPs pour remplacer l'inversion directe de la glycolyse, qui est défavorable d'un point de vue thermodynamique (ΔG = + 63 kJ/mol), par la séquence de réactions de la gluconéogenèse avec un bilan d'énergie favorable ΔG = - 16 kJ/mol).*

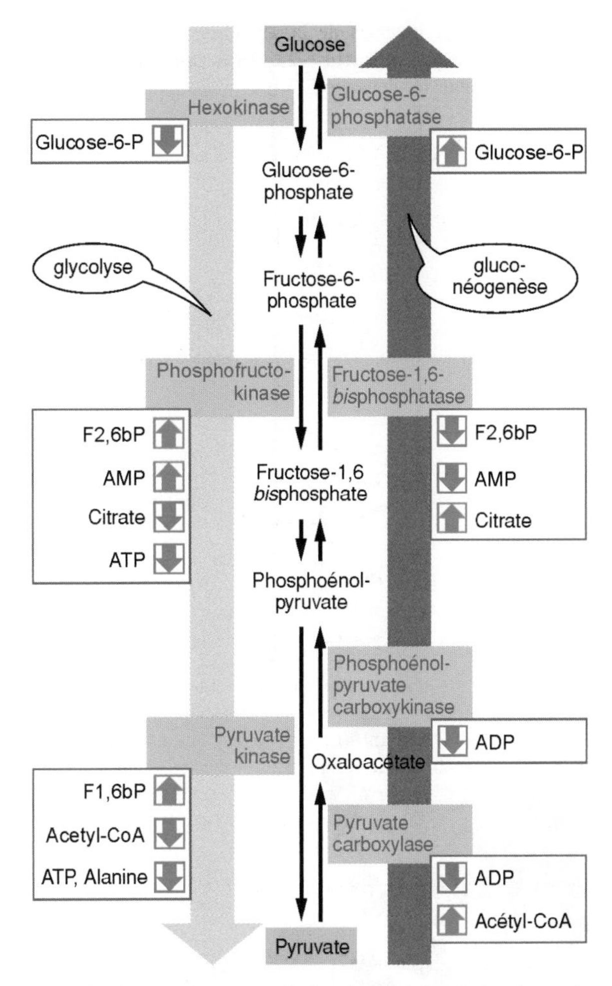

39.5 Régulation réciproque de la glycolyse et de la gluconéogenèse. Des possibilités de régulation supplémentaires sont possibles, par contrôle hormonal, au niveau de la biosynthèse de la *bis*phosphatase et de la carboxykinase et au niveau de la pyruvate kinase par phosphorylation AMPc dépendante. F1,6bP et F2,6BP : respectivement fructose-1,6-*bis*phosphate et fructose-2,6-*bis*phosphate.

39.4

Glycolyse et gluconéogenèse sont régulées de façon réciproque

La gluconéogenèse et la glycolyse sont des voies de métabolisme exergoniques qui peuvent se dérouler spontanément. Si ces deux voies d'anabolisme et de catabolisme étaient actives simultanément, la conséquence serait un gaspillage d'énergie se montant à 4 NTPs par cycle. Pour éviter un tel « fonctionnement à vide » coûteux, la cellule contrôle la gluconéogenèse et la glycolyse de manière réciproque (*fig.* 39.5) : l'une des deux voies de métabolisme ne se déroule que si l'autre voie est bloquée et réciproquement. Les « vis de réglage » les plus importantes pour cette **régulation réciproque** sont les deux enzymes clés, la phosphofructokinase et la fructose-1,6-*bis*phosphatase, qui catalysent les conversions du fructose-6-phosphate en fructose-1,6-*bis*phosphate et vice-versa. C'est au niveau de cette jonction importante du métabolisme glucidique, que sont régulées simultanément les **connexions** de la glycolyse et de la gluconéogenèse **avec la voie des pentoses phosphates** (*fig.* 38.10 et 38.11).

On a déjà vu avec la glycolyse, que la phosphofructokinase est activée par l'AMP et inhibée par le citrate de façon allostérique (*fig.* 35.19). Inversement, la fructose-1,6-*bis*phosphatase est inhibée par l'AMP et stimulée par le citrate. Donc, si la charge énergétique d'une cellule (*encart* 34.4) est faible (AMP ↑) et que peu de citrate est disponible, alors la glycolyse est forcée et le cycle de Krebs, *via* le pyruvate et l'acétyl-CoA, est accéléré afin d'augmenter le ravitaillement en ATP. Dans ces conditions, la gluconéogenèse s'arrête presque complètement. Si au contraire la charge énergétique est importante (AMP ↓) et le citrate présent en abondance, alors la gluconéogenèse est stimulée : l'énergie et les substances de stockage sont dirigées vers la voie du métabolisme anabolique tandis que la glycolyse est diminuée.

Le régulateur le plus important du métabolisme du glucose est le **fructose-2,6-*bis*phosphate.** Cette molécule de signalisation intracellulaire active la phosphofructo-

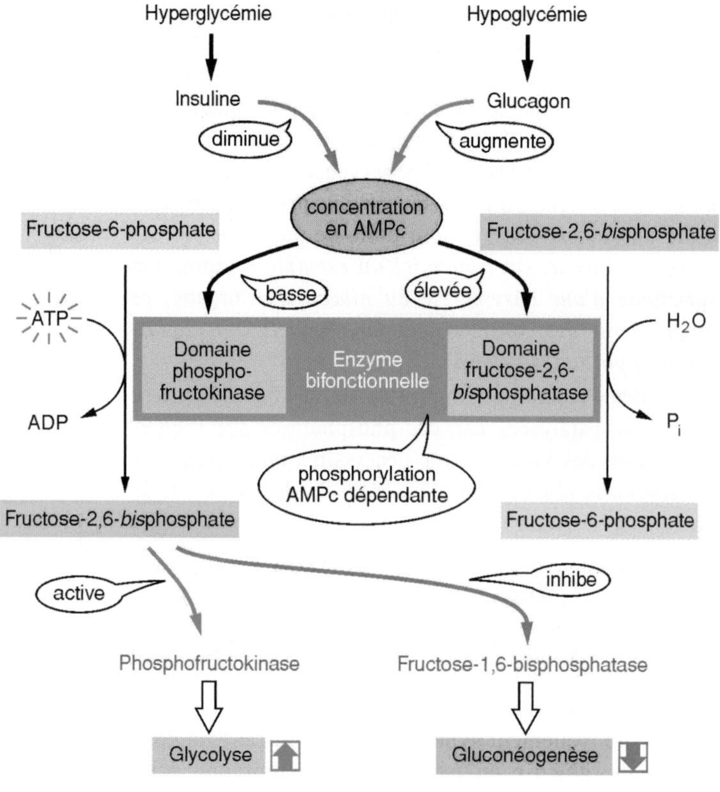

39.6 Régulations inverses de la glycolyse et la gluconéogenèse par le fructose-2,6-*bis*phosphate. Voir le texte pour les détails.

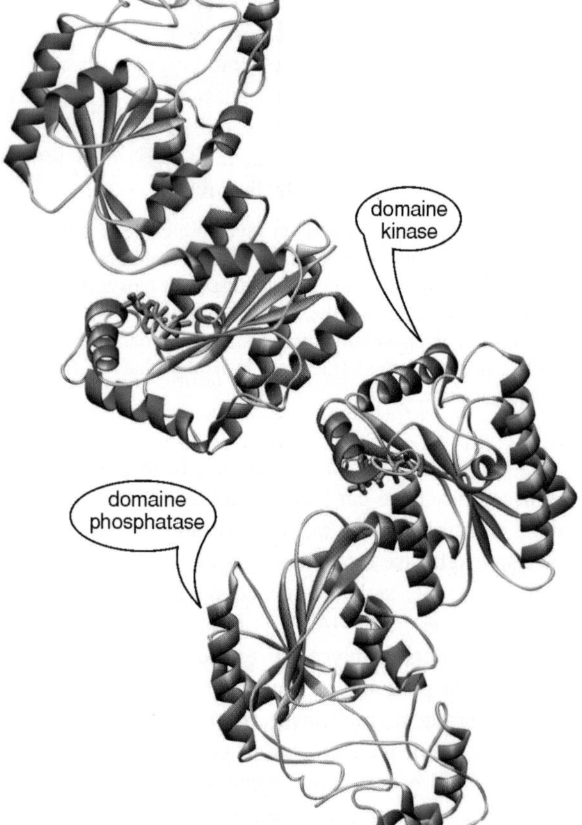

39.7 Structure de la phosphofructokinase-2/phosphatase-2 du foie humain. L'enzyme bifonctionnelle est un homodimère formé de deux sous-unités à 55 kDa. Selon l'état de phosphorylation, le domaine kinase ou bien le domaine phosphatase est actif. L'ATP (en vert) se lie aux domaines kinases. [AN]

Encart 39.2 : Fructose-2,6-*bis*phosphate

La phosphofructokinase-2/phosphatase-2 est une **enzyme bifonctionnelle**, qui peut phosphoryler le fructose-6-phosphate pour donner le fructose-2,6-*bis*phosphate (F2,6bP) grâce à son activité kinase (PFK2), et peut à nouveau l'hydrolyser grâce à son activité phosphatase (*fig.* 39.7). En cas d'**hypoglycémie** (pénurie de glucose), le glucagon, une hormone hyperglycémiante, est sécrété, se lie à son récepteur couplé à une protéine G et provoque une phosphorylation AMPc dépendante de l'enzyme bifonctionnelle (§ 29.5). L'activité phosphatase est alors stimulée tandis que l'activité kinase est simultanément inhibée ; il s'ensuit une baisse de la concentration en F2,6bP, qui provoque une levée de l'inhibition allostérique de la gluconéogenèse et une augmentation de la synthèse de glucose. Inversement, une **hyperglycémie** induit, par l'intermédiaire du récepteur à l'insuline, une baisse de la concentration en AMPc, provoquant la déphosphorylation de la phosphatase (*encart* 46.1) et son inactivation. Simultanément, l'activité kinase est stimulée : l'augmentation de la concentration en F2,6bP induit l'activation de la glycolyse et l'inhibition de la gluconéogenèse (*fig.* 39.6). De plus, le fructose-6-phosphate peut activer directement la kinase et forcer ainsi sa propre conversion : il s'agit d'un cas de rétrocontrôle positif.

kinase de façon allostérique et stimule de ce fait la glycolyse, tandis qu'elle inhibe, également de façon allostérique, la fructose-1,6-*bis*phosphatase et induit ainsi un affaiblissement de la gluconéogenèse (*fig.* 39.6). Au contraire, une baisse de concentration du fructose-2,6-*bis*phosphate « déchaîne » la gluconéogenèse et diminue la glycolyse. La biosynthèse du fructose-2,6-*bis*phosphate subit également une régulation réciproque (*encart* 39.2) et c'est pourquoi on parle de **régulation multilatérale**.

Des **contrôles allostériques** ont également été mis en place au niveau de la pyruvate kinase ainsi que du couple pyruvate carboxylase / phosphoénolpyruvate carboxykinase, les enzymes qui catalysent l'interconversion entre le phosphoénolpyruvate et le pyruvate (*fig.* 39.5). Les effecteurs ADP, ATP, acétyl-CoA et fructose-1,6-*bis*phosphate contrôlent les enzymes de telle sorte qu'elles *ne* sont *pas* actives en même temps : c'est un cas classique de **régulation réciproque**. *La coexistence des voies anaboliques et cataboliques du métabolisme est donc contrôlée par un réglage fin de l'activité d'un ensemble d'enzymes, ce qui assure une régulation métabolique adaptée aux besoins de la cellule et finalement de l'organisme entier.* Une déficience congénitale de la pyruvate kinase provoque des perturbations du métabolisme du glucose dans les globules rouges.

39.5

Le cycle des Cori relie la glycolyse musculaire et la gluconéogenèse hépatique

On va se tourner encore une fois vers le point de départ de la gluconéogenèse. Plusieurs voies de métabolisme convergent vers la gluconéogenèse et le pyruvate – point de départ de la synthèse du glucose – joue un rôle clé. Par exemple, une sollicitation importante de la musculature squelettique produit par la glycolyse plus de pyruvate, que ce qui peut être métabolisé par le cycle de Krebs. Simultanément, aucun équivalent de réduction ne peut plus être fourni à la phosphorylation oxydative par les systèmes de navettes. De ce fait, le ravitaillement en NAD^+, nécessaire dans la glycolyse à l'oxydation du glycéraldéhyde-3-phosphate, s'affaiblit et la production glycolytique d'ATP s'arrête finalement. **En conditions anaérobies,** afin que la glycolyse soit néanmoins maintenue, les cellules musculaires réduisent le pyruvate en lactate. Le NAD^+ indispensable est ainsi régénéré.

$$\text{Pyruvate} + \text{NADH} + H^+ \rightarrow \text{Lactate} + NAD^+$$

La lactate déshydrogénase est l'enzyme catalysant cette réaction (*fig.* 39.8). On trouve une situation similaire dans les érythrocytes. Comme les globules rouges ne disposent pas de mitochondries, ils ne sont pas capables d'effectuer eux-mêmes la phosphorylation oxydative et

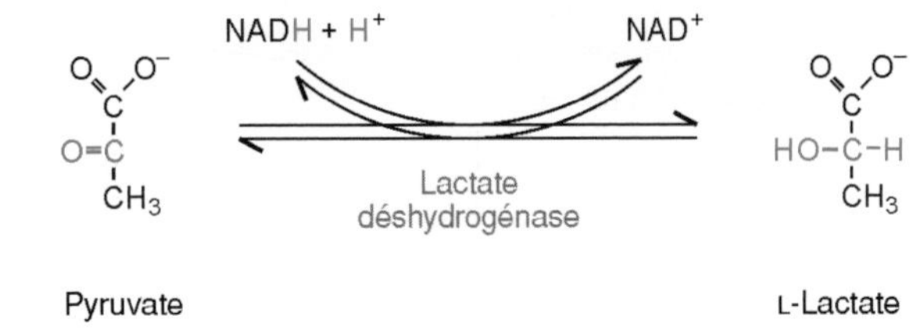

39.8 Conversion du pyruvate en lactate. Contrairement à de nombreuses bactéries lactiques, l'organisme humain synthétise le stéréoisomère de configuration L.

ils dépendent donc de la **glycolyse anaérobie** comme source d'énergie. Le lactate constitue **une « impasse » du métabolisme** : il doit d'abord être reconverti en pyruvate pour que la connexion se fasse avec une voie de métabolisme. Les muscles et les érythrocytes confient cette tâche au foie. Tout d'abord, le lactate produit est transporté avec un proton par un symport, à travers les membranes des myocytes et des érythrocytes jusqu'au sang. L'aide d'un transporteur de monocarboxylate est aussi requise. Par la veine porte, le lactate parvient au foie, où les hépatocytes l'oxydent en pyruvate et l'utilisent comme substrat pour leur gluconéogenèse. Le glucose-6-phosphate est d'abord produit puis converti en glucose par la glucose-6-phosphatase, située sur la face interne des citernes du réticulum endoplasmique. Ce glucose est ensuite transféré dans la circulation sanguine, puis transporté vers les tissus consommateurs finaux. Les muscles et les globules rouges métabolisent à nouveau le glucose en pyruvate et lactate, ce qui consomme de l'ATP et clôt un cycle métabolique. Ce cycle lactate-glucose présente un bilan net en ATP négatif, mais il permet néanmoins aux cellules qui – temporairement ou constamment – ne disposent pas de phosphorylation oxydative, de récupérer de l'ATP par le moyen de la glycolyse anaérobie. De plus, il contribue à une consommation économique de glucose, un composé tellement précieux pour le fonctionnement du système nerveux central. La séquence complète de réactions – appelée **cycle des Cori** (*fig.* 39.9), du nom de ses découvreurs – est le paradigme d'une voie de métabolisme dont les différentes étapes se déroulent dans différents organes et types cellulaires.

Au cours d'un travail musculaire intensif, le cycle des Cori permet le métabolisme externe du lactate, qui est produit en grandes quantités. Le glucose nouvellement synthétisé ménage les stocks de glycogène des muscles ou permet ultérieurement leur reconstitution. L'enzyme clé du cycle des Cori est la **lactate déshydrogénase**, qui convertit principalement le pyruvate en lactate dans le muscle, tandis que dans le foie et le coeur, elle transforme avant tout le lactate en pyruvate (*encart* 39.3) : l'offre en substrat détermine donc de façon essentielle la direction de cette réaction réversible.

Une variante du cycle des Cori est le **cycle glucose-alanine** : l'acide aminé alanine, produit au cours de la dégradation des protéines musculaires, est transporté du

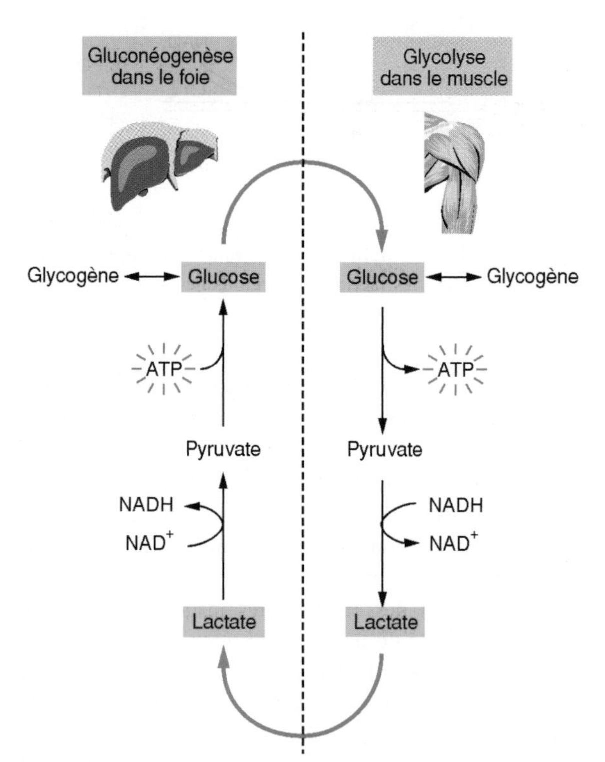

39.9 Cycle des Cori. Les cellules musculaires et sanguines déplacent une partie de leur « charge métabolique » vers le foie, grâce à ce cycle. Les réserves hépatiques et musculaires en glycogène sont également reliées par ce cycle (§ 40.8). Les flèches rouges symbolisent le transport *via* la circulation sanguine.

muscle vers le foie où il est converti en pyruvate par une transamination (§ 43.1). Ce pyruvate débouche encore une fois sur la gluconéogenèse. De cette façon, la dégradation protéique dans le muscle est utilisée pour le gain de glucose et, simultanément, l'azote produit est transporté vers le foie. La réaction de transamination est totalement réversible, c'est-à-dire qu'elle peut également transformer le pyruvate en alanine et, de ce fait, servir à la biosynthèse des protéines (§ 44.3). Le cycle des Cori et la gluconéogenèse constituent des exemples de voies métaboliques, qui se déroulent de façon organe-spécifique. Ils illustrent l'organisation distributive de l'ensemble du métabolisme. Outre la synthèse endogène *de novo* du glucose par la gluconéogenèse et le ravitaillement exogène par la nourriture, l'organisme dispose d'une troisième possibilité pour s'approvisionner en glucose. On en arrive ainsi au glycogène, qui constitue dans le corps « le stock intermédiaire » pour la production de glucose.

Encart 39.3 : La lactate déshydrogénase (LDH)

La LDH est un tétramère formé de sous-unités de type H (principalement dans le cœur, angl. *heart*) ou bien de type M (avant tout dans le muscle squelettique). Les deux types d'isoformes sont les produits de deux gènes distincts. Différentes combinaisons permettent de former cinq isoenzymes différentes (*encart* 35.3) : H_4, H_3M, H_2M_2, HM_3 et M_4. Elles catalysent en principe la même réaction, mais elles se distinguent significativement par leurs valeurs de V_{max} et de K_m. L'isoenzyme H_4 a la plus petite valeur de Km et dispose donc de la plus forte affinité vis-à-vis du lactate, tandis que M_4 présente inversement la valeur de Km la plus élevée et l'affinité la plus basse ; les autres isoenzymes se situent entre les deux, en fonction de leur composition. L'isoenzyme H_4 permet la conversion de lactate en pyruvate dans le métabolisme aérobie du muscle cardiaque et contribue ainsi au gain d'énergie *via* le cycle de Krebs. Au contraire, l'isoenzyme M_4 se charge de la conversion du pyruvate en lactate dans le muscle – en conditions anaérobies – et contribue ainsi au cycle des Cori. L'existence des isoenzymes LDH est le résultat d'une duplication génique, qui permet maintenant des fonctions enzymatiques organes-spécifiques.

Biosynthèse et dégradation du glycogène

40

L'approvisionnement en glucose de l'organisme humain n'est pas réparti régulièrement au cours de la journée, mais intervient principalement au moment des repas. De même, la consommation de glucose n'est pas constante mais dépend fortement de l'état d'activité du corps. Un **stock intermédiaire** agit donc comme « tampon » et permet de compenser les fluctuations inévitables entre apport et consommation de sucre, en maintenant une concentration plasmatique en glucose dans les limites étroites de 70 à 110 mg/100 ml ou 4 à 6 mmol/L. Chez l'être humain

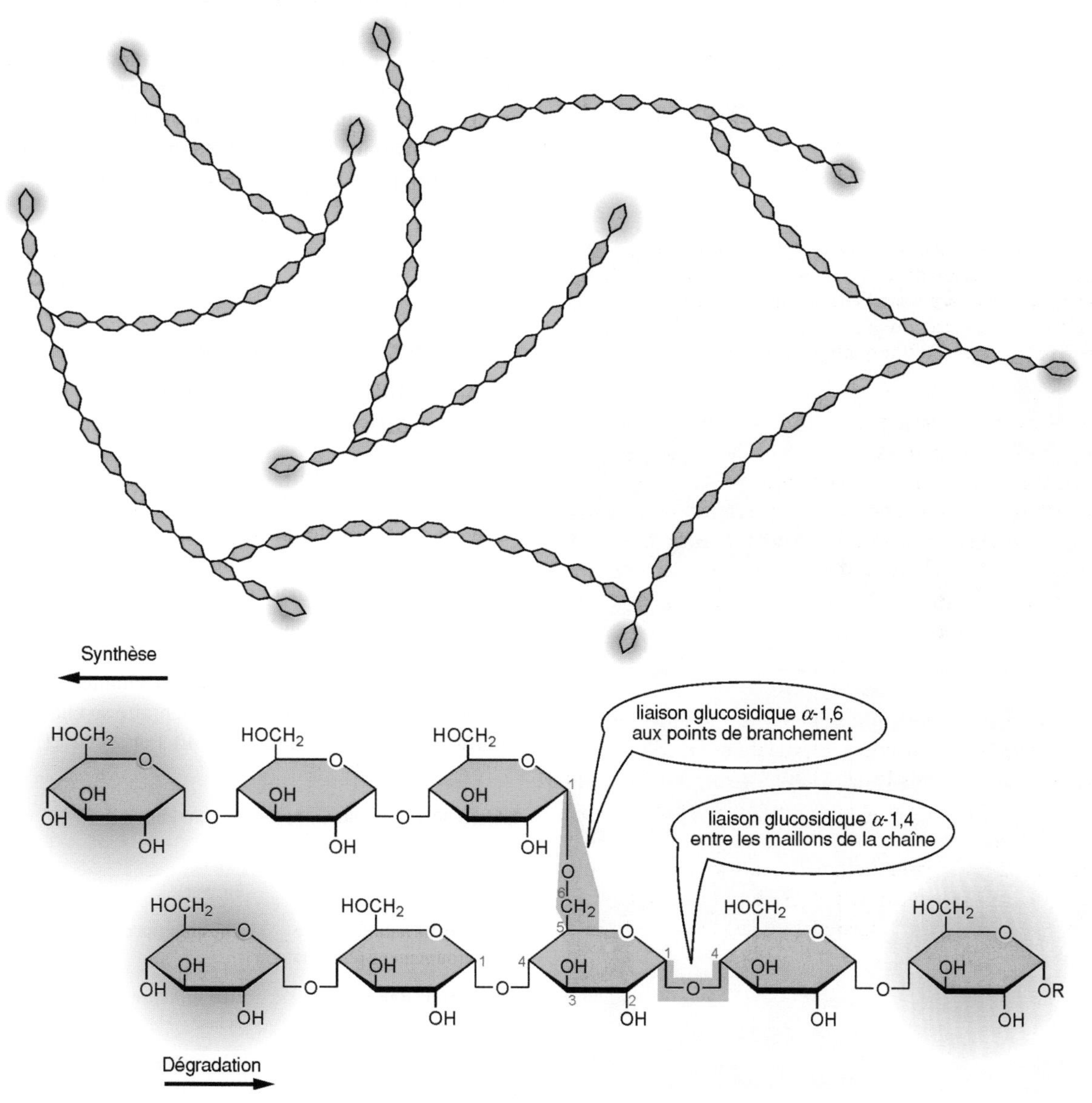

40.1 Structure du glycogène. En haut : structure des chaînes ramifiées ; la conformation hélicale des chaînes n'est pas montrée. En bas : détail de la structure avec l'extrémité réductrice (en vert) et les extrémités non réductrices (en bleu). La terminaison en C1 n'est *de facto* pas libre mais liée à une protéine, la glycogénine (-R). Les directions respectives de la synthèse et de la dégradation sont indiquées par des flèches.

comme chez tous les animaux, cette fonction tampon est assurée par le glycogène, un polymère de glucose. Afin d'assurer cette fonction métabolique, le glycogène est soumis à des transformations dynamiques : il peut être synthétisé rapidement et être dégradé aussi rapidement. Des mécanismes sophistiqués garantissent un contrôle étroit du métabolisme du glycogène et des perturbations de cette voie de métabolisme peuvent conduire à des maladies graves.

40.1 Le glycogène est un polymère ramifié du glucose

Le glycogène fait partie des homoglycanes et il est généré par polymérisation de milliers de molécules de glucose. Les parties linéaires, qui sont pour la plus grande part reliées par des liaisons glycosidiques α-1,4, forment des structures hélicales (*fig.* 2.10). Grâce à des liaisons glycosidiques α-1,6 supplémentaires, le glycogène forme une **macromolécule à ramifications multiples** (*fig.* 40.1). En moyenne, on trouve un branchement glycosidique α-1,6 tous les huit à dix résidus de glucose. Les chaînes de glycogène possèdent une orientation : elles disposent d'une seule extrémité C1, qui marque le début de la chaîne et possèdent en revanche de multiples extrémités C4 où s'effectuent la synthèse et la dégradation. L'extrémité C1 est aussi appelée **extrémité réductrice** car cet atome de carbone peut en principe être oxydé et agit donc lui-même comme élément réducteur. Au contraire, une telle réaction *ne* peut *pas* se produire à l'extrémité C4, d'où le nom d'**extrémité non réductrice.**

L'organisme humain stocke environ 150 g de glycogène au niveau du foie, ce qui correspond jusqu'à 10 % du poids de cet organe. Les muscles squelettiques peuvent stocker jusqu'à 250 g de glycogène, ce qui représente environ 1 % de la masse musculaire totale. Le glycogène est emmagasiné sous forme de minuscules granules dans le cytosol des hépatocytes et des myocytes (*fig.* 40.2). Ces particules contiennent quelques molécules de glycogène fortement hydratées ainsi que les enzymes et cofacteurs nécessaires pour la synthèse et la dégradation de ce glycogène.

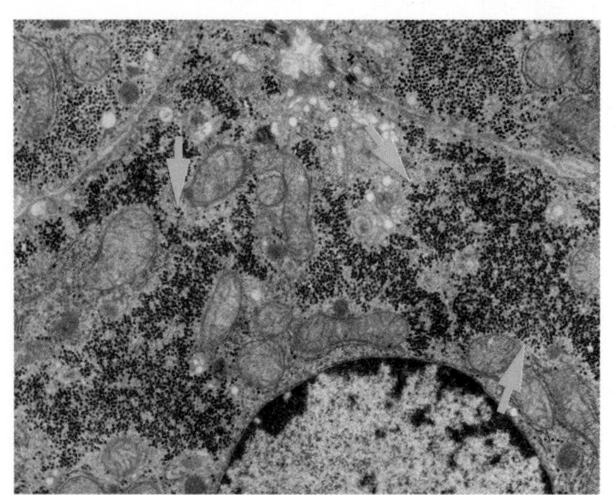

40.2 Photo en microscopie électronique des granules de glycogènes. Les granules ont une taille de 10 à 40 nm. Une cellule hépatique (en haut) est plus densément remplie de granules qu'une cellule de muscle strié (en bas). [RF]

40.2 La synthèse de glycogène (glycogénogénèse) passe par quatre étapes enzymatiques

Examinons tout d'abord la synthèse de glycogène, qui se déroule – ainsi que sa dégradation – dans le cytosol. Le point de départ est le glucose-6-phosphate, qui est synthétisé à partir du glucose « libre » grâce à l'hexokinase (foie et muscle) ou bien grâce à la glucokinase (foie uniquement) ; on a déjà rencontré cette réaction dans la glycolyse (*fig.* 35.3). Trois étapes réactionnelles mènent ensuite du glucose-6-phosphate à la chaîne linéaire de glycogène, puis une étape supplémentaire se charge de la ramification de cette chaîne (*fig.* 40.3 et *tab.* 40.1).

Tableau 40.1 Principaux types de réactions mis en jeu dans la synthèse de glycogène

Type de Réaction	Enzyme
Transfert intramoléculaire d'un groupement phosphate	Phosphoglucomutase
Transfert d'UMP	UDP-glucose pyrophosphorylase
Formation des liaisons glycosidiques α-1,4	Glycogène synthase
Formation des liaisons glycosidiques α-1,6	Enzyme branchante *(branching enzyme)* : amylo- α-(1,4 → 1,6) *trans*glycosylase

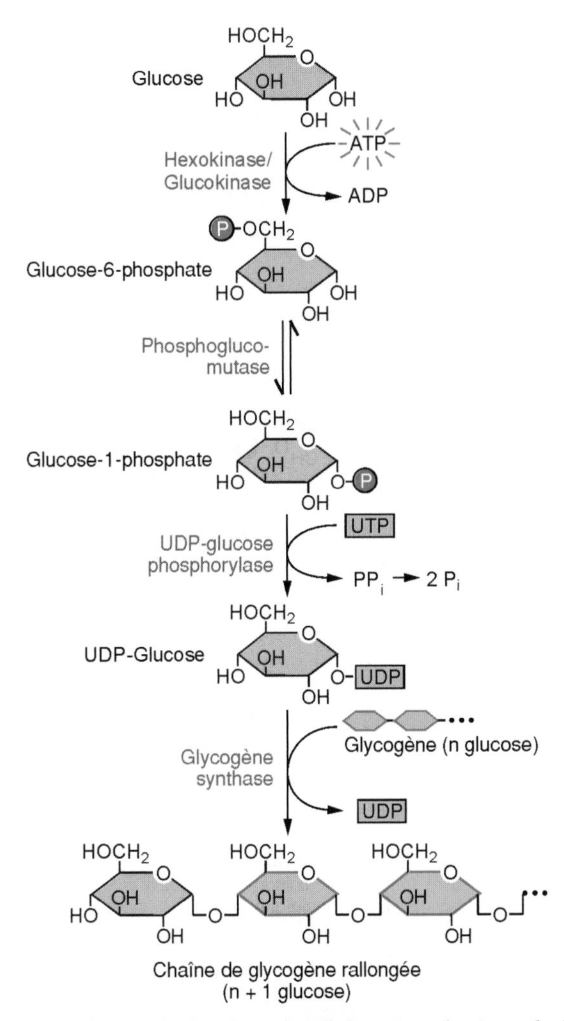

40.3 Les étapes de la glycogénogénèse. Les réactions de la ramification ne sont pas montrées. UTP : uridine triphosphate (*tab.* Nucléotides).

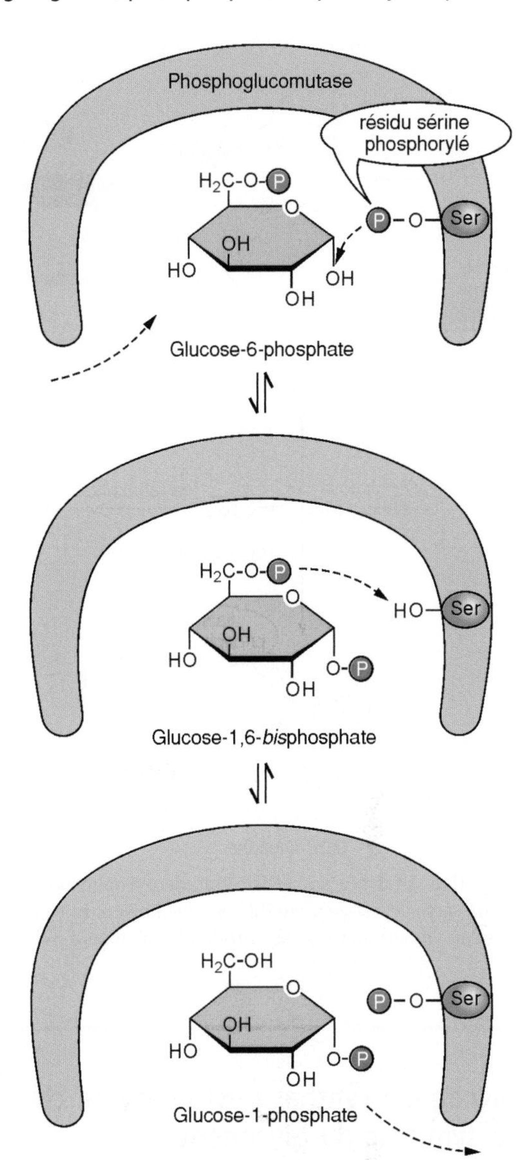

40.4 Mécanisme moléculaire de la phosphoglucomutase. La réaction est totalement réversible, c'est-à-dire que l'enzyme peut également convertir le glucose-1-phosphate en glucose-6-phosphate en cas de besoin.

La **phosphoglucomutase** isomérise le glucose-6-phosphate en glucose-1-phosphate (*fig.* 40.4). Pour ce faire, le groupement phosphate d'un résidu séryle phosphorylé, présent dans le centre actif de l'enzyme, est tout d'abord transféré sur le substrat. L'intermédiaire formé est le glucose-1,6-*bis*phosphate, qui transfère son groupement phosphate en C6, à nouveau vers le résidu séryle de la phosphoglucomutase, d'où la formation de glucose-1-phosphate.

La synthèse de glycogène nécessite une forme activée de glucose. Dans ce but, l'**UDP-glucose pyrophosphorylase** catalyse la liaison du groupement phosphate du glucose-1-phosphate au groupement phosphate α de **l'uridine triphosphate** (UTP) ; au cours de cette réaction, les groupements phosphates en positions β et γ de l'UTP sont clivés comme pyrophosphates (*fig.* 40.5). L'**UDP-glucose** ainsi généré dispose d'une liaison glycosidique phosphoester à fort potentiel de transfert de groupe : on parle d'une liaison « activée ». Jusqu'à ce point, la réaction est totalement réversible. C'est seulement l'hydrolyse ultérieure du pyrophosphate par une pyrophosphatase, qui rend l'ensemble de la réaction quasiment irréversible. *On rencontre à nouveau ici un exemple de* **couplage énergétique** *entre deux réactions : la réaction primaire est propulsée par une réaction exergonique qui la suit* (§ 34.1). Le bilan net de cette réaction est :

Glucose-1-phosphate + UTP + $H_2O \rightarrow$ UDP-glucose + 2 P_i

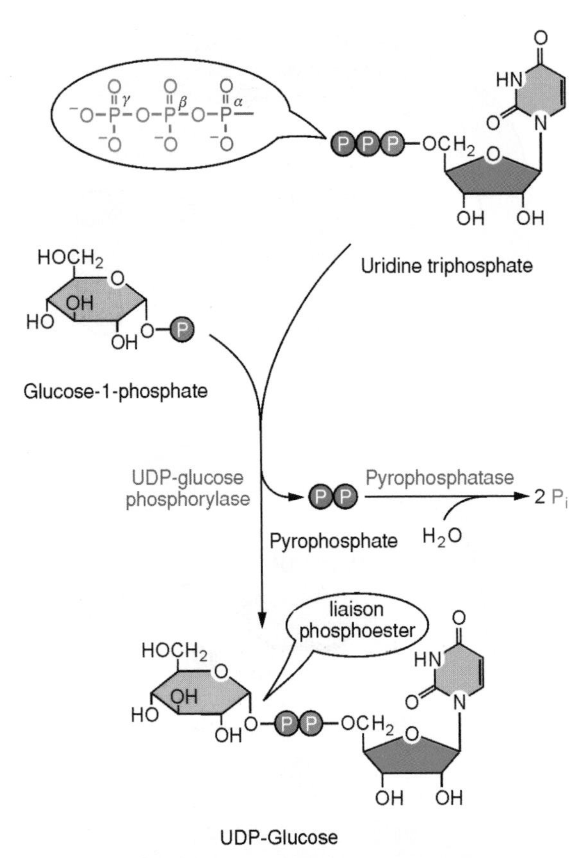

40.5 Réaction catalysée par l'UDP-glucose pyrophosphorylase. La liaison activée est comparable à une liaison thioester de l'acétyl-CoA ou aux liaisons anhydride d'acide dans l'ATP.

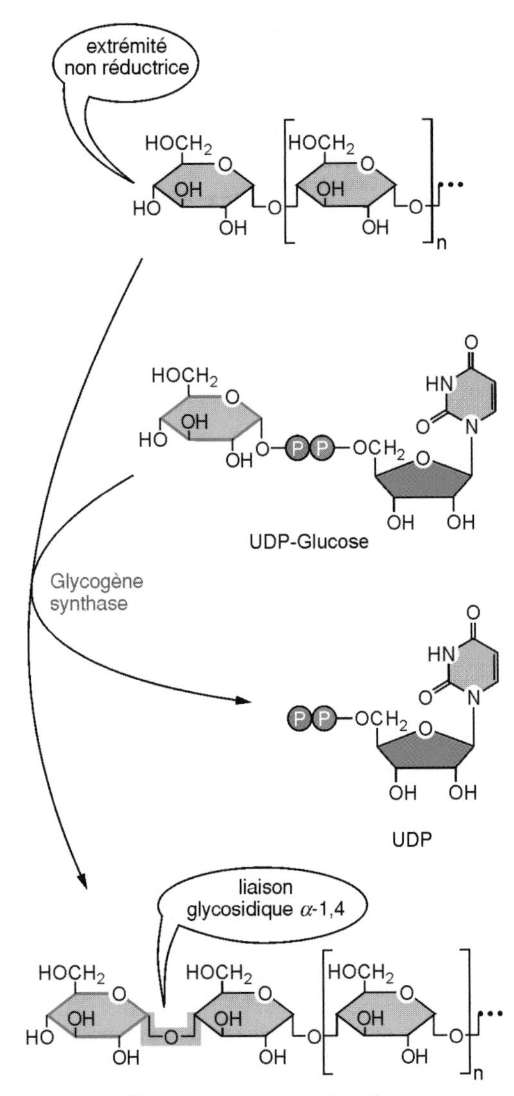

40.6 Réaction catalysée par la glycogène synthase. La chaîne de glycogène est rallongée d'un résidu à l'extrémité non réductrice en C4. La chaîne en croissance est liée à la glycogénine par son extrémité réductrice.

40.3

La glycogène synthase est l'enzyme clé de la synthèse du glycogène

La **glycogène synthase** catalyse le transfert du résidu glycosyle de l'UDP-glucose vers l'extrémité non réductrice d'une chaîne de glycogène en croissance (*fig.* 40.6). L'enzyme lie l'atome C1 d'une molécule de glucose activé par une liaison glycosidique α-1,4 à l'atome C4 du glucose accepteur, tout en libérant de l'UDP. La chaîne de glycogène est ainsi prolongée d'un maillon de glucose.

$$\text{UDP-glucose} + \text{Glycogène}_n \rightarrow \text{Glycogène}_{n+1} + \text{UDP}$$

Cette réaction fortement exergonique ($\Delta G°' = -13{,}4$ kJ/mol) donne à la glycogène synthase le rôle d'**enzyme clé de la glycogénogénèse**, une fonction régulée de façon importante par des phosphorylations réversibles et des effecteurs allostériques (*encart* 40.1). La fonction catalytique de la glycogène synthase présente une limitation importante : elle *ne* peut *pas* transférer d'UDP-glucose sur des molécules de glucose libres. Au contraire, elle a besoin d'une chaîne acceptrice d'une longueur minimale de quatre résidus glucose. Au cours de la synthèse *de novo* du glycogène, la protéine glycogénine résout ce problème en tenant à disposition des **chaînes d'amorçage** comportant en moyenne huit résidus de glucose (*encart* 40.2).

Encart 40.1 : La glycogène synthase

À l'état de base, la glycogène synthase est présente sous sa forme constitutivement active, la **forme *a*** (*fig.* 40.7). Une chute de la concentration sanguine en glucose déclenche dans les cellules du foie une activation glucagon dépendante de la protéine kinase A, qui phosphoryle alors plusieurs résidus séryle de la glycogène synthase. Dans le muscle, le même effet est induit par l'adrénaline. La **forme *b*** de glycogène synthase qui en résulte, est d'autant plus inactivée que son degré de phosphorylation est fort. Si, au contraire, la concentration sanguine en glucose augmente, l'insuline active la protéine phosphatase 1, qui déphosphoryle alors la forme *b* de la glycogène synthase et la convertit ainsi en forme *a* active. De ce fait, l'incorporation de glucose dans le glycogène est activée. Les paramètres finalement déterminants pour l'activité de la glycogène synthase sont les concentrations intracellulaires en glucose-6-phosphate (G-6-P) et en ATP. Ces modulateurs allostériques influencent l'activité de la forme *b* de la glycogène synthase : le G-6-P stimule la formation de la forme inactivée de l'enzyme tandis que l'ATP lève cet effet inhibiteur. Le contrôle par des hormones et des métabolites des différents états d'activité de la glycogène synthase contribue au « tamponnement » de la concentration sanguine en glucose. Par ailleurs, la régulation contraire des enzymes de la glycogénolyse garantit la balance entre la synthèse et la dégradation du glycogène (comparer avec l'*encart* 40.4).

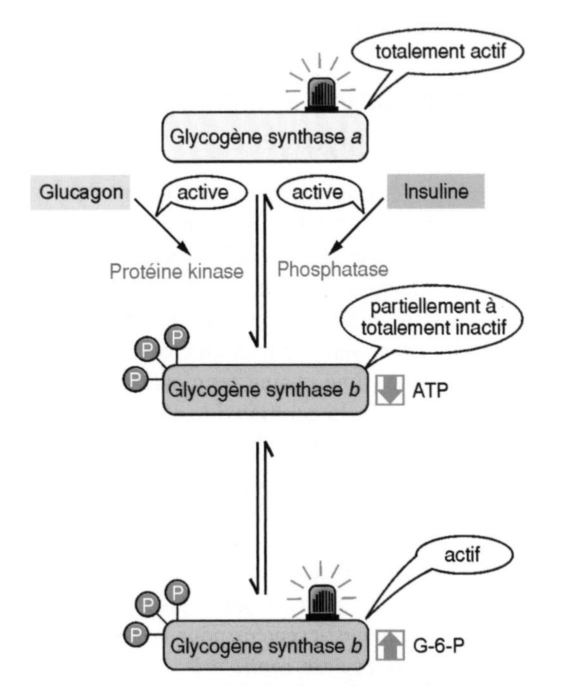

40.7 Contrôle de l'activité de la glycogène synthase.

Encart 40.2 : La glycogénine

Grâce à son activité endogène glucosyl transférase, la glycogénine, une protéine cytoplasmique de 37 kDa, transfère une première molécule de glucose de l'UDP-glucose vers un résidu tyrosyle (Tyr^{194}) de sa chaîne polypeptidique (*fig.* 40.8). Le glycogénine y rajoute des résidus glucose supplémentaires, reliés par des liaisons glycosydiques α-1,4, jusqu'au moment où une chaîne d'amorçage (angl. *primer*) d'une longueur de huit résidus environ est obtenue. Ensuite, la glycogène synthase se lie à la glycogénine et transfère des unités de glucose supplémentaires sur l'extrémité non réductrice de la chaîne de départ. La glycogénine agit donc comme cofacteur de la glycogène synthase, en augmentant considérablement l'efficacité catalytique de l'enzyme. Comme l'accessibilité de la glycogénine au cœur d'une particule de glycogène diminue quand les longueurs des chaînes augmentent, ce complexe se dissocie dès qu'une taille critique est atteinte ; la glycogénogénèse s'arrête alors. Une cellule peut donc réguler le nombre de ses particules de glycogène *via* le nombre des molécules de glycogénine disponibles.

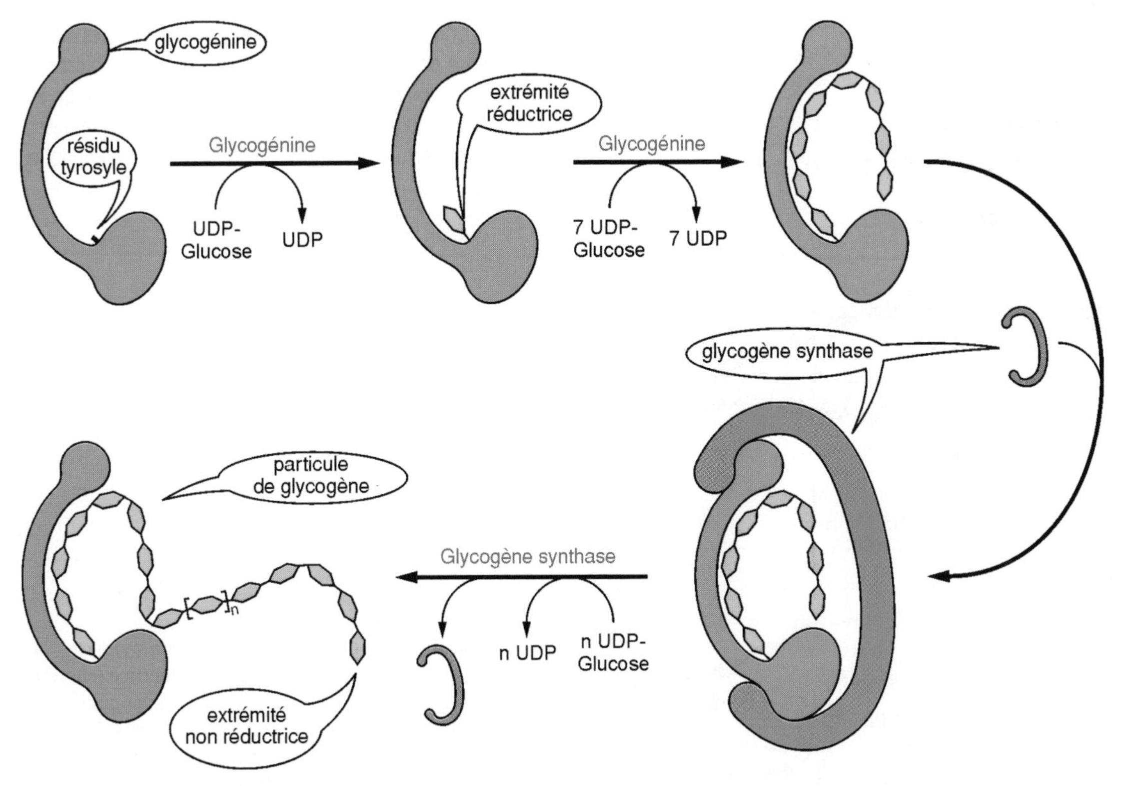

40.8 Synthèse *de novo* des particules de glycogène grâce à la glycogénine. Pour simplifier, une seule chaîne non ramifiée est montrée.

40.4

Une transglycosylase ramifie les chaînes croissantes de glycogène

La glycogène synthase génère exclusivement des liaisons glycosydiques α-1,4 et forme donc des chaînes linéaires. La ramification de ces chaînes et la formation d'un réseau est prise en charge par l'enzyme amylo-α-(1,4 → 1,6) transglycosylase, également appelée **enzyme branchante** (angl. *branching enzyme*) ou bien glucosyltransférase, qui déplace « en bloc » une chaîne terminale d'environ sept résidus glucose vers la position C6 d'un résidu interne appartenant à une deuxième chaîne (*fig.* 40.9). Pour obtenir ce résultat, l'enzyme rompt une liaison glycosidique α-1,4 et génère une liaison glycosidique α-1,6. La transglycosylase n'utilise comme substrat que des chaînes donneuses disposant d'au moins 11 résidus glycosyle ; le « tronc » restant de quatre résidus glucose peut servir ultérieurement comme accepteur pour la glycogène synthase. *La transglycosylase contrôle le degré de ramification du polymère naissant. Au maximum, elle induit des ramifications au niveau d'un résidu de glucose sur cinq et en moyenne, le ratio est de un sur dix.* La synthèse orchestrée par plusieurs enzymes conduit à la formation de particules de glycogène, qui contiennent de 5 000 jusqu'à 120 000 unités de glucose (*encart* 40.3)

Pour comprendre le bilan net de la glycogénogénèse, il faut aussi tenir compte du fait qu'une liaison phosphoanhydre est conservée lors de l'activation du glucose-1-phosphate en UDP-glucose. L'UDP libéré au cours de la formation du glucose activé est régénéré en UTP par une nucléoside diphosphate kinase (NDP kinase), avec consommation d'ATP :

UDP + ATP UTP + ADP

Le bilan net de la réaction est par conséquent :

Glucose-1-phosphate + ATP + Glycogène$_n$ + H_2O → Glycogène$_{n+1}$ + ADP + 2 P_i

Au total, il ne faut investir qu'une seule liaison riche en énergie par molécule de glucose-1-phosphate pour transformer celui-ci en forme de stockage, le glycogène. L'énergie investie est presque intégralement conservée au cours de la dégradation du glycogène.

Encart 40.3 : Le glycogène – une molécule de stockage optimisée

Pour être efficace, un stockage intermédiaire de glucose devrait remplir au moins deux conditions : permettre un accès rapide aux enzymes anaboliques et cataboliques ainsi qu'un empilement dense, sans perte de place, des unités de glucose. Des analyses mathématiques ont montré que les deux variables disponibles, c'est-à-dire la longueur des chaînes et le degré de ramification, sont combinées de telle sorte *in vivo*, qu'elles garantissent un optimum de capacité de stockage et d'accessibilité. Typiquement, une particule de glycogène présente jusqu'à douze niveaux de branchement. Les parties de chaîne non ramifiées ont une longueur de huit à douze unités de glucose et les chaînes présentent un à deux branchements par niveau (*fig.* 40.10). Les extrémités non réductrices sont présentes à la surface sphérique de la particule et sont bien accessibles aux enzymes de dégradation du glycogène. En conditions normales de nutrition, seules les molécules de glucose des quatre niveaux extérieurs sont mobilisées au cours d'une dégradation, si bien qu'une reconstitution rapide et efficace des stocks de glycogène peut faire suite. En biologie aussi, le principe d'architecture « la forme suit la fonction » s'applique.

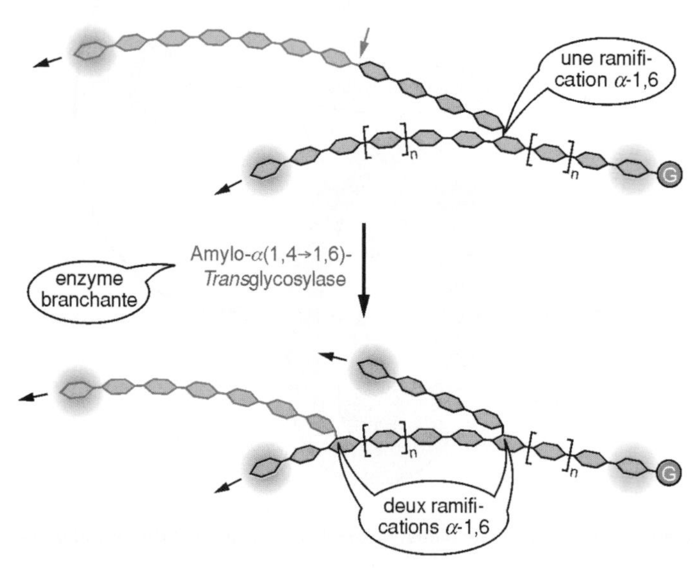

40.9 Réaction catalysée par l'amylo-α-(1,4 → 1,6) *trans*glycosylase. L'extrémité réductrice (en vert) qui est liée de manière covalente à la glycogénine (G) et les extrémités non réductrices « libres » (en bleu) sont marquées. Chaque ramification augmente le nombre de points d'accès pour la glycogène synthase (flèches noires).

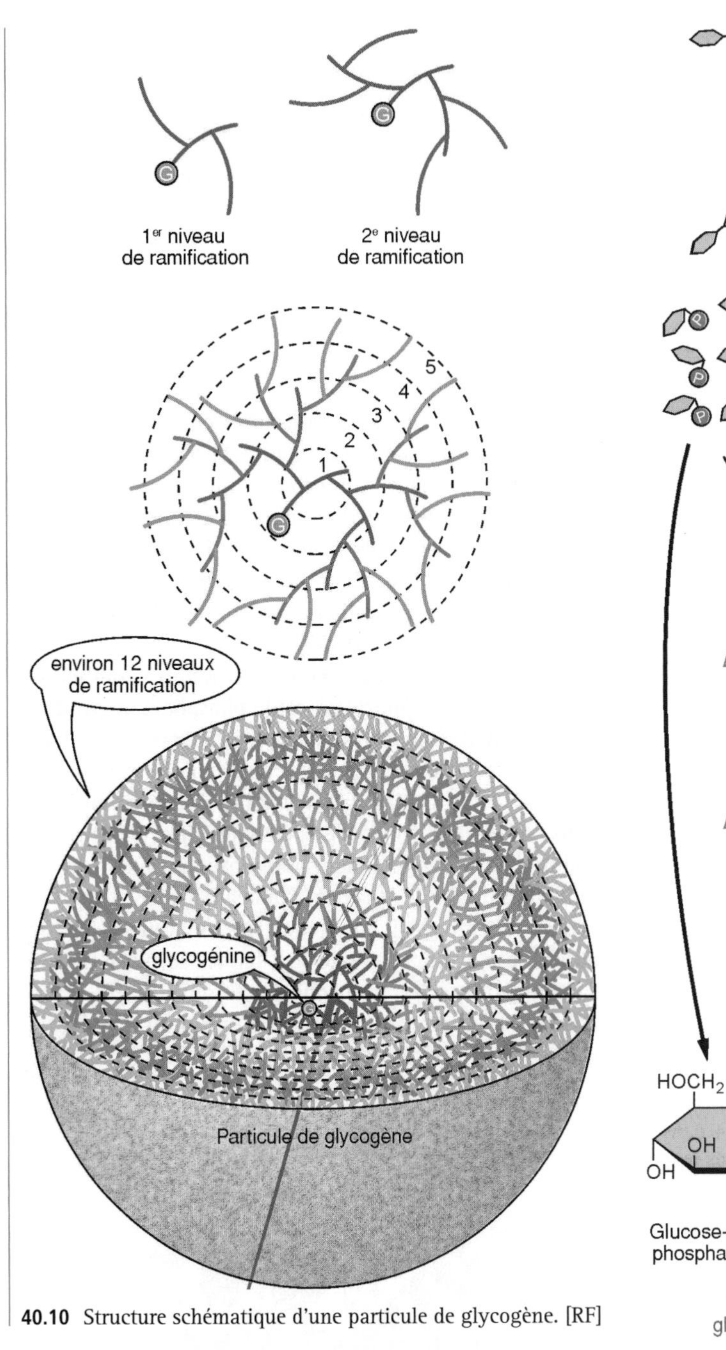

40.10 Structure schématique d'une particule de glycogène. [RF]

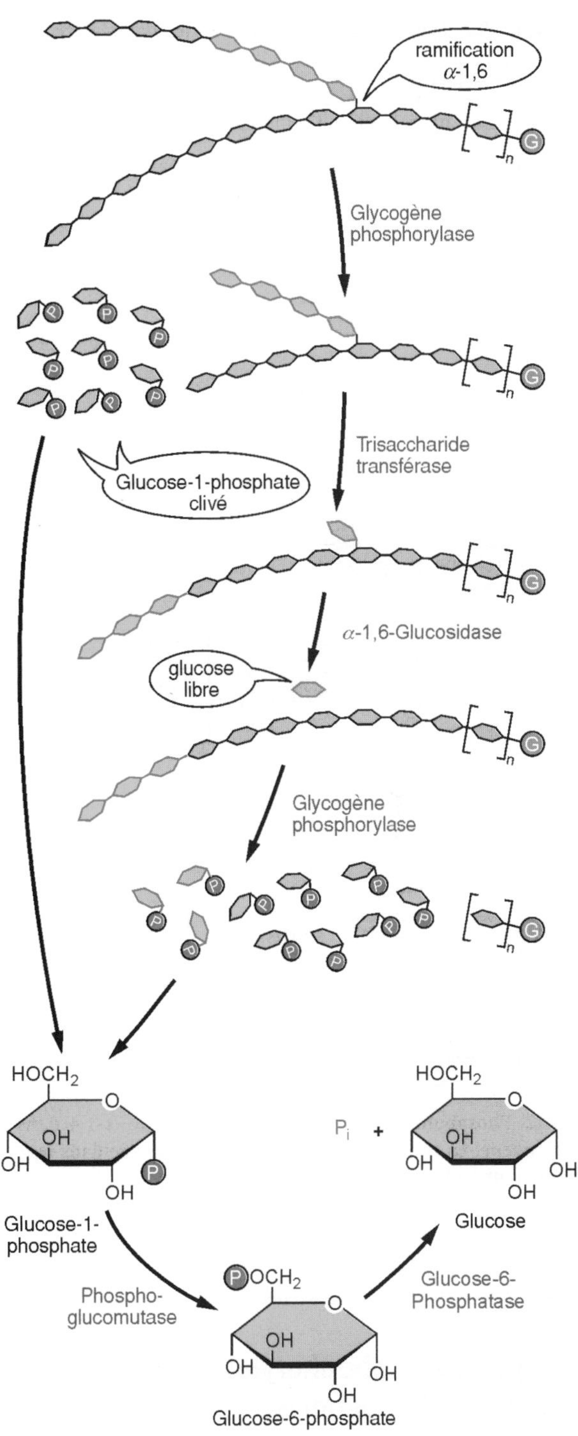

40.11 Étapes de la glycogénolyse : le produit final de la dégradation du glycogène dans le foie est le glucose. G, glycogénine.

40.5 La glycogénolyse comprend cinq étapes enzymatiques

La dégradation du glycogène – la **glycogénolyse** – *n'*est *pas* l'inversion simple de la synthèse : il faut en fait cinq réactions, catalysées par quatre enzymes, pour obtenir la dégradation complète du glycogène en glucose (*fig.* 40.11 et *tab.* 40.2). Parmi ces enzymes, seule la phosphoglucomutase est aussi impliquée dans la synthèse.

La glycogène phosphorylase est l'enzyme clé de la glycogénolyse. Elle catalyse le clivage de la liaison glycosidique α-1,4 entre le C1 d'un résidu terminal et le C4 du résidu voisin, situé à l'extrémité non réductrice des chaînes de glycogène. Un orthophosphate (P_i) est utilisé pour le clivage de la liaison ; par analogie avec l'hydrolyse, on parle d'une **phosphorolyse** (*fig.* 40.12).

Glycogène (n résidus) + Pi → Glucose-1-phosphate + Glycogène (n-1 résidus)

Tableau 40.2 Types de réactions mises en jeu dans la glycogénolyse

Type de réaction	Enzymes et cofacteurs
Clivage avec participation d'orthophosphate (P_i)	Glycogène phosphorylase ; phosphate de pyridoxal
Transfert de trisaccharides et hydrolyse de liaisons glycosidiques α-1,6	Enzyme débranchante bifonctionnelle ou trisaccharide transférase et α-1,6-glucosidase
Transfert intramoléculaire d'un groupement phosphate	Phosphoglucomutase
Hydrolyse d'une liaison phosphate	Glucose-6-phosphatase (foie uniquement)

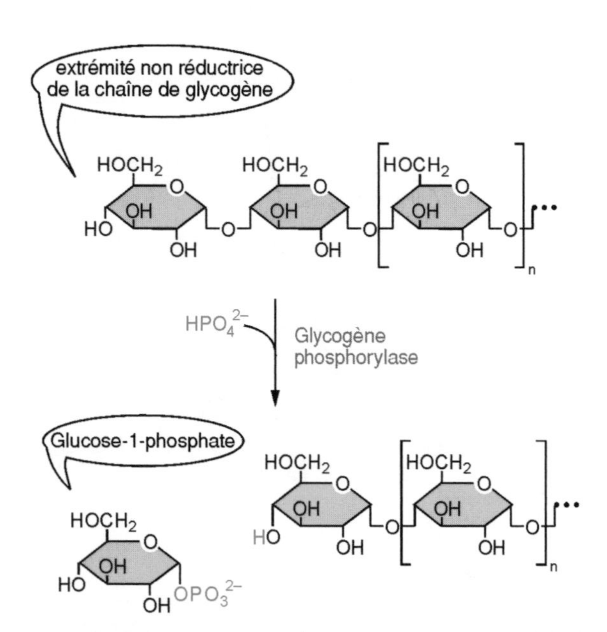

40.12 Phosphorolyse d'une liaison glycosidique α-1,4 dans le glycogène. La configuration α en C1 est conservée dans le glucose-1-phosphate.

40.6 La glycogène phophorylase est l'enzyme clé de la glycogénolyse

La **glycogène phosphorylase** catalyse les clivages successifs de résidus glucose à l'extrémité non réductrice en C4. La réaction est complètement réversible *in vitro* ; par contre, dans une cellule, l'équilibre de la réaction est déplacé vers la phosphorolyse en raison d'un excès environ cent fois molaire en orthophosphate. La phosphorolyse du glycogène est une réaction énergétiquement favorable, dans la mesure où la liaison glycosidique α-1,4 réactive est directement utilisée pour la formation du glucose-1-phosphate, lequel peut déboucher sans autre intermédiaire – sans consommation d'ATP – dans la voie de la glycolyse, après isomérisation en glucose-6-phosphate. En outre, la formation directe d'une molécule de sucre chargée d'un groupement phosphate évite une perte non contrôlée de glucose par la cellule, qui pourrait avoir lieu *via* les transporteurs de glucose de la membrane plasmique (*fig.* 39.4). La glycogène phosphorylase est une enzyme homodimérique formée de deux sous-unités de 95 kDa (*fig.* 40.13).

Un cofacteur essentiel pour la réaction catalysée par la glycogène phosphorylase est le **phosphate de pyridoxal** (PLP), un dérivé de la vitamine B_6. Le PLP est lié de façon covalente par son groupement aldéhyde au groupement ε-aminé de la chaîne latérale d'un résidu lysine, situé dans le centre actif de l'enzyme (*fig.* 40.14). Tout d'abord, la glycogène phosphorylase lie à la fois une unité terminale de glucose d'une chaîne de glycogène, située à l'extrémité non réductrice de celle-ci, et une molécule d'orthophosphate (P_i), lequel se place entre la liaison α-1,4 et le résidu phosphate du PLP (*fig.* 40.15). Ensuite, la liaison α-1,4 est clivée ; un proton venant du PLP est alors indirectement transféré *via* l'orthophos-

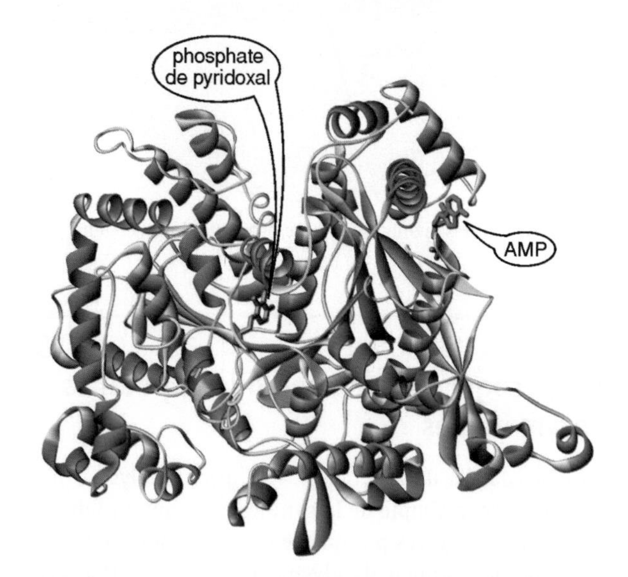

40.13 Structure de la glycogène phosphorylase du foie. Une seule sous-unité de l'homodimère est montrée. Le centre actif est marqué par le groupement prosthétique, le phosphate de pyridoxal (en vert). Le site de liaison allostérique contient une molécule d'AMP (en rouge) (comparer avec l'*encart* 40.4)

40.14 Le phosphate de pyridoxal (PLP), un groupement allostérique. À l'aide de son groupement aldéhyde (en vert), le PLP forme une liaison covalente avec un résidu lysine de l'enzyme, tandis que son groupement phosphate (en bleu) joue un rôle crucial dans le clivage phosphorolytique du glycogène.

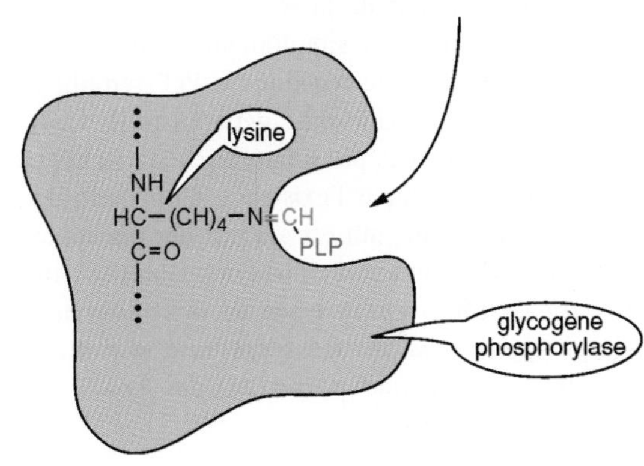

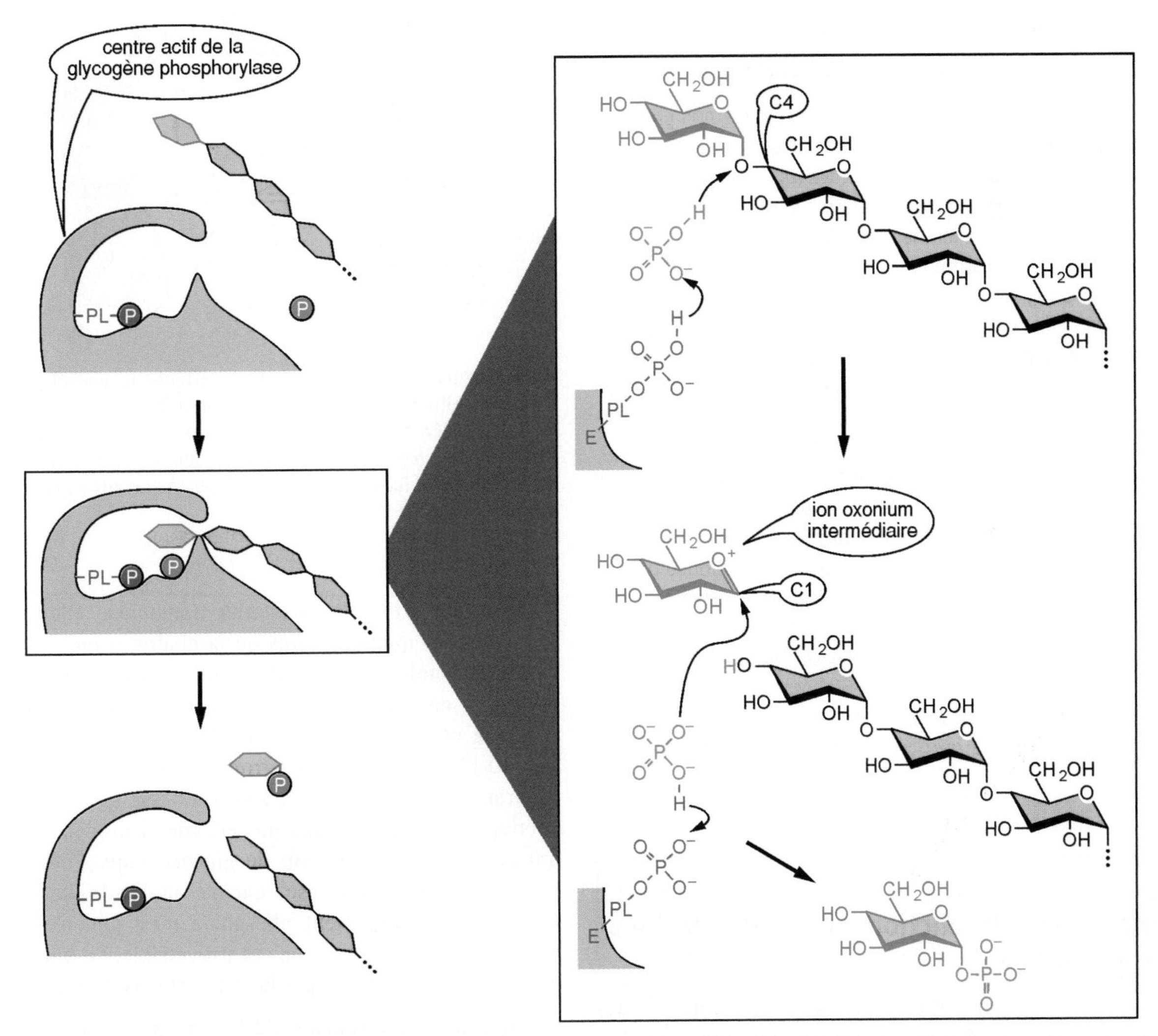

40.15 Mécanisme réactionnel de la glycogène phosphorylase. Déroulement schématique (à gauche) et réaction détaillée au niveau du centre actif (à droite ; les unités de glucose sont montrées ici en conformation chaise). L'attaque nucléophile du P_i se déroule sur la face du substrat où se trouve le groupement hydroxyle C4-H (*cis*) ; de ce fait, la configuration α en C1 du glucose-1-phosphate est conservée. PLP, phosphate de pyridoxal ; E, enzyme.

phate « libre » sur l'atome d'oxygène en C4 du dernier glucose encore attaché à la chaîne de glycogène. Cette chaîne, raccourcie d'un résidu, se dissocie de l'enzyme et un intermédiaire réactif disposant d'un ion oxonium (O^+) demeure dans le centre actif. L'attaque nucléophile par P_i de l'atome en C1 de cet intermédiaire permet alors de former le produit de la réaction, le glucose-1-phosphate, en retransférant simultanément un proton sur le PLP. Au cours de cette réaction, le PLP remplit la fonction de catalyseur acide-base généraliste (§ 12.1).

Le rôle central de la phosphorylase dans la dégradation du glycogène implique l'existence d'un contrôle rigoureux de son activité, qui est garanti par phosphorylation réversible et modulation allostérique (*encart* 40.4). *Les régulations strictement inverses des deux enzymes clés, la phosphorylase et la glycogène synthase, garantissent que le système ne peut pas passer par des « cycles de fonctionnement à vide ».*

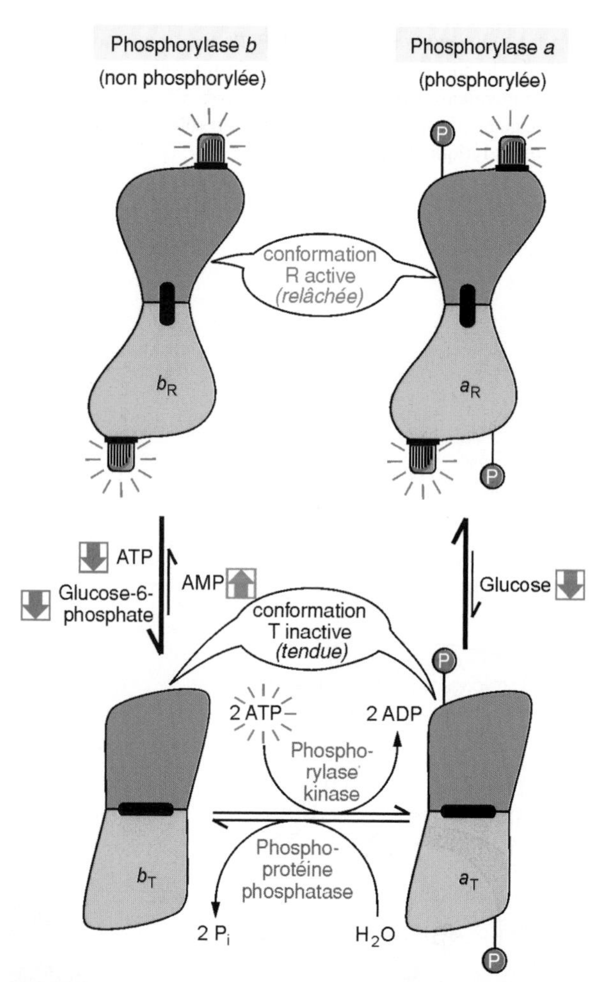

40.16 Régulation de l'activité de la glycogène phosphorylase dans une cellule musculaire. Des phosphorylations et des modulations allostériques régulent les transitions entre les conformations actives (en haut) et inactives (en bas). L'enzyme est montrée sous la forme d'un dimère. Pour des détails supplémentaires, voir *fig.* 13.19 et 13.20.

Encart 40.4 : La régulation de la glycogène phosphorylase

À l'état de base, l'enzyme est présente sous forme non phosphorylée, la **forme *b***; en conditions physiologiques, celle-ci est présente dans une **conformation T** inactive (b_T; angl. *tense*, tendue) (*fig.* 40.16). Une phosphorylase kinase régulée par l'adrénaline, phosphoryle spécifiquement le résidu Ser^{14} des sous-unités et les transforme ainsi en **forme a,** qui passe spontanément de la conformation T (a_T) à la **conformation R** (a_R ; angl. *relaxed*, relâchée). Un excès de glucose libre peut inactiver la forme a_R de façon allostérique, provoquant un déplacement de l'équilibre vers la forme a_T. Dans le cas d'une faible charge énergétique d'une cellule musculaire, l'AMP peut agir comme effecteur allostérique et provoquer sans phosphorylation, la transformation de la conformation b_T en conformation b_R active, ce qui permet une libération rapide de glucose pour la production d'ATP. Dans le cas d'une forte charge énergétique, l'ATP et le glucose-6-phosphate fonctionnent comme inhibiteurs allostériques et induisent le passage à la forme b_T inactive de l'enzyme. Par ailleurs, une phosphatase dépendante de l'insuline peut déphosphoryler la forme a_T, ce qui permet de retourner à l'état de base b_T (comparer avec *encart* 40.5). Dans la mesure où la phosphorylation et le glucose-6-phosphate déclenchent des effets exactement opposés sur la glycogène synthase (*encart* 40.1), la glycogénolyse et la glycogénogénèse sont régulées de façon réciproque.

40.7 Une enzyme bifonctionnelle « débranche » le glycogène

La glycogène phosphorylase ne peut dégrader les chaînes linéaires des molécules de glycogène que jusqu'au quatrième résidu *avant* un branchement ; ici l'enzyme s'arrête. Ensuite, l'**enzyme débranchante** bifonctionnelle, avec ses deux activités complémentaires, entre en jeu : à l'aide de son activité trisaccharide transférase, elle transfère trois des quatre résidus de la chaîne tronquée vers l'extrémité non réductrice d'une deuxième chaîne et les lie à cet endroit par une liaison glycosidique α-1,4. Ainsi, la chaîne acceptrice est allongée de trois résidus (*fig.* 40.17). Le morceau de « tronc » restant, lié au niveau du branchement par une liaison α-1,6, est hydrolysé par l'activité α-1,6 glucosidase de l'enzyme débranchante, ce qui aboutit à la formation de glucose libre. Contrairement à la phosphorolyse, *aucune* molécule de sucre chargé d'un groupement phosphate n'est générée et la réaction est donc pratiquement irréversible. Le bilan net de la réaction catalysée par la α-1,6 glucosidase est :

Glycogène (n résidus) + H2O → Glucose + Glycogène (n-1 résidus)

Par conséquent, le débranchement du glycogène *n'est pas* une simple inversion de la ramification que l'on a

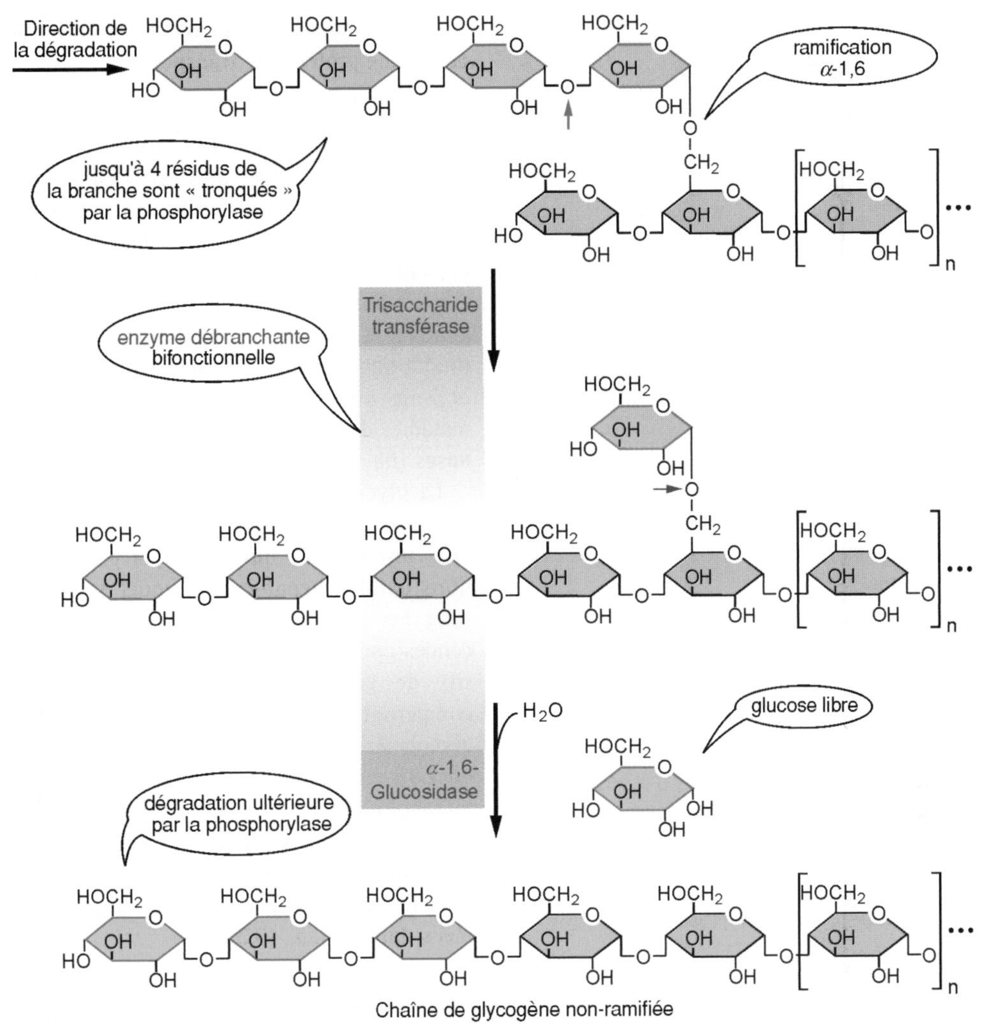

40.17 Débranchement du glycogène. L'enzyme débranchante dispose de deux centres actifs avec respectivement une activité trisaccharide transférase et α-1,6 glucosidase.

vue dans le processus de la glycogénogénèse. La dégradation du segment désormais non ramifié est à nouveau catalysée par la glycogène phosphorylase avec formation de glucose-1-phosphate (*fig.* 40.12). Finalement, la **phosphoglucomutase** se charge de la connexion avec le métabolisme général : elle catalyse la réaction inverse de celle utilisée dans la glycogénogénèse et convertit du glucose-1-phosphate en glucose-6-phosphate (*fig.* 40.4). Ensuite, le glucose-6-phosphate peut entrer directement – c'est-à-dire en évitant une réaction consommant de l'ATP – dans la voie de la glycolyse (§ 35.2). *L'investissement en ATP, nécessaire pour la glycogénogénèse, est donc presque intégralement conservé, grâce à la formation de glucose-1-phosphate.* En moyenne, seul un résidu sur dix est transformé en glucose libre, qui nécessite une phosphorylation ATP dépendante pour pouvoir entrer dans la glycolyse. Ceci montre bien l'économie d'un métabolisme coordonné dans la cellule : l'énergie qui a été investie dans une forme de stockage est introduite à 90 % environ dans le catabolisme final.

40.8 Les perturbations de la dégradation du glycogène provoquent des maladies de stockage

Dans le muscle, la dégradation du glycogène a pour fonction principale le ravitaillement en substrat pour la glycolyse. En revanche, dans le foie, la glycogénolyse se charge en premier lieu de l'approvisionnement en glucose pour les organes consommateurs comme le cerveau et les muscles squelettiques. Puisque le glucose phosphorylé ne peut pas quitter la cellule, il doit être d'abord déphosphorylé. En premier lieu, un **transporteur de glucose-6-phosphate** transporte celui-ci du cytosol vers le réticulum endoplasmique, où une **glucose-6-phosphatase** hydrolyse la liaison phosphoester (*fig.* 39.4). Cette enzyme est exprimée dans le foie et les reins mais *pas* dans le cerveau ni les muscles squelettiques. Le glucose

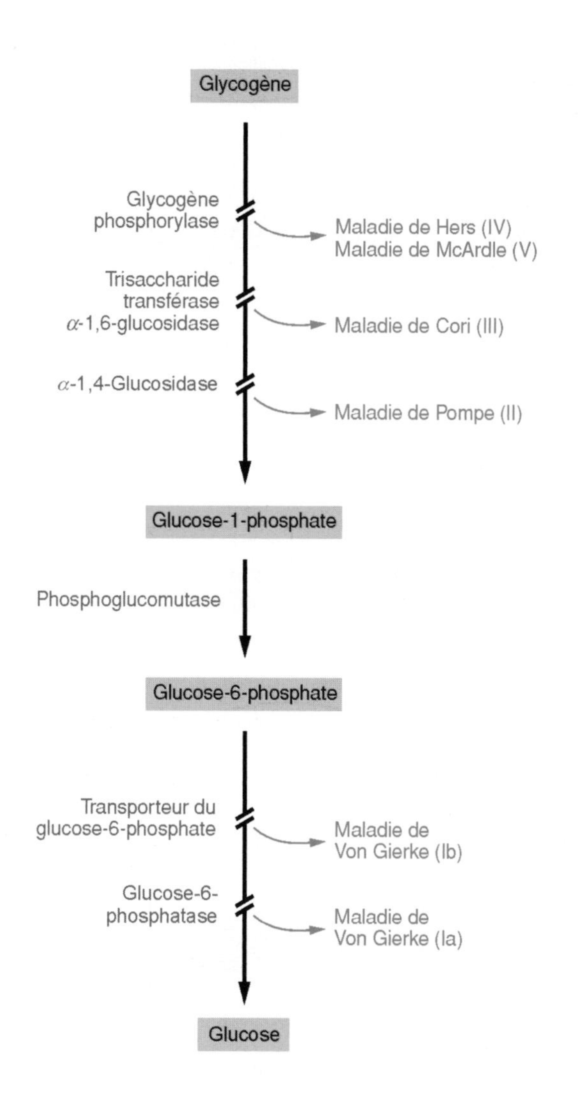

40.18 Défauts enzymatiques dans la glycogénolyse. Le disfonctionnement de certaines enzymes glycogénolytiques peut bloquer l'ensemble de la voie catabolique. Les chiffres romains indiquent le type de glycogénose correspondante. Voir *tab.* 40.3 pour d'autres détails.

et le phosphate libres regagnent ensuite le cytosol associés à une protéine de transport.

$$\text{Glucose-6-phosphate} + H_2O \rightarrow \text{Glucose} + P_i$$

Le glucose libre peut alors quitter le foie *via* des transporteurs et contribuer ainsi au « tamponnement » de la concentration sanguine en glucose. Au cours d'un jeûne ou lors d'une activité musculaire, c'est en fait le foie qui produit la majorité du glucose disponible, grâce à la dégradation de ses stocks de glycogène. Des défauts génétiques, qui ont pour effet des perturbations dans le fonctionnement des enzymes impliquées dans le métabolisme du glycogène, peuvent provoquer de graves maladies de stockage de glycogène du type des **glycogénoses** (*fig.* 40.18).

La glycogénose de type Ia (maladie de Von Giercke) est provoquée par une pénurie en glucose-6-phosphatase, une enzyme qui permet la production de glucose libre par les hépatocytes, lequel sera exporté vers le sang. Les individus atteints souffrent de graves hypoglycémies ; secondairement, on observe des dépôts excessifs de glycogène dans le foie et les reins. Pour compenser, le foie répond par une augmentation de la glycolyse, ce qui conduit à une augmentation de la production en lactate et en pyruvate, puis à une acidose métabolique (*encart* 1.3). Une symptomatique similaire est observée en cas de défauts génétiques concernant le transporteur du glucose-6-phosphate (glycogénose de type Ib). D'autres glycogénoses importantes sont résumées dans le *tab.* 40.3).

40.9 Des signaux hormonaux contrôlent le métabolisme du glycogène

La synthèse et la dégradation du glycogène sont des processus inverses qui doivent être strictement régulés pour

Tableau 40.3 Maladies de stockage du glycogène

Type	Enzyme défectueuse	Organe atteint	Symptômes
I Maladie de Von Gierke	Glucose-6-phosphatase	Foie, reins : stocks excessifs de glycogène	Hépatomégalie, hypoglycémie, acidocétose
II M. de Pompe	α-1,4-Glucosidase	Tous organes : stocks excessifs de glycogène	Échec cardio-respiratoire (mort avant la 2e année)
III M. de Cori	α-1,6-Glucosidase (enzyme débranchante)	Muscle, foie : glycogène anormal avec de courtes chaînes	Hépatomégalie, hypoglycémie, acidocétose
IV M. d'Andersen	Amylo-α-(1,4 1,6) transglycolase (enzyme branchante)	Foie et rate : glycogène anormal avec de longues chaînes	Cirrhose du foie ; mort avant la 2e année
V M. de McArdle	Glycogène phosphorylase	Muscle : augmentation du glycogène	Puissance corporelle limitée ; crampes musculaires
VI M. d'Hers	Glycogène phosphorylase	Foie : augmentation du glycogène	Hépatomégalie ; hypoglycémie, acidose

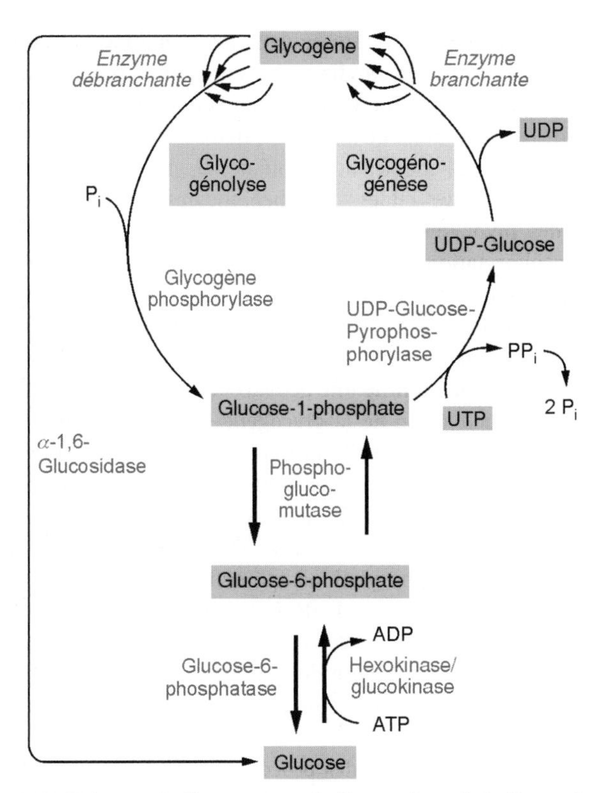

40.19 Voies anaboliques et cataboliques du métabolisme du glycogène. Le transporteur du glucose-6-phosphate n'est pas représenté.

éviter un « court-circuit » métabolique (*fig.* 40.19). Cette **régulation réciproque** est exercée par un contrôle hormonal étroit.

Les effecteurs principaux sont l'insuline ainsi que le glucagon et l'adrénaline. Ils coordonnent la glycogénogénèse et la glycogénolyse, adaptent ces processus à l'état métabolique de l'organisme entier et maintiennent la concentration sanguine en glucose entre 70 et 110 mg/ml. Considérons tout d'abord les cascades de signalisation du **glucagon** et de l'**adrénaline,** qui remplissent des fonctions physiologiques différentes : le glucagon régule la concen-

Encart 40.5 : La protéine phosphatase-1 (PP1)

La PP1 déphosphoryle des résidus sérine et thréonine des protéines. L'enzyme dispose d'une sous-unité C catalytique et d'une sous-unité G, grâce à laquelle l'hétérodimère se lie aux particules de glycogène. Une augmentation de la concentration en AMPc, induite par le glucagon ou l'adrénaline, provoque l'activation de la protéine kinase A, qui phosporyle ensuite la sous-unité G de la PP1 (*fig.* 40.20) et déclenche ainsi la dissociation de la PP1 de la particule de glycogène ; simultanément, l'accès de la PP1 à ses enzymes cibles dans les particules de glycogène est réduite de façon drastique. En outre, la protéine kinase A peut phosphoryler une protéine inhibitrice (I), permettant sa liaison à la sous-unité C de la PP1 et son inactivation. L'inhibition de la PP1 induit une suppression efficace de la déphosphorylation et donc une suppression de l'inactivation des deux enzymes phosphorylase kinase et phosphorylase : celles-ci retrouvent alors leur activité maximale. L'insuline contrecarre les effets du glucagon et de l'adrénaline en phosphorylant et en activant la PP1. Un contrôle multilatéral garantit donc l'homéostasie de la glycogénogénèse et de la glycogénolyse.

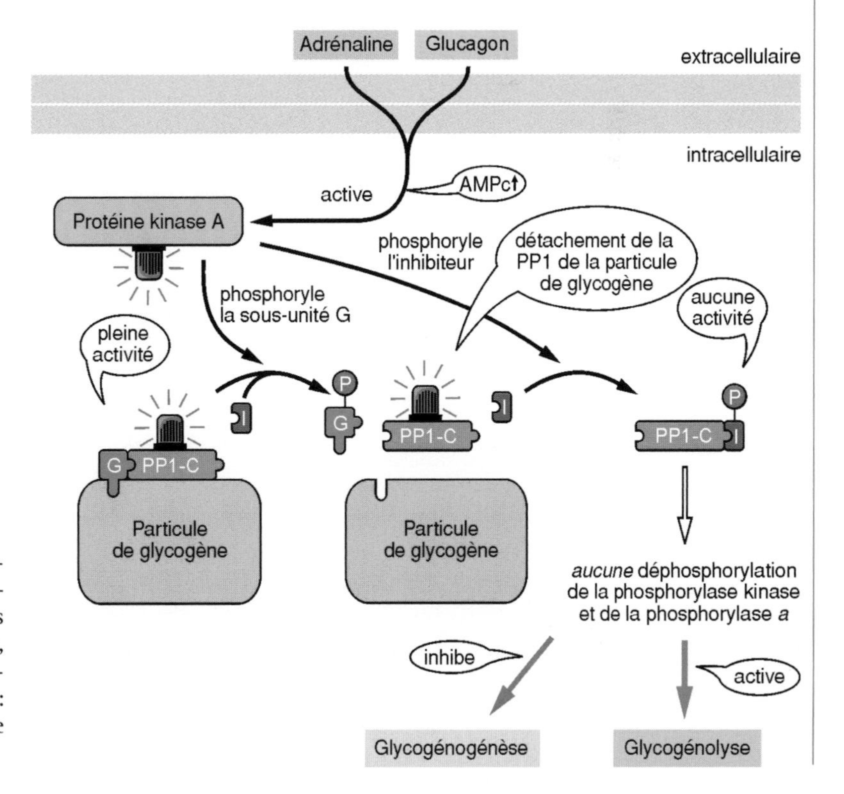

40.20 Régulation de la protéine phosphatase-1 (PP) par les catécholamines. L'adrénaline agit par l'intermédiaire des récepteurs couplés à une protéine $G\alpha_S$, qui augmentent, *via* l'activité de l'adénylate cyclase, la concentration intracellulaire en AMPc. G, C : sous-unités de la PP1 ; I, protéine inhibitrice de la PP1.

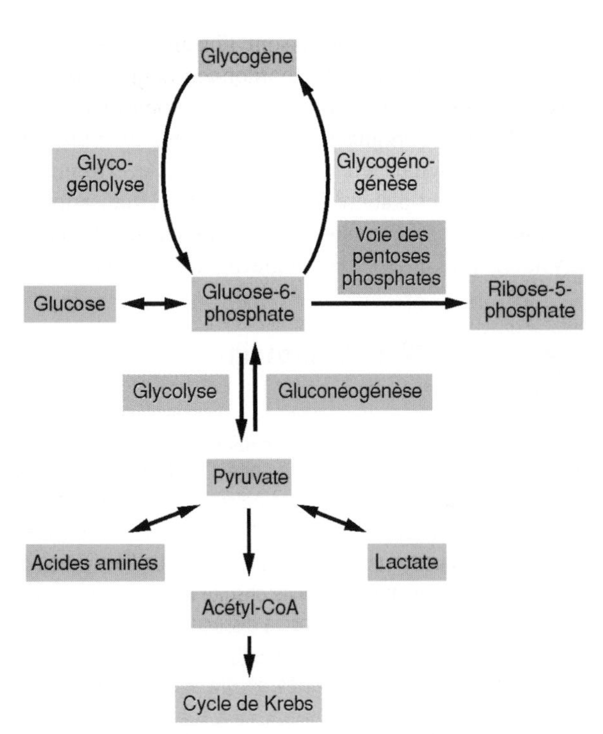

40.21 Métabolisme du glucose et ses points de couplage avec le métabolisme général.

tration sanguine en glucose dans des conditions physiologiques normales tandis que l'adrénaline permet une mise à disposition de quantités d'énergie extraordinaires dans des situations de stress. Les deux hormones activent des récepteurs couplés aux protéines G, situés à la surface de leurs cellules cibles – des hépatocytes, des adipocytes et des myocytes – et elles déclenchent des cascades de phosphorylation dépendantes de l'AMPc, qui débouchent finalement sur une inactivation de la protéine phosphatase-1 (*encart* 40.5). Grâce à cela, les formes phosphorylées des enzymes du métabolisme du glycogène s'accumulent, ce qui signifie une activation de la phosphorylase et une inactivation de la glycogène synthase. Le résultat est une augmentation de la libération de glucose libre à partir de glycogène et une augmentation de la concentration en glucose dans le sang. Au contraire, en se fixant à son récepteur tyrosine kinase, l'**insuline** déclenche une cascade de phosphorylations, qui active la protéine phosphatase 1 et induit ainsi la déphosphorylation de l'enzyme clé du métabolisme du glycogène (*encart* 46.1). La cellule met en route la synthèse de glycogène. En bilan net, du glucose est prélevé et la concentration en glucose dans le sang diminue.

On a eu un aperçu des processus moléculaires, impliqués dans la formation, la transformation, la dégradation ainsi que dans le stockage du glucose. Nous avons également vu leur intégration dans le métabolisme général (*fig.* 40.21). Dans les chapitres suivants, on va se tourner vers les deux autres combustibles importants pour le métabolisme, c'est-à-dire les lipides et les acides aminés.

Synthèse des acides gras et β-oxydation

41

On entame ici un nouveau chapitre du métabolisme, dans lequel les acides gras occupent une position centrale. Les **acides gras** sont des molécules organiques à longue chaîne avec une fonction carboxyle terminale. Ils appartiennent aux composés élémentaires, parmi lesquels le métabolisme puise ses sources : ce sont des fournisseurs d'énergie importants, des composants importants des **phospholipides** et des **glycolipides** qui servent à la formation des membranes biologiques, mais ils se lient aussi de façon covalente à des protéines et sont utilisés comme précurseurs dans la formation d'hormones et de messagers intracellulaires. Les **triacylglycérols** (encore appelés triglycérides) de l'alimentation sont la source principale des acides gras (*fig.* 41.1). Les acides gras sont en effet stockés dans les adipocytes sous la forme d'esters de glycérol - les triacylglycérols - puis mobilisés et métabolisés rapidement en fonction des besoins.

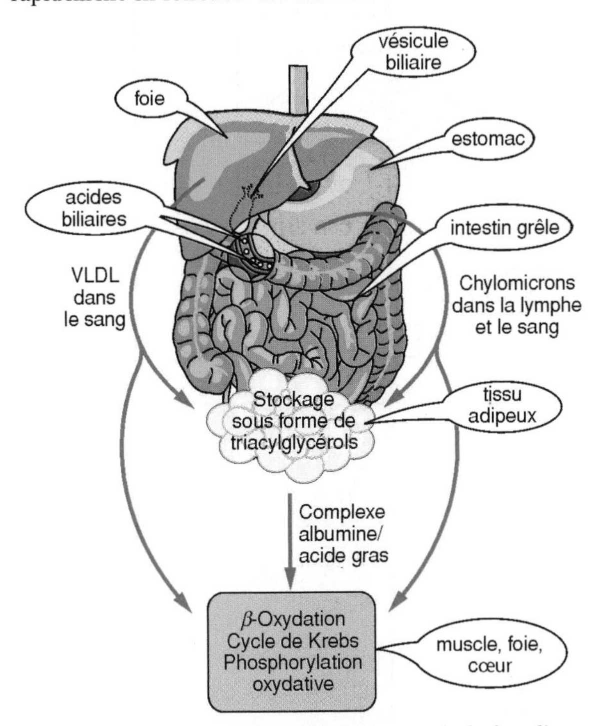

41.1 Les voies du métabolisme des triacylglycérols dans l'organisme humain. Les étapes les plus importantes sont : l'absorption des lipides exogènes dans l'intestin grêle, à l'aide des acides biliaires et des lipases pancréatiques ; le transport lymphatique et sanguin *via* les chylomicrons ; la synthèse endogène dans le foie et le transport par les VLDL (angl. *very low density lipoproteins*) ; le stockage dans les tissus adipeux ; le transport des acides gras par l'albumine ; l'utilisation par les muscles, le foie et le cœur.

41.1 La structure des acides gras justifie leurs propriétés

Les acides gras de l'organisme sont des acides carboxyliques, qui possèdent en général un **nombre pair d'atomes de carbone** et ne sont que très rarement ramifiés (*tab.* Lipides). Selon qu'un acide gras porte ou non des doubles liaisons, on parle d'acide gras saturé ou insaturé (*encart* 41.1).

Encart 41.1 : La nomenclature des acides gras

La nomenclature des acides gras utilise le terme acide, suivi de l'indication du nombre de carbones de la chaîne hydrocarbonée, puis du suffixe –oïque, par exemple l'acide hexadécanoïque pour l'acide carboxylique en C_{16} (nom trivial : acide palmitique). Les acides gras sont des acides faibles avec une valeur de pK_a d'environ 4,5 ; à pH neutre, ils sont dissociés sous forme d'ions carboxylates, par exemple l'hexadécanoate ou palmitate. Les dérivés d'acides organiques sont notés avec le préfixe « acyl », par exemple triacylglycérol. Un acide gras insaturé simple (une seule double liaison) sera indiqué par la syllabe « ène », par exemple l'acide hexadécaènoïque, avec deux doubles liaisons, par la syllabe « diène », etc. La formule chimique pour un acide gras saturé en C_{16} est 16:0, pour une insaturation simple 16:1, etc. La numérotation commence toujours avec l'atome de carbone présentant le niveau d'oxydation le plus élevé, donc le groupement carboxyle (C_1). Les positions respectivement C_2 et C_3 sont souvent appelées α et β, tandis que le carbone terminal (C_{16} dans le palmitate) est décrit comme ω (*fig.* 41.2). La position d'une double liaison est indiquée par le symbole Δ suivi du nombre correspondant au premier atome de carbone impliqué dans la double liaison ; *cis*-Δ^9 signifie la présence d'une double liaison entre les carbones 9 et 10 avec une configuration *cis* (hexadécaènoate).

$$\underset{\omega}{H_3C}-(CH_2)_n-\overset{3}{\underset{\beta}{CH_2}}-\overset{2}{\underset{\alpha}{CH_2}}-\overset{1}{C}(=O)OH$$

41.2 Description du squelette carboné d'un acide gras.

Typiquement, la chaîne carbonée d'un acide gras a une longueur entre 14 et 24 carbones, avec une prédominance d'acides gras à 16 carbones (acide palmitique) et 18 carbones (acide stéarique) (*tab.* 41.1). Les acides gras peuvent présenter des **insaturations** au niveau d'une ou de plusieurs positions ; en général, les doubles liaisons sont séparées par au moins un groupement méthylène et elles ne sont **pas conjuguées**. La configuration des doubles

Tableau 41.1 Acides gras importants de l'organisme humain

Nombre d'atomes de C	Nombre de doubles liaisons	Nom trivial de l'acide	Nom trivial du carboxylate	Nom systématique du carboxylate
14	–	acide myristique	myristate	n-tétradécanoate
16	–	acide palmitique	palmitate	n-hexadécanoate
18	–	acide stéarique	stéarate	n-octadécanoate
18	1	acide oléique	oléate	*cis*-Δ^{9}-octadécanoate
18	2	acide linoléique	linoléate	all-*cis*-$\Delta^{9,12}$-octadécanoate
18	3	acide linolénique	linolénate	all-*cis*-$\Delta^{9,12,15}$-octadécanoate
20	4	acide arachidonique	arachidonate	all-*cis*-$\Delta^{5,.8,11,14}$-octadécanoate

liaisons est typiquement *cis*, c'est-à-dire que les deux résidus d'hydrocarbures sont situés du même côté par rapport au plan de la molécule. Les acides gras sont des **composés amphiphiles** avec des corps hydrophobes (chaîne aliphatique carbonée) et des têtes hydrophiles (groupements carboxyles) (*fig.* 2.34). Ce sont principalement le degré de saturation et la longueur de la chaîne, qui définissent les propriétés des acides gras. Les acides gras font partie intégrante des phospholipides et déterminent aussi les propriétés des membranes biologiques : une membrane est d'autant plus fluide que la chaîne des acides gras impliqués est courte et insaturée.

La nourriture constitue la source d'acides gras la plus importante de l'organisme humain. La plupart du temps, les acides gras sont absorbés sous la forme de leurs esters de glycérol, les triacylglycérols ou **lipides neutres** (*fig.* 41.3).

Les triacylglycérols sont des combustibles avec une teneur énergétique élevée d'environ 39 kJ/g, car leurs carbones sont presque entièrement sous forme réduite. Au contraire, dans les glucides et les protéines, il sont sous une forme plus oxydée ; c'est pourquoi leur teneur énergétique est seulement d'environ 17 kJ/g. En outre, les triacylglycérols sont presque anhydres, tandis que, par exemple, le glycogène est fortement hydraté (2 g d'eau par g de glycogène). C'est pourquoi les triacylglycérols forment le plus grand **réservoir d'énergie** du corps humain. Pour une personne de 70 kg avec une proportion de lipides de 15 kg, les triacylglycérols représentent une quantité de chaleur de 600 000 kJ ; par comparaison, seulement 2 500 kJ sont stockés sous forme de glycogène. L'utilisation des graisses comme fournisseur d'énergie se déroule en plusieurs étapes, que l'on va commenter maintenant (*fig.* 41.4).

Résidu palmitoyle

$$H_3C-(CH_2)_7-CH=CH-(CH_2)_7-C(=O)-O-CH(CH_2-O-C(=O)-(CH_2)_{14}-CH_3)(CH_2-O-C(=O)-(CH_2)_{16}-CH_3)$$

Résidu oléyle

Résidu stéaryle

41.3 La structure des triacylglycérols. Le résidu glycérol est présenté en bleu. Les résidus palmitoyle (C_{16}), Oleyl (cis-Δ^9-C_{18}) et stéaryle (C_{18}) sont indiqués à titre d'exemples.

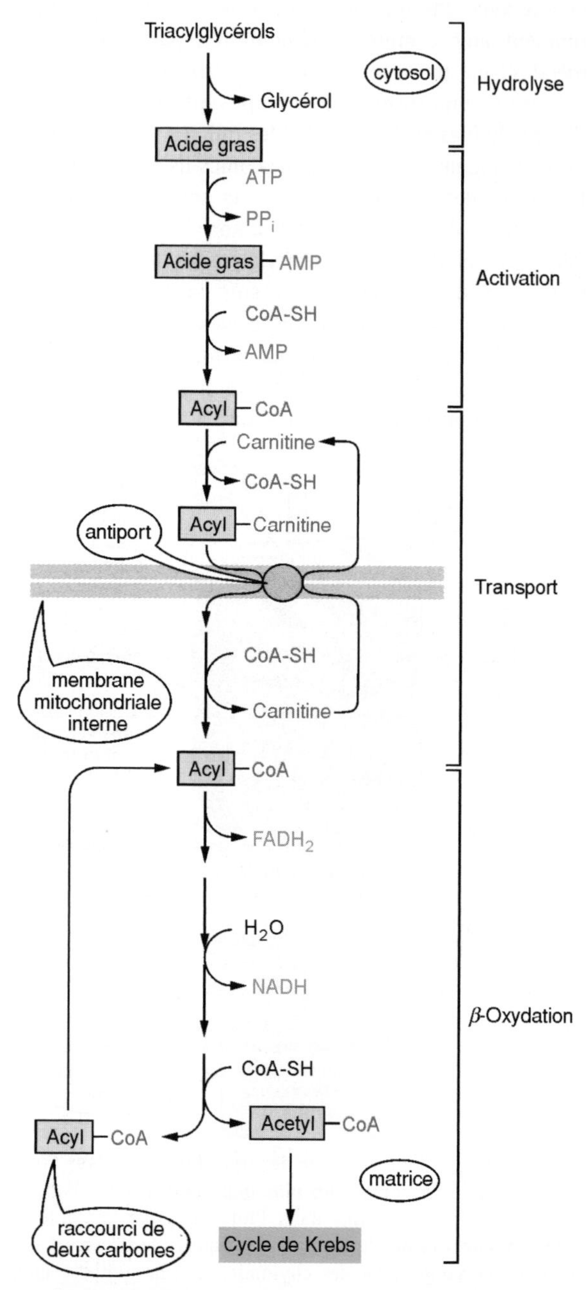

41.4 Étapes de l'oxydation des acides gras jusqu'à l'acétyl-CoA. On distingue 4 phases : l'hydrolyse des triacylglycérols, l'activation des acides gras, le transport à travers la membrane mitochondriale interne, la β-oxydation.

41.5 Réactions catalysées par les lipases. Il s'agit d'une classe hétérogène d'enzymes, qui compte les lipases intracellulaires des adipocytes, les lipoprotéines lipases endothéliales dans le système circulatoire ou les pancréas lipases dans la lumière de l'intestin.

41.2 Les lipases hydrolysent les triacylglycérols en acides gras

On va commencer par l'hydrolyse des graisses par les lipases ; l'hydrolyse complète d'un triacylglycérol génère trois acides gras libres et une molécule de glycérol (*fig.* 41.5). Des lipases régulées par des hormones jouent des rôles importants dans la dégradation des graisses stockées (*encart* 41.2). Deux réactions permettent au glycérol obtenu par la lipolyse d'entrer dans les voies du métabolisme des glucides (*fig.* 41.6). La **glycérol kinase** phosphoryle le glycérol en glycérol-3-phosphate, converti ensuite en dihydroxyacétone phosphate par une réaction consommant du NAD^+.

Encart 41.2 : Les lipases

L'activité des **lipases** intracellulaires, **sensibles aux hormones**, est régulée par phosphorylation réversible. Les hormones comme l'adrénaline, la noradrénaline et le glucagon sont lipolytiques, car elles activent la protéine kinase A, dépendante de l'AMPc (comparer avec la *fig.* 40.20), qui phosphoryle alors les lipases cellulaires et les active à leur tour. Au contraire, l'insuline inhibe la lipolyse en activant la protéine phosphatase 1, qui inactive alors les lipases sensibles aux hormones par déphosphorylation ; à l'inverse, une carence en insuline peut conduire à une augmentation drastique de la lipolyse (*encart* 41.3). La **lipase pancréatique**, sécrétée dans la lumière intestinale, est au contraire activée par les acides biliaires (§ 42.8). Les **lipases endothéliales** des vaisseaux sanguins sont enfin stimulées par l'apolipoprotéine C-II (§ 42.11). Les différentes lipases ne sont pas des isoenzymes ; on a ici beaucoup plus affaire à une classe structurellement hétérogène d'enzymes homofonctionnelles, qui, en dehors de leur fonction métabolique commune, sont produites, adressées et régulées différemment.

41.3 L'acylcarnitine est la forme de transport des acides gras

Les acides gras libres sont importés dans le cytosol ou produits grâce aux lipases cellulaires ; en revanche, la dégradation des acides gras a lieu dans la matrice mitochondriale. Les **acides gras à courte chaîne** ($< C_{10}$) peuvent diffuser à travers la membrane mitochondriale interne en raison de leurs propriétés amphiphiles. Comme il n'existe pas de protéine de transport des acides gras dans la membrane mitochondriale interne, les acides gras à longue chaîne (C_{10}-C_{20}) doivent d'abord être convertis en une forme transportable. L'étape initiale est l'**activation des acides gras** par liaison au Coenzyme A. Une **acyl-CoA-ligase**, utilisant de l'ATP, catalyse la formation d'un acyladénate, c'est-à-dire un anhydride mixte à partir d'un acide gras à longue chaîne et d'un nucléoside phosphate :

$$\text{Acide gras} + \text{ATP} \rightarrow \text{Acyl-AMP} + \text{PP}_i$$

Les acyladénylates sont des intermédiaires fréquents dans des réactions biochimiques, par exemple dans l'activation d'acides aminés (§ 18.2). Dans une deuxième étape, le groupement acyle est transféré sur le CoA et le pyrophosphate (PP_i) est hydrolysé :

$$\text{Acyl-AMP} + \text{CoA} + \text{PP}_i + H_2O \rightarrow \text{Acyl-CoA} + \text{AMP} + 2\ \text{P}_i + 2\ H^+$$

Le groupement acyle et le CoA sont liés par une fonction thioester, qui présente un fort potentiel de transfert de groupe. Au cours de la synthèse d'un acyl-CoA, il y a donc investissement de deux fonctions phosphates riches en énergie : c'est pourquoi la réaction globale est fortement exergonique et pratiquement irréversible.

Pour l'acyl-CoA, il n'existe pas non plus de système de transport dans la membrane mitochondriale interne.

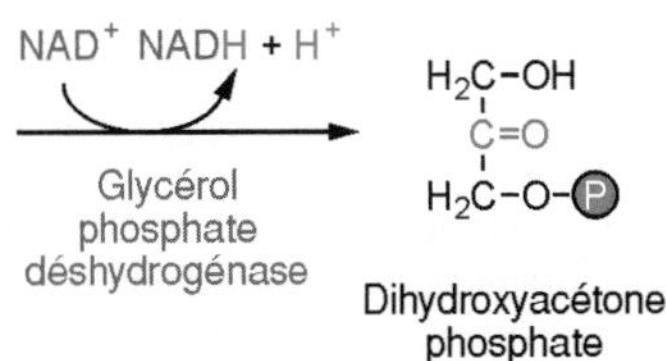

41.6 Conversion du glycérol en dihydroxyacétone phosphate. Cet intermédiaire peut être utilisé aussi bien pour la glycolyse (*fig.* 35.2) que pour la gluconéogenèse (*fig.* 39.1).

Acylcarnitine transférase

Acyl-CoA + Carnitine ⇌ HS-CoA + Acylcarnitine

41.7 Réaction catalysée par les acylcarnitine transférases. La carnitine est un zwittérion, dérivé d'un acide aminé γ.

C'est pourquoi les acides gras à longue chaîne doivent encore être pris en charge par le transporteur carnitine (*fig.* 41.7). Au niveau de la membrane mitochondriale externe, l'**acylcarnitine transférase I** catalyse la synthèse de l'acylcarnitine (un produit diffusible à travers les membranes) à partir d'acyl-CoA. La fonction thioester riche en énergie de l'acyl-CoA est conservée sous la forme d'un ester de carnitine. Une **translocase** échange alors l'acylcarnitine contre de la carnitine non chargée à travers la membrane mitochondriale interne. Sur la face matricielle, l'**acylcarnitine transférase II** mitochondriale transfère à nouveau le groupement acyle activé sur du CoA libre (*fig.* 41.8). La carnitine est alors à nouveau libre et se tient à disposition de la translocase pour le cycle suivant.

Tablleau 41.2 Types de réactions au cours de l'oxydation des acides gras

Type de réaction	Enzyme et Coenzyme
Oxydation	Deux déshydrogénases avec le coenzyme FAD ou NAD^+ introduisent des doubles liaisons.
Hydratation	Une hydratase ajoute une molécule d'eau sur une double liaison.
Thiolyse	Une thiolase clive une liaison C-C et transfère un groupement acyle sur le CoA.

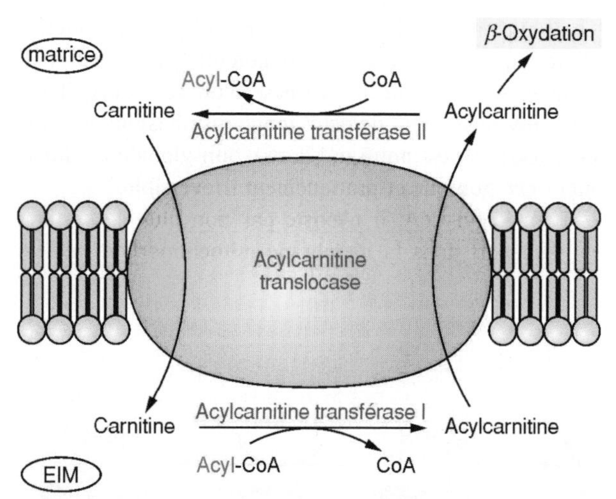

41.8 Cycle de la carnitine. L'acyl carnitine translocase de la membrane mitochondriale interne constitue un antiport. EIM, Espace intermembranaire.

Après ce « prélude », la dégradation des acides gras peut commencer dans la matrice mitochondriale. Les acides gras activés sont dégradés, grâce à la répétition d'une succession de quatre réactions, la ***β*-oxydation** (*fig.* 41.9 et *tab.* 41.2).

Acyl-CoA

FAD → $FADH_2$ — Actl-CoA déshydrogénase

trans-Δ^2-Énoyl-CoA

H_2O — Hydratase

3-Hydroxyacyl-CoA

NAD^+ → H^+ + NADH — Hydroxyacyl-CoA déshydrogénase

3-Cétoacyl-CoA

CoA-SH — Thiolase

Acyl-CoA (raccourci de deux carbones) + Acétyl-CoA

41.9 Étapes réactionnelles de la β-oxydation. L'acyl-CoA raccourci de deux atomes de carbone (en bas) entre à nouveau dans le cycle jusqu'à ce que l'acide gras soit complètement dégradé en résidus acyles. Il existe des isoformes d'acyl-CoA déshydrogénase spécifiques des résidus acyles à courte, moyenne ou longue chaîne.

41.4

La *β*-oxydation clive successivement des unités C_2 des acides gras

Durant la première réaction de chacun des cycles de la β-oxydation, l'**acyl-CoA déshydrogénase** catalyse l'oxydation de l'acyl-CoA ; grâce au transfert de deux atomes d'hydrogène sur une molécule de FAD, il en résulte une **double liaison** *trans* entre les carbones C2 (Cα) et C3 (Cβ) du résidu d'acide gras (*fig.* 41.9) :

$$\text{Acyl-CoA} + \text{FAD} \rightarrow trans\text{-}\Delta^2\text{-Énoyl-CoA} + \text{FADH}_2$$

Les électrons transférés au cours de l'oxydation sont incorporés dans la chaîne respiratoire, à partir du $FADH_2$ et *via* la **protéine ETF** (angl. *electron transferring flavoprotein*), l'ETF déshydrogénase et l'ubiquinone. Ils sont alors utilisés pour la synthèse d'ATP (*encart* 37.2). Au cours de la deuxième réaction, une **énoyl-CoA hydratase** catalyse l'addition spécifique d'eau sur la double liaison *trans*-Δ^2, ce qui donne le L-3-hydroxyacyl-CoA. Cette réaction est totalement réversible :

$$trans\text{-}\Delta^2\text{-Énoyl-CoA} + H_2O \rightarrow \text{L-3-Hydroxyacyl-CoA}$$

La L-**3-hydroxyacyl-CoA déshydrogénase** catalyse alors une oxydation supplémentaire, dans laquelle le NAD^+ sert d'accepteur d'hydrogène. Le groupement *β*-hydroxyle est alors converti en groupement *β*-cétone (d'où la dénomination de « *β*-oxydation ») et en même temps, du NADH est formé. La réaction catalysée par la déshydrogénase est totalement **stéréospécifique**, ce qui signifie que seule la forme L mais *pas* la forme D épimère du 3-hydroxyacyl-CoA est convertie :

$$\text{L-3-Hydroxyacyl-CoA} + NAD^+ \rightarrow \text{3-Cétoacyl-CoA} + \text{NADH} + H^+$$

Le NADH formé au cours de cette réaction peut se dissocier de l'enzyme, redonner ses électrons dans la chaîne respiratoire grâce au complexe I et participer ainsi à la formation d'ATP (*fig.* 37.4). Au cours de la quatrième étape, l'enzyme **thiolase** catalyse le clivage du *β*-cétoacyl-CoA. En utilisant du CoA, on obtient de l'acétyl-CoA ainsi qu'un résidu acyle raccourci de 2 carbones :

$$\text{3-Cétoacyl}_n\text{-CoA} + \text{CoA} \rightarrow \text{3-Acyl}_{n-2}\text{-CoA} + \text{Acétyl-CoA}$$

Le produit de la réaction raccourci de 2 carbones recommence à nouveau la suite de réactions, ce qui permet d'éliminer deux nouveaux carbones sous forme d'acétyl-CoA et de former à nouveau une molécule de $FADH_2$ et de NADH. De cette façon, au cours de sept cycles de réactions, le palmitoyl(C_{16})-CoA est complètement dégradé en huit unités à 2 carbones (*fig.* 41.10). Si l'on fait le **bilan réactionnel** de l'oxydation du palmitoyl-CoA, on obtient :

$$\text{Palmitoyl-CoA} + 7\ \text{FAD} + 7\ NAD^+ + 7\ \text{CoA} + 7\ H_2O \rightarrow 8\ \text{Acétyl-CoA} + 7\ FADH_2 + 7\ \text{NADH} + 7\ H^+$$

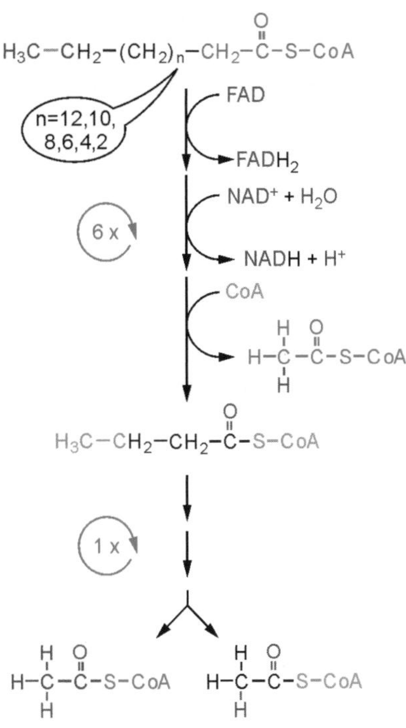

41.10 Dégradation du palmitate (en haut) par β-oxydation. À chacun des six premiers « tours » du cycle, on obtient un acétyl-CoA (au milieu) ; le septième et dernier tour fournit deux acétyl-CoA (en bas).

L'acétyl-CoA peut ensuite être totalement dégradé en CO_2 et H_2O grâce au cycle de Krebs (*fig.* 36.4) et à la chaîne respiratoire (réoxydation du $FADH_2$ et du NADH) (*fig.* 37.3). Sept $FADH_2$ et sept NADH fournissent par la phosphorylation oxydative un bénéfice maximal de 26 ATP. L'**oxydation** de huit acétyl-CoA apporte dans le cycle de Krebs un total de huit GTP, 24 NADH et huit $FADH_2$, ce qui représente environ 74 groupements phosphates riches en énergie (§ 36.3). L'équivalent de deux ATP doit être utilisé pour l'activation du palmitate en palmitoyl-CoA ; la **production nette** de l'ensemble de l'oxydation du palmitate en CO_2 et H_2O est donc d'environ 98 ATP.

41.5

Deux enzymes supplémentaires permettent la dégradation des acides gras insaturés

On a étudié jusqu'à présent la dégradation d'acides gras saturés comportant un nombre pair de carbones. Les acides gras **insaturés** et/ou comportant un **nombre impair de carbones**, qui proviennent de la nourriture, sont dégradés en utilisant des variantes de la β-oxydation. Deux enzymes supplémentaires sont nécessaires pour la dégradation des acides gras insaturés : une isomérase et une réductase. Considérons tout d'abord l'exemple d'un acide gras poly-insaturé, l'acide linoléique (un acide organique *cis*-Δ^{9-12} avec 18 carbones) (*fig.* 41.11). Les trois premiers tours de *β*-oxydation se déroulent comme dans le cas de l'acide organique saturé à 18 carbones (acide stéarique). Le produit résultant, le *cis*-Δ^3-énoyl-CoA, *n*'est bien sûr *pas* converti par l'acyl-CoA déshydrogénase, car la double liaison Δ^3 empêche la formation d'une double liaison Δ^2 supplémentaire. La cellule trouve une porte de sortie élégante : la **cis-Δ^3-énoyl-CoA isomérase** convertit le *cis*-Δ^3 en *trans*-Δ^2-énoyl-CoA et permet ainsi de fournir un substrat acceptable par l'hydratase, tout en contournant la réaction de déshydrogénation.

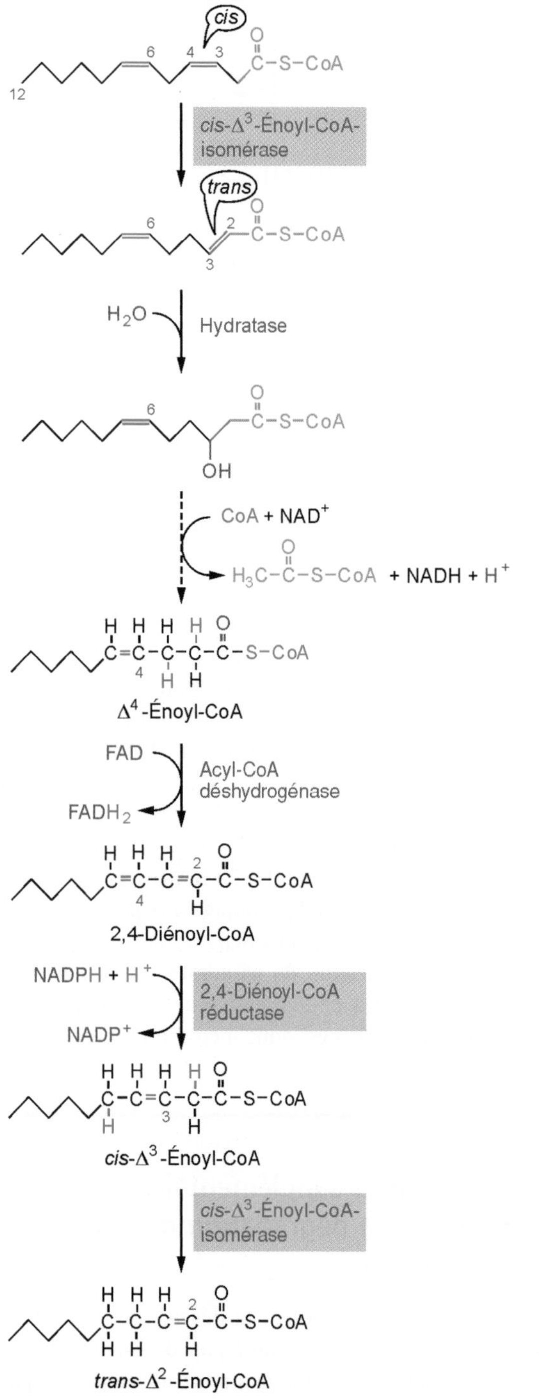

Après un autre tour de β-oxydation, on obtient le Δ^4-énoyl-CoA, et après une déshydrogénation en Δ^2, un composé présentant deux doubles liaisons conjuguées est formé (*fig.* 41.11). L'hydratase ne peut *pas* convertir ce composé 2,4-diénoyl. Une **2,4-diénoyl-CoA réductase** entre alors en jeu et convertit le diène en *cis*-Δ^3-énoyl-CoA, qui est à nouveau converti en *trans*-Δ^2-énoyl-CoA. Ainsi la connexion avec le cycle normal de β-oxydation est à nouveau établie. Une cellule ne nécessite que deux enzymes supplémentaires pour pouvoir utiliser des acides gras poly-insaturés : c'est une autre variation sur le thème de « l'économie cellulaire ». Les acides gras avec un nombre impair de carbones utilisent la *β*-oxydation, de la même façon que les acides gras avec un nombre pair de carbones ; simplement, au moment de la dernière étape, une unité à 3 carbones de **propionyl-CoA** est formée en plus de l'acétyl-CoA. Le propionyl-CoA peut être converti en succinyl-CoA par carboxylation et isomérisation (§ 43.7), lequel sera utilisé dans le cycle de Krebs.

41.11 Dégradation d'acides gras polyinsaturés par β-oxydation. La *cis*-Δ^3-énoyl-CoA isomérase et la 2,4-diénoyl-CoA réductase (encadrés bleus) complètent l'arsenal des enzymes de dégradation des acides gras.

41.6 L'excès d'acétyl-CoA induit la formation de corps cétoniques

Dans des conditions normales, les résidus acétyles produits au cours de la dégradation des acides gras sont transférés sur l'oxaloacétate et entrent alors dans le cycle de Krebs. En cas d'excès d'acides gras doublé d'un déficit en glucose, par exemple après un jeûne prolongé, l'oxaloacétate peut se raréfier et en conséquence, le cycle de Krebs peut être « freiné » dans le foie (§ 36.4). Comme la *β*-oxydation tourne à plein régime pour fournir les équivalents de réduction nécessaires à la synthèse d'ATP, l'acétyl-CoA s'accumule, car il ne peut pas être utilisé pour la synthèse *de novo* de pyruvate ou pour celle d'autres intermédiaires glycolytiques. Même les **acides aminés glycogéniques**, qui servent de substrats anaplérotiques pour le cycle de Krebs et pourraient le maintenir en action (*fig.* 36.12), n'arrivent pas à améliorer la situation, car l'oxaloacétate formé est utilisé prioritairement dans la gluconéogenèse (*fig.* 39.1). Dans ces conditions, le foie recycle l'acétyl-CoA en **corps cétoniques**, comme l'acétoacétate et le 3-hydroxy-butyrate, de façon à ce que le catabolisme ne succombe pas par manque de CoA. Dans le cas du coma diabétique, la production de corps cétoniques est accrue de façon très excessive (*encart* 41.3).

Encart 41.3 : Corps cétoniques et coma diabétique

Dans le diabète sucré (lat. *diabetes mellitus*), l'insuffisance en insuline provoque une stimulation de la lipolyse (*encart* 41.2) et de la gluconéogenèse, ce qui a pour conséquences une augmentation de la dégradation des acides gras et une utilisation simultanée d'oxaloacétate (*fig.* 39.1). L'acétyl-CoA issu de la β-oxydation s'accumule dans les cellules du foie et est condensé grâce à la 3-cétothiolase en unités à 4 carbones d'acétoacétyl-CoA (*fig.* 41.12). L'enzyme HMG-CoA synthase condense l'acétoacétyl-CoA avec un autre acétyl-CoA pour former du 3-hydroxy-3-méthylglutaryl-CoA (unité à 6 carbones ; HMG-CoA). La HMG-CoA lyase catalyse ensuite l'élimination d'acétyl-CoA pour former de l'**acétoacétate**, lequel est à son tour transformé spontanément en **acétone** (unité à 3 carbones) par décarboxylation spontanée. Une hydratation dépendante du NADH permet de transformer l'acétoacétate en **D-β-hydroxybutyrate**. En cas d'hyperglycémie aiguë, le foie produit de grandes quantités de corps cétoniques, qui s'accumulent dans le sang et induisent une diminution du pH (ou acidocétose). C'est le passage à travers les poumons de sang chargé en corps cétoniques, qui donne à la respiration d'une personne en coma diabétique une odeur typique d'acétone.

Dans des conditions physiologiques, le foie envoie les corps cétoniques *via* la circulation sanguine vers des organes périphériques comme le cerveau, le cœur et les reins. Lors d'un jeûne prolongé entraînant une limitation de l'approvisionnement en glucose, le cerveau utilise de plus en plus les corps cétoniques disponibles pour générer l'énergie qui lui est nécessaire (*fig.* 31.13). *L'acétoacétate représente donc une forme hydrophile de transport de l'acétyl-CoA, qui devient la source d'énergie la plus importante pour le système nerveux central, en cas de jeûne prolongé.*

Acétyl-CoA + Acétyl-CoA

3-Cétothiolase → CoA–SH

Acétoacétatyl-CoA

HMG-CoA synthase (CH_3–CO–S–CoA + H_2O → CoA–SH + H^+)

β-Hydroxy-β-méthylglutaryl-CoA (HMG-CoA)

HMG-CoA-lyase → CH_3–CO–S–CoA

Acétoacétate → (H^+, CO_2) Acétone

Acétoacétate → (β-Hydroxybutyrate déshydrogénase; NADH + H^+ → NAD^+) β-Hydroxybutyrate

41.12 Formation des corps cétoniques dans les mitochondries, à partir d'acétyl-CoA.

41.7 La synthèse d'acides gras n'est pas simplement l'inverse de la β-oxydation

Un concept de base du métabolisme est la séparation claire des voies du métabolisme anabolique et catabolique. Ce principe est aussi valable en ce qui concerne le métabolisme des acides gras : la synthèse d'acides gras que l'on va voir maintenant n'est pas simplement l'inverse de la β-oxydation. De nombreuses caractéristiques différencient les deux chaînes de réaction : la localisation (synthèse dans le cytosol, dégradation dans les mitochondries), le transporteur (*acyl carrier protein vs.* acétyl-CoA), les éléments constitutifs (malonyl-CoA *vs.* acétyl-CoA), les coenzymes d'oxydoréduction (NADPH *vs.* NADH), la stéréospécificité (configuration D *vs.* L) ou bien encore l'isomérie (*trans vs. cis*).

L'élément à partir duquel les acides gras sont formés est à nouveau l'acétyl-CoA. Ce composé à 2 carbones, qui provient surtout de la glycolyse et de la dégradation

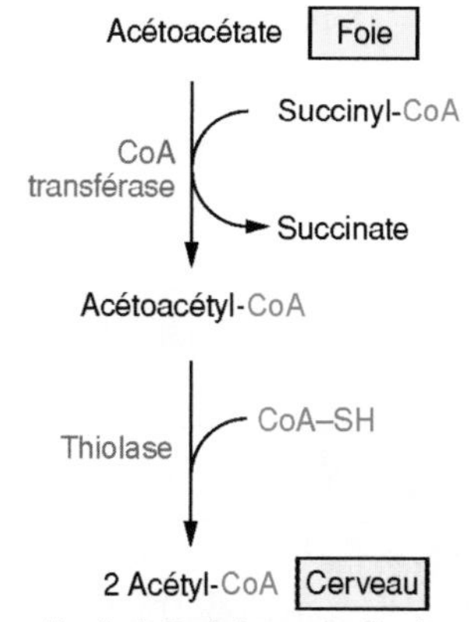

41.13 Formation d'acétyl-CoA à partir d'acétoacétate. La CoA transférase convertit l'acétoacétate en acétoacétyl-CoA ; la thiolase utilise du CoA pour générer deux acétyl-CoA à partir de ce composé – une réaction analogue à la dernière réaction de la β-oxydation (comparer avec la *fig.* 41.9).

$$H_3C{-}\overset{O}{\overset{\|}{C}}{-}S{-}CoA + ATP + HCO_3^- \xrightarrow{\text{Acétyl-CoA carboxylase}} {}^{-}O(O{=})C{-}CH_2{-}\overset{O}{\overset{\|}{C}}{-}S{-}CoA + ADP + P_i$$

Acétyl-CoA → Malonyl-CoA

41.14 Réaction catalysée par l'acétyl-CoA carboxylase. Le groupement carboxyle provient du bicarbonate (HCO_3^-) et est ensuite transféré sur la biotine grâce à la consommation d'ATP (comparer avec la *fig.* 39.2).

des acides aminés, doit d'abord être activé. L'**acétyl-CoA carboxylase**, une enzyme **biotinylée**, catalyse dans le cytoplasme la carboxylation de l'acétyl-CoA en **malonyl-CoA**. Cette réaction consomme du bicarbonate (HCO_3^-) et de l'ATP (*fig.* 41.14).

La synthèse de malonyl-CoA constitue l'**étape limitante** de la synthèse des acides gras. La quantité disponible de carboxylase est régulée à moyen et long terme au niveau de l'expression du gène correspondant et de la dégradation protéolytique. La régulation à court terme de l'activité enzymatique résulte de mécanismes allostériques et de phénomènes d'interconversion (*encart* 41.4).

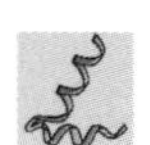

Encart 41.4 : L'acétyl-CoA carboxylase

L'enzyme qui catalyse l'étape limitante de la synthèse d'acides gras est régulée à plusieurs niveaux (*fig.* 41.15) : une phosphorylation par une kinase dépendante de l'AMP inhibe l'enzyme, tandis qu'une déphosphorylation par la protéine phosphatase-2A (PP2A) l'active. Quand une concentration élevée en AMP signale une charge énergétique faible d'une cellule, l'AMP peut également inactiver la carboxylase par inhibition allostérique. L'adrénaline et le glucagon constituent aussi des inhibiteurs indirects car ils activent une kinase dépendante de l'AMP, laquelle inactive la phosphatase PP2A, ce qui stabilise la carboxylase sous sa forme phosphorylée : ceci a pour résultat une diminution de la synthèse d'acides gras. Au contraire, l'insuline stimule la synthèse d'acides gras, probablement par activation de la phosphatase PP2A. Le citrate, le signal d'un excès d'éléments constitutifs et de transporteurs d'énergie, peut activer de façon allostérique la carboxylase phosphorylée et contribuer au redémarrage de la synthèse d'acides gras. Enfin, le palmitoyl-CoA, le produit final de la synthèse d'acides gras, peut inhiber de façon allostérique la carboxylase : il s'agit d'un cas classique de « rétrocontrôle négatif ».

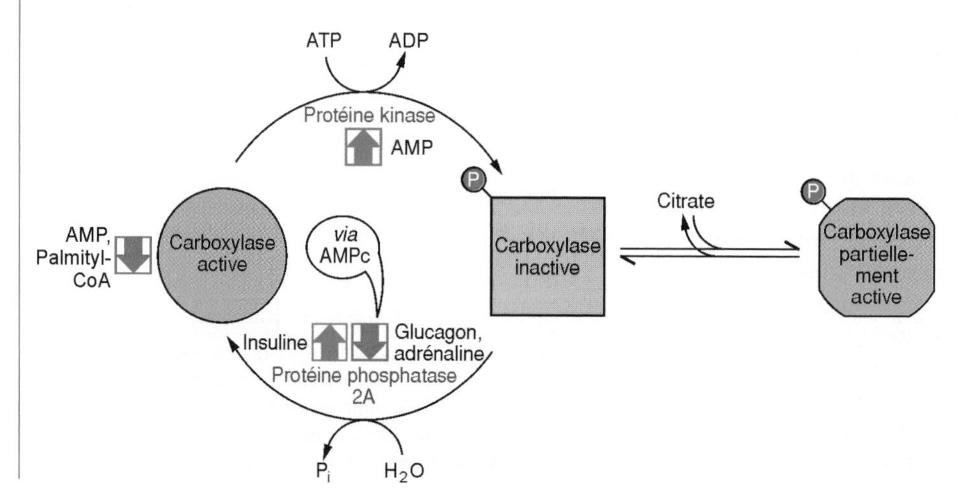

41.15 Régulation multilatérale de l'activité de l'acétyl-CoA carboxylase.

41.8 L'acide gras synthase est une enzyme multifonctionnelle

Dans les cellules eucaryotes, la synthèse d'acides gras fait intervenir l'acide gras synthase ou FAS (angl. *fatty acid synthase*), un **complexe multienzymatique** cytoplasmique, constitué de deux grandes sous-unités identiques, d'environ 270 kDa (*fig.* 41.16). Chacune de ces sous-unités porte un jeu de 6 centres catalytiques sur une seule longue chaîne polypeptidique de 2 500 acides aminés.

Des **domaines ACP** (angl. *acyl carrier protein*) sont situés dans une position centrale stratégique de l'acide gras synthase et lient de façon covalente un résidu 4-phosphopantéthéine par un groupement thiol (*fig.* 41.17). Ce coenzyme a une structure proche du coenzyme A. Il constitue une sorte de bras pivotant qui permet de transporter les groupements acyles d'un centre catalytique du complexe au suivant. De cette façon, les domaines ACP canalisent le flux de substrat et facilitent une succession ordonnée de réactions.

Au cours de la réaction de départ, un domaine ACP est d'abord chargé avec un résidu acyle. Une série de six réactions est alors enclenchée et se répète, jusqu'à ce que l'acide gras ait atteint la taille désirée (tab. 41.3). Une réaction finale d'hydrolyse permet ensuite de libérer l'acide gras nouvellement synthétisé du domaine ACP.

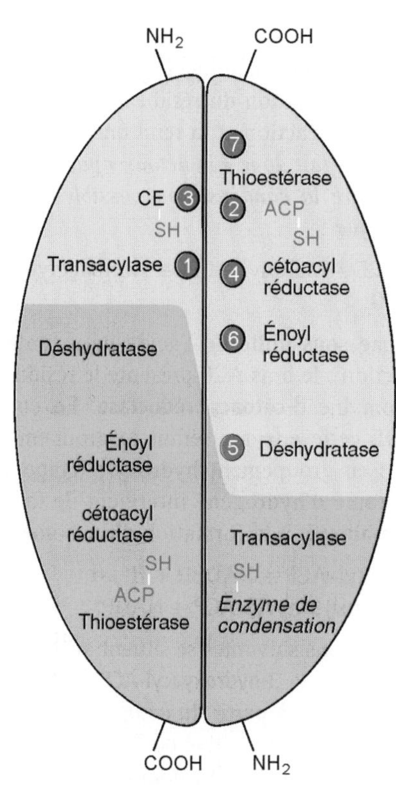

41.16 Représentation schématique de l'acide gras synthase humaine. Les deux sous-unités sont placées de façon antiparallèle et portent chacune sept domaines catalytiques. L'un d'eux correspond à l'*acyl carrier protein* (ACP) impliquée dans la synthèse des acides gras chez les procaryotes. Les deux domaines N-terminaux d'une sous-unité forment avec les cinq domaines C-terminaux de l'autre, une unité fonctionnelle à activité synthase (les deux unités fonctionnelles sont représentées par les deux couleurs jaune clair et jaune foncé). Les domaines constitués par l'ACP et l'enzyme de condensation (CE) portent des groupements thiol essentiels (-SH). Les chiffres indiquent l'ordre dans lequel les différents domaines entrent en action au cours d'un cycle de synthèse.

Tableau 41.3 Types de réaction de la synthèse d'acides gras

Type de réaction	Enzyme et Coenzyme
Transacétylation	Trois acétylases ajoutent des résidus acyle
Addition	Une synthase catalyse la formation d'une double liaison
Réduction	Deux réductases transfèrent des ions hydrure du NADPH
Déshydratation	Une déshydratase clive une molécule d'H_2O tout en catalysant la formation d'une double liaison
Hydrolyse	Une thioestérase catalyse la libération des acides gras

41.9 Les acides gras sont formés par de multiples condensations d'unités C_2

La synthèse des acides gras commence par une réaction initiale, au cours de laquelle une transacylase transfère un groupement acétyl-CoA sur un domaine ACP :

Acétyl-CoA + ACP-SH → Acétyl-ACP + CoA

Suit alors une série répétitive de six réactions (*fig.* 41.18), correspondant au transfert de groupements acétyles par la β-cétoacyl synthase, également appelée **enzyme de condensation (CE)** (étape 1). Une autre transacylase transfère ensuite un groupement malonyl-CoA sur l'ACP (étape 2) :

Acétyl-ACP + CE-SH → Acétyl-CE + ACP-SH
Malonyl-CoA + ACP-SH → Malonyl-ACP + CoA

Ces réactions ont lieu au niveau d'une première sous-unité du complexe de la synthase. En bilan net, deux CoA sont libérés et deux nouvelles fonctions thioester sont formées. L'enzyme de condensation condense alors un groupement acétyle avec un groupement malonyle et se trouve elle-même « déchargée » ; l'unité acétoacétyle formée reste liée au domaine ACP (étape 3). Au cours de cette réaction, le groupement carbonyle (C1 du résidu acétyle) est transféré sur le groupement méthyle (C2 du

Phosphopantéthéine

SH–CH2–CH2–N(H)–C(=O)–CH2–CH2–N(H)–C(=O)–C(OH)(H)–C(CH3)(CH3)–CH2–O–P(=O)(O⁻)–O–Ser–(ACP)

Phosphopantéthéine — CoA

SH–CH2–CH2–N(H)–C(=O)–CH2–CH2–N(H)–C(=O)–C(OH)(H)–C(CH3)(CH3)–CH2–O–P(=O)(O⁻)–O–P(=O)(O⁻)–O–CH2 — Adénine, OH OH

Cystéamine | β-Alanine | Acide pantoïnique | ADP
Acide pantothénique

41.17 La phosphopantéthéine comme groupement d'ancrage de l'ACP (angl. *acyl carrier protein*). Comme dans le cas du coenzyme A, l'ACP porte un groupement phosphopantéthéine, qui est lié à la chaîne polypeptidique au niveau d'un résidu sérine. On a déjà vu le principe du « bras de rotation » moléculaire dans le cas de la biotine (*encart* 39.1) et de l'acide liponique (*fig.* 36.2).

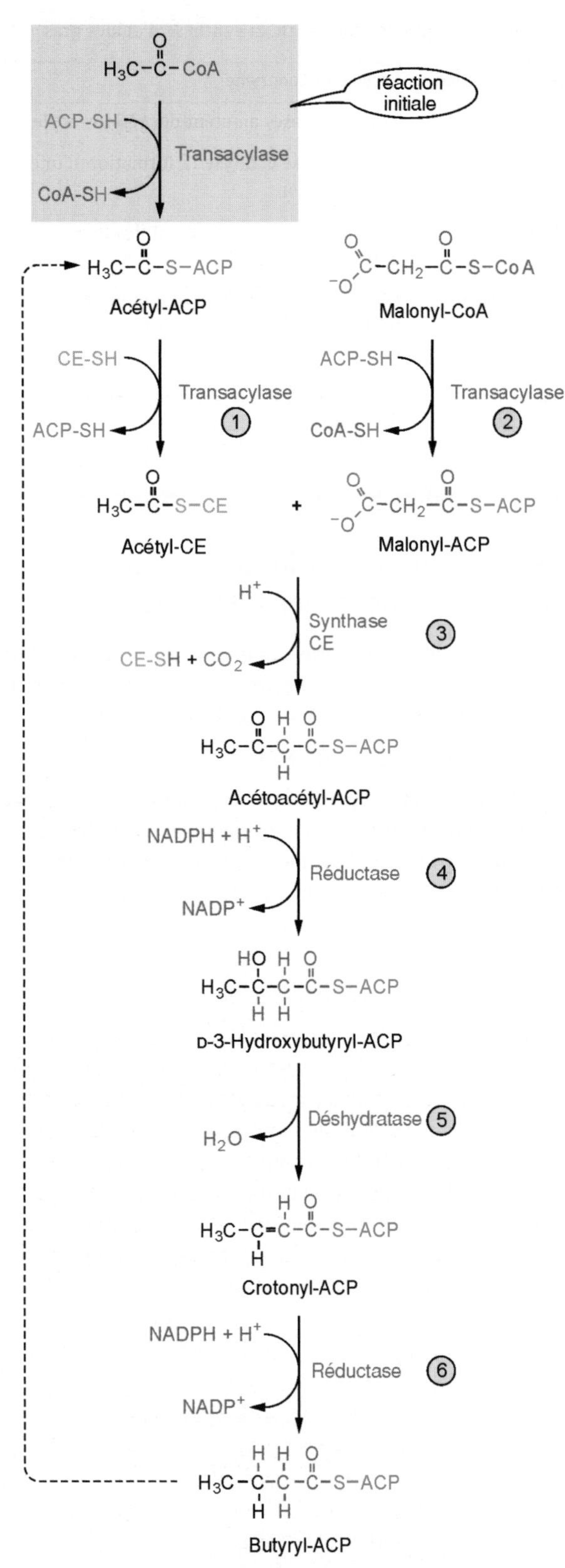

41.18 Suite de réactions lors de la synthèse d'acides gras. La réaction de départ comme la première réaction du cycle de synthèse (étapes 1 à 6) sont présentées ici. ACP, *acyl carrier protein* ; CE *condensing enzyme.*

résidu malonyle) et simultanément, le groupement carboxyle (C3 du résidu malonyle) est libéré sous forme de CO_2. La décarboxylation du résidu malonyle constitue le moteur de cette réaction et la rend pratiquement irréversible. *La cellule fait donc « le détour » par un composé en C3 pour rendre la condensation possible d'un point de vue énergétique* :

Acétyl-CE + Malonyl-ACP → Acétoacétyl-ACP + CE-SH + CO_2

La deuxième sous-unité de l'acide gras synthase entre alors en action : le bras ACP présente le résidu acétoacétyle au domaine **β-cétoacyl réductase**. En consommant du NADPH, cette enzyme réduit le groupement carbonyle en C3 en groupement hydroxyle (étape 4). L'addition de l'atome d'hydrogène intervient de façon **stéréosélective** et aboutit à la formation d'un isomère D :

Acétoacétyl-ACP + NADPH + H^+ →
D-3-Hydroxybutyryl-ACP + $NADP^+$

Les deux réactions suivantes se situent aussi au niveau de cette sous-unité : la **3-hydroxyacyl-ACP déshydratase** clive une molécule d'eau à partir du composé 3-hydroxy-acyle (étape 5). On obtient un dérivé de l'acide crotonique (CH_3-CH=CH-COOH), qui porte une double liaison *trans*-Δ^2 :

D-3-Hydroxybutyryl-ACP → Crotonyl-ACP + H_2O

Enfin, une **énoyl-ACP réductase** utilise du NADPH pour réduire le crotonyl-ACP en butyryl-ACP (étape 6) :

Crotonyl-ACP + NADPH + H^+ → Butyryl-ACP + $NADP^+$

En quatre réactions, un acide carboxylique à 4 carbones a donc été formé. Un nouveau cycle de synthèse peut alors commencer avec le transfert du groupement butyryle de l'ACP vers le groupement SH libre de l'enzyme de condensation de la sous-unité opposée et avec le chargement du transporteur ACP par une unité malonyl. Après quatre nouvelles étapes réactionnelles, on obtient le composé à 6 carbones hexanoyl-ACP. Après sept « tours » d'élongation, la chaîne a atteint une longueur de 16 carbones et la thioestérase catalyse la réaction finale d'hydrolyse de la fonction thioester de l'acyl-ACP. L'acide palmitique est alors libéré :

Palmitoyl-ACP + H_2O → Acide palmitique + ACP-SH

L'acide gras synthase peut produire des groupements acyles d'une longueur maximale de 16 atomes de carbone. Pour la synthèse d'acides gras plus longs et/ou insaturés, des réactions supplémentaires sont nécessaires (§ 41.10).

Le bilan réactionnel de la synthèse d'acide palmitique peut s'écrire comme suit :

8 Acétyl-CoA + 14 NADPH + 7 ATP + 7 H^+ →
Acide palmitique + 8 CoA + 14 $NADP^+$ + 7 ADP + 7 P_i + 6 H_2O

Le métabolisme des acides gras doit être constamment adapté aux besoins du métabolisme général. Les acteurs principaux sont l'insuline, avec son rôle lipogénique ainsi que les hormones lipolytiques glucagon et adrénaline. Une régulation réciproque des deux processus permet de s'assurer que la synthèse d'acides gras et la β-oxydation ne fonctionnent pas simultanément.

41.10 Des acides gras à longue chaîne et insaturés sont formés dans le cytosol

Tous les précurseurs dans la synthèse des acides gras doivent être transférés des mitochondries vers le cytoplasme. Pour ce faire, l'acétyl-CoA utilise la **navette citrate**, qui fournit aussi une partie du NADPH grâce à l'enzyme malique (*encart* 41.5). Le reste du NADPH est produit dans le cytosol grâce à la voie des pentoses phosphates (§ 38.2). L'ATP provient de la phosphorylation oxydative et arrive dans le cytosol par le biais de la translocase ATP/ADP (§ 37.9).

Encart 41.5 : La navette citrate

L'acétyl-CoA ne peut pas utiliser le transport par la carnitine, prévu pour les résidus acyles à longue chaîne et contourne le problème en utilisant la navette citrate. La citrate synthase mitochondriale condense l'acétyl-CoA avec l'oxaloacétate pour former du citrate, qui atteint le cytosol grâce à un antiport en échange de malate ou d'un autre composé dicarboxylé (*fig.* 41.19). L'ATP-citrate lyase cytoplasmique permet de régénérer l'acétyl-CoA et l'oxaloacétate à partir du citrate, en consommant de l'ATP. La malate déshydrogénase cytosolique convertit l'oxaloacétate en malate avec consommation de NADH, et le malate est décarboxylé en pyruvate par l'enzyme malique, ce qui génère du NADPH. Le pyruvate est alors transporté en même temps que des protons dans la matrice mitochondriale par le transporteur du pyruvate, un symport. Dans la mitochondrie et avec consommation d'ATP, le pyruvate peut être carboxylé pour former de l'oxaloacétate : le cycle est alors complet. Le bilan net est le transport vers le cytoplasme d'une molécule d'acétyl-CoA en échange de la consommation de deux ATP ; en même temps, un NADH est converti en NADPH. Quand il n'y a pas assez de composés dicarboxylés disponibles dans le cytosol pour le fonctionnement de l'antiport avec le citrate, le malate peut parvenir directement dans la matrice mitochondriale *via* l'antiport et être converti en oxaloacétate par oxydation dépendante de NAD^+.

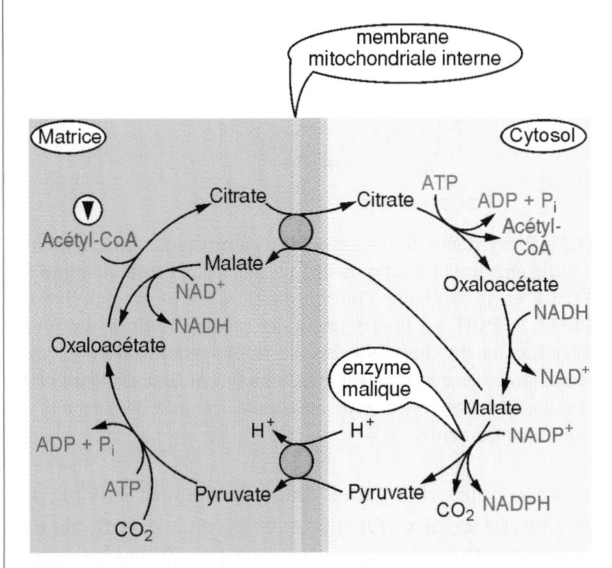

41.19 Suite de réactions de la navette citrate mitochondriale.

Le produit principal des réactions catalysées par l'acide gras synthase est l'acide palmitique, un acide gras à 16 carbones ; les acides gras à plus longue chaîne sont avant tout produits côté cytosolique de la membrane du **réticulum endoplasmique**. Dans ce cas, le donneur malonyl-CoA fournit successivement plusieurs unités de 2 carbones, qui sont condensées au niveau de l'extrémité carboxylée du résidu acyle pour former par exemple de l'acide stéarique (C_{18}) ou de l'acide arachidonique (C_{20}), un précurseur important des prostaglandines (§ 41.11). Les acides gras insaturés sont formés au même endroit par déshydrogénation sélective d'acyl-CoA saturé (*fig.* 41.20). Un complexe formé de la **cytochrome b_5 réductase**, du **cytochrome b_5** et de la **désaturase** permet d'extraire deux atomes d'hydrogène du résidu acyle et de les transférer sur de l'oxygène moléculaire. Simultanément, deux électrons et deux protons, provenant du NADH, passent à travers une chaîne de transport pour réduire l'O_2 en H_2O.

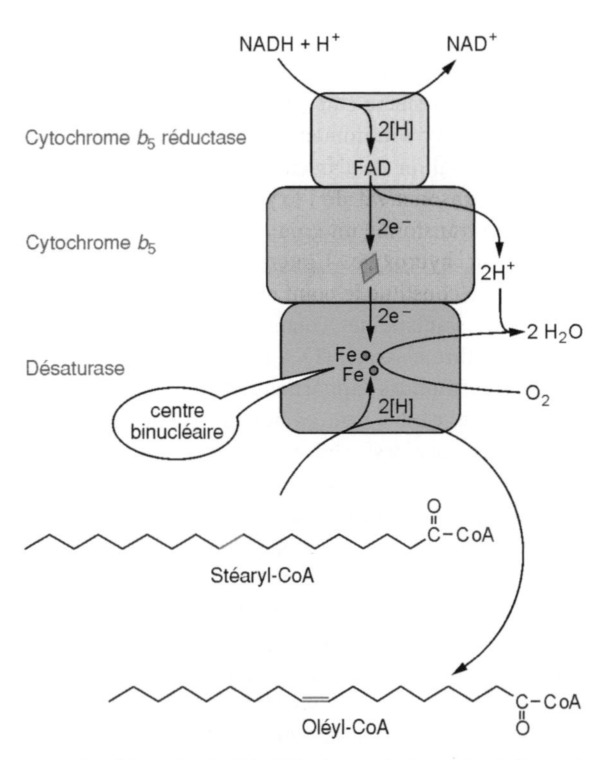

41.20 Synthèse de l'oléyl-CoA à partir de stéaryl-CoA. La réduction de l'hydrogène a lieu au niveau du centre fer binucléaire de la désaturase.

Ainsi, la combinaison de l'allongement de chaîne et des désaturations permet de former, à partir de l'acide palmitique, toute une palette de dérivés d'acides gras – un autre exemple de l'économie dans les systèmes biologiques. Les limites de cette diversification des produits sont atteintes avec l'acide linoléique (C_{18}, cis-$\Delta^{9,12}$) et l'acide linolénique (C_{18}, cis-$\Delta^{9,12,15}$) : comme l'organisme humain ne possède aucune enzyme, lui permettant d'introduire des doubles liaisons au-delà du C9, l'acide linoléique et l'acide linolénique constituent des éléments « essentiels » de notre alimentation.

41.11 L'acide arachidonique est le précurseur des prostaglandines et des thromboxanes

L'acide arachidonique, le précurseur des prostaglandines et d'autres molécules de signalisation, dérive de l'acide linoléique. Cet acide gras polyinsaturé, à 20 carbones, est un constituant des glycérophospholipides des membranes biologiques (§ 24.9). Après activation par des récepteurs couplés à une protéine $G\alpha_q$, la phospholipase A_2 peut synthétiser de l'acide arachidonique à partir de glycérophospholipides ; alternativement, une lipase peut générer de l'acide arachidonique à partir de diacylglycérol. À partir de l'acide arachidonique, on obtient toutes les voies de synthèse des **eicosanoïdes**, une classe de molécules de signalisation présentant 20 carbones et à laquelle appartiennent les prostaglandines, les prostacyclines, le thromboxane et les leukotriènes (*fig.* 41.21). La prostaglandine synthase est une enzyme bifonctionnelle, qui réalise la première étape dans la synthèse des prostaglandines : avec son domaine **cyclooxygénase**, elle catalyse la cyclisation de l'arachidonate en prostaglandine PGG_2, en consommant de l'oxygène. Le domaine **hydroperoxidase** transforme un groupement hydroperoxyde en groupement hydroxyle. L'intermédiaire PGH_2 à courte durée de vie constitue le point de départ pour la synthèse d'autres prostaglandines comme PGA_2, la prostacycline (PGI_2) et le thromboxane (TXA_2).

Les eicosanoïdes appartiennent aux hormones à action locale, c'est-à-dire les **hormones à action auto- ou paracrine** (autacoïdes). Grâce à leurs récepteurs couplés à des protéines G, ils agissent comme facteurs **proinflammatoires**, régulent localement le flux sanguin, contrôlent le flux ionique à travers les membranes et modulent la transmission synaptique. L'**aspirine**, un médicament anti-inflammatoire et antithrombotique, bloque la synthèse de la plupart des eicosanoïdes (*encart* 41.6).

Dans ce chapitre, on a vu que les lipides et leurs dérivés agissent dans les voies de métabolisme comme combustibles, comme molécules de stockage, de signalisation ou comme éléments constituants. Le caractère amphiphile des lipides rend indispensables des systèmes de transport spécifiques, pour les acheminer entre différentes cellules et organes. Dans le chapitre suivant, on va s'intéresser aux transporteurs les plus importants des lipides, les lipoprotéines, ainsi qu'à l'un de leurs composants principaux, le cholestérol.

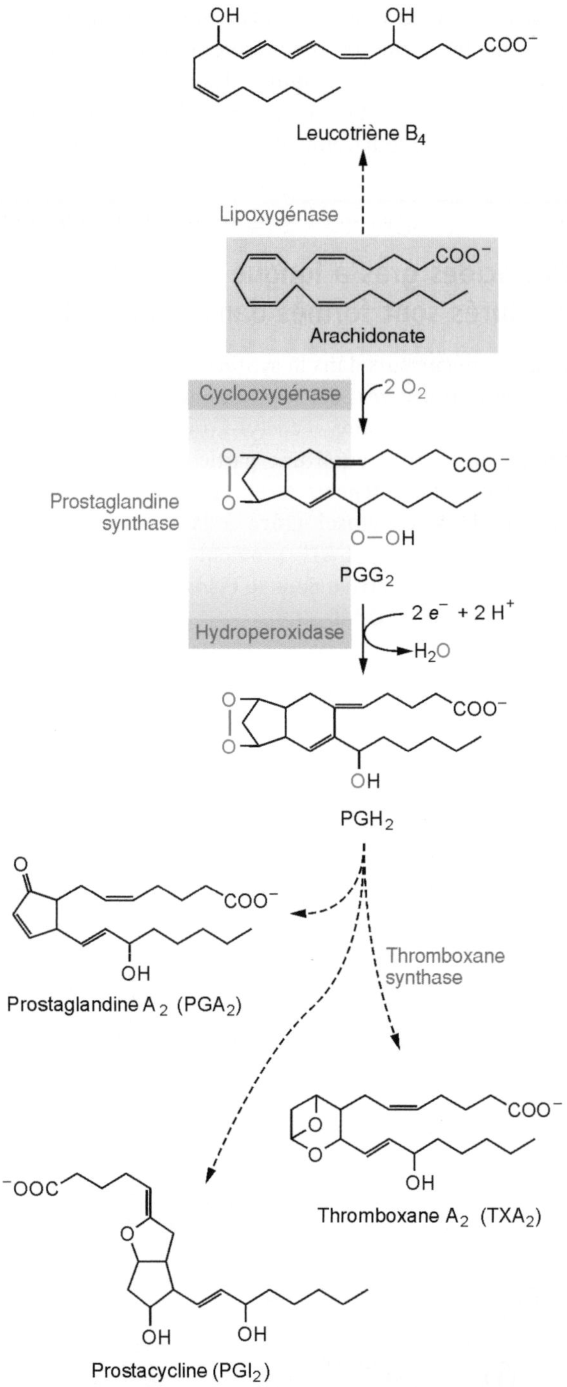

41.21 Biosynthèse des eicosanoïdes. La prostaglandine synthase est une enzyme bifonctionnelle, qui génère la prostaglandine H_2 (PGH_2), en passant par l'intermédiaire de la prostaglandine G_2 (PGG_2). La PGH_2 est le précurseur des prostaglandines, des prostacyclines et du thromboxane. La lipoxygénase ouvre la voie dépendante des cyclooxygénases, vers la synthèse des leukotriènes. La biosynthèse des eicosanoïdes se déroule dans le réticulum endoplasmique.

Encart 41.6 : L'acide acétylsalicylique

L'acide acétylsalicylique (aspirine) est un médicament très courant préconisé en cas d'inflammations, de fièvre et de douleurs. L'acide acétylsalicylique inhibe de façon irréversible la synthèse des prostaglandines par acétylation d'un résidu sérine situé dans le site actif de la cyclooxygénase. La répression de la synthèse de prostaglandines empêche la formation et la propagation d'une inflammation. Le blocage simultané de la synthèse de thromboxane A_2 donne aussi à l'acide acétylsalicylique une action antithrombotique prononcée. En effet, même à des concentrations nanomolaires, le thromboxane induit une agrégation des plaquettes sanguines et favorise donc la formation de thromboses. L'inhibition irréversible de la cyclooxygénase dans les plaquettes sanguines supprime complètement la synthèse de thromboxane dans ces fragments de cellules anucléées, car les plaquettes ne peuvent pas re-synthétiser de nouvelle enzyme.

Biosynthèse du cholestérol, des stéroïdes et des lipides membranaires

42

Les **glycérophospholipides** ou phosphoglycérides, les **sphingolipides** et le **cholestérol** font partie des éléments essentiels des membranes biologiques. Les glycérophospholipides - les phospholipides les plus importants - et les sphingolipides, parmi lesquels on compte la sphingomyéline et les (sphingo)glycolipides (*tab.* Lipides), remplissent des fonctions importantes dans la signalisation cellulaire. Des perturbations dans la dégradation de ces lipides peuvent conduire à des pathologies graves, les lipidoses. Quant au cholestérol, c'est un élément intégral des membranes eucaryotes, un précurseur de toutes les hormones stéroïdes, un élément essentiel des lipoprotéines et un composé clé dans la synthèse des acides biliaires et du calcitriol. On va s'intéresser en premier lieu aux principales étapes de la biosynthèse du cholestérol et à la régulation de cette voie centrale du métabolisme. On verra à titre d'exemple, que l'échange de cholestérol est étroitement contrôlé grâce à des systèmes de transport et des récepteurs spécifiques. La carence en récepteurs conduit à une hypercholestérolémie congénitale, qui se traduit par une athérosclérose précoce et des infarctus du myocarde pouvant survenir dès la jeunesse.

42.1 Le cholestérol est formé à partir d'acétyl-CoA, par de multiples condensations

Le cholestérol, avec son squelette à 27 carbones est synthétisé à partir de résidus d'acétyl-CoA : un marathon biosynthétique comportant plus de 30 étapes, permet de former la molécule de cholestérol à partir d'unités à 2 carbones (*fig.* 42.1). Chez l'être humain, le cholestérol est le produit le plus important de la voie de métabolisme des isoprénoïdes. D'autres dérivés des isoprènes - également appelés **isoprénoïdes** (*encart* 42.1) - sont l'ubiquinone ainsi que des composés hydrophobes, qui servent d'ancres lipidiques membranaires pour diverses protéines. Les plantes synthétisent aussi une grande diversité d'isoprénoïdes, souvent en grande quantité ; on compte parmi ceux-ci la plupart des composés aromatiques ainsi que les huiles essentielles.

La biosynthèse du cholestérol se déroule dans trois compartiments subcellulaires différents. Les deux premières étapes correspondent exactement à la synthèse mitochondriale des corps cétoniques (§ 41.12), mais ont lieu dans le cytosol. Ensuite, une **cétothiolase** catalyse la liaison entre deux molécules d'acétyl-CoA pour former une molécule d'acétoacétyl-CoA. Une autre enzyme, l'**hydroxyméthylglutaryl-CoA synthase** ajoute encore une autre molécule d'acétyl-CoA ; on obtient alors le **3-hydroxy-3-méthylglutaryl-CoA**, en bref **HMG-CoA** (*fig.* 42.2). Le HMG-CoA est

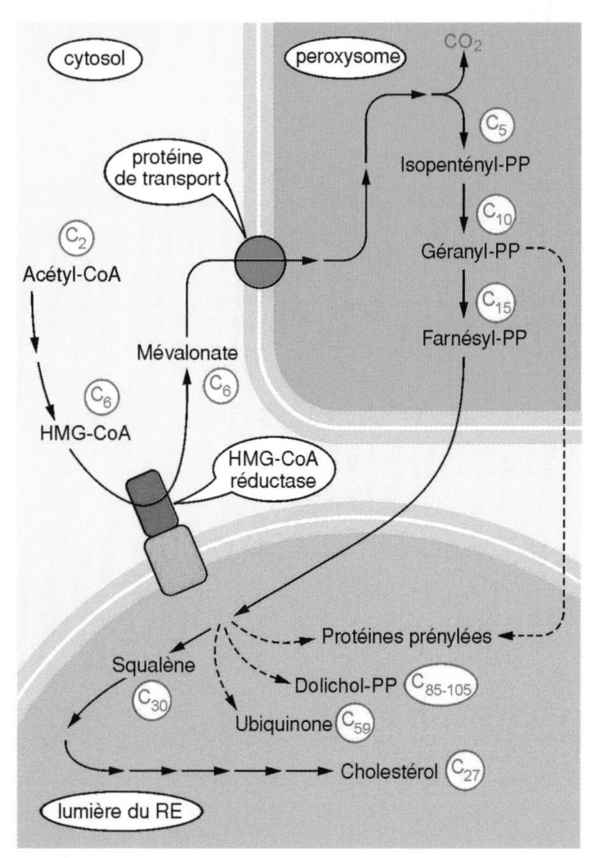

42.1 Étapes et compartimentation de la biosynthèse des isoprénoïdes. Les quatre grandes parties sont : la formation dans le cytosol du mévalonate, une unité à 6 carbones, à partir de l'acétyl-CoA ; la conversion dans les peroxysomes de l'acide mévalonique en farnésyl pyrophosphate *via* l'isopentényl pyrophosphate ; la condensation pour former un squalène à 30 carbones et d'autres isoprénoïdes ; enfin, le métabolisme du squalène pour former l'unité à 27 carbones du cholestérol. Les unités géranyl-, farnésyl- et dolichol- servent d'ancres membranaires pour différentes protéines. HMG-CoA : 3-hydroxy-3-méthylglutaryl-CoA ; PP : pyrophosphate ; RE : réticulum endoplasmique ; C_2, C_5, etc. indique le nombre d'atomes de carbone.

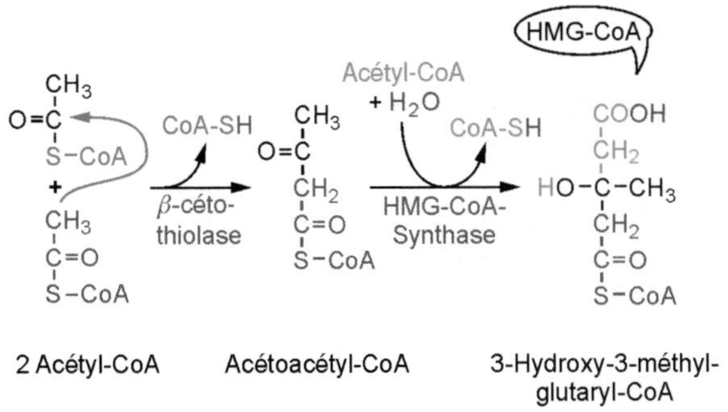

42.2 Synthèse du 3-hydroxy-3-méthylglutaryl-CoA (HMG-CoA) à partir de trois molécules d'acétyl-CoA.

ensuite réduit en mévalonate, grâce à une réductase utilisant le NADPH. La **HMG-CoA réductase** est une enzyme tétramérique, qui est ancrée dans la membrane du réticulum endoplasmique, et catalyse de façon quasi irréversible cette **réaction clé de la biosynthèse du cholestérol**.

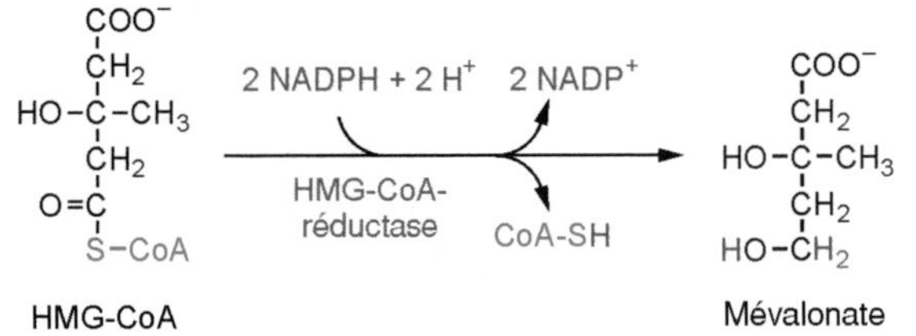

42.3 Réduction de l'HMG-CoA en mévalonate. Cette réaction a lieu dans le cytosol tandis que l'HMG-CoA est converti en corps cétoniques (acétoacétate et D-3-hydroxybutyrate) (*encart* 41.3).

L'utilisation de trois ATP permet de convertir le mévalonate en **isopentényl pyrophosphate** (*fig.* 42.4), dans les peroxysomes. La dernière réaction libère du CO_2, en utilisant le clivage de l'ATP en ADP et P_i. L'**isoprène « activé »**, qui en résulte, possède cinq atomes de carbone et constitue l'élément de base de l'ensemble des isoprénoïdes.

42.2 Un intermédiaire réactif est formé à partir de l'isopentényl pyrophosphate

L'isopentényl pyrophosphate est ensuite isomérisé en diméthylallyl pyrophosphate (*fig.* 42.5). Par le clivage d'un groupement pyrophosphate ($P_2O_7^{4-}$), on obtient un **cation diméthylallyle** avec un carbocation extraordinairement réactif (C^+), stabilisé par résonance. Grâce à sa double liaison, qui présente localement une forte densité en électrons, une nouvelle molécule d'isopentényl pyrophosphate exerce une attaque nucléophile sur le cation diméthylallyle. On obtient un produit de condensation à 10 carbones, le **géranyl pyrophosphate**, par élimination d'un ion H^+ (*fig.* 42.6). Les trois étapes - ionisation, addition tête à queue, déprotonation - se répètent : le géranyl pyrophosphate est transformé en carbocation allylique et peut réagir avec une troisième molécule d'isopentényl pyrophosphate pour former un produit à 15 atomes de carbones, le **farnésyl pyrophosphate**. Toutes ces étapes ont lieu dans les peroxysomes ; pour la suite de la biosynthèse, le produit est transporté dans le RE (*fig.* 42.1).

Encart 42.1 : Diversité des isoprénoïdes

L'organisme humain synthétise des composés très variés, à partir de l'isopentényl pyrophosphate (*fig.* 42.4), encore appelé isoprène « activé ». Ainsi, l'ubiquinone (coenzyme Q_{10}) de la chaîne respiratoire mitochondriale (*fig.* 37.8) porte une chaîne latérale de dix unités isoprènes (C_{50}). Dans le cas de la prénylation (*encart* 19.1), une modification post-traductionnelle des protéines, des chaînes farnésyl- (C_{15}) ou bien géranyl- (C_{20}) sont liées à une cystéine C-terminale par une fonction thioester. Le résidu prényle hydrophobe ancre ces protéines dans les membranes biologiques. De nombreux isoprénoïdes végétaux possèdent des propriétés de vitamines, d'aromates ou bien constituent des substances pharmacologiques actives (*tab.* Vitamines). Les vitamines K_1 et K_2, des coenzymes dans la synthèse de facteurs de coagulation, possèdent des chaînes de quatre (C_{20}) ou huit (C_{40}) unités isoprènes (*encart* 14.2). La provitamine A, également appelée β-carotène, est un isoprénoïde à 40 carbones. Les huiles essentielles, comme le menthol, le thymol ou le limonène, mais aussi les composés extraits de la digitale (*encart* 26.1) sont d'autres membres connus de cette classe de composés.

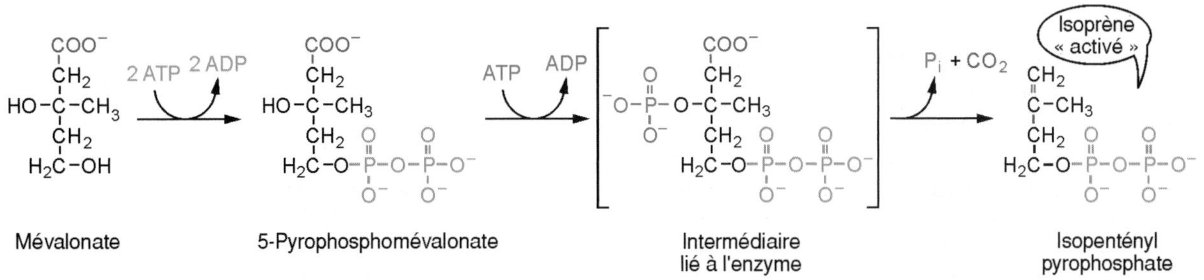

42.4 Synthèse de l'isopentényl pyrophosphate. Des phosphorylations successives conduisent du mévalonate au mévalonate 5-pyrophosphate, qui est phosphorylé transitoirement en 3-phospho-5-pyrophosphomévalonate, composé restant lié à l'enzyme. Cet intermédiaire est décarboxylé pour former l'isopentényl pyrophosphate, qui présente une double liaison.

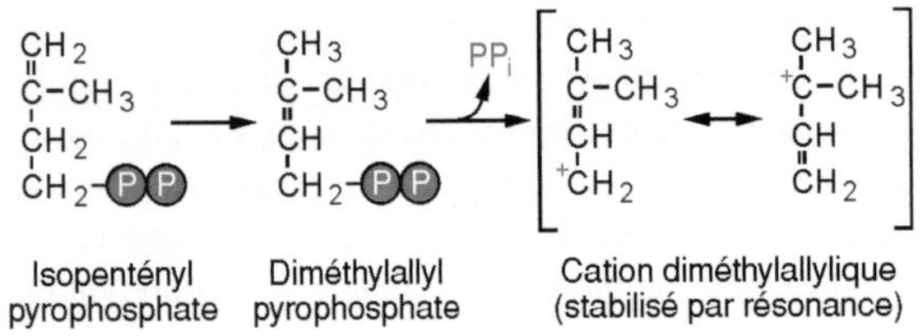

Isopenténylpyrophosphate → Diméthylallyl pyrophosphate → (− PP_i) Cation diméthylallylique (stabilisé par résonance)

42.5 Formation du cation diméthylallylique. L'isomérisation de l'isopenténylen diméthylallyl pyrophosphate fournit un intermédiaire réactif, ce qui permet d'éliminer le pyrophosphate et de former un cation stabilisé par résonance. La prényltransférase catalyse cette première série de réactions.

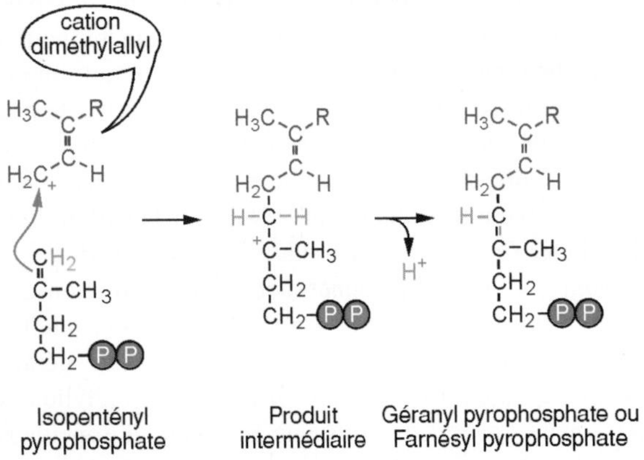

cation diméthylallyl

Isopenténylpyrophosphate → Produit intermédiaire → (H^+) Géranyl pyrophosphate ou Farnésyl pyrophosphate

42.6 Biosynthèse du géranyl et du farnésyl pyrophosphate. L'orientation de la molécule correspond à une addition tête-à-queue. De façon analogue à la diméthylallylkation ($R = CH_3$), il se forme au moment de la synthèse du farnésyl pyrophosphate à partir du géranyl pyrophosphate également un carbanion allylique ($R = C_6H_{11}$), comme produit intermédiaire cationique. La prényltransférase catalyse aussi cette deuxième série de réactions.

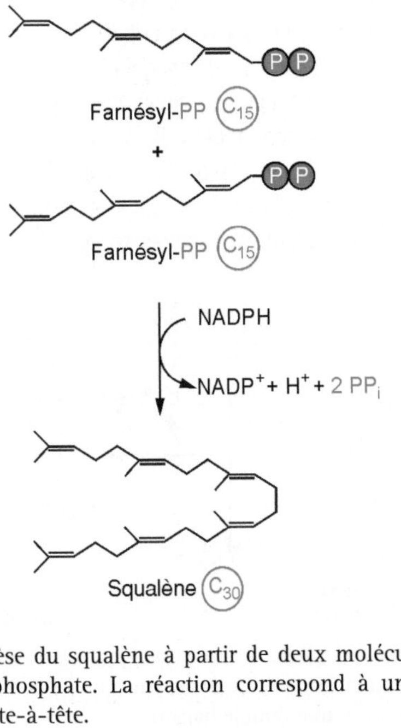

Farnésyl-PP (C_{15}) + Farnésyl-PP (C_{15}) — NADPH → $NADP^+ + H^+ + 2\ PP_i$ — Squalène (C_{30})

42.7 Synthèse du squalène à partir de deux molécules de farnésyl pyrophosphate. La réaction correspond à une addition réductive tête-à-tête.

Dans le réticulum endoplasmique se déroule alors une réaction réductive complexe, qui utilise du NADPH et clive par deux fois un groupement pyrophosphate. Cette réaction permet de former le **squalène** (à 30 carbones) à partir de deux molécules de farnésyl pyrophosphate (*fig.* 42.7). Cette étape termine la synthèse du squelette carboné « brut » du cholestérol.

La quatrième partie de la biosynthèse du cholestérol commence avec la cyclisation du squalène en **lanostérol**. Une oxydase à fonctions mixtes (angl. *mixed function oxidase*), dont l'action nécessite la présence d'O_2 et de NADPH, catalyse d'abord la formation d'un époxyde de squalène (*fig.* 42.8). Une réaction concertée, catalysée par une cyclase, permet ensuite de déplacer quatre doubles liaisons et deux groupements méthyles, ce qui

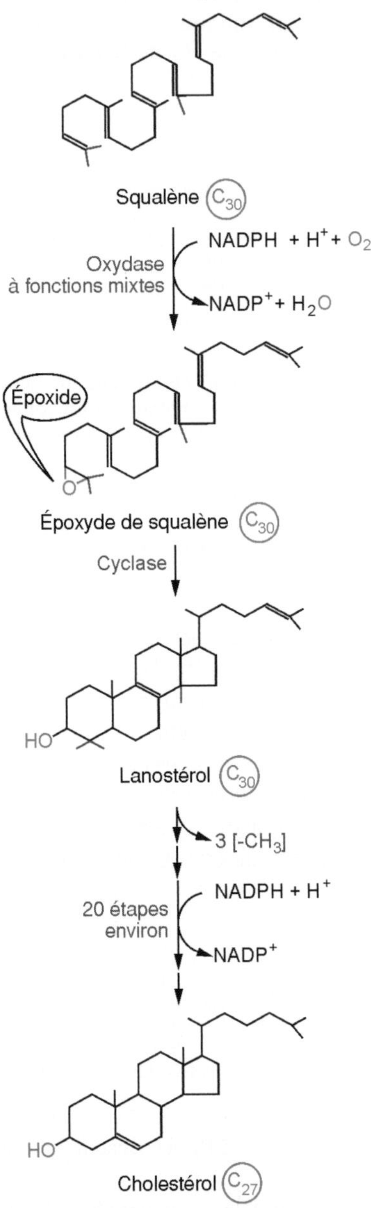

Squalène (C_{30}) — Oxydase à fonctions mixtes: $NADPH + H^+ + O_2$ → $NADP^+ + H_2O$ — Époxyde — Époxyde de squalène (C_{30}) — Cyclase — Lanostérol (C_{30}) — 3 [$-CH_3$] — 20 étapes environ: $NADPH + H^+$ → $NADP^+$ — Cholestérol (C_{27})

42.8 Représentation schématique de la conversion du squalène (C_{30}) en cholestérol (C_{27}).

referme le squelette carboné en trois points. On obtient alors le lanostérol, qui comporte le **noyau stérol** typique avec ses cycles cyclopentane et cyclohexanes. Une « *finale furioso* », comprenant une vingtaine de réactions, permet d'éliminer trois groupements méthyles, de réduire une double liaison en utilisant le NADPH et de déplacer encore une fois les autres doubles liaisons : on obtient enfin le cholestérol.

42.3 L'HMG-CoA réductase régule la biosynthèse de cholestérol

Un être humain produit environ 800 mg de cholestérol par jour, avant tout au niveau du foie, mais aussi au niveau de tissus périphériques. Une biosynthèse aussi sophistiquée requiert une régulation très étroite : de fait, la production de cholestérol est régulée au niveau de la quantité et de l'activité de son enzyme clé, la HMG-CoA réductase. Ainsi, les stéroïdes exercent un contrôle transcriptionnel de l'expression du gène de la réductase (*fig.* 42.9).

Les **isoprénoïdes non stéroïdiens**, comme le farnésol, qui sont aussi des dérivés du mévalonate, inhibent la réductase au niveau de la traduction de son ARNm et accélèrent - comme le cholestérol - la dégradation de la réductase par protéolyse. *Avec ces simples éléments de régulation, une cellule peut faire varier sa quantité de réductase, d'un facteur environ 200.* Non seulement la quantité mais aussi l'activité de l'enzyme est contrôlée : une kinase dépendante de l'AMP peut phosphoryler la réductase et ainsi l'inhiber. La synthèse de cholestérol « s'arrête » donc quand la charge énergétique d'une cellule descend en dessous d'une valeur critique et que par conséquent, la concentration en AMP augmente. On avait déjà vu un cas similaire avec l'acétyl-CoA carboxylase, l'enzyme clé de la synthèse des acides gras (*encart* 41.4).

42.4 Les lipoprotéines régulent le transport et l'utilisation du cholestérol

Les plus grandes quantités de cholestérol et d'autres lipides, qu'elles proviennent d'une synthèse endogène ou qu'elles soient d'origine exogène, passent par le foie et l'intestin. Au niveau de ces organes, les lipides sont pris en charge sous forme de particules lipoprotéiques - en bref des **lipoprotéines** - et transportés par la lymphe et le sang vers les organes cibles. Les lipoprotéines sont des structures en forme de boules (sphériques) ou de disques (discoïdes) d'une masse moléculaire pouvant atteindre quelques millions de Daltons. Elles possèdent un cœur constitué de lipides hydrophobes, avant tout d'esters de cholestérol et de triacylglycérols, et une écorce faite de lipides amphiphiles, essentiellement de glycérophospholipides et de cholestérol, auxquels sont intégrées plusieurs **apo(lipo)protéines** (*fig.* 42.10).

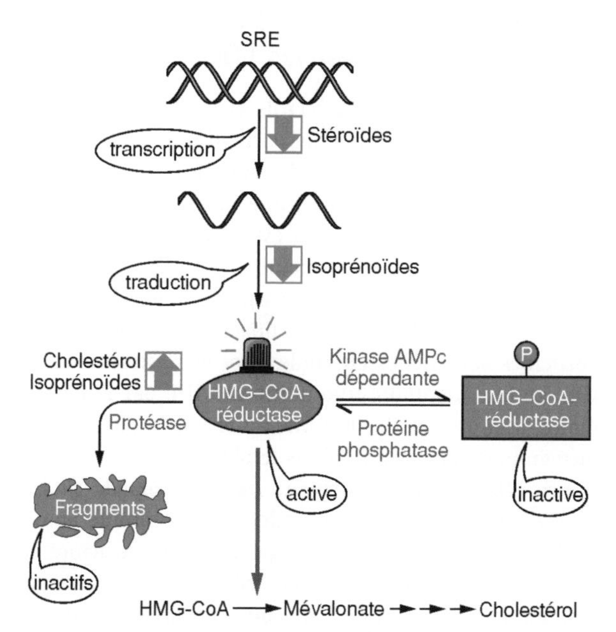

42.9 Régulation multilatérale de la HMG-CoA réductase. La région promotrice du gène porte plusieurs éléments de réponse aux hormones stéroïdes (ERS), qui permettent de contrôler négativement la transcription du gène *via* la fixation de stéroïdes. Au niveau traductionnel et de la dégradation protéique, des isoprénoïdes non stéroïdiens entrent en jeu. La phosphorylation réversible conduit à l'inactivation de l'enzyme.

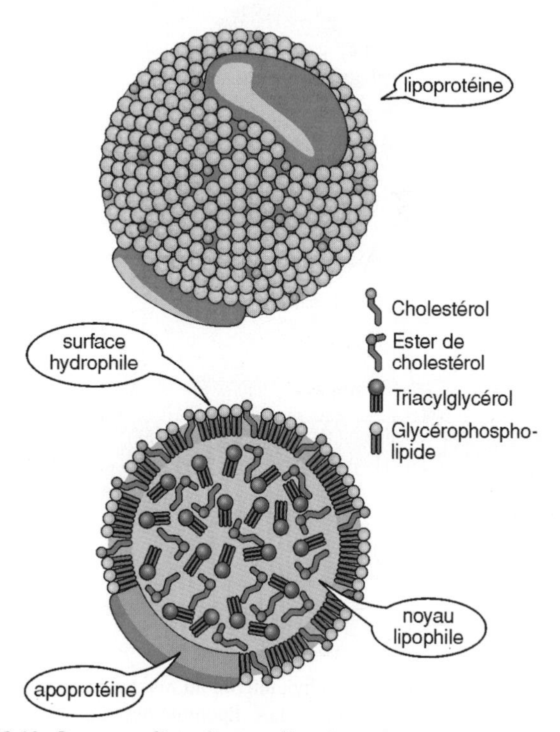

42.10 Structure d'une lipoprotéine. Dans le noyau, on trouve avant tout des esters de cholestérol et des triacylglycérols, tandis que l'enveloppe est formée par des apoprotéines, du cholestérol et des glycérophospholipides.

Les apoprotéines de masse moléculaire comprise entre 7 et 513 kDa sont synthétisées dans le foie et l'intestin ; leur conformation se caractérise par une proportion importante d'hélices amphiphiles et de feuillets β (*encart* 5.3). Il existe au moins dix apoprotéines de cinq classes différentes (A-E) ; ces protéines présentent des caractéristiques de protéines de structure et de signalisation. Les lipoprotéines sont classées en fonction de leurs propriétés physiques de densité (les plus grosses étant les moins denses) : les chylomicrons (densité la plus faible), les résidus de chylomicrons, les VLDL (angl. *very low density lipoproteins*), les IDL (angl. *intermediate density lipoproteins*), les LDL (angl. *low density lipoproteins*) ou bien les HDL (angl. *high density lipoproteins*) (*tab.* 42.1).

Considérons maintenant le transport des lipides exogènes. Les cellules de la muqueuse de l'intestin grêle réabsorbent les acides gras apportés avec la nourriture et les emballent dans les chylomicrons après reformation en triacylglycérols. Le cholestérol provenant de l'alimentation est également réabsorbé et parvient sous forme d'esters de cholestérol dans les chylomicrons. Les triacylglycérols et les esters de cholestérol forment alors un noyau hydrophobe, autour duquel l'**apoprotéine B-48** s'enroule ; l'apoprotéine E stabilise cette structure. La protéine B-48 expose ses régions hydrophiles à la surface, de telle sorte que la lipoprotéine est « soluble » dans les milieux aqueux tels que la lymphe et le plasma sanguin. Une autre apoprotéine, C-II, dirige les chylomicrons vers les **lipoprotéines lipases**, par exemple celles ancrées au niveau de la face luminale des cellules endothéliales des capillaires de tissus musculaires (*fig.* 42.11). Ces lipases hydrolysent les triacylglycérols d'une particule (*encart* 41.2) ; les acides gras ainsi libérés sont absorbés par les tissus et utilisés. Il reste des **résidus de chylomicrons** (angl. *remnants*), riches en esters de cholestérol et qui pénètrent dans les cellules du foie grâce à des récepteurs spécifiques de l'apoprotéine B-48.

Tableau 42.1 Caractéristiques des lipoprotéines

Lipoprotéines	Lipides dominants	Apoprotéines caractéristiques
Chylomicrons	Triacylglycérols (exogènes)	B-48, C, E
Résidus de chylomicrons	Esters de cholestérol (exogènes)	B-48, E
VLDL	Triacylglycérols (endogènes)	B-100, C, E
IDL	Esters de cholestérol (endogènes)	B-100, E
LDL	Esters de cholestérol (endogènes)	B-100
HDL	Esters de cholestérol (endogènes)	A, D

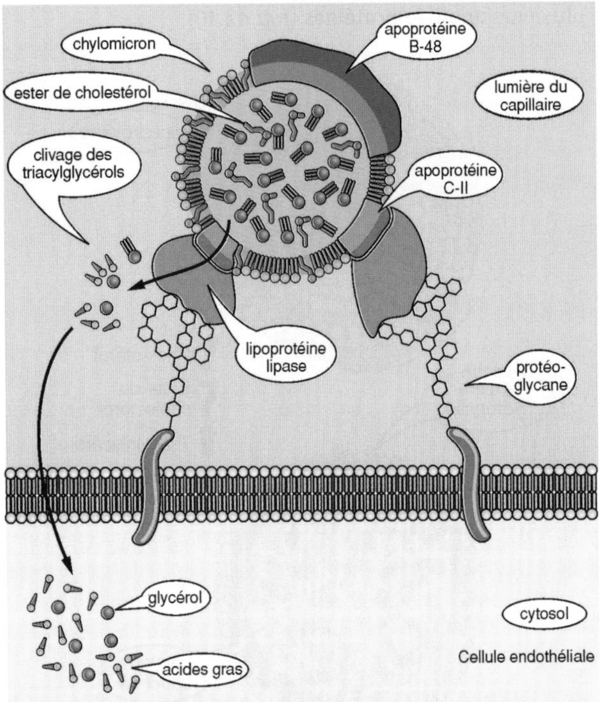

42.11 Déchargement d'un chylomicron au niveau d'une cellule endothéliale des capillaires. Les lipoprotéines lipases sont ancrées à la surface cellulaire par des chaînes de protéoglycanes. Les chylomicrons se fixent par l'apoprotéine C-II et activent les lipases, qui hydrolysent ensuite les triacylglycérols des chylomicrons (non montré : apolipoprotéine E).

42.5 Une endocytose médiée par un récepteur permet d'internaliser les LDL

Le foie libère les triacylglycérols et le cholestérol d'origine endogène sous forme de particules de VLDL. L'**apoprotéine B-100**, une variante longue de B-48, permet de stabiliser les particules. Avec une masse moléculaire de 513 kDa, l'apoprotéine B-100 est l'une des plus grosses protéines connues. Les particules de VLDL, comme les chylomicrons, délivrent leur charge de lipides au niveau des « docks » des lipoprotéines lipases. Les résidus de ces particules sont riches en cholestérol et se nomment des IDL. Le foie incorpore une partie des IDL par l'intermédiaire de protéines B-100 ; une autre partie est transformée en particules de LDL dans le plasma.

Les LDL sont les principaux transporteurs de cholestérol dans le sang. Une molécule B-100 s'enroule autour de la particule, ce qui sert également de structure de reconnaissance pour les cellules cibles. Les particules de **LDL** ont pour fonction de transporter le cholestérol depuis le foie vers les tissus cibles en périphérie. Les particules de **HDL** font l'inverse, c'est-à-dire qu'elles retransportent le cholestérol depuis les cellules mortes situées en périphérie vers le foie. Une acyl transférase associée aux HDL peut estérifier le cholestérol pris en charge et transférer les esters de cholestérol résultants vers des IDL et LDL grâce à une protéine de transport plasmatique. La diversité des lipoprotéines est donc nécessaire, pour que le transfert des lipides puisse se dérouler de façon coordonnée dans l'organisme (*fig.* 42.12).

Comment une LDL peut-elle apporter sa charge de lipides à une cellule cible ? Un **récepteur de LDL** spécifique, exposé à la surface d'une cellule, reconnaît l'apoprotéine B-100 et lie par son intermédiaire une particule LDL (*fig.* 42.13). Les récepteurs chargés de LDL s'associent et forment des puits recouverts par une protéine de structure intracellulaire, la **clathrine**, ce qu'on appelle des ***coated pits*** (ce terme anglais signifie « puits recouverts », *fig.* 19.26). Il se produit secondairement une invagination des *coated pits*, qui conduit à la formation d'une **vésicule d'endocytose** bordée de clathrine (CCP ou *clathrine coated pits*), laquelle se sépare de la membrane (*fig.* 42.14). À l'intérieur de la cellule, ces vésicules fusionnent avec des lysosomes, qui contiennent différentes enzymes hydrolytiques : des protéases, qui dégradent l'apoprotéine en acides aminés libres, des phospholipases qui hydrolysent les glycérophospholipides et des lipases qui fournissent du cholestérol libre à partir des esters de cholestérol et dégradent les acides gras. Des vésicules contenant des récepteurs non chargés en LDL « bourgeonnent » à partir des lysosomes et sont re-transportées vers la surface membranaire, permettant de recycler les récepteurs de LDL pour une nouvelle utilisation. La durée d'un cycle d'utilisation est d'environ 10 minutes ; le domaine analogue à l'EGFP prend probablement part à ce processus. Un récepteur peut effectuer environ 150 cycles d'endocytose, avant d'être dégradé.

42.6 Les perturbations dans l'utilisation du cholestérol mènent à l'hyperlipidémie

Les cellules utilisent de différentes manières le cholestérol incorporé par endocytose liée aux récepteurs : une bonne partie est estérifiée avec de l'oléate ou du palmitate, par l'enzyme **acétyl-CoA-acyltransférase (ACAT)**, puis stockée. Une autre partie est utilisée pour la formation de nouvelles membranes. Le cholestérol libre constitue un régulateur du métabolisme cellulaire car il active l'ACAT, ce qui favorise le stockage d'esters de cholestérol ; il inhibe la HMG-CoA réductase, ce qui réduit la synthèse endogène de cholestérol ; et il régule négativement l'expression des récepteurs aux LDL (*fig.* 42.15).

La régulation du contenu en cholestérol a donc lieu à deux endroits : *dans les hépatocytes, qui produisent la plus grosse partie du cholestérol endogène, on trouve la modulation primaire de l'activité de la HMG-CoA réductase (fig. 42.9), tandis que dans les fibroblastes et d'autres cellules périphériques, c'est avant tout la disponibilité en récepteurs des LDL qui est régulée.* Dans l'ensemble, ce contrôle sophistiqué garantit un taux de cholestérol en équilibre dans le plasma sanguin et les cellules. Des défauts moléculaires de l'un ou l'autre des composants de ce système peuvent conduire à des perturbations importantes du métabolisme du cholestérol (*encart* 42.2).

Il n'existe pas de thérapie causale des hyperlipoprotéinémies primaires. Chez les individus homozygotes atteints d'hypercholestérolémie héréditaire (type II), les transplantations du foie sont préconisées. Pour les patients

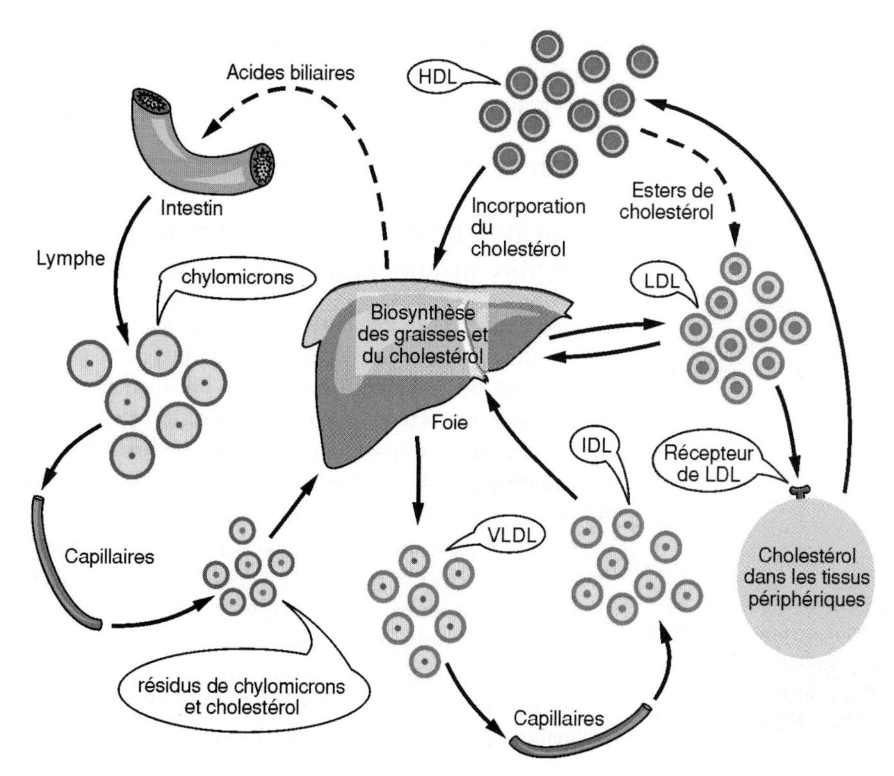

42.12 Transport des lipoprotéines dans l'organisme humain. Les particules d'IDL sont intermédiaires entre les VLDL et les LDL. Les processus mis en jeu dans les interconversions entre les différents types de lipoprotéines ne sont pas encore connus dans leurs détails moléculaires. [RF]

Encart 42.2 : L'hypercholestérolémie héréditaire

Il s'agit dans cette maladie d'une augmentation drastique de la concentration plasmatique en cholestérol pouvant aller jusqu'à 700 mg/100 ml (valeur normale < 150 mg/100 ml). La cause peut être une anomalie dans le gène du récepteur aux LDL, qui conduit à un dysfonctionnement total ou partiel du récepteur. En conséquence, la capacité de captation des LDL par les cellules périphériques est fortement réduite, ce qui conduit à une accumulation des LDL (et IDL) dans le plasma des patients. Chez les patients atteints, on observe des dépôts de cholestérol dans la peau et les tendons (xanthome tubéreux-tendineux), dans la sclérotique (arc lipoïdique) et dans les parois de vaisseaux (athérosclérose). Les individus homozygotes développent précocement une athérosclérose des vaisseaux coronariens et sont touchés dès l'enfance ou l'adolescence par des infarctus mortels. D'autres hyperlipoprotéinémies présentant des causes moléculaires sont rassemblées dans le *tab.* 42.2.

Tableau 42.2 Hypercholestérolémie héréditaire

Type	Symptômes	Défaut moléculaire
Hyperlipoprotéinémie de type I	Hypertriglycéridémie	Gène de la lipoprotéine lipase
Hypercholestérolémie héréditaire de type II	Hypercholestérolémie	Gène du récepteur aux LDL, apolipoprotéine B
Hypercholestérolémie de type III	Hypertriglycéridémie et hypercholestérolémie	Apolipoprotéine E

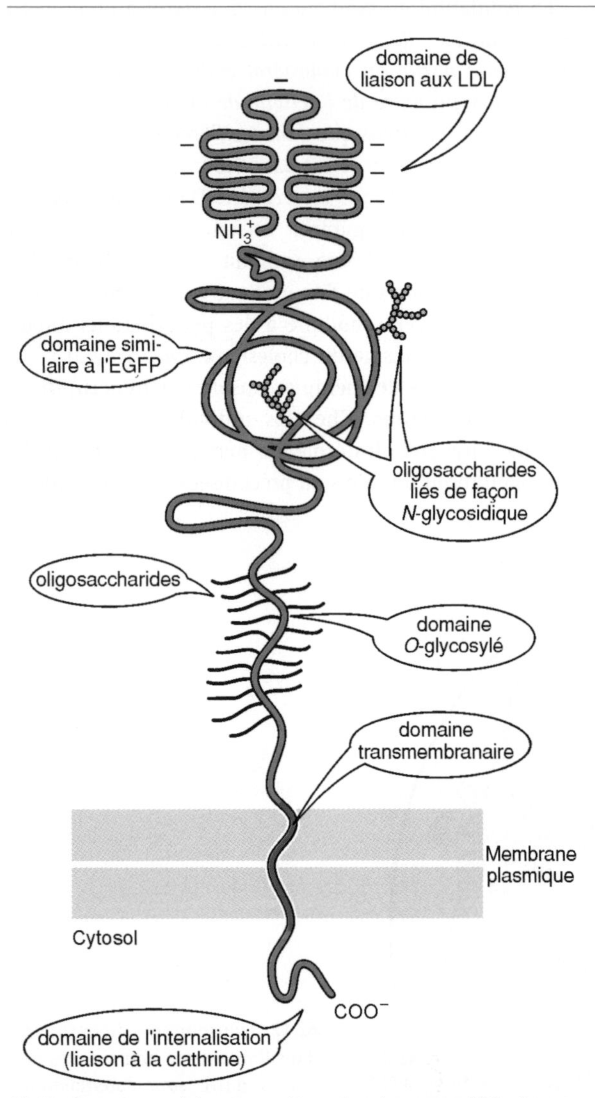

42.13 Structure schématique d'un récepteur aux LDL. La protéine modulaire présentée illustre le principe de l'*exon shuffling* (*encart* 45.2), c'est-à-dire le réarrangement génétique de domaines déjà existants pour former une protéine complexe présentant de nouvelles caractéristiques fonctionnelles. EGFP, *epidermal growth factor precursor.*

hétérozygotes avec des concentrations en cholestérol modérées, il existe deux principes thérapeutiques : la stimulation de la dégradation du cholestérol par inhibition de la réabsorption intestinale des acides biliaires, les principaux produits de dégradation du cholestérol (§ 42.8), et l'inhibition de la synthèse *de novo* de cholestérol en utilisant des inhibiteurs de la HMG-CoA réductase. Le mécanisme d'inhibition de la mévinoline, un inhibiteur compétitif de la réductase, illustre le principe des **mimétiques moléculaires** : en raison de ses similitudes avec le substrat endogène de la HMG-CoA-réductase, la mévinoline est reconnue par la réductase mais ne peut pas être convertie et bloque donc le site actif de l'enzyme (*fig.* 42.16).

Comme l'athérosclérose est l'une des causes de mortalité les plus fréquentes dans les pays industrialisés, il existe un intérêt très fort pour le développement de nouveaux concepts thérapeutiques, visant à combattre l'hypercholestérolémie.

42.7 Les acides biliaires et les hormones stéroïdes proviennent du cholestérol

La dégradation et le métabolisme du cholestérol conduisent à deux classes principales de produits : les acides biliaires et les stéroïdes. Les **acides biliaires** sont des émulsifiants importants des lipides d'origine exogène et des activateurs des lipases pancréatiques (*encart* 41.2). Ils sont produits par le foie, sécrétés par la bile dans l'intestin grêle et réutilisés après réabsorption : on parle de cycle entérohépatique. Les stéroïdes jouent un rôle primordial dans le contrôle hormonal de la croissance, du développement, de la différenciation et du métabolisme. On va tout d'abord s'intéresser aux caractéristiques communes des dérivés du cholestérol (*encart* 42.3).

Les enzymes appartenant à la superfamille des **monooxygénases** dépendantes des cytochromes P450 jouent un

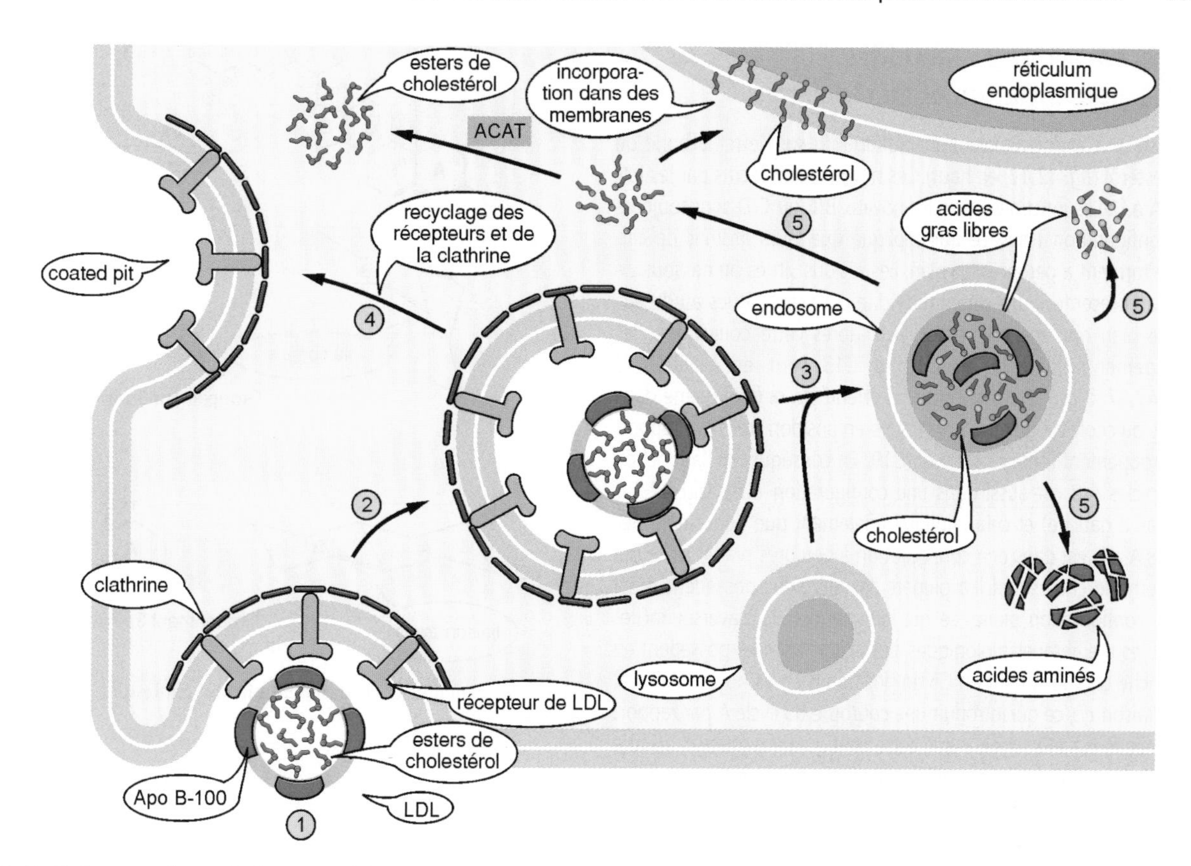

42.14 Endocytose de particules LDL médiée par un récepteur. Le processus se déroule en cinq étapes : 1) le complexe LDL se lie au récepteur chargé de clathrine au niveau d'un *coated pit* ; 2) le complexe récepteur-LDL est internalisé ; 3) l'endosome formé perd son enveloppe de clathrine et fusionne avec des lysosomes ; les particules de LDL sont alors hydrolysées ; 4) les récepteurs libres et la clathrine retournent avec des vésicules vers la membrane plasmique ; 5) les composants internalisés sont alors recyclés, stockés ou bien métabolisés. ACAT : acyl-CoA cholestérol acyltransférase.

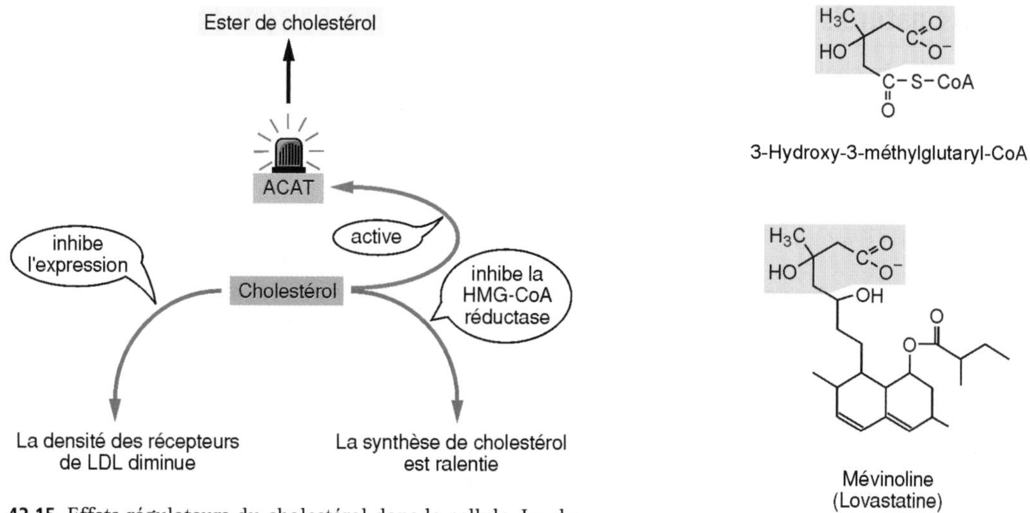

42.15 Effets régulateurs du cholestérol dans la cellule. Le cholestérol active l'acyl-CoA cholestérol acyltransférase (ACAT), inhibe la HMG-CoA réductase et l'expression des récepteurs aux LDL.

42.16 Structure de la mévinoline (lovastatine). L'inhibiteur compétitif de la HMG-CoA réductase (K_i = 1 nM) est montré par comparaison avec le substrat HMG-CoA.

Encart 42.3 : Stéroïdes : nomenclature et stéréochimie

Il existe une numérotation systématique du squelette carboné du cholestérol (*fig.* 42.17, en haut). Les noyaux sont décrits par les lettres A à D. Les jonctions entre les noyaux B/C ou C/D sont toujours en configuration *trans*, ce qui implique que leurs atomes de carbone forment à peu près un plan. Les résidus situés en dessous de ce plan présentent une orientation dite α et ceux situés au dessus de ce plan ont une orientation β. D'après cette convention, les groupements méthyle en C10 et C13 sont en position β (*fig.* 42.17, à droite). Le substituant orienté en α (hydrogène dans le cas du cholestérol) en C5, se trouve en position *trans* par rapport au groupement méthyle situé en C19. En conséquence, la jonction des cycles A/B est aussi dans une configuration *trans* (*fig.* 42.17, en bas à gauche) et cela implique également que l'ensemble des cycles A à D est dans une configuration à peu près plane, en ce qui concerne le cholestérol. La plupart des stéroïdes possèdent aussi cette configuration plane, ce qui leur permet de traverser facilement les membranes biologiques. Les acides biliaires possèdent en revanche un substituant en C5 en position β et les noyaux A/B ont une liaison *cis*, ce qui introduit une courbure du cycle A par rapport au cycle B. Il a été suggéré que cette configuration jouerait un rôle dans la capacité des acides biliaires à dissoudre les graisses.

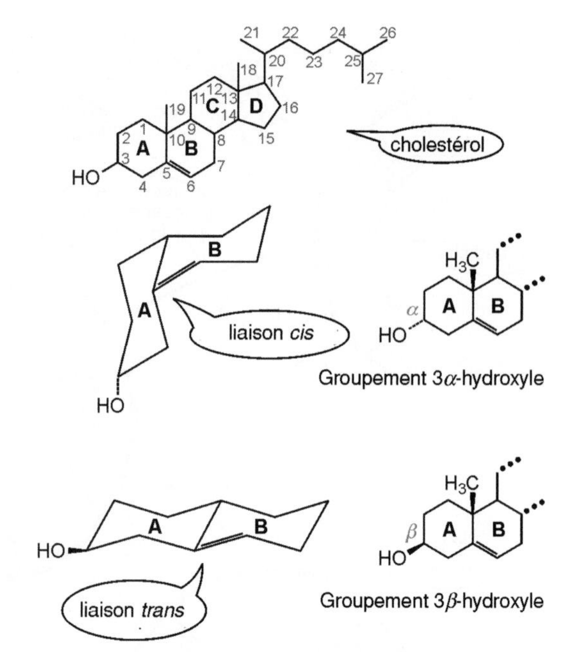

42.17 Nomenclature et stéréochimie du cholestérol et de ses dérivés.

rôle remarquable dans la dégradation et le métabolisme du cholestérol. Typiquement, ces enzymes interviennent dans des réactions d'hydroxylations dépendantes du NADPH/O_2 (*encart* 42.4). Une enzyme de la même famille joue également un rôle dans la dégradation de l'acide aminé phénylalanine (*fig.* 43.13).

42.8 Les acides biliaires sont des détergents naturels

On en arrive à la dégradation du cholestérol. Les dérivés quantitativement les plus importants du cholestérol sont les acides biliaires, qui sont synthétisés et sécrétés par les hépatocytes, stockés dans la vésicule biliaire et libérés dans le duodénum après des repas riches en lipides. En raison de leur structure amphipathique, les acides biliaires jouent un rôle de **détergents naturels** ; ils sont capables d'émulsifier les lipides de l'alimentation et d'activer les lipases intestinales (*encart* 41.2). Leur biosynthèse commence par l'hydroxylation du cholestérol en C7 et C12, l'hydrogénation de la double liaison Δ^5 ainsi que l'oxydation de la chaîne latérale en C27 (*fig.* 42.18). On obtient alors un intermédiaire, le trihydroxy-coprostonoate (dérivé de l'acide cholique), qui donne le cholyl-CoA par clivage d'une unité de 3 carbones, raccourcissant la chaîne latérale. La **conjugaison** avec le groupement aminé d'une glycine fournit le **glycocholate**, le sel biliaire le plus important. De façon analogue, on obtient

Encart 42.4 : Les monooxygénases

Le génome humain possède plus de 100 gènes différents codant des membres de la famille des enzymes à cytochrome P450. Ces monooxygénases membranaires transfèrent sur le substrat un atome d'oxygène à partir d'oxygène moléculaire (O_2), tandis que le deuxième atome d'oxygène est réduit en eau, ce qui utilise du NADPH. C'est pourquoi elles portent aussi la dénomination d'oxydases à « fonctions mixtes ». Le cytochrome P450 transfère les électrons grâce à son groupement prosthétique constitué d'un hème. Les monooxygénases jouent un rôle dans la biosynthèse des stéroïdes (§ 42.9), dans la dégradation des acides aminés (§ 43.6) et dans les réactions de **biotransformation**, c'est-à-dire la métabolisation de substances étrangères (xénobiotiques) hydrophobes, comme les médicaments (par exemple les barbiturates), les composés polycycliques aromatiques (par exemple la dioxine) et les pesticides (par exemple le parathion). L'ajout de groupements hydroxyles permet des réactions de conjugaisons avec des substances hydrophiles, comme l'acide glucuronique, dans la deuxième phase de la biotransformation. Les substances étrangères ou médicaments ainsi « détoxifiés » peuvent ensuite être éliminés par les reins. L'hydroxylation par des monooxygénases peut, dans certains cas, aboutir à une activation métabolique (« augmentation de la toxicité ») de substances, comme pour le parathion, un inhibiteur de l'acétylcholine estérase (§ 13.7) et pour les acétamino fluorènes cancérigènes.

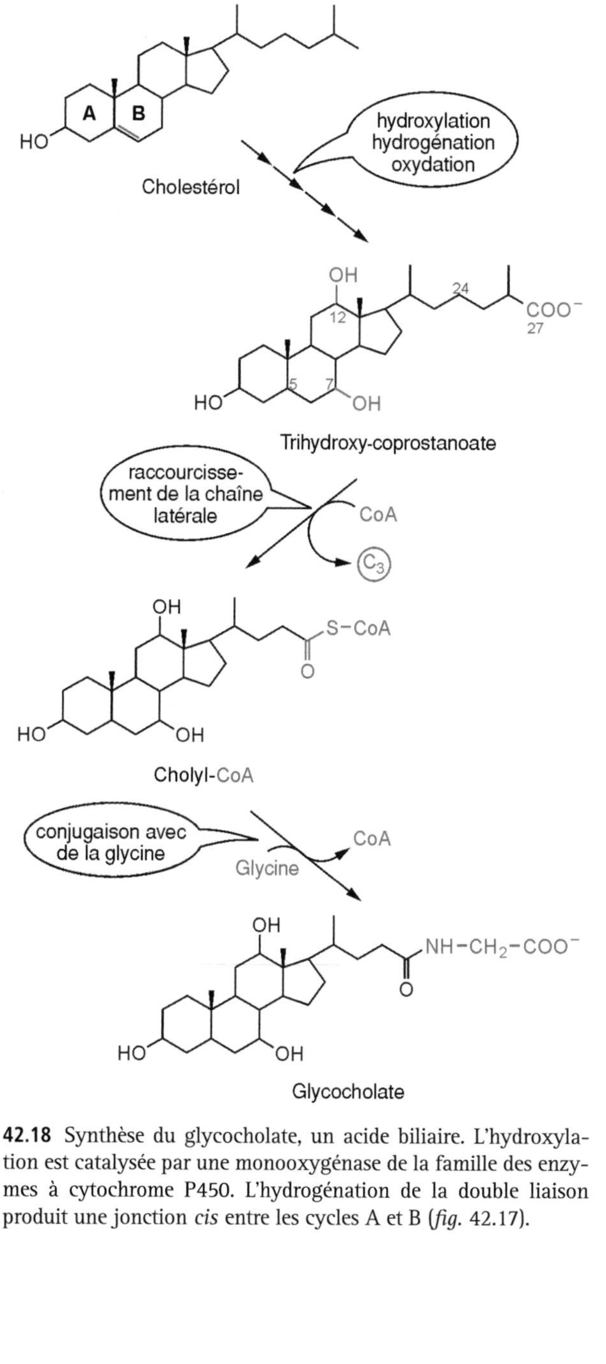

42.18 Synthèse du glycocholate, un acide biliaire. L'hydroxylation est catalysée par une monooxygénase de la famille des enzymes à cytochrome P450. L'hydrogénation de la double liaison produit une jonction *cis* entre les cycles A et B (*fig.* 42.17).

le **taurocholate**, par conjugaison avec la taurine, un acide aminé sulfoné ($H_3^+N\text{-}CH_2\text{-}CH_2\text{-}SO_3^-$). En cas de production insuffisante en acides biliaires, le cholestérol en excès cristallise et forme des calculs biliaires.

Le **calcitriol**, un dérivé de la vitamine D_3 constitue un important régulateur du métabolisme du calcium et des phosphates. Il est également formé à partir du cholestérol (*encart* 42.5).

42.9 La progestérone est un précurseur commun à toutes les hormones stéroïdes

Le cholestérol constitue le point de départ pour la synthèse des cinq grandes classes d'hormones stéroïdes des Vertébrés : les progestagènes (C21), les glucocorticoïdes (C21), les minéralocorticoïdes (C21), les androgènes (C19) et les œstrogènes ou estrogènes (C18) (*fig.* 42.20). Les principaux organes de synthèse sont : le **corps jaune** pour les progestagènes (comme la progestérone), les surrénales pour les glucocorticoïdes et minéralocorticoïdes, les testicules pour les androgènes et les ovaires pour les œstrogènes. La progestérone et les œstrogènes régulent le cycle menstruel et présentent des fonctions importantes pendant la grossesse, les glucocorticoïdes favorisent la gluconéogenèse ainsi que la dégradation des lipides et des protéines, les minéralocorticoïdes régulent la balance hydrique et saline de l'organisme, et les androgènes ainsi que les œstrogènes conduisent à la manifestation des caractères sexuels secondaires. Cette énumération – très incomplète – laisse deviner l'importance primordiale des stéroïdes dans la croissance, la différenciation et l'homéostasie de l'organisme humain. Par conséquent, les déficiences génétiques dans la voie de biosynthèse de ces différentes hormones conduisent à des perturbations très importantes du développement corporel.

La biosynthèse des stéroïdes commence par une suite de réactions communes, qui permet le clivage oxydatif d'une unité de 6 carbones dans la chaîne latérale du cholestérol. Deux hydroxylations et une activité lyase sont nécessaires (*fig.* 42.21). Le cholestérol est tout d'abord hydroxylé en position C20 ; après une autre hydroxylation en position C22, une activité **desmolase** clive la

Encart 42.5 : Le calcitriol

L'organisme peut synthétiser lui-même cette « vitamine » à partir du 7-déhydrocholestérol. Trois étapes sont nécessaires : dans la peau, la lumière UV réalise la photolyse de la liaison C9/C10 du 7-déhydrocholestérol. La prévitamine D_3 est ainsi formée, laquelle s'isomérise spontanément en vitamine D_3 (le cholécalciférol) (*fig.* 42.19). Sous la stimulation de la parathormone, des monooxygénases du foie et des reins hydroxylent la vitamine D_3 en positions C25 puis en C1 (dans cet ordre). On obtient alors l'hormone active le calcitriol. Une carence en calcitriol durant l'enfance, liée à une exposition insuffisante aux rayons du soleil, conduit au rachitisme. Cette maladie enfantine était fréquente au début du XIXe siècle, lors du développement des grandes cités industrielles modernes, en raison de la mauvaise alimentation, du manque d'exposition au soleil et des vêtements très fermés. Le changement des habitudes de vie, ainsi que l'ajout de vitamine D au lait frais ont permis de pratiquement supprimer cette avitaminose chez l'enfant. Chez l'adulte, la carence en vitamine D conduit à l'ostéomalacie, qui s'accompagne d'un ramollissement des os avec des déformations osseuses et des fractures spontanées.

42.19 Biosynthèse du calcitriol. L'étape initiale – la déshydrogénation du cholestérol en 7-déhydrocholestérol – *n*'est *pas* montrée.

liaison C20/C22 tout en formant un groupement cétone en C20 et conduit à la formation de **pregnénolone** (C_{21}). Ces trois activités sont catalysées par la même monooxygénase à cytochrome P450 (P450scc, angl. *side chain cleavage* ou CYP11A selon la nomenclature internationale). L'oxydation du groupement 3-hydroxyle en 3-cétone et l'isomérisation de la double liaison Δ^5- en Δ^4- conduisent à la progestérone, le précurseur de toutes les hormones stéroïdes de Vertébrés.

La progestérone constitue le composé de départ pour la synthèse du cortisol et de l'aldostérone (*fig.* 42.22). Les hydroxylations en C17 puis en C21 (dans cet ordre) suivies de celle du C11 permettent de convertir la progestérone en **cortisol**, le prototype des glucocorticoïdes. Si l'on a seulement l'hydroxylation en C21 puis en C11

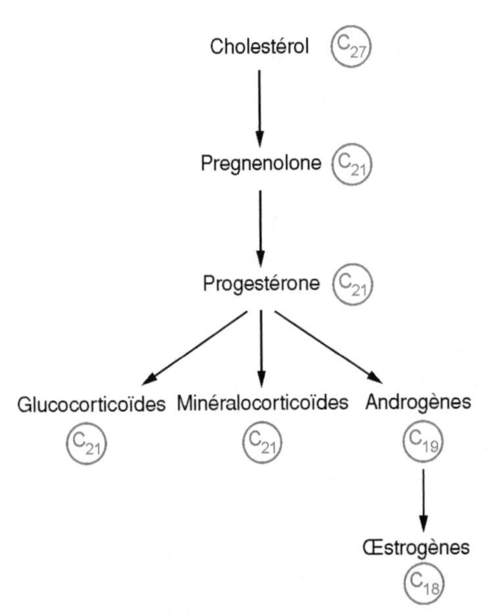

42.20 Vue d'ensemble de la formation des hormones stéroïdes à partir du cholestérol. Le nombre des atomes de carbone pour chaque classe de composés est indiqué.

42.21 Conversion du cholestérol en progestérone. La conversion du cholestérol en pregnénolone est catalysée par une seule monooxygénase à cytochrome P450. L'étape d'oxydation-isomérisation est catalysée par une oxydoréductase, la 3β-hydroxystéroïde déshydrogénase.

42.22 Conversion de la pregnénolone en cortisol et en aldostérone. Les acteurs principaux sont des monooxygénases, qui catalysent des réactions d'hydroxylation à des positions spécifiques C11, C17, C18 ou C21.

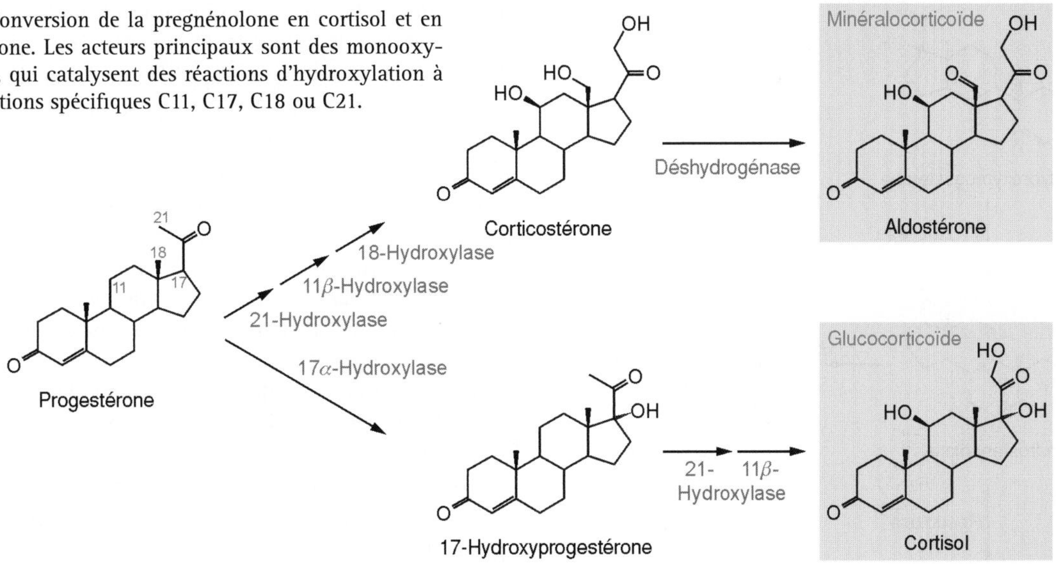

(dans cet ordre) à partir de la progestérone, alors on obtient la corticostérone, laquelle fournit l'**aldostérone** par oxydation en aldéhyde du groupement méthyle angulaire en C18. L'aldostérone est le prototype des minéralocorticoïdes.

La synthèse des androgènes et des œstrogènes commence également par la formation de progestérone. Ce composé est initialement hydroxylé en C17 ; une activité lyase induit ensuite le clivage oxydatif du fragment restant de la chaîne latérale (2 carbones), ce qui aboutit à la formation d'androstènedione, un intermédiaire comportant deux groupements cétones en positions C3 et C17 (fig. 42.23). L'androstènedione est le précurseur commun des **androgènes** et des **œstrogènes**. La réduction du groupement cétone en C17 conduit à la formation de testostérone, avec une fonction cétone en C3. Les œstrogènes sont formés à partir des androgènes par élimination du groupement méthyle angulaire en C19 et par aromatisation du cycle A : à partir de l'androstènedione, on obtient l'œstrone, qui comporte un groupement cétone en C17. La testostérone est en revanche convertie en œstradiol, molécule qui comporte deux groupements hydroxyles en C3 et C17. L'enzyme 5α-réductase catalyse la conversion de la testostérone en un métabolite actif, la dihydro-testostérone (5α-DHT).

Les monooxygénases qui participent à cette biosynthèse catalysent des hydroxylations à des positions absolument spécifiques dans le squelette carboné (par exemple C11, C18, C21) et ne peuvent pas se substituer l'une à l'autre. Par conséquent, l'absence d'une seule hydroxylase peut conduire à des pathologies importantes. Le défaut héréditaire le plus courant dans la biosynthèse des hormones stéroïdes est la déficience en 21-hydroxylase (*encart* 42.6).

Note du traducteur : les Invertébrés possèdent aussi des hormones stéroïdes dérivées du cholestérol. Chez les arthropodes, ce sont les ecdystéroïdes. Il existe également chez les végétaux des stéroïdes possédant des fonctions de signalisation (brassinostéroïdes).

42.10 L'acide phosphatidique est le précurseur commun de tous les glycérophospholipides

Le cholestérol est un composant essentiel des membranes biologiques en raison de ses propriétés de lipide amphiphile. Cependant, la majeure partie de la masse des membranes lipidiques est constituée de phospholipides. Les phospholipides les plus courants sont les glycérophos-

Encart 42.6 : Le syndrome adrénogénital

La cause la plus courante pour un syndrome adrénogénital (AGS) est une déficience en 21-hydroxylase, ce qui altère aussi bien la synthèse des gluco- que des minéralocorticoïdes. La production réduite en cortisol et en aldostérone augmente secondairement la libération d'ACTH par l'hypophyse. Cela conduit à une hyperplasie des surrénales qui s'accompagne d'une production excessive de progestérone. Comme la voie de biosynthèse du cortisol et de l'aldostérone est bloquée, la 17-hydroxy-progestérone s'accumule et la conversion en androgènes est augmentée. Le tableau clinique d'une déficience en 21-hydroxylase est donc caractérisé par une virilisation des patients féminins ou une pseudo-puberté précoce accompagnée de nanisme pour les patients masculins, en raison d'un blocage prématuré de l'épiphyse. La carence en aldostérone peut en outre se traduire par un syndrome de perte de sels accompagné de déshydratation et d'hypotonie. Quand le diagnostic est établi à temps, un traitement substitutif par des gluco- et minéralocorticoïdes permet de réduire considérablement les symptômes graves.

42.23 Conversion de la progestérone en androgènes et œstrogènes.

pholipides, qui dérivent du glycérol (*tab.* Lipides). Comme on l'a déjà vu, ils remplissent des rôles importants dans le transport plasmatique du cholestérol (*fig.* 42.10) ; ils sont donc des intermédiaires importants dans la transduction du signal, dans la coagulation et dans le fonctionnement des poumons. Les sphingolipides forment la deuxième grande classe de lipides membranaires. On les trouve avant tout dans le système nerveux. Voyons tout d'abord la biosynthèse des glycérophospholipides, qui sont produits dans le réticulum endoplasmique lisse et transportés par transport vésiculaire jusqu'à leurs membranes cibles (*fig.* 42.24).

Les composants de départ importants dans la biosynthèse des glycérophospholipides sont le glycérophosphate, le dihydroxyacétone phosphate et le diacylglycérol. Des intermédiaires remarquables sont l'**acide phosphatidique** ou son sel le phosphatidate ainsi qu'un dérivé activé du glycérol, le CDP-diacylglycérol (*fig.* 42.25).

Le phosphatidate est le précurseur de tous les glycérophospholipides. Sa synthèse commence avec le glycéro-3-phosphate, que la glycérophosphate acyltransférase convertit en deux étapes successives d'acylation en phosphatidate, *via* le **lysophosphatidate** (1-acylglycérol-3-phosphate) (*fig.* 42.26). Typiquement, il y a saturation des résidus acyles en C1 du phosphatidate et en revanche désaturation en C2.

Le phosphatidate n'est pas seulement un élément impliqué dans la synthèse des glycérophospholipides ; alternativement, une phosphatase spécifique peut le convertir en diacylglycérol, un intermédiaire dans la biosynthèse des triacylglycérols (*fig.* 42.27). L'acylation suivante par la diacylglycérol acyltransférase fournit alors des triacylglycérols.

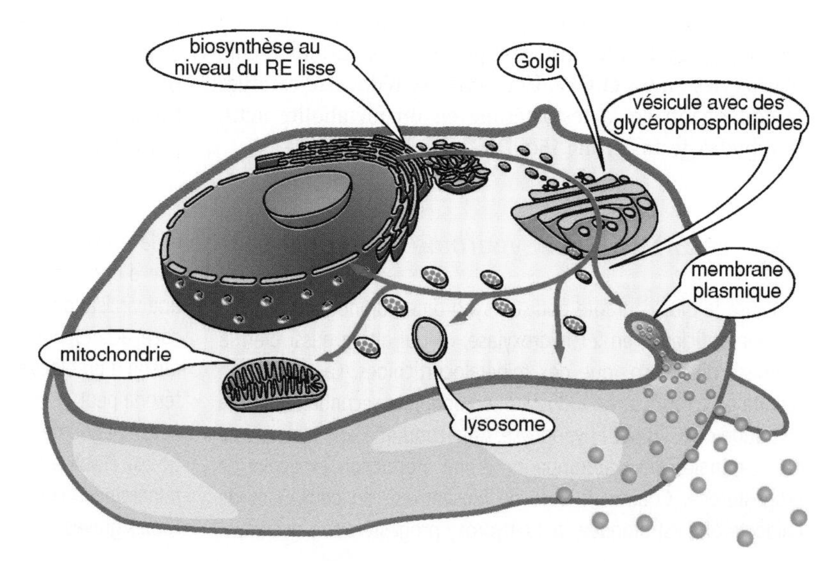

42.24 Synthèse cellulaire et transport des glycérophospholipides. Les représentants les plus importants sont la phosphatidyl-sérine, le phosphatidyl-inositol, la phosphatidyl-choline (« lécithine »), le phosphatidyl-éthanolamine, le phosphatidyl-glycérol ainsi que la cardiolipine.

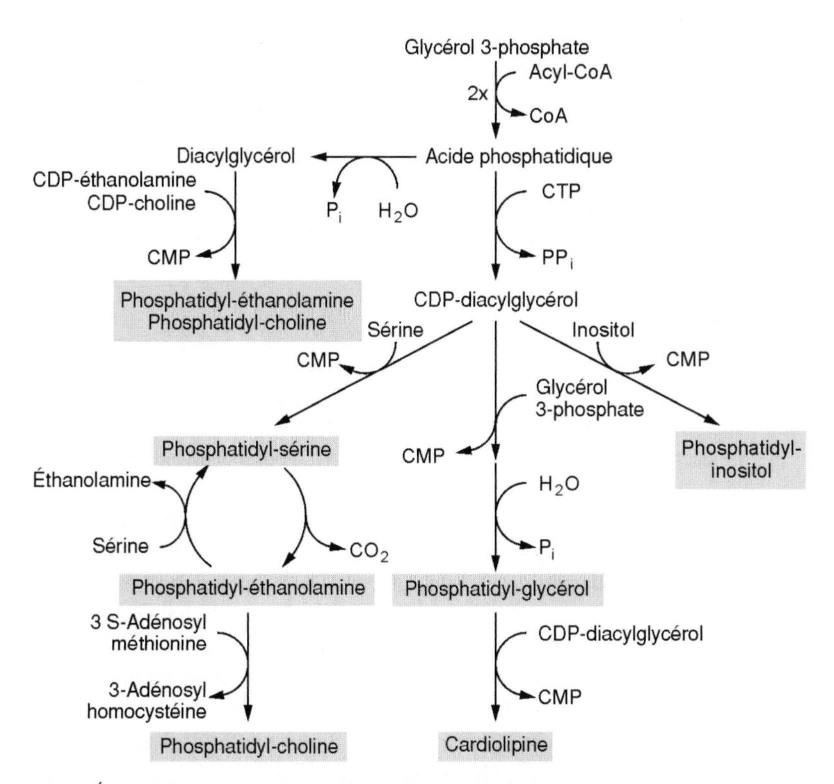

42.25 Étapes de la biosynthèse des glycérophospholipides. L'éthanolamine et la choline sont des aminoalcools dérivés de la sérine. CTP, cytidine triphosphate.

42.26 Biosynthèse du phosphatidate à partir du glycérol-3-phosphate Une réduction du dihydroxyacétone phosphate, dépendante du NADPH, ou bien une phosphorylation directe du glycérol utilisant de l'ATP (fig. 41.6) fournissent les produits de départ.

42.27 Synthèse de diacylglycérides et triacylglycérides à partir du phosphatidate. L'hydrolyse initiale est réversible : une kinase spécifique peut synthétiser le phosphatidate à partir du diacylglycérol, qui provient de la dégradation des glycérophospholipides et permet ainsi de le réutiliser.

42.28 Synthèse du CDP-diacylglycérol à partir de phosphatidate et de CTP. L'hydrolyse du pyrophosphate libéré en deux P_i rend la réaction pratiquement irréversible. Des activations similaires sont observées lors de la synthèse d'UDP-glucose à partir de glucose-1-phosphate et d'UTP (voir *fig.* 40.5) ainsi que dans la formation d'acyladénylate à partir d'acides gras et d'ATP (§ 41.3).

42.29 Synthèse de la phosphatidyl-sérine et du phosphoinositol. Le CDP-diacylglycérol réagit avec le groupement hydroxyle d'une sérine ou d'un inositol, avec libération de CMP.

42.11 Le CDP-diacylglycérol est un intermédiaire activé de la synthèse des phospholipides

La biosynthèse des glycérophospholipides nécessite un intermédiaire « activé », le CDP-diacylglycérol. La phosphatidate-cytidyl transférase transfère le groupement γ-phosphate du CTP sur le groupement phosphate du phosphatidate, formant ainsi le cytidine-diphospho-diacylglycérate, ou CDP-diacylglycérol (*fig.* 42.28).

Le groupement phosphatidyle activé réagit alors avec le groupement hydroxyle d'une sérine pour former une **phosphatidyl-sérine** (*fig.* 42.29). De la même manière, le CDP-diacylglycérol peut réagir avec le groupement hydroxyle en C1 de l'inositol pour former du **phosphatidyl-inositol**.

La phosphorylation suivante du phosphatidyl-inositol sur les groupements hydroxyles en C4 et C5 conduit à la formation du phosphatidyl-inositol-4,5-*bis*phosphate. Les phospholipases libèrent à partir de là des messagers secondaires importants (*encart* 42.7).

Selon la même séquence de réactions que dans le cas de la phosphatidyl-sérine, on obtient à partir du CDP-diacylglycérol et du glycérol-3-phosphate, le phosphatidyl-glycérol-3-phosphate (*fig.* 42.31). L'hydrolyse suivante de la fonction phosphoester en C3 fournit le phosphatidyl-glycérol, lequel réagit avec une molécule supplémentaire de CDP-diacylglycérol pour donner une molécule de structure symétrique, le diphosphatidyl-glycérol également appelé **cardiolipine**, que l'on trouve presque exclusivement dans la membrane mitochondriale interne. La cardiolipine tire son nom de son abondance dans les cardiomyocytes, riches en mitochondries.

42.12 La CDP-choline est l'intermédiaire activé de la phosphatidyl-choline

La biosynthèse de la phosphatidyl-choline et de l'éthanolamine, les principaux composants des membranes eucaryotes suit une autre voie : ce sont les composants alcooliques

Encart 42.7 : Les phospholipases

Les enzymes de dégradation des glycérophospholipides sont présentes en grandes quantités dans les sécrétions extracellulaires (sécrétions pancréatiques) et dans les organites intracellulaires (par exemple les lysosomes). Leur fonction consiste à dégrader les glycérophospholipides d'origine exogène ou endogène. En revanche, les phospholipases cytosoliques permettent la production de seconds messagers à partir des glycérophospholipides associés aux membranes. En fonction de la fonction ester, qui est spécifiquement clivée, on distingue les phospholipases de type A_1, A_2, C et D (*fig.* 42.30). La stimulation de récepteurs couplés aux protéines G par des hormones peptidiques, comme la bradykinine conduit à l'activation de la phospholipase C-β, qui permet la synthèse de deux messagers secondaires, l'inositol-1,4,5-*tris*phosphate (IP_3) et le diacylglycérol (DAG), à partir de phosphatidyl-4,5-*bis*-phosphate (fig. 29.16). La phospholipase A2 activée permet de libérer l'arachidonate, le précurseur dans la biosynthèse des eicosanoïdes, à partir de glycérophospholipides (§ 41.11).

42.30 Classification des phospholipases selon la fonction ester, qu'elles coupent spécifiquement. R_1 et R_2 représentent des acides gras, tandis que R_3 représente un groupe de tête comme la sérine ou la choline ou l'inositol-4,5-*bis*phosphate. La phospholipase B peut cliver les résidus acyles aussi bien en C1 qu'en C2 (non montré).

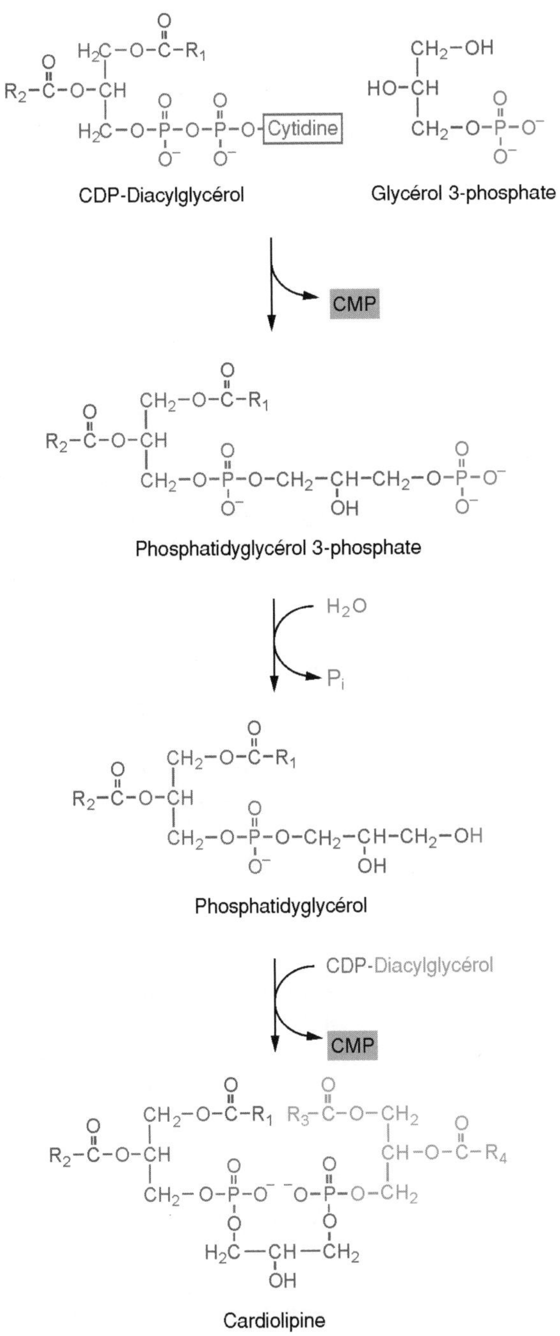

42.31 Biosynthèse de la cardiolipine. Cette molécule symétrique est formée à partir d'une molécule de glycérol-3-phosphate et de deux molécules de CDP-diacylglycérol.

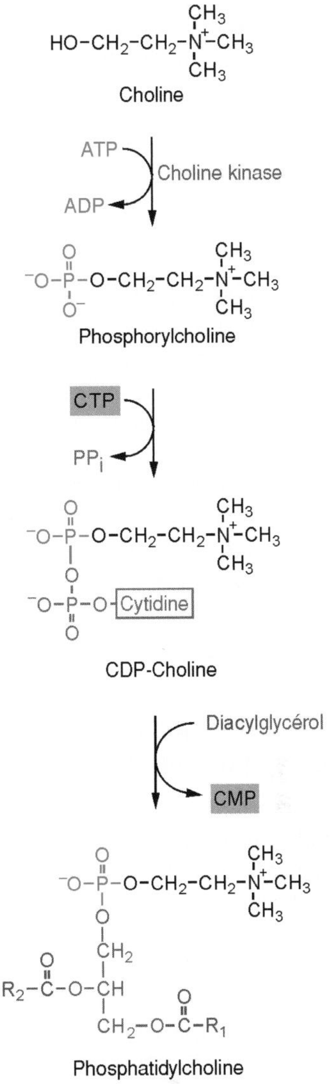

qui sont activés et réagissent ensuite avec le diacylglycérol « libre ». La choline est convertie en phosphorylcholine au cours d'une réaction dépendante de l'ATP, laquelle réagit ensuite avec le CTP pour former la CDP-choline, ou choline « activée » (*fig.* 42.32). Sa réaction ultérieure avec le diacylglycérol produit la **phosphatidyl-choline**. De façon analogue, on obtient le phosphatidyl-éthanolamine (*tab.* Lipides).

42.32 Synthèse de la phosphatidyl-choline *via* la CDP-choline. La choline tire ses trois groupements N-méthyle de la méthionine (*via* la *S*-adénosyl-méthionine), un acide aminé essentiel. Elle n'est donc disponible dans l'organisme qu'en quantités limitées mais peut être ainsi à nouveau mise à profit. La choline produite à partir d'acétylcholine peut aussi être utilisée (*encart* 26.6).

Quelques glycérophospholipides ne portent pas en C1 de fonction acyle, mais une fonction éther ; on les appelle des **éthers de glycérophospholipides** et ils remplissent des fonctions biologiques importantes, par exemple dans l'hémostase (*encart* 42.8).

Les **plasmalogènes** sont des éthers de glycérophospholipides, dont le résidu alkyle est insaturé en αβ ; ils sont formés à partir de précurseurs saturés grâce à l'action d'une **désaturase** (*fig.* 42.34). De façon similaire à l'introduction de doubles liaisons dans les acides gras à longue chaîne (*fig.* 41.11), l'O_2 et le NADH sont des réactifs indispensables.

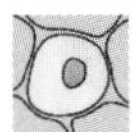

Encart 42.8 : Les éthers de glycérophospholipides

La biosynthèse de ces composés commence avec le dihydroxyacétone phosphate, qui réagit avec l'acyl-CoA pour donner du 1-acyl-dihydroxyacétone phosphate (*fig.* 42.33). Le résidu acyle R est alors échangé contre un résidu alcool à longue chaîne R' ; la fonction ester (-CO-OR') en C1 est transformée en fonction éther (-C-O-R'). La réduction dépendante du NADPH du groupement cétone en C2 conduit au 1-alkylglycérol-3-phosphate. Le groupement hydroxyle formé en C2 est acylé avec l'acyl-CoA pour former le 1-alkyl-2-acylglycérol-3-phosphate. Après hydrolyse de la fonction phosphoester, la réaction avec le CDP-éthanolamine conduit à la formation de 1-alkyl-2-acylphosphatidyl-éthanolamine, un éther de glycérophospholipides. Le prototype de cette classe de composés est la 1-héxadécanoyl-2-acétyl-phosphatidyl-choline, appelée également facteur d'activation plaquettaire ou PAF (angl. *platelet activating factor*), qui permet, en concentration picomolaire (10^{-12} M), l'agrégation des thrombocytes et la dilatation des vaisseaux san-

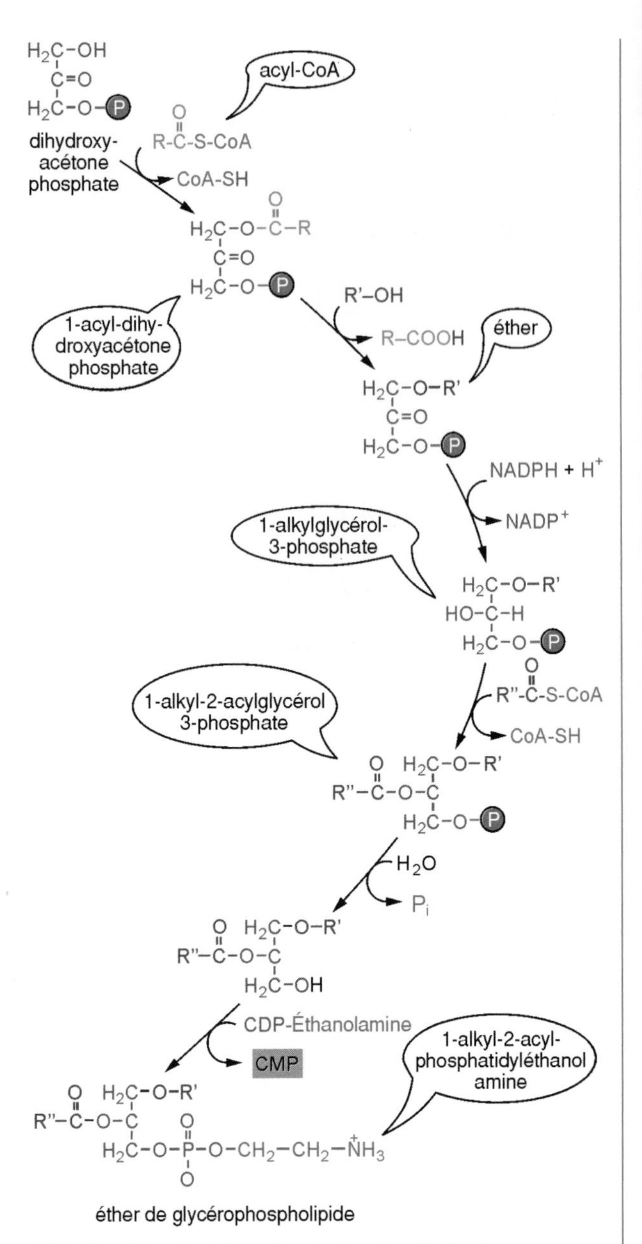

42.33 Synthèse des éthers de glycérophospholipides.

42.13 Le céramide est le précurseur de tous les sphingolipides

On va se tourner maintenant vers une deuxième grande classe de lipides membranaires, les sphingolipides ; on trouve parmi eux la sphingomyéline et les (sphingo)glycolipides (*tab.* Lipides). L'élément de base est la **sphinganine**, qui possède une « tête » trifonctionnelle, portant – à la différence du glycérol, qui est un triol – un groupement aminé et deux groupements hydroxyles. Ce groupement de tête fait partie d'une chaîne alkylée de 18 carbones (*fig.* 42.35). La première étape de la biosynthèse est la liaison du palmitoyl-CoA avec une sérine ; on obtient par décarboxylation la 3-cétosphinganine. La réduction dépendante du NADPH du groupement cétone aboutit ensuite à la sphingoline. Par acylation de son groupement aminé en C2 et déshydrogénation en C4 de la chaîne alkylée, on obtient le **céramide**, le précurseur commun des sphingomyélines et des cérébrosides. Quand la sphinganine est déshydrogénée sans acylation préalable, on obtient la sphingosine.

Le céramide possède déjà les caractéristiques de base d'un lipide membranaire avec deux résidus acyles à longue chaîne en C2 et C3. La synthèse des sphingolipides se termine par la conjugaison du groupement hydroxyle en C1 (*fig.* 42.36) : l'estérification avec un groupement phosphoryl-choline aboutit à la formation de **sphingomyéline**, le composant principal des gaines de myéline des axones (*fig.* 27.11). La réaction du céramide avec l'UDP-glucose ou l'UDP-galactose conduit en revanche aux **cérébrosides**, les prototypes des sphingoglycolipides.

O_2 + NADH + H^+ → NAD^+ + 2 H_2O (Désaturase)

Précurseur 1-alkyle → Plasmalogène

42.34 Synthèse d'un plasmalogène à partir d'un éther de glycérol. Cette réaction est catalysée par un complexe enzymatique lié à la membrane, dont font partie une Δ^1-désaturase et le système du cytochrome b_5.

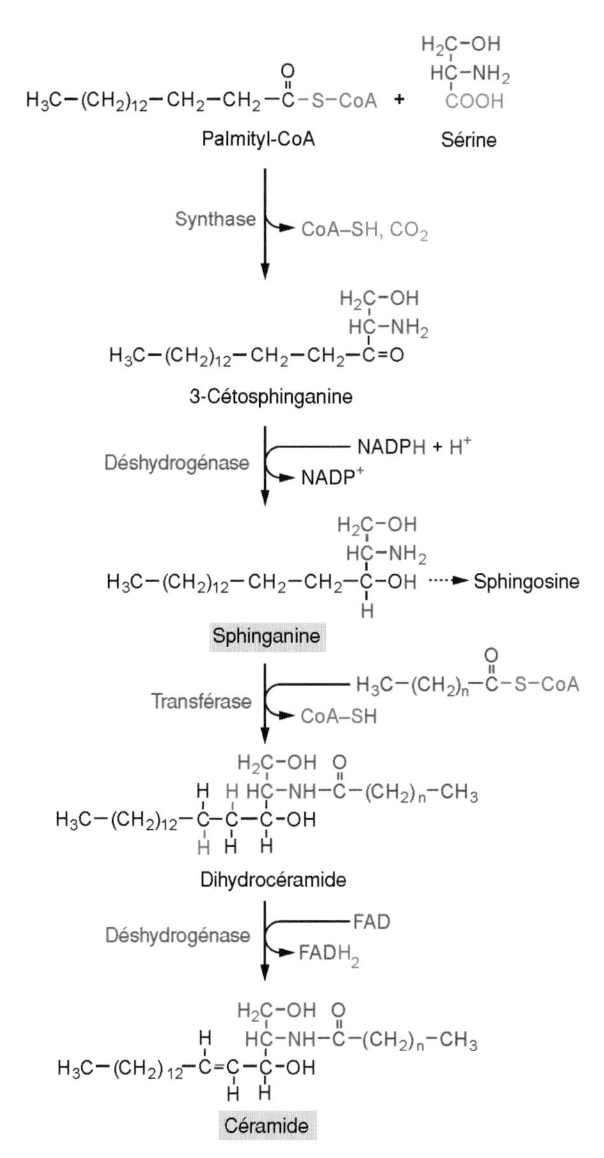

42.35 Biosynthèse de la sphinganine et du céramide (*N*-acyl-sphingosine). Une déshydrogénase introduit la double liaison Δ^4 dans la chaîne latérale de la sphinganine.

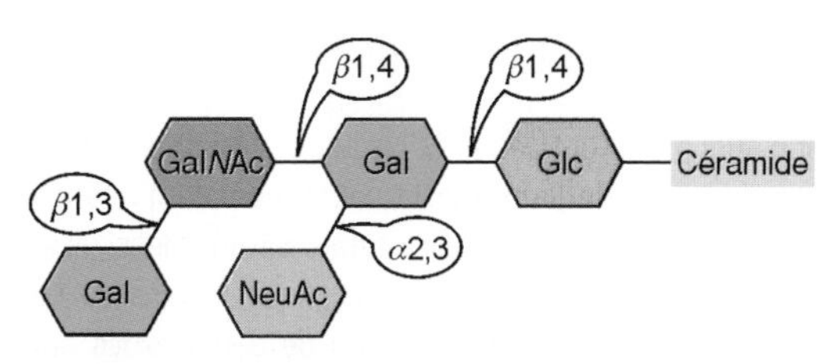

42.37 Structure du ganglioside G_{M1}. Abréviations : Gal, galactose ; Gal*Na*Ac, *N*-acétylgalactosamine ; Neu Ac, *N*-acétylneuraminate ; Glc, glucose. Le *N*-acétylneuraminate est un sucre en C9 avec un groupement carboxyle ; ces sucres « acides » sont appelés des acides sialiques (comparer avec la *fig.* 2.39).

42.14 Une dégradation altérée des sphingolipides conduit à des maladies de stockage des lipides

Les **gangliosides** sont des sphingolipides, qui portent au moins un **résidu d'acide sialique** dans leur fragment glucidique. Ils dérivent des cérébrosides, c'est-à-dire de monoglucosyl- ou monogalactosylcéramides, par additions successives de sucres activés comme l'UDP-glucose, l'UDP-galactose, l'UDP-*N*-acétylgalactosamine ou bien un dérivé CMP de *N*-acétylneuraminate (*fig.* 42.37). Selon le nombre et le type des glycosyltransférases mises en jeu, on peut obtenir jusqu'à 40 gangliosides différents, dont les chaînes latérales glucidiques sont encore modifiées en partie par sulfatation. On trouve les gangliosides avant tout dans la substance grise du cerveau.

Les sphingolipides font l'objet d'un métabolisme intensif ; des **hydrolases lysosomales** sont impliquées dans le catabolisme. Des défauts dans ces enzymes de dégradation conduisent à maladies de stockage des lipides aux conséquences multiples, les lipidoses (encart 42.9).

Après les chapitres consacrés aux sucres, nous allons maintenant refermer les chapitres consacrés aux lipides et nous tourner vers les acides aminés, la troisième grande classe de composants des voies de biosynthèse.

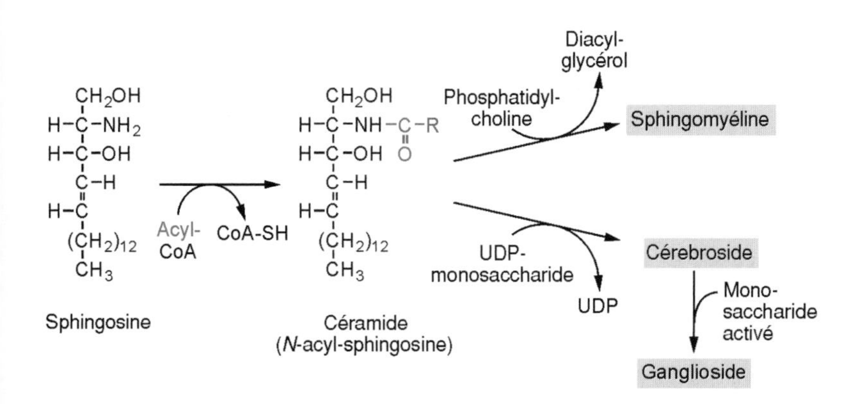

42.36 Biosynthèse de la sphingomyéline (*fig.* 24.1) et des cérébrosides (*fig.* 24.10) à partir de sphingosine et *via* le céramide. La substitution suivante par un résidu de sucre, comme le glucosyl- ou le galactosylcéramide conduit à la formation des gangliosides (*fig.* 24.10). Alternativement, la sphinganine peut aussi servir de précurseur dans la formation du céramide.

Encart 42.9 : Les lipidoses

Les sphingolipides sont dégradés jusqu'à la sphingosine par élimination successive de leurs substituants. Les défauts génétiques, qui correspondent à une absence totale ou une déficience fonctionnelle importante des enzymes impliquées dans ce catabolisme, conduisent à une accumulation de gangliosides dans les cellules atteintes. Dans le cas de la maladie de Tay-Sachs, qui se traduit par un retard mental, de la démence, la cécité et la mort avant l'âge de quatre ans, c'est l'enzyme β-*N*-acétylhexose aminidase, qui est touchée. Une accumulation massive de gangliosides G_{M2} est observée (*tab.* 42.3). Un diagnostic prénatal par amniocentèse et analyse de l'activité β-*N*-acétylhexose aminidase est possible, mais cette maladie ne peut pas être guérie. Une déficience ou une absence d'autres enzymes lysosomales impliquées dans le métabolisme des gangliosides conduit à des symptômes similaires. L'apparition fréquente de symptômes correspondant à des atteintes du système nerveux central se justifie par la proportion importante de sphingolipides dans les gaines de myéline des cellules nerveuses.

Tableau 42.3 Dysfonctionnements congénitaux du métabolisme de sphingolipides. Le globoside est un cérébroside sans sialine (une protéine de la membrane du lysosome) et possédant une chaîne glucidique non ramifiée.

Lipidose	Enzyme atteinte	Intermédiaire accumulé
Gangliosidose généralisée	β-Galactosidase	Ganglioside G_{M1}
Maladie de Tay-Sachs	β-*N*-acétylhexose aminidase A	Ganglioside G_{M2}
M. Fabry	α-Galactosidase A	Trihexosecéramide
M. Gaucher	β-Glucosidase	Glucosylcéramide
M. Niemann-Pick	Sphingomyélinase	Sphingomyéline
M. Farber	Céramidase	Céramide
Leucodystrophie des cellules globoïdes	β-Galactosidase	Galactosylcéramide
Leucodystrophie métachromatique	Arylsulfatase A	3-Sulfogalactosylcéramide
M. Sandhoff	*N*-acétylhexose aminidase A, B	Gangliodide G_{M2}, globoside

43

Dégradation des acides aminés et cycle de l'urée

Pour les éléments constituant les protéines, les acides aminés, il n'existe pas de forme de stockage « simple », comme c'est le cas pour le glycogène ou les triacylglycérols. En fait, c'est une proportion importante des protéines musculaires elles-mêmes, qui sert de réservoir d'acides aminés. Les acides aminés libres, ingérés par la nourriture ou produits par dégradation des propres protéines de l'organisme sont, soit recyclés pour la biosynthèse de protéines, soit dégradés en molécules « combustibles ». Le foie constitue le « marché de gros » pour la fourniture d'acides aminés. Dans la plupart des cas, la première étape dans la dégradation est le clivage du groupement α-aminé et son élimination sous forme d'urée. Le squelette carboné restant est avant tout métabolisé en acétyl-CoA, mais aussi en acétoacétyl-CoA, en pyruvate, en oxaloacétate et en autres intermédiaires du cycle de Krebs. De cette façon, la dégradation des acides aminés est connectée aux étapes oxydatives finales du catabolisme, mais aussi à la gluconéogenèse et à la synthèse des acides gras.

43.1 Des transaminations enlèvent le groupement α-aminé des acides aminés

La dégradation de la plupart des acides aminés commence par le clivage du groupement α-aminé. Des aminotransférases, le plus souvent appelées **transaminases**, catalysent cette réaction totalement réversible. L'accepteur de groupement aminé le plus fréquent est l'**α-cétoglutarate**. Dans ce cas, la réaction produit un α-cétoacide et du glutamate (*fig.* 43.1). Le glutamate devient ainsi un réservoir transitoire pour tous les groupements α-aminés en transit vers le cycle de l'urée.

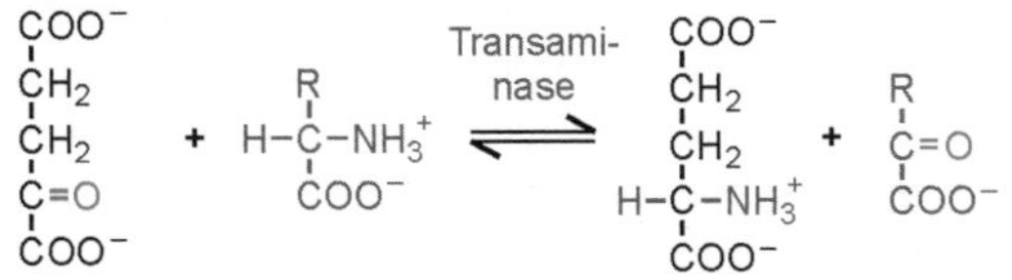

$$\underset{\alpha\text{-Cétoglutarate}}{COO^- - CH_2 - CH_2 - C{=}O - COO^-} + \underset{\text{Acide aminé}}{R - C(H)(NH_3^+) - COO^-} \xrightleftharpoons{\text{Transaminase}} \underset{\text{Glutamate}}{COO^- - CH_2 - CH_2 - C(H)(NH_3^+) - COO^-} + \underset{\alpha\text{-Cétoacide}}{R - C{=}O - COO^-}$$

43.1 Réaction catalysée par les transaminases. À titre d'exemple, la figure montre la formation du glutamate par transfert du groupement aminé d'un acide aminé sur l'α-cétoglutarate.

Par exemple, la **glutamate-pyruvate transaminase** transfère le groupement α-aminé de l'alanine vers l'α-cétoglutarate ; il se forme alors du pyruvate et du glutamate. On avait déjà rencontré cette réaction réversible dans le cycle glucose-alanine, une variante du cycle des Cori (§ 39.5).

$$\text{Alanine} + \alpha\text{-Cétoglutarate} \rightleftharpoons \text{Pyruvate} + \text{Glutamate}$$

Le coenzyme de toutes les transaminases, et de beaucoup d'autres enzymes qui catalysent la conversion des acides aminés, est le **phosphate de pyridoxal** (PLP) (*fig.* 40.4). Le PLP est lié aux transaminases, sous la forme d'une base de Schiff (aldimine), *via* le groupement ε-aminé de la chaîne latérale d'une lysine, situé dans le site actif de l'enzyme. La transamination se déroule en deux étapes : réception du groupement α-aminé de l'acide aminé donneur, puis transfert de ce groupement sur l'accepteur, l'α-cétoglutarate. Le résultat final est l'échange, entre les deux substrats, du groupement α-aminé (*encart* 43.1)

La **glutamate-oxaloacétate transaminase** joue également un rôle central. Elle transfère le groupement α-aminé de l'aspartate sur l'α-cétoglutarate, d'où la formation d'oxaloacétate, un autre intermédiaire du cycle de Krebs :

$$\text{Aspartate} + \alpha\text{-Cétoglutarate} \rightleftharpoons \text{Oxaloacétate} + \text{Glutamate}$$

Le glutamate formé au cours de ces transaminations subit – surtout dans le foie – une **désamination oxydative** par la **glutamate déshydrogénase** (*fig.* 43.3). Au cours de cette réaction, qui nécessite du $NAD(P)^+$, un ion ammonium (NH_4^+) est libéré et l'α-cétoglutarate est régénéré, et à nouveau disponible pour une nouvelle transamination. Les acides aminés sérine et thréonine peuvent également subir une désamination directe. Aucun accepteur d'hydrogène externe n'est alors nécessaire car, dans le même temps, l'atome de carbone en position β est réduit par clivage de son groupement hydroxyle, *via* la formation transitoire d'un intermédiaire énolique (*fig.* 43.4).

La **désamination** « éliminatrice » de la thréonine se déroule de façon analogue. L'ensemble de ces réactions est le suivant :

$$\text{Sérine} \rightarrow \text{Pyruvate} + NH_4^+$$
$$\text{Thréonine} \rightarrow \alpha\text{-Cétobutyrate} + NH_4^+$$

Encart 43.1 : Les transaminases

Le centre actif des transaminases lie tout d'abord un acide aminé, dont le groupement α-aminé remplace la liaison au PLP du groupement ε-aminé d'une lysine (*fig.* 43.2). Une nouvelle base de Schiff – externe – est formée, l'aldimine. Toutefois, le PLP reste étroitement lié à l'enzyme par des interactions non covalentes. Par déplacement d'un H^+, l'aldimine s'isomérise en cétimine ; ce composé est ensuite hydrolysé, ce qui libère l'α-cétoacide correspondant. Le PLP reste lié à l'enzyme sous forme de phosphate de pyridoxamine (PMP) ; la première partie de la réaction se termine ainsi. La deuxième partie est une inversion de la première : l'α-cétoglutarate forme avec le PMP une cétimine, qui est transformée en aldimine par tautomérisation. L'hydrolyse de l'aldimine produit ensuite le glutamate et le PLP forme à nouveau une base de Schiff avec l'enzyme. L'état de départ est à nouveau atteint.

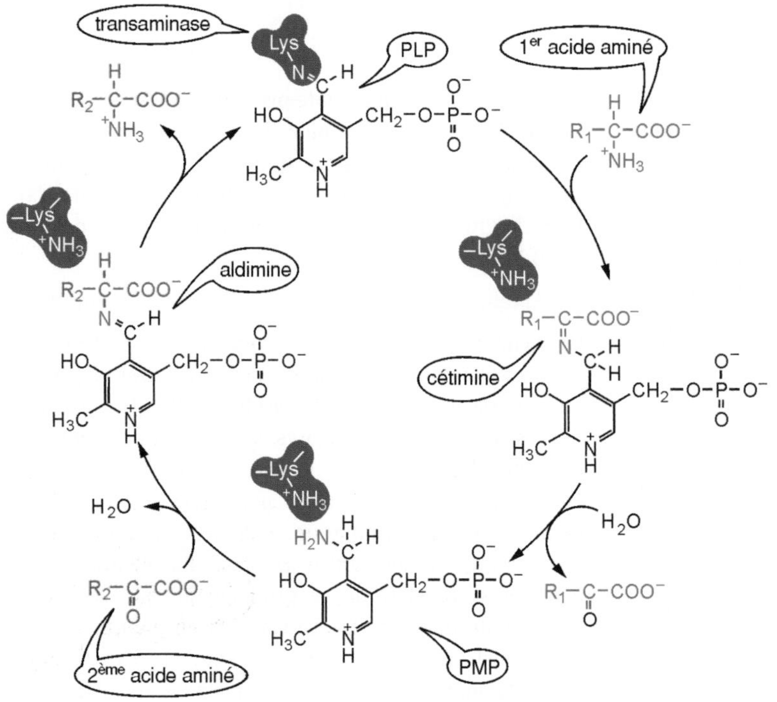

43.2 Mécanisme réactionnel des transaminases. L'hydrolyse de la base de Schiff de forme cétimine donne un α-cétoacide, celle de la forme aldimine donne un acide aminé. R_1, R_2, chaînes latérales des acides aminés.

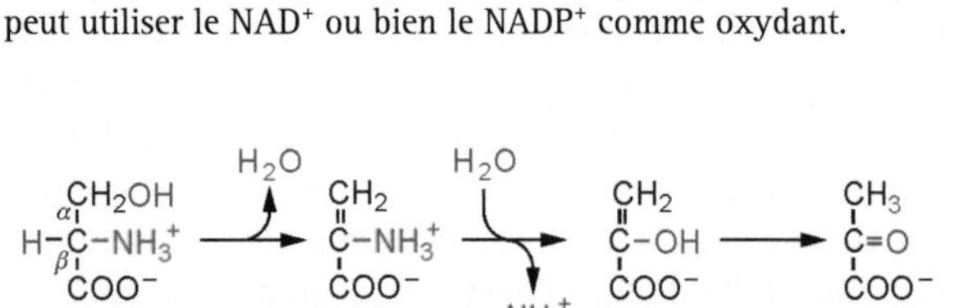

43.3 Régénération de l'α-cétoglutarate par désamination oxydative, catalysée par la glutamate déshydrogénase. L'enzyme peut utiliser le NAD^+ ou bien le $NADP^+$ comme oxydant.

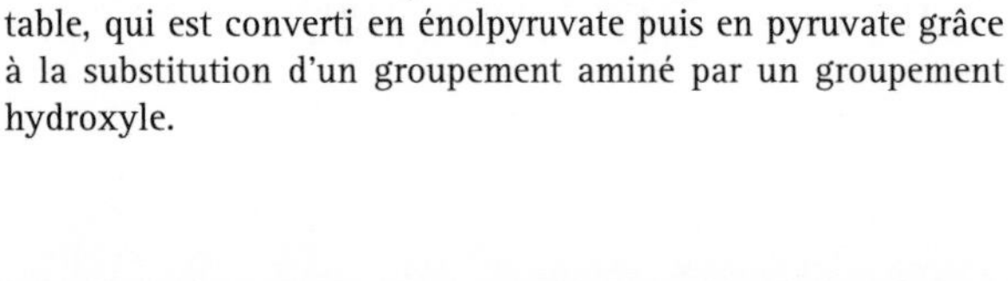

43.4 Désamination de la sérine. D'abord, une déshydratase clive le groupement β-hydroxyle pour former de l'H_2O ; le produit intermédiaire, l'aminoacrylate, est un composé insaturé et instable, qui est converti en énolpyruvate puis en pyruvate grâce à la substitution d'un groupement aminé par un groupement hydroxyle.

43.2 Le cycle de l'urée élimine les ions ammonium libres en consommant de l'énergie

Les ions ammonium se déprotonisent facilement pour donner de l'**ammoniac** (NH_3), un composé dont il faut se débarrasser rapidement, en raison de sa cytotoxicité et de sa neurotoxicité. Dans cette opération, l'acteur principal est le foie, qui utilise un cycle réactionnel complexe pour transformer l'ion NH_4^+ en un composé « non dangereux », l'urée. À partir de NH_4^+ et de bicarbonate, tout d'abord « activés » en carbamoyl-phosphate, ainsi que d'aspartate, le cycle forme du fumarate et de l'**urée** (*fig.* 43.5).

De façon similaire au cycle de Krebs, le **cycle de l'urée** débute par une réaction initiale : la **carbamoyl-phosphate synthétase** catalyse la formation de l'intermédiaire réactif, le carbamoyl-phosphate, à partir de NH_4^+ et de bicarbonate (HCO_3^-), en utilisant deux ATP (*fig.* 43.6).

L'hydrolyse d'ATP constitue la force motrice de la réaction et la rend pratiquement irréversible. Une partie de l'énergie produite est utilisée pour former une fonction anhydride réactive entre le résidu d'acide carbamique et

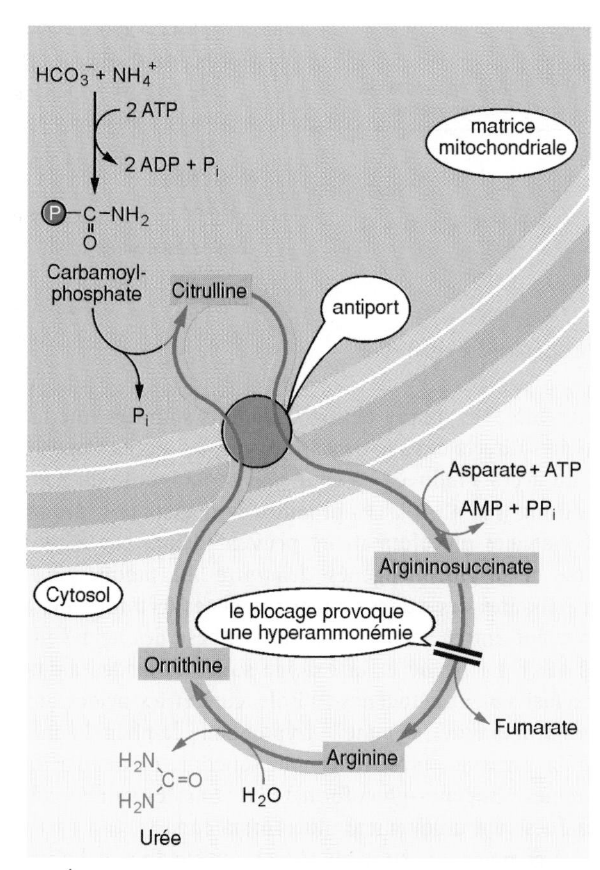

43.5 Étapes du cycle de l'urée. La synthèse du carbamoyl-phosphate et de la citrulline se déroule dans la matrice mitochondriale, tandis que toutes les autres réactions ont lieu dans le cytosol. La citrulline est transportée à travers la membrane mitochondriale interne par un antiport en échange d'ornithine. Quand le cycle est bloqué au niveau de la conversion d'argininosuccinate en arginine et fumarate, on observe une augmentation de la production d'ammoniac (*encart* 43.2).

un phosphate. Cette fonction dispose d'un fort potentiel de transfert de groupe (*fig.* 34.4). Dans le cycle de l'urée, l'accepteur pour le carbamoyl-phosphate est l'ornithine, un acide aminé non protéinogène, qui dérive de l'arginine. L'**ornithine transcarbamylase** catalyse le transfert du résidu carbamoyl vers l'ornithine. Le produit de la réaction est la citrulline (*fig.* 43.7). L'énergie nécessaire à cette réaction est apportée par le clivage du phosphate inorganique à partir de l'anhydride mixte, le carbamoyl-phosphate.

$$HCO_3^- + NH_4^+ + 2\,ATP$$

$$\downarrow \text{Carbamoyl-phosphate synthétase}$$

$$H_2N\text{-}C(=O)\text{-}O\text{-}P(=O)(O^-)\text{-}O^- + 2\,ADP + P_i + 3\,H^+$$

43.6 Réaction catalysée par la carbamoyl-phosphate synthétase. L'enzyme catalyse la réaction clé du cycle de l'urée dans la matrice mitochondriale.

Tableau 43.1 Types des réactions dans le cycle de l'urée.

Type de réaction	Enzymes et cofacteurs
Transfert de groupement	Une transférase transfère un résidu carbamoyle
Synthèse dépendante d'ATP	Une synthétase forme une liaison C-N
Activité lyase	La succinase clive une liaison C-N
Hydrolyse	L'arginase hydrolyse un groupement amidinyle

L'**argininosuccinate synthétase** catalyse ensuite la synthèse d'argininosuccinate à partir de citrulline et d'aspartate, en utilisant de l'ATP. De l'AMP et du pyrophosphate sont aussi formés (*fig.* 43.7), ce dernier étant ensuite hydrolysé en deux P_i. L'**argininosuccinase** clive ensuite l'argininosuccinate en arginine et en fumarate, un intermédiaire dans le cycle de Krebs (*fig.* 43.8). Le noyau à 4 carbones de l'aspartate est entièrement conservé.

L'étape suivante, catalysée par l'**arginase**, consiste à hydrolyser l'arginine en urée et en ornithine. Le cycle se referme ainsi et l'ornithine est disponible pour un nouveau tour de cycle. L'urée formée tire son atome de C et un atome de N du carbamoyl-phosphate ; le deuxième atome de N provient du groupement α-aminé de l'aspartate. La stœchiométrie de l'ensemble du cycle réactionnel est :

$$NH_4^+ + 3\,ATP + 2\,H_2O + \text{Aspartate} \rightarrow$$
$$\text{Urée} + 2\,ADP + AMP + 4\,P_i + \text{Fumarate}$$

La synthèse d'urée « coûte » donc quatre fonctions phosphates « riches en énergie ». C'est le prix à payer pour « détoxifier » l'intermédiaire toxique, le NH_3. Un blocage du cycle et de ses voies affluentes conduit à une **hyperammonémie**, une maladie métabolique grave (*encart* 43.2).

Encart 43.2 : Hyperammonémie

Une pénurie ou un défaut génétique – en bref une déficience – en argininosuccinase conduit, en l'absence de traitement, à une accumulation de NH_4^+ dans le sang (hyperammonémie). Les symptômes majeurs sont la léthargie, le coma et des dommages irréversibles dans le système nerveux central. Un diagnostic prénatal est possible, mais il n'existe pas de thérapie causale. Le régime consiste en une nourriture pauvre en protéines, combinée avec un apport en excès d'arginine libre. La partie « intacte » du cycle de l'urée permet alors de cliver l'arginine en ornithine, laquelle réagit avec le carbamoyl-phosphate pour donner de la citrulline. À son tour, la citrulline réagit avec l'aspartate pour former l'argininosuccinate. Le blocage du métabolisme provoque une accumulation d'argininosuccinate, qui peut être éliminé par les reins. Pour chaque molécule d'arginine ingérée, deux atomes de N sont excrétés. L'argininosuccinate fonctionne alors comme un substitut de l'urée et permet la détoxication d'une quantité limitée de NH_3. Ceci montre qu'une connaissance précise des voies métaboliques peut permettre le développement de stratégies thérapeutiques « intelligentes ».

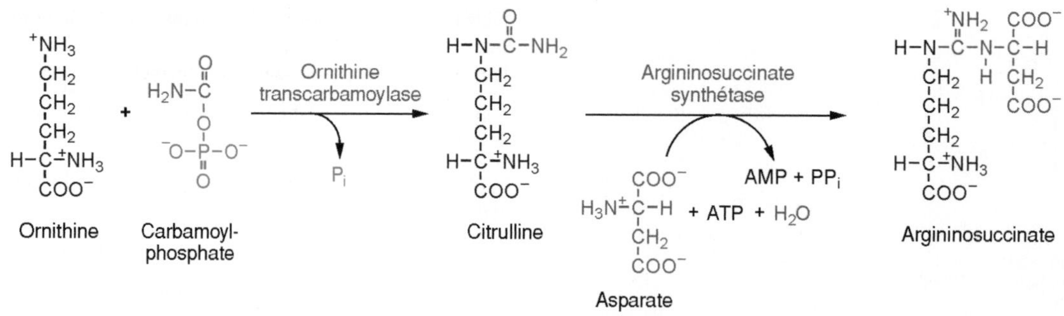

43.7 Réactions catalysées par l'ornithine transcarbamoylase et l'argininosuccinate synthétase.

Le cycle de l'urée fournit comme « sous-produit », la **créatine phosphate,** qui sert de réservoir d'énergie dans le métabolisme musculaire. L'arginine se condense avec de la glycine pour former l'acétate de guanidine et l'ornithine. Ce dernier composé entre alors dans le cycle de l'urée et permet de régénérer l'arginine (*fig.* 43.9). D'autre part, l'acétate de guanidine est méthylé pour former de la créatine ; dans cette réaction, le donneur de groupement méthyle est la S-adénosyl-méthionine (*encart* 44.2). La **créatine kinase** catalyse ensuite la phosphorylation de la créatine, pour former la créatine phosphate. En raison de sa forte concentration intracellulaire et de son remarquable potentiel de transfert de groupement phosphate, la créatine phosphate est capable de régénérer de l'ATP à partir d'ADP. Elle peut, de ce fait, contribuer au maintien à court terme d'une concentration en ATP élevée (*encart* 9.2), nécessaire pendant l'exercice musculaire.

43.3 Le squelette carboné des acides aminés aboutit au cycle de Krebs

Jusqu'ici, on a suivi le destin métabolique du groupement α-aminé des acides aminés. On va maintenant se tourner vers la dégradation du squelette restant, qui est formé en majorité par des atomes de carbone. À partir des 20 acides aminés protéinogènes, on obtient essentiellement sept molécules : le pyruvate, l'acétyl-CoA, l'acétoacétyl-CoA, l'α-cétoglutarate, le succinyl-CoA, le fumarate et l'oxaloacétate. Les quatre derniers produits sont des intermédiaires directs dans le cycle de Krebs, les autres disposent d'un accès « indirect » à cette plaque tournante du métabolisme (*fig.* 43.10). Les produits de dégradation des **acides aminés glucoformateurs** peuvent déboucher dans la voie de la gluconéogenèse (*chapitre* 39), tandis que les métabolites des **acides aminés cétogènes** (cétoformateurs) peuvent entrer dans la voie de synthèse des acides gras (§ 41.7). La lysine et la leucine sont des acides aminés exclusivement cétogènes ; l'isoleucine et les acides aminés aromatiques, comme le tryptophane, la phénylalanine et la tyrosine, présentent une fonction mixte d'acides aminés cétogènes-glucoformateurs ; tous les autres acides aminés sont uniquement glucoformateurs.

À ce niveau, la stratégie réductionniste du métabolisme est à nouveau clairement visible : à partir d'un grand nombre et d'une grande diversité d'acides aminés, seul un petit nombre de produits de dégradation est produit, qui débouchent finalement tous dans un seul cycle métabolique. On va classer ici les acides aminés en quatre familles principales, selon le nombre d'atomes de carbones de leurs produits majeurs de dégradation. En effet, en fonction de ce critère, les voies de dégradation des acides aminés sont similaires – mais non identiques – ; les produits majeurs de dégradation sont indiqués entre parenthèses :

- C_2 leucine, lysine (respectivement acétyl-CoA ou acétoacétyl-CoA)
- C_3 alanine, sérine, cystéine, tryptophane, glycine (pyruvate)

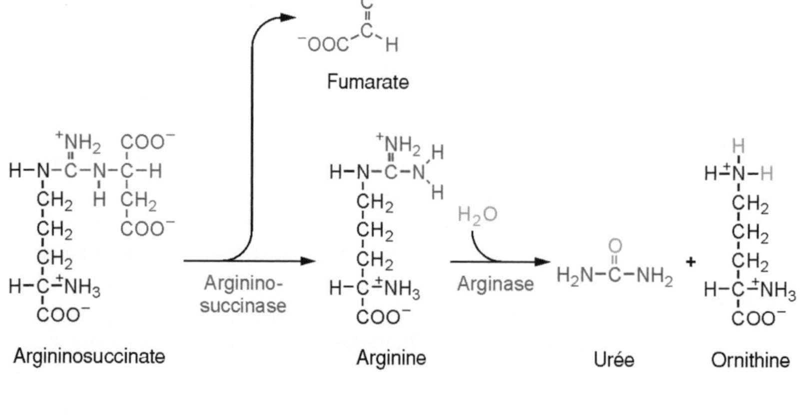

43.8 Réactions catalysées par l'argininosuccinase et l'arginase. Le fumarate peut être régénéré en aspartate *via* des réactions du cycle de Krebs et une transamination.

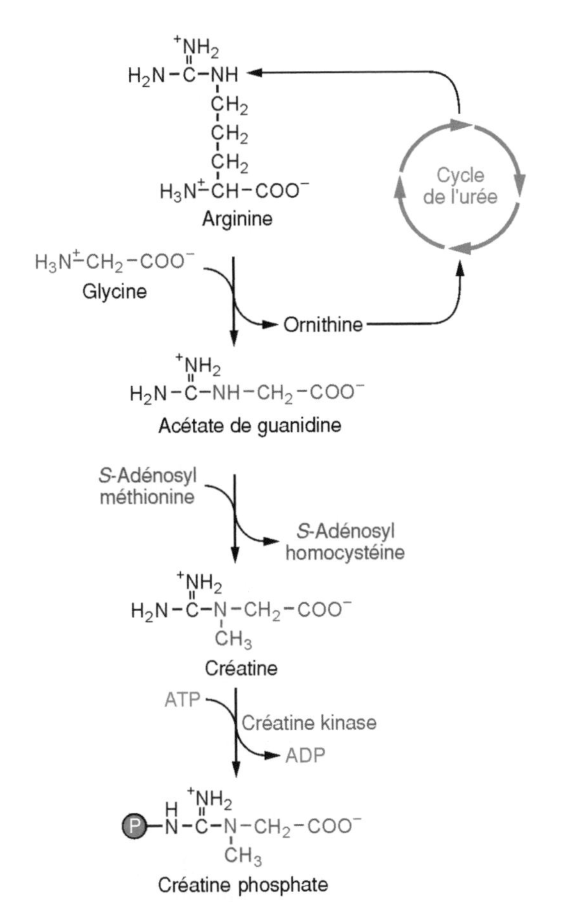

43.9 Synthèse de la créatine phosphate à partir de l'arginine et de la glycine. L'ornithine ainsi produite est régénérée en arginine par le cycle de l'urée.

- $C_{4\text{-O}}$ aspartate, asparagine (oxaloacétate)
- $C_{4\text{-F}}$ phénylalanine, tyrosine (fumarate)
- $C_{4\text{-S}}$ méthionine, valine, isoleucine, thréonine (succinyl-CoA)
- C_5 glutamate, glutamine, proline, arginine, histidine (α-cétoglutarate)

Ce résumé schématique *ne* tient *pas* compte du fait que des voies cataboliques alternatives peuvent exister dans certains cas, ou bien que de l'acétyl-CoA est synthétisé en plus des produits en C_3 ou C_4.

43.4 L'acétyl-CoA est le produit majeur de la famille C_2

Les voies cataboliques des acides aminés strictement cétogènes, la lysine et la leucine, convergent au niveau de la formation de l'unité à deux carbones (C_2), l'acétyl-CoA. Dans la mesure où la voie de dégradation de la lysine – comme d'ailleurs sa biosynthèse – est extraordinairement complexe, on considérera la **dégradation de la leucine** comme un exemple représentatif pour l'ensemble de la **famille C_2**. La leucine est tout d'abord transaminée ; un acide cétocarboxylique à 6 carbones (α-cétoisocaproate ; C_6) se forme, qui est transformé par décarboxylation oxydative en unité à cinq carbones (C_5), l'isovaléryl-CoA (*fig.* 43.11). Cette réaction génère du NADH.

Au cours d'une réaction consommant du FAD, l'isovaléryl-CoA déshydrogénase oxyde l'isovaléryl-CoA pour former un composé insaturé, le β-méthyl-crotonyl-CoA. Une carboxylase catalyse ensuite la carboxylation du β-méthyl-crotonyl-CoA en utilisant de l'ATP, puis une hydratase catalyse l'ajout d'une molécule d'H_2O au niveau de la double liaison : le produit obtenu est le **3-hydroxyméthylglutaryl-CoA** (HMG-CoA), que l'on a déjà rencontré à plusieurs reprises (*encart* 41.3 et *fig.* 42.2). Le clivage du 3-hydroxyméthylglutaryl-CoA produit de l'**acétyl-CoA** et de l'**acétoacétyl-CoA**, ce dernier étant encore clivé par l'acétyl-CoA transférase et la thiolase en deux molécules d'acétyl-CoA (*fig.* 41.3).

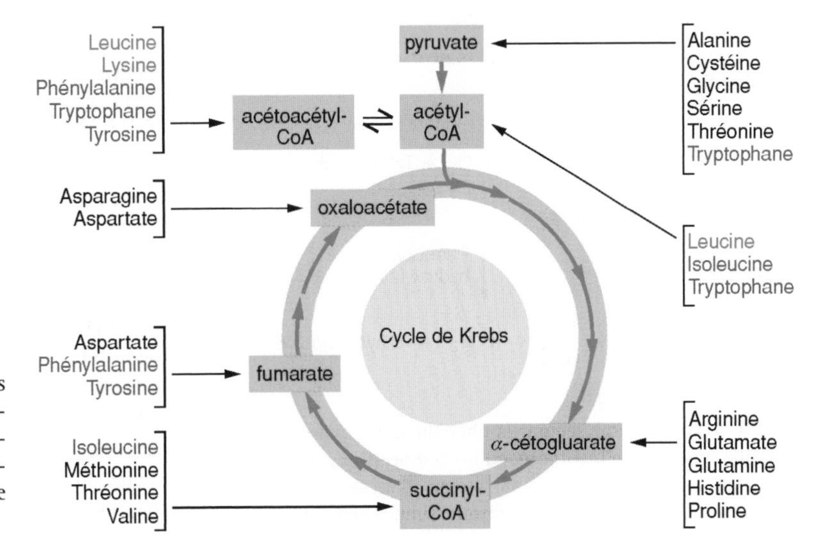

43.10 Utilisation du squelette carboné des acides aminés. Les acides aminés glucoformateurs (en noir), mais aussi les acides aminés cétogènes (en rouge) et mixtes cétogènes-glucoformateurs (en bleu) débouchent dans le cycle de Krebs.

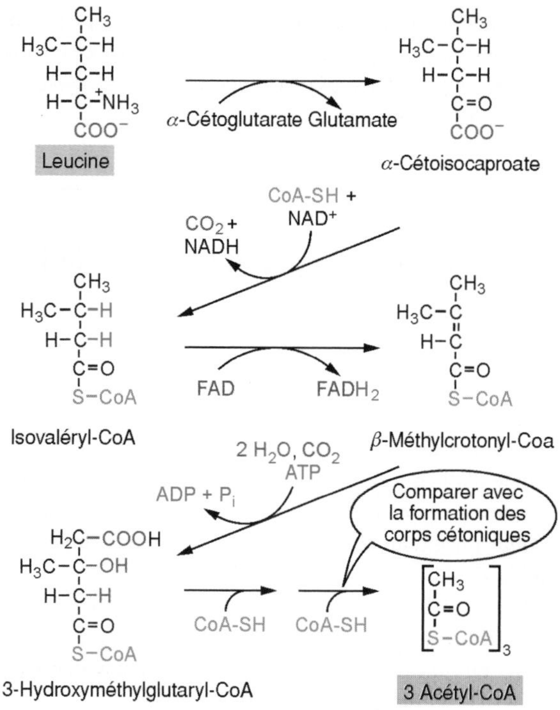

43.11 L'acétyl-CoA est le produit majeur de la famille C_2. L'α-cétodéshydrogénase catalyse la décarboxylation oxydative de l'α-cétoisocaproate. L'enzyme agit spécifiquement sur les squelettes carbonés ramifiés (acide isovalérique, isoleucine, valine), d'où le nom de déshydrogénase des acides aminés à chaîne ramifiée.

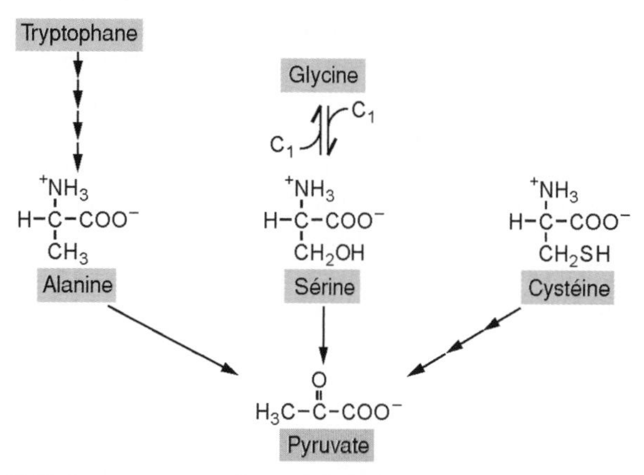

43.12 Le pyruvate est le produit majeur du catabolisme de la famille C_3.

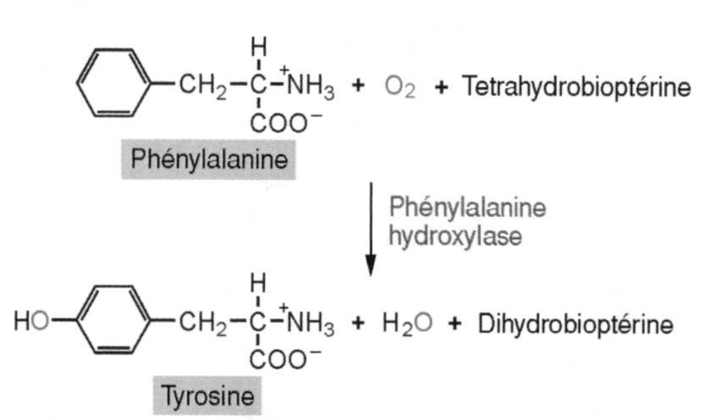

43.13 Réaction catalysée par la phénylalanine hydroxylase. La **monooxygénase** n'incorpore qu'*un* atome d'oxygène de l'O_2 dans le substrat ; le deuxième atome d'oxygène se retrouve dans la molécule d'eau qui est formée simultanément.

43.5 La dégradation de la famille C_3 converge vers le pyruvate

Dans la **famille C_3**, les voies de dégradation de l'alanine, la sérine, la cystéine, la glycine et du tryptophane (partiellement) convergent au niveau de la formation de **pyruvate** (*fig.* 43.12).

L'**alanine** est convertie en pyruvate par transamination avec de l'α-cétoglutarate (§ 43.1). La **glycine** peut être transformée en sérine par transfert d'une unité en C_1 (*fig.* 44.3). La **sérine** est ensuite directement clivée en pyruvate et NH_4^+ par déshydratation (*fig.* 43.4). De façon analogue au cas de la sérine, la **cystéine** est également convertie en pyruvate par élimination de sulfure d'hydrogène (H_2S). Finalement, le tryptophane fournit aussi – outre d'autres produits de dégradation – une unité en C_3, qui est convertie en pyruvate *via* la formation d'alanine.

Pour tirer la « valeur ajoutée maximale » des squelettes carbonés des acides aminés, le métabolisme dispose aussi de voies alternatives, qui *n*'aboutissent *pas* au pyruvate, mais fournissent d'autres composés intermédiaires précieux. Par exemple, la glycine peut fournir des unités monocarbonées pour former le N^5,N^{10}-méthylène-tétrahydrofolate (*fig.* 44.4), par le biais de décarboxylation et désamination en unités C_1 activées. Outre le pyruvate, le tryptophane fournit aussi des unités en C_2, sous la forme d'acétyl-CoA et d'acétoacétyl-CoA. D'autre part, la thréonine, qui est convertie à 90 % en succinyl-CoA dans l'organisme humain, peut également subir une oxydation dépendante du NAD^+ pour donner l'α-amino-β-cétobutyrate. A nouveau, ce composé est transformé en acétyl-CoA et en pyruvate. Ces voies alternatives du métabolisme – que l'on n'a pas voulu détailler ici pour conserver une vue d'ensemble – prennent une importance particulière, quand des défauts d'activités enzymatiques bloquent les voies « normales » de catabolisme.

43.6 L'oxaloacétate, le succinate et le fumarate sont les intermédiaires de la famille C_4

On en arrive maintenant aux acides aminés qui fournissent des unités à 4 carbones (C_4) – l'oxaloacétate, le fumarate ou bien le succinyl-CoA – comme produits de dégradation majeurs. On y distingue trois sous-familles. Dans la **famille C_{4-0}**, la transamination de l'**aspartate** donne directement de l'oxaloacétate (§ 43.1). L'asparaginase hydrolyse l'**asparagine**, un amide d'acide carboxylique, en acide carboxylique libre, lequel est ultérieurement converti en oxaloacétate. Alternativement, le squelette carboné de l'aspartate peut aussi être converti, *via* le cycle de l'urée, en fumarate, une autre unité en C_4 (*fig.* 43.5). Le fumarate est également le produit final de la dégradation de la phénylalanine et de la tyrosine, que l'on va examiner maintenant en détail.

La **famille C_{4-F}** comprend la **phénylalanine** et la tyrosine. La **phénylalanine hydroxylase** est une monooxygénase, qui catalyse l'hydroxylation de la phénylalanine en **tyrosine** (*fig.* 43.13). De ce fait, les voies de dégradation de ces deux acides aminés aromatiques sont communes. Le coenzyme de cette réaction est la **tétrahydrobioptérine** (*encart* 43.3). Une activité trop faible ou totalement absente de la phénylalanine hydroxylase conduit à la **phénylcétonurie**, une maladie métabolique grave (*encart* 43.4).

Encart 43.3 : La tétrahydrobioptérine (THP)

Le coenzyme de la phénylalanine hydroxylase est la THP (*fig.* 43.14), un cosubstrat rédox structurellement apparenté à l'acide folique. Au cours de la réaction d'hydroxylation, il se forme probablement un dérivé intermédiaire hydroperoxyde, à partir duquel le THP est oxydé pour donner une forme active de dihydrobioptérine. Le coenzyme se dissocie ensuite de l'hydroxylase et la THP est régénérée grâce à une autre enzyme consommant du NADPH, la dihydrobioptérine réductase. La réassociation de la THP avec l'hydroxylase referme le cycle : un autre cycle enzymatique peut commencer. La THP *n'*est *pas* une vitamine, car elle est synthétisée par l'organisme humain. Un intermédiaire dans sa biosynthèse est un isomère inactif de la dihydrobioptérine (*fig.* 43.14 en haut). La réduction de cet intermédiaire en THP est catalysée, de façon dépendante du NADPH, par une autre enzyme, la **dihydrofolate réductase**, que l'on a déjà rencontré par ailleurs (*encarts* 23.5 et 45.4). La THP est ainsi rendue disponible pour le cycle de réactions. Il faut noter, que la dihydrobioptérine réductase peut uniquement réduire la forme active de la dihydrobioptérine.

L'étape suivante dans la dégradation des acides aminés à noyau phénolique est la transamination de la tyrosine en *p*-hydroxyphényl pyruvate. Ce composé est

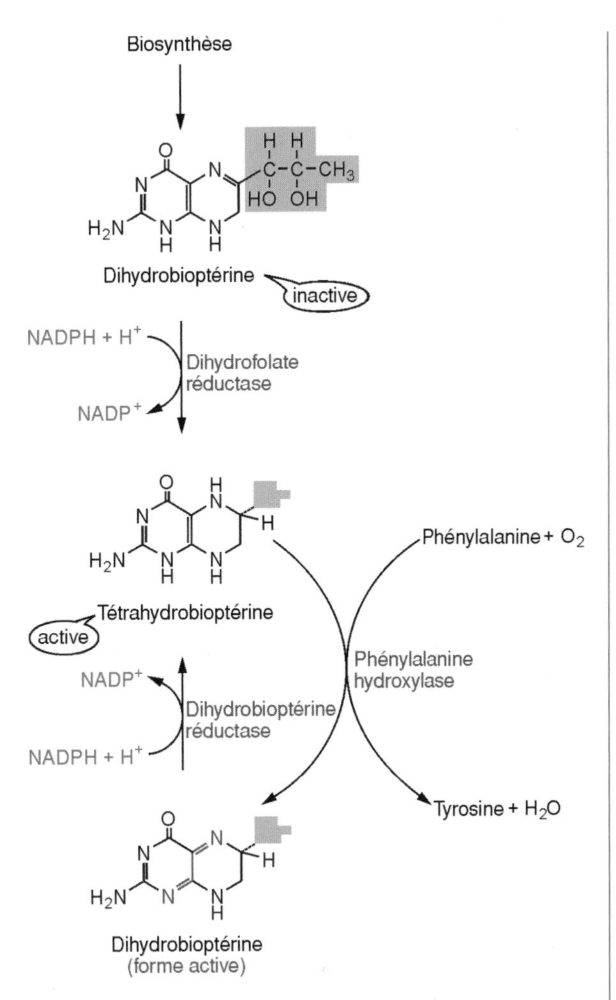

43.14 Les réactions rédox impliquant la tétrahydrobioptérine.

Encart 43.4 : Phénylcétonurie (PCU)

La PCU est une maladie héréditaire autosomale récessive, qui atteint un nouveau-né sur 10 000. La cause est un défaut dans le gène codant la phénylalanine hydroxylase. Un diagnostic prénatal est possible, par le biais d'une analyse par RFLP (§ 22.8). Normalement, 25 % de la phénylalanine produite par le métabolisme est réutilisée pour la biosynthèse des protéines et 75 % est dégradée *via* la formation de tyrosine. Le blocage de la voie majeure de métabolisme par une déficience de la phénylalanine hydroxylase conduit à une augmentation d'un facteur supérieur à vingt de la concentration sanguine en phénylalanine. Une partie de la phénylalanine excédentaire subit une transamination pour former du phénylpyruvate (*fig.* 43.15). L'excrétion rénale de cet acide α-cétocarboxylique ou cétonurie, donne son nom à cette maladie. En l'absence de traitement, la PCU provoque un retard mental chez les patients homozygotes, tandis que les patients hétérozygotes ne présentent pas de symptômes. Un régime pauvre en phénylalanine, dès la naissance, améliore le tableau clinique, mais il faut accompagner ce régime d'un traitement de substitution fournissant la tyrosine. Une déficience en dihydrobioptérine réductase provoque des symptômes similaires car il en résulte une pénurie en THP, qui provoque une inactivation de la phénylalanine hydroxylase (comparer avec la *fig.* 43.14).

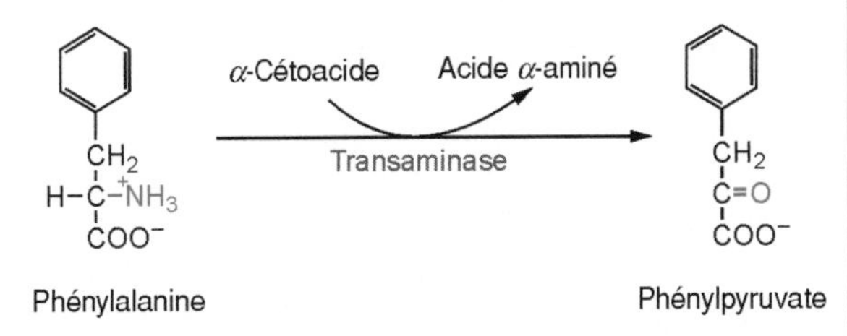

43.15 Conversion de la phénylalanine en phénylpyruvate, en cas de manque en phénylalanine hydroxylase.

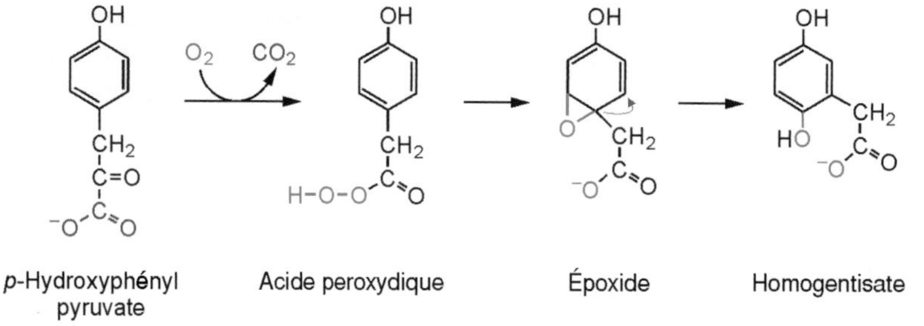

43.16 Mécanisme de la réaction catalysée par la *p*-hydroxyphénylpyruvate hydroxylase, une dioxygénase. La protéine ferrique utilise l'acide ascorbique comme cosubstrat.

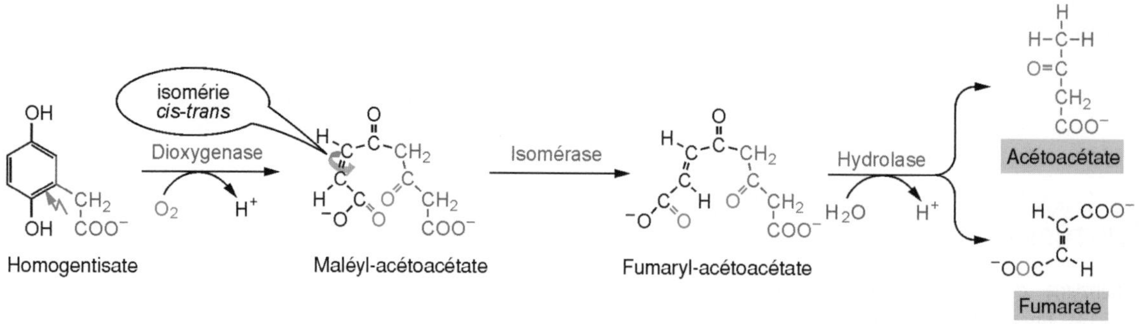

43.17 Dégradation de l'homogentisate en fumarate et acétoacétate.

converti en **homogentisate** par la **p-hydroxyphényl pyruvate hydroxylase,** au cours d'une réaction nécessitant de l'O_2 (*fig.* 43.16). Par décarboxylation, un intermédiaire acide peroxydique puis époxyde est formé, qui donne de l'homogentisate par réorganisation intramoléculaire. Les deux atomes d'oxygène sont donc incorporés dans le substrat : la *p*-hydroxyphényl pyruvate hydroxylase constitue une **dioxygénase**.

Au cours de la réaction suivante, le noyau aromatique de l'homogentisate va être ouvert grâce à une oxydation catalysée par l'**homogentisate oxydase**, une autre dioxygénase. Le produit est un composé linéaire à huit atomes de carbones, le 4-maléyl-acétoacétate (*fig.* 43.17). Le maléyl-acétoacétate est converti en fumaryl-acétoacétate par une isomérisation *cis-trans* au niveau de la double liaison C-C. La dernière étape de cette chaîne de réactions permet la formation d'une unité à quatre carbones, le **fumarate**, par clivage du fumaryl-acétoacétate ; en même temps, de l'acétoacétate est produit.

43.7 La déshydrogénase des acides aminés à chaîne ramifiée dégrade les intermédiaires de la famille $C_{4\text{-}S}$

Le **succinyl-CoA,** un composé à quatre carbones, constitue le produit final commun dans le catabolisme des acides aminés de la **famille $C_{4\text{-}S}$**, la valine, l'isoleucine, la thréonine et la méthionine (*fig.* 43.18). La dégradation des chaînes carbonées ramifiées de la valine et de l'isoleucine ressemble à celle de la leucine (*fig.* 43.11). Une transamination convertit ces acides aminés en leurs dérivés α-cétoacides, lesquels subissent ensuite une décarboxylation oxydative par la **déshydrogénase des acides aminés à chaîne ramifiée.** La dégradation de l'**isoleucine** fournit, entre autres produits, le propionyl-CoA, un composé à 3 carbones, que l'on avait déjà rencontré dans les produits de dégradation des acides gras à chaîne carbonée impaire (§ 41.5). Le propionyl-CoA donne ensuite par carboxylation le L-méthylmalonyl-CoA, un composé à quatre carbones (C_4). La dégradation de la **valine** conduit, quant à elle, directement à ce composé. La déshydrogénase des acides aminés à chaîne ramifiée est de fait impliquée dans la dégradation de trois acides aminés apolaires et représente donc un « goulot d'étranglement » dans le métabolisme des acides aminés. Un déficit de cette enzyme provoque la maladie du sirop d'érable ou leucinose (*encart* 43.5).

Encart 43.5 : La maladie du sirop d'érable

La cause de cette maladie héréditaire autosomale récessive est un défaut génétique de la déshydrogénase des acides aminés à chaîne ramifiée. Cette maladie se traduit par des perturbations dans le développement corporel et un retard mental. L'absence d'enzyme bloque la décarboxylation oxydative de la leucine (famille C_2), ainsi que celle de la valine et de l'isoleucine (famille C_4). Il s'ensuit une accumulation des précurseurs correspondants, en particulier des α-cétoacides. Les α-cétoacides sont éliminés par les reins, ce qui donne à l'urine une odeur caractéristique de sirop d'érable, d'où le nom de cette maladie : l'identification d'α-cétoacides typiques, par spectrométrie de masse, constitue une preuve non équivoque de cette maladie. Le traitement consiste en un régime pauvre en acides aminés concernés.

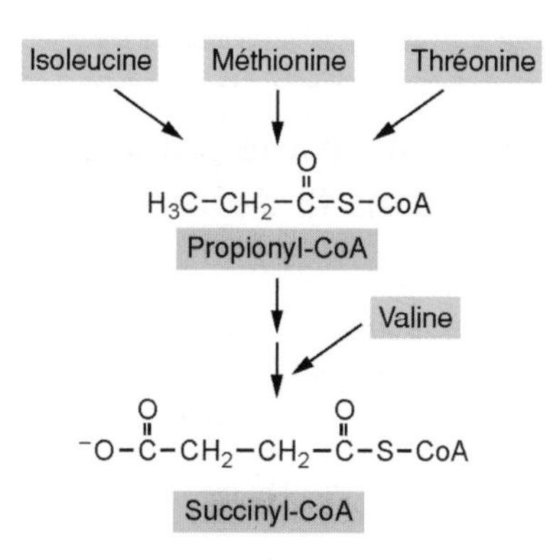

43.18 Catabolisme de la famille C_{4-5}. Ces acides aminés – la méthionine, la valine, l'isoleucine et la thréonine – produisent finalement tous du succinyl-CoA.

Comme l'isoleucine, la **thréonine** aussi est dégradée en propionyl-CoA. La désamination de cet acide aminé par la sérine-thréonine déshydratase (*fig.* 43.4) conduit en effet à la formation d'α-cétobutyrate, qui subit une décarboxylation oxydative pour donner le **propionyl-CoA.**

La dégradation de la **méthionine** produit également du propionyl-CoA (*fig.* 43.19). C'est ici que commence la partie commune, constituant la fin de la voie de dégradation de la famille C_{4-5}. La **propionyl-CoA carboxylase**, une enzyme contenant de la biotine, convertit par une carboxylation consommant de l'ATP, le propionyl-CoA en D-méthylmalonyl-CoA, lequel est ensuite transformé en sa forme L par une isomérase. C'est ici que débouche aussi la voie de dégradation de la **valine**. Au cours de la réaction finale, la **méthylmalonyl-CoA mutase** catalyse, par un réarrangement intramoléculaire, la transformation du L-méthylmalonyl-CoA en succinyl-CoA, *via* la formation de plusieurs radicaux intermédiaires (*fig.* 43.20). Le coenzyme de cette réaction inhabituelle est la **5'-désoxyadénosine cobalamine**, qui permet un échange de substituants entre deux atomes de carbones voisins (*encart* 43.6). La dégradation de la méthionine, la thréonine, la valine et l'isoleucine aboutit donc, dans tous les cas, à la formation de succinyl-CoA, qui entre le cycle de Krebs. De plus, une partie de la chaîne carbonée de l'isoleucine permet de former de l'acétyl-CoA.

43.19 Convergences des voies cataboliques de la valine, l'isoleucine, la thréonine et la méthionine. Dans le cas de la maladie du sirop d'érable, le métabolisme est bloqué au niveau de deux étapes différentes.

43.20 Mécanisme de la réaction catalysée par la méthylmalonyl-CoA mutase. Le coenzyme de la réaction est la 5'-désoxyadénosine cobalamine (vitamine B_{12}). B_{12}-CH_2• représente la forme radicalaire du coenzyme. Voir détails dans le texte.

Encart 43.6 : Vitamine B_{12}

La 5'-désoxyadénosine cobalamine est synthétisée à partir de la vitamine B_{12} (contenant du cobalt) et d'ATP. Le Co^{+} se lie de façon covalente au groupement méthyle de la 5'-désoxyadénosine et forme ainsi le seul **composé organométallique** connu dans le monde vivant (*fig.* 43.21). Le clivage de la liaison Co-C partage de façon équitable les électrons initialement impliqués dans cette liaison, ce qui aboutit à la formation d'un ion Co^{2+} et d'un radical 5'-désoxyadénosyle ($-CH_2\bullet$). Ce radical extrait un atome d'hydrogène (H•) du L-métylmalonyl-CoA, pour former de la 5'-désoxyadénosine ($-CH_3$) et un radical ($-CH_2\bullet$) au niveau du substrat (*fig.* 43.20). La fonction thioester migre alors de l'atome C2 vers l'atome C3 voisin, en passant par un état cyclique instable ; un électron libre reste au niveau de l'atome C2. Le transfert inverse d'un H• vers le C2 et une nouvelle formation de la liaison Co-C referme le cycle : le bilan net est le déplacement de la fonction thioester de C2 à C3 dans la chaîne carbonée, ce qui aboutit à la formation d'une molécule non ramifiée. Le coenzyme B_{12} est également impliqué dans la biosynthèse de la méthionine (*fig.* 44.14).

43.21 Structure du coenzyme B_{12}. Un atome de cobalt (Co) est hexacoordonné : le noyau corrine, similaire à l'hème, est formé de l'atome de cobalt relié à quatre noyaux pyrroliques. La cinquième position est occupée par un résidu diméthyle benzimidazole, qui est fixé au noyau corrine par l'intermédiaire d'un ribose-3-phosphate et d'une fonction aminoisopropanol. La sixième position est occupée par la 5'-désoxyadénosine. L'atome de cobalt peut prendre les niveaux d'oxydation +1 (5'-désoxyadénosine) ou +2 ($-CH_3$).

43,8

L'α-cétoglutarate est le point de convergence dans la dégradation de la famille C_5

La glutamine, le glutamate, l'arginine, la proline et l'histidine constituent la **famille C_5**, dont les voies cataboliques convergent au niveau de l'**α-cétoglutarate** (*fig.* 43.22).

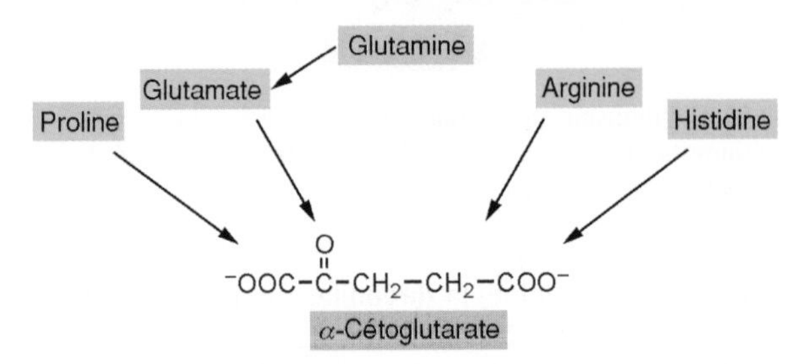

43.22 Voies de dégradation de la famille C_5. Une réaction initiale transforme la glutamine en glutamate.

La **glutaminase** hydrolyse directement la glutamine en glutamate, le précurseur immédiat de l'α-cétoglutarate. Des réactions de métabolisme plus complexes sont nécessaires, pour que l'arginine, la proline et l'histidine atteignent la partie catabolique commune. L'**arginase**, une enzyme que l'on a déjà rencontrée lors du cycle de l'urée, clive l'arginine de manière hydrolytique pour former de l'urée et de l'ornithine (*fig.* 43.23). Par transamination, l'ornithine est ensuite convertie en glutamate γ-semialdéhyde. L'oxydation du groupement aldéhyde aboutit alors à la formation de glutamate.

La proline, un autre acide aminé de la famille C_5, est oxydée en pyrroline-5-carboxylate, par une déshydrogénase dépendante du NAD^{+} (*fig.* 43.23). L'étape suivante d'ouverture du cycle produit à nouveau du glutamate γ-semialdéhyde : les voies cataboliques de l'arginine et de la proline convergent à ce niveau. La désamination oxydative du glutamate fournit l'α-cétoglutarate, un produit intermédiaire du cycle de Krebs (*fig.* 36.4). Alternativement, l'α-cétoglutarate peut aussi être synthétisé par transamination, ce qui permet la réutilisation d'azote. L'histidine est initialement désaminée par l'**histidase**, puis subit plusieurs réactions de dégradation – addition d'eau, ouverture du cycle imidazole et transfert d'une unité C_1 – avant de déboucher dans la partie terminale du catabolisme, commune à l'ensemble de la famille C_5 (*fig.* 43.24).

Le catabolisme de l'ensemble des vingt acides aminés protéinogènes débouche donc, de façon directe ou indirecte, dans le cycle de Krebs – un exemple remarquable de la convergence et de l'économie du métabolisme. Dans le même temps, quelques intermédiaires et produits du catabolisme des acides aminés peuvent aussi servir d'éléments de construction au cours de la synthèse des acides aminés, vers laquelle on va se tourner maintenant.

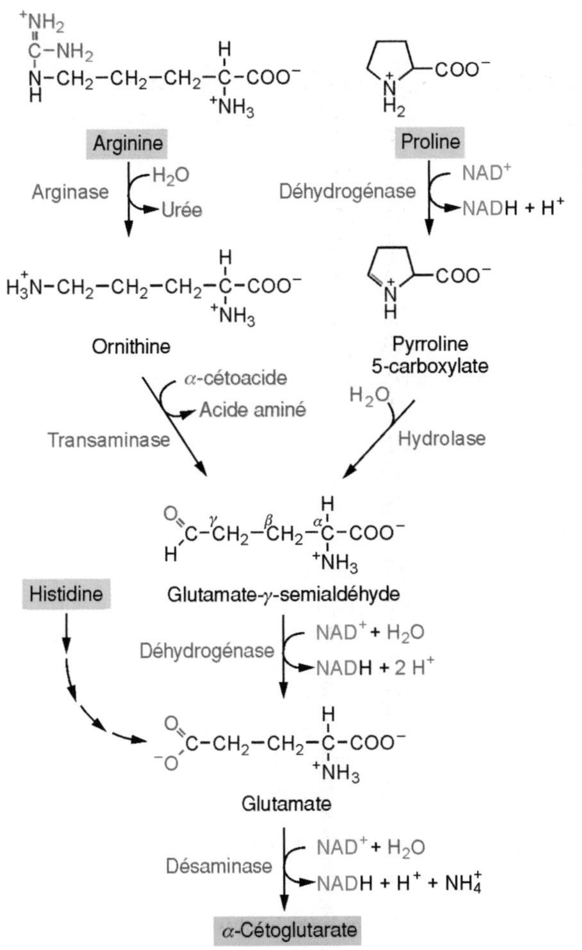

43.23 Dégradation des acides aminés arginine et proline en α-cétogluatrate *via* la formation de glutamate-γ semialdéhyde et de glutamate. Dans le semialdéhyde, *une* des *deux* fonctions carboxyles seulement est réduite en aldéhyde, d'où le préfixe « semi ».

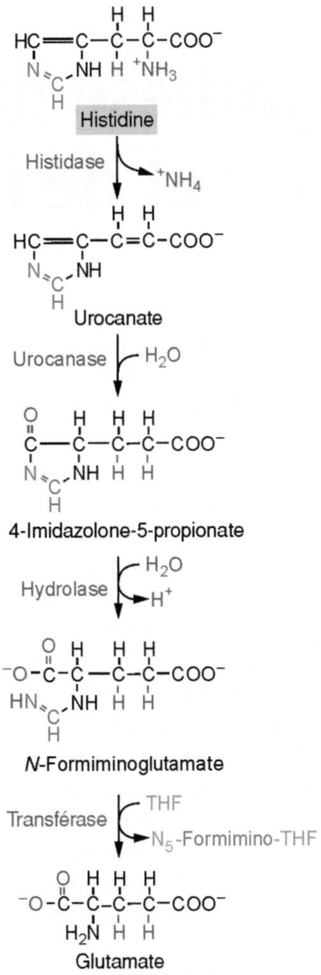

43.24 Dégradation de l'histidine. Initialement, l'histidase désamine l'acide aminé en urocanate. Une addition d'eau, catalysée par l'urocanase, produit alors un hétérocycle d'imidazolone, qui est ensuite clivé de façon hydrolytique en *N*-formiminoglutamate. Au cours de la dernière étape, le résidu formimino est transféré sur le tétrahydrofolate, un coenzyme à fort potentiel de transfert de groupement (*encart* 44.1) ; le glutamate subsiste comme produit final.

Biosynthèse des acides aminés et de l'hème

44

L'organisme humain produit chaque jour environ 300 g de protéines. Il puise pour cela dans une collection de 20 acides aminés, mais seule une partie de ces acides aminés peut être synthétisée par l'organisme. Le reste doit être fourni par l'alimentation et est en majeure partie d'origine végétale. Les acides aminés sont synthétisés à partir d'intermédiaires du catabolisme oxydatif. Outre leur fonction comme éléments constitutifs lors de la synthèse des protéines, les acides aminés remplissent aussi d'autres fonctions variées. Certains sont des neurotransmetteurs, d'autres constituent des précurseurs et partenaires réactionnels au cours de la biosynthèse des nucléotides puriques et pyrimidiques, des polyamines, du glutathion, de la créatine phosphate et des amines biogènes. Ce sont aussi des éléments de base lors de la synthèse des groupements prosthétiques, comme les porphyrines. Dans ce chapitre, on va se concentrer sur la biosynthèse des acides aminés et de l'hème chez les mammifères. La synthèse des acides aminés essentiels par les plantes et les bactéries ne sera traitée que de manière superficielle.

44.1 Le groupement α-aminé provient de l'azote moléculaire

Outre l'hydrogène et l'oxygène, trois autres éléments participent à la synthèse des acides aminés : l'azote, le carbone, et le soufre. D'où proviennent ces éléments et comment sont-ils assemblés pour donner des acides aminés ? On va commencer par le cas de l'azote. Tout l'azote organique provient en fait de l'atmosphère. Pourtant, les eucaryotes ne sont pas capables de réaliser de façon autonome l'**assimilation de l'azote** inorganique : une cellule humaine ne peut pas « faire craquer » la triple liaison dans le N_2, car l'énergie de cette liaison est de 940 kJ/mol environ. Des bactéries spécialisées du genre *Rhizobium,* qui vivent en symbiose avec des légumineuses (légumes secs), possèdent en revanche un complexe multienzymatique, capable de fixer l'azote sous forme d'ammoniac (NH_3). Ce complexe de nitrogénase utilise des quantités considérables d'équivalents de réduction et d'ATP pour transformer l'azote de l'air en ammoniac et en hydrogène :

$$N_2 + 4\,NADH + 8\,H^+ + 16\,ATP + 16\,H_2O \rightarrow 2\,NH_3 + H_2 + 16\,ADP + 16\,P_i$$

L'assimilation de l'azote présente donc un fort coût énergétique, car 16 ATP sont utilisés par mole de N_2 fixé. La production totale est cependant considérable : on estime que l'assimilation de l'azote permet de fixer jusqu'à 1×10^8 t N_2 sous forme de NH_3 par an.

L'étape suivante dans l'absorption de l'azote est **l'incorporation d'ammoniac dans les acides aminés.** À la différence de la réaction précédente, les cellules eucaryotes peuvent effectuer cette tâche de base. L'ion NH_4^+ réagit avec l'α-cétoglutarate, un intermédiaire du cycle de Krebs, pour donner le glutamate. Le catalyseur de cette réaction est la **glutamate déshydrogénase**, une enzyme que l'on avait déjà rencontrée dans la dégradation des acides aminés (§ 43.3). Le transporteur d'hydrogène lors de la synthèse est cependant le NADPH – et *non* le NADH, utilisé lors de la dégradation.

$$NH_4^+ + \alpha\text{-Cétoglutarate} + NADPH + H^+ \rightleftharpoons \text{Glutamate} + NADP^+ + H_2O$$

Le glutamate est le donneur le plus important de groupements α-aminés, qui sont transférés par transamination. Une variante rare de cette synthèse, qui sert principalement à la détoxication de l'ammoniac, est l'incorporation directe de l'ammoniac dans le glutamate par la **glutamine synthétase**. Cette variante fournit la glutamine, un donneur important de groupements aminés lors de la synthèse des acides aminés et des nucléotides :

$$NH_4^+ + \text{Glutamate} + ATP \rightarrow \text{Glutamine} + ADP + P_i + H^+$$

La glutamate déshydrogénase et la glutamine synthétase sont chargées du recyclage des groupements aminés produits par le catabolisme des acides aminés. L'organisme humain n'est pas capable d'une utilisation directe et en masse de l'ammoniac car des concentrations trop importantes de NH_3 ont des effets cytotoxiques (*encart* 43.2).

44.2 Le squelette carboné des acides aminés provient d'intermédiaires du métabolisme

De quelle manière sont élaborés les divers squelettes carbonés, qui forment les « colonnes vertébrales » des différents acides aminés ? Les bactéries, mais également la plupart des plantes, peuvent remplir cette tâche difficile

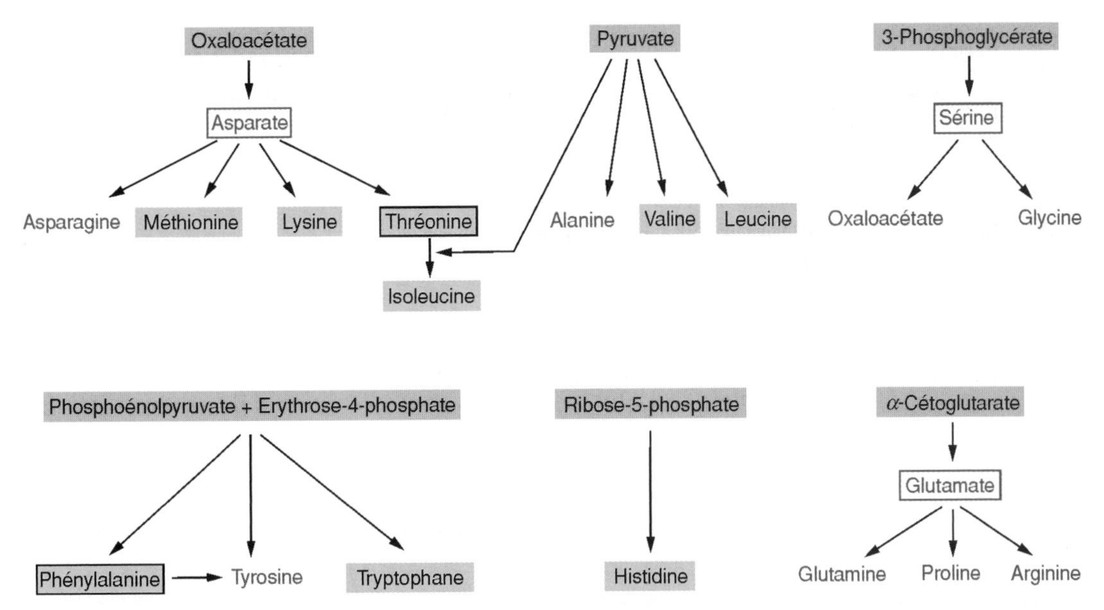

44.1 Vue d'ensemble de la synthèse des acides aminés. Le pyruvate, le 3-phosphoglycérate et le phosphoénolpyruvate proviennent de la glycolyse. L'érythrose-4-phosphate et le ribose-5-phosphate sont des intermédiaires de la voie des pentoses phosphates, tandis que l'oxaloacétate et l'α-cétoglutarate dérivent du cycle de Krebs (tous les précurseurs sont marqués en jaune). Les acides aminés essentiels des mammifères sont marqués en vert. Les acides aminés utilisés pour les « correspondances » sont encadrés. Le schéma rassemble les voies biosynthétiques des eucaryotes et des procaryotes.

de façon autonome. Par exemple, *E. coli* synthétise sans problème les 20 acides aminés protéinogènes. En revanche, l'organisme humain – et aussi de nombreux autres organismes animaux complexes – ne peut synthétiser que 11 acides aminés, dits non essentiels (*fig.* 2.10 et *tabl.* 2.1). Les **neuf acides aminés essentiels** (ou indispensables) doivent être apportés par la nourriture, car aucune voie endogène ne permet de synthétiser ces acides aminés dans les cellules de mammifères ; il semble que les mammifères ont plus particulièrement « fait l'économie » des voies de biosynthèse les plus complexes. Par exemple, ils *ne* sont *pas* capables de synthétiser les acides aminés aromatiques ou à chaîne latérale ramifiée.

En général, le squelette carboné des acides aminés provient d'intermédiaires de la glycolyse, du cycle de Krebs ou de la voie des pentoses phosphates. On peut distinguer schématiquement **six familles biosynthétiques** (*fig.* 44.1), pour lesquelles cinq acides aminés, l'aspartate, la thréonine, la phénylalanine, le glutamate et la sérine représentent des intermédiaires obligatoires ou des « stations de correspondance », dans les voies de biosynthèse d'autres acides aminés.

44.3 Des réactions simples fournissent huit acides aminés non essentiels

Commençons par les synthèses simples, qui peuvent être accomplies par des cellules humaines. L'**amination réductrice** de l'α-cétoglutarate donne du **glutamate** et l'**amidation directe** du glutamate fournit ensuite la **glutamine** (§ 44.1). La **transamination** du pyruvate et de l'oxaloacétate produit, en une seule étape dans chaque cas, respectivement l'**alanine** et l'**aspartate**. Au cours de cette réaction, le glutamate fonctionne comme donneur de groupements aminés et le phosphate de pyridoxal agit comme coenzyme :

$$\text{Pyruvate} + \text{Glutamate} \rightleftharpoons \text{Alanine} + \alpha\text{-Cétoglutarate}$$

$$\text{Oxaloacétate} + \text{Glutamate} \rightleftharpoons \text{Aspartate} + \alpha\text{-Cétoglutarate}$$

Par une transamination utilisant de la glutamine, l'aspartate est ensuite converti en **asparagine** :

$$\text{Aspartate} + \text{Glutamine} \rightleftharpoons \text{Asparagine} + \text{Glutamate}$$

L'**hydroxylation** de la phénylalanine permet d'obtenir la **tyrosine**, en une seule étape (*fig.* 43.13). La distinction entre acides aminés essentiels et non essentiels peut donc se révéler assez floue : comme la synthèse de tyrosine dépend directement d'un acide aminé essentiel, la tyrosine peut être considérée comme un acide aminé « essentiel sous certaines conditions ».

$$\text{Phénylalanine} + \text{NADPH} + H^+ + O_2 \rightarrow \text{Tyrosine} + \text{NADP}^+ + H_2O$$

Le glutamate est également le précurseur de la proline et de l'arginine. Lors d'une réaction initiale utilisant de l'ATP, la fonction γ-carboxyle est réduite – probablement *via* la formation d'un intermédiaire acyl-phosphate – en fonction aldéhyde (*fig.* 44.2). Le produit de la réaction est le **glutamate γ-semi-aldéhyde**, qui se cyclise spontanément en libérant de l'eau pour former le Δ^1-pyrroline-5-carboxylate, lequel est ensuite converti en **proline** par une réaction dépendante du NADPH.

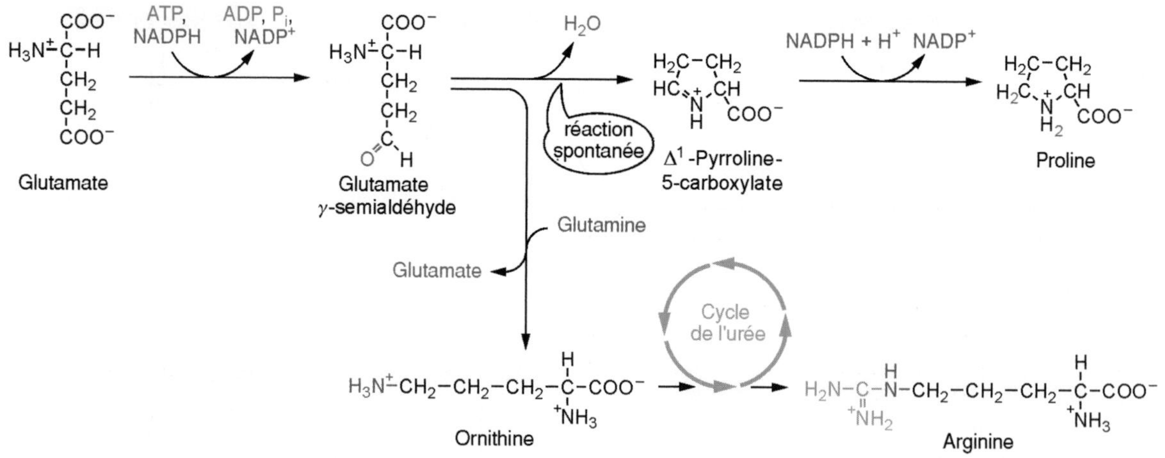

44.2 Biosynthèse de la proline de l'arginine à partir du glutamate. L'intermédiaire commun des voies de synthèse de ces deux acides aminés est le glutamate-γ-semialdéhyde, qui est aussi un intermédiaire lors du catabolisme de ces acides aminés (*fig.* 43.22).

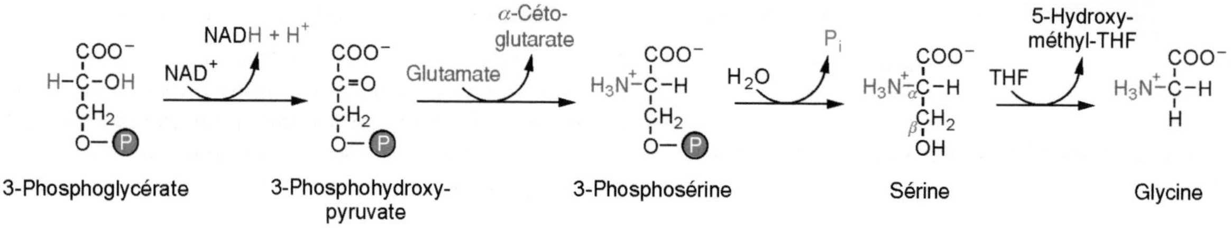

44.3 Biosynthèse de la sérine et de la glycine à partir du 3-phosphoglycérate. Une réaction dépendante du NAD^+ donne le 3-phosphohydroxyxpyruvate. Cet acide α-cétocarboxylique est ensuite transaminé en 3-phosphosérine, qui est finalement hydrolysée en sérine. Ce composé est finalement converti en glycine par une réaction, dépendante du tétrahydrofolate (THF).

Alternativement, le semi-aldéhyde peut être transaminé pour former de l'ornithine, qui est convertie en **arginine** (*fig.* 44.2) par l'intermédiaire de trois étapes du **cycle de l'urée** (*fig.* 43.5).

Encart 44.1 : Le tétrahydrofolate

Le tétrahydrofolate, ou THF, est synthétisé à partir de l'acide folique (*tableau* Vitamines). C'est un dérivé de ptéridine, d'acide *p*-aminobenzoïque et de glutamate (*fig.* 44.4). Le THF est un transporteur universel d'unités à un seul carbone (C_1), à différents niveaux d'oxydation. Des groupements méthyle ($-CH_3-$), méthylène ($-CH_2-$), méthényle (-CH=) ou bien formyle (-CHO) sont transférés au niveau du groupement réactif de diaminoéthyle, situé entre le N^5 et le N^{10}, maintenus à cet endroit comme dans une sorte de « serre-joint », et peuvent y être remaniés (*fig.* 44.4). Par exemple, la sérine peut transférer un groupement de méthylène *via* le N^5-hydroxyméthyle-THF, ce qui donne d'abord un intermédiaire cyclique. Par la suite, ce groupement méthylène peut être : 1) directement transféré sur un substrat ; 2) réduit en groupement méthyle au niveau du N^5, de façon dépendante du NADPH, puis transféré ; 3) oxydé en groupement méthényle, de façon dépendante du $NADP^+$, puis transféré ; ou bien 4) hydrolysé en groupement formyle en position N^{10}, *via* la formation de méthényle, puis transféré. Cette « interconvertibilité » confère au THF une fonction de donneur d'unités à un carbone très polyvalent, utile à la fois dans le métabolisme des acides aminés (méthionine, sérine et glycine) et des nucléotides (thymine).

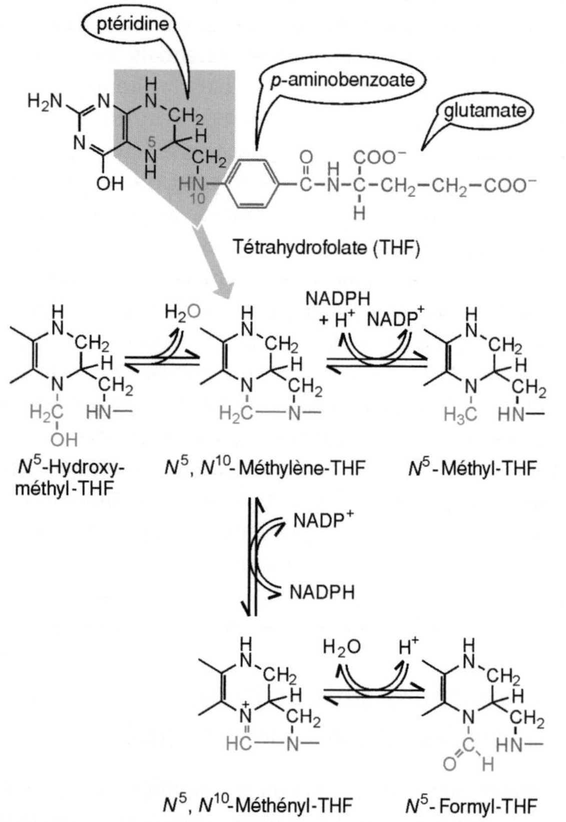

44.4 Structure de l'acide tétrahydrofolique. La partie inférieure montre les différentes unités à 3 carbones (en rouge) liées au THF, avec leurs différents états d'oxydation.

Encart 44.2 : S-Adénosyl-méthionine (SAM)

La SAM est un autre donneur universel d'unités à un carbone : elle dispose d'un potentiel de transfert de groupements méthyles, qui est encore plus élevé que celui du THF. Au cours de la synthèse, le groupement adénosyl d'un ATP est transféré sur l'atome de soufre de la méthionine (*fig.* 44.5), ce qui libère à la fois une molécule d'orthophosphate (P_i) et de pyrophosphate (PP_i). Le pyrophosphate est lui-même secondairement hydrolysé en deux 2 P_i. C'est donc la totalité des trois groupements phosphates de l'ATP, qui sont hydrolysés, pour apporter l'énergie nécessaire à la réaction. Avec la charge positive au niveau de son atome de soufre, la S-adénosyl-méthionine constitue un transporteur idéal de groupement méthyle, par exemple lors de la biosynthèse des glycérophospholipides (comme la phosphatidyl-choline), de métabolites (créatine) (*fig.* 43.9) et d'hormones (adrénaline), mais aussi au cours de la méthylation des acides nucléiques et des protéines.

Méthionine + ATP → P_i + PP_i + S-Adénosyl-méthionine (H_2O → 2 P_i)

44.5 Synthèse de la S-adénosyl-méthionine. Le pyrophophate, qui est formé en premier, s'hydrolyse secondairement en deux P_i.

44.4

Le 3-phosphoglycérate est le précurseur de la sérine, la glycine et la cystéine

Les trois acides aminés non essentiels restants – la sérine, la glycine et la cystéine – forment une même famille biosynthétique. Le **3-phosphoglycérate**, un produit de la voie de la glycolyse, constitue le composé de départ. On obtient tout d'abord en trois étapes la **sérine** (*fig.* 44.3). La sérine est ensuite transformée en **glycine** : l'atome C_β de la sérine est transféré sur le **tétrahydrofolate** (THF), grâce à la sérine hydroxy-méthyl transférase. Il se forme en premier du N^5-hydroxyméthyl-THF, qui est déshydraté secondairement en N^5,N^{10}-méthylène-THF. Le THF est un coenzyme important pour le transfert d'unités à un carbone (C_1) (*encart* 44.1).

Jusqu'ici, on a considéré exclusivement l'origine des contributions en azote et en carbone des acides aminés. Dans la biosynthèse de la cystéine, on rencontre pour la première fois le **soufre** comme composant des acides aminés. Les plantes et les bactéries assimilent le soufre provenant de leur environnement, principalement sous forme de sulfate (SO_4^{2-}). L'incorporation dans des acides aminés nécessite la réduction en plusieurs étapes de sulfate en sulfure (S^{2-}). Des réductases spécifiques existent chez les bactéries et les plantes, mais *pas* chez les animaux. Pour l'essentiel, l'homme absorbe donc les sulfures avec sa nourriture, sous forme de méthionine et de cystéine.

La biosynthèse de la cystéine utilise deux autres acides aminés : le squelette carboné provient de la sérine tandis que l'atome de soufre est apporté par la méthionine, un acide aminé essentiel. En fait, la méthionine réagit avec de l'ATP pour former la **S-adénosyl-méthionine** (SAM), qui dispose d'un ion sulfonium (S^+), possédant trois substituants et une charge positive. Ce composé possède un fort potentiel de transfert de groupement méthyle (*encart* 44.2). Quand la S-adénosyl-méthionine transfère son groupement méthyle sur un accepteur, par exemple la choline, on obtient alors la S-adénosyl-homocystéine, qui peut ensuite s'hydrolyser pour former l'**homocystéine** libre et l'adénosine (*fig.* 44.6).

L'homocystéine peut ensuite subir avec la sérine, une condensation dépendante du phosphate de pyridoxal, pour former la **cystathionine**, un composé intermédiaire, qui porte une fonction thioéther ($-CH_2-S-CH_2-$). La cystathionine β-synthase catalyse cette réaction (*fig.* 44.7). La cystathionase intervient ensuite. Cette enzyme porte le phosphate de pyridoxal comme groupement prosthétique et elle catalyse la désamination hydrolytique du résidu d'homocystéine, tandis que la fonction thioether de la cystathionine est clivée. On obtient ainsi la **cystéine** ainsi qu'un ion ammonium et un résidu d'α-cétoglutarate. Comme pour la tyrosine, on peut considérer que la cystéine est un acide aminé « essentiel sous certaines conditions », car sa synthèse nécessite la présence de méthionine, un acide aminé essentiel.

44.5

Les acides aminés aromatiques se forment à partir du chorismate et de l'anthranilate

Après avoir vu les plus importantes voies de biosynthèse endogène des acides aminés dans les cellules humaines, on va maintenant se tourner vers l'anabolisme des acides aminés essentiels, pour lesquels les plantes sont les

S-Adénosyl-méthionine + R–H → (H^+, R–CH_3) S-Adénosyl-homocystéine + H_2O → (Adénosine) Homocystéine

44.6 Transformation de la S-adénosyl-méthionine en homocystéine. L'homocystéine, un acide aminé non protéinogène se distingue de la cystéine par un groupement méthylène ($-CH_2-$) supplémentaire au niveau de la chaîne latérale.

44.7 Biosynthèse de la cystéine. L'homocystéine fournit le groupement thiol et la sérine apporte le squelette carboné de la cystéine.

fournisseurs principaux. Il faut cependant noter que les microorganismes disposent également des voies biosynthétiques correspondantes, et que ces voies sont généralement bien étudiées chez ces modèles biologiques. Par exemple, *Escherichia coli* synthétise les acides aminés aromatiques, la phénylalanine, la tyrosine, et le tryptophane, selon une voie métabolique, dont une large partie est commune (*fig.* 44.8).

Les produits de départ sont deux métabolites du glucose, le phosphoénolpyruvate et l'érythrose-4-phosphate. Ils sont convertis par une série de réactions de condensations, hydrolyses, cyclisations, déshydratations et réductions en **shikimate**, la forme anionique de l'acide shikimique, ou acide 3,4,5-trihydroxy-1-cyclohexène-carboxylique (*fig.* 44.9). Le shikimate est ensuite phosphorylé, subit une condensation avec une deuxième molécule de phosphoénolpyruvate et est finalement hydrolysé en **chorismate**, le précurseur commun à tous acides aminés aromatiques. L'inhibition de l'enzyme clé, la 5-énolpyruvylshikimate-3-phosphate synthase ou l'**EPSP synthase**, bloque la voie de synthèse de l'ensemble des acides aminés aromatiques (*encart* 44.3).

Au niveau du chorismate, les voies métaboliques se séparent et continuent, soit *via* le préphénate, soit *via* l'anthranilate. Quand le chorismate subit un réarrangement intramoléculaire, on obtient le **préphénate**, le précurseur commun à la phénylalanine et la tyrosine (*fig.* 44.10). Pour aboutir à la **phénylalanine,** le préphénate est converti *via* une déshydratation, une décarboxylation et une transamination. Alternativement, la combinaison d'une décarboxylation oxydative et d'une transamination produit la **tyrosine,** à partir du préphénate.

Une autre voie de synthèse se branche au niveau du chorismate et mène au tryptophane *via* la formation

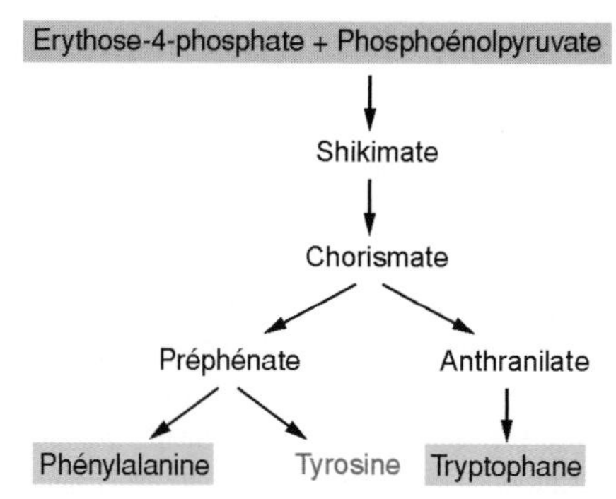

44.8 Voies de synthèse bactériennes des acides aminés aromatiques (*E. coli*). Les intermédiaires majeurs sont le shikimate et le chorismate.

d'anthranilate (*fig.* 44.11). Le chorismate est transformé en **anthranilate** par la combinaison d'une transamination, d'une déshydratation et d'une réaction d'élimination. La chaîne de réactions comprend ensuite la phosphoribosylation du groupement aminé de l'anthranilate, à l'aide

44.9 Synthèse du chorismate à partir de l'érythrose-4-phosphate et du phosphoénolpyruvate (*E. coli*). L'EPSP synthase catalyse l'avant-dernière étape, qui donne le 5-énolpyruvylshikimate-3-phosphate.

Encart 44.3 : Plantes génétiquement modifiées

Les plantes utilisent aussi la voie du chorismate pour synthétiser leurs acides aminés aromatiques. On peut inhiber l'EPSP synthase – l'enzyme clé, qui génère l'énolpyruvylshikimate-3-phosphate à partir du phosphoshikimate – par le glyphosate, une molécule qui constitue un inhibiteur spécifique du phosphoénolpyruvate. On provoque alors un blocage complet de la biosynthèse des acides aminés aromatiques, ce qui aboutit à la mort des plantes. Quand une plante dispose d'un **gène de résistance au glyphosate,** dont le produit lui permet de désactiver l'inhibiteur, alors elle peut surmonter ce blocage et survivre. Ce principe permet l'utilisation d'herbicides spécifiques, en combinaison avec des plantes génétiquement modifiées : les semences de plantes cultivées, comme le coton (*Gossypium herbaceum*), sont transfectées avec un gène de résistance au glyphosate, puis semées. Par la suite, quand on traite ces champs de coton avec un herbicide contenant le glyphosate, on entraîne la mort de toutes plantes, excepté le coton résistant au glyphosate. Comme les mammifères ne possèdent pas d'EPSP synthase, le glyphosate ne présente pour eux qu'une très faible toxicité.

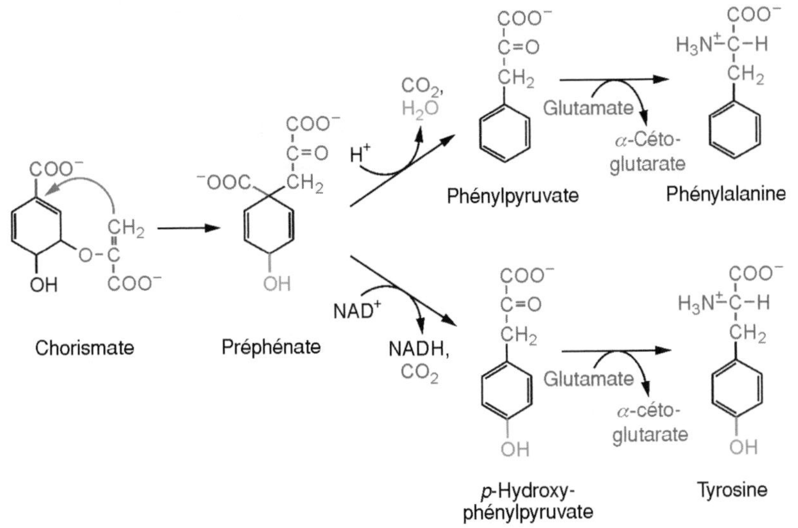

44.10 Biosynthèse de la phénylalanine et de la tyrosine à partir du chorismate *via* le préphénate (*E. coli*). Les cellules des mammifères *ne* disposent *pas* de voie de synthèse du chorismate ; ils peuvent cependant synthétiser la tyrosine par hydroxylation de la phénylalanine (*fig.* 43.13).

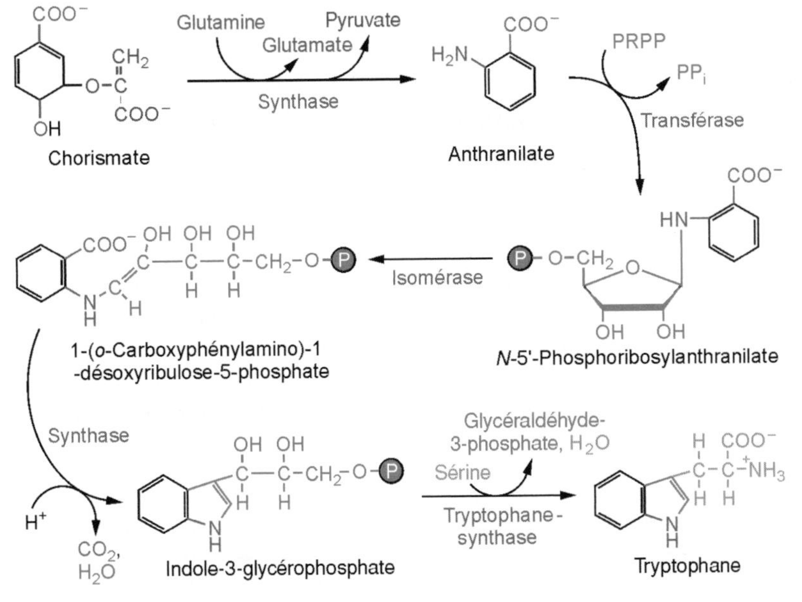

44.11 Biosynthèse du tryptophane *via* la voie de l'anthranilate (*E. coli*). Cette séquence de réactions consomme deux acides aminés, la glutamine et la sérine, ainsi qu'un phosphoribosyl pyrophosphate (PRPP).

du **phosphoribosyl pyrophosphate** (PRPP) (*encart* 45.1), ainsi que l'ouverture du cycle de ribose et la cyclisation de la chaîne latérale. Après une décarboxylation, on obtient l'indole-3-glycérol-phosphate, un composé qui porte déjà le noyau hétérocyclique caractéristique des indoles. Une réaction terminale, catalysée par la tryptophane synthase, permet d'échanger complètement la chaîne latérale du glycérol-phosphate contre une sérine avec élimination d'une molécule d'eau. On obtient alors le **tryptophane.**

Le PRPP est également le composé de départ dans la biosynthèse de l'histidine : la condensation avec une molécule d'ATP fournit le phosphoribosyl-AMP, dont les noyaux de ribose et de purine sont linéarisés lors des

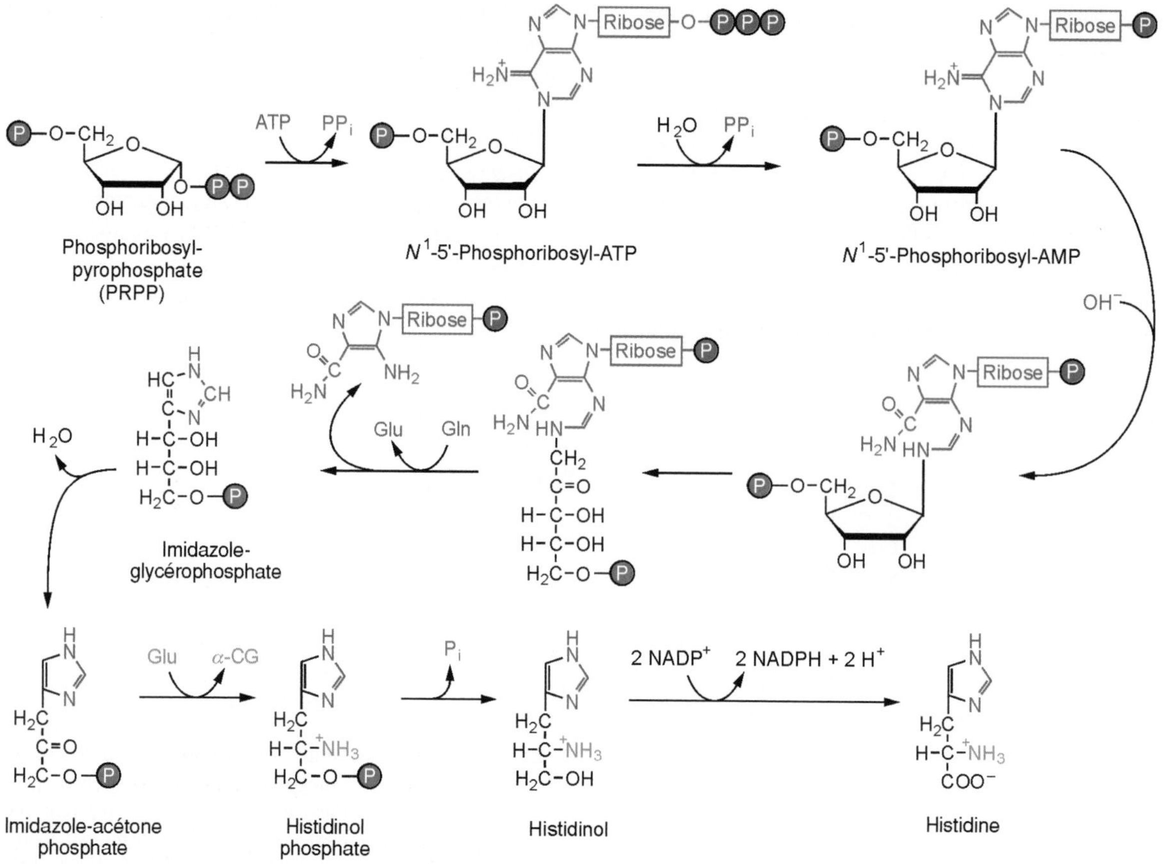

44.12 Biosynthèse de l'histidine (*Enterobacter histolyticum*). Gln, glutamine, ; Glu, glutamate ; α-CG, α-cétoglutarate.

étapes réactionnelles suivantes (*fig.* 44.12). Par transamination, on obtient comme produit intermédiaire l'imidazole glycérol-3-phosphate ; le noyau hétérocyclique caractéristique de l'imidazole est alors achevé. Par la suite, la chaîne latérale de glycérol-3-phosphate prend sa forme finale grâce à une déshydratation, une transamination, une hydrolyse et une oxydation. On obtient **l'histidine**.

44.6 L'homosérine est un élément constitutif de la méthionine, la thréonine et l'isoleucine

La lysine, la méthionine, la thréonine et l'isoleucine sont les acides aminés essentiels, qui dérivent de l'aspartate (*fig.* 44.1). La biosynthèse de la lysine peut suivre deux voies, *via* l'acide diaminopimélique ou bien *via* l'acide α-aminopimélique. Les voies anaboliques et cataboliques de la lysine sont extrêmement complexes et elles ne

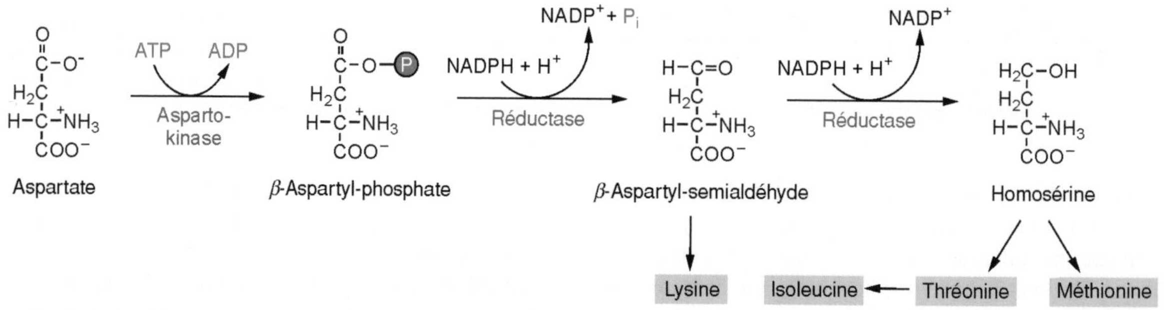

44.13 Conversion de l'aspartate en homosérine. L'homosérine, un acide aminé non protéinogène se distingue de la sérine par un groupement méthylène (-CH_2-) supplémentaire. Il est le point de départ pour les biosynthèses de l'isoleucine, de la thréonine et de la méthionine.

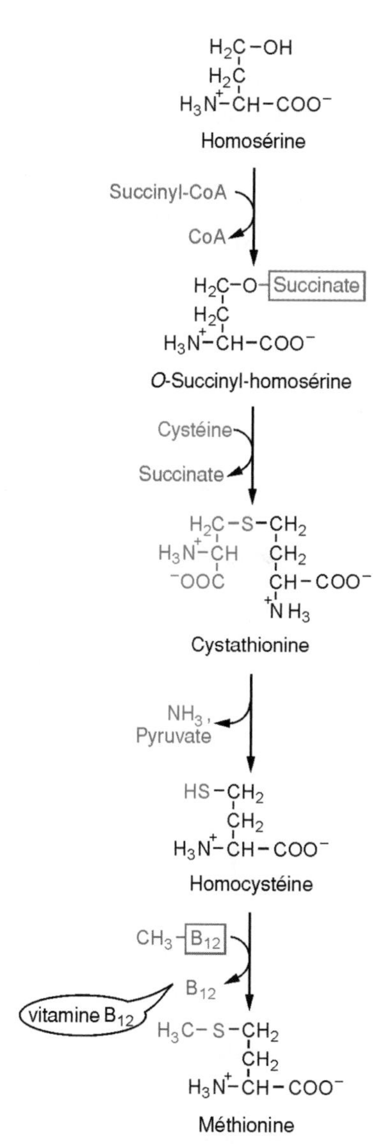

44.14 Biosynthèse de la méthionine à partir d'homosérine. La succinylation active le groupement hydroxyle de l'homosérine. L'homocystéine et la cystathionine sont également des intermédiaires au cours de la biosynthèse de la cystéine.

44.16 Voies de synthèses pour des acides aminés à chaîne aliphatique ramifiée. Les groupements aminés sont introduits par transamination. TPP, thiamine pyrophosphate.

seront donc pas discutées en détail ici. Par contre, on a déjà vu les grandes lignes de la biosynthèse de la méthionine : elle correspond largement à une inversion de la voie de biosynthèse endogène de la cystéine (*fig.* 44.7). L'homosérine constitue le composé de départ dans la voie de biosynthèse de la méthionine. Ce composé est généré, à partir de l'aspartate, par une réduction dépendante du NADPH (*fig.* 44.13). Un des intermédiaires formés au cours de cette séquence réactionnelle est l'**aspartyl-β-semialdéhyde**, à partir duquel se branche la voie de synthèse de la **lysine**, *via* la formation d'acide diaminopimélique.

La **succinylation** d'une fonction hydroxyle de l'homosérine aboutit à la formation de l'*O*-succinylhomosérine, qui réagit ensuite avec de la cystéine pour donner la cystathionine (*fig.* 44.14). L'élimination de NH_3 et de pyruvate donne l'homocystéine, qui est finalement convertie en **méthionine**, par une méthylation dépendante de la vitamine B_{12}.

La biosynthèse de la thréonine commence également au niveau de l'homosérine, par la phosphorylation, dépendante de l'ATP, de sa fonction hydroxyle (*fig.* 44.15). La **thréonine**, un acide aminé β-hydroxylé, est ensuite générée par élimination du résidu phosphate et hydratation stéréospécifique de la double liaison résultant de cette élimination. La thréonine est également le point de départ de la biosynthèse de l'isoleucine : la thréonine déshydratase catalyse initialement une **désamination « éliminatrice »** (§ 43.1), qui aboutit à la formation d'α-cétobutyrate (*fig. 44*.16). La ramification de la chaîne carbonée est obtenue par addition d'un résidu hydroxyéthylène, provenant du pyruvate et activation *via* la liaison à la thiamine pyrophosphate (*fig.* 36.3). Trois étapes ultérieures de réactions mènent finalement à l'**isoleucine**.

44.15 Biosynthèse de la thréonine à partir de l'homosérine. Il est tout à fait inhabituel, que le résidu phosphate estérifié *ne* soit *pas* hydrolysé, mais plutôt éliminé. Cela permet le « glissement » du groupement hydroxyle de C_γ au C_β.

Tous les autres acides aminés, dont la chaîne latérale aliphatique est ramifiée, suivent cette voie de biosynthèse. Dans le cas de la valine et de la leucine, la biosynthèse commence avec le pyruvate, qui est l'homologue de l'α-cétobutyrate raccourci d'un groupement CH_2. Les réactions suivantes correspondent à celles de la biosynthèse de l'isoleucine. On obtient alors la **valine,** qui comporte donc un groupement méthylène de moins que l'isoleucine. La voie de biosynthèse de la leucine se branche sur la « voie de la valine » et continue *via* trois réactions indépendantes jusqu'à la **leucine** (*fig.* 44.16). L'acétyl-CoA est responsable de l'addition de l'atome de carbone supplémentaire, qui distingue la leucine (C_6) de la valine (C_5). Le jeu des 20 acides aminés protéinogènes est alors complet ; outre de nombreux acides aminés non protéinogènes (*encart* 2.3), il existe encore deux acides aminés protéinogènes « rares » (§ 2.10).

44.7 Les acides aminés constituent des précurseurs d'hormones et de neurotransmetteurs

Les acides aminés font partie des produits du métabolisme, dont les fonctions sont parmi les plus diversifiées dans la nature. Au-delà de leur rôle fondamental dans la biosynthèse des protéines, les acides aminés participent également à des processus aussi différents que la biosynthèse de phospholipides (phosphatidyl-sérine) (§ 42.10), la génération de messagers intracellulaires (NO) (§28.4), la production de transporteurs d'énergie (créatine phosphate) (§ 43.9) et l'excitation synaptique (glycine et glutamate) (§ 27.6 et § 43.9). Une autre fonction importante est la production des **amines biogènes**, qui contrôlent des processus physiologiques élémentaires, grâce à leurs rôles d'hormones ou de neurotransmetteurs (*encart* 44.4). Les amines biogènes constituent aussi les groupements de « tête » de certains phospholipides et peuvent remplir des

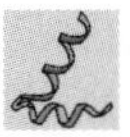

Encart 44.4 : Les amines biogènes

Les acides aminés sont les précurseurs d'amines biogènes et d'hormones. L'**histamine** (*fig.* 44.17b) est produite à partir de l'histidine, par une décarboxylation dépendante du phosphate de pyridoxal. L'histamine est principalement libérée par les mastocytes, lors des réactions allergiques et inflammatoires et présente un effet vasodilatateur (§ 33.3). La **sérotonine** est obtenue à partir du tryptophane, par une 5-hydroxylation suivie d'une décarboxylation. C'est un neurotransmetteur important. Dans la glande pinéale (ou épiphyse), la sérotonine est le précurseur de la **mélatonine** (*O*-méthyl-*N*-acétyl-sérotonine). Ces deux amines contrôlent ensemble le rythme circadien des mammifères. La tyrosine fournit par hydroxylation la dihydroxyphénylalanine (DOPA) et par décarboxylation la **dopamine**, un neurotransmetteur, qui sert, à son tour, de précurseur des catécholamines (*fig.* 44.17a). Par hydroxylation de la chaîne latérale, on obtient la **noradrénaline,** qui est méthylée en **adrénaline,** grâce à la S-adénosyl-méthionine. Les **catécholamines** sont des hormones et des neurotransmetteurs, qui agissent au niveau des synapses adrénergiques (§ 27.6) et elles exercent des effets importants dans le système cardiovasculaire et dans les tissus adipeux.

44.17 Voie de synthèse des catécholamines, la noradrénaline et l'adrénaline (a). Les structures de l'histamine et de la sérotonine sont représentées en (b).

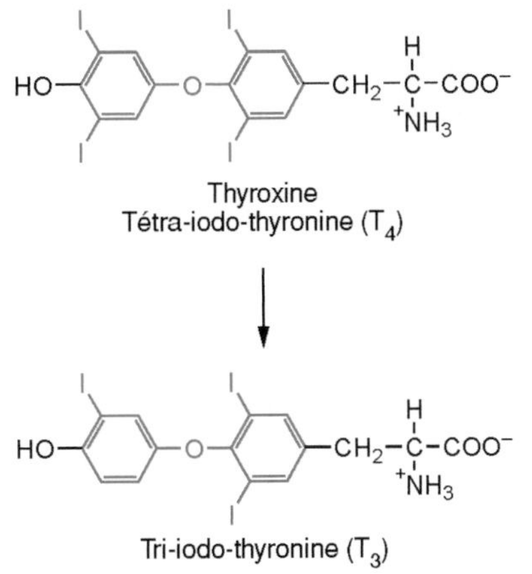

44.18 Structure des hormones thyroïdiennes. Les cellules folliculaires de la thyroïde oxydent, au moyen du peroxyde d'hydrogène, l'iodure (I^-) en iode élémentaire (I_2). Celui-ci peut ensuite ioder de manière spontanée des résidus tyrosyl spécifiques de la thyroglobuline. Un réarrangement intramoléculaire du résidu de diiodotyrosine obtenu entraîne la formation de la structure basale de tétraiodophényléther (en rouge) de la T_4. La perte d'un atome d'iode donne la T_3.

fonctions structurales importantes, similaires à celles de l'éthanolamine et de la choline (*fig.* 42.32 et 42.33).

Les hormones thyroïdiennes, qui contrôlent le métabolisme basal, sont des dérivés d'un acide aminé, la tyrosine. La **tétra-iodo-thyronine** (T4 ou thyroxine) majoritaire, puis la tri-iodo-thyronine (T3) – en quantité plus faible – (*fig.* 44.18) sont synthétisées par iodation multiple et condensation de deux molécules de tyrosine liées à une protéine. La protéine porteuse, la **thyroglobuline,** fonctionne comme « banc d'assemblage » lors de cette synthèse. Son hydrolyse libère les hormones thyroïdiennes. La majeure partie de la tri-iodo-thyronine – dont l'effet biologique est à peu près 10 fois plus important que celui de la T4 – provient principalement de la déiodation de la tétra-iodo-thyronine et se déroule dans les tissus périphériques. Dans le plasma, une protéine plasmatique, la **globuline liant la thyroxine ou TBG** (angl. *thyroxine binding globulin*) transporte les hormones thyroïdiennes sous forme liée vers leurs cellules cibles et elles agissent à ce niveau par l'intermédiaire de récepteurs intracellulaires (§ 28.3).

44.8 Les porphyrines sont synthétisées à partir de la glycine et du succinyl-CoA

Les acides aminés jouent également un rôle important dans la production de groupements prosthétiques, par exemple l'hème, qui appartient à la classe des dérivés de porphyrines. La glycine, l'acide aminé le plus simple, est le point de départ de la biosynthèse des porphyrines. Les porphyrines forment une classe de **tétrapyrroles**, dont le membre le plus éminent est le centre de l'hémoglobine, la molécule de l'hème : avec son atome de fer central, l'hème lie l'oxygène (*fig.* 10.2). Le squelette porphyrique, bien que complexe, n'est construit qu'à partir de deux éléments : la glycine et le succinyl-CoA, un intermédiaire du cycle de Krebs (*fig.* 36.9). On peut diviser cette série complexe de réactions en trois parties : 1) formation d'un hétérocycle pyrrolique, 2) condensation de quatre résidus pyrroles en un tétrapyrrole cyclique, 3) modification des chaînes latérales et oxydation au niveau du système cyclique ; l'incorporation du fer marque la fin de la synthèse.

La première étape est en même temps la réaction clé de la synthèse de l'hème. La glycine et le succinyl-CoA fusionnent pour donner le **δ-aminolévulinate.** La réaction, qui est catalysée dans les mitochondries par la **δ-aminolévulinate synthase,** nécessite le phosphate de pyridoxal comme coenzyme. C'est une décarboxylation, qui libère du coenzyme A, en même temps que du CO_2 (*fig.* 44.19). Ensuite, la δ-aminoévulinate déshydratase catalyse la condensation de deux molécules de δ-aminolévulinate pour former le **porphobilinogène**, qui possède le noyau pyrrolique caractéristique. La condensation de quatre molécules de porphobilinogène est catalysée par la porphobilinogène désaminase et aboutit à la génération d'une **molécule tétrapyrrolique** linéaire (hydroxy-méthylbilane) ; la réaction libère quatre ions NH_4^+ (*fig.* 44.20).

Après isomérisation, le tétrapyrrole linéaire se cyclise par condensation pour donner un produit asymétrique, l'**uroporphyrinogène III**. Les deux étapes de cette réaction sont catalysées par la même enzyme, la **cosynthase** III. En l'absence de cette enzyme, l'isomérisation *ne* peut *pas* avoir lieu. Au contraire, le tétrapyrrole subit alors une isomérisation spontanée, qui aboutit à une molécule symétrique, l'uroporphyrinogène I : cette situation repré-

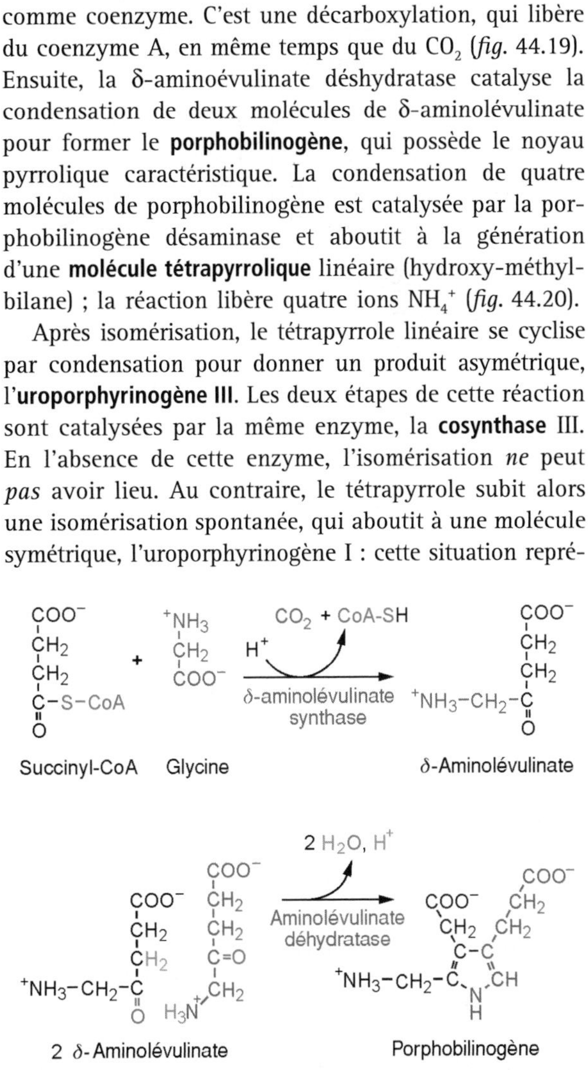

44.19 Synthèse du porphobilinogène à partir de la glycine et du succinyl-CoA. L'enzyme clé de la synthèse de l'hème, la δ-aminolévulinate synthase est contrôlée au niveau de l'ARNm (inhibition de la traduction par une protéine régulatrice liant l'hème), ainsi qu'au niveau de la protéine (l'hème inhibe la translocation de l'enzyme du cytoplasme – son lieu de synthèse – vers les mitochondries – son site d'action).

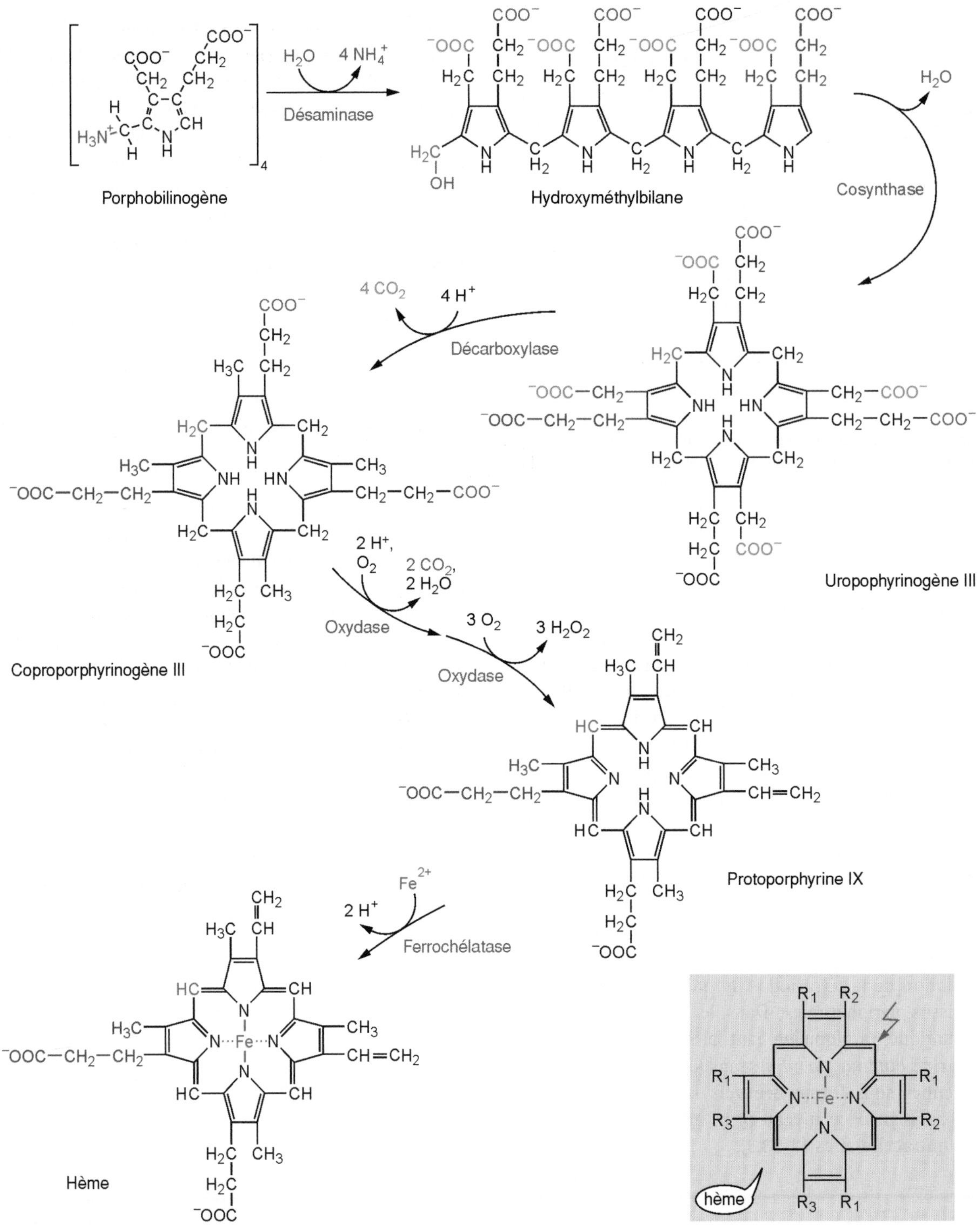

44.20 Synthèse de l'hème à partir du porphobilinogène. Voir explications dans le texte. En bas à droite : schéma simplifié de l'hème ; R_1, méthyle ($-CH_3$) ; R_2, vinyle ($-CH=CH_2$), R_3, propionate ($-CH_2-CH_2-COO^-$). Flèche verte : point d'attaque pour l'hème oxygénase (§ 44.9).

sente une impasse biosynthétique, car ce composé ne peut pas servir de précurseur pour un hème capable de transporter de l'oxygène. Un défaut génétique de la cosynthase mène donc à un syndrome de **porphyrie** (*encart* 44.5).

Avec la cyclisation, le « gros œuvre » est achevé, c'est-à-dire la formation du squelette de base des porphyrines. Les étapes suivantes sont des ajustements de détail au niveau des chaînes latérales et des oxydations au niveau du système de cycles (*fig.* 44.20). La décarboxylation des quatre chaînes acétyles latérales est catalysée par l'uroporphyrinogène décarboxylase, ce qui donne le coproporphyrinogène III. La décarboxylation éliminatrice de deux chaînes latérales de propionate en groupements vinyles et l'oxydation du noyau tétrapyrrole

Encart 44.5 : La porphyrie

Un défaut héréditaire de la **cosynthase III** conduit à une porphyrie érythropoïétique congénitale, caractérisée par une accumulation d'**uroporphyrinogène I**. Son excrétion rénale provoque la couleur rouge de l'urine. La peau est extrêmement photosensible, en raison des incorporations dermiques de porphyrines, qui absorbent fortement la lumière. Les individus atteints souffrent en outre d'une anémie hémolytique grave. En cas de porphyrie cutanée tardive (lat. *porphyria cutanea tarda*), une autre enzyme impliquée dans la synthèse de l'hème, l'**uroporphyrinogène décarboxylase** est atteinte. Dans ce cas également, la peau est fortement photosensible, ce qui peut conduire à la formation de « cloques » pour des expositions, même faibles, à la lumière. La porphyrie aiguë intermittente résulte d'une **porphobilinogène désaminase** défectueuse. Cette enzyme catalyse une étape précoce de la synthèse de l'hème (*fig.* 44.20). Les individus atteints souffrent de neuropathie. Le diagnostic est basé sur une augmentation des porphyrines dans l'urine et les fèces.

44.21 La dégradation de l'hème. L'intermédiaire verdâtre, la biliverdine, se transforme en bilirubine orange. Une démonstration macroscopique de la dégradation de l'hème est le changement de couleurs dans un hématome. L'hème oxygénase appartient à la famille des monooxygénases à cytochrome P_{450} (*encart* 42.4).

aboutit à la formation de **protoporphyrine IX,** un composé présentant un **système complètement conjugué de doubles liaisons.** La **ferrochélatase** ajoute la touche finale en introduisant l'ion Fe^{2+} au centre de la molécule : la synthèse de l'hème est alors achevée. La molécule entière peut maintenant être incorporée, comme groupement prosthétique, dans des globines (hémoglobine, myoglobine), des catalases, des peroxidases, ainsi que dans le cytochrome. L'incorporation en fer nécessaire est assurée par la transferrine du plasma sanguin et la ferritine, un complexe protéique de stockage intracellulaire, qui peut recevoir de grandes quantités de fer dans son « noyau » (§ 10.10).

44.9 La dégradation de l'hème produit la bilirubine et la biliverdine

Les érythrocytes vieillissants sont mis de côté et métabolisés, avant tout dans la rate. Au cours de ce métabolisme, de l'hémoglobine est libérée en grande quantité et la fraction protéique (globine) subit une protéolyse complète. Les acides aminés libérés sont réutilisés pour la biosynthèse des protéines ou bien transformés en différents intermédiaires. Le Fe^{2+} libéré est également réutilisé. En revanche, la protoporphyrine IX, qu'on retrouve aussi en grande quantité, aboutit à une impasse métabolique et doit donc être totalement dégradée par la rate. La première étape de cette dégradation est l'ouverture du noyau tétrapyrrole par une **hème oxygénase**, au niveau d'un pont méthylique (*fig.* 44.21). Les produits de cette réaction sont la **biliverdine**, un tétrapyrrole linéaire de coloration verte, ainsi que le monoxyde de carbone (CO) et de l'eau.

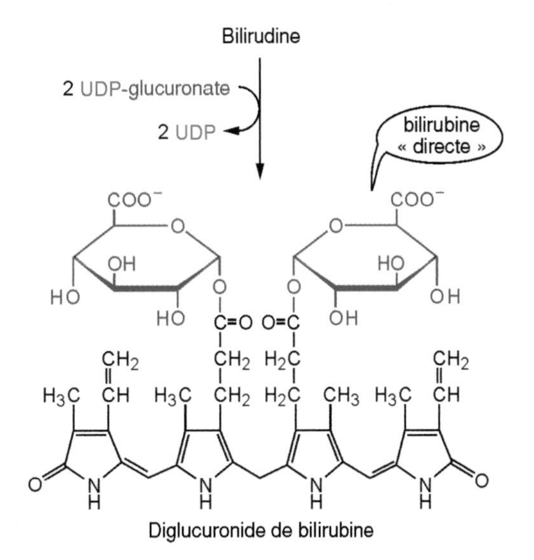

44.22 Conjugaison de la bilirubine avec des glucuronides. Les attributs « directe » et « indirecte » se rapportent à la capacité de la bilirubine à réagir au cours d'une réaction de détection classique avec un composé diazo.

Encart 44.6 : Hyperbilirubinémie (ictère)

Quand la concentration plasmatique en bilirubine dépasse 2 mg/100 ml, la peau et le blanc des yeux se teintent de jaune. On parle de « jaunisse » ou d'ictère. Les causes majeures d'hyperbilirubinémie sont des problèmes de fonctionnement hépatique aigus ou chroniques (glucuronidation défectueuse ou synthèse d'albumine réduite), des obstructions du canal cholédoque (excrétion diminuée) ou de l'hémolyse (capacité insuffisante de dégradation). Le dosage des concentrations relatives en bilirubine conjuguée (« directe ») ou libre (« indirecte ») permet de conclure *a posteriori* sur le type de maladie, qui entraîne l'ictère. La photothérapie est utilisée pour traiter l'ictère du nouveau-né. En effet, une lumière, à une longueur d'onde de 400 à 500 nm, induit une isomérisation de la bilirubine, qui permet son excrétion hépatocellulaire, même en l'absence de glucuronidation.

La biliverdine réductase catalyse ensuite une hydratation dépendante du NADPH du pont méthylique central, ce qui aboutit à la formation de **bilirubine** (de couleur orangée). La bilirubine (encore appelée bilirubine « indirecte ») (*encart* 44.6) est peu soluble dans l'eau. Elle est alors liée à l'albumine pour être transportée par la circulation sanguine, de la rate vers le foie. Dans cet organe, ses deux chaînes latérales de propionate réagissent avec de l'UDP-glucuronate (*fig.* 44.22).

Le produit final de la dégradation hépatique de l'hème est ainsi le **diglucuronide de bilirubine** (ou bilirubine « directe »), qui peut être ensuite éliminé par passage dans la bile et l'intestin. Des perturbations dans le métabolisme ou l'excrétion de la bilirubine sont caractérisées par un **ictère** (*encart* 44.6).

Au cours de son passage dans l'intestin, une partie du diglucuronide de bilirubine est dégradée par des bactéries anaérobies en métabolites brun jaunâtre, notamment la **stercobiline** et le **dipyrrolène**, qui sont responsables de la couleur jaune orangée, caractéristique des fèces.

Les acides aminés sont donc des fournisseurs importants d'éléments constituants dans la biosynthèse d'hormones, de transmetteurs et de groupements prosthétiques. Dans le chapitre suivant, consacré au métabolisme des nucléotides, on va voir une autre facette des acides aminés et détailler leur rôle essentiel lors de la synthèse des acides nucléiques.

Synthèse et utilisation des nucléotides

45

Les nucléotides forment avec les acides aminés, les glucides et les lipides, la quatrième grande classe d'éléments du métabolisme. Ils jouent un rôle majeur comme composants de coenzymes tels que le NAD^+, le FAD et le CoA, comme seconds messagers tels que l'AMPc ou le GMPc, comme fournisseurs d'énergie tels que l'ATP ou le GTP, comme résidus activateurs par exemple dans l'UDP-glucose ou le CDP-diacylglycérol et naturellement comme précurseurs activés et éléments constituants des acides nucléiques. La connaissance exacte du métabolisme des nucléotides a contribué à une meilleure compréhension des bases moléculaires des maladies héréditaires et a ouvert le chemin vers le développement de nouveaux médicaments pour le traitement de perturbations du métabolisme, des infections et des cancers. Dans ce chapitre, on va s'intéresser aux voies de biosynthèse et de catabolisme des nucléotides ; on discutera aussi des perturbations de leur métabolisme.

45.1 La synthèse *de novo* des nucléotides puriques comprend dix étapes

Les nucléo<u>s</u>ides sont constitués de bases et de sucres, tandis que les nucléo<u>t</u>ides comportent trois constituants, c'est-à-dire des bases, des sucres et du phosphate (*tab.* Nucléotides). On distingue parmi les bases, la pyrimidine (monocyclique), et la purine (bi-cyclique), parmi les sucres, le ribose et le désoxyribose, et parmi les résidus acides, le mono-, di-, ou triphosphate (§ 2.6). Il existe deux voies métaboliques majeures menant aux nucléotides : la **synthèse de novo** à partir des éléments de base constituant les nucléotides ou la **réutilisation** dans le cadre du *salvage pathway.*

Au cours de la **synthèse de novo des nucléotides puriques**, un cycle de purine est formé à partir d'une molécule de ribose-5-phosphate, en utilisant une succession de dix étapes, qui aboutit à un nucléotide complet. Au cours de cette synthèse, plusieurs constituants sont utilisés : les acides aminés glutamine, glycine et aspartate, et comme donneurs de carbone le méthylène-tétrahydrofolate, le N^{10}-formyl-tétrahydrofolate et le CO_2. Le produit de la biosynthèse des purines est le **5-phosphoribosyl-1-pyrophosphate** (PRPP), que l'on a déjà rencontré dans la synthèse des acides aminés (*encart* 45.1).

Encart 45.1 : 5-Phosphoribosyl-1-pyrophosphate (PRPP)

Le PRPP est synthétisé à partir d'ATP et de ribose-5-phosphate, qui provient de la voie des pentoses phosphates (*fig.* 45.1). La **PRPP synthétase** catalyse le transfert du groupement βγ-pyrophosphate de l'ATP vers le groupement hydroxyle, situé en position α, sur le carbone C1 du ribose-5-phosphate. La fonction hémiacétale en C1 du PRPP est très réactive et particulièrement bien adaptée au transfert de groupements phosphoribosyles. Le PRPP est impliqué dans la biosynthèse des nucléotides (puriques et pyrimidiques) et de certains acides aminés (histidine, tryptophane).

45.1 Biosynthèse du 5-phosphoribosyl-1-pyrophosphate. Le pyrophosphate est lié au carbone C1 par une liaison α-glycosidique.

La réaction initiale dans la synthèse *de novo* des nucléotides puriques est la formation de **5-phosphoribosyl-1-amine** à partir de PRPP et de glutamine (*fig.* 45.2). Le groupement aminé provenant de la chaîne latérale de la glutamine remplace alors le résidu pyrophosphate situé sur le carbone C1 du PRPP. Cela aboutit à une inversion

45.2 Synthèse du 5-phosphoribosyl-1-amine. L'enzyme bifonctionnelle hydrolyse la glutamine au niveau d'un premier centre actif et transfère, par un tunnel intramoléculaire, le groupement NH_3 ainsi généré vers un deuxième centre actif, où il entre en contact et réagit avec le PRPP.

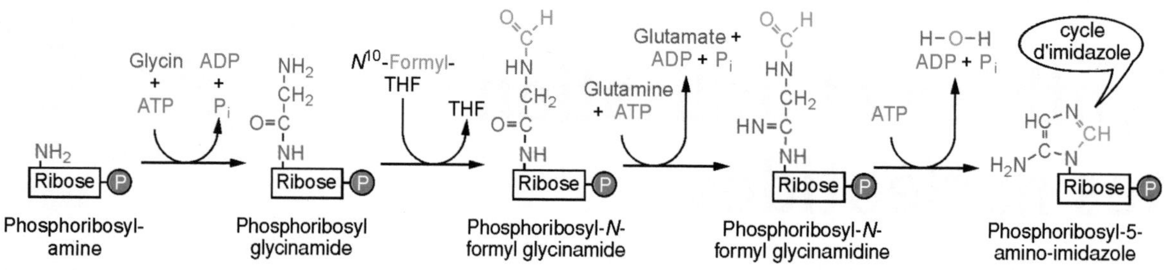

45.3 Première phase de la synthèse *de novo* des purines : formation du noyau imidazole. Une enzyme multifonctionnelle réunit les activités de synthase, transformylase et cyclase ; elle catalyse trois étapes réactionnelles successives, c'est-à-dire la *N*-acylation, la *N*-formylation et la cyclisation.

de l'anomère en C1, et le groupement aminé prend une configuration β, typique de tous les nucléotides naturels. L'**amido-phosphoribosyl transférase** est l'enzyme qui catalyse cette réaction clé de la biosynthèse des nucléotides puriques.

Le groupement aminé β constitue le site « d'ancrage » pour la synthèse du squelette des purines, qui va suivre. L'étape suivante est la formation, dépendante d'ATP, de phosphoribosyl glycinamide par ajout de glycine (*fig.* 45.3). Par l'intermédiaire du N^{10}-formyl-tétrahydrofolate, l'ajout d'un groupement formyl au niveau du groupement α aminé du résidu glycine permet de former le phosphoribosyl-*N*-formyl glycinamide. Cette réaction apporte la dernière pierre à la construction du cycle d'imidazole. A ce moment, le cycle, constitué de cinq éléments, n'est pas encore refermé. Au cours d'une nouvelle étape dépendante de l'ATP, la glutamine transfère le groupement aminé de sa chaîne latérale, sur l'atome de carbone du résidu glycine, qui porte une fonction carbonyle. Un intermédiaire phosphorylester est formé et le groupement amidé [-CO-NH-] est converti en groupement amidiné [-C(NH_2) = NH-]. Cet intermédiaire amidiné se cyclise alors pour former le cycle d'imidazole et constituer le **phosphoribosyl-5-amino-imidazole**. Ainsi se termine la première phase de la biosynthèse des purines.

45.2 L'hétérocycle des purines est formé par étapes successives

Dans la deuxième phase de la biosynthèse des purines, un cycle pyrimidine est d'abord formé par étapes successives ; trois atomes (2 C, 1 N) du noyau hexacyclique sont déjà disponibles dans le phosphoribosyl-5-amino-imidazole (*fig.* 45.4). Tout d'abord, un intermédiaire 4-carboxylate est formé par carboxylation ; cette réaction réversible a lieu *sans* participation de biotine. Une molécule d'aspartate est ensuite liée par une réaction dépendante de l'ATP : son groupement α-aminé réagit

45.4 Deuxième phase de la synthèse *de novo* des purines : formation du squelette complet des purines. Deux enzymes bifonctionnelles catalysent la carboxylation et l'amidation ou la formylation et la cyclisation.

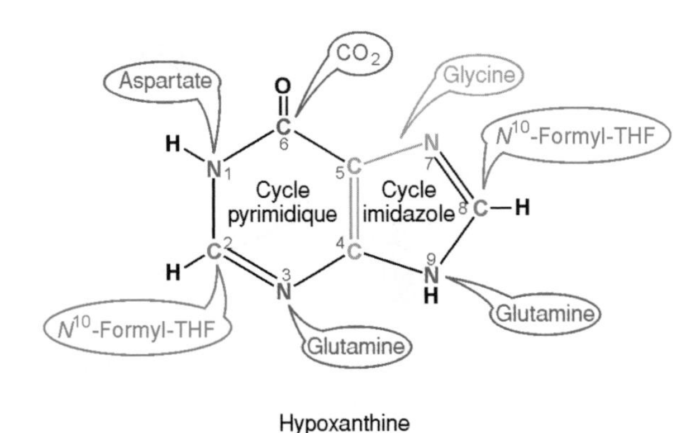

45.5 Provenance des atomes du système hétérocyclique des purines, à partir de la synthèse *de novo*.

avec le groupement 4-carboxylate de l'intermédiaire pour former un dérivé 4-*N*-succino-carboxamide.

Au cours de la réaction suivante, du fumarate est éliminé et un intermédiaire 4-carboxamide est formé. Tout le squelette carboné de l'aspartate est donc clivé et seul son groupement aminé demeure sous forme d'amide. On a déjà rencontré une réaction similaire dans le cycle de l'urée, où le groupement aminé de l'aspartate est transféré sur l'arginine (*fig.* 43.7 et 43.8). Une *trans*formylation avec le N^{10}-formyl-tétrahydrofolate permet de fournir le sixième et dernier atome du cycle pyrimidique, avec la formation d'un intermédiaire 5-formamide. La fermeture du cycle est réalisée grâce à une déshydratation. Le produit final de cette chaîne réactionnelle en dix étapes est l'**inosine-monophosphate** (IMP) ; la base purique correspondante est l'**hypoxanthine** (*fig.* 45.5). Les neuf atomes, formant l'hétérocycle, proviennent de sept molécules différentes ; à eux seuls, les acides aminés participants – la glycine, la glutamine et l'aspartate – fournissent six atomes de l'hétérocycle.

La synthèse du noyau purique se termine avec la formation de l'inositate et une bifurcation est atteinte : l'**adénosine-5'-monophosphate** (AMP) et la **guanosine-5'-monophosphate** (GMP) sont formées par des voies différentes en deux étapes réactionnelles (*fig.* 45.6). L'AMP se forme par échange de l'atome d'oxygène sur le carbone 6 de l'IMP contre un groupement aminé, pour lequel l'aspartate constitue à nouveau le donneur. Initialement, l'IMP se condense avec l'aspartate pour former un adénylosuccinate, puis l'élimination d'une molécule de fumarate conduit à la formation d'**AMP** ; la base purique correspondante est l'**adénine**. De façon remarquable, la première étape réactionnelle dans la formation de l'AMP est dépendante du GTP, c'est-à-dire qu'une forte concentration intracellulaire en GTP favorise la formation d'AMP.

Quant au **GMP**, il est formé par amination du carbone 2 de l'IMP. Tout d'abord, une hydratation de la double liaison –C=N– dans le noyau pyrimidine a lieu ainsi qu'une oxydation dépendante du NAD^+, au niveau du carbone 2, ce qui aboutit à la formation d'une fonction cétone ; le composé formé est le xanthosine-monophosphate (XMP). Par transfert du groupement aminé de la chaîne latérale de la glutamine vers le carbone 2, on obtient le GMP ; la base purique correspondante est la **guanine**. Cette dernière étape réactionnelle est dépendante de l'ATP, c'est-à-dire qu'une forte concentration en ATP favorise la formation de GMP.

45.3 La biosynthèse des nucléotides puriques est étroitement contrôlée

La biosynthèse des nucléotides puriques est contrôlée de façon multilatérale (*fig.* 45.7). La PRPP synthétase, qui

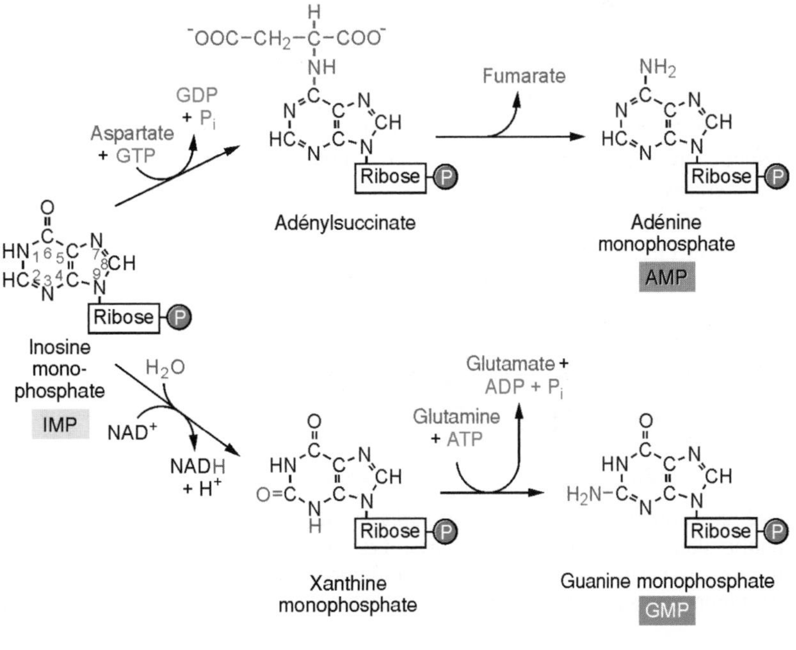

45.6 Bifurcation de la biosynthèse des nucléotides puriques : formation de l'AMP et du GMP. Deux enzymes bifonctionnelles conduisent par des activités de synthase et lyase ou de déshydrogénase et amidase, respectivement à la formation d'AMP et de GMP.

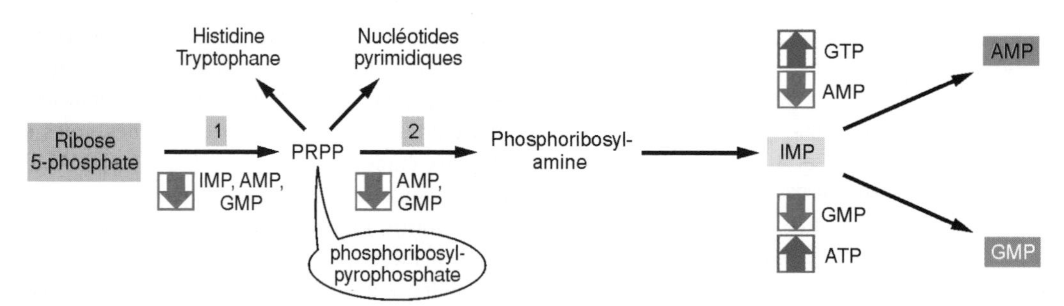

45.7 Régulation de la biosynthèse des nucléotides puriques. Les enzymes impliquées sont la PRPP-synthétase (1) et l'amido-phosphoribosyl transférase (2). Le PRPP est également impliqué dans la synthèse du tryptophane et de l'histidine (*fig.* 44.11 et 44.12). Flèche verte : activation ; flèche rouge : inhibition.

catalyse l'étape initiale, à l'origine de la biosynthèse des différents nucléotides puriques, est inhibée par l'IMP, l'AMP et le GMP (*fig.* 45.7). Toutefois, cette inhibition est la plupart du temps incomplète. En effet, le PRPP est aussi utilisé dans la synthèse de pyrimidine et d'acides aminés (*encart* 45.1) et c'est seulement quand tous les produits finaux sont présents en très fortes concentrations qu'ils inhibent complètement l'enzyme. On parle d'**inhibition cumulative.** L'amido-phosphoribosyl transférase est l'enzyme, qui catalyse l'**étape clé** dans la cascade de réactions. Elle est avant tout inhibée de façon synergique par l'AMP et le GMP : on a ici un exemple de **rétrocontrôle négatif concerté.** En revanche, l'AMP et le GMP exercent un rétrocontrôle négatif « simple » sur leur propre synthèse à partir de l'IMP. Enfin, le GTP et l'ATP participent de façon réciproque à la régulation de la biosynthèse de leurs nucléotides « jumeaux » et contribuent ainsi à une synthèse équilibrée des nucléotides puriques.

L'organisme des mammifères dispose en outre d'une **voie de synthèse alternative** pour les nucléotides puriques. Pour ne pas perdre les bases puriques libres, générées en quantités considérables lors de la dégradation des acides nucléiques, celles-ci entrent dans un processus de réutilisation ou voie de récupération (angl. *salvage pathway*, voie de sauvetage), dont le coût énergétique est nettement plus faible que celui de la synthèse *de novo*. Dans ce cas, des bases puriques déjà « prêtes », qui dérivent de la dégradation des acides nucléiques, sont transférées directement sur le PRPP (*fig.* 45.8). Deux **phosphoribosyl transférases** se comportent en « sauveteurs » : l'adénosine phosphoribosyl transférase, qui permet la formation d'AMP et l'hypoxanthine-guanine phosphoribosyl transférase (HGPT), qui permet la formation d'IMP et de GMP.

45.8 Réaction principale du « *salvage pathway* » utilisé pour la réutilisation des bases puriques libres. Les phosphoribosyl transférases catalysent le transfert de bases puriques libres sur des groupements phosphoribosyl-pyrophosphates.

45.4

Le carbamoyl-phosphate, l'aspartate et le PRPP sont les éléments de la biosynthèse des pyrimidines

Contrairement aux bases puriques, le cycle des bases pyrimidiques est d'abord assemblé « librement », puis lié à un phosphate de ribose pour former un nucléotide pyrimidique. La **biosynthèse des nucléotides pyrimidiques** commence par la formation du carbamoyl-phosphate (*fig.* 45.9). La **carbamoyl-phosphate synthétase** catalyse cette réaction et utilise la glutamine comme donneur d'azote. On a déjà rencontré une réaction similaire dans le cycle de l'urée, où le donneur est NH_4^+ (§ 43.2). Ensuite, l'**aspartate transcarbamoylase** (ATCase, *encart* 13.3) constitue la réaction clé de la synthèse des nucléotides

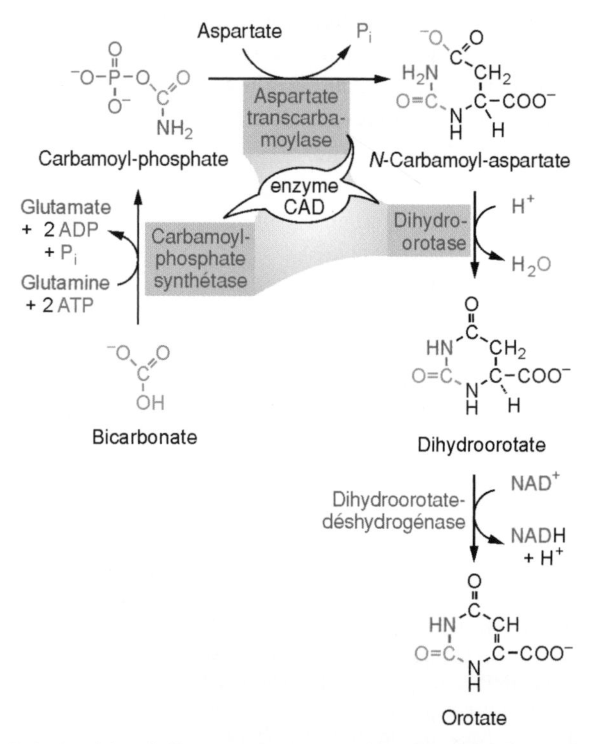

45.9 Synthèse de l'orotate. L'enzyme trifonctionnelle CAD et la dihydro-orotate déshydrogénase catalysent ces réactions.

Encart 45.2 : Les enzymes multifonctionnelles

L'enzyme CAD est le prototype d'une enzyme multifonctionnelle, qui rassemble plusieurs centres actifs sur une même chaîne polypeptidique ; un autre exemple est constitué par l'acide gras synthase (*fig.* 41.16). Contrairement au cas des complexes multienzymatiques, plusieurs centres actifs sont reliés de façon covalente pour former une seule chaîne polypeptidique. Les enzymes multifonctionnelles se sont développées au cours de l'évolution par **exon shuffling**, c'est-à-dire par combinaison, au niveau génique, de plusieurs modules fonctionnels. Il existe d'autres protéines mosaïques, telles que le récepteur aux LDL (*fig.* 42.13) ou les facteurs de coagulation (*fig.* 14.8). La pression évolutive pour le développement de telles activités enzymatiques à la chaîne, est probablement leur plus grande efficacité et leur économie ainsi qu'un plus faible taux d'erreurs. La possibilité de faire passer de façon ordonnée le substrat d'un centre actif au suivant, constitue une raison pour laquelle on rencontre de façon particulièrement fréquente des enzymes multifonctionnelles dans les voies de métabolisme.

pyrimidiques. Cette enzyme catalyse la fusion entre le carbamoyl-phosphate et l'aspartate pour donner le **N-carbamoyl-aspartate**, un intermédiaire réactif (*fig.* 45.9). La déshydratation et la cyclisation de cet intermédiaire conduisent à la formation de dihydro-orotate : ainsi, les six éléments participant au noyau pyrimidine sont réunis.

Les trois activités enzymatiques – carbamoyl-phosphate synthétase, aspartate *trans*carbamoylase et dihydro-orotase – impliquées dans la genèse du dihydro-orodate, sont réunies dans une seule chaîne polypeptidique, celle de l'**enzyme CAD** (*encart* 45.2). La réaction suivante, dépendante du NAD^+, permet enfin de former la base pyrimidique **orotate** à partir du dihydro-orotate.

L'orotate se condense ensuite avec le PRPP pour former l'orotidine monophosphate (OMP), un nucléotide pyrimidique, dont la décarboxylation produit l'**uridine-monophosphate** (UMP) (*fig.* 45.10). La base pyrimidique correspondante se nomme l'**uracile**. L'UMP constitue un élément important dans la synthèse des nucléotides pyrimidiques et permet de produire *via* l'UTP, deux autres nucléotides pyrimidiques – le cytidine-phosphate et le thymidine-phosphate.

45.5 La formation des nucléosides triphosphates consomme de l'ATP

La biosynthèse des purines et des pyrimidines fournit donc trois nucléosides monophosphates ; cependant, les nucléotides biologiquement actifs sont en général des composés di- ou triphosphates. Ces derniers peuvent être obtenus par une série de réactions métaboliques simples. Les **nucléosides monophosphates kinases** utilisent de l'ATP pour catalyser la phosphorylation des nucléosides monophosphates en diphosphates correspondants (N est ici un terme général pour nucléosides) :

$$\text{NMP} + \text{ATP} \rightleftharpoons \text{NDP} + \text{ADP}$$

Dans le cas précis de l'adénine, on obtient juste un changement du taux de phosphorylation d'un même nucléoside :

$$\text{AMP} + \text{ATP} \rightleftharpoons 2\ \text{ADP}$$

L'**adénylate kinase** (myokinase) catalyse cette réaction totalement réversible. Grâce à ce « raccourci » biosynthétique, une cellule à faible charge énergétique (peu d'ATP) peut régénérer rapidement l'ATP à partir d'ADP, *sans* mettre en route la chaîne respiratoire. Dans le cas d'une charge énergétique plus forte (beaucoup d'ATP), cet équilibre est déplacé en direction des nucléosides diphosphates (*encart* 34.4).

Les **nucléosides diphosphates kinases** catalysent l'échange de phosphate entre un nucléoside diphosphate et un nucléoside triphosphate. Le groupement donneur de phosphate le plus important est à nouveau l'ATP.

$$\text{NDP} + \text{ATP} \rightleftharpoons \text{NTP} + \text{ADP}$$

On obtient aussi par cette voie l'**uridine triphosphate** (UTP) à partir d'UMP. Ainsi, la voie est libre pour la synthèse de la cytosine, une base pyrimidique que l'on obtient à partir de l'uracile par échange d'un atome d'oxygène contre un groupement aminé, au niveau du carbone C4. Par une réaction consommant de l'ATP, la glutamine transfère le groupement aminé de sa chaîne latérale vers le noyau pyrimidine (*fig.* 45.11), d'où la formation de **cytidine triphosphate** (CTP) ; la base pyrimidique correspondante est la **cytosine**. Une voie métabolique linéaire fournit donc successivement l'UMP, l'UTP et le CTP.

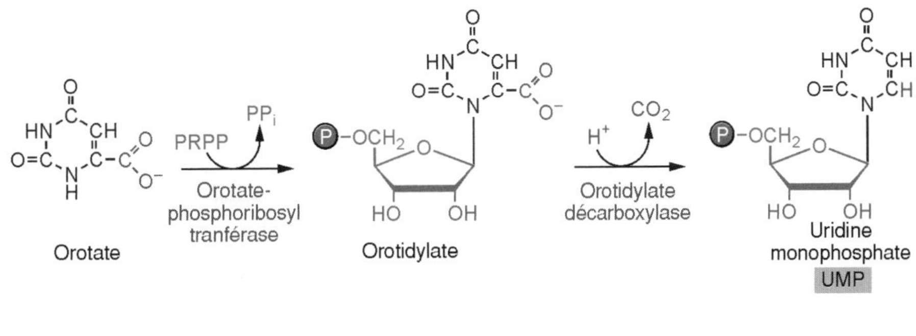

Orotate — PRPP → PP_i (Orotate-phosphoribosyl tranférase) → Orotidylate — H^+ → CO_2 (Orotidylate décarboxylase) → Uridine monophosphate UMP

45.10 Biosynthèse de l'UMP. L'orotate-phosphoribosyl transférase et l'orotidylate décarboxylase catalysent les réactions terminales de la biosynthèse des pyrimidines

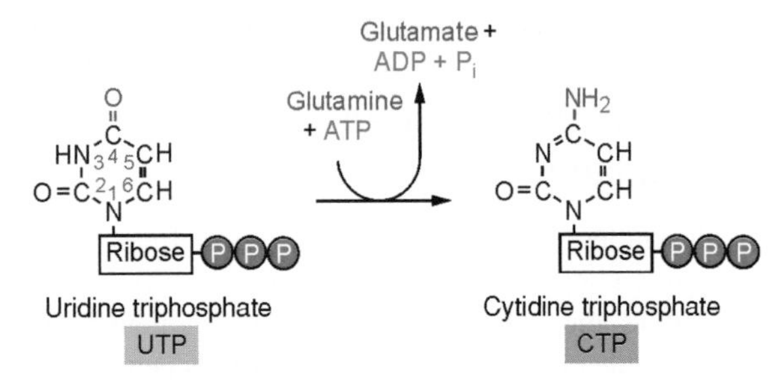

45.11 Synthèse du CTP à partir de l'UTP. La conversion des deux bases pyrimidiques ne peut avoir lieu qu'au niveau des nucléosides triphosphates.

45.6

Les désoxyribonucléotides sont formés à partir des nucléosides diphosphates

On en arrive maintenant à un aspect fondamental de la biosynthèse des nucléotides, c'est-à-dire la conversion des ribonucléotides en **désoxyribonucléotides**, les constituants de base de l'ADN. Cette conversion a lieu au niveau des nucléosides diphosphates (*fig.* 45.12).

L'enzyme mise en jeu est la **ribonucléotide réductase**, qui convertit les quatre nucléosides diphosphates, au cours d'une réaction dépendante du NADPH. Cette enzyme échange le groupement hydroxyle sur le carbone C2 de l'unité de ribose contre un ion hydrure, avec rétention de configuration (*encart* 45.3).

Les électrons *ne* passent *pas* directement du NADPH à la ribonucléotide réductase. Ce transfert met en jeu une chaîne de transport d'électrons (échange rédox) : la formation de $FADH_2$ permet de réduire le pont disulfure d'une thiorédoxine réductase. Celle-ci réduit à son tour une thiorédoxine. Enfin, la thiorédoxine active la ribonucléotide réductase en réduisant un pont disulfure dans son centre actif. Le dithiol résultant réduit finalement le ribose (*fig.* 45.14). Au total, trois **centres thiols** sont impliqués, qui sont oxydés de façon réversible en disulfures. Alternativement, la glutarédoxine, en association avec le glutathion, peut fonctionner comme donneur d'électron (*encart* 38.1).

Les adénine-, guanine- et cytosine-désoxyribonucléotides, obtenus selon ce schéma réactionnel, sont ensuite convertis par les nucléosides phosphates kinases en triphosphates correspondants (respectivement dATP, dGTP et dCTP) et sont disponibles pour la synthèse d'ADN. En revanche, l'uracile-désoxyribonucléotide (dUDP) doit d'abord être converti en dérivé thymine correspondant. Pour cela, le dUDP est hydrolysé en dUMP, puis méthylé, au niveau du carbone C5 du cycle pyrimidique, en **désoxythymidine monophosphate** (dTMP), par la thymidilate synthase (*fig.* 45.15). La base pyrimidique correspondante est la **thymine** ; elle se différencie de l'uracile seulement par un groupement méthyle supplémentaire en C5. Les nucléosides phosphates kinases catalysent la conversion ATP-dépendante de dTMP en dTTP, le substrat réel pour la synthèse d'ADN.

Encart 45.3 : La ribonucléotide réductase (*E. coli*)

L'enzyme est un hétérotétramère $\alpha_2\beta_2$. Chaque chaîne α possède une paire de groupements thiols (2 x –SH), qui fournit les électrons nécessaires à la réduction de l'unité ribose (*fig.* 45.13). Les chaînes β possèdent un centre fer-oxygène (Fe-O-Fe) ainsi qu'un radical tyrosine libre (Y·). Les chaînes α et β forment ensemble deux centres actifs. À ce niveau, chaque électron non apparié de l'enzyme est transféré sur le substrat ; un ion OH^- est ensuite éliminé du radical ribosyl obtenu et il y a formation d'un ion carbonium (C^+) au niveau du carbone C2. Les groupements thiols de l'enzyme transfèrent alors un ion hydrure (H^-) sur le carbone C2 ; la configuration du ribosyl est maintenue. La conversion des ribonucléotides en désoxyribonucléotides est étroitement contrôlée. Chaque chaîne α possède deux centres allostériques, qui régulent l'activité (capacité totale de conversion) et la spécificité (nucléotides puriques *versus* pyrimidiques) de l'enzyme. Cette régulation permet d'adapter l'approvisionnement en éléments constituants des acides nucléiques aux besoins de chaque cellule individuelle.

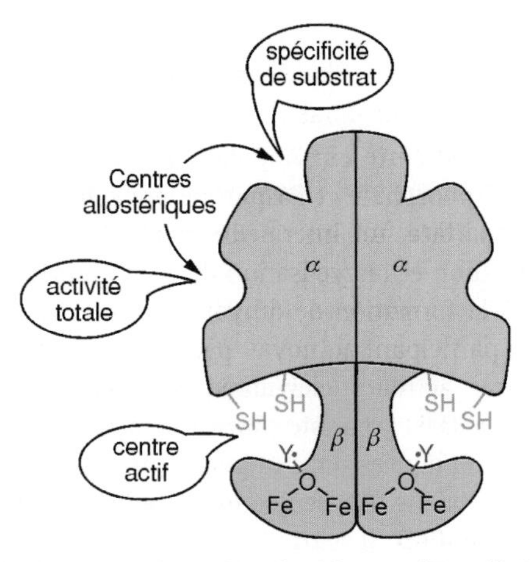

45.13 Modèle de la ribonucléotide réductase (*E. coli*). L'activité de la sous-unité β catalytique est contrôlée par les centres allostérique de la sous-unité α. [RF]

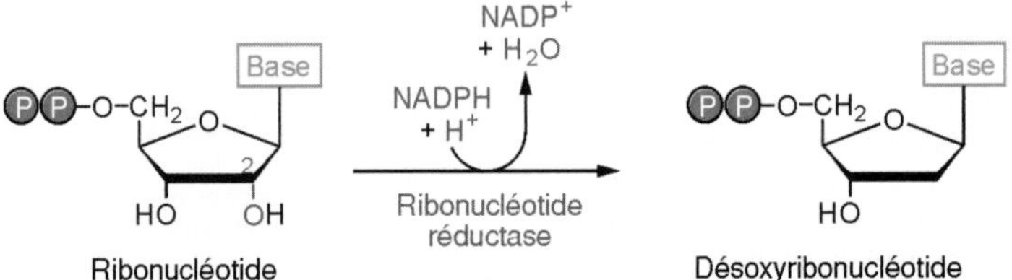

45.12 Synthèse des désoxyribonucléotides à partir des ribonucléotides. Comme la majorité des cellules contient nettement plus d'ARN que d'ADN, seuls 10-20 % environ des ribonucléotides sont convertis en désoxyribonucléotides correspondants.

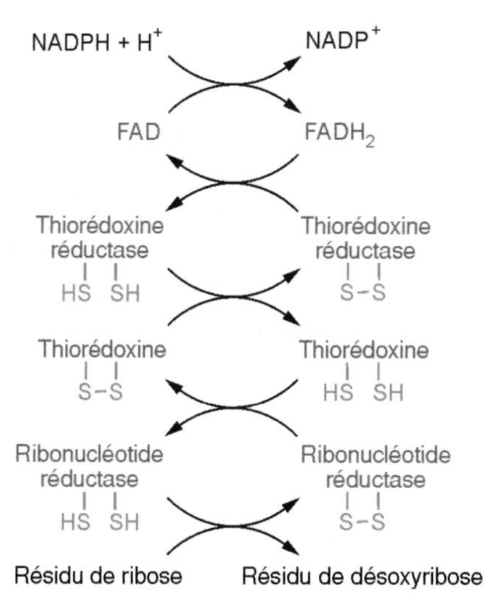

45.14 Flux d'électrons lors de la réduction des ribonucléotides. La thiorédoxine réductase réduit d'abord la thiorédoxine grâce au NADPH, laquelle réduit ensuite la cystine (-S-S-) dans le centre actif de la ribonucléotide réductase.

45.15 Conversion de l'UDP en dTTP. Le N^5,N^{10}-méthylène-tétrahydrofolate (THF) produit au cours de cette réaction un groupement C_1 et réduit simultanément un groupement méthylène en méthyle ; le dihydrofolate (DHF) est formé.

Le coenzyme de la **thymidilate synthase** est le N^5,N^{10}-méthylène-tétrahydrofolate, qui est oxydé en dihydrofolate au cours de la réaction de méthylation (*encart* 44.1). Ce coenzyme constitue à la fois un donneur de carbone (unité C_1) et un donneur d'électrons lors de la réduction du groupement méthylène en groupement méthyle. La dihydrofolate réductase utilise ensuite du NADPH pour régénérer le tétrahydrofolate à partir de dihydrofolate. La sérine fournit l'unité C_1 pour reconstituer le N^5,N^{10}-méthylène-tétrahydrofolate à partir du tétrahydrofolate (*fig.* 44.3) – un autre exemple des liens étroits entre le métabolisme des nucléotides et le métabolisme des acides aminés.

45.7 Le fluorouracile est un inhibiteur irréversible de la thymidilate synthase

Les cellules en forte croissance ont un besoin important en désoxyribonucléotides pour leur synthèse d'ADN. La biosynthèse de la dTMP constitue donc un point critique : un blocage de cette voie de biosynthèse attaque les cellules en croissance au niveau de leur « talon d'Achille ».

On a tiré parti de la dépendance vis-à-vis de l'approvisionnement en dTMP en développant des inhibiteurs synthétiques contre la thymidilate synthase, lesquels représentent des cytostatiques efficaces. Le **5-fluorouracile** se distingue de l'uracile uniquement par la présence d'un atome de fluor sur le carbone C5. Après son activation en 5-fluorouridine monophosphate (FdUMP), ce composé est reconnu comme substrat par la thymidilate synthase et converti (*fig.* 45.16). Le FdUMP se comporte alors comme un inhibiteur irréversible de la thymidilate synthase.

Pour comprendre le mécanisme moléculaire sous jacent, il faut détailler le mécanisme réactionnel observé avec le ligand naturel : le dUMP se lie tout d'abord de façon covalente à un groupement thiol de l'enzyme ; secondairement, le produit résultant se lie alors de façon covalente, au niveau de sa position C5, avec le méthy-

45.16 Inhibition de la thymidilate synthase. Le 5-fluorouridine-monophosphate réagit avec un résidu sulfhydryl dans le centre actif de la thymidilate synthase et se lie ensuite de façon covalente au tétrahydrofolate (THF), ce qui bloque l'enzyme durablement.

lène-tétrahydrofolate. Cet intermédiaire réagit ensuite par clivage d'un proton au niveau du carbone C5, comme on l'a vu précédemment (§ 45.6). Dans le cas, du FdUMP, le carbone C5 porte un atome de fluor, qui *ne* peut *pas* être éliminé sous forme de F^+ : le complexe covalent formé avec l'inhibiteur est donc stable et bloque durablement le centre actif de la thymidilate synthase. On a ici un exemple de « **substrat suicide** » (§ 13.7), c'est-à-dire un composé, qui est reconnu comme substrat par l'enzyme et dont l'action est « amorcée », puis qui bloque durablement le centre catalytique par une liaison covalente. L'inhibition irréversible ne peut se contourner que par une synthèse *de novo* de l'enzyme. Le FdUMP agit donc comme cystostatique. Des solutions alternatives pour supprimer la synthèse de dTMP utilisent l'inhibition de la **dihydrofolate réductase** (*encart* 45.4).

Encart 45.4 : Les inhibiteurs de la dihydrofolate réductase

Au cours de la synthèse de dTMP, le tétrahydrofolate (THF), le coenzyme de la thymidilate synthase, est oxydé en dihydrofolate (DHF) (*encart* 44.1). La dihydrofolate réductase catalyse la régénération du DHF en coenzyme « actif », le THF. Un blocage de cette enzyme stoppe indirectement la synthèse de dTMP, car le DHF accumulé *ne* peut *pas* servir de donneur de groupement méthyle. Des analogues du folate, tels que l'aminoptérine ou le méthotrexate (*encart* 23.5), agissent comme inhibiteurs compétitifs de la DHF réductase et sont utilisés avec succès comme cytostatiques dans le traitement des leucémies et d'autres tumeurs à croissance rapide. Le triméthoprime bloque préférentiellement les DHF réductases microbiennes et n'a pas d'activité sur l'enzyme humaine. Des différences mineures dans la structure de cette enzyme sont responsables de cette spécificité remarquable. Le triméthoprime constitue un antibiotique puissant, utilisé en combinaison avec des inhibiteurs de la synthèse des folates, dans le cas d'infections bactériennes ou parasitaires.

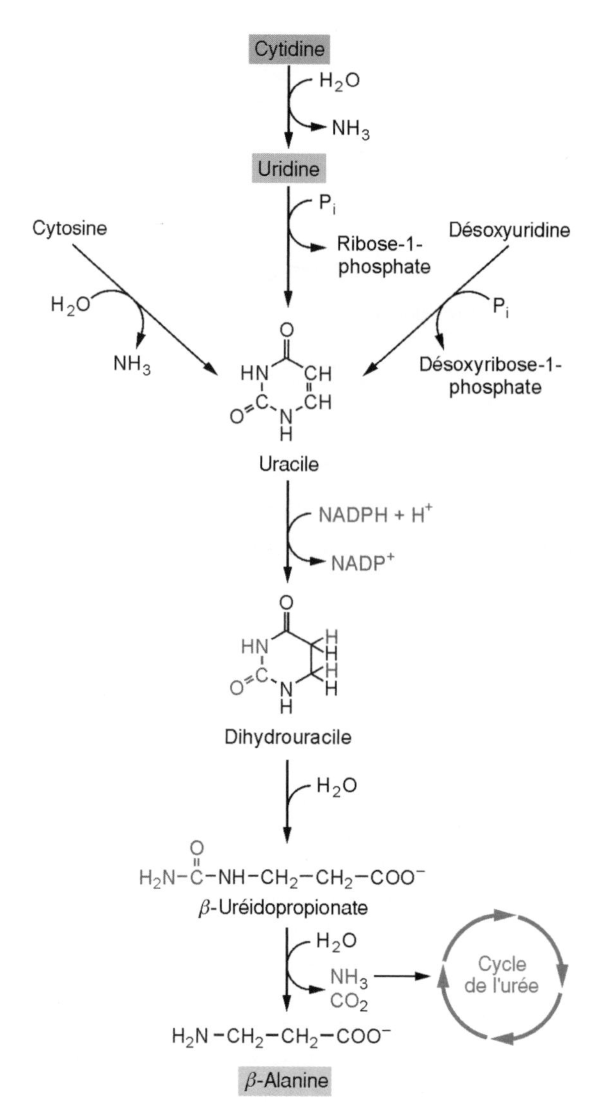

45.17 Dégradation des nucléotides pyrimidiques. Les intermédiaires sont la dihydrouracile et le β-uréidopropionate. Le groupement NH_3 résultant est pris en charge dans le cycle de l'urée, tandis que la β-alanine constitue un élément utilisé dans la synthèse du coenzyme A.

45.8 L'urée et l'acide urique sont les principaux produits du catabolisme des nucléotides

Les nucléotides sont constamment en cours de transformation : les **nucléotidases** hydrolysent les nucléotides en nucléosides, puis les **nucléosides phosphorylases** catalysent le clivage phosphorolytique des bases ; il en résulte la formation de ribose-1-phosphate ou de désoxyribose-1-phosphate (*fig.* 45.17). Le ribose-1-phosphate peut être isomérisé en ribose-5-phosphate et recyclé en PRPP. Les bases libres sont soit réutilisées *via* le transfert de phosphoribosyl, soit dégradées. La **dégradation des pyrimidines** conduit en un petit nombre d'étapes de l'uridine ou la désoxyuridine, par l'intermédiaire de l'uracile, à la formation de β-alanine, de NH_3 et de CO_2. La cytidine entre dans cette voie de dégradation *via* la désamination en uridine et la phosphorolyse en uracile. Alternativement, la cytosine peut être introduite dans cette voie de dégradation, par sa désamination en uracile.

La **dégradation des purines** dans l'organisme humain a lieu principalement dans le foie et le cerveau. L'**adénosine désaminase** (ADA) (*encart* 23.7) catalyse la conversion de l'AMP en IMP par désamination (*fig.* 45.18). Après la déphosphorylation, la purine nucléoside phosphorylase catalyse la formation de la base hypoxanthine et de ribose-1-phosphate. La **xanthine oxydase** permet ensuite de convertir, en deux réactions successives, l'hypoxanthine en xanthine puis en **acide urique** (urate) ; de l'H_2O_2 est produite au cours des deux étapes réactionnelles. Le GMP peut rejoindre cette voie de dégradation au niveau de la xanthine, *via* l'action de la phosphorylase et de la

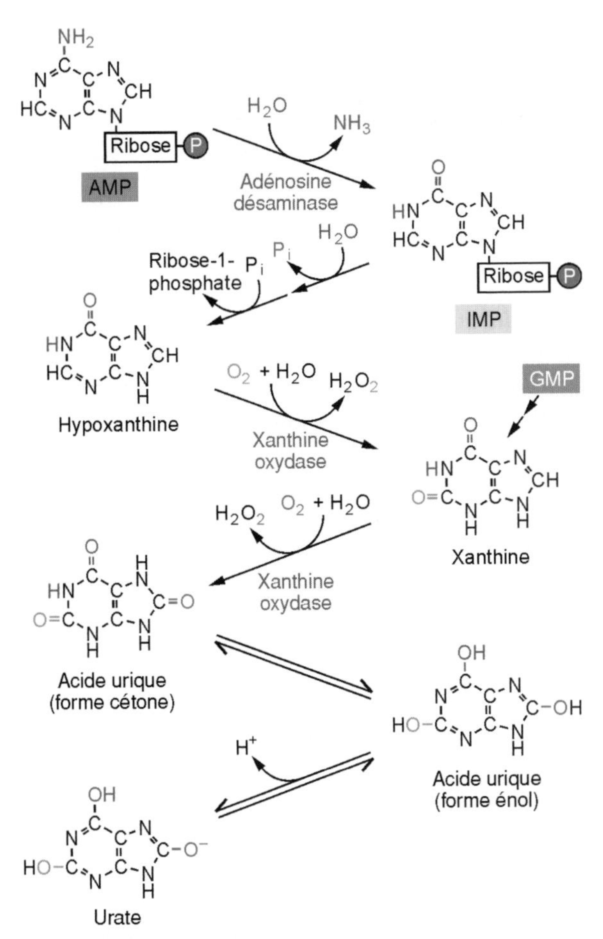

45.18 Dégradation des purines dans l'organisme humain. La catalase catalyse la transformation d'H_2O_2 en eau et en O_2 et détoxifie ainsi ce composé (*encart*37.4).

désaminase. Pour les deux purines – l'adénine et la guanine – le produit final est donc l'urate, qui est excrété par l'urine.

L'acide urique et l'urate sont faiblement solubles dans l'eau (< 70 mg d'urate/L). Si la dégradation de purines augmente, on peut aboutir à une **hyperuricémie**, c'est-à-dire une concentration plasmatique trop élevée en acide urique, ce qui entraîne un dépôt de cristaux d'acide urique, avant tout dans les articulations et les reins. On observe alors des crises de « goutte », qui se manifestent par des inflammations chroniques, de l'arthrose et des atteintes rénales (*encart* 45.5).

L'**allopurinol**, un substrat suicide de la xanthine oxydase, bloque la formation d'urate à partir d'hypoxanthine ou de xanthine et est utilisé avec succès dans la thérapie de la goutte. L'allopurinol est un isomère de l'hypoxanthine, qui est oxydé par la xanthine oxydase en 2-hydroxy-allopurinol – encore appelé alloxanthine. L'alloxanthine se lie fermement au site actif de l'oxydase et bloque son activité durablement : ainsi, la production d'urate diminue. Les précurseurs hypoxanthine et xanthine s'accumulent alors ; ceux-ci sont plus hydrosolubles que l'urate et peuvent être excrétés sans autre modification. L'hyperuricémie constitue également le symptôme majeur dans le **syndrome de Lesch-Nyhan** (*encart* 45.6).

La production de désoxyribonucléotides sert presque exclusivement à la synthèse d'ADN. En revanche, les ribonucléotides participent à un nombre important de fonctions définies dans le métabolisme cellulaire et dépassent la simple fonction d'éléments de base : ce sont des fournisseurs d'énergie universels (ATP), des activateurs (UDP-glucose ou UDP-choline), ainsi que des constituants de coenzymes (NAD^+, FAD, CoA). La grande diversité des actions concertées entre ribonucléotides et enzymes met en lumière le fait que les ribonucléotides et les acides aminés se sont associés au cours de l'évolution, à un moment où les désoxyribonucléotides n'existaient même pas encore. C'est encore une indication du fait que l'ARN est apparu avant l'ADN au cours de l'évolution (§ 3.1).

Encart 45.5 : La goutte

L'hyperuricémie est le résultat d'un accroissement de la production des nucléotides puriques et/ou de perturbations dans l'excrétion rénale de l'urate. Un défaut génétique de la PRPP synthétase peut entraîner une augmentation importante de son activité enzymatique ; dans ce cas, le rétrocontrôle négatif sur cette réaction clé de la synthèse des purines est altéré. Une offre suffisante en substrat induit alors une synthèse excessive de purines et secondairement une augmentation massive de la dégradation des purines. Une déficience partielle, c'est-à-dire une activité réduite de l'**hypoxanthine-guanine phosphoribosyl transférase** (HGPT), une enzyme impliquée dans la voie de récupération des nucléotides (§ 45.3), conduit à une accumulation du substrat de la tranférase, le PRPP, qui se tourne alors préférentiellement vers la synthèse *de novo* et contribue à l'augmentation de la synthèse des purines. Ainsi, le déficit en voie de récupération des nucléotides est surcompensé par l'augmentation de la synthèse *de novo* : finalement, la production de nucléotides puriques est augmentée et leur catabolisme conduit à la goutte. Une absence complète d'activité de l'HGPT à des conséquences encore plus drastiques (encart 45.6).

Encart 45.6 : Le syndrome de Lesch-Nyhan

La déficience complète de l'hypoxanthine-guanine phosphoribosyl transférase (HGPT) en raison d'un défaut génétique, qui inhibe l'expression du gène de l'HGPT ou qui entraîne un disfonctionnement de la protéine, conduit dès l'enfance à des crises de goutte, à un retard mental et à de l'auto-agression avec auto-mutilation (morsure des lèvres ou des mains). La disparition complète de la voie de récupération des nucléotides conduit à une accumulation de PRPP et à une augmentation importante de la synthèse des nucléotides puriques. Le cerveau semble particulièrement touché par le gain en nucléotides puriques, dû à la voie de réutilisation ; la synthèse *de novo* joue manifestement ici un rôle seulement mineur. Les liens moléculaires entre la pénurie en HGPT et la tendance à l'auto-mutilation dans le syndrome de Lesch-Nyhan demeurent encore très énigmatiques.

Coordination et intégration du métabolisme

46

La fonction primordiale du métabolisme est d'assurer l'**homéostasie** de tout l'organisme, dans des conditions normales ou de stress, ainsi que dans des conditions de surabondance ou de pénurie. Pour assumer cette tâche, il faut maintenir un équilibre dynamique entre les différentes voies de métabolisme : au niveau des cellules individuelles, mais aussi au niveau des organes et des tissus, ainsi qu'au niveau de l'organisme entier. Les « vis de réglage » les plus importantes dans ce système sont les **enzymes** : elles sondent et intègrent les informations concernant l'état métabolique et adaptent leurs activités aux exigences du métabolisme. Les carrefours des voies majeures de métabolisme constituent d'autres points de contrôle importants du métabolisme : les quelques **composés clés** qui occupent ces emplacements, peuvent prendre différentes voies, selon l'état du métabolisme. Un petit nombre d'**hormones** dirige l'ensemble du métabolisme général, en tenant compte des besoins et des capacités de chaque organe. Dans ce chapitre de conclusion, on va se pencher sur les mécanismes impliqués dans la coordination et l'intégration du métabolisme en commençant par le niveau cellulaire.

46.1 Les stratégies métaboliques des cellules sont universelles

Le métabolisme d'une **cellule isolée** obéit à quelques exigences principales : générer des équivalents d'énergie sous forme d'ATP, produire des équivalents de réduction sous forme de NADPH et mettre à disposition des éléments de synthèse, comme l'acétyl-CoA ou le ribose-5-phosphate. Pour y parvenir, une cellule utilise trois ressources majeures, le glucose, les graisses et les acides aminés ; presque tout le métabolisme cellulaire est alimenté par ces sources. En général, les voies anaboliques et cataboliques correspondantes utilisent des enzymes différentes, sont exergoniques et peuvent se dérouler spontanément, grâce au couplage avec l'hydrolyse d'ATP. Les vis de réglage les plus importantes des cellules isolées sont les **enzymes,** qui sont régulées quantitativement par ajustement du nombre de leurs copies et qualitativement par les variations de leur état d'activité. Typiquement, la régulation se fait à plusieurs niveaux : régulation transcriptionnelle de la biosynthèse des enzymes, contrôle des taux de dégradation par protéolyse intracellulaire, et ajustement des activités enzymatiques par modulation allostérique ou modification covalente. Concernant ce dernier point, les enzymes peuvent réagir à des situations métaboliques variées par la liaison de différents dérivés métaboliques (substrats, intermédiaires, produits, modulateurs) : elles représentent donc à la fois les senseurs *et* les exécuteurs lors des événements métaboliques. Le prototype d'un senseur enzymatique avec un rôle régulateur de type « *pace-maker* » est la glycogène phosphorylase (§ 40.6), qui « surveille » la réaction initiale de la glycogénolyse et l'adapte aux événements généraux du métabolisme.

Les stratégies métaboliques des cellules eucaryotes utilisent un petit nombre de principes de base : la compartimentation des voies de métabolisme, la coordination des flux métaboliques, ainsi que la variation de la consommation de substrats et de la formation de produits. La **compartimentation** permet de séparer les voies de métabolisme à l'intérieur d'une même cellule (*fig.* 46.1). Ainsi, la glycolyse, la voie des pentoses phosphates et la synthèse des acides gras se déroulent dans le cytoplasme tandis que le cycle de Krebs, la phosphorylation oxydative et la β-oxydation ont lieu dans les mitochondries. D'autres voies métaboliques utilisent les deux compartiments, par exemple la gluconéogenèse et le cycle de l'urée. D'autres voies encore, comme la synthèse des acides gras insaturés, sont associées au réticulum endoplasmique. De fait, la compartimentation facilite les contrôles respectifs des voies anaboliques et cataboliques. En outre, elle permet l'organisation de l'ensemble des enzymes d'une chaîne de réactions en une unité métabolique plus grande – le **métabolome** – qui dispose d'un flux de substrats plus important et de taux d'erreurs plus faible.

La **coordination des flux métaboliques** résulte principalement d'un ajustement individuel des activités enzymatiques. Toutefois, il est rare que des voies métaboliques inverses soient complètement indépendantes l'une de l'autre : la cellule utilise plutôt une coordination des voies anaboliques et cataboliques. Les points de contrôle décisifs sont les **enzymes clés** ou **régulatrices,** dont l'activité et le taux de renouvellement permettent de contrôler les flux de substrats, qui arrivent sur les voies métaboliques correspondantes. Ainsi, les voies de métabolisme, dont les produits ne sont pas nécessaires à un moment donné, peuvent être momentanément arrêtées. Les subs-

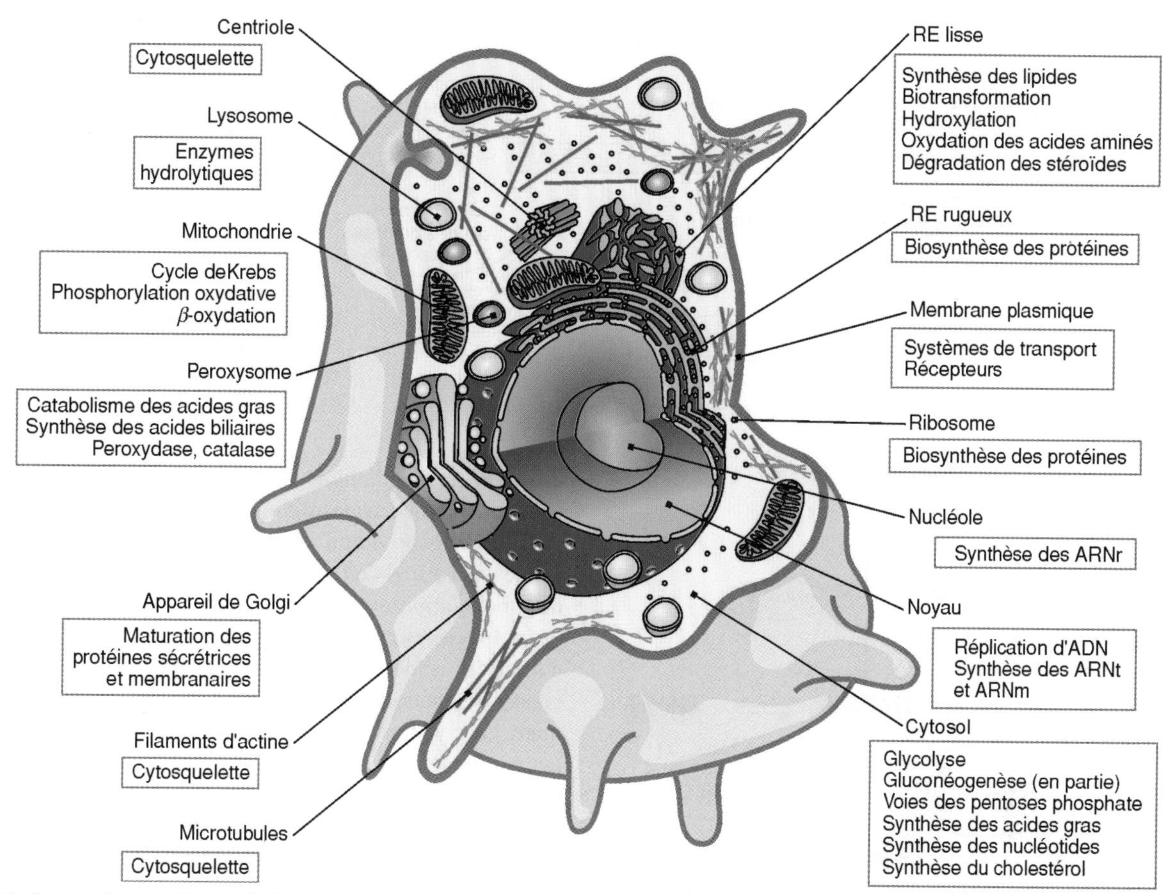

46.1 Compartiments d'une cellule eucaryote. Les séparations structurales et fonctionnelles sont plus particulièrement illustrées dans ce schéma.

trats des enzymes clés sont souvent des métabolites, qui servent de point de départ à plusieurs voies métaboliques, et qui peuvent donc prendre plusieurs directions différentes, selon les besoins cellulaires. Inversement, plusieurs voies de métabolisme peuvent aboutir à un même métabolite, qui sert ensuite de **carrefour métabolique.** Les décisions stratégiques concernant l'utilisation ultérieure d'un produit du métabolisme se prennent souvent au niveau des carrefours du réseau métabolique, ce qui garantit une **variation du volume de métabolites**, en fonction les besoins.

46.2 Le glucose-6-phosphate, le pyruvate et l'acétyl-CoA constituent les points clés du métabolisme

On en arrive ici aux capacités les plus élevées d'intégration des cellules, celles qui permettent de diriger les flux d'intermédiaires du métabolisme, en fonction des besoins cellulaires. Une « troïka » métabolique formée par le glucose-6-phosphate, le pyruvate et l'acétyl-CoA occupe les nœuds de communication dans le réseau métabolique. Dès que du glucose libre entre dans une cellule, il est phosphorylé en **glucose-6-phosphate** ; cet intermédiaire peut être généré à partir du pyruvate et des acides aminés glucoformateurs, alternativement par le catabolisme du glycogène ou *via* la gluconéogenèse. Le glucose-6-phosphate est utilisé dans plusieurs voies de métabolisme (*fig.* 46.2) : quand la charge énergétique d'une cellule est faible, le glucose-6-phosphate est dirigé vers la glycolyse, ce qui génère du pyruvate, de l'acétyl-CoA et finalement de l'ATP. Quand la charge énergétique est forte, le glucose-6-phosphate est isomérisé en glucose-1-phosphate, lequel débouche sur la glycogénogenèse. Les deux processus – la glycolyse et la synthèse de glycogène – sont réversibles ; il *ne* s'agit cependant *pas* d'une réversibilité au sens thermodynamique, car la direction anabolique exige à chaque fois l'hydrolyse de groupements phosphates riches en énergie. Alternativement, le glucose-6-phosphate peut aussi déboucher sur la voie des pentoses phosphates, où il permet de produire du NADPH et du ribose-5-phosphate, qui est ensuite utilisé dans des processus anaboliques. Enfin, les cellules hépatiques et rénales peuvent également hydrolyser le glucose-6-phosphate, fournissant ainsi du glucose « libre », qui peut passer dans la circulation sanguine.

Le **pyruvate** est un α-cétoacide, qui marque un autre nœud du métabolisme. Il provient avant tout du glucose, du lactate et de l'alanine (*fig.* 46.3). En cas de charge énergétique faible de la cellule, le pyruvate est décar-

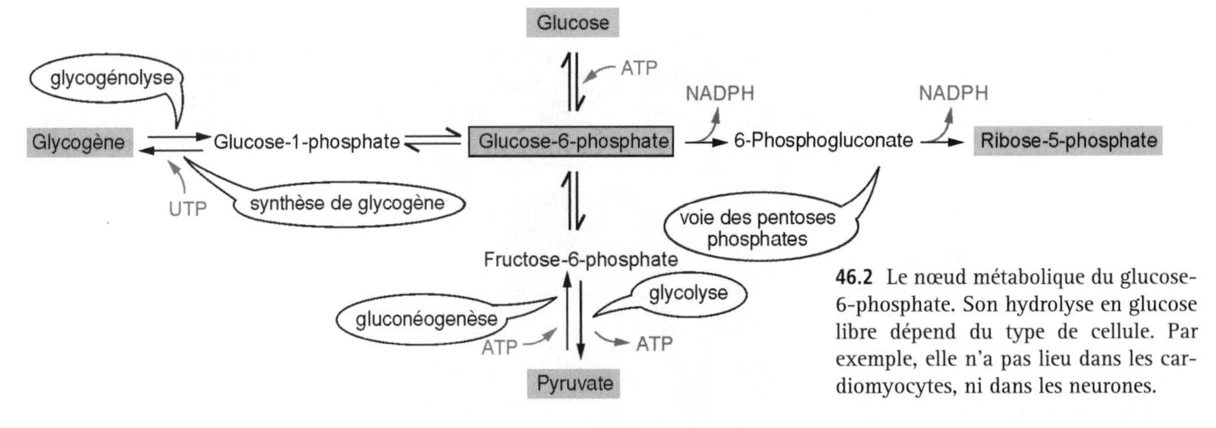

46.2 Le nœud métabolique du glucose-6-phosphate. Son hydrolyse en glucose libre dépend du type de cellule. Par exemple, elle n'a pas lieu dans les cardiomyocytes, ni dans les neurones.

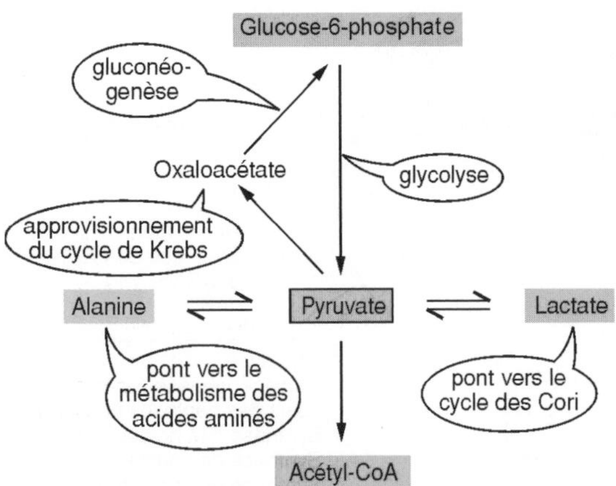

46.3 Le nœud métabolique du pyruvate. La formation de l'oxaloacétate comme intermédiaire du cycle de Krebs est une réaction anaplérotique (nourricière).

boxylé en acétyl-CoA, dont le squelette carboné est lui-même dégradé en CO_2 *via* le cycle de Krebs, et permet de produire de l'ATP. En cas de forte charge en énergie de la cellule, le pyruvate débouche, encore par l'intermédiaire de l'acétyl-CoA, sur la synthèse des acides gras ; alternativement, il peut être carboxylé pour former de l'oxaloacétate, qui sera utilisé pour « réapprovisionner » le cycle de Krebs (voies anaplérotiques). Le pyruvate peut aussi, *via* la formation de phosphoénolpyruvate, se tourner vers la gluconéogenèse. Il peut encore – surtout dans les cellules musculaires – être réduit en lactate ; cette réaction réversible fait partie du cycle des Cori (*fig.* 39.9).

Enfin, la transamination du pyruvate en alanine relie le métabolisme des acides aminés à celui des glucides.

Le troisième nœud important du métabolisme est formé par l'**acétyl-CoA**. Cet intermédiaire est synthétisé par décarboxylation oxydative du pyruvate, ainsi qu'au cours de la β-oxydation des acides gras et au cours de la dégradation des acides aminés cétogènes (*fig.* 46.4). En cas de charge énergétique faible, la cellule transforme complètement l'acétyl-CoA en CO_2 *via* le cycle de Krebs, ce qui génère finalement de l'ATP. Côté anabolique, l'acétyl-CoA débouche sur la synthèse cytosolique des acides gras et sert également de précurseur pour la formation de 3-hydroxy-méthylglutaryl-(HMG)-CoA, ce qui fournit finalement du cholestérol et d'autres isoprénoïdes. Comme la synthèse de l'acétyl-CoA a lieu primitivement dans la matrice mitochondriale, ce composé doit d'abord être exporté vers le cytosol par la navette citrate, pour pouvoir être utilisé dans ces différentes voies de biosynthèse. En cas de jeûne, l'acétyl-CoA est produit en masse, en raison d'une augmentation de la lipolyse, ce qui entraîne la formation des **corps cétoniques**, l'acétoacétate et le β-hydroxybutyrate, dans la matrice mitochondriale. Ces composés peuvent servir de source d'énergie alternative dans le cerveau. Une seule voie est interdite à l'acétyl-CoA : il *ne* peut *pas* être carboxylé en pyruvate et ne peut donc pas déboucher dans la voie de la gluconéogenèse. Il manque ainsi à l'organisme humain une option : la possibilité de transformer les acides gras en sucres (seuls les microorganismes et les végétaux en sont capables).

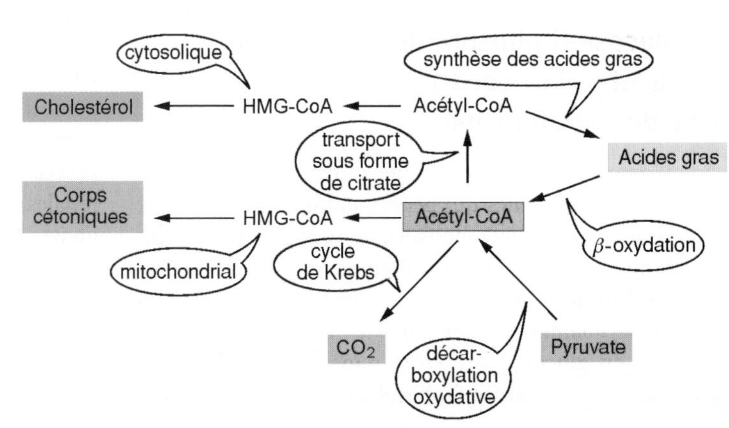

46.4 Le nœud métabolique de l'acétyl-CoA. HMG-CoA, 3-Hydroxy-méthylglutaryl-coenzyme A. L'acétyl-CoA est également un produit de dégradation des acides aminés cétogènes, comme la leucine et la lysine.

46.3 Le métabolisme du foie, des muscles, des tissus adipeux et du cerveau sont coordonnés

À l'aide des exemples précédents, on a appris à connaître le « poste d'aiguillage » cellulaire, qui permet de choisir parmi les principales voies de métabolisme. Mais comment se passe l'intégration du métabolisme au niveau de populations entières de cellules – c'est-à-dire au niveau des organes et des tissus ? Plusieurs facteurs prédominent dans la régulation du métabolisme tissulaire : l'offre et l'utilisation tissu spécifique de substrats ; l'échange de substrats et de produits entre organes *via* la circulation sanguine et l'orchestration hormonale des métabolismes tissulaires. Dans ces domaines, les profils métaboliques du foie, des muscles, du tissu adipeux, du cœur et du cerveau – les principaux producteurs et utilisateurs de l'énergie métabolique – sont extrêmement différents (*fig.* 46.5). Par conséquent, l'équipement enzymatique des cellules, du point de vue qualitatif et quantitatif, varie fortement, en fonction des organes auxquels elles appartiennent.

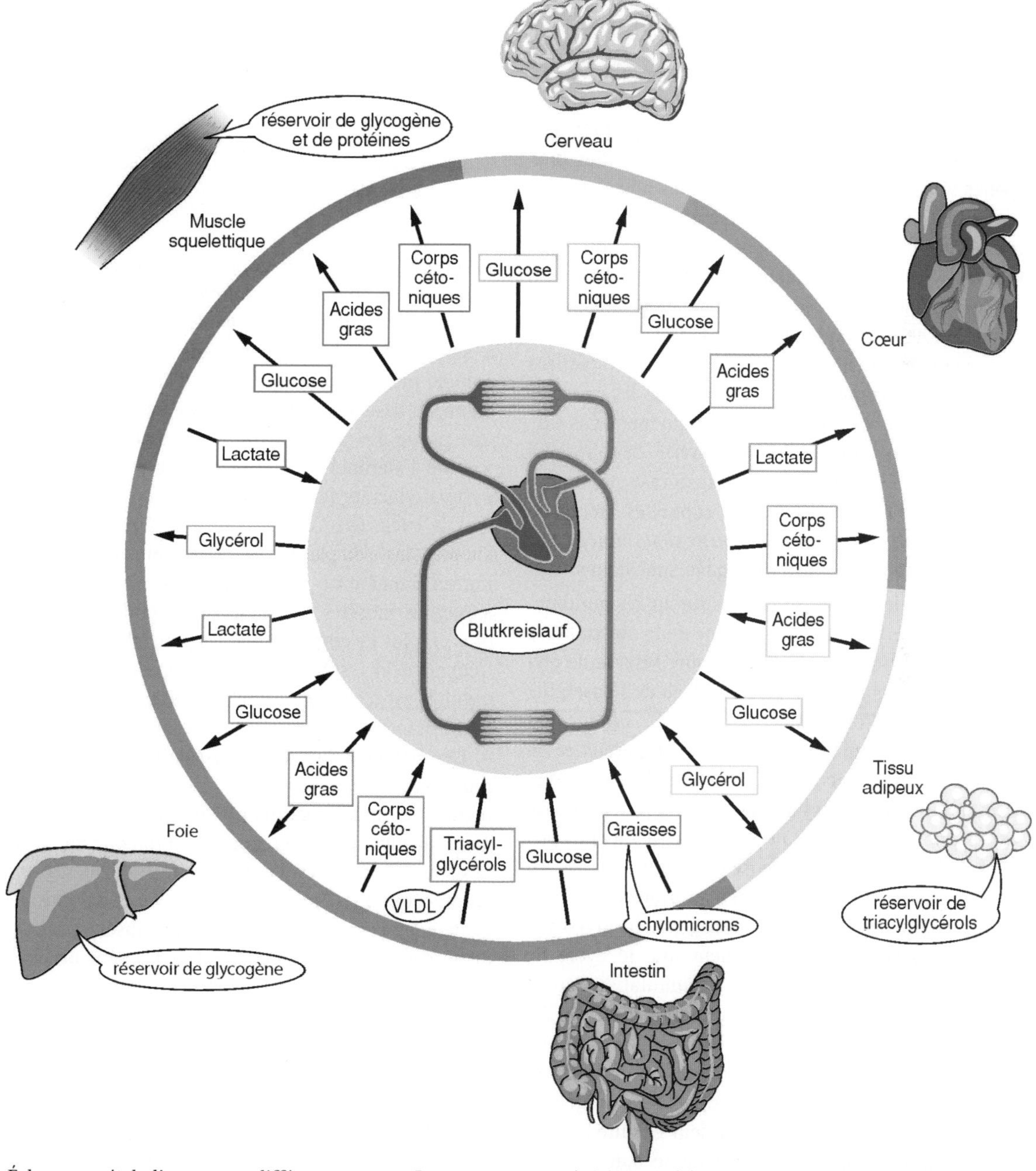

46.5 Échanges métaboliques entre différents organes. Les organes montrés ici sont reliés par la circulation sanguine. Les érythrocytes couvrent leurs besoins en énergie par glycolyse anaérobie, car ils *ne* disposent *pas* de mitochondries. Pour plus de clarté, les interrelations du métabolisme des acides aminés et de l'azote ne sont pas indiquées.

Le **foie** constitue la plaque tournante du métabolisme. C'est ici que les combustibles sont synthétisés, stockés, régénérés et préparés pour l'export vers d'autres organes. Les substances nutritives réabsorbées au niveau de l'intestin atteignent directement le foie par la **veine porte**, évitant ainsi la circulation générale (*fig.* 46.5). Le foie absorbe de grandes quantités de glucose et les redonne sous forme de **glycogène** : jusqu'au 25 % des réserves en glycogène du corps sont stockées au niveau du foie. Quand les substrats sont disponibles en quantité suffisante, le foie peut aussi exercer une forte activité de **gluconéogenèse**. Le lactate et l'alanine provenant des muscles, le glycérol provenant des tissus adipeux et les acides aminés glucoformateurs provenant de la nourriture sont les précurseurs les plus importants pour la gluconéogenèse hépatique. Par contre, la dégradation des acides aminés cétogènes fournit les combustibles nécessaires pour couvrir les besoins énergétiques propres aux hépatocytes. Le foie est la source majeure d'**acides gras endogènes** : en cas de forte abondance, les acides gras y sont estérifiés en triacylglycérols, emballés sous forme de particules VLDL, puis envoyés *via* la circulation sanguine, vers les tissus musculaires et adipeux. Au cours d'un jeûne, le foie change de programme et se lance dans la production de **corps cétoniques**, comme l'acétoacétate. Ceux-ci peuvent devenir la plus importante source d'énergie pour le cerveau, mais aussi pour les muscles (§ 46.5). Le foie lui-même ne peut pratiquement pas utiliser les corps cétoniques pour couvrir ses besoins énergétiques, car il lui manque la transférase nécessaire à l'activation de l'acétoacétate. *Les capacités métaboliques du foie sont donc essentiellement déterminées par* **l'offre et l'utilisation de substrats organe spécifiques.**

Le glucose et les acides gras constituent les combustibles préférentiels dans le métabolisme de la **musculature squelettique**. Celle-ci dispose d'une propre **réserve de glycogène**, qui peut représenter jusqu'à 75 % de l'ensemble du glycogène de l'organisme. En cas de besoin, du glucose peut être rapidement mobilisé et permettre la production de l'ATP, nécessaire, par exemple à un exercice musculaire. Comme les myocytes n'expriment pas de glucose-6-phosphatase, ils *ne* sont en revanche *pas* capables de transmettre du glucose libre vers le sang. Au cours d'un travail musculaire, grâce au glucose-6-phosphate provenant des stocks de glycogène, la glycolyse fonctionne beaucoup plus rapidement que le cycle de Krebs. Ce phénomène entraîne une accumulation rapide de pyruvate et, par conséquent, un déficit en NAD^+, lequel est cependant essentiel pour le fonctionnement de la voie glycolytique. Mais parfois, « nécessité fait loi » et le muscle réduit donc le pyruvate en lactate et régénère ainsi le NAD^+. Le lactate produit parvient ensuite au foie *via* la circulation sanguine et il débouche dans la gluconéogenèse pour être finalement renvoyé sous forme de glucose vers le muscle. *Ce* **cycle des Cori** *illustre le partage du travail entre organes : le muscle délègue une partie de sa charge métabolique au foie* (*fig.* 46.6).

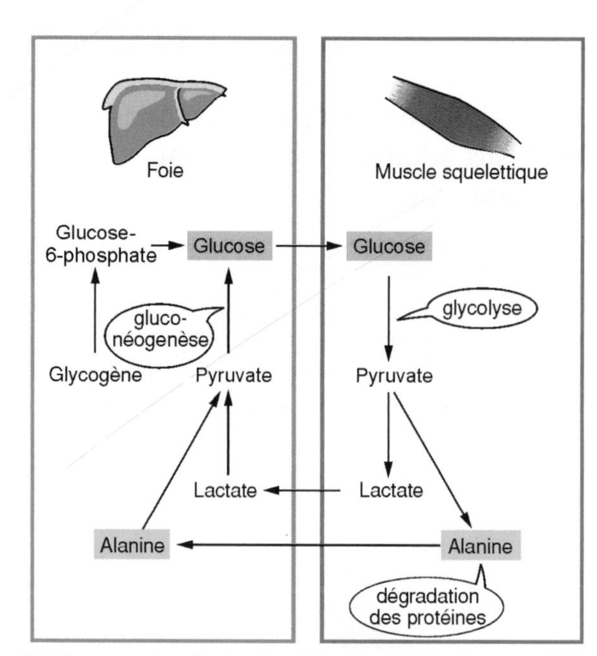

46.6 Le cycle des Cori et les échanges métaboliques entre les muscles et le foie.

À l'état de repos, le muscle ne touche pratiquement pas à ses réserves de glucose, mais utilise les **acides gras** comme principaux fournisseurs d'énergie. Au cours d'un jeûne, le tissu musculaire dégrade ses protéines et dirige une partie des acides aminés ainsi générés, directement (cas de l'alanine) ou indirectement *via* la formation de pyruvate/lactate (cas des acides aminés glucoformateurs) vers le cycle des Cori. Il contribue ainsi au maintien de l'**homéostasie du glucose** (§ 39.5). Pour prévenir une diminution dangereuse de la masse protéique au cours d'un jeûne, les muscles striés ont alors tendance à utiliser de plus en plus de **corps cétoniques** pour générer de l'énergie. L'échange de substrats et de produits avec d'autres organes est d'une importance capitale pour expliquer les performances métaboliques de la musculature.

Les métabolismes de la **musculature cardiaque** et de la musculature squelettique se distinguent fondamentalement : le muscle cardiaque ne produit, par exemple, aucun lactate, car il fonctionne toujours de façon aérobie. Ses sources majeures d'énergie sont les acides gras ou les corps cétoniques, mais le glucose ou le lactate peuvent également être utilisés. Comme le muscle cardiaque ne dispose d'aucun stock notable de glycogène ou de lipides, il dépend finalement de l'approvisionnement extérieur *via* les vaisseaux coronaires pour couvrir ses besoins énergétiques. En général, le métabolisme du muscle cardiaque ne subit pas de variations aussi extrêmes que celles observées dans le cas du muscle squelettique.

Le **tissu adipeux** constitue, de loin, la plus grosse réserve de combustibles de l'organisme humain : plus de 99 % des triacylglycérols du corps sont stockés dans les adipocytes. Les cellules adipeuses synthétisent constam-

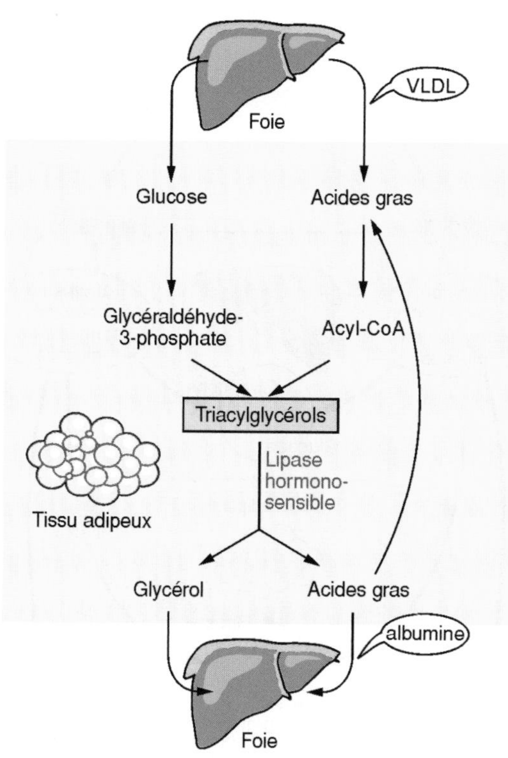

46.7 Métabolisme des triacylglycérols dans le tissu adipeux. Des particules VLDL se chargent du transport des acides gras libres hors du foie, tandis que l'albumine est responsable de leur transport hors du tissu adipeux.

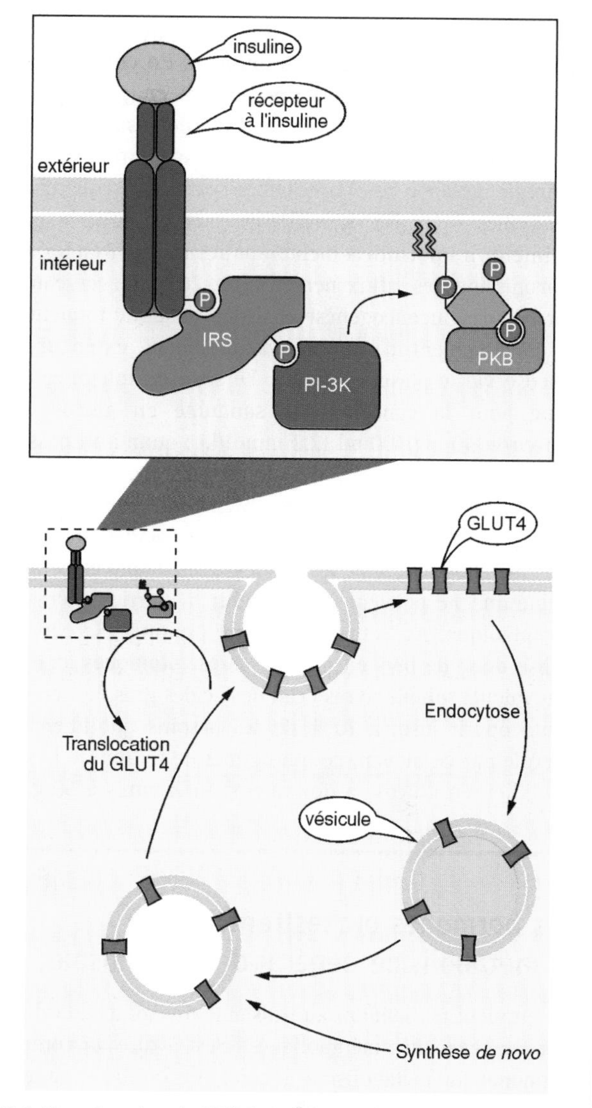

46.8 Translocation de GLUT4 induite par l'insuline. Voir le texte pour les abréviations. [RF]

Encart 46.1 : La voie de signalisation de l'insuline

La liaison de l'insuline à son récepteur conduit à une (auto)phosphorylation de celui-ci (IR ; *fig.* 30.2), et permet alors le recrutement et la phosphorylation du **substrat du récepteur à l'insuline** IRS1 (angl. *Insulin receptor substrate 1*). La protéine IRS1 phosphorylée se lie à la **phosphatidyl-inositol 3-kinase** (PI_3K), qui phosphoryle alors le phosphatidyl-inositol-4,5-*bis*phosphate (PIP_2) en phosphatidyl-inositol-3,4,5-*tris*phosphate (PIP_3). Le PIP_3 se dirige alors vers son site d'ancrage membranaire et se lie à la **protéine kinase B** (PKB, aussi appelée Akt). La PKB/Akt est alors phosphorylée par des kinases. Sous sa forme activée, la PKB/Akt quitte la membrane et provoque la translocation du **transporteur de glucose GLUT4**, depuis des vésicules intracellulaires vers la membrane plasmique. Comme GLUT2 (*fig.* 39.4), GLUT4 possède douze domaines transmembranaires hydrophobes, mais présente une affinité nettement plus forte pour le glucose (environ 30 fois supérieure). GLUT4 est exprimé presque exclusivement dans les adipocytes et les myocytes et représente le premier responsable de l'incorporation de glucose dans ces cellules. La translocation vers la membrane cellulaire, stimulée par l'insuline, d'un grand nombre de transporteurs à haute affinité, provoque une augmentation importante de l'incorporation de glucose (d'un facteur 15 environ). Quand les taux d'insuline chutent, une endocytose des transporteurs GLUT4 se produit, médiée par les clathrines (§ 42.5) et les transporteurs sont alors disponibles pour une nouvelle mobilisation.

ment des **triacylglycérols** et elles les hydrolysent à nouveau en glycérol et acides gras – selon les besoins métaboliques. Les **acides gras libres** atteignent le plasma sanguin, et parviennent à différents organes, comme le foie ou les muscles, sous forme liée à l'albumine (*fig.* 46.7). Les enzymes clés de la lipolyse sont des **lipases sensibles aux hormones**, qui peuvent, après activation, mobiliser de grandes quantités d'acides gras libres. En revanche, les adipocytes *ne* peuvent *pas* utiliser le glycérol produit pour leur synthèse *de novo* de triacylglycérols et ils le retransmettent donc vers le foie. Au lieu de glycérol libre, les adipocytes se servent de glycérol-3-phosphate provenant de leur propre glycolyse pour re-synthétiser des graisses. En cas de pénurie en glucose, ils réduisent alors leur synthèse de graisses et transfèrent plus d'acides gras libres vers le sang. Au total, les adipocytes ne contribuent que peu à la synthèse *de novo* des acides gras : ici aussi, c'est le foie qui se charge de la majeure partie du travail.

Le **système nerveux central** est le plus gros consommateur de **glucose** de l'organisme humain. En conditions de repos, plus des deux tiers des besoins en glucose sont requis par ce seul organe. La quantité nécessaire par jour est d'environ 150 g de glucose. La majeure partie de l'énergie générée est consommée par une seule classe d'enzymes – les Na^+-K^+-ATPases – et est utilisée pour maintenir les potentiels membranaires indispensables à la transmission des influx nerveux (*fig.* 26.1). Le cerveau *ne* fait *pas* de gluconéogenèse et il dépend donc totalement et constamment d'un approvisionnement extérieur en glucose *via* le plasma sanguin. Le seuil de tolérance critique pour la concentration sanguine en glucose est d'environ 40 mg/100 ml (2,2 mmol/L) ; quand on passe à des valeurs inférieures, des dommages irréversibles du cerveau peuvent se produire. Même en conditions de jeûne, le cerveau ne peut pas utiliser d'acides gras pour son métabolisme, car les acides gras complexés avec l'albumine *ne* peuvent *pas* franchir la barrière hémato-encéphalique. Au cours d'un jeûne prolongé, le cerveau utilise donc de plus en plus de **corps cétoniques**, comme équivalents solubles dans l'eau des acides gras. Le cerveau peut couvrir jusqu'à 70 % de ses besoins quotidiens en énergie par ce moyen, ce qui permet de réduire le besoin quotidien en glucose à des valeurs inférieures à 50 g.

46.4 Les hormones orchestrent le métabolisme général de l'organisme

On en vient maintenant au troisième niveau de coordination des capacités métaboliques, c'est-à-dire au **contrôle hormonal** du métabolisme général. Ce contrôle garantit l'approvisionnement en substrats riches en énergie de chaque organe, même en cas de changements extrêmes dans l'offre en substances nutritives ou dans les besoins en énergie. Les acteurs les plus importants sont l'insuline, le glucagon, l'adrénaline et le cortisol. Aucune de ces hormones ne provient d'organes, qui seraient des plaques tournantes pour la production d'intermédiaires du métabolisme : l'insuline et le glucagon, des hormones peptidiques, sont produits par la partie endocrine du pancréas ; l'adrénaline, une catécholamine, est formée par la médulla des surrénales ; et le cortisol, une hormone stéroïde, est synthétisé par le cortex des surrénales. Des glandes endocrines spécialisées se chargent donc de l'intégration du métabolisme au niveau de l'organisme entier. Leurs activités sont déterminées par un petit nombre de **métabolites clés** – avant tout par la concentration sanguine en glucose – ; mais le système nerveux central contribue aussi, directement ou indirectement, à cette orchestration.

L'insuline et le glucagon jouent des rôles **antagonistes** et contrôlent conjointement la balance entre hypo- et hyperglycémie, consécutifs aux états de jeûne ou de prise

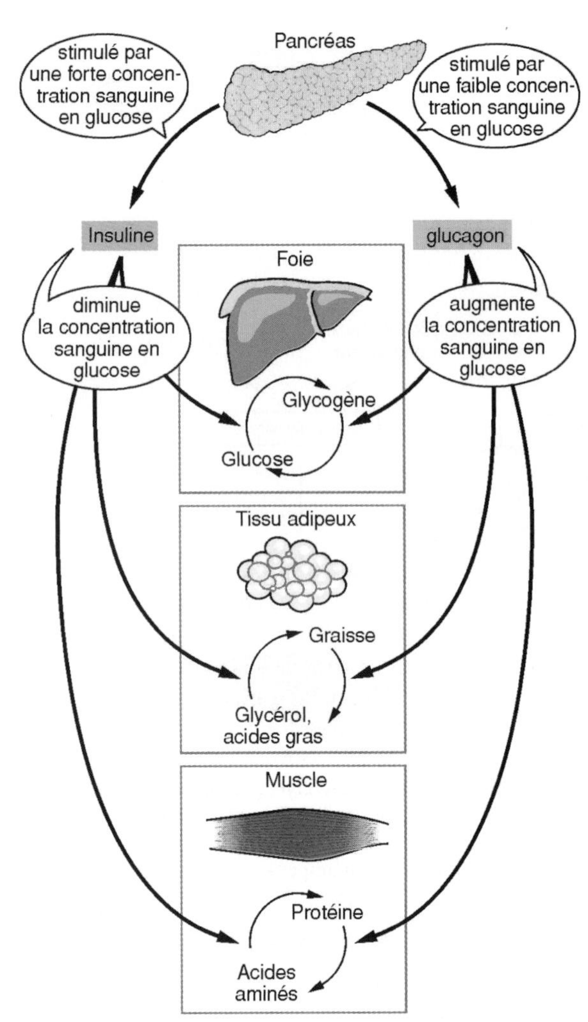

46.9 Contrôle de la concentration sanguine en glucose par l'insuline et le glucagon.

de nourriture : de fortes concentrations sanguines en glucose, ainsi que l'activation du système nerveux parasympathique stimulent la sécrétion de **l'insuline** par les cellules β du pancréas. L'hormone agit *via* des récepteurs membranaires à l'insuline, qui activent, à leur tour, des kinases intracellulaires (*encart* 46.1). Les effets les plus importants de l'insuline sont : la stimulation de l'incorporation de glucose dans les muscles et les tissus adipeux, l'activation de la glycolyse dans le foie, la stimulation de la synthèse de glycogène dans le foie et les muscles, l'inhibition de la gluconéogenèse dans le foie, la stimulation de la synthèse des acides gras et des triacylglycérols dans le foie et les tissus adipeux, ainsi que l'activation de la synthèse et l'inhibition de la dégradation des protéines dans les muscles (*fig.* 46.9). Tous ces effets concourent à une diminution de la concentration sanguine en glucose ainsi qu'au remplissage des réservoirs métaboliques, et – dans l'enfance – à une stimulation de la croissance. *L'insuline est donc le signal d'une situation de surabondance métabolique.*

De faibles concentrations sanguines en glucose, comme celles que l'on trouve entre les repas ou en cas de faim,

Encart 46.2 : La leptine

La concentration sanguine en glucose n'est pas un signal très approprié pour le déclenchement de la sensation subjective de faim, car elle est très étroitement contrôlée. Ce rôle de signal est joué par la leptine (du grec. *leptos*, mince), une hormone polypeptidique de 167 acides aminés, dont la sécrétion augmente dans les tissus adipeux, quand les adipocytes activent leur fonction de lipogenèse sous l'influence de l'insuline. Par un mécanisme de rétrocontrôle direct, les concentrations accrues en leptine agissent sur le tissu adipeux en réduisant la lipogenèse et en stimulant la lipolyse. Par la voie sanguine, la leptine parvient à des récepteurs situés dans le noyau ventro-médian de l'hypothalamus. La stimulation de ces récepteurs provoque une sensation de satiété. Inversement, la chute de la concentration en leptine déclenche une forte sensation de faim (*fig.* 46.10). Les récepteurs à la leptine appartiennent à la famille des récepteurs aux cytokines et agissent sur l'expression génique, *via* l'activation de tyrosines kinases (§ 30.6). L'importance de cette boucle de régulation est illustrée de façon impressionnante par le cas de souris transgéniques, dépourvues du gène de la leptine : en cas d'alimentation *ad libitum*, elles deviennent extrêmement obèses. Chez quelques patients, on a pu diagnostiquer qu'un manque de leptine était à l'origine de leur adiposité et l'administration de leptine recombinante s'est révélée un traitement efficace (§ 22.9). La leptine possède de nombreux autres effets biologiques et intervient, par exemple, dans la prolifération des cellules sanguines.

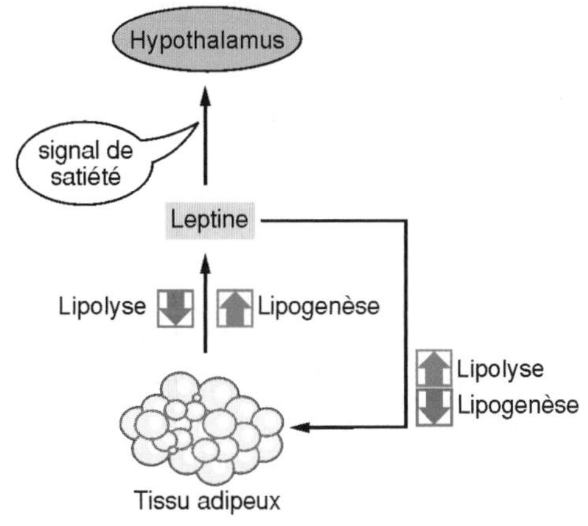

46.10 Rôle de la leptine. L'offre en glucose et la concentration en insuline régulent de façon indirecte la sécrétion de la leptine par les adipocytes.

stimulent la sécrétion de **glucagon** par les cellules α du pancréas. L'hormone agit sur des récepteurs au glucagon, qui se trouvent surtout au niveau des hépatocytes, et elle active des kinases intracellulaires dépendantes de l'AMPc. Les effets les plus importants du glucagon sont : la stimulation de la glycogénolyse et l'inhibition de la synthèse de glycogène dans le foie, l'activation de la gluconéogenèse et l'inhibition de la glycolyse dans le foie, l'inhibition de la synthèse des acides gras dans le foie, ainsi que la stimulation de la dégradation des triacylglycérols dans les tissus adipeux. L'effet net du glucagon est donc de provoquer une augmentation de la concentration sanguine en glucose, principalement par une stimulation de la libération de glucose par le foie et une augmentation de la dégradation des réserves métaboliques (*fig.* 46.9). *Le glucagon est donc un signal de pénurie métabolique.* En revanche, ce sont des hormones protéiques, comme la **leptine**, qui régulent la sensation subjective de faim (*encart* 46.2).

Dans une situation aiguë de danger, qui demande une attention accrue et une préparation à la fuite, le système nerveux sympathique stimule la sécrétion d'une catécholamine, l'**adrénaline** (angl. *epinephrine*), par les cellules de la médulla des surrénales. En fait, l'adrénaline prépare le corps, pour qu'il soit en mesure de répondre de façon adéquate, à une augmentation brutale des besoins en énergie. Comme le glucagon, l'adrénaline stimule, *via* ses récepteurs, des kinases dépendantes de l'AMPc, mais sur une très courte durée. Les effets les plus importants de l'adrénaline sont l'activation de la glycogénolyse et l'inhibition de la synthèse de glycogène dans les muscles, la stimulation de la lipolyse dans les tissus adipeux, ainsi que l'inhibition de la sécrétion d'insuline et la stimulation de la sécrétion de glucagon. Le bilan net est une augmentation de la concentration sanguine en glucose, avant tout par une augmentation de l'export hépatique de glucose, ainsi qu'une augmentation des concentrations en acides gras par une stimulation de la lipolyse dans les cellules adipeuses. *L'adrénaline permet donc de mobiliser, à court terme, les réserves énergétiques, en prévision d'une augmentation aiguë des besoins.*

Au cours de la journée, un organisme doit pouvoir s'adapter à des besoins changeants en énergie métabolique, de façon indépendante de la prise de nourriture. Le **cortisol** contrôle ce conditionnement circadien (*fig.* 46.11). Sa sécrétion par le cortex surrénal est régulée par une

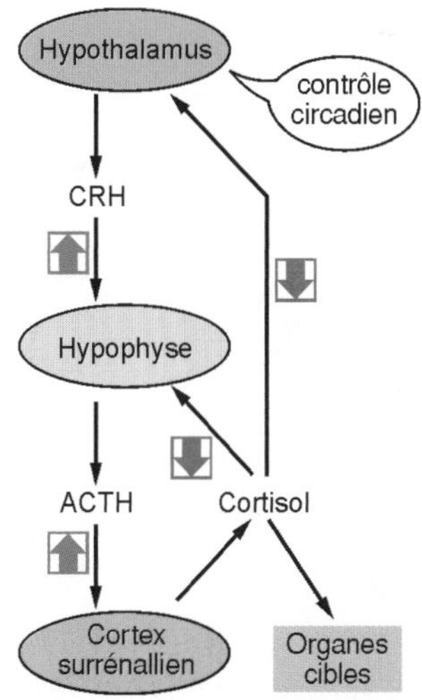

46.11 Contrôle de la sécrétion du cortisol dans le cortex surrénalien. La concentration sanguine en cortisol atteint son maximum très tôt le matin : déjà pendant le sommeil, le métabolisme se prépare pour l'activité physique de la journée. CRH, corticolibérine ; ACTH, corticotropine. [RF]

hormone antéhypophysaire, la **corticotropine** ou **ACTH** (angl. *adreno-corticotropic-hormone*). La sécrétion d'ACTH est, à son tour, contrôlée par la sécrétion cyclique d'une hormone hypothalamique, la **corticolibérine** ou **CRH** (angl. *corticotropin releasing hormone*). Le cortisol inhibe, par rétrocontrôle négatif, à la fois la sécrétion de l'ACTH et celle de la CRH. Cette boucle de régulation endocrine est liée à « l'horloge biologique » du système nerveux central, laquelle influence directement l'hypothalamus. Les principaux effets métaboliques du cortisol sont : l'augmentation de la gluconéogenèse, de la glycogénogenèse, de la libération de glucose et de la cétogenèse dans le foie ; la stimulation de la lipolyse dans les tissus adipeux ; la stimulation de la protéolyse et de la libération des acides aminés dans les muscles ; et aussi l'inhibition de l'incorporation du glucose dans les muscles et les tissus adipeux. Au total, le cortisol provoque donc une augmentation de la concentration sanguine de tous les substrats énergétiques. En même temps, il stimule le remplissage des réserves hépatiques en glycogène aux dépens des réserves musculaires en protéines, ce qui augmente les réserves énergétiques rapidement disponibles. *Le cortisol fait donc en sorte, que l'adrénaline puisse exercer une action maximale, en cas de besoin aigu en énergie.*

46.5 L'organisme réagit aux situations de stress par une adaptation de son métabolisme

L'action concertée du quartette hormonal constitué par l'adrénaline, le cortisol, le glucagon et l'insuline se charge de maintenir l'équilibre de la glycémie entre 4,5 et 6,5 mmol/L. Par le biais de trois situations métaboliques – euglycémie, hyperglycémie et hypoglycémie – on va analyser, à titre d'exemples, les mécanismes par lesquels l'organisme cherche à maintenir son homéostasie en glucose, qu'il soit dans des conditions physiologiques ou pathologiques de stress. Des perturbations durables du métabolisme du glucose ont, de fait, des conséquences graves : dans le cas extrême d'un coma diabétique, on peut aboutir à un « déraillement » complet du métabolisme (*encart* 41.3).

Considérons tout d'abord la situation normale, l'**euglycémie**. Un **repas riche en sucres** stimule la sécrétion d'insuline et inhibe celle du glucagon. L'intégration de ces signaux conduit à une augmentation de l'absorption en glucose par les tissus adipeux et les muscles (*fig.* 46.9). Pourtant, l'insuline *n'*a *pas* d'effet direct sur la capacité de transport du glucose par les hépatocytes, mais le gra-

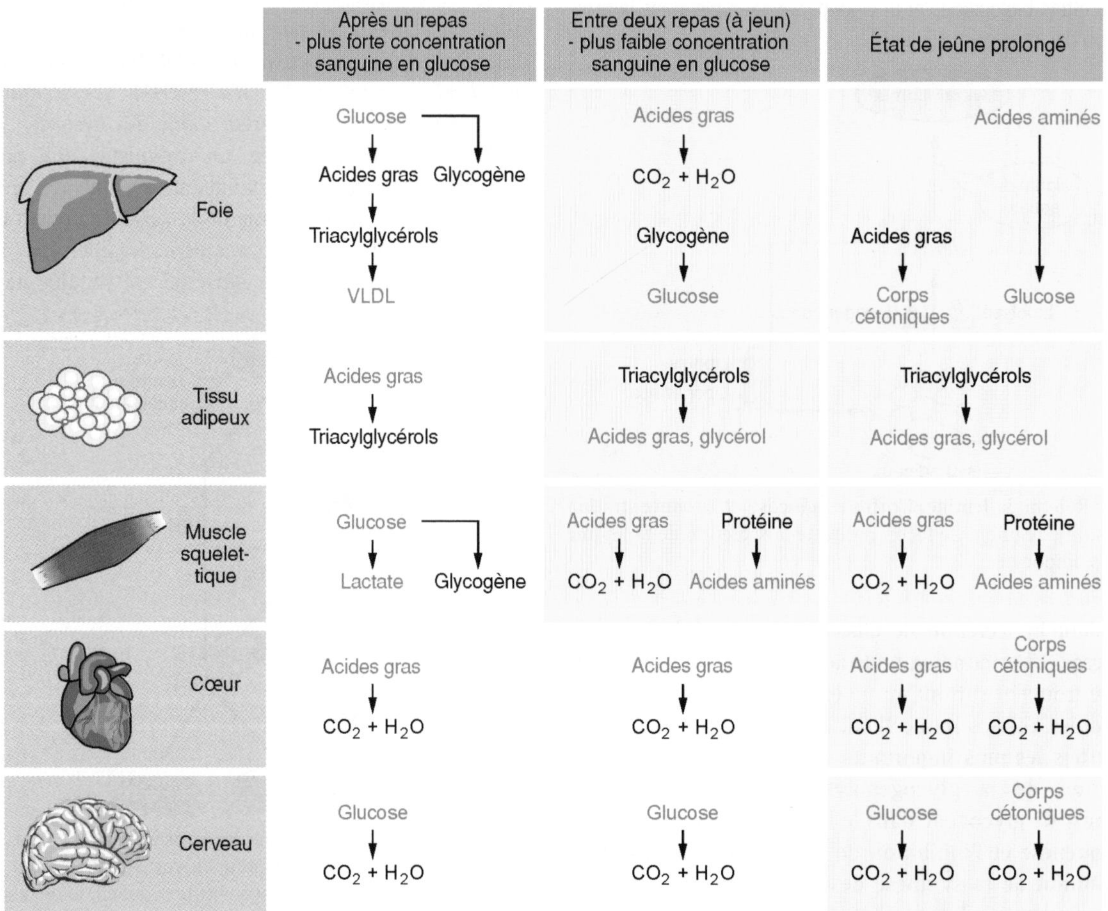

46.12 Adaptations métaboliques des organes importants. Les changements métaboliques suite aux repas, à l'état de jeûne ou de faim (de courte durée) sont indiqués.

dient de concentration résultant « entraîne » plus de glucose dans les cellules hépatiques. Quand l'augmentation de la concentration intracellulaire en glucose est telle qu'elle atteint environ 10 mM, c'est-à-dire la valeur de K_M de la glucokinase, alors cette enzyme entre en action, soutient l'hexokinase pour la formation de glucose-6-phosphate et prépare ainsi le passage à la glycolyse. En même temps, le glucose joue un rôle de régulateur allostérique et induit la déphosphorylation de l'enzyme « senseur » de la glycogénolyse, la phosphorylase *a*, ce qui l'inactive : la glycogénolyse « s'arrête ». La phosphorylase inactivée se sépare alors d'une phosphatase associée, laquelle induit à son tour la déphosphorylation de la glycogène synthase, ce qui active cette dernière enzyme : la synthèse de glycogène tourne alors « à plein régime » (§ 40.9). Le glucose déplace donc le système hépatique du glycogène du mode catabolique vers le mode anabolique (*fig.* 46.12). La musculature répond également à l'afflux croissant de glucose par une augmentation de la synthèse de glycogène. Dans le foie, l'insuline stimule la synthèse d'acides gras et la production de triacylglycérols. La dégradation glycolytique dans les tissus adipeux produit du glycérol-3-phosphate, qui stimule, avec l'aide des acides gras libres, la synthèse des triacylglycérols et ainsi le stockage de graisses.

Quelques heures après la prise de nourriture – donc après une **carence alimentaire** de courte durée – le taux de glucose dans le sang chute à nouveau, et les phénomènes s'inversent : la libération de glucagon est stimulée et la sécrétion d'insuline réprimée. La cascade AMPc dépendante induite par le glucagon induit la phosphorylation et l'activation de la phosphorylase *a*, tandis qu'elle phosphoryle et inactive ainsi la glycogène synthase. La glycogénolyse est alors activée dans le foie, le glucose-6-phosphate formé est hydrolysé en glucose, qui passe dans le sang. Le glucagon stimule la lipolyse en activant les lipases dépendantes de l'AMPc dans les tissus adipeux, qui fournissent au foie et aux muscles, une quantité plus importante d'acides gras libres. En même temps, l'utilisation de glucose par le foie, les muscles et les tissus adipeux chute : presque tout le glucose produit par le foie est « renvoyé » vers le cerveau. *Les muscles, le foie et les tissus adipeux changent donc rapidement leur métabolisme, tandis que le cerveau et le cœur continuent à utiliser le même programme de métabolisme* (*fig.* 46.12).

Comment réagit maintenant le métabolisme à une **hypoglycémie** « physiologique », dans le cas d'une carence alimentaire de plus longue durée, c'est-à-dire pendant un **jeûne** ? Les mêmes adaptations, que dans le cas d'une carence alimentaire de courte durée, ont lieu le premier jour : le glucagon est libéré, mobilise les triacylglycérols des dépôts graisseux et stimule la gluconéogenèse ainsi que la dégradation des acides gras par β-oxydation au niveau du foie (*fig.* 46.13). Secondairement, l'augmentation des concentrations intracellulaires en acétyl-CoA et en citrate provoque l'arrêt de la glycolyse hépatique. Sous

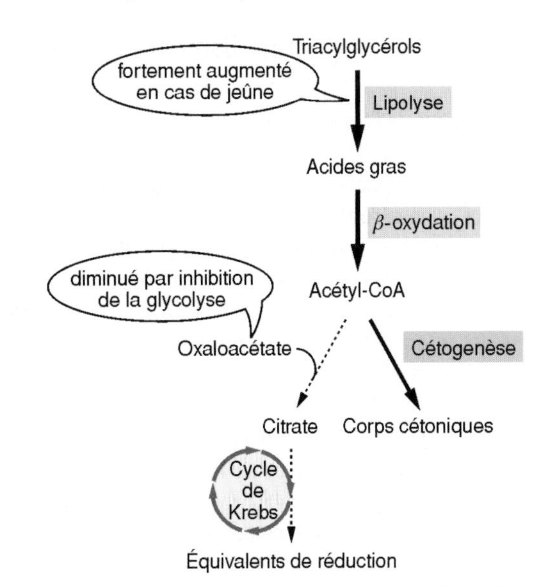

46.13 Formation des corps cétoniques au cours d'un jeûne prolongé. La relation perturbée entre l'acétyl-CoA synthétisé et l'oxaloacétate disponible oriente le flux de métabolites vers la production de corps cétoniques.

l'effet d'une libération plus faible d'insuline, les muscles absorbent moins de glucose et se consacrent entièrement au métabolisme des acides gras. L'augmentation de la protéolyse à partir des protéines musculaires fournit des substrats énergétiques pour la phosphorylation oxydative, des intermédiaires anaplérotiques pour le cycle de Krebs, ainsi que de l'alanine et du pyruvate pour le cycle des Cori, grâce auquel on peut déboucher sur la gluconéogenèse hépatique. Cette voie métabolique permet également d'acquérir du glycérol, produit dans les tissus adipeux en raison de la lipolyse accrue.

Après une journée de jeûne, un organisme humain (70 kg) a dépensé sa réserve en glycogène (environ 7 000 kJ) et s'attaque de façon renforcée aux dépôts adipeux plus importants (environ 600 000 kJ) et aux réserves protéiques (environ 100 000 kJ). Le but principal des adaptations métaboliques suivantes est le maintien d'une concentration sanguine minimale en glucose ($\geq$ 2,2 mmol/L), pour assurer le maintien du métabolisme courant dans le cerveau et les érythrocytes. Après environ trois jours de jeûne, le cycle de Krebs « tourne » de plus en plus lentement dans le foie, car la gluconéogenèse prélève constamment de l'oxaloacétate et les réactions anaplérotiques, du fait de leur dépendance en produits de la glycolyse, ne parviennent plus à fonctionner (§ 36.4) : il se produit une accumulation d'acétyl-CoA à partir de la β-oxydation des acides gras. Dans ces conditions, le foie se consacre principalement à la **production de corps cétoniques** : il convertit l'acétyl-CoA en acétoacétate et en 3-hydroxybutyrate et les libère dans le sang. Le métabolisme du cerveau s'adapte à cette modification de l'offre et augmente son utilisation de corps cétoniques : cette utilisation se situe au début à environ 30 % du gain d'énergie, mais peut atteindre 70 %

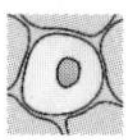

Encart 46.3 : Métabolisme de l'éthanol

La majeure partie de l'alcool (éthanol) absorbé est réabsorbée au niveau de l'intestin grêle, d'où il passe, par la veine porte, vers son site principal de catabolisme, le foie. Le métabolisme comporte deux étapes : une **alcool déshydrogénase** cytosolique (ADH), dépendante du NAD^+, oxyde 90 % de l'éthanol absorbé en acétaldéhyde (*fig.* 46.14) ; une **aldéhyde déshydrogénase** mitochondriale oxyde ensuite l'acétaldéhyde en acétate. Cet acétate est converti en acétyl-CoA par une **thiokinase**, au cours d'une réaction nécessitant du CoA et de l'ATP. L'acétyl-CoA formé est ensuite principalement dégradé en CO_2 et H_2O, après son passage par le cycle de Krebs. Alternativement, l'éthanol peut aussi être oxydé, par une enzyme à cytochrome P450 microsomale ou MEOS (angl. *microsomal cytochrome P450 dependant ethanol oxidizing system*) nécessitant du NADPH, ou par une catalase en présence d'H_2O_2 (§ 11.2). Dans le cas d'un **abus d'alcool**, on observe avant tout une activation transcriptionnelle du système MEOS, qui joue alors un rôle majeur dans la dégradation de l'éthanol (jusqu'à 40 %). Deux facteurs principaux sont impliqués dans la **stéatose alcoolique** en cas d'alcoolisme chronique. Le ratio important $[NADH]/[NAD^+]$ inhibe directement la β-oxydation et par l'action de l'α-glycérophosphate déshydrogénase, on observe une augmentation de l'α-glycérophosphate disponible pour la formation de graisses par estérification (triacylglycérols). Outre la cytotoxicité de l'éthanol, c'est surtout l'intermédiaire réactif **acétaldéhyde**, qui est responsable des dommages portés aux hépatocytes. En effet, il est capable de former des adduits aux molécules environnantes (diverses protéines), qui stimulent la synthèse de collagène par l'intermédiaire des cytokines, ce qui conduit finalement à la **fibrose**, puis à la **cirrhose du foie**.

H_3C-CH_2-OH Alcool

NAD^+ → $NADH+H^+$: Alcool déshydrogénase

$H_3C-CH=O$ Acétaldéhyde

NAD^+ → $NADH+H^+$: Aldéhyde déshydrogénase

$H_3C-C(=O)-OH$ Acétate

CoA-SH + ATP → AMP + PP_i : Thiokinase

$H_3C-C(=O)-S-CoA$ Acétyl-CoA

46.14 Dégradation de l'éthanol. La catalase est particulièrement responsable de la dégradation de l'éthanol dans le cerveau (jusqu'à 60 %), car le cerveau ne dispose pas d'une ADH active.

après plusieurs semaines de jeûne. À ce moment là, le cœur couvre aussi une part importante de ses besoins énergétiques grâce aux corps cétoniques. Sous des conditions maximales d'économie en glucose, la protéolyse des protéines musculaires peut finalement se réduire à 25 % de sa valeur maximale. *Selon la quantité de réserves disponibles, ce programme métabolique « de secours » permet une survie de plusieurs semaines, sans prise de nourriture.*

Une autre situation de stress pour l'organisme peut résulter de l'abus d'alcool ; le produit de dégradation de l'**éthanol** le plus important est à nouveau l'Acétyl-CoA (*encart* 46.3).

46.6 Des perturbations du métabolisme du glucose conduisent à des maladies graves

On va s'intéresser maintenant au cas du **diabète sucré** (lat. ***diabetes mellitus***) (*encart* 46.4). Sans traitement de cette maladie grave, on observe une augmentation drastique de la production de glucose par le foie et simultanément une réduction importante de l'utilisation du glucose par la plupart des organes – seul le cerveau consomme du glucose indépendamment de l'insuline. En conséquence de la pénurie en insuline, le glucagon est présent en excès relatif. Il stimule la gluconéogenèse par le foie, grâce au fructose-2,6-*bis*phosphate, un activateur allostérique, ce qui induit simultanément le bloquage de la glycolyse. On observe également un déplacement de l'équilibre en glycogène dans le sens de la dégradation, *via* l'activation de kinases dépendantes de l'AMPc. La conséquence est un export massif de glucose par le foie et l'apparition d'une **hyperglycémie** importante, qui conduit à la glucosurie, quand la concentration plasmatique s'élève au-dessus de 9 mmol/L, car la capacité de réabsorption par les tubules rénaux est alors dépassée. La perte hydrique entraînée par la perturbation de l'équilibre osmotique, induit alors une polyurie et de la déshydratation. La diminution de l'utilisation de glucose mène à une augmentation drastique du catabolisme des acides gras avec une formation massive de corps cétoniques et l'apparition d'une acidose métabolique. Il se produit alors une décarboxylation d'acétoacétate en acétone, et l'expiration de ce dernier composé au travers des poumons donne une haleine caractéristique. Dans le cas du coma diabétique, le métabolisme a complètement « déraillé » (*encart* 41.3) : l'hyperglycémie massive, la déshydratation, la perte d'électrolytes et l'acidocétose conduisent à une situation allant jusqu'à menacer la survie de l'individu.

La thérapie d'un diabète insulino-dépendant (*encart* 46.4) consiste à injecter des quantités adéquates d'insuline, ce qui permet de maintenir la concentration sanguine en glucose dans des limites physiologiques.

Encart 46.4 : le diabète sucré *Diabetes mellitus*

Cette maladie métabolique est l'une des plus répandues dans les pays industrialisés. Elle touche environ 4 % de la population et occupe le troisième rang dans les statistiques de mortalité. Le tableau clinique est relativement uniforme, mais les causes sont en revanche très diverses. On distingue deux types principaux : le **diabète insulino-dépendant** (angl. *insulin dependent diabetes mellitus*, IDDM) et le **diabète non insulino-dépendant** (angl. *non insulin dependent diabetes mellitus*, NIDDM). Le diabète insulino-dépendant se manifeste dès l'enfance (« diabète juvénile », type I) et est le plus souvent une conséquence d'une maladie auto-immune conduisant à la destruction des cellules productrices d'insuline (cellules β du pancréas). Il peut aussi être d'origine génétique, par exemple dû à un défaut du gène de l'insuline. Le plus souvent, le diabète non insulino-dépendant se manifeste plus tardivement au cours de la vie (« diabète de l'adulte », type II) et s'accompagne d'un taux d'insuline normal ou même plus élevé que la normale. Il existe des formes de diabète, dit résistant à l'insuline, qui sont d'origine génétique, par exemple dues à des défauts des récepteurs à l'insuline ou bien à des déficiences fonctionnelles de la cascade de signalisation située en aval. Le NIDDM peut aussi survenir en conséquence d'une production d'auto-anticorps contre l'insuline (comparer avec l'*encart* 17.3).

Dans le cas de diabète non insulino-dépendant, des mesures diététiques et des médicaments sont prescrits. Parmi les médicaments, on utilise des dérivés sulfonylés de l'urée, qui améliorent l'induction glucose-dépendante de la sécrétion d'insuline par le pancréas, ou bien de la glitazone, qui provoque des effets similaires à ceux de l'insuline au niveau des cellules cibles. Un bon traitement métabolique permet de diminuer, voire d'éviter totalement les complications à long terme – néphropathie, rétinopathie pouvant aller jusqu'à la cécité, neuropathie et artériosclérose. Un paramètre important pour contrôler sur le long terme le traitement des diabétiques est la mesure de leur taux d'**hémoglobine glycosylée** (*encart* 46.5).

L'administration parentérale d'insuline n'est pas sans poser de problème : on peut plus particulièrement craindre comme complication l'**hypoglycémie** consécutive à un surdosage d'insuline. Une hypoglycémie pathologique peut aussi survenir en raison d'un **insulinome** : une tumeur des cellules β du pancréas conduit en effet à une libération incontrôlée d'insuline. Les conséquences sont une augmentation drastique de la concentration sanguine en insuline ainsi qu'une diminution importante de la libération du glucagon. La gluconéogenèse et la glycogénolyse cessent dans le foie tandis que la glycolyse, la synthèse et le stockage de glycogène ainsi que la synthèse d'acides gras fonctionnent à plein régime. La synthèse de triacylglycérols et le stockage des graisses sont activés dans les tissus adipeux, tandis que la musculature augmente sa consommation de glucose et le transforme en glycogène. Au total, on observe une diminution importante de la concentration sanguine en glucose. Dans le cas des insulinomes, la dérégulation de la sécrétion d'insuline peut conduire à des hypoglycémies graves (< 2,2 mmol/L). En l'absence de traitement, ces hypoglycémies aboutissent à des dommages irréversibles du cerveau.

La « chorégraphie » du métabolisme humain suit des règles moléculaires très complexes, dont on a vu brièvement les principes de base et les acteurs principaux. Bien que nos connaissances présentent encore des lacunes dans certains domaines particuliers, les bases moléculaires du métabolisme font partie des aspects les mieux compris de la biochimie moderne.

Encart 46.5 : L'hémoglobine glycosylée

Des concentrations sanguines élevées en glucose conduisent spontanément à une charge excessive en sucre de l'hémoglobine, grâce à une réaction non enzymatique. On parle d'hémoglobine glycosylée (ou glyquée). Dans ce cas, le groupement aldéhyde de la forme non cyclisée du glucose (§ 2.5) forme une **base de Schiff** avec le groupement α-aminé de la chaîne β de l'hémoglobine (*fig.* 46.5). L'isomérisation de l'aldimine formée en cétimine, grâce au **réarrangement d'Amadori**, induit la fixation quasi irréversible du résidu de glucose à la protéine, d'où la formation d'hémoglobine dite **hémoglobine A_{IC}** (ou Hb A_{IC}). En cas d'hyperglycémie, la proportion de Hb A_{IC} passe de 4 à 6-15 % de l'hémoglobine totale. Comme la demi-vie de l'hémoglobine est de l'ordre de 120 jours, son degré de glucosylation reflète l'évolution de la concentration sanguine en glucose au cours d'une période de quatre mois. La mesure du pourcentage de Hb A_{IC}, grâce à sa mobilité chromatographique et électrophorétique modifiée, permet d'établir un diagnostic fiable, en ce qui concerne l'évolution – sur le long terme – d'un diabète et donc de mieux adapter le traitement.

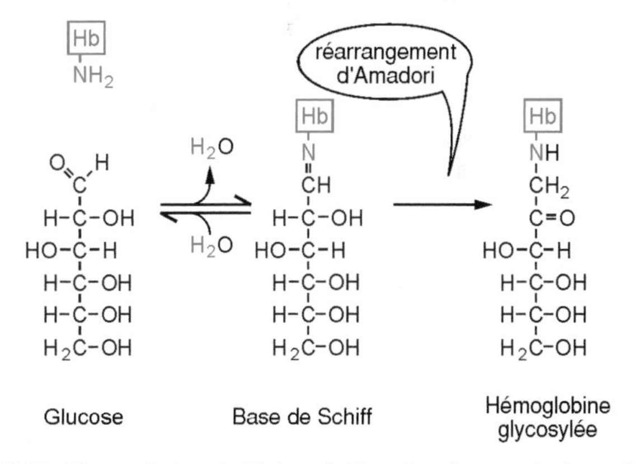

46.15 Glucosylation de l'hémoglobine. Le glucose ainsi que le glucose-6-phosphate peuvent être les partenaires dans cette réaction.

Liste des abréviations

2,3-BPG	D-2,3-*Bis*phosphoglycérate
A	Adénine
ACh	Acétylcholine
ACP	*Acyl carrier protein*
ADN	Acide désoxyribonucléique
ADNc	copie d'ADN
ADP	Adénosine diphosphate
Ala	Alanine (A)
AMP	Adénosine monophosphate
AMPc	Adénosine monophosphate cyclique
Arg	Arginine (R)
ARN	Acide ribonucléique
ARNm	ARN messager
ARNr	ARN ribosomal
ARNt	ARN de transfert
Asn	Asparagine (N)
Asp	Acide aspartique (D)
ATCase	Aspartate transcarbamoylase
ATP	Adénosine triphosphate
C	Cytosine
CaM	Calmoduline
CDP	Cytidine diphosphate
GMPc	guanosine monophosphate cyclique
CMP	Cytidine monophosphate
CoA	Coenzyme A
CRP	*cAMP-responsive Protein* : protéine réceptrice de l'AMPc
CTP	Cytidintriphosphate
Cys	Cystéine (C)
d	désoxy
DAG	Diacylglycérol
dd	didésoxy
DHF	Dihydrofolate
DHFR	Dihydrofolate réductase
DOPA	L-3,4-Dihydroxy-phénylalanine
e^-	Electron
EF	*Elongation factor* : facteur d'élongation
EGF	*Epidermal Growth Factor* : facteur de croissance épidermique
RE	reticulum endoplasmique
FAD(H_2)	Flavine adénine dinucléotide (forme réduite)
FMN	Flavine mononucléotide
G	Guanine
GABA	Acide γ-aminobutyrique
Gal	Galactose
GAP	Glycéraldéhyde-3-phosphate
GAPDH	Glycéraldéhyde-3-phosphate déshydrogénase
GDP	Guanosine diphosphate
Gla	γ-Carboxyglutamate
Glc	Glucose
Gln	Glutamine (Q)
Glu	Acide glutamique
Gly	Glycine (G)
GMP	Guanosine monophosphate
GTP	Guanosine triphosphate
Hb	Hémoglobine
HDL	*high density lipoprotein*
His	Histidine (H)
HMG-CoA	3-Hydroxy-3-méthylglutaryl-CoA
hnRNA	ARN nucléaire hétérogène
Hyp	4-Hydroxyproline
IF	*Initiation factor* : facteur d'initiation
IFN	Interféron
Ig	Immunoglobuline
IL	Interleucine
Ile	Isoleucine (I)
IP_3	Inositol-1,4,5-*tris*phosphate
K_M	Constante de Michaelis
kpb	kilopaire de bases
kDa	kilodalton
K_D	Constante de dissociation
k_{cat}	Constante catalytique
LDH	Lactate déshydrogénase
LDL	*low density lipoprotein*
Leu	Leucine (L)
Lys	Lysine (K)
Man	Mannose
Mb	Myoglobine
Met	Méthionine (M)
MHC	*major histocompatibility complex* : complexe majeur d'histo-compatibilité
NAD(P)$^+$	Nicotinamide adénine dinucléotide (phosphate)
NAD(P)H	Nicotinamide adénine dinucléotide (phosphate), forme réduite
P_i	Orthophosphate (« phosphate inorganique »)
PAGE	gel d'électrophorèse sur polyacrylamide
pb	paire de bases
PCR	*polymerase chain reaction* : réaction de polymérisation en chaîne
PFK	Phosphofructokinase
PDGF	*platelet-derived growth factor*
Phe	Phénylalanine (F)
PIP_2	Phosphatidylinositol-4,5-*bis*phosphate
PLP	Phosphate de pyridoxal
PP_i	Pyrophosphate
Pro	Proline (P)
PRPP	5-Phosphoribosyl-pyrophosphate
Q	Ubiquinone
QH_2	Ubiquinol
RF	*release factor*: facteur de terminaison
RFLP	Polymorphisme de longueur de fragments de restriction
RMN	résonance magnétique nucléaire
SAM	*S*-Adénosylméthionine
SDS	*sodium dodecyl sulfate*: dodécylsulfate de sodium
Ser	Sérine (S)
siRNA	*small interfering* RNA : petits ARN d'interférence
snRNA	*small nuclear* RNA : petits ARN nucléaires
snRNP	*small ribonuclear protein* : petites ribonucléoprotéines
SRP	*signal recognition particle*: particules de reconnaissance du signal
T	Thymine
THF	Tétrahydrofolate
Thr	Thréonine (T)
TPP	Thiamine pyrophosphate
Trp	Tryptophane (W)
TTP	Thymidine triphosphate
Tyr	Tyrosine (Y)
U	Uracile
UDP	Uridine diphosphate
V_{max}	vitesse maximale
Val	Valine (V)

Unités

Préfixes du système international (SI)

facteur	préfixe	symbole
10^9	giga-	G
10^6	mega-	M
10^3	kilo-	k
10^{-3}	milli-	m
10^{-6}	micro-	μ
10^{-9}	nano-	n
10^{-12}	pico-	p
10^{-15}	femto-	f

Constantes physiques

constante	symbole	valeur
masse atomique (Dalton)*	Da	$1{,}661 \cdot 10^{-24}$g
constante d'Avogadro	N_A	$6{,}022 \cdot 10^{23}$ mol^{-1}
constante de Boltzmann	k_B	$1{,}381 \cdot 10^{-23}$ J/K
constante de Faraday	F	96 485 J/(V · mol)
constante des gaz parfaits	R	8,314 J/(mol · K)
constante de Planck	h	$6{,}626 \cdot 10^{-34}$ J · s

* Le symbole officiel est « uma ». Dans le texte, on trouvera par exemple comme indication de masse moléculaire « 40 Dalton ». Pour des masses moléculaires plus élevées, le symbole kDa pour 10^3 Dalton a été utilisé, par exemple 50 kDa pour 50 000 Dalton.

Unités courantes

symbole	nom	équivalences	symbole	nom
Å	ångström	1 Å = 10^{-10} m	K	Kelvin
atm	atmosphère	1 atm = $1{,}013 \cdot 10^5$ Pa	l ou L	litre
bar	bar	1 bar = 10^5 Pa	M	molaire (mol/L)
°C	degré Celsius	°C = K – 273	m	mètre
cal	calorie	1 cal = 4,184 J	min	minute
g	gramme		mol	mole
J	joule		Pa	pascal
s	seconde		V	volt

Nomenclature des bases, nucléosides et nucléotides dans les acides nucléiques

	bases	purine		pyrimidine		
		adénine (A)	**guanine** (G)	**thymine** (T)	**uracile** (U)	**cytosine** (C)
ARN	**ribonucléoside**	adénosine	guanosine	–	uridine	cytidine
	ribonucléotide	adénylate	guanylate	–	uridylate	cytidylate
	ou **ribonucléoside-5'-monophosphate**	*ou* adénosine monophosphate	*ou* guanosine monophosphate	–	*ou* uridine monophosphate	*ou* cytidine monophosphate
	monophosphate	AMP	GMP	–	UMP	CMP
	diphosphate	ADP	GDP		UDP	CDP
	triphosphate	ATP	GTP		UTP	CTP
ADN	**désoxyribonucléoside**	désoxyadénosine	désoxyguanosine	(désoxy)thymidine*	–	désoxycytidine
	désoxyribonucléotide	désoxyadénylate	désoxyguanylate	(désoxy)thymidylate*	–	désoxycytidylate
	ou **désoxyribonucléoside-5'-monophosphate**	*ou* désoxyadenosine monophosphate	*ou* désoxyguanosine monophosphate	*ou* (désoxy)thymidine monophosphate*	–	*ou* désoxycytidine monophosphate
	monophosphate	dAMP	dGMP	dTMP	–	dCMP
	diphosphate	dADP	dGDP	dTDP		dCDP
	triphosphate	dATP	dGTP	dTTP		dCTP

*Le préfixe « désoxy » est habituellement omis.

Références des figures

Ci-dessous se trouvent les sources correspondant aux figures dont les légendes sont marquées par [RF].

Figures

[1.10] modifié d'après : Nelson D, Cox M (2001) Lehninger Biochemie. 3e édition. Springer Verlag, Berlin, *fig.* 3.9

[2.20] modifié d'après : Alberts B, Johnson A, Lewis J, Raff M, Roberts K, Walter P (2004) *Molekularbiologie der Zelle.* 4e édition Wiley-VCH Verlag, Weinheim, *fig.* 6.21

[3.5a] extrait du : *Lexikon der Biologie*, Bd. 5 (2000), Elsevier/ Spektrum Akademischer Verlag, Heidelberg

[3.6] modifié d'après : Cooper GM, Hausmann RE (2004) *The Cell : a Molecular Approach.* 3e édition ASM Press, Washington, *fig.* 1.8

[3.8] modifié d'après : Karp G (2002) *Cell and Molecular Biology.* 3e édition, JohnWiley & Sons, New York, p. 26, *fig.* 1

[3.9] Photo de chondroblaste du Dr. H. Jastrow, extraite de l'Atlas de microscopie électronique du Dr. Jastrows (www.drjastrow.de). *E. coli* extrait du : *Lexikon der Biologie*, Bd. 5 (2000), Elsevier/Spektrum Akademischer Verlag, Heidelberg

[3.14a] extrait du : *Lexikon der Biologie*, Bd. 9 (2002), Elsevier/ Spektrum Akademischer Verlag, Heidelberg

[3.18] avec la permission amicale de *Nature* et de Alexey Khodjakov, Wadsworth Center, Albany, NY

[3.19] modifié d'après : Vander AJ, Sherman JH, Luciano DS (1994) *Human Physiology.*, 6e édition McGraw-Hill, Inc, New York, *fig.* 1.1

[3.20a,b] avec la permission amicale de la Max-Planck-Gesellschaft zur Förderung der Wissenschaften, Munich

[3.21a] avec la permission amicale de la Max-Planck-Gesellschaft zur Förderung der Wissenschaften, Munich

[3.21b] avec la permission amicale de Phillip B. Messersmith, Northwestern University, Evanston, IL

[3.25] modifié d'après : [2.20], *fig.* 2.38

[3.33] modifié d'après : Mathews CK, van Holde KE, Ahern KG (2000) Biochemistry. 3e édition Benjamin Cummings, San Francisco, *fig.* 1.3

[4.8] modifié d'après: [2.20], *fig.* 3.76

[4.13] modifié d'après: [2.20], *fig.* 3.28

[5.9] modifié d'après: Dickerson RE, Geis I (1969) *The Structure and Action of Proteins.* Benjamin Cummings, San Francisco

[5.10] modifié d'après [5.9]

[5.13] modifié d'après [5.9]

[5.18] modifié d'après [8.1], *fig.* 6.20

[5.25] avec la permission amicale de Jean-Yves Sgro, Université du Wisconsin

[5.26] Radford SE (2000) *Trends Biochem Sci* 25: 611618

[5.30] Coordonnées pour la structure protéique extrait de : *Protein Data Bank, Research Collaboratory for Structural Bioinformatics*, USA

[6.10] avec la permission amicale de Steffen Gross, Université Francfort

[6.12] avec la permission amicale de Julio Celis, Université Aarhus

[6.13] modifié d'après : Lottspeich F, Zorbas H (1998) *Bioanalytik.* SpektrumAkademischer Verlag, Heidelberg, *fig.* 11.1

[7.6] avec la permission amicale de Michael Karas, Université Francfort

[7.7] avec la permission amicale de Carola Hunte, Max-Planck-Institut für Biophysik, Francfort

[7.8] avec la permission amicale de Carola Hunte, Max-Planck-Institut für Biophysik, Francfort (part a); modifié d'après [3.33], *fig.* 4A-4 (part b)

[7.9] avec la permission amicale de Carola Hunte, Max-Planck-Institut für Biophysik, Francfort

[7.11] avec la permission amicale de Christian Lücke, Max-Planck-Forschungsstelle für Enzymologie der Proteinfaltung, Halle

[7.12] avec la permission amicale de Christian Lücke, Max-Planck-Forschungsstelle für Enzymologie der Proteinfaltung, Halle

[8.1] modifié d'après : Voet D, Voet JG, Pratt CW (2002) *Lehrbuch der Biochemie.* Wiley-VHC Verlag, Weinheim, *fig.* 6.17

[8.5b] avec la permission amicale de Bernie Sattin, Université de Toronto

[8.8] avec la permission amicale de James Bristow, Université de San Francisco et du Journal of Clinical Investigation

[8.10b] modifié d'après [2.20], *fig.* 19.39

[8.12] Yurchenco PD, Schittny JC (1990) FASEB J 4:1577–1590

[8.13] Aumailley M, Rousselle, P (1999) Matrix Biol 18:19–28

[9.2] Avec la permission de l'Agence Photo Focus, Hamburg

[9.6] Spudich JA (2001) *Nat. Rev. Mol. Cell. Biol.* 2:387–392

[9.13] Blake DJ, Kröger S (2000) *Trends Neurosci* 23:92–99

[10.9] modifié d'après [8.1], *fig.* 7.10

[10.12] modifié d'après : Monod J, Wyman J, Changeux JP (1965) *J. Mol. Biol.* 12:88–118

[10.13] modifié d'après: Koshland DL Jr, Nemethy G, Filmer D (1966) *Biochemistry* 5:365–385

[10.18] Wishner BC, Ward KB, Lattman EE, Love WE (1975) *J. Mol. Biol.* 98:192–194

[11.1b] Coordonnées pour la structure protéique comme pour [5.30]

[12.5] modifié d'après : Koolman J, Röhm, KH (1998) *Taschenatlas der Biochemie.* 2e édition, Georg Thieme Verlag, Stuttgart, p. 89

[12.17] Coordonnées pour la structure protéique comme pour [5.30]

[13.3] modifié d'après : Segel IH (1975) *Enzyme Kinetics : Behaviour and Analysis of Rapid Equilibrium and Steady-state Enzyme Systems.* 1e édition John Wiley, New York, p. 27

[13.17] Coordonnées pour la structure protéique comme pour [5.30]

[13.20] Weber IT, Johnson LN, Wilson KS, Yeates DG, Wild DL, Jenskins JA (1978) *Nature* 274: 433–437

[14.1] avec la permission amicale de The Wellcome Library, London

[14.2] Davie E (1995) Thromb Haemost 74:1–6

[14.7a] Weisel JW (1986) *Biophys. J.* 50: 1079–1093

[15.3] Hardison RC (1996) *Proc. Natl. Acad. Sci.* USA 93:5675–5679

[15.8] Coordonnées pour la structure protéique comme pour [5.30]

[15.9] Coordonnées pour la structure protéique comme pour [5.30]

[15.11] Coordonnées pour la structure protéique comme pour [5.30]

[16.10] modifié d'après : Grosjean H, Szweykowska-Kulinska Z, Motorin Y, Fasiolo F, Simos G (1997) *Biochimie* 79:293–302

[16.11] avec la permission amicale de Hans Hirsiger, Université de Bern

[16.16] modifié d'après : Blattner FR, Plunkett G, Bloch CA, Perna NT, Burland V, Riley M, Collado-Vides J, Glasner JD, Rode CK, Mayhew GF, Gregor J, Davis NW, Kirkpatrick HA, Goeden MA, Rose DJ, Mau B, Shao Y (1997) *Science* 277:1453–1474

[18.4] modifié d'après : Shi H, Moore PB (2000) *RNA* 6:1061–1105

[18.8] modifié d'après [3.6], *fig.* 8.28

[19.8] modifié d'après [3.6], *fig.* 8.7

[19.18] modifié d'après [2.20], *fig.* 12.53

[19.20] modifié d'après [2.20], *fig.* 13.21

[19.33] modifié d'après : Goldberg LA, Elledge SJ, Harper JW (2001) *Scientific American* Januar: 56–61

[20.4] modifié d'après : Schultz SC, Shields GC, Steitz TA (1991) *Science* 253:1001–1007; Busby R, Ebright RH (1999) *J. Mol. Biol.* 293:199–213

[20.6] Yanofsky C (2000) *J. Bacteriol.* 182:1–8

[20.10] modifié d'après [2.20], *fig.* 7.7

[20.15] modifié d'après [3.6], *fig.* 6.27

[20.16] modifié d'après : Veraska A, del Campo M, McGinnis W (2000) *Mol. Genet. Metabol.* 69:85–100

[20.18] modifié d'après : Schumacher MA, Goodman RH, Brennan RG (2000) *J. Biol. Chem.* 275:35242–35247

[20.23] modifié d'après [3.6], *fig.* 6.38

[21.5] modifié d'après : Boye E, Lobner-Olesen A, Skarstad K (2000) EMBO Rep 1:479–483

[21.17] modifié d'après :Sixma TK (2001) *Curr. Opin. Struct. Biol.* 11:47–52

[21.18] modifié d'après : Lehninger AL, Nelson DL, Cox MM (1994) *Prinzipien der Biochemie.* 2e édition, Spektrum Akademischer Verlag, Heidelberg, *fig.* 23.10

[21.19] modifié d'après: Berger JM (1998) *Biochim. Biophys.* Acta 1400:3–18

[21.21] modifié d'après : Knippers R (2001) *Molekulare Genetik.* 8e édition Georg Thieme Verlag, Stuttgart, *fig.* 16.5

[21.22] modifié d'après : Krude T (1999) *Eur. J. Biochem.* 263:1–5

[22.2] avec la permission amicale de MBI Fermentas

[22.13] avec la permission amicale de E. Brude, Université de Francfort

[22.20] modifié d'après : Dingermann T (1999) *Gentechnik, Biotechnik*. Wissenschaftliche Verlags gesellschaft, Stuttgart, *fig.* 2-4-22

[22.25] modifié d'après [22.20], *fig.* 2-4-33

[23.3] modifié d'après [3.6], *fig.* 5.18, 5.19

[23.8] modifié d'après : Petit C, Sancar A (1999) *Biochimie* 81:15–25

[23.9] modifié d'après [21.21], *fig.* 9.10

[23.15] modifié d'après [3.6], *fig.* 5.28

[23.18] modifié d'après [3.33], *fig.* 25.33

[23.20] modifié d'après [3.6], *fig.* 5.47

[23.25] modifié d'après [3.6], *fig.* 5.48

[23.30] Données d'après : Venter et al. (2001) *Science* 291:1304–1351; International Human Genome Consortium (2001) *Nature* 409:860–921

[24.3] modifié d'après : Berg JM, Tymoczko JL, Stryer L(2003) *Biochemie*. 5e édition, Spektrum Akademischer Verlag, Heidelberg, *fig.* 12.14

[24.7] modifié d'après [3.6], *fig.* 12.15

[24.11] modifié d'après [3.6], *fig.* 9.19

[25.1] Données extraites de : Engelman TA, Steitz TA, Goldman A (1986) *Annu. Rev. Biophys. Biophys. Chem.* 15:321–353

[25.4] Coordonnées pour la structure protéique comme pour [5.30]; Weiss MS, Schulz GE (1992) *J. Mol. Biol.* 231:817–824

[25.5] Données extraites de : Eisenberg D (1984) *Annu. Rev. Biochem.* 53:595–624

[25.13] modifié d'après [2.20], *fig.* 11.7

[25.16] modifié d'après [3.6], *fig.* 12.32

[26.6] modifié d'après [3.19], *fig.* 17.18

[26.7] modifié d'après : Lanyi JK (1997) *J. Biol. Chem.* 272:31209–31212

[26.9] modifié d'après : Unwin N (1989) *Neuron* 3:665–676

[26.10] Coordonnées pour la structure protéique comme pour [5.30]

[26.18] modifié d'après [24.3], *fig.* 13.18

[27.2] modifié d'après [3.19], *fig.* 8.6

[27.8] modifié d'après: Hodgkin AL, Huxley AF (1952) *J. Physiol.* 117:500–544

[27.11] modifié d'après [2.20], *fig.* 11.30

[27.16] modifié d'après: Reddy DS (2003) *Trends Pharmacol. Sci.* 24:103–106

[27.18] modifié d'après: Kandel ER, Schwartz JH, Jessell TM (2000) *Principles of Neural Science.*, 4e édition McGraw-Hill, New York, *fig.* 63.13

[27.19] modifié d'après [3.33], p. 351

[28.2] modifié d'après [3.6], *fig.* 13.1

[28.3] voir [28.2]

[28.5] modifié d'après: Alberts B, Bray D, Lewis J, Raff M, Roberts K, Watson JD (1994) *Molecular Biology of the Cell.* 3e édition Garland Publishing, New York, *fig.* 15.42

[28.17] modifié d'après [2.20], *fig.* 15.18

[29.10] modifié d'après [3.6], *fig.* 13.21

[29.15] modifié d'après: Sharpe LT, Stockman A, Jägle H, Nathans J. In: Gegenfurtner KR, Sharpe LT (1999) *Color Vision: from Genes to Perception.* Cambridge University Press, Cambridge, p. 3-51

[29.18] modifié d'après: Schäfer BW, Heizmann CW (1996) *Trends Biochem. Sci.* 21:135-140

[29.19] avec la permission amicale de Mark Evans, Université St. Andrews, Fife, UK

[30.2] modifié d'après [2.20] , *fig.* 15.49

[30.14] modifié d'après [3.6] , *fig.* 15.23

[30.19] modifié d'après: Cooper GM (2000) *The Cell: a Molecular Approach.* 2e édition, ASM Press, Washington, *fig.* 13.3

[31.2] modifié d'après [3.6] , *fig.* 11.39

[31.3] modifié d'après: Alberts B, Bray D, Lewis J, Raff M, Roberts K, Watson JD (1994) *Molecular Biology of the Cell.* 3e édition, Garland Publishing, New York, *fig.* 16.23

[31.5] modifié d'après [3.6], *fig.* 11.40

[31.7] modifié d'après [3.6], *fig.* 11.34

[31.8] voir [31.7]

[31.10] modifié d'après [3.6] , *fig.* 12.62

[31.16] modifié d'après [3.6] , *fig.* 11.8

[31.17] voir [31.16]

[31.18] modifié d'après [3.6], *fig.* 11.9

[31.19] modifié d'après [3.6], *fig.* 11.17

[31.20] modifié d'après [3.6], *fig.* 11.14

[31.22] modifié d'après [3.6], *fig.* 11.11

[31.25] modifié d'après [31.3], *fig.* 16.71

[32.6] modifié d'après: Ohi R, Gould KL (1999) *Curr. Opin. Cell. Biol.* 11:267–273

[32.15] avec la permission amicale de Mark Blaxter, Université Edinburgh; modifié d'après: Sulston JE, Horvitz HR (1977) *Dev. Biol.* 56:110–156

[33.1] modifié d'après [2.20], *fig.* 25.41

[33.7] modifié d'après [2.20], *fig.* 24.49

[33.8] Ghendler Y, Teng MK, Liu JH, Witte T, Liu J, Kim KS, Kern P, Chang HC, Wang JH, Reinherz EL (1998) *Proc. Natl. Acad. Sci.* USA 95 :10061–10066

[33.10] modifié d'après : Campbell NA, Reece JB (2003) *Biologie.* 6e édition, Spektrum Akademischer Verlag, Heidelberg, *fig.* 43.4

[33.22] modifié d'après : [2.20], *fig.* 24.32

[33.23] He XM, Ruker F, Casale E, Carter DC (1992) *Proc. Natl. Acad. Sci.* USA 89:7154–7158

[36.1] modifié d'après : Zhou ZH, McCarthy DB, O'Connor CM, Reed LJ, Stoops JK (2001) *Proc. Natl. Acad. Sci.* USA 98:14802-14807

[37.9] Coordonnées pour la structure protéique comme pour [5.30]

[37.15] modifié d'après: Lodish H, Berk A, Zipursky SL, Matsudaira P, Baltimore D, Darnell J (2001) *Molekulare Zellbiologie.* 4e édition Spektrum Akademischer Verlag, Heidelberg, *fig.* 16.17

[39.7] Coordonnées pour la structure protéique comme pour [5.30]

[40.2] Photos du Prof. H. Wartenberg extraites de l'Atlas de microscopie électronique du Dr. Jastrows (www.drjastrow.de).

[40.10] Mel'endez R, Mel'endez-Hevia E, Canela EI (1999) *Biophys. J.* 77:1327-1332

[42.12] modifié d'après [3.33], *fig.* 18.7

[45.13] modifié d'après : Thelander L, Reichard P (1979) *Annu. Rev. Biochem.* 48:133-158

[46.8] modifié d'après : Zubay G L (2000) *Biochemie.* McGraw-Hill, London, *fig.* 27-5

[46.11] modifié d'après [3.33], *fig.* 23.4

Index

B

D

E

N

S

T

U

49747-(I)-(4)-CSB 80°-TRE-MNL
Dépôt légal : mai 2007
Imprimé en France par I.M.E. 25110 Baume-les-Dames

La première imprimerie en France titulaire de :
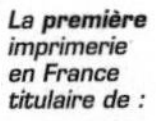